DERMATOLOGIA DE *Fitzpatrick*

Tradução:
André Garcia Islabão

Revisão Técnica:
Gabriela Fortes Escobar
Médica dermatologista e preceptora da Residência em Dermatologia do Hospital de Clínicas de Porto Alegre (HCPA). Mestre em Ciências Médicas pela Universidade Federal do Rio Grande do Sul (UFRGS).

Renan Rangel Bonamigo
Médico dermatologista. Professor do Departamento de Medicina Interna da UFRGS / Serviço de Dermatologia do HCPA. Professor orientador do Programa de Pós-Graduação em Patologia da Universidade Federal de Ciências da Saúde de Porto Alegre (UFCSPA). Coordenador do Programa de Residência em Dermatologia do Ambulatório de Dermatologia Sanitária do Rio Grande do Sul. Mestre e Doutor em Ciências Médicas pela UFRGS.

D435 Dermatologia de Fitzpatrick : atlas e texto / Klaus Wolff... [et al.] ; tradução: André Garcia Islabão ; revisão técnica: Gabriela Fortes Escobar, Renan Rangel Bonamigo. – 8. ed. – Porto Alegre : AMGH, 2019.
xxxix, 928 p. : il. color. ; 23 cm.

ISBN 978-85-8055-623-0

1. Dermatologia. I. Wolff, Klaus.

CDU 616.5

Catalogação na publicação: Karin Lorien Menoncin – CRB 10/2147

Klaus Wolff, MD, FRCP
Professor and Chairman Emeritus
Department of Dermatology
Medical University of Vienna
Chief Emeritus, Dermatology Service
General Hospital of Vienna
Vienna, Austria

Arturo P. Saavedra, MD, PhD, MBA
Associate Professor of Dermatology
Massachusetts General Hospital
Vice Chair for Clinical Affairs
Harvard Medical School
Boston, Massachusetts

Richard Allen Johnson, MDCM
Associate Professor of Dermatology
Massachusetts General Hospital
Harvard Medical School
Boston, Massachusetts

Ellen K. Roh, MD
Instructor in Dermatology
Massachusetts General Hospital
Boston, Massachusetts

DERMATOLOGIA DE *Fitzpatrick*
ATLAS E TEXTO
8ª Edição

AMGH Editora Ltda.

Porto Alegre
2019

Obra originalmente publicada sob o título
Fitzpatrick's color atlas and synopsis of clinical dermatology, 8th Edition
ISBN 1259642194 / 9781259642197

Original edition copyright ©2017, McGraw-Hill Global Education Holdings, LLC. All rights reserved.
Portuguese language translation copyright ©2019, AMGH Editora Ltda., a Grupo A Educação S.A. company.
All rights reserved.

Gerente editorial: *Letícia Bispo de Lima*

Colaboraram nesta edição:

Coordenador editorial: *Alberto Schwanke*

Editora: *Tiele Patricia Machado*

Preparação de originais: *Maria Regina Lucena Borges-Osorio, Pietra Cassol Rigatti, Sandra da Câmara Godoy*

Leitura final: *Thaís Amaral Wortmann*

Editoração: *Clic editoração Eletrônica Ltda.*

Nota

A medicina é uma ciência em constante evolução. À medida que novas pesquisas e a própria experiência clínica ampliam o nosso conhecimento, são necessárias modificações na terapêutica, onde também se insere o uso de medicamentos. Os autores desta obra consultaram as fontes consideradas confiáveis, num esforço para oferecer informações completas e, geralmente, de acordo com os padrões aceitos à época da publicação. Entretanto, tendo em vista a possibilidade de falha humana ou de alterações nas ciências médicas, os leitores devem confirmar estas informações com outras fontes. Por exemplo, e em particular, os leitores são aconselhados a conferir a bula completa de qualquer medicamento que pretendam administrar, para se certificar de que a informação contida neste livro está correta e de que não houve alteração na dose recomendada nem nas precauções e contraindicações para o seu uso. Essa recomendação é particularmente importante em relação a medicamentos introduzidos recentemente no mercado farmacêutico ou raramente utilizados.

Reservados todos os direitos de publicação, em língua portuguesa, à
AMGH EDITORA LTDA., uma parceria entre GRUPO A EDUCAÇÃO S.A.
e McGRAW-HILL EDUCATION
Av. Jerônimo de Ornelas, 670 – Santana
90040-340 – Porto Alegre – RS
Fone: (51) 3027-7000   Fax: (51) 3027-7070

SÃO PAULO
Rua Doutor Cesário Mota Jr., 63 – Vila Buarque
01221-020 – São Paulo – SP
Fone: (11) 3221-9033

SAC 0800 703-3444 – www.grupoa.com.br

É proibida a duplicação ou reprodução deste volume, no todo ou em parte, sob quaisquer formas ou por quaisquer meios (eletrônico, mecânico, gravação, fotocópia, distribuição na Web e outros), sem permissão expressa da Editora.

IMPRESSO NO BRASIL
PRINTED IN BRAZIL

Esta 8ª edição do
Dermatologia de Fitzpatrick: atlas e texto
é dedicada aos residentes de dermatologia no mundo inteiro.

AGRADECIMENTOS

Nossa secretária, Renate Kosma, trabalhou arduamente para satisfazer às demandas dos autores. Na equipe atual da McGraw-Hill, apreciamos os conselhos de Karen Edmonson e Robert Pancotti.

Karen foi a força propulsora desta edição. Sua boa índole, capacidade de julgamento, lealdade aos autores e, acima de tudo, paciência, nos ajudou a fazer um livro ainda melhor.

PREFÁCIO

"Tempo é mudança; medimos sua passagem pelo quanto as coisas se alteram."
Nadine Gordimer

Em 1983, foi lançada a 1ª edição deste livro, a qual foi ampliada de forma a acompanhar os principais avanços que ocorreram na dermatologia nas últimas três décadas e meia. A dermatologia é, atualmente, uma das especialidades médicas mais procuradas, pois a carga de doenças cutâneas cresceu enormemente, e as muitas terapias inovadoras disponíveis hoje em dia atraem grande número de pacientes.

Dermatologia de Fitzpatrick: atlas e texto tem sido usado por milhares de médicos da atenção primária, residentes de dermatologia, dermatologistas, internistas e outros profissionais de saúde, principalmente porque facilita o diagnóstico dermatológico ao oferecer fotografias coloridas de lesões cutâneas e, junto com elas, um resumo dos distúrbios da pele e dos sinais cutâneos de doenças sistêmicas.

Esta 8ª edição foi extensamente revisada, reescrita e ampliada com novos conteúdos. Cerca de 30% das imagens antigas foram substituídas por novas e foram acrescentadas imagens adicionais. Há uma atualização completa sobre a etiologia, patogênese, manejo e terapias dermatológicas.

Para visualizar o *hotsite* exclusivo, que inclui vídeos legendados sobre biópsia com *punch* e por raspagem (*shaving*), acesse apoio.grupoa.com.br/fitzpatrick8ed

SUMÁRIO

PARTE I DISTÚRBIOS DA PELE E DAS MEMBRANAS MUCOSAS 1

SEÇÃO 1
DISTÚRBIOS DAS GLÂNDULAS SEBÁCEAS, ÉCRINAS E APÓCRINAS 2

Acne vulgar (acne comum) e acne cística	2
Rosácea	8
Dermatite periorificial	12
Miliária	14
Hiperidrose	14
Cromidrose e bromidrose	15
Hidradenite supurativa	15
Doença de Fox-Fordyce	19

SEÇÃO 2
ECZEMA/DERMATITE 20

Dermatite de contato	20
Dermatite de contato por irritante (DCI)	20
Dermatite de contato por irritante aguda	21
Dermatite de contato por irritante crônica	23
Formas especiais de dermatite de contato por irritante (DCI)	25
Dermatite de contato alérgica (DCA)	25
Formas especiais de dermatite de contato alérgica (DCA)	29
Dermatite de contato alérgica causada por plantas	29
Outras formas especiais de dermatite de contato alérgica (DCA)	32
DCA sistêmica	32
DCA propagada pelo ar	32
Dermatite atópica	34
Algoritmo sugerido para o tratamento da dermatite atópica (DA)	40
Líquen simples crônico (LSC)	40
Prurigo nodular (PN)	42
Dermatite eczematosa disidrótica	43
Eczema numular	44
Dermatite por autossensibilização	45
Dermatite seborreica (DS)	46
Dermatite asteatótica	49

SEÇÃO 3

PSORÍASE, DERMATOSES PSORIASIFORMES E PITIRIASIFORMES — 50

Psoríase — 50
    Psoríase vulgar — 50
    Psoríase pustulosa — 57
    Pustulose palmoplantar — 57
    Psoríase pustulosa aguda generalizada (von Zumbusch) — 57
    Eritrodermia psoriásica — 59
    Artrite psoriásica — 59
    Tratamento da psoríase — 59
Pitiríase rubra pilar (PRP) — 62
Pitiríase rósea — 65
Parapsoríase em placas (PP) — 67
Pitiríase liquenoide (PL) (aguda e crônica) — 70

SEÇÃO 4

ICTIOSES — 72

Ictiose vulgar dominante (IVD) — 72
Ictiose recessiva ligada ao X (IRLX) — 75
Ictiose lamelar (IL) — 77
Hiperceratose epidermolítica (HE) — 79
Ictiose do recém-nascido — 80
    Bebê colódio — 80
    Feto arlequim — 81
Ictioses sindrômicas — 82
Ictioses adquiridas — 84
Ceratodermias hereditárias das palmas e das plantas — 84

SEÇÃO 5

OUTROS DISTÚRBIOS EPIDÉRMICOS — 87

Acantose *nigricans* (AN) — 87
Doença de Darier (DD) — 89
Doença de Grover (DG) — 91
Doença de Hailey-Hailey (pênfigo familiar benigno) — 92
Poroceratose actínica superficial disseminada (PASD) — 93
Outras poroceratoses — 93

SEÇÃO 6

DOENÇAS BOLHOSAS GENÉTICAS E ADQUIRIDAS — 94

Epidermólise bolhosa (EB) hereditária — 94
Pênfigo — 100
Penfigoide bolhoso (PB) — 106
Penfigoide cicatricial — 108
Penfigoide gestacional (PG) — 109
Dermatite herpetiforme (DH) — 110
Dermatose por IgA linear (DAL) — 112
Epidermólise bolhosa adquirida (EBA) — 114

SEÇÃO 7
DOENÇAS MEDIADAS POR NEUTRÓFILOS — 115

Pioderma gangrenoso (PG) — 115
Síndrome do *bypass* intestinal (síndrome de dermatose-artrite associada ao intestino) — 118
Síndrome de Sweet (SS) — 119
Granuloma facial (GF) — 121
Síndrome do eritema nodoso (EN) — 122
Outras paniculites — 124
Perniose (eritema pérnio) — 126

SEÇÃO 8
O PACIENTE AGUDAMENTE ENFERMO E HOSPITALIZADO — 127

Síndrome da eritrodermia esfoliativa (SEE) — 127
Erupções cutâneas no paciente enfermo e febril — 132
Síndrome de Stevens-Johnson (SSJ) e necrólise epidérmica tóxica (NET) — 136

SEÇÃO 9
HIPERPLASIAS E NEOPLASIAS BENIGNAS — 141

Distúrbios dos melanócitos — 141
   Nevos melanocíticos (NMs) adquiridos — 141
   Nevo melanocítico com halo — 146
   Nevo azul — 148
   Nevo *spilus* — 149
   Nevo de Spitz — 151
   Mancha mongólica — 152
   Nevo de Ota — 153
Tumores e malformações vasculares — 154
Tumores vasculares — 155
   Hemangioma da infância (HI) — 155
   Granuloma piogênico — 158
   Tumor glômico — 159
Malformações vasculares — 160
Malformações capilares (MCs) — 160
   Mancha vinho do Porto (MVP) — 160
   Angioma aracneiforme — 162
   Lago venoso — 163
   Angioma em cereja — 164
   Angioceratoma — 165
Malformações linfáticas — 167
   Linfangioma — 167
Malformações capilares/venosas (MCVs) — 168
Cistos e pseudocistos variados — 170
   Cisto epidermoide — 170
   Cisto triquilemal — 171
   Cisto de inclusão epidérmica — 171
   Milium — 172
   Cisto mixoide digital — 173

Hiperplasias e neoplasias benignas variadas	174
Ceratose seborreica	174
Nevo de Becker (NB)	177
Tricoepitelioma	178
Siringoma	179
Cilindroma	180
Hiperplasia sebácea	181
Nevo sebáceo	181
Nevo epidérmico	182
Hiperplasias e neoplasias benignas da derme e dos tecidos subcutâneos	183
Lipoma	183
Dermatofibroma	184
Cicatrizes hipertróficas e queloides	185
Fibromatose digital infantil	188
Apêndice cutâneo	188

SEÇÃO 10
FOTOSSENSIBILIDADE, DISTÚRBIOS FOTOINDUZIDOS E DISTÚRBIOS POR RADIAÇÃO IONIZANTE — 189

Reações cutâneas à luz solar	189
Dano solar agudo (queimadura solar)	191
Fotossensibilidade induzida por fármacos/substâncias químicas	193
Fotossensibilidade fototóxica induzida por fármacos/substâncias químicas	194
Dermatite fototóxica sistêmica	194
Dermatite fototóxica tópica	196
Fitofotodermatite (FFD)	197
Fotossensibilidade fotoalérgica induzida por fármacos/substâncias químicas	199
Erupção polimorfa à luz (EPML)	202
Urticária solar	204
Dermatoses fotoexacerbadas	205
Fotossensibilidade metabólica – porfirias	205
Porfiria cutânea tarda	206
Porfiria variegada	210
Protoporfiria eritropoiética (PPE)	211
Fotodano crônico	213
Dermatoeliose ("fotoenvelhecimento")	213
Lentigo solar	215
Condrodermatite nodular da hélice	216
Ceratose actínica	217
Reações cutâneas à radiação ionizante	217
Dermatite por radiação	217

SEÇÃO 11
LESÕES PRÉ-CANCEROSAS E CARCINOMAS CUTÂNEOS — 221

Lesões pré-cancerosas e cânceres epidérmicos	221
Ceratose actínica	221
Corno cutâneo	225
Ceratoses arsenicais	225
Carcinoma espinocelular *in situ*	227

Carcinoma espinocelular invasivo	230
Ceratoacantoma	235
Carcinoma basocelular (CBC)	236
Síndrome do nevo basocelular (SNBC)	244
Tumores malignos de apêndices cutâneos	246
Carcinoma de células de Merkel	246

SEÇÃO 12
PRECURSORES DO MELANOMA E MELANOMA CUTÂNEO PRIMÁRIO — 248

Precursores do melanoma cutâneo	248
Nevo melanocítico displásico (ND)	248
Nevo melanocítico congênito (NMC)	253
Melanoma cutâneo	256
Melanoma *in situ* (MIS)	258
Lentigo maligno-melanoma (LMM)	260
Melanoma extensivo superficial (MES)	262
Melanoma nodular (MN)	267
Melanoma desmoplásico (MD)	270
Melanoma acrolentiginoso (MAL)	271
Melanoma amelanótico	273
Melanoma maligno da mucosa	274
Melanoma metastático	274
Estadiamento do melanoma	277
Prognóstico do melanoma	278
Tratamento do melanoma	278

SEÇÃO 13
DISTÚRBIOS PIGMENTARES — 280

Vitiligo	280
Albinismo oculocutâneo	287
Melasma	289
Alterações cutâneas pigmentares pós-inflamatórias	290
Hiperpigmentação	290
Hipopigmentação	293

PARTE II DERMATOLOGIA E MEDICINA INTERNA — 297

SEÇÃO 14
A PELE NAS DOENÇAS IMUNES, AUTOIMUNES, AUTOINFLAMATÓRIAS E REUMÁTICAS — 298

Urticária e angioedema	298
Síndrome do eritema multiforme (EM)	306
Criopirinopatias (CAPS)	311
Líquen plano (LP)	312
Doença de Behçet	317

Dermatomiosite	320
Lúpus eritematoso (LE)	324
Lúpus eritematoso sistêmico (LES)	326
Lúpus eritematoso cutâneo subagudo (LECS)	330
Lúpus eritematoso cutâneo crônico (LECC)	332
Paniculite lúpica crônica (PLC)	335
Livedo reticular	336
Fenômeno de Raynaud	337
Esclerodermia	339
Distúrbios tipo esclerodermia	343
Morfeia	343
Líquen escleroso e atrófico (LEA)	347
Vasculite	349
Vasculite por hipersensibilidade	349
Púrpura de Henoch-Schönlein	351
Poliarterite nodosa	352
Granulomatose com poliangeíte	353
Arterite de células gigantes	355
Vasculite urticariana	356
Vasculite nodular	357
Dermatoses purpúricas pigmentadas (DPP)	358
Doença de Kawasaki	359
Artrite reativa (anteriormente chamada síndrome de Reiter)	362
Sarcoidose	364
Granuloma anular (GA)	368
Amiloidose al sistêmica	370
Amiloidose aa sistêmica	372
Amiloidose cutânea localizada	372

SEÇÃO 15

DOENÇAS ENDÓCRINAS, METABÓLICAS E NUTRICIONAIS — 374

Doenças cutâneas associadas ao diabetes melito	374
Bolha diabética	375
"Pé diabético" e neuropatia diabética	376
Dermopatia diabética	377
Necrobiose lipoídica	378
Síndrome de Cushing e hipercortisolismo	379
Doença de Graves e hipertireoidismo	380
Hipotireoidismo e mixedema	380
Doença de Addison	382
Distúrbios metabólicos e nutricionais	383
Xantomas	383
Xantelasma	385
Xantoma tendinoso	385
Xantoma tuberoso	385
Xantoma eruptivo	387
Xantoma estriado palmar	388
Xantoma plano normolipêmico	389
Escorbuto	389
Deficiência adquirida de zinco e acrodermatite enteropática	391
Pelagra	393

Gota	394
Doenças cutâneas na gravidez	395
Colestase gestacional (CG)	396
Penfigoide gestacional (PG)	396
Erupção polimórfica da gravidez (EPG)	397
Prurigo gestacional e erupção atópica da gravidez (EAG)	398
Psoríase pustulosa na gestação	398
Manifestações cutâneas da obesidade	398

SEÇÃO 16

DOENÇAS GENÉTICAS — 399

Pseudoxantoma elástico	399
Esclerose tuberosa (ET)	400
Neurofibromatose (NF)	403
Telangiectasia hemorrágica hereditária	407

SEÇÃO 17

SINAIS CUTÂNEOS DE INSUFICIÊNCIA VASCULAR — 408

Aterosclerose, insuficiência arterial e ateroembolia	408
Tromboangeíte obliterante (TO)	412
Tromboflebite e trombose venosa profunda	413
Insuficiência venosa crônica (IVC)	414
Úlceras de perna/pé mais comuns	419
Vasculite livedoide (VL)	421
Insuficiência linfática crônica	422
Úlceras de pressão	423

SEÇÃO 18

SINAIS CUTÂNEOS DE INSUFICIÊNCIA RENAL — 426

Classificação das alterações cutâneas	426
Calcifilaxia	426
Dermopatia fibrosante nefrogênica (DFN)	428
Dermatoses perfurantes adquiridas	429

SEÇÃO 19

SINAIS CUTÂNEOS DE CÂNCERES SISTÊMICOS — 430

Sinais mucocutâneos de cânceres sistêmicos	430
Classificação dos sinais cutâneos do câncer sistêmico	430
Câncer metastático para a pele	431
Doença de Paget mamária	436
Doença de Paget extramamária	437
Síndrome de Cowden (síndrome dos hamartomas múltiplos)	438
Síndrome de Peutz-Jeghers	440
Síndrome do glucagonoma	441
Acantose *nigricans* maligna	443

Pênfigo paraneoplásico (PPN) (síndrome multiorgânica autoimune paraneoplásica) 443

SEÇÃO 20
SINAIS CUTÂNEOS DE DOENÇA HEMATOLÓGICA 444

Púrpura trombocitopênica 444
Coagulação intravascular disseminada 445
Crioglobulinemia 448
Leucemia cutânea 450
Histiocitose das células de Langerhans 453
Síndromes de mastocitose 457

SEÇÃO 21
LINFOMAS E SARCOMAS CUTÂNEOS 461

Leucemia/linfoma de células T do adulto 461
Linfoma cutâneo de células T (LCCT) 462
Micose fungoide (MF) 462
    Variantes da micose fungoide 468
    Síndrome de Sézary 470
Papulose linfomatoide 470
Linfoma de células cutâneas anaplásicas grandes (LCCAG) 472
Linfoma cutâneo de células B 473
Sarcoma de Kaposi (SK) 474
Angiossarcoma 479
Dermatofibrossarcoma protuberante (DFP) 480
Fibroxantoma atípico (FXA) 481

SEÇÃO 22
DOENÇAS CUTÂNEAS EM PACIENTES COM TRANSPLANTE DE ÓRGÃO OU DE MEDULA ÓSSEA 482

Infecções mais comumente associadas a transplante de órgão 482
Cânceres de pele associados a transplantes de órgão 483
Doença do enxerto contra hospedeiro (DECH) 483
    DECH cutânea aguda 484
    DECH cutânea crônica 487

SEÇÃO 23
REAÇÕES CUTÂNEAS ADVERSAS A FÁRMACOS 489

Reações cutâneas adversas a fármacos 489
Reações exantemáticas a fármacos 494
Erupções pustulosas 496
Urticária aguda, angioedema, edema e anafilaxia induzida por fármacos 498
Erupção fixa por fármacos 499
Síndrome de hipersensibilidade a fármacos 501
Pigmentação induzida por fármacos 502

Pseudoporfiria	505
Necrose relacionada a RCAF	506
RCAF relacionada a quimioterapia	509

SEÇÃO 24
DISTÚRBIOS DE ETIOLOGIA PSIQUIÁTRICA — 513

Síndrome dismórfica corporal (SDC)	513
Delírio de parasitose	513
Escoriações neuróticas e tricotilomania	515
Síndromes factícias (síndrome de Münchhausen)	517
Sinais cutâneos de uso de drogas injetáveis	518

PARTE III — DOENÇAS CAUSADAS POR AGENTES MICROBIANOS — 521

SEÇÃO 25
COLONIZAÇÕES E INFECÇÕES BACTERIANAS DA PELE E DOS TECIDOS MOLES — 522

Eritrasma	522
Ceratólise sulcada	524
Tricomicose	525
Intertrigo	526
Impetigo	528
Abscesso, foliculite, furúnculo e carbúnculo	533
Infecção de tecidos moles	541
Celulite	541
Infecção necrosante de tecidos moles	547
Linfangite	548
Infecção de feridas	550
Distúrbios causados por bactérias produtoras de toxinas	553
Síndrome da pele escaldada estafilocócica	553
Síndrome do choque tóxico	555
Escarlatina	556
Antraz cutâneo (carbúnculo de antraz)	557
Difteria cutânea	559
Infecções cutâneas por *Nocardia*	559
Riquetsioses	560
Febres maculosas transmitidas por carrapatos	561
Febre maculosa das Montanhas Rochosas	562
Riquetsiose variceliforme	563
Endocardite infecciosa	564
Sepse	566
Infecção meningocócica	567
Infecções por *Bartonella*	569
Doença da arranhadura do gato (DAG)	569
Angiomatose bacilar (AB)	571
Tularemia	572
Infecções cutâneas por *Pseudomonas aeruginosa*	573

Infecções micobacterianas	573
Hanseníase	574
Tuberculose cutânea	579
Infecções micobacterianas não tuberculosas	583
Infecção por *Mycobacterium marinum*	583
Infecção por *Mycobacterium ulcerans*	585
Infecções pelo complexo *Mycobacterium fortuitum*	586
Doença de Lyme	589

SEÇÃO 26

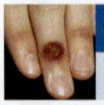

INFECÇÕES FÚNGICAS DA PELE, PELOS E UNHAS — 594

Introdução	594
Infecções fúngicas superficiais	594
Candidíase	594
Candidíase cutânea	595
Candidíase orofaríngea	598
Candidíase genital	602
Candidíase mucocutânea crônica	603
Candidíase disseminada	605
Pitiríase versicolor	606
Infecções por *Trichosporon*	611
Tinea nigra	612
Dermatofitoses	613
Tinea pedis	616
Tinea manuum	619
Tinea cruris	622
Tinea corporis	624
Tinea facialis	628
Tinea incognito	630
Dermatofitoses dos pelos	630
Tinea capitis	631
Tinea barbae	634
Granuloma de Majocchi	636
Infecções fúngicas invasivas e disseminadas	637
Micoses subcutâneas	637
Esporotricose	637
Feo-hifomicoses	639
Criptococose	641
Histoplasmose	642
Blastomicose	644
Coccidioidomicose	646
Peniciliose	647

SEÇÃO 27

DOENÇAS VIRAIS DA PELE E DAS MUCOSAS — 649

Introdução	649
Doenças causadas por poxvírus	649

Molusco contagioso	649
Orf humano	653
Nódulos do ordenhador	655
Varíola	655
Infecção pelo papilomavírus humano	656
Papilomavírus humano: doenças cutâneas	658
Infecções virais sistêmicas com exantemas	665
Rubéola	667
Sarampo	669
Infecções por enterovírus	671
Doença mão-pé-boca	671
Herpangina	673
Eritema infeccioso	674
Síndrome de Gianotti-Crosti	675
Arbovírus	676
Dengue	677
Chikungunya	678
Zika	679
Doença pelo herpes-vírus simples	679
Herpes simples extragenital	682
Herpes simples neonatal	686
Eczema herpético	688
Herpes simples com defeitos nos mecanismos de defesa do hospedeiro	690
Doença pelo vírus da varicela-zóster	693
VVZ: varicela	694
VVZ: herpes-zóster	696
VVZ: defeitos nos mecanismos de defesa do hospedeiro	701
Doença pelos herpes-vírus humano-6 e 7	704
Doença pelo vírus da imunodeficiência humana	706
Síndrome aguda pelo HIV	709
Foliculite eosinofílica	710
Erupção papuloprurigonosa do HIV	711
Fotossensibilidade na doença pelo HIV	712
Leucoplasia pilosa oral (LPO)	712
Reações cutâneas adversas a fármacos na doença pelo HIV	713
Variações nos distúrbios mucocutâneos comuns na doença pelo HIV	717

SEÇÃO 28

PICADAS, FERROADAS E INFESTAÇÕES CUTÂNEAS POR ARTRÓPODES — 720

Reações cutâneas a picadas de artrópodes	720
Pediculose da cabeça	726
Pediculose do corpo	728
Pediculose pubiana	729
Demodicidose	731
Escabiose	732
Larva *migrans* cutânea	739
Doenças associadas à água	741
Dermatite por cercária de Schistosoma	741

Erupção do banhista do mar 742
Envenenamento por cnidários 742

SEÇÃO 29
INFECÇÕES PARASITÁRIAS SISTÊMICAS 744

Leishmaniose 744
Tripanossomíase americana humana 749
Tripanossomíase africana humana 750
Amebíase cutânea 751

SEÇÃO 30
DOENÇAS SEXUALMENTE TRANSMISSÍVEIS 752

Papilomavírus humano: infecções anogenitais 752
   Verrugas genitais 753
   HPV: carcinoma espinocelular *in situ* (CECIS) e
      CEC invasivo da pele anogenital 756
Herpes-vírus simples: doença genital 760
Doença por *Neisseria gonorrhoeae* 765
   Neisseria gonorrhoeae: gonorreia 766
Sífilis 767
   Sífilis primária 768
   Sífilis secundária 770
   Sífilis latente 775
   Sífilis terciária/tardia 775
   Sífilis congênita 777
Linfogranuloma venéreo 778
Cancroide 779
Donovanose 781

PARTE IV — SINAIS CUTÂNEOS DE DISTÚRBIOS DOS PELOS, DAS UNHAS E DAS MUCOSAS 783

SEÇÃO 31
DISTÚRBIOS DOS FOLÍCULOS PILOSOS E DOENÇAS RELACIONADAS 784

Biologia dos ciclos de crescimento dos pelos 784
Perda de cabelos: alopécia 786
   Alopécia androgenética (AAG) 786
   Alopécia areata 791
   Eflúvio telógeno 794
   Eflúvio anágeno 797
Alopécia cicatricial 798

Crescimento excessivo de pelos	805
Hirsutismo	805
Hipertricose	808

SEÇÃO 32
DISTÚRBIOS DO APARELHO UNGUEAL — 809

Aparelho ungueal normal	809
Componentes do aparelho ungueal normal	809
Distúrbios locais do aparelho ungueal	810
Paroníquia crônica	810
Onicólise	811
Síndrome da unha verde	812
Onicauxe e onicogrifose	812
Transtornos psiquiátricos	813
Envolvimento do aparelho ungueal em doenças cutâneas	813
Psoríase	813
Líquen plano (LP)	815
Alopécia areata (AA)	817
Doença de darier (doença de Darier-White, ceratose folicular)	817
Dermatite por irritantes químicos ou dermatites alérgicas	818
Neoplasias do aparelho ungueal	818
Cisto mixoide dos dedos	819
Melanoníquia longitudinal	819
Melanoma acrolentiginoso (MAL)	820
Carcinoma espinocelular	820
Infecções do aparelho ungueal	821
Paroníquia aguda	822
Panarício	822
Oníquia por *Candida*	823
Tinea unguium/onicomicose	824
Sinais ungueais de doenças multissistêmicas	827
Linhas transversais ou de Beau	827
Leuconíquia	828
Síndrome da unha amarela	829
Fibroma periungueal	830
Hemorragias em estilhaço	830
Eritema e telangiectasia periungueal/da prega ungueal	831
Coiloníquia	833
Baqueteamento ungueal	833
Alterações ungueais induzidas por fármacos	834

SEÇÃO 33
DISTÚRBIOS DA BOCA — 835

Doenças dos lábios	835
Queilite angular (Perlèche)	835
Queilite actínica	835

Doenças da língua, palato e mandíbula	836
Língua fissurada	836
Língua pilosa negra ou branca	838
Leucoplasia pilosa oral (LPO)	838
Glossite migratória	838
Tórus palatino e mandibular	839
Doenças da gengiva, do periodonto e das mucosas	839
Gengivite e periodontite	839
Líquen plano	840
Gengivite ulcerativa necrosante aguda	841
Hiperplasia gengival	842
Ulceração aftosa	842
Leucoplasia	844
Neoplasias pré-malignas e malignas	848
Displasia e carcinoma espinocelular *in situ* (CECIS)	848
Carcinoma espinocelular invasivo da boca	849
Carcinoma verrucoso da boca	850
Melanoma de orofaringe	851
Nódulos submucosos	852
Mucocele	852
Fibroma irritativo	852
Abscesso odontogênico (dental) cutâneo	853
Distúrbios cutâneos envolvendo a boca	854
Pênfigo vulgar (PV)	854
Pênfigo paraneoplásico	855
Penfigoide bolhoso	856
Penfigoide cicatricial	857
Doenças sistêmicas envolvendo a boca	857
Lúpus eritematoso	858
Síndrome de Stevens-Johnson/necrólise epidérmica tóxica	859

SEÇÃO 34

DISTÚRBIOS DA GENITÁLIA, PERÍNEO E ÂNUS — 860

Pápulas peroladas do pênis	860
Proeminência de glândulas sebáceas	861
Angioceratoma	861
Linfangite esclerosante do pênis	861
Linfedema da genitália	862
Balanite e vulvite plasmocitárias	863
Fimose, parafimose, balanite xerótica obliterante	864
Distúrbios mucocutâneos	865
Lentiginoses genitais (penianas/vulvares/anais)	865
Vitiligo e leucodermia	866
Psoríase vulgar	866
Líquen plano	868
Líquen nítido	869
Líquen escleroso	869
Eritema necrolítico migratório	872
Ulcerações aftosas genitais	872
Dermatite eczematosa	872
Dermatite de contato alérgica	872
Dermatite atópica, líquen simples crônico, prurido anal	873
Erupção fixa por fármacos	874

Lesões pré-malignas e malignas 874
    Carcinoma espinocelular (CEC) *in situ* 874
    Neoplasia intraepitelial (NI) e carcinoma
        espinocelular *in situ* (CECIS) induzidos por HPV ... 876
    Carcinoma espinocelular invasivo anogenital 876
    CEC invasivo do pênis 876
    CEC invasivo da vulva 877
    CEC invasivo da pele anal 877
    Carcinoma verrucoso genital 877
    Melanoma maligno da região anogenital 877
    Doença de Paget extramamária 879
Sarcoma de Kaposi 880
Infecções anogenitais 880

SEÇÃO 35
PRURIDO GENERALIZADO SEM LESÃO CUTÂNEA (*PRURITUS SINE MATERIA*) — 881

APÊNDICES — 885

Apêndice A Diagnóstico diferencial das lesões pigmentadas ... 886
Apêndice B Uso de medicamentos na gravidez 891
Apêndice C-1 Manifestações dermatológicas de doenças causadas
          por armas biológicas/bioterrorismo 893
Apêndice C-2 Bioterrorismo químico e acidentes industriais ... 894

ÍNDICE — 897

INTRODUÇÃO

O *Dermatologia de Fitzpatrick* propõe-se a ser um "guia prático" para a identificação das doenças da pele e para o seu tratamento. A pele é um local de lesões importantes que, em geral, podem ser diagnosticadas clinicamente. A morfologia macroscópica na forma de lesões cutâneas ainda é a base do diagnóstico em dermatologia. Assim, este texto é acompanhado por mais de 900 fotografias coloridas ilustrando as doenças da pele, manifestações cutâneas de doenças internas, infecções, tumores e achados cutâneos incidentais em pessoas saudáveis sob outros aspectos. Foram incluídas informações sobre a influência do sexo na dermatologia e um grande número de imagens que mostram as doenças da pele em diferentes grupos étnicos. Este livro abrange todo o campo da dermatologia clínica, mas não inclui síndromes ou doenças muito raras. A respeito dessas doenças, o leitor é convidado a consultar obras mais densas e detalhadas.

Este livro destina-se a todos os médicos e demais profissionais da saúde, incluindo estudantes de medicina, residentes em dermatologia, internistas, oncologistas e especialistas em doenças infecciosas que lidam com doenças que tenham manifestações cutâneas. Aos profissionais que não são dermatologistas, é aconselhável que iniciem com a leitura dos tópicos "Abordagem ao diagnóstico dermatológico" e "Princípios do diagnóstico dermatológico", nas próximas páginas, para que se familiarizem com os princípios da nomenclatura dermatológica e com as linhas de raciocínio.

Este livro está organizado em quatro partes, subdivididas em 35 seções, e há três pequenos apêndices. Cada seção tem uma cor, identificada no cabeçalho da página. Esta cor auxilia o leitor a encontrar rapidamente seu conteúdo quando estiver folheando o livro. Todas as doenças têm indicados seus respectivos códigos da CID-10.

ABORDAGEM AO DIAGNÓSTICO DERMATOLÓGICO

Em relação à natureza das alterações cutâneas, há duas situações clínicas distintas:

I. As alterações cutâneas podem ser manifestações *incidentais* em indivíduos *doentes* ou aparentemente *saudáveis* observados durante exame físico de rotina.
   - "Contusões e máculas": muitas lesões assintomáticas, inconsequentes do ponto de vista médico, podem estar presentes em indivíduos doentes ou saudáveis sem que sejam o motivo da consulta ao médico; todo clínico geral deve ser capaz de reconhecer essas lesões e diferenciá-las de outras também assintomáticas que sejam relevantes, por exemplo, lesões malignas.
   - Lesões cutâneas importantes não observadas pelo paciente, mas que não podem passar despercebidas pelo médico: por exemplo, nevos displásicos, melanoma, carcinoma basocelular, carcinoma espinocelular, máculas café com leite da doença de von Recklinghausen e xantomas.

II. As alterações cutâneas são a *queixa principal* do paciente.
   - Problemas "menores": por exemplo, erupções pruriginosas localizadas, "exantema", erupção nas regiões inguinais, nódulos como nevos comuns e ceratose seborreica.
   - "4-S": sinais cutâneos graves em pacientes enfermos (*serious skin signs in sick patients*).

SINAIS CUTÂNEOS GRAVES EM PACIENTES ENFERMOS

- **Exantema eritematoso generalizado com febre:**
  - Exantemas virais
  - Exantemas por riquétsias
  - Farmacodermias
  - Infecções bacterianas com produção de toxina
- **Exantema eritematoso generalizado com bolhas e lesões evidentes na boca:**
  - Eritema multiforme (*major*)
  - Necrólise epidérmica tóxica
  - Pênfigo
  - Penfigoide bolhoso
  - Farmacodermias
- **Exantema eritematoso generalizado com pústulas:**
  - Psoríase pustulosa (von Zumbusch)
  - Farmacodermias
- **Exantema generalizado com vesículas:**
  - Herpes simples disseminado
  - Herpes-zóster generalizado
  - Varicela
  - Farmacodermias
- **Exantema eritematoso generalizado com descamação em todo o corpo:**
  - Eritrodermia esfoliativa
- **Placas generalizadas e edema de tecidos moles:**
  - Urticária e angioedema
- **Púrpura generalizada:**
  - Trombocitopenia
  - Púrpura fulminante
  - Farmacodermias
- **Púrpura generalizada palpável:**
  - Vasculite
  - Endocardite bacteriana
- **Infartos cutâneos múltiplos:**
  - Meningococemia
  - Gonococemia
  - Coagulopatia intravascular disseminada
- **Infartos cutâneos localizados:**
  - Calcifilaxia
  - Aterosclerose obliterante
  - Ateroembolia
  - Necrose da varfarina
  - Síndrome do anticorpo antifosfolipídeo
- **Edema facial inflamatório com febre:**
  - Erisipela
  - Lúpus eritematoso
  - Dermatomiosite

PRINCÍPIOS DO DIAGNÓSTICO DERMATOLÓGICO

Diferentemente de outros campos da medicina clínica, o exame físico deve ser realizado antes da anamnese completa, considerando-se que os pacientes veem suas lesões e, portanto, frequentemente apresentam história distorcida por sua própria interpretação acerca da origem e das causas da erupção cutânea. Além disso, a precisão diagnóstica é maior quando o exame é realizado de forma objetiva, sem ideias preconcebidas. Não obstante, a anamnese sempre deve ser realizada, mas, se o for durante ou após o exame visual e físico, será mais eficiente e focalizada em função das manifestações objetivas. Assim, reconhecer, analisar e interpretar apropriadamente as lesões cutâneas são condições sine qua non para o diagnóstico dermatológico.

EXAME FÍSICO

Aspecto geral. Desconfortável, "toxêmico", bem.
Sinais vitais. Pulso, respiração, temperatura.
Pele: "aprendendo a ler". A pele deve ser integralmente inspecionada, incluindo mucosas, região genital e anal, bem como cabelo, unhas e linfonodos periféricos. Ler a pele é como ler um texto. As lesões cutâneas básicas são como letras de um alfabeto: sua forma, cor, limites e outras características combinadas levarão às palavras, e sua localização e distribuição, às frases ou aos parágrafos. O pré-requisito para o diagnóstico dermatológico é, portanto, a identificação das seguintes características: (1) tipo de lesão cutânea, (2) cor, (3) limites, (4) consistência, (5) formato, (6) disposição e (7) distribuição da lesões.

Identificação das letras: tipos de lesões cutâneas

- **Mácula** (do latim *macula*, "*spot*"). Mácula é uma área circunscrita na qual a pele tem a cor alterada, sem que haja depressão ou elevação. Portanto, não é palpável. As máculas podem ser bem ou maldefinidas. Podem ter qualquer tamanho e ser de qualquer cor (Fig. I-1). Brancas, como no vitiligo; marrons, como nas manchas café com leite; azuis, como nas manchas mongólicas; ou vermelhas, como nas anomalias vasculares permanentes (manchas vinho do porto) ou como na dilatação capilar causada por inflamação (eritema). Com a pressão produzida por uma lâmina de vidro (*diascopia*) posicionada na borda de uma lesão vermelha, detecta-se se há extravasamento de hemácias. Se a mancha vermelha se mantém sob a pressão da lâmina, trata-se de lesão tipo púrpura, ou seja, resultante de extravasamento de hemácias; se a mancha vermelha desaparece, a lesão é causada por dilatação vascular. Um exantema formado por máculas é dito *exantema macular*.

- **Pápula** (do latim: *papula*, "espinha"). A pápula é uma lesão superficial, elevada e sólida, geralmente assim considerada quando o diâmetro é menor do que 0,5 cm. A maior parte dela encontra-se acima, e não abaixo, do plano da pele circundante (Fig. I-2). A pápula é palpável. Pode ser bem ou maldefinida. Nas pápulas, a elevação é formada por depósitos produzidos local ou metabolicamente, por infiltrados

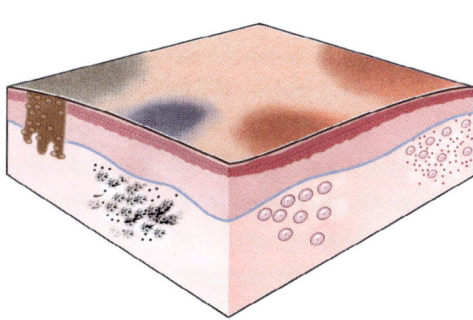

Figura I-1 Mácula

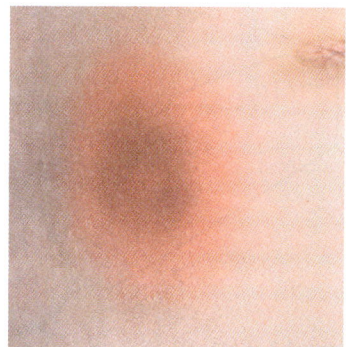

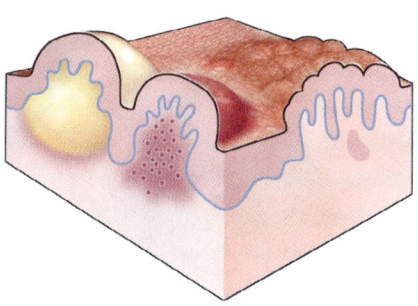

Figura I-2 Pápula

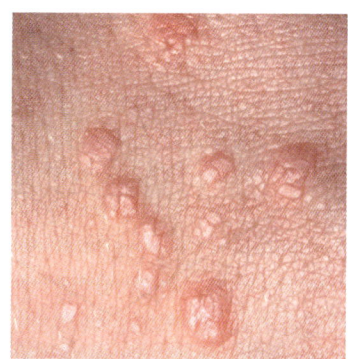

celulares localizados, inflamatórios ou não, ou por hiperplasia de elementos celulares locais. As pápulas superficiais são bem-definidas. As pápulas dérmicas, mais profundas, têm bordas maldefinidas. As pápulas podem ter formato em abóbada, em cone, ou plano (como no líquen plano), ou podem ser formadas por múltiplas pequenas elevações projetadas e firmemente agrupadas conhecidas como *vegetações* (Fig. I-2). Um exantema formado por pápulas é denominado *exantema* papular. Os exantemas papulares podem ser agrupados (liquenoides) ou disseminados (dispersos). A confluência de pápulas leva ao desenvolvimento de elevações maiores, geralmente planas, circunscritas, em forma de platô, conhecidas como placas (do francês: *plaque*). Ver a seguir.

- **Placa.** Trata-se de elevação em forma de platô acima da superfície da pele que ocupa uma área relativamente grande em comparação com a altura que atinge acima da pele (Fig. I-3). Em geral, é bem-definida. Frequentemente é formada por confluência de pápulas, como na psoríase. A *liquenificação* é uma placa maldefinida na qual a pele parece estar espessada e seus sulcos acentuados. A liquenificação ocorre em casos de dermatite atópica, eczema, psoríase, líquen simples crônico e micose fungoide. *Patch** é uma placa muito pouco elevada – uma lesão entre a mácula e a placa – como na parapsoríase ou no sarcoma de Kaposi.

- **Nódulo** (do latim *nodulus*, "pequeno nó"). Trata-se de lesão palpável, sólida, arredondada ou elíptica, maior que a pápula (Fig. I-4) que pode envolver epiderme, derme ou tecido subcutâneo. A profundidade do envolvimento e seu tamanho diferenciam entre nódulo e pápula. Os nódulos resultam de infiltrados inflamatórios, neoplasias ou depósitos metabólicos na derme ou no tecido subcutâneo. Os nódulos podem ser bem-definidos (superficiais) ou maldefinidos

---

*N. de T. Essa distinção não costuma ser feita em português.

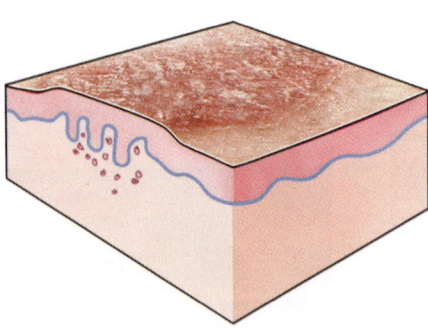

Figura I-3 **Placa**

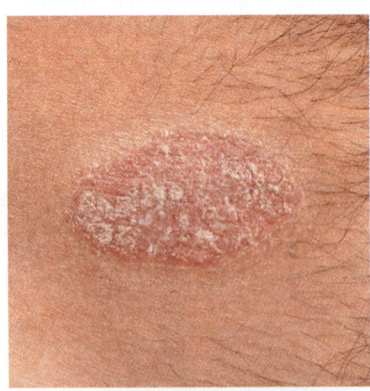

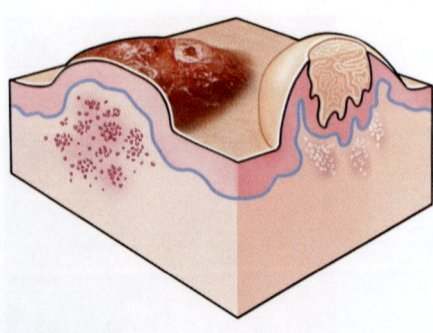

Figura I-4 **Nódulo**

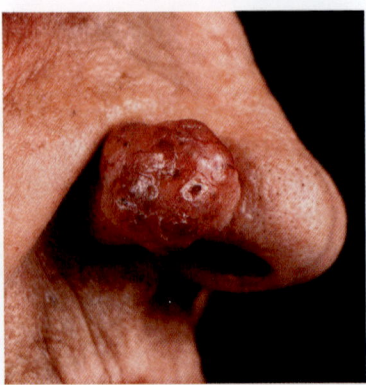

(profundos); se localizados no tecido subcutâneo, em geral são melhor sentidos do que visualizados. Os nódulos podem ser duros ou moles à palpação. Podem ser abaulados e lisos ou apresentar superfície verrucosa ou uma depressão central em forma de cratera.

- **Lesão urticariforme.** Uma lesão urticariforme é uma pápula ou uma placa vermelha pálida ou branca, arredondada ou achatada, caracteristicamente evanescente, que desaparece em 24 a 48 horas (Fig. I-5). É causada por edema nas papilas dérmicas. Se o edema for muito intenso, irá comprometer os capilares dilatados e a urticária ficará branca (Fig. 1-5). Pode ser arredondada, circinada ou irregular com pseudópodes – mudando rapidamente de tamanho e formato em razão de alterações no edema papilar. Um exantema formado por lesões urticariformes é denominado *exantema urticariforme* ou *urticária*.

- **Vesículas-bolhas** (do latim *vesicula*, "pequena bexiga"; *bulla*, "bolha"). A vesícula (< 0,5 cm) ou a bolha (> 0,5 cm) são cavidades superficiais circunscritas e elevadas que contêm líquido (Fig. I-6). As vesículas são cupuliformes (como na dermatite de contato, dermatite herpetiforme), umbilicadas (como no herpes simples) ou flácidas (como no pênfigo). Com frequência, o teto da vesícula-bolha é tão fino que é transparente, e o soro ou o sangue na cavidade pode ser visto. As vesículas que contêm soro são amareladas; as que contêm sangue variam entre vermelho e preto. As vesículas e as bolhas surgem a partir de diversos planos de clivagem na pele superficial; a clivagem pode ser subcórnea ou estar dentro da epiderme (i.e., vesiculação intraepidérmica) ou na interface entre derme e epiderme (i.e., subepidérmica), como na Figura I-6. Como vesículas-bolhas são sempre superficiais, elas serão sempre bem-definidas. Um exantema formado por vesículas é denominado *exantema vesicular* e o formado por bolhas, *exantema bolhoso*.

- **Pústula** (do latim *pustula*). Pústula é uma cavidade circunscrita superficial da pele que

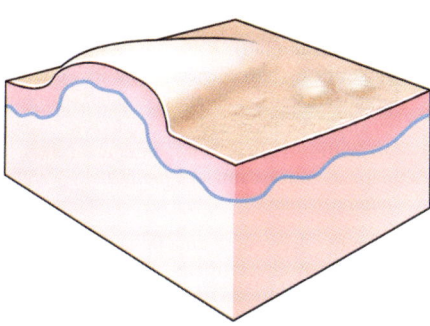

Figura I-5 Lesão urticariforme

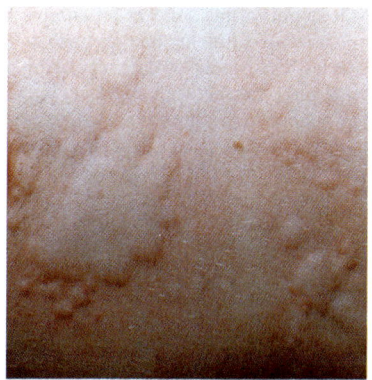

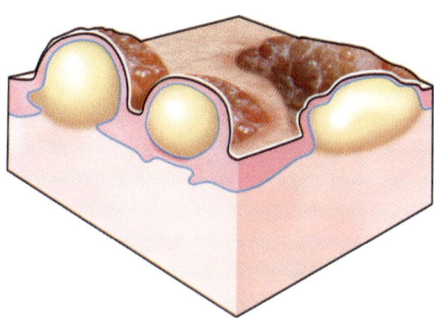

Figura I-6 Vesícula

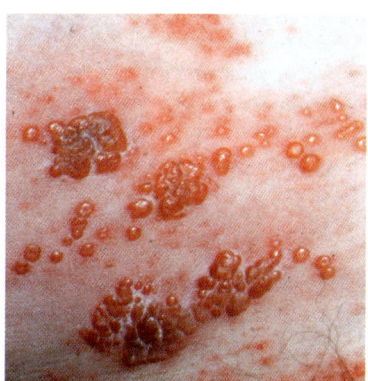

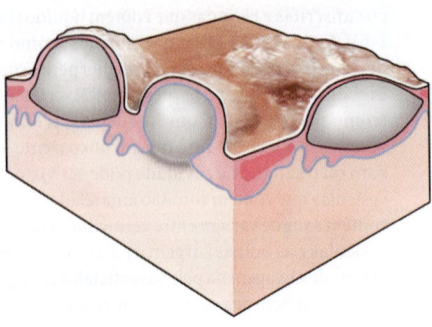

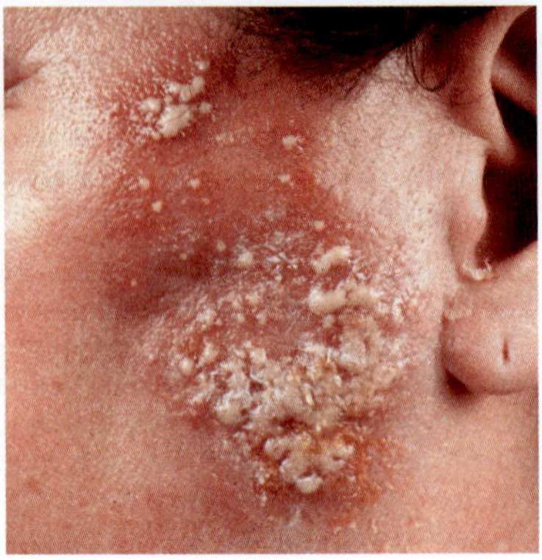

Figura I-7 Pústula

contém exsudato purulento (Fig. I-7), que pode ser branco, amarelo, amarelo-esverdeado ou hemorrágico. As pústulas, portanto, diferem das vesículas por terem conteúdo turvo, e não claro. Esse processo pode surgir em um folículo piloso ou de forma independente. As pústulas variam em tamanho e formato. Geralmente são cupuliformes, mas as foliculares são cônicas e normalmente têm um pelo no centro. As lesões vesiculares do herpes simples e as das infecções pelo vírus da varicela-zóster podem se tornar pustulosas. Um exantema formado por pústulas é denominado *exantema pustuloso*.

- **Crostas** (do latim *crusta*, "casca, concha"). As crostas ocorrem quando soro, sangue ou exsudato purulento secam sobre a superfície cutânea (Fig. I-8). As crostas podem ser finas, delicadas e friáveis ou espessas e aderentes. As crostas são amarelas quando formadas por soro ressecado; verdes ou amarelo-esverdeadas quando formadas por exsudato purulento, ou castanhas, vermelho-escuras ou negras, quando formadas por sangue. As crostas superficiais que têm cor de mel são delicadas, com partículas brilhantes na superfície da pele, e são características do impetigo (Fig. I-8). Quando o exsudato envolve toda a epiderme, a crosta pode ser espessa e aderente e, se for acompanhada por necrose de tecidos mais profundos (p. ex., da derme), o quadro é denominado *ectima*.

- **Escamas** (do latim *squama*). As escamas são flocos de estrato córneo (Fig. I-9). Podem ser grandes (como membranas), pequenas (como poeira), pitiriasiformes (do grego pityron, "farelo"), aderentes ou soltas. Um exantema formado por pápulas com escamas é denominado *exantema papuloescamoso*.

- **Erosão.** A erosão é uma falha apenas na epiderme, sem envolvimento da derme (Fig. I-10); diferentemente da úlcera, que sempre deixa cicatriz (ver adiante), a erosão é curada sem deixar cicatriz. A erosão é bem-definida, vermelha e exsudativa. Há erosões superficiais,

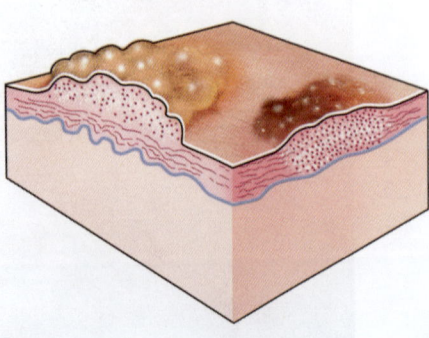

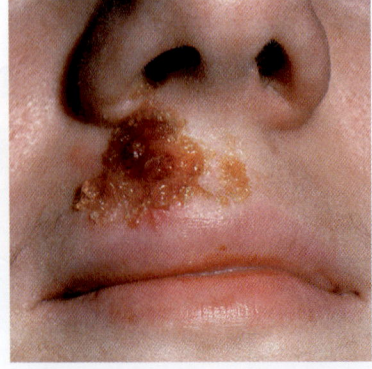

Figura I-8 Crosta

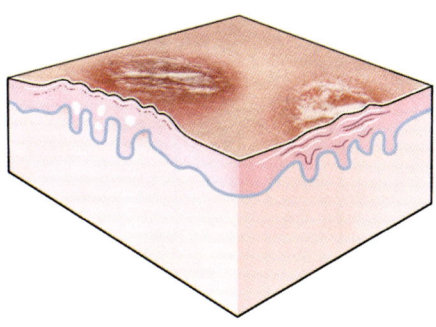

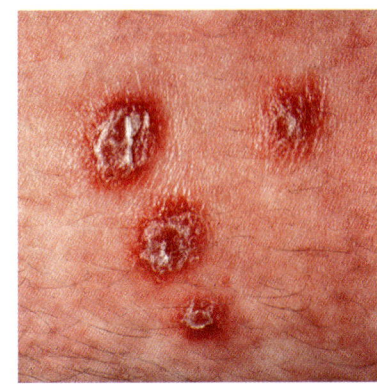

Figura I-9 Escama

subcórneas, ou que penetram ligeiramente na epiderme, e profundas, cuja base se encontra na papila dérmica (Fig. I-10). Excetuando-se as abrasões físicas, as erosões sempre resultam de clivagem intraepidérmica ou subepidérmica e, consequentemente, de vesículas ou de bolhas.

- **Úlcera** (do latim *ulcus*, "ferida"). A úlcera é uma falha na pele que se estende até a derme ou mais profundamente (Fig. I-11) até o subcutâneo e sempre ocorre em tecido patologicamente alterado. A úlcera, portanto, é sempre um fenômeno secundário. O tecido patologicamente alterado

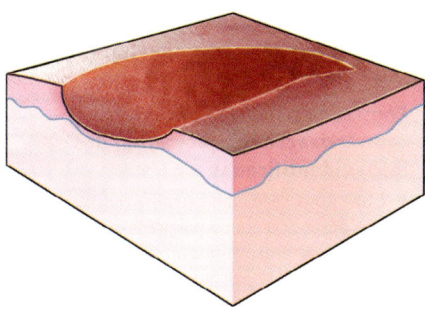

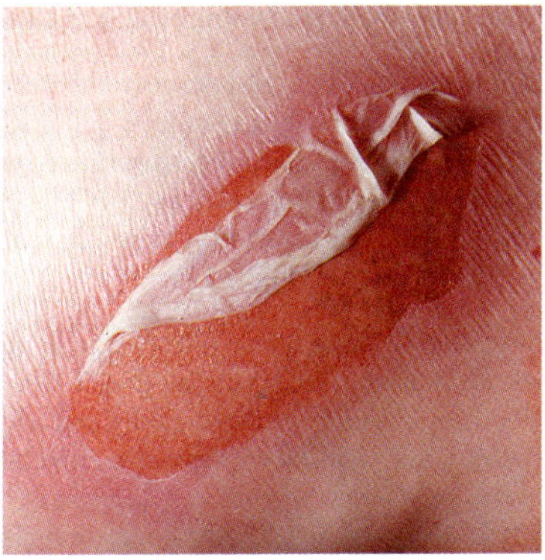

Figura I-10 Erosão

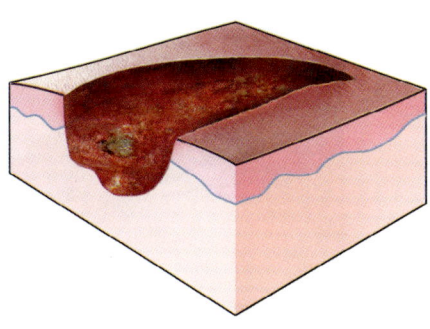

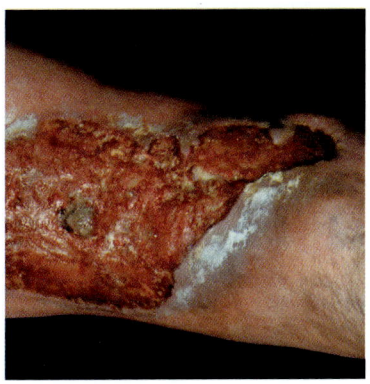

Figura I-11 Úlcera

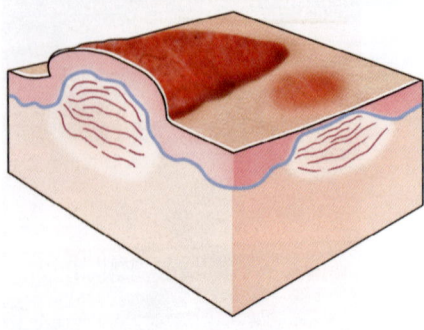
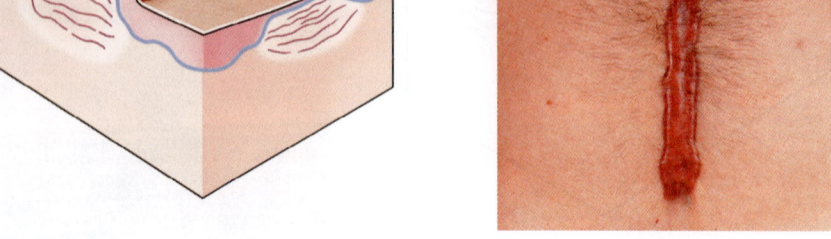

Figura I-12 Cicatriz

que dá origem à úlcera geralmente é encontrado na borda ou na base da úlcera e auxilia a determinar a causa. Outras características úteis são se as bordas são elevadas, solapadas, duras ou maceradas; localização da úlcera; secreção; e qualquer característica topográfica relacionada, como nódulos, escoriações, varicosidades, distribuição de pelos, presença ou não de suor e pulsos arteriais. As úlceras sempre deixam cicatriz.

- **Cicatriz.** É o tecido fibroso que substitui a falha tecidual deixada por uma úlcera ou uma ferida prévia. As cicatrizes podem ser hipertróficas e duras (Fig. I-12) ou atróficas e moles, com afinamento ou perda de todos os compartimentos teciduais da pele (Fig. I-12).

- **Atrofia.** O termo refere-se à redução de algumas ou de todas as camadas da pele (Fig. I-13). A atrofia da epiderme manifesta-se por seu adelgaçamento, que se torna transparente, revelando os vasos papilares e subpapilares; há perda de textura da pele, que se enruga como papel de cigarro. Na atrofia da derme, há perda de tecido conectivo da derme e depressão da lesão (Fig. I-13).

- **Cisto.** O cisto é uma cavidade com conteúdo líquido, sólido ou semissólido (Fig. I-14), que pode ser superficial ou profunda. Visualmente, tem aspecto esférico, na maioria das vezes como uma pápula ou um nódulo em forma de cúpula, mas elástico à palpação. É revestido por epitélio e frequentemente apresenta uma cápsula fibrosa; dependendo do seu conteúdo, pode ter cor de pele ou ser amarelo, vermelho ou azul. A Figura I-14 mostra um cisto epidérmico produtor de material ceratináceo e um cisto pilar revestido por epitélio com múltiplas camadas.

Formando palavras com as letras: caracterização complementar das lesões identificadas

- **Cor.** Rosa, vermelho, púrpura (lesões purpúricas não desaparecem com a pressão produzida por lâmina de vidro [diascopia]), branco, pigmentado, castanho, preto, azul, cinza e amarelo. A cor pode ser uniforme ou matizada.

- **Limites.** Podem ser bem (pode ser traçado com a ponta de um lápis) ou maldefinidos.

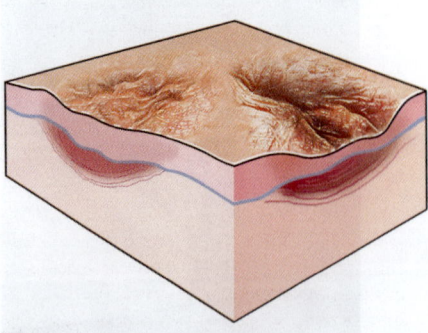
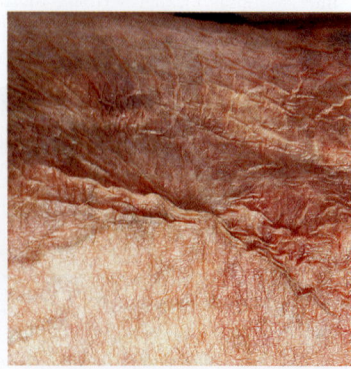

Figura I-13 Atrofia

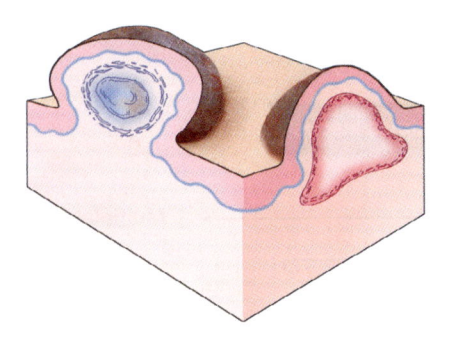

Figura I-14 Cisto

- **Forma.** Redonda, oval, poligonal, policíclica, anular, em íris, serpiginosa (em forma de serpente), umbilicada.

- **Palpação.** Considerar (1) *consistência* (mole, firme, dura, flutuante, em tábua), (2) *temperatura* (fria, quente) e (3) *mobilidade*. Observar se há *sensibilidade ao toque* e estimar a *profundidade* da lesão (i.e., dérmica ou subcutânea).

Formando frases e compreendendo o texto: avaliação de disposição, padrão e distribuição

- **Número.** Lesão única ou lesões múltiplas.

- **Disposição.** As lesões múltiplas podem estar (1) *agrupadas*: herpetiformes, arciformes, anulares, reticuladas (em forme de rede), lineares, serpiginosas (em forma de serpente) ou (2) *disseminadas*: lesões isoladas disseminadas.

- **Confluência.** Sim ou não.

- **Distribuição.** Considerar (1) *extensão*: isoladas (lesões únicas), localizadas, regionais, generalizadas, universais e (2) *padrão*: simétricas, áreas expostas, locais sob pressão, áreas intertriginosas, localização folicular, aleatórias, acompanhando dermátomos ou as linhas de Blaschko.

A Figura I-15 apresenta um algoritmo que mostra como proceder.

HISTÓRIA

- **Demografia.** Idade, etnia, sexo e profissão.

História

1. **Sintomas constitucionais:**
   - Síndrome da "doença aguda": cefaleia, calafrio, febre e fraqueza.
   - Síndrome da "doença crônica": fadiga, fraqueza, anorexia, perda de peso e mal-estar.

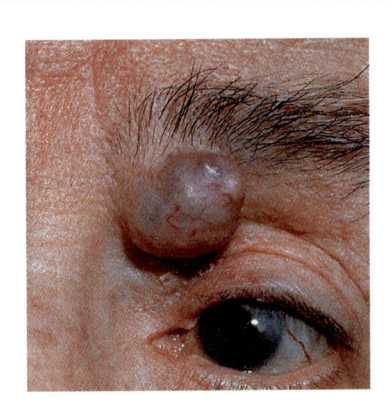

2. **História das lesões cutâneas. As sete questões-chave:**
   - Quando? Início
   - Onde? Local do início
   - Coça ou dói? Sintomas
   - Como se espalhou (padrão de disseminação)? Evolução
   - Como cada lesão se alterou? Evolução
   - Fatores desencadeantes? Calor, frio, sol, exercício, história de viagens, uso de fármacos, gravidez, estação do ano
   - Tratamentos prévios? Tópicos e sistêmicos

3. História da doença atual conforme indicada pelo quadro clínico, com atenção especial aos sintomas constitucionais e prodrômicos.

4. **História médica pregressa:**
   - Cirurgias
   - Doenças (hospitalizações?)
   - Alergias, especialmente a fármacos
   - Fármacos (atuais e passados)
   - Hábitos (tabagismo, consumo de bebidas alcoólicas, uso de drogas)
   - História de atopia (asma, febre do feno, eczema)

5. História familiar (sobretudo de psoríase, atopia, melanoma, xantomas, esclerose tuberosa).

6. História social, com interesse particular para profissão, passatempo, exposição, viagens, uso de drogas injetáveis.

7. História sexual: fatores de risco para HIV: transfusões sanguíneas, uso de drogas IV, atividade sexual, múltiplos parceiros, doenças sexualmente transmissíveis?

REVISÃO DOS SINTOMAS

Deve ser feita de acordo com o quadro clínico, com atenção particular a possíveis ligações entre os sinais encontrados e doenças de outros sistemas orgânicos (p. ex., queixas reumáticas, mialgias, artralgias, fenômeno de Raynaud, síndrome de Sjögren).

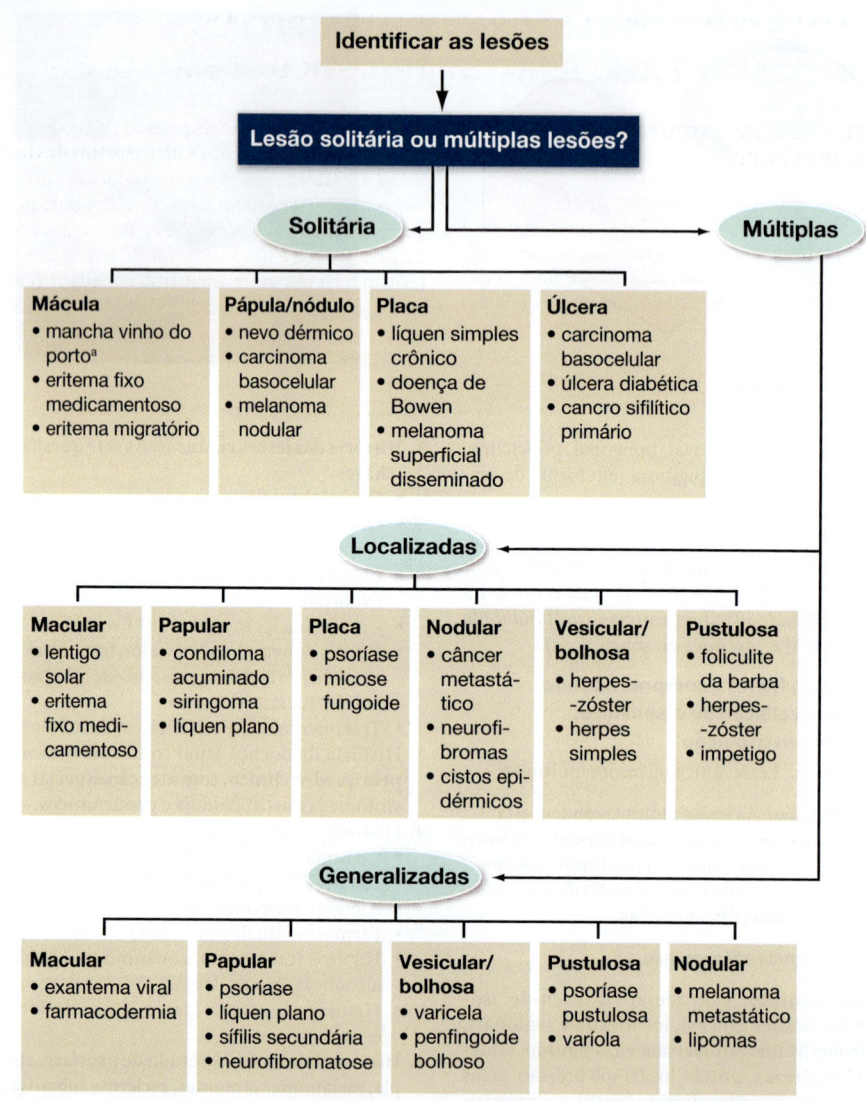

```
                    Identificar as lesões
                           │
                           ▼
         Lesão solitária ou múltiplas lesões?
                     /              \
              Solitária            Múltiplas
```

Solitária:

Mácula	Pápula/nódulo	Placa	Úlcera
• mancha vinho do porto[a]	• nevo dérmico	• líquen simples crônico	• carcinoma basocelular
• eritema fixo medicamentoso	• carcinoma basocelular	• doença de Bowen	• úlcera diabética
• eritema migratório	• melanoma nodular	• melanoma superficial disseminado	• cancro sifilítico primário

Localizadas:

Macular	Papular	Placa	Nodular	Vesicular/bolhosa	Pustulosa
• lentigo solar	• condiloma acuminado	• psoríase	• câncer metastático	• herpes-zóster	• foliculite da barba
• eritema fixo medicamentoso	• siringoma	• micose fungoide	• neurofibromas	• herpes simples	• herpes-zóster
	• líquen plano		• cistos epidérmicos		• impetigo

Generalizadas:

Macular	Papular	Vesicular/bolhosa	Pustulosa	Nodular
• exantema viral	• psoríase	• varicela	• psoríase pustulosa	• melanoma metastático
• farmacodermia	• líquen plano	• penfingoide bolhoso	• varíola	• lipomas
	• sífilis secundária			
	• neurofibromatose			

[a] As doenças com marcadores (•) são exemplos.

Figura I-15 Algoritmo para investigação de lesões cutâneas

EXAMES CLÍNICOS E LABORATORIAIS ESPECIAIS COMPLEMENTARES PARA O DIAGNÓSTICO DERMATOLÓGICO

TÉCNICAS ESPECIAIS UTILIZADAS NO EXAME CLÍNICO

Uso de lentes de aumento manuais. para exame das lesões e verificação de detalhes morfológicos, é necessário utilizar lente de aumento (lente manual) (7×) ou microscópio binocular (5× a 40×). O aumento é especialmente útil no diagnóstico de lúpus eritematoso (tampão folicular), líquen plano (estrias de Wickham), carcinoma basocelular (translucência e telangiectasia) e melanoma (alterações sutis na cor, especialmente cinza ou azul); a visualização melhora após a aplicação de uma gota de óleo mineral. O uso de dermatoscópio será discutido adiante (ver "Dermatoscopia").

A *iluminação oblíqua* da lesão cutânea, realizada em sala escura, frequentemente é necessária para a detecção de pequenos graus de elevação ou de depressão, sendo útil na visualização da configuração superficial da lesão e para estimar a extensão da erupção.

A *iluminação indireta* na sala de exame aumenta o contraste entre as lesões hipopigmentadas e hiperpigmentadas circunscritas e a pele normal.

A *lâmpada de Wood* (luz "negra" ultravioleta com comprimento de onda longo) é um recurso valioso para o diagnóstico de algumas doenças de pele e dos cabelos e da porfiria. Com a lâmpada de Wood (365 nm), pigmentos fluorescentes e diferenças sutis na cor do pigmento da melanina podem ser visualizados. A lâmpada de Wood também auxilia a estimar a variação na tonalidade das lesões em comparação com a pele normal em indivíduos com pele clara ou escura; por exemplo, as lesões vistas na esclerose tuberosa e na pitiríase vesicolor são hipomelanóticas, mas não tão brancas quanto as lesões do vitiligo, amelanóticas. A hipermelanose circunscrita, como as efélides e o melasma, é muito mais evidente (escura) quando examinada sob a lâmpada de Wood. Por contraste, a melanina dérmica, como na mancha mongólica sacra, não é acentuada pela lâmpada de Wood. Assim, é possível localizar o local da melanina com o uso da lâmpada de Wood. *Porém, isso é mais difícil ou impossível em pacientes de pele parda ou negra.*

A lâmpada de Wood é particularmente útil na detecção da fluorescência da dermatofitose na haste capilar (verde a amarela) e do eritrasma (vermelho-coral). Pode-se presumir o diagnóstico de porfiria quando se demonstra a presença de fluorescência vermelho-rosada no exame da urina com lâmpada de Wood; a adição de ácido clorídrico diluído intensifica a fluorescência.

A *diascopia* consiste na pressão firme de uma lâmina de microscópio ou de uma espátula de vidro sobre a lesão cutânea. O examinador encontrará valor nesse procedimento particularmente para determinar se a cor vermelha de uma mácula ou de uma pápula é produzida por dilatação capilar (eritema) ou por extravasamento de sangue (púrpura), já que, nesta última, a lesão não empalidece com a pressão. A diascopia também é útil para detectar o aspecto vítreo marrom-amarelado das pápulas da sarcoidose, da tuberculose cutânea, do linfoma e do granuloma anular.

Dermatoscopia (também chamada *microscopia por epiluminiscência*). Uma lupa com iluminação embutida e aumento de 10× a 30× é denominada *dermatoscópio*, que permite a inspeção não invasiva das camadas mais profundas da epiderme e além. O exame é particularmente útil para distinção entre padrões de crescimento benigno e maligno nas lesões pigmentadas. A *dermatoscopia digital* é particularmente útil no monitoramento de lesões cutâneas pigmentadas, uma vez que as imagens são arquivadas eletronicamente e podem ser recuperadas e examinadas em data posterior a fim de permitir comparações quantitativas e qualitativas e detectar alterações ao longo do tempo. A dermatoscopia digital utiliza programas de análise de imagens que proporcionam (1) medições objetivas das alterações; (2) arquivamento e recuperação rápidos e transmissão das imagens a especialistas para discussão complementar (teledermatologia); e (3) extração de características morfológicas para análise numérica. A dermatoscopia e a dermatoscopia digital exigem treinamento específico.

SINAIS CLÍNICOS

O *sinal de Darier* é "positivo" quando uma lesão macular ou ligeiramente papular, de cor castanha, da urticária pigmentosa (mastocitose) se torna uma lesão urticariforme palpável após ter sido vigorosamente friccionada com um instrumento como a ponta romba de uma caneta. A lesão urticariforme pode demorar de 5 a 10 minutos para surgir.

O *sinal de Auspitz* é "positivo" quando a fricção ou a curetagem suave de uma lesão descamativa revela pontos de sangramento dentro da lesão. O sinal sugere psoríase, mas sem especificidade.

O *fenômeno de Nikolsky* é positivo quando a epiderme se desprende da derme quando se aplica uma pressão lateral rente à pele com um dedo, resultando em erosão. Trata-se de um sinal diagnóstico importante nos distúrbios acantolíticos, como pênfigo ou síndrome da pele escaldada estafilocócica (SPEE), ou outros distúrbios bolhosos ou com necrose da epiderme, como a necrólise epidérmica tóxica.

TESTES CLÍNICOS

O *teste de contato* é utilizado para comprovar e validar o diagnóstico de alergia de contato e identificar o agente causador. As substâncias a serem testadas são aplicadas na pele em recipientes rasos (*contensores*), afixados com esparadrapo e deixados no local por 24 a 48 horas. A hipersensibilidade de contato se apresentará na forma de reação com pápulas e vesículas por ocasião da leitura do teste em 48 a 72 horas. Trata-se de um meio ímpar de reprodução *in vivo* da doença em pequena escala, uma vez que a sensibilidade afeta toda a pele e, portanto, pode ser desencadeada em qualquer local. O teste de contato é mais fácil e seguro do que o "teste de uso" com um suposto alérgeno que, para fins de testagem, é aplicado em baixas concentrações a pequenas áreas de pele por curto espaço de tempo (ver Seção 2).

O *fototeste de contato* é a combinação de teste de contato com irradiação UV sobre o local testado, e é utilizado para comprovar fotoalergia (ver Seção 10).

O *teste com puntura* é utilizado para comprovar alergia de tipo I. Uma gota de solução contendo baixa concentração do alérgeno é aplicada sobre a pele, que é perfurada por meio dessa gota com uma agulha. A perfuração não deve ir além da papila dérmica. A reação é dita positiva com o aparecimento de uma lesão urticariforme em 20 minutos. O paciente deve ser mantido sob observação como precaução caso haja anafilaxia.

O *acetobranqueamento* facilita a detecção de verrugas penianas e da vulva subclínicas. Uma gaze saturada com ácido acético a 5% (ou vinagre branco) é colocada em volta da glande do pênis ou no colo do útero e ânus. Após 5 a 10 minutos, inspeciona-se o pênis ou a vulva com lente de aumento de 10×. As verrugas aparecem como pequenas pápulas brancas.

EXAMES LABORATORIAIS

Exame microscópico de escamas, crostas, soro e pelos

As lesões suspeitas de infecção bacteriana ou fúngica (*Candida albicans*) devem ser examinadas com esfregaço *corado por Gram* e *culturas de exsudatos e amostras de tecido*. Úlceras e nódulos requerem biópsia com bisturi, com a qual se obtém uma cunha de tecido que contenha as três camadas de pele; a amostra é dividida ao meio, sendo uma parte para exame histopatológico e a outra para cultura. A amostra é mantida em recipiente estéril e cultivada para detecção de bactérias (incluindo micobactérias típicas e atípicas) e fungos.

Deve-se realizar *exame microscópico* do teto das vesículas ou das escamas (preferencialmente das bordas que estão avançando) ou dos pelos nas dermatofitoses, buscando-se por micélio. O tecido deve ser clareado com KOH a 10 a 30% e suavemente aquecido. Hifas e esporos aparecerão por sua birrefringência (Fig. 26-25). Devem ser realizadas culturas para fungo em meio de Sabouraud (ver Seção 26).

O *exame microscópico das células obtidas na base das vesículas* (preparação de Tzanck) pode revelar a presença de células acantolíticas nas doenças acantolíticas (p. ex., pênfigo ou SPEE), ou de células epiteliais gigantes e células gigantes multinucleadas (contendo 10 a 12 núcleos) no herpes simples, no herpes-zóster e na varicela. Com o material obtido na base da vesícula por meio de curetagem *suave* com bisturi, prepara-se um esfregaço na lâmina do microscópio, corado com Giemsa, Wright ou azul de metileno, a ser examinado para determinar se há células gigantes ou acantolíticas, que são diagnósticas (Fig. 27-32). Além disso, há indicação para solicitar cultura, testes de imunofluorescência ou reação em cadeia da polimerase para herpes.

Diagnóstico laboratorial de escabiose. O diagnóstico é feito com a identificação do ácaro ou de seus ovos ou fezes em raspados de pele removidos das pápulas ou túneis (ver Seção 28). Com o auxílio de uma lâmina de bisturi estéril sobre a qual se tenha colocado uma gota de óleo mineral estéril, aplica-se o óleo sobre a superfície do túnel ou da pápula. A seguir, pápula ou escavação devem ser vigorosamente raspados para que seja removida toda a cobertura da pápula; surgirão pequenas manchas de sangue no óleo. Transferir o óleo para uma lâmina de microscópio e proceder ao exame buscando por ácaros, ovos e fezes. Os ácaros têm 0,2 a 0,4 mm de tamanho e quatro pares de patas (ver Fig. 28-16).

Biópsia de pele

A biópsia de pele é uma das técnicas diagnósticas mais simples e satisfatórias considerando-se a acessibilidade da pele e a variedade de técnicas para exame da amostra retirada (p. ex., histopatologia, imunopatologia, reação em cadeia da polimerase e microscopia eletrônica).

A escolha do local de biópsia é feita com base principalmente no estágio da erupção, sendo que as lesões iniciais geralmente são mais características; isso é especialmente importante nas erupções vesicobolhosas (p. ex., pênfigo e herpes simples), nas quais as lesões não devem ter mais de 24 horas. Contudo, lesões mais antigas (2 a 6 semanas) são mais características no lúpus eritematoso discoide.

Uma técnica comum para biópsia diagnóstica é o uso do *punch* de 3 a 4 mm, uma pequena lâmina tubular semelhante a um saca-rolha, que, por meio de movimentos rotatórios realizados entre o polegar e o indicador, corta atravessando epiderme, derme e tecido subcutâneo; a base é seccionada com tesoura. Se houver indicação de imunofluorescência (p. ex., nas doenças bolhosas ou no lúpus eritematoso), há necessidade de um meio específico para transporte ao laboratório.

No caso de nódulos, deve-se remover uma grande cunha por meio de excisão, incluindo tecido subcutâneo. Além disso, quando indicado, as amostras devem ser seccionadas ao meio, metade para exame histológico e metade enviada em recipiente estéril a fim de serem realizadas culturas para bactérias e fungos, ou em meios especiais de fixação para cultura, em célula ou, ainda, material congelado para exame imunopatológico.

As amostras para microscopia óptica devem ser imediatamente fixadas em formalina tamponada neutra. Um resumo breve, mas detalhado, da história clínica com descrição das lesões deve acompanhar a amostra. A biópsia está indicada em *todas* as suspeitas de neoplasia, todos os distúrbios bolhosos com uso simultâneo de imunofluorescência e em todos os distúrbios dermatológicos em que não tenha sido possível chegar a um diagnóstico específico apenas com o exame clínico.

PARTE I

DISTÚRBIOS DA PELE E DAS MEMBRANAS MUCOSAS

SEÇÃO 1

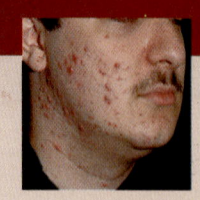

DISTÚRBIOS DAS GLÂNDULAS SEBÁCEAS, ÉCRINAS E APÓCRINAS

ACNE VULGAR (ACNE COMUM) E ACNE CÍSTICA CID-10: L70.0

- Inflamação das unidades pilossebáceas, a qual é muito comum.
- Aparece na face, no tronco e, raramente, nas nádegas.
- Ocorre mais frequentemente em adolescentes.
- Manifesta-se na forma de comedões, papulopústulas, nódulos e cistos.
- Produz cicatrizes escavadas, deprimidas ou hipertróficas.

EPIDEMIOLOGIA

OCORRÊNCIA Muito comum, afetando cerca de 85% das pessoas jovens.
IDADE DE INÍCIO Puberdade; pode surgir pela primeira vez aos 25 anos ou mais.
SEXO Mais grave em homens.
ETNIA Incidência menor em asiáticos e africanos.
ASPECTOS GENÉTICOS Base genética multifatorial e predisposição familiar. A maioria dos indivíduos com acne cística tem um ou ambos os genitores com história de acne grave. A acne grave pode estar associada à síndrome XYY (rara).

PATOGÊNESE

Os *fatores-chave* são ceratinização folicular, androgênios e a bactéria *Propionibacterium acnes* (ver **Fig. 1-4**).

O tamponamento dos folículos (comedão) impede a drenagem do sebo; os androgênios (quantitativa e qualitativamente normais no soro) estimulam as glândulas sebáceas a produzirem mais sebo. A lipase bacteriana (*P. acnes*) converte lipídeos em ácidos graxos e produz mediadores pró-inflamatórios (interleucina-1 [IL-1], fator de necrose tumoral [TNF]-α) que induzem reação inflamatória. As paredes distendidas dos folículos pilosos rompem-se, e sebo, lipídeos, ácidos graxos, ceratina e bactérias penetram na derme, produzindo uma resposta inflamatória de tipo corpo estranho. A inflamação intensa deixa cicatrizes.
FATORES CONTRIBUINTES Óleos minerais acnogênicos, raramente dioxina e outros listados adiante.
Fármacos. Lítio, hidantoína, isoniazida, glicocorticoides, contraceptivos orais, iodetos, brometos, androgênios e danazol.
Outros. *Estresse emocional* pode causar exacerbações. *Oclusão* e *pressão* na pele, como apoiar o rosto na mão, é um fator agravante *muito importante* que frequentemente passa despercebido (*acne mecânica*). A acne não é causada por qualquer tipo de alimento.

MANIFESTAÇÃO CLÍNICA

DURAÇÃO DAS LESÕES Semanas a meses.
ESTAÇÕES DO ANO Frequentemente agravada no outono e no inverno.
SINTOMAS Dor nas lesões (especialmente no tipo nódulo-cístico).
LESÕES CUTÂNEAS *Comedões* – abertos (pontos pretos) ou fechados (pontos brancos); *acne comedônica* (**Fig. 1-1**). *Pápulas* e *papulopústulas* – ou seja, uma pápula encimada por uma pústula; *acne papulopustular* (**Fig. 1-2**). *Nódulos* ou *cistos* – 1 a 4 cm de diâmetro; *acne nódulo-cística* (**Fig. 1-3**). Nódulos macios são causados por rupturas e reencapsulamentos repetidos de folículos com inflamação, formação de abscesso (cistos) e reação tipo corpo estranho (**Fig. 1-4**). Nódulos e cistos únicos, isolados e arredondados coalescem, formando pápulas lineares e tratos fistulosos (**Figs. 1-3** e **1-5**). *Fístulas*: drenando por tratos revestidos por epitélio, geralmente nos casos de acne nodular. *Cicatrizes*: atróficas deprimidas (frequentemente escavadas) ou hipertróficas (algumas vezes, queloides). *Seborreia* da face e do couro cabeludo é frequente e, algumas vezes, intensa.
Locais preferenciais. Face, região cervical, tronco, região proximal do braço e nádegas.

Formas especiais

ACNE NEONATAL Ocorre no nariz e regiões malares de neonatos ou lactentes e é relacionada ao desenvolvimento glandular; transitória e autolimitada.
ACNE ESCORIADA Ocorre geralmente em mulheres jovens e é associada a escoriações e cicatrizes extensas em razão de problemas emocionais e psicológicos (transtorno obsessivo-compulsivo).
ACNE MECÂNICA As agudizações da acne ocorrem nas regiões malares, mento e fronte devido ao apoio

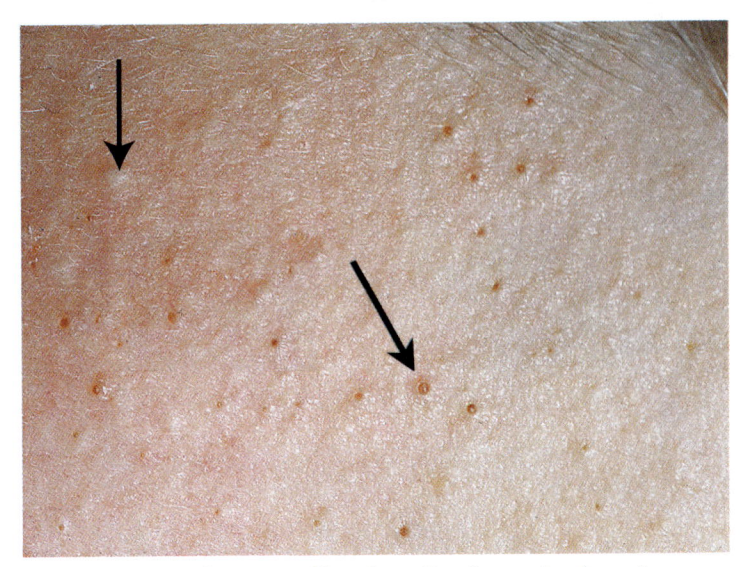

SEÇÃO 1 DISTÚRBIOS DAS GLÂNDULAS SEBÁCEAS, ÉCRINAS E APÓCRINAS

Figura 1-1 Acne vulgar: comedões Comedões são tampões de ceratina que se formam no interior dos óstios foliculares, frequentemente associados a eritema circundante e formação de pústula. Os comedões em óstios pequenos são denominados fechados ou "pontos brancos" (seta superior); os comedões associados a óstios grandes são denominados comedões abertos ou "pontos pretos" (seta inferior). Os comedões são mais adequadamente tratados com retinoides tópicos.

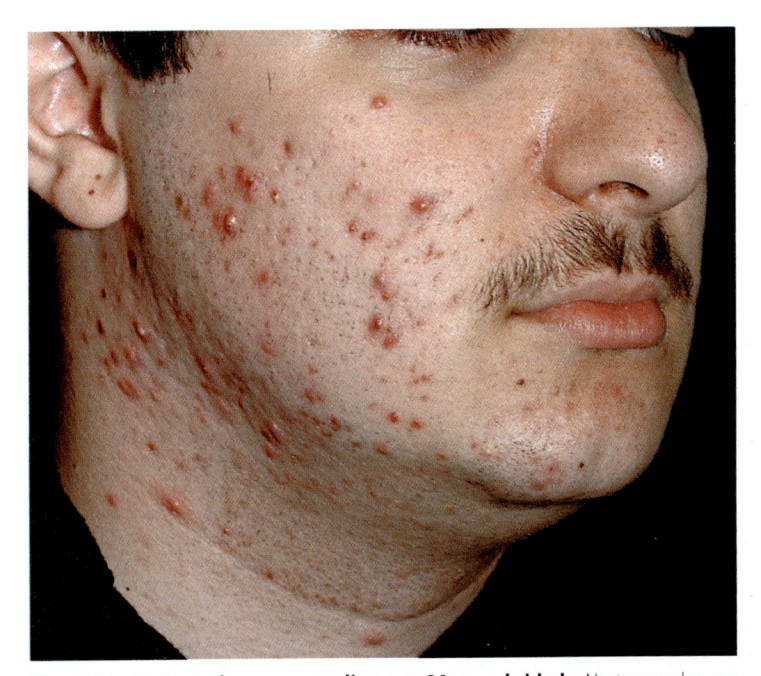

Figura 1-2 Paciente do sexo masculino com 20 anos de idade Neste caso de acne papulopustular, algumas pápulas inflamadas tornaram-se nodulares, o que representa a fase inicial de uma acne nódulo-cística.

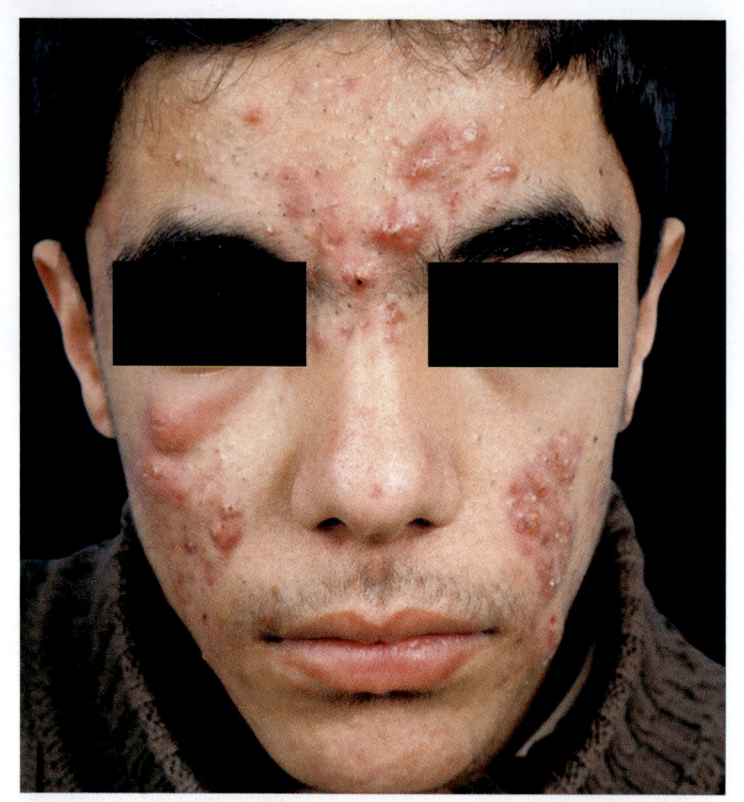

Figura 1-3 Acne nódulo-cística Distribuição simétrica na face de um adolescente. A fotografia mostra claramente que mesmo a acne nódulo-cística inicia-se com comedões – veem-se tanto comedões abertos quanto fechados nesta face – que, então, transformam-se em lesões papulopustulares, que crescem e coalescem para formar a acne nódulo-cística. Não é surpreendente que essas lesões sejam muito dolorosas, e também é compreensível que esse tipo de acne impacte gravemente a vida social desses adolescentes.

da face nas mãos, ou na fronte devido a pontos de pressão causados por equipamentos esportivos como capacetes.

ACNE CONGLOBATA Acne cística grave (**Figs. 1-5** e **1-6**) com maior envolvimento do tronco do que da face, mas também ocorre nas nádegas. Há coalescência de nódulos, cistos, abscessos e ulceração. A remissão espontânea é rara. Raramente vista com genótipo XYY ou na síndrome do ovário policístico (SOP).

ACNE FULMINANTE Ocorre primariamente em meninos adolescentes. *Instalação aguda* de acne cística grave com supuração e *ulceração*; mal-estar geral, fadiga, febre, artralgia generalizada, leucocitose e elevação da velocidade de hemossedimentação (VHS).

ACNE TROPICAL Com foliculite grave, nódulos inflamatórios, cistos com supuração no tronco e nas nádegas principalmente em climas tropicais; infecção secundária por *Staphylococcus aureus*.

ACNE OCUPACIONAL Causada por exposição aos derivados do alcatrão, óleos de corte, hidrocarbonetos clorados (ver "Cloracne", adiante). Não é restrita a regiões preferenciais, podendo surgir em outras áreas (cobertas) do corpo, como braços, pernas e nádegas.

CLORACNE Causada por exposição a hidrocarbonetos aromáticos clorados em condutores elétricos, inseticidas e herbicidas. Algumas vezes é muito grave em razão de acidentes industriais ou de intoxicação intencional (p. ex., dioxina).

ACNE COSMÉTICA Causada por cosméticos comedogênicos.

Acne por pomada. Localizada na região frontal da cabeça, geralmente em afrodescendentes que aplicam pomada no cabelo.

SÍNDROME SAPHO Acrônimo de *s*inovite, *a*cne fulminante, *p*ustulose *p*almoplantar, *h*idradenite supurativa, hiperceratose e *o*steíte; muito rara.

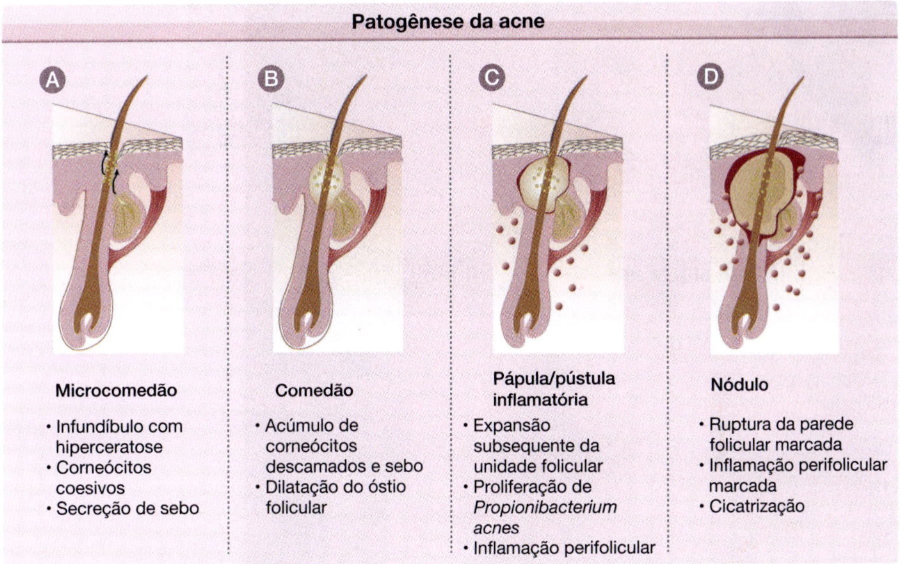

Patogênese da acne

A — Microcomedão
- Infundíbulo com hiperceratose
- Corneócitos coesivos
- Secreção de sebo

B — Comedão
- Acúmulo de corneócitos descamados e sebo
- Dilatação do óstio folicular

C — Pápula/pústula inflamatória
- Expansão subsequente da unidade folicular
- Proliferação de *Propionibacterium acnes*
- Inflamação perifolicular

D — Nódulo
- Ruptura da parede folicular marcada
- Inflamação perifolicular marcada
- Cicatrização

Figura 1-4 Patogênese da acne (Reproduzida com permissão de Zaenglein, A.L. et al. Acne vulgaris and acneiform eruptions. In: Goldsmith, L.A., Katz, S.I., Gilchrest, B.A. et al., eds. *Fitzpatrick's Dermatology in General Medicine*. 8. ed. New York, McGraw-Hill, 2012.).

SÍNDROME PAPA Artrite piogênica estéril, pioderma gangrenoso e acne (acrônimo do inglês: steril *p*yogenic *a*rthritis *p*yoderma gangrenosum and *a*cne). Distúrbio autoinflamatório hereditário; muito rara.

Condições acneiformes, mas que não são acne

ACNE POR ESTEROIDES Não há comedões. Segue-se ao uso de glicocorticoides sistêmicos ou tópicos. Foliculite monomórfica – pequenas pápulas eritematosas e pústulas no tórax e no dorso.

ACNE INDUZIDA POR FÁRMACOS Não há comedões. Erupção acneiforme monomórfica causada por fenitoína, lítio, isoniazida, doses elevadas de complexo vitamínico B, inibidores do fator de crescimento epidérmico (ver Seção 23, reações cutâneas adversas aos fármacos [RCAFs] relacionadas à quimioterapia) e compostos halogenados.

ACNE ESTIVAL Não há comedões. Erupção papular após exposição ao sol. Geralmente na fronte, ombros, braços, região cervical e tórax.

FOLICULITE POR GRAM-NEGATIVOS Múltiplas pequenas pústulas amarelas que cobrem lesões de acne vulgar em indivíduos submetidos à antibioticoterapia de longa duração.

DIAGNÓSTICO E DIAGNÓSTICO DIFERENCIAL

Observação: A presença de comedões é necessária para o diagnóstico de acne de qualquer tipo. Não há comedões nos quadros acneiformes (ver anteriormente) e nas seguintes condições: **Face** – foliculite por *S. aureus*, pseudofoliculite da barba, rosácea e dermatite perioral. **Tronco** – foliculite por *Malassezia*, foliculite por pseudômonas (associada ao uso de banheiras aquecidas), foliculite por *S. aureus* e quadros acneiformes (ver anteriormente).

EXAMES LABORATORIAIS

Não há indicação de exames laboratoriais. Na grande maioria dos pacientes com acne, os níveis hormonais são normais. Se houver suspeita de distúrbio endócrino, deve-se solicitar a dosagem de testosterona livre, hormônio foliculoestimulante, hormônio luteinizante e sulfato de desidroepiandrosterona (DHEAS) para afastar hiperandrogenismo e SOP. Quando recalcitrante, a acne também pode estar relacionada à hiperplasia suprarrenal congênita (deficiência de 11β ou 21β-hidroxilase). Se for planejado tratamento sistêmico com isotretinoína, devem-se dosar transaminases (AST, ALT), triglicerídeos e colesterol.

EVOLUÇÃO

Com frequência, as lesões regridem no início da terceira década de vida, mas podem persistir até a quarta década ou mais. Há exacerbações no inverno e no período menstrual. As sequelas da acne são as cicatrizes, que podem ser evitadas com o tratamento, *especialmente com o uso precoce de isotretinoína por via oral* (ver adiante).

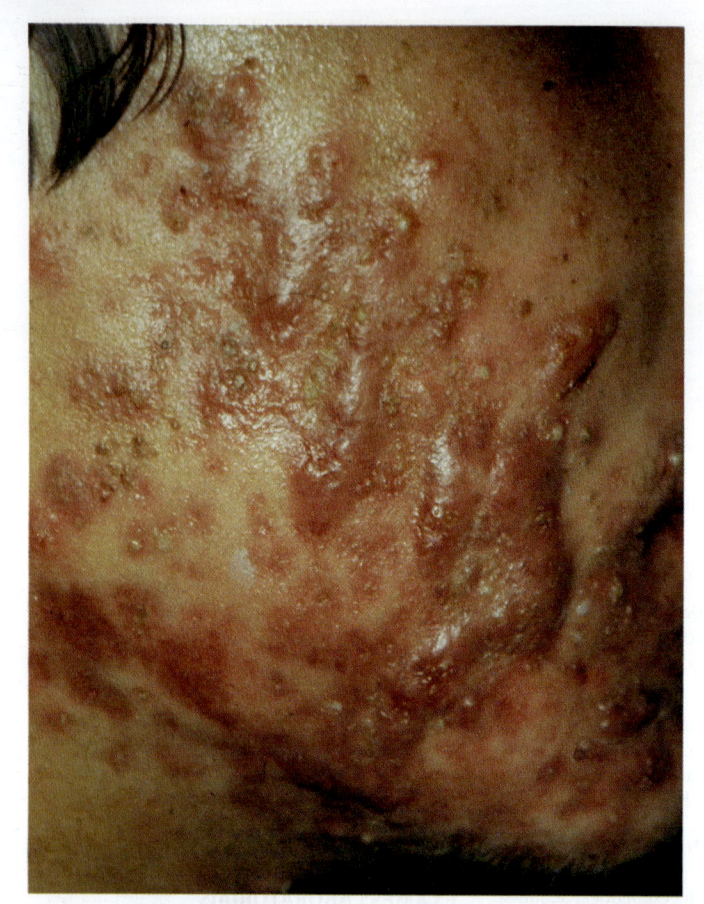

Figura 1-5 Acne conglobata Neste tipo grave de acne nódulo-cística, observam-se grandes nódulos e cistos confluentes, formando pápulas lineares que correspondem a canais que se interconectam. Há formação de pústulas, crostas e cicatrizes. As lesões podem ser muito dolorosas.

TRATAMENTO

O objetivo do tratamento é remover os tampões que obstruem a drenagem dos folículos, reduzir a produção de sebo e tratar a colonização bacteriana. O objetivo a longo prazo é evitar as cicatrizes.

ACNE LEVE Usar antibióticos tópicos (clindamicina e eritromicina) e peróxido de benzoíla em gel (2, 5 ou 10%). O uso de retinoides tópicos (ácido retinoico, adapaleno, tazaroteno) requer instruções detalhadas acerca do aumento gradual na concentração, iniciando-se com 0,01% e aumentando-se para 0,025 e 0,05% na forma de creme, gel ou solução. O tratamento é melhor se combinado com gel de peróxido de benzoíla e eritromicina.

Observação: A cirurgia para acne (extrações dos comedões) é útil apenas quando realizada apropriadamente e após pré-tratamento com retinoides tópicos.

ACNE MODERADA Ao esquema anterior, deve-se adicionar antibioticoterapia oral. O esquema com minociclina, 50 a 100 mg/dia, é o mais efetivo, ou doxiciclina 50 a 100 mg, duas vezes ao dia, com redução para 50 mg/dia à medida que se observar melhora. O uso de isotretinoína VO para prevenção de cicatrizes nos casos de acne moderada tem se tornado mais comum e é muito efetivo.

ACNE GRAVE Além do tratamento tópico, há indicação de terapia sistêmica com isotretinoína nos casos de acne cística ou conglobata ou qualquer outro tipo refratário ao tratamento. Esse retinoide inibe

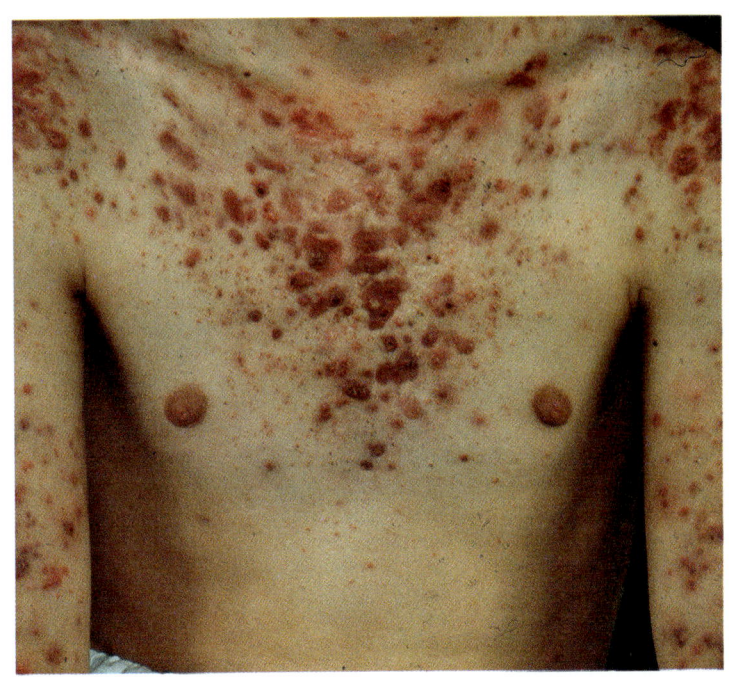

Figura 1-6 Acne conglobata no tronco Nódulos e cistos inflamatórios coalescem, formando abscessos que podem ulcerar. Há muitas cicatrizes recentes vermelhas que se seguem à resolução das lesões inflamatórias em toda a região do tórax, mas também no dorso.

a função das glândulas sebáceas e a ceratinização, o que é muito efetivo. Em quase todos os casos, a isotretinoína oral leva à remissão total, que perdura por meses a anos na maioria dos pacientes.
Indicações para isotretinoína oral. Acne moderada, recalcitrante ou nodular.
Contraindicações. A isotretinoína é teratogênica e é obrigatório o uso de contracepção efetiva. O uso concomitante de tetraciclina e isotretinoína pode causar quadro de pseudotumor cerebral (edema intracraniano benigno); assim, os dois medicamentos *nunca* devem ser utilizados ao mesmo tempo.
Advertências. Antes do tratamento, é necessário dosar as transaminases (AST, ALT) e os lipídeos sanguíneos. Cerca de 25% dos pacientes evoluem com *aumento dos triglicerídeos plasmáticos*. Os pacientes podem desenvolver elevação leve a moderada dos níveis de transaminases, as quais normalizam com a redução da dose do fármaco. *Olhos:* há relatos de *cegueira noturna* e os pacientes podem manifestar *intolerância às lentes de contato*. *Pele:* é possível haver exantema de tipo eczematoso causado pelo ressecamento induzido pelo fármaco e que responde rapidamente ao uso tópico de glicocorticoides de baixa potência (classe III). Ressecamento de lábios e queilite quase sempre ocorrem e devem ser tratados. Muito raramente observa-se afinamento reversível do cabelo, assim como paroníquia. *Nariz:* raramente, ocorrem ressecamento e sangramento da mucosa nasal. *Outros sistemas:* raramente ocorrem depressão, cefaleia, artrite, dor muscular; mas pode ocorrer pancreatite. Para outras complicações raras, consultar a bula.
Posologia. Isotretinoína, 0,5 a 1 mg/kg em dose fracionada administrada junto às refeições. A maioria dos pacientes melhora dentro de 20 semanas com 1 mg/kg, mas 0,5 mg/kg é igualmente efetivo.
OUTROS TRATAMENTOS SISTÊMICOS PARA ACNE GRAVE Nos casos graves de acne conglobata ou fulminante, ou nas síndromes SAPHO e PAPA, pode haver necessidade de tratamento adjunto com glicocorticoides sistêmicos. O inibidor do TNF-α, infliximabe, e o anakinra são fármacos que vêm sendo investigados para tratamento das formas graves com resultados promissores. *Observação:* Para cistos e nódulos inflamatórios, a infiltração intralesional com triancinolona (0,05 mL de solução com 3 a 5 mg/mL) é útil.

ROSÁCEA CID-10: L71

- Distúrbio acneiforme inflamatório crônico comum das unidades pilossebáceas da face.
- Associado ao aumento da reatividade dos capilares, levando a rubor e telangiectasia.
- Pode resultar em espessamento elástico de nariz, regiões malares, fronte ou mento em razão de hiperplasia sebácea, edema e fibrose.

EPIDEMIOLOGIA

OCORRÊNCIA Frequente, afetando aproximadamente 10% dos indivíduos com pele clara.

IDADE DE INÍCIO De 30 a 50 anos; pico de incidência entre 40 e 50 anos.

SEXO Predominantemente feminino, mas o rinofima ocorre principalmente no sexo masculino.

ETNIA Distúrbio observado em populações célticas (fototipos cutâneos I e II), mas também em originários da região sul do Mediterrâneo; menos frequente em indivíduos pigmentados (fototipos cutâneos V e VI, i.e., pardos e negros).

ESTADIAMENTO (CLASSIFICAÇÃO DE PLEWIG E KLIGMAN)

Diátese rosácea: eritema episódico, "flushing" e "blushing" (ruborizações súbitas).

Estágio I: eritema persistente com telangiectasias.

Estágio II: eritema persistente, telangiectasias, pápulas e diminutas pústulas.

Estágio III: eritema profundo e persistente, telangiectasias densas, pápulas, pústulas, nódulos; raramente edema "sólido" persistente na região central da face.

Observação: Nem sempre há evolução de um estágio a outro. A rosácea pode se instalar nos estágios II ou III ou haver sobreposição de estágios.

MANIFESTAÇÃO CLÍNICA

História de episódios de vermelhidão na face (rubor) em resposta a líquidos quentes, alimentos apimentados, bebidas alcoólicas, exposição ao sol ou ao calor. É possível que haja antecedentes de acne por anos, mas a rosácea geralmente é um quadro novo.

DURAÇÃO DAS LESÕES Dias, semanas ou meses.

SINTOMAS CUTÂNEOS Preocupação com o aspecto estético da face.

LESÕES CUTÂNEAS Fase inicial. Estágio I. Rubor patognomônico – "face vermelha" (**Fig. 1-7**). Estágio II. Minúsculas pápulas e papulopústulas (2 a 3 mm), sendo que a pústula geralmente é pequena (≤ 1 mm) e encontra-se no ápice da pápula (**Figs. 1-8 e 1-9**). Não há comedões.

Fase tardia. Estágio III. Fácies vermelha e pápulas e nódulos vermelho-escuros (**Figs. 1-10 e 1-11**). Lesões isoladas e dispersas. Telangiectasias. Hiperplasia sebácea acentuada e linfedema na rosácea crônica, causando desfiguração de nariz, fronte, pálpebras, orelhas e mento (**Fig. 1-11**). Rinofima (nariz aumentado), *metofima* (tumefação em forma de almofada na região da fronte), *blefarofima* (tumefação palpebral), *otofima* (tumefação dos lóbulos da orelha em forma de couve-flor) e *gnatofima* (tumefação do mento) em consequência de hiperplasia acentuada das glândulas sebáceas (**Fig. 1-11**) e fibrose. À palpação, consistência macia e elástica ("borracha").

Distribuição. Localização simétrica na face (**Fig. 1-10**). Raramente ocorrem na região cervical, tórax (área em V), dorso e couro cabeludo.

Associações. Pode estar associada à dermatite seborreica.

Envolvimento ocular

"Olhos vermelhos" são causados por blefarite crônica, conjuntivite e episclerite. A ceratite por rosácea, embora rara, é um problema grave em razão da possibilidade de evolução para úlcera da córnea.

EXAMES LABORATORIAIS

CULTURA PARA BACTÉRIAS Para afastar a possibilidade de infecção por *S. aureus*. Os raspados podem revelar infestação maciça simultânea por *Demodex folliculorum*.

DERMATOPATOLOGIA Inflamação perifolicular e pericapilar inespecífica com focos ocasionais de áreas granulomatosas "tuberculoides"; capilares dilatados. *Estágios avançados:* hipertrofia difusa de tecido conectivo, hiperplasia de glândulas sebáceas e granuloma epitelioide sem cáseo.

DIAGNÓSTICO DIFERENCIAL

PÁPULAS/PÚSTULAS FACIAIS Acne (na rosácea, não há comedões), dermatite periorificial (ver adiante), foliculite por *S. aureus*, foliculite por gram-negativos, infestação por *D. folliculorum*.

ERITEMA/RUBOR FACIAL Dermatite seborreica, uso prolongado de glicocorticoides tópicos, lúpus eritematoso sistêmico; dermatomiosite.

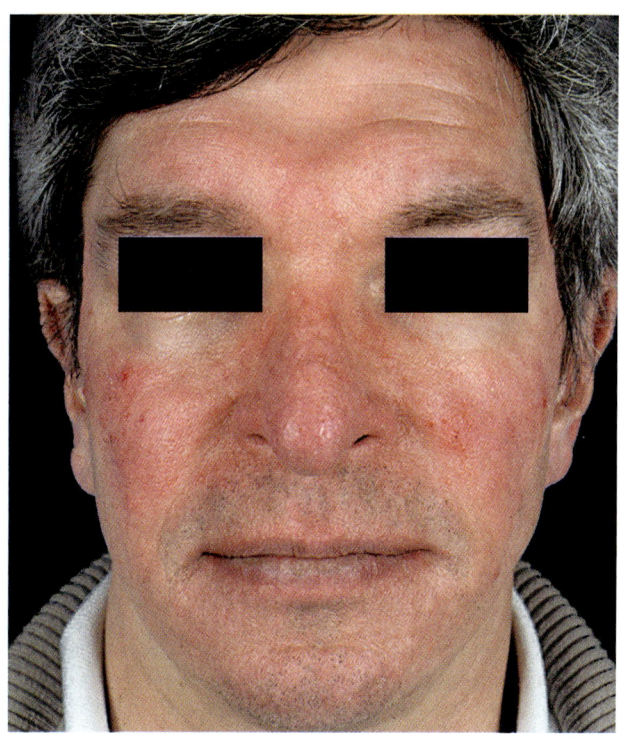

Figura 1-7 Rosácea eritematosa (estágio I) O paciente com rosácea nos estágios iniciais frequentemente se apresenta com eritema episódico, ruborizações súbitas ("*flushing* e *blushing*"), o que é seguido por eritema persistente, causado por múltiplas diminutas telangiectasias que resultam na face vermelha característica.

EVOLUÇÃO

PROLONGADA As recorrências são comuns. Após alguns anos, a doença pode desaparecer espontaneamente; em geral, persiste por toda a vida. Pacientes do sexo masculino, e, muito raramente, as do sexo feminino, podem evoluir com rinofima, gnatofima, etc.

MANEJO

PREVENÇÃO Em alguns pacientes, a redução no consumo ou a abstinência total de álcool e cafeína podem ser úteis.

Tópico

Metronidazol em gel ou *creme* a 0,75 ou 1%, 1 ou 2 vezes ao dia. Ivermectina em creme.
Antibióticos tópicos (p. ex., eritromicina em gel) são menos efetivos.

SISTÊMICO A antibioticoterapia oral é mais efetiva que o tratamento tópico.
Minociclina ou *doxiciclina*, 50 a 100 mg, 1 ou 2 vezes ao dia, são os antibióticos de primeira linha; muito efetivos. *Tetraciclina*, 1 a 1,5 g/dia com dose fracionada até o desaparecimento das lesões; redução gradual para dose diária de 250 a 500 mg; metronidazol, 500 mg, duas vezes ao dia, VO, é efetivo.

Tratamento de manutenção. Minociclina ou doxiciclina, 50 mg/dia ou 50 mg em dias alternados.

ISOTRETINOÍNA ORAL Nos casos graves (especialmente estágio III) que não respondam à antibioticoterapia e aos tratamentos tópicos. Um esquema com dose baixa de 0,5 mg/kg/dia é efetivo na maioria dos casos, mas ocasionalmente pode ser necessário aumentar para 1 mg/kg/dia.

IVERMECTINA Dose única de 12 mg, VO em caso de infestação intensa por *Demodex*.

RINOFIMA E TELANGIECTASIAS Tratados cirurgicamente ou com *laser* com resultados estéticos excelentes. O betabloqueador carvedilol 6,5 mg VO reduz o eritema e as telangiectasias; a brimonidina na forma de gel tópico 0,5% reduz rapidamente o eritema e as telangiectasias, mas não em todos os casos.

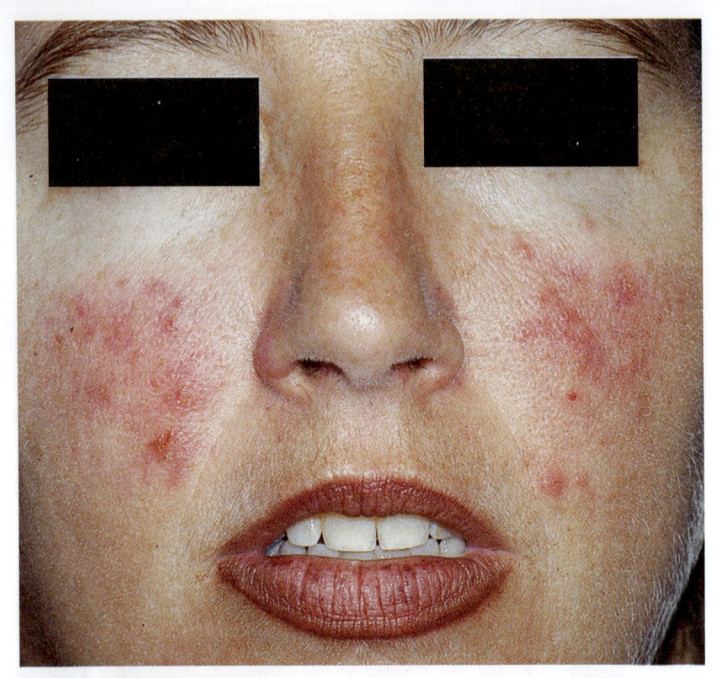

Figura 1-8 Rosácea Rosácea moderada em paciente do sexo feminino de 29 anos com eritema persistente, telangiectasias, pápulas eritematosas (estágio II) e pústulas diminutas.

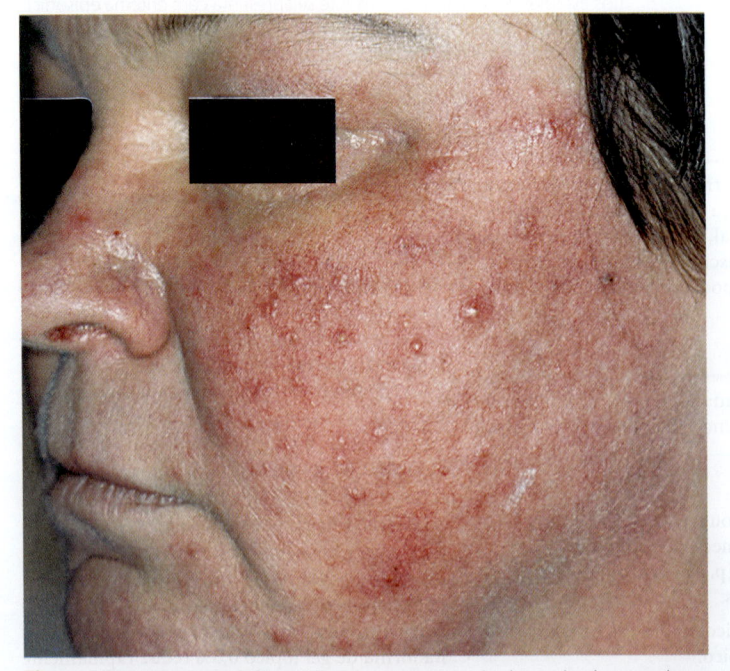

Figura 1-9 Rosácea (estágios II-III) Telangiectasias, pápulas e pústulas com algum grau de tumefação em paciente do sexo feminino de 50 anos. Não há comedões.

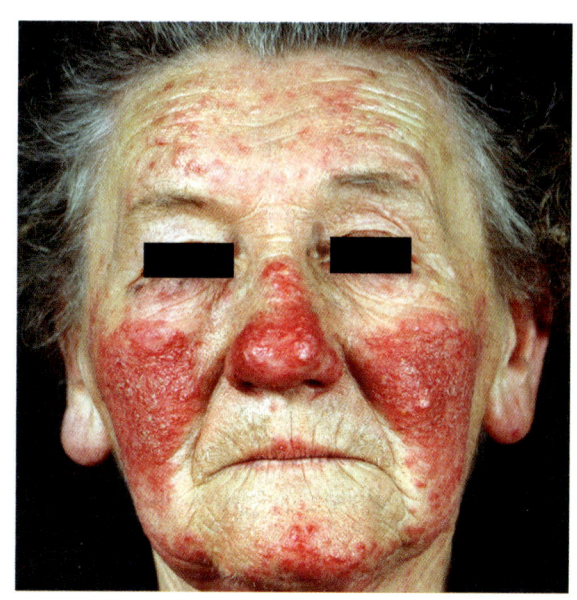

Seção 1 Distúrbios das glândulas sebáceas, écrinas e apócrinas

Figura 1-10 Rosácea papulopustular (estágio III) Nesta mulher de 68 anos, a rosácea compromete quase toda a face, poupando a região dos lábios superior e inferior e as têmporas. Pápulas e pústulas coalesceram – e também não há comedões –, levando a algum grau de tumefação das regiões malares, que apresentam edema "sólido".

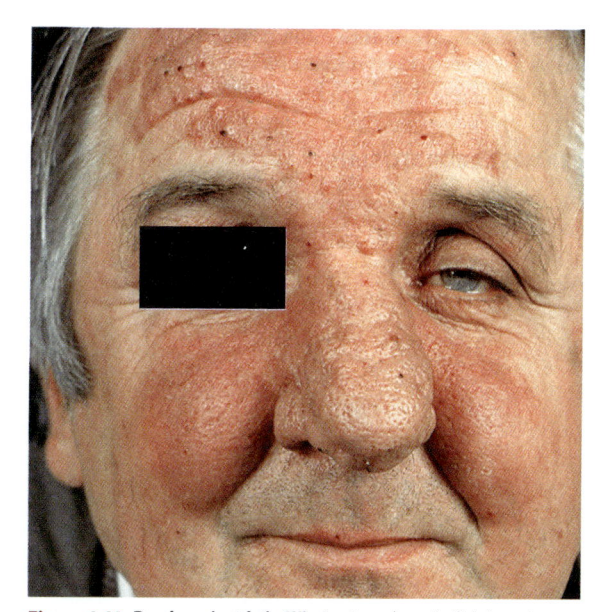

Figura 1-11 Rosácea (estágio III) Aqui, o edema "sólido" persistente no nariz, fronte e parte das regiões malares é o principal sintoma. Pápulas, pústulas e pústulas com crostas estão superpostas a esse edema persistente. O nariz intumescido tem consistência elástica e já pode ser caracterizado como rinofima. Observe também o blefarofima da pálpebra superior esquerda.

DERMATITE PERIORIFICIAL CID-10: L71.0

- Micropápulas eritematosas e microvesículas isoladas.
- Frequentemente confluentes na pele perioral ou periorbital.
- Ocorre principalmente em mulheres jovens; pode ocorrer em crianças e em idosos.

EPIDEMIOLOGIA E ETIOLOGIA

IDADE DE INÍCIO Dos 16 aos 45 anos; pode ocorrer em crianças e em idosos.
SEXO Predominantemente feminino.
ETIOLOGIA Variante da rosácea. Pode ser muito agravada por glicocorticoides tópicos potentes (fluorados).

MANIFESTAÇÃO CLÍNICA

DURAÇÃO DAS LESÕES Semanas a meses. Sintomas cutâneos percebidos como prejudiciais à estética; ocasionalmente, prurido ou sensação de queimação ou de aperto.
LESÕES CUTÂNEAS Papulopústulas eritematosas com 1 a 2 mm sobre base eritematosa (Fig. 1-12), irregularmente agrupadas e simétricas. As lesões aumentam em número com confluência central e lesões-satélites (Fig. 1-13); as placas confluentes podem ter aspecto eczematoso com descamação fina. Não há comedões.
Distribuição. Inicialmente perioral. Área de pele poupada ao redor da borda vermelha do lábio sulco nasolabial (Figs. 1-12 e 1-13); algumas vezes, na região periorbital (Fig. 1-14). Raramente, ocorre apenas na região periorbital.

EXAMES LABORATORIAIS

CULTURA Para afastar a possibilidade de infecção por *S. aureus*.

DIAGNÓSTICO DIFERENCIAL

Dermatite alérgica de contato, dermatite atópica, dermatite seborreica, rosácea, acne vulgar, acne associada ao uso de esteroides.

EVOLUÇÃO

As lesões em geral têm instalação subaguda ao longo de semanas a meses. Algumas vezes, é erroneamente diagnosticada como dermatite eczematosa ou seborreica e tratada com glicocorticoide tópico potente, agravando a dermatite perioral ou induzindo a acne associada ao uso de esteroides.

TRATAMENTO

Tópico
Evitar o uso de glicocorticoides tópicos; *metronidazol* em gel a 0,75%, duas vezes ao dia, ou a 1%, uma vez ao dia; *eritromicina* em gel a 2%, duas vezes ao dia.

Sistêmico
Minociclina ou *doxiciclina*, 100 mg ao dia até melhora das lesões; depois, 50 mg ao dia por mais 2 meses. (Atenção: a doxiciclina é um fármaco fotossensibilizante.) Ou *tetraciclina*, 500 mg duas vezes ao dia até melhora das lesões; depois, 500 mg ao dia por 1 mês, seguido por 250 mg ao dia por mais 1 mês.

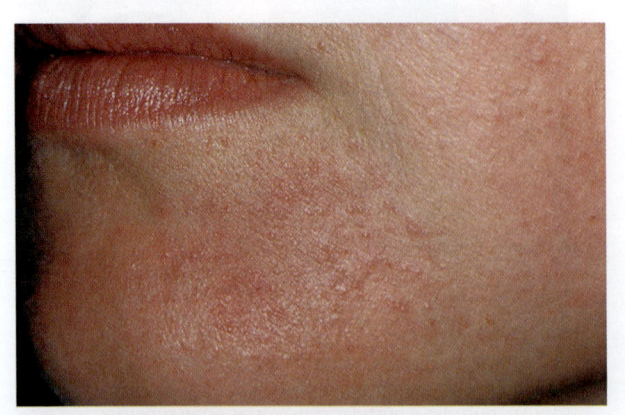

Figura 1-12 Dermatite perioral Envolvimento moderado com confluência inicial de micropápulas e poucas pústulas com distribuição perioral em uma mulher jovem. É possível observar como as lesões poupam a borda vermelha do lábio (junção mucocutânea).

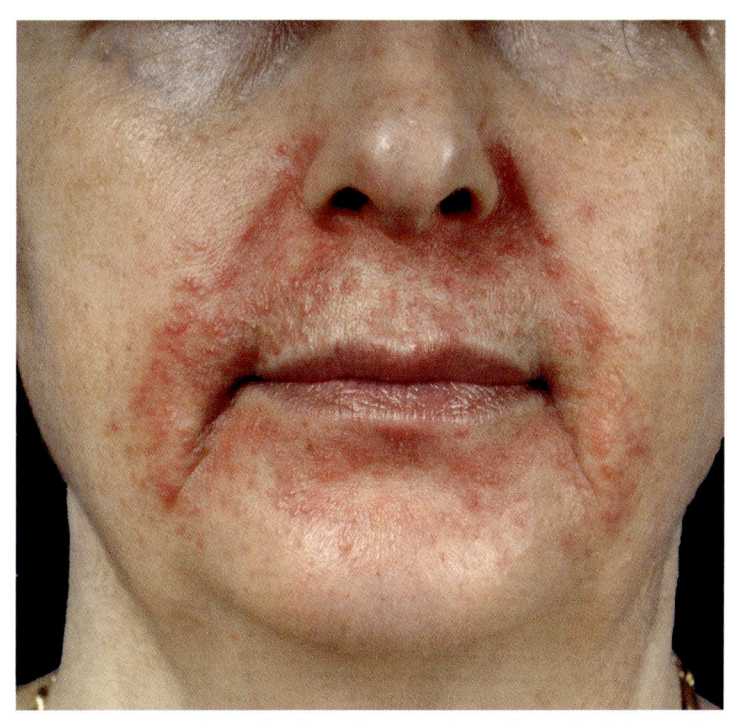

Seção 1 Distúrbios das glândulas sebáceas, écrinas e apócrinas

Figura 1-13 Dermatite perioral Localização preferencial ao redor da boca, sulcos nasolabiais e regiões malares. Esta paciente de 38 anos estava sendo tratada com corticosteroides fluorados que levaram ao agravamento do problema.

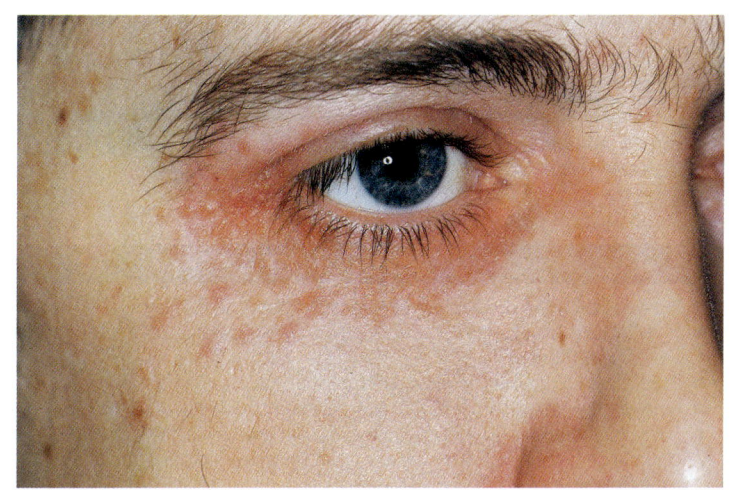

Figura 1-14 Dermatite periorbital Observar a presença de minúsculas pápulas e de algumas pústulas ao redor dos olhos. Essa localização é muito menos frequente do que ao redor da boca.

MILIÁRIA CID-10: L74.3

- Distúrbio causado por retenção de suor.
- Sudorese excessiva → maceração e bloqueio dos ductos écrinos.
- Três tipos:
    - Cristalina (pequenas vesículas claras superficiais) (**Fig. 1-15**);
    - Rubra (vesículas com base eritematosa, pruriginosas);
    - Profunda (pápulas brancas, causadas por oclusão ductal mais profunda).
- Diagnóstico diferencial: Foliculite, doença de Grover ou candidíase.
- Terapia: Ambiente fresco, corticosteroides tópicos ou inibidores da calcineurina.

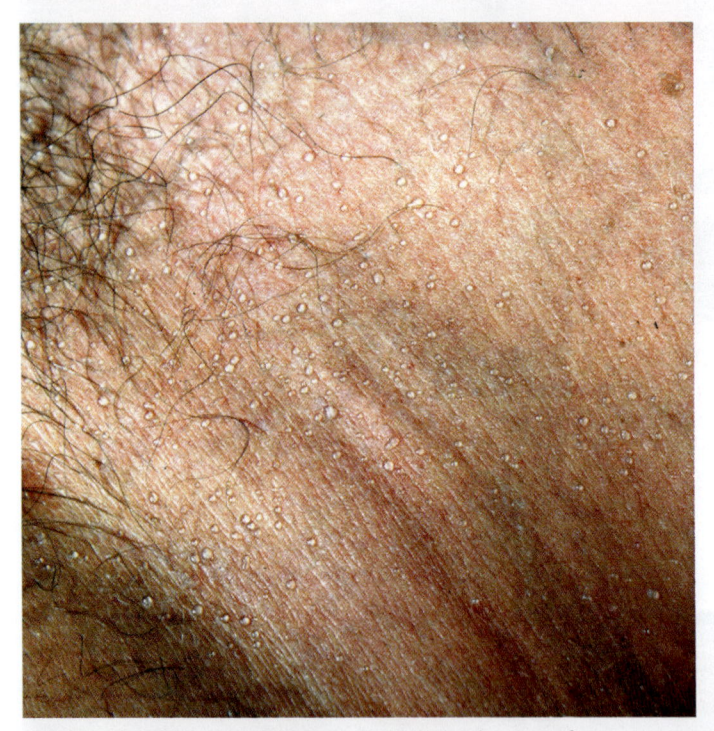

Figura 1-15 Miliária cristalina Pequenas vesículas claras superficiais no tronco após sudorese excessiva.

HIPERIDROSE CID-10: R61

- Produção excessiva de sudorese écrina, com diversos tipos.
- Hiperidrose cortical primária. Geralmente em palmas, plantas, axilas, ocasionalmente na face de forma simétrica ou bilateral.
- Hiperidrose cortical secundária associada com ceratodermia palmar e plantar e epidermólise bolhosa.
- Hiperidrose hipotalâmica secundária associada com doenças sistêmicas, infecções e câncer.
- Hiperidrose medular secundária (gustativa): sudorese facial após ingestão de alimentos apimentados. Síndrome de Frey é uma sudorese gustativa em que a ruptura de nervos para a sudorese leva a uma conexão aberrante com nervos salivares.
- Tratamento: Antiperspirantes tópicos contendo sais de alumínio. Injeção de toxina botulínica tipo A, quando possível. A iontoforese em água corrente é menos efetiva.

SEÇÃO 1 **DISTÚRBIOS DAS GLÂNDULAS SEBÁCEAS, ÉCRINAS E APÓCRINAS**

CROMIDROSE E BROMIDROSE CID-10: L75.1 E L75.0

- A sudorese com coloração (verde, preta, amarela) na cromidrose é causada pela lipofuscina nas glândulas apócrinas, colorindo roupas, ou ainda por fungos ou bactérias cromogênicos (**Fig. 1-16**).
- O odor fétido do suor na bromidrose é causado pela degradação da sudorese écrina pela microflora local (corinebactérias ou micrococos) ou pela degradação da sudorese apócrina (geralmente triglicerídeos) também pela flora cutânea.

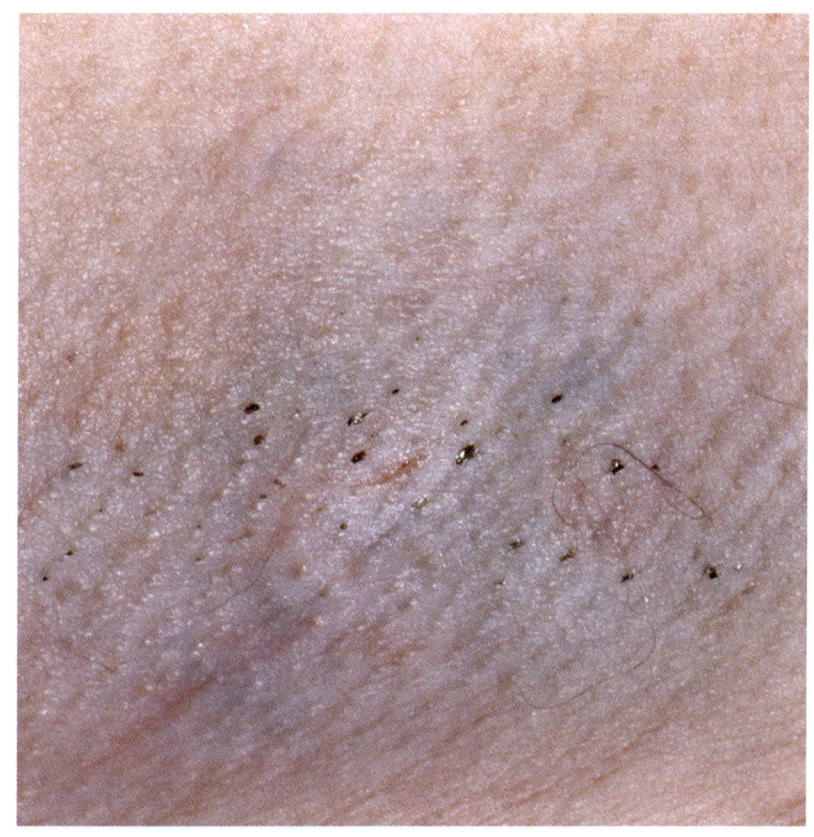

Figura 1-16 Cromidrose Observe as gotas azuis a pretas da sudorese apócrina corada pela lipofuscina nos orifícios de ductos glandulares. Também há um brilho azulado em toda a pele da axila pela lipofuscina nas glândulas mais profundas dos tecidos.

HIDRADENITE SUPURATIVA CID-10: L73.2

- Doença supurativa crônica, frequentemente cicatricial da pele com glândulas apócrinas.
- Afeta axilas, região inguinocrural e anogenital e, raramente, o couro cabeludo (denominada *perifoliculite dissecante*).
- Pode estar associada a acne nódulo-cística grave, acne conglobata e fístula pilonidal (também chamada *síndrome da obstrução folicular*).

Sinônimos: apocrinite, hidradenite axilar, abscesso de glândulas sudoríparas apócrinas, acne inversa.

EPIDEMIOLOGIA

IDADE DE INÍCIO Desde a puberdade até o climatério.
SEXO Acomete mais as mulheres; estima-se que afete 4% da população do sexo feminino. Os pacientes do sexo masculino apresentam mais comumente lesões anogenitais, e as mulheres, lesões axilares.
ETNIA Acomete todas as etnias.
HEREDITARIEDADE Observou-se transmissão de mãe para filha. Na história familiar, observam-se casos de acne nódulo-cística e de hidradenite supurativa ocorrendo em conjunto ou separadamente em parentes consanguíneos.

ETIOLOGIA E PATOGÊNESE

Etiologia. A etiologia é desconhecida. Fatores predisponentes: obesidade, tabagismo e predisposição genética para acne.
PATOGÊNESE Obstrução do folículo piloso por ceratina → dilatação do folículo piloso e, secundariamente, do ducto apócrino → inflamação → crescimento bacteriano no folículo e no ducto dilatados → ruptura → extensão da supuração/destruição de tecido → ulceração e fibrose, formação de fístulas → cicatrização.

MANIFESTAÇÃO CLÍNICA

Sintomas. Dor intermitente e pontos intensamente sensíveis relacionados à presença de abscesso.
LESÕES CUTÂNEAS Comedões abertos, comedões duplos → nódulos/abscessos hiperemiados, inflamatórios *muito sensíveis* (**Fig. 1-17**) → com resolução ou drenagem de material purulento/seropurulento → tratos fistulosos moderada a extremamente sensível → fibrose, cicatrizes em "ponte", cicatrizes hipertróficas ou queloides, contraturas (**Figs. 1-17** e **1-18**). Raramente, linfedema do membro envolvido.
Distribuição. Axilas, mamas, região anogenital ou região inguinal. Frequentemente bilateral; pode se estender por todo o dorso, nádegas, períneo, comprometendo o escroto ou a vulva (**Figs. 1-19** e **1-20**), e couro cabeludo.

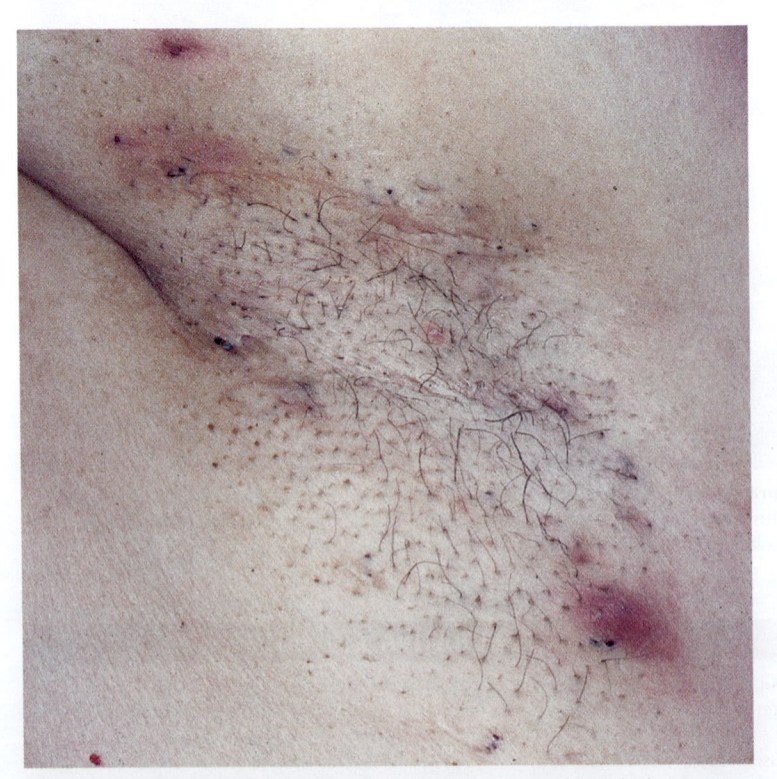

Figura 1-17 Hidradenite supurativa Vários comedões pretos, alguns duplos, representam um achado característico, associados a abscessos profundos extremamente dolorosos e cicatrizes antigas na axila.

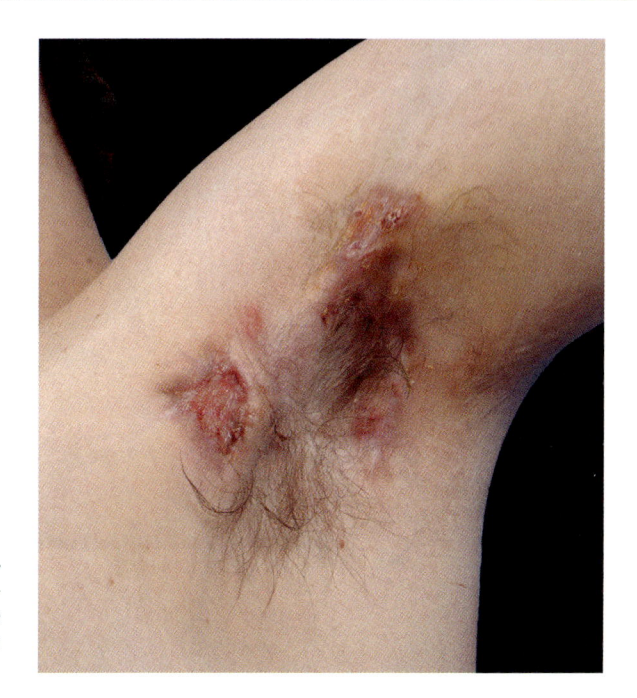

Seção 1 Distúrbios das glândulas sebáceas, écrinas e apócrinas

Figura 1-18 Hidradenite supurativa Diversas cicatrizes protuberantes e deprimidas, fístulas secretoras e úlcera maior na axila de um homem de 24 anos.

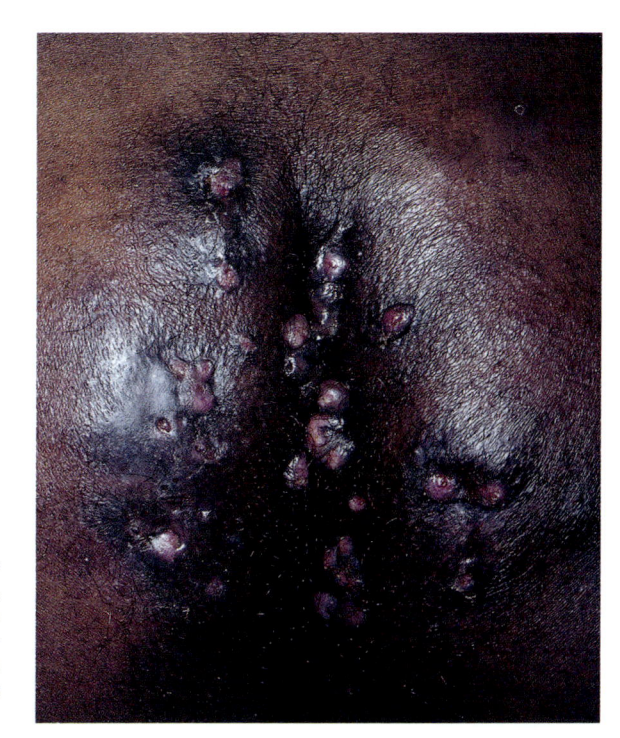

Figura 1-19 Hidradenite supurativa Intensa fibrose nas nádegas, nódulos inflamatórios dolorosos com fístulas e trajetos fistulosos secretores. Quando o paciente se senta, há drenagem de pus pelas aberturas das fístulas.

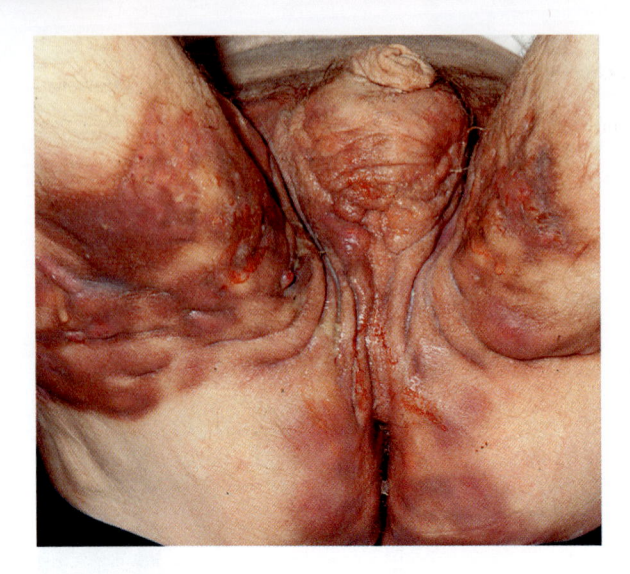

Figura 1-20 Hidradenite supurativa Toda a pele perigenital e perianal, assim como nádegas e face interna das coxas, está afetada neste paciente do sexo masculino com 50 anos. Observa-se inflamação considerável, e a pressão da região provoca drenagem de exsudato purulento por múltiplas fístulas. O paciente tinha que utilizar fralda, pois, sempre que se sentava, as fístulas drenavam secreção.

Achados associados. Acne cística, fístula pilonidal. Frequentemente, obesidade.

EXAMES LABORATORIAIS

BACTERIOLOGIA Diversos patógenos podem colonizar secundariamente ou "infectar" as lesões. São eles: S. aureus, estreptococos, Escherichia coli, Proteus mirabilis e Pseudomonas aeruginosa.
DERMATOPATOLOGIA Obstrução dos folículos pilosos por ceratina, dilatação ductal/tubular, alterações inflamatórias restritas ao aparelho folicular → destruição da unidade pilossebácea/apócrina/écrina, fibrose, ou hiperplasia pseudoepiteliomatosa nas fístulas.

DIAGNÓSTICO DIFERENCIAL

Pápula, nódulo, abscesso dolorosos na região inguinal e na axila: furúnculos, carbúnculo, linfadenite, ruptura de cisto de inclusão, linfadenopatia dolorosa do linfogranuloma venéreo, ou doença da arranhadura do gato. *Também:* donovanose, escrofuloderma, actinomicose, trajetos fistulosos e fístulas associadas à colite ulcerativa e à enterite regional.

EVOLUÇÃO E PROGNÓSTICO

A gravidade varia muito. Os pacientes com envolvimento leve que apresentam nódulos hiperemiados, dolorosos à palpação, autolimitados e recorrentes frequentemente não buscam tratamento. Em geral, ocorre remissão com a idade (> 35 anos). Alguns evoluem com progressão implacável, morbidade acentuada relacionada a dor crônica, fístulas secretoras e cicatrizes com redução da mobilidade (Figs. 1-19 e 1-20). Complicações raras: fístulas para uretra, bexiga e/ou reto; anemia; amiloidose.

TRATAMENTO

A hidradenite supurativa *não* é apenas uma infecção, e a antibioticoterapia sistêmica é apenas parte do programa de tratamento. Utilizam-se combinações de (1) glicocorticoides intralesionais, (2) cirurgia, (3) antibióticos VO e (4) isotretinoína.

Tratamento medicamentoso

NÓDULO E ABSCESSO DOLOROSO AGUDO Triancinolona (3 a 5 mg/mL) intralesional, seguida por incisão e drenagem do abscesso.
DOENÇA CRÔNICA DE BAIXO GRAU Antibióticos VO: eritromicina (250 a 500 mg, 4×/dia), tetraciclina (250 a 500 mg, 4×/dia) ou minociclina (100 mg, 2×/dia); ou associação de clindamicina (300 mg, 2×/dia) e rifampicina (300 mg, 2×/dia); a resolução pode demorar semanas ou meses.
PREDNISONA Concomitantemente, em caso de dor e inflamação intensas: 70 mg, diariamente, por 2 a 3 dias, com redução progressiva ao longo de 14 dias.
ISOTRETINOÍNA ORAL Não é útil nos casos graves, mas sim nos estágios iniciais da doença, para prevenir obstrução dos folículos e em combinação com excisão cirúrgica das lesões. Os inibidores do TNF-α (p. ex., infliximabe) apresentaram resultados promissores em casos graves.

Tratamento cirúrgico
- Incisão e drenagem dos abscessos em fase aguda.
- Excisão de nódulos fibróticos ou de trajetos fistulosos crônicos recorrentes.
- Nos casos de doença crônica e extensa, há necessidade de excisão ampla axilar ou da região anogenital envolvida, estendendo-se até a fáscia, com enxerto cutâneo de espessura parcial.

MANEJO PSICOLÓGICO

Os pacientes tornam-se muito deprimidos em razão de dor, sujeira nas roupas pela drenagem de pus, odor e pelo local de ocorrência (região anogenital). Assim, devem ser utilizados todos os recursos e modalidades terapêuticas disponíveis para lidar com a doença.

DOENÇA DE FOX-FORDYCE

- Rara, ocorrendo principalmente no sexo feminino, após a puberdade.
- Erupção formada por pápulas levemente eritematosas ou cor de pele localizadas em axilas ou região genitofemoral (**Fig. 1-21**).
- Muito pruriginosa.
- Causada por obstrução do infundíbulo folicular → ruptura → inflamação.
- Tratamento: uso tópico de corticosteroides ou inibidores da calcineurina, clindamicina tópica, eletrocoagulação ou lipoaspiração/curetagem.

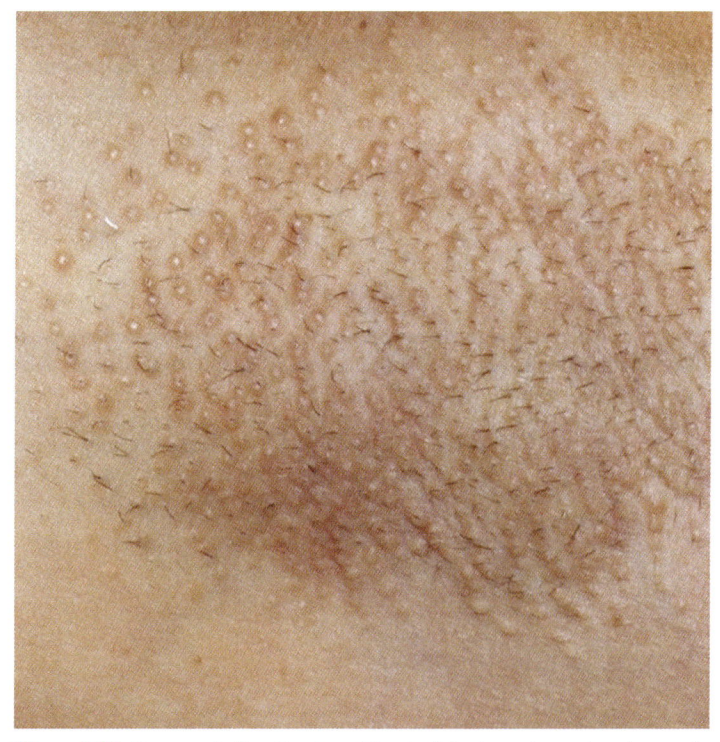

Figura 1-21 Doença de Fox-Fordyce Pápulas foliculares da cor da pele na axila e muito pruriginosas.

SEÇÃO 2

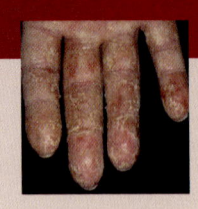

ECZEMA/DERMATITE

Os termos *eczema* e *dermatite* são empregados como sinônimos para denotar um padrão de reação inflamatória polimórfica, que acomete a epiderme e a derme. Existem muitas etiologias, e as manifestações clínicas são muito variáveis. O quadro agudo de eczema/dermatite se caracteriza por prurido, eritema e formação de vesículas. O quadro crônico de eczema/dermatite se caracteriza por prurido, xerose, liquenificação, hiperceratose/descamação e ± fissuras.

DERMATITE DE CONTATO CID-10: L25

Dermatite de contato é um termo genérico que se aplica às reações inflamatórias agudas ou crônicas a substâncias que entram em contato com a pele. A *dermatite de contato por irritante* (DCI) é causada por um irritante químico. A *dermatite de contato alérgica* (DCA) é causada por um antígeno (alérgeno) que desencadeia uma reação de hipersensibilidade tipo IV (celular ou tardia).

A DCI ocorre após uma única exposição ao agente desencadeante, que é tóxico para a pele (p. ex., óleo de cróton) e, em casos graves, pode resultar em necrose. Depende da concentração do agente desencadeante e ocorre em todas as pessoas, de acordo com a penetrabilidade e a espessura do estrato córneo. Existe uma concentração limiar para essas substâncias, acima da qual provocam dermatite aguda e, abaixo, não causam reação. Isso diferencia a DCI da DCA, a qual depende da sensibilização e portanto só ocorre em indivíduos sensibilizados. Dependendo do grau de sensibilização, diminutas quantidades dos agentes desencadeantes podem provocar reação. Como a DCI é um fenômeno tóxico, a sua ocorrência limita-se à área de exposição, por isso sempre é nitidamente demarcada e nunca se espalha. A DCA é uma reação imunológica que tende a acometer a pele circundante (fenômeno de disseminação), podendo espalhar-se além das áreas acometidas.

DERMATITE DE CONTATO POR IRRITANTE (DCI) CID-10: L24

- A DCI é uma doença localizada restrita às áreas expostas a irritantes.
- É causada por exposição da pele a substâncias químicas ou a outros agentes físicos capazes de irritar a pele.
- Os agentes irritantes intensos causam reações tóxicas, mesmo depois de uma exposição de curta duração.
- A maioria dos casos resulta da exposição cumulativa crônica a um ou mais irritantes.
- As mãos constituem a área mais comumente acometida.

QUADRO 2-1 Agentes irritantes/tóxicos mais comuns

- Sabões, detergentes, produtos de limpeza das mãos usados sem água.
- Ácidos e álcalis[a]: ácido fluorídrico, cimento, ácido crômico, fósforo, óxido de etileno, fenol, sais metálicos.
- Solventes industriais: solventes de alcatrão, petróleo, hidrocarbonetos clorados, solventes alcoólicos, etilenoglicol, éter, terebintina, éter etílico, acetona, dióxido de carbono, dimetilsulfóxido (DMSO), dioxano, estireno.
- Plantas: Euphorbiaceae (eufórbia, crótons, poinséttia, mancenilheira), Ranunculaceae (botão-de-ouro), Cruciferae (mostarda-negra), Urticaceae (urtiga), Solanaceae (pimenta, capsaicina), Opuntia (opúncia).
- Outros: fibra de vidro, lã, tecido sintético áspero, tecidos isolantes do fogo, papel "NCR" (papel sem carbono).

[a]Causam queimaduras químicas e necrose quando concentrados.

EPIDEMIOLOGIA

A DCI, que é a forma mais comum de doença cutânea ocupacional, é responsável por até 80% de todos os distúrbios dermatológicos ocupacionais. Todavia, a DCI não é necessariamente ocupacional e pode ocorrer em qualquer indivíduo cuja pele seja exposta a uma substância irritante ou tóxica.

ETIOLOGIA

AGENTES ETIOLÓGICOS (Quadro 2-1) Abrasivos, produtos de limpeza, agentes oxidantes; agentes redutores, enzimas e secreções vegetais e animais; pós dessecantes, poeira, solo; exposição excessiva à água.

FATORES PREDISPONENTES Atopia, pele clara, temperatura (baixa), clima (baixa umidade), oclusão, irritação mecânica.

EXPOSIÇÃO OCUPACIONAL Os indivíduos envolvidos nas seguintes ocupações/atividades correm risco: profissionais de serviços médicos, odontológicos e veterinários; limpeza doméstica; cabeleireiros; limpeza geral; floricultura; agricultura; horticultura; silvicultura; preparação e fornecimento de alimentos; impressão gráfica; pintura; trabalho com metais; engenharia mecânica; manutenção de automóveis; construção; pesca.

PATOGÊNESE

Irritantes (tanto químicos quanto físicos), quando aplicados por tempo suficiente e em concentrações adequadas. A reação inicial limita-se habitualmente ao local de contato com o agente irritante.

Os mecanismos envolvidos nas fases aguda e crônica da DCI são diferentes. As reações agudas resultam de lesão citotóxica direta aos ceratinócitos. A DCI crônica resulta de exposições repetidas que causam dano às membranas celulares, com consequente ruptura da barreira cutânea, desnaturação das proteínas e, em seguida, toxicidade celular.

DERMATITE DE CONTATO POR IRRITANTE AGUDA

MANIFESTAÇÕES CLÍNICAS

SINTOMAS Podem ocorrer sintomas subjetivos (ardência, ferroadas ou picadas, pontadas) dentro de poucos segundos após a exposição (ferroadas de tipo imediato), por exemplo, a ácidos, clorofórmio e metanol. As ferroadas de tipo tardio surgem dentro de 1 a 2 minutos, alcançam a sua intensidade máxima em 5 a 10 minutos e desaparecem em 30 minutos; são causadas por agentes como cloreto de alumínio, fenol, propilenoglicol e outros. Na DCI tardia, os sintomas cutâneos objetivos só aparecem em 8 a 24 horas após a exposição (p. ex., antralina, óxido de etileno e cloreto de benzalcônio) e são acompanhados de ardência, em lugar de prurido.

ALTERAÇÕES CUTÂNEAS Surgem poucos minutos após a exposição ou demoram até ≥ 24 horas. As lesões incluem desde eritema até vesiculação (Figs. 2-1 e 2-2) e queimadura cáustica com necrose. Eritema nitidamente demarcado e edema superficial, que correspondem ao local de exposição à substância tóxica (Fig. 2-1). As lesões não se espalham além da área de contato. Nas reações mais graves, ocorrem vesículas e bolhas (Figs. 2-1 e 2-2) → erosões e/ou até mesmo necrose franca, como no caso de exposição a ácidos ou soluções alcalinas. Não há formação de pápulas. A configuração é frequentemente bizarra ou linear ("aspecto incomum" ou efeito de respingo) (Fig. 2-1).

Distribuição. Isolada, localizada ou generalizada, dependendo do contato com o agente tóxico.

Duração. Dias, semanas, dependendo da lesão tecidual.

Sintomas constitucionais

Em geral, não há sintomas constitucionais; entretanto, na DCI aguda disseminada, podem ocorrer síndrome de "doença aguda" e febre.

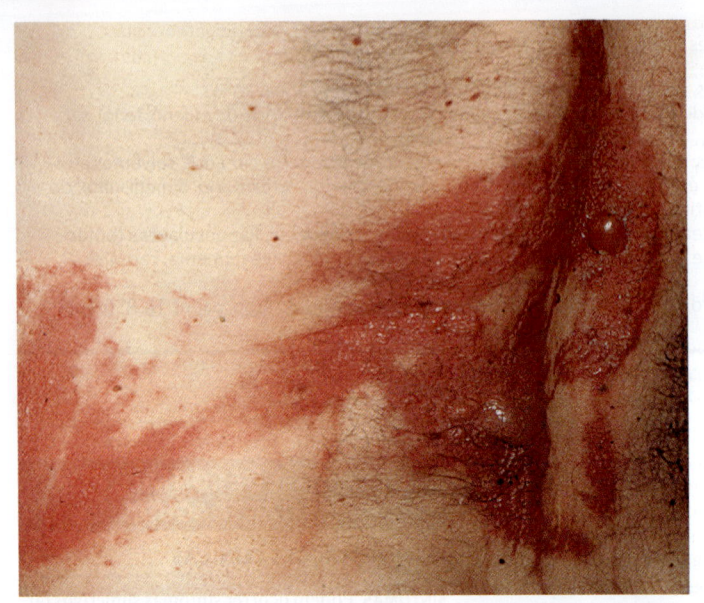

Figura 2-1 Dermatite de contato por irritante aguda, após a aplicação de um creme contendo butoxietil éster do ácido nonilvanilamídico e niacina para tratamento de dor lombar O "padrão estriado" indica algo incomum. A erupção caracteriza-se por eritema maciço com vesiculação e formação de bolhas, e limita-se aos locais expostos ao agente tóxico.

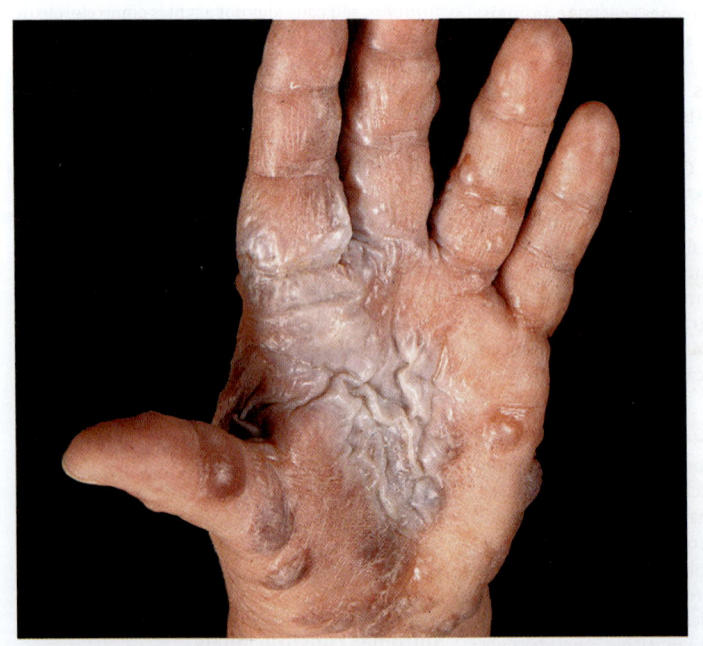

Figura 2-2 Dermatite de contato por irritante aguda na mão, devido a um solvente industrial Observa-se a formação intensa de bolhas na palma.

DERMATITE DE CONTATO POR IRRITANTE CRÔNICA

DCI CUMULATIVA Mais comum; desenvolve-se lentamente após exposição aditiva repetida a agentes irritantes leves (água, sabão, detergente, etc.), habitualmente nas mãos. Exposições repetidas a concentrações tóxicas ou subtóxicas de agentes agressores → distúrbio da função de barreira que possibilita a penetração na pele de concentrações até mesmo subtóxicas do agente agressor, desencadeando resposta inflamatória crônica. Lesão (p. ex., atrito repetido da pele), imersão prolongada em água ou contato crônico após traumatismo físico cumulativo repetido – atrito, pressão e abrasões em indivíduos envolvidos em trabalhos manuais (*DCI traumática*).

MANIFESTAÇÕES CLÍNICAS

SINTOMAS Ferroadas, pontadas, ardência *e* prurido; dor quando surgem fissuras.
ALTERAÇÕES CUTÂNEAS Ressecamento → aspereza → eritema (Fig. 2-3) → hiperceratose e descamação → fissuras e formação de crostas (Fig. 2-4). As bordas bem demarcadas transformam-se em bordas mal definidas, com liquenificação.

Distribuição. Habitualmente nas mãos (Figs. 2-3 e 2-4). Em geral, começa nos espaços interdigitais das mãos, espalha-se para as superfícies laterais e dorsais das mãos e, em seguida, para as palmas. Em donas de casa, surge frequentemente nas pontas dos dedos (*polpite*) (Fig. 2-3). Raramente, ocorre em outras áreas expostas a irritantes e/ou traumatismo, por exemplo, em violinistas na mandíbula ou na região cervical, ou em áreas expostas como na *DCI propagada pelo ar* (ver adiante).
Duração. Crônica, meses a anos.

Sintomas constitucionais

Não há sintoma constitucional, exceto quando ocorre infecção. A DCI crônica (p. ex., dermatite das mãos; ver adiante) pode transformar-se em grave problema ocupacional e emocional.

EXAMES LABORATORIAIS

HISTOPATOLOGIA Na DCI aguda, ocorrem necrose das células epidérmicas, neutrófilos, vesiculação e necrose. Na DCI crônica, acantose, hiperceratose e infiltrados linfocíticos.
TESTES DE CONTATO São negativos na DCI, a não ser que também haja DCA (ver adiante).

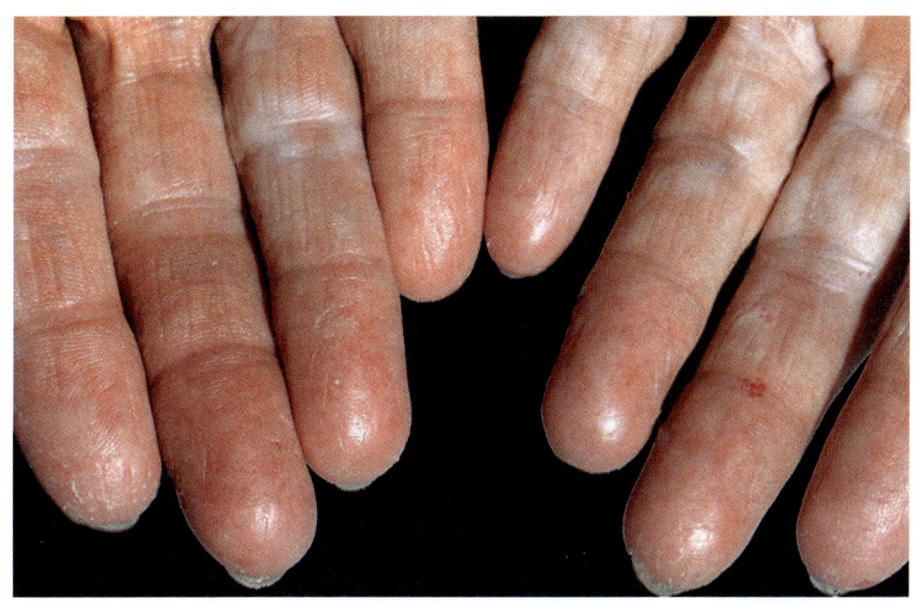

Figura 2-3 Dermatite de contato por irritante crônica em estágio inicial em uma dona de casa Causada pela exposição repetida a sabões e detergentes. Observam-se as pontas dos dedos brilhantes (polpite).

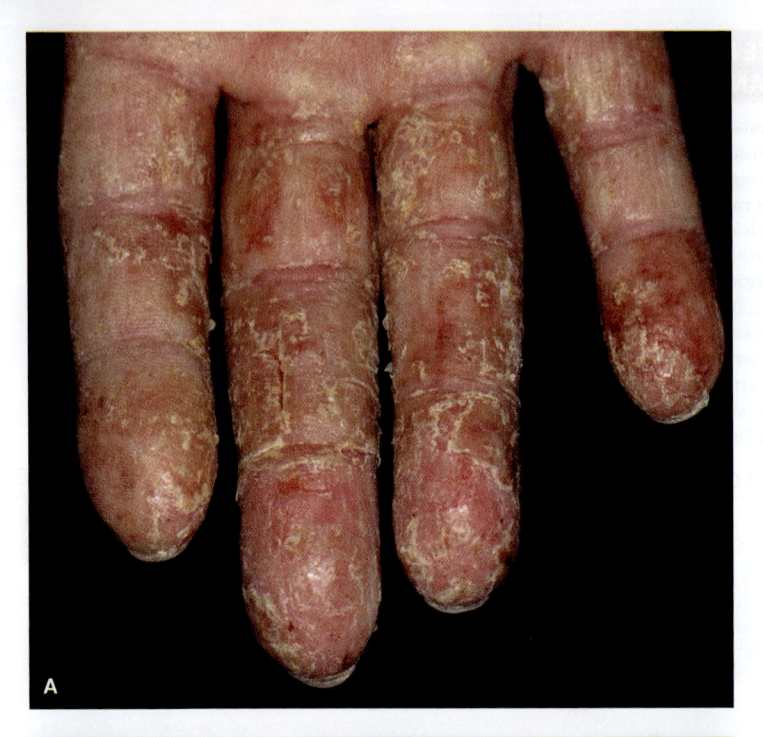

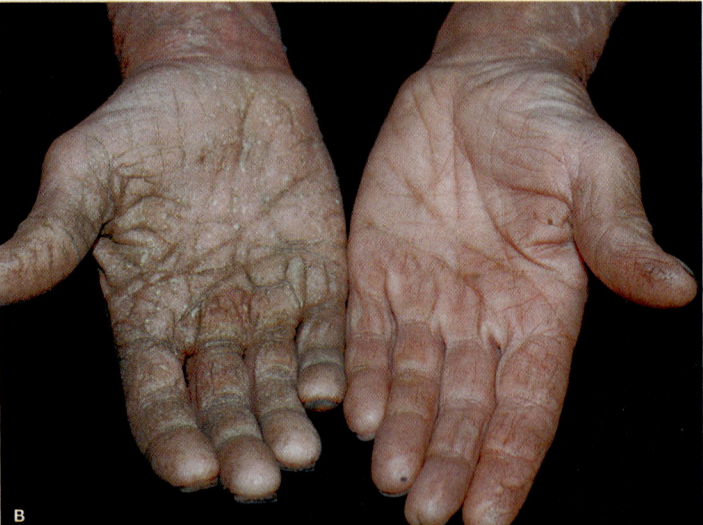

Figura 2-4 **(A) Dermatite por irritante crônica com exacerbação aguda em uma dona de casa** A paciente usou terebintina para limpar as mãos depois de pintar. Eritema, fissura e descamação. O diagnóstico diferencial inclui dermatite de contato alérgica e psoríase palmar. Os testes de contato com terebintina foram negativos. **(B) Dermatite de contato por irritante em trabalhador de construção que trabalha com cimento** Observam-se hiperceratose, descamação e fissuras. Há também pustulação mínima. A mão direita (dominante para realização do trabalho) está mais gravemente acometida do que a esquerda.

FORMAS ESPECIAIS DE DERMATITE DE CONTATO POR IRRITANTE (DCI)

Dermatite das mãos

A maioria dos casos de DCI crônica ocorre nas mãos e tem origem ocupacional. Com frequência, a sensibilização a alérgenos (como níquel ou sais de cromato) ocorre tardiamente, e a DCA superpõe-se à DCI. Um exemplo característico é a dermatite das mãos em trabalhadores de construção e que manuseiam cimento. O cimento é alcalino e corrosivo, levando ao desenvolvimento de DCI crônica (Fig. 2-4B); os cromatos presentes no cimento sensibilizam e levam à DCA (Dermatite de contato alérgica, ver adiante). Nesses casos, a erupção pode se espalhar para outras áreas, além das mãos, e até mesmo se generalizar.

DCI PROPAGADA PELO AR Ocorre geralmente na face, na região cervical, na parte anterior do tórax e nos braços. As causas mais frequentes consistem em poeira de substâncias irritantes e substâncias químicas voláteis (amônia, solventes, formaldeído, resinas de epóxi, cimento, fibra de vidro, serragem de madeiras tóxicas). Esses casos devem ser diferenciados da dermatite de contato *alérgica* propagada pelo ar (DCA propagada pelo ar, p. 32) e da dermatite de contato fotoalérgica (Seção 10).

DCI pustular e acneiforme

A DCI pode acometer os folículos e tornar-se pustular ou papulopustular. É causada pela exposição a metais, óleos minerais, graxas, óleo de corte e naftalenos.

DIAGNÓSTICO E DIAGNÓSTICO DIFERENCIAL

O diagnóstico é estabelecido com base na história e no exame clínico (lesões, padrão, localização). O diagnóstico diferencial mais importante é a DCA (Quadro 2-3). Nas palmas e nas plantas, psoríase palmoplantar; em áreas expostas, dermatite de contato fotoalérgica.

EVOLUÇÃO E PROGNÓSTICO

A regressão ocorre habitualmente em 2 semanas após a remoção dos estímulos nocivos; nos casos mais crônicos, podem ser necessárias 6 semanas ou mais. No contexto da DCI ocupacional, apenas um terço dos indivíduos apresenta remissão completa, enquanto dois terços podem necessitar de mudança para outra atividade ocupacional; os indivíduos atópicos têm pior prognóstico. Nos casos de exposição a níveis crônicos subcríticos de irritante, alguns trabalhadores desenvolvem tolerância ou "resistência".

MANEJO

Profilaxia

- Evitar substâncias químicas irritantes ou cáusticas por meio do uso de equipamentos de proteção (i.e., óculos, aventais e luvas).
- Caso ocorra contato, lavar com água ou solução neutralizante fraca.
- Cremes protetores de "barreira".
- Na DCI ocupacional que persiste, apesar da adoção das medidas descritas anteriormente, pode ser necessário trocar a atividade ocupacional.

TRATAMENTO

DCI aguda. Identificar e remover o agente etiológico. Aplicar curativos úmidos com solução de Bürow, trocados a cada 2 a 3 horas. As vesículas maiores podem ser drenadas. Preparações de glicocorticoides tópicos das classes I e II. Nos casos graves, pode-se indicar o uso de glicocorticoides sistêmicos. Prednisona: Ciclo de 2 semanas, dose inicial de 60 mg, com redução gradual de 10 mg por etapa.

DCI subaguda e crônica. Remover o agente etiológico/patogênico. Glicocorticoides tópicos potentes (dipropionato de betametasona ou propionato de clobetasol) e lubrificação adequada. Com a regressão das lesões, manter a lubrificação. O pimecrolimo e o tacrolimo, que são inibidores tópicos da calcineurina, em geral não são potentes o suficiente para suprimir efetivamente a inflamação crônica das mãos.

Na DCI crônica das mãos, pode-se obter um "efeito de resistência" na maioria dos casos por meio de fototerapia (PUVA) tópica (imersão ou banho) (p. 60).

TRATAMENTO SISTÊMICO Alitretinoína (aprovada na Europa e no Canadá), 0,5 mg/kg de peso corporal, VO, por até 6 meses. Observar as contraindicações para os retinoides sistêmicos.

DERMATITE DE CONTATO ALÉRGICA (DCA) CID-10: L23

- A DCA é uma doença sistêmica, definida por inflamação mediada por células T com hapteno específico.
- Trata-se de um dos distúrbios dermatológicos mais frequentes, incômodos e dispendiosos.
- Dermatite eczematosa (pápulas, vesículas, prurido).
- Causada por reexposição a uma substância à qual o indivíduo foi sensibilizado.

EPIDEMIOLOGIA

FREQUÊNCIA Responsável por 7% das doenças ocupacionais nos EUA; entretanto, os dados disponíveis sugerem que a taxa real de incidência é 10 a 50 vezes maior do que a notificada nos dados do U.S. Bureau of Labor Statistics. Estima-se que a DCA não ocupacional seja três vezes mais frequente do que a DCA ocupacional.

IDADE DE INÍCIO Todas as idades, porém rara em crianças pequenas e em indivíduos com mais de 70 anos.

OCUPAÇÃO Uma das causas mais importantes de incapacidade na indústria.

PATOGÊNESE

A DCA é uma reação de hipersensibilidade clássica, tardia, mediada por células. A exposição a um agente sensibilizante potente resulta em sensibilização dentro de 1 semana aproximadamente, enquanto a exposição a um alérgeno fraco pode levar meses a anos para sensibilizar. As células T sensibilizadas circulam no sangue e dirigem-se para a pele toda vez que o alérgeno específico estiver presente. Por conseguinte, *toda* a pele é hipersensível ao alérgeno de contato.

ALÉRGENOS

Os alérgenos de contato são diversos e incluem desde sais metálicos até antibióticos, corantes e produtos vegetais. Assim, são encontrados alérgenos em joias, produtos de higiene pessoal, fármacos tópicos, plantas, remédios caseiros e substâncias químicas com as quais o indivíduo pode entrar em contato. O **Quadro 2-2** fornece uma lista dos alérgenos mais comuns nos EUA.

MANIFESTAÇÕES CLÍNICAS

No indivíduo sensibilizado, a erupção começa 48 horas ou dias após o contato com o alérgeno; as exposições repetidas levam a reações cada vez mais intensas, isto é, ocorre agravamento da erupção. O local da erupção limita-se à área de exposição.

SINTOMAS Prurido intenso; nas reações graves, ocorrem também sensação de ferroadas e dor.

SINTOMAS CONSTITUCIONAIS Síndrome da "doença aguda", incluindo febre, porém, apenas na DCA grave (p. ex., *Toxicodendron* [hera venenosa], ver adiante).

Lesões cutâneas

DCA aguda. Eritema e edema bem demarcados, com pápulas ou vesículas não umbilicadas superpostas e próximas umas das outras (**Fig. 2-5**); nas reações graves, ocorrem bolhas, erosões confluentes que exsudam soro e crostas. A mesma reação pode surgir depois de várias semanas em áreas não expostas.

DCA subaguda. Placas de eritema brando, apresentando pequenas escamas secas, algumas vezes associadas a pápulas eritematosas firmes, pequenas, vermelhas, acuminadas ou arredondadas e escamas (**Figs. 2-6** e **2-7**).

QUADRO 2-2 Os 11 alérgenos de contato principais (North American Contact Dermatitis Group) e outros alérgenos de contato comuns[a]

Alérgeno	Principais fontes de contato
Sulfato de níquel	Metais em componentes de roupas, joias, agentes catalisadores
Sulfato de neomicina	Habitualmente encontrado em cremes e pomadas
Bálsamo-do-Peru	Fármacos tópicos
Perfume mix	Fragrâncias, cosméticos
Timerosal	Antissépticos
Tiossulfato sódico de ouro	Medicamentos
Formaldeído	Desinfetante, agentes vulcanizantes, plásticos
Quaternium-15	Desinfetante
Bacitracina	Pomadas, pós
Cloreto de cobalto	Cimento, galvanização, óleos industriais, agentes congelantes, sombras para os olhos
Metildibromo glutaronitrila, fenoxietanol	Conservantes, cosméticos
Outros: Carba mix, parafenilenodiamina, tiuram, éster do ácido para-hidroxibenzoico, propilenoglicol, procaína, benzocaína, sulfonamidas, terebintina, sais de mercúrio, cromatos, parabenos, aldeído cinâmico, pentadecilcatecois	

[a]Foram identificadas mais de 3.700 substâncias químicas como causa de dermatite de contato alérgica.

Seção 2 Eczema/dermatite 27

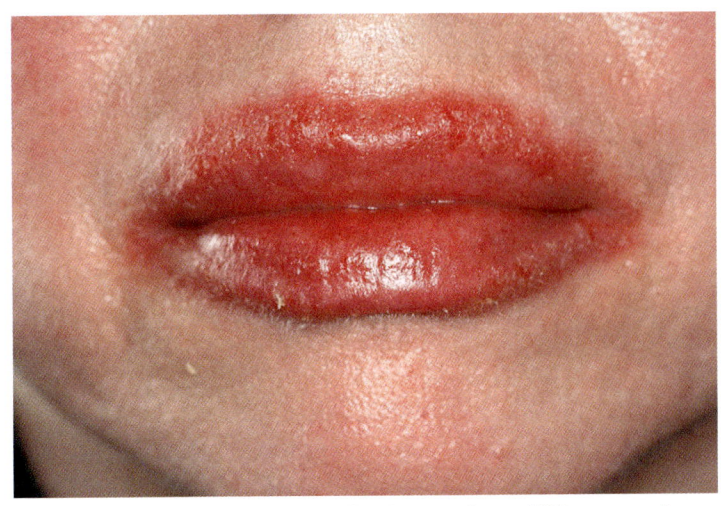

Figura 2-5 Dermatite de contato alérgica aguda nos lábios, causada por batom A paciente tinha hipersensibilidade à eosina. Observar o eritema brilhante, com microvesiculação. À inspeção mais detalhada, pode-se perceber um componente papular. Nesse estágio, as bordas ainda estão bem demarcadas.

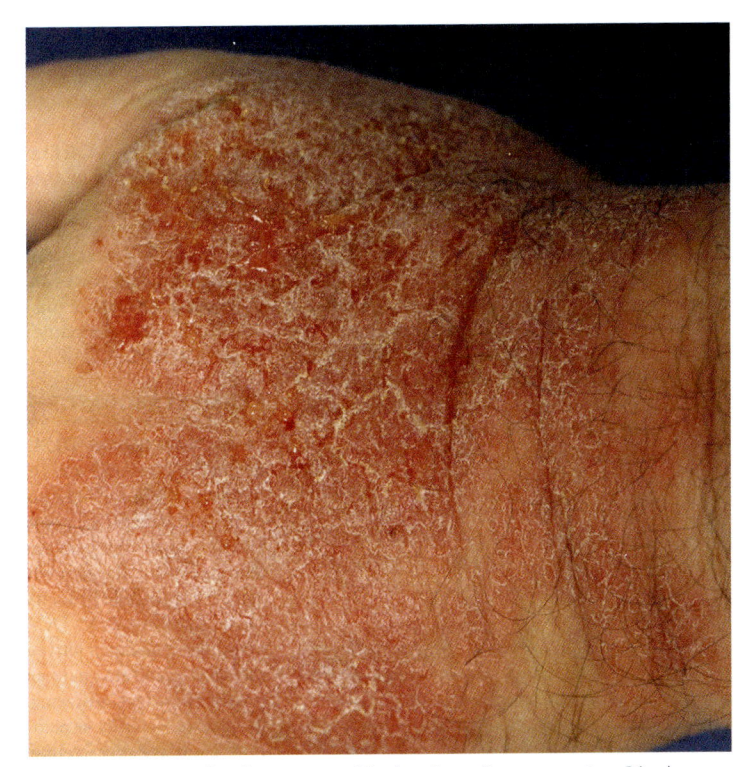

Figura 2-6 Dermatite de contato alérgica das mãos: cromatos Pápulas confluentes, vesículas, erosões subagudas e crostas no dorso da mão esquerda de um trabalhador de construção alérgico a cromatos.

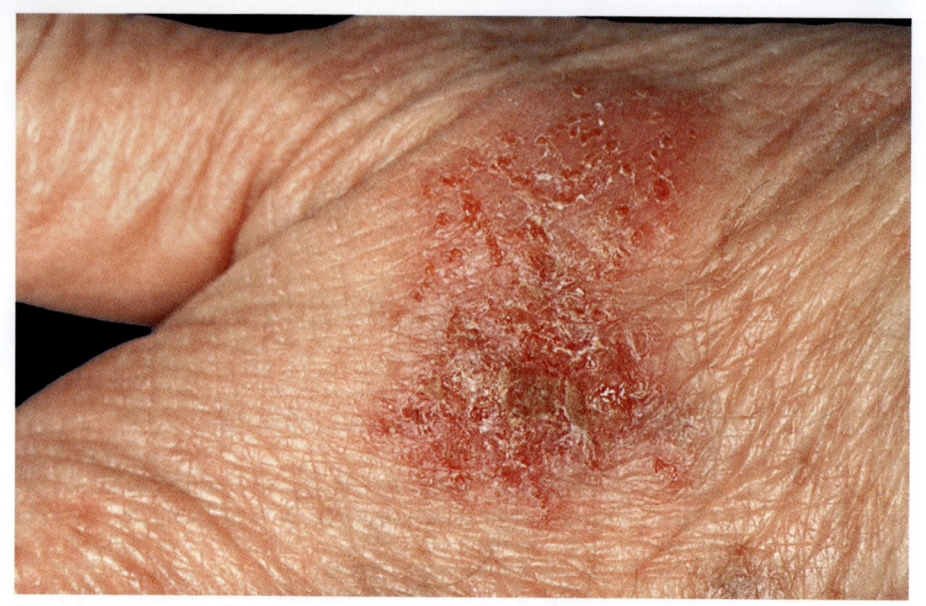

Figura 2-7 Dermatite de contato alérgica subaguda causada por níquel Pode-se observar a combinação de lesões papulares, vesiculares e crostosas e perda das bordas bem demarcadas. O paciente era um relojoeiro aposentado, que usava uma fivela de metal no dorso da mão esquerda enquanto consertava relógios. Sabia-se que o paciente era alérgico ao níquel.

DCA crônica. Placas de liquenificação (espessamento da epiderme com acentuação das linhas cutâneas em um padrão paralelo ou romboide), descamação com pequenas pápulas-satélites, firmes, arredondadas ou planas, escoriações e pigmentação.
DISPOSIÇÃO Inicialmente, limitada à área de contato com o alérgeno (p. ex., lóbulo da orelha [brincos], dorso do pé [calçados], punho [relógio ou pulseira], em forma de colar [colares] e lábios [batom]). Frequentemente linear, com padrões artificiais, sugerindo "causa externa". O contato com plantas frequentemente resulta em lesões lineares (p. ex., dermatite causada por *Rhus*, ver adiante). No início, limita-se ao local de contato e, mais tarde, espalha-se para outras áreas.
EXTENSÃO DA DISTRIBUIÇÃO Isolada, localizada em determinada região (p. ex., dermatite por calçados) ou generalizada (p. ex., dermatite por plantas).

EVOLUÇÃO

DCA A duração da DCA varia, com regressão em cerca de 1 a 2 semanas; todavia, agrava-se à medida que o alérgeno continua tendo contato com a pele.
Aguda. Eritema → pápulas → vesículas → erosões → crostas → descamação.
Observação: Nas formas agudas de dermatite de contato, as pápulas ocorrem apenas na DCA, e não na DCI (ver **Quadro 2-3**).

Crônica. Pápulas → descamação → liquenificação → escoriações.
Observação: A DCA limita-se sempre à área de exposição ao alérgeno. As bordas são inicialmente bem demarcadas, porém a lesão espalha-se na periferia, além do local específico de exposição. Em caso de sensibilização acentuada, ocorre disseminação para outras partes do corpo e generalização. O **Quadro 2-3** fornece um resumo das principais diferenças entre a dermatite de contato por irritante tóxico e a DCA.

EXAMES LABORATORIAIS

DERMATOPATOLOGIA DCA aguda. Protótipo da dermatite espongiótica, com edema intercelular (*espongiose*), linfócitos e eosinófilos na epiderme e infiltração da derme por monócitos e histiócitos.
DCA crônica. Também espongiose com acantose, alongamento e alargamento das papilas; hiperceratose; e infiltrado linfocítico.
TESTES DE CONTATO Na DCA, a sensibilização está presente em qualquer parte da pele. Assim, a aplicação do alérgeno em qualquer região de pele normal provoca uma reação eczematosa. O teste de contato positivo caracteriza-se pelo aparecimento de eritema e pápulas e, possivelmente, vesículas restritas à área do teste. A realização de testes de contato deve ser adiada até que a dermatite tenha regredido durante, pelo menos, 2 semanas; além disso, devem

QUADRO 2-3 Diferenças entre a dermatite de contato por irritante e a dermatite de contato alérgica[a]

		DCI	DCA
Sintomas	Aguda	**Ferroadas, pontadas → prurido**	**Prurido → dor**
	Crônica	Prurido/dor	Prurido/dor
Lesões	Aguda	Eritema → vesículas → erosões → crostas → descamação	Eritema → **pápulas** → vesículas → erosões → crosta → descamação
	Crônica	Pápulas, placas, **fissuras**, descamação, crostas	Pápulas, placas, descamação, crostas
Limites e localização	Aguda	**Bem demarcada, estritamente restrita ao local de exposição**	Bem demarcada, restrita ao local de exposição, **porém com disseminação para a periferia; em geral, pápulas minúsculas; pode se tornar generalizada**
	Crônica	Mal definida	Mal definida, **disseminação**
Evolução	Aguda	**Rápida** (poucas horas após a exposição)	**Não tão rápida** (12 a 72 horas após a exposição)
	Crônica	Meses a anos de exposição repetida	Meses ou mais; **exacerbação** após cada reexposição
Agentes etiológicos		**Depende da concentração do agente e do estado da barreira da pele; ocorre apenas acima de um nível limiar**	**Relativamente independente da quantidade aplicada, em geral, concentrações muito baixas e suficientes, porém depende do grau de sensibilização**
Incidência		**Pode ocorrer em praticamente qualquer pessoa**	**Ocorre apenas em pessoas sensibilizadas**

[a]As diferenças estão em negrito.

ser efetuados em uma área previamente normal (ver "Testes clínicos", na Introdução).

DIAGNÓSTICO E DIAGNÓSTICO DIFERENCIAL

Diagnóstico estabelecido com base na história e nos achados clínicos, incluindo avaliação do local e distribuição. A histopatologia pode ser útil; confirmação do agente desencadeante (alérgeno) por teste de contato. Excluir DCI (Quadro 2-3), dermatite atópica (DA), dermatite seborreica (DS) (face), psoríase (palmas e plantas), dermatofitose epidérmica (KOH), erupção fixa por fármacos e fitofotodermatite.

FORMAS ESPECIAIS DE DERMATITE DE CONTATO ALÉRGICA (DCA)

DERMATITE DE CONTATO ALÉRGICA CAUSADA POR PLANTAS CID-10: L23.7

- Denominada *fitodermatite alérgica* (FDA).
- Ocorre em indivíduos sensibilizados após exposição a uma ampla variedade de alérgenos vegetais.
- Caracteriza-se por dermatite eczematosa aguda, muito pruriginosa, que frequentemente exibe disposição linear.
- Nos EUA, a hera venenosa e o carvalho venenoso constituem, sem dúvida alguma, as plantas mais comuns implicadas.

Observação: A *fitofotodermatite* é uma entidade distinta. Trata-se de uma reação de fotossensibilidade, que ocorre em qualquer indivíduo cuja pele seja exposta a uma substância de origem vegetal fotossensibilizante, com exposição subsequente ao sol (ver Seção 10).

EPIDEMIOLOGIA E ETIOLOGIA

IDADE DE INÍCIO Todas as idades. As crianças muito pequenas e os idosos têm menos tendência a serem sensibilizados. A sensibilização persiste por toda a vida.

ETIOLOGIA Nos EUA, os pentadecilcatecóis presentes nas plantas da família Anacardiaceae constituem os agentes sensibilizantes mais comuns. Essas substâncias exibem reação cruzada com outros compostos fenólicos, como o resorcinol, o hexil-resorcinol e as hidroxiquinonas.

PLANTAS **Família Anacardiaceae**. Hera venenosa (*Toxicodendron radicans*); carvalho venenoso (*T. quercifolium, T. diversilobum*) e sumagre-venenoso (*T. vernix*). Plantas relacionadas ao grupo da hera venenosa: pimenta brasileira, cajueiro, nogueira-do-japão (ginkgo), castanha-da-índia, goma-laca, mangueira e árvores rengas.

DISTRIBUIÇÃO GEOGRÁFICA A hera venenosa é encontrada em todo os EUA (exceto no extremo sudoeste) e no sul do Canadá; o carvalho venenoso ocorre predominantemente na costa oeste. O sumagre-venenoso e o corniso venenoso são encontrados em áreas florestais pantanosas.

EXPOSIÇÃO Trabalhadores de empresas de telefonia e eletricidade que trabalham ao ar livre. As folhas, caules, sementes, flores, frutas e raízes contêm seiva leitosa, que se transforma em resina escura quando exposta ao ar. O óleo da castanha-de-caju, as castanhas-de-caju não torradas (o calor destrói o hapteno); o óleo do cajueiro presente na madeira (bonecos de vudu haitiano, palitos de coquetel); resinas; tinta de impressão e casca de manga. Também ocorre na *Anacardium orientale* (castanha-da-índia), marcador de roupas de lavanderia (causador de dermatite tropical na Índia), e na laca de móveis, obtida a partir da árvore de laca japonesa.

ESTAÇÕES DO ANO A FDA costuma ocorrer na primavera, verão e outono. Ela também pode ocorrer o ano todo na exposição a caules e raízes. No sudoeste dos EUA, ocorre durante o ano todo.

PATOGÊNESE

Todas as plantas do gênero *Toxicodendron* contêm alérgenos idênticos. Existem resinas oleosas na seiva leitosa das folhas, caules, sementes, flores, frutos e raízes, que são denominadas *urushiol*. Os haptenos são os pentadecilcatecóis (1,2-di-hidroxibenzenos com cadeia lateral de 15 carbonos na posição 3). A lavagem com sabão e água remove as resinas oleosas.

Mais de 70% dos indivíduos podem ser sensibilizados. Os indivíduos de pele escura são menos suscetíveis à FDA. Após a primeira exposição (sensibilização), ocorre dermatite dentro de 7 a 12 dias. No indivíduo previamente sensibilizado (o que pode ter ocorrido há muitas décadas), a dermatite surge com menos de 12 horas depois de reexposição.

Observação: o líquido das bolhas não contém hapteno e não pode disseminar a dermatite.

MANIFESTAÇÕES CLÍNICAS

EXPOSIÇÃO Dermatite por exposição a hera venenosa/carvalho venenoso. Exposição direta à planta: a pele exposta esbarra na planta, produzindo lesões lineares (Fig. 2-8); em geral, a resina não é

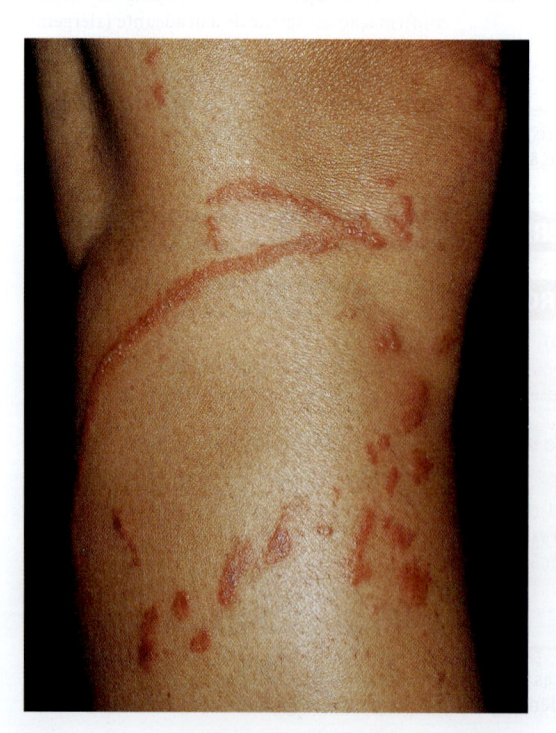

Figura 2-8 Fitodermatite alérgica na perna: hera venenosa Lesões vesiculares lineares, com eritema e edema na panturrilha, nas áreas de contato direto da pele 5 dias após a exposição a folhas da hera venenosa.

capaz de penetrar no estrato córneo espesso das palmas e plantas.
Alimentos que contêm urushiol. Lábios expostos a manga não descascada ou a castanhas-de-caju não torradas. As mucosas raramente apresentam FDA, porém, a ingestão de urushiol pode provocar DCA do ânus e do períneo.
SINTOMAS CUTÂNEOS Prurido leve a intenso. Com frequência, percebido antes do aparecimento de qualquer alteração cutânea detectável. Dor em alguns casos.
SINTOMAS CONSTITUCIONAIS Privação do sono, devido ao prurido.
LESÕES CUTÂNEAS Inicialmente, placas de eritema bem demarcadas, lesões lineares características (Fig. 2-8) → pápulas e placas edemaciadas; podem ser intensas, particularmente na face e/ou na genitália, assemelhando-se à celulite (Fig. 2-9) → microvesiculação → vesículas e/ou bolhas (Figs. 2-8 e 2-10) → erosões, crostas. A hiperpigmentação pós-inflamatória é comum em indivíduos de pele mais escura.
Distribuição. Mais comumente nos membros expostos, onde ocorre contato com a planta; a dispersão pode transferir a substância para qualquer área exposta; as palmas e as plantas são habitualmente preservadas; entretanto, as superfícies laterais dos dedos podem ser acometidas.

Áreas protegidas por roupas. A resina oleosa pode penetrar nas roupas úmidas que cobrem a pele; o uso de roupa previamente contaminada com resina pode reexpor a pele.
Áreas não expostas. Em alguns indivíduos com FDA bem estabelecida, pode ocorrer reação semelhante à reação "id", ou alguma absorção sistêmica associada a lesões urticariformes disseminadas, semelhantes ao eritema multiforme, ou escarlatiniformes, distantes das áreas de exposição.

EXAMES LABORATORIAIS

DERMATOPATOLOGIA Ver a discussão anterior de DCA.
TESTES DE CONTATO COM PENTADECILCATECÓIS *Contraindicados,* visto que podem sensibilizar o indivíduo ao hapteno.

DIAGNÓSTICO

Estabelecido com base apenas na história e nas manifestações clínicas.

DIAGNÓSTICO DIFERENCIAL

DCA a outros alérgenos, fitofotodermatite (ver Seção 10), infecção dos tecidos moles (celulite, erisipela), DA, dermatofitose inflamatória, herpes-zóster no estágio inicial e erupção fixa por fármaco.

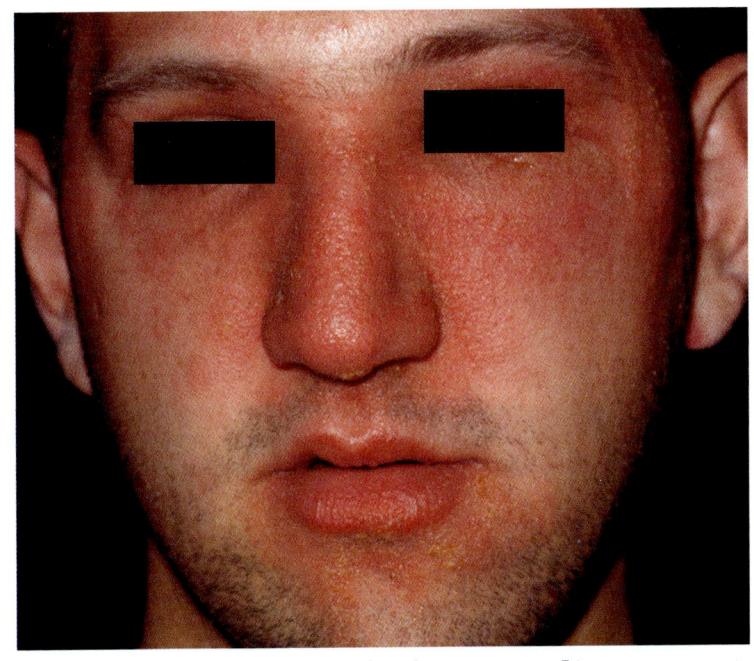

Figura 2-9 Fitodermatite alérgica da face: hera venenosa Eritema extremamente pruriginoso, edema e microvesiculação nas regiões periorbital e perioral de um homem jovem previamente sensibilizado, 3 dias após a exposição.

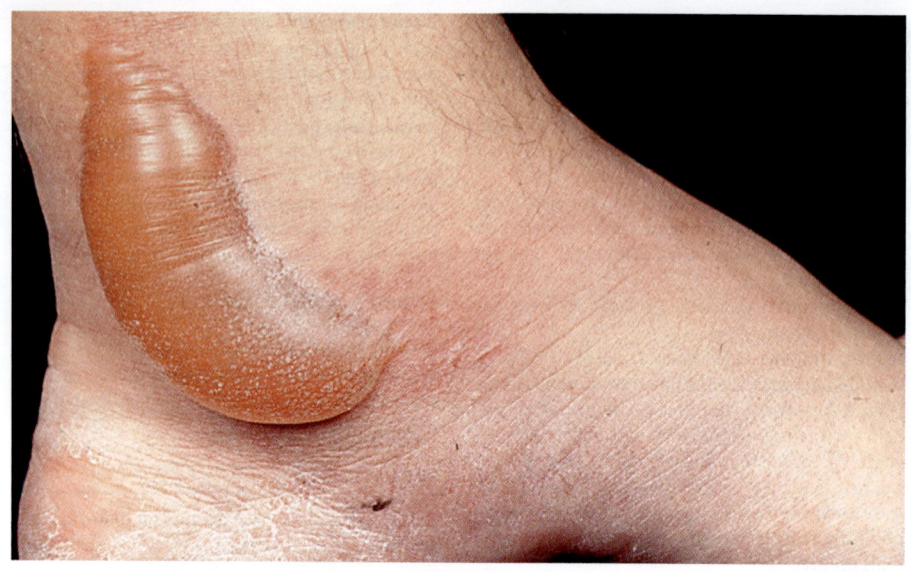

Figura 2-10 Fitodermatite alérgica aguda bolhosa Essa erupção surgiu em um paciente que andou descalço pela floresta. Mais tarde, houve disseminação da erupção papular para o resto do corpo. Surgiram lesões semelhantes no outro pé e na perna. O diagnóstico diferencial incluiu dermatite de contato aguda bolhosa a lagartas. A fitofotodermatite foi excluída, visto que, por ocasião da exposição, o céu estava muito nublado, e ocorreu erupção papular mais tarde. A dermatite causada por lagartas foi excluída, devido à multiplicidade das lesões e ao teste de contato, que foi positivo para haptenos de *Toxicodendron*. Observar que o teste de contato com urushiol não é mais realizado para evitar a sensibilização dos pacientes.

OUTRAS FORMAS ESPECIAIS DE DERMATITE DE CONTATO ALÉRGICA (DCA)

DCA SISTÊMICA

- Após exposição sistêmica a um alérgeno ao qual o indivíduo tenha desenvolvido DCA.
- Reação tardia mediada por células T.
- Exemplos: DCA à etilenodiamina → reação subsequente à aminofilina (que contém etilenodiamina); dermatite causada pela hera venenosa → reação subsequente à ingestão de castanhas-de-caju; além disso, antibióticos, sulfonamidas, propilenoglicol, íons metálicos, ácido sórbico, fragrâncias.

DCA PROPAGADA PELO AR

- Contato com alérgenos propagados pelo ar em áreas expostas do corpo, notavelmente a face (**Fig. 2-11**); incluindo também as pálpebras, o "V" da região cervical, os braços e as pernas.
- Diferentemente da DCI propagada pelo ar, as lesões são papulares desde o início e extremamente pruriginosas.
- A exposição repetida e prolongada leva ao desenvolvimento de DCA seca e liquenificada, com erosões e crostas (**Fig. 2-11**).
- Causada por alérgenos vegetais, particularmente da família Asteraceae (conhecida também como Compositae), resinas naturais, madeiras e óleos essenciais que se volatizam durante a aromaterapia.

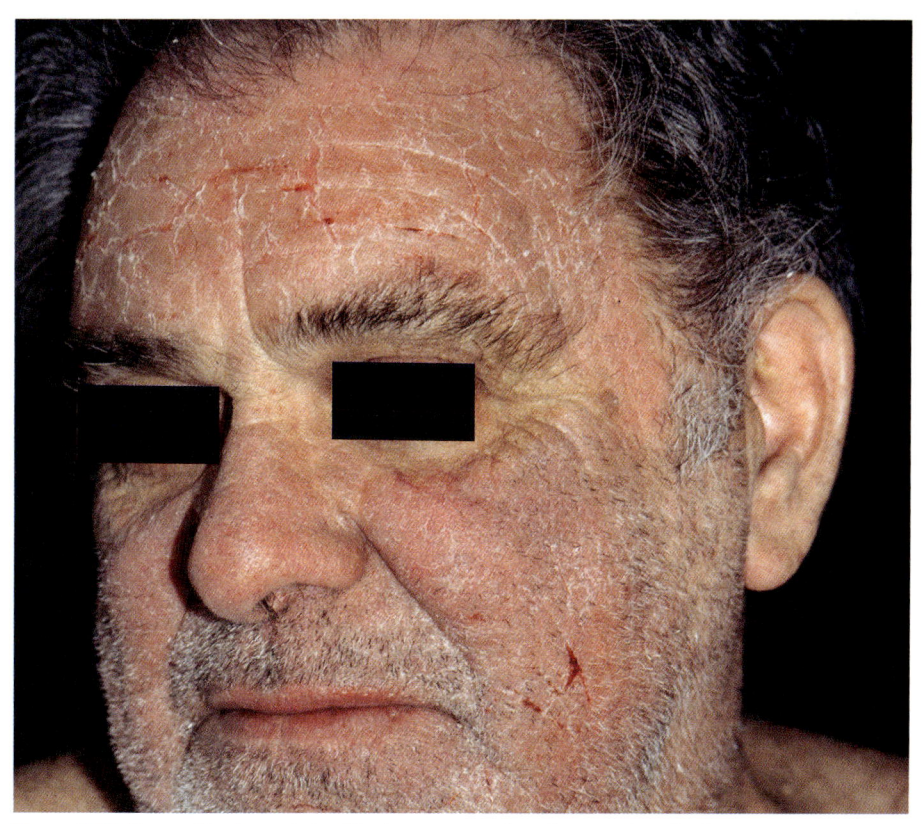

Figura 2-11 Dermatite de contato alérgica propagada pelo ar na face Lesões extremamente pruriginosas, confluentes, papulares, erosivas e crostosas/descamativas, com liquenificação na fronte, no nariz e na região malar após exposição ao pó de madeira de pinho.

TRATAMENTO DA DCA

INTERRUPÇÃO DA EXPOSIÇÃO Identificar e remover o agente etiológico.

TRATAMENTO TÓPICO Pomadas/géis de glicocorticoides tópicos (classes I a III). As vesículas maiores podem ser drenadas, porém o teto não deve ser removido. Curativos úmidos com compressas embebidas em solução de Burow, trocadas a cada 2 a 3 horas. A DCA propagada pelo ar pode necessitar de tratamento sistêmico. O pimecrolimo e o tacrolimo são efetivos na DCA, porém em menor grau do que os glicocorticoides.

TERAPIA SISTÊMICA Os glicocorticoides estão indicados nos casos graves e na DCA propagada pelo ar. Prednisona em dose inicial de 70 mg (adultos), com redução gradual em 5 a 10 mg/dia, no decorrer de um período de 1 a 2 semanas. Nos casos em que pode ser impossível evitar totalmente o alérgeno responsável pela DCA propagada pelo ar, a imunossupressão com ciclosporina oral pode se tornar necessária.

DERMATITE ATÓPICA CID-10: L20

- Distúrbio cutâneo agudo, subagudo ou crônico e recidivante.
- Muito comum na infância. Pico de prevalência de 15 a 20% na primeira infância.
  - A dermatite atópica (DA) caracteriza-se principalmente por pele seca e prurido; a consequente coçadura leva a aumento da inflamação e liquenificação, agravando o prurido e a escoriação: *ciclo de prurido-escoriação*.
- O diagnóstico tem como base as manifestações clínicas.
- Frequentemente associada a uma história pessoal ou familiar de DA, rinite alérgica e asma; 35% dos lactentes com DA desenvolvem asma posteriormente.
- Associada a uma disfunção da barreira da pele, reatividade da IgE.
- Base genética influenciada por fatores ambientais; alterações das respostas imunes das células T, do processamento dos antígenos, da liberação de citocinas inflamatórias, da sensibilidade a alérgenos e infecção.

Sinônimos: dermatite por IgE, "eczema", eczema atópico.

EPIDEMIOLOGIA

IDADE DE INÍCIO Primeiros 2 meses de vida e nos primeiros anos em 60% dos casos; 30% até os 5 anos de idade, e apenas 10% entre 6 e 20 anos. A DA raramente tem início na vida adulta.

SEXO Ligeiramente mais comum no sexo masculino do que no feminino.

PREVALÊNCIA Entre 7 e 15% em estudos populacionais na Escandinávia e na Alemanha.

ASPECTOS GENÉTICOS O padrão de herança ainda não está definido. Todavia, em uma série, 60% dos adultos com DA tinham filhos também com DA. A prevalência em crianças é maior (81%) quando ambos os genitores têm DA.

Ruptura da barreira cutânea. Diminuição da função de barreira devido ao comprometimento da produção de filagrina, redução dos níveis de ceramida e maior perda de água transepidérmica; desidratação da pele.

FATORES DESENCADEANTES Inalantes. Aeroalérgenos específicos, particularmente ácaros da poeira e pólens.

Agentes microbianos. Exotoxinas de *Staphylococcus aureus*, que atuam como superantígenos. Também *estreptococos* do grupo A, raramente fungos (*Candida*).

Autoalérgenos. Anticorpos IgE direcionados contra proteínas humanas. A liberação desses autoalérgenos por tecidos lesionados pode desencadear a produção de IgE ou as respostas das células T, sugerindo a manutenção da inflamação alérgica.

Alimentos. Os *lactentes* e as *crianças*, mas não os adultos, apresentam exacerbações da DA com a ingestão de ovos, leite, amendoim, soja, peixe e trigo.

Outros fatores agravantes

Estação do ano. Nos climas temperados, a DA melhora habitualmente no verão, com exacerbações no inverno.

Roupas. O prurido é agravado *após* a remoção das roupas. A lã é um importante fator desencadeante; roupas ou cobertores de lã em contato direto com a pele (bem como roupas de lã dos pais, pelos de animais de estimação e tapetes).

Estresse emocional. Resulta da doença, ou o próprio estresse constitui um fator agravante nas exacerbações da doença.

PATOGÊNESE

Interação complexa da barreira cutânea, dos fatores genéticos, ambientais, farmacológicos e imunológicos. Reação de hipersensibilidade tipo I (mediada por IgE) que ocorre em consequência da liberação de substâncias vasoativas dos mastócitos e dos basófilos, que foram sensibilizados pela interação do antígeno com a IgE (anticorpo reagínico ou sensibilizante da pele). A alta afinidade dos receptores de IgE nas células de Langerhans pode mediar uma reação tipo eczema. A DA aguda está associada a um predomínio na expressão das interleucinas IL-4 e IL-13, enquanto a inflamação crônica na DA está associada a níveis aumentados da IL-5, do fator de estimulação de colônias de granulócitos e macrófagos, da IL-12 e do interferona (IFN)-γ. Por conseguinte, a inflamação cutânea na DA mostra um padrão bifásico de ativação das células T.

MANIFESTAÇÕES CLÍNICAS

SINTOMAS CUTÂNEOS Os pacientes apresentam ressecamento da pele. O prurido é o sintoma *sine qua non* da DA – "eczema é o prurido que borbulha". A constante escoriação leva a um ciclo vicioso de prurido → escoriação → erupção → prurido → escoriação.

OUTROS SINTOMAS DE ATOPIA Rinite alérgica, obstrução das vias nasais, prurido conjuntival e faríngeo, e lacrimejamento; sazonal quando associada ao pólen.

LESÕES CUTÂNEAS Agudas. Máculas eritematosas mal definidas, pápulas e placas, com ou sem descamação. Edema com comprometimento disseminado; a pele parece "congestionada" e edemaciada (Fig. 2-12). Erosões: úmidas e crostosas. Lineares ou puntiformes, em decorrência da escoriação. Áreas de infecção secundária: *S. aureus*. Erosões com exsudação (Fig. 2-12) e/ou pústulas (em geral foliculares). A pele é seca, rachada e descamativa (Figs. 2-12 e 2-13).

Figura 2-12 Dermatite atópica do lactente Face edemaciada, eritema confluente, pápulas, microvesiculação, descamação e crostas.

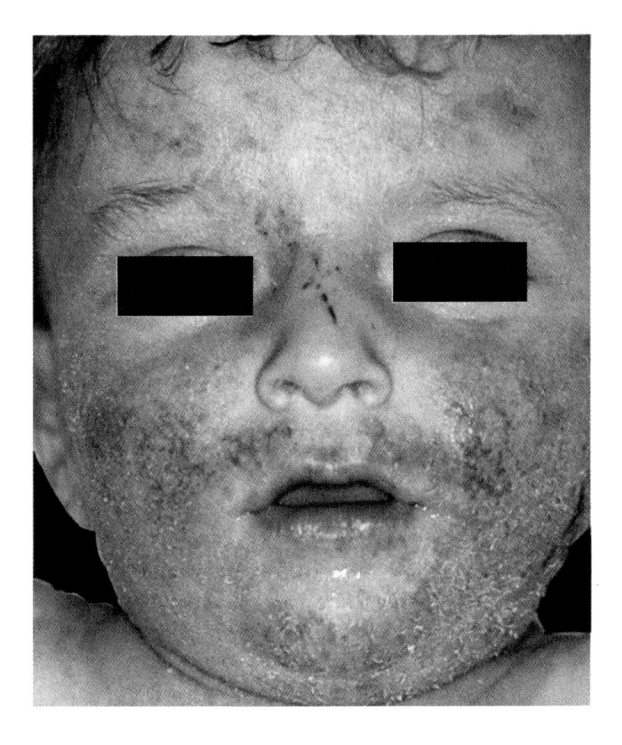

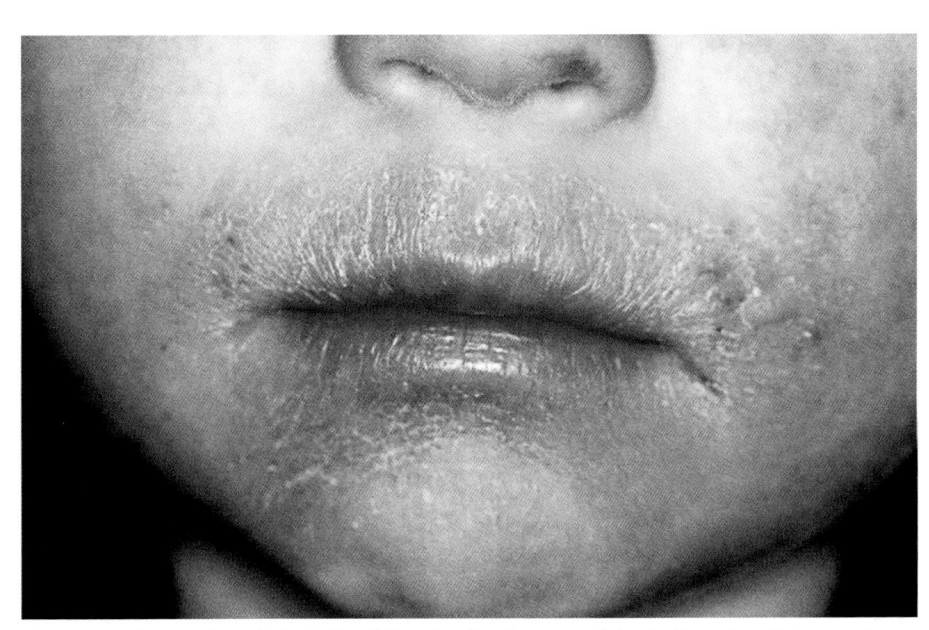

Figura 2-13 Dermatite atópica infantil Uma localização característica da dermatite atópica em crianças é a região ao redor da boca. Nesta criança, há liquenificação, fissuras e crostas.

Crônicas. Liquenificação (espessamento da pele com acentuação dos sulcos cutâneos) (**Figs. 2-14** e **2-15B**); liquenificação folicular (particularmente em indivíduos pardos e negros) (**Figs. 2-14B** e **2-15B**). Fissuras: dolorosas, particularmente nas áreas flexoras (**Fig. 2-14A**), geralmente nas palmas e dedos das mãos e nas plantas. Alopécia: terço lateral dos supercílios, em consequência da coçadura. Pigmentação periorbital, também causada por coçadura compulsiva. Sulco infraorbital característico abaixo das pálpebras (sinal de Dennie–Morgan) (Dermatite atópica do adulto, ver **Fig. 2-17**).
Distribuição. Predileção pelas áreas flexoras, regiões anterior e laterais da região cervical, pálpebras, fronte, face, punhos e dorso dos pés e das mãos (**Fig. 2-16**). Generalizada na doença grave (**Fig. 2-15A** e **B**).

Aspectos especiais relacionados à idade

DA do lactente. As lesões apresentam-se na forma de eritema cutâneo, vesículas minúsculas em uma superfície "congestionada". Descamação, exsudação com crostas úmidas e rachaduras (fissuras) (**Figs. 2-12** e **2-13**).
DA infantil. As lesões consistem em pápulas, placas liquenificadas, erosões e crostas, particularmente nas fossas antecubital e poplítea (**Fig. 2-14A** e **B**), na região cervical e na face; pode ser generalizada.

DA do adulto. Observa-se distribuição semelhante, principalmente nas áreas flexoras, mas também na face e na região cervical, em que a liquenificação e as escoriações constituem os sintomas mais evidentes (**Figs. 2-15B** e **2-17**). Pode ser generalizada (**Fig. 2-15B**).

Aspectos especiais relacionados à etnia

Em afro-americanos e em pessoas de pele marrom escura, é comum o eczema folicular, caracterizado por pápulas foliculares isoladas (**Fig. 2-14B**) que afetam folículos pilosos do local de envolvimento.

Manifestações associadas

DERMOGRAFISMO "BRANCO" A aplicação de pressão suave sobre a pele acometida não provoca eritema, como na pele normal, mas empalidecimento; empalidecimento tardio em resposta à aplicação de agentes colinérgicos. Em 10% dos pacientes, ocorrem *ictiose vulgar* e *ceratose pilar* (ver Seção 4). *Conjuntivite vernal* com hipertrofia papilar ou aspecto em "pedras de calçamento" da conjuntiva da pálpebra superior. Raramente, a *ceratoconjuntivite atópica* é incapacitante, podendo resultar em fibrose da córnea. O *ceratocone* é raro. Ocorrem *cataratas* em uma porcentagem muito pequena de casos.

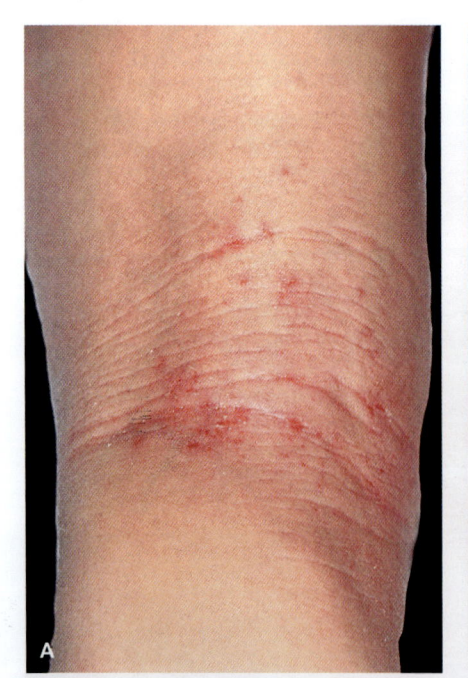

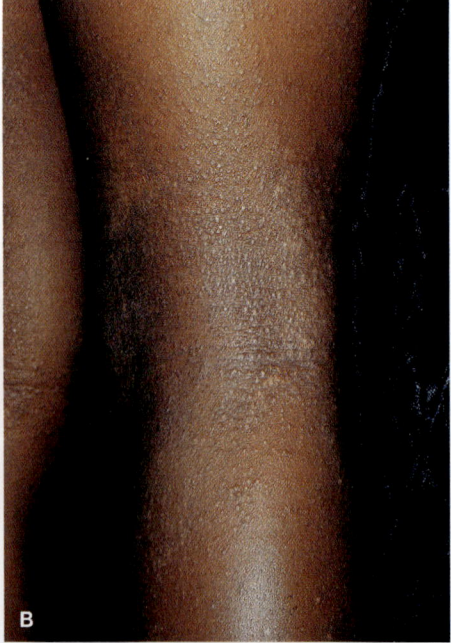

Figura 2-14 (A) Dermatite atópica infantil Uma das características essenciais da dermatite atópica é a liquenificação nas regiões flexoras, como se pode observar nesta fotografia. Observar o espessamento da pele com acentuação dos sulcos cutâneos e erosões. **(B)** Dermatite atópica em criança afro-americana. Pápulas foliculares pruriginosas na parte posterior da perna. O eczema folicular é o padrão mais comum em crianças africanas e asiáticas.

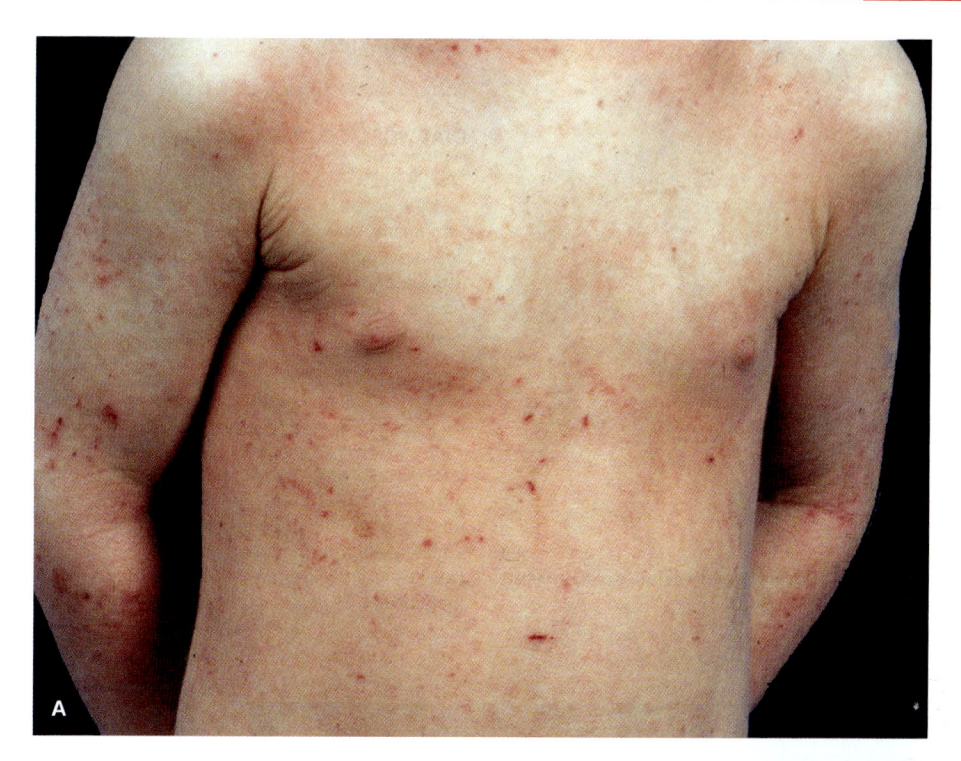

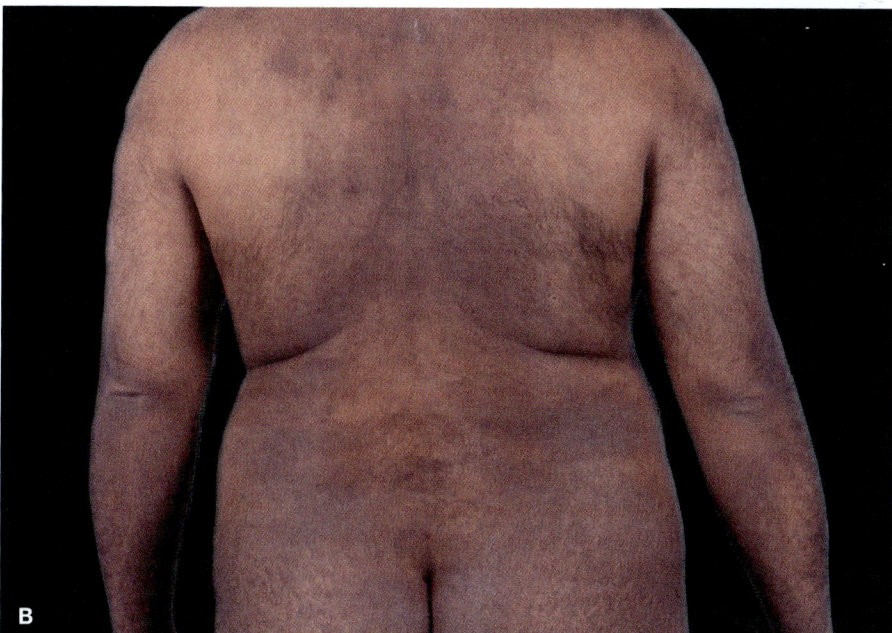

Figura 2-15 (A) Dermatite atópica infantil Erupção generalizada, que consiste em pápulas inflamatórias confluentes, que são erosadas, escoriadas e crostosas. **(B) Dermatite atópica do adulto** Erupção generalizada de pápulas foliculares, mais intensamente pigmentadas do que a pele normal em uma mulher de 53 anos de ascendência africana. Há liquenificação extensa.

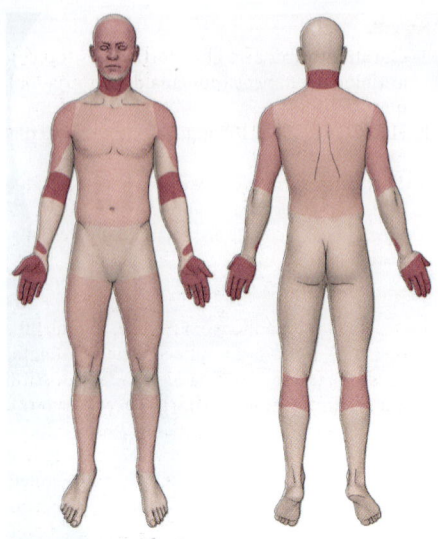

Figura 2-16 Locais preferenciais da dermatite atópica.

DIAGNÓSTICO

História na lactância, manifestações clínicas.

DIAGNÓSTICO DIFERENCIAL

DS, DCI, DCA, psoríase, eczema numular, dermatofitose, estágios iniciais da micose fungoide. Raramente, acrodermatite enteropática, síndrome do glucagonoma, histidinemia, fenilcetonúria; além disso, alguns distúrbios imunológicos, incluindo síndrome de Wiskott-Aldrich, agamaglobulinemia ligada ao X, síndrome de hiper-IgE e deficiência seletiva de IgA; histiocitose de células de Langerhans, tipo Letterer-Siwe.

EXAMES LABORATORIAIS

CULTURA PARA BACTÉRIAS A colonização por *S. aureus* é muito comum nas narinas e na pele acometida; quase 90% dos pacientes com DA grave apresentam colonização/infecção secundária. Investigar a presença de *S. aureus* resistente à meticilina (MRSA).

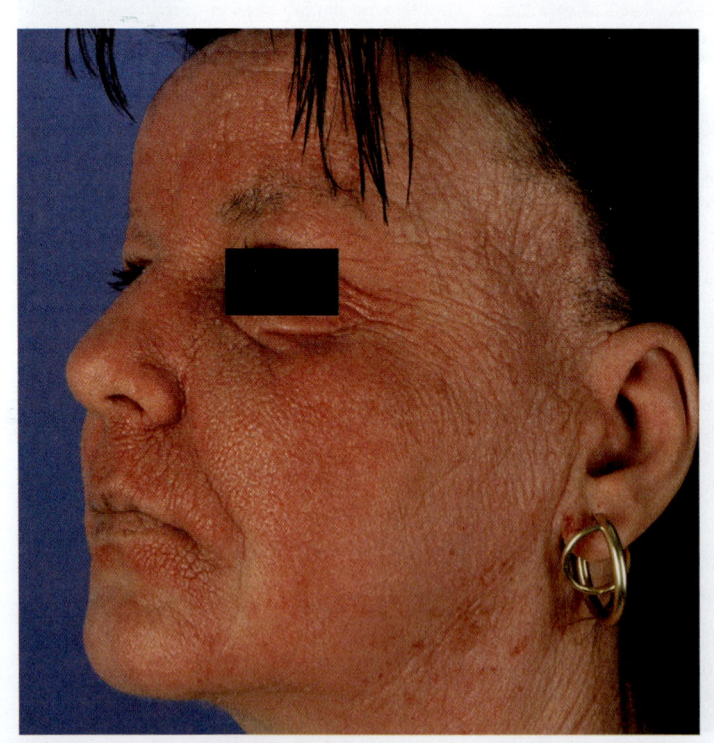

Figura 2-17 Dermatite atópica do adulto A liquenificação pode também afetar a face e a região cervical, como nessa mulher de 32 anos. A pele é muito espessa, e há alopécia temporal e perda da parte lateral das sobrancelhas causada por fricção. Observar o sulco infraorbital típico (sinal de Dennie-Morgan).

CULTURA VIRAL Excluir a possibilidade de infecção pelo herpes-vírus simples (HSV) nas lesões crostosas (eczema herpético; ver Seção 27).
EXAMES DE SANGUE Níveis séricos elevados de IgE, eosinofilia. Detecção do antígeno do HSV para diagnóstico de infecção aguda por HSV.
DERMATOPATOLOGIA Vários graus de acantose, raramente com edema intercelular intraepidérmico (espongiose). O infiltrado dérmico é composto de linfócitos, monócitos e mastócitos, com poucos eosinófilos ou nenhum.

FORMAS ESPECIAIS DE DERMATITE ATÓPICA (DA)

Dermatite das mãos. Agravada pela umidade e lavagem das mãos com detergentes, sabões irritantes e *desinfetantes;* leva ao desenvolvimento de DCI na dermatite atópica. Clinicamente indistinguível da DCI "normal" (ver Dermatite de contato, p. 20).
Dermatite esfoliativa. Eritrodermia em pacientes com acometimento cutâneo extenso. Eritema generalizado, descamação, exsudação, crostas, linfadenopatia, febre e toxicidade sistêmica (ver Seção 8).

COMPLICAÇÕES

Infecção secundária por *S. aureus* e HSV (eczema herpético, ver Seção 27). Raramente ceratoconjuntivite e úlceras corneanas causadas pelo HSV.

EVOLUÇÃO E PROGNÓSTICO

Sem tratamento, as áreas acometidas persistem por vários meses ou anos. Ocorre remissão espontânea, mais ou menos completa, durante a infância, em mais de 40% dos casos, com recidivas ocasionais durante a adolescência. Em muitos pacientes, a doença persiste por 15 a 20 anos, porém, é menos grave. Dos pacientes, 30 a 50% desenvolvem asma e/ou febre do feno. A *DA de início no adulto* existe e frequentemente segue uma evolução grave. A infecção por *S. aureus* causa erosões extensas e crostas, e a infecção por herpes simples leva ao desenvolvimento de eczema herpético, que pode ser potencialmente fatal (ver Seção 27).

TRATAMENTO

O aspecto mais importante é orientar o paciente para que evite a coçadura e a escoriação. Usar emolientes.

Uma avaliação para alergia raramente é útil para descoberta de alérgenos. Todavia, nos pacientes hipersensíveis a ácaros da poeira doméstica, a vários pólens e às proteínas dos pelos de animais, a exposição ao alérgeno em questão pode causar exacerbações. A DA pode sofrer exacerbação com estresse emocional e sudorese.

Os pacientes devem ser alertados sobre problemas especiais com a infecção por herpes simples e infecção estafilocócica superposta.

Aguda

1. Curativos úmidos e glicocorticoides tópicos; antibióticos tópicos (pomada de mupirocina), quando indicados.
2. Hidroxizina, 10 a 100 mg, quatro vezes ao dia, para o prurido.
3. Antibióticos orais (dicloxacilina, eritromicina) para eliminar o *S. aureus* e tratar o MRSA, de acordo com os testes de sensibilidade demonstrados pelas culturas.

Subaguda e crônica

1. A hidratação (banhos com óleos ou com farinha de aveia), seguida de aplicação de emolientes inodoros (p. ex., vaselina hidratada), constitui a base do tratamento diário para se evitar a xerose; o lactato de amônio a 12% ou a loção de alfa-hidroxiácidos a 10% são muito efetivos para a xerose. Banhos de chuveiro com sabonete são permitidos para lavar as dobras do corpo, porém, deve-se evitar que o sabonete seja usado nas outras partes da superfície cutânea.
2. Os agentes anti-inflamatórios tópicos, como os glicocorticoides, as preparações de hidroxiquinolina, são essenciais para o tratamento. Desses fármacos, os glicocorticoides são os mais efetivos. Todavia, os glicocorticoides tópicos podem levar à atrofia cutânea, se forem usados por períodos prolongados; se forem aplicados em excesso, levam à supressão do eixo hipofisário-suprarrenal. Outro problema é a "fobia aos glicocorticoides". Os pacientes ou seus pais estão cada vez mais conscientes dos efeitos colaterais dos glicocorticoides e recusam o seu uso, não importa o quão benéficos possam ser.
3. O tacrolimo e o pimecrolimo, que são inibidores da calcineurina, estão substituindo gradativamente os glicocorticoides na maioria dos casos. Esses fármacos suprimem efetivamente o prurido e a inflamação e não causam atrofia cutânea. Em geral, não são efetivos o suficiente para suprimir as exacerbações agudas, porém atuam bem nas exacerbações menores e na DA subaguda.
4. Os anti-histamínicos H_1 orais são úteis para a redução do prurido.
5. Os glicocorticoides sistêmicos devem ser evitados, com exceção das raras situações de doença grave intratável em adultos: prednisona, 60 a 80 mg ao dia por 2 dias, com posterior redução pela metade da dose a cada 2 dias pelos próximos 6 dias. Os pacientes com DA tendem a se tornar dependentes dos glicocorticoides orais. Com frequência, pequenas doses (5 a 10 mg) fazem a diferença no controle e podem ser reduzidas gradualmente a apenas 2,5 mg/dia, como a dose frequentemente usada no controle da asma.

6. Fototerapia com UVA-UVB (combinação de UVA com UVB e aumento da dose de radiação a cada sessão, com frequência de 2 a 3 vezes por semana). A fototerapia com UV de banda estreita (311 nm) e a fotoquimioterapia com PUVA também são efetivas.
7. Nos casos graves de DA do adulto e em indivíduos saudáveis normotensos sem doença renal, indica-se o tratamento com ciclosporina (dose inicial de 5 mg/kg ao dia) quando todos os outros tratamentos falharem; todavia, é necessário um rigoroso monitoramento. O tratamento limita-se a 3 a 6 meses, devido aos efeitos colaterais potenciais, incluindo hipertensão e redução da função renal. A pressão arterial deve ser aferida semanalmente, e se devem obter exames bioquímicos a cada 2 semanas. O nifedipino pode ser usado para elevações moderadas da pressão arterial.
8. Os pacientes devem aprender e usar técnicas de manejo do estresse.

ALGORITMO SUGERIDO PARA O TRATAMENTO DA DERMATITE ATÓPICA (DA)

- Tratamento de base para o ressecamento com emolientes.
- Supressão da DA leve a moderada com aplicação tópica prolongada de pimecrolimo ou tacrolimo e emolientes continuados.
- Supressão das exacerbações graves com glicocorticoides tópicos, seguidos de pimecrolimo ou tacrolimo e emolientes.
- Antibióticos orais ou tópicos para eliminar o *S. aureus*.
- Hidroxizina para suprimir o prurido.

LÍQUEN SIMPLES CRÔNICO (LSC) CID-10: L28.0

- Forma localizada especial de liquenificação, que ocorre em placas circunscritas.
- Acomete indivíduos com mais de 20 anos, é mais comum em mulheres e, possivelmente, é mais frequente em pessoas asiáticas.
- Resulta de coçadura e escoriação repetidas.
- Os sintomas cutâneos consistem em prurido, frequentemente em paroxismos. A pele liquenificada assemelha-se a uma zona erógena – passa a ser um prazer (orgástico) coçar. A coçadura torna-se automática e reflexa e passa a constituir um hábito inconsciente.
- A liquenificação é uma manifestação característica da DA, seja ela localizada ou generalizada.
- Placa sólida de liquenificação, que surge da confluência de pápulas pequenas (**Fig. 2-18**). À palpação, a pele mostra-se espessada; os sulcos cutâneos (dificilmente visíveis na pele normal) estão acentuados e podem ser prontamente identificados. Escoriações. Em geral, bem delimitadas. Lesão única isolada ou várias placas. Região occipital (mulheres) (**Fig. 2-18**), couro cabeludo, tornozelos, pernas, coxas, superfícies laterais dos antebraços, vulva, região púbica, região anal, escroto e região inguinal. Na pele escura e em afroamericanos, a liquenificação pode adquirir um tipo de padrão especial, que consiste em múltiplas pápulas pequenas (2 a 3 mm) e estreitamente agrupadas, constituindo um padrão "folicular" (conforme observado na **Fig. 2-14B**).
- O LSC pode persistir por várias décadas, a não ser que a coçadura e a escoriação sejam suprimidas pelo tratamento.
- Deve-se incluir no diagnóstico diferencial a placa pruriginosa crônica da psoríase vulgar, estágios iniciais da micose fungoide, DCI, DCA e dermatofitose epidérmica.
- Dificuldade de Tratamento. Explicar ao paciente que a coçadura e a escoriação devem ser interrompidas. Podem ser utilizadas bandagens oclusivas. Preparações tópicas de glicocorticoides ou preparações de alcatrão cobertas por curativos oclusivos; se permanecer por 24 horas, também são efetivos os glicocorticoides incorporados em fita plástica adesiva.
- A triancinolona intralesional é, com frequência, altamente efetiva para as lesões menores (3 mg/mL; as concentrações mais altas podem causar atrofia). A hidroxizina oral, 25 a 50 mg à noite, pode ser útil.

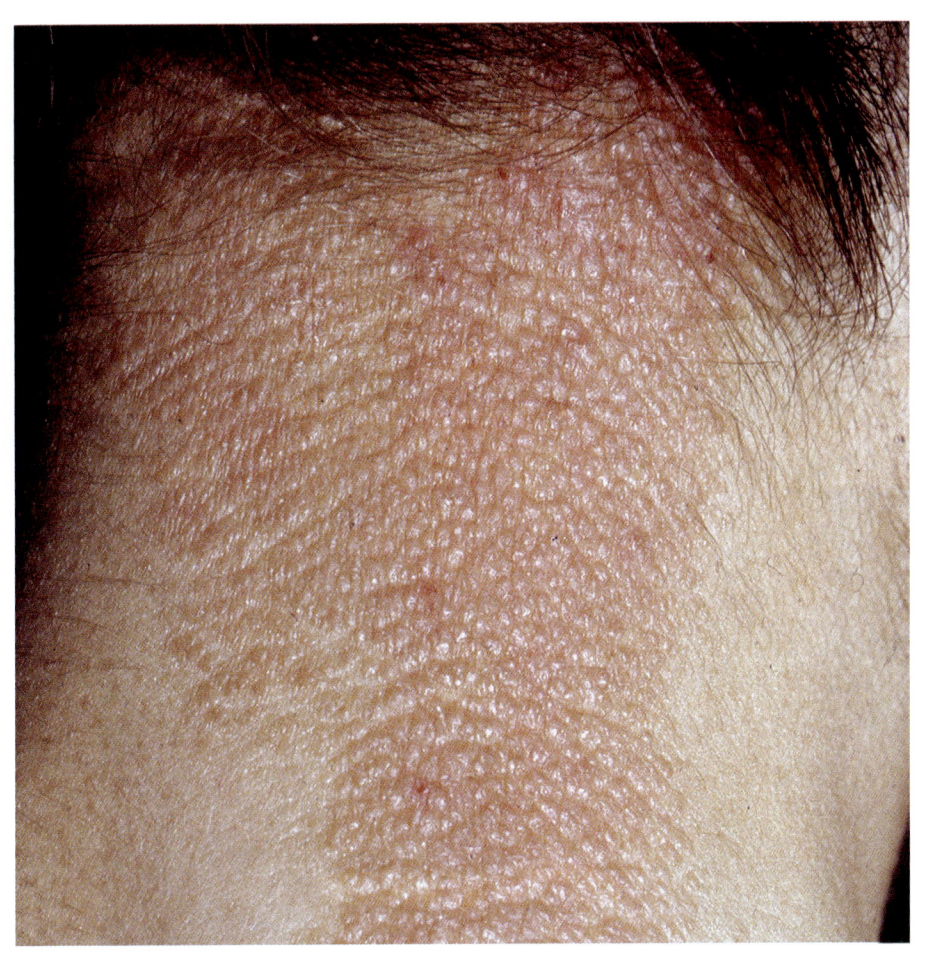

Figura 2-18 Líquen simples crônico Eczema folicular, papular e confluente, formando uma placa de líquen simples crônico na região posterior da região cervical e couro cabeludo da região occipital. Essa lesão estava presente há muitos anos em consequência de coçadura crônica da área.

PRURIGO NODULAR (PN) CID-10: L28.1

- Frequentemente associado à DA, embora possa ocorrer na sua ausência.
- Os pacientes com PN que apresentam DA são mais jovens e exibem reatividade a alérgenos ambientais; os pacientes com PN não atópicos têm mais idade e carecem da hipersensibilidade a alérgenos ambientais.
- O PN ocorre habitualmente em mulheres mais jovens ou de meia-idade, que com frequência exibem sinais de estigmatização neurótica.
- O PN começa com prurido lancinante, resultando em feridas e escoriação.
- Nódulos cupuliformes – vários milímetros a 2 cm – surgem nas áreas onde ocorrem prurido persistente e escoriação (**Fig. 2-19**). Os nódulos frequentemente são erodidos, escoriados e, algumas vezes, até mesmo ulcerados, na medida em que os pacientes escavam as lesões com suas unhas.
- As lesões são habitualmente múltiplas nos membros.
- Persistem por vários meses após a interrupção do traumatismo.
- Tratamento: triancinolona intralesional, curativos oclusivos com glicocorticoides de alta potência. Nos casos graves, talidomida 50 a 100 mg. Observar as contraindicações. A gabapentina 300 mg VO 3 vezes ao dia algumas vezes é útil.

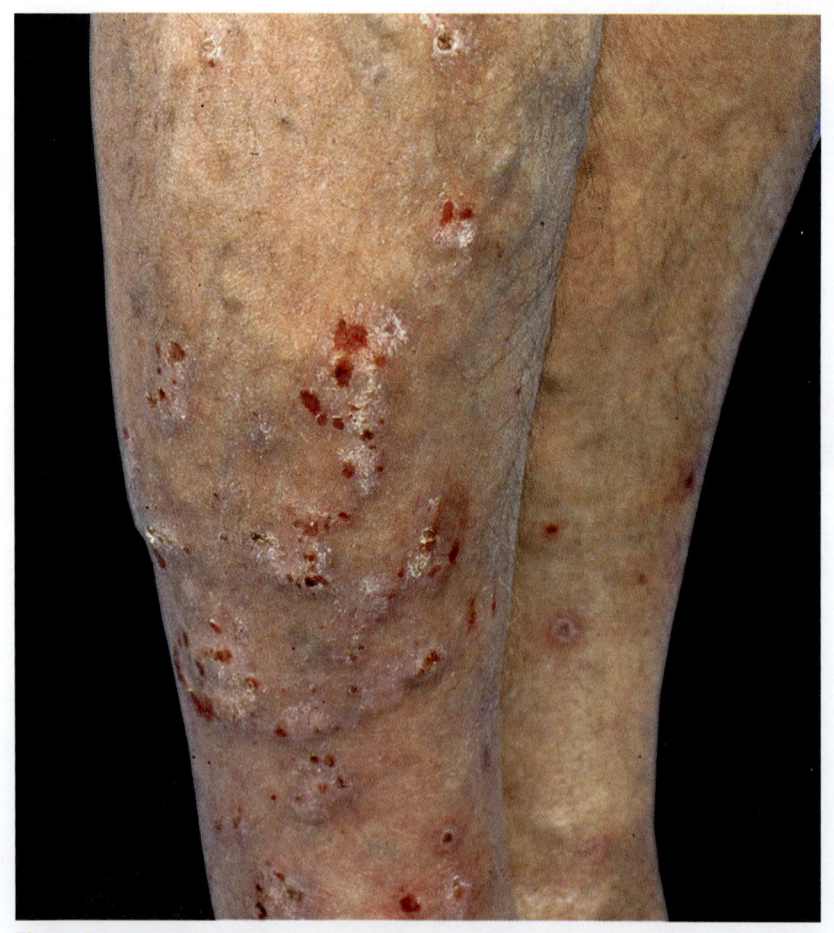

Figura 2-19 Prurigo nodular Vários nódulos escoriados e firmes, que surgem em áreas de pele cronicamente feridas ou escoriadas. Com frequência, ocorrem em pacientes com atopia, mas também na ausência desse distúrbio. Neste paciente de 56 anos, o prurido extremo exigiu múltiplas internações.

DERMATITE ECZEMATOSA DISIDRÓTICA CID-10: L30.1

- O eczema disidrótico é um tipo vesicular especial de dermatite das mãos e dos pés. Trata-se de uma dermatose aguda, crônica ou recidivante dos dedos das mãos, das palmas e das plantas.
- Início súbito de muitas vesículas pruriginosas, de localização profunda, claras, "semelhantes à tapioca" (**Fig. 2-20**).
- Podem ocorrer bolhas grandes (ponfolix).
- Posteriormente, fissuras com descamação e liquenificação.
- Há prurido além de dor em caso de erosão.
- Infecção bacteriana secundária: pústulas, celulite, linfangite e linfadenopatia dolorosa.
- Os episódios recidivantes são a regra.
- Tratamento: corticosteroides tópicos de alta potência, triancinolona intralesional, 3 mg/mL, para as áreas pequenas; nos casos graves, ciclo curto de prednisona: iniciar com 70 mg e reduzir gradualmente em 10 ou 5 mg durante 7 ou 14 dias; antibióticos sistêmicos para a infecção secundária e PUVA oral ou em forma de "imersões" (p. 60).

Sinônimos: ponfolix, eczema palmar vesicular.

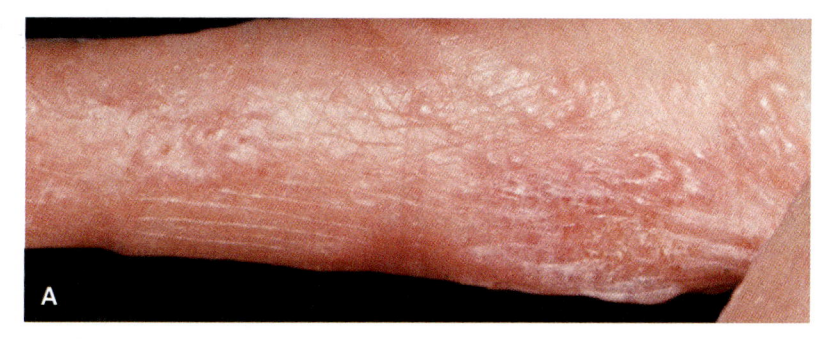

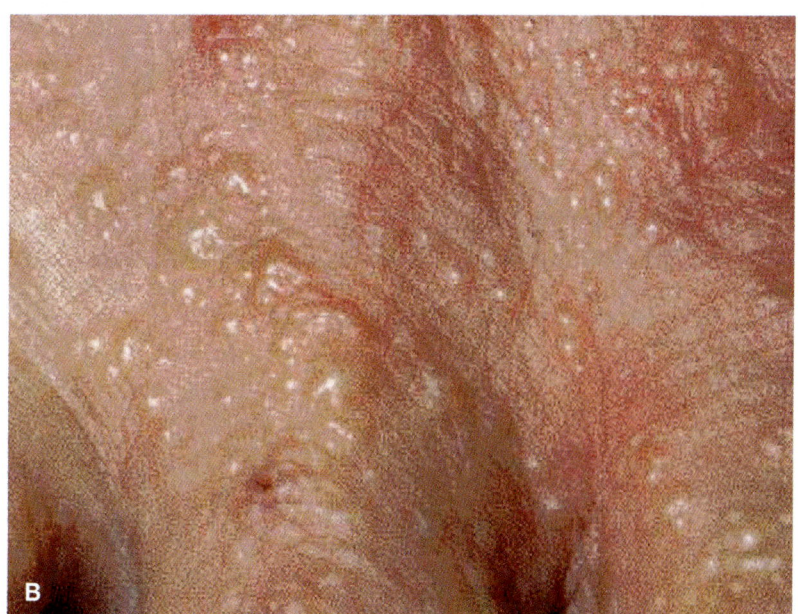

Figura 2-20 Dermatite eczematosa disidrótica Vesículas confluentes semelhantes à tapioca sobre a face lateral dos dedos (**A**) e espaços interdigitais e dorso das mãos (**B**)

ECZEMA NUMULAR CID-10: L30.0

- O eczema numular é uma dermatite inflamatória crônica e pruriginosa, que ocorre na forma de placas em forma de moeda, constituídas de pequenas pápulas e vesículas agrupadas sobre uma base eritematosa (**Fig. 2-21**).
- É particularmente comum nos membros durante os meses de inverno, quando a xerose é máxima; observado frequentemente em indivíduos atópicos.
- Com frequência, *S. aureus* está presente, porém, a sua importância patogênica não está comprovada.
- Muito pruriginoso. A evolução é crônica, e as lesões persistem por semanas a meses.
- Manejo: Hidratar a pele com creme hidratante, glicocorticoides tópicos; a terapia com PUVA ou UVB-311 pode ser muito efetiva.

Sinônimos: eczema discoide, eczema microbiano.

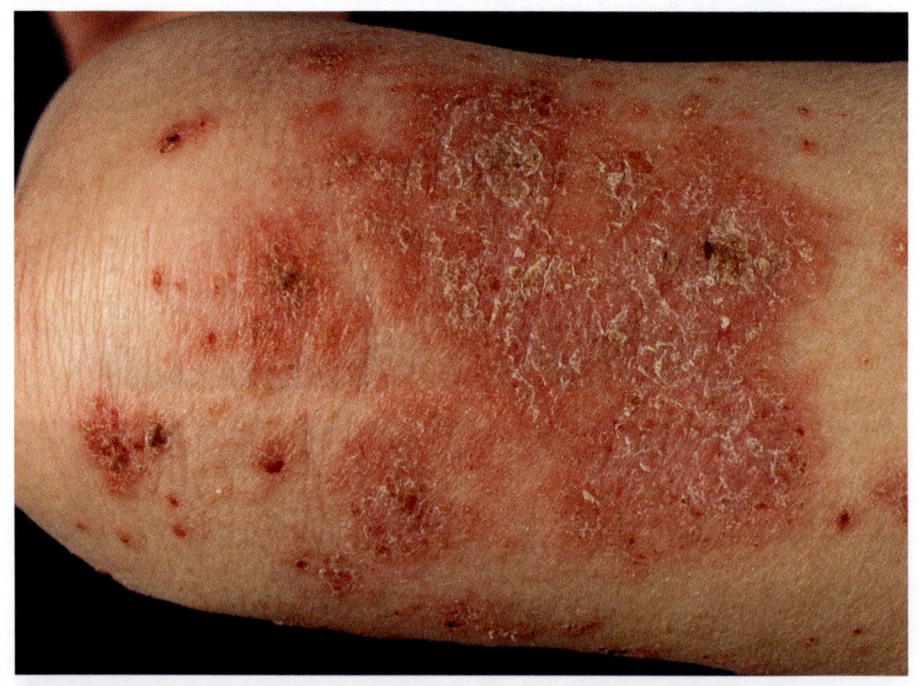

Figura 2-21 Eczema numular Placas numulares (em forma de moedas), arredondadas e pruriginosas com eritema, descamação e crostas que coalesceram na parte superior dos braços.

DERMATITE POR AUTOSSENSIBILIZAÇÃO CID-10: L30.2

- Dermatite pruriginosa generalizada, que frequentemente passa despercebida, diretamente relacionada a uma dermatite primária em outro local.
- Por exemplo, um paciente com dermatite por estase venosa das pernas pode desenvolver lesões maculopapulares ou papulovesiculares eritematosas, dispersas, simétricas e pruriginosas no tronco, nos antebraços, nas coxas ou nas pernas.
- Essas lesões persistem e espalham-se até que a dermatite primária subjacente de base seja controlada.
- De forma semelhante, a autossensibilização pode ocorrer como reação "id" à *tinea pedis* inflamatória, e manifesta-se como erupção vesicular disidrosiforme nos pés e nas mãos (**Fig. 2-22**) e como lesões eczematoides papulovesiculares no tronco.
- O fenômeno resulta da liberação de citocinas na dermatite primária, em consequência de sensibilização. Essas citocinas circulam no sangue e exacerbam a sensibilidade das áreas cutâneas distantes.
- O diagnóstico de dermatite por autossensibilização é frequentemente retrospectivo, isto é, a erupção distante desaparece quando a dermatite primária é controlada.
- Os glicocorticoides orais aceleram o desaparecimento das lesões.

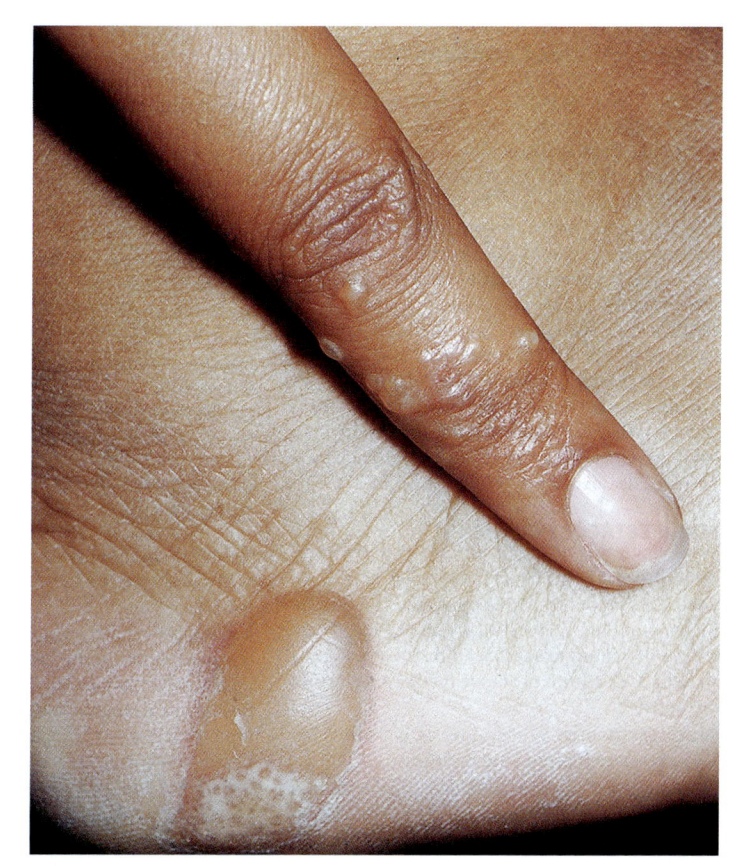

Figura 2-22 Dermatite por autossensibilização (reação "id"): dermatofítica Vesículas e bolhas no dedo da mão e na superfície lateral do pé de uma mulher de 21 anos. Havia *tinea pedis* bolhosa (inflamatória), associada à reação dermatofítica. A paciente foi tratada com prednisona durante 2 semanas; houve regressão do prurido e das vesículas.

> ### DERMATITE SEBORREICA (DS) CID-10: L21
>
> - Dermatose crônica muito comum, caracterizada por eritema e descamação, que ocorre em regiões onde as glândulas sebáceas são mais ativas, como a face e o couro cabeludo, região pré-esternal e dobras do corpo. A DS leve do couro cabeludo provoca descamação, isto é, caspa.
> - Diátese hereditária, porém, o fungo *Malassezia furfur* pode desempenhar papel patogênico.
> - Incidência aumentada na doença de Parkinson e em pacientes imunossuprimidos (HIV/Aids).
>
> *Sinônimos:* "crosta láctea" (lactentes), pitiríase seca (caspa).

EPIDEMIOLOGIA E ETIOLOGIA

IDADE DE INÍCIO Lactância (primeiros meses de vida), puberdade, mais comumente entre 20 e 50 anos de idade ou mais.
SEXO Mais comum nos homens.
INCIDÊNCIA 2 a 5% da população.

PATOGÊNESE, FATORES PREDISPONENTES E AGRAVANTES

Há uma diátese hereditária, o denominado estado seborreico, com blefarite seborreica marginal acentuada. Pode estar associada à psoríase, como "estado pré-psoriáco", e a mistura de descamações superficiais do couro cabeludo e dos supercílios com placas psoriasiformes no tronco sugere o uso do termo sebopsoríase. *M. furfur* pode desempenhar um papel, conforme sugerido pela resposta ao cetoconazol e sulfeto de selênio. Há aumento da incidência na doença de Parkinson e na paralisia facial, bem como em pacientes imunossuprimidos (HIV/Aids e transplante cardíaco). Ocorrem lesões semelhantes à DS em deficiências nutricionais (deficiências de zinco, de niacina e de piridoxina). A DS refratária deve constituir uma pista para a presença de doença pelo HIV (ver Seção 27).

MANIFESTAÇÕES CLÍNICAS

DURAÇÃO DAS LESÕES Início gradual.
VARIAÇÕES SAZONAIS Alguns pacientes pioram no inverno em ambientes fechados e secos. A exposição à luz solar causa exacerbação da DS em alguns pacientes, enquanto promove melhora das lesões em outros.
SINTOMAS CUTÂNEOS O prurido é variável e frequentemente aumenta com a transpiração.
LESÕES CUTÂNEAS Pele vermelho-alaranjada ou branco-acinzentada, frequentemente com máculas com escamas secas brancas ou "gordurosas", pápulas de dimensões variáveis (5 a 20 mm) ou placas, nitidamente demarcadas (Fig. 2-23). No couro cabeludo, ocorre principalmente descamação acentuada ("caspa"), com acometimento difuso. Lesões isoladas e dispersas na face. Lesões numulares, policíclicas e até mesmo anulares no tronco.
DISTRIBUIÇÃO E PRINCIPAIS TIPOS DE LESÕES (COM BASE NA LOCALIZAÇÃO E NA IDADE). **Áreas pilosas da cabeça.** Couro cabeludo, supercílios, cílios (blefarite), barba (orifícios foliculares); crosta láctea: eritema e descamação e crostas amarelo-alaranjadas no couro cabeludo de lactentes.
Face. Áreas ruborizadas ("em asa de borboleta") na fronte ("coroa seborreica"), nas pregas nasolabiais, nos supercílios e na glabela (Fig. 2-23). Orelhas: lesões retroauriculares, meato; crostas aderentes e fissuras.
Tronco. Simulam lesões de pitiríase rósea ou de pitiríase versicolor; placas castanho-amareladas são comuns sobre o esterno.
Dobras do corpo. Axilas, regiões inguinais, região anogenital, áreas inframamárias, umbigo e região das fraldas em lactentes (Fig. 2-24) – manifestam-se como erupção eritematosa brilhante, exsudativa, difusa e nitidamente demarcada; erosões e fissuras são comuns.
Genitália. Com frequência, crostas amareladas e lesões psoriasiformes.

DIAGNÓSTICO/DIAGNÓSTICO DIFERENCIAL

Estabelecido com base em critérios clínicos.
PLACAS ERITEMATOSAS E DESCAMATIVAS: Comum. Psoríase vulgar leve (em alguns casos, pode ser indistinguível), impetigo (excluído por esfregaços para detecção de bactérias), dermatofitose, pitiríase versicolor, candidíase intertriginosa (excluir os dermatófitos e leveduras com KOH), lúpus eritematoso subagudo (excluir por biópsia), pápulas "seborreicas" na sífilis secundária (excluir *Treponema pallidum* por exame em campo escuro); sorologia para sífilis.
Raro. Histiocitose de células de Langerhans (ocorre em lactentes, frequentemente associada à púrpura), acrodermatite enteropática, deficiência de zinco, pênfigo foliáceo, síndrome do glucagonoma.

Seção 2 Eczema/dermatite

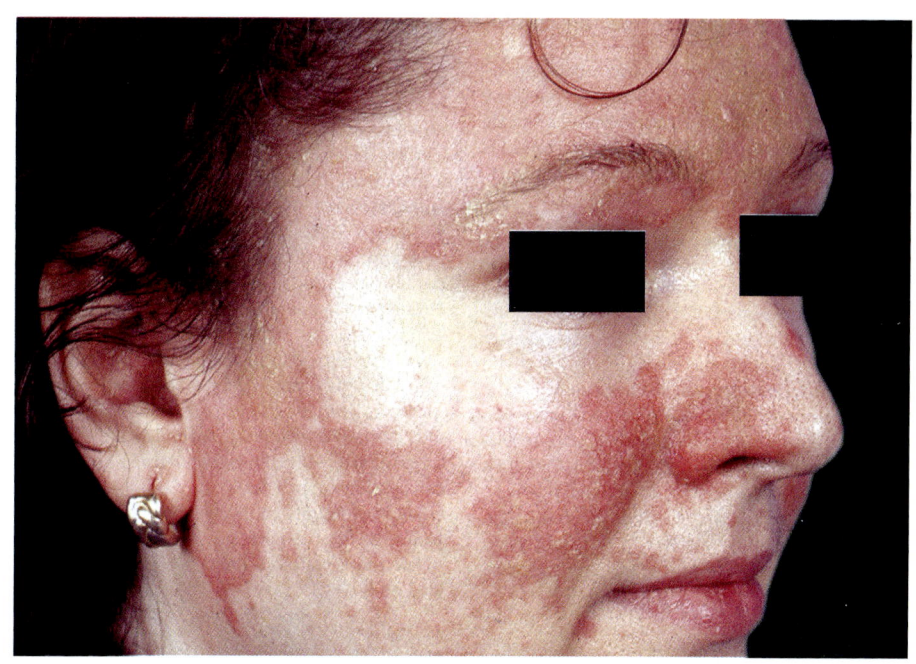

Figura 2-23 Dermatite seborreica da face: tipo adulto Eritema e descamação amarelo-alaranjada na fronte, nas regiões malares e nos sulcos nasolabiais. O couro cabeludo e as regiões retroauriculares também estavam acometidos.

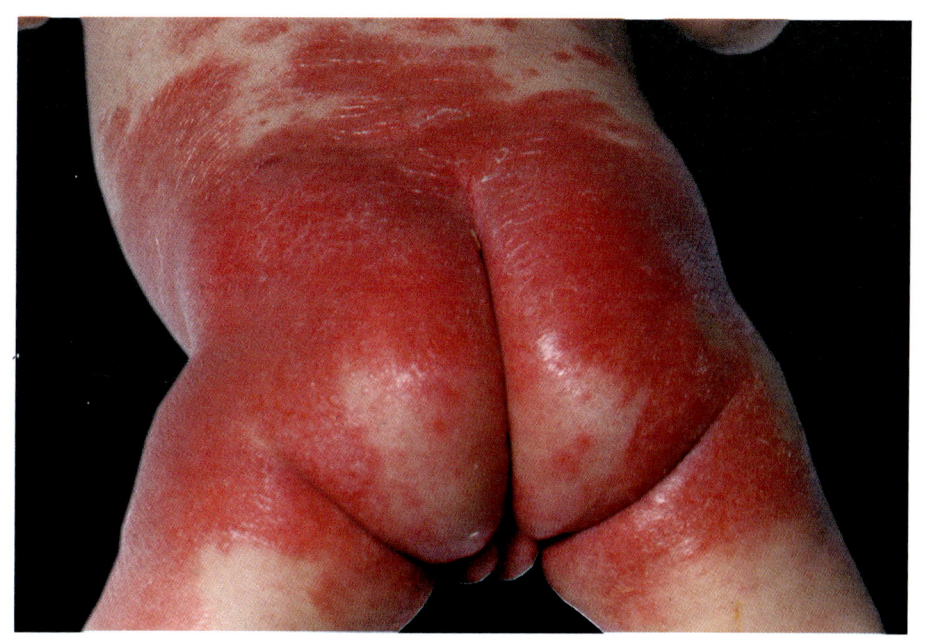

Figura 2-24 Dermatite seborreica do lactente Eritema, descamação e crostas na região das fraldas de um lactente. Essas lesões na região das fraldas são difíceis de diferenciar da psoríase, e a presença de *Candida* deve ser excluída pela preparação com KOH.

EXAMES LABORATORIAIS

DERMATOPATOLOGIA Paraceratose focal com alguns neutrófilos, acantose moderada, espongiose (edema intercelular) e inflamação inespecífica da derme. Neutrófilos nas extremidades dos orifícios foliculares dilatados, que aparecem como crostas/descamação.

EVOLUÇÃO E PROGNÓSTICO

A doença melhora durante o verão e sofre exacerbação no outono. As recidivas e as remissões, particularmente no couro cabeludo, podem estar associadas à alopécia nos casos graves. A DS do lactente e do adolescente desaparece com a idade. Pode ocorrer eritrodermia seborreica. *A eritrodermia seborreica com diarreia e atraso do crescimento em lactentes (doença de Leiner) está associada a uma variedade de distúrbios de imunodeficiência, incluindo opsonização deficiente de leveduras, deficiência de C3, imunodeficiência combinada grave, hipogamaglobulinemia e hiperimunoglobulinemia.*

TRATAMENTO

Necessita de tratamento inicial, seguido de manutenção crônica.

Tratamento tópico inicial

COURO CABELUDO **Adultos.** *Xampus* contendo sulfeto de selênio, piritionato de zinco e/ou alcatrão. O xampu de cetoconazol a 2% é muito efetivo; a espuma pode ser aplicada à face e ao tórax durante o banho de chuveiro. Para os casos mais graves, solução, loção ou géis de *glicocorticoides* de baixa potência após aplicação de um xampu medicinal (cetoconazol ou alcatrão). O creme de pimecrolimo a 1% é muito benéfico.
Lactentes. Para a crosta láctea, remoção das crostas com compressas de azeite de oliva morno, seguidas da aplicação de xampu para bebês, xampu de cetoconazol a 2% e aplicação de creme de hidrocortisona a 1 a 2,5%, creme de cetoconazol a 2% e creme de pimecrolimo a 1%.
FACE E TRONCO *Xampu de cetoconazol* a 2%. Cremes e loções de glicocorticoides. Creme de cetoconazol a 2%, creme de pimecrolimo a 1% e pomada de tacrolimo a 0,03% ou 0,1%.
PÁLPEBRAS Remoção suave das crostas pela manhã com chumaço de algodão embebido em xampu para bebês diluído. Aplicar sulfacetamida sódica em suspensão contendo prednisolona a 0,2% e fenilefrina a 0,12%. A aplicação isolada de pomada de sulfacetamida sódica também é efetiva, bem como o creme de cetoconazol a 2%, o creme de pimecrolimo a 1% ou a pomada de tacrolimo a 0,03%.
ÁREAS INTERTRIGINOSAS *Cetoconazol a 2%.* Se não forem controladas com esses tratamentos, a tintura de Castellani para a dermatite das dobras cutâneas é frequentemente muito efetiva, porém existe o problema das manchas que provoca na pele. Creme de pimecrolimo a 1%; pomada de tacrolimo a 0,03 ou 0,1%.

Terapia sistêmica

Nos casos graves, o ácido 13-*cis*-retinoico VO, 0,5 a 1 mg/kg, é altamente efetivo. As mulheres em idade reprodutiva devem usar um método contraceptivo. Nos casos mais leves, o itraconazol 100 mg 2 vezes ao dia em dois dias consecutivos, uma vez ao mês, é efetivo.

Tratamento de manutenção

O xampu de cetoconazol a 2%, os xampus de alcatrão e o creme de cetoconazol são efetivos. Além disso, o creme de hidrocortisona a 1 a 2,5% aplicado diariamente é efetivo, porém os pacientes devem ser monitorados para sinais de atrofia; o creme de pimecrolimo a 1% e a pomada de tacrolimo a 0,03% são seguros e efetivos.

DERMATITE ASTEATÓTICA CID-10: L30.9

- Dermatite pruriginosa comum, que ocorre particularmente em indivíduos idosos, no inverno e nas regiões temperadas – associada à baixa umidade das residências com aquecimento.
- Os locais de predileção são as pernas (**Fig. 2-25**), os braços e as mãos, embora também ocorra no tronco.
- Pele seca, "rachada" com fissuras superficiais e descamação discreta.
- O prurido incessante pode levar à liquenificação, que pode até mesmo persistir após correção das condições ambientais.
- O distúrbio é causado por banhos muito frequentes em banheiras ou chuveiros com sabonete e/ou em indivíduos idosos que vivem em ambientes com temperatura ambiental alta e umidade relativa baixa.
- Tratamento: evitar o excesso de banhos com sabonetes, particularmente banhos de banheira, e aumentar a umidade do ambiente para mais de 50%, utilizando umidificadores de ambiente; além disso, banhos com água tépida com óleos de banho para hidratação, seguidos de aplicação abundante imediata de pomadas emolientes, como vaselina hidratada. Se a pele estiver inflamada, aplicar pomadas de glicocorticoides de potência intermediária, duas vezes ao dia, até regressão do componente eczematoso.

Sinônimos: eczema craquelê (do francês *craquelé*, "danificado por rachaduras", como na porcelana da China Antiga e em ladrilhos de cerâmica).

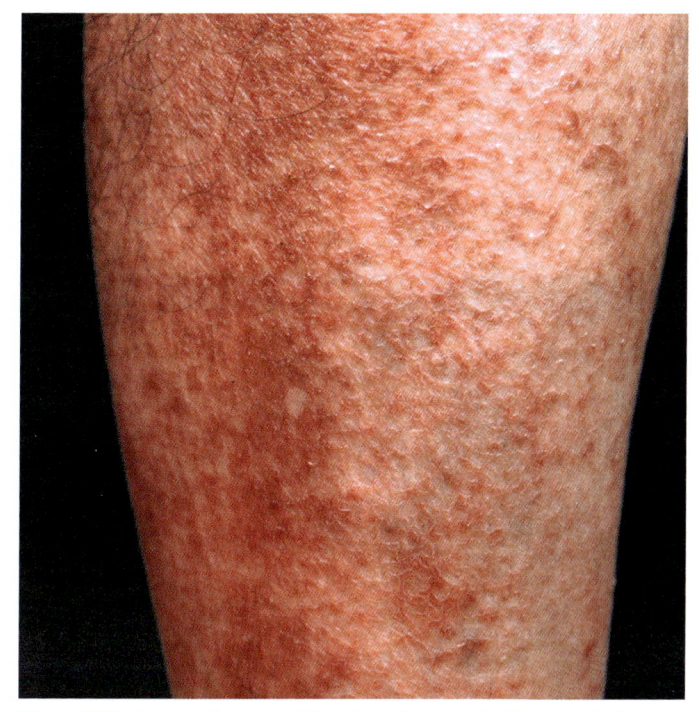

Figura 2-25 Dermatite asteatótica Neste homem de 65 anos, as lesões coalesceram, acometendo toda a pele da perna.

SEÇÃO 3

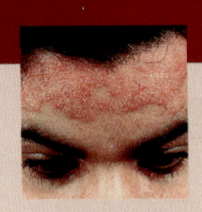

PSORÍASE, DERMATOSES PSORIASIFORMES E PITIRIASIFORMES

PSORÍASE

- A psoríase acomete 1,5 a 2% da população nos países ocidentais, mas sua ocorrência é global.
- Distúrbio crônico com predisposição poligênica e fatores ambientais desencadeantes, como infecção bacteriana, traumatismo ou fármacos.
- Existem várias expressões clínicas. As lesões características consistem em pápulas e placas escamosas crônicas e recidivantes. Ocorrem erupções pustulares e eritrodermia.
- A apresentação clínica varia entre indivíduos, desde pacientes com apenas algumas placas localizadas até pacientes com acometimento cutâneo generalizado.
- Eritrodermia psoriásica é a psoríase que acomete toda a pele.
- A artrite psoriásica ocorre em 10 a 25% dos pacientes.

CLASSIFICAÇÃO

Psoríase vulgar
   Gutata aguda
   Placa estável crônica
   Palmoplantar
   Invertida

Eritrodermia psoriásica
Psoríase pustulosa
   Psoríase pustulosa de von Zumbusch
   Pustulose palmoplantar
   Acrodermatite contínua

PSORÍASE VULGAR CID-10: L40.0

EPIDEMIOLOGIA

IDADE DE INÍCIO Todas as idades. *Fase inicial:* o pico de incidência é observado aos 22,5 anos (em crianças, a idade média de início é aos 8 anos). *Início tardio:* começa em torno dos 55 anos. O início precoce indica uma doença mais grave e de longa duração, e há habitualmente história familiar positiva de psoríase.

INCIDÊNCIA Ocorre em cerca de 1,5 a 2% da população nos países ocidentais. Nos EUA, existem de 3 a 5 milhões de indivíduos com psoríase. A maioria tem doença localizada; todavia, em aproximadamente 300 mil pacientes, a psoríase é generalizada.

SEXO Incidência semelhante em ambos os sexos.

ETNIA Incidência baixa em africanos ocidentais, japoneses e inuítes; incidência muito baixa ou nula nos índios das Américas do Norte e do Sul.

HEREDITARIEDADE Traço poligênico. Quando 1 dos genitores tem psoríase, 8% da prole desenvolverá a doença; quando ambos os genitores têm psoríase, 41% da prole terá a doença. Os tipos de antígeno leucocitário humano (HLA) mais frequentemente associados à psoríase são HLA-B13, B37, B57 e, de forma mais importante, HLA-Cw6, que predispõe ao comprometimento funcional.

FATORES DESENCADEANTES O *traumatismo físico* (coçadura e escoriação) constitui um importante fator no desencadeamento das lesões. A infecção estreptocócica aguda desencadeia a psoríase gutata. O *estresse* é um fator nas exacerbações da psoríase e alcança 40% nos adultos e ainda mais em crianças. *Fármacos:* os glicocorticoides sistêmicos, o lítio oral, os agentes antimaláricos, a IFN e os bloqueadores β-adrenérgicos podem causar exacerbações e provocar farmacodermia psoriasiforme. A *ingestão de álcool* é um possível fator desencadeante.

PATOGÊNESE

As anormalidades mais óbvias na psoríase consistem em (1) alteração da cinética celular dos ceratinócitos, com redução do ciclo celular, resultando em uma produção 28 vezes maior de células epidérmicas e (2) células T CD8+, que constituem a população predominante de células T nas lesões. A epiderme e a derme reagem como um sistema integrado: as alterações descritas na camada germinativa da epiderme e as alterações inflamatórias da derme desencadeiam as alterações epidérmicas. A psoríase é uma doença desencadeada pelas células T, e o espectro das citocinas é o de uma resposta T_H1. A manutenção das lesões da psoríase é considerada uma resposta imune autorreativa desencadeada por TNF-α, IL-17 e IL-23.

MANIFESTAÇÕES CLÍNICAS

Existem dois tipos principais:

1. *Tipo inflamatório eruptivo* com múltiplas lesões pequenas e maior tendência à regressão espontânea (Figs. 3-1 e 3-2); relativamente raro (< 2% de todos os casos de psoríase).
2. *Psoríase estável crônica (placa)* (Figs. 3-3 e 3-4). Encontrada na maioria dos pacientes, com lesões indolentes crônicas presentes há meses e anos, apenas com mudança lenta.

SINTOMAS CUTÂNEOS O prurido é razoavelmente comum, particularmente na psoríase do couro cabeludo e da região anogenital.

Psoríase gutata aguda. Pápulas rosa-salmão (gutata: do latim *gutta*, "gota"), de 2 mm a 1 cm, com ou sem descamação (Figs. 3-1 e 3-2); as escamas podem não ser visíveis, porém tornam-se aparentes quando curetadas. As escamas são lamelares, frouxas e facilmente removidas por raspagem. A remoção das escamas resulta no aparecimento de minúsculas gotículas de sangue (*sinal de Auspitz*). As lesões são isoladas e dispersas; em geral, ocorrem no tronco (Fig. 3-2); podem regredir de modo espontâneo, podem tornar-se recidivantes e evoluir para a psoríase estável crônica.

Psoríase estável crônica. Placas nitidamente demarcadas, vermelho-escuras, com escamas frouxamente aderidas, lamelares e branco-prateadas (Fig. 3-3). As placas coalescem para formar lesões policíclicas geográficas (Fig. 3-4) e podem regredir parcialmente, resultando em padrões anulares, serpiginosos e arciformes. A descamação lamelar pode ser facilmente removida; entretanto, quando a lesão é extremamente crônica, adere firmemente, assemelhando-se a uma concha de ostra (Fig. 3-3).

Distribuição e locais preferenciais

Psoríase gutata aguda. Disseminada, generalizada, acometendo principalmente o tronco.

Psoríase estável crônica. Lesão única ou múltiplas lesões localizadas em um ou mais dos locais preferenciais: cotovelos, joelhos, região sacroglútea, couro cabeludo e palmas e plantas (Fig. 3-5). Em

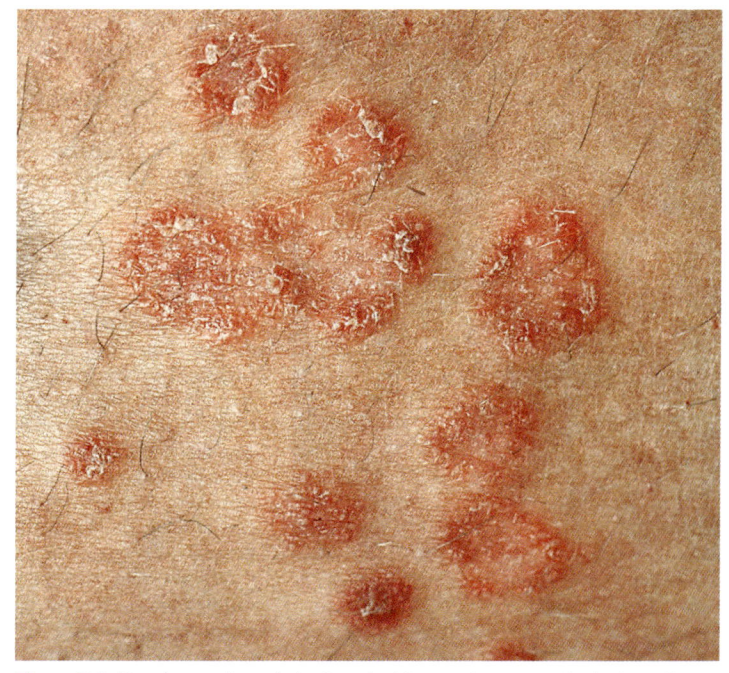

Figura 3-1 Psoríase vulgar As lesões primárias consistem em pápulas bem demarcadas, avermelhadas ou rosa-salmão, semelhantes a gotas, com descamação lamelar pouco aderente, branco-prateada.

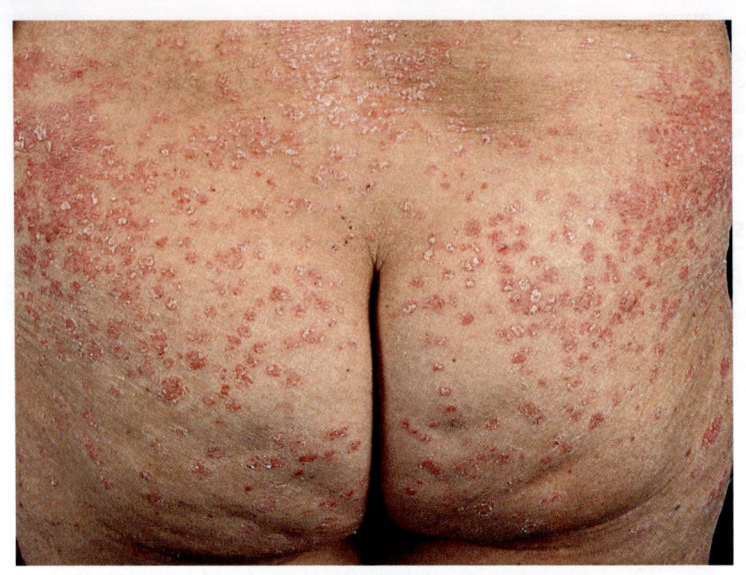

Figura 3-2 Psoríase vulgar: nádegas (psoríase gutata) Pápulas pequenas, isoladas, eritematosas e descamativas, que tendem a coalescer e surgem após faringite por estreptococos do grupo A. Havia história familiar de psoríase.

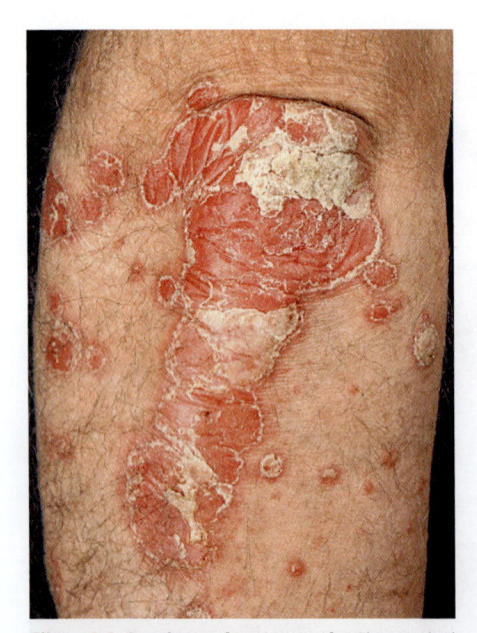

Figura 3-3 Psoríase vulgar: cotovelo Placa estável crônica de psoríase no cotovelo. Nessa localização, as escamas podem acumular-se em hiperceratose semelhante a uma concha de ostra, ou se desprendem em grandes lâminas, revelando uma base vermelho-viva. Essa placa surgiu da coalescência de lesões papulares menores, que ainda podem ser observadas no braço.

alguns casos, ocorre apenas acometimento regional (couro cabeludo), frequentemente generalizado.
Padrão. Bilateral, frequentemente simétrica (locais preferenciais, Fig. 3-5); com frequência, poupa as áreas expostas.
Psoríase na pele escura. Em indivíduos com tons de pele mais escuros, a psoríase carece da cor vermelho-viva. As lesões são marrons a pretas, porém, nos demais aspectos, a sua morfologia é igual às lesões que ocorrem na pele mais clara.

Localizações especiais

PALMAS E PLANTAS Podem constituir as únicas áreas acometidas. Ocorre hiperceratose maciça, branco-prateada ou amarelada, que não é facilmente removida (Fig. 3-6B). A placa inflamatória na base é sempre bem demarcada (Fig. 3-6A). Pode haver rachadura, fissuras dolorosas e sangramento.
COURO CABELUDO Placas nitidamente demarcadas, com descamação espessa e aderida (Fig. 3-7). Com frequência, são muito pruriginosas. *Observação:* a psoríase do couro cabeludo não provoca queda dos cabelos. Pode constituir parte da psoríase generalizada ou pode ser a única região acometida.
FACE Não é comum; entretanto, quando acometida, está habitualmente associada a um tipo refratário de psoríase (Figs. 3-7 e 3-8).
PSORÍASE CRÔNICA DAS REGIÕES PERIANAL E GENITAL E DAS REGIÕES FLEXURAIS DO CORPO – PSORÍASE INVERTIDA Em virtude do ambiente quente e úmido existente nessas regiões, as placas habitualmente

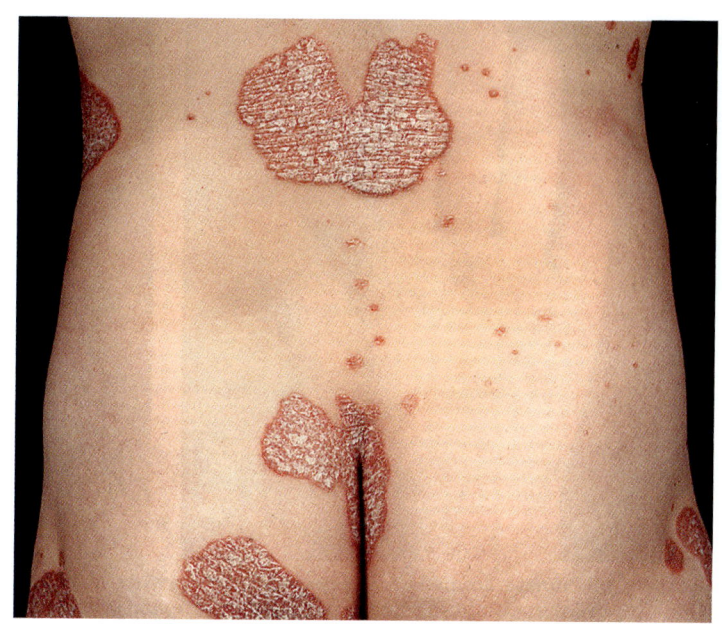

Figura 3-4 Psoríase vulgar: tipo estável crônico Várias placas grandes descamativas no tronco, nas nádegas e nas pernas. As lesões são arredondadas ou policíclicas e confluentes, formando padrões geográficos. Embora essa seja a manifestação clássica da psoríase estável crônica em placas, a erupção ainda está em progressão, conforme evidenciado pelas pequenas lesões gutatas na região lombar e dorsal inferior. As lesões desapareceram após tratamento combinado com acitretina/PUVA dentro de 4 semanas.

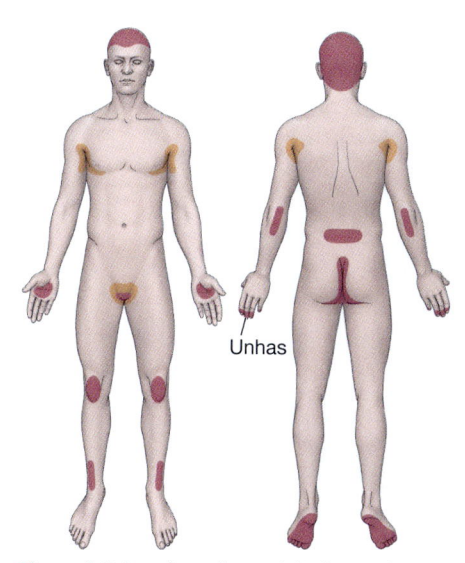

Unhas

Figura 3-5 Locais preferenciais da psoríase

não são descamativas, porém, maceradas, frequentemente vermelho-vivas e fissuradas (Fig. 3-9). A demarcação nítida possibilita diferenciá-las do intertrigo, da candidíase e da dermatite de contato.

UNHAS As unhas dos dedos das mãos e dos pés são frequentemente acometidas (25% dos casos), particularmente quando há artrite concomitante (Fig. 3-10). As alterações ungueais incluem depressões puntiformes, hiperceratose subungueal, onicólise e manchas castanho-amareladas sob a placa ungueal – *mancha de óleo* (patognomônica) (ver Seção 32, Distúrbios do aparelho ungueal).

EXAMES LABORATORIAIS

Dermatopatologia

Espessamento global acentuado da epiderme (acantose) e adelgaçamento da epiderme sobre as papilas dérmicas alongadas. Aumento da mitose dos ceratinócitos, dos fibroblastos e das células endoteliais. Hiperceratose paraceratótica (núcleos retidos no estrato córneo). Células inflamatórias

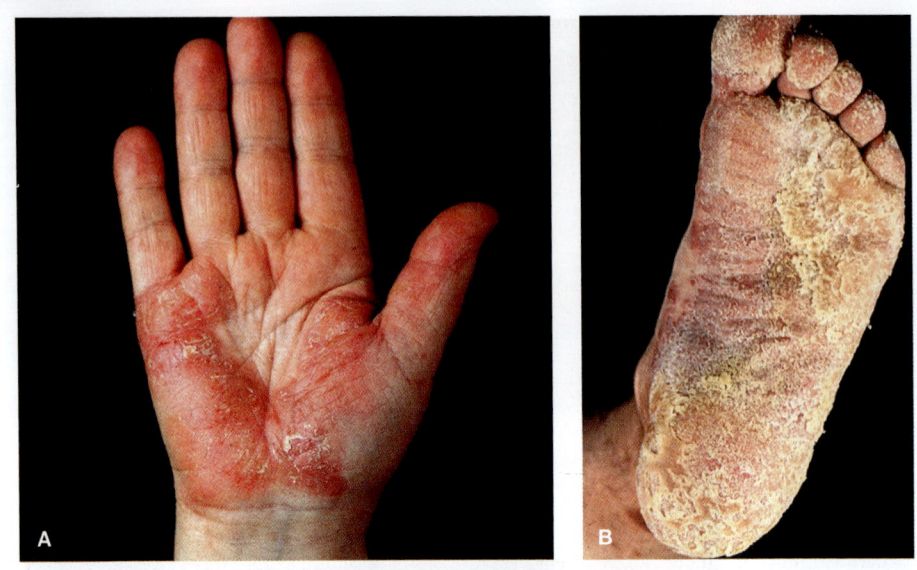

Figura 3-6 **(A) Psoríase, acometimento palmar** A palma mostra escamas aderentes com fissuras. A base é eritematosa, e existe uma margem nítida no punho. **(B) Psoríase vulgar: plantas** Placas eritematosas com escamas lamelares espessas e amareladas e descamação nas áreas de pressão na região plantar. Observar a demarcação nítida da lesão inflamatória no arco do pé. Havia lesões semelhantes nas palmas.

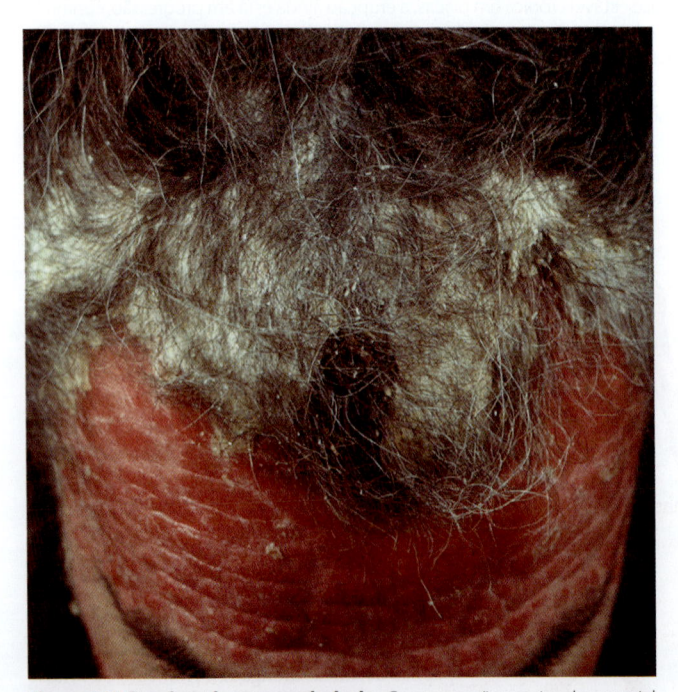

Figura 3-7 **Psoríase do couro cabeludo** Compactação maciça de material córneo em todo o couro cabeludo. Em algumas áreas, as escamas espessas tipo asbesto causam compactação dos pelos, mas não causam alopécia. Observar também o envolvimento da fronte.

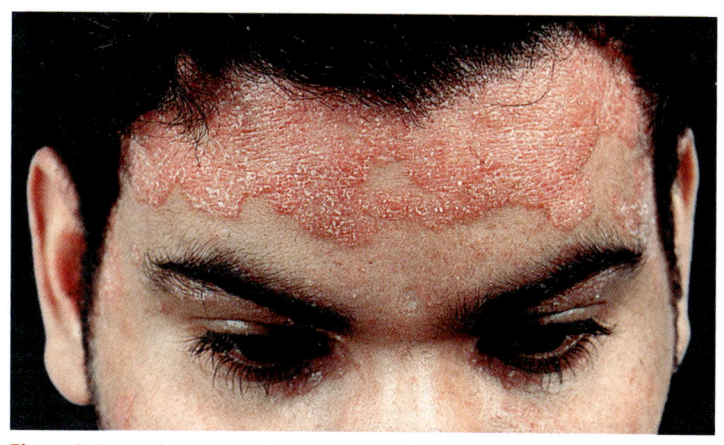

Figura 3-8 Psoríase, acometimento facial Placa psoriáca clássica na fronte de um homem de 21 anos, que também tinha acometimento extenso do couro cabeludo.

na derme (linfócitos e monócitos) e na epiderme (linfócitos e células polimorfonucleares), formando microabscessos de Munro no estrato córneo.
SORO Título elevado de antiestreptolisina na psoríase gutata aguda com antecedente de infecção estreptocócica. O início súbito da psoríase pode estar associado à infecção pelo HIV – deve-se realizar a sorologia para HIV. O nível sérico de ácido úrico está elevado em 50% dos pacientes e, em geral, correlaciona-se com a extensão da doença; observa-se risco aumentado de artrite gotosa.

CULTURA Cultura de amostra da orofaringe para infecção por estreptococos β-hemolíticos do grupo A.

DIAGNÓSTICO E DIAGNÓSTICO DIFERENCIAL

O diagnóstico é estabelecido com base nas manifestações clínicas.
PSORÍASE GUTATA AGUDA Qualquer erupção farmacodérmica maculopapular, sífilis secundária, pitiríase rósea.
PLACAS DESCAMATIVAS PEQUENAS *Dermatite seborreica* – pode ser indistinguível da psoríase. *Líquen*

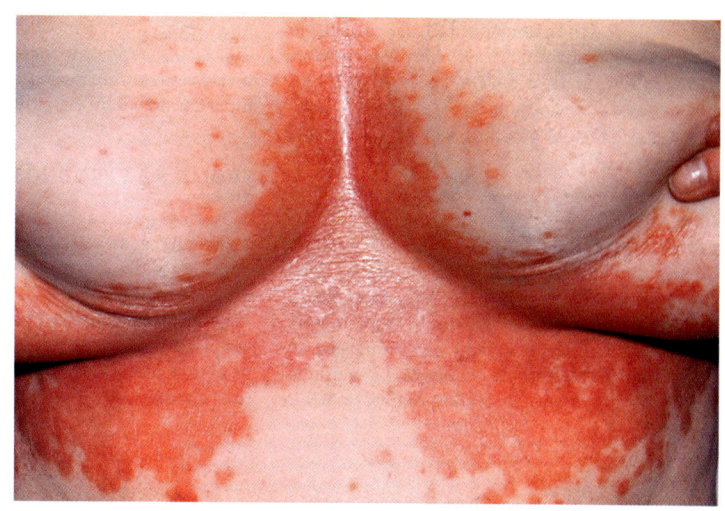

Figura 3-9 Psoríase vulgar: padrão invertido Devido ao ambiente quente e úmido da região inframamária, a descamação macerou e se desprendeu, revelando uma base eritematosa brilhante.

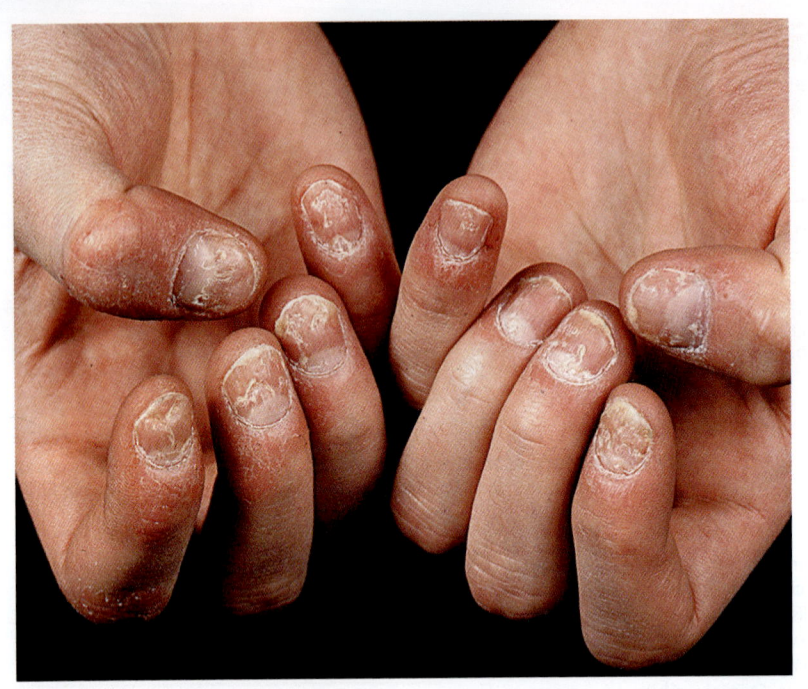

Figura 3-10 Psoríase das unhas das mãos As depressões progrediram para a elconíquia (escavações nas placas ungueais), e há sulcos transversais e longitudinais. Este paciente também tinha psoríase paroniquial e artrite psoriásica (para outras fotografias de acometimento das unhas, ver Seção 32).

simples crônico. Erupções farmacodérmicas psoriasiformes – particularmente betabloqueadores, ouro e metildopa. *Tinea corporis* – o exame com preparação de KOH é fundamental, particularmente quando existe uma única lesão. *Micose fungoide* – as placas descamativas podem constituir o estágio inicial dessa doença. Biópsia.

PLACAS GEOGRÁFICAS GRANDES *Tinea corporis*, micose fungoide.

PSORÍASE DO COURO CABELUDO Dermatite seborreica, *tinea capitis*.

PSORÍASE INVERTIDA *Tinea*, candidíase, intertrigo, doença de Paget extramamária (Seção 19). *Síndrome do glucagonoma* (Seção 19) – diagnóstico diferencial importante, visto que se trata de uma doença grave; as lesões assemelham-se à psoríase invertida. Histiocitose de células de Langerhans (ver Seção 20), doença de Hailey–Hailey (p. 92).

UNHAS Onicomicose. O exame com preparação de KOH é fundamental.
COMORBIDADES A psoríase está associada com maior morbidade e mortalidade por eventos cardiovasculares. A síndrome metabólica é 3 vezes mais frequente em pacientes com psoríase, com a hipertensão e a hiperlipidemia sendo os achados mais comuns.

EVOLUÇÃO E PROGNÓSTICO

A psoríase gutata aguda surge rapidamente como "exantema" generalizado. Algumas vezes, esse tipo de psoríase desaparece de modo espontâneo em poucas semanas, sem qualquer tratamento. Com mais frequência, evolui para a psoríase crônica em placas. É estável e pode sofrer remissão depois de alguns meses ou anos, recidivar e persistir por toda a vida.

PSORÍASE PUSTULOSA

- Caracteriza-se por pústulas, e não por pápulas, que surgem na pele normal ou na pele eritematosa inflamada. Existem dois tipos.

PUSTULOSE PALMOPLANTAR CID-10: L40.3

- Incidência baixa, em comparação à psoríase vulgar.
- Erupção recidivante crônica limitada às palmas e plantas.
- Numerosas pústulas estéreis, de localização profunda e amarelas (**Fig. 3-11**), que evoluem formando crostas vermelho-escuras.
- Considerada por alguns autores como psoríase pustulosa localizada (tipo de Barber), enquanto outros a consideram uma entidade distinta.

Figura 3-11 Pustulose palmar Pústulas amarelo-cremosas parcialmente confluentes na palma de uma mulher de 28 anos. As pústulas são estéreis e pruriginosas e, quando crescem, tornam-se dolorosas. Por ocasião dessa erupção, não havia outras evidências de psoríase em qualquer outra parte do corpo; entretanto, 2 anos depois, a paciente desenvolveu psoríase estável crônica em placas no tronco.

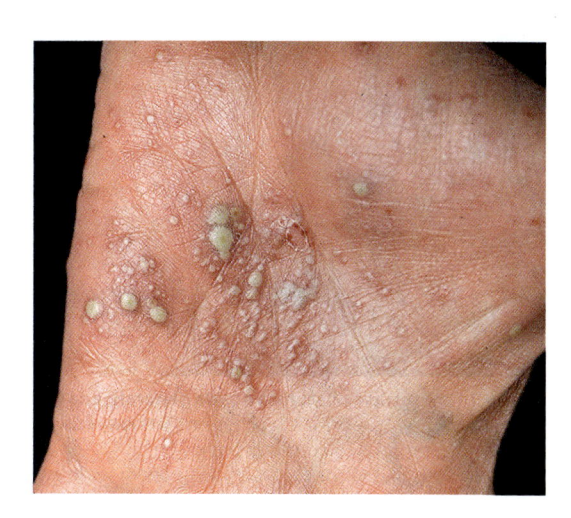

PSORÍASE PUSTULOSA AGUDA GENERALIZADA (VON ZUMBUSCH) CID-10: L40.1

- Doença clínica rara e potencialmente fatal, com início abrupto.
- Eritema vermelho-vivo com ardência, sobre o qual aparecem pústulas puntiformes estéreis e amareladas em grupos, que se espalham em algumas horas por todo o corpo. As lesões coalescentes formam "lagos" de pus (**Fig. 3-12**). Facilmente removidas.
- As ondas de pústulas podem seguir-se umas às outras.
- Febre, mal-estar e leucocitose.
- Sintomas: ardência, dor; o paciente parece assustado.
- Onicólise e desprendimento das unhas; queda dos cabelos do tipo deflúvio telógeno (ver Seção 31) 2 a 3 meses depois; descamação circinada da língua.
- Patogênese desconhecida. A febre e a leucocitose resultam da liberação de citocinas e quimiocinas na circulação.
- Diagnóstico diferencial: erupção farmacodérmica pustulosa (ver Seção 23); infecção generalizada por HSV (Seção 27).
- Pode evoluir para a psoríase vulgar ou ser precedida desta.
- Tipos especiais: *Impetigo herpetiforme*: psoríase pustulosa generalizada em gestantes com hipocalcemia. *Tipo anular*: em crianças que apresentam menos sintomas constitucionais (**Fig. 3-13A**). *Psoriasis cum pustulatione* (psoríase vulgar com pustulação): na psoríase vulgar inadequadamente tratada. Não há sintomas constitucionais. *Acrodermatite contínua de Hallopeau*: pustulação recidivante crônica das pregas e leitos ungueais e segmentos distais dos dedos, resultando em perda das unhas (**Fig. 3-13B**). Ocorre isoladamente ou com psoríase pustulosa generalizada.

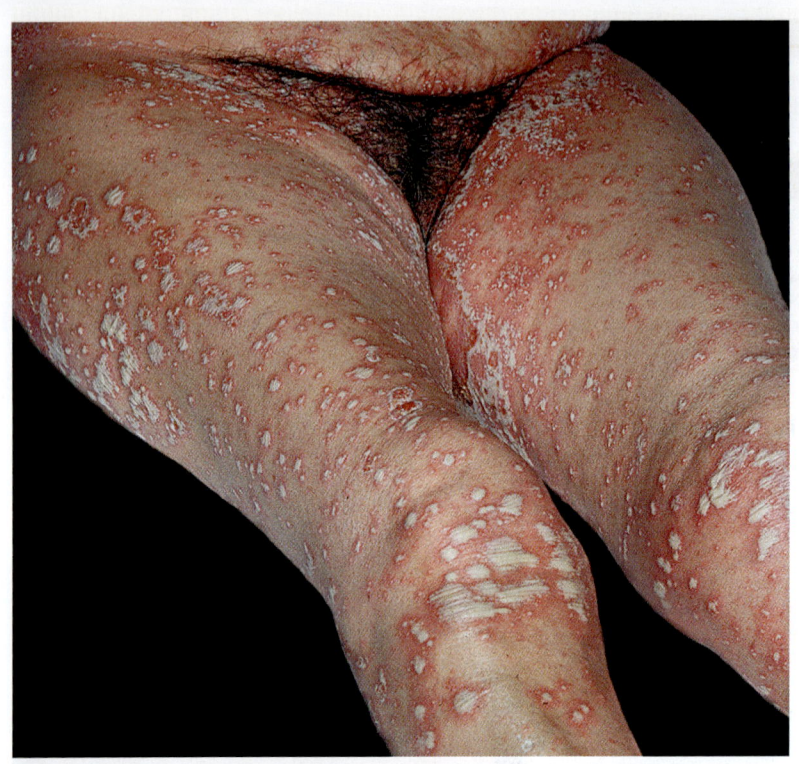

Figura 3-12 Psoríase pustulosa aguda generalizada (de von Zumbusch) Esta paciente apresentou toxemia, febre e leucocitose no sangue periférico. Todo o corpo estava coberto por inúmeras pústulas coalescentes branco-cremosas sobre uma base de cor vermelho-viva. Como essas pústulas são muito superficiais, podem ser literalmente removidas, resultando em erosões exsudativas avermelhadas.

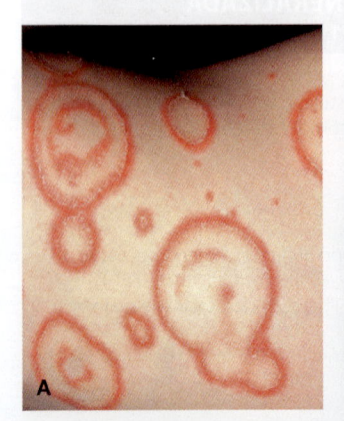

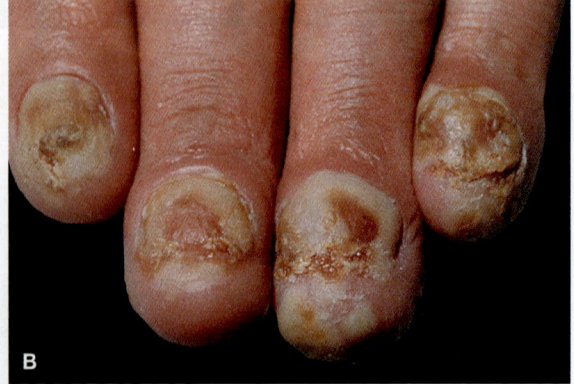

Figura 3-13 (A) Psoríase pustulosa anular Esta condição rara ocorre principalmente em crianças e consiste em erupções micropustulosas anulares em expansão sobre uma base altamente inflamatória, de centro claro, resultando em descamação semelhante ao colarinho de uma blusa na borda. Dificilmente ocorre qualquer toxicidade sistêmica. **(B) Acrodermatite contínua de Hallopeau**, com formação acral de pústulas, lagos subungueais de pus e destruição das placas ungueais. Esse processo pode levar à perda permanente das unhas e a cicatrizes.

ERITRODERMIA PSORIÁSICA CID-10: L40.8

Nessa condição, a psoríase acomete toda a pele. Ver Seção 8.

ARTRITE PSORIÁSICA CID-10: L40.5

- Soronegativa. A artrite psoriásica está incluída entre as espondiloartropatias soronegativas, que compreendem a espondilite anquilosante, a artrite enteropática e a artrite reativa.
- Acometimento assimétrico das articulações periféricas dos membros superiores, particularmente das articulações interfalângicas distais. Dactilite – dedos em salsicha (**Fig. 3-14**).
- A forma axial acomete a coluna vertebral, com sacroileíte.
- Entesite: inflamação da inserção dos ligamentos no osso.
- Mutilante com erosões ósseas, osteólise ou anquilose. Dedos telescopados. Comprometimento funcional.
- Frequentemente associada à psoríase das unhas (**Figs. 3-10** e **3-14**).
- Associada aos antígenos do complexo de histocompatibilidade principal (MHC) de classe I, enquanto a artrite reumatoide está associada aos antígenos do MHC de classe II.
- A incidência é de 5 a 8%. Rara antes dos 20 anos de idade.
- *Pode ocorrer (em 10% dos casos) sem qualquer psoríase visível; nesses casos, deve-se proceder a uma investigação da história familiar.*

TRATAMENTO DA PSORÍASE

FATORES QUE INFLUENCIAM NA ESCOLHA DO TRATAMENTO

1. Idade: infância, adolescência, adultos jovens, meia-idade, acima de 60 anos.
2. Tipo de psoríase: gutata, em placas, palmar e palmopustulosa, psoríase pustulosa generalizada, psoríase eritrodérmica.
3. Localização e extensão do acometimento: *localizada* nas palmas, plantas, couro cabeludo, região anogenital, com placas dispersas, porém com menos de 5% de acometimento; *generalizada* e com mais de 30% de acometimento.
4. Tratamento prévio: radiação ionizante, glicocorticoides sistêmicos, fotoquimioterapia (PUVA), ciclosporina (CS) e metotrexato (MTX).
5. Distúrbios clínicos associados (p. ex., doença pelo HIV).

O tratamento da psoríase é discutido no contexto dos tipos de psoríase, localização e extensão do acometimento. A psoríase deve ser tratada por um dermatologista.

PSORÍASE LOCALIZADA (Fig. 3-3)

- *Glicocorticoides fluorados tópicos*, cobertos com envoltório plástico. As fitas impregnadas com glicocorticoides também são úteis. Ficar atento para os efeitos colaterais dos glicocorticoides.
- O *curativo hidrocoloide*, mantido por 24 a 48 horas, é efetivo e impede a coçadura.

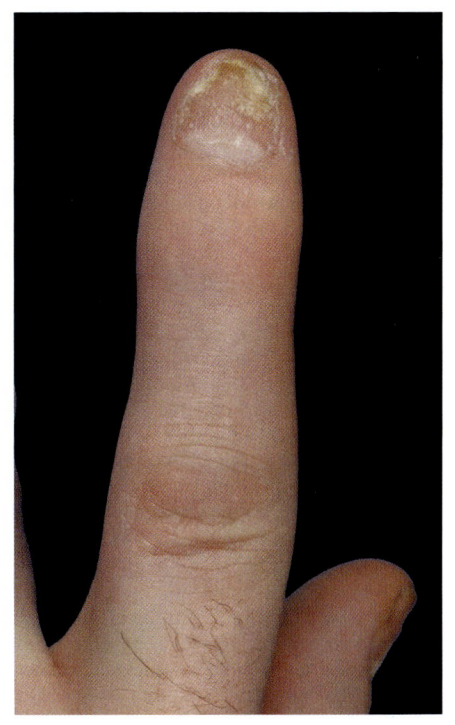

Figura 3-14 Artrite psoriásica Dactilite do dedo indicador. Observa-se o espessamento semelhante a uma salsicha nas articulações interfalângicas. Há psoríase da unha.

- Para placas pequenas (≤ 4 cm), suspensão aquosa de *acetonida de triancinolona*, 3 mg/mL, diluída com soro fisiológico e injetada por via *intradérmica* nas lesões. Deve-se estar atento para a ocorrência de hipopigmentação em indivíduos pardos e negros.
- A *antralina* tópica também é efetiva, mas pode ser irritante.
- Os *análogos da vitamina D* (calcipotrieno, em pomada e creme) são agentes antipsoríacos não esteroides tópicos apropriados, porém menos efetivos do que os corticosteroides; não estão associados à ocorrência de atrofia cutânea; podem ser combinados com corticosteroides. O tacrolimo tópico a 0,1% também é efetivo.
- O pimecrolimo tópico a 1% mostra-se efetivo na psoríase invertida e na psoríase semelhante à dermatite seborreica da face e do meato acústico.
- O *tazaroteno* (retinoide tópico, gel a 0,05 e 0,1%) tem eficácia semelhante, porém é melhor combiná-lo com glicocorticoides tópicos de classe II.
- Todos esses tratamentos tópicos podem ser combinados com fototerapia de UVB de 311 nm ou com PUVA.

COURO CABELUDO Descamação superficial e ausência de placas espessas: xampu de alcatrão ou de cetoconazol, *seguido* de loção de valerato de betametasona a 1%; se o caso for refratário, aplicação de propionato de clobetasol a 0,05% no couro cabeludo. Na presença de placas espessas e aderentes (Fig. 3-7): é necessário remover as escamas com ácido salicílico a 10% em óleo mineral, cobrir com touca de plástico e deixar durante toda a noite antes de iniciar o tratamento tópico. Se esse procedimento não tiver sucesso, considerar o tratamento sistêmico (ver adiante).

PALMAS E PLANTAS (Fig. 3-6) Curativos oclusivos com *glicocorticoides* tópicos de classe I. Se forem ineficazes, *PUVA* por via sistêmica ou na forma de imersão de *PUVA* (imersão em solução de 8-metoxipsoraleno e exposição subsequente a UVA). O uso oral de retinoides (acitretina > isotretinoína) remove a hiperceratose espessa das palmas e plantas. Porém, é muito mais eficaz a combinação com glicocorticoides tópicos ou PUVA (rePUVA). Os tratamentos sistêmicos devem ser considerados.

PUSTULOSE PALMOPLANTAR (Fig. 3-11) As *imersões* de PUVA e os glicocorticoides são efetivos. Tratamento sistêmico para casos refratários.

Psoríase invertida (Fig. 3-9). *Glicocorticoides tópicos* (atenção: essas regiões são sujeitas à atrofia; os esteroides devem ser aplicados apenas por períodos limitados); substituir por derivados da vitamina D tópicos, tazaroteno, tacrolimo ou pimecrolimo tópicos. Nos casos resistentes ou recidivantes, considerar o tratamento sistêmico.

UNHAS (Fig. 3-10) O tratamento tópico das unhas das mãos não é satisfatório. O tratamento sistêmico com MTX e CS é efetivo, porém leva tempo e, portanto, está sujeito a efeitos colaterais.

PSORÍASE GENERALIZADA

PSORÍASE GUTATA AGUDA (Fig. 3-2) Tratar a infecção estreptocócica com antibióticos. A irradiação com UVB de banda estreita (311 nm) é mais efetiva.

PSORÍASE GENERALIZADA EM PLACAS (Fig. 3-4) Tratamento com PUVA ou tratamento sistêmico, administrados na forma de monoterapia – ou combinados – ou rotativos. O tratamento combinado refere-se à associação de duas ou mais modalidades, enquanto o tratamento rotativo consiste em passar para outra modalidade diferente após a ocorrência de regressão e recidiva subsequente.

FOTOTERAPIA COM UVB DE BANDA ESTREITA (311 nm) É efetiva apenas na presença de placas finas; a eficácia aumenta com a combinação com glicocorticoides tópicos, análogos da vitamina D, tazaroteno ou tacrolimo/pimecrolimo tópicos.

PUVA ORAL O tratamento consiste na ingestão oral de 8-metoxipsoraleno (8-MOP) (0,6 mg de 8-MOP por quilograma de peso corporal) ou, em alguns países da Europa, 5-MOP (1,2 mg/kg de peso corporal) e exposição a doses de UVA que são ajustadas de acordo com a sensibilidade do paciente. Na maioria dos pacientes, as lesões desaparecem depois de 19 a 25 sessões, e a quantidade de UVA necessária varia de 100 a 245 J/cm^2. *Efeitos colaterais a longo prazo*: Ceratoses e carcinomas espinocelulares induzidos por PUVA em alguns pacientes que receberam um número excessivo de sessões.

RETINOIDES ORAIS A acitretina e a isotretinoína são efetivas para induzir descamação, porém são apenas moderadamente eficazes na regressão das placas psoríacas. Altamente eficazes quando combinadas com UVB de 311 nm ou PUVA (denominado rePUVA). *Com efeito, o rePUVA constitui, até o momento, o tratamento mais efetivo para a psoríase generalizada em placas.*

METOTREXATO O MTX oral é um dos tratamentos mais efetivos, porém, a resposta é lenta, sendo necessário um tratamento de longo prazo. Pode ocorrer hepatotoxicidade após doses cumulativas em indivíduos normais (≥ 1,5 g). *Regime de dose tripla (Weinstein)*: Preferido pela maioria ao MTX em dose única semanal; administra-se uma dose de 5 mg a cada 12 horas para um total de três doses, isto é, 15 mg/semana. Produz melhora de 80%, porém regressão completa apenas em alguns casos, e o uso de doses maiores aumenta o risco de toxicidade. Quando os pacientes respondem, a dose de MTX pode ser reduzida em 2,5 mg, de maneira gradual. Determinar periodicamente as enzimas hepáticas, o hemograma completo e o nível sérico de creatinina. É preciso estar atento para as várias interações medicamentosas com o MTX.

CICLOSPORINA[1] O tratamento com CS é altamente efetivo em uma dose de 3 a 5 mg/kg ao dia. Se o paciente responde, a dose é reduzida gradualmente até a menor dose de manutenção eficaz. O monitoramento da pressão arterial e da creatinina sérica é mandatório devido à conhecida nefrotoxicidade do fármaco. É preciso estar atento às interações medicamentosas.

ANTICORPOS MONOCLONAIS E PROTEÍNAS DE FUSÃO[1] (os chamados agentes biológicos). Algumas dessas proteínas, que são especificamente direcionadas para receptores patogenicamente relevantes nas células T ou para citocinas, foram aprovadas, enquanto outras estão em fase de desenvolvimento. Esses agentes biológicos só devem ser administrados por dermatologistas especialmente treinados e familiarizados com os esquemas posológicos, as interações medicamentosas e os efeitos colaterais de curto ou de longo prazo.

O *alefacepte* é uma proteína de fusão composta por LFA-3 (antígeno associado à função dos linfócitos humanos) com a IgG1, que impede a interação entre LFA-3 e CD2. A sua administração por via intramuscular (IM) uma vez por semana leva a uma melhora considerável, podendo-se observar longos períodos de remissão; todavia, alguns pacientes não respondem a esse tratamento.

Os *antagonistas* **do fator de necrose tumoral alfa (TNF-α)** que são efetivos na psoríase incluem o infliximabe, o adalimumabe e o etanercepte. O *infliximabe* é um anticorpo monoclonal quimérico dirigido contra o TNF-α. Quando administrado por via intravenosa (IV), nas semanas 0, 2 e 6, é altamente efetivo na psoríase e na artrite psoriásica. O *adalimumabe* é um anticorpo monoclonal recombinante totalmente humano, cujo alvo específico é o TNF-α. É administrado por via subcutânea (SC) a cada 2 semanas e apresenta eficácia semelhante à do infliximabe. O *etanercepte* é um receptor solúvel recombinante humano do TNF-α, que neutraliza a atividade desse fator. É administrado por via SC, duas vezes por semana, e é menos efetivo do que o infliximabe e o adalimumabe, porém altamente eficaz na artrite psoriásica.

O **ustequinumabe (anti-p40 da interleucina [IL] 12/IL-23)** é um anticorpo monoclonal IgG1κ humano, que se liga à subunidade p40 comum das IL-12 e IL-23 humanas, impedindo a sua interação com o seu receptor. Quando administrado por via SC a cada 4 meses, é altamente efetivo.

Sequinumabe é um anticorpo monoclonal recombinante completamente humano anti-IL-17 que neutraliza a citocina proinflamatória IL-17A. Ele é administrado por via subcutânea nas semanas 0, 1, 2 e 3, seguido por doses de manutenção mensais de 300 mg. É rapidamente efetivo, ainda mais efetivo que o ustequinumabe, sendo aprovado pela EMA para tratamento da psoríase em placas nos adultos.

Apremilaste é uma "pequena molécula" inibidora da fosfodiesterase-4, a qual pode ser administrada oralmente e leva a uma redução de citocinas proinflamatórias (TNF-α, IL-23, IL-17) e, assim, a uma sub-regulação do processo inflamatório. A administração começa com 10 mg ao dia VO, o que é gradualmente aumentado até 300 mg, 2 vezes ao dia. A resposta PASI 75 em 16 semanas é de 33%, o que é considerado uma melhora significativa.

Todos esses agentes biológicos e outros atualmente desenvolvidos em ensaios clínicos têm efeitos colaterais, e existe muita preocupação quanto à sua segurança em longo prazo. Além disso, no momento atual, o custo desses fármacos é extremamente alto, o que limita o seu uso na prática clínica. Para doses, ver advertências e efeitos colaterais.[1]

PSORÍASE PUSTULOSA GENERALIZADA (Fig. 3-12)

Pacientes doentes com erupção generalizada devem ser internados e tratados da mesma maneira que pacientes com queimaduras extensas, necrólise epidérmica tóxica ou eritrodermia esfoliativa – em uma unidade especializada. O isolamento do paciente, a reposição de líquidos e as hemoculturas repetidas são necessários. A supressão e a regressão rápidas das lesões são obtidas com retinoides orais (acitretina, 50 mg/dia). As medidas de suporte devem incluir aporte de líquidos, antibióticos IV para evitar a septicemia, suporte cardíaco, controle da temperatura, lubrificantes tópicos e banhos com antissépticos. Os glicocorticoides sistêmicos só devem ser usados como intervenção de urgência, devido à ocorrência rápida de taquifilaxia. O tratamento com PUVA oral é efetivo, porém as questões de logística do tratamento são habitualmente proibitivas em pacientes toxêmicos com febre.

ACRODERMATITE CONTÍNUA DE HALLOPEAU

Retinoides orais, como no caso da psoríase pustulosa de von Zumbusch; o MTX, em um esquema de uma vez por semana, constitui a escolha de segunda linha (Fig. 3-13B).

ARTRITE PSORIÁSICA

Deve ser diagnosticada precocemente, de modo a evitar a destruição óssea. O MTX, em um esquema de uma dose semanal, conforme assinalado anteriormente; os bloqueadores de TNF-α e o ustequinumabe são altamente efetivos.

---

[1]Para mais detalhes e interações medicamentosas, ver S. Richardson, J. Gelfand. In: Goldsmith, L., Gilchrest, B., Katz, .S, Paller, A., Leffel D., Wolff, .K. eds. *Fitzpatrick's Dermatology in General Medicine.* 8.ed., ed. New York, NY, McGraw-Hill; 2013: pp. 2814-2826.

PITIRÍASE RUBRA PILAR (PRP) CID-10: L44.0

- Distúrbio papuloescamoso crônico raro, que frequentemente evolui para a eritrodermia.
- Existem seis tipos.
- Pápulas hiperceratóticas foliculares, de cor laranja-avermelhada, que evoluem para a eritrodermia generalizada. Ilhas nitidamente demarcadas de pele não acometida (normal).
- Ceratodermia cérea difusa e alaranjada das palmas e plantas; as unhas podem ser acometidas.
- O tratamento mais efetivo consiste em MTX, retinoides sistêmicos.

CLASSIFICAÇÃO[2]

Tipo 1: Clássica do adulto. Generalizada, começa na cabeça e na região cervical.
Tipo 2: Atípica do adulto. Generalizada, pelos esparsos.
Tipo 3: Clássica juvenil. Aparece nos primeiros 2 anos de vida, generalizada.
Tipo 4: Circunscrita juvenil. Em crianças pré-púberes, localizada.
Tipo 5: Atípica juvenil. Começa nos primeiros anos de vida, familiar, generalizada.
Tipo 6: Associada ao HIV. Generalizada, associada a acne conglobata, hidradenite supurativa e líquen espinuloso.

EPIDEMIOLOGIA

Rara. Acomete ambos os sexos e ocorre em todas as etnias.

ETIOLOGIA E PATOGÊNESE

A etiologia é desconhecida.

MANIFESTAÇÕES CLÍNICAS

O início pode ser tanto insidioso quanto rápido.
LESÕES CUTÂNEAS Todos os tipos de PRP. Erupção de pápulas hiperceratóticas foliculares de cor laranja-avermelhada, que habitualmente se propaga em direção cefalocaudal (Fig. 3-15). Confluência formando dermatite descamativa psoriasiforme de cor laranja-avermelhada, com ilhas nitidamente demarcadas de pele não acometida (Fig. 3-16). Nos tons de pele mais escuros, as pápulas são marrons.
Distribuição. Tipos 1, 2, 3, 5 e 6: generalizada, começando classicamente na cabeça e na região cervical e se espalhando em direção caudal. Evolução para eritrodermia (exceto os tipos 2 e 4). No tipo 4, placas localizadas de cor laranja/vermelho (Fig. 3-17).
COURO CABELUDO E CABELOS Couro cabeludo acometido, como na psoríase, resultando frequentemente em acúmulo de escamas semelhantes a asbesto. Os cabelos não são afetados, exceto no tipo 2, em que são observados cabelos esparsos.
MEMBRANAS MUCOSAS São preservadas.
PALMAS E PLANTAS (TIPO 1) As palmas exibem hiperceratose cérea, difusa e de cor amarelada/laranja (Fig. 3-18).
UNHAS Acometimento comum, porém não diagnóstico. Coloração castanho-amarelada distal, espessamento da lâmina ungueal, hiperceratose subungueal e hemorragias lineares. Ver Seção 32.
DISTÚRBIOS ASSOCIADOS Lesões ictiosiformes nas pernas no tipo 2. Aspecto semelhante ao da esclerodermia nas mãos e nos pés no tipo 5. Acne conglobata, hidradenite supurativa e líquen espinuloso no tipo 6.

DIAGNÓSTICO E DIAGNÓSTICO DIFERENCIAL

O diagnóstico é estabelecido em bases clínicas. O diagnóstico diferencial inclui psoríase, ictiose folicular, eritroceratodermia variável e eritrodermias ictiosiformes.

EXAMES LABORATORIAIS

HISTOPATOLOGIA Não é diagnóstica, porém sugestiva: hiperceratose, acantose com alargamento das cristas interpapilares, alternância de ortoceratose e paraceratose. Tampões ceratinosos nos infundíbulos foliculares e áreas perifoliculares de paraceratose. A camada granular proeminente pode diferenciar a PRP da psoríase. Infiltrados linfocíticos perivasculares superficiais.

EVOLUÇÃO E PROGNÓSTICO

Distúrbio social e psicologicamente incapacitante. Longa duração; o tipo 3 frequentemente regride depois de 2 anos; o tipo 4 pode desaparecer. O tipo 5 apresenta uma evolução muito crônica. O tipo 6 pode responder à terapia antirretroviral (TARV).

TRATAMENTO

Os tratamentos tópicos consistem em emolientes, agentes ceratolíticos, vitamina D_3 (calcipotriol),

---

[2]Griffiths, W.A.D. *Clin Exp Dermatol.* 1980;5:105 e Gonzáles-López, A. et al. *Br J Dermatol.* 1999; 140:931.

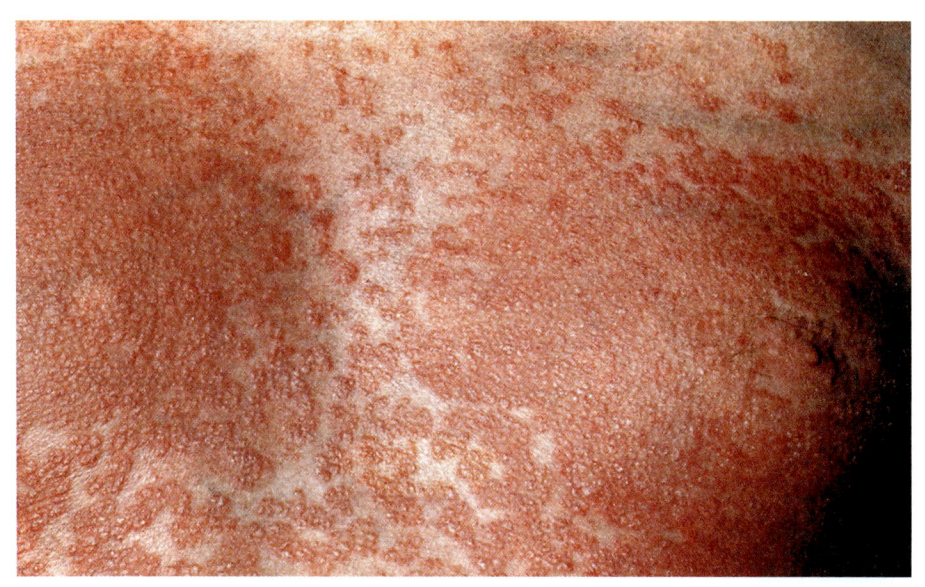

Seção 3 Psoríase, dermatoses psoriasiformes e pitiriasiformes

Figura 3-15 Pitiríase rubra pilar (tipo 1, clássica do adulto) Pápulas foliculares laranja-avermelhadas que aparecem na cabeça e na região cervical, e coalescem no tórax de um homem de 57 anos. Há ilhas nitidamente demarcadas de pele normal não acometida.

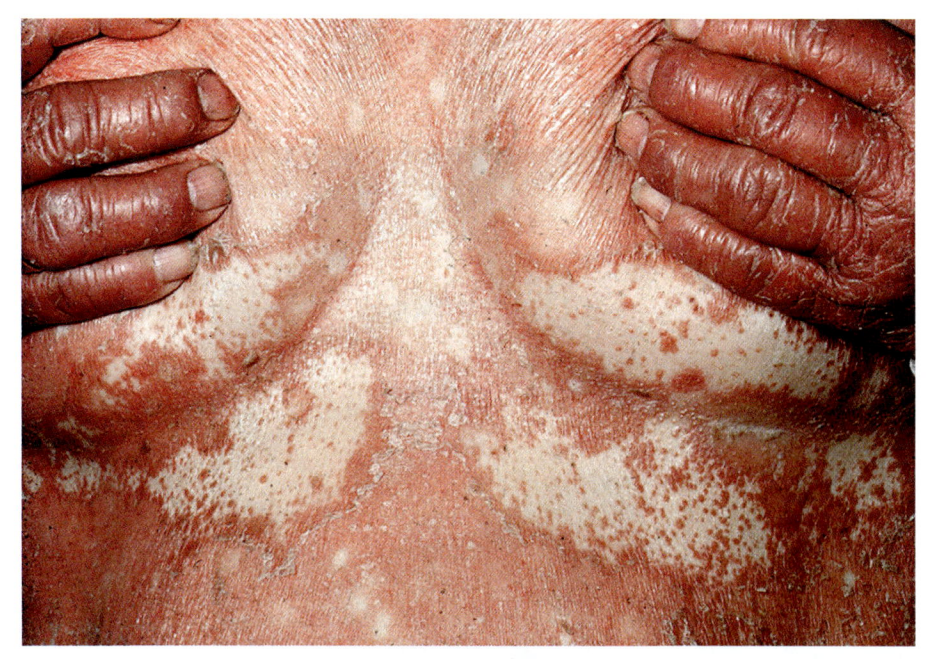

Figura 3-16 Pitiríase rubra pilar (tipo 1, clássica do adulto) As pápulas laranja-avermelhadas coalesceram até quase eritrodermia, com ilhas isoladas de pele normal preservada. Observa-se também o acometimento das mãos nesta mulher de 55 anos.

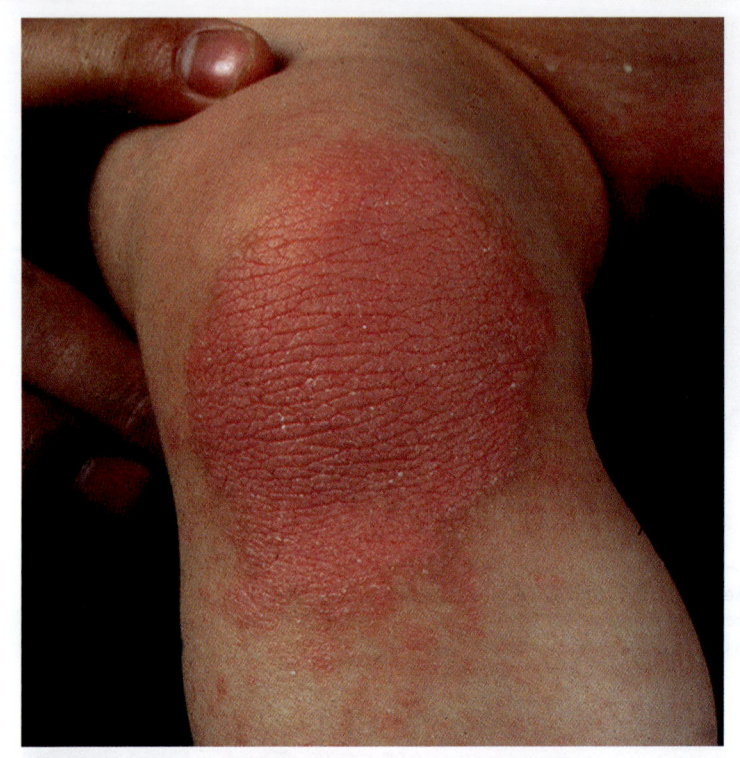

Figura 3-17 Pitiríase rubra pilar (tipo 4) Placa laranja localizada no joelho de um lactente.

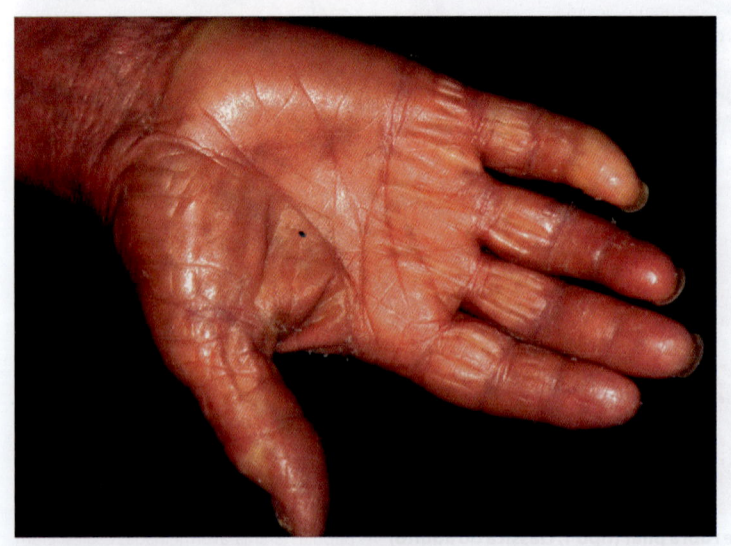

Figura 3-18 Pitiríase rubra pilar nas palmas Hiperceratose cérea difusa com tonalidade laranja.

glicocorticoides e análogos da vitamina A (tazaroteno). Todos esses tratamentos não são muito efetivos. A fototerapia (fototerapia com ultravioleta A, fototerapia com ultravioleta B de banda estreita e fotoquimioterapia) mostra-se efetiva em alguns casos. O tratamento de maior eficácia consiste na administração sistêmica de MTX ou retinoides (ambos como na psoríase). No tipo 6: TARV. Os agentes anti-TNF, como infliximabe e etanercepte, são efetivos.

PITIRÍASE RÓSEA CID-10: L42

- Erupção exantemática aguda com morfologia distinta e, frequentemente, com evolução autolimitada característica.
- Inicialmente, surge uma placa única (primária ou "precursora"), habitualmente no tronco; 1 ou 2 semanas depois, desenvolve-se uma erupção secundária generalizada, seguindo um padrão de distribuição característico.
- Todo o processo sofre remissão espontânea em 6 semanas.
- A causa mais provável consiste em reativação dos herpes-vírus humanos 7 (HHV-7) e HHV-6.

EPIDEMIOLOGIA E ETIOLOGIA

IDADE DE INÍCIO Dos 10 aos 43 anos, mas pode ocorrer raramente em lactentes e indivíduos idosos.

ESTAÇÕES DO ANO Primavera e outono.

ETIOLOGIA Há evidências convincentes de que a pitiríase rósea esteja associada à reativação do HHV-7 ou do HHV-6, dois β-herpes-vírus estreitamente relacionados.

MANIFESTAÇÕES CLÍNICAS

LESÕES CUTÂNEAS: Placa precursora (medalhão inicial). Ocorre em 80% dos pacientes, precedendo o exantema. Placa oval, ligeiramente elevada, de 2 a 5 cm, vermelho-salmão, com colarete de descamação fina na periferia; pode ser múltipla (Fig. 3-19A).
Exantema. Surge em 1 ou 2 semanas após o medalhão inicial. Pápulas e placas descamativas finas, com colarete marginal (Fig. 3-19B). Cor rosa-escura ou castanha. Lesões ovais, dispersas, com distribuição característica seguindo as linhas de clivagem, em um padrão de "árvore de natal" (Fig. 3-20). Lesões habitualmente restritas ao tronco e a partes proximais dos braços e das pernas. Raramente ocorrem na face.
Pitiríase rósea atípica. As lesões podem ocorrer apenas na face e na região cervical. A placa primária pode estar ausente; pode constituir a única manifestação da doença ou pode haver múltiplas placas. Os casos mais confusos consistem em pitiríase rósea com vesículas, ou simulando o eritema multiforme. Essas lesões resultam habitualmente de irritação e sudorese, muitas vezes em consequência de tratamento inadequado (*pitiríase rósea irritada*).

DIAGNÓSTICO DIFERENCIAL

MÚLTIPLAS PLACAS DESCAMATIVAS PEQUENAS *Erupções farmacodérmicas* (p. ex., captopril e barbitúricos), *sífilis secundária* (obter a sorologia), *psoríase gutata* (sem colarete marginal), *parapsoríase em placas pequenas, eritema migratório* com lesões secundárias, *eritema multiforme* e *tinea corporis*.

EXAMES LABORATORIAIS

DERMATOPATOLOGIA Paraceratose em placas ou difusa, ausência da camada granular, acantose discreta, espongiose focal e vesículas microscópicas. Presença ocasional de células discerátóticas com aspecto eosinofílico homogêneo. Edema da derme e infiltrado perivascular de células mononucleares.

EVOLUÇÃO

Remissão espontânea em 6 a 12 semanas ou menos. As recorrências são incomuns.

TRATAMENTO

SINTOMÁTICO Anti-histamínicos orais e/ou loções antipruriginosas tópicas para aliviar o prurido. Glicocorticoides tópicos. As lesões podem melhorar com fototerapia com UVB ou exposição à luz solar natural se o tratamento for iniciado na primeira semana da erupção. Um ciclo breve de glicocorticoides sistêmicos é a melhor opção.

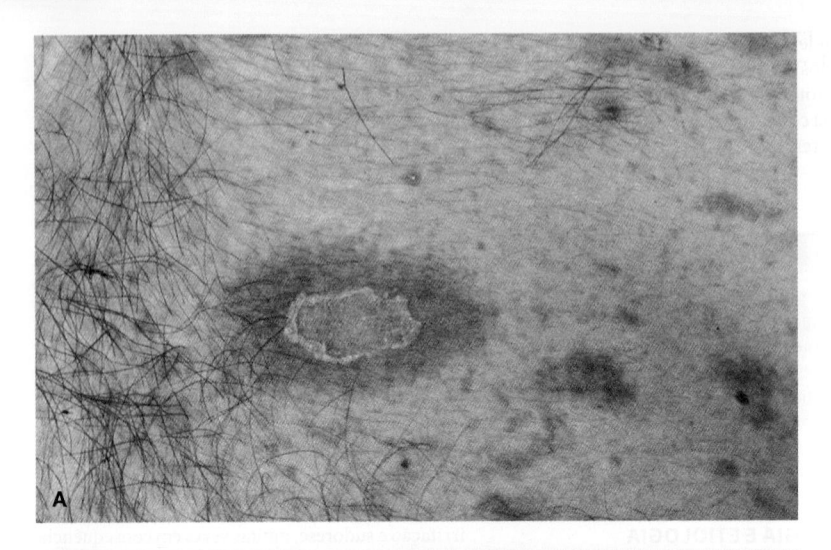

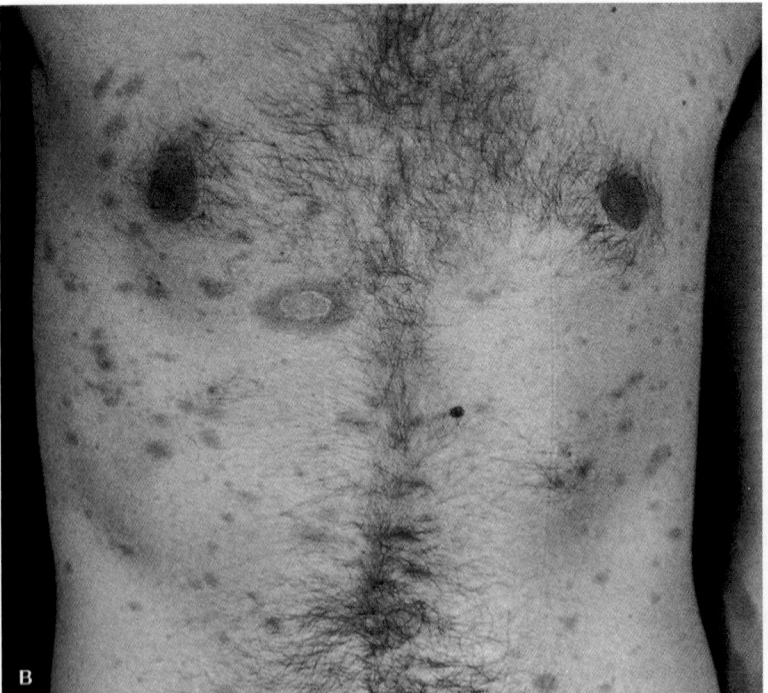

Figura 3-19 Pitiríase rósea (A) Medalhão inicial. Placa eritematosa (vermelho-salmão) com colarete de descamação na face interna da borda em expansão. O colarete significa que a escama está fixa na periferia e frouxa em direção ao centro da lesão. (B) Visão geral do exantema da pitiríase rósea com o medalhão inicial mostrado em (A). Há pápulas e placas pequenas com configurações ovais que acompanham as linhas de clivagem. A descamação fina das pápulas vermelho-salmão não pode ser visualizada com essa ampliação, porém o colarete do medalhão inicial é evidente.

Figura 3-20 Pitiríase rósea Padrão de distribuição em "árvore de natal" no dorso.

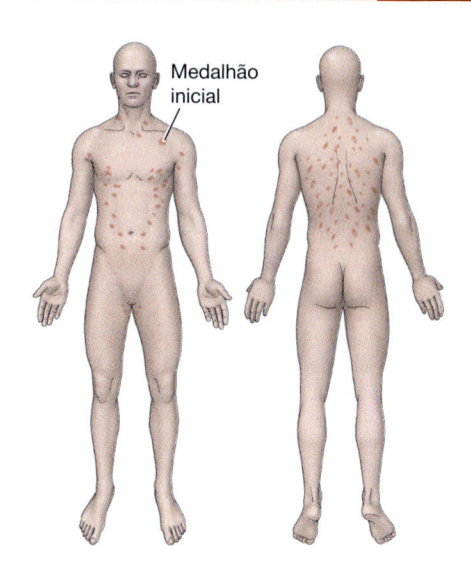

Medalhão inicial

PARAPSORÍASE EM PLACAS (PP)

- Erupções raras de ocorrência mundial.
- São reconhecidos dois tipos: PP em placas pequenas (PPP) e PP em placas grandes (PPG).
- Na PPP (CID-10: L41.3), as lesões são pequenas (< 5 cm), redondas a ovais ou lineares, principalmente no tronco: "dermatose digitiforme" (**Fig. 3-21**), com placas discretamente infiltradas, amarelas ou castanho-claras. Descamação mínima, assintomática, ou com prurido discreto.
- Na PPG (CID-10: L41.4), as lesões consistem em placas ovais ou de formato irregular, medindo mais de 5 cm (**Fig. 3-22**). Descamação mínima, com e sem atrofia. Podem ser poiquilodérmicas.
- A PPP não evolui para a micose fungoide (MF). Em contrapartida, a PPG faz parte de um *continuum* com MF no estágio de placas e pode evoluir para a MF franca.
- O tratamento consiste em glicocorticoides tópicos, fototerapia, fototerapia com UV de banda estreita de 311 nm ou PUVA.

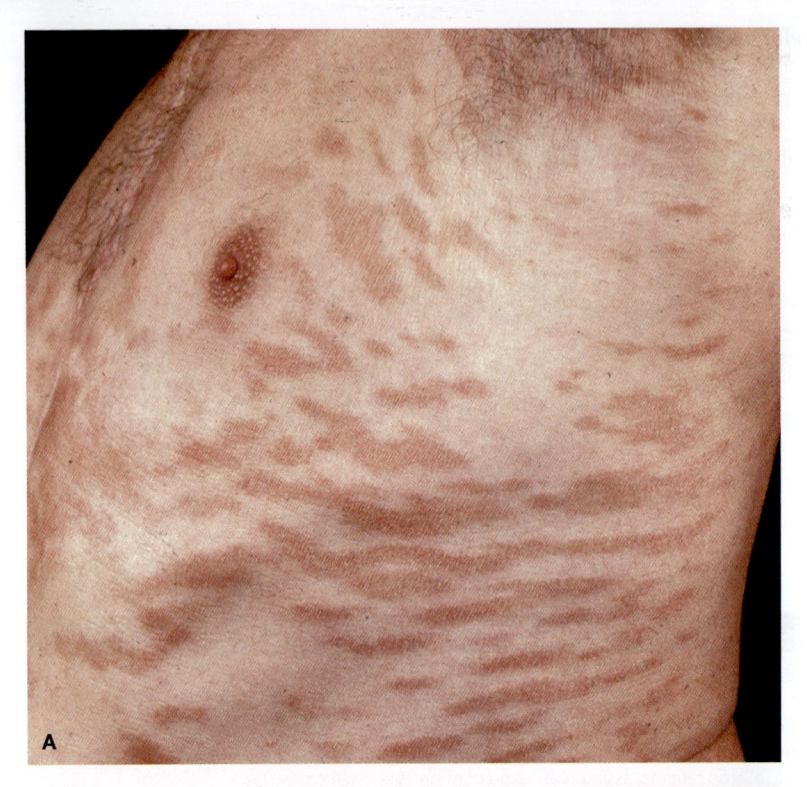

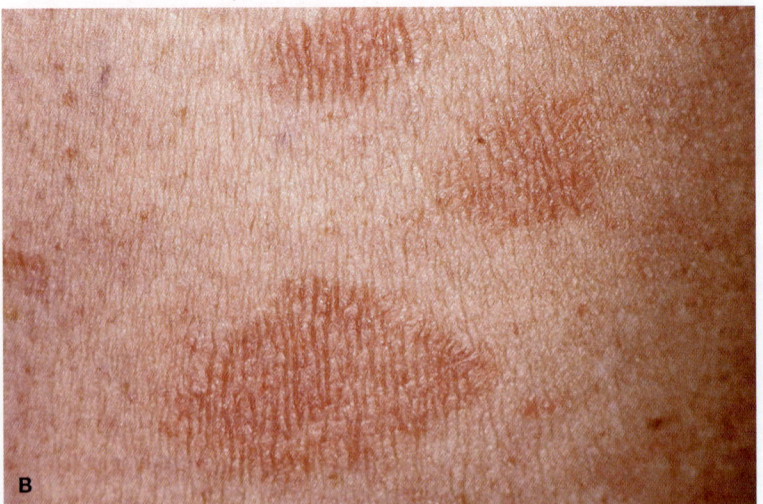

Figura 3-21 Dermatose digitiforme (parapsoríase em placas pequenas) **(A)** As lesões consistem em placas assintomáticas, amarelas ou castanho-claras, muito finas e bem-demarcadas, ligeiramente descamativas e superficialmente enrugadas. São ovais e seguem as linhas de clivagem da pele, conferindo um aspecto de "abraço apertado", que deixou as marcas dos dedos no tronco. O eixo longitudinal dessas lesões frequentemente se estende por mais de 5 cm. **(B)** Fotografia ampliada de lesões menores, mostrando o enrugamento da superfície.

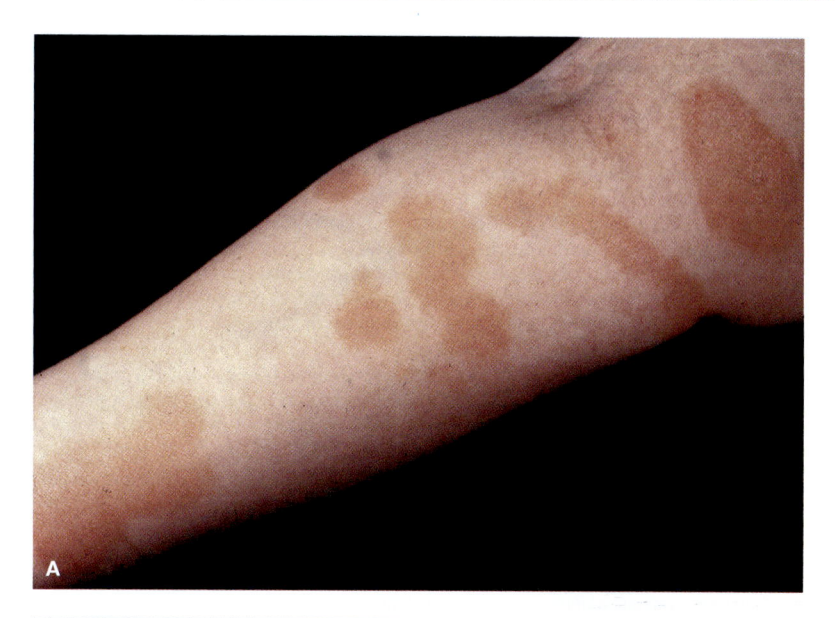

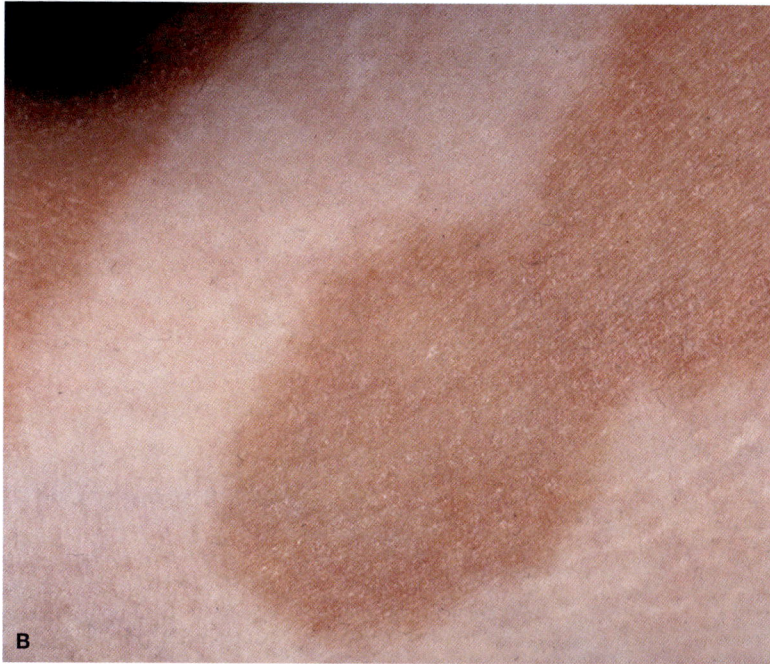

Seção 3 Psoríase, dermatoses psoriasiformes e pitiriasiformes

Figura 3-22 Parapsoríase em placas grandes (parapsoríase em placas) (A) As lesões consistem em placas finas assintomáticas, bem delimitadas, arredondadas e ligeiramente descamativas. As lesões podem medir mais de 10 cm e têm cor castanho-avermelhada clara ou rosa-salmão. Pode haver atrofia em algumas áreas. As lesões aqui estão localizadas nos membros, porém são mais comumente observadas no tronco. Essas lesões devem ser rigorosamente acompanhadas, e são necessárias biópsias repetidas para se detectar a presença de micose fungoide. Essa entidade pode ser considerada como pré-estágio da micose fungoide, mas nem todos os pacientes progridem para MF. **(B)** Fotografia ampliada das lesões, mostrando a descamação mínima e a superfície enrugada.

PITIRÍASE LIQUENOIDE (PL) (AGUDA E CRÔNICA) CID-10: L41.0/L41.1

- A PL é uma erupção de etiologia desconhecida, que se caracteriza, clinicamente, por grupos sucessivos de lesões com amplas variações de morfologia.
- Classificada em uma forma aguda, a pitiríase liquenoide e varioliforme aguda (PLEVA), e em uma forma crônica, a pitiríase liquenoide crônica (PLC).
- Todavia, a maioria dos pacientes apresenta lesões da PLEVA e da PLC simultaneamente.
- A PLEVA é importante, visto que pode ser confundida com a papulose linfomatoide (ver Seção 21).
- É mais comum nos homens do que nas mulheres, acometendo adolescentes e adultos jovens.
- As lesões tendem a aparecer em grupos durante um período de semanas ou meses. Raramente, os pacientes com início agudo da doença podem apresentar sintomas de infecção aguda com febre, mal-estar e cefaleia. As lesões cutâneas são habitualmente assintomáticas, mas podem ser pruriginosas ou sensíveis ao toque.
- Lesões. *PLEVA*: distribuição aleatória, mais comumente no tronco e na parte proximal dos membros; todavia, pode ser também generalizada, incluindo as palmas e plantas. Pápulas edematosas vermelho-brilhantes (i.e., liquenoides), menos comumente vesículas, que sofrem necrose central com formação de crosta hemorrágica (i.e., varioliforme, daí a designação *PLEVA*) (**Fig. 3-23A** e **B**). *PLC*: trata-se da forma crônica, com pápulas descamativas de cor marrom-avermelhada e descamação central semelhante à mica (**Fig. 3-23C**). Com frequência, há hipopigmentação ou hiperpigmentação pós-inflamatória após a regressão das lesões. A PLEVA pode regredir, com formação de cicatrizes deprimidas ou elevadas.
- Dermatopatologia. *Epiderme*: espongiose, necrose dos ceratinócitos, vesiculação, ulceração; exocitose ou hemácias na epiderme. *Derme*: edema, infiltrado crônico de células inflamatórias em forma de cunha, que se estende até a derme reticular profunda.
- O diagnóstico clínico é confirmado pela biópsia da pele. Diagnóstico diferencial: varicela, psoríase gutata e papulose linfomatoide (que clinicamente é quase indistinguível da PLEVA).
- Novas lesões aparecem em grupos sucessivos. A PLC tende a regredir de modo espontâneo depois de 6 a 12 meses. Em alguns casos, ocorrem recidivas depois de muitos meses ou anos.
- Na maioria dos pacientes, não há necessidade de intervenção terapêutica. A eritromicina e a tetraciclina VO são efetivas em alguns casos. A radiação ultravioleta (com luz solar natural ou UVB de banda larga), UVB de 311 nm e PUVA constituem os tratamentos de escolha quando os antibióticos orais não produzem resposta depois de 2 semanas de tratamento.

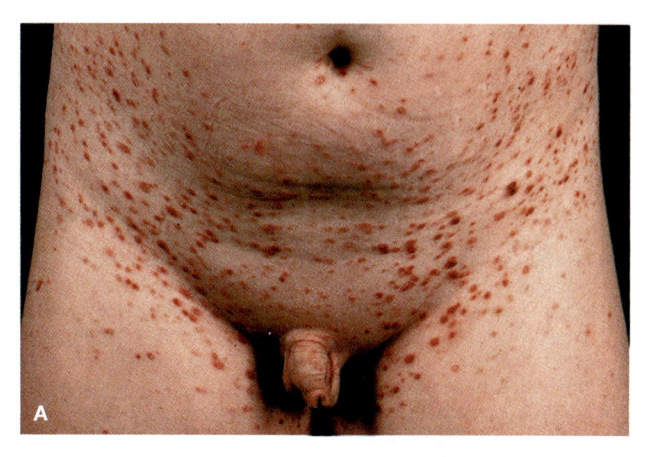

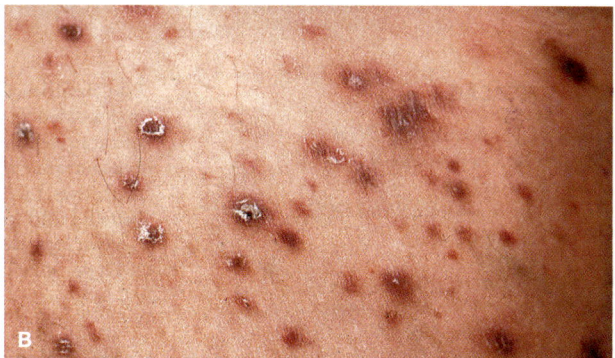

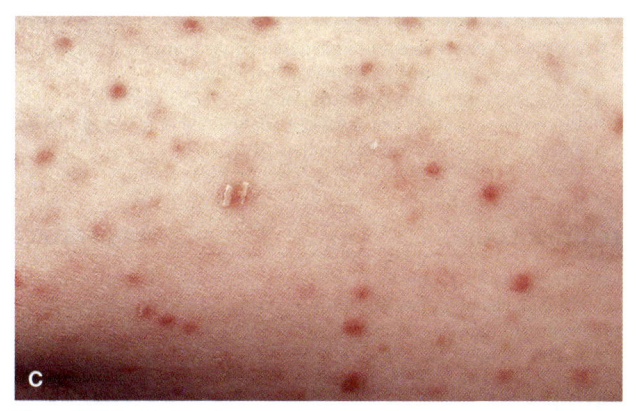

Figura 3-23 Pitiríase liquenoide e varioliforme aguda (PLEVA) (A) Pápulas vermelhas de distribuição aleatória e diferentes tamanhos, e algumas apresentam crostas hemorrágicas. Nesta criança de 5 anos, a erupção apareceu em grupos no decorrer de um período de 10 dias. **(B) Lesões de PLEVA** em um homem indonésio de 38 anos. As lesões são mais hiperpigmentadas, e há descamação e crostas consideráveis. **(C) Pitiríase liquenoide crônica (PLC).** Pápulas isoladas com descamação fina semelhante à mica, que se tornam mais visíveis após curetagem suave. Diferentemente da PLEVA, não há crostas hemorrágicas.

SEÇÃO 4

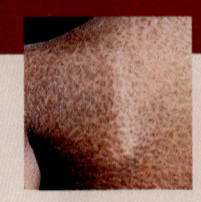

ICTIOSES

- As ictioses consistem em um grupo de distúrbios hereditários caracterizados por acúmulo excessivo de escamas cutâneas, variando desde muito brandos e assintomáticos até potencialmente letais.
- Há um número relativamente grande de tipos de ictiose hereditária; a maioria é extremamente rara e frequentemente ocorre como parte de síndromes multiorgânicas. Os quatro tipos mais comuns e importantes serão discutidos nesta seção, além de uma breve discussão acerca de duas ictioses sindrômicas e da ictiose do recém-nascido.
- A ictiose *adquirida* pode ser uma manifestação de doença sistêmica, câncer, uso de fármacos, doença endócrina, doença autoimune e infecção por HIV ou outras.
- Há grupos de apoio, como a Foundation for Ichthyosis and Related Skin Types (FIRST).

CLASSIFICAÇÃO

Ictiose vulgar dominante (IVD)
Ictiose recessiva ligada ao X (IRLX)
Ictiose lamelar (IL)
Hiperceratose epidermolítica (HE)

Essa classificação simplificada é apresentada por razões didáticas e de diagnóstico clínico. Uma classificação científica baseada na genética molecular é encontrada em P. Fleckman e J. DiGiovanna: The Ichthyoses. In: Goldsmith, Katz, Gilchrest, Paller, Leffell, Wolff (eds.) *Fitzpatrick's Dermatology in General Medicine*, 8. ed., New York, McGraw-Hill, 2012, pp. 507–537.

ICTIOSE VULGAR DOMINANTE (IVD) CID-10: Q 80.0

- Caracterizada por xerose branda generalizada com descamação, especialmente nas pernas; nos casos mais graves, descamação em mosaicos grandes.
- Acentuação dos sulcos cutâneos das palmas e das plantas.
- Hiperceratose perifolicular (ceratose pilar) geralmente nos braços e nas pernas.
- Frequentemente associada à atopia.

EPIDEMIOLOGIA

IDADE DE INÍCIO 3 a 12 meses.
SEXO Incidência idêntica em ambos os sexos. Herança autossômica dominante.
INCIDÊNCIA Comum (1: 250).

PATOGÊNESE

A etiologia é desconhecida. A filagrina está reduzida ou ausente. A proliferação da epiderme é normal, mas há retenção de ceratina com espessamento do estrato córneo resultante.

MANIFESTAÇÕES CLÍNICAS

É muito comum a associação com atopia. Quando a hiperceratose é intensa, muitos pacientes têm preocupações cosméticas.

LESÕES CUTÂNEAS Xerose (pele seca), com descamação fina, pulverulenta, mas também com escamas firmemente aderidas com padrão tipo escamas de peixe (Figs. 4-1 e 4-2). Envolvimento difuso generalizado, mais acentuado nas canelas, braços, dorso, nádegas e região lateral das coxas; axilas e fossas antecubitais e poplíteas são poupadas

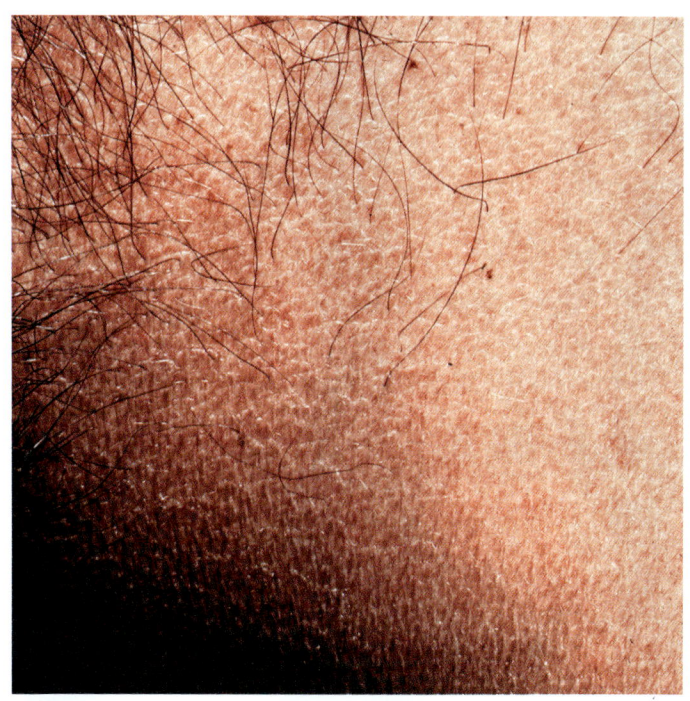

Figura 4-1 Ictiose vulgar: tórax Hiperceratose com padrão escamoso fino na região peitoral. Trata-se de forma branda de ictiose vulgar.

(Figs. 4-2 e 4-3). A face não costuma ser atingida, mas as regiões malares e a fronte podem estar envolvidas. A ceratose pilar caracteriza-se por hiperceratose perifolicular com pequenas pápulas foliculares hiperceratóticas espinhosas, da mesma cor da pele normal, agrupadas ou disseminadas, principalmente sobre as superfícies extensoras dos membros (Fig. 4-4); na infância, também ocorre nas regiões malares. Mãos e pés geralmente são poupados, mas os sulcos palmoplantares são mais acentuados (hiperlineares).

DOENÇAS ASSOCIADAS Mais de 50% dos indivíduos com IVD também sofrem de dermatite atópica e, raramente, ceratopatia.

EXAMES LABORATORIAIS

DERMATOPATOLOGIA Hiperceratose compacta; camada granular reduzida ou ausente; à microscopia eletrônica, grânulos cerato-hialinos pequenos e malformados, camada germinativa achatada.

DIAGNÓSTICO

Sinais e sintomas clínicos; à microscopia eletrônica, grânulos cerato-hialinos ausentes ou reduzidos.

O diagnóstico diferencial inclui todas as formas de xerose e hiperceratose.

EVOLUÇÃO E PROGNÓSTICO

Melhora no verão, em climas úmidos e na vida adulta. A ceratose pilar nas regiões malares de crianças geralmente melhora na vida adulta.

TRATAMENTO

HIDRATAÇÃO DO ESTRATO CÓRNEO Banho de imersão seguido por aplicação de vaselina. Os cremes à base de ureia ligam-se à água no estrato córneo.

AGENTES CERATOLÍTICOS Misturas de propilenoglicol, glicerina e ácido láctico. Propilenoglicol (44 a 60% em água); ácido salicílico a 6% em propilenoglicol e álcool, utilizados com oclusão plástica (cuidado com o salicilismo). Os α-hidroxiácidos (ácidos láctico ou glicólico) controlam a descamação. Cremes e loções à base de ureia (2 a 10%) são efetivos.

RETINOIDES SISTÊMICOS A isotretinoína e a acitretina são muito efetivas, mas há necessidade de monitoramento cuidadoso para se evitar toxicidade. Apenas os casos graves podem requerer terapia intermitente.

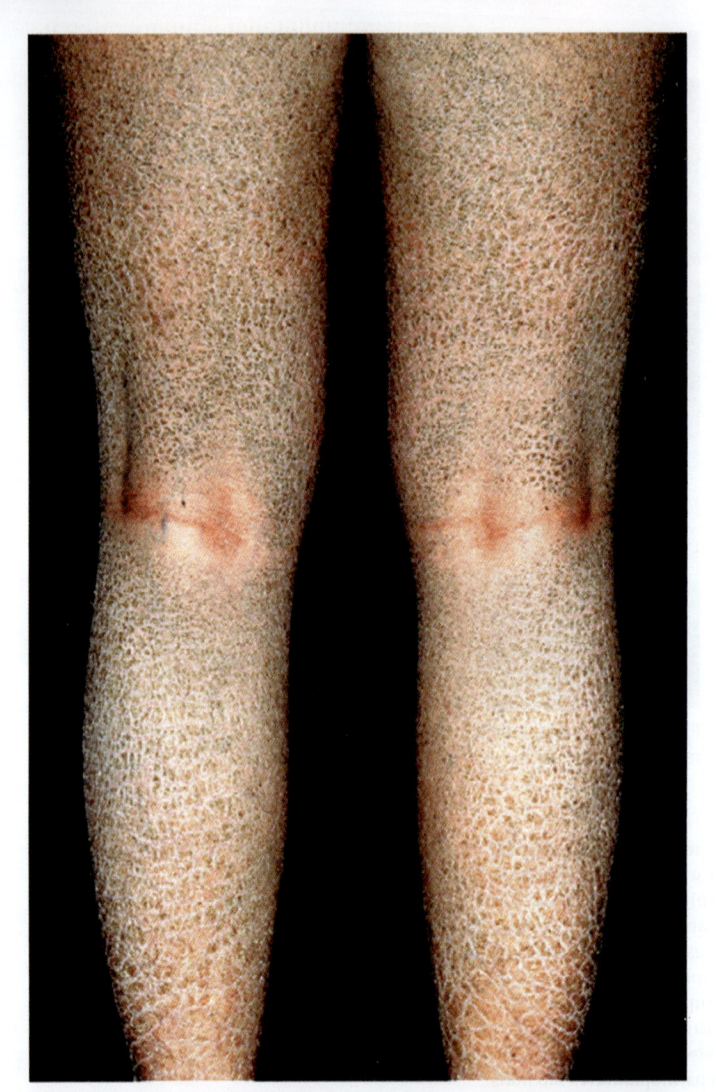

Figura 4-2 Ictiose vulgar: pernas Escamas acinzentadas em forma de mosaico (com aspecto de azulejo), firmemente aderidas. A semelhança com a pele de peixe ou de um anfíbio é muito evidente. Observar como as fossas poplíteas são poupadas. Trata-se de uma forma mais grave de ictiose vulgar.

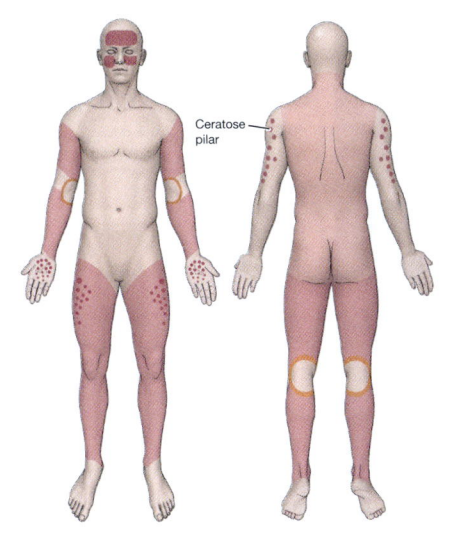

Figura 4-3 Distribuição da ictiose vulgar Os pontos assinalam os locais preferenciais da ceratose pilar. Palmas com aumento das marcas cutâneas (hiperlinearidade).

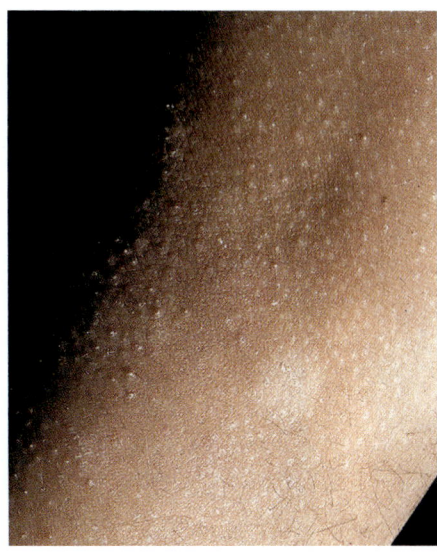

Figura 4-4 Ictiose vulgar. Ceratose pilar: braço Pequenas espículas foliculares córneas que ocorrem como manifestação de ictiose vulgar branda; surgem principalmente nos ombros, nos braços e coxas. A descamação da pele não folicular resulta em manchas hipomelânicas (menos pigmentadas) semelhantes às da pitiríase alba (comparar com a **Fig. 13-18**).

ICTIOSE RECESSIVA LIGADA AO X (IRLX) CID-10: Q 80.1

- Ocorre no sexo masculino, com gene recessivo ligado ao X; *locus* gênico: $X_p 22.32$.
- Deficiência de esteroide sulfatase. Acúmulo de sulfato de colesterol, resultando em hiperceratose por retenção, associada à proliferação epidérmica normal.
- Incidência – 1:2.000 a 1:6.000.
- Início logo após o nascimento.
- Escamas marrom-escuras proeminentes na região cervical, membros, tronco e nádegas (**Fig. 4-5**).
- Envolvimento das regiões de flexão (**Fig. 4-6**).
- Ausência de envolvimento das palmas e plantas.
- Opacidades da córnea em forma de vírgula (assintomáticas) em 50% dos adultos do sexo masculino. Presentes em algumas heterozigotas (portadoras) do sexo feminino.
- Exames laboratoriais: ↑ no nível de sulfato de colesterol; aumento da mobilidade das β-lipoproteínas na eletroforese. Esteroide sulfatase reduzida ou ausente. Dermatopatologia: Hiperceratose e camada granular presentes.
- Diagnóstico pré-natal: Amniocentese, ↓ esteroide sulfatase em amostras das vilosidades coriônicas.
- Evolução: Não há melhora com a idade. Piora em climas temperados e no inverno.
- Tratamento: Hidratação do estrato córneo e agentes ceratolíticos como na ictiose vulgar. Melhora acentuada com retinoides sistêmicos (acitretina e isotretinoína), tratamento intermitente com monitoramento cuidadoso para toxicidade.

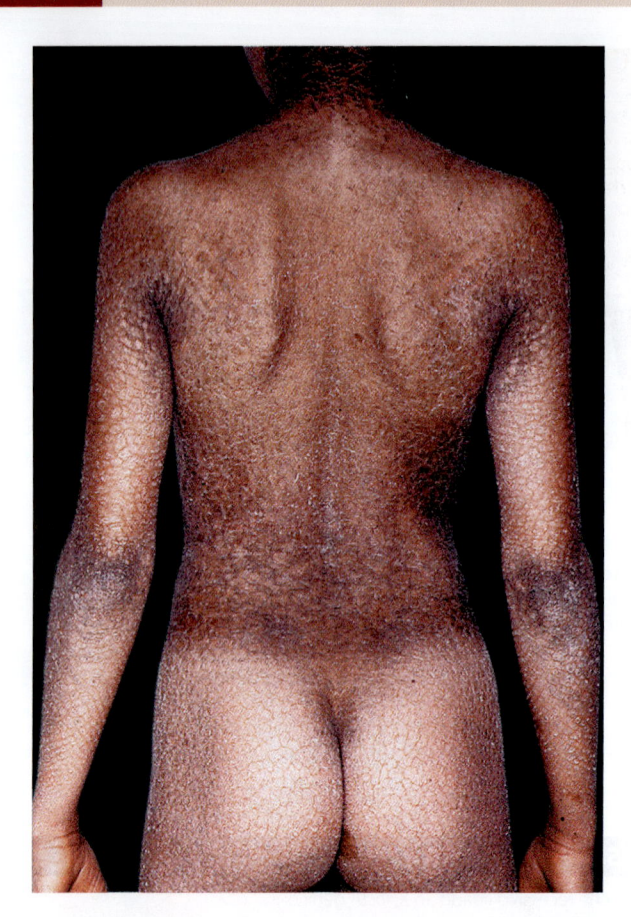

Figura 4-5 Ictiose ligada ao X: tronco, nádegas e braços
Hiperceratose escura com escamas em forma de mosaico conferem uma aparência suja a esse menino de 12 anos de etnia afro-americana.

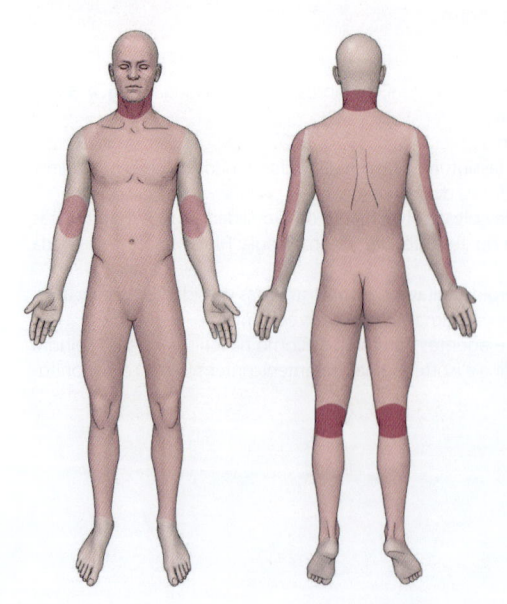

Figura 4-6 Distribuição da ictiose ligada ao X

ICTIOSE LAMELAR (IL) CID-10: Q 80.2

- Surge no nascimento, geralmente na forma de bebê colódio (p. 80).
- Incidência igual em ambos os sexos: ≤ 1:300.000.
- Autossômico recessivo. Três tipos: (1) Mutação do gene codificador da transglutaminase 1(TGM1); (2) Mutação do gene codificador de um transportador de lipídeos ABC; e (3) Mutação dos genes que codificam duas lipoxigenases (ALOX12B, ALOXE3).
- Logo após o nascimento, a membrana de colódio desprende-se e surgem subsequentes escamas grandes, grosseiras, em forma de mosaico, em todo o corpo (**Figs. 4-7** e **4-8**). As escamas são espessas e de cor marrom, acumulando-se nos membros inferiores com envolvimento das regiões flexoras (**Fig. 4-9**).
- O envolvimento de pés e mãos é variável; há acentuação dos sulcos palmares e plantares.
- Olhos: Ectrópio (**Fig. 4-7**) e eclábio.
- Couro cabeludo: Cabelos retidos pelas escamas; alopécia cicatricial.
- Mucosas; unhas: Distrofia ocasional secundária à inflamação do leito ungueal.
- Intolerância ao calor; obstrução das glândulas écrinas, impedindo a transpiração.
- Exames laboratoriais: Acantose; hiperceratose, camada granular presente. ↓ da transglutaminase epidérmica no subtipo com deficiência desta enzima.
- Evolução: Persiste por toda a vida, sem melhora com a idade.
- Tratamento: Recém-nascido, ver bebê colódio (p. 80). Adultos: Emolientes, ceratolíticos, retinoides sistêmicos como na IVD e IRLX. Orientação acerca do hiperaquecimento.

Figura 4-7 Ictiose lamelar Hiperceratose tipo pergaminho, dando a impressão de que a pele está muito esticada no rosto deste menino árabe de 6 anos. Observam-se hiperceratose lamelar descamativa, ectrópio acentuado e alopécia inicial.

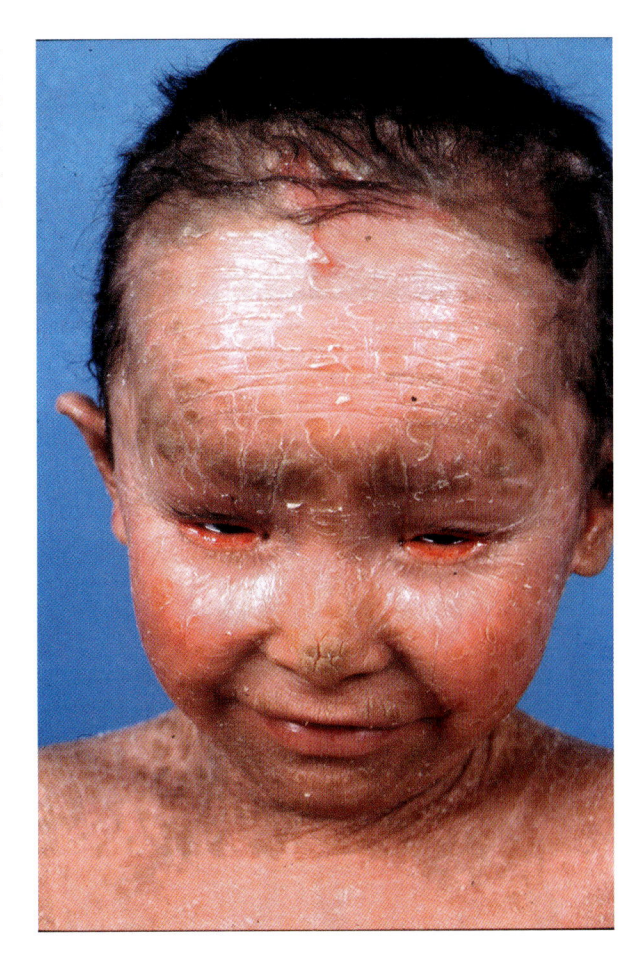

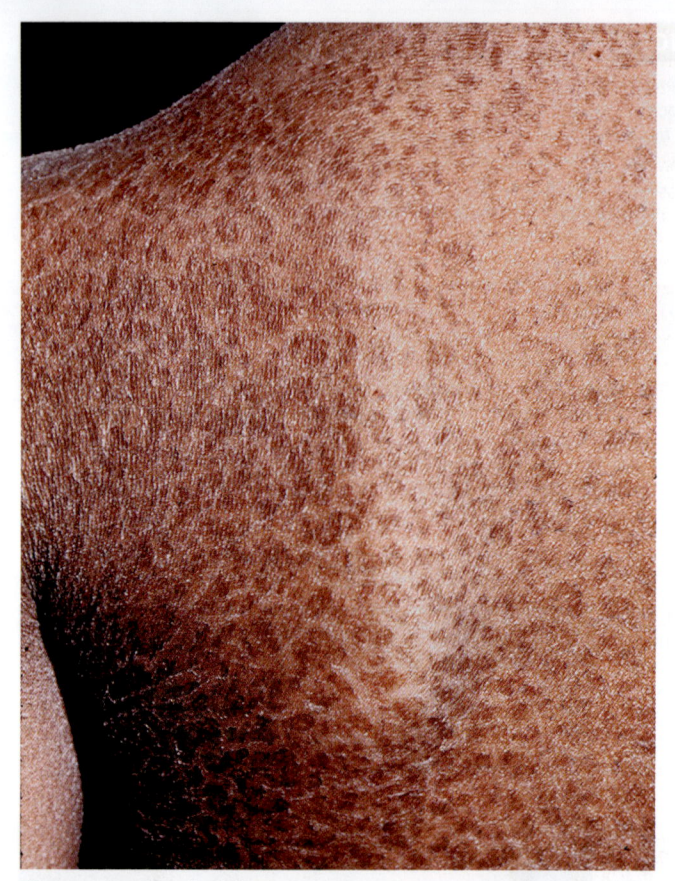

Figura 4-8 Ictiose lamelar Hiperceratose em mosaico (semelhante a ladrilhos) com aspecto de escamas de réptil no ombro e no dorso. Todo o corpo estava envolvido, e havia ectrópio.

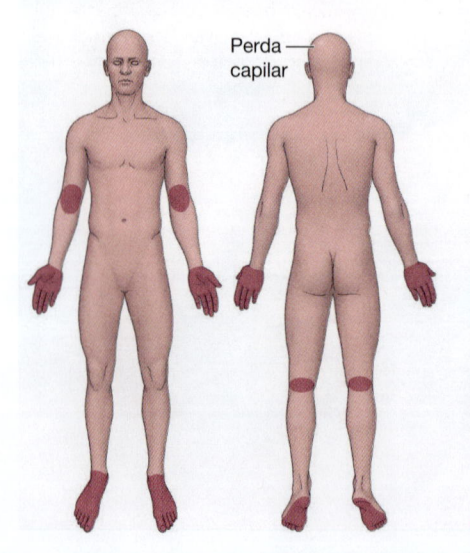

Perda capilar

Figura 4-9 Distribuição da ictiose lamelar

HIPERCERATOSE EPIDERMOLÍTICA (HE) CID-10: Q80.8

- Autossômica dominante. Mutação dos genes que codificam a diferenciação epidérmica das ceratinas, KRT1 e KRT10.
- Presente no momento do nascimento ou logo após, com eritrodermia e bolhas generalizadas ou localizadas.
- Com o tempo, as lesões tornam-se ceratóticas e verrucosas (**Fig. 4-10**), mas as bolhas persistem (**Fig. 4-10**).
- A descamação das massas hiperceratóticas resulta em áreas circunscritas de pele com aspecto normal.
- Envolvimento das regiões flexoras e da pele das palmas e das plantas (**Fig. 4-11**).
- Associada a odor desagradável (como manteiga rançosa).
- Infecções piogênicas secundárias.
- Dermatopatologia: Grânulos cerato-hialinos grandes e grosseiros, vacuolização da camada granular → bolhas na camada subcórnea.
- Tratamento: α-hidroxiácidos tópicos, uso sistêmico de acitretina ou isotretinoína, que inicialmente leva a aumento na formação de bolhas, mas a seguir produz melhora impressionante na pele. Deve-se determinar a dose cuidadosamente, monitorar a ocorrência de efeitos colaterais e observar se há contraindicações.

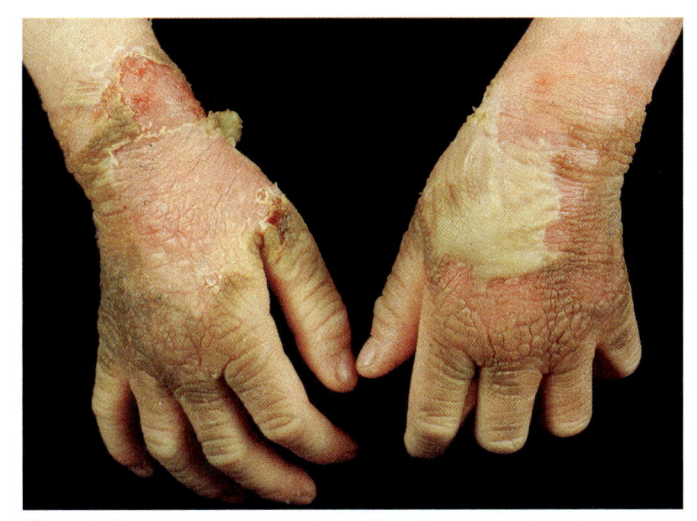

Figura 4-10 Hiperceratose epidermolítica: braços e mãos Hiperceratose com aspecto de cadeia de montanhas no dorso das mãos, com formação de bolhas que produzem erosão e desprendimento de grandes lâminas de ceratina.

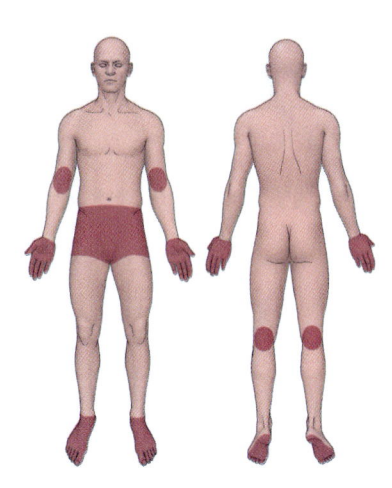

Figura 4-11 Distribuição da hiperceratose epidermolítica

ICTIOSE DO RECÉM-NASCIDO

BEBÊ COLÓDIO CID-10: Q80

- O bebê inteiro está contido em uma membrana transparente semelhante a um pergaminho (**Fig. 4-12A**), o que impede a respiração e a sucção.
- O rompimento e o desprendimento da membrana de colódio inicialmente levam a dificuldades na termorregulação e a maior risco de infecção.
- A pele é vermelho-brilhante e úmida (**Fig. 4-12A**). Após a recuperação, a pele parece normal por algum tempo, até que surgem os sinais de ictiose.
- O bebê colódio pode ser a apresentação inicial da ictiose lamelar ou de alguma forma menos comum de ictiose não discutida nesta seção.
- Os bebês colódios também podem evoluir com pele normal por toda a vida, após a membrana se desprender e desaparecer o eritema resultante (**Fig. 4-12B**).
- Tratamento: Manter o neonato em incubadora e monitorar a temperatura e o balanço hídrico, além de repor nutrientes. Antibioticoterapia rigorosa para infecção de pele e de pulmões.

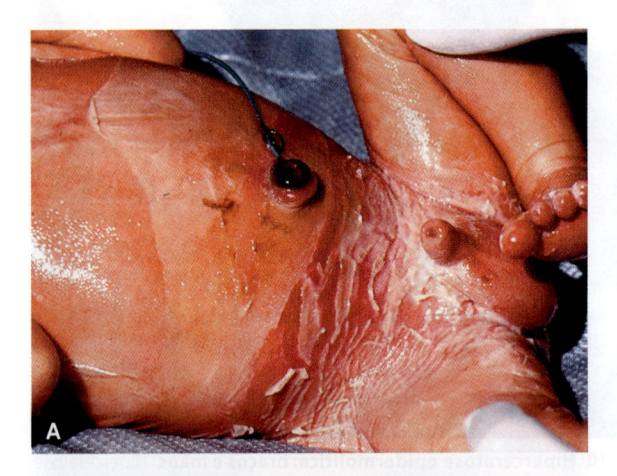

Figura 4-12 Ictiose do recém--nascido (A) "Bebê colódio" logo após o nascimento com membrana tipo pergaminho cobrindo toda a superfície corporal. Em algumas áreas, a membrana rompeu-se e está se desprendendo, deixando a pele com aspecto de "carne viva". **(B)** Com 8 meses de idade, o mesmo lactente com aspecto saudável e escamas e eritema residuais mínimos.

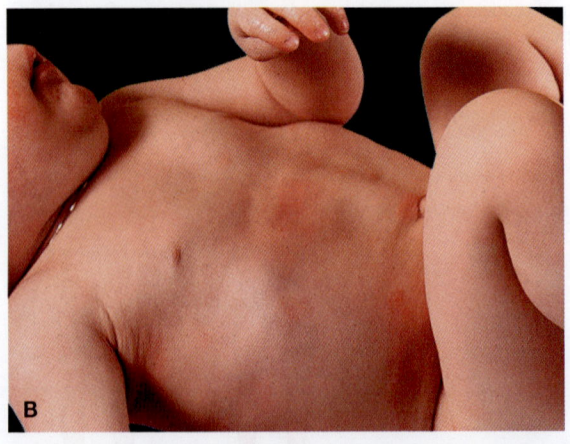

FETO ARLEQUIM CID-10: Q 80.4

- O feto arlequim é uma patologia extremamente rara, na qual a criança nasce com lâminas muito espessas de estrato córneo separadas por rachaduras e fissuras profundas (**Fig. 4-13**).
- Eclábio, ectrópio e ausência de orelhas, ou orelhas rudimentares quando presentes, resultam em aparência grotesca.
- Esses bebês geralmente morrem logo após o nascimento, mas há relatos de sobrevida por semanas a meses.
- O quadro é diferente do quadro do bebê colódio e de outras formas de ictiose, havendo uma proteína fibrosa incomum no interior da epiderme.

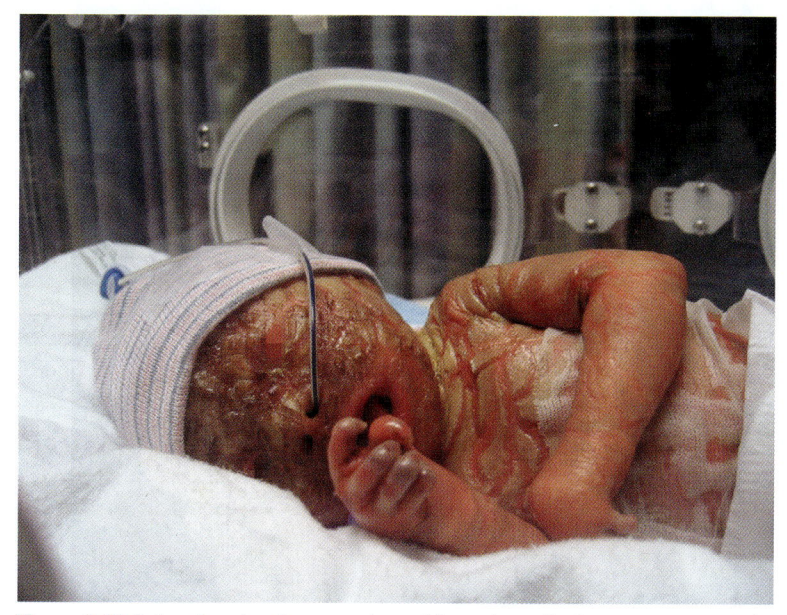

Figura 4-13 Feto arlequim O estrato córneo é formado por lâminas espessas separadas por rachaduras profundas. (Reproduzida com permissão de Benjamin Solky, MD.)

ICTIOSES SINDRÔMICAS CID-10: Q80.9

- Há algumas ictioses sindrômicas raras nas quais as alterações cutâneas estão associadas a anormalidades metabólicas e/ou funcionais e estruturais.
- Para detalhes sobre eritroceratodermia variável (**Fig. 4-14**), síndrome ceratite-ictiose-surdez (KID) (**Fig. 4-15**), síndrome de Child e síndrome de Netherton (**Fig. 4-16**), ver P. Fleckman, J.J. DiGiovanna. In: L. Goldsmith et al. (eds): *Fitzpatrick's Dermatology in General Medicine*, 8. ed. New York, McGraw-Hill, pp. 507–538, 2012.

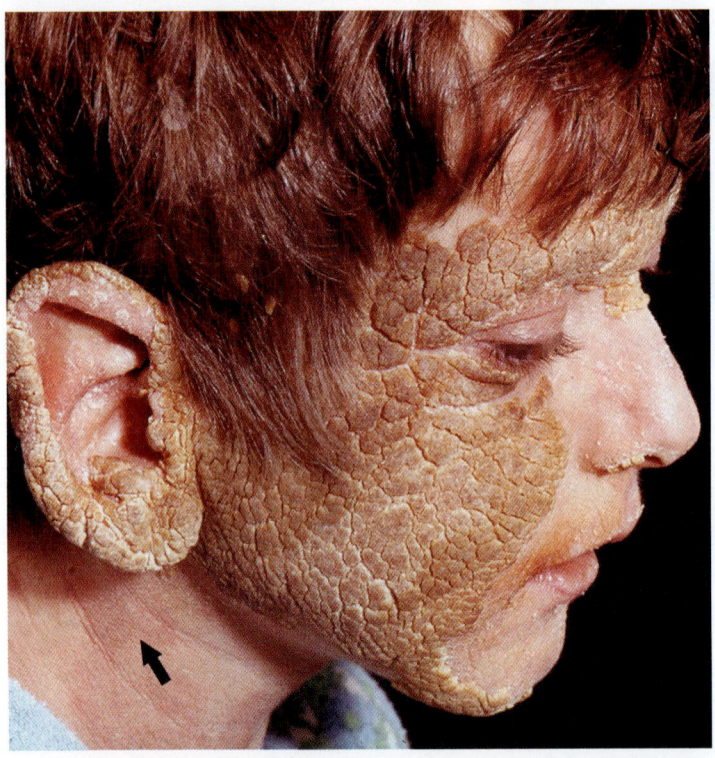

Figura 4-14 Eritroceratodermia variável Observar as placas hiperceratóticas na face, associadas a eritema migratório na região cervical (seta).

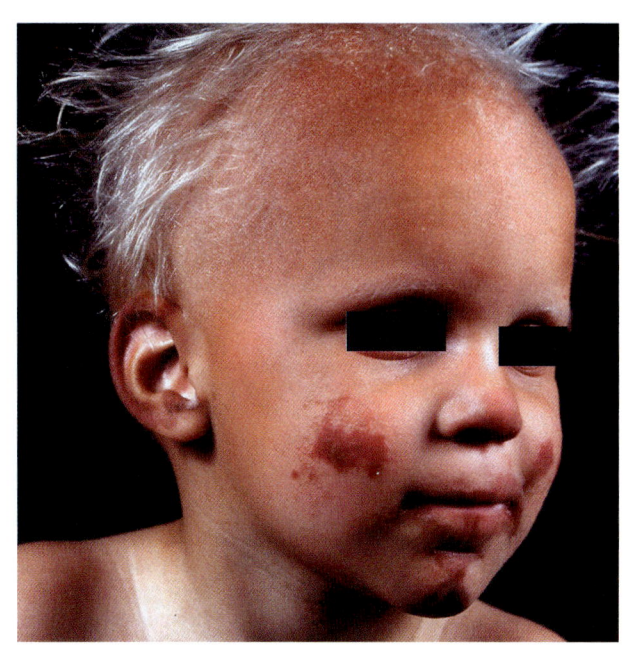

Figura 4-15 Síndrome ceratite-ictiose-surdez (KID) A hiperceratose nas regiões malares, na ponta do nariz e das orelhas e a escassez de cabelo são características dessa síndrome, assim como a hiperceratose nas dobras de flexão e dorsos das mãos. Ademais, há ceratite e perda da audição.

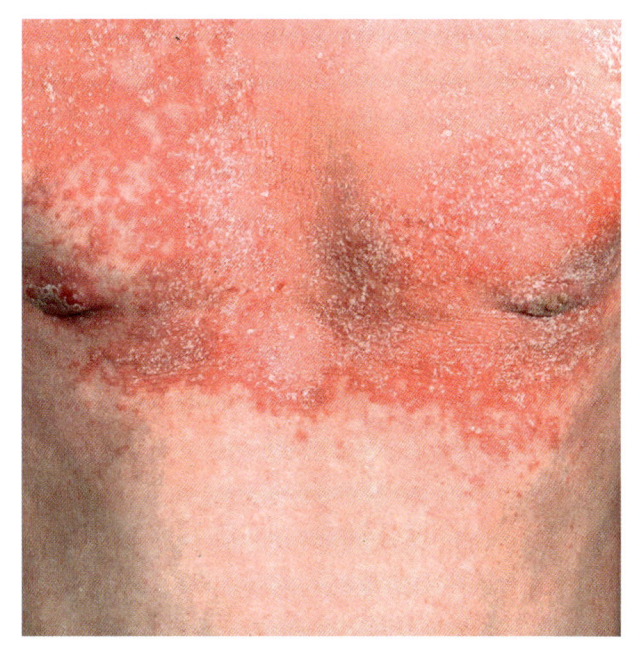

Figura 4-16 Síndrome de Netherton A ictiose linear circunflexa consiste em eritemas psoriasiformes serpiginosos descamativos e está associada à tricorrexe nodosa (cabelo em bambu).

ICTIOSES ADQUIRIDAS CID-10: L 85.0

- Ocorre em adultos.
- Associadas a doenças malignas (doença de Hodgkin, mas também linfoma não Hodgkin e outras doenças malignas).
- Associadas à Aids.
- Associadas à sarcoidose.
- Associadas a lúpus eritematoso sistêmico, dermatomiosite, doença mista do tecido conectivo e fascite eosinofílica.
- Associadas à doença do enxerto contra hospedeiro.
- Associadas ao uso de fármacos (ácido nicotínico, triparanol, butirofenona, dixirazina, nafoxidina).
- Ocorrem em consumidores de Kava*: *Dermopatia da Kava*.

*N. de T. *Piper methysticum*, fitoterápico usado para tratamento de ansiedade, agitação e insônia.

CERATODERMIAS HEREDITÁRIAS DAS PALMAS E DAS PLANTAS CID-10: L 86

- Ceratodermias palmoplantares (CPPs) formam um grupo diverso de distúrbios raros da ceratinização.
- Há mais de 20 tipos diferentes de CPPs que são restritos às palmas e às plantas, relacionados a lesões em outras partes do corpo ou integrantes de síndromes mais complexas.
- A base genética da maioria das CPPs envolve mutações nos genes da ceratina ou em genes que codificam a conexina ou as proteínas desmossômicas.
- A classificação clínica distingue entre CPP difusa (**Fig. 4-17**), punctata (**Fig. 4-18**), estriada (**Fig. 4-19**) e focal (hiperceratose circunscrita com aspecto de calosidade).
- A diferenciação histopatológica é feita entre CPPs epidermolíticas e não epidermolíticas.
- Os sintomas variam desde uma simples inconveniência até a incapacidade funcional. A dor plantar na CPP focal e a hiperidrose podem ser incapacitantes.
- A CPP não melhora com a idade e costuma permanecer pela vida toda.
- Tratamento: Desbridamento físico, agentes ceratolíticos tópicos e acitretina ou isotretinoína sistêmicas podem estar associados ao aumento da sensibilidade e a dificuldades com as atividades profissionais e com a deambulação, particularmente nas formas epidermolíticas da CPP.

Seção 4 Ictioses

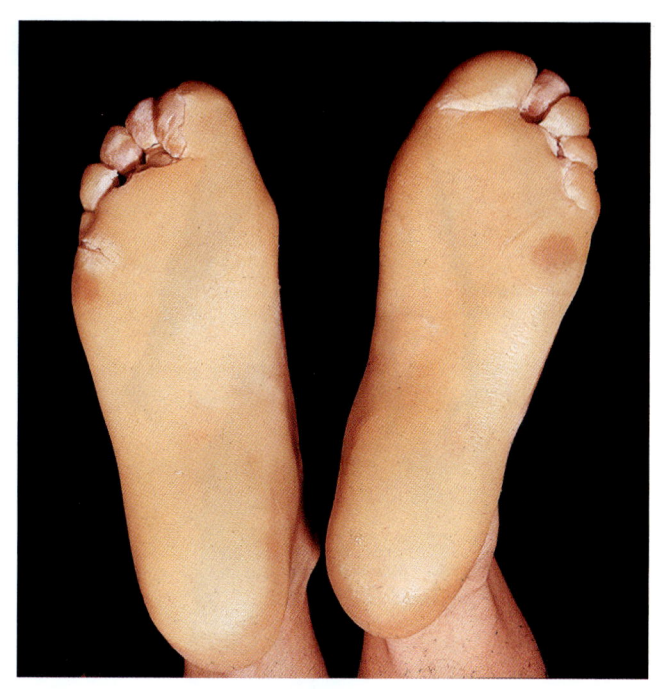

Figura 4-17 Ceratodermia plantar, tipo difuso Hiperceratose cérea, amarelada e difusa em ambas as plantas.

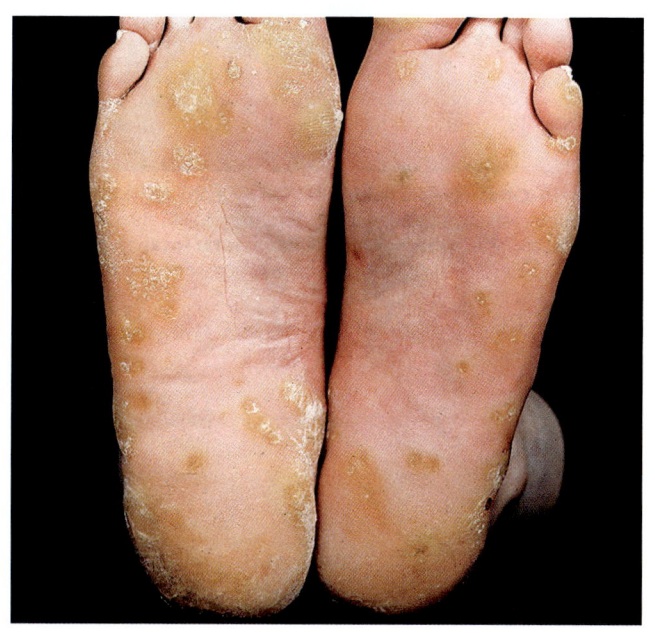

Figura 4-18 Ceratodermia plantar punctata Múltiplas ceratoses em forma de gotas isoladas, semelhantes a verrugas plantares. As lesões estavam presentes desde o final da infância e se agravaram particularmente nas regiões sob pressão.

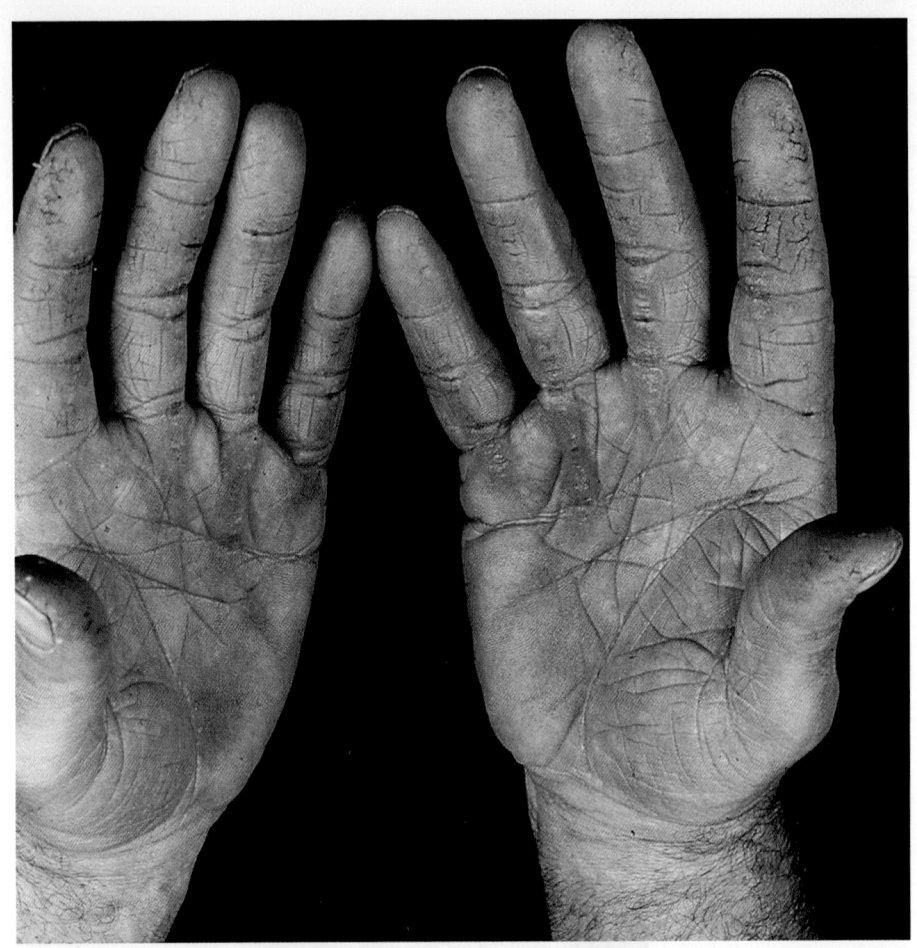

Figura 4-19 Ceratodermia palmar estriada Observam-se hiperceratoses verrucosas lineares que se estendem desde a palma até os dedos. Os trabalhos manuais agravam essas lesões, que podem sofrer fissuras e se tornar dolorosas. Na **ceratodermia palmoplantar focal**, observam-se grandes hiperceratoses nos locais submetidos à pressão nas plantas e nas palmas, que podem se tornar muito dolorosos.

SEÇÃO 5

OUTROS DISTÚRBIOS EPIDÉRMICOS

ACANTOSE *NIGRICANS* (AN) CID-10: L 83

- Espessamento aveludado assimétrico com hiperpigmentação da pele, principalmente na região cervical, axilas, regiões inguinais e outras áreas de pregueamento corporal.
- Pode ser hiperceratótica e associada a acrocórdons.
- Marcador cutâneo relacionado à hereditariedade, obesidade, distúrbios endócrinos (particularmente diabetes melito), administração de fármacos e doenças malignas.
- Início insidioso; rápido nos casos malignos.

CLASSIFICAÇÃO

Tipo 1: AN benigna hereditária. Nenhum distúrbio endócrino associado.

Tipo 2: AN benigna. Distúrbios endócrinos associados à resistência à insulina: diabetes melito tipo II com resistência à insulina, estados hiperandrogênicos, acromegalia/gigantismo, doença de Cushing, síndromes hipogonadais com resistência à insulina, doença de Addison e hipotireoidismo.

Tipo 3: Pseudo-AN. Associada à obesidade; mais frequente em pacientes com pigmentação escura. Comum em casos de síndrome metabólica. A obesidade induz resistência à insulina.

Tipo 4: AN induzida por fármacos. Doses altas de ácido nicotínico, estilbestrol em jovens do sexo masculino, terapia com glicocorticoides e dietilestilbestrol/contraceptivos orais, e terapia com hormônio do crescimento.

Tipo 5: AN maligna. Paraneoplásico; geralmente adenocarcinoma gastrintestinal ou do trato urogenital; com menor frequência, carcinoma broncogênico e linfoma.

EPIDEMIOLOGIA

IDADE DE INÍCIO Tipo 1: Ocorre durante a infância ou a puberdade; outros tipos dependem de condições associadas.

ETIOLOGIA E PATOGÊNESE

Depende da doença associada. Em um subgrupo de mulheres com hiperandrogenismo, intolerância à insulina e AN, podem ser encontrados uma mutação com perda de função do receptor de insulina ou anticorpos antirreceptor de insulina (tipos A e B). Postulou-se que o excesso de estimulação do fator de crescimento na pele levaria à proliferação de ceratinócitos e de fibroblastos. Na AN com hiperinsulinemia, a insulina em excesso ligando-se ao receptor do fator de crescimento semelhante à insulina 1 e ao receptor do fator de crescimento de fibroblastos foram implicados. Na AN associada a doenças malignas, o fator de crescimento transformador β, liberado a partir de células tumorais, pode estimular a proliferação de ceratinócitos via receptores do fator de crescimento epidérmico.

MANIFESTAÇÕES CLÍNICAS

Início insidioso; rápida no tipo 5. A primeira alteração visível é o escurecimento da pigmentação.

LESÕES CUTÂNEAS Todos os tipos de AN: escurecimento da pigmentação e pele com aspecto de suja (Fig. 5-1). À medida que a pele engrossa, parece aveludada; os sulcos cutâneos acentuam-se; a superfície torna-se rugosa, com aspecto mamilar. Tipo 3: placa aveludada na parte interna superior da coxa, na região sujeita à fricção; com frequência, nota-se a presença de muitos acrocórdons nas pregas cutâneas e na região cervical. Tipo 5: hiperceratose e hiperpigmentação mais evidentes (Fig. 5-2A). Envolvimento da mucosa oral e da borda vermelha dos lábios (Fig. 5-2B). Hiperceratose das palmas e plantas com acentuação das marcas papilares, "*mãos em tripa*" (Fig. 5-2C).

DISTRIBUIÇÃO Mais comum nas axilas (Fig. 5-1), regiões cervicais posterior e laterais, região inguinal (Fig. 5-2A), região anogenital, fossas antecubitais, sobre as articulações dos dedos, prega inframamária e região umbilical. No tipo 5, também é encontrada nas regiões periocular, perioral, mamilar e palmas (palmas em tripa) (Fig. 5-2C).

MUCOSAS Mucosa oral: textura aveludada com sulcos delicados. Tipo 5: mucosas e junções mucocutâneas comumente envolvidas; espessamentos

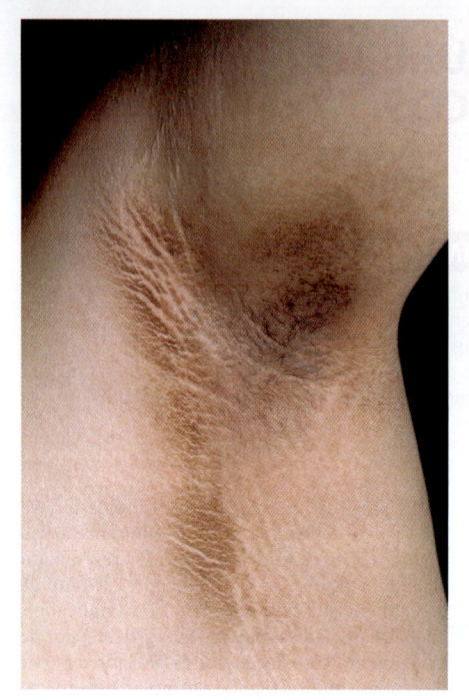

Figura 5-1 Acantose *nigricans* Espessamento da pele axilar, de tom marrom-escuro a acinzentado e aspecto aveludado, com acentuação das pregas cutâneas e bordas penugentas em uma mulher obesa de 30 anos originária do Oriente Médio. Havia alterações semelhantes na região cervical, fossas antecubitais e sobre as articulações dos dedos.

papilomatosos verrucosos na região perioral (Fig. 5-2B).

Exame clínico geral
Exame para investigar distúrbios endócrinos subjacentes em pacientes com sobrepeso ou obesos; no tipo 5, a debilidade indica investigação para câncer.

DIAGNÓSTICO E DIAGNÓSTICO DIFERENCIAL

MANIFESTAÇÕES CLÍNICAS Pele espessada e escura nas regiões de flexão: papilomatose reticular e confluente (síndrome de Gougerot-Carteaud), pitiríase versicolor, ictiose ligada ao cromossomo X, hiperceratose de retenção e ingestão de ácido nicotínico.

EXAMES LABORATORIAIS

BIOQUÍMICA Descartar diabetes melito; síndrome metabólica.

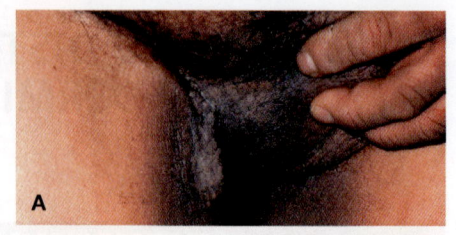

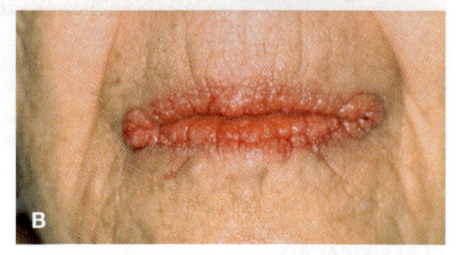

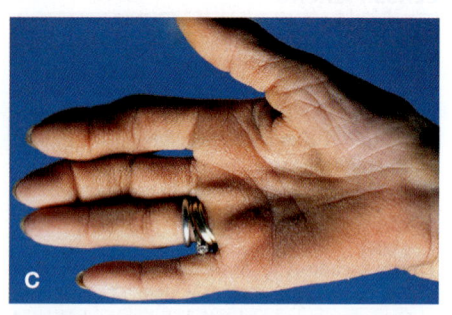

Figura 5-2 Acantose *nigricans* do tipo 5 (maligna) **(A)** Placas marrom-acinzentadas, papilomatosas, verrucosas nas regiões inguinais, face medial das coxas e escroto. Lesões semelhantes foram encontradas na região cervical em todas as demais dobras corporais. O paciente havia perdido peso e estava debilitado, e foi encontrado um adenocarcinoma gástrico. **(B)** Tumores verrucosos e papilomatosos nas bordas vermelhas dos lábios. A mucosa oral tinha aspecto aveludado com sulcos profundos na língua. **(C)** Palmas semelhantes à tripa de boi. Os sulcos palmares encontram-se muito acentuados, lembrando a mucosa do estômago de um ruminante.

DERMATOPATOLOGIA Papilomatose, hiperceratose; a epiderme cresce em pregas irregulares, apresentando graus variáveis de acantose.

EXAMES DE IMAGEM E ENDOSCOPIA Para descartar câncer associado.

EVOLUÇÃO E PROGNÓSTICO

Tipo 1: agravamento na puberdade e, às vezes, regride quando em idade mais avançada. Tipo 2: depende do distúrbio subjacente. Tipo 3: pode regredir após perda de peso significativa. Tipo 4: resolve-se quando o fármaco causador é suspenso. Tipo 5: a AN pode preceder em até 5 anos outros sintomas de câncer; a remoção do câncer pode ser seguida por regressão da AN.

TRATAMENTO

Sintomático. Tratar o distúrbio associado. Ceratolíticos tópicos e/ou retinoides tópicos ou sistêmicos podem produzir melhora, mas, no geral, não são muito efetivos.

DOENÇA DE DARIER (DD) CID-10: L11.8

- Doença autossômica dominante rara de início tardio.
- Múltiplas pápulas isoladas, descamativas, crostosas e pruriginosas, localizadas principalmente nas regiões seborreicas e de flexão.
- Malcheirosas e desfigurantes, envolvendo também unhas e mucosas.
- Pruriginosas e/ou dolorosas.
- Histologicamente caracterizadas por acantólise suprabasal e disceratose.
- Causada por mutação com perda de função no gene *ATP2A2*.
- *Sinônimos*: doença de Darier-White, ceratose folicular.

EPIDEMIOLOGIA E ETIOLOGIA

Distúrbio raro.
IDADE DE INÍCIO Geralmente na primeira ou segunda décadas de vida, afetando igualmente ambos os sexos.
GENÉTICA Traço autossômico dominante, novas mutações são comuns, penetrância > 95%. Mutações com perda de função no gene *ATP2A2*, que codifica a isoforma 2 da cálcio adenosina trifosfatase nos retículos sarcoplasmático e endoplasmático (SERCA 2), o que impede a sinalização intracelular pelo Ca^{2+}.
FATORES DESENCADEANTES Frequentemente, agrava-se no verão, com calor e umidade; também é agravada por UVB, trauma mecânico e infecções bacterianas. Frequentemente associada a transtornos afetivos e, raramente, à redução da inteligência.

MANIFESTAÇÕES CLÍNICAS

Geralmente insidiosas; início súbito após fatores desencadeantes; associada a prurido intenso e, frequentemente, dor.
LESÕES CUTÂNEAS Múltiplas pápulas pruriginosas isoladas que descamam e formam crostas (Fig. 5-3); quando a crosta é retirada, identifica-se uma abertura em fenda (Fig. 5-4). As lesões sofrem confluência para formar grandes placas cobertas por massa verrucosa hipertrófica com odor desagradável, particularmente nas regiões intertriginosas.
DISTRIBUIÇÃO Corresponde às áreas "seborreicas": tórax (Fig. 5-3), dorso, orelhas, sulco nasolabial, fronte (Fig. 5-4), couro cabeludo; axilas, região cervical e inguinal.
PALMAS E PLANTAS Múltiplas pápulas planas em forma de "pedra de calçamento".
APÊNDICES CUTÂNEOS O cabelo não é envolvido, mas é possível haver alopécia permanente em razão de comprometimento extenso do couro cabeludo com cicatriz. Unhas finas, fendidas distalmente e apresentando o formato em "V" característico.
MUCOSAS Pápulas brancas com depressão central sobre a mucosa malar, palatos mole e duro e gengivas; lesão em "pedra de calçamento".

ASSOCIAÇÃO A DOENÇAS

Associada à *acroceratose verruciforme*, alélica com a DD. Múltiplas pequenas pápulas achatadas predominantemente no dorso de mãos e pés.

EXAMES LABORATORIAIS

DERMATOPATOLOGIA Células disceratóticas na camada espinhosa (corpos redondos) e estrato córneo (grânulos), acantólise suprabasal e fendas (lacunas), com crescimento papilar excessivo na epiderme e hiperceratose.

DIAGNÓSTICO E DIAGNÓSTICO DIFERENCIAL

Diagnóstico com base em antecedentes familiares, aspecto clínico e exame histopatológico. Pode ser confundida com dermatite seborreica, doença de Grover, pênfigo familiar benigno (doença de Hailey--Hailey) e pênfigo foliáceo. Acroceratose verruciforme: verrugas planas (*verrucae planae juveniles*).

EVOLUÇÃO E PROGNÓSTICO

Persiste por toda a vida sem associação a doenças cutâneas malignas.

MANEJO

Filtro solar, evitar fricção e atrito (agasalhos de gola rolê), antibioticoterapia (sistêmica e tópica) para supressão de infecção bacteriana, retinoides tópicos (tazaroteno e adapaleno) ou, com mais eficácia, retinoides sistêmicos (isotretinoína ou acitretina).

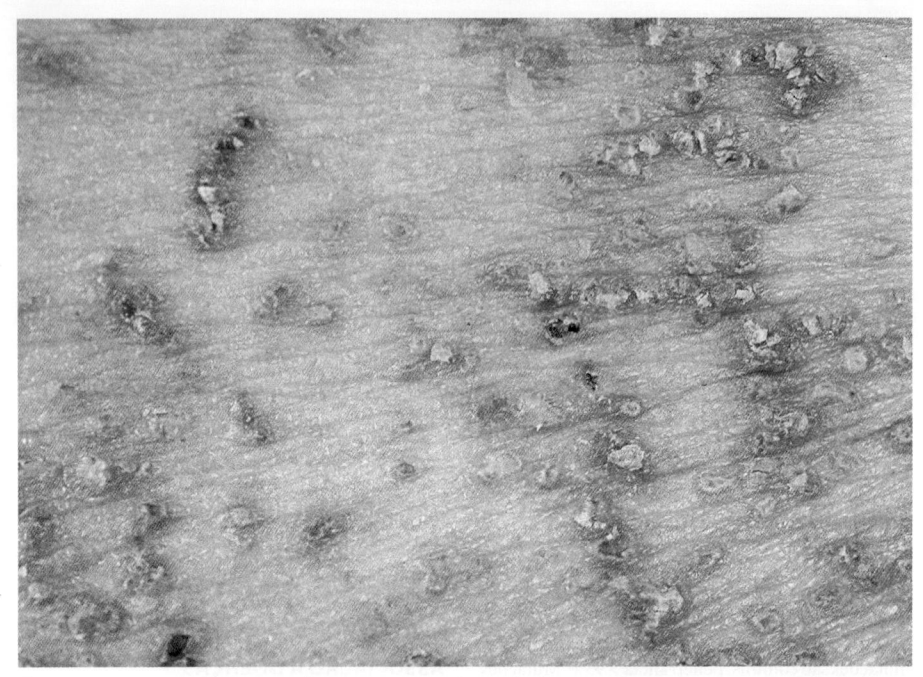

Figura 5-3 Doença de Darier: tórax Lesões primárias: pápulas com crostas marrom-avermelhadas escamosas de consistência verrucosa à palpação. Nos locais onde as crostas são removidas, aparecem erosões em forma de fenda que, mais tarde, são cobertas por crosta hemorrágica.

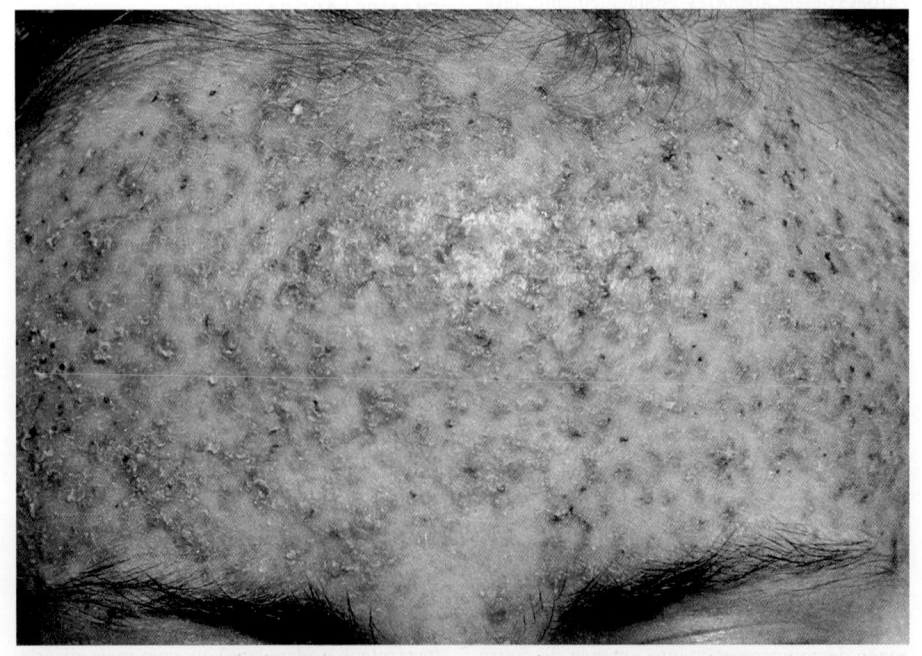

Figura 5-4 Doença de Darier: fronte Pápulas hiperceratóticas parcialmente coalescentes que sofrem erosão, formando crosta. A principal preocupação dessa jovem era a desfiguração estética.

DOENÇA DE GROVER (DG) CID-10: L11.1

- Dermatose pruriginosa localizada principalmente no tronco, que ocorre na forma de grupos isolados de lesões papulares ou papulovesiculares, esparsas a numerosas (**Fig. 5-5**). Semelhante à doença de Darier. À palpação, lisa ou verrucosa.
- Ocorre em adultos (média de 50 anos), mais em homens que em mulheres.
- Prurido é o principal sintoma.
- Geralmente é transitória, mas foi identificada uma forma persistente.
- Fatores desencadeantes: exercício intenso com transpiração, exposição à radiação solar, calor e febre persistente; também em pacientes acamados.
- Principal característica histopatológica: acantólise e disceratose focais variáveis.
- Sem evidências de predisposição genética.
- Tratamento: glicocorticoides com curativo oclusivo, UVB ou PUVA (fotoquimioterapia). Glicocorticoides orais, dapsona e isotretinoína nos casos refratários.
- Sinônimo: dermatose acantolítica transitória.

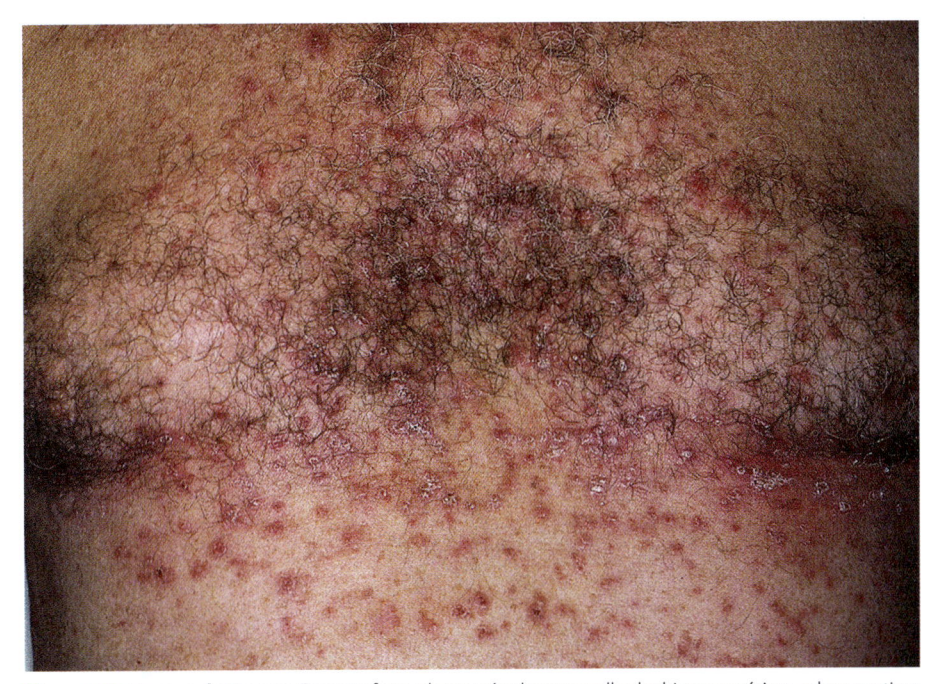

Figura 5-5 Doença de Grover Erupção formada por pápulas avermelhadas hiperceratóticas e descamativas e/ou crostosas, com sensação de lixa à palpação. As pápulas são isoladas, distribuídas sobre a parte central do tronco, e muito pruriginosas.

DOENÇA DE HAILEY-HAILEY (PÊNFIGO FAMILIAR BENIGNO) CID-10: L10.8

- A doença de Hailey-Hailey, ou pênfigo familiar benigno, é uma genodermatose rara de herança dominante, classicamente descrita como distúrbio bolhoso, mas que, na verdade, apresenta-se como quadro eritematoso, erosivo e exsudativo, com rachaduras e fissuras localizadas na nuca e nas axilas (**Fig. 5-6**).
- Regiões inframamárias, pregas inguinais e escroto *são os principais sítios de envolvimento*.
- As lesões individuais consistem em vesículas microscópicas flácidas sobre base eritematosa, que logo se transformam em placas erodidas com o aspecto característico de fissuras (**Fig. 5-6**). Ocorrem lesões hipertróficas vegetantes com crostas e descamação.
- A acantólise é o processo patológico subjacente, e a fragilidade da epiderme é causada por uma falha no complexo de adesão entre as proteínas desmossômicas e os tonofilamentos.
- A alteração genética ocorre no gene *ATP2CI*, que codifica a bomba de ATP dependente de cálcio.
- O início geralmente ocorre entre a terceira e a quarta décadas de vida.
- Podem ocorrer proliferações vegetantes hipertróficas, com crostas e descamação.
- A histologia explica o aspecto clínico, uma vez que as células epidérmicas perdem a coesão, com acantólise ao longo do epitélio, o que confere a aparência de parede de tijolo dilapidada (muro desmoronando).
- A colonização das lesões, particularmente por *Staphylococcus aureus* e *Candida*, desencadeia mais acantólise e mantém o processo patológico.
- O tratamento se baseia em terapia antimicrobiana tópica e sistêmica; sistemicamente, as tetraciclinas parecem ser as mais efetivas. Mupirocina tópica. Os glicocorticoides tópicos reduzem a resposta anti-inflamatória e aceleram a cura. Nos casos graves, a dermoabrasão ou a vaporização com *laser* de dióxido de carbono levam à cura, deixando cicatrizes resistentes a recorrências. A doença torna-se menos problemática com a idade mais avançada.

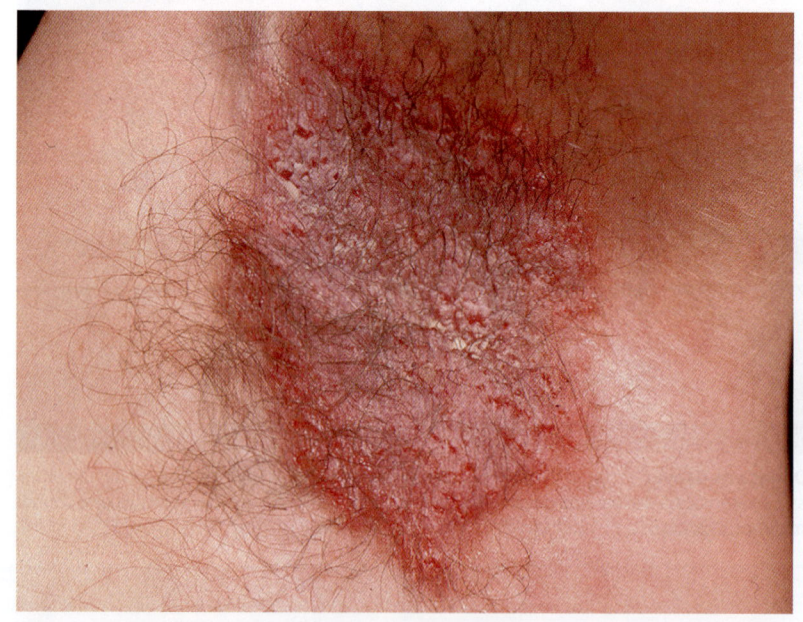

Figura 5-6 Doença de Hailey-Hailey Este paciente de 46 anos apresentava lesões exsudativas em ambas as axilas e, ocasionalmente, nas regiões inguinais e nuca, por muitos anos, que se agravavam nos meses de verão. Seu pai e sua irmã tinham lesões semelhantes. As lesões aumentam e diminuem, são dolorosas e apresentam as fissuras e rachaduras características sobre placa eritematosa parcialmente erodida.

POROCERATOSE ACTÍNICA SUPERFICIAL DISSEMINADA (PASD)
CID-10: L85.9

- A PASD é a forma mais comum das extremamente raras poroceratoses.
- Pápulas planas anulares uniformemente pequenas com diâmetro variando entre 2 e 5 mm.
- Distribuídas simetricamente nos membros e localizadas predominantemente nos locais expostos ao sol.
- Caracteristicamente poupam palmas, plantas e mucosas.
- Aspecto característico: borda hiperceratótica bem delimitada em cada lesão, geralmente com < 1 mm de altura e com sulco característico ao redor de toda a lesão (**Fig. 5-7**).
- Com a evolução das lesões, a área central torna-se atrófica e anidrótica.
- Sintomas: assintomática ou levemente pruriginosa com desfiguração estética.
- Tende a ser hereditária, como distúrbio autossômico dominante.
- Patogênese desconhecida.
- Condição benigna, mas raramente precursora de carcinoma espinocelular *in situ* ou invasivo.
- Tratamento: 5-fluoruracila, retinoides e imiquimode tópicos.
- Os pacientes devem ser monitorados para carcinoma espinocelular (CEC).

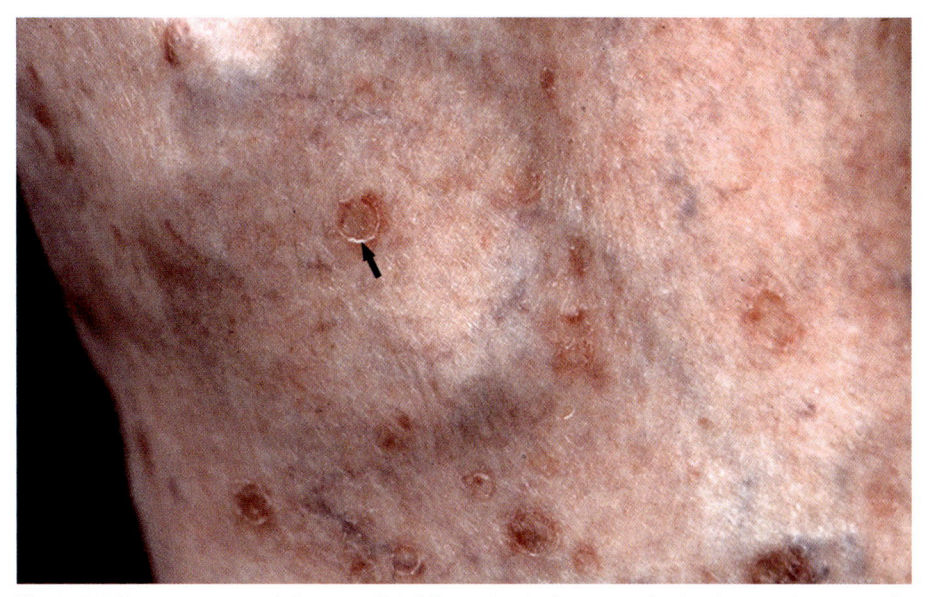

Figura 5-7 Poroceratose actínica superficial disseminada Pequenas pápulas planas anulares com até 4 mm de diâmetro, circundadas por borda hiperceratótica bem definida (seta), no membro inferior de paciente do sexo feminino com 55 anos. Com o auxílio de lente manual, é possível visualizar o sulco longitudinal que circunda toda a lesão.

OUTRAS POROCERATOSES CID-10: L85.9

- Distúrbios muito raros e geneticamente heterogêneos, sempre com a borda poroceratótica descrita na PASD.
- Essas doenças são a poroceratose de Mibelli, a poroceratose superficial disseminada (PSD), a poroceratose palmar e plantar disseminada, a poroceratose puntacta, a poroceratose linear e uma forma sindrômica.

Para detalhes, ver G.M.O'Regan e A.D. Irvine, *Dermatology in General Medicine*, 8. ed. L.A. Goldsmith, S.I. Katz, B.A. Gilchrest, A.S. Paller, D.J. Leffell, K. Wolff, eds. McGraw-Hill, NY, 2012, pp. 563–568.

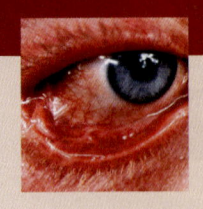

SEÇÃO 6
DOENÇAS BOLHOSAS GENÉTICAS E ADQUIRIDAS

Definem-se as doenças bolhosas como quadros nos quais se formam cavidades repletas de líquido nas camadas superficiais da pele, manifestando-se clinicamente como vesículas ou bolhas. Embora bolhas e vesículas possam surgir como lesões secundárias em muitos quadros clínicos, nas doenças bolhosas elas são o evento patológico primário. Há doenças bolhosas genéticas (hereditárias) e adquiridas (principalmente autoimunes).

EPIDERMÓLISE BOLHOSA (EB) HEREDITÁRIA CID-10: Q81

- Espectro de genodermatoses raras nas quais uma alteração na aderência da epiderme e/ou da derme leva à formação de bolhas após traumatismo. Em consequência, tem-se a denominação *dermatoses mecanobolhosas*.
- As manifestações da doença variam de formas muito brandas até gravemente mutiladoras ou mesmo letais, que diferem em modo de herança, manifestações clínicas e achados associados.
- Na classificação, com base no local de formação das bolhas, há três grupos principais: EB epidermolítica ou simples (EBS), EB juncional (EBJ) e EB dermolítica ou distrófica (EBD).
- Em cada um desses grupos, há diversos tipos de EB distintos em função de critérios clínicos, genéticos, histológicos e bioquímicos.

CLASSIFICAÇÃO

Há três tipos principais com base no nível de clivagem e na formação da bolha:

- Epidermolítica. A clivagem ocorre nos ceratinócitos: EB simples (EBS).
- Juncional. A clivagem ocorre na lâmina basal: EB juncional (EBJ).
- Dermolítica. A clivagem ocorre na derme papilar mais superficial: EB dermolítica ou distrófica (EBD).

Em cada um desses grupos, há diversos tipos de EB distintos com base em critérios clínicos, genéticos, histológicos, relacionados à microscopia eletrônica e bioquímicos (Quadro 6-1). Apenas os mais importantes serão discutidos aqui.

EPIDEMIOLOGIA

A incidência global de EB hereditária é 19,6 nascidos vivos por 1 milhão de nascimentos nos EUA. Após estratificação por subtipos, as incidências são 11 para EBS, 2 para EBJ e 5 para EBD. A prevalência estimada nos EUA é de 8,2 por milhão, mas isso representa apenas os casos mais graves; não inclui a maioria dos casos de doença muito leve e que não é relatada.

ETIOLOGIA E PATOGÊNESE

DEFEITOS GENÉTICOS As moléculas envolvidas estão listadas no Quadro 6-1, e a localização nos tecidos e os locais de clivagem estão apresentados na Figura 6-1.

FENÓTIPOS CLÍNICOS

EB simples
Formação de bolhas intraepidérmicas induzidas por trauma, na maioria dos casos, em função de mutações nos genes que codificam as ceratinas 5 e 14, resultando em distúrbio da estabilidade da rede de filamentos de ceratina (Quadro 6-1). Ocorre citólise dos ceratinócitos basais e se forma uma fenda na camada de células basais (Fig. 6-1). Subgrupos distintos apresentam variações fenotípicas consideráveis (Quadro 6-1), havendo diversas formas distintas, a maioria com padrão de herança dominante. As duas mais comuns serão descritas a seguir.

EBS generalizada (Quadro 6-1). A chamada variante Koebner é transmitida por herança dominante, com início entre o nascimento e a primeira infância. Bolhas generalizadas após trauma, com predileção por locais mais sujeitos a traumatismos, como pés, mãos, cotovelos e joelhos. Bolhas tensas ou flácidas (Fig. 6-2), levando a erosões.

QUADRO 6-1 Classificação da epidermólise bolhosa

Nível da clivagem	Doença	Defeito
Simples	Generalizada/Koebner	KRT5/KRT14
Simples	Herpetiforme/Dowling-Meara	KRT5/KRT14
Simples	Localizada/Weber-Cockayne	KRT5/KRT14
Simples	Ogna	KRT5/KRT14/PLEC1
Simples	Pigmentação moteada	KRT5/KRT14
Simples	EB com distrofia muscular	PLEC1
Simples	Superficial	KRT5/KRT14
Simples	Displasia ectodérmica-fragilidade cutânea	PKP1
Juncional[a]	EB com atresia do piloro	ITGB4/ITGA6/PLEC1
Juncional	Herlitz	LAMB3/LAMA3/LAMG2
Juncional	Não Herlitz (EBBAG)	LAMB3/LAMA3/LAMG2/COL17A1
Juncional	Localizada	COL17A1
Distrófica	Generalizada dominante	COL7A1
Distrófica	Localizada dominante	COL7A1
Distrófica	Recessiva	COL7A1
Distrófica	Hallopeau-Siemens	COL7A1
Variável	Síndrome de Kindler	KIND1

[a]Classificada alternativamente como simples.
COL7A1, colágeno tipo VII, α$_i$; EB, epidermólise bolhosa; ITGB, integrina β; KRT, ceratina; LAMA, laminina α; LAMB, laminina β; PKP, placofilina; PLEC, plectina; EBBAG, epidermólise bolhosa benigna atrófica generalizada.
Fonte: Modificado com autorização de Marinkovich, M.P. Inherited epidermolysis bullosa. In: Goldsmith, L.A., Katz, S.I., Gilchrest, B.A. et al., eds. *Fitzpatrick's Dermatology in General Medicine*. 8. ed. New York, McGraw-Hill; 2012, pp. 649–665.

Figura 6-1 Representação esquemática dos componentes da membrana basal dermoepidérmica e dos níveis de separação dermoepidérmica nas doenças bolhosas hereditárias e autoimunes com a clivagem entre a derme e a epiderme discutida neste Atlas. EBS, epidermólise bolhosa simples; PB, penfigoide bolhoso; PG, penfigoide gestacional; DAL, dermatose por IgA linear; PC, penfigoide cicatricial; EBA, epidermólise bolhosa adquirida; EBD, epidermólise bolhosa dermolítica. (Modificado com autorização de Marinkovich, M.P. Inherited epidermolysis bullosa. In: Goldsmith, L.A., Katz, S.I., Gilchrest, B.A. et al., eds. *Fitzpatrick's Dermatology in General Medicine*. 8. ed. New York, McGraw-Hill; 2012, pp. 649–665.)

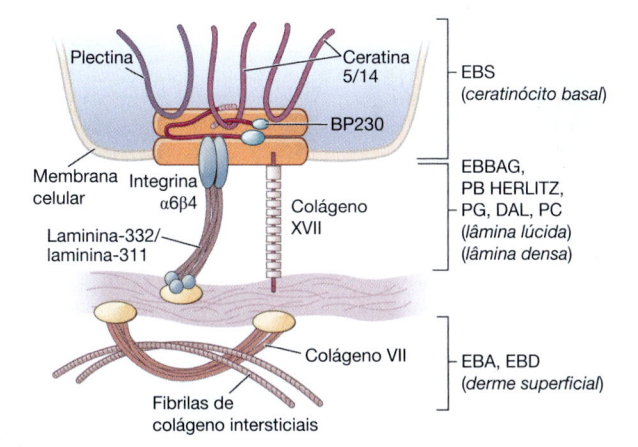

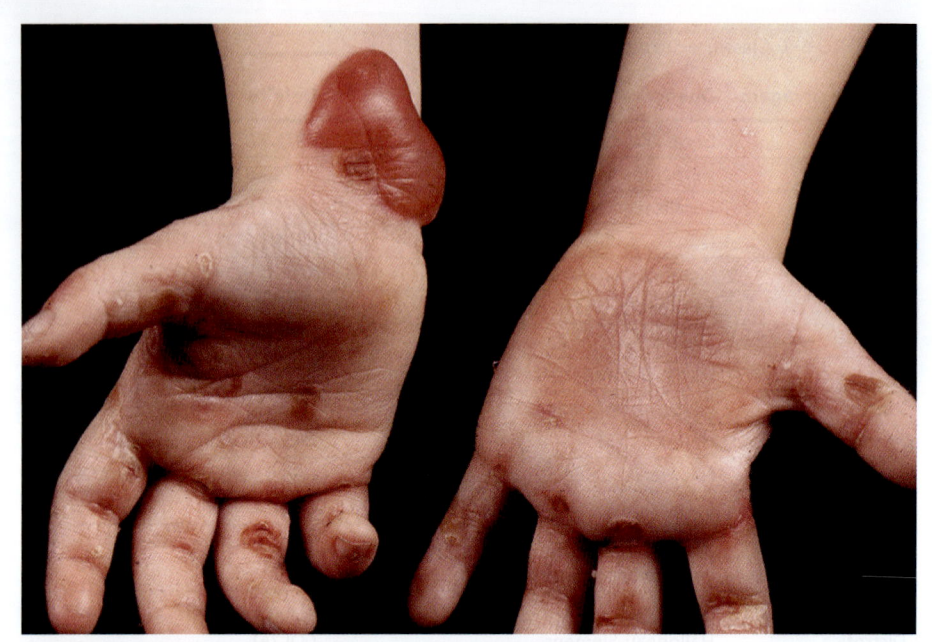

Figura 6-2 Epidermólise bolhosa simples generalizada (Koebner) Esta menina de 4 anos apresentava bolhas desde muito cedo na vida, com predileção pelas áreas traumatizadas do corpo como palmas e plantas e cotovelos e joelhos. As bolhas também ocorriam em outras regiões, como o antebraço, como mostra a fotografia, e o tronco. Praticamente não há sinais de cicatriz.

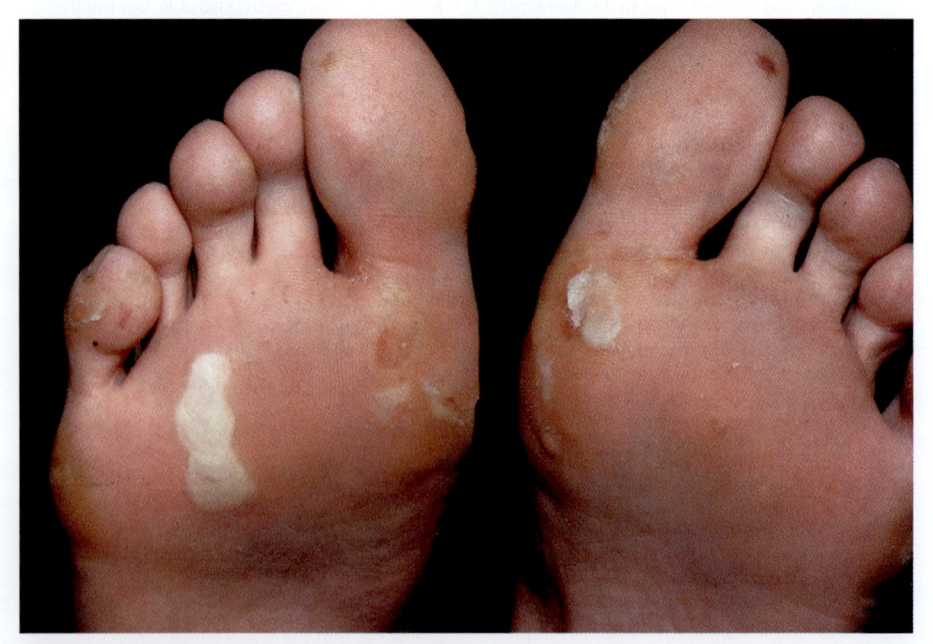

Figura 6-3 Epidermólise bolhosa simples localizada Bolhas de parede espessa nas plantas dos pés. A doença apresentou-se pela primeira vez durante treinamento militar, quando este jovem de 19 anos teve de marchar por longa distância.

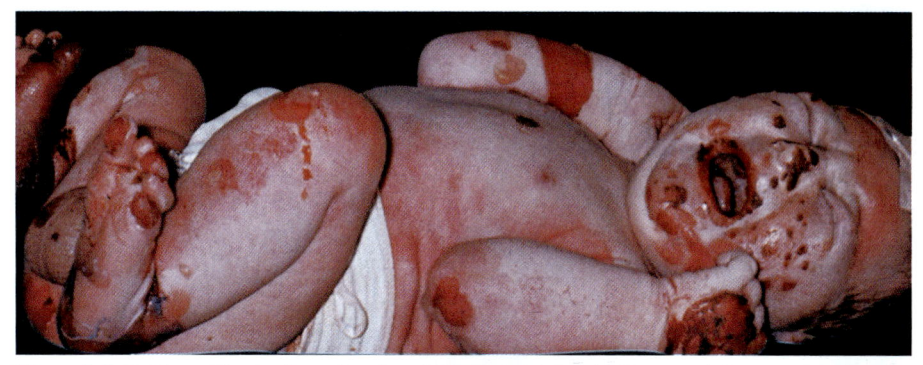

Figura 6-4 Epidermólise bolhosa juncional (Herlitz) Há grandes áreas erodidas, exsudativas e com sangramento que ocorrem durante o parto. Quando este recém-nascido é segurado, ocorre deslocamento da epiderme e surgem erosões com o manuseio.

Cura rápida com cicatriz mínima nos locais com bolhas recorrentes. Hiperceratose palmar e plantar podem estar presentes. Unhas, dentes e mucosa oral geralmente são poupados.

EBS localizada. Subtipo Weber-Cockayne (Quadro 6-1). É a forma mais comum de EBS. Surgimento na infância ou mais tarde. A doença pode não se apresentar até a vida adulta, quando ocorrem bolhas de parede espessa nas mãos e nos pés após exercícios, trabalhos manuais e treinamento militar excessivos (Fig. 6-3). Temperatura ambiente elevada facilita o surgimento das lesões. Hiperidrose de palmas e plantas; infecção secundária das bolhas.

EB juncional (EBJ)

Todas as formas de EBJ compartilham a característica patológica de formação de bolhas no interior da lâmina lúcida da membrana basal (Fig. 6-1). As mutações ocorrem nos genes do colágeno XVII e da laminina (Quadro 6-1). Transmissão autossômica recessiva, com diversos fenótipos clínicos (Quadro 6-1), três dos quais descritos a seguir.

EB de Herlitz (EBJ Grave). Taxa de mortalidade de 40% no primeiro ano de vida. Bolhas generalizadas ao nascimento (Fig. 6-4) ou isoladas, grave granulação periorificial, perda de unhas e envolvimento da maioria das mucosas. A pele dessas crianças pode estar totalmente desnuda, com erosões dolorosas e exsudativas. Entre os achados associados, estão todos os sintomas resultantes de bolhas epiteliais generalizadas, incluindo-se envolvimento dos sistemas respiratório, gastrintestinal e urogenital.

EB não Herlitz (EBJ Mitis). Essas crianças podem apresentar EBJ moderada a grave ao nascimento, mas sobrevivem à lactância e evoluem com melhora clínica com a idade. Erosões periorificiais que não cicatrizam durante a infância.

EB não Herlitz (Epidermólise bolhosa benigna atrófica generalizada [EBBAG]). Apresenta-se no momento do nascimento com bolhas e erosões cutâneas generalizadas nos membros, no tronco, na face e no couro cabeludo. A sobrevivência até a vida adulta é a regra, mas persiste o surgimento de bolhas nas regiões traumatizadas (Fig. 6-5). Agrava-se com o aumento na temperatura ambiente e há cicatrização atrófica das lesões. É possível haver distrofia ungueal, alopécia cicatricial ou não cicatricial, envolvimento leve da mucosa oral e defeitos no esmalte dos dentes. As mutações ocorrem nos genes para laminina e colágeno XVII (Quadro 6-1).

Epidermólise bolhosa distrófica (EBD)

Sob esta denominação, encontra-se um espectro de doenças dermolíticas nas quais as bolhas ocorrem abaixo da lâmina basal (Fig. 6-1); a resolução é, portanto, acompanhada por cicatriz e formação de mília – daí a denominação *distrófica*. Há quatro tipos principais, todos causados por mutações nas fibrilas de ancoragem do colágeno VII (Quadro 6-1), dois dos quais descritos a seguir.

EBD dominante. Doença de Cockayne-Touraine. Início no lactente ou na primeira infância com bolhas acrais e distrofia ungueal; formação de mília e de cicatrizes, que podem ser hipertróficas ou hiperplásicas. Lesões orais são incomuns e os dentes geralmente são normais.

EBD recessiva (EBDR). Abrange um espectro mais amplo de fenótipos clínicos. A forma menos grave e localizada (EBDR mitis) ocorre ao nascimento, com bolhas acrais, cicatrizes atróficas e pouco ou nenhum envolvimento de mucosas. A EBDR generalizada grave, a variante Hallopeau-Siemens, é mutiladora. Há bolhas generalizadas ao nascimento e evolução com novas bolhas ocorrendo nos mesmos locais (Fig. 6-6), resultando em cicatrizes e ulcerações significativas, sindactilia com perda das unhas (Fig. 6-7) e, até mesmo, deformidade em "luva de boxe", atingindo mãos e pés, além

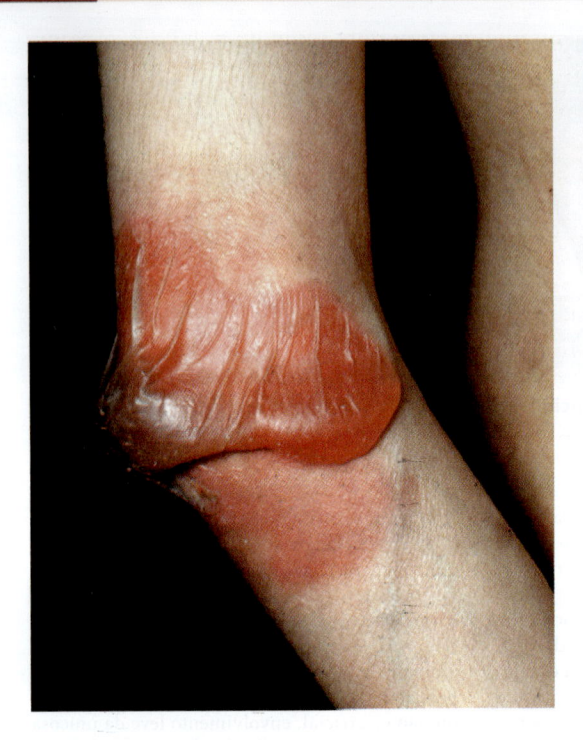

Figura 6-5 Epidermólise bolhosa benigna atrófica generalizada (EBBAG)
Este jovem de 15 anos apresentava bolhas cutâneas desde o nascimento, com bolhas e erosões surgindo nos cotovelos e joelhos, além do tronco e braços após trauma. Não há cicatrizes, mas algumas manchas atróficas.

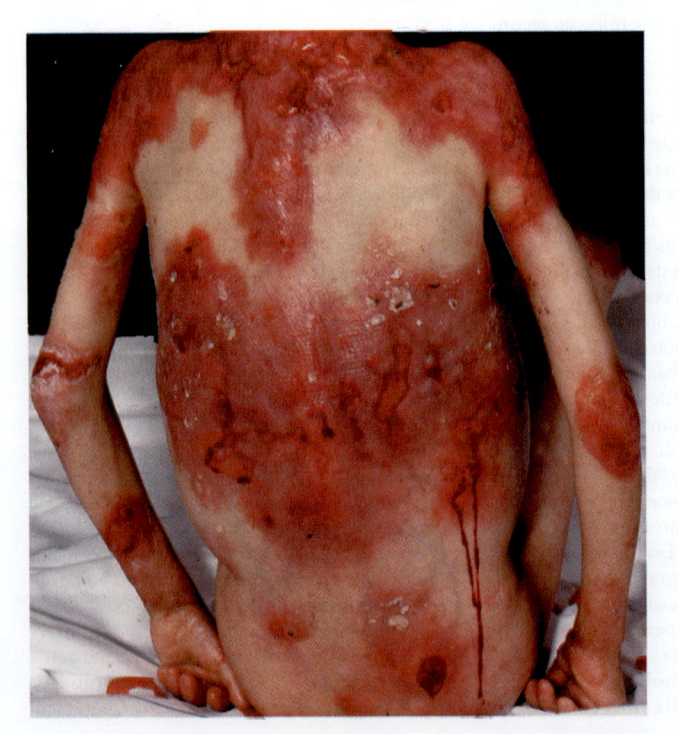

Figura 6-6 Epidermólise bolhosa distrófica recessiva (EBDR) generalizada
Nessa doença grave, as bolhas ocorrem com frequência nos mesmos locais, como nesta menina de 10 anos. As bolhas formam erosões que se tornam úlceras com baixa tendência de cura. Quando há resolução, a consequência é fibrose. Esta menina também apresenta defeitos no esmalte dos dentes, com cáries, além de constrições no esôfago, anemia grave e grande atraso do crescimento. É evidente que as grandes feridas são portas de entrada para infecção sistêmica.

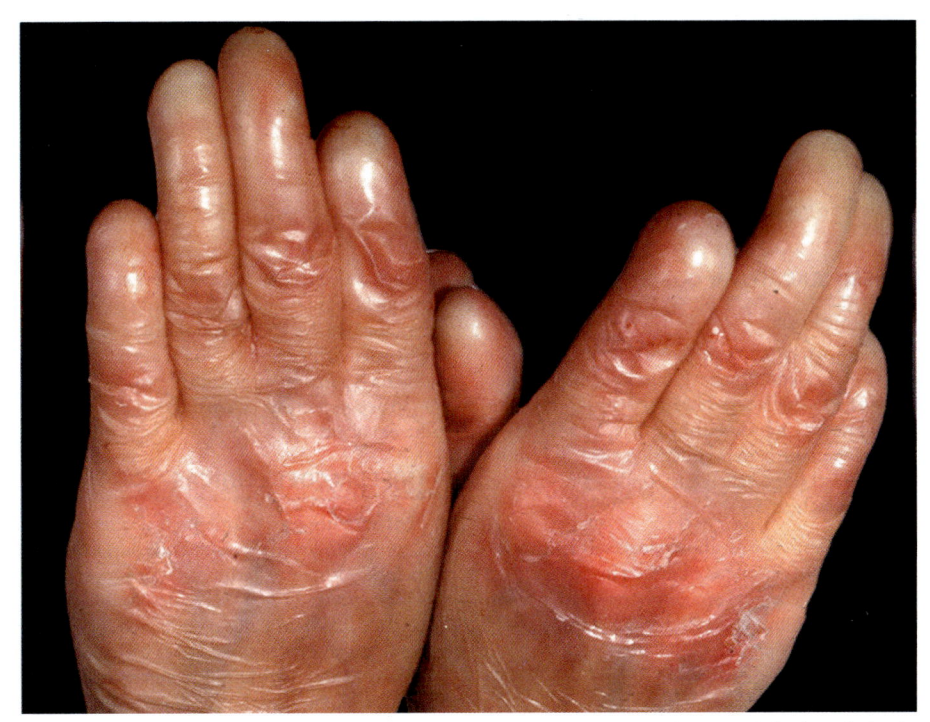

Figura 6-7 Epidermólise bolhosa distrófica recessiva (EBDR) generalizada. Perda das unhas, sindactilia e cicatrizes atróficas graves no dorso das mãos.

de contratura em flexão. Observam-se defeitos no esmalte dos dentes com cáries e periodontite, constrição e fibrose na mucosa oral e do esôfago, estenose uretral e anal e fibrose na superfície ocular; além disso, desnutrição, atraso no crescimento e anemia. Carcinoma espinocelular nas erosões crônicas recorrentes.

DIAGNÓSTICO

É realizado com base no quadro clínico e na história. A histopatologia determina o nível de clivagem, o que é melhor definido com microscopia eletrônica e/ou mapeamento imuno-histoquímico. O gene mutante pode ser identificado por *Western blot*, *Northern blot*, análise de polimorfismo do comprimento de fragmentos de restrição e sequenciamento do ácido desoxirribonucleico (DNA).

TRATAMENTO

Ainda não há terapia causal para EB, mas está sendo investigada a terapia genética. A terapia deve ser adequada à gravidade e à extensão do envolvimento cutâneo: cuidados de suporte para a pele, cuidados de suporte para outros sistemas orgânicos e terapia sistêmica para as complicações. Tratamento das feridas, suporte nutricional e controle de infecções são os pontos essenciais.

Nos casos de EBS, é importante manter o ambiente fresco e usar sapatos macios e bem-ventilados. A pele com bolhas deve ser tratada com compressas de soro fisiológico e antibióticos tópicos ou, em caso de inflamação, com esteroides tópicos. Os pacientes mais gravemente afetados por EBJ e EBD são tratados como grandes queimados em unidades apropriadas. Banho e higiene realizados com delicadeza devem ser seguidos por emolientes protetores e curativos não aderentes.

Embora raras, a EB e, particularmente, a EBJ e a EBD representam um grande problema de saúde e socioeconômico. Organizações como a Dystrophic Epidermolysis Bullosa Research Association (DEBRA) oferecem assistência que inclui informações e apoio ao paciente.

PÊNFIGO CID-10: L10

- Doença bolhosa autoimune grave, aguda ou crônica, atingindo pele e mucosas, caracterizada pela acantólise.
- Existem dois tipos principais: Pênfigo vulgar (PV) e pênfigo foliáceo (PF).
- PV: Bolhas flácidas na pele e erosões nas mucosas. PF: Lesões cutâneas descamantes e crostosas.
- PV: Acantólise suprabasal. PF: Acantólise subcórnea.
- Autoanticorpos tipo IgG contra a desmogleína, molécula transmembrana de adesão nos desmossomos.
- Grave e frequentemente fatal se não for tratado com agentes imunossupressores.

CLASSIFICAÇÃO (ver Quadro 6-2)

Epidemiologia

PV: Raro, mais comum em judeus e descendentes de povos do Mediterrâneo. Em Jerusalém, estima-se que a incidência seja de 16 por milhão, enquanto na França e na Alemanha é de 1,3 por milhão.

PF: Também raro, mas endêmico em áreas rurais do Brasil (fogo selvagem), onde a prevalência pode alcançar 3,4%.

IDADE DE INÍCIO 40 a 60 anos; o fogo selvagem também ocorre em crianças e adultos jovens.

SEXO Incidência igual em ambos os sexos, porém, com predominância do PF no sexo feminino na Tunísia e na Colômbia.

ETIOLOGIA E PATOGÊNESE

Doença autoimune. Perda da aderência entre células na epiderme (*acantólise*).

Ocorre como consequência de anticorpos circulantes do tipo IgG, que se ligam à desmogleína, glicoproteína transmembrana nos desmossomos, membro da superfamília das caderinas. Os desmossomos mantêm unidas as células da epiderme (ceratinócitos). No PV, a desmogleína 3 (em alguns, também a desmogleína 1). No PF, apenas a desmogleína 1. Os autoanticorpos interferem na função de adesão dependente de cálcio e, consequentemente, induzem acantólise.

MANIFESTAÇÕES CLÍNICAS

O **pênfigo vulgar** geralmente inicia na mucosa oral, podendo levar meses até que surjam lesões na pele. Com menor frequência, ocorre erupção aguda generalizada com bolhas desde o início. Não há prurido, mas sim ardência e dor nas erosões. As lesões sensíveis e dolorosas na boca podem impedir a alimentação adequada. Epistaxe, rouquidão, disfagia. Fraqueza, mal-estar e perda de peso.

LESÕES CUTÂNEAS Vesículas e bolhas com conteúdo seroso, flácidas (moles) (Fig. 6-8), que se rompem facilmente, dando saída ao conteúdo líquido (Fig. 6-9), surgidas em pele *normal*, isoladas e com distribuição aleatória. Localizadas (p. ex., na boca ou em área circunscrita da pele), ou generalizadas com padrão aleatório. Erosões extensas que sangram com facilidade (Fig. 6-10), crostas particularmente no couro cabeludo. Considerando que as bolhas se rompem tão facilmente, muitos pacientes apresentam-se apenas com erosões dolorosas.

Sinal de Nikolsky. Desprendimento da epiderme de aspecto normal por pressão lateral produzido pelo dedo do examinador nas cercanias das lesões, o que leva à erosão. A pressão sobre a bolha leva à sua extensão lateral.

Locais preferenciais. Couro cabeludo, face, tórax, axilas, regiões inguinais, região umbilical. Em pacientes acamados, há envolvimento extenso do dorso (Fig. 6-10).

MUCOSAS Bolhas raramente são encontradas em erosões na boca (ver Seção 33) e no nariz, na faringe e na laringe, e na vagina.

OUTROS TIPOS

Pênfigo vegetante (PVeg) (ver Quadro 6-2). Uma variante do PV. Geralmente restrito a áreas intertriginosas, região perioral, região cervical e couro cabeludo. Placas granulomatosas vegetantes

---

QUADRO 6-2 Classificação do pênfigo

Pênfigo vulgar
  Pênfigo vulgar: localizado e generalizado
  Pênfigo vegetante: localizado
  Induzido por fármacos

Pênfigo foliáceo
  Pênfigo foliáceo: generalizado
  Pênfigo eritematoso: localizado
  Fogo selvagem: endêmico
  Induzido por fármacos

Pênfigo paraneoplásico (Síndrome multiorgânica autoimune paraneoplásica [SMAP]): associação com doença maligna

Pênfigo associado à IgA: dermatose pustular subcórnea e dermatite por IgA neutrofílica intraepidérmica[a]

[a]Ver F. Trautinger and H. Hönigsmann: Subcorneal pustular dermatosis (Sneddon-Wilkinson Disease) in L.A. Goldsmith et al. Eds., *Fitzpatrick's Dermatology in General Medicine*. 8. ed., New York, McGraw-Hill, 2012, pp. 383–385.

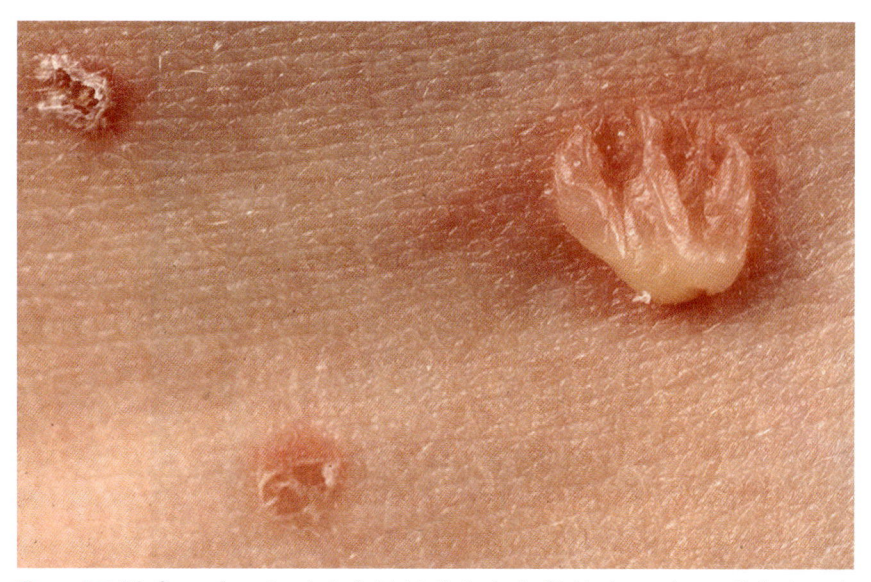

Figura 6-8 Pênfigo vulgar Esta é a lesão inicial clássica: bolha flácida de rompimento fácil sobre pele de aspecto normal. As vesículas rompidas levam a erosões nas quais subsequentemente formam-se crostas, como se pode ver nas duas lesões menores.

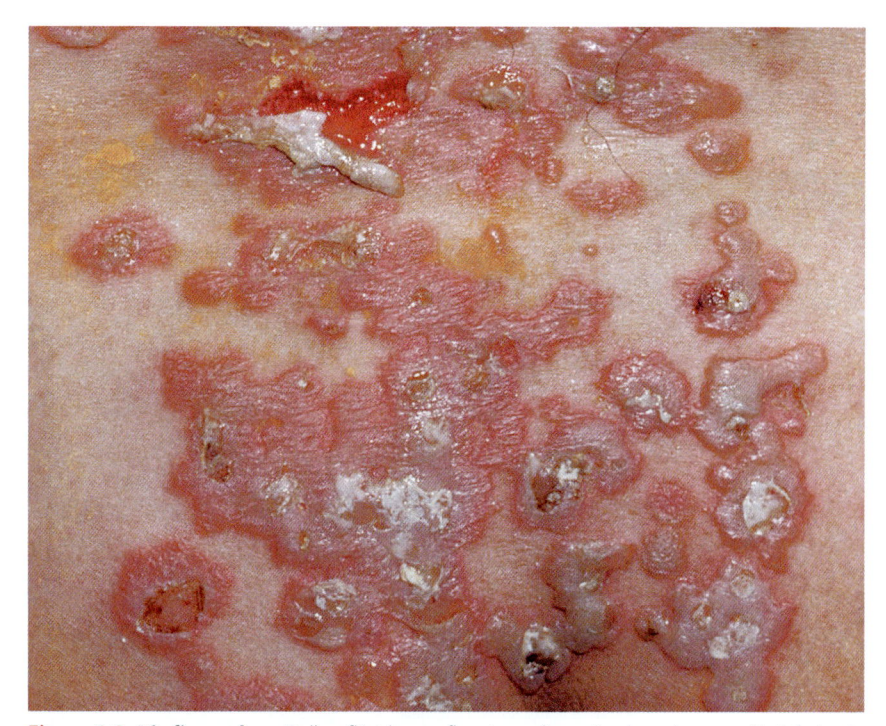

Figura 6-9 Pênfigo vulgar Bolhas flácidas confluentes e disseminadas sobre a região inferior do dorso de um homem de 40 anos que apresentava erupção generalizada, incluindo couro cabeludo e mucosas. As lesões erodidas são extremamente dolorosas.

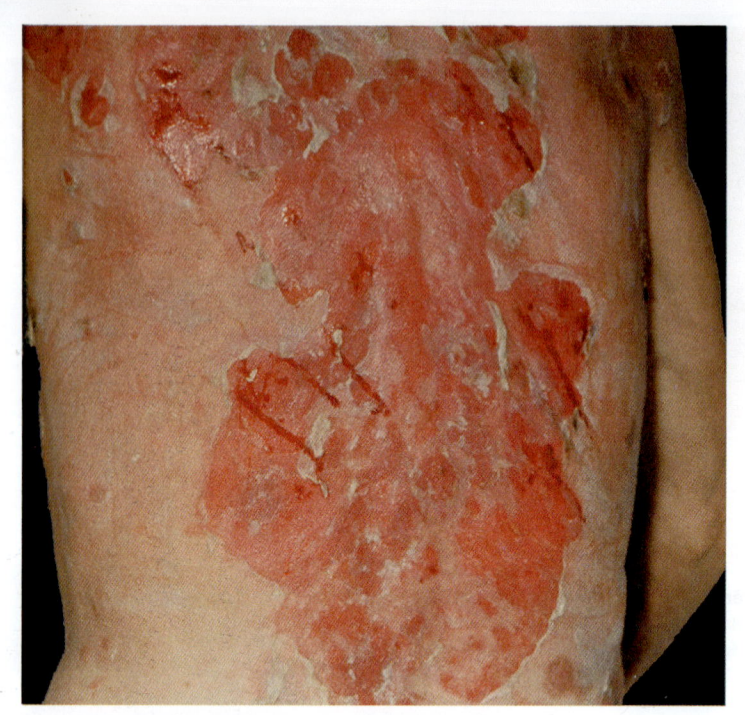

Figura 6-10 Pênfigo vulgar Erosões confluentes e disseminadas, muito dolorosas e que sangram com facilidade, em um paciente do sexo masculino de 53 anos. Praticamente não há bolhas intactas por serem muito frágeis e se romperem com facilidade. O sangue escorre para os lados porque o paciente estava deitado sobre o lado direito antes de a fotografia ser tirada.

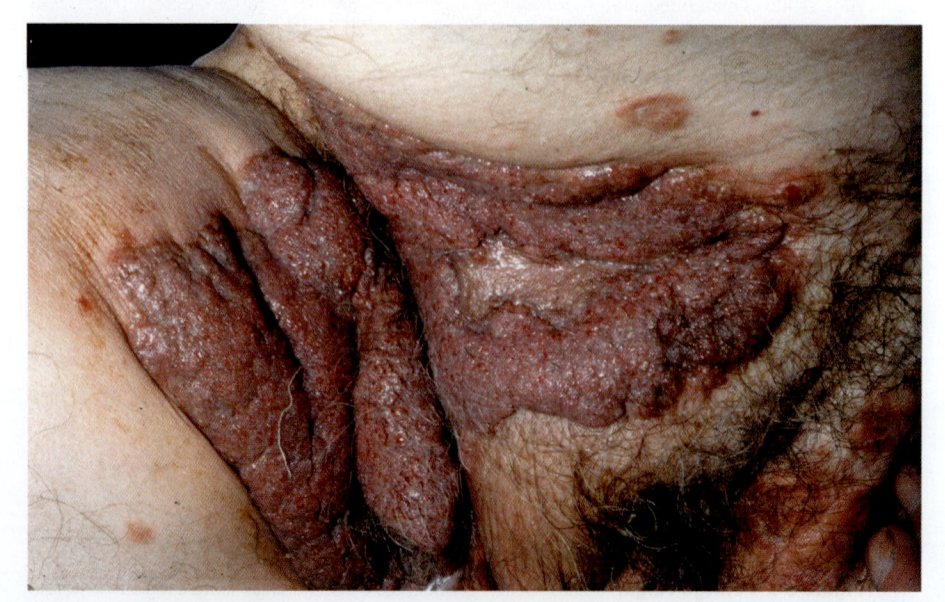

Figura 6-11 Pênfigo vegetante Crescimento papilomatoso exsudativo em forma de couve-flor, localizado na região inguinal e no púbis de um paciente com 50 anos.

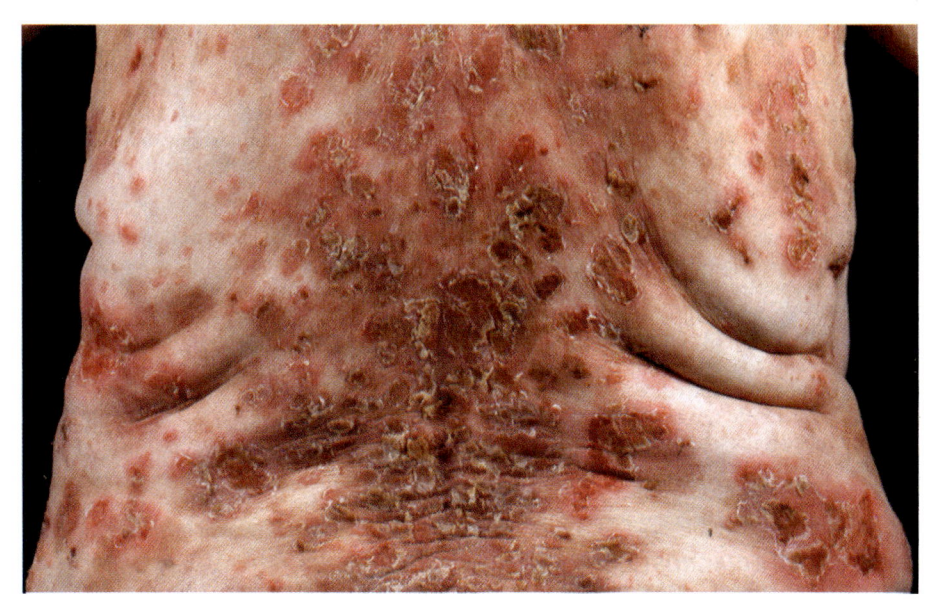

Figura 6-12 Pênfigo foliáceo O dorso deste paciente está coberto por descamação, crostas e erosões superficiais.

e purulentas que se estendem centrifugamente. Nesses pacientes, observa-se reação granulomatosa ao dano autoimune do PV (Fig. 6-11).
PV induzido por fármacos. Clinicamente idêntico ao PV esporádico. Diversos fármacos foram implicados, sendo os mais importantes o captopril e a D-penicilamina.
Pênfigo foliáceo. No pênfigo foliáceo não há lesões nas mucosas, e ele se inicia com lesões descamativas e crostosas sobre base eritematosa, inicialmente em áreas seborreicas.
LESÕES CUTÂNEAS Mais comuns na face, no couro cabeludo, na parte superior do tórax e no abdome. Erosões descamativas e crostosas sobre base eritematosa (Fig. 6-12). Na doença em fase inicial ou localizada, é nitidamente restrita às áreas seborreicas; pode se manter localizada ou evoluir para doença generalizada com eritrodermia esfoliativa. A lesão inicial também é uma bolha flácida, mas raramente encontrada, em razão de sua localização superficial (ver "Dermatopatologia").
Pênfigo brasileiro (fogo selvagem). Uma forma exclusiva de PF endêmico na região centro-sul brasileira. Clínica, histológica e imunopatologicamente idêntico ao PF. Os pacientes melhoram quando se mudam para áreas urbanas, mas apresentam recidiva quando retornam às regiões endêmicas. Provavelmente relacionado a agente infeccioso transmitido por artrópode, com distribuição semelhante à do *borrachudo* – *Simulium nigrimanum*.

Estima-se que ocorram mais de 1.000 novos casos por ano nas regiões endêmicas.
Pênfigo eritematoso (PE). *Sinônimo:* Síndrome de Senear-Usher. Uma variante localizada de PF, em grande parte restrita aos locais seborreicos. Lesões eritematosas, crostosas e erosivas na "asa de borboleta" da face, fronte e regiões pré-esternal e interescapular. É possível haver fatores antinucleares.
PF induzido por fármacos. Como no PV, associado ao uso de D-penicilamina e, com menor frequência, ao de captopril e outros fármacos. Na maioria dos casos, porém não em todos, a erupção resolve-se com a suspensão do tratamento com o fármaco indutor.
Pênfigo neonatal. Muito raro, com transmissão transplacentária pela gestante com a doença; resolução espontânea.

PÊNFIGO PARANEOPLÁSICO (SÍNDROME MULTIORGÂNICA AUTOIMUNE PARANEOPLÁSICA)

Trata-se de doença *sui generis* e será discutida na Seção 19.

EXAMES LABORATORIAIS

DERMATOPATOLOGIA PV: Microscopia óptica (deve ser escolhida uma bolha pequena em fase inicial ou, se não for encontrada, deve-se optar pela margem de uma bolha grande ou de uma área de erosão). Separação de ceratinócitos na camada suprabasal,

levando à clivagem imediatamente *acima* da camada de células basais e à formação de vesículas contendo ceratinócitos isolados e arredondados (acantolíticos). PF: Forma superficial com acantólise na camada granular da epiderme.
IMUNOPATOLOGIA Coloração por imunofluorescência (IF) direta revela IgG e, frequentemente, depósitos de C3 na *substância intercelular da epiderme* da região lesionada e vizinha. No PE, também são encontrados Ig e depósitos de complemento na junção dermoepidérmica.
SORO Autoanticorpos (IgG) detectados por IF indireta (IFI) ou ELISA. Os títulos geralmente mantêm correlação com a atividade da doença. No PV, há autoanticorpos direcionados contra uma glicoproteína de 130 kDa, a desmogleína 3, localizada nos desmossomos dos ceratinócitos. No PF, encontram-se autoanticorpos contra um antígeno intercelular de 160 kDa (superfície celular), a desmogleína 1, nos desmossomos dos ceratinócitos.

DIAGNÓSTICO E DIAGNÓSTICO DIFERENCIAL

O diagnóstico é difícil quando há apenas lesões na boca. Aftas, líquen plano da mucosa, eritema multiforme. O diagnóstico diferencial deve incluir todas as formas de doenças bolhosas adquiridas (ver Quadro 6-3). Biópsia da pele e das mucosas, IF direta e demonstração de autoanticorpos circulantes confirmam os casos com alto índice de suspeição.

EVOLUÇÃO

Na maioria dos casos, a doença evolui inexoravelmente a óbito, a não ser que seja tratada vigorosamente com agentes imunossupressores. A taxa de mortalidade foi muito reduzida desde que o tratamento se tornou disponível. Atualmente, a morbidade está relacionada principalmente ao tratamento com glicocorticoides e imunossupressores.

TRATAMENTO

Requer perícia e experiência. O tratamento deve ser realizado por dermatologista.
GLICOCORTICOIDES Prednisona, 2 a 3 mg/kg de peso corporal até que parem de surgir novas bolhas e desapareça o sinal de Nikolsky. Redução rápida da dose inicial à metade até que o paciente esteja praticamente sem lesões, seguida por redução lenta da dose até se chegar à dose mínima efetiva de manutenção.
TERAPIA IMUNOSSUPRESSORA CONCOMITANTE Administram-se agentes imunossupressores concomitantemente em razão do seu efeito poupador de glicocorticoide:

Azatioprina. Determinação da tiopurina transferase. 2 a 3 mg/kg de peso até desaparecimento total das lesões; retirada lenta.

Metotrexato. VO ou IM na posologia de 25 a 35 mg/semana. Necessários ajustes da dose, assim como para a azatioprina.

Ciclofosfamida. 100 a 200 mg por dia, com redução até dose de manutenção entre 50 e 100 mg/dia. Alternativamente, terapia com altas doses de ciclofosfamida com 1g, IV, 1 vez por semana ou a cada 2 semanas nas fases iniciais, seguida por 50 a 100 mg/dia, VO, para manutenção.

Micofenolato de mofetila. 1 g 2 vezes ao dia.

Plasmaférese. Em conjunto com glicocorticoides e imunossupressores.

Dose alta de imunoglobulina intravenosa (IG IV). Dose de 2 g/kg de peso corporal a cada 3 a 4 semanas tem efeito poupador de glicocorticoide.

Rituximabe. Anticorpo monoclonal anti-CD20, tendo como alvo os linfócitos B precursores dos plasmócitos produtores do (auto)anticorpo. Para pacientes refratários aos tratamentos listados anteriormente, é administrado como terapia IV uma vez por semana durante 4 semanas, produzindo efeitos impressionantes em alguns pacientes e, no mínimo, remissão parcial nos demais. Podem ocorrer infecções graves.

OUTRAS MEDIDAS Higiene, curativos úmidos, glicocorticoides tópicos e intralesionais, antibioticoterapia nos casos com infecção bacteriana comprovada. Correção de desequilíbrio hidreletrolítico.
MONITORAMENTO Clínico, observando-se se há melhora das lesões cutâneas e se há efeitos colaterais relacionados aos fármacos. Monitoramento laboratorial com titulação dos anticorpos do pênfigo e avaliação de indicadores metabólicos dos efeitos adversos de glicocorticoides e/ou imunossupressores.

QUADRO 6-3 Diagnóstico diferencial de importantes doenças bolhosas adquiridas

Doença	Lesões cutâneas	Mucosas	Distribuição
PV	Bolhas flácidas sobre pele normal, erosões	Quase sempre envolvidas, erosões	Qualquer lugar, localizada ou generalizada
PVeg	Placas granulomatosas, às vezes vesículas nas bordas	Como no PV	Regiões intertriginosas, couro cabeludo
PF	Erosões crostosas, ocasionalmente vesículas flácidas	Raramente envolvidas	Regiões expostas ou seborreicas, ou generalizadas
Penfigoide bolhoso	Bolhas tensas sobre pele normal ou eritematosa; placas urticariformes e pápulas	Boca envolvida em 10 a 35%	Qualquer lugar, localizada ou generalizada
EBA	Bolhas tensas e erosões, não inflamatória ou apresentação semelhante à de PB, DH ou DAL	Podem estar intensamente envolvidas (oral, esofágica, vaginal)	Regiões traumatizadas ou aleatórias
Dermatite herpetiforme	Pápulas agrupadas, vesículas, placas urticariformes, crostas	Não envolvidas	Locais preferenciais: cotovelos, joelhos, regiões glúteas, sacra e escapular
Dermatose por IgA linear	Pápulas agrupadas, vesículas e bolhas anulares	Erosões e úlceras orais, erosões e fibrose nas conjuntivas	Qualquer lugar

Doença	Histopatologia	Imunopatologia/Pele	Soro
PV	Acantólise suprabasal	IgG, padrão intercelular	AC IgG antissubstância intercelular da epiderme (IFI) ELISA: AC antidesmogleína 3 >>> desmogleína 1
PF	Acantólise na camada granular	IgG, padrão intracelular	AC IgG antissubstância intercelular da epiderme (IFI) ELISA: AC apenas contra desmogleína 1
PVeg	Acantólise ± abscessos neutrofílicos intraepidérmicos, hiperplasia da epiderme	Como no PV	Como no PV
Penfigoide bolhoso	Bolhas subepidérmicas	IgG e C3 com padrão linear na ZMB	AC IgG anti-ZMB (IFI); dirigida contra BPAG1 e BPAG2
EBA	Bolhas subepidérmicas	IgG linear na ZMB	AC IgG anti-ZMB (IFI); dirigida contra colágeno tipo VII (ELISA, *Western blot*)
Dermatite herpetiforme	Microabscessos papilares, vesícula subepidérmica	IgA granular no topo das papilas	Anticorpos antiendomísio
Dermatose por IgA linear	Bolhas subepidérmicas com neutrófilos	IgA linear na ZMB	Títulos mais baixos de AC IgA anti-ZMB

AC, anticorpo; ZMB, zona de membrana basal; PB, penfigoide bolhoso; DH, dermatite herpetiforme; EBA, epidermólise bolhosa adquirida; ELISA, ensaio de imunoabsorção ligada à enzima; IFI, imunofluorescência indireta; DAL, dermatose por IgA linear; PF, pênfigo foliáceo; PV, pênfigo vulgar; PVeg, pênfigo vegetante.

PENFIGOIDE BOLHOSO (PB) CID-10: L12.0

- Doença bolhosa autoimune que ocorre geralmente em idosos.
- Lesões papulares e/ou urticariformes, pruriginosas, com bolhas volumosas e tensas.
- Bolhas subepidérmicas com eosinófilos.
- C3 e IgG na membrana basal epidérmica, autoanticorpos IgG antimembrana basal detectados no soro.
- Autoantígenos são as proteínas do hemidesmossomo dos ceratinócitos.
- O tratamento inclui glicocorticoides tópicos e sistêmicos e outros imunossupressores.

EPIDEMIOLOGIA

IDADE DE INÍCIO Dos 60 aos 80 anos.
SEXO Incidência idêntica em ambos os sexos. Não há predileção conhecida por etnias.
INCIDÊNCIA Doença bolhosa autoimune mais comum. Sete por milhão na França e na Alemanha. De acordo com a experiência dos autores, bem mais comum em pacientes muito idosos.

ETIOLOGIA E PATOGÊNESE

Interação dos autoanticorpos com o antígeno BP (BPAG1 [BP230] e BPAG2 [colágeno tipo XVII]) nos hemidesmossomos dos ceratinócitos basais (Fig. 6-1), seguida por ativação do complemento e de mastócitos, atração de neutrófilos e eosinófilos e liberação de múltiplas moléculas bioativas das células inflamatórias.

MANIFESTAÇÕES CLÍNICAS

Frequentemente, inicia-se como erupção prodrômica (lesões urticariformes, papulares) e evolui em semanas a meses com o aparecimento de bolhas que podem surgir repentinamente na forma de erupção generalizada. Prurido inicialmente moderado a intenso; mais tarde, sensibilidade dolorosa nas lesões erodidas. Não há sintomas constitucionais, exceto nos casos graves de doença disseminada.

LESÕES CUTÂNEAS Lesões eritematosas, papulares ou urticariformes (Fig. 6-13) que podem preceder em meses o surgimento de bolhas. Bolhas: pequenas (Fig. 6-13) ou volumosas (Fig. 6-14), tensas, firmes, ovaladas ou arredondadas; surgem em pele normal, eritematosa ou urticariforme e contêm líquido seroso (Fig. 6-14) ou hemorrágico. Localizadas ou generalizadas, geralmente disseminadas, mas também agrupadas em padrão arciforme ou serpiginoso. As bolhas rompem-se com menor facilidade em comparação com o pênfigo, mas algumas vezes ocorrem erosões grandes, na cor vermelho-viva, exsudativas e com sangramento. Geralmente as bolhas sofrem colapso e se transformam em crosta.

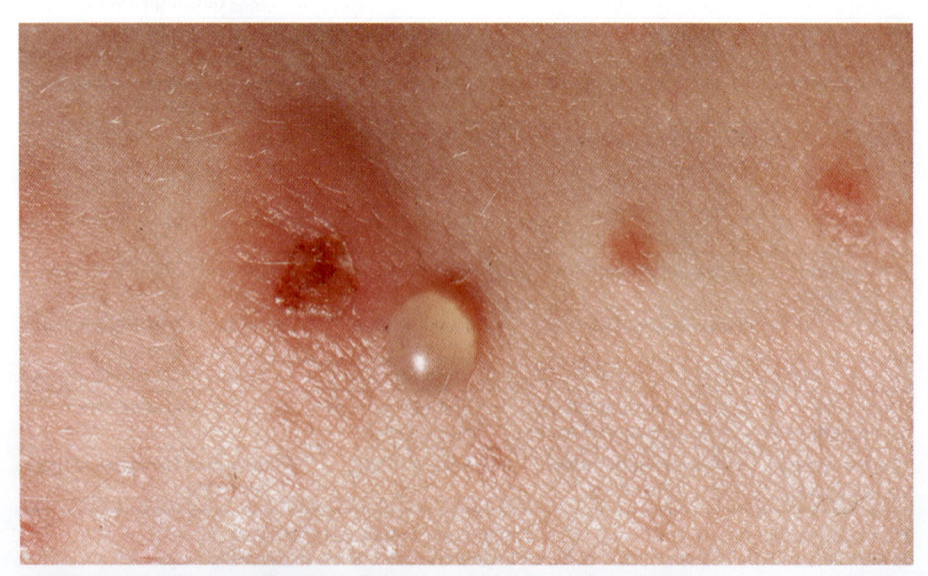

Figura 6-13 Penfigoide bolhoso Lesões iniciais em paciente do sexo feminino de 75 anos. Observar as placas urticariformes e uma bolha pequena e tensa com conteúdo seroso claro.

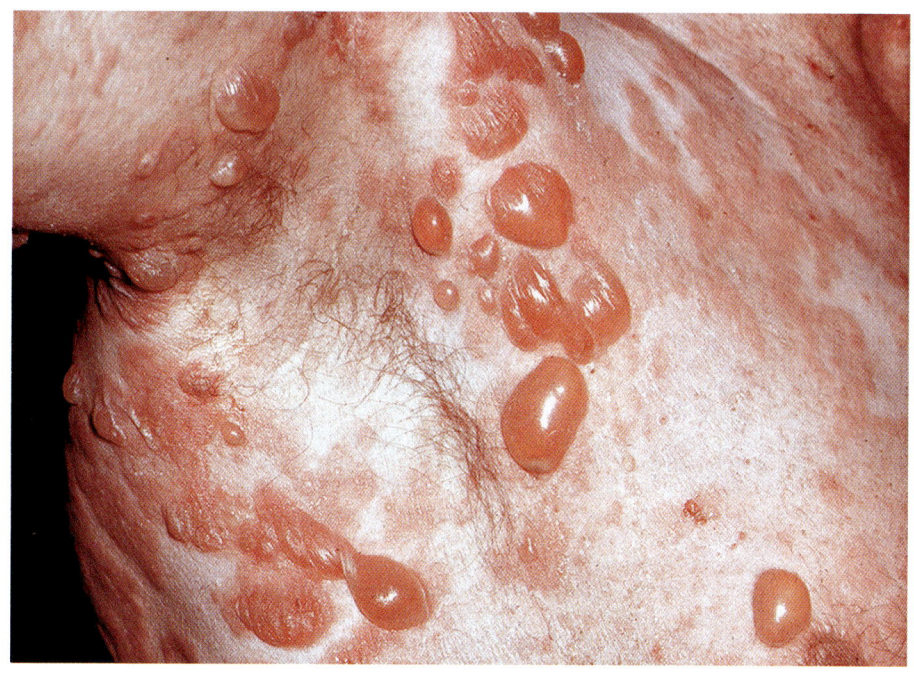

Figura 6-14 Penfigoide bolhoso Este paciente de 77 anos apresentava erupção generalizada com placas urticariformes confluentes e múltiplas bolhas tensas. O quadro é intensamente pruriginoso.

Locais preferenciais. Axilas; face medial das coxas, regiões inguinais, abdome, face flexora dos antebraços; pernas (onde frequentemente ocorrem as primeiras manifestações); generalizado.
MUCOSAS Ocorre praticamente apenas na boca (10 a 35%); menos intenso e doloroso e se rompem menos facilmente que as do pênfigo (ver Seção 33).

EXAMES LABORATORIAIS

DERMATOPATOLOGIA Microscopia óptica. Neutrófilos em "fila indiana" alinhados na junção dermoepidérmica; neutrófilos, eosinófilos e linfócitos na derme papilar; bolhas *subepidérmicas*.
Microscopia eletrônica. Clivagem juncional, ou seja, a separação ocorre na lâmina lúcida da membrana basal (ver Fig. 6-1).
IMUNOPATOLOGIA Depósitos lineares de IgG ao longo da zona da membrana basal. Além disso, C3, que pode ocorrer na ausência de IgG.
SORO Anticorpos IgG antimembrana basal circulantes detectados por IFI em 70% dos pacientes. Os títulos não mantêm correlação com a evolução da doença. Os autoanticorpos reconhecem dois tipos de antígenos. A BPAG1 é uma glicoproteína de 230 kDa com grande homologia com a desmoplaquina 1 e é parte dos hemidesmossomos. A BPAG2 é um polipeptídeo transmembrana, de 180 kDa (colágeno tipo XVII) (ver Fig. 6-1).
HEMATOLOGIA Eosinofilia (nem sempre).

DIAGNÓSTICO E DIAGNÓSTICO DIFERENCIAL

Aspecto clínico, histopatologia e imunologia permitem diferenciar de outras doenças bolhosas (ver Quadro 6-3).

TRATAMENTO

Prednisona sistêmica com doses iniciais de 50 a 100 mg/dia mantidas até desaparecerem as lesões, como fármaco único ou associado à azatioprina, 150 mg diariamente, para indução de remissão e 50 a 100 mg para manutenção; nos casos refratários, IgIV; plasmaférese. O rituximabe IV é efetivo em alguns casos, enquanto nos outros ele ajuda a poupar corticosteroides. Em casos leves, sulfonas (dapsona),

100 a 150 mg/dia. Metotrexato em dose baixa, 2,5 a 10 mg por semana, VO, é efetivo e seguro em idosos. Nos casos muito leves e para recorrências locais, a terapia tópica com glicocorticoide ou com tacrolimo pode ser benéfica. Há relatos de que o tratamento com tetraciclina ± nicotinamida foi efetivo em alguns casos.

EVOLUÇÃO E PROGNÓSTICO

Os pacientes com frequência entram em remissão permanente após o tratamento, sem necessidade de terapia complementar; as recorrências locais algumas vezes podem ser controladas com glicocorticoides tópicos. Alguns casos entram em remissão espontânea sem qualquer tratamento.

PENFIGOIDE CICATRICIAL CID-10: L12.1

- Doença rara que ocorre predominantemente em idosos.
- Envolvimento ocular que pode se manifestar inicialmente como conjuntivite unilateral ou bilateral com ardência, ressecamento e sensação de corpo estranho.
- Bolhas que se rompem facilmente, além de erosões cutâneas em razão da fragilidade epitelial nas conjuntivas; boca; orofaringe; e, mais raramente, nas mucosas da nasofaringe, do esôfago, da genitália e do ânus.
- O envolvimento crônico resulta em cicatriz, simbléfaro (**Fig. 6-15**) e, nos casos graves, em fusão das conjuntivas bulbar e palpebral. Entrópio e triquíase resultam em irritação da córnea, ceratopatia punctata superficial, neovascularização e úlcera da córnea, e cegueira.
- Cicatrizes na laringe; constrições do esôfago, disfagia ou odinofagia.
- Bolhas na pele em aproximadamente 30% dos pacientes.
- O *penfigoide de Brunsting-Perry* descreve um subgrupo de pacientes cujas lesões de pele recidivam nos mesmos locais, principalmente na cabeça, região cervical e couro cabeludo, e também produzem cicatrizes.
- Entre os antígenos para os quais os autoanticorpos se direcionam, estão BPAG1, BPAG2, subunidades β_4 e α_6 da integrina, colágeno tipo VII e laminina 332 (ver **Fig. 6-1**).
- *Tratamento*: Comprometimento leve: corticosteroides tópicos, inibidores da calcineurina (tacrolimo, pimecrolimo). Envolvimento moderado a grave: dapsona em combinação com prednisona. Alguns pacientes requerem tratamento imunossupressor vigoroso com ciclofosfamida ou azatioprina em associação a glicocorticoides, ou IgIV em dose alta ou rituximabe. Intervenção cirúrgica para a fibrose e medidas de suporte.
- *Sinônimo*: penfigoide de membranas mucosas.

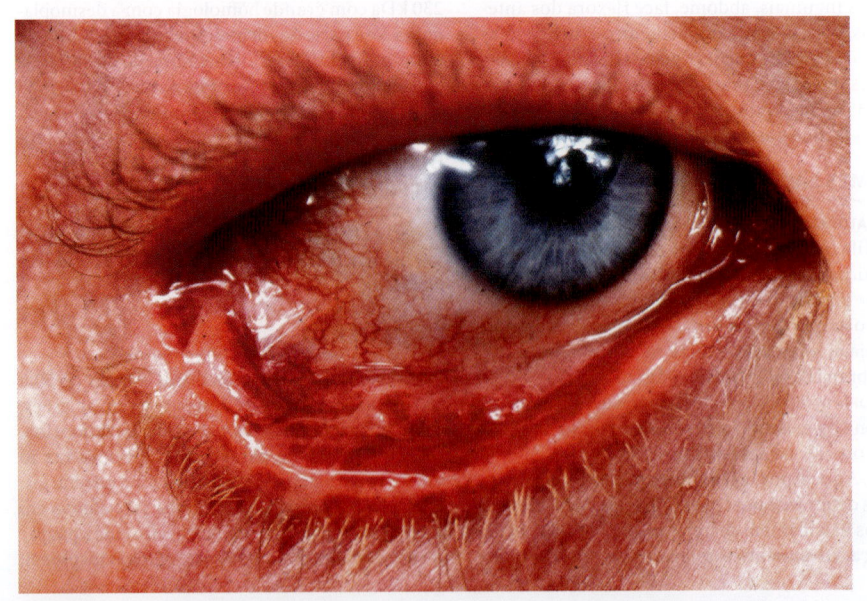

Figura 6-15 Penfigoide cicatricial Nesta paciente de 78 anos, o quadro iniciou com dor e sensação de corpo estranho nas conjuntivas. A conjuntiva evoluiu com erosão e cicatriz com tratos fibrosos entre as pálpebras e o olho.

PENFIGOIDE GESTACIONAL (PG) CID-10: L12.8

- Dermatose bolhosa inflamatória polimórfica e pruriginosa rara que ocorre na gravidez e no pós-parto.
- Incidência estimada variando entre 1:1.700 e 1:10.000 partos.
- Erupção extremamente pruriginosa principalmente no abdome, mas também em outras áreas, poupando-se as mucosas. As lesões variam desde pápulas eritematosas e edematosas e placas de urticária (**Fig. 6-16**) até vesículas e bolhas tensas (**Fig. 6-16**; detalhe).
- Geralmente, inicia-se entre o quarto e sétimo meses de gestação, podendo ocorrer também no primeiro trimestre e no pós-parto imediato. É possível haver recorrência em gestações subsequentes; se houver, é provável que inicie mais cedo.
- O PG pode ser agravado pelo uso de fármacos contendo estrogênios e progesteronas.
- Histopatologicamente, trata-se de quadro com bolhas subepidérmicas com depósito linear de C3 ao longo da zona da membrana basal e depósito concomitante de IgG em aproximadamente 30% das pacientes.
- O exame do soro revela anticorpos IgG antimembrana basal, mas que são detectados na IFI em apenas 20% das pacientes. ELISA e ensaios de imunotransferência (*immunoblotting*) detectam autoanticorpos em > 70% dos casos, direcionados contra BP180 (colágeno tipo XVII) dos hemidesmossomos (ver **Fig. 6-1**). São anticorpos IgG1 fixadores ávidos do complemento que se ligam à membrana basal epitelial amniótica.
- Cerca de 5% dos bebês nascidos de mães com PG apresentam lesões bolhosas, vesiculares e urticariformes, com resolução espontânea ao longo das primeiras semanas de vida. Há leve aumento nos nascimentos prematuros e de bebês pequenos para a idade gestacional. Alguns relatos revelaram número significativo de mortes fetais e nascimentos prematuros, enquanto outros não mostraram aumento da mortalidade fetal.
- *Tratamento*: Prednisona, 20 a 40 mg/dia, mas algumas vezes há necessidade de doses maiores; durante o período pós-parto, fazer redução gradual.

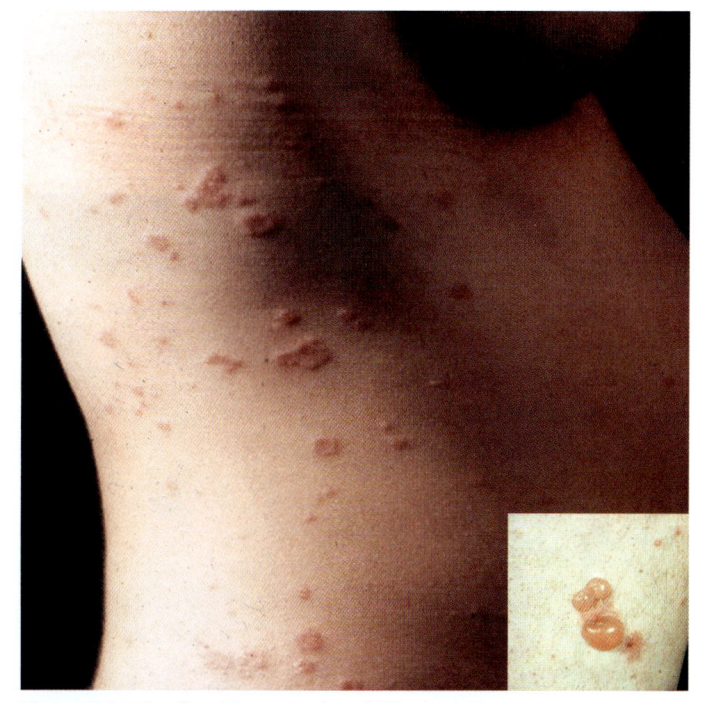

Figura 6-16 Penfigoide gestacional Pápulas eritematosas intensamente pruriginosas surgidas no tronco e no abdome desta gestante de 33 anos (terceiro trimestre). Neste momento, não havia bolhas, e o diagnóstico foi confirmado por biópsia e exame imunopatológico. Detalhe: Lesões urticariformes e vesículas em outra paciente que havia tido erupção semelhante em gestações anteriores.

DERMATITE HERPETIFORME (DH) CID-10: L13.0

- Erupção intensamente pruriginosa, crônica e recorrente, que ocorre simetricamente nos membros e no tronco.
- Formada por diminutas vesículas, pápulas e placas urticariformes dispostas em grupos.
- Associada à enteropatia sensível ao glúten (ESG).
- Histologicamente caracterizada por acúmulo de neutrófilos na derme papilar.
- O encontro de depósitos granulares de IgA na pele normal ou perilesional é diagnóstico.
- Responde ao tratamento com sulfonamidas e, em menor extensão, à dieta sem glúten.

EPIDEMIOLOGIA

Prevalência em indivíduos de pele branca varia entre 10 e 39 por 100 mil indivíduos.
IDADE DE INÍCIO Mais comum entre 30 e 40 anos; pode ocorrer em crianças.
SEXO Razão masculino:feminino é 2:1.

ETIOLOGIA E PATOGÊNESE

A ESG provavelmente esteja relacionada a depósitos de IgA na pele. Os pacientes apresentam anticorpos contra as transglutaminases (Tgs) que talvez sejam os principais autoantígenos. Os autoanticorpos contra Tg epidérmica provavelmente se ligam à Tg no intestino e circulam isoladamente ou na forma de imunocomplexos que se depositam na pele. A IgA ativa o complemento pela via alternativa, com subsequente quimiotaxia de neutrófilos que liberam suas enzimas e produzem lesão tecidual.

MANIFESTAÇÕES CLÍNICAS

Prurido intenso e episódico; ardência ou queimação na pele; raramente, o prurido está ausente. Os sintomas frequentemente precedem o aparecimento das lesões cutâneas em 8 a 12 horas. Ingestão de iodetos e sobrecarga de glúten são fatores agravantes.
REVISÃO DOS SISTEMAS Em 10 a 20% dos casos, são detectados sinais laboratoriais de má absorção no intestino delgado. A ESG ocorre em quase todos os pacientes, sendo demonstrável por meio da biópsia do intestino delgado. Em geral, não há sintomas sistêmicos.
LESÕES CUTÂNEAS Pápulas eritematosas ou placas urticariformes (Fig. 6-17); diminutas vesículas com teto firme, algumas vezes, hemorrágicas (Fig. 6-18); ocasionalmente, bolhas. As lesões estão distribuídas em grupos (daí a denominação *herpetiforme*). O ato de coçar resulta em escoriação e crostas (Fig. 6-18).

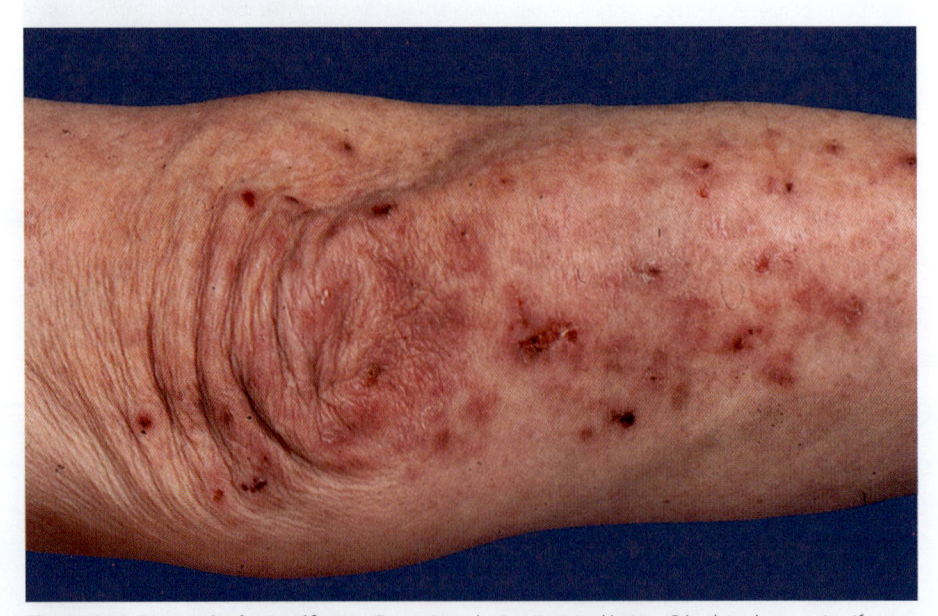

Figura 6-17 Dermatite herpetiforme Estas são as lesões iniciais clássicas. Pápulas, placas urticariformes, pequenas vesículas agrupadas com esfoliação e crostas no cotovelo de um paciente de 23 anos.

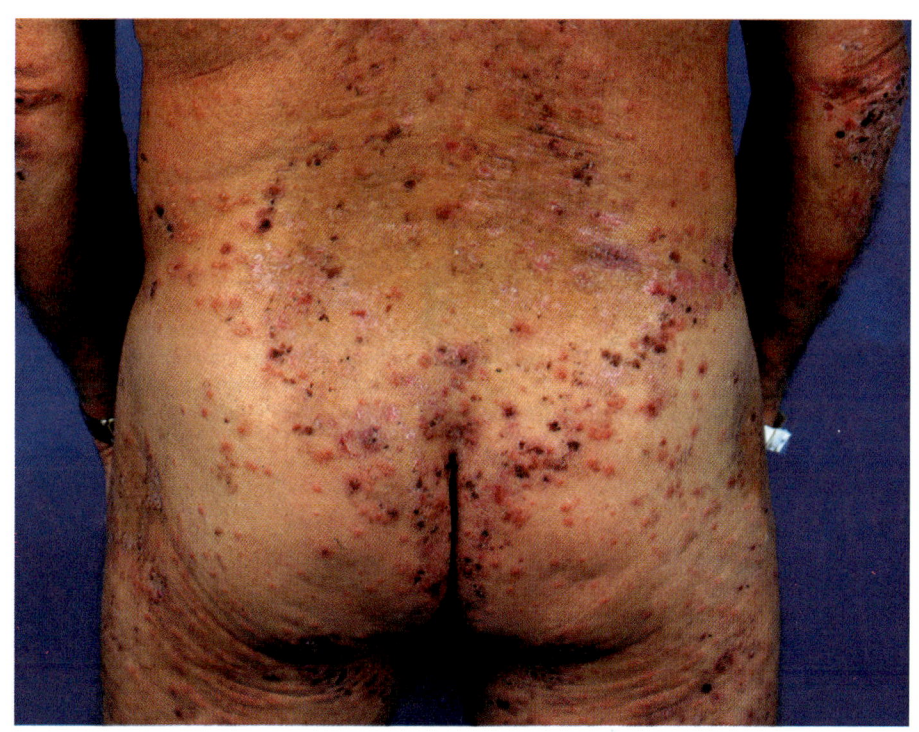

Figura 6-18 Dermatite herpetiforme Paciente do sexo masculino de 56 anos com erupção generalizada intensamente pruriginosa. O diagnóstico foi feito à primeira vista pela distribuição das lesões. Mais intensamente envolvidas estão as áreas glúteas e sacra (observar a distribuição em "asa de borboleta") e – não mostrados na fotografia – joelhos, cotovelos e região escapular. À inspeção mais detalhada, foram observados grupos de pápulas, pequenas vesículas, crostas e erosões sobre base eritematosa. Também se observaram hipo e hiperpigmentações pós-inflamatórias.

Hiper ou hipopigmentação pós-inflamatória nos locais de lesões cicatrizadas.
Locais preferenciais. Típicos e quase diagnósticos: Áreas de extensão – cotovelos (Fig. 6-18), joelhos. Rigidamente simétricas. Nádegas, regiões escapular e sacra (Figs. 6-18 e 6-19). Aqui, frequentemente com padrão em "asa de borboleta". Couro cabeludo, face e linha de implantação dos cabelos.

EXAMES LABORATORIAIS

IMUNOGENÉTICA Associação com HLA-B8, HLA-DR e HLA-DQ.
DERMATOPATOLOGIA Indica-se biópsia de pápula eritematosa recente. Microabscessos (leucócitos polimorfonucleares e eosinófilos) no topo das papilas dérmicas. Infiltração da derme por neutrófilos e eosinófilos. *Vesícula subepidérmica.*
IMUNOFLUORESCÊNCIA Na pele *perilesional*, melhor local são as nádegas. Depósitos granulares de IgA no topo das papilas. Diagnóstica. Também se encontram C3 e C5, além de componentes da via alternativa do complemento.

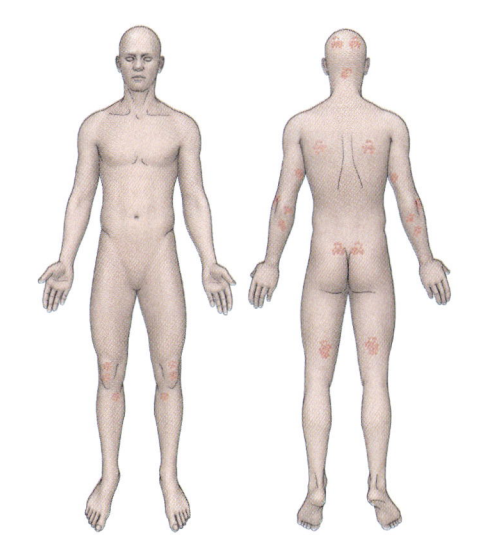

Figura 6-19 Dermatite herpetiforme Padrão de distribuição.

AUTOANTICORPOS CIRCULANTES Podem estar presentes anticorpos dos tipos IgA e IgG contra reticulina, anticorpos antimicrossomais tireoidianos e fatores antinucleares. Imunocomplexos putativos em 20 a 40% dos pacientes. Anticorpos IgA ligados à substância intermiofibrilar dos músculos lisos (*anticorpos antiendomísio*) estão presentes na maioria dos pacientes, com especificidade para Tgs.

OUTROS EXAMES Esteatorreia (20 a 30%) e absorção anormal de D-xilose (10 a 73%). Anemia secundária à deficiência de ferro ou de folato. *Endoscopia do intestino delgado*: apagamento e achatamento das vilosidades (80 a 90%) do intestino delgado, assim como na doença celíaca. As lesões são focais; a confirmação é feita com biópsia de intestino delgado.

DIAGNÓSTICO E DIAGNÓSTICO DIFERENCIAL

Papulovesículas agrupadas nos locais preferenciais da doença, acompanhadas por prurido intenso, são altamente sugestivas. A biópsia em geral firma o diagnóstico, mas a detecção por IF de depósitos de IgA na pele perilesional é a melhor evidência para a confirmação. O diagnóstico diferencial deve ser feito com dermatite de contato alérgica, dermatite atópica, escabiose, escoriações neuróticas, urticária papular e doença bolhosa autoimune (ver Quadro 6-3).

EVOLUÇÃO

Prolongada, por muitos anos, com um terço dos pacientes apresentando remissão espontânea.

TRATAMENTO

TERAPIA SISTÊMICA **Dapsona.** 100 a 150 mg, diariamente, com redução gradual até 50 mg, duas vezes por semana. Resposta impressionante, frequentemente em horas. Há indicação para dosagem da glicose-6-fosfato desidrogenase antes de se iniciar o tratamento com sulfona; dosagem de metemoglobina nas primeiras 2 semanas e acompanhamento cuidadoso das contagens de células sanguíneas.
Sulfapiridina. 1 a 1,5 g/dia, com oferta abundante de líquidos, caso a dapsona esteja contraindicada ou não seja tolerada. Monitorar a presença de cilindros na urina e a função renal.
DIETA Uma dieta sem glúten *talvez* suprima a doença ou permita a redução da dose da dapsona ou sulfapiridina, mas a resposta é muito lenta.

DERMATOSE POR IgA LINEAR (DAL) CID-10: L13.8

- Doença cutânea bolhosa subepidérmica rara, imunomediada, definida pela presença de depósitos lineares homogêneos de IgA na zona da membrana basal cutânea (**Fig. 6-1**).
- Não associada à ESG.
- A DAL, na maioria das vezes, ocorre após a puberdade. No entanto, ela é idêntica à *doença bolhosa crônica da infância* (DBCI), que é uma doença bolhosa rara que ocorre predominantemente em crianças com < 5 anos.
- Clinicamente semelhante à DH, mas as bolhas são mais numerosas. Os pacientes apresentam pápulas, vesículas e bolhas dispostas em forma de anel ou agrupadas, simetricamente distribuídas no tronco e nos membros (**Figs. 6-20** e **6-21**). Muito pruriginosas, mas com prurido menos intenso que a DH.
- O envolvimento das mucosas varia de erosões e úlceras assintomáticas na mucosa oral até doença oral grave, isolada ou associada a envolvimento cutâneo grave generalizado semelhante ao que ocorre no penfigoide cicatricial.
- Foram detectados vários autoanticorpos circulantes dirigidos contra vários antígenos da membrana basal epidérmica.
- A DAL tem sido associada a fármacos: vancomicina, lítio, fenitoína, sulfametoxazol/trimetoprima, furosemida, captopril, diclofenaco e outros.
- Baixo risco de doença maligna linfoide, e há relatos de associação à colite ulcerativa.
- *Tratamento:* os pacientes respondem à dapsona ou à sulfapiridina, mas a maioria requer também o uso de prednisona em doses baixas. *Os pacientes não respondem à dieta sem glúten.*

Figura 6-20 Dermatose por IgA linear
Múltiplas vesículas, bolhas e crostas confluentes e agrupadas sobre base urticariforme e eritematosa. O paciente também apresentava lesões semelhantes no tronco e nos membros superiores.

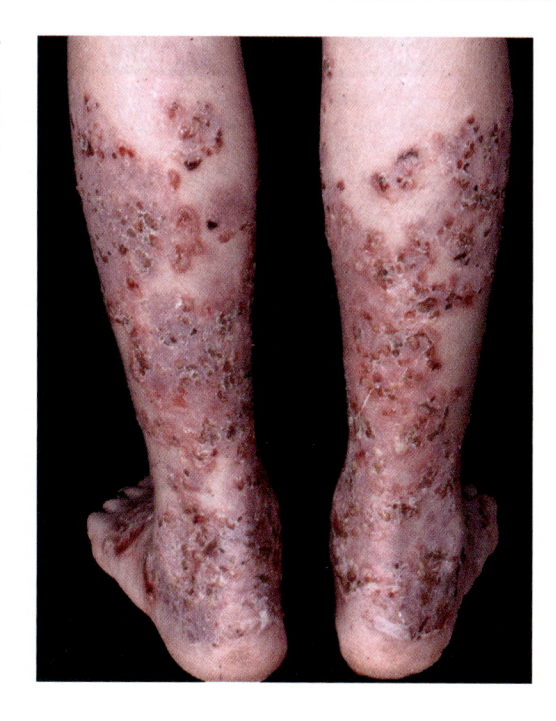

Figura 6-21 Dermatose por IgA linear (doença bolhosa crônica da infância) Bolhas extensivas nos membros superiores e tronco em uma criança de 7 anos. Observação: Há bolhas tanto tensas quanto flácidas. Estão agrupadas e não há inflamação perceptível.

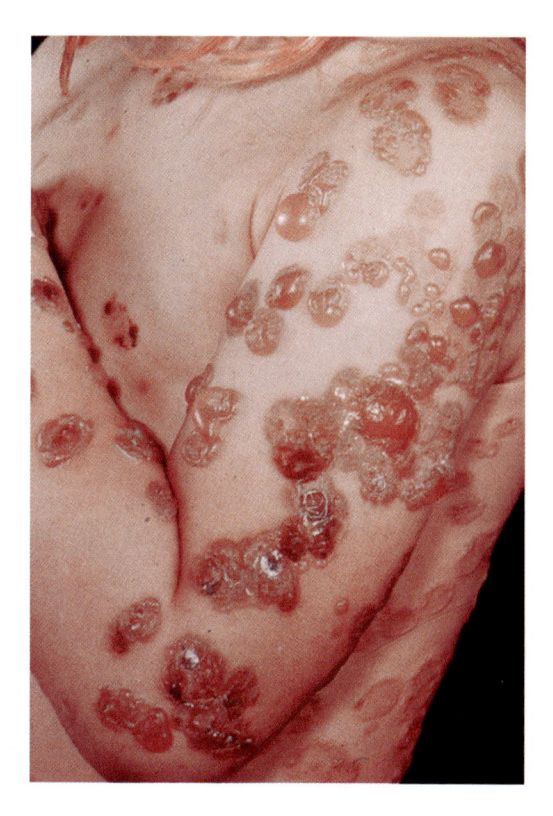

EPIDERMÓLISE BOLHOSA ADQUIRIDA (EBA) CID-10: L12.3

- Doença bolhosa subepidérmica crônica associada à autoimunidade contra o colágeno tipo VII no interior de fibrilas de ancoragem na zona da membrana basal (ver **Fig. 6-1**).
- Quatro tipos: A *apresentação mecanobolhosa clássica* é uma erupção bolhosa não inflamatória com distribuição acral que melhora produzindo cicatrizes e mília. Trata-se de doença mecanobolhosa caracterizada por fragilidade da pele. Cicatrizes em áreas sujeitas a trauma, como dorso das mãos, regiões interfalangeanas, cotovelos, joelhos, região sacra e pododáctilos. Semelhante à porfiria cutânea tardia (ver Seção 10) ou à epidermólise bolhosa hereditária.
- *Apresentação semelhante à do penfigoide bolhoso:* Erupção vesiculobolhosa inflamatória disseminada, associada a lesões cutâneas eritematosas ou urticariformes, envolvendo tronco, dobras cutâneas e membros (**Fig. 6-22**).
- *Apresentação semelhante à do penfigoide cicatricial* com envolvimento importante de mucosas – erosões e cicatrizes em boca, esôfago, conjuntiva, ânus e vagina.
- *Na apresentação semelhante à da dermatose bolhosa por IgA linear,* há vesículas dispostas em anel, reminiscentes de dermatose bolhosa por IgA linear, DH ou DBCI.
- Histopatologia: Bolhas subepidérmicas.
- Imunopatologia: IgG linear (mais IgA, IgM, fator B e properdina) na junção dermoepidérmica.
- Anticorpos circulantes ligam-se à banda de 290 kDa no *Western blot* contendo colágeno do tipo VII. ELISA específico para anticorpos contra o colágeno tipo VII.
- Tratamento: Difícil. Na forma mecanobolhosa, os pacientes são refratários ao tratamento com doses sistêmicas elevadas de glicocorticoides, azatioprina, metotrexato e ciclofosfamida, os quais têm alguma utilidade na forma inflamatória da doença semelhante ao PB. Alguns pacientes com EBA melhoram com dapsona e doses altas de colchicina. Terapia de suporte.

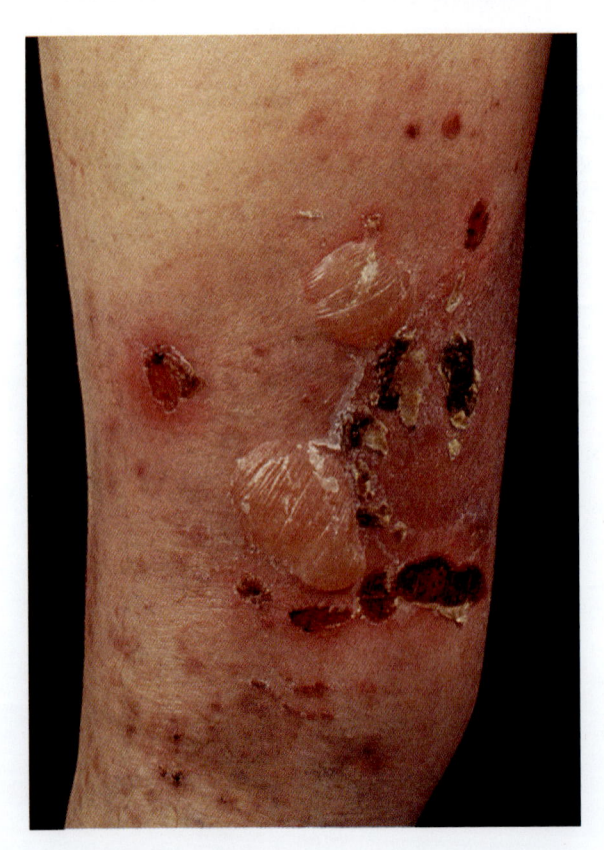

Figura 6-22 Epidermólise bolhosa adquirida Esta é a apresentação semelhante ao penfigoide bolhoso, com bolhas tensas, erosões e crostas sobre base eritematosa. Também se observa pigmentação pós-inflamatória causada por bolhas prévias.

SEÇÃO 7

DOENÇAS MEDIADAS POR NEUTRÓFILOS

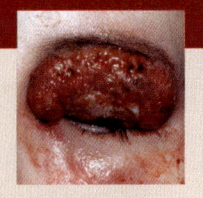

PIODERMA GANGRENOSO (PG) CID-10: L88

- O PG é uma doença cutânea idiopática gravemente debilitante, aguda ou crônica.
- Caracteriza-se por infiltrados neutrofílicos, destruição dos tecidos e ulceração.
- Ocorre mais comumente em associação a alguma doença sistêmica, particularmente artrite, doença inflamatória intestinal, discrasias hematológicas e neoplasia maligna, mas também pode ocorrer isoladamente.
- Caracteriza-se pela presença de úlceras violáceas, dolorosas, exsudativas e irregulares, com bordas solapadas (subminadas) e bases necróticas purulentas.
- Não há exame laboratorial que estabeleça o diagnóstico.
- A base do tratamento consiste em agentes imunossupressores ou imunomoduladores.
- Ocorrem recidivas na maioria dos pacientes, e a morbidade é significativa.

EPIDEMIOLOGIA

Doença rara, de prevalência desconhecida. Todos os grupos etários são acometidos, com pico de incidência entre 40 e 60 anos de idade. Ligeiro predomínio nas mulheres.

ETIOLOGIA E PATOGÊNESE

A etiologia é desconhecida. Apesar de ser conhecida como pioderma, a doença não tem etiologia microbiana. O PG é classificado entre as dermatoses neutrofílicas, devido aos infiltrados neutrofílicos maciços observados na pele. Ele pode pertencer ao espectro de doenças autoinflamatórias.

MANIFESTAÇÕES CLÍNICAS

TRÊS TIPOS DE DOENÇA: **Agudo**. Início agudo com pústula hemorrágica ou nódulo dolorosos, *de novo* ou após traumatismo. *Observa-se o fenômeno de patergia*, em que uma picada de agulha, picada de inseto, biópsia ou outro traumatismo mínimo são capazes de desencadear uma lesão. **Crônico**. Progressão lenta com granulação e hiperceratose. Menos doloroso. **Bolhoso**. Bolhas verdadeiras frequentemente hemorrágicas e associadas à doença hematológica.

LESÕES CUTÂNEAS Tipo agudo. Pústula hemorrágica superficial circundada por um halo eritematoso; muito dolorosa (Fig. 7-1). Ocorre ruptura, com formação de úlcera, cujas bordas são vermelho-escuras ou purpúreas, irregulares e elevadas, solapadas, exsudativas, com perfurações que drenam pus (Fig. 7-2). A base da úlcera é purulenta, com exsudato hemorrágico, parcialmente recoberta por uma escara necrótica (Fig. 7-3), com ou sem tecido de granulação. Presença de pústulas tanto na borda em expansão quanto na base da úlcera; ocorre um halo de eritema, que se espalha em direção centrífuga na borda da úlcera em expansão (Fig. 7-3). **Tipo crônico**. As lesões podem evoluir lentamente, alcançando grandes áreas do corpo e exibindo granulação maciça dentro da úlcera desde o início (Fig. 7-4) e formação de crostas, e até mesmo hiperceratose, nas margens (Fig. 7-5). As lesões são habitualmente solitárias, mas podem ser múltiplas e formar grupos que coalescem. Locais mais comuns: Membros inferiores (Figs. 7-2 e 7-5) > nádegas > abdome (Fig. 7-3) > face (Fig. 7-4). A regressão das úlceras resulta na formação de cicatrizes cribriformes atróficas finas. **Tipo bolhoso**. Bolhas desde o início, que são frequentemente hemorrágicas, seguidas de ulceração.

MUCOSAS Raramente, surgem lesões semelhantes à estomatite aftosa; muito raramente ulceração intensa da mucosa oral e das conjuntivas.

Exame clínico geral

O paciente parece doente.

Doenças sistêmicas associadas

Até 50% dos casos ocorrem sem doença associada. Os casos restantes estão associados à artrite, doença do intestino grosso e intestino delgado (doença de Crohn e colite ulcerativa), diverticulose (diverticulite), paraproteinemia e mieloma, leucemia, hepatite crônica ativa e doença de Behçet (que também é uma doença com patergia).

EXAMES LABORATORIAIS

Não há exame diagnóstico isolado.
VHS Apresenta valores elevados variáveis.

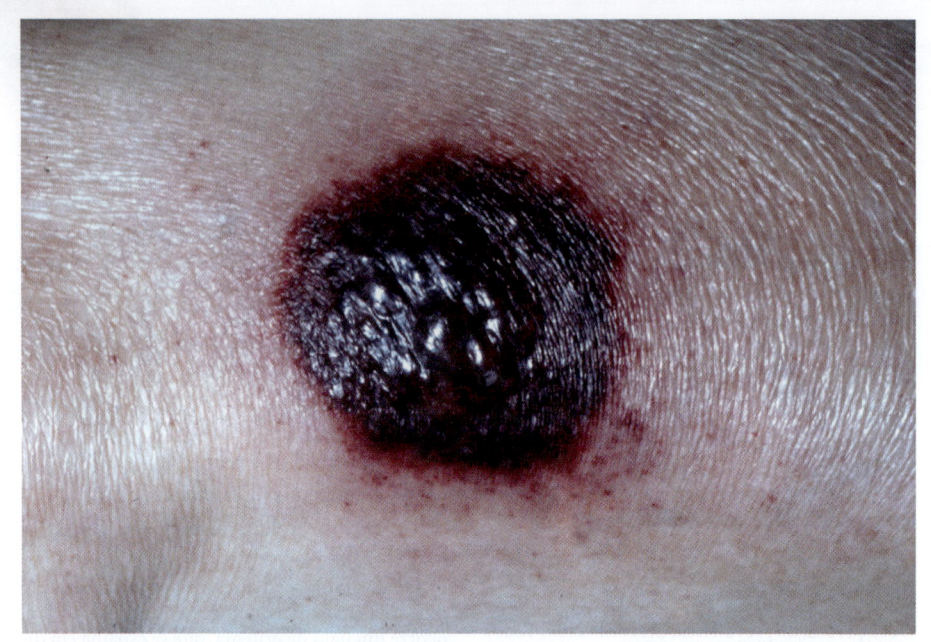

Figura 7-1 Pioderma gangrenoso A lesão inicial consiste em uma pústula não folicular hemorrágica de rápido crescimento, circundada por um halo eritematoso e muito dolorosa.

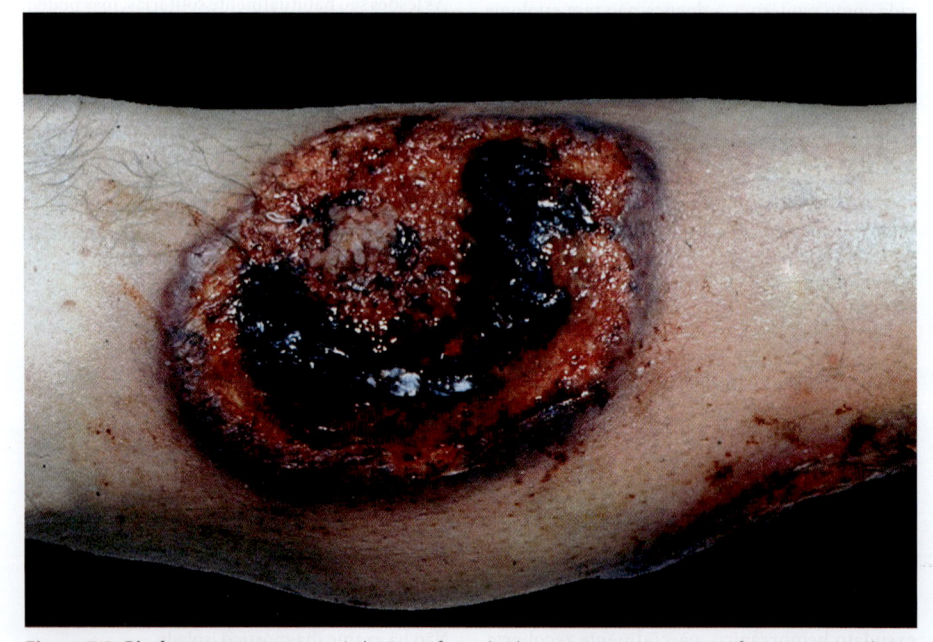

Figura 7-2 Pioderma gangrenoso As lesões sofrem rápida ruptura no centro e transformam-se em úlceras exsudativas, hemorrágicas e purulentas.

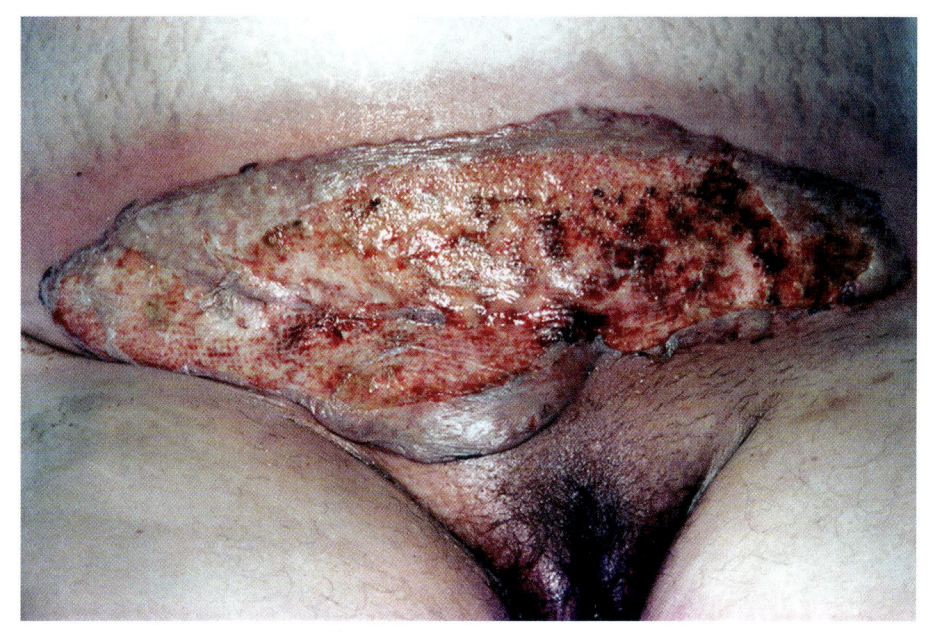

Figura 7-3 Pioderma gangrenoso Úlcera muito grande com bordas bolhosas, elevadas e solapadas, coberta por exsudato hemorrágico e fibrinoso. Há eritema circundando as bordas em expansão da lesão. Quando as bolhas são rompidas, há drenagem de pus. Essa lesão surgiu subitamente e se espalhou com rapidez após laparotomia para carcinoma de ovário.

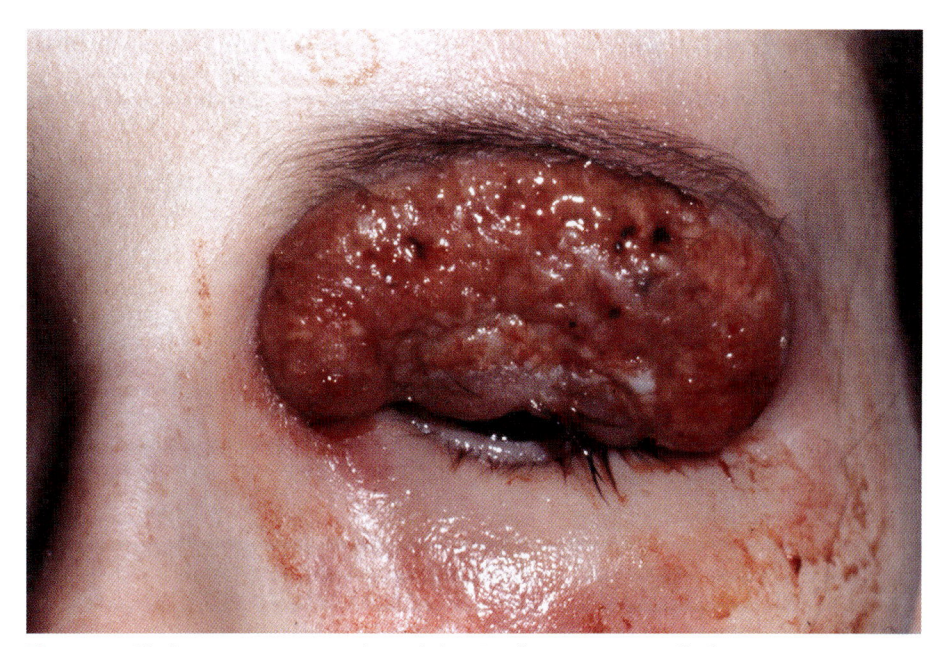

Figura 7-4 Pioderma gangrenoso: tipo crônico Essa lesão acomete a pálpebra superior e representa uma úlcera com base granular elevada e múltiplos abscessos. Em seguida, essa lesão aumentou lentamente, envolvendo também as regiões temporal e zigomática. Por fim, cicatrizou após tratamento com glicocorticoides sistêmicos, deixando uma cicatriz cribriforme fina, que não comprometeu a função da pálpebra.

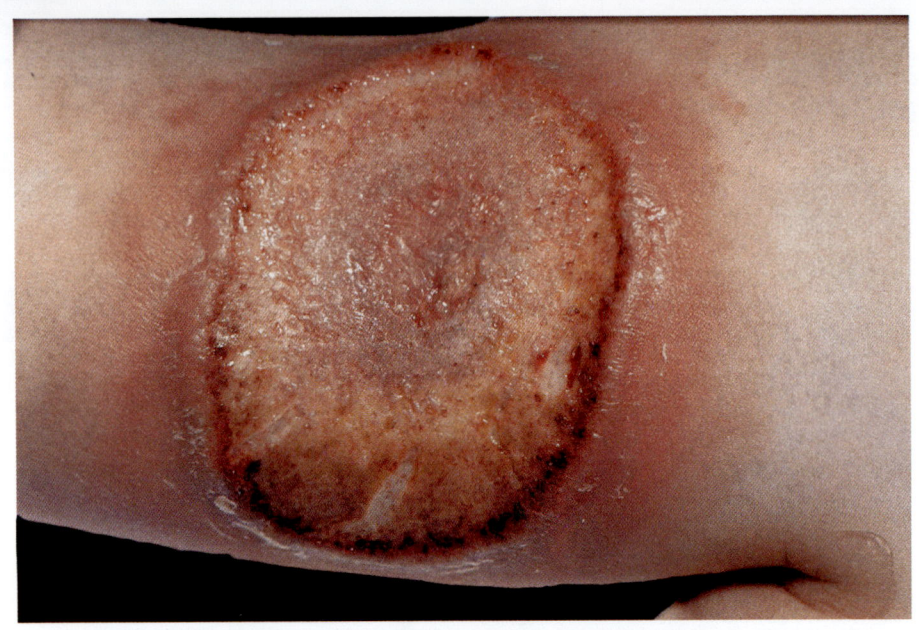

Figura 7-5 Pioderma gangrenoso: tipo crônico Essa lesão, que se assemelha a uma placa, espalhou-se lentamente, mas também estava circundada por uma borda eritematosa. A lesão é crostosa e hiperceratótica, e menos dolorosa do que as lesões do pioderma gangrenoso agudo.

DERMATOPATOLOGIA Não é diagnóstica. Inflamação neutrofílica com formação de abscessos e necrose.

DIAGNÓSTICO E DIAGNÓSTICO DIFERENCIAL

Manifestações clínicas, história e evolução; diagnóstico confirmado pela dermatopatologia compatível. Diagnóstico diferencial: Ectima e ectima gangrenoso, infecção micobacteriana atípica, infecção por *Clostridium*, micoses profundas, amebíase, leishmaniose, bromoderma, pênfigo vegetante, úlceras de estase, vasculite granulomatosa.

EVOLUÇÃO E PROGNÓSTICO

Se não for tratada, a evolução pode se estender por vários meses a anos, mas também pode ocorrer regressão espontânea. A ulceração pode estender-se rapidamente em poucos dias ou lentamente. Ocorre cicatrização central, com extensão periférica. Novas úlceras podem surgir à medida que as antigas regridem. Patergia.

TRATAMENTO

COM DOENÇA SUBJACENTE ASSOCIADA Tratar a doença subjacente.
TRATAMENTO SISTÊMICO Podem ser necessárias doses altas de glicocorticoides orais ou pulsoterapia com glicocorticoides IV (1 a 2 g/dia de prednisolona). Sulfassalazina (particularmente nos casos associados à doença de Crohn), sulfonas, ciclosporina e, mais recentemente, infliximabe, etanercepte, adalimumabe.
TÓPICO Para lesões pequenas singulares, pomada de tacrolimo tópico ou triancinolona intralesional.

SÍNDROME DO *BYPASS* INTESTINAL (SÍNDROME DE DERMATOSE-ARTRITE ASSOCIADA AO INTESTINO) CID-10: L98.8

- Associada com cirurgia intestinal para obesidade ou doença inflamatória intestinal.
- Manifestações do tipo doença do soro. Pápulas eritematosas ou purpúreas, vesicopústulas e nódulos subcutâneos.
- Associação com poliartrite e tenossinovite.

SÍNDROME DE SWEET (SS) CID-10: L98.2

- Reação cutânea induzida por citocinas, aguda e recidivante, de ocorrência rara, associada a diversas etiologias.
- Pápulas inflamatórias dolorosas que formam placas, frequentemente com exsudação intensa, produzindo o aspecto de vesiculação (pseudovesiculação).
- Acompanhada de febre, artralgia e leucocitose periférica.
- Associada a infecções, neoplasias malignas ou fármacos.
- Tratamento: Glicocorticoides sistêmicos, iodeto de potássio, dapsona ou colchicina.
- *Sinônimo*: dermatose neutrofílica febril aguda.

EPIDEMIOLOGIA E ETIOLOGIA

IDADE DE INÍCIO Mais frequentemente em indivíduos de 30 a 60 anos de idade.
SEXO Mulheres > homens.
ETIOLOGIA Desconhecida, possivelmente reação de hipersensibilidade. Pertence ao grupo de dermatoses neutrofílicas e possivelmente ao espectro de doenças autoinflamatórias.
DOENÇAS ASSOCIADAS Infecção febril das vias respiratórias superiores. Em alguns casos, associada à infecção por *Yersinia*. Neoplasia maligna hematológica; fármacos: fator estimulador de colônias granulocíticas (G-CSF) e outros.

MANIFESTAÇÕES CLÍNICAS

Os pródromos consistem em infecções febris das vias respiratórias superiores. Sintomas gastrintestinais (diarreia), tonsilite, doença semelhante à *influenza*, 1 a 3 semanas antes do aparecimento das lesões cutâneas. Lesões sensíveis/dolorosas. Febre (nem sempre presente), cefaleia, artralgia, mal-estar geral.
LESÕES CUTÂNEAS Pápulas vermelho-vivo, lisas e sensíveis (2 a 4 mm de diâmetro), que coalescem, formando placas inflamatórias irregulares com bordas bem demarcadas (Fig. 7-6A). Pseudovesiculação: O edema intenso confere o aspecto de vesiculação (Figs. 7-6A e 7-7A). As lesões surgem rapidamente e, à medida que evoluem, o clareamento central pode levar a padrões anulares ou arqueados. Podem ocorrer pústulas superficiais minúsculas. Pode manifestar-se como lesão solitária ou com múltiplas lesões de distribuição assimétrica ou simétrica. Ocorrem mais comumente na face (Fig. 7-6A), na região cervical (Fig. 7-6B) e nos membros superiores, mas também podem acometer os membros inferiores, onde as lesões podem ter localização profunda no tecido adiposo, simulando, assim, a paniculite. As lesões no tronco são raras, mas ocorrem formas disseminadas e generalizadas. Se estiverem associadas à leucemia, podem ocorrer lesões bolhosas (Fig. 7-7B), e as lesões podem simular a PG bolhosa.
MUCOSAS ± Conjuntivite, episclerite.

Exame clínico geral

O paciente pode parecer doente. Pode haver comprometimento cardiovascular, do sistema nervoso central, gastrintestinal, hepático, musculoesquelético, ocular, pulmonar, renal e esplênico.

EXAMES LABORATORIAIS

HEMOGRAMA COMPLETO Leucocitose com neutrofilia (nem sempre presente).
VHS Elevada.
DERMATOPATOLOGIA É diagnóstica. A epiderme está habitualmente normal, algumas vezes com pustulação subcórnea. Edema maciço das papilas dérmicas, infiltrado leucocitário denso com padrão em "explosão estelar" nas camadas intermediárias da derme, consistindo em neutrófilos com alguns eosinófilos/células linfoides. Leucocitoclasia, poeira nuclear, porém, sem vasculite. ± Infiltrados neutrofílicos no tecido subcutâneo.

DIAGNÓSTICO E DIAGNÓSTICO DIFERENCIAL

Impressão clínica e histopatologia.
DIAGNÓSTICO DIFERENCIAL Eritema multiforme, eritema nodoso, infecção por herpes simples pré-vesicular, PG pré-ulcerativo.

EVOLUÇÃO E PROGNÓSTICO

Sem tratamento, as lesões crescem no decorrer de um período de poucos dias ou semanas e, por fim, regridem sem deixar cicatrizes. Ocorrem recidivas em 50% dos pacientes, frequentemente em áreas anteriormente acometidas. Alguns casos ocorrem após infecção por *Yersinia* ou estão associados a leucemia mielocítica aguda, proliferação mieloide transitória, vários tumores malignos, colite ulcerativa, gamopatia monoclonal benigna; alguns casos surgem após a administração de fármacos, mais comumente G-CSF.

TRATAMENTO

Excluir a possibilidade de sepse.
PREDNISONA 30 a 50 mg/dia, com redução gradual em 2 a 3 semanas; as lesões regridem em poucos dias; alguns pacientes, mas nem todos, respondem à dapsona, 100 mg/dia, ou ao iodeto de potássio. Alguns casos respondem à colchicina.
ANTIBIOTICOTERAPIA Regressão da erupção nos casos associados a *Yersinia*; em todos os demais casos, os antibióticos não são efetivos.

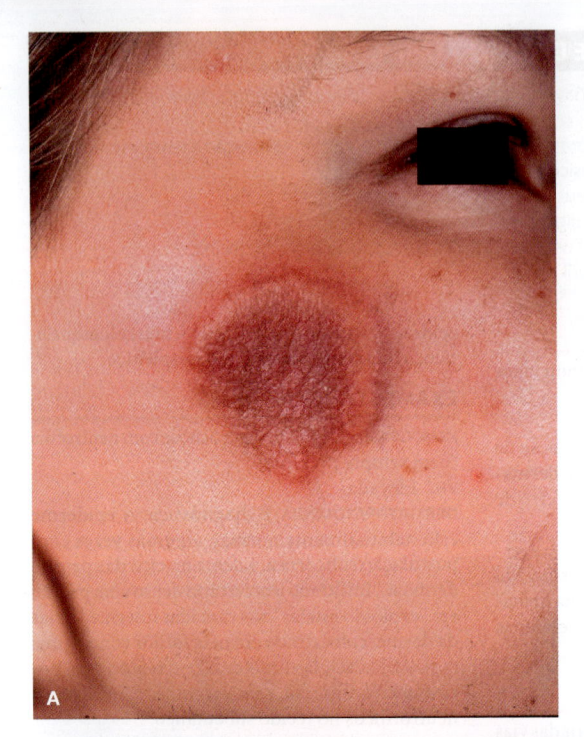

Figura 7-6 Síndrome de Sweet (A) Placa eritematosa e edemaciada, que se formou em consequência da coalescência das pápulas na região malar direita. A borda da placa aparece como se fosse constituída de vesículas, porém, a palpação revela que ela é sólida (pseudovesiculação). Essa lesão surgiu em uma mulher de 26 anos, após infecção das vias respiratórias superiores, e a paciente também apresentou febre e leucocitose. **(B)** Erupção mais exantemática em uma mulher de 23 anos. São observadas múltiplas pápulas inflamatórias, muito exsudativas e coalescentes na região cervical, com aparência de lesão urticariforme. Essa paciente também apresentou leucocitose e febre.

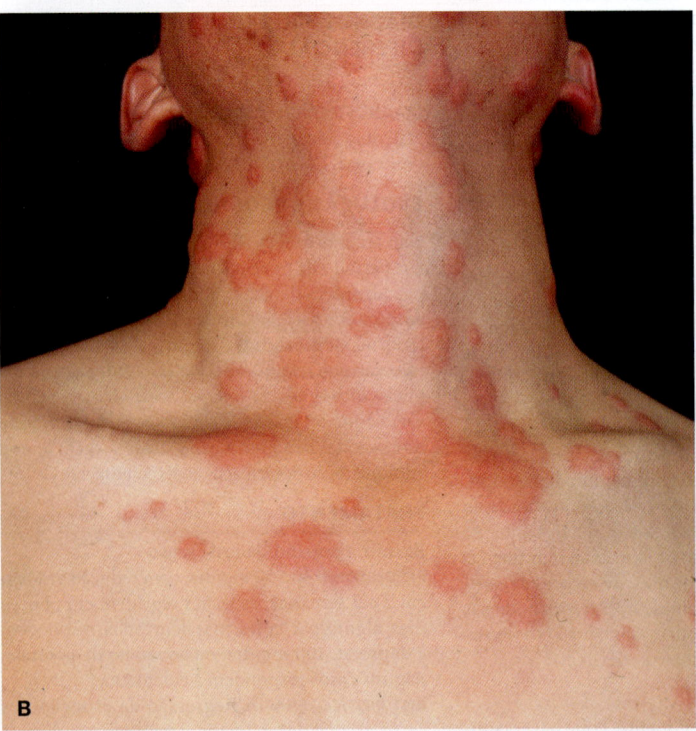

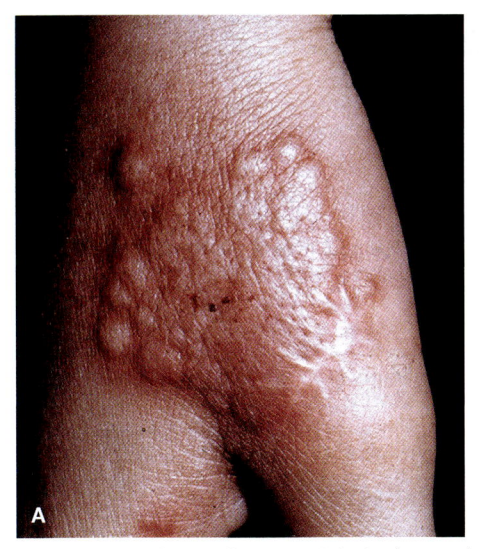

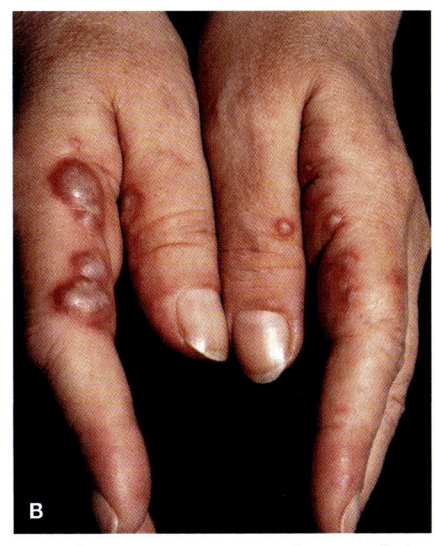

Figura 7-7 Síndrome de Sweet (A) Pápulas exsudativas coalescentes, que se assemelham a vesículas. À palpação, as lesões eram sólidas. **(B)** Síndrome de Sweet, tipo bolhoso. São observadas bolhas verdadeiras e pústulas. A paciente tinha leucemia mielomonocítica.

GRANULOMA FACIAL (GF) CID-10: L92.2

- Doença inflamatória localizada e rara, de etiologia desconhecida, caracterizada, clinicamente, por pápulas ou pequenas placas castanho-avermelhadas, principalmente na face.
- Lesões solitárias ou múltiplas, com superfície característica semelhante a uma casca de laranja (**Fig. 7-8**).
- Histologicamente, ocorrem vasculite leucocitoclástica crônica com eosinófilos, depósito de fibrina e fibrose.
- Tratamento: glicocorticoides tópicos; dapsona.

Figura 7-8 Granuloma facial: apresentação clássica Placa solitária, nitidamente demarcada e marrom, com superfície característica semelhante a uma casca de laranja.

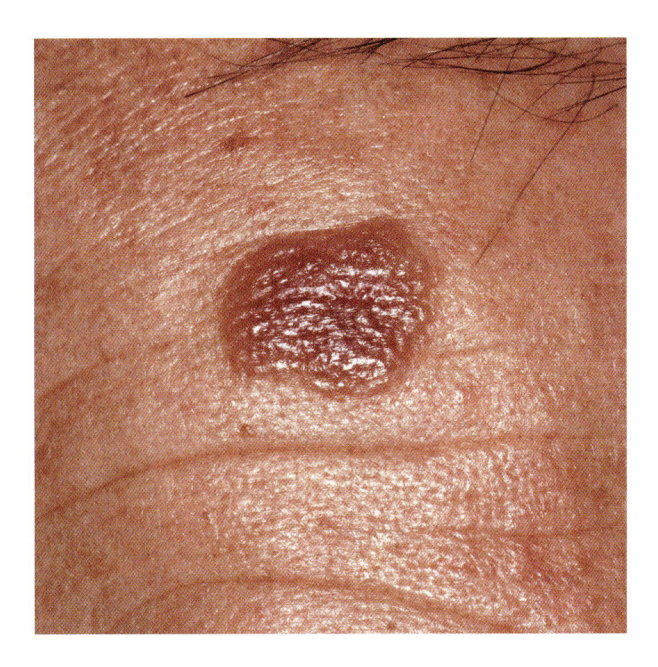

SÍNDROME DO ERITEMA NODOSO (EN) CID-10: L52

- O EN é um padrão de reação inflamatória/imunológica aguda, comum e importante da gordura subcutânea.
- Caracteriza-se pelo aparecimento de nódulos dolorosos nas pernas.
- As lesões são vermelho-vivo e planas, porém são nodulares à palpação.
- Com frequência, ocorrem febre e artrite.
- Etiologias múltiplas e diversas.

Trata-se do tipo mais comum de paniculite, com pico de incidência entre 20 e 30 anos de idade, embora qualquer idade possa ser acometida. É de 3 a 6 vezes mais comum nas mulheres do que nos homens.

ETIOLOGIA O EN é um padrão de reação cutânea a vários agentes etiológicos. Incluem: infecções, fármacos e outras doenças inflamatórias/granulomatosas, notavelmente a sarcoidose (Quadro 7-1).

MANIFESTAÇÕES CLÍNICAS

Lesões dolorosas e sensíveis, habitualmente de poucos dias de duração, acompanhadas de febre, mal-estar e artralgia (50%), mais frequentemente das articulações do tornozelo. Outros sintomas dependem da etiologia.

LESÕES CUTÂNEAS Nódulos endurecidos e muito sensíveis (3 a 20 cm), pouco demarcados (Fig. 7-9), de localização profunda na gordura subcutânea, principalmente na superfície anterior das pernas; bilaterais, mas não simétricos. Os nódulos são vermelho-vivo a vermelho-escuros e são detectados apenas à palpação. O termo *eritema nodoso* descreve com mais precisão as lesões cutâneas: *assemelham-se ao eritema, mas são palpáveis como nódulos* (Fig. 7-9). As lesões são ovais, arredondadas e arciformes; à medida que envelhecem, tornam-se violáceas, acastanhadas, amareladas, esverdeadas, lembrando hematomas em processo de resolução. As lesões também podem ocorrer nos joelhos e nos braços, porém, apenas raramente na face e na região cervical.

EXAMES LABORATORIAIS

HEMATOLOGIA Elevação da VHS e da proteína C-reativa; leucocitose.

CULTURA PARA BACTÉRIAS Cultura de amostras de garganta para estreptococos β-hemolíticos do grupo A, de amostras de fezes para *Yersinia*.

EXAMES DE IMAGEM A radiografia de tórax e a cintilografia com gálio são importantes para excluir a sarcoidose.

DERMATOPATOLOGIA Inflamação aguda (polimorfonuclear) e crônica (granulomatosa) do panículo subcutâneo, ao redor dos vasos nos septos e gordura adjacente. O EN é uma paniculite septal.

QUADRO 7-1 Causas do eritema nodoso[a]

Infecções	Outras causas
Bacterianas Infecções estreptocócicas; tuberculose, yersinose Outras: *Salmonella, Campylobacter, Shigella,* brucelose, psitacose, *Mycoplasma*	**Fármacos** Sulfonamidas; brometos e iodetos Anticoncepcionais orais Outros: minociclina, sais de ouro, penicilina, salicilatos
Fúngicas Coccidioidomicose, blastomicose, histoplasmose, esporotricose, dermatofitose	**Neoplasias malignas** Linfomas de Hodgkin e não Hodgkin, leucemia, carcinoma de células renais
Virais Mononucleose infecciosa, hepatite B, vírus orf, herpes simples	**Outras** Sarcoidose Doença inflamatória intestinal: colite ulcerativa, doença de Crohn
Outras Amebíase, giardíase, ascaridíase	Doença de Behçet

[a]Para uma lista mais completa dos fatores etiológicos do EN, ver Aronson, I.K. et al., in Goldsmith, L.A., Katz, S.I., Gilchrest, B.A., Paller, A.S., Leffell, D.J., e Wolff, K. (eds.): *Fitzpatrick's Dermatology in General Medicine*, 8. ed. New York, McGraw-Hill, 2012.

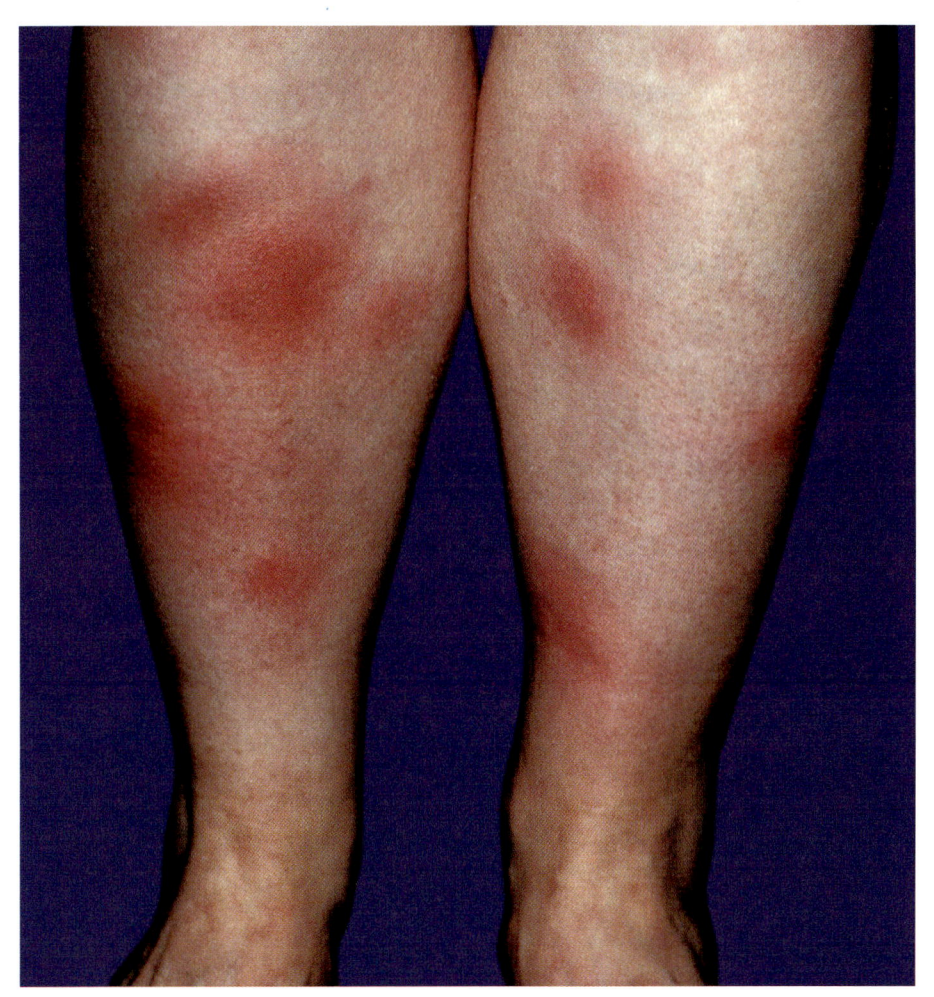

Figura 7-9 Eritema nodoso Nódulos inflamatórios endurecidos e sensíveis, localizados principalmente na região pré-tibial. Essas lesões aparecem como eritemas mal delimitados, porém são palpadas como nódulos de localização profunda, daí a sua designação de eritema nodoso. Nesta mulher de 49 anos, houve também febre e artrite das articulações do tornozelo, que ocorreram após infecção das vias respiratórias superiores. As culturas de amostra de orofaringe foram positivas para estreptococos β-hemolíticos.

EVOLUÇÃO

Ocorre regressão espontânea em 6 semanas, com erupção de lesões novas durante esse período. A evolução depende da etiologia. As lesões nunca se rompem ou ulceram e regridem sem deixar cicatrizes.

DIAGNÓSTICO E DIAGNÓSTICO DIFERENCIAL

O diagnóstico depende dos critérios clínicos e do exame histopatológico, se necessário. O diagnóstico diferencial inclui todas as outras formas de paniculite, poliarterite nodosa, vasculite nodular, mixedema pré-tibial, goma não ulcerada e linfoma.

MANEJO

SINTOMÁTICO Repouso no leito ou bandagens compressivas (pernas), curativos úmidos.
TRATAMENTO ANTI-INFLAMATÓRIO Salicilatos, anti-inflamatórios não esteroides. Glicocorticoides sistêmicos – a resposta é rápida, porém o seu uso está indicado somente se a etiologia for conhecida e os agentes infecciosos tiverem sido excluídos.

OUTRAS PANICULITES CID-10: M79.3

- Paniculite é o termo empregado para se descrever doenças nas quais o tecido subcutâneo constitui o foco principal da inflamação. Em geral, a paniculite manifesta-se na forma de nódulos eritematosos ou violáceos na gordura subcutânea, que podem ser sensíveis ou indolores, sofrer ulceração ou regredir sem deixar cicatrizes e ser macios ou duros à palpação. Por conseguinte, o termo *paniculite* descreve um amplo espectro de manifestações da doença.
- O diagnóstico acurado exige a realização de biópsia ampla e profunda da pele, que deve alcançar ou até mesmo ultrapassar a fáscia. As paniculites são classificadas histologicamente em lobulares ou septais; entretanto, muitas vezes, uma distinção clara entre as duas não é possível. O **Quadro 7-2** fornece uma classificação simplificada das paniculites.
- Aqui são discutidas de forma resumida apenas duas formas de paniculite.[1] Outras doenças onde ocorre paniculite são citadas no **Quadro 7-2**.
- A *paniculite pancreática* manifesta-se na forma de nódulos e placas eritematosos e dolorosos, que podem ser flutuantes e que ocorrem em qualquer local, com predileção pelo abdome, nádegas e pernas (**Fig. 7-10**). Frequentemente acompanhada de artrite e polisserosite. Associada à pancreatite ou ao carcinoma de pâncreas. Acomete indivíduos de meia-idade ou idosos, ocorre mais em homens do que em mulheres. História: alcoolismo, dor abdominal, perda de peso ou diabetes melito de início recente. A biópsia de pele revela paniculite lobular; uma gordura liquefeita pode drenar do local de biópsia. O exame clínico geral pode revelar derrame pleural, ascite e artrite, particularmente nos tornozelos. *Exames laboratoriais:* Eosinofilia, hiperlipasemia, hiperamilasemia e excreção aumentada de amilase e/ou lípase na urina. A fisiopatologia provavelmente consiste em decomposição da gordura subcutânea causada pelas enzimas pancreáticas liberadas na circulação. A evolução e o prognóstico dependem do tipo de doença pancreática. O tratamento é direcionado para o distúrbio pancreático subjacente.
- A *paniculite com deficiência de α_1-antitripsina* também se caracteriza por nódulos subcutâneos eritematosos, sensíveis e recidivantes, cujas dimensões variam de 1 a 5 cm. Localização predominante no tronco e nos segmentos proximais dos membros. Os nódulos rompem-se e liberam um líquido seroso ou oleoso claro. O diagnóstico é confirmado pela redução dos níveis séricos de α_1-antitripsina, e o tratamento consiste em dapsona oral, em doses de até 200 mg/dia. A infusão IV de concentrado do inibidor da α_1-proteinase humano demonstrou ser muito efetiva.

[1] O leitor também deve consultar Aronson, I.K. et al., in Goldsmith, L.A., Katz, S.I., Gilchrest, B.A., Paller, A.S., Leffell, D.J. e Wolff, K. (eds.): *Fitzpatrick's Dermatology in General Medicine*, 8. ed. New York, McGraw-Hill, 2012.

QUADRO 7-2 Classificação simplificada das paniculites

	Paniculite lobular	Paniculite septal
Neonatal	Esclerema neonatal, necrose da gordura subcutânea neonatal	
Física	Frio, traumatismo	
Fármacos	Paniculite pós-esteroides	Eritema nodoso
Idiopática		Fascite eosinofílica Síndrome de eosinofilia-mialgia
Paniculite induzida por infecção	Causada por numerosos agentes infecciosos: bactérias, fungos, vírus e parasitas	
Pancreática	Com pancreatite ou carcinoma de pâncreas	
Paniculite com outras doenças sistêmicas	Lúpus eritematoso; sarcoidose, linfoma, paniculite citofágica histiocítica	Esclerodermia
Com vasculite	Vasculite nodular	
Deficiência metabólica	Deficiência de α_1-antitripsina	Lipodermatoesclerose (ver Seção 17) Tromboflebite, poliarterite nodosa

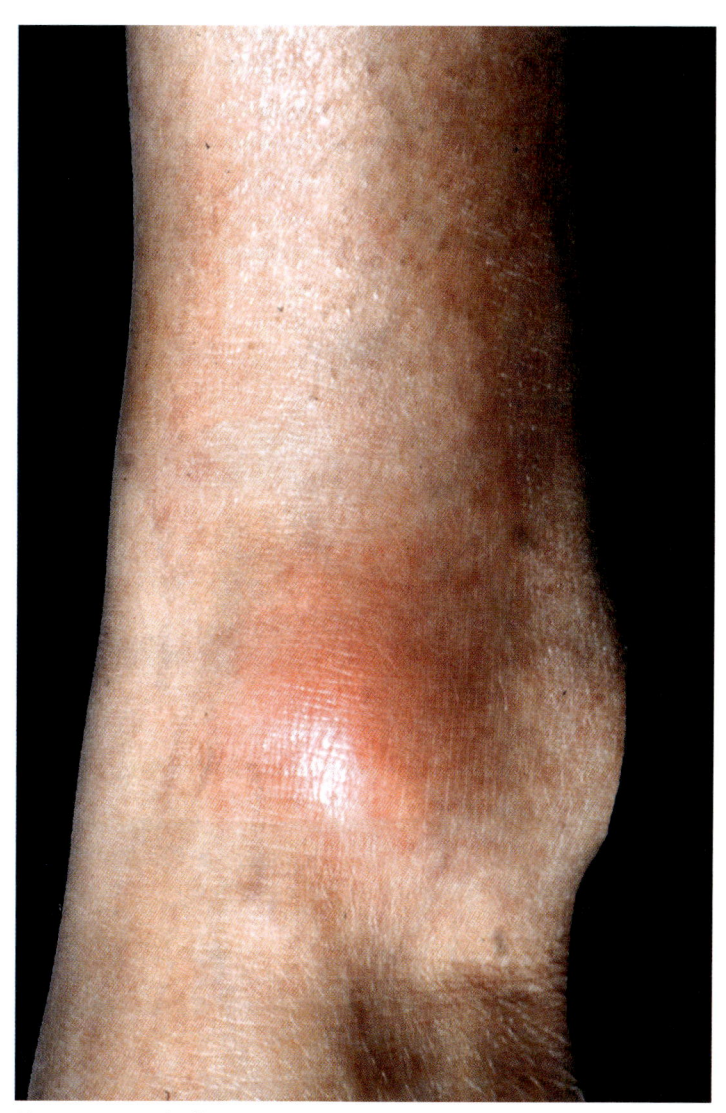

Figura 7-10 Paniculite pancreática Há um nódulo eritematoso e doloroso que flutua na região ventral maleolar, mas foram também encontradas lesões semelhantes no tronco e nas nádegas.

PERNIOSE (ERITEMA PÉRNIO) CID-10: L53.8

- Lesões inflamatórias localizadas, causadas pela exposição contínua ao frio (**Fig. 7-11**).
- Mais comum em crianças, e em mulheres com baixo índice de massa corporal.
- Áreas isoladas ou múltiplas de queimação e edema eritematoso ou violáceo na porção proximal dos dedos das mãos, dedos dos pés, calcanhares, nariz e orelhas; também pode ocorrer em panturrilhas e coxas (p. ex., costuma ser visto em ciclistas ou cavaleiros).
- Ocorre resolução em 2 a 3 semanas.
- Tratamento e profilaxia: roupas quentes e frouxas.

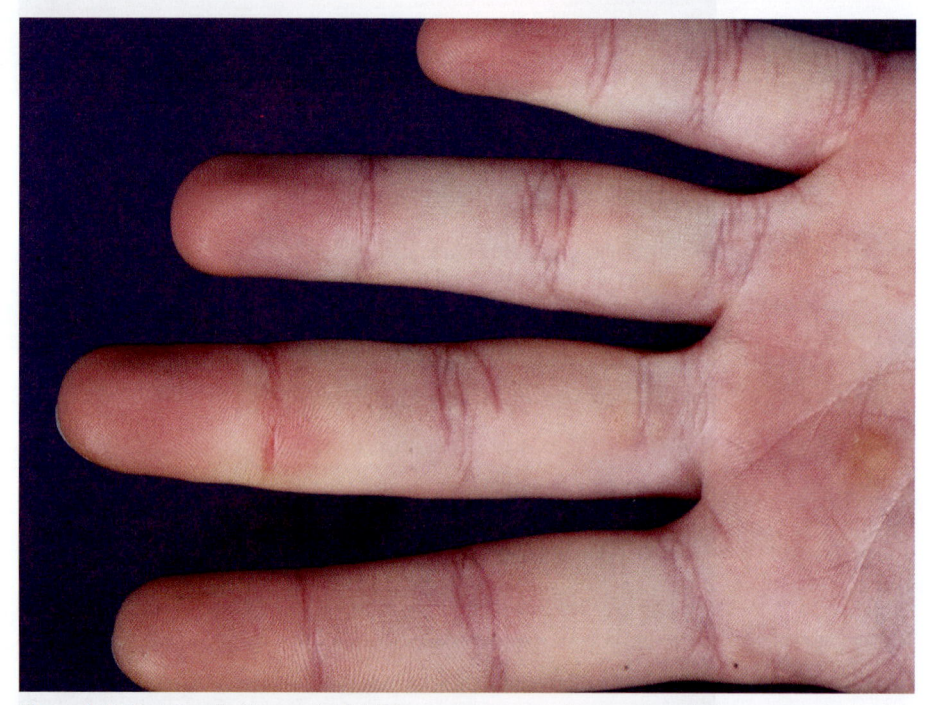

Figura 7-11 Perniose (eritema pérnio) Edema eritematoso a discretamente violáceo na porção distal de dedos e palmas. Há queimação e dor.

SEÇÃO 8

O PACIENTE AGUDAMENTE ENFERMO E HOSPITALIZADO

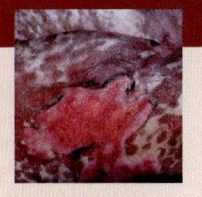

SÍNDROME DA ERITRODERMIA ESFOLIATIVA (SEE) CID-10[*]

- A SEE é um padrão grave, às vezes, fatal, de reação cutânea, caracterizado por eritema, infiltração e descamação uniformes, comprometendo toda a superfície cutânea.
- Associada a febre, mal-estar, calafrio e linfadenopatia generalizada.
- Os dois estágios, agudo e crônico, se misturam. Nas fases aguda e subaguda, há instalação súbita de eritema vermelho-vivo generalizado com descamação furfurácea fina; o paciente sente calor e frio, tem calafrio e febre. Na SEE crônica, a pele torna-se espessada, e a descamação persiste e passa a lamelar.
- Pode haver perda de cabelo e de pelos no corpo, e as unhas se tornam espessadas e se separam do leito ungueal (onicólise).
- Pode haver hiperpigmentação ou despigmentação em placas nos pacientes cuja cor normal da pele seja parda ou negra.
- Os distúrbios cutâneos preexistentes mais comuns (em ordem de frequência) são psoríase, dermatite atópica, reação cutânea adversa a fármacos, linfoma, dermatite alérgica de contato, dermatite seborreica e pitiríase rubra pilar.

(Ver "Síndrome de Sézary", na Seção 21, para uma discussão específica sobre esse tipo de SEE.)

---

[*]O código da CID-10 é definido conforme a etiologia: psoríase L40.8, dermatite atópica L20.9, reações cutâneas adversas a fármacos L27.0, linfoma C84.5, dermatite de contato alérgica L23, pitiríase rubra pilar L44.0.

EPIDEMIOLOGIA

IDADE DE INÍCIO Geralmente > 50 anos; em crianças, a SEE geralmente decorre de dermatite atópica.
SEXO Sexo masculino > sexo feminino.

ETIOLOGIA

Cerca de 50% dos pacientes têm história de dermatose preexistente. As mais frequentes são psoríase, dermatite atópica, reações adversas cutâneas a fármacos, linfoma cutâneo de células T (LCCT), dermatite alérgica de contato, dermatite seborreica e pitiríase rubra pilar. Os fármacos mais comumente implicados na SEE são apresentados no Quadro 8-1. Em 20% dos pacientes, não é possível identificar a causa.

PATOGÊNESE

A resposta metabólica à SEE pode ser intensa. Há grande quantidade de sangue presente na pele em razão da dilatação dos capilares, resultando em

---

QUADRO 8-1 Fármacos mais comumente envolvidos na dermatite esfoliativa[a]

Alopurinol	Difenil-hidantoína	Lítio	Sulfassalazina
Antimaláricos	Estreptomicina	Ouro	Sulfonamidas
Barbitúricos	Fenitoína	Penicilina	Sulfonilureias
Bloqueadores dos canais de cálcio	Fenotiazinas	Quinidina	
Carbamazepina	Isoniazida	Sulfametoxazol--trimetoprina	
Cimetidina			
Dapsona			

[a]Modificado com permissão de Grant-Kels, J.M., Fedeles, F., Roth, M.J. Exfoliative dermatitis. In: Goldsmith, L.A., Katz, S.I., Gilchrest, B.A., et al., eds. *Fitzpatrick's Dermatology in General Medicine*. 8. ed. New York, McGraw-Hill; 2012, pp. 266–279.

dissipação considerável de calor. Além disso, é possível haver insuficiência cardíaca de alto débito; a descamação (com consequente perda de proteínas) pode ser considerável, de até 9 g/m^2 de superfície corporal por dia.

MANIFESTAÇÕES CLÍNICAS

Dependendo da etiologia, a fase aguda pode ocorrer rapidamente, geralmente em reação a fármaco ou na psoríase. Nessa fase aguda inicial, ainda é possível identificar a dermatose preexistente. Observam-se febre, prurido, fadiga, fraqueza, anorexia, perda de peso, mal-estar, sensação de frio e calafrios.

ASPECTO DO PACIENTE Assustado, vermelho, "toxêmico", possivelmente com odor desagradável.

LESÕES CUTÂNEAS A pele é vermelha, espessada e escamosa. A dermatite é uniforme, envolvendo toda a superfície corporal (Figs. 8-1 a 8-3), exceto na pitiríase rubra pilar, na qual a SEE poupa áreas bem definidas de pele normal (ver Fig. 3-16). O espessamento cutâneo leva à intensificação das pregas cutâneas (Figs. 8-2 e 8-3); a descamação pode ser fina e furfurácea e, algumas vezes, quase imperceptível (Fig. 8-2), ou grande, chegando a 0,5 cm, e lamelar (Fig. 8-1).

Palmas e plantas. Geralmente são afetadas. Apresentam hiperceratose intensa e fissuras profundas nos pacientes com pitiríase rubra pilar, síndrome de Sézary (LCCT) e psoríase.

PELOS Eflúvio telógeno e até mesmo alopécia, exceto na SEE causada por eczema ou por psoríase.

UNHAS Espessamento das placas ungueais, onicólise e queda das unhas.

PIGMENTAÇÃO Na SEE crônica, é possível haver hiperpigmentação ou despigmentação em placas em pacientes cuja pele normal seja parda ou negra.

Exame clínico geral

Linfonodos generalizados, de consistência elástica e geralmente pequenos; aumentados na síndrome de Sézary. Edema das pernas e dos tornozelos.

EXAMES LABORATORIAIS

BIOQUÍMICA Redução da albumina sérica e aumento das gamaglobulinas; desequilíbrio eletrolítico; aumento de proteínas na fase aguda.

HEMATOLOGIA Leucocitose.

CULTURA PARA BACTÉRIAS Pele: Afastar infecção secundária por *Staphylococcus aureus*. Sangue: Excluir a possibilidade de sepse.

DERMATOPATOLOGIA Depende do tipo de doença subjacente. Em todos os casos, observam-se paraceratose, edema intercelular e intracelular, acantose com alongamento das cristas interpapilares, exocitose de células, edema da derme e infiltrado inflamatório.

EXAMES DE IMAGEM Tomografia computadorizada (TC) e ressonância magnética (RM) devem ser usadas para investigar evidências de linfoma.

BIÓPSIA DE LINFONODOS Quando houver suspeita de linfoma.

DIAGNÓSTICO

A história da dermatose preexistente pode ser a única pista. Além disso, sinais e sintomas patognomônicos dessa dermatose podem ajudar; por exemplo, coloração vermelho-escura na psoríase (Fig. 8-1) e coloração vermelho-amarelada na pitiríase rubra pilar (ver Fig. 3-16); alterações ungueais características de psoríase; liquenificação, erosões e escoriações na dermatite atópica e no eczema; hiperceratose palmar difusa relativamente não escamosa com fissuras no LCCT e na pitiríase rubra pilar; placas bem demarcadas de pele não envolvida na eritrodermia da pitiríase rubra pilar; hiperceratose intensa no couro cabeludo, geralmente sem perda de cabelo na psoríase e com perda de cabelo no LCCT e na pitiríase rubra pilar; nesta última e no LCCT, é possível que haja ectrópio.

EVOLUÇÃO E PROGNÓSTICO

Reservado, dependendo da etiologia subjacente. Os pacientes podem sucumbir a infecções ou, se tiverem problemas cardíacos, à insuficiência cardíaca (de alto débito) ou, como infelizmente ocorreu com frequência no passado, aos efeitos do tratamento prolongado com glicocorticoides.

TRATAMENTO

Esse problema clínico importante deve ser tratado por equipe experiente, em regime de internação, em uma instituição moderna de tratamento dermatológico. O paciente deve ser hospitalizado em quarto isolado em que as condições (calor e frio) sejam ajustadas de acordo com as suas necessidades; na maioria dos casos, os pacientes necessitam de quarto aquecido e com vários cobertores.

TÓPICO Banhos com água e com "óleos de banho" seguidos pela aplicação de emolientes suaves.

SISTÊMICO Glicocorticoides orais para induzir remissão, mas não para manutenção; *terapia sistêmica e tópica, conforme indicado pela doença subjacente.* Antibióticos, se houver bacteremia ou septicemia.

SUPORTE Medidas de suporte cardíaco, hidroeletrolítico, com reposição de proteínas de acordo com a necessidade.

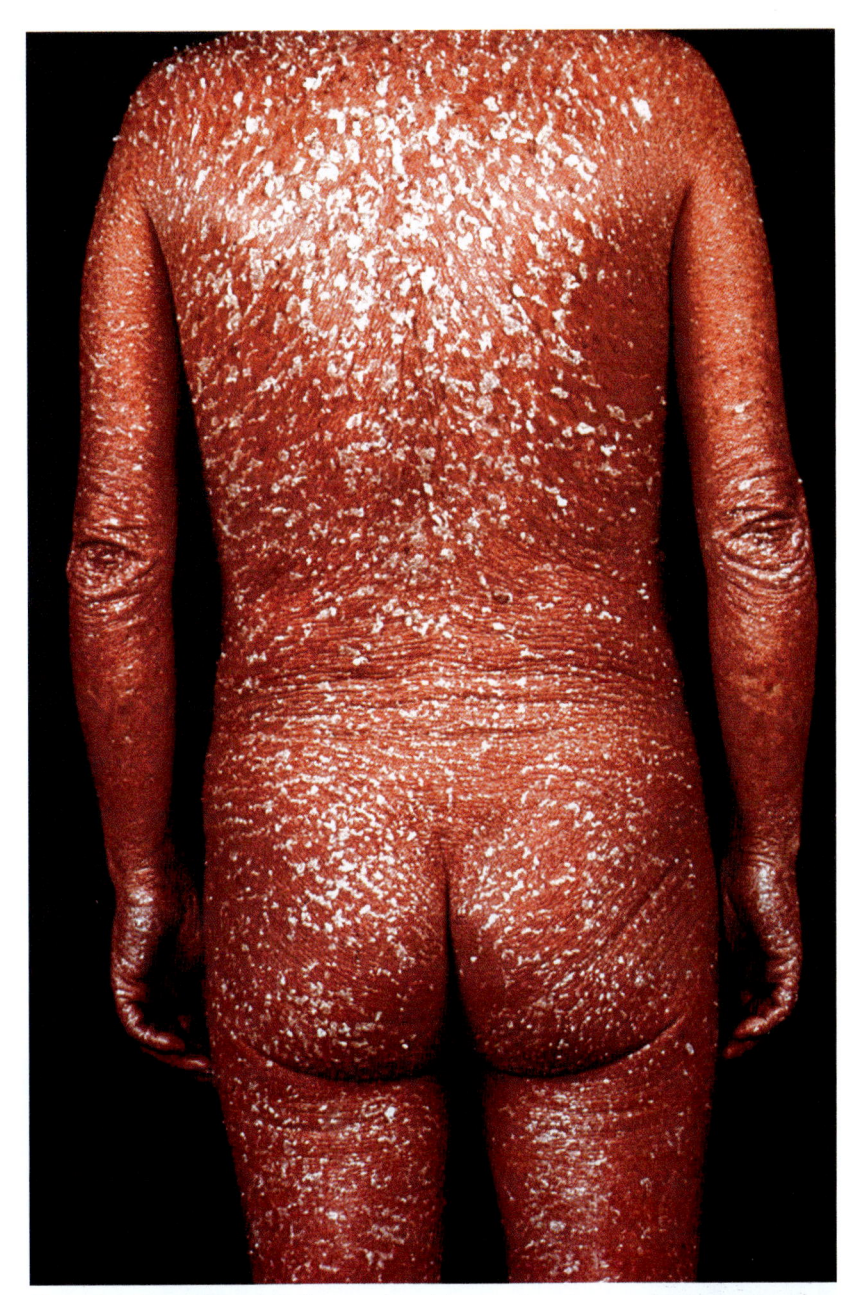

Figura 8-1 Dermatite esfoliativa: psoríase Eritema universal, espessamento da pele e descamação intensa. Este paciente apresentava psoríase, como indicam as escamas grandes e prateadas, e envolvimento do couro cabeludo e das unhas, não revelado nesta fotografia. O paciente apresentava fadiga, fraqueza, mal-estar e calafrios. É evidente que a descamação maciça leva à perda de proteínas, e a dilatação máxima dos capilares, à perda considerável de calor e à insuficiência cardíaca de alto débito.

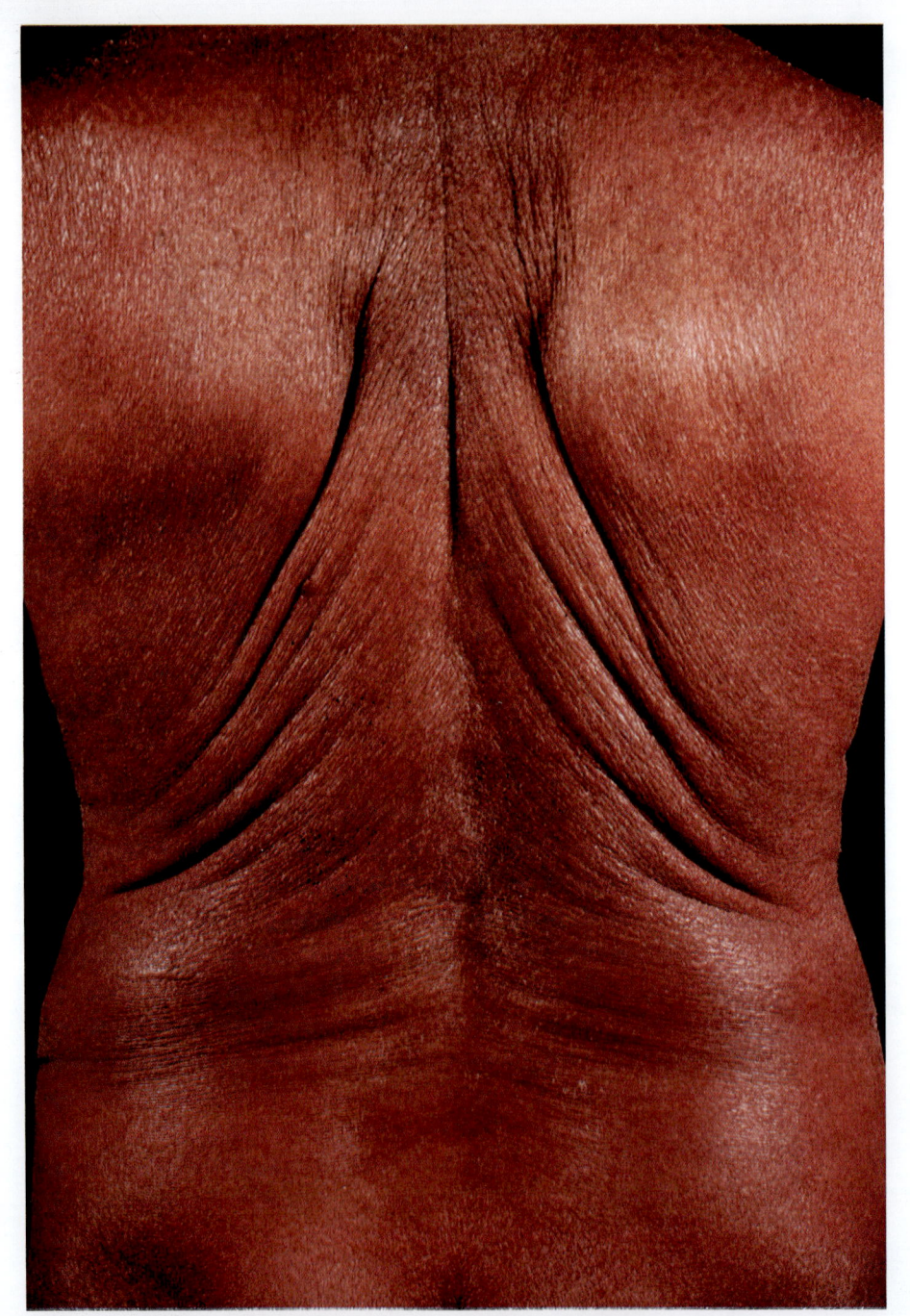

Figura 8-2 Dermatite esfoliativa: induzida por fármaco Observa-se eritrodermia generalizada com espessamento da pele que resulta em intensificação das pregas cutâneas, hiperemia universal e sutil descamação furfurácea. Este paciente evoluiu com eritrodermia após injeção de sais de ouro para tratamento de artrite reumatoide.

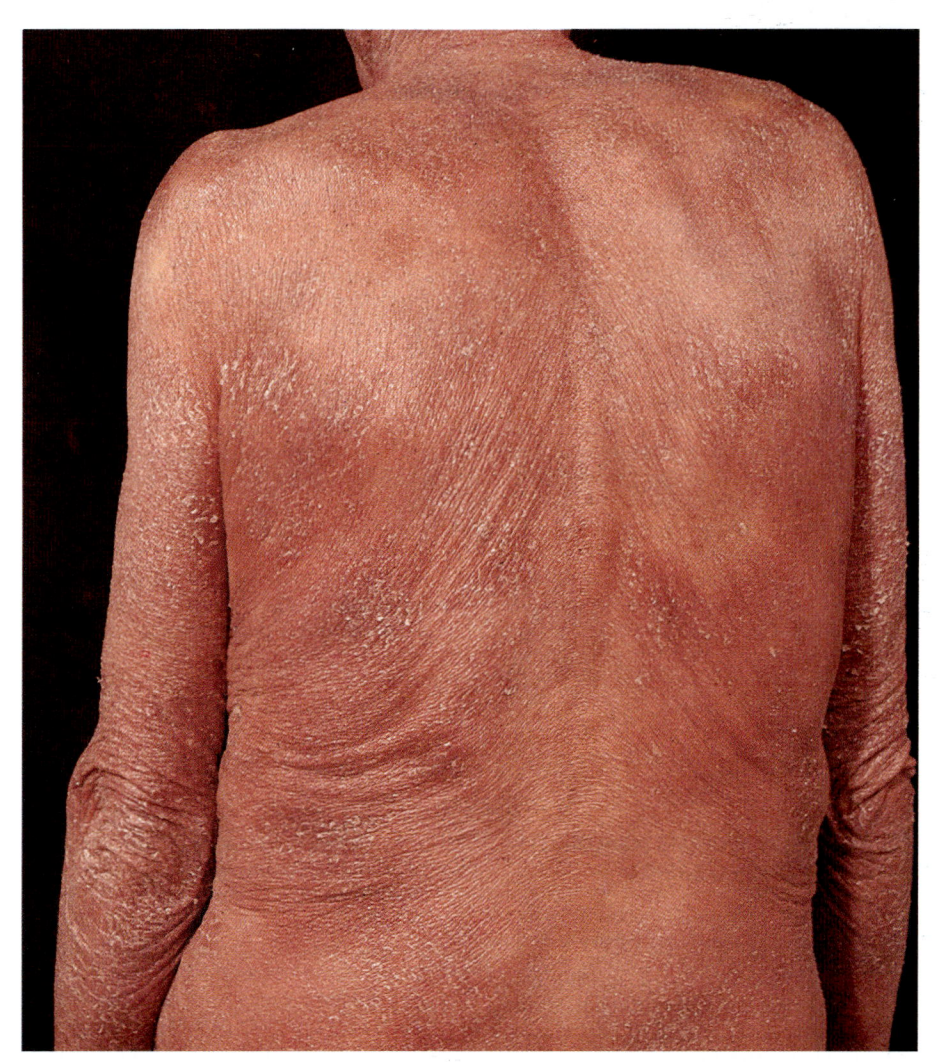

Figura 8-3 Dermatite esfoliativa: linfoma cutâneo de células T (síndrome de Sézary) Observa-se eritema universal, espessamento da pele e descamação. Nota-se que, diferentemente da eritrodermia apresentada nas **Figuras 8-1** e **8-2**, o grau de eritema e de espessamento não é uniforme, e a vermelhidão tem um tom acastanhado. Além disso, esse paciente idoso teve queda dos cabelos e envolvimento intenso das palmas e das plantas, com hiperceratose difusa, rachaduras e fissuras. Linfadenopatia generalizada também estava presente.

ERUPÇÕES CUTÂNEAS NO PACIENTE ENFERMO E FEBRIL
(CÓDIGOS CID-10 COM BASE NA ETIOLOGIA)

- A instalação súbita de erupção e febre causa ansiedade no paciente, que busca auxílio médico imediatamente. Cerca de 10% dos pacientes que procuram serviços de emergência clínica têm um problema dermatológico.
- O diagnóstico de um quadro de erupção aguda com febre é desafiador (**Figs. 8-4** e **8-5**). Se o diagnóstico não for feito rapidamente em alguns pacientes (p. ex., naqueles com septicemia [**Fig. 8-6**]), o tratamento capaz de salvar a vida pode ser adiado indevidamente.
- Os achados cutâneos isoladamente, com frequência, são diagnósticos mesmo antes de haver confirmação laboratorial. Com base no diagnóstico diferencial, o tratamento adequado – seja com antibióticos ou com glicocorticoides – pode ser iniciado. Além disso, o diagnóstico rápido com isolamento do paciente com doença contagiosa, a qual pode ter consequências graves, evita o contágio de outras pessoas. Entre as doenças contagiosas que apresentam exantema e febre como principais achados, estão as *infecções virais* (**Fig. 8-5**).
- O diagnóstico das erupções cutâneas é feito com base principalmente na identificação precisa do tipo de lesão cutânea e de alguns indícios morfológicos adicionais como *configuração* (anular? íris?) de cada lesão, sua *organização* (zosteriforme? linear?) e *padrão de distribuição* (áreas expostas? centrípeta ou centrífuga? mucosas?).
- No diagnóstico diferencial dos exantemas, é importante determinar, pela história, o local inicial de aparecimento e evolução no tempo (o exantema da febre das Montanhas Rochosas, de forma característica, aparece inicialmente nos punhos e tornozelos); no sarampo (ver **Fig. 8-5**), o exantema dissemina-se da cabeça para os pés em um período de 3 dias, enquanto na rubéola a disseminação é mais rápida, em 24 a 48 horas, da cabeça para os pés, desaparecendo sequencialmente – primeiro face, depois tronco e, finalmente, os membros. Em contraste com essa evolução, as erupções causadas por fármacos geralmente iniciam simultaneamente em todo o corpo (**Fig. 8-4**) ou, como no eritema fixo medicamentoso, em locais preferenciais (ver Seção 23).
- Embora possa haver alguma sobreposição, as possibilidades de diagnóstico diferencial podem ser agrupadas em cinco categorias principais de acordo com o tipo de lesão (**Quadro 8-2**).

EXAMES LABORATORIAIS DISPONÍVEIS PARA DIAGNÓSTICO RÁPIDO

O médico deve fazer uso dos seguintes exames laboratoriais imediatamente ou no prazo de 8 horas:

1. *Esfregaço de material colhido diretamente da base da vesícula.* Esse procedimento, conhecido como teste de Tzanck, foi descrito na "Introdução do livro". O esfregaço é examinado buscando-se por células acantolíticas, acantócitos gigantes e/ou células gigantes multinucleadas.
2. *Cultura para vírus*, coloração negativa (microscopia eletrônica), reação em cadeia de polimerase para infecção por herpes-vírus, técnica de imunofluorescência direta (IFD).
3. *Coloração pelo método de Gram de amostras aspiradas ou raspadas.* É possível visualizar microrganismos nas lesões de meningococemia aguda e, raramente, nas lesões cutâneas da gonococemia e do ectima gangrenoso.
4. *Preparação por toque.* Útil nas infecções fúngicas profundas e na leishmaniose. A superfície dérmica da amostra da biópsia cutânea é repetidamente pressionada sobre uma lâmina de vidro e deve ser *imediatamente* fixada com álcool etílico a 95%. Corantes específicos revelarão os microrganismos.
5. *Biópsia da lesão cutânea.* Todas as lesões purpúricas, os nódulos dérmicos inflamatórios e as úlceras devem ser submetidos à biópsia (na base e na margem), e uma parte do tecido deve ser macerada e cultivada para bactérias e fungos. Na celulite gangrenosa (ver Seção 25), cortes congelados de biópsia profunda confirmam o diagnóstico em minutos.
6. *Exames de sangue e de urina.* Hemocultura, testes sorológicos rápidos para sífilis e sorologia para lúpus eritematoso. A sedimentoscopia urinária pode revelar cilindros hemáticos em razão do envolvimento renal na vasculite alérgica.
7. *Exame de campo escuro.* Nas lesões cutâneas da sífilis secundária, os exames repetidos das pápulas demonstram a presença de *Treponema pallidum*. Não confiável na boca, por causa dos microrganismos não patogênicos residentes, mas o aspirado de linfonodos pode ser submetido ao exame em campo escuro.

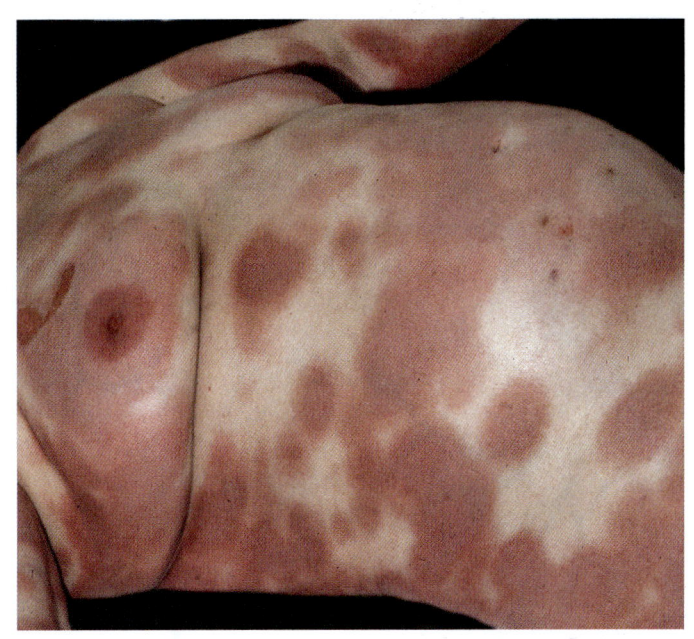

Figura 8-4 Eritema fixo medicamentoso generalizado: tetraciclina Paciente do sexo feminino, de 59 anos, prostrada, com febre. Múltiplas áreas eritematosas e violáceas confluentes, algumas das quais mais tarde se tornaram bolhosas.

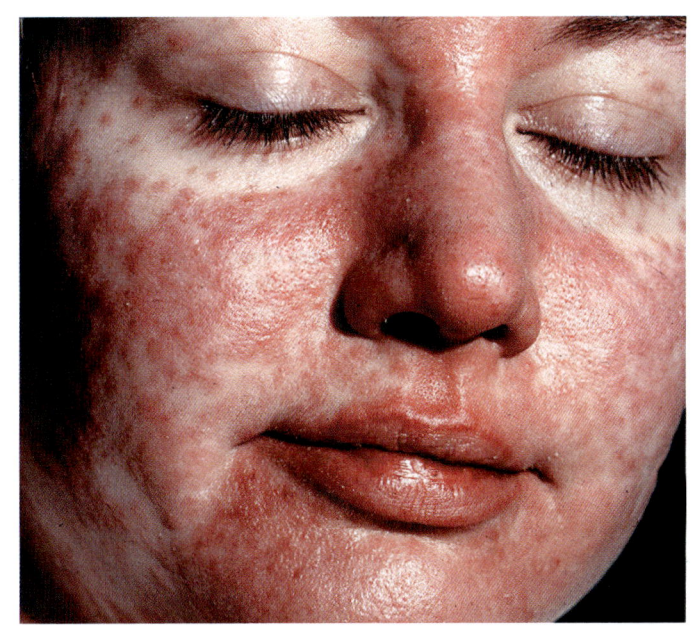

Figura 8-5 Febre com exantema generalizado: sarampo Paciente do sexo feminino, jovem, com febre alta, tosse, conjuntivite e erupção maculopapular confluente na face edemaciada. O exantema também envolve o tronco e os membros. A paciente estava com sarampo.

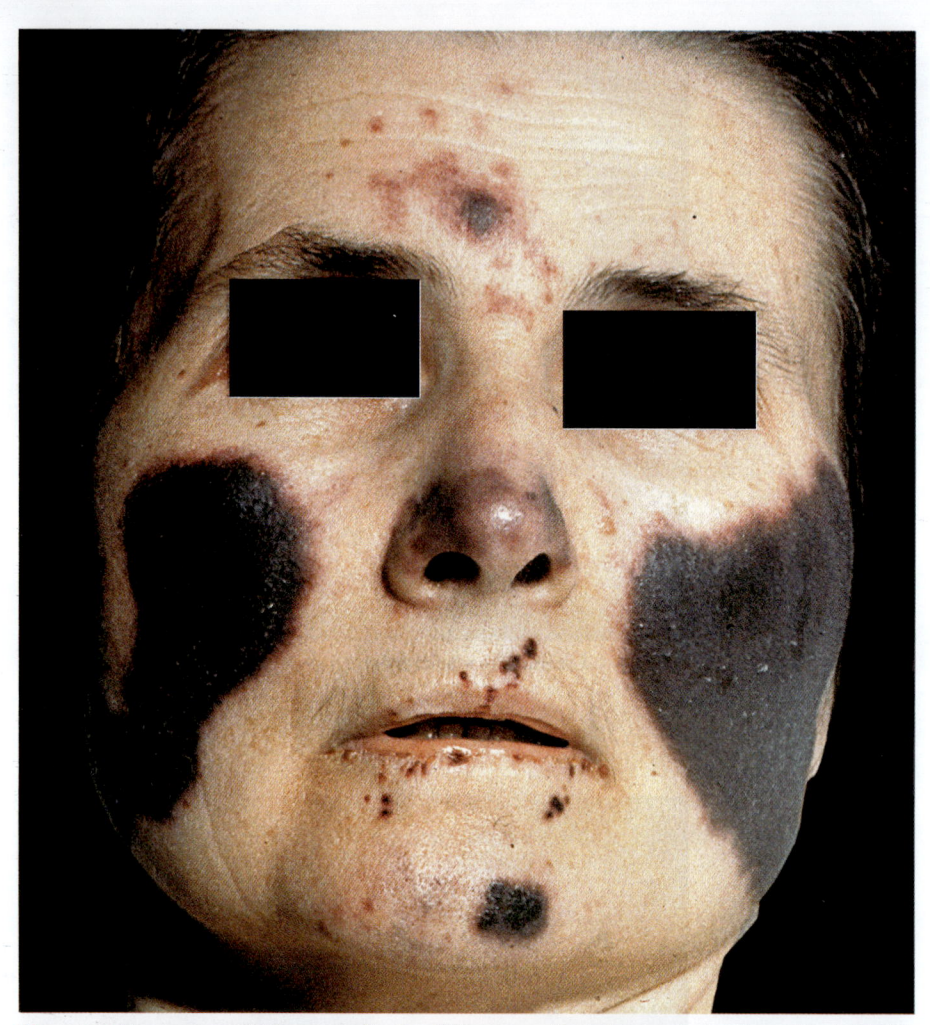

Figura 8-6 Necrose purpúrica generalizada e febre: coagulação intravascular disseminada (CIVD)
Paciente do sexo feminino de 54 anos com febre, prostração e infartos geográficos extensos na face, tronco e membros. Trata-se de CIVD: púrpura fulminante seguindo-se à sepse após cirurgia abdominal.

QUADRO 8-2 Erupções generalizadas no paciente agudamente enfermo: diagnóstico de acordo com o tipo de lesão[a]

Erupções generalizadas evidenciadas por máculas ou pápulas	Erupções generalizadas evidenciadas por lesões urticariformes e placas	Erupções generalizadas evidenciadas por vesículas, bolhas ou pústulas	Erupções generalizadas evidenciadas por máculas purpúricas, pápulas purpúricas ou vesículas purpúricas	Doenças evidenciadas por eritema disseminado ± pápulas seguidas de descamação
Hipersensibilidade a fármacos	Doença do soro	Hipersensibilidade a fármacos	Hipersensibilidade a fármacos	Hipersensibilidade a fármacos
Fase aguda da infecção por HIV	Síndrome de Sweet	Dermatite de contato alérgica por plantas	Meningococemia[b] (aguda ou crônica)	Síndrome da pele escaldada estafilocócica
Eritema infeccioso (parvovírus B19)	Urticária aguda	Riquetsiose	Gonococemia[b]	Síndrome do choque tóxico
Infecção primária por citomegalovírus	Eritema marginatum	Varicela (catapora)[c]	Bacteremia por *Staphylococcus*; bacteremia por *Pseudomonas*	Síndrome de Kawasaki
Infecção primária por vírus Epstein-Barr		Eczema herpeticum[c]	Endocardite bacteriana subaguda	Dermatite esfoliativa
Exantema súbito (HHV-6)		Enteroviroses (Coxsackie), incluindo a doença mão-pé-boca	Enteroviroses (ecovírus, Coxsackie)	
Sarampo				
Rubéola[d] (sarampo alemão)				
Enteroviroses (ecovírus e Coxsackie)		Necrólise epidérmica tóxica	Riquetsioses: febre maculosa das Montanhas Rochosas	
Adenoviroses		Varíola	Tifo transmitido pelo carrapato (epidêmico)	
Escarlatina		Síndrome da pele escaldada estafilocócica		
Erliquiose				
Febre tifoide				
Sífilis secundária		Eritema multiforme	Vasculite por hipersensibilidade[b]	
Tifo murino (endêmico)		Psoríase pustulosa de von Zumbusch	Coagulação intravascular disseminada (púrpura fulminante[b,e])	
Febre maculosa das Montanhas Rochosas (lesões iniciais)[d]		Reação aguda enxerto contra hospedeiro	Infecção por *Vibrio*	
Outras febres maculosas				
Infecção fúngica disseminada e profunda em pacientes imunocomprometidos				
Eritema multiforme				
Lúpus eritematoso sistêmico				
Reação aguda enxerto contra hospedeiro				

[a]Para detalhamento da morfologia, o leitor deve consultar as respectivas seções.
[b]Apresentação frequentemente como infartos.
[c]Vesículas umbilicadas.
[d]É possível haver artralgia ou dor musculoesquelética.
[e]Leva a grandes áreas de necrose negra.

SÍNDROME DE STEVENS-JOHNSON (SSJ) E NECRÓLISE EPIDÉRMICA TÓXICA (NET) CID-10: L51.1/51.2

- SSJ e NET são reações mucocutâneas agudas potencialmente letais caracterizadas por necrose e descolamento extensos da epiderme.
- São variações da mesma doença e diferem apenas na porcentagem de superfície corporal envolvida.
- Podem ser "idiopáticas" ou induzidas por fármacos.
- O mecanismo patogênico é a apoptose disseminada dos ceratinócitos, a qual é induzida por reação citotóxica mediada por células.
- Máculas purpúricas eritematosas confluentes e lesões tipo alvo evoluem para bolhas flácidas e descolamento da epiderme, principalmente no tronco e nos membros, com envolvimento associado das mucosas.
- Histopatologicamente: Necrose da espessura total da epiderme e infiltrado linfocítico esparso.
- O tratamento é sintomático. Alguns autores defendem o tratamento sistêmico com glicocorticoides e doses altas de imunoglobulina IV, mas essa conduta ainda é controversa.

DEFINIÇÃO

Atualmente é consenso que SSJ e a NET são diferentes do eritema multiforme (EM).

A NET é uma variante da SSJ, diferindo apenas na extensão da superfície corporal envolvida. Ambas podem começar com máculas e lesões tipo alvo. Entretanto, isso não ocorre em cerca de 50% dos casos de NET e, nestes, o quadro evolui imediatamente de eritema difuso para necrose imediata e descolamento epidérmico.

SSJ: < 10% de descolamento epidérmico.
Sobreposição SSJ/NET: 10 a 30% de descolamento epidérmico.
NET: > 30% de descolamento epidérmico.

EPIDEMIOLOGIA

IDADE DE INÍCIO Qualquer faixa etária, mas mais comumente em adultos com mais de 40 anos. Incidência igual entre os sexos.
INCIDÊNCIA GLOBAL NET: 0,4 a 1,2 por milhão de indivíduos/ano. SSJ: 1,2 a 6 por milhão de indivíduos/ano.
FATORES DE RISCO Lúpus eritematoso sistêmico, HLA-B12, HLA-B1502 e HLA-B5801 em chineses Han, HIV/Aids.

ETIOLOGIA E PATOGÊNESE

Padrão de reação com várias etiologias, mas evidentemente os fármacos são o principal fator causador. NET: 80% dos casos apresentam forte associação com medicamento específico (Quadro 8-3); menos de 5% dos pacientes não relatam uso de qualquer fármaco. SSJ: 50% associados com exposição a fármaco. Além de medicamentos, substâncias químicas, *Mycoplasma pneumoniae*, infecções virais, imunização. Frequentemente a etiologia não é esclarecida.

A patogênese da SSJ-NET é apenas parcialmente compreendida. Considera-se que seja uma reação imunológica citotóxica que visa à destruição de ceratinócitos que expressam antígenos estranhos (relacionados com fármacos). A lesão epidérmica baseia-se na indução da apoptose. Interação Fas e Fas ligante e/ou a proteína pró-apoptótica granulisina estão implicadas.

MANIFESTAÇÕES CLÍNICAS

Período entre a exposição inicial ao fármaco e a instalação dos sintomas: 1 a 3 semanas. Ocorre mais rapidamente em caso de reexposição, frequentemente após poucos dias; fármacos recém-introduzidos são mais suspeitos. Pródromos: febre, mal-estar, artralgias 1 a 3 dias antes da erupção. Sensibilidade dolorosa leve a moderada da pele, ardência ou prurido conjuntival, seguidos por dor na pele, sensação de queimação, sensibilidade ao toque e parestesia. As lesões na boca são dolorosas e sensíveis ao toque. Alimentação prejudicada, fotofobia, micção dolorosa e ansiedade.

LESÕES CUTÂNEAS: Erupção prodrômica. Morbiliforme, podendo apresentar lesões em alvo, com ou sem púrpura (Fig. 8-7); as lesões individuais rapidamente confluem (Fig. 8-8); alternativamente, o quadro pode iniciar com eritema difuso sem exantema (Fig. 8-9).

Fase inicial. A necrose epidérmica surge inicialmente como áreas maculares com superfície enrugada que aumentam e coalescem (Fig. 8-7). Desprendimento da epiderme em forma de bolhas (Fig. 8-8). Bolhas flácidas e elevadas que aumentam com a pressão lateral (sinal de Nikolsky) sobre as áreas eritematosas. O descolamento de toda a espessura da epiderme expõe a derme vermelha e exsudativa (Fig. 8-9) com aspecto semelhante à queimadura térmica de segundo grau.

Distribuição. O eritema começa na face e nos membros e torna-se confluente em poucas horas ou dias. O descolamento da epiderme pode ser generalizado, resultando em grandes áreas desnudas (Figs. 8-8 e 8-9). Couro cabeludo, palmas e plantas podem ser afetados menos gravemente.

QUADRO 8-3 Medicamentos e risco de necrólise epidérmica tóxica

Alto risco	Baixo risco	Risco duvidoso	Sem evidências de risco
Alopurinol	AINEs (p. ex., diclofenaco)	Paracetamol	Ácido acetilsalicílico
Sulfametoxazol	Aminopenicilinas	Analgésicos pirazolônicos	Sulfonilureias
Sulfadiazina	Cefalosporinas	Corticosteroides	Diuréticos tiazídicos
Sulfapiridina	Quinolonas	Outros AINEs (exceto ácido acetilsalicílico)	Furosemida
Sulfadoxina	Ciclinas	Sertralina	Espironolactona
Sulfassalazina	Macrolídeos		Bloqueadores dos canais de cálcio
Carbamazepina			Betabloqueadores
Lamotrigina			Inibidores da enzima conversora de angiotensina
Fenobarbital			Antagonistas do receptor da angiotensina II
Fenitoína			Estatinas
Fenilbutazona			Hormônios
Nevirapina			Vitaminas
AINEs da classe oxicam			
Tiacetazona			

AINEs, anti-inflamatórios não esteroides.
Fonte: Reproduzido com permissão de Valeyrie-Allanore, L., Roujeau, J.-C. Epidermal necrolysis. In: Goldsmith, L.A., Katz, S.I., Gilchrest, B.A. et al., eds. *Fitzpatrick's Dermatology in General Medicine*. 8. ed. New York, McGraw-Hill; 2012, Chap. 40.

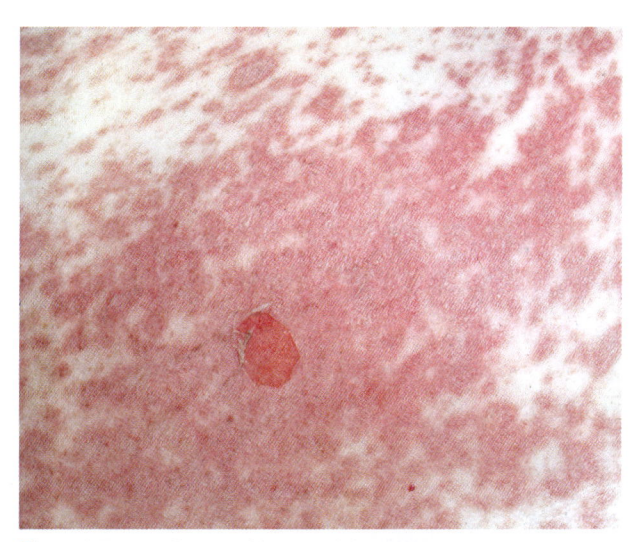

Figura 8-7 Necrólise epidérmica tóxica (NET), apresentação exantemática Observa-se exantema macular confluente disseminado com enrugamento da epiderme em algumas áreas. Há descolamento da epiderme nos locais submetidos à pressão (sinal de Nikolsky), o que resulta em erosão eritematosa. Essa erupção foi causada por alopurinol.

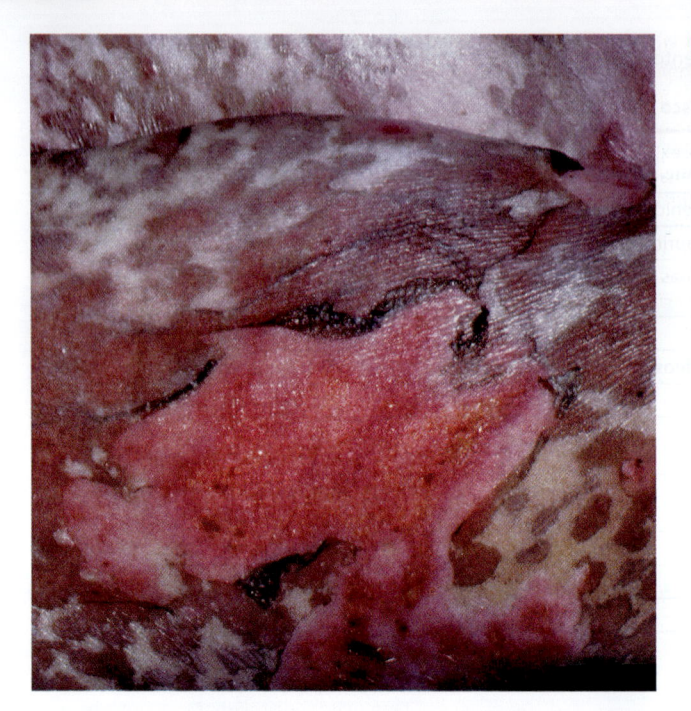

Figura 8-8 NET, apresentação exantemática O exantema macular começa a coalescer. O deslocamento e o desprendimento da epiderme necrótica produziram grandes erosões de aspecto úmido, extremamente dolorosas. A erupção foi causada por uma sulfonamida.

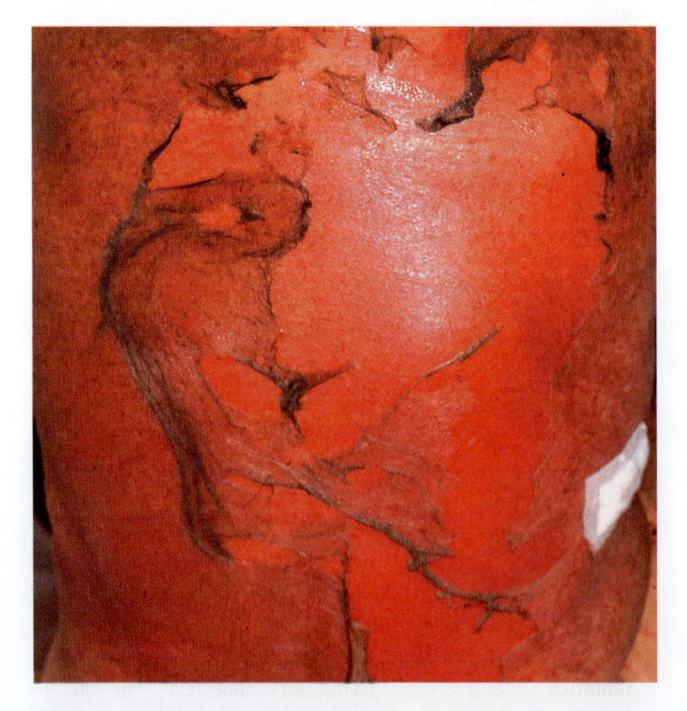

Figura 8-9 NET, apresentação difusa não exantemática Esta paciente de 65 anos evoluiu com eritema difuso por quase todo o corpo, resultando em enrugamento, descolamento e desprendimento da epiderme, deixando grandes erosões. O quadro é semelhante ao de uma grande escaldadura.

MUCOSAS Invariavelmente envolvidas, ou seja, eritema, erosões dolorosas nos lábios, mucosa da boca, conjuntivas, genitália e ânus.

OLHOS 85% apresentam lesões de conjuntiva: hiperemia, formação de pseudomembrana; ceratite, erosões da córnea; mais tarde, sinequias entre as pálpebras e a conjuntiva bulbar.

Recuperação. A reconstituição da epiderme começa em alguns dias; a recuperação total ocorre em mais de 3 semanas. Nos pontos de pressão e nas regiões periorificiais, a recuperação é mais demorada. A pele que não se desprendeu na fase aguda começa a se soltar em lâminas, especialmente nas palmas e nas plantas. As unhas e os cílios podem cair.

MANIFESTAÇÕES CLÍNICAS GERAIS

- Febre geralmente mais alta na NET do que na SSJ.
- Pacientes geralmente se mantêm alertas. Sofrimento causado pela dor intensa.
- Cardiovascular: Frequência cardíaca pode estar acima de 120 bpm. Pressão arterial elevada.
- Renal: É possível haver necrose tubular. Insuficiência renal aguda.
- Tratos respiratório e GI: Descamação do epitélio com erosões.

EXAMES LABORATORIAIS

HEMATOLOGIA Anemia, linfopenia; raramente, eosinofilia. Neutropenia correlacionada com prognóstico reservado. Aumento da ureia e redução do bicarbonato séricos.

DERMATOPATOLOGIA Fase inicial. Vacuolização/necrose de ceratinócitos basais e ao longo de toda a epiderme.

Fase tardia. Necrose de todas as camadas da epiderme e descolamento com formação de fendas subepidérmicas acima da membrana basal. Infiltrado linfocítico esparso na derme. Exames de imunofluorescência inconclusivos, servindo para afastar outros distúrbios bolhosos.

DIAGNÓSTICO E DIAGNÓSTICO DIFERENCIAL

INICIAL Exantema induzido por fármaco, eritema multiforme *major* (EM *major*), escarlatina, erupções fototóxicas, síndrome do choque tóxico, doença do enxerto contra hospedeiro (DECH).

PLENAMENTE DESENVOLVIDA EM *major* (lesões em alvo características), DECH aguda (pode ser confundida com NET; menos envolvimento da mucosa); queimaduras térmicas, reação fototóxicas, síndrome da pele escaldada estafilocócica (na primeira infância, rara em adultos e sem acometimento das mucosas), erupção fixa medicamentosa bolhosa generalizada, dermatite esfoliativa.

EVOLUÇÃO E PROGNÓSTICO

Evolução com duração média de menos de 4 dias. O Quadro 8-4 apresenta um sistema de pontuação para prognóstico. A evolução é semelhante à de grandes queimados. O prognóstico é relacionado à extensão da necrose cutânea. Há grande perda

QUADRO 8-4 SCORTEN (Escore para NET): sistema de escore para prognóstico em pacientes com necrólise epidérmica tóxica

Fatores prognósticos	Pontuação
Idade > 40 anos	1
Frequência cardíaca > 120 bpm	1
Câncer ou doença maligna hematológica	1
Área de superfície corporal envolvida > 10%	1
Ureia sérica > 10 mM (> 28 mg/dL)	1
Bicarbonato sérico < 20mM (< 20 mEq/L)	1
Glicemia > 14 mM (> 252 mg/dL)	1

SCORTEN	Taxa de mortalidade (%)
0-1	3,2
2	12,1
3	35,8
4	58,3
> 5	90

Fonte: Dados de Bastuji-Garin, S. et al.: SCORTEN: A severity-of-illness score for toxic epidermal necrolysis. *J Invest Dermatol*. 115:149,2000; a partir de Valeyrie-Allanore, L., Roujeau, J.-C. Epidermal necrolysis. In: Goldsmith, L.A., Katz, S.I., Gilchrest, B.A. et al., eds. *Fitzpatrick's Dermatology in General Medicine*. 8. ed. New York, McGraw-Hill; 2012, Chap. 40.

Observação: Embora seja auspiciosa a existência de um sistema de pontuação, há críticas em relação ao SCORTEN. Apenas 1 ponto é assinalado para a área de superfície corporal envolvida (> 10%). Definitivamente, há diferença quanto ao prognóstico de pacientes com 20 e 70% de área de superfície corporal, e este fato deveria ser considerado na pontuação final.

de líquido por via transcutânea que varia com a área desnuda; distúrbios eletrolíticos associados. É comum haver azotemia pré-renal. A colonização por bactérias é frequente e está associada à sepse. Outras complicações incluem estado hipermetabólico e pneumonite intersticial difusa. A taxa de mortalidade para NET é de 30%, principalmente nos idosos; para SSJ, 5 a 12%. Se o paciente sobreviver ao primeiro episódio, a reexposição ao fármaco causador pode ser seguida por recorrência em horas a dias, com quadro mais grave do que o inicial.

SEQUELAS

Pele. Cicatrizes, hipo e hiperpigmentação, crescimento anormal das unhas.
Olhos. Comuns, incluindo ressecamento semelhante ao da síndrome de Sjögren com deficiência de mucina nas lágrimas; entrópio, triquíase, metaplasia escamosa, neovascularização da conjuntiva e córnea; simbléfaro, ceratite puntiforme, fibrose da córnea; fotofobia persistente, ardência nos olhos, alterações da visão, cegueira.
Anogenitália. Fimose, sinequias vaginais.

TRATAMENTO

- Diagnóstico precoce com suspensão do(s) fármaco(s) suspeito(s).
- Indicação de internação em unidade intermediária ou de tratamento intensivo.
- Reposição IV de volume e eletrólitos, assim como para grandes queimados. Entretanto, em geral a reposição de volume é menor do que para casos de queimadura de igual extensão.
- Há relatos de redução na morbidade e na mortalidade com a administração de glicocorticoides sistêmicos precocemente na evolução da doença e em altas doses (assim como na experiência dos autores), mas essa conduta tem sido questionada. Na fase tardia da doença, os glicocorticoides estão contraindicados.
- Doses elevadas de imunoglobulinas IV interrompem a evolução da NET se forem administradas precocemente. Alguns autores questionam essa conduta; essa discrepância pode ser explicada pelos produtos e lotes usados.
- Com o envolvimento da orofaringe, deve-se aspirar o paciente para prevenção da pneumonite de aspiração.
- Não se recomenda desbridamento cirúrgico.
- Diagnóstico e tratamento de infecções complicadoras, incluindo-se sepse (febre, hipotensão, alteração do nível de consciência).
- Tratamento precoce das lesões oculares com pomada de eritromicina.

PREVENÇÃO O paciente deve estar ciente dos fármacos que potencialmente são causadores de lesões e de que outros fármacos da mesma classe podem produzir reação cruzada. Esses fármacos nunca devem ser administrados novamente. O paciente deve utilizar uma pulseira de alerta médico.

SEÇÃO 9

HIPERPLASIAS E NEOPLASIAS BENIGNAS

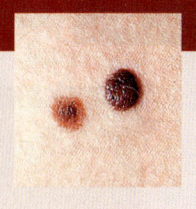

DISTÚRBIOS DOS MELANÓCITOS

NEVOS MELANOCÍTICOS (NMs) ADQUIRIDOS CID-10: D22

- Os NMs, comumente designados como *sinais*, consistem em máculas, pápulas ou nódulos pigmentados adquiridos, circunscritos, pequenos (< 1 cm) e muito comuns.
- São compostos por grupos de células névicas melanocíticas localizadas na epiderme, na derme e, raramente, no tecido subcutâneo.
- Trata-se de tumores adquiridos benignos, que surgem como grupos de células névicas na junção dermoepidérmica (*NMs juncionais*), invadindo a derme papilar (*NMs compostos*) e completando o seu ciclo de vida como *NMs dérmicos*, nos quais as células névicas localizam-se exclusivamente na derme, onde, com o envelhecimento progressivo, sofrem fibrose.

EPIDEMIOLOGIA E ETIOLOGIA

Trata-se de uma das neoplasias adquiridas mais comuns em indivíduos brancos (a maioria dos adultos tem cerca de 20 nevos), menos frequentes em negros ou em indivíduos de pele mais pigmentada; algumas vezes, ausentes em pessoas com cabelos ruivos e sardas acentuadas (fototipo cutâneo I).

ETNIA Os afro-americanos e os asiáticos têm mais nevos nas palmas, nas plantas e nos leitos ungueais.

HEREDITARIEDADE Os NMs adquiridos comuns ocorrem em determinados grupos familiares. Os nevos melanocíticos displásicos (NDs) (ver Seção 12), os quais seriam supostos precursores do melanoma maligno, são diferentes dos NMs. Ocorrem em praticamente todos os pacientes com melanoma cutâneo familiar e em 30 a 50% dos pacientes com melanomas primários não familiares esporádicos.

EXPOSIÇÃO AO SOL Fator na indução dos nevos nas áreas expostas.

SIGNIFICÂNCIA O risco de desenvolver melanoma está relacionado à quantidade de NMs e a NDs. Nos NDs, até mesmo se houver apenas algumas lesões.

MANIFESTAÇÕES CLÍNICAS

DURAÇÃO E EVOLUÇÃO DAS LESÕES Os NMs aparecem no início da infância e alcançam o seu estágio máximo na idade adulta jovem, embora alguns NMs possam se desenvolver no adulto. Posteriormente, observa-se involução gradual e fibrose das lesões, e a maior parte desaparece depois dos 60 anos. Por outro lado, os NDs continuam a aparecer durante toda a vida, e acredita-se que eles não sofram involução (ver Seção 12).

SINTOMAS CUTÂNEOS Os NMs são assintomáticos. Entretanto, os NMs crescem, e o seu crescimento é frequentemente acompanhado de prurido. O prurido em si não constitui sinal de transformação maligna; todavia, se uma lesão for *persistentemente* pruriginosa ou sensível, deverá ser acompanhada cuidadosamente ou excisada, visto que o prurido *persistente* pode constituir indicação precoce de transformação maligna.

CLASSIFICAÇÃO

Os NMs são múltiplos (Fig. 9-1A) e podem ser classificados de acordo com o seu estado de evolução e, portanto, de acordo com o nível histológico dos grupos de células névicas (Fig. 9-1B).

1. *NM juncional*: surge na junção dermoepidérmica, no lado epidérmico da membrana basal; em outras palavras, é intraepidérmico (Figs. 9-1B e 9-2).
2. *NM composto:* as células névicas invadem a derme papilar, e são encontrados ninhos de células névicas tanto na epiderme quanto na derme (Figs. 9-1B e 9-3).
3. *NM dérmico*: representa o estágio final de evolução dos NMs. A "descida" na derme está concluída nesse estágio, e o nevo cresce ou permanece intradérmico (Figs. 9-1B e 9-4). Com o envelhecimento progressivo, ocorre fibrose gradual (Fig. 9-4C).

Por conseguinte, os NMs evoluem da seguinte maneira: juncional → composto → dérmico (Fig. 9-1B). Como a capacidade das células dos

B NM juncional 　　　　　NM composto 　　　　　NM dérmico

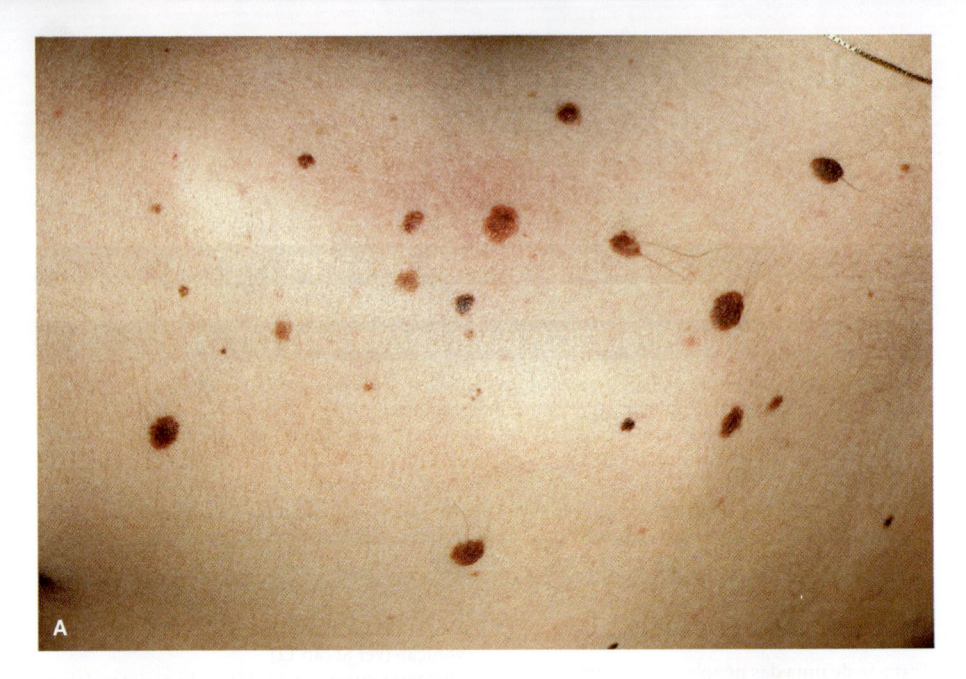

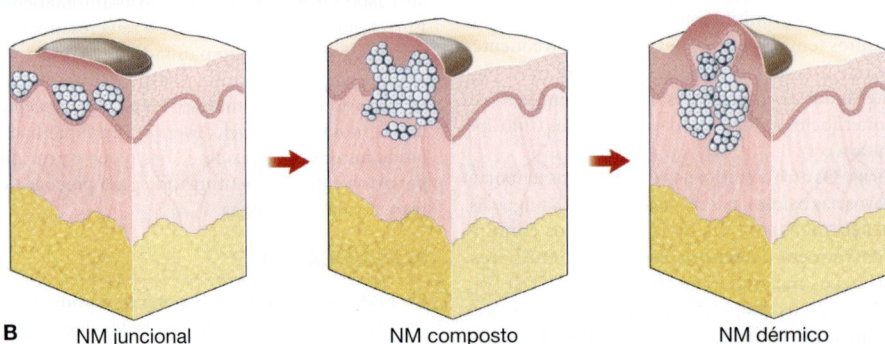

Figura 9-1 (A) Diversos NMs no ombro de uma mulher de 32 anos Esses nevos são, em sua maioria, NMs juncionais; alguns estão ligeiramente elevados e, portanto, consistem em NMs compostos. Observar o formato e a cor relativamente uniformes das lesões. Devido aos diferentes estágios de desenvolvimento, eles variam de tamanho desde 1 a 4 mm de diâmetro. Eles são regulares e têm formato relativamente uniforme. **(B) Os três tipos de NMs** Os NMs juncionais surgem na junção dermoepidérmica e são intraepidérmicos, pigmentados e planos. No NM composto, as células névicas invadem a derme e, portanto, são tanto intraepidérmicas quanto dérmicas. Como regra, apenas as células névicas juncionais têm a capacidade de formar melanina, portanto esses nevos ainda são pigmentados; entretanto, como o seu crescimento prossegue, são mais elevados do que os NMs juncionais. No NM dérmico, todas as células névicas encontram-se na derme e perderam a capacidade de produzir melanina. Por esse motivo, os NMs dérmicos são da cor da pele, rosados ou apenas ligeiramente acastanhados. Como eles ainda crescem e se expandem na derme, eles elevam a lesão e, portanto, são habitualmente cupuliformes ou papilomatosos.

Seção 9 Hiperplasias e neoplasias benignas

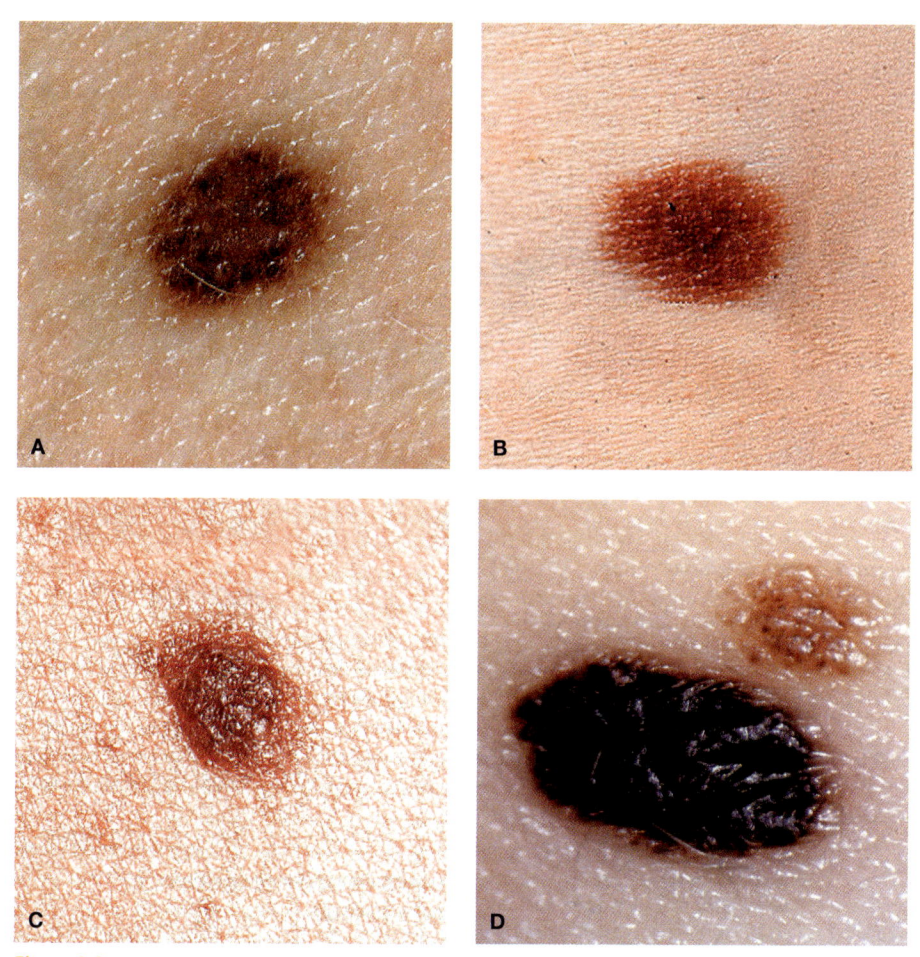

Figura 9-2 (A-D) NM juncional As lesões são completamente planas **(A, B)** ou minimamente elevadas como em **(C)** e **(D)**. São simétricas, com bordas regulares e, dependendo do tipo cutâneo do indivíduo, apresentam tonalidades diferentes, de marrom a preto **(D)**.

NMs de produzir melanina é maior quando estão localizadas na junção dermoepidérmica (localização intraepidérmica), e como essas células perdem a sua capacidade de formar melanina, quanto mais penetram na derme, menor a intensidade da pigmentação à medida que aumenta a proporção dérmica do nevo. Consequentemente, os NMs puramente dérmicos quase sempre carecem de pigmento. Em termos mais simples, o aspecto clínico dos NMs ao longo dessa via evolutiva pode ser caracterizado da seguinte maneira: o NM juncional é plano e escuro; o NM composto é elevado e escuro; e o NM dérmico é elevado e claro. Essa evolução também reflete a idade em que os diferentes tipos de NMs são encontrados. Os NMs juncionais e compostos são habitualmente detectados na infância e na adolescência, enquanto os NMs dérmicos começam a se manifestar na terceira e na quarta décadas de vida.

Nevos melanocíticos juncionais

LESÕES Mácula ou lesão apenas ligeiramente elevada (Fig. 9-2). Coloração castanha, marrom ou marrom-escura uniforme ou até mesmo preta. Lesão redonda ou oval, com bordas lisas e regulares. Lesões isoladas dispersas. O diâmetro nunca é maior do que 1 cm; quando for maior do que 1

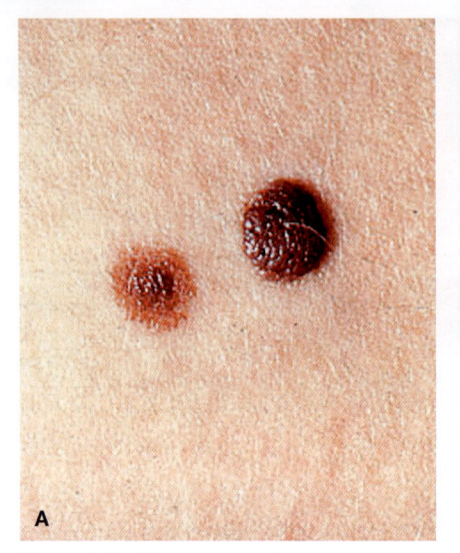

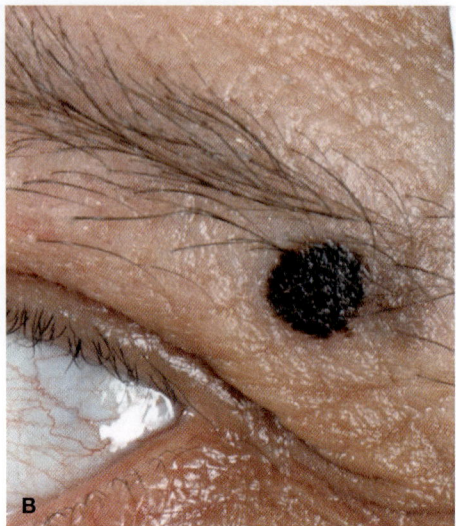

Figura 9-3 NM composto Pápulas e pequenos nódulos cupuliformes uniformemente pigmentados. **(A)** A lesão localizada à esquerda é mais plana e castanha, com centro mais escuro e elevado; a lesão maior (à direita) é mais antiga e tem coloração marrom-chocolate; a lesão da esquerda é mais recente e apresenta um componente predominantemente juncional na periferia. **(B)** Lesão cupuliforme intensamente pigmentada no supercílio. Essa lesão é bem definida, de coloração negra uniforme, superfície lisa e ligeiramente semelhante a "pedras de calçamento", com bordas bem demarcadas. A lesão mede menos de 5 mm.

cm, o "sinal" é um nevo melanocítico congênito, um ND ou um melanoma (ver Seção 12).

Nevos melanocíticos compostos

LESÕES Pápulas ou nódulos pequenos (**Fig. 9-3**). Cor marrom-escura, algumas vezes até mesmo preta; superfície cupuliforme, lisa ou semelhante a "pedras de calçamento", com bordas regulares e nitidamente demarcadas, algumas vezes papilomatosas ou hiperceratóticas. Nunca têm diâmetro maior do que 1 cm, portanto, quando tiverem, o sinal é um nevo melanocítico congênito, um ND ou um melanoma. Consistência firme ou macia. A cor pode tornar-se moteada à medida que ocorre conversão progressiva em NM dérmico. Pode haver pelos.

Nevos melanocíticos dérmicos

LESÕES Pápula ou nódulo nitidamente demarcado. Cor da pele, castanho ou com manchas marrons, frequentemente com telangiectasia. Lesões redondas, cupuliformes (**Fig. 9-4**), com superfície lisa e diâmetro de menos de 1 cm. Em geral, não ocorrem antes da segunda ou da terceira décadas de vida. As lesões mais antigas, principalmente no tronco, podem tornar-se pedunculadas e não desaparecem de modo espontâneo. Pode haver pelos.

DISTRIBUIÇÃO Face, tronco, membros e couro cabeludo. Distribuição aleatória. Em certas ocasiões, nas palmas e plantas; nesses casos, os NMs têm habitualmente a aparência de NMs juncionais.

DIAGNÓSTICO E DIAGNÓSTICO DIFERENCIAL

DIAGNÓSTICO Estabelecido clinicamente. À semelhança de todas as lesões pigmentadas, aplica-se a regra do ABCDE (ver Seção 12). Em caso de dúvida, recorrer à dermatoscopia e, se não for possível excluir a possibilidade de neoplasia maligna com esse procedimento, as lesões devem ser excisadas com margens estreitas.

DIAGNÓSTICO DIFERENCIAL *NM juncional:* todas as lesões planas e intensamente pigmentadas. Lentigo solar, nevo atípico plano e lentigo maligno. *NM composto:* todas as lesões elevadas e pigmentadas. Ceratose seborreica, ND, melanoma extensivo superficial pequeno, melanoma nodular em estágio inicial, carcinoma basocelular (CBC) pigmentado, dermatofibroma, nevo de Spitz e nevo azul. *NM dérmico:* todas as pápulas da cor da pele ou castanho-claras. CBC, neurofibroma, tricoepitelioma, dermatofibroma e hiperplasia sebácea.

Seção 9 Hiperplasias e neoplasias benignas

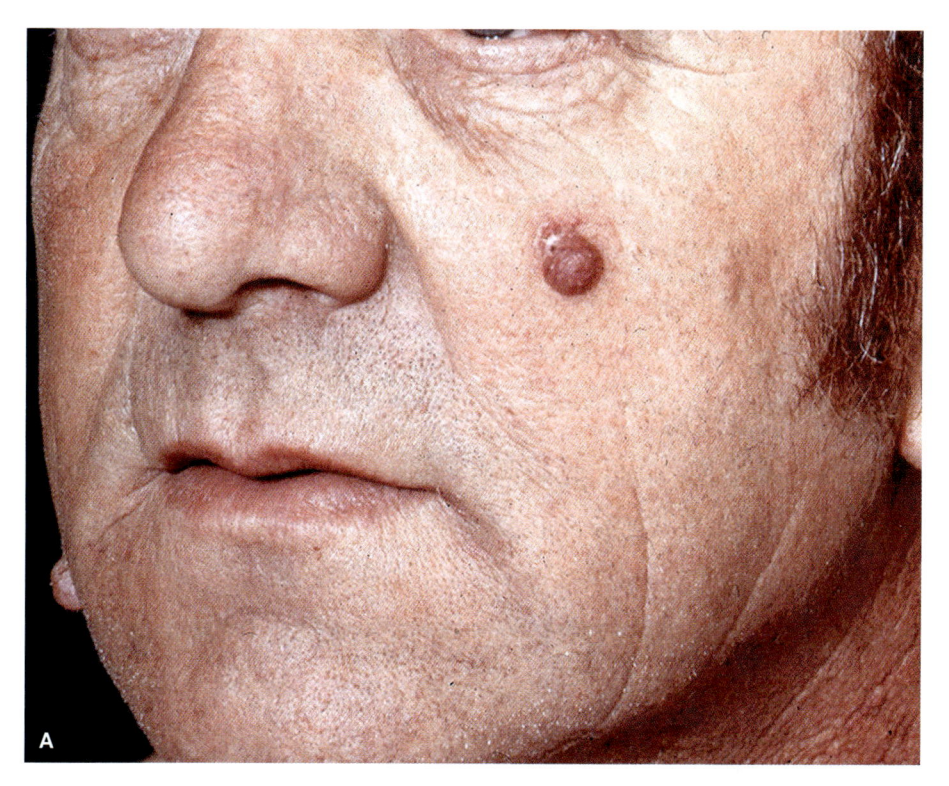

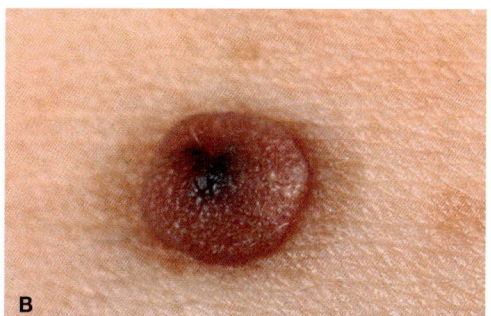

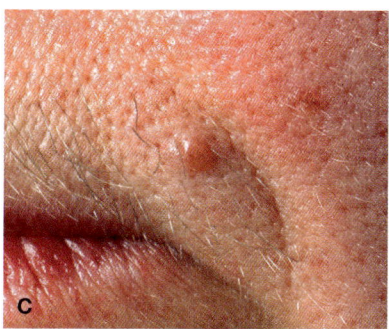

Figura 9-4 NM dérmico (A) Homem de 60 anos com dois nódulos cupuliformes, relativamente macios, castanhos e nitidamente demarcados na região malar esquerda e na região mandibular lateral direita. Essas lesões eram anteriormente muito mais escuras e menos elevadas. **(B)** Ampliação de um NM dérmico. Essa lesão é nitidamente demarcada e exibe coloração eritemato-acastanhada com uma mancha pigmentada central homogênea, onde o nevo é evidentemente ainda de natureza composta. **(C)** Nevo dérmico antigo na região próxima ao lábio superior de uma mulher de 65 anos. Essa lesão é relativamente dura, tem superfície lisa e coloração rosada, estando em fase de fibrose.

MANEJO

As indicações para a remoção dos NMs adquiridos são as seguintes:

Localização: lesões no couro cabeludo (apenas se forem de acompanhamento difícil e não constituírem NM dérmico clássico); mucosas e região anogenital.
Crescimento: se houver rápida mudança de tamanho.
Cor: se a cor se tornar variegada.
Borda: se houver bordas irregulares, ou se estas se desenvolverem.
Erosões: se a lesão sofrer erosão sem traumatismo significativo.
Sintomas: se a lesão começar a ser *persistentemente* pruriginosa, com dor ou sangramento.
Dermatoscopia: se os critérios para melanoma ou para nevo displásico estiverem presentes ou surgirem *de novo*.

Os nevos melanocíticos *nunca* se tornam malignos em consequência de manipulação ou de traumatismo. Nos casos em que se sustente que isso tenha ocorrido, a lesão era inicialmente um melanoma diagnosticado de modo incorreto. Se houver indicação para remoção de um NM, o nevo deve ser sempre excisado para diagnóstico histológico e tratamento definitivo (particularmente aplicável e decisivo no diagnóstico diferencial de nevos congênitos, displásicos ou azuis). A remoção de NM papilomatoso, composto ou dérmico por razões estéticas, por meio de eletrocauterização, exige que o nevo seja diagnosticado de modo inequívoco como NM benigno e que se realize um exame histológico. Se não for possível excluir com certeza a existência de melanoma em estágio inicial, é obrigatório efetuar uma excisão para exame histológico, a qual pode ser realizada com margens estreitas.

NEVO MELANOCÍTICO COM HALO CID-10: D22

- NM circundado por um halo de leucodermia ou despigmentação. A leucodermia é causada por uma diminuição da melanina nos melanócitos e/ou pelo desaparecimento dos melanócitos na junção dermoepidérmica (**Fig. 9-5A**).
- Mecanismo: mecanismo autoimune (celular, humoral), levando à apoptose das células névicas e dos melanócitos na epiderme circundante.
- Prevalência: 1%. Ocorre de modo espontâneo ou em pacientes com vitiligo.
- A presença de um halo branco ao redor de um NM indica regressão, e os nevos com halo mais frequentemente sofrem involução espontânea.
- Acomete habitualmente crianças ou adultos jovens, principalmente no tronco (**Fig. 9-5B**).
- Três estágios: (1) o halo branco ao redor de um NM preexistente (**Fig. 9-5B**) pode ser precedido de eritema (**Fig. 9-5C**); (2) desaparecimento do NM (em meses a anos) (**Fig. 9-5A**); e (3) repigmentação do halo (ao longo de anos).
- O NM com halo pode indicar vitiligo incipiente.
- Halo ao redor de outras lesões: Nevo azul, NM congênito, nevo de Spitz, melanoma maligno ou metástases de melanoma, dermatofibroma, neurofibroma.
- *Sinônimo*: leucodermia centrífuga adquirida de Sutton.

Seção 9 Hiperplasias e neoplasias benignas

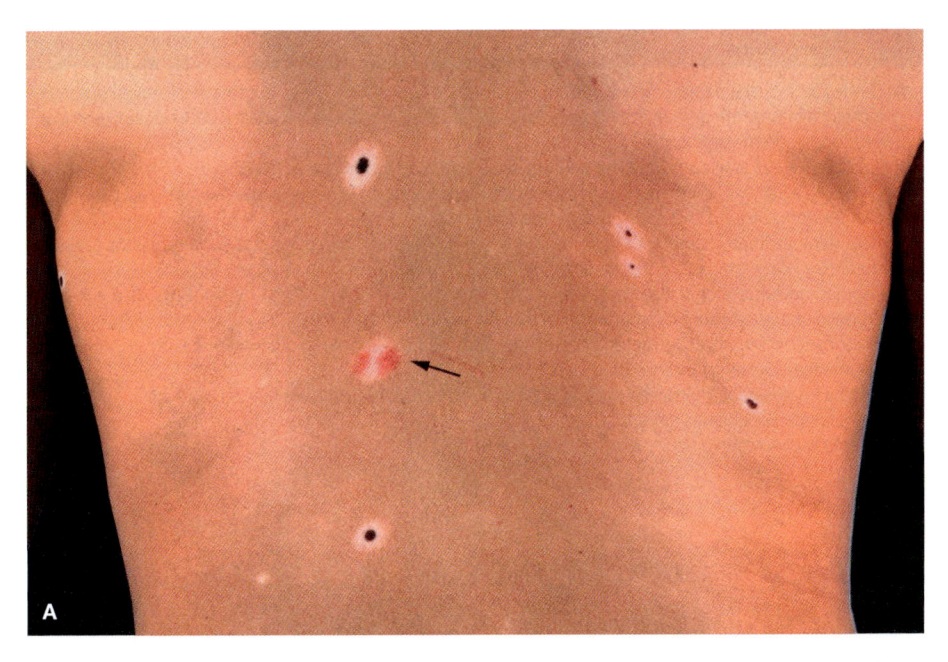

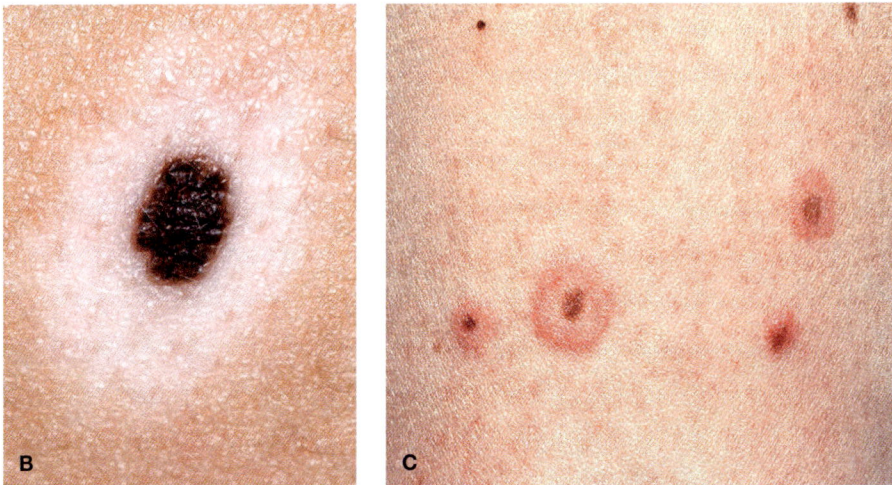

Figura 9-5 (A) NM com halo no dorso de uma mulher de 22 anos São observados cinco nevos com halo, todos com um ponto pigmentado central semelhante a um NM juncional ou composto, circundado por um halo hipo ou amelanótico. A seta indica uma lesão na qual o nevo central regrediu por completo; a cor avermelhada é ocasionada por telangiectasia. **(B)** Ampliação de um NM com halo. O nevo é um NM juncional (comparar com a **Fig. 9-2**), que é circundado por um halo hipomelanótico (quase branco). **(C)** Vários NMs juncionais castanhos circundados por um halo eritematoso. Trata-se de estágio inicial de desenvolvimento do halo, mas é observado apenas raramente. A borda eritematosa torna-se posteriormente branca.

NEVO AZUL CID-10: D22

- O nevo azul é uma pápula ou um nódulo adquiridos, de consistência firme, cores azul-escuro ou cinza a preto, nitidamente demarcado, que representa uma proliferação localizada de melanócitos *dérmicos* produtores de melanina.
- Três tipos: Nevo azul comum, nevo azul celular, NM/nevo azul combinados.
- Os nevos azuis e o NM/nevo azul combinados são benignos. Os nevos azuis celulares são maiores e têm tendência muito rara a se tornarem malignos.
- Acúmulo ectópico de melanócitos produtores de melanina; originam-se dos melanoblastos detidos durante a sua migração a partir da crista neural.
- Pápulas, nódulos azul-acinzentados, azul-enegrecidos, de < 10 mm de diâmetro (**Figs. 9-6** e **9-7A**). Os nevos azuis celulares são maiores (> 1 cm) e irregulares (**Fig. 9-7B**).
- Diagnóstico diferencial: Dermatofibroma, tumor glômico, melanoma nodular ou metastático, tatuagem traumática, CBC pigmentado.
- Não há necessidade de tratamento. Se houver qualquer dúvida, deve-se realizar excisão.
- Os nevos azuis celulares devem ser excisados.
- *Sinônimos*: neuronevo azul, melanocitoma dérmico.

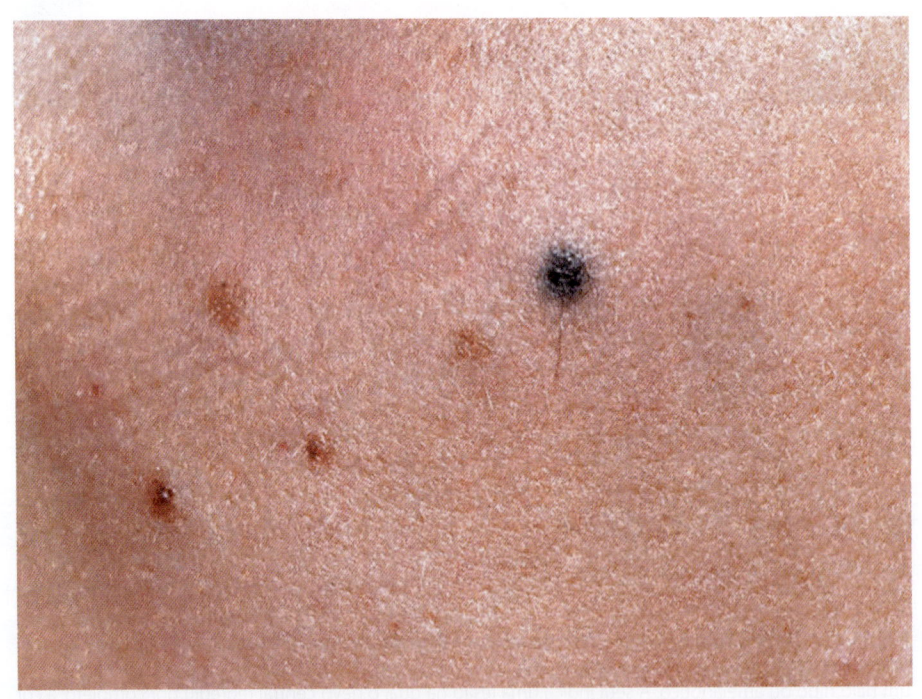

Figura 9-6 Nevo azul Uma adolescente de 17 anos com quatro NMs juncionais castanhos e uma lesão redonda preto-azulada na região malar. Diferentemente do NM juncional, o nevo azul é palpável, com consistência relativamente firme; na dermatoscopia, aparece como lesão uniformemente azulada com bordas mal definidas, de localização profunda na derme.

Seção 9 Hiperplasias e neoplasias benignas

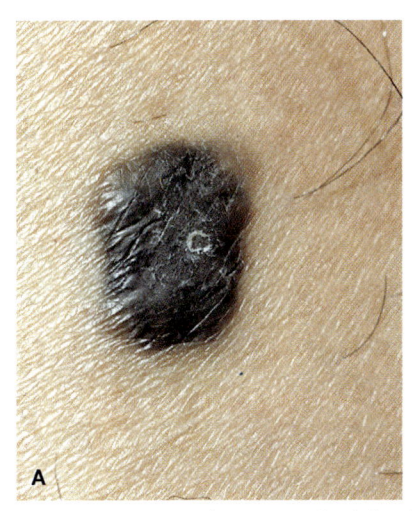

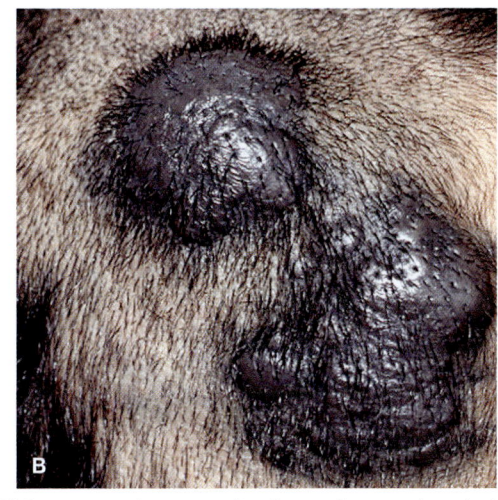

Figura 9-7 Nevo azul e nevo azul celular **(A)** Este nevo azul apresenta bordas regulares, porém, não é circular e tem coloração preto-azulada intensa. A epiderme é lisa, indicando que a lesão está localizada na derme. A consistência é mais firme, e as margens estão bem demarcadas. O diagnóstico diferencial deve incluir o melanoma nodular. **(B)** Este nevo azul celular surgiu na forma de dois grandes nódulos preto-azulados no couro cabeludo. Após a sua excisão, o exame histológico revelou que os nódulos eram contíguos, representando, portanto, uma única lesão. Os nevos azuis celulares são muito maiores e sempre devem ser excisados para excluir a possibilidade de melanoma que, embora raramente, pode se desenvolver nessas lesões.

NEVO *SPILUS* CID-10: D22

- Mácula pigmentada marrom-clara, cujas dimensões variam de poucos centímetros até uma área grande (> 15 cm), e numerosas máculas pequenas (2 a 3 mm) ou pápulas marrom-escuras dispersas por toda a área pigmentada (**Fig. 9-8A**). A pigmentação na base macular pode ser tão fraca a ponto de ser apenas detectada ao exame com lâmpada de Wood (**Fig. 9-8B**).
- A patologia da lesão pigmentada macular é a mesma do lentigo simples, isto é, quantidades aumentadas de melanócitos, enquanto as lesões planas ou elevadas dispersas consistem em NMs juncionais ou compostos; raramente, podem consistir em ND.
- As lesões não são tão comuns quanto os NMs juncionais ou compostos, porém não são raras. Em uma série, foi constatada a presença de nevo *spilus* em 3% dos pacientes brancos.
- O melanoma maligno muito raramente se desenvolve nessas lesões.

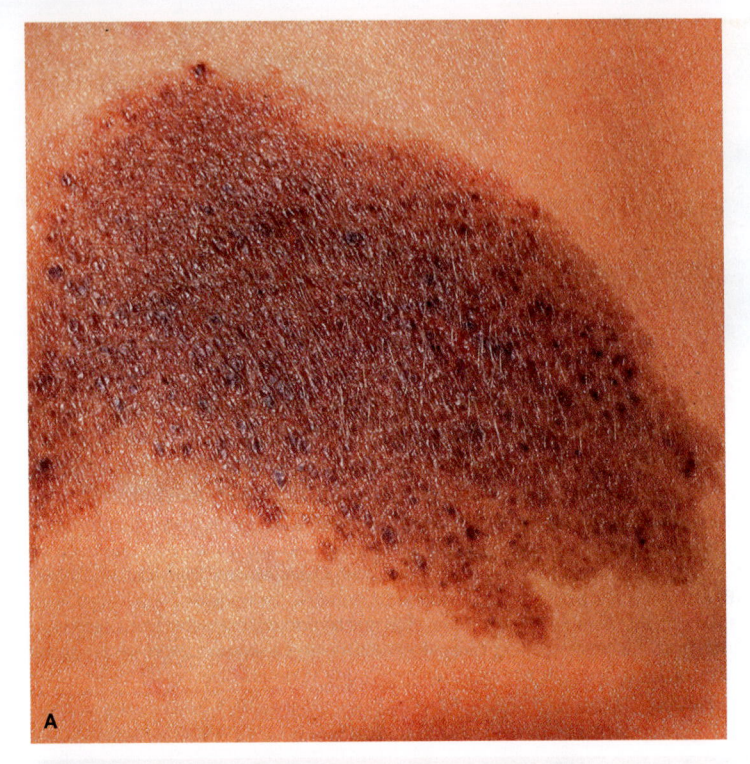

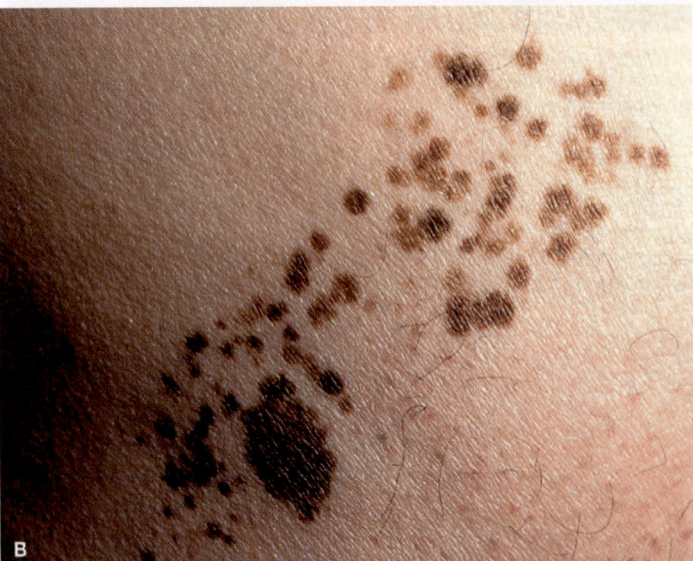

Figura 9-8 Nevo *spilus* **(A)** Esta mácula pigmentada marrom-escura, que mede cerca de 10 cm em seu eixo longitudinal, é salpicada por numerosas máculas e pápulas pequenas, marrom-escuras a pretas. **(B)** Esta lesão também é um nevo *spilus*, porém a base macular está apenas ligeiramente pigmentada, de modo que a sua presença só é detectada com a lâmpada de Wood. A lesão é salpicada com muitas máculas marrom-escuras pequenas e pápulas planas.

NEVO DE SPITZ CID-10: D22

- O nevo de Spitz é um pequeno nódulo (< 1 cm de diâmetro) benigno, cupuliforme e sem pelos, mais frequentemente de cor rosada, vermelha ou castanha (**Fig. 9-9A**). Em geral, há história de crescimento rápido recente.
- A incidência é de 1,4:100.000 (Austrália). Acomete todas as idades, porém, um terço dos pacientes consiste em crianças menores de 10 anos; raramente é observado em indivíduos com 40 anos ou mais. As *lesões* surgem em poucos meses. Consistem em pápulas ou em nódulos cupuliformes ou relativamente planos, redondos, bem delimitados, de superfície lisa e sem pelos. As lesões têm coloração rosa-avermelhada uniforme (**Fig. 9-9A**), castanha, marrom, marrom-escura ou até mesmo preta (**Fig. 9-9B**); são de consistência firme e distribuem-se habitualmente na cabeça e na região cervical.
- O *diagnóstico diferencial* inclui todas as pápulas rosadas, castanhas ou intensamente pigmentadas: granuloma piogênico, hemangioma, molusco contagioso, xantogranuloma juvenil, mastocitoma, dermatofibroma, NM, ND (amelanótico), melanoma nodular.
- *Dermatopatologia*: Hiperplasia da epiderme e dos melanócitos e dilatação dos vasos capilares. Mistura de células epitelioides grandes, células fusiformes volumosas com citoplasma abundante e algumas figuras mitóticas.
- O exame histológico é necessário para a confirmação do diagnóstico clínico. A excisão total é importante, visto que essa condição sofre recidiva em 10 a 15% dos casos em lesões que não tenham sido excisadas por completo. Os nevos de Spitz são benignos, mas pode haver semelhança histológica com o melanoma, e o diagnóstico histopatológico exige a ajuda de um dermatopatologista experiente.
- Os nevos de Spitz habitualmente não regridem, como o fazem os NMs adquiridos comuns. Todavia, foi observado que algumas lesões se transformam em NMs compostos comuns, enquanto outras sofrem fibrose e, nos estágios avançados, podem se assemelhar aos dermatofibromas.
- *Sinônimos*: nevo de células epitelioides fusiformes e pigmentado. Há algumas décadas, esses nevos eram denominados "melanoma juvenil".

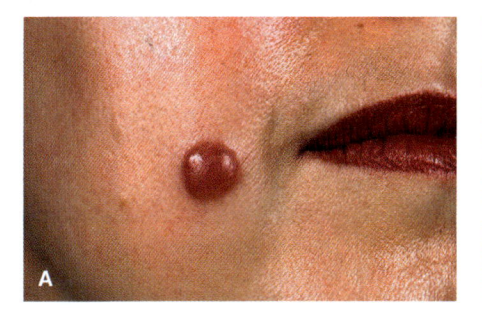

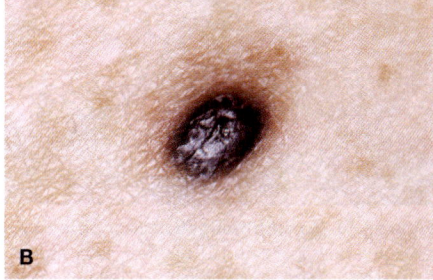

Figura 9-9 Nevo de Spitz (A) Nódulo cupuliforme rosado, na região malar de uma jovem de 25 anos, o qual surgiu repentinamente nos últimos 12 meses; a lesão pode ser confundida com um hemangioma. **(B)** Nevo de Spitz pigmentado (também chamado de nevo de Reed). Pápula preta circundada por uma região macular castanha que surgiu há alguns meses no dorso de uma mulher jovem; como essa lesão não pode ser diferenciada do melanoma nodular, ela foi excisada, e o diagnóstico foi histologicamente confirmado.

MANCHA MONGÓLICA CID-10: L81.4

- Essas lesões maculares azul-acinzentadas congênitas localizam-se geralmente na região lombossacral (**Fig. 9-10**), mas também podem ocorrer no dorso, no couro cabeludo ou em qualquer outra área da pele. Em geral, trata-se de uma lesão única; todavia, raramente, pode haver várias lesões no tronco por ocasião do nascimento (**Fig. 9-11**).
- A patologia subjacente consiste em melanócitos fusiformes dispersos na derme (melanocitose dérmica). Acredita-se que esses melanócitos ectópicos possam representar células pigmentadas cuja migração da crista neural para a epiderme foi interrompida.
- As manchas mongólicas podem desaparecer no início da infância, ao contrário do nevo de Ota (ver **Fig. 9-12**).
- Como o próprio nome *mongólica* sugere, essas lesões quase sempre (99 a 100%) são encontradas em lactentes de ascendência asiática ou de índios nativos norte-americanos; todavia, foram também relatadas em lactentes afro-americanos e, raramente, caucasoides.
- Não foi relatada a ocorrência de melanoma nessas lesões.

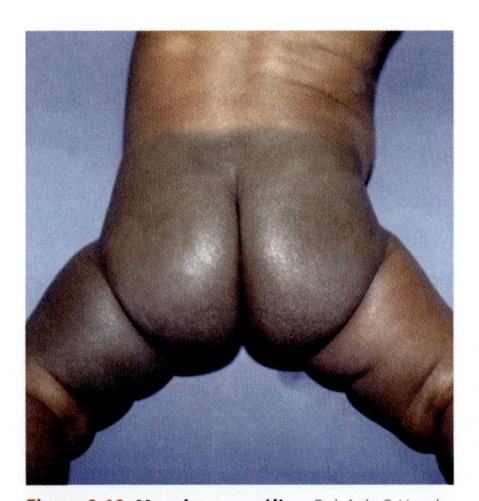

Figura 9-10 Mancha mongólica Bebê de Sri Lanka com grande lesão macular azul-acinzentada, acometendo toda a região lombossacral e glútea e a coxa esquerda. Embora as manchas mongólicas sejam comuns em asiáticos, os pais desse bebê ficaram assustados devido ao grande tamanho da lesão.

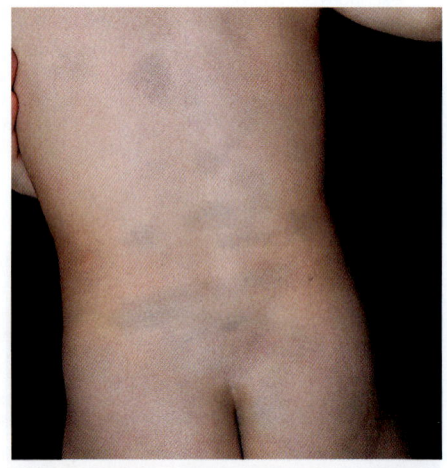

Figura 9-11 Manchas mongólicas Criança japonesa com várias lesões azuladas e mal definidas, dispersas no dorso. Essas lesões estavam presentes por ocasião do nascimento. A maioria desapareceu posteriormente na infância.

NEVO DE OTA CID-10: L81.8

- O nevo de Ota é muito comum nas populações asiáticas e é detectado em 1% dos pacientes ambulatoriais dermatológicos atendidos no Japão. A sua ocorrência foi relatada em indianos orientais, afro-americanos e, raramente, indivíduos caucasoides.
- A pigmentação, que pode ser muito sutil ou acentuadamente desfigurante, consiste em uma mistura pardacenta e moteada de hiperpigmentação cutânea azul e castanha. Acomete principalmente a pele e as mucosas inervadas pelo primeiro e segundo ramos do nervo trigêmeo (**Fig. 9-12**).
- A tonalidade azulada deve-se à presença de melanócitos ectópicos na derme. Pode ocorrer no palato duro e nas conjuntivas (**Fig. 9-12**), nas escleras e nas membranas timpânicas.
- O nevo de Ota pode ser bilateral. Pode ser congênito, porém não é hereditário; com mais frequência, surge na primeira infância ou durante a puberdade e persiste por toda a vida, ao contrário da mancha mongólica, que pode desaparecer no início da infância.
- O tratamento com *laser* constitui uma modalidade efetiva para esse distúrbio de desfiguração estética.
- O melanoma maligno pode ocorrer, mas é muito raro.

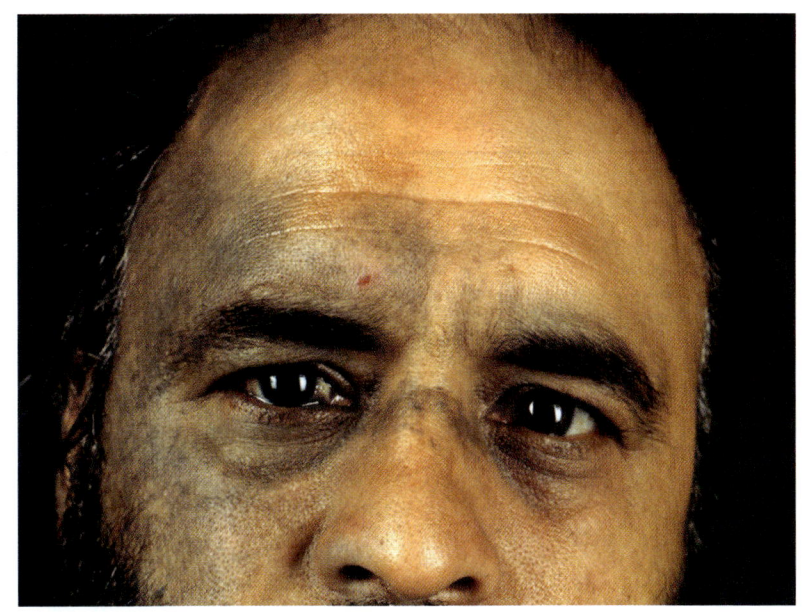

Figura 9-12 Nevo de Ota Hiperpigmentação moteada, pardacenta, cinza a azulada e mal definida nas regiões inervadas pelo primeiro e segundo ramos do nervo trigêmeo. A lesão era unilateral, e também havia hiperpigmentação da esclera e das pálpebras.

TUMORES E MALFORMAÇÕES VASCULARES

- A atual classificação biológica binária diferencia os tumores vasculares das malformações vasculares. Estas são subdivididas, de acordo com os componentes estruturais, em formas capilares, venosas, linfáticas, arteriais ou combinadas (**Quadro 9-1**).
- Os *tumores vasculares* (p. ex., hemangiomas) exibem hiperplasia endotelial, enquanto as *malformações* apresentam uma renovação endotelial normal.
- Os hemangiomas da infância não estão presentes por ocasião do nascimento e aparecem no período pós-natal; crescem rapidamente durante o primeiro ano de vida (fase proliferativa), sofrem regressão lenta espontânea durante a infância (fase involutiva) e, depois disso, permanecem estáveis.
- As malformações vasculares consistem em erros de morfogênese, e acredita-se que ocorram durante a vida intrauterina. A maioria dessas lesões está presente por ocasião do nascimento, embora algumas só apareçam nos anos subsequentes. Quando presentes, crescem de modo proporcional, porém o seu aumento pode ocorrer em consequência de vários fatores.
- Tanto os tumores quanto as malformações vasculares podem ser divididos em tipos de fluxo lento e de fluxo rápido.
- O **Quadro 9-1** fornece uma classificação dos tumores e das malformações vasculares, enquanto o **Quadro 9-2** apresenta as características diferenciais dos tumores e das malformações vasculares.

QUADRO 9-1 Classificação das anomalias vasculares

Tumores vasculares	Malformações vasculares
■ Hemangioma 　■ Hemangioma da infância 　■ Congênito 　　■ Hemangioma congênito rapidamente involutivo 　　■ Hemangioma congênito não involutivo ■ Hemangioendoteliomas 　■ Hemangioendotelioma kaposiforme 　■ Angioma em tufos ■ Angiossarcoma	■ Capilares 　■ Malformação capilar (mancha vinho do Porto) 　■ Telangiectasia (telangiectasia benigna hereditária; telangiectasia essencial) 　■ Telangiectasia hemorrágica hereditária 　■ Malformação capilar-arteriovenosa 　■ Síndrome de Sturge-Weber ■ Venosas 　■ Malformação venosa 　■ Forma familiar: malformação venosa mucocutânea 　■ Malformação glomo venoso 　■ Nevo *blue rubber-bleb* ou síndrome de Bean ■ Linfáticas 　■ Malformação linfática 　■ Linfedemas primários ■ Arteriais 　■ Malformação arteriovenosa 　■ Malformação capilar-arteriovenosa 　■ Fístula arteriovenosa ■ Malformações sindrômicas 　■ Fluxo lento 　　■ Síndrome de Klippel-Trénaunay (malformação capilar-venolinfática) 　　■ Síndrome de Maffucci 　■ Fluxo rápido 　　■ Síndrome de Parkes Weber

Fonte: Reproduzido com permissão de Boon LM, Vikkulla M. Vascular malformations. In: Wolff K, Goldsmith LA, Katz SI, et al, eds. *Fitzpatrick's Dermatology in General Medicine*. 7th ed. New York: NY: McGraw-Hill; 2008, pp. 1651–1666.

	QUADRO 9-2 Características que diferenciam os tumores vasculares (hemangiomas) das malformações vasculares	
	Tumores	**Malformações**
Presença ao nascimento	Habitualmente no período pós-natal, 30% por ocasião do nascimento, raramente desenvolvidos por completo	100% (presumivelmente), nem sempre evidentes
Razão sexo masculino: sexo feminino	1:3 a 1:5	1:1
Incidência	1 a 12,6% ao nascimento; 10 a 12% com 1 ano de idade	0,3 a 0,5% para a mancha vinho do Porto
História natural	Fases: proliferativa, em involução e involuída	Crescimento proporcional; pode ocorrer expansão
Celularidade	Hiperplasia endotelial	Renovação endotelial normal
Alterações esqueléticas	Efeito expansivo ocasional sobre o osso adjacente; hipertrofia rara	De fluxo lento: distorção, hipertrofia ou hiperplasia De fluxo rápido: destruição, distorção ou hipertrofia

Fonte: Reproduzido com permissão de Virnelli-Grevelink, S, Mulliken JB. Vascular anomalies and tumors of skin and subcutaneous tissues. In: Freedberg IM, Eisen AZ, Wolff K, et al, eds. *Fitzpatrick's Dermatology in General Medicine*. 6th ed. New York, NY: McGraw-Hill; 2003:1002–1019.

TUMORES VASCULARES

HEMANGIOMA DA INFÂNCIA (HI) CID-10: D18.0

(Anteriormente designado hemangioma capilar "em morango" ou "em cereja".)

EPIDEMIOLOGIA

Trata-se do tumor mais comum da infância. A incidência em recém-nascidos é de 1 a 2,5%; em crianças caucasoides em torno de 1 ano de idade, alcança 10%. A razão entre sexo feminino e sexo masculino é de 3:1.

ETIOLOGIA E PATOGÊNESE

O HI é um processo proliferativo localizado do mesênquima angioblástico. Resulta de uma expansão clonal de células endoteliais em consequência de mutações somáticas dos genes que regulam a proliferação dessas células.

MANIFESTAÇÕES CLÍNICAS

A fase proliferativa inicial dura de 3 a 9 meses. Em geral, os HIs crescem rapidamente durante o primeiro ano. Na fase subsequente, de involução, o HI regride gradualmente no decorrer de 2 a 6 anos. A involução é habitualmente concluída aos 10 anos de idade e varia muito entre os indivíduos. Não se correlaciona com o tamanho, a localização ou o aparecimento da lesão.

LESÕES CUTÂNEAS São macias, compressíveis e de cor vermelho-brilhante a púrpura-escura. À diascopia, as lesões não empalidecem por completo. Nódulo ou placa de 1 a 8 cm (**Figs. 9-13A** e **9-14A**). Com o início da regressão espontânea, surge uma área branco-acinzentada na superfície da parte central da lesão (**Fig. 9-14A**). Pode ocorrer ulceração.
Distribuição. As lesões são habitualmente solitárias e localizadas, ou se estendem por uma região inteira (**Fig. 9-15**). Elas costumam cobrir 50% da cabeça e da região cervical e 25% do tronco. As lesões acometem a face, o tronco, as pernas e a mucosa oral.

APRESENTAÇÕES ESPECIAIS

HI PROFUNDO (Anteriormente denominado hemangioma cavernoso.) Localizado nas camadas inferiores da derme e na gordura subcutânea. Trata-se de uma massa localizada, de consistência elástica firme e de cor da pele normal ou azulada, com telangiectasias na pele sobrejacente (**Fig. 9-16**). Pode estar associado ao hemangioma superficial (**Fig. 9-14A**). Não involui tão bem quanto o tipo superficial.

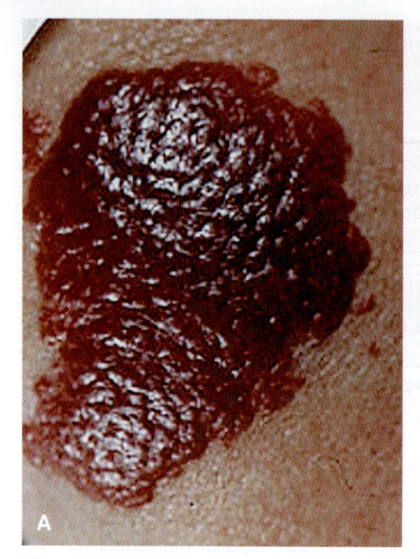

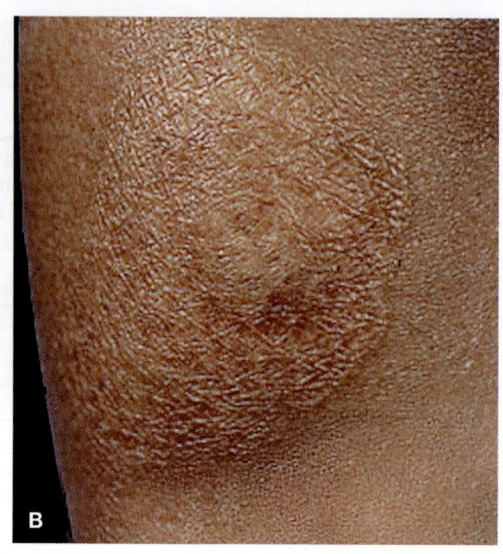

Figura 9-13 Hemangioma da infância (A) Esta placa nodular vermelho-brilhante em um lactente de ascendência africana era assustadora para os pais, e é necessário ter cautela para evitar a ocorrência de cicatrizes em consequência do próprio tratamento. Como a maioria dessas lesões desaparece de modo espontâneo, e apenas 20% sofrem atrofia residual ou despigmentação, recomenda-se uma estratégia expectante. **(B)** A mesma lesão depois de 3 anos. O hemangioma regrediu espontaneamente, e observa-se apenas uma discreta atrofia residual.

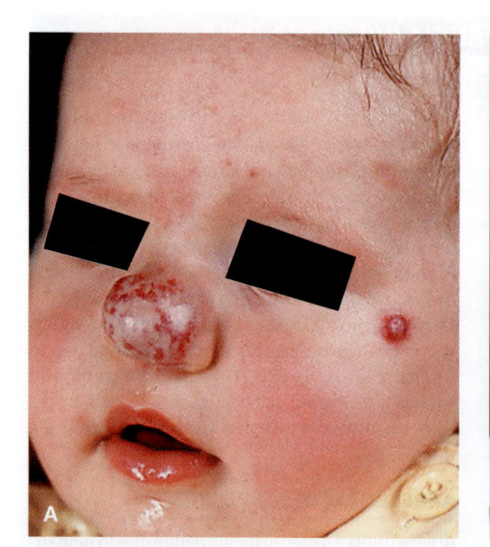

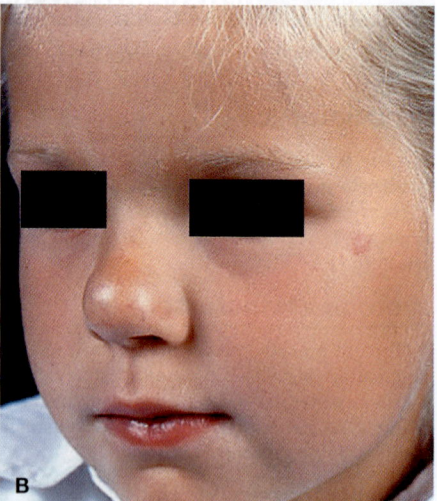

Figura 9-14 Hemangioma da infância (A) Esta lesão no nariz consiste em uma porção superficial e outra profunda, e a involução incipiente já é evidente no componente superficial. Observa-se a presença de outro hemangioma pequeno da infância na região zigomática esquerda. **(B)** Com 5 anos de idade, o hemangioma no nariz havia quase desaparecido, assim como a lesão na região zigomática; esta última, entretanto, deixou uma pequena cicatriz.

Figura 9-15 Hemangioma da infância Nesta criança, a lesão acomete uma grande área da pele. Embora a involução inicial já seja evidente na fronte, a lesão na pálpebra superior e no ângulo medial do olho está impedindo a função normal da pálpebra, indicando que a visão poderá ser prejudicada no futuro. Neste paciente, houve indicação para tratamento.

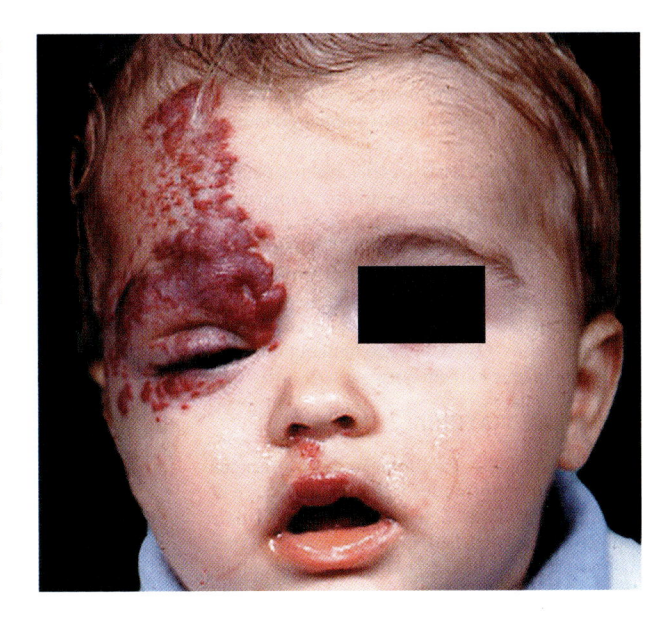

Figura 9-16 Hemangioma da infância, lesão profunda Massa de consistência elástica no tecido subcutâneo, associada a um componente superficial (vermelho). Essas lesões dificilmente regridem. O hemangioma foi removido cirurgicamente.

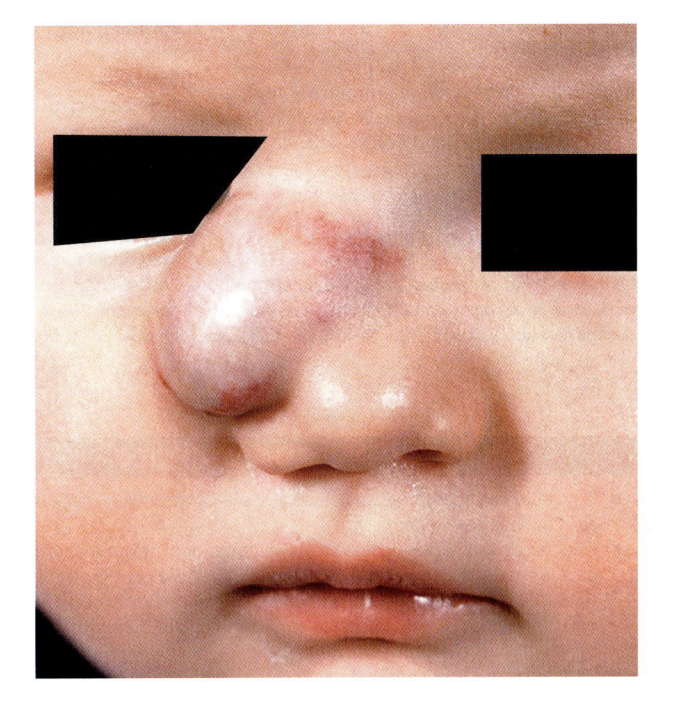

HI MÚLTIPLO Múltiplas lesões papulares pequenas (< 2 cm), de cor vermelho-cereja, que acometem apenas a pele (*hemangiomatose cutânea benigna*) ou a pele e órgãos internos (*hemangiomatose neonatal difusa*).

HEMANGIOMAS CONGÊNITOS Desenvolvem-se *in utero* e são subdivididos em hemangiomas congênitos rapidamente involutivos (HCRIs) e hemangiomas congênitos não involutivos (HCNIs). Ocorrem como tumores violáceos com telangiectasias sobrejacentes com veias de grande calibre na periferia, ou como placas vermelho-violáceas que invadem os tecidos mais profundos. Os HCNIs são hemangiomas de fluxo rápido, que exigem cirurgia.

EXAME LABORATORIAL

DERMATOPATOLOGIA Proliferação das células endoteliais em quantidades variáveis na derme e/ou no tecido subcutâneo; em geral, ocorre mais proliferação endotelial no tipo superficial, enquanto há pouca proliferação nos angiomas profundos. Observa-se imunorreatividade à GLUT-1 em todos os hemangiomas, mas não nas malformações vasculares.

DIAGNÓSTICO

É realizado com base nas manifestações clínicas e na RM; Doppler e arteriografia para se demonstrar a existência de fluxo rápido. Deve-se determinar a imunorreatividade à GLUT-1 para se descartar a possibilidade de malformação vascular.

EVOLUÇÃO E PROGNÓSTICO

Os HIs sofrem involução espontânea em torno de 5 anos de idade, e certa porcentagem deles só desaparece aos 10 anos (**Figs. 9-13B** e **9-14B**). Na maioria das lesões (80%), não há praticamente qualquer alteração cutânea residual no local; nos demais casos, há atrofia, despigmentação, telangiectasia e cicatrizes. Entretanto, os HIs podem representar um problema considerável durante a fase de crescimento, quando interferem nas funções vitais, como obstrução da visão (**Fig. 9-15**) ou da laringe, do nariz ou da boca. As lesões mais profundas, particularmente as que acometem as mucosas, podem não involuir por completo. O acometimento sinovial pode estar associado a uma artropatia semelhante à ocasionada pela hemofilia. As formas especiais de HI, os *angiomas em tufos* e o *hemangioendotelioma kaposiforme*, podem apresentar retenção das plaquetas, trombocitopenia (síndrome de Kasabach-Merritt) e até mesmo coagulação intravascular disseminada. Raramente, a morbidade associada ao HI é secundária à hemorragia ou à insuficiência cardíaca de alto débito.

TRATAMENTO

Cada lesão deve ser avaliada individualmente quanto à decisão de tratar ou não tratar e à escolha da modalidade de tratamento. O tratamento sistêmico é difícil, exige experiência e deve ser realizado por um especialista. As intervenções clínicas e cirúrgicas incluem "dye" *laser* de ondas contínuas ou pulsado, criocirurgia, glicocorticoides intralesionais ou sistêmicos em altas doses, α-IFN e propranolol. Para a maioria dos HIs, a melhor abordagem consiste em não intervir, visto que a regressão espontânea produz os melhores resultados estéticos (**Figs. 9-13B** e **9-14B**). O tratamento é indicado para cerca de 25% dos casos de HI (5% que ulceram; 20% que causam obstrução de estruturas vitais, i.e., olhos, orelhas, laringe).

GRANULOMA PIOGÊNICO CID-10: L98.0

- O granuloma piogênico é uma lesão vascular de desenvolvimento rápido, que ocorre habitualmente após traumatismo mínimo.
- Caracteriza-se por um nódulo vascular muito comum, solitário e erodido, que sangra espontaneamente ou após traumatismo mínimo. A lesão tem superfície lisa, com ou sem crostas ou erosão (**Fig. 9-17A**). Aparece como pápula de cor vermelho-viva, vermelho-escura, violácea ou negro-acastanhada, com um colarete epidérmico hiperplásico na base (**Fig. 9-17B**); acomete os dedos das mãos, os lábios, a boca, o tronco e os dedos dos pés.
- Histopatologia: Agregados lobulares de capilares em proliferação, com edema e numerosos neutrófilos. Por conseguinte, o granuloma piogênico não é piogênico (associado à infecção bacteriana), nem representa um granuloma.
- O tratamento consiste em excisão cirúrgica ou curetagem com eletrodissecção na base.
- A importância do granuloma piogênico reside na possibilidade de ser confundido com melanoma nodular amelanótico e vice-versa.

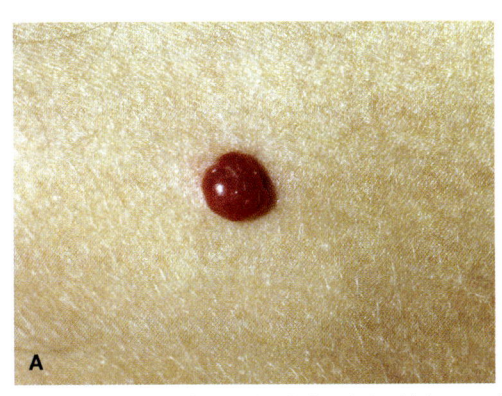

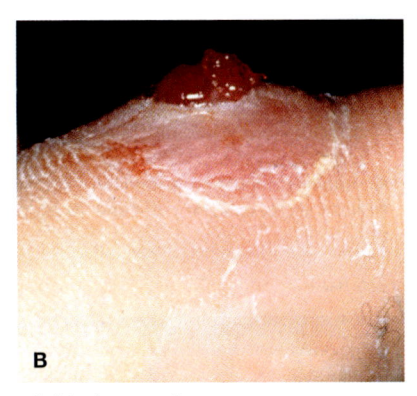

Figura 9-17 Granuloma piogênico (A) Nódulo vascular solitário de aparecimento recente, que sangra espontaneamente ou após traumatismo mínimo. As lesões têm habitualmente superfície lisa, com ou sem crostas ou erosão. **(B)** Nas palmas e nas plantas, apresentam um colarete característico de espessamento do estrato córneo na base. Esse colarete pode ser mais bem observado quando visto de perfil.

TUMOR GLÔMICO CID-10: D36.7

- Tumor do *corpo glômico*, uma unidade anatômica e funcional composta por músculo liso especializado e *células glômicas* que circundam espaços endoteliais de paredes finas; essa unidade anatômica funciona como *shunt* arteriovenoso, ligando arteríolas e vênulas. Os corpos glômicos são encontrados nas polpas digitais e nos leitos ungueais dos dedos das mãos e dos pés, bem como na face volar das mãos e dos pés, na pele das orelhas e na região central da face.
- O tumor glômico manifesta-se na forma de pápula ou nódulo subcutâneo ou subungueal extremamente doloroso. Os tumores glômicos caracterizam-se por episódios dolorosos paroxísticos, particularmente provocados por exposição ao frio. Com mais frequência, aparecem como tumores subungueais solitários (**Fig. 9-18A**), mas raramente podem ocorrer como pápulas ou nódulos múltiplos. São identificados particularmente em crianças, como pápulas distintas ou, algumas vezes, placas em qualquer região da superfície da pele (**Fig. 9-18B**).
- O tratamento consiste em excisão.

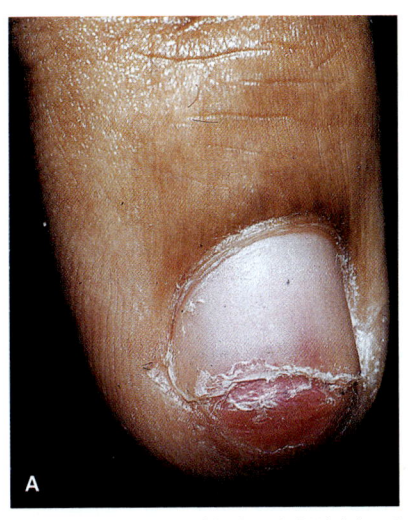

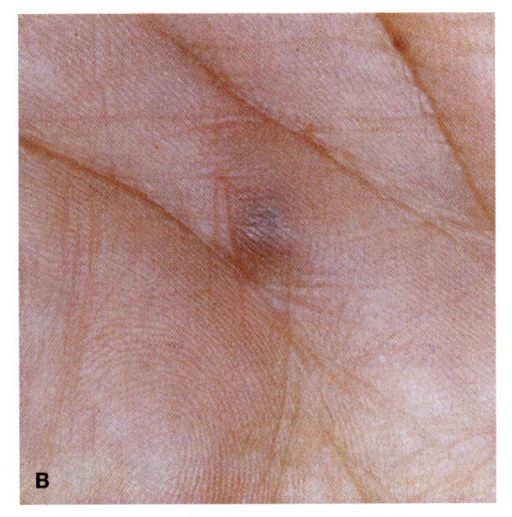

Figura 9-18 Tumor glômico (A) Nódulo subungueal de cor avermelhada, extremamente doloroso; a dor torna-se paroxística com a exposição ao frio. **(B)** Tumor glômico na palma de um adolescente de 16 anos.

MALFORMAÇÕES VASCULARES

- São malformações que não sofrem involução espontânea.
- São identificadas as seguintes malformações vasculares: *malformações capilares* (MCs) (p. ex., nevo flâmeo ou mancha vinho do Porto [MVP], de acordo com a nomenclatura antiga), *malformação linfática*, *malformação capilar linfática* (MCL), *malformação venosa* (MV) e *malformação arteriovenosa* (MAV).
- Histologicamente, consistem em vários tipos de vasos dilatados e tortuosos.
- Nesta seção, serão descritos apenas os tipos mais comuns e importantes.

MALFORMAÇÕES CAPILARES (MCs)

MANCHA VINHO DO PORTO (MVP) CID-10: Q27.8

- A MVP consiste em MC macular vermelha ou violácea, de forma irregular, que já está presente ao nascimento e que nunca desaparece espontaneamente.
- É comum (0,3% dos recém-nascidos); a malformação limita-se habitualmente à pele.
- Pode estar associada a malformações vasculares nos olhos e nas leptomeninges (síndrome de Sturge--Weber [SSW]).
- *Sinônimo*: nevo flâmeo.

LESÕES CUTÂNEAS As lesões são maculares (Fig. 9-19), com tonalidades variáveis de rosa a púrpura. As lesões grandes seguem a distribuição dos dermátomos e são habitualmente unilaterais (85%), embora nem sempre isso ocorra. Acometem mais comumente a face, na distribuição do nervo trigêmeo (Fig. 9-19) e, em geral, nos ramos superior e intermediário; pode ocorrer acometimento das mucosas da conjuntiva e da boca. A MC também pode acometer outros locais. Com o aumento de idade do paciente, surgem pápulas ou nódulos de consistência elástica (Fig. 9-20), que causam desfiguração estética significativa.

Variante clínica

O *nevo flâmeo da nuca* ("mordida da cegonha", eritema da nuca, mancha salmão) ocorre em aproximadamente um terço dos lactentes, na região da nuca, e tende a regredir de modo espontâneo. Lesões semelhantes podem ocorrer nas pálpebras e na glabela. Não se trata realmente de uma MC, mas de um fenômeno de vasodilatação transitória.

HISTOPATOLOGIA

Revela ectasia dos capilares e ausência de proliferação das células endoteliais. A imunorreatividade à GLUT-1 é negativa.

EVOLUÇÃO E PROGNÓSTICO

As MVPs são MCs que não regridem espontaneamente. A área acometida tende a aumentar proporcionalmente ao crescimento da criança. Nos adultos, as MVPs tornam-se habitualmente elevadas, com áreas papulares e nodulares, e causam desfiguração estética progressiva e significativa (Fig. 9-20).

TRATAMENTO

O tratamento com *laser* de corante ("dye" *laser*) ou de vapor de cobre é altamente efetivo.

MC SINDRÔMICA

A SSW consiste na associação da MVP na distribuição do nervo trigêmeo com malformações vasculares dos olhos e das leptomeninges e calcificações superficiais do encéfalo. A SSW pode estar associada a hemiparesia contralateral, hemiatrofia muscular, epilepsia e deficiência mental, bem como ao glaucoma e à paralisia ocular. As radiografias revelam calcificações características das malformações vasculares ou calcificação linear localizada ao longo das circunvoluções cerebrais. Deve-se realizar uma TC. Entretanto, é importante assinalar que a MVP com distribuição no nervo trigêmeo é comum e não indica necessariamente a presença de SSW. A *síndrome de Klippel-Trénaunay-Weber* pode estar associada a uma MVP localizada sobre a malformação vascular mais profunda dos tecidos moles e dos ossos. A *MVP na linha média do dorso* pode estar associada a uma MAV subjacente da medula espinal.

Figura 9-19 Mancha vinho do Porto Criança com mancha vinho do Porto nitidamente demarcada, localizada na distribuição do segundo ramo do nervo trigêmeo.

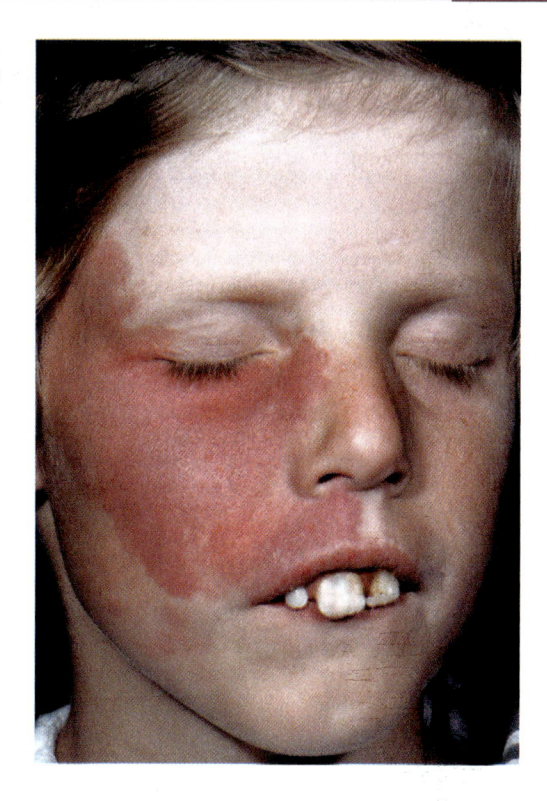

Figura 9-20 Mancha vinho do Porto Com a idade, a cor escurece, e surgem lesões vasculares papulares e nodulares na lesão previamente macular, causando desfiguração estética progressiva.

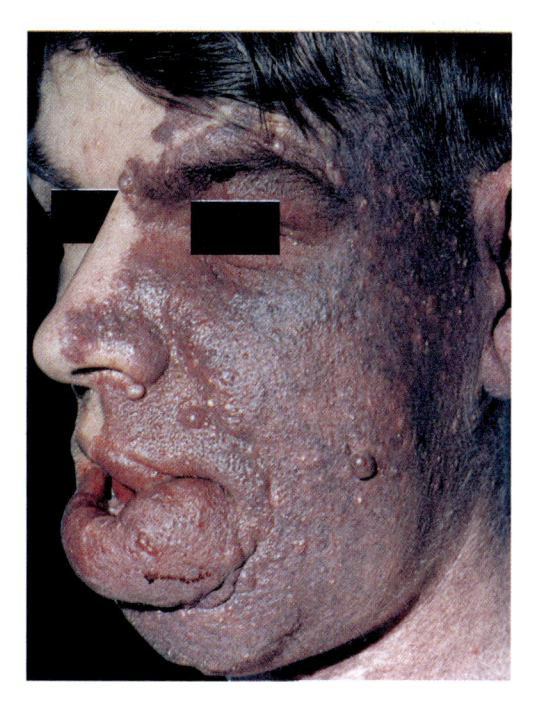

ANGIOMA ARACNEIFORME CID-10: I78.8

- De ocorrência muito comum; consiste em uma rede de telangiectasia focal vermelha de capilares dilatados, que se irradiam a partir de uma arteríola central (*punctum*) (**Fig. 9-21A**). O *punctum* papular central corresponde ao local da arteríola nutriente, com vasos telangiectásicos irradiados maculares. Mede até 1,5 cm de diâmetro. É habitualmente solitário.
- À diascopia, a telangiectasia irradiada empalidece, e a arteríola central pode pulsar.
- O angioma aracneiforme acomete mais comumente a face, os antebraços e as mãos.
- Ocorre frequentemente em indivíduos normais e é mais comum em mulheres; ocorre também em crianças.
- Pode estar associado a estados hiperestrogênicos, como a gravidez (um ou mais angiomas aracneiformes em dois terços das gestantes), em pacientes que recebem tratamento com estrogênios, por exemplo, contraceptivos orais, ou pacientes com doença hepatocelular, como hepatite viral subaguda e crônica e cirrose alcoólica (**Fig. 9-21B**).
- O angioma aracneiforme que surge na infância e durante a gravidez pode regredir espontaneamente.
- A lesão pode ser confundida com *telangiectasia hemorrágica hereditária*, *ataxia-telangiectasia* ou *telangiectasia* na esclerodermia sistêmica.
- As lesões podem ser tratadas facilmente com eletrocirurgia ou *laser*.
- *Sinônimos*: nevo arâneo, nevo aracneiforme, aranha arterial, telangiectasia aracneiforme, aranha vascular.

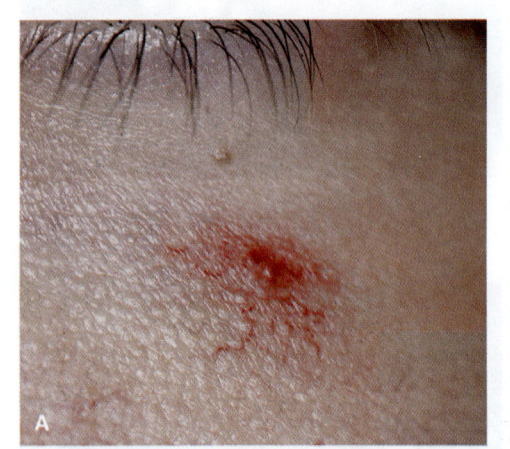

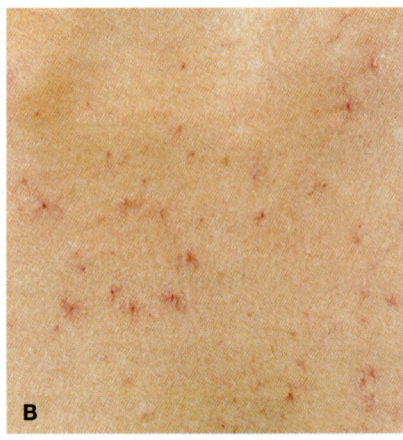

Figura 9-21 Nevo aracneiforme (A) Duas pápulas pequenas a partir das quais irradiam telangiectasias. Com a compressão, a lesão empalidece por completo. **(B)** Nevos aracneiformes no tórax de um paciente com cirrose.

LAGO VENOSO CID-10: L98.8

- O lago venoso é uma pápula assintomática macia, de cor azul-escura a violácea, que surge a partir de uma vênula dilatada; ocorre na face, nos lábios e nas orelhas de pacientes com mais de 50 anos de idade (**Figs. 9-22A** e **B**).
- Etiologia desconhecida, porém tem sido relacionada com exposição solar.
- As lesões são pouco numerosas e persistem por vários anos. Cavidade dilatada, revestida por uma única camada de células endoteliais achatadas, preenchida por hemácias e circundada por uma parede fina de tecido fibroso.
- Em virtude de sua cor azul-escura ou, algumas vezes, até mesmo preta, a lesão pode ser confundida com melanoma nodular, CBC pigmentado ou granuloma piogênico.
- A lesão pode ser parcialmente comprimida com empalidecimento à diascopia, e o uso da dermatoscopia possibilita o seu diagnóstico como lesão vascular.
- O tratamento é realizado por razões estéticas e pode consistir em eletrocirurgia, *laser* ou, raramente, excisão cirúrgica.

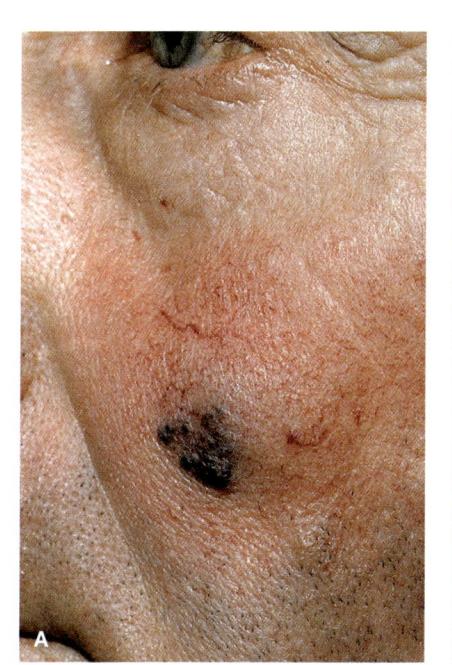

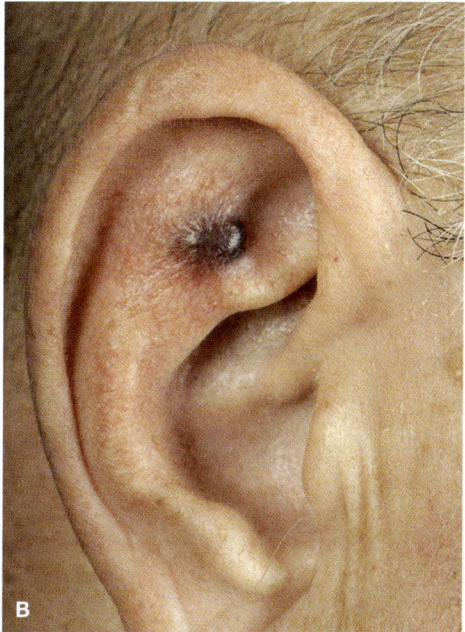

Figura 9-22 Lago venoso (A) Região malar de um homem de 70 anos. A lesão era quase preta e passou a constituir uma preocupação para o paciente, que temia que a lesão fosse um melanoma. Todavia, a lesão empalidecia por completo à compressão. **(B)** Lago venoso na fossa triangular da antélice da orelha de um homem de 75 anos. A lesão é vermelho-azulada escura e lisa, assemelhando-se ao carcinoma basocelular. Todavia, empalidecia à compressão.

ANGIOMA EM CEREJA CID-10: D18

- Os angiomas em cereja são lesões vasculares cupuliformes extremamente comuns, assintomáticas e de cor vermelho-brilhante a violácea ou até mesmo preta (~ 3 mm) (**Fig. 9-23**), ou que podem ocorrer como inúmeras manchas papulares minúsculas e vermelhas, simulando petéquias.
- As lesões são encontradas principalmente no tronco. Surgem pela primeira vez em torno dos 30 anos de idade e aumentam em quantidade com o passar dos anos.
- Quase todos os indivíduos idosos apresentam algumas dessas lesões.
- A histologia consiste em numerosos capilares com dilatação moderada, revestidos por células endoteliais achatadas; o estroma é edematoso, com homogeneização do colágeno.
- A não ser pelo seu aspecto estético, essas lesões não têm consequência alguma. O tratamento consiste em eletrocoagulação ou coagulação a *laser*, quando indicado por motivos estéticos. A criocirurgia não é efetiva.
- *Sinônimos*: manchas de Campbell de Morgan, (hem)angioma senil.

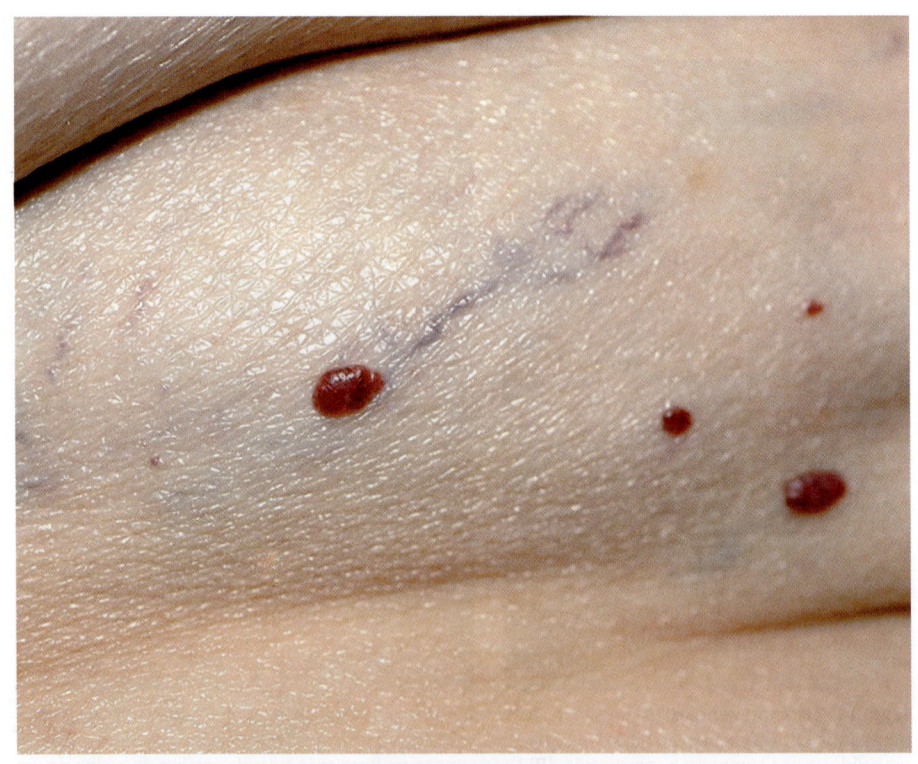

Figura 9-23 Angiomas em cereja Estas lesões vermelho-brilhantes, violáceas ou até mesmo pretas surgiram progressivamente no tronco com o avanço da idade.

ANGIOCERATOMA CID-10: código conforme o tipo (ver texto)

- O termo *angio* ("vaso sanguíneo") *ceratoma* poderia sugerir um tumor vascular com elementos ceratóticos. Todavia, na verdade, os capilares e as vênulas pós-capilares encontram-se reunidos dentro do corpo papilar localizado logo abaixo e fazem protrusão na epiderme, levando à hiperceratose. Essas alterações e o fato de os lúmens em geral estarem pelo menos parcialmente trombosados conferem consistência firme às lesões.
- Os angioceratomas são pápulas ou pequenas placas violáceas-escuras a pretas, frequentemente ceratóticas, de consistência dura à palpação, e que não podem ser comprimidas por diascopia (**Fig. 9-24**).
- O angioceratoma pode aparecer como uma lesão solitária (*angioceratoma solitário*). O diagnóstico diferencial mais importante é um pequeno melanoma nodular ou superficial extensivo (**Fig. 9-24**).
- O mais comum é o *angioceratoma de Fordyce* (CID-10: I78.9); essa doença acomete o escroto e a vulva; as lesões consistem em múltiplas pápulas (≤ 4 mm) de coloração vermelho-escura a preta, que ocorrem em grandes quantidades (**Fig. 9-25**).
- O *angioceratoma de Mibelli* (CID-10: I78.9) é constituído por pápulas rosadas a vermelho-escuras e até mesmo pretas, que ocorrem nos cotovelos, nos joelhos e no dorso das mãos. Essa doença autossômica dominante é rara e acomete mulheres jovens.
- O *angioceratoma corporis diffusum (doença de Fabry)* (CID-10: E75.5), uma doença recessiva ligada ao X, é um erro inato do metabolismo, caracterizado por uma deficiência de α-galactosidase A, que leva ao acúmulo de glicoesfingolipídeos neutros, sob a forma de globotriaosilceramida, nas células endoteliais, nos fibrócitos e nos pericitos na derme, no coração, nos rins e no sistema nervoso autônomo. As lesões são numerosas, vermelho-escuras, puntiformes e minúsculas (< 1 mm) (**Fig. 9-26**), localizadas na metade inferior do corpo: parte inferior do abdome, genitália e nádegas, embora também possam ocorrer nos lábios. Os homens homozigóticos também apresentam sintomas relacionados ao envolvimento de outros órgãos: acroparestesias, dor excruciante, ataques isquêmicos transitórios e infarto do miocárdio. As mulheres heterozigotas podem exibir opacidades da córnea. A doença de Fabry é muito rara, porém, grave.

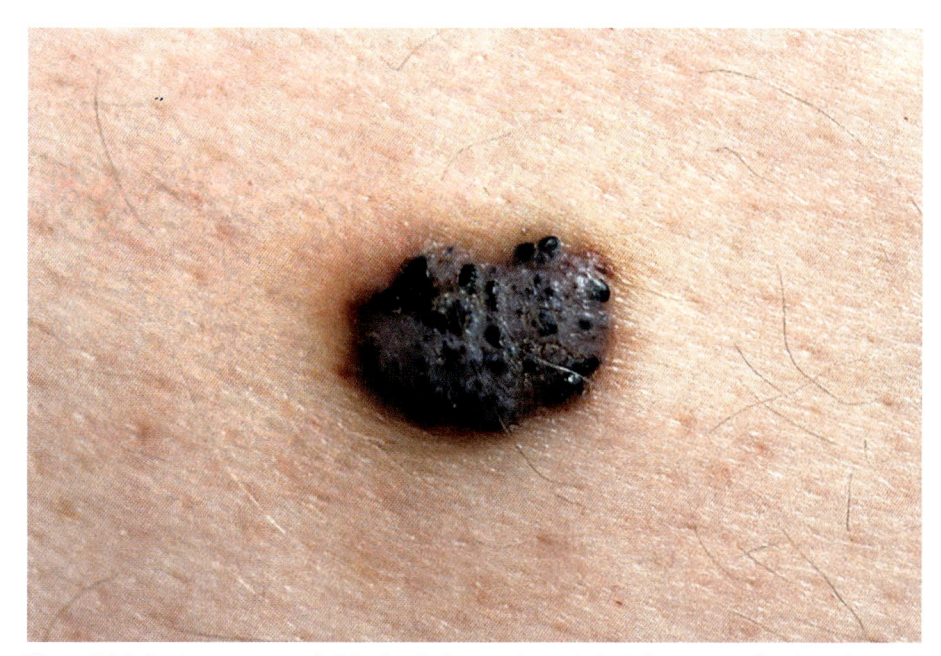

Figura 9-24 Angioceratoma solitário Essa lesão preta de consistência firme e superfície áspera leva imediatamente à suspeita de melanoma extensivo superficial. Não é compressível; porém a dermatoscopia revela as lacunas características dos espaços vasculares trombosados. Todavia, essas lesões devem ser excisadas.

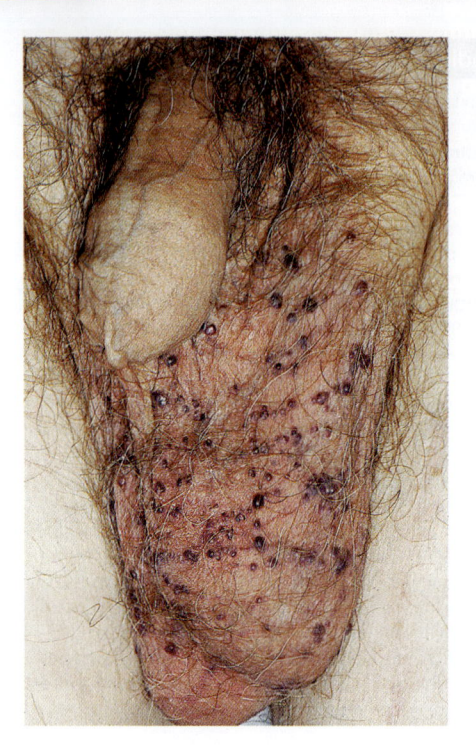

Figura 9-25 Angioceratoma de Fordyce Pápulas avermelhadas, violáceas e pretas no escroto. Essas lesões empalidecem à diascopia, confirmando o diagnóstico. *Observação:* os angioceratomas trombosados não empalidecem.

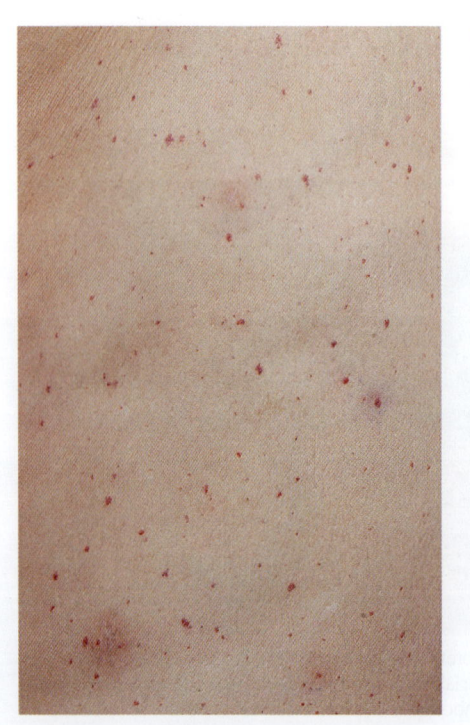

Figura 9-26 Angioceratoma *corporis diffusum* (doença de Fabry) Várias lesões puntiformes e vermelhas na região inferior do flanco.

MALFORMAÇÕES LINFÁTICAS

LINFANGIOMA CID-10: D18.1

- O termo malformação linfática é usado hoje para se referir à condição anteriormente denominada linfangioma.
- Essas lesões características consistem em múltiplas vesículas macroscópicas pequenas e agrupadas, preenchidas com líquido límpido ou serossanguinolento (em "ovos de rã") (**Fig. 9-27**). Entretanto, não se trata de vesículas verdadeiras, mas de lesões microcísticas (linfangioma), em oposição a uma lesão macrocística (higroma cístico), que se localiza profundamente na derme e no tecido subcutâneo e aparece como grande tumor subcutâneo de consistência mole, distorcendo frequentemente a face ou um membro.
- A malformação linfática microcística já está presente por ocasião do nascimento ou aparece na lactância ou na infância. Pode desaparecer de modo espontâneo, embora isso seja extremamente raro. Pode ocorrer infecção bacteriana.
- A malformação linfática pode surgir como lesão solitária isolada, como na **Figura 9-27**, ou pode cobrir grandes áreas (até 10 × 20 cm); pode estar associada a uma malformação linfática capilar venosa (LCV).
- A lesão pode ser excisada, quando possível, ou tratada com escleroterapia.

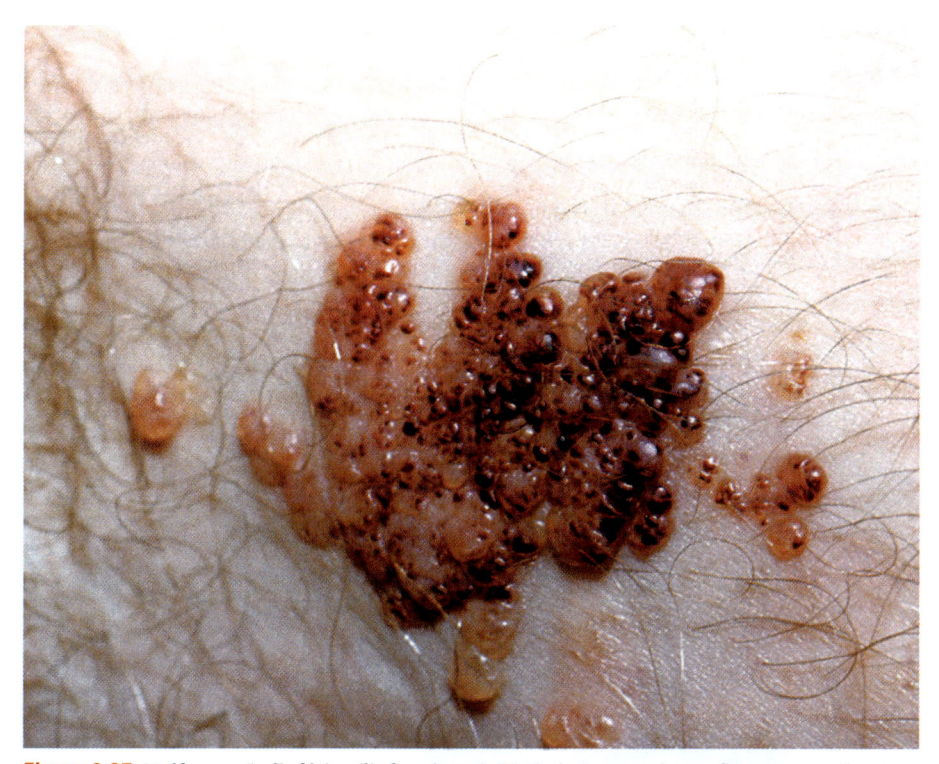

Figura 9-27 Malformação linfática (linfangioma) "Vesículas" agrupadas confluentes, semelhantes a ovos de rã, preenchidas com líquido serossanguinolento.

MALFORMAÇÕES CAPILARES/VENOSAS (MCVs) CID-10: Q82.9

- As MCVs são malformações vasculares profundas, caracterizadas por aumento de volume mole e compressível dos tecidos profundos. As lesões não são aparentes ao nascimento, porém tornam-se durante a infância.
- Manifestam-se como aumento de volume cupuliforme ou multinodular do tecido mole (**Fig. 9-28**) e consistem em lesões de fluxo lento. Quando a malformação vascular se estende até a epiderme, a superfície pode ser verrucosa. As bordas são mal demarcadas, e se observa uma variação considerável de tamanhos. Com frequência, as MCVs são da cor da pele normal, porém a porção nodular exibe coloração azul a purpúrea. Essas lesões são facilmente comprimidas e se enchem prontamente, uma vez removida a pressão. Alguns tipos podem ser hipersensíveis e podem estar associados às MCs.
- As MCVs podem ser complicadas por ulceração e sangramento, cicatrizes e infecção secundária e, na presença de grandes lesões, por insuficiência cardíaca de alto débito.
- As MCVs podem interferir na ingestão alimentar ou na respiração e, quando localizadas nas pálpebras ou nas proximidades dos olhos, causam obstrução à visão, podendo levar à cegueira.
- Não se dispõe de tratamento satisfatório, exceto a compressão. Nas lesões maiores – se houver comprometimento da função orgânica –, devem-se efetuar procedimentos cirúrgicos e coagulação intravascular. Os glicocorticoides sistêmicos em altas doses ou o α-IFN ou propranolol podem ser efetivos.

VARIANTES

HAMARTOMAS VASCULARES LCVs com acometimento dos tecidos moles profundos e consequente edema ou aumento difuso de um membro. Podem acometer o músculo esquelético, com atrofia muscular. As alterações cutâneas incluem veias tortuosas dilatadas e fístulas arteriovenosas.

SÍNDROME DE KLIPPEL-TRÉNAUNAY MCV ou malformação LCV, lesão de fluxo lento. O crescimento excessivo localizado dos tecidos moles e do osso resulta em aumento de um membro. As alterações cutâneas associadas incluem flebectasia, MC cutânea semelhante ao nevo flâmeo (**Fig. 9-29**), hipoplasia linfática e linfedema.

SÍNDROME DO NEVO *BLUE RUBBER BLEB* MCV, espontaneamente dolorosa e/ou hipersensível. Consiste em aumento de volume compressível, macio e de cor azul da derme e do tecido subcutâneo. As dimensões variam de poucos milímetros a vários centímetros (**Fig. 9-30**). Pode exibir hiperidrose localizada sobre MCVs e ocorre, frequentemente em grandes quantidades, no tronco e nos braços. Podem ocorrer lesões vasculares semelhantes no

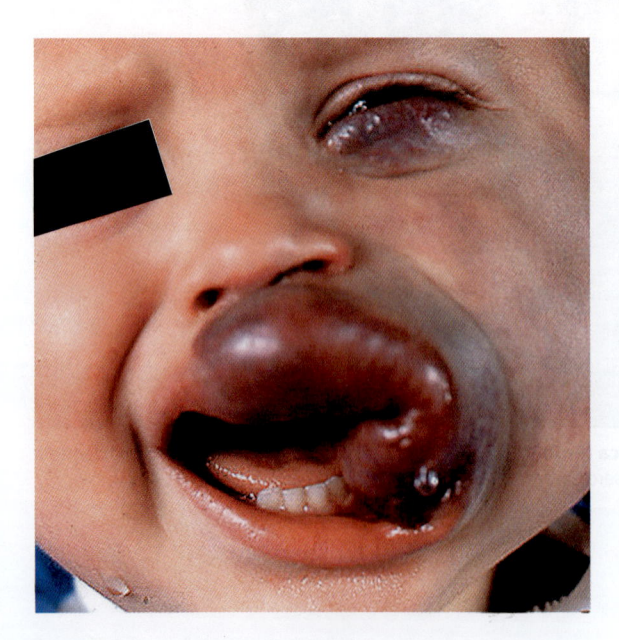

Figura 9-28 Malformação capilar-venosa Em um lactente. Aumento de volume tecidual compressível e macio, de cor vermelho-azulada, distorcendo o lábio superior e a pálpebra inferior. Trata-se de uma lesão de fluxo lento, mas que exige intervenção terapêutica.

Figura 9-29 Malformação capilar-venosa Em uma mulher tailandesa de 31 anos. Essa lesão semelhante ao nevo flâmeo estava associada a flebectasia, linfedema e aumento do membro inferior direito (síndrome de Klippel-Trénaunay).

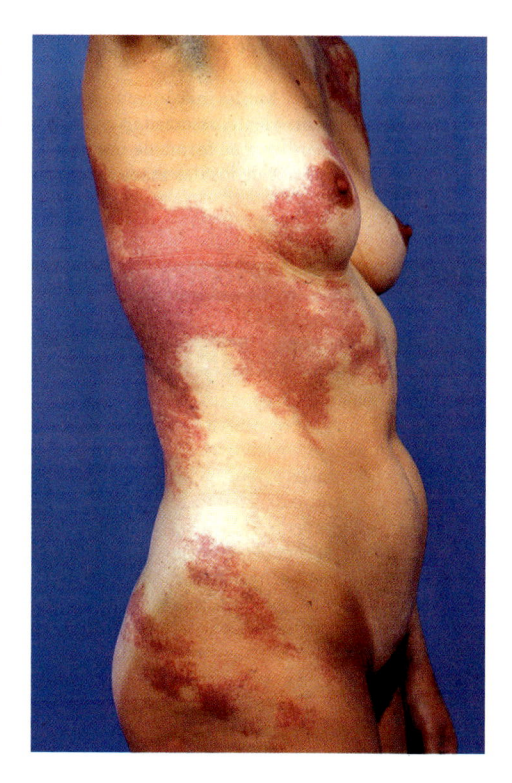

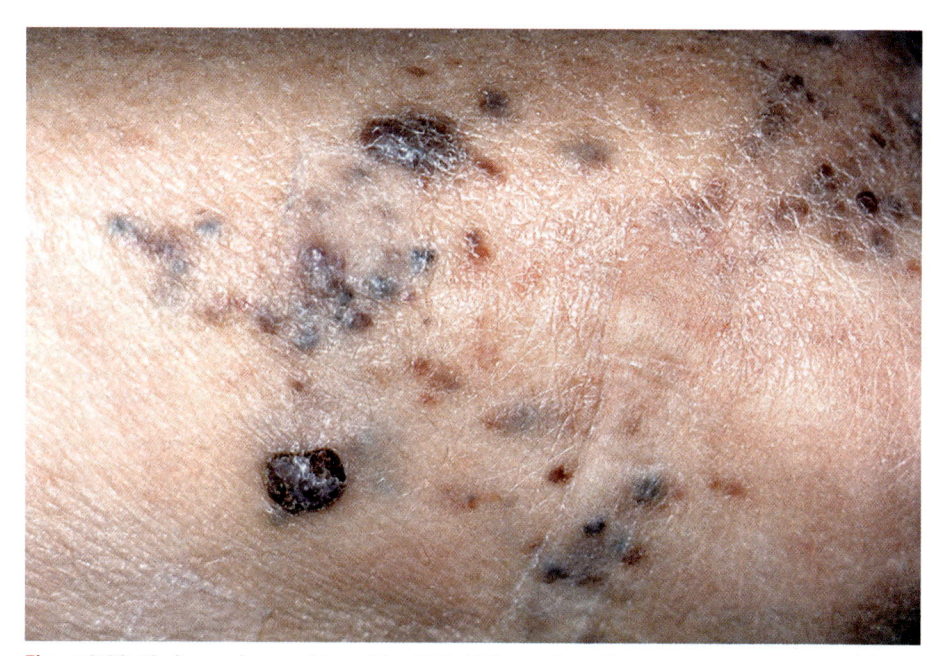

Figura 9-30 Síndrome do nevo *blue rubber bleb* Malformação capilar venosa espontaneamente dolorosa e sensível. Há várias pápulas e nódulos azul-violáceos compressíveis no braço.

trato gastrintestinal, podendo constituir uma fonte de hemorragia.

SÍNDROME DE MAFFUCCI Malformação venosa ou linfática/venosa de fluxo lento, associada a encondromas, e que se manifesta na forma de nódulos de consistência dura nos dedos das mãos ou dos pés e deformidades ósseas. Os pacientes podem desenvolver condrossarcomas.

SÍNDROME DE PARKES WEBER Malformação arteriovenosa capilar (MAVC) de fluxo rápido ou malformação capilar (MC) com hipertrofia dos tecidos moles e dos ossos.

CISTOS E PSEUDOCISTOS VARIADOS

CISTO EPIDERMOIDE CID-10: L72.0

- O cisto epidermoide é o cisto cutâneo mais comum, derivado da epiderme ou do epitélio do folículo piloso, e formado por inclusão cística do epitélio dentro da derme, que se torna preenchida por ceratina ou resíduos ricos em lipídeos.
- Ocorre em adultos jovens ou indivíduos de meia-idade e acomete a face, a região cervical, a parte superior do tronco e o escroto.
- A lesão habitualmente é solitária, mas pode ser múltipla, e consiste em um nódulo dérmico a subcutâneo de 0,5 a 5 cm, que frequentemente está ligado à superfície por poros preenchidos com ceratina (**Fig. 9-31**).
- O cisto tem parede semelhante à epiderme (epitélio escamoso estratificado com camada granular bem desenvolvida); o conteúdo do cisto consiste em material ceratinoso – cor de creme, com consistência pastosa e odor de queijo rançoso. As lesões escrotais podem calcificar.
- A parede do cisto é relativamente fina. Após ruptura de sua parede, o conteúdo cístico desencadeia uma reação inflamatória, aumentando várias vezes o tamanho da lesão; nesse estágio, a lesão está associada a muita dor. Os cistos rompidos frequentemente são diagnosticados de modo incorreto como lesões infectadas, em vez de cistos rompidos.
- *Sinônimos*: lobinho, cisto sebáceo, cisto infundibular, cisto epidérmico.

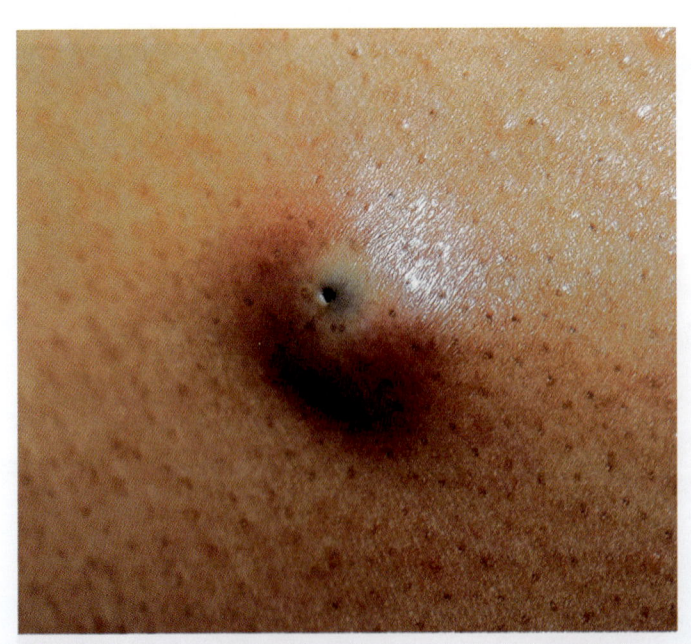

Figura 9-31 Cisto epidermoide Nódulo arredondado dentro da derme, com abertura (que nem sempre é visível) por meio da qual pode ser drenado o material ceratinoso.

CISTO TRIQUILEMAL CID-10: L72.1

- O cisto triquilemal é o segundo tipo mais comum de cisto cutâneo, observado mais frequentemente em indivíduos de meia-idade, principalmente em mulheres. Costuma ser familiar e ocorre em geral na forma de lesões múltiplas.
- Trata-se de nódulos ou tumores cupuliformes, lisos e de consistência firme, medindo 0,5 a 5 cm; carecem do ponto central observado nos cistos epidermoides. Não estão conectados com a epiderme.
- Mais de 90% dos cistos triquilemais ocorrem no couro cabeludo, e os cabelos da região acometida são habitualmente normais, embora possam ser adelgaçados se o cisto for volumoso (**Fig. 9-32**).
- Em geral, a parede cística é espessa, e o cisto pode ser removido intacto. A parede consiste em epitélio escamoso estratificado, com uma camada externa em paliçada, que se assemelha à da bainha externa da raiz dos folículos pilosos. A camada interna é corrugada e carece de camada granulosa.
- O cisto contém ceratina muito densa e homogênea; com frequência, é calcificado, com fragmentos de colesterol. Se o cisto sofrer ruptura, pode se tornar inflamado e muito doloroso.
- *Sinônimos*: cisto pilar, cisto do istmo catagênico. *Termos obsoletos*: lobinho, cisto sebáceo.

CISTO DE INCLUSÃO EPIDÉRMICA CID-10: L72.8

- O cisto de inclusão epidérmica forma-se em decorrência da implantação traumática da epiderme dentro da derme. A epiderme transplantada traumaticamente cresce na derme, com acúmulo de ceratina dentro da cavidade cística, envolvida por epitélio escamoso estratificado, com uma camada granular bem formada.
- A lesão surge como nódulo dérmico (**Fig. 9-33**) e, mais comumente, acomete as palmas, as plantas e os dedos das mãos.
- Esse cisto deve ser excisado.
- *Sinônimo*: cisto epidermoide traumático.

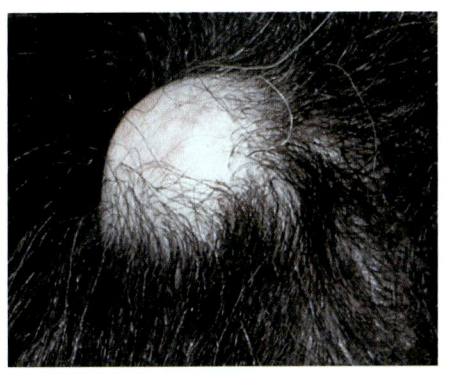

Figura 9-32 Cisto triquilemal Nódulo cupuliforme de consistência firme no couro cabeludo. A pressão exercida pelo cisto causou atrofia dos bulbos pilosos, razão pela qual a lesão aparece sem cabelos.

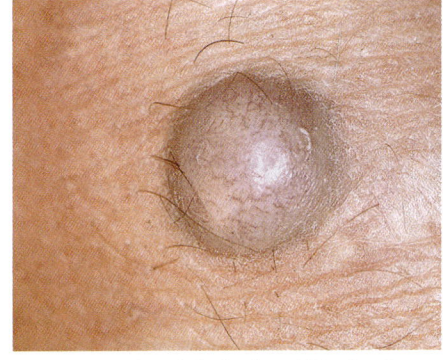

Figura 9-33 Cisto de inclusão epidérmica Pequeno nódulo dérmico no joelho, no local de laceração.

MILIUM CID-10: L72.8

- O *milium* é um cisto epidérmico superficial de 1 a 2 mm, branco a amarelo, que contém ceratina; esses cistos são múltiplos e se localizam nas pálpebras, nas regiões malares e na fronte, em folículos pilossebáceos (**Figs. 9-34A** e **B**).
- As lesões podem ocorrer em qualquer idade, mesmo em lactentes.
- Os *milia* surgem como lesões primárias, particularmente ao redor dos olhos ou em associação a várias dermatoses com bolhas ou vesículas subepidérmicas (penfigoide, porfiria cutânea tarda, líquen plano bolhoso, epidermólise bolhosa) (**Fig. 9-34C**), bem como na pele traumatizada (abrasão, queimaduras, dermoabrasão, radioterapia).
- O método de tratamento consiste em incisão e expressão do conteúdo dos cistos.

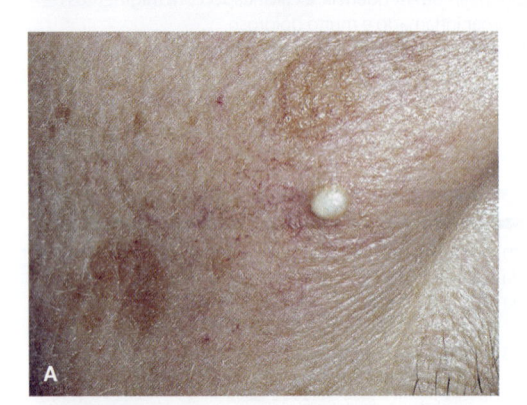

Figura 9-34 Milium (A) Pequena pápula de cor branco giz ou amarelada na região malar; pode ser retirada com um bisturi, liberando uma pequena bola de material córneo. **(B)** Lesão maior na pálpebra inferior de uma mulher africana. **(C)** Múltiplos *milia* no tronco de uma criança com epidermólise bolhosa distrófica hereditária (ver Seção 6).

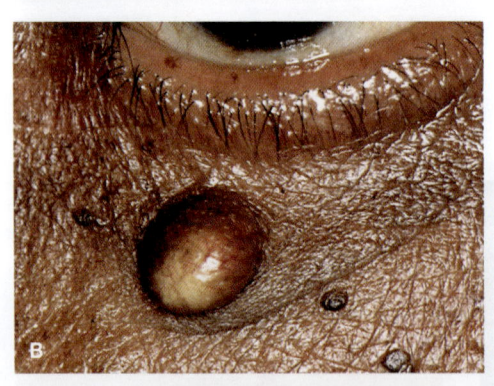

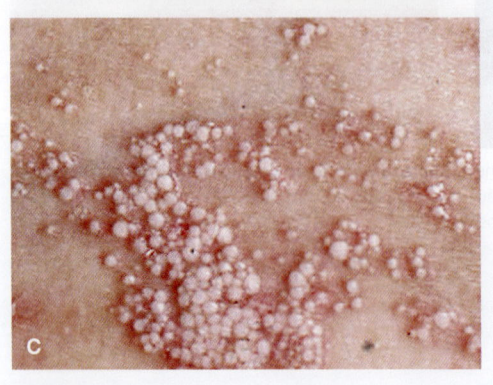

CISTO MIXOIDE DIGITAL CID-10: M25.8

- O cisto mixoide digital é um pseudocisto que ocorre na articulação interfalângica distal e na base da unha do dedo da mão (**Fig. 9-35A**) ou do pé, frequentemente associado ao nódulo de Heberden (osteofítico).
- A lesão ocorre em pacientes idosos, habitualmente com mais de 60 anos de idade.
- Em geral, trata-se de um cisto solitário, translúcido, de consistência elástica. Pode-se espremer do cisto um líquido viscoso gelatinoso e claro (**Fig. 9-35B**).
- Quando o cisto mixoide surge sobre a matriz ungueal, ocorre distrofia da lâmina ungueal na forma de um sulco de 1 a 2 mm, que se estende ao longo do comprimento da unha (**Fig. 9-35A**).
- Foram recomendados vários métodos de tratamento, incluindo excisão cirúrgica, incisão e drenagem, injeção de material esclerosante e injeção de suspensão de triancinolona. Um método simples e mais efetivo consiste em efetuar uma pequena incisão, espremer o conteúdo gelatinoso e aplicar uma bandagem compressiva firme sobre a lesão por algumas semanas.
- *Sinônimos*: cisto mucoso, cisto sinovial, pseudocisto mixoide.

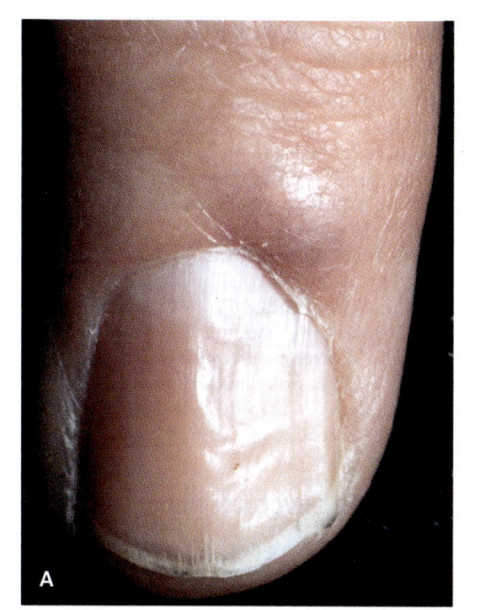

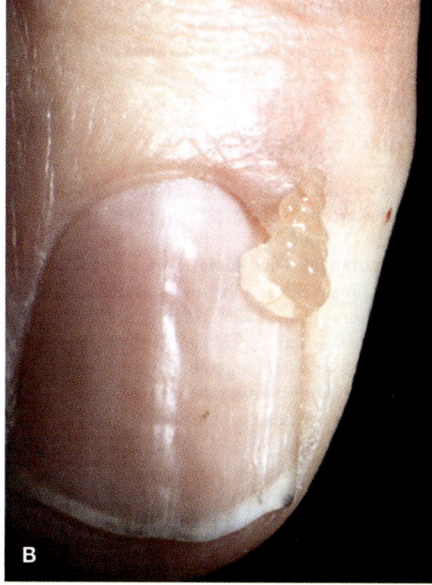

Figura 9-35 Cisto mixoide digital **(A)** O cisto levou à formação de um sulco de 3 a 4 mm na lâmina ungueal. **(B)** A incisão com bisturi e a compressão do cisto libera líquido viscoso e gelatinoso.

HIPERPLASIAS E NEOPLASIAS BENIGNAS VARIADAS

CERATOSE SEBORREICA CID-10: L82

- A ceratose seborreica é o mais comum dos tumores epiteliais benignos.
- Essas lesões, que são hereditárias, não aparecem antes dos 30 anos de idade e continuam ocorrendo durante toda a vida, variando de poucas lesões dispersas até literalmente centenas em alguns pacientes muito idosos.
- As lesões incluem desde pequenas pápulas pouco elevadas até placas com superfície verrucosa e aspecto "grudado".
- As lesões são benignas e não necessitam de tratamento, exceto por razões estéticas. Podem se tornar irritadas ou traumatizadas, com dor e sangramento. Deve-se excluir a possibilidade de carcinoma espinocelular (CEC) e melanoma.
- *Sinônimo*: verruga seborreica.

EPIDEMIOLOGIA

INÍCIO Raramente antes dos 30 anos de idade.
SEXO Ligeiramente mais comum e com acometimento mais extenso nos homens.

MANIFESTAÇÕES CLÍNICAS

Evolução no decorrer de meses a anos. Raramente, as lesões são pruriginosas; dolorosas quando há infecção secundária.
LESÕES CUTÂNEAS Fase inicial. Pápula pequena, de 1 a 3 mm, pouco elevada, seguida posteriormente de placa maior (Figs. 9-36 e 9-37) com ou sem pigmento. A superfície tem aspecto gorduroso e, ao exame com lupa, apresenta frequentemente um pontilhado fino, semelhante à superfície de um dedal.
Fase tardia. Placa com superfície verrucosa e aspecto "grudado" (Fig. 9-38) e "gorduroso". Ao exame com lupa, pode-se observar frequentemente a presença de cistos córneos; com a dermatoscopia, podem ser sempre visualizados e são diagnósticos. As dimensões variam de 1 a 6 cm. Nódulo plano. Lesões redondas ou ovais, de coloração marrom, cinza, preta e da cor da pele (Figs. 9-37 e 9-38A, B).
Distribuição. Lesão isolada ou generalizada. Acomete a face, o tronco (Fig. 9-39) e os membros superiores. Nas mulheres, ocorre comumente na pele intertriginosa inframamária. Nos indivíduos de pele escura, ocorrem múltiplas lesões pretas e pequenas na face, que são conhecidas como *dermatosis papulosa nigra* (Fig. 9-37). Quando numerosas e densas, as ceratoses seborreicas podem tornar-se confluentes.

EXAMES LABORATORIAIS

DERMATOPATOLOGIA Proliferação de ceratinócitos monomórficos (com papilomatose acentuada) e melanócitos, com formação de cistos córneos.

DIAGNÓSTICO E DIAGNÓSTICO DIFERENCIAL

Clinicamente, o diagnóstico é estabelecido com facilidade.
"MÁCULAS CASTANHAS" As lesões "planas" iniciais podem ser confundidas com lentigo solar ou com ceratose actínica pigmentada em expansão (ver Figs. 10-22 e 11-13).
PÁPULAS/PLACAS VERRUCOSAS DA COR DA PELE/CASTANHAS/PRETAS As lesões pigmentadas maiores são facilmente confundidas com CBC pigmentado ou com melanoma maligno (Fig. 9-38) (somente a biópsia diferencia esses distúrbios, porém a dermatoscopia pode ajudar); as verrugas vulgares podem ter aparência clínica semelhante, porém as verrugas apresentam capilares trombosados.

EVOLUÇÃO E PROGNÓSTICO

As lesões desenvolvem-se com o avanço da idade; são benignas e não sofrem transformação maligna.

TRATAMENTO

A eletrocauterização leve possibilita a fácil remoção de toda a lesão. Entretanto, esse procedimento impede a confirmação histopatológica do diagnóstico e só deve ser realizado por um médico experiente. A criocirurgia com *spray* de nitrogênio líquido só funciona para as lesões planas, e as recidivas são possivelmente mais frequentes. A melhor abordagem é a curetagem após congelamento leve com crio-*spray*, o que também possibilita a realização de exame histopatológico.

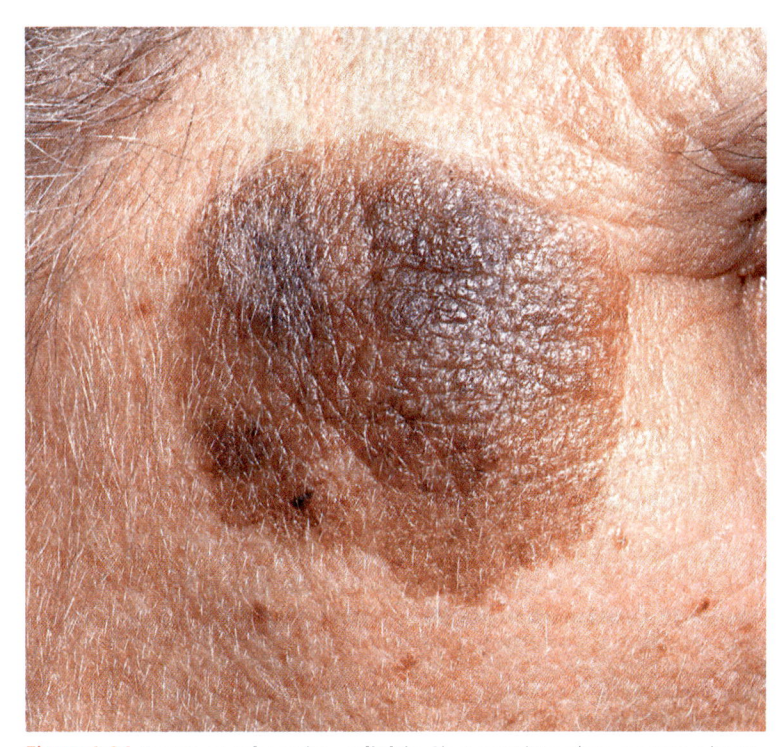

Figura 9-36 Ceratose seborreica, solitária Placa ceratótica plana, marrom e ligeiramente elevada, na região zigomática de uma mulher idosa. O diagnóstico diferencial inclui lentigo maligno e lentigo maligno-melanoma.

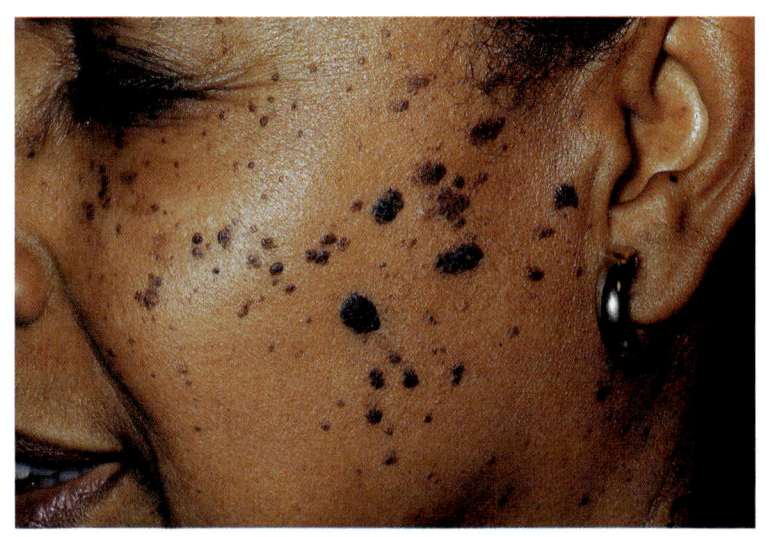

Figura 9-37 Ceratose seborreica (*dermatosis papulosa nigra*) Consiste em inúmeras lesões pretas e minúsculas, embora algumas cresçam, ultrapassando 1 cm. Essa forma é observada em africanos negros, afro-americanos e indivíduos do Sudeste Asiático de pele intensamente pigmentada.

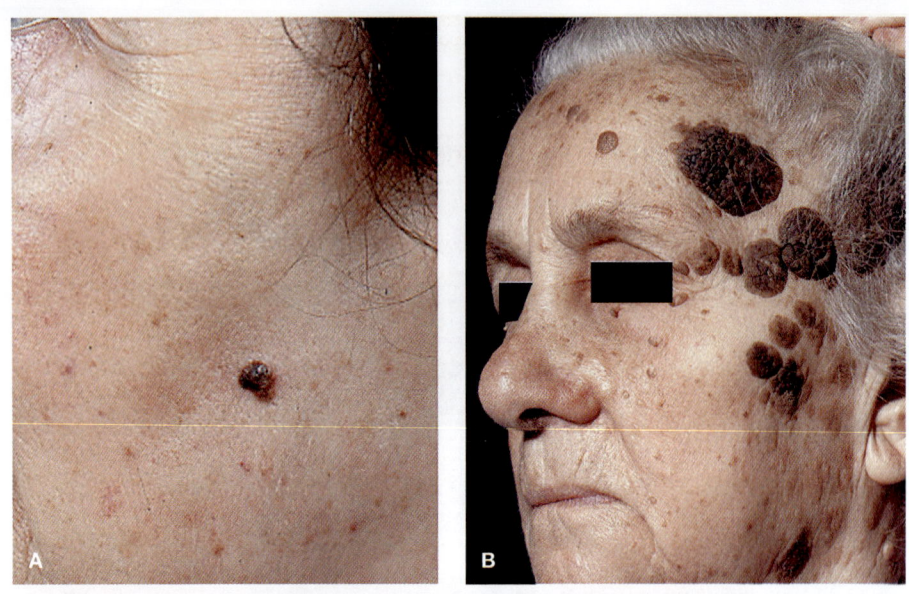

Figura 9-38 Ceratose seborreica (A) As ceratoses seborreicas pequenas e intensamente pigmentadas podem ter superfície lisa e representar um desafio para o diagnóstico diferencial: é preciso excluir a possibilidade de carcinoma basocelular pigmentado e melanoma nodular. **(B)** As ceratoses seborreicas grandes têm aparência "grudadas" e podem ser muito escuras e irregulares. Em virtude de sua grande quantidade, elas habitualmente não representam um problema diagnóstico. Conforme ilustrado aqui, essas lesões podem causar desfiguração estética.

Figura 9-39 Ceratoses seborreicas múltiplas Múltiplas pápulas e nódulos verrucosos de cor marrom no dorso, com aspecto "gorduroso" e aparência "grudada". Esta fotografia também mostra a evolução das lesões: desde pápulas pequenas, muito finas e apenas ligeiramente castanhas, ou placas a lesões nodulares mais escuras e maiores com superfície verrucosa. Praticamente todas as lesões no dorso desta paciente idosa consistem em ceratoses seborreicas; o que elas têm em comum é que fornecem a impressão de que poderiam ser facilmente raspadas, o que, de fato podem.

NEVO DE BECKER (NB) CID-10: Q82.9

- O NB é uma lesão clínica assintomática distinta, que consiste em um hamartoma pigmentado – isto é, uma anomalia de desenvolvimento caracterizada por alterações da pigmentação, crescimento de pelos e superfície verrucosa lisa ligeiramente elevada (**Fig. 9-40**).
- Ocorre principalmente em indivíduos do sexo masculino e em todas as etnias. Não aparece por ocasião do nascimento, porém ocorre habitualmente antes dos 15 anos de idade e, algumas vezes, mais tarde.
- A lesão consiste predominantemente em uma mácula, porém com superfície verrucosa papular, que não difere da lesão da acantose *nigricans*. Tem coloração marrom-clara e exibe um padrão geográfico com bordas nitidamente demarcadas (**Fig. 9-40A**).
- Os locais mais comuns são os ombros e o dorso. O crescimento aumentado dos pelos acompanha o início da pigmentação e limita-se às áreas pigmentadas (**Fig. 9-40B**). A pigmentação está relacionada ao aumento da melanina nas células basais, e não a uma quantidade aumentada de melanócitos.
- O NB deve ser diferenciado do nevo melanocítico congênito piloso, visto que o NB não está habitualmente presente ao nascimento, bem como das máculas café com leite, visto que elas não são pilosas.
- A lesão desenvolve-se no decorrer de 1 ou 2 anos e, em seguida, permanece estável, desaparecendo apenas raramente.
- É muito raro que haja hipoplasia das estruturas subjacentes, por exemplo, encurtamento do braço ou desenvolvimento reduzido das mamas nas áreas sob a lesão.
- A hipertricose pode constituir um problema estético para alguns indivíduos.

Figura 9-40 Nevo de Becker (A) Placa castanho-clara ligeiramente elevada com bordas nitidamente demarcadas e muito irregulares, e hipertricose discreta no tórax de um paciente de 16 anos. **(B)** Neste caso de nevo de Becker, a hipertricose intensa esconde a placa subjacente castanha.

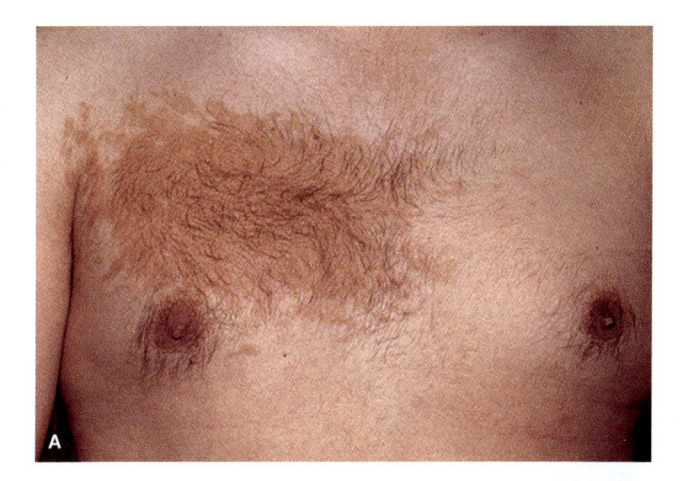

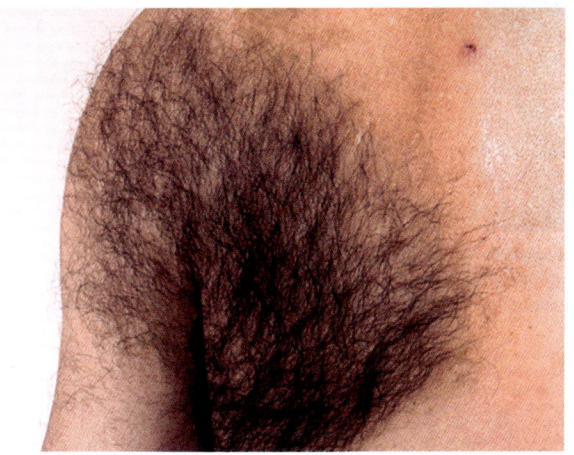

TRICOEPITELIOMA CID-10: D23

- Os tricoepiteliomas são tumores anexiais benignos com diferenciação dos bulbos pilosos.
- As lesões, que surgem na puberdade, acometem a face (**Fig. 9-41**) e, com menos frequência, o couro cabeludo, a região cervical e a parte superior do tronco.
- As lesões podem consistir apenas em algumas pápulas pequenas, rosadas ou da cor da pele. Essas lesões, cujo número aumenta gradualmente, podem ser confundidas com CBC (**Fig. 9-41A**).
- Os tricoepiteliomas também podem surgir como tumores solitários, que podem ser nodulares (**Fig. 9-41B**), ou se desenvolver como placas mal definidas, semelhantes ao CBC esclerosante.
- Tratamento: eletrocautério ou excisão.

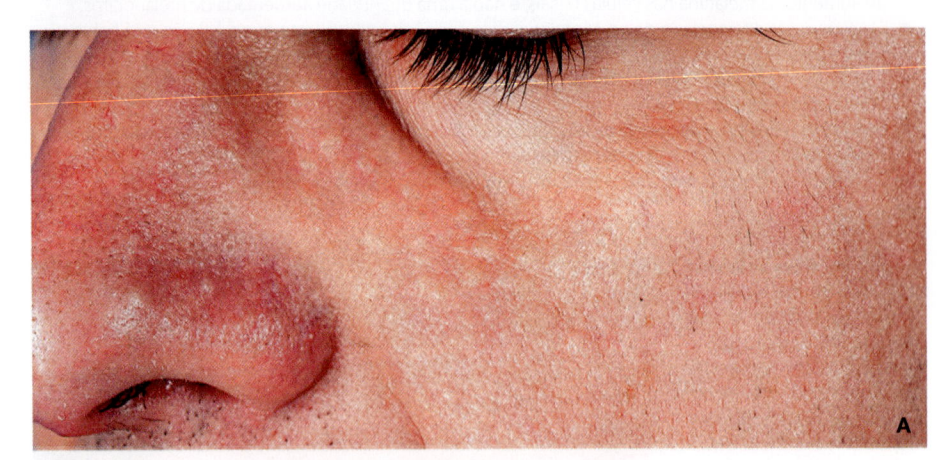

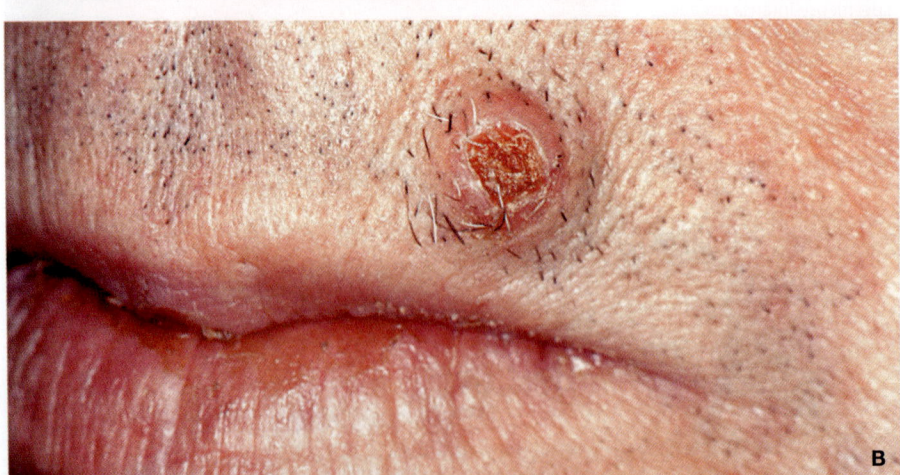

Figura 9-41 Tricoepiteliomas (A) Várias pápulas lisas, pequenas e com bordas mal definidas, que se assemelham ao carcinoma basocelular em seu estágio inicial. **(B)** Tricoepitelioma, tipo solitário. Tumor nodular acima do lábio superior, que pode ser confundido com carcinoma basocelular ou espinocelular.

SIRINGOMA CID-10: D23

- Os siringomas são adenomas benignos dos ductos écrinos. Trata-se de pápulas de 1 a 2 mm, da cor da pele ou amarelas, de consistência firme, que surgem principalmente em mulheres, começando na puberdade; podem ser familiares.
- Os siringomas, que são mais frequentemente múltiplos do que solitários, ocorrem mais comumente na região periorbitária inferior, em geral, com distribuição simétrica, mas também nas pálpebras (**Fig. 9-42**), na face, nas axilas, no umbigo, na parte superior do tórax e na vulva.
- As lesões exibem um padrão histológico específico: muitos ductos pequenos na derme com projeções semelhantes a vírgulas, com aspecto de "girinos".
- As lesões podem causar desfiguração estética, e a maioria dos pacientes deseja removê-las, o que pode ser feito facilmente por eletrocirurgia.

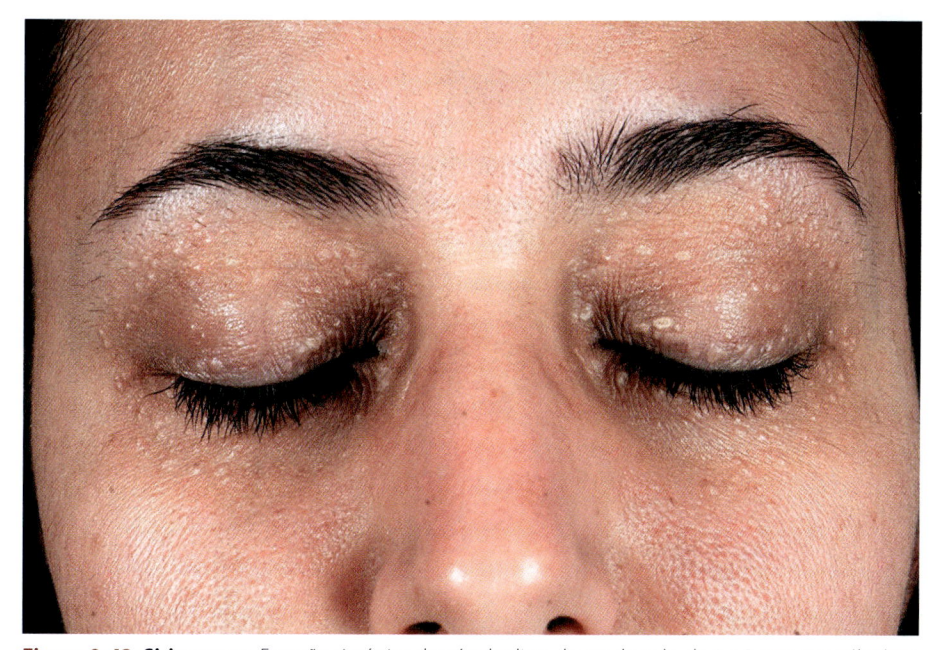

Figura 9-42 Siringomas Erupção simétrica de pápulas lisas da cor da pele, de 1 a 2 mm, nas pálpebras superiores e inferiores.

CILINDROMA CID-10: D23

- Raro tumor apendicular de glândulas apócrinas e, conforme acreditam alguns autores, écrinas.
- Há duas formas: solitários ou múltiplos. Estes últimos costumam ser familiares e herdados como traço autossômico dominante. Geralmente em associação com a síndrome de Brooke–Spiegler, em associação com tricoepiteliomas e outros hamartomas e carcinomas basocelulares.
- Pápulas ou nódulos avermelhados no couro cabeludo. No fenótipo múltiplo, costuma haver tumores em "turbante" densamente agregados (**Fig. 9-43**) também na face e no tronco.
- É extremamente raro haver transformação maligna.
- Tratamento: excisão cirúrgica.

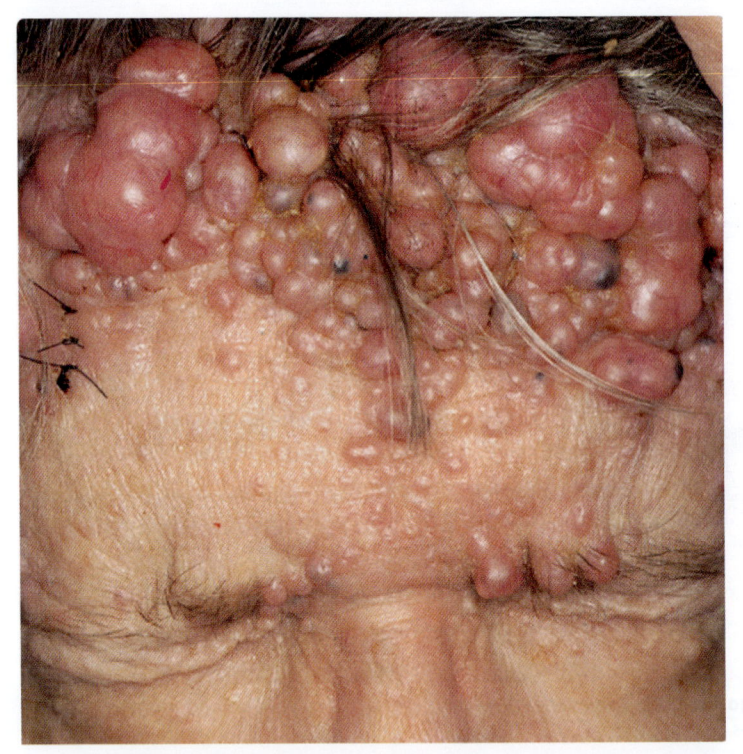

Figura 9-43 Cilindroma Cilindromas (tumores em turbante), variante familiar. Pápulas e nódulos agrupados de cor da pele a avermelhados. (Reproduzida com permissão de Goldsmith LA, Katz SI, Gilchrest BA, et al. *Fitzpatrick's Dermatology in General Medicine.* 8th. New York, McGraw-Hill Education, 2012. Figure 119-6A.)

HIPERPLASIA SEBÁCEA CID-10: D23

- Trata-se de lesões muito comuns em indivíduos com idade avançada, que podem ser confundidas com CBCs pequenos. Ocorrem também em receptores de transplante de órgãos sólidos tratados com ciclosporina. As lesões medem de 1 a 3 mm de diâmetro e apresentam telangiectasia e umbilicação central (**Fig. 9-44**).
- Duas características diferenciam a hiperplasia sebácea do CBC nodular: (1) a hiperplasia sebácea é macia à palpação, em vez de firme, como ocorre no CBC nodular; e (2) com compressão lateral firme, é frequentemente possível formar um glóbulo de sebo muito pequeno na depressão da parte umbilicada da lesão.
- A hiperplasia sebácea pode ser destruída com eletrocauterização suave.

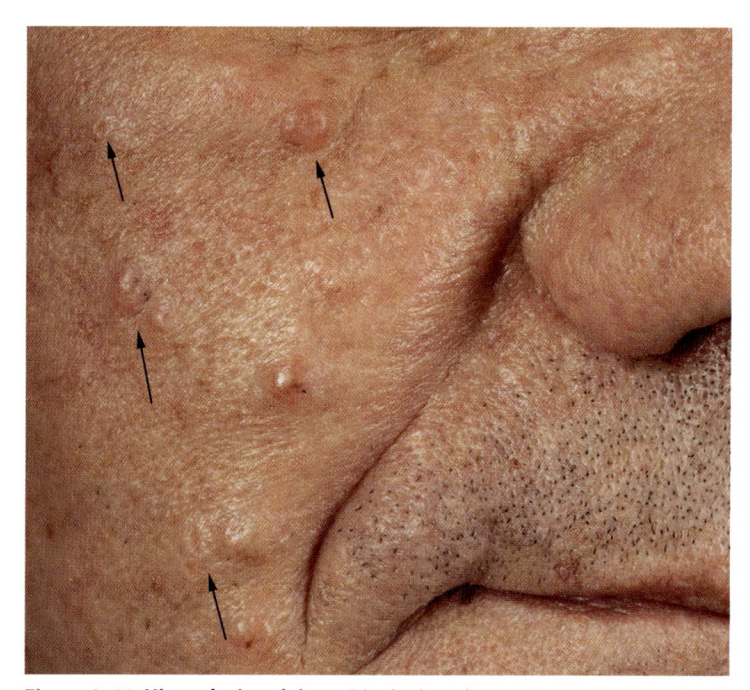

Figura 9-44 Hiperplasia sebácea Pápulas lisas de 1 a 4 mm na região malar de um homem de 65 anos. Assemelham-se a carcinomas basocelulares pequenos, porém apresentam umbilicação central (*setas*).

NEVO SEBÁCEO CID-10: Q82.8

- Essa malformação congênita de diferenciação sebácea ocorre no couro cabeludo ou, raramente, na face (**Fig. 9-45**).
- Trata-se de uma placa fina, elevada e sem pelos, de 1 a 2 cm, algumas vezes maior, com cor alaranjada característica e superfície áspera ou verrucosa.
- Cerca de 10% dos pacientes podem desenvolver CBC na lesão.
- Recomenda-se a excisão na puberdade por razões estéticas e para evitar a ocorrência de CBC.
- *Sinônimo*: nevo organoide.

NEVO EPIDÉRMICO CID-10: Q82.8

- Distúrbio do desenvolvimento (hamartomatoso), caracterizado por hiperplasia das estruturas epidérmicas (epiderme e anexos). Não há células névicas melanocíticas.
- Em geral, o nevo epidérmico está presente por ocasião do nascimento ou surge na infância; raramente, desenvolve-se na puberdade. Todos os nevos epidérmicos na região da cabeça/cervical estão presentes desde o nascimento.
- Diversas variantes: o *nevo epidérmico verrucoso* pode ser localizado ou múltiplo. As lesões são da cor da pele, marrom ou marrom-acinzentada (**Fig. 9-46**) e consistem em pápulas verrucosas muito próximas umas das outras e bem circunscritas; com frequência, exibem disposição linear – particularmente nas pernas –, ou podem aparecer nas linhas de Blaschko do tronco. O melhor tratamento é a excisão, quando possível.
- Quando as lesões forem extensas, a condição é denominada *nevo epidérmico sistematizado*; quando estiverem localizadas em uma metade do corpo, são designadas como *nevo unius lateralis*.
- As lesões lineares podem exibir eritema, descamação e crostas e, nesses casos, são designadas como *nevo epidérmico verrucoso inflamatório linear* (NEVIL). As lesões crescem gradualmente e tornam-se estabilizadas na adolescência.
- Existe também um *nevo epidérmico verrucoso não inflamatório linear* (NEVNIL).
- Os nevos epidérmicos extensos (*síndrome do nevo epidérmico*) podem fazer parte de distúrbios multissistêmicos e podem estar associados a anormalidades do desenvolvimento (cistos ósseos, hiperplasia óssea, escoliose, espinha bífida, cifose), raquitismo resistente à vitamina D e distúrbios neurológicos (retardo mental, convulsões, atrofia cortical, hidrocefalia). Esses pacientes devem ser submetidos a um exame completo, inclusive dos olhos (cataratas, hipoplasia do nervo óptico), bem como a exames cardiológicos para excluir a possibilidade de aneurismas ou persistência do canal arterial.

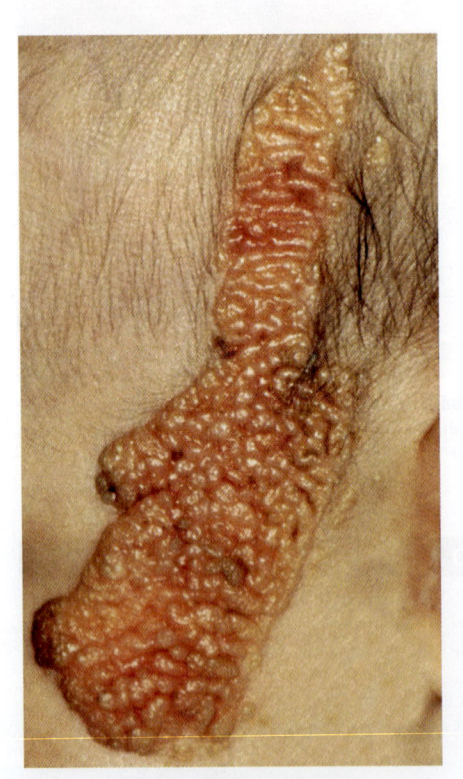

Figura 9-45 Nevo sebáceo Bebê com placa elevada de cor alaranjada e superfície áspera na região pré-auricular. Observar que a lesão está localizada no couro cabeludo, porém, carece de cabelos.

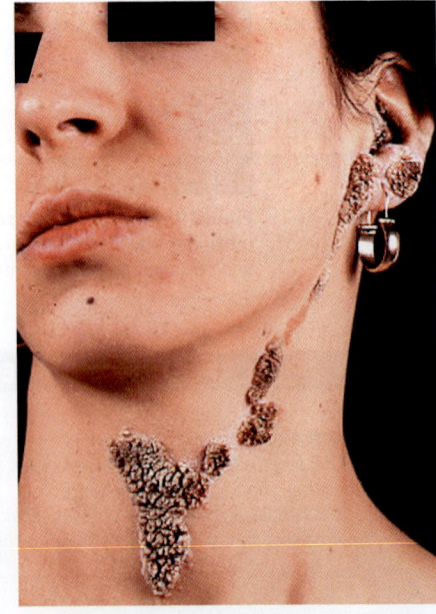

Figura 9-46 Nevo epidérmico Placa acinzentada irregular com superfície verrucosa na orelha, estendendo-se linearmente até a região cervical.

HIPERPLASIAS E NEOPLASIAS BENIGNAS DA DERME E DOS TECIDOS SUBCUTÂNEOS

LIPOMA CID-10: D17.9

- Os lipomas são tumores subcutâneos benignos, isolados ou múltiplos, que são facilmente reconhecidos, visto que são macios, arredondados ou lobulados e móveis sob a pele que os recobre (**Fig. 9-47**).
- Muitos lipomas são pequenos, mas também podem crescer e alcançar mais de 6 cm.
- Ocorrem principalmente na região cervical, no tronco e nos membros (**Fig. 9-47**), mas podem ser observados em qualquer parte do corpo.
- Os lipomas são constituídos de células adiposas com a mesma morfologia dos adipócitos normais dentro de estrutura de tecido conectivo. Os angiolipomas apresentam um componente vascular e podem ser dolorosas em temperaturas ambientais frias e à compressão.
- Com frequência, os angiolipomas exigem excisão, enquanto outros lipomas só devem ser excisados quando causarem desfiguração estética. A lipoaspiração também pode ser realizada quando os lipomas forem macios e, portanto, possuírem um componente menor de tecido conectivo.
- A *síndrome dos lipomas familiares*, um traço autossômico dominante que surge no início da vida adulta, consiste em centenas de lesões indolores de crescimento lento.
- A *adipose dolorosa*, ou *doença de Dercum*, acomete mulheres de meia-idade; são observados múltiplos depósitos gordurosos dolorosos, não circunscritos, porém bastante difusos.
- A *lipomatose simétrica benigna*, que acomete homens de meia-idade, consiste em numerosos lipomas grandes, coalescentes, mal circunscritos e indolores, localizados principalmente no tronco e nos membros superiores; na região cervical, eles coalescem, podendo produzir um aspecto de "arreio de cavalo".

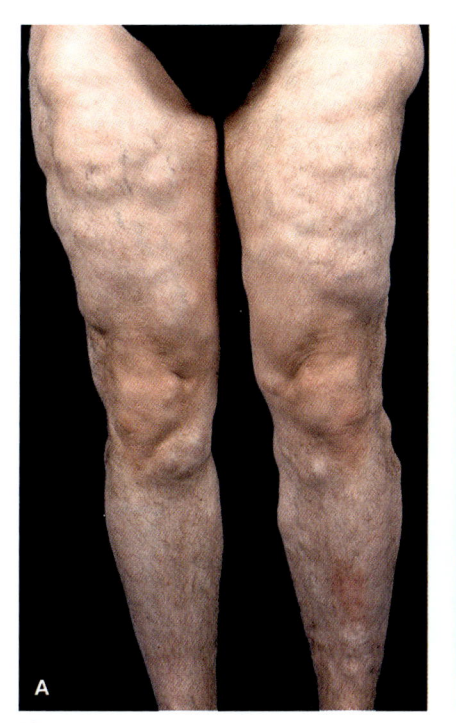

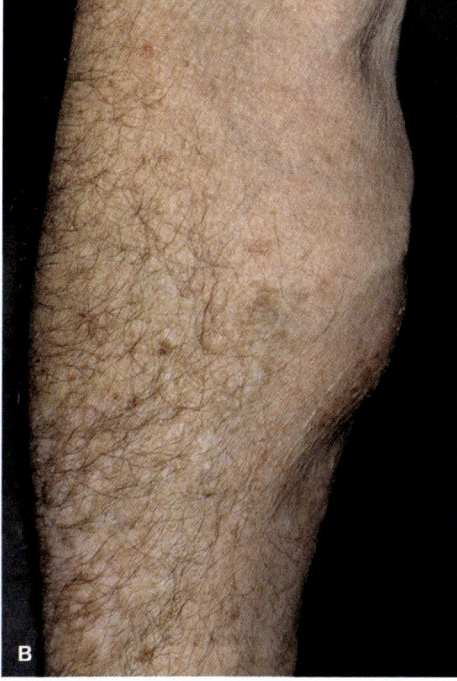

Figura 9-47 Lipoma (A) Homem de 56 anos com tumores arredondados, macios e bem demarcados nos tecidos subcutâneos, móveis sob a pele que os recobre e estruturas subjacentes. Neste paciente, as lesões eram simétricas e também foram encontradas no tronco e nos membros superiores. **(B)** Paciente de 50 anos com lipoma solitário no antebraço.

DERMATOFIBROMA CID-10: D23.9

- O dermatofibroma é um nódulo dérmico semelhante a um botão, muito comum, que acomete habitualmente os membros.
- A sua importância deve-se não apenas a seu aspecto estético, mas também ao fato de ser confundido com outras lesões, como o melanoma maligno, quando pigmentado.
- Considerado como reação histiocítica tardia à picada de artrópodes.
- Nódulo assintomático (**Fig. 9-48**), de 3 a 10 mm de diâmetro, cupuliforme, mas também, algumas vezes, deprimido abaixo da pele circundante. Superfície fosca, brilhante ou descamativa. De consistência firme e cor variável – cor da pele, rosa (**Fig. 9-48A**), marrom ou marrom-chocolate escuro (**Fig. 9-48B**); bordas pouco demarcadas. Sinal da covinha: a compressão lateral produz uma "covinha" (**Fig. 9-48C**).
- Raramente pode ser doloroso.
- Desenvolve-se gradativamente ao longo de vários meses e persiste sem aumento posterior de tamanho durante anos – pode regredir espontaneamente.
- Não há necessidade de tratamento. A excisão produz uma cicatriz; a criocirurgia com aplicador com ponta de algodão habitualmente precisa ser repetida e produz uma cicatriz esteticamente mais aceitável.
- *Sinônimos*: histiocitoma solitário, hemangioma esclerosante.

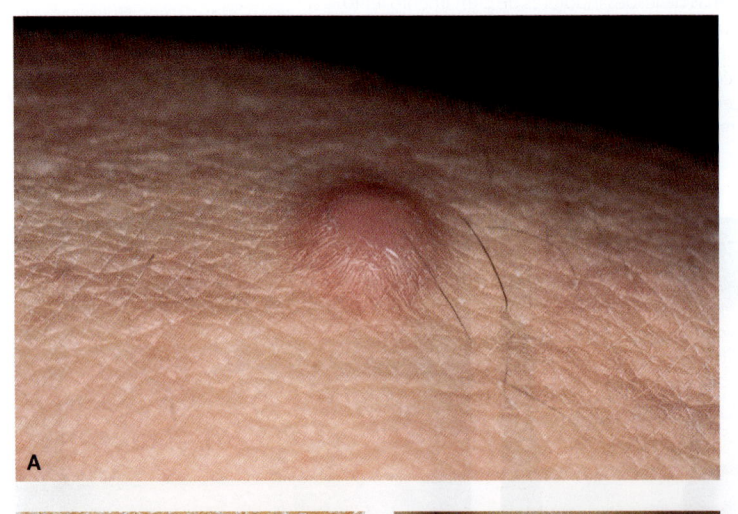

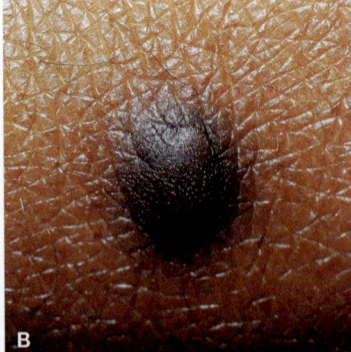

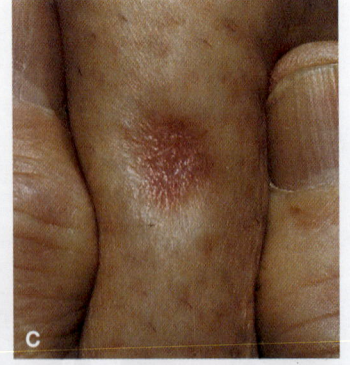

Figura 9-48 Dermatofibroma (A) Nódulo cupuliforme, ligeiramente eritematoso e de cor castanha, com consistência firme, semelhante a um botão. **(B)** Esta lesão é pigmentada. Pode ser confundida com o nevo azul ou até mesmo com melanoma nodular. O pigmento consiste em melanina e hemossiderina. **(C)** "Sinal da covinha". Observa-se uma depressão da lesão quando pinçada entre dois dedos.

CICATRIZES HIPERTRÓFICAS E QUELOIDES CID-10: L91.8/91.0

- As cicatrizes hipertróficas e os queloides são tecidos de reparação fibrosos exuberantes que se formam após uma lesão cutânea.
- A *cicatriz hipertrófica* permanece limitada à área da lesão original.
- Entretanto, o *queloide* estende-se além dessa área, frequentemente com extensões semelhantes a garras.
- Esteticamente, podem ser desagradáveis e representam um grave problema para o paciente se a lesão for grande e estiver localizada na orelha, na face ou sobre uma articulação.

EPIDEMIOLOGIA E ETIOLOGIA

IDADE DE INÍCIO Na terceira década, porém podem ocorrer em qualquer idade.
SEXO Incidência idêntica em ambos os sexos.
ETNIA Muito mais comuns em negros e em indivíduos do grupo sanguíneo A.
ETIOLOGIA A etiologia é desconhecida. Em geral, surgem após uma lesão da pele, isto é, cicatriz cirúrgica, laceração, abrasão, criocirurgia e eletrocoagulação, bem como após vacinação, acne, etc. *Os queloides também podem surgir espontaneamente, sem qualquer história de lesão, habitualmente na região pré-esternal.*

MANIFESTAÇÕES CLÍNICAS

SINTOMAS CUTÂNEOS Geralmente assintomáticos. Podem ser pruriginosos ou dolorosos ao toque.
LESÕES CUTÂNEAS Pápulas, nódulos (Fig. 9-49) ou lesões tuberosas grandes. Com frequência, são da cor da pele normal, mas também podem ser vermelho-brilhantes ou azuladas. Podem ser lineares após lesões traumáticas ou cirúrgicas (Fig. 9-49A), ovais ou arredondadas (Fig. 9-49B). As cicatrizes hipertróficas tendem a ser elevadas e limitam-se aproximadamente à área da lesão original (Fig. 9-49). Entretanto, os queloides podem ser nodulares (Fig. 9-50) ou estender-se em forma de garras, bem além da lesão original (Fig. 9-51A). São de consistência firme a dura; podem ser dolorosos, com superfície lisa. Os queloides espontâneos aparecem *de novo* sem traumatismo ou cirurgia e ocorrem habitualmente no tórax (Fig. 9-51B).
Distribuição. Lóbulos das orelhas, ombros, parte superior do dorso, tórax.

EXAMES LABORATORIAIS

DERMATOPATOLOGIA Cicatriz hipertrófica. Emaranhados de tecido fibroso jovem e fibroblastos em disposição aleatória.
Queloide. Apresentam as características da cicatriz hipertrófica, juntamente com faixas espessas, eosinofílicas e acelulares de colágeno.

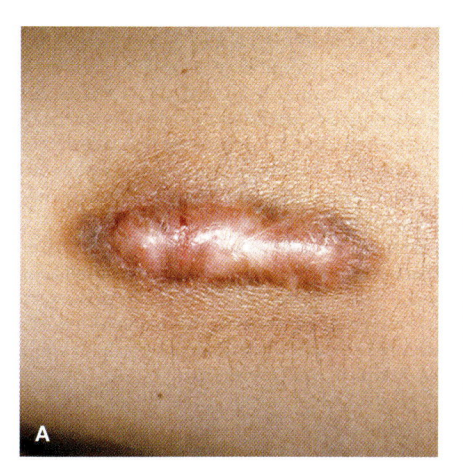

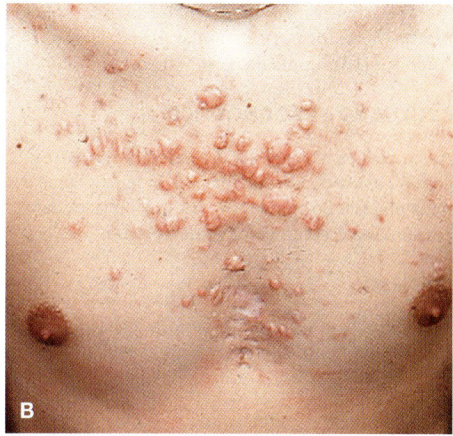

Figura 9-49 Cicatriz hipertrófica (A) Cicatriz elevada e larga, que se formou no local de uma incisão cirúrgica, com vasos sanguíneos telangiectásicos e epiderme atrófica brilhante. **(B)** Múltiplas cicatrizes hipertróficas no tórax de um homem de 22 anos com história de acne cística grave.

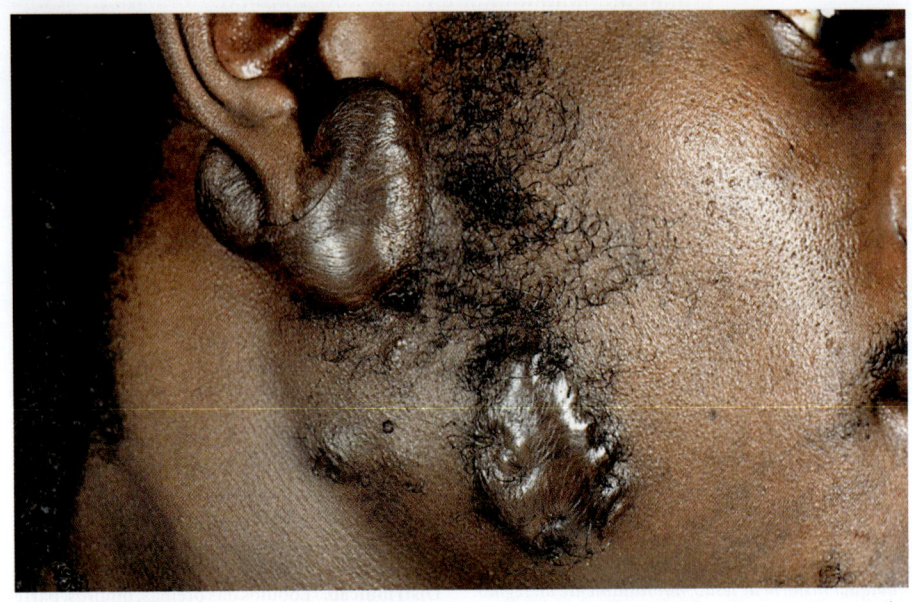

Figura 9-50 Queloides Nódulos irregulares bem demarcados, muito duros à palpação, na região auricular e na região malar de um homem de 30 anos. As lesões no lóbulo da orelha surgiram após a perfuração para colocação de brinco, enquanto a lesão na região mandibular apareceu após incisão de um cisto inflamado.

DIAGNÓSTICO E DIAGNÓSTICO DIFERENCIAL

Diagnóstico clínico; não há necessidade de biópsia, a não ser que haja alguma dúvida clínica, visto que esse procedimento pode levar à formação de novas cicatrizes hipertróficas. O diagnóstico diferencial inclui dermatofibroma, dermatofibrossarcoma protuberante, tumor desmoide, cicatriz com sarcoidose e granuloma de corpo estranho.

EVOLUÇÃO E PROGNÓSTICO

As cicatrizes hipertróficas tendem a regredir e, com o passar do tempo, tornam-se mais planas e mais macias. Por outro lado, os queloides podem continuar a crescer ao longo de décadas.

MANEJO

Representa um verdadeiro desafio, visto que nenhum tratamento é altamente efetivo.

GLICOCORTICOIDES INTRALESIONAIS A injeção intralesional mensal de triancinolona (10 a 20 mg/mL) pode reduzir o prurido ou a sensibilidade da lesão, bem como diminuir o seu volume e torná-la mais plana. Esses fármacos atuam bem nas cicatrizes hipertróficas pequenas, porém, são menos efetivos nos queloides.

EXCISÃO CIRÚRGICA As lesões que são excisadas cirurgicamente muitas vezes sofrem recidiva e são maiores do que a lesão original. A excisão com radioterapia pós-operatória imediata é benéfica.

CREME DE SILICONE E PLACA DE GEL DE SILICONE Foi relatado efeito benéfico nos queloides; ambos são indolores e não invasivos. Na experiência dos autores, não são muito efetivos.

PREVENÇÃO Os indivíduos propensos a cicatrizes hipertróficas ou queloides devem ser aconselhados a evitar procedimentos estéticos, como a perfuração das orelhas. As cicatrizes de queimaduras tendem a se tornar hipertróficas. Podem ser evitadas pelo uso de roupas de compressão.

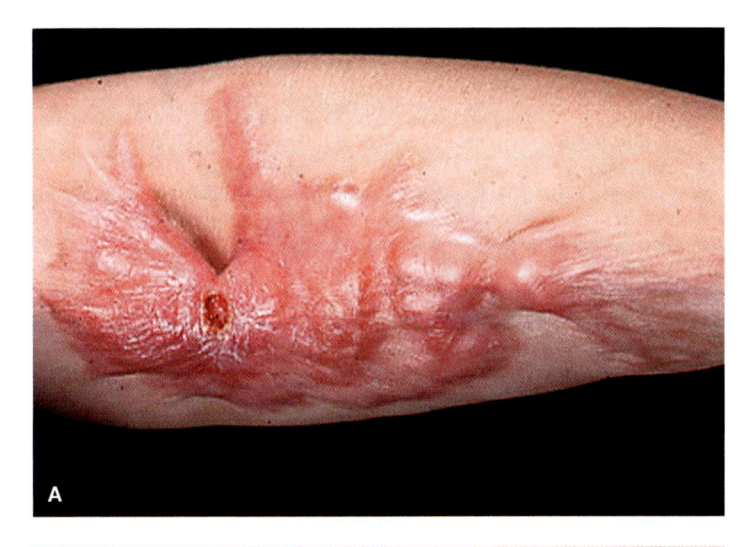

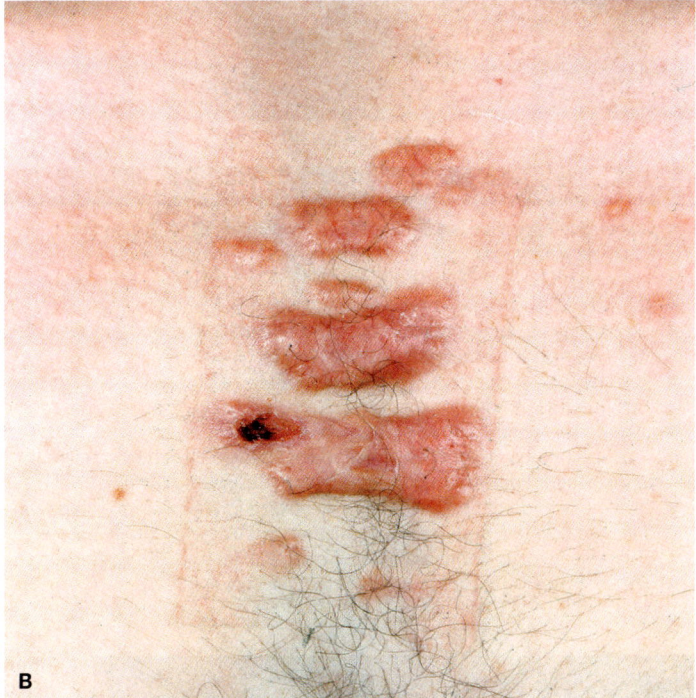

Figura 9-51 Queloides (A) Queloide após queimadura profunda. Observar as extensões do queloide em forma de salsicha e de garras na pele normal. **(B)** Queloides espontâneos que surgiram sem causa aparente no tórax de um rapaz de 19 anos.

FIBROMATOSE DIGITAL INFANTIL CID-10: M72.8

- Forma rara de fibromatose juvenil superficial.
- Apresenta-se como nódulo firme, assintomático, de cor da pele ou rosado nos dedos das mãos e dos pés (**Fig. 9-52**).
- Aparece no primeiro ano de vida, menos comumente na infância.
- Histologicamente, são observados feixes entrelaçados de miofibroblastos com inclusões eosinofílicas.
- Lesão benigna. A regressão espontânea é rara. O tratamento é cirúrgico.
- *Sinônimo*: tumor de Rye.

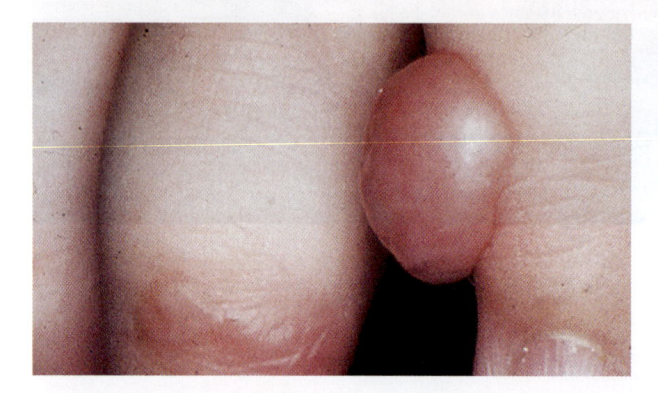

Figura 9-52 Fibromatose digital infantil Nódulo rosado bem demarcado no dedo da mão de um lactente. Em geral, acomete os dedos médio, anular e mínimo. Nesta fotografia, o tumor está localizado no indicador.

APÊNDICE CUTÂNEO CID-10: L91.8

- O apêndice cutâneo é um papiloma pedunculado (pólipo), redondo ou oval, macio e muito comum, da cor da pele, castanho ou marrom (**Fig. 9-53**); em geral, apresenta uma constrição na base, e seu tamanho pode variar desde 1 mm até 10 mm. Ocorre na meia-idade e em indivíduos idosos.
- As alterações histológicas consistem em adelgaçamento da epiderme e estroma de tecido fibroso frouxo.
- É habitualmente assintomático; todavia, em certas ocasiões, pode tornar-se doloroso após traumatismo ou torção e pode tornar-se crostoso ou hemorrágico.
- Mais comum em mulheres e em pacientes obesos, e observado, com mais frequência, nas áreas intertriginosas (axilas, região inframamária, regiões inguinais), bem como na região cervical e nas pálpebras.
- Ocorre na acantose *nigricans* e na síndrome metabólica.
- Pode ser confundido com ceratose seborreica pedunculada, nevo melanocítico intradérmico ou composto, neurofibroma solitário ou molusco contagioso.
- Com o passar do tempo, as lesões tendem a se tornar maiores e mais numerosas, particularmente durante a gravidez. Após torção espontânea, pode ocorrer autoamputação.
- O tratamento consiste em sua simples remoção com tesoura, eletrodissecção ou criocirurgia.
- *Sinônimos*: acrocórdon, papiloma cutâneo, fibroma mole.

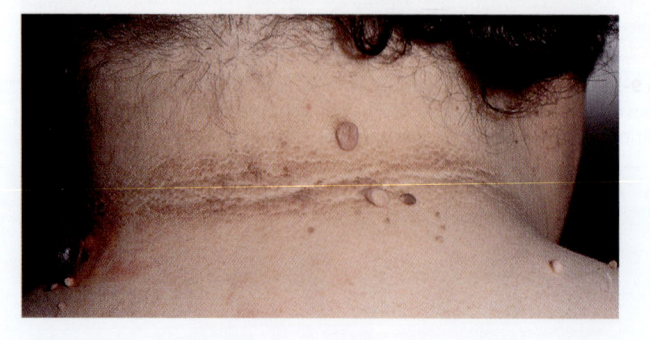

Figura 9-53 Apêndice cutâneo (acrocórdon) Papilomas pedunculados macios da cor da pele e castanhos. Essas lesões são muito comuns em indivíduos obesos idosos e constituem lesões obrigatórias na acantose *nigricans*, como é o caso desta paciente.

SEÇÃO 10

FOTOSSENSIBILIDADE, DISTÚRBIOS FOTOINDUZIDOS E DISTÚRBIOS POR RADIAÇÃO IONIZANTE

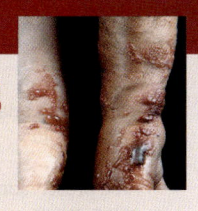

REAÇÕES CUTÂNEAS À LUZ SOLAR CID-10: L56

O termo *fotossensibilidade* descreve uma resposta anormal à luz solar. As reações de fotossensibilidade cutânea dependem da absorção da energia de fótons por moléculas presentes na pele. A energia é dispersa sem qualquer dano, ou desencadeia reações químicas que levam ao desenvolvimento de doença clínica. As moléculas de absorção podem ser: (1) substâncias exógenas aplicadas topicamente ou administradas por via sistêmica, (2) moléculas endógenas habitualmente presentes na pele ou produzidas por mecanismos metabólicos anormais, ou (3) uma combinação de moléculas exógenas e endógenas que adquirem propriedades antigênicas e que, portanto, desencadeiam uma reação imune induzida por fotorradiação. Os distúrbios de fotossensibilidade só ocorrem nas regiões do corpo expostas à radiação solar (**Fig. 10-1**). Três tipos de fotossensibilidade aguda:

1. Resposta do tipo *queimadura solar*, com alterações cutâneas que simulam queimadura solar comum, como nas reações fototóxicas a fármacos ou na fitofotodermatite (FFD).
2. Resposta *eruptiva*, com máculas, pápulas ou placas, como na dermatite eczematosa. Em geral, são de natureza fotoalérgica.
3. Respostas *urticariformes* características da urticária solar; entretanto, podem ocorrer também lesões urticariformes na porfiria eritropoiética.

Fotossensibilidade crônica: exposições repetidas e crônicas à luz solar que, com o passar do tempo, resultam em alterações cutâneas polimórficas, que foram denominadas *dermatoeliose* (DE) ou fotoenvelhecimento. O **Quadro 10-1** fornece uma classificação das reações cutâneas à luz solar.

PRINCÍPIOS BÁSICOS DA FOTOMEDICINA CLÍNICA

O principal responsável pela patologia cutânea induzida pela radiação solar é a fração ultravioleta (UV) do espectro solar. A radiação ultravioleta (RUV) é dividida em dois tipos principais: a UVB (290 a 320 nm), que corresponde ao "espectro de queimadura solar", e a UVA (320 a 400 nm), que é subdividida em UVA-1 (340 a 400 nm) e UVA-2 (320 a 340 nm). A unidade de medida da queimadura solar é a *dose eritematosa mínima* (DEM), que se refere à exposição mínima à UV capaz de produzir eritema 24 horas após uma única exposição. O eritema produzido pela UVB desenvolve-se em 6 a 24 horas e desaparece dentro de 72 a 120 horas. O eritema causado pela UVA desenvolve-se em 4 a 16 horas e desaparece em 48 a 120 horas.

VARIAÇÕES NA REATIVIDADE SOLAR EM INDIVÍDUOS NORMAIS: FOTOTIPOS CUTÂNEOS DE FITZPATRICK (**Quadro 10-2**)

A queimadura solar é observada mais frequentemente em indivíduos que têm pele branca ou branca-pálida e capacidade limitada de desenvolver pigmentação melânica induzível (bronzeamento) após exposição à RUV. A cor básica da pele é dividida em branca, parda e negra. Nem todos os indivíduos de pele clara, como as pessoas caucasoides, têm a mesma capacidade de bronzeamento, e esse fato constitui a base principal da classificação dos indivíduos "brancos" em quatro *fototipos cutâneos* (FTCs). O FTC baseia-se na cor básica da pele e na *estimativa do próprio indivíduo* quanto à queimadura solar e ao bronzeamento (**Quadro 10-2**).

As pessoas de FTC I costumam ter a pele de cor branco-pálida, cabelos loiros ou ruivos e olhos azuis. Na verdade, elas também podem ter cabelos

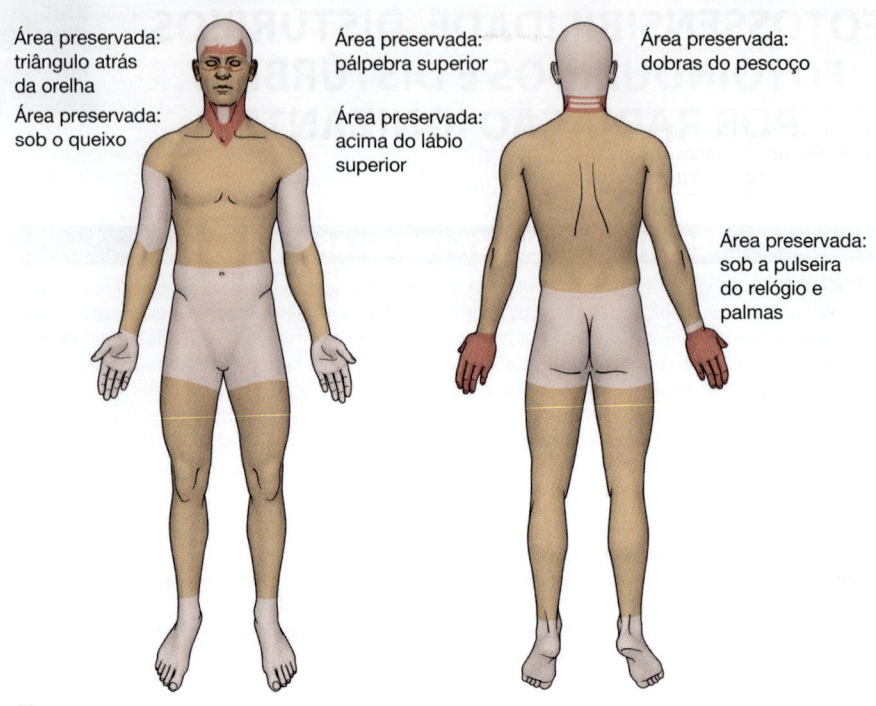

Área preservada: triângulo atrás da orelha
Área preservada: sob o queixo
Área preservada: pálpebra superior
Área preservada: acima do lábio superior
Área preservada: dobras do pescoço
Área preservada: sob a pulseira do relógio e palmas

Homem

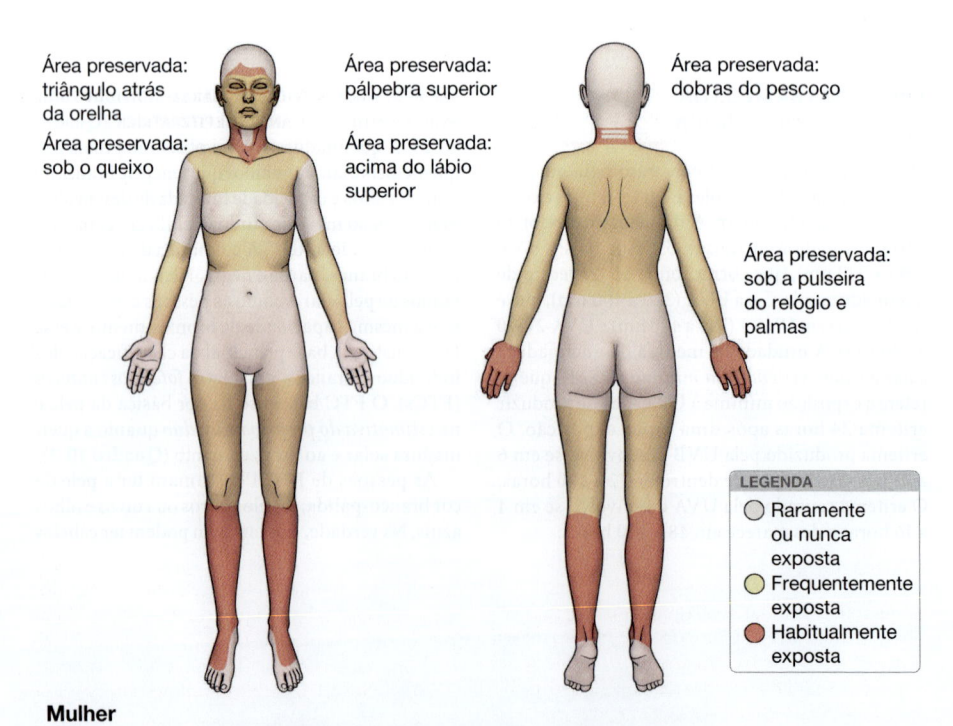

Área preservada: triângulo atrás da orelha
Área preservada: sob o queixo
Área preservada: pálpebra superior
Área preservada: acima do lábio superior
Área preservada: dobras do pescoço
Área preservada: sob a pulseira do relógio e palmas

LEGENDA
○ Raramente ou nunca exposta
○ Frequentemente exposta
○ Habitualmente exposta

Mulher

Figura 10-1 Variações da exposição solar em diferentes regiões do corpo

QUADRO 10-1	Classificação simplificada das reações cutâneas à luz solar

Fototoxicidade
  Queimadura solar
  Induzida por fármacos/substâncias químicas
  Induzida por plantas (fitofotodermatite)

Fotoalergia
  Induzida por fármacos/substâncias químicas
  Dermatite actínica crônica
  Urticária solar

Idiopática
  Erupção polimorfa à luz
  Prurigo actínico[a]
  Hidroa vaciniforme[a]

Metabólicas e nutricionais
  Porfiria cutânea tarda
  Porfiria variegada
  Protoporfiria eritropoiética
  Pelagra

Fotodermatoses por DNA deficiente
  Xeroderma pigmentoso[a]
  Outras síndromes raras[a]

Dermatoses fotoexacerbadas

Fototoxicidade crônica
  Dermatoeliose (fotoenvelhecimento)
  Lentigo solar
  Ceratoses actínicas
  Câncer de pele[b]

[a]Essas condições não são abordadas aqui. O leitor deve consultar Goldsmith LA, Katz SI, Gilchrest BA, et al (eds). *Fitzpatrick's Dermatology in General Medicine*. 8th. New York, McGraw-Hill; 2012.
[b]Para uma descrição do câncer de pele, ver as Seções 11 e 12.

QUADRO 10-2	Classificação dos FTCs de Fitzpatrick	
FTC	Cor básica da pele	Resposta à exposição solar
I	Branca	Queima facilmente, não se bronzeia
II	Branca	Queima facilmente, bronzeia-se com dificuldade
III	Morena clara	Pode queimar inicialmente, porém bronzeia-se facilmente
IV	Morena moderada	Queima dificilmente, bronzeia-se facilmente
V	Morena escura	Habitualmente não se queima, bronzeia-se facilmente
VI	Negra	Não se queima, torna-se mais escura

castanho-escuros e olhos castanhos. Os indivíduos com FTC I facilmente apresentam queimaduras solares após exposições de curta duração ao sol e não se bronzeiam. Os indivíduos com FTC II queimam-se facilmente, porém, *bronzeiam-se com dificuldade*, enquanto as pessoas com FTC III podem ter alguma queimadura solar após exposições breves, mas são capazes de desenvolver bronzeamento acentuado. Os indivíduos com FTC IV bronzeiam-se com facilidade e não sofrem queimaduras solares com exposições de curta duração. Os indivíduos com pele morena escura constitutiva são classificados como FTC V, enquanto os de pele negra, com FTC VI. Convém ressaltar que a queimadura solar depende da quantidade de energia de RUV absorvida. Por conseguinte, com uma exposição solar excessiva, até mesmo os indivíduos com FTC VI podem ter queimaduras solares.

DANO SOLAR AGUDO (QUEIMADURA SOLAR) CID-10: L55.9

- A queimadura solar é uma resposta inflamatória aguda, tardia e transitória da pele normal após exposição à RUV emitida pela luz solar ou por fontes artificiais.
- Por natureza, trata-se de uma reação fototóxica.
- A queimadura solar caracteriza-se por eritema (**Fig. 10-2**) e, quando grave, por vesículas e bolhas, edema, sensibilidade e dor.

EPIDEMIOLOGIA

A queimadura solar depende da quantidade de energia de RUV emitida e da suscetibilidade do indivíduo (FTC). Por conseguinte, as queimaduras solares ocorrem mais frequentemente em torno do meio-dia, com latitudes decrescentes, altitudes mais elevadas e FTCs decrescentes. Portanto, o contexto "ideal" para a ocorrência de queimadura solar seria um indivíduo com FTC I (suscetibilidade máxima) no Monte Quênia (altitude elevada, próximo à linha do Equador) ao meio-dia (RUV mais intensa). Evidentemente, as queimaduras solares podem ocorrer em qualquer latitude, porém a probabilidade de sua ocorrência diminui à medida que se aumenta a distância da linha do Equador.

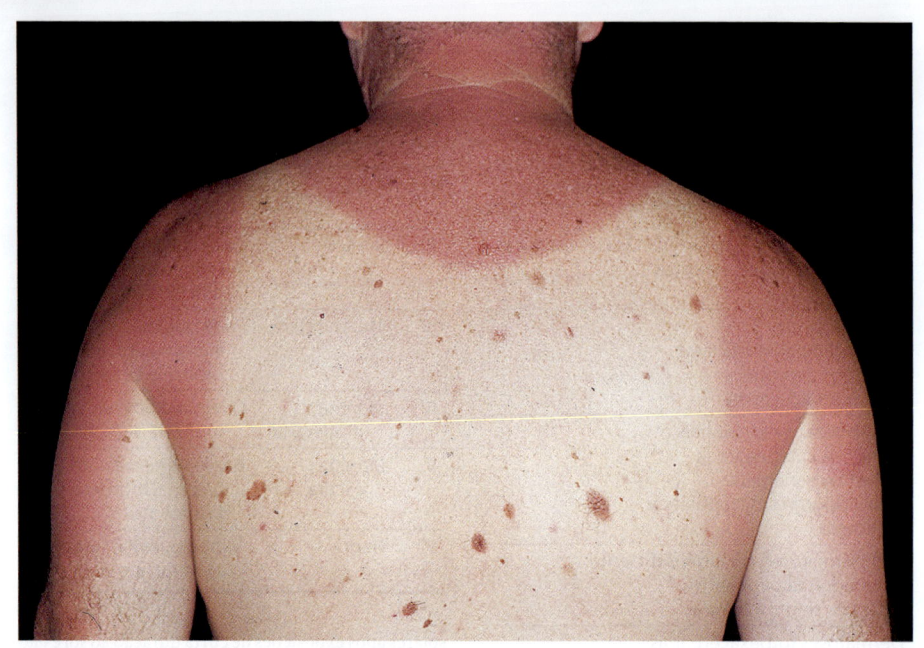

Figura 10-2 Queimadura solar aguda Eritema brilhante, doloroso e sensível com edema leve na parte superior do dorso, com demarcação nítida entre as áreas expostas ao sol e a pele branca protegida.

PATOGÊNESE

As moléculas que absorvem RUV no processo de desenvolvimento do eritema da queimadura solar por UVB não são conhecidas, porém a lesão do DNA pode constituir o evento inicial. Entre os mediadores que causam eritema encontra-se a histamina para a UVA e para a UVB. No eritema induzido pela UVB, outros mediadores incluem o TNF-α, a serotonina, as prostaglandinas, o óxido nítrico, as enzimas lisossômicas e as cininas. O TNF-α pode ser detectado tão precoce como 1 hora após a exposição.

MANIFESTAÇÕES CLÍNICAS

SINTOMAS CUTÂNEOS O início depende da intensidade da exposição. O prurido pode ser intenso, mesmo em caso de queimadura solar leve; ocorrem dor e sensibilidade nas queimaduras solares graves.
SINTOMAS CONSTITUCIONAIS Alguns indivíduos com FTCs I e II desenvolvem cefaleia e mal-estar, mesmo após exposições de curta duração. Na queimadura solar grave, o paciente apresenta-se "toxêmico" – com febre, fraqueza, lassidão e frequência acelerada do pulso.
LESÕES CUTÂNEAS Eritema confluente e brilhante, sempre limitado às regiões do corpo expostas ao sol e, portanto, com limites nitidamente demarcados entre a pele exposta e a pele coberta (**Fig. 10-2**). O eritema surge depois de 6 horas e se torna máximo depois de 24 horas. Edema, vesículas e até mesmo bolhas; eritema sempre uniforme e sem "erupção", como a observada na maioria das reações fotoalérgicas. À medida que o edema e o eritema regridem, as vesículas e as bolhas secam e formam crostas, que finalmente se desprendem.
Distribuição. Eritema estritamente confinado às áreas expostas; a queimadura solar pode ocorrer em áreas cobertas por roupas, dependendo do grau de transmissão da RUV através das roupas, do nível de exposição e do FTC do indivíduo.
MUCOSAS As queimaduras solares são frequentes na borda vermelha dos lábios e podem ocorrer na língua de alpinistas que colocam a língua para fora por estarem ofegantes.

EXAMES LABORATORIAIS

DERMATOPATOLOGIA Células da "queimadura solar" na epiderme (ceratinócitos apoptóticos); exocitose dos linfócitos, vacuolização dos melanócitos e das células de Langerhans. *Derme:* edema das células endoteliais dos vasos sanguíneos superficiais.

DIAGNÓSTICO E DIAGNÓSTICO DIFERENCIAL

História de exposição à RUV e locais de reação nas áreas expostas. *Eritema fototóxico*: História de uso de medicamentos que induzem eritema fototóxico. O *lúpus eritematoso sistêmico* (LES) pode causar eritema semelhante à queimadura solar. A *protoporfiria eritropoiética* (PPE) causa eritema, vesículas, edema e púrpura.

EVOLUÇÃO E PROGNÓSTICO

Diferentemente das queimaduras térmicas, a queimadura solar não pode ser classificada com base na sua profundidade, isto é, de primeiro, segundo ou terceiro graus, visto que não ocorrem queimaduras de terceiro grau após RUV. Assim, não há cicatrizes. Uma reação permanente a queimaduras graves causadas por RUV é a despigmentação moteada, provavelmente relacionada à destruição dos melanócitos, assim como lentigos solares eruptivos (Dermatoeliose: lentigos solares, p. 215).

MANEJO

PREVENÇÃO Os indivíduos com FTCs I ou II devem evitar banhos de sol, particularmente entre as 11 e as 14 horas. Roupas: roupas com proteção contra a RUV. Na atualidade, dispõe-se de muitos filtros químicos tópicos (filtros solares) altamente efetivos em forma de loção, gel e creme.
Tópico. Compressas úmidas frias e glicocorticoides tópicos.
Sistêmico. Ácido acetilsalicílico, indometacina e AINEs.
QUEIMADURA SOLAR GRAVE Repouso ao leito. Se as lesões forem muito graves, o paciente "toxêmico" poderá necessitar de hospitalização para reposição hídrica e profilaxia de infecção.

FOTOSSENSIBILIDADE INDUZIDA POR FÁRMACOS/SUBSTÂNCIAS QUÍMICAS CID-10: L56.0/56.1

- Interação da RUV com um fármaco ou substância química na pele.
- Dois mecanismos: as *reações fototóxicas*, que são reações fotoquímicas, e as *reações fotoalérgicas*, em que há formação de um fotoalérgeno, que desencadeia uma resposta imune e que se manifesta na pele por uma reação imune tipo IV.
- A diferença entre as erupções fototóxicas e fotoalérgicas é que as primeiras manifestam-se como uma dermatite de contato por irritante (tóxico) ou como queimadura solar, enquanto as últimas assemelham-se a uma dermatite de contato eczematosa alérgica (ver Quadro 10-3).

QUADRO 10-3 Características da fototoxicidade e da fotoalergia

	Fototoxicidade	Fotoalergia
Apresentação clínica	Reação semelhante à queimadura solar: eritema, edema, vesículas e bolhas, com sensação de ardência e dor; regride frequentemente com hiperpigmentação	Lesões eczematosas, pápulas, vesículas, descamação, formação de crostas; em geral, pruriginosas
Histologia	Ceratinócitos apoptóticos, infiltrados dérmicos esparsos de linfócitos, macrófagos e neutrófilos	Dermatite espongiótica, infiltrado linfo-histiocítico denso na derme
Fisiopatologia	Lesão tecidual direta	Resposta de hipersensibilidade tardia tipo IV
Ocorrência após a primeira exposição	Sim	Não
Início da erupção após a exposição	Minutos a horas	24 a 48 h
Dose necessária do agente para causar erupção	Alta	Baixa
Reatividade cruzada com outros agentes	Rara	Comum
Diagnóstico	Clínico + fototestes	Clínico + fototestes + testes de fotocontato

Fonte: Adaptado com permissão de Lim HM. Abnormal responses to ultraviolet radiation: photosensitivity induced by exogenous agents. In: Goldsmith LA, Katz SI, Gilchrest BA, et al, eds. *Fitzpatrick's Dermatology in General Medicine*. 8 ed. New York, McGraw-Hill; 2012.

FOTOSSENSIBILIDADE FOTOTÓXICA INDUZIDA POR FÁRMACOS/SUBSTÂNCIAS QUÍMICAS CID-10: L56.0

- Reação cutânea adversa causada pela exposição simultânea a determinados fármacos (por ingestão oral, injeção ou aplicação tópica) e à RUV ou luz visível, ou a substâncias químicas que podem ser terapêuticas, cosméticas, industriais ou agrícolas.
- Dois tipos de reação: (1) dermatite fototóxica sistêmica, que ocorre em indivíduos expostos sistemicamente a um agente fotossensibilizante (fármaco) e à RUV subsequente, e (2) dermatite fototóxica local, que se desenvolve em indivíduos com exposição tópica a um agente fotossensibilizante e, subsequentemente, à RUV.
- Ambas as reações representam *respostas exageradas à queimadura solar* (eritema, edema, vesículas e/ou bolhas).
- A dermatite fototóxica sistêmica ocorre em *todas as áreas expostas à RUV*, enquanto a dermatite fototóxica local só acomete *as áreas de aplicação tópica*.

DERMATITE FOTOTÓXICA SISTÊMICA CID-10: L56.0

EPIDEMIOLOGIA

Ocorre em qualquer indivíduo após a ingestão de uma dose suficiente de fármaco fotossensibilizante, com exposição subsequente à RUV.

ETIOLOGIA E PATOGÊNESE

Produtos fototóxicos, como radicais livres, ou espécies reativas de oxigênio, como o oxigênio singleto. Os principais locais de lesão incluem o DNA nuclear e as membranas celulares (plasmática, lisossômica, mitocondrial). O espectro de ação é a radiação UVA. O Quadro 10-4 fornece uma lista dos fármacos que provocam dermatite fototóxica sistêmica. Alguns fármacos que causam reações fototóxicas também podem desencadear reações fotoalérgicas (ver a discussão adiante).

MANIFESTAÇÕES CLÍNICAS

"Queimadura solar exagerada" após exposição ao sol ou à RUV, que *normalmente não causaria queimadura solar no indivíduo em particular*. Ocorre habitualmente dentro de poucas horas após a exposição; com alguns agentes, como os psoralenos, ocorre depois de 24 horas, e alcança a sua intensidade máxima em 48 horas. Sintomas cutâneos: ardência, ferroadas e prurido.

LESÕES CUTÂNEAS Iniciais. As lesões cutâneas são as de uma "queimadura solar exagerada". Eritema, edema (Fig. 10-3A) e formação de vesículas e bolhas (Fig. 10-3B) confinadas às áreas expostas à luz. *Não se observa a ocorrência de reação eczematosa nas reações fototóxicas*.

APRESENTAÇÕES ESPECIAIS: PSEUDOPORFIRIA Com alguns fármacos há pouco eritema, mas pronunciada

QUADRO 10-4 Agentes fototóxicos sistêmicos mais comuns[a]

Propriedade	Nome genérico	Propriedade	Nome genérico
Antimicrobianos	Lomefloxacino Ácido nalidíxico Esparfloxacino Demeclociclina Doxiciclina	Antipsicóticos	Clorpromazina Proclorperazina
Furocumarinas	5-metoxipsoraleno 8-metoxipsoraleno 4,5′,8-trimetilpsoraleno	Agentes usados na terapia fotodinâmica	Porfímer Verteporfina
AINEs	Piroxicam Naproxeno Nabumetona Tolbutamida	Agentes cardíacos Diuréticos	Amiodarona Furosemida Clorotiazida Diazida

[a]Fármacos mais comumente relatados. Para uma lista completa, ver Lim HM. In: Goldsmith LA, Katz SI, Gilchrest BA, et al, eds. *Fitzpatrick's Dermatology in General Medicine*. 8. ed. New York, McGraw-Hill; 2012.

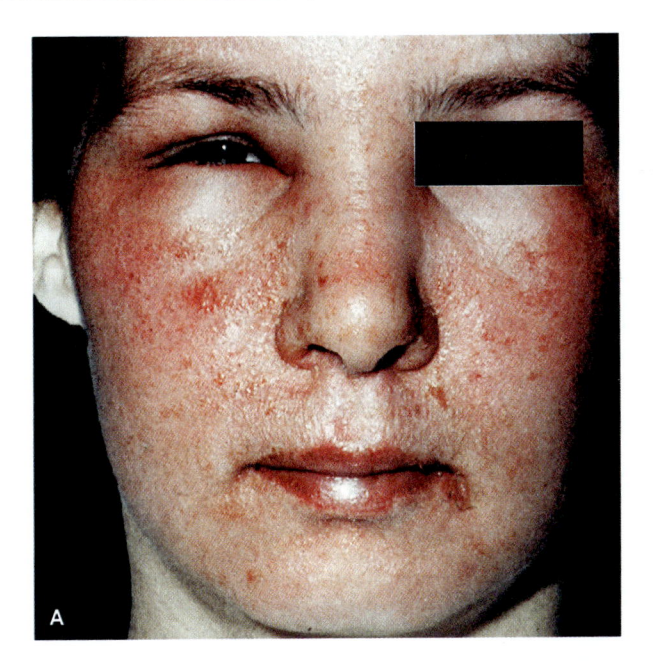

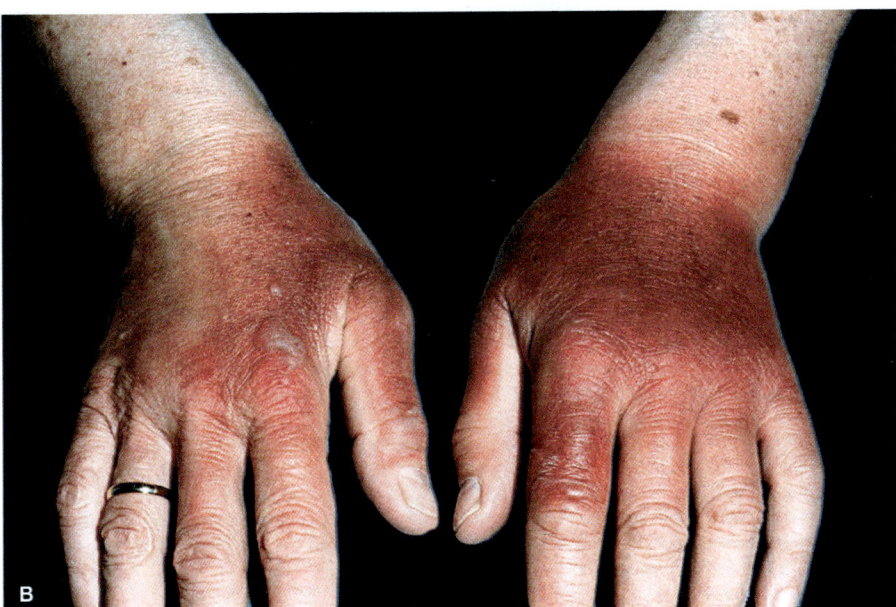

Figura 10-3 Fotossensibilidade farmacodérmica fototóxica **(A)** Edema maciço e eritema na face de uma adolescente de 17 anos tratada com demetilclortetraciclina para acne. **(B)** Eritema escuro com formação de bolhas no dorso de ambas as mãos de paciente tratado com piroxicam.

formação de bolhas e fragilidade cutânea com erosões (Pseudoporfiria, ver Seção 23); com exposições repetidas, ocorre cicatrização com *milia*, particularmente no dorso das mãos e nos antebraços. É clinicamente indistinguível da porfiria cutânea tarda (PCT) (ver Porfiria cutânea tarda p. 206), exceto pela ausência de hipertricose facial – daí a designação *pseudoporfiria* (ver Seção 23).

UNHAS Podem ocorrer hemorragia subungueal e fotonicólise com certos fármacos (psoralenos, demetilclortetraciclina, benoxaprofeno).

PIGMENTAÇÃO Durante a evolução, pode ocorrer pigmentação melânica marrom acentuada da epiderme. Com o uso de determinados fármacos, particularmente clorpromazina e amiodarona, pode haver desenvolvimento de uma pigmentação melânica cinza-ardósia da derme (ver Pigmentação induzida por fármacos, na Seção 23).

EXAMES LABORATORIAIS

DERMATOPATOLOGIA Inflamação, "células da queimadura solar" (ceratinócitos apoptóticos) na epiderme, necrobiose epidérmica, vesiculação intraepidérmica e subepidérmica.

FOTOTESTES Áreas delimitadas da pele para a realização do teste são expostas a doses crescentes de UVA (*as reações fototóxicas são quase sempre causadas por UVA*), enquanto o paciente está fazendo uso do fármaco. A DEM de UVA será muito menor que a dos indivíduos normais do mesmo FTC. Após a eliminação do fármaco da pele, a repetição do fototeste com UVA revelará *aumento* da DEM de UVA.

DIAGNÓSTICO E DIAGNÓSTICO DIFERENCIAL

História de exposição a fármacos e alterações morfológicas da pele características das erupções farmacodérmicas fototóxicas. O diagnóstico diferencial inclui queimaduras solares comuns, reações fototóxicas causadas pelo excesso de porfirinas endógenas e fotossensibilidade devida a outras doenças, por exemplo, LES.

EVOLUÇÃO E PROGNÓSTICO

A sensibilidade a fármacos fototóxicos limita seriamente ou impede o uso de fármacos importantes: diuréticos, anti-hipertensivos e fármacos usados em psiquiatria. As reações farmacodérmicas fototóxicas desaparecem após a interrupção do fármaco.

MANEJO

Igual ao das queimaduras solares.

DERMATITE FOTOTÓXICA TÓPICA   CID-10: L56.0

- Contato acidental com agente fotossensibilizante ou a sua aplicação terapêutica, seguidos de exposição à radiação UVA (praticamente todos os agentes fotossensibilizantes tópicos têm espectro de ação na faixa UVA).
- Os agentes fototóxicos tópicos mais comuns incluem: rosa-bengala, um agente usado para exame oftalmológico, o corante fluoresceína e furocumarinas, que são encontradas em plantas (espécies de *Compositae* e de *Umbiliforme*), vegetais e frutas (lima, limão, aipo, salsa), em perfumes e cosméticos (óleo de bergamota) e fármacos usados em fotoquimioterapia tópica (psoralenos). A via de contato mais comum consiste em exposição terapêutica ou ocupacional.
- A apresentação clínica assemelha-se à da dermatite de contato por irritante (ver Seção 2), com eritema, edema, vesiculação e formação de bolhas confinadas aos locais de contato com o agente fototóxico.
- Os sintomas consistem em pontadas, ferroadas e ardência, em vez de prurido.
- A regressão resulta habitualmente em pigmentação pronunciada (ver Dermatite em berloque p. 197). A dermatite fototóxica tópica mais comum e, portanto, mais importante, é a FFD, que será descrita adiante.

FITOFOTODERMATITE (FFD) CID-10: L56.2

- Inflamação da pele causada pelo contato com determinadas plantas durante exposição recreativa ou ocupacional à luz solar (planta + luz = dermatite).
- A resposta inflamatória consiste em uma reação fototóxica a substâncias químicas fotossensibilizantes presentes em várias famílias de plantas.
- Os tipos comuns de FFD resultam da exposição a frutas cítricas, aipo e capim dos campos.
- Sinônimos: dermatite em berloque, dermatite do limão.

EPIDEMIOLOGIA E ETIOLOGIA

Comum. Habitualmente na primavera e no verão ou durante todo o ano nos climas tropicais.
ETNIA Todas as cores de pele; os indivíduos de pele morena e negra podem desenvolver apenas pigmentação em mancha escura e marcada, sem eritema nem lesões bolhosas.
OCUPAÇÃO Colhedores de aipo, processadores de cenoura, jardineiros (expostos a folhas de cenoura ou ao freixo [*Dictamnus albus*]) e garçons (suco de limão) expostos ao sol em bares ao ar livre. Não ocupacional: donas de casa e pessoas que fazem uso de perfumes contendo óleo de bergamota; indivíduos que fazem caminhadas e crianças que brincam na grama desenvolvem FFD nas pernas; a grama contém agrimônia.

ETIOLOGIA Reação fototóxica causada por furocumarinas fotoativas (psoralenos) presentes nas plantas.

MANIFESTAÇÕES CLÍNICAS

O paciente fornece uma história de exposição a certas plantas (lima, limão, salsa silvestre, aipo, serralha gigante, pastinaga, folhas de cenoura e figo). O uso de perfumes contendo óleo de bergamota (que contém bergapteno, 5-metoxipsoraleno) pode levar ao desenvolvimento de faixas de pigmentação apenas nas áreas em que o perfume foi aplicado, uma condição denominada *dermatite em berloque* (do francês: *berloque,* "pingente").
SINTOMAS CUTÂNEOS Pontadas, sensação de queimadura solar, dor, prurido subsequente.
LESÕES CUTÂNEAS Aguda: Eritema, edema, vesículas e bolhas (Fig. 10-4). As lesões podem parecer pseudopapulares antes do aparecimento das vesículas (Fig. 10-5). Com frequência, há faixas de conformação bizarras e padrões artificiais (Fig. 10-5). As lesões ocorrem nos locais de

Figura 10-4 Fitofotodermatite (planta + luz): aguda com bolhas Estas bolhas foram o resultado da exposição a umbelíferas e ao sol. Esta dona de casa de 50 anos estava limpando o jardim em um dia ensolarado. As umbelíferas contêm bergapteno (5-metoxipsoraleno), que é uma potente substância química fototóxica tópica.

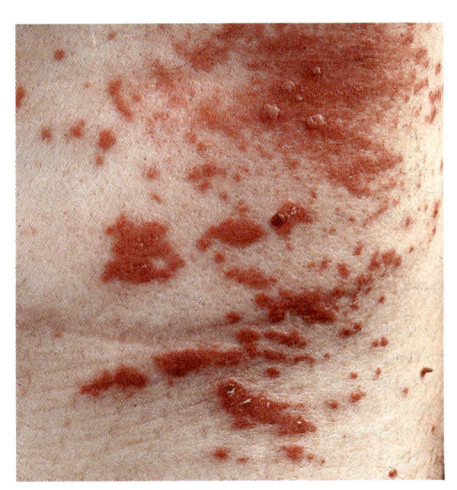

Figura 10-5 Fitofotodermatite Homem de 48 anos de idade que estava tomando banho de sol na grama. Antes do aparecimento das vesículas e das bolhas, podem surgir lesões eritematosas elevadas, dando a falsa impressão de serem papulares. Observa-se o padrão em faixas.

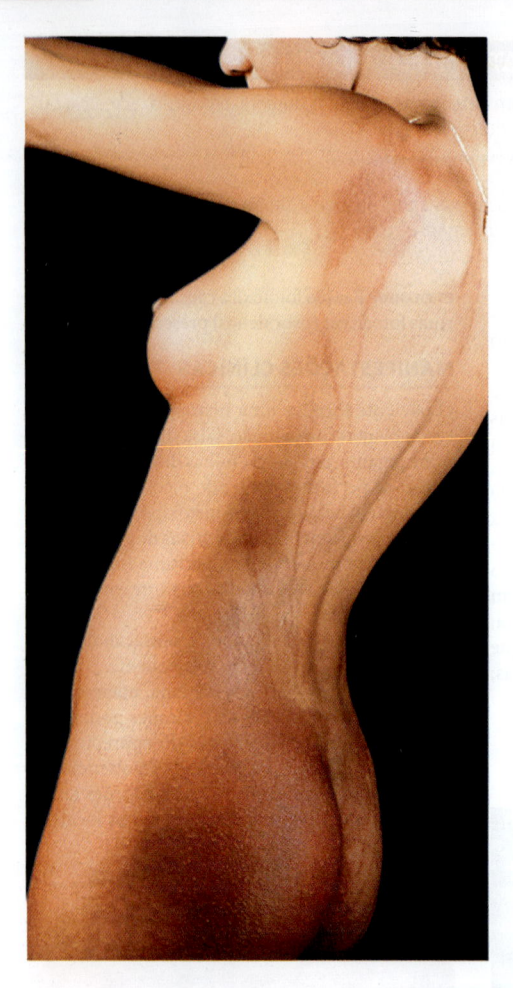

Figura 10-6 Dermatite em berloque A paciente aplicou óleo de banho perfumado sobre os ombros e o tórax, porém lavou apenas a parte anterior do corpo no chuveiro antes de sair para o sol. O óleo de banho continha óleo de bergamota, e observa-se uma pigmentação que se alastrou dos ombros até as nádegas. (Usado com permissão de Dr. Thomas Schwarz.)

contato, particularmente braços, pernas e face. Hiperpigmentação residual com faixas bizarras (dermatite em berloque) (**Fig. 10-6**).

DIAGNÓSTICO E DIAGNÓSTICO DIFERENCIAL

Estabelecido com base na identificação do padrão e na anamnese cuidadosa. O diagnóstico diferencial inclui principalmente dermatite de contato por irritante aguda, com padrão estriado. Dermatite por hera venenosa (ver **Fig. 2-8**), porém esse distúrbio é eczematoso.

EVOLUÇÃO

Pode representar um importante problema ocupacional, como nos colhedores de aipo. A erupção aguda é de curta duração e desaparece espontaneamente, mas a pigmentação pode persistir por muitas semanas.

MANEJO

Pode-se indicar a aplicação de compressas úmidas na fase vesicular aguda. Glicocorticoides tópicos.

FOTOSSENSIBILIDADE FOTOALÉRGICA INDUZIDA POR FÁRMACOS/SUBSTÂNCIAS QUÍMICAS CID-10: L56.1

- Resulta da interação de um fotoalérgeno com radiação UVA.
- Nos indivíduos sensibilizados, a exposição a um fotoalérgeno e à luz solar resulta em erupção eczematosa pruriginosa, que se limita aos locais expostos e que é clinicamente indistinguível da dermatite de contato alérgica.
- Na maioria dos pacientes, o fármaco/substância química desencadeante foi aplicado topicamente; todavia, pode ser também desencadeada por exposição sistêmica.

EPIDEMIOLOGIA

IDADE DE INÍCIO Mais comum em adultos.
ETNIA Todos os FTCs e cores de pele.
INCIDÊNCIA As reações fotoalérgicas a fármacos ocorrem com muito menos frequência do que as reações farmacodérmicas fototóxicas.

ETIOLOGIA E PATOGÊNESE

Substância química/fármaco de aplicação tópica e radiação UVA. As substâncias químicas envolvidas consistem em desinfetantes, agentes antimicrobianos, agentes contidos nos filtros solares, perfumes de loções pós-barba ou alvejantes (Quadro 10-5). A substância química presente na pele absorve os fótons e forma um subproduto. Em seguida, liga-se a uma proteína solúvel ou ligada à membrana, formando um antígeno contra o qual o organismo desencadeia uma resposta imune tipo IV. A fotoalergia só é desencadeada em indivíduos que foram sensibilizados. Além disso, pode ser induzida pela administração sistêmica de um fármaco e desencadeada pela aplicação tópica do mesmo fármaco e vice-versa. A exposição à radiação UVA é sempre necessária.

MANIFESTAÇÕES CLÍNICAS

LESÕES CUTÂNEAS Altamente pruriginosas. Os padrões das reações fotoalérgicas agudas são clinicamente indistinguíveis da dermatite de contato alérgica (Fig. 10-7): pápulas, vesículas, descamação e formação de crostas. Em certas ocasiões, pode haver também uma erupção liquenoide semelhante ao líquen plano. Na fotoalergia farmacodérmica crônica, ocorrem descamação, liquenificação e prurido acentuado, simulando a dermatite atópica ou, novamente, a dermatite de contato alérgica crônica (Fig. 10-8).
Distribuição. Lesões limitadas principalmente às áreas expostas à luz (padrão de distribuição da fotossensibilidade); entretanto, pode ocorrer disseminação para a pele adjacente não exposta. O fato que auxilia no diagnóstico é que, na face, as pálpebras superiores, a área sob o nariz e uma faixa fina de pele entre o lábio inferior e o mento são frequentemente preservados (áreas que ficam na sombra) (Fig. 10-7).

EXAMES LABORATORIAIS

DERMATOPATOLOGIA Espongiose epidérmica com infiltração linfocítica.

DIAGNÓSTICO

História de exposição ao fármaco, padrão de erupção da dermatite de contato alérgica e sua distribuição limitada às áreas expostas ao sol. O diagnóstico é confirmado pelo fototeste de contato (photopatch test): são aplicados fotoalérgenos em duplicata na pele e cobertos. Após 24 horas, uma parte dos locais do teste de duplicatas é exposta à UVA, enquanto a outra parte permanece coberta. Os locais de testes são analisados quanto a reações após 48 a 96 horas. Uma reação eczematosa no local irradiado e não no local não irradiado confirma a fotoalergia ao agente testado.

EVOLUÇÃO E PROGNÓSTICO

A dermatite fotoalérgica pode persistir por vários meses a anos, e essa condição é conhecida como *dermatite actínica crônica* (anteriormente

---

QUADRO 10-5 Fotoalérgenos tópicos[a]

Grupo	Nome químico
Filtros solares	Ácido para-aminobenzoico (PABA)
	Benzofenonas
Fragrâncias	6-metilcumarina
	Essência de almíscar
Antibacterianos	Dibromossalicilanilida
	Tetraclorossalicilanilida
	Bitionol
	Sulfonamidas
Outros	Clorpromazina

[a]Estes são os fármacos mais comumente relatados. Para uma lista completa de fotoalérgenos tópicos, ver Lim, HW. In: Goldsmith LA, Katz SI, Gilchrest BA, et al, eds. *Fitzpatrick's Dermatology in General Medicine.* 8. ed. New York, McGraw-Hill; 2012.

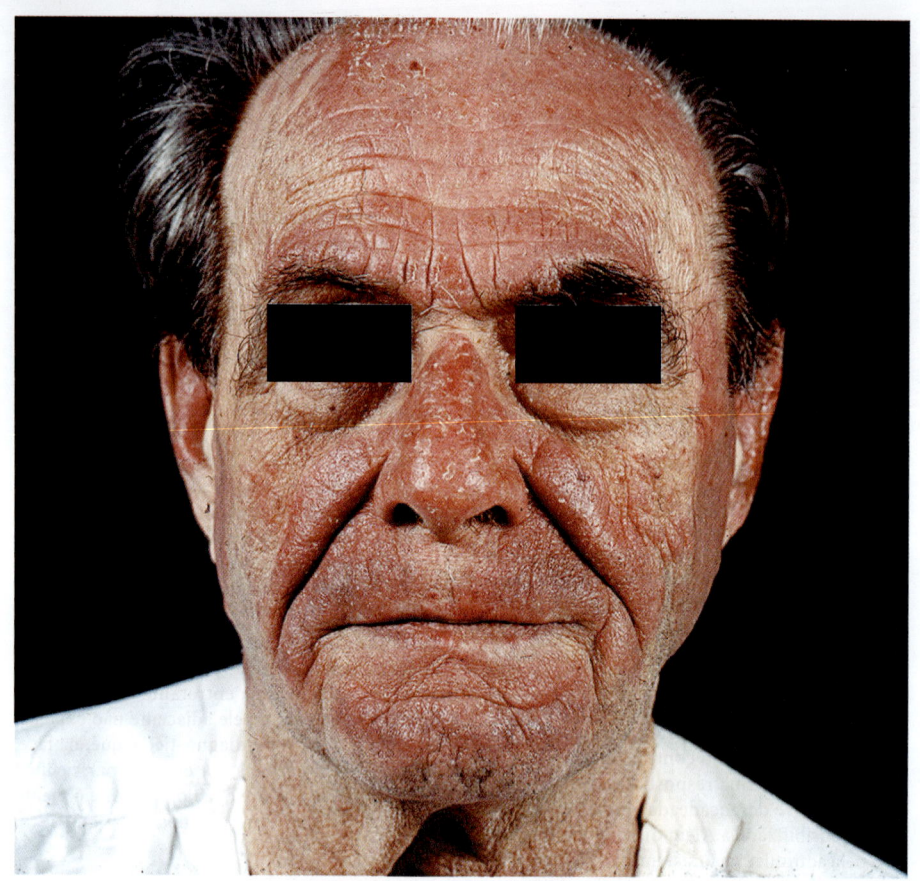

Figura 10-7 Fotossensibilidade farmacodérmica fotoalérgica Este homem de 60 anos apresenta dermatite eczematosa na face. Estava em uso de sulfametoxazol-trimetoprima. Observa-se a preservação relativa das pálpebras (protegidas por óculos de sol), da região sob o nariz e da área sob o lábio inferior (áreas que ficam na sombra).

chamada reação persistente à luz) (Fig. 10-8). Na *dermatite actínica crônica*, o espectro de ação é habitualmente ampliado para se incluir a radiação UVB, e o distúrbio persiste apesar da interrupção da exposição ao fotoalérgeno desencadeante, com agravamento do distúrbio a cada nova exposição à RUV. Em consequência, surgem placas confluentes liquenificadas e extremamente pruriginosas, semelhantes ao eczema crônico (Fig. 10-8), resultando em desfiguração estética e situação angustiante para o paciente. Como o distúrbio nesse estágio não depende mais do fotoalérgeno original e é agravado a cada nova exposição à luz solar, a medida de se evitar a exposição ao fotoalérgeno não leva à cura da doença.

TRATAMENTO

Nos casos graves, é necessário efetuar imunossupressão (azatioprina mais glicocorticoides ou ciclosporina oral).

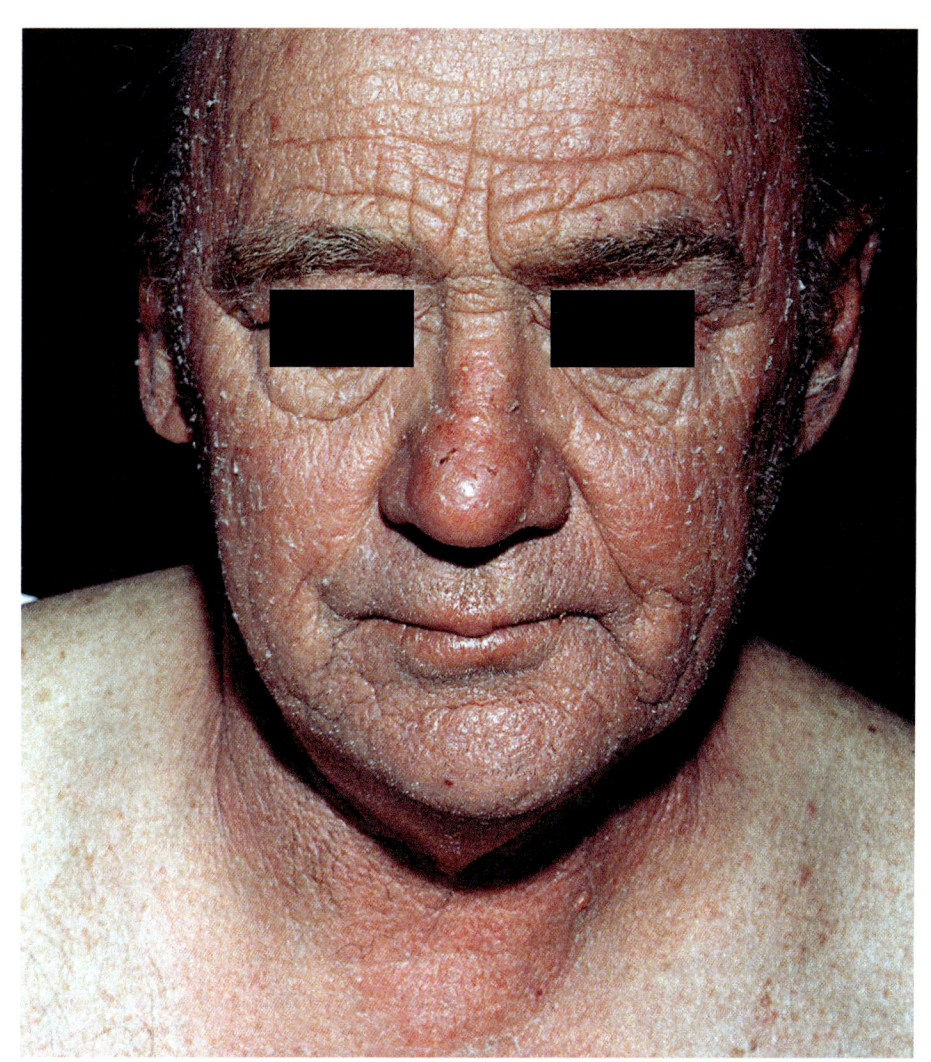

Figura 10-8 Fotossensibilidade farmacodérmica: dermatite actínica crônica (anteriormente conhecida como reação persistente à luz) Placas eritematosas limitadas à face e à região cervical, com preservação dos ombros. Este homem tinha prurido excruciante.

ERUPÇÃO POLIMORFA À LUZ (EPML) CID-10: L56.4

- A EPML é um termo utilizado para descrever um grupo heterogêneo de erupções recidivantes idiopáticas, adquiridas e agudas, caracterizadas por reações anormais tardias à RUV.
- Manifesta-se por lesões variadas, incluindo máculas eritematosas, pápulas, placas e vesículas. Entretanto, em cada paciente, a erupção é consistentemente monomorfa.
- Sem dúvida alguma, os tipos morfológicos mais frequentes são as erupções papulares e papulovesiculares.

EPIDEMIOLOGIA

INCIDÊNCIA Trata-se da fotodermatose mais comum. Prevalência de 10 a 21%. A idade média de início é de 23 anos, e o distúrbio é muito mais comum nas mulheres. Todas as etnias são acometidas, porém é mais comum nos indivíduos com FTCs I, II, III. Nos índios americanos (Américas do Norte e do Sul), existe um tipo *hereditário* de EPML, denominado *prurigo actínico*.

PATOGÊNESE

Trata-se, possivelmente, de uma reação de hipersensibilidade de tipo tardio a um (auto)antígeno induzido pela RUV. O espectro de ação é da radiação UVA e, menos comumente, UVB ou UVA e UVB. Como a radiação UVA é transmitida através dos vidros das janelas, a EPML pode ser desencadeada durante uma viagem de carro.

MANIFESTAÇÕES CLÍNICAS

INÍCIO E DURAÇÃO DAS LESÕES A EPML aparece na primavera ou no início do verão. Ocorre dentro de poucas horas após a exposição e, uma vez estabelecida, persiste por 7 a 10 dias. Os sintomas consistem em prurido intenso. Há dor ao coçar as lesões.
LESÕES CUTÂNEAS Os tipos papular (Fig. 10-9) e papulovesicular são os mais frequentes. As placas ou placas urticariformes são bem menos comuns (Fig. 10-10). As lesões são rosas a vermelhas. No paciente, especificamente, as lesões são muito monomorfas, isto é, papulares ou papulovesiculares ou placas urticariformes. As recidivas seguem o padrão original.
DISTRIBUIÇÃO Com frequência, a erupção preserva áreas expostas como a face e região cervical e aparece mais comumente nos antebraços, na área em "V" da região cervical, nos braços e no tórax (Fig. 10-9). Todavia, podem ocorrer lesões na face (Fig. 10-10), caso não tenha sido exposta anteriormente ao sol.

EXAMES LABORATORIAIS

DERMATOPATOLOGIA Edema da epiderme, espongiose, formação de vesículas e degeneração de liquefação leve da camada basal, com infiltrado linfocítico denso na derme.

IMUNOFLUORESCÊNCIA Fator antinuclear (FAN) negativo.

DIAGNÓSTICO

Início tardio da erupção, morfologia característica e história de desaparecimento da erupção em poucos dias. Na EPML do tipo em placas, a biópsia e o exame de imunofluorescência são obrigatórios para excluir o LES (Fig. 10-10). O *fototeste* é realizado com radiações UVB e UVA. As áreas do teste são expostas diariamente, iniciando-se com duas DEMs de UVB e UVA, respectivamente, durante 1 semana a 10 dias, com incrementos na dose de RUV. Em mais de 50% dos pacientes, observa-se a ocorrência de erupção semelhante à EPML nas áreas testadas.

EVOLUÇÃO E PROGNÓSTICO

A evolução é crônica e recidivante. Embora alguns pacientes possam desenvolver "tolerância" ao final do verão, a erupção habitualmente sofre recidiva na primavera seguinte e/ou quando o indivíduo viaja para regiões tropicais no inverno. Depois de anos, ocorre melhora espontânea ou até mesmo desaparecimento das erupções.

MANEJO

PREVENÇÃO Os bloqueadores solares nem sempre são efetivos, mas devem ser tentados inicialmente em todos os pacientes.
    Sistêmico. β-caroteno, 60 mg, 3 vezes/dia, durante 2 semanas, antes de se expor ao sol. Uma boa profilaxia consiste na administração de prednisona oral, 20 mg/dia, 2 dias antes e 2 dias durante exposição. Além disso, a acetonida de triancinolona IM, 40 mg, suprime a erupção quando administrada poucos dias antes de uma viagem para uma região ensolarada.
    PUVA (fotoquimioterapia) e radiação *UVB de banda estreita* (311 nm) são muito eficazes quando administradas no início da primavera, visto que induzem "tolerância" durante o verão. Os tratamentos precisam ser administrados antes da estação ensolarada, devem ser repetidos a cada primavera, porém, em geral não são necessários por mais de 3 ou 4 anos.

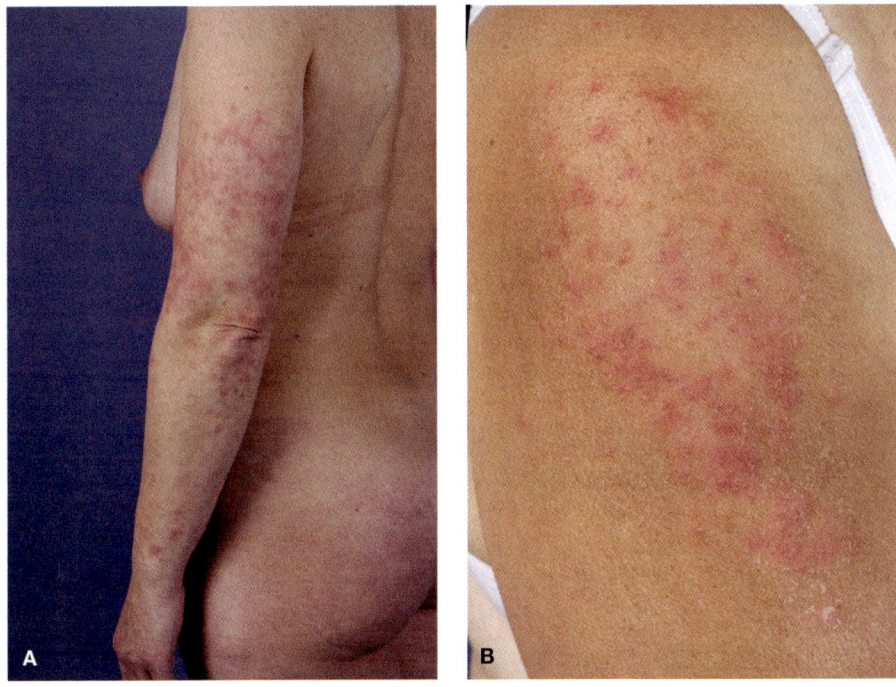

Seção 10 Fotossensibilidade, distúrbios fotoinduzidos e distúrbios por radiação ionizante 203

Figura 10-9 Erupção polimorfa à luz, variante papular **(A)** Nesta mulher de 35 anos, surgiram grupos de pápulas confluentes e extremamente pruriginosas na parte exposta superior e inferior dos braços, um dia depois da primeira exposição solar da estação. A erupção era bilateral, poupando a face e as regiões cobertas do corpo. **(B)** Erupção papular e levemente crostosa nos ombros em outro caso. Há prurido intenso. A coçadura causa dor.

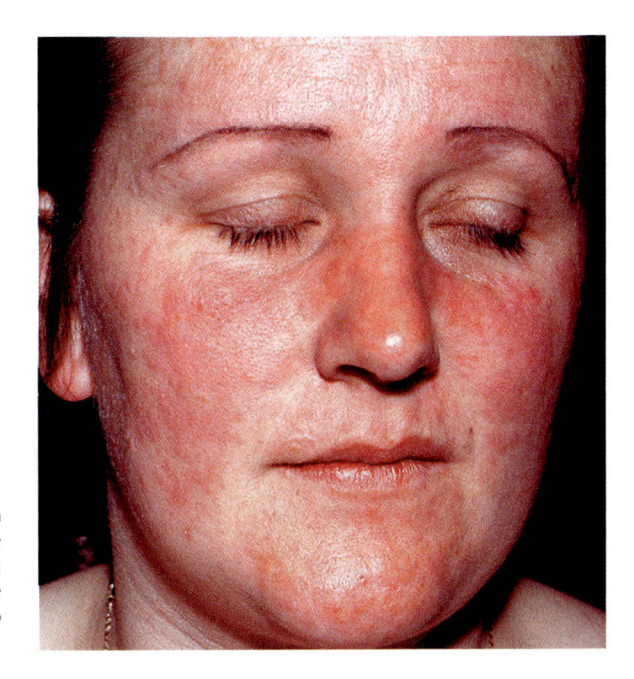

Figura 10-10 Erupção polimorfa à luz Placas eritematosas na face após a primeira exposição ao sol da estação. A distribuição em asa de borboleta é muito semelhante à do lúpus eritematoso.

URTICÁRIA SOLAR CID-10: L56.3

- Lesões urticariformes induzidas pela luz solar, de ocorrência incomum, limitadas às áreas expostas do corpo.
- A erupção surge dentro de poucos minutos de exposição e regride em algumas horas. É muito incapacitante e, algumas vezes, potencialmente fatal.
- O espectro de ação inclui UVB, UVA e luz do espectro visível ou qualquer combinação destas. Mais comumente radiação UVA (**Fig. 10-11**).
- A urticária solar é uma resposta de hipersensibilidade imediata tipo I a fotoalérgenos cutâneos e/ou circulantes.
- Tratamento: Várias sessões de fototerapia com doses baixas, porém, crescentes, no mesmo dia ("tolerância rápida"); agentes imunossupressores orais ou plasmaférese.
- Profilaxia: evitar o sol, uso de filtros solares com altos fatores de proteção contra o espectro de ação da radiação ultravioleta.

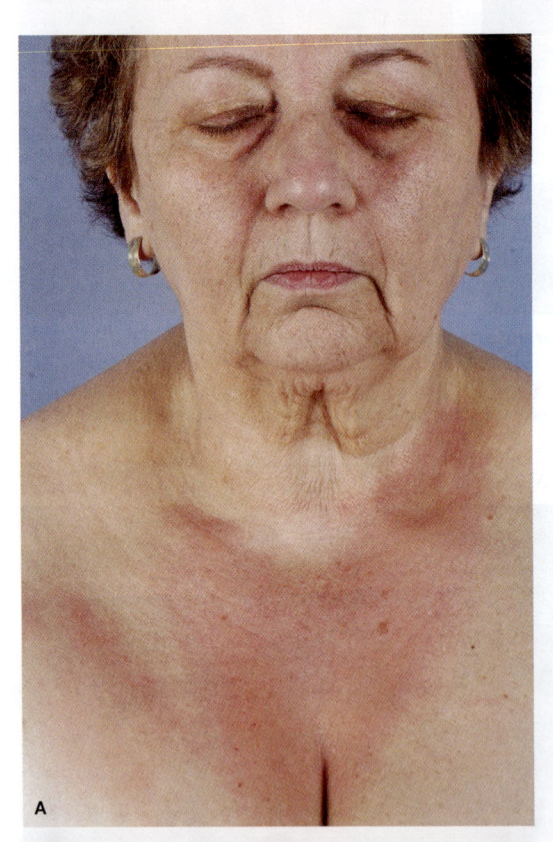

Figura 10-11 Urticária solar (A) Como as urticárias induzidas pela exposição solar são transitórias e costumam ter desaparecido quando o paciente consulta, esta paciente de 62 anos exibia apenas eritemas residuais nas regiões malares e no V da região cervical quando foi fotografada. **(B)** A paciente foi subsequentemente exposta a várias doses de UVA e UVB administradas em locais de teste cutâneo no seu dorso, e imediatamente após a exposição esta foto foi feita. O local do teste com UVA mostra extensa reação urticariforme, confirmando a urticária solar induzida por UVA.

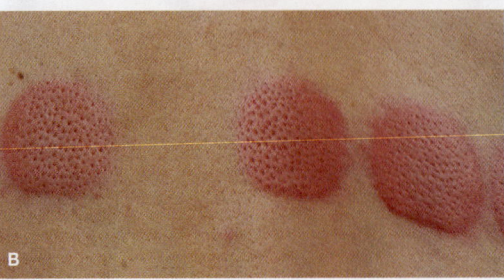

DERMATOSES FOTOEXACERBADAS

- Vários comprimentos de onda de RUV e/ou da luz visível podem desencadear ou agravar várias dermatoses.
- Nesses casos, a erupção é sempre semelhante à do distúrbio primário.
- Segue-se uma lista abreviada; entretanto, é importante ressaltar que, entre esses distúrbios, o LES é, sem dúvida alguma, o mais importante.
- Acne, eczema atópico, síndrome carcinoide, linfoma cutâneo de células T, doença de Darier, dermatomiosite, poroceratose actínica superficial disseminada, eritema multiforme, doença de Hailey-Hailey, herpes labial, ceratose folicular (doença de Darier), líquen plano, lúpus eritematoso, pelagra, pênfigo foliáceo (eritematoso), pitiríase rubra pilar, psoríase, síndrome da mucinose eritematosa reticulada, rosácea, dermatite seborreica, dermatose acantolítica transitória (doença de Grover).

FOTOSSENSIBILIDADE METABÓLICA – PORFIRIAS

Para a classificação das porfirias, ver o **Quadro 10-6**. A porfiria aguda intermitente (PAI) não é descrita detalhadamente aqui, visto que ela não apresenta manifestações cutâneas.

QUADRO 10-6 Classificação e diagnóstico diferencial das porfirias

	Porfiria eritropoiética congênita	Protoporfiria eritropoiética (PPE)	Porfiria cutânea tarda (PCT)	Porfiria variegada	Porfiria aguda intermitente
Hereditariedade	Autossômica recessiva	Autossômica dominante	Autossômica dominante (forma familiar)	Autossômica dominante	Autossômica dominante
Sinais e sintomas					
Fotossensibilidade	Sim	Sim	Sim	Sim	Não
Lesões cutâneas	Sim	Sim	Sim	Sim	Não
Crises de dor abdominal	Não	Não	Não	Sim	Sim
Síndrome neuropsiquiátrica	Não	Não	Não	Sim	Sim
Anormalidades laboratoriais	+	+	+	+	+
Hemácias					
Fluorescência	+	+	–	–	–
Uroporfirina	+++	N	N	N	N
Coproporfirina	++	+	N	N	N
Protoporfirina	(+)	+++	N	N	N
Plasma					
Fluorescência	+	+	–	+	–
Urina					
Fluorescência	–	–	+	±	–
Porfobilinogênio	N	N	N	(+++)	(+++)
Uroporfirina	+++	N	+++	+++	+++
Fezes					
Protoporfirina	+	++	N	+++	N

Observação: N, normal; +, acima do normal; ++, aumento moderado; +++, aumento acentuado; (+++), aumento frequente (depende de o paciente ter uma crise ou estar em remissão); (+), aumento em alguns pacientes.

PORFIRIA CUTÂNEA TARDA CID-10: E80.1

- A PCT acomete principalmente adultos.
- Os pacientes não apresentam fotossensibilidade característica, porém se queixam de "pele frágil", vesículas e bolhas, particularmente no dorso das mãos, após traumatismos mínimos.
- Sufusão vermelho-purpúrea da região central da face, hipermelanose marrom e hipertricose da face.
- Alterações semelhantes às da esclerodermia e cicatrizes nas áreas expostas.
- O diagnóstico é confirmado pela presença de fluorescência róseo-avermelhada da urina quando examinada com lâmpada de Wood.
- A PCT é distinta da porfiria variegada (PV) e da PAI, visto que os pacientes com PCT não têm crises agudas potencialmente fatais.
- Além disso, os fármacos que desencadeiam PCT são menos numerosos do que os que causam PV e PAI.

EPIDEMIOLOGIA

Início entre 30 e 50 anos de idade, raramente em crianças; mulheres em uso de contraceptivos orais; homens tratados com estrogênio para câncer de próstata. Acomete igualmente ambos os sexos.

HEREDITARIEDADE A maioria dos pacientes com PCT apresenta doença do *tipo I (adquirida)* induzida por fármacos ou por substâncias químicas. O *tipo II (hereditário)* é autossômico dominante; possivelmente, esses pacientes apresentam, na realidade, PV, porém essa questão ainda não está resolvida. Existe também um tipo "duplo" com PV e PCT na mesma família.

ETIOLOGIA E PATOGÊNESE

A PCT é causada por deficiência hereditária ou adquirida da urogênio-descarboxilase. No tipo I (PCT sintomática adquirida, esporádica), a enzima está deficiente apenas no fígado; no tipo II (PCT hereditária), a enzima também está deficiente nas hemácias e nos fibroblastos. *Substâncias químicas e fármacos que induzem PCT*: etanol, estrogênio, hexaclorobenzeno, fenóis clorados, ferro e tetraclorodibenzeno-*p*-dioxina. A cloroquina em altas doses leva a manifestações clínicas nos casos "latentes" (são utilizadas doses baixas como tratamento). Outros fatores predisponentes: diabetes melito (25%), vírus da hepatite C e hemocromatose.

MANIFESTAÇÕES CLÍNICAS

LESÕES CUTÂNEAS Início gradual. Os pacientes apresentam fragilidade da pele nas áreas expostas. Bolhas tensas e erosões na pele de aparência normal (Fig. 10-12); as lesões cicatrizam lentamente, formando cicatrizes atróficas rosadas, *milia* (1 a 2 mm) no dorso das mãos e dos pés, nariz, fronte e couro cabeludo (calvo). Sufusão vermelho-purpúrea ("heliotrópio") da pele da região facial central (Fig. 10-13A), particularmente nas áreas periorbitárias. Hipermelanose marrom, difusa, nas áreas expostas. Hipertricose da face (Fig. 10-14). Alterações esclerodermia-símile, difusas ou circunscritas, áreas branco-amareladas céreas nas áreas expostas da face (Fig. 10-13B), região cervical e tronco.

EXAMES LABORATORIAIS

DERMATOPATOLOGIA Bolhas subepidérmicas com base "festonada" (ondulada). A coloração com ácido periódico de Schiff (PAS) revela espessamento das paredes vasculares. Infiltrado inflamatório escasso.

IMUNOFLUORESCÊNCIA Presença de IgG e de outras imunoglobulinas na junção dermoepidérmica e dentro e ao redor dos vasos sanguíneos, bem como nas áreas da pele expostas ao sol.

BIOQUÍMICA O nível plasmático de ferro e as enzimas hepáticas podem estar aumentados. Grandes reservas de ferro no fígado. O paciente pode apresentar hemocromatose. O *nível de glicemia* está elevado em pacientes com diabetes melito (25% dos casos).

ANÁLISE DAS PORFIRINAS NAS FEZES E NA URINA (Quadro 10-6) Níveis aumentados de uroporfirina (isômero I, 60%) na urina e no plasma. Níveis aumentados de isocoproporfirina (tipo III) e 7-carboxilporfirina, mas não protoporfirina, nas fezes. Não há aumento do ácido δ-aminolevulínico, nem do porfobilinogênio na urina.

TESTE SIMPLES O exame da urina com lâmpada de Wood demonstra fluorescência vermelho-alaranjada (Fig. 10-15); para o realce, são acrescentadas algumas gotas de ácido clorídrico a 10%.

BIÓPSIA HEPÁTICA Revela fluorescência das porfirinas e, com frequência, esteatose hepática. Além disso, pode demonstrar a presença de cirrose e hemocromatose.

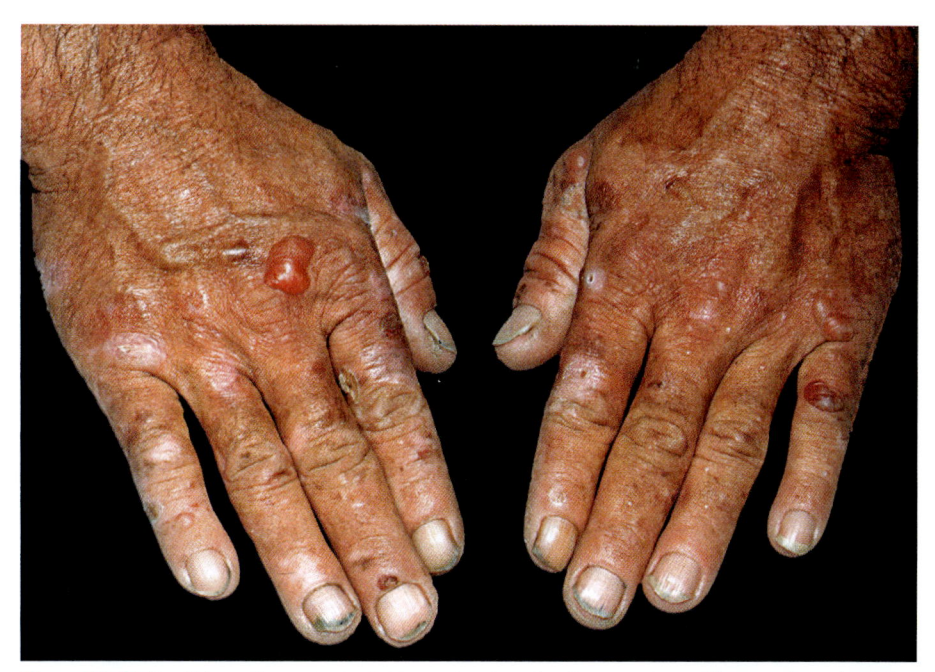

Figura 10-12 Porfiria cutânea tarda Bolhas e cicatrizes despigmentadas atróficas no dorso de ambas as mãos. Essa condição não representa uma reação aguda à exposição ao sol, porém se desenvolve com o passar do tempo, com exposição repetida ao sol, e ocorre após traumatismo mínimo. Este paciente apresenta história de pele "frágil", com bolhas e cicatrizes.

DIAGNÓSTICO E DIAGNÓSTICO DIFERENCIAL

Estabelecido com base nas manifestações clínicas, na fluorescência rosa-avermelhada da urina e nos níveis urinários elevados de porfirinas. Podem ocorrer bolhas no dorso das mãos e dos pés na *pseudo-PCT* (ver Seção 23), bem como na insuficiência renal crônica com hemodiálise. A *epidermólise bolhosa adquirida* (ver Seção 6) tem o mesmo quadro clínico (maior fragilidade da pele, equimoses fáceis e bolhas provocadas pela exposição à luz e por traumatismo), porém sem hipertricose e sem hiperpigmentação.

MANEJO

1. Evitar o álcool, interromper o uso de fármacos passíveis de induzir PCT e eliminar a exposição a substâncias químicas (fenóis clorados, tetraclorodibenzeno-*p*-dioxina).
2. Efetua-se a flebotomia com retirada de 500 mL de sangue por semana ou a cada 2 semanas. Ocorre remissão clínica e bioquímica em 5 a 12 meses após o início das flebotomias regulares. As recidivas dentro de 1 ano são incomuns (5 a 10%).
3. A cloroquina em doses baixas é administrada para induzir remissão da PCT em pacientes nos quais não seja possível efetuar flebotomias repetidas, devido à presença de anemia. Como a cloroquina pode exacerbar a doença e, em doses mais altas, pode até mesmo induzir insuficiência hepática nesses pacientes, esse tratamento requer considerável experiência. Todavia, podem-se obter remissões prolongadas e, em uma porcentagem dos casos, "cura" clínica e bioquímica.

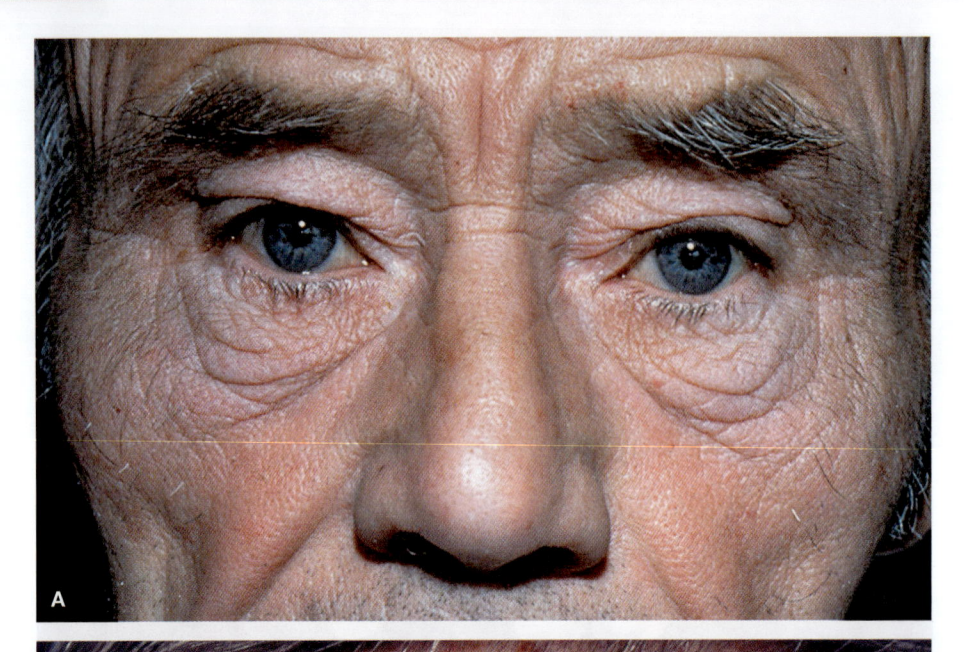

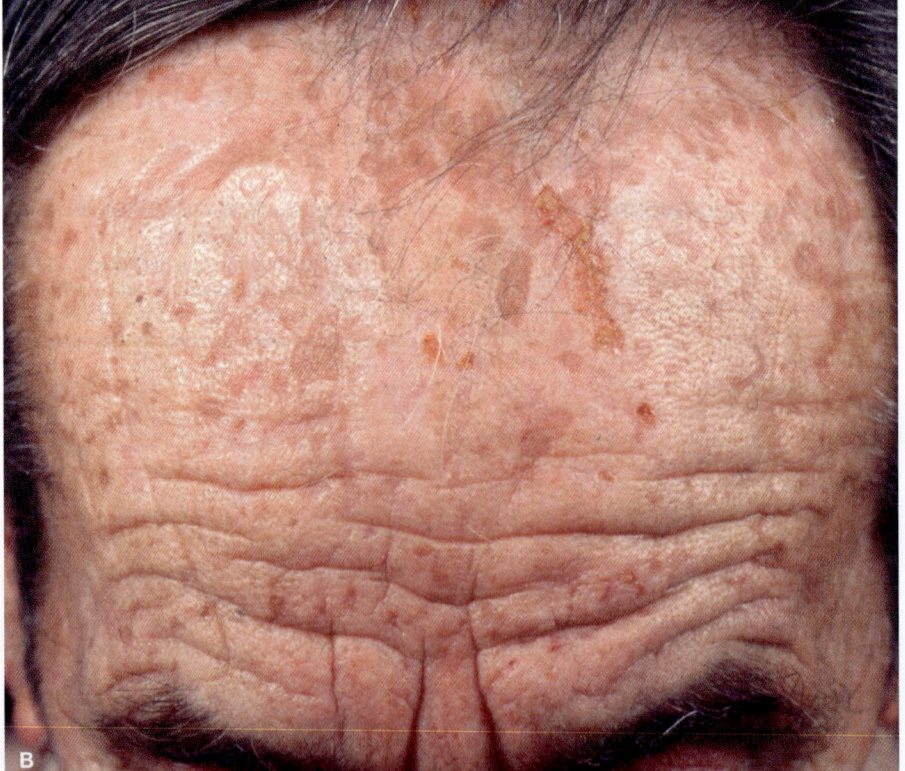

Figura 10-13 Porfiria cutânea tarda (A) Coloração violácea periorbitária muito sutil. **(B)** Espessamento esclerodermoide, cicatrizes e erosões na fronte.

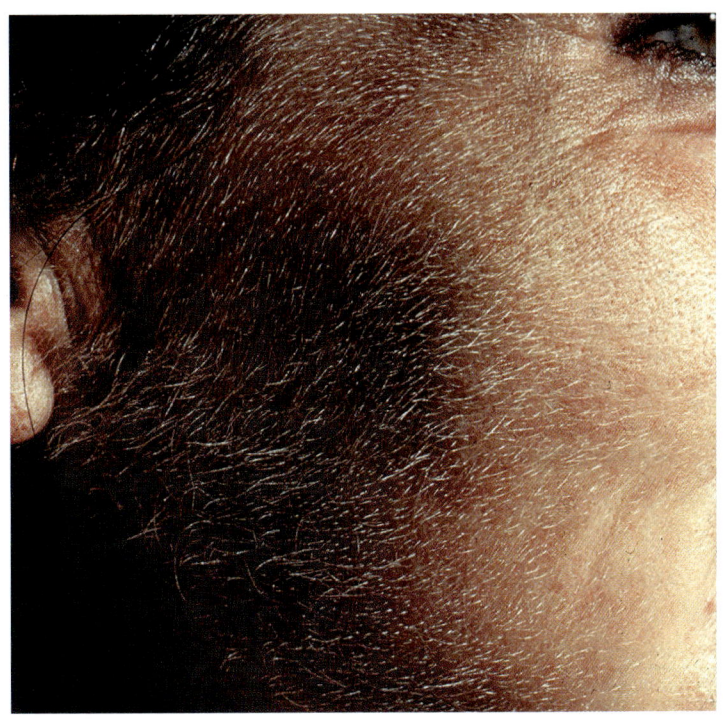

Figura 10-14 Porfiria cutânea tarda Hipertricose em uma mulher que foi tratada com esquema prolongado de estrogênios. Ao exame com luz de Wood, a urina apresentou fluorescência vermelho-coral brilhante, como mostra a **Figura 10-15**.

Figura 10-15 Porfiria cutânea tarda: lâmpada de Wood Fluorescência vermelho-coral da urina de uma paciente com porfiria cutânea tarda, em comparação com a urina de um controle normal.

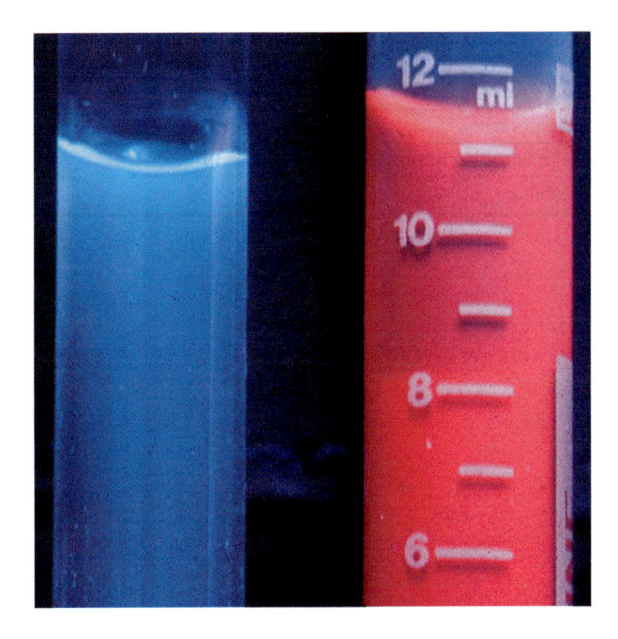

PORFIRIA VARIEGADA CID-10: E80.2

- Distúrbio autossômico dominante grave da biossíntese do grupo heme. Defeito da protoporfirinogênio--oxidase → acúmulo de protoporfirinogênio no fígado → excreção na bile → convertido não enzimaticamente em protoporfirina → nível fecal elevado de protoporfirina.
- Todas as etnias; comum em sul-africanos *brancos*.
- Acentuada pela ingestão de determinados fármacos (**Quadro 10-7**) → precipitação de crises agudas de dor abdominal, náusea, vômitos, *delirium*, convulsões, transtornos da personalidade, coma e paralisia bulbar.
- As lesões cutâneas são idênticas às da PCT (vesículas e bolhas [**Fig. 10-16**], fragilidade cutânea, *mília* e cicatrizes no dorso das mãos e dos dedos). Coloração heliotrópica periorbitária, hiperpigmentação e hipertricose nas áreas expostas. As lesões resultam da exposição à luz solar.
- Excreção aumentada de porfirinas; caracteriza-se por altos níveis de protoporfirina nas fezes (**Quadro 10-6**).
- Diagnóstico diferencial: outras porfirias (**Quadro 10-6**); pseudoporfiria, esclerodermia e epidermólise bolhosa adquirida.
- Tratamento: nenhum; o β-caroteno oral pode prevenir ou controlar as manifestações cutâneas.
- Doença que persiste por toda a vida; o prognóstico é satisfatório se os fatores agravantes forem evitados. Raramente, pode ocorrer morte após a ingestão de fármacos que aumentam o citocromo P450.
- *Sinônimo*: porfiria mista.

QUADRO 10-7 Fármacos perigosos para pacientes com porfiria variegada e porfiria aguda intermitente

Anestésicos: barbitúricos e halotano
Anticonvulsivantes: hidantoína, carbamazepina, etossuximida, metossuximida, fensuximida, primidona
Antimicrobianos: cloranfenicol, griseofulvina, novobiocina, pirazinamida, sulfonamidas
Derivados do *ergot*
Álcool etílico
Hormônios: estrogênios, progesterona, contraceptivos orais
Imipramina
Metildopa
Tranquilizantes leves: clordiazepóxido, diazepam, oxazepam, flurazepam, meprobamato
Pentazocina
Fenilbutazona
Sulfonilureias: clorpropamida, tolbutamida
Teofilina

Figura 10-16 Porfiria variegada Bolhas no dorso e dedos do pé, uma área comum de exposição ao sol em pacientes que usam calçados abertos. Esta mulher de 42 anos foi inicialmente diagnosticada com porfiria cutânea tarda. Entretanto, forneceu uma história de episódios recorrentes de dor abdominal, proporcionando uma pista para o diagnóstico de porfiria variegada; o diagnóstico foi estabelecido pela detecção de níveis elevados de protoporfirinas nas fezes. A porfiria variegada (ou porfiria sul-africana) assemelha-se à porfiria aguda intermitente, na qual não há lesões cutâneas; entretanto, pode ocorrer uma evolução fatal com a ingestão de certos fármacos (ver **Quadro 10-7**). Na África do Sul, todo paciente branco com cirurgia de grande porte programada deve efetuar exames laboratoriais para a detecção de porfirinas, visto que a porfiria variegada é comum nesse país.

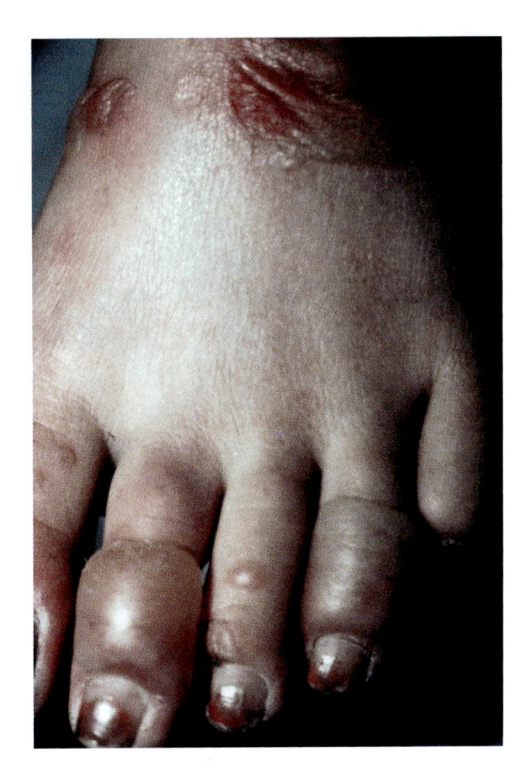

PROTOPORFIRIA ERITROPOIÉTICA (PPE) CID-10: E80.2

- Esse distúrbio metabólico hereditário do metabolismo das porfirinas é singular entre as porfirias, visto que as porfirinas ou seus precursores não são habitualmente excretados na urina.
- Autossômica dominante com penetrância variável. A enzima defeituosa é a ferroquelatase.
- Início nos primeiros anos da infância ou início tardio nos primeiros anos da vida adulta.
- Incidência igual em ambos os sexos, acomete todos os grupos étnicos.
- A PPE caracteriza-se por fotossensibilidade semelhante à queimadura solar aguda, diferentemente das outras porfirias comuns (PCT ou PV), nas quais a fotossensibilidade aguda evidente *não* constitui a queixa inicial.
- Os sintomas surgem rapidamente depois de *minutos* de exposição ao sol e consistem em sensação de ferroadas e ardência.
- Os sinais cutâneos consistem em eritema, edema e púrpura na face e no dorso das mãos (**Figs. 10-17 e 10-18**).
- Sinais cutâneos tardios (crônica): cicatrizes superficiais, frequentemente lineares, espessamento céreo e enrugamento da pele da face e dorso das mãos (**Fig. 10-19**).
- Níveis elevados de protoporfirinas nas hemácias, no plasma e nas fezes (**Quadro 10-6**) e diminuição da ferroquelatase na medula óssea, no fígado e nos fibroblastos cutâneos.
- Indica-se a realização de provas de função hepática. Biópsia hepática: fibrose portal e periportal; pigmento marrom e grânulos birrefringentes nos hepatócitos e nas células de Kupffer. Podem ocorrer cálculos biliares, até mesmo em crianças; raramente, o indivíduo pode desenvolver cirrose e insuficiência hepática.
- Dermatopatologia: homogeneização eosinofílica e espessamento dos vasos sanguíneos da derme papilar.
- Diagnóstico: sintomas clínicos (não existe outro distúrbio de fotossensibilidade em que os sintomas apareçam dentro de poucos minutos após a exposição ao sol), sinais cutâneos e exames simples: as hemácias no esfregaço sanguíneo exibem fluorescência vermelha transitória em 400 nm.
- Tratamento: nenhum. O tratamento profilático consiste em β-caroteno VO, que pode evitar a fotossensibilidade aguda.
- *Sinônimo*: protoporfiria eritro-hepática.

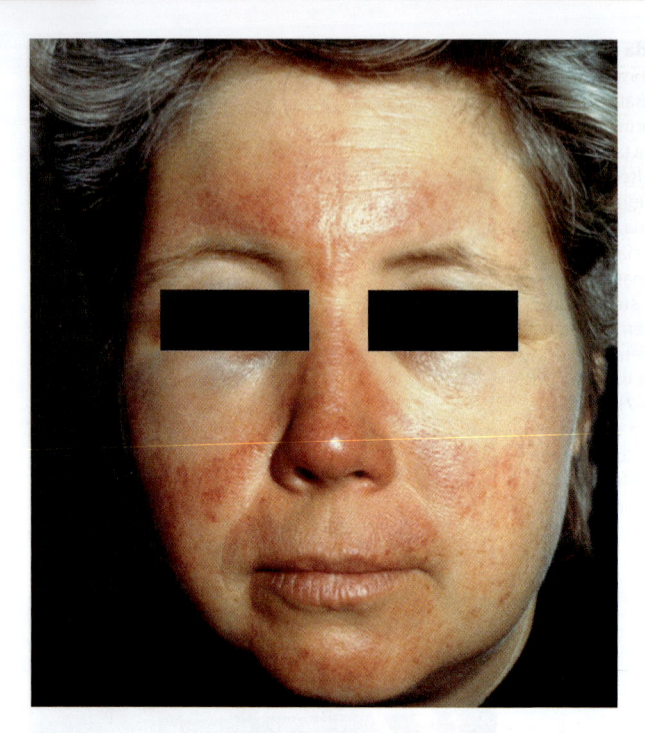

Figura 10-17 Protoporfiria eritropoiética Edema eritematoso difuso do nariz, da fronte e das regiões malares, com hemorragia petequial e telangiectasia. Não há porfirinas na urina. Um indício para o diagnóstico é a história de formigamento e ardência dentro de 4 a 5 minutos de exposição ao sol. A face desta mulher tem coloração amarelo-alaranjada, devido ao tratamento com β-caroteno que, evidentemente, não proporcionou uma proteção suficiente.

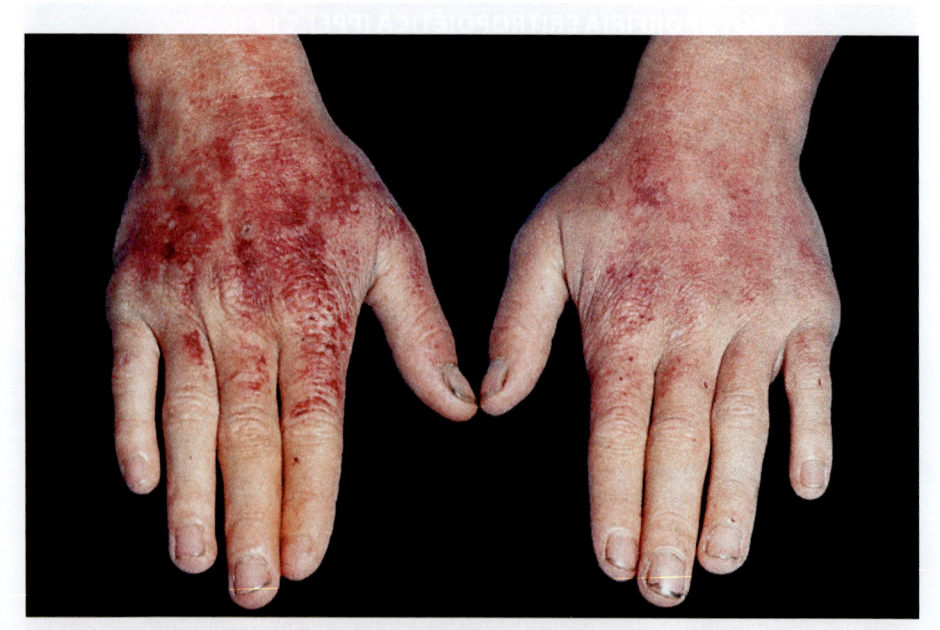

Figura 10-18 Protoporfiria eritropoiética Hemorragia petequial maciça e confluente no dorso das mãos de um paciente de 16 anos, 24 horas após a exposição ao sol.

Figura 10-19 Protoporfiria eritropoiética, alterações cutâneas crônicas O espessamento céreo do lábio superior, das regiões malares e do nariz envelhece a fisionomia deste paciente, aparentando ter mais idade do que realmente tem (27 anos). Observam-se o espessamento céreo na borda vermelha do lábio inferior, os sulcos profundos e as pequenas cicatrizes superficiais no nariz.

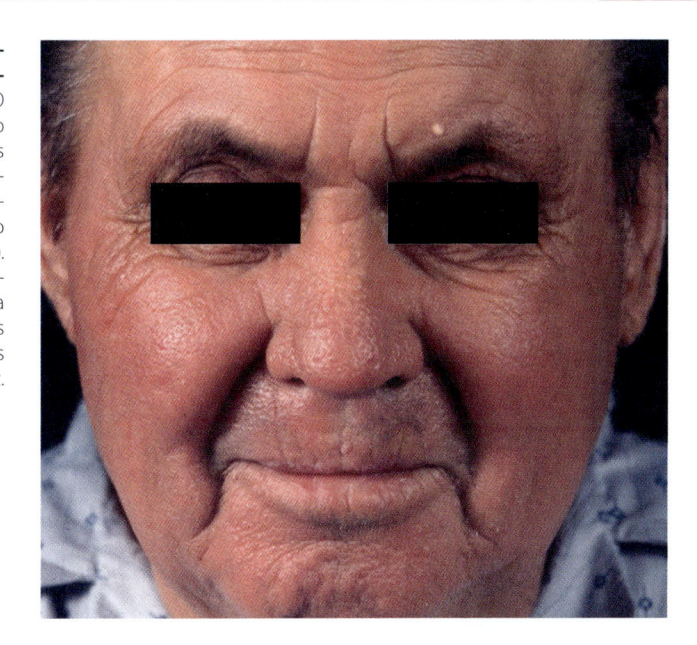

FOTODANO CRÔNICO

DERMATOELIOSE ("FOTOENVELHECIMENTO") CID-10: L57.9

- Lesões solares repetidas ao longo de muitos anos podem finalmente levar ao desenvolvimento de uma síndrome cutânea, a dermatoeliose. Muito comum.
- Ocorre em indivíduos com FTCs I a III e em indivíduos com FTC IV que tiveram exposições cumulativas maciças à luz solar, como salva-vidas e profissionais que trabalham ao ar livre, ao longo de toda a vida. A dermatoeliose é observada mais frequentemente em indivíduos de mais de 40 anos de idade.
- Espectro de ação UVB, mas também UVA e, possivelmente, infravermelho.
- A gravidade depende da duração e da intensidade da exposição ao sol e da cor da pele constitucional, bem como da capacidade de bronzeamento.
- *Observação:* se quiser demonstrar a um paciente idoso o papel da RUV no fotoenvelhecimento, basta pedir-lhe que tire as roupas e comparar a qualidade da pele facial com a da pele suprapúbica.
- Lesões cutâneas: combinação de atrofia (da epiderme), hipertrofia (da derme papilar devido à elastose), telangiectasias, despigmentação e hiperpigmentação salpicadas e hiperceratose variegada nas áreas expostas ao sol. A pele aparece enrugada, coriácea e "prematuramente envelhecida" (**Fig. 10-20**). Rugas finas, semelhantes a papel de cigarro e profundas; a pele tem aspecto céreo, papular, com tonalidade amarelada, e é brilhante e áspera (**Fig. 10-21**). Ocorrem telangiectasia e equimoses (púrpura senil) em virtude da fragilidade dos pequenos vasos. Hiperpigmentação macular: lentigos solares (ver adiante); hipopigmentação macular: hipomelanose gutata, com menos de 3 mm de diâmetro, nos membros. Comedões, particularmente periorbitários (condição denominada doença de Favre-Racouchot), (**Fig. 10-20**), principalmente em fumantes. Os indivíduos com dermatoeliose invariavelmente apresentam ceratoses actínicas.
- Distribuição: áreas expostas, particularmente a face, as regiões periorbitárias e periorais e o couro cabeludo (homens calvos). Região da nuca: cútis romboidal ("pescoço vermelho") com sulcos romboidais; acomete os antebraços e o dorso das mãos.
- O manejo atual consiste em evitar o câncer de pele e o desenvolvimento da dermatoeliose com o uso de bloqueadores solares, mudança de comportamento em relação à exposição ao sol e uso de quimioterapia tópica (tretinoína), que reverte algumas das alterações da dermatoeliose.

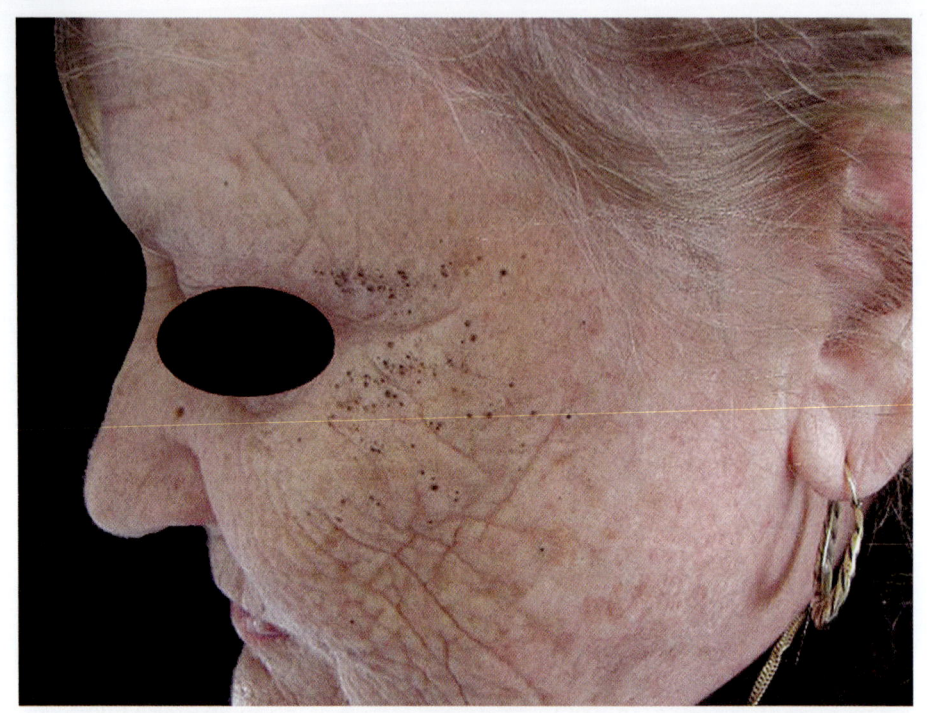

Figura 10-20 Dermatoeliose Enrugamento profundo e intenso. A pele tem aparência cérea, papular, com tonalidade amarelada (elastose solar). Esta fazendeira de 68 anos vivia a uma altitude de 1.500 m e trabalhou ao ar livre durante toda sua vida. Além disso, ela era uma tabagista pesada e agora tem múltiplos comedões pretos nas regiões zigomáticas (doença de Favre-Racouchot). (Usada com permissão de Dr. Gudrun Ratzinger.)

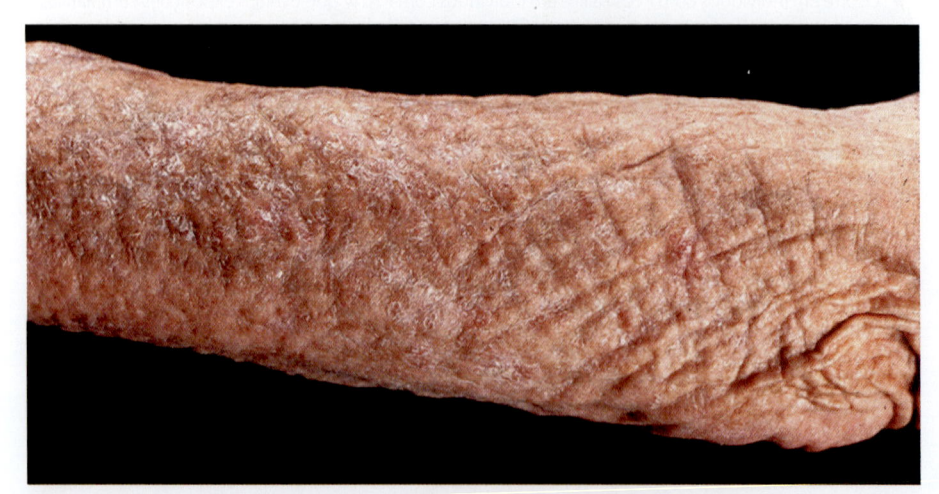

Figura 10-21 Dermatoeliose intensa no antebraço de uma agricultora de 70 anos A pele é cérea, profundamente enrugada e seca. Múltiplas ceratoses solares foram removidas do braço por crioterapia.

LENTIGO SOLAR CID-10: L81.4

- O lentigo solar é uma mácula marrom circunscrita de 1 a 3 cm, causada pela proliferação localizada dos melanócitos, em consequência da exposição aguda ou crônica à luz solar.
- Início habitualmente acima dos 40 anos de idade.
- Em geral, surgem múltiplas lesões nas áreas expostas ao sol. Mais comum em indivíduos caucasoides (FTCs I a II).
- As lesões cutâneas são estritamente maculares e medem de 1 a 3 cm, podendo alcançar até 5 cm. Coloração amarelo-clara, marrom-clara ou marrom-escura; mistura variada de marrom (**Fig. 10-22**). As lesões são arredondadas, ovais, com borda ligeiramente irregular e mal definidas. Lesões isoladas e dispersas, estreladas, nitidamente definidas e aproximadamente do mesmo tamanho após queimadura solar aguda (**Fig. 10-23**) ou superdosagem de PUVA.
- Distribuição. Exclusivamente nas áreas expostas: fronte, região malar, nariz, dorso das mãos e dos antebraços, parte superior do dorso, tórax e região pré-tibial.
- Diagnóstico diferencial: lesões marrons "planas" adquiridas na pele exposta da face, que, ao exame superficial, podem parecer semelhantes, mas que apresentam características distintas: lentigo solar, efélides, ceratose seborreica, ceratose actínica pigmentada extensiva (CAPE) e lentigo maligno (LM).
- A criocirurgia ou a cirurgia a *laser* são efetivas.

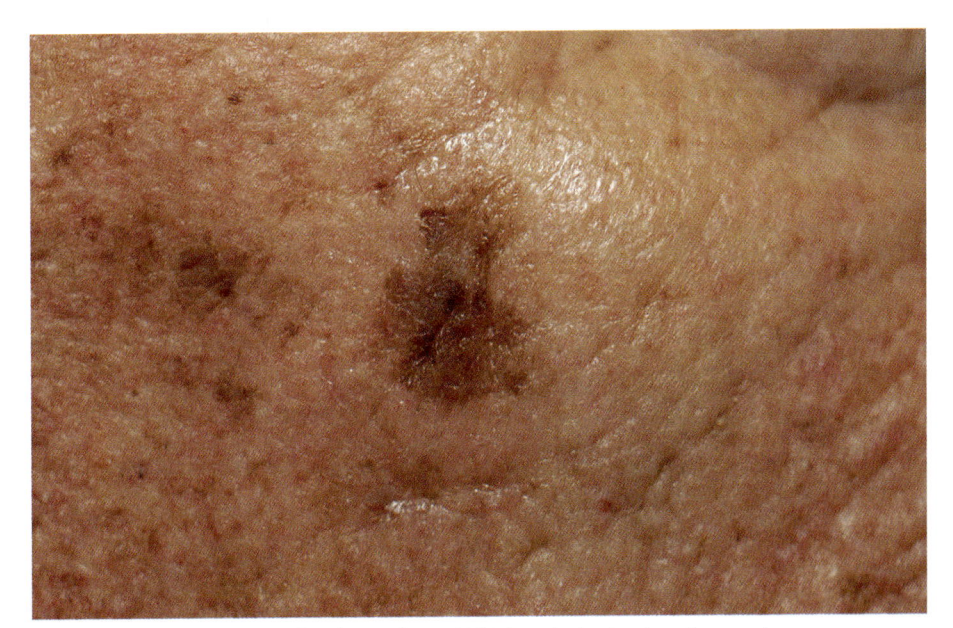

Figura 10-22 Dermatoeliose: lentigos solares Múltiplas máculas de coloração castanha a marrom-escura, muito pequenas a grandes (2 cm) e de cores variadas na região malar. Lentigos solares não são a mesma coisa que efélides (sardas). Eles não desaparecem no inverno, como o fazem as sardas. Diferentemente dos lentigos solares nitidamente demarcados, devido a uma queimadura aguda, que apresentam aproximadamente o mesmo tamanho mostrado na **Figura 10-24**, os lentigos solares nesta fotografia são de diferentes tamanhos e parcialmente mal definidos e confluentes, o que é uma característica da lesão solar cumulativa crônica. Observam-se o espessamento céreo da pele e os sulcos da dermatoeliose.

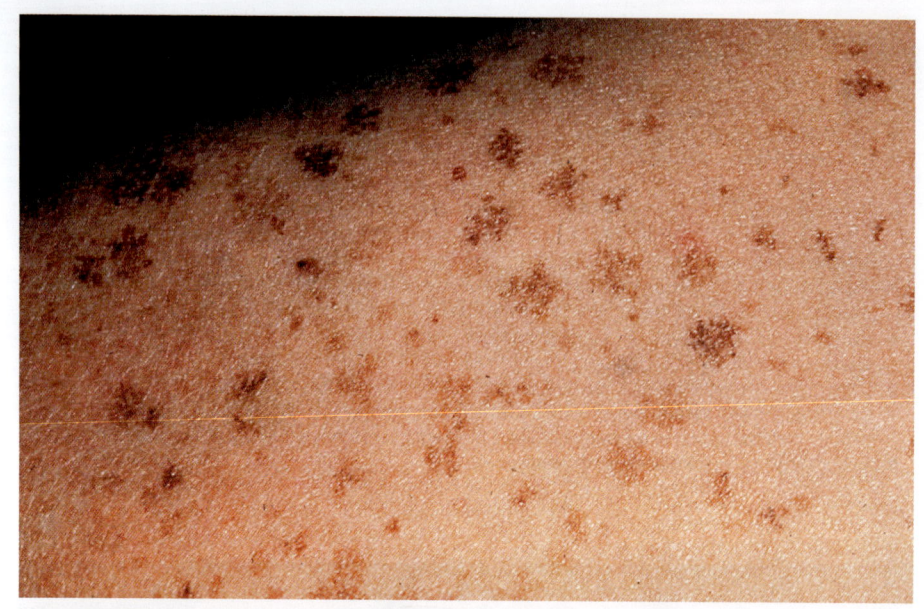

Figura 10-23 Dermatoeliose: lentigos solares Múltiplas máculas estreladas de cor marrom no ombro, que surgiram após uma queimadura solar. Todas as lesões têm aproximadamente o mesmo tamanho e são nitidamente demarcadas, o que caracteriza os lentigos solares induzidos por queimadura solar.

CONDRODERMATITE NODULAR DA HÉLICE CID-10: H61.1

- Ocorre habitualmente na forma de um único nódulo alongado e extremamente sensível, ou como pequenos nódulos na borda livre da hélice da orelha. É de ocorrência comum, talvez devido ao traumatismo mecânico constante, porém, mais provavelmente, em consequência de RUV.
- Aparece de modo espontâneo, cresce rapidamente e mede menos de 1 cm (**Fig. 10-24**); a lesão é de consistência firme, bem demarcada, redonda a oval com superfície cupuliforme e margens solapadas; coloração branco-cera e translúcida; com frequência, ulcerada (**Fig. 10-24**).
- Mais comum nos homens do que nas mulheres.
- Dor espontânea ou sensibilidade. A dor pode ser intensa e em pontadas, paroxística ou contínua.
- Diagnóstico diferencial: carcinoma basocelular (CBC), ceratose actínica, carcinoma espinocelular (CEC) *in situ* ou invasivo, ceratose solar hipertrófica e ceratoacantoma. Além disso, deve incluir tofos gotosos, nódulos reumatoides e reumáticos e lúpus eritematoso discoide.
- O tratamento consiste na injeção intralesional de acetonida de triancinolona, *laser* de dióxido de carbono e cirurgia. O tratamento definitivo requer cirurgia excisional, incluindo a cartilagem subjacente.

Figura 10-24 Condrodermatite nodular da hélice Mulher de 60 anos com nódulo extremamente doloroso com ulceração central na anti-hélice. A úlcera central é coberta por uma crosta e pode ser confundida com carcinoma basocelular.

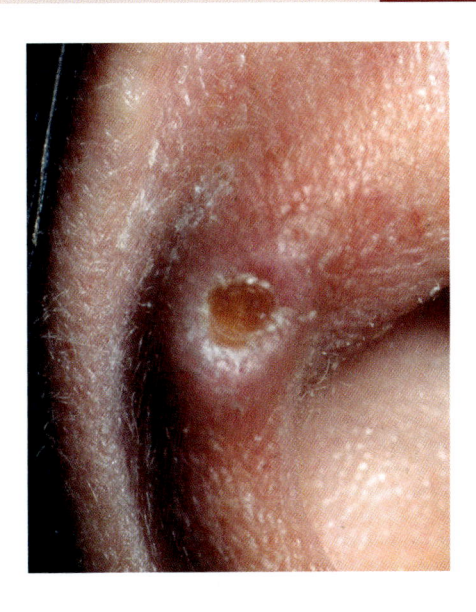

CERATOSE ACTÍNICA CID-10: L57.0

- Lesões descamativas aderentes, isoladas ou múltiplas, secas e ásperas, que se desenvolvem em adultos, na pele habitualmente exposta ao sol, geralmente sobre uma base de dermatoeliose.
- As ceratoses actínicas podem evoluir para o carcinoma espinocelular.
- Esse distúrbio é descrito na Seção 11.
- *Sinônimo*: ceratose solar.

REAÇÕES CUTÂNEAS À RADIAÇÃO IONIZANTE

DERMATITE POR RADIAÇÃO CID-10: L58

- A radiodermatite é definida por alterações cutâneas que resultam da exposição à radiação ionizante.
- Os *efeitos reversíveis* consistem em dor, eritema, queda dos pelos, supressão das glândulas sebáceas e pigmentação (de várias semanas ou meses a anos de duração).
- Os *efeitos irreversíveis* incluem atrofia, esclerose, telangiectasias, ulceração e cânceres induzidos por radiação.

Tipo de exposição

Exposição terapêutica (para câncer, anteriormente utilizada também para acne e psoríase e infecções fúngicas do couro cabeludo em crianças), acidental ou ocupacional (p. ex., antigamente, nos dentistas). A radiação que provoca radiodermatite inclui radiação superficial e profunda com raios X, terapia com feixe de elétrons e terapia com raios Grenz. Existe um mito prevalecente de que os raios Grenz são "inofensivos" e não carcinogênicos; pode haver desenvolvimento de CEC em consequência da exposição a mais de 5.000 cGy de raios Grenz.

Tipos de reações

AGUDA Eritema temporário, que persiste por 3 dias e é seguido de eritema persistente, que alcança intensidade máxima em 2 semanas e é doloroso; a pigmentação aparece em torno do $20^{\underline{o}}$ dia. Além disso, pode ocorrer eritema tardio que começa nos dias 35 a 40 e que persiste por 2 a 3 semanas. As reações intensas levam à formação de bolhas, erosões (**Fig. 10-25**) e ulceração; são também dolorosas e podem ocorrer como fenômeno de memória da radiação. Podem ocorrer cicatrizes permanentes.

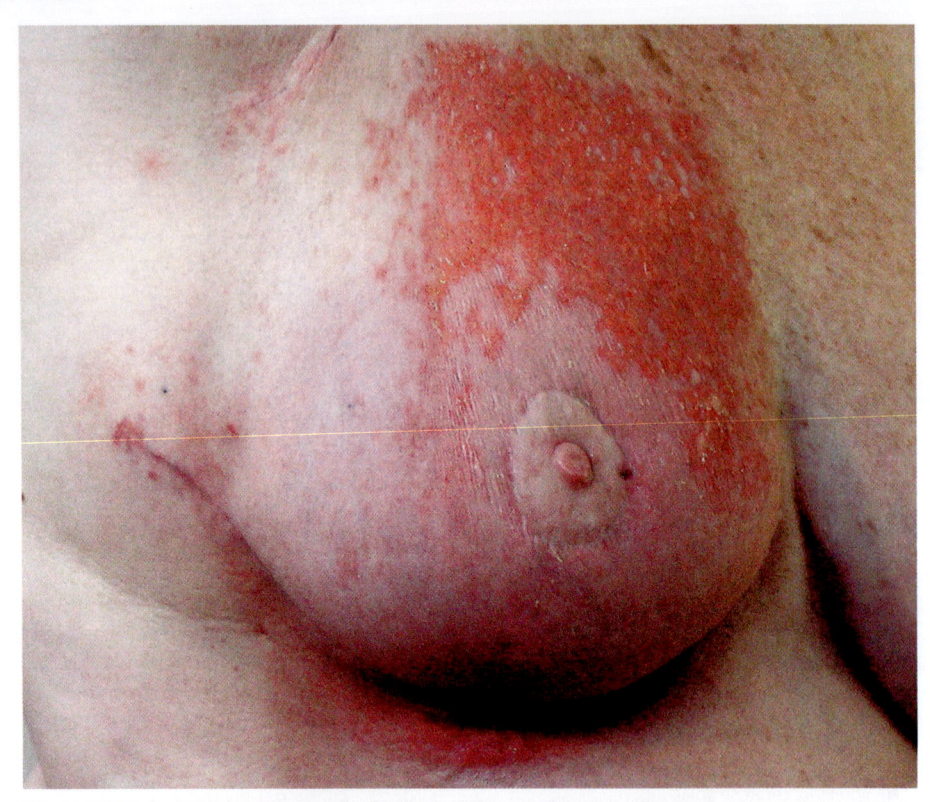

Figura 10-25 Radiodermatite aguda, fenômeno de memória da radiação Esta paciente teve câncer de mama. Foi submetida à ressecção do tumor e tratada com metotrexato e radioterapia; desenvolveu eritema e erosões dolorosas na área irradiada.

CRÔNICA Após radioterapia *fracionada*, porém, relativamente intensiva, com doses totais de 3.000 a 6.000 rad, verifica-se o desenvolvimento de uma reação epidermolítica em 3 semanas. Essa lesão é reconstituída em 3 a 6 semanas, e se observa o desenvolvimento de cicatrizes e hipopigmentação; há perda de todos os apêndices cutâneos e atrofia da epiderme e da derme. Durante os próximos 2 a 5 anos, a atrofia intensifica-se (Fig. 10-26), e há hiperpigmentação e hipopigmentação (poiquilodermia) e telangiectasia (Figs. 10-26 e 10-27). A necrose e a ulceração dolorosa (Fig. 10-28) são raras, porém ocorrem nas exposições acidentais ou em caso de erro no cálculo da dose. A necrose é coriácea, amarelada e aderente, e a pele circundante é extremamente dolorosa (Fig. 10-28). As úlceras têm pouca tendência a cicatrizar e, em geral, exigem intervenção cirúrgica. Por fim, pode haver ceratoses por radiação e carcinoma espinocelular (Fig. 10-29).

UNHAS Estrias longitudinais (Fig. 10-29B), com espessamento e distrofia.

EVOLUÇÃO, PROGNÓSTICO E MANEJO

A radiodermatite crônica é permanente, progressiva e irreversível. Pode haver desenvolvimento de CEC em 4 a 40 anos (Fig. 10-29), com intervalo médio de 7 a 12 anos. Os tumores metastizam em cerca de 25% dos casos; apesar da cirurgia extensa (excisão, enxertos, etc.), o prognóstico é ruim e as recidivas são comuns. O CBC também pode ocorrer na radiodermatite crônica e aparece principalmente em pacientes que foram tratados no passado com raios X para acne vulgar e acne cística ou epilação (*tinea capitis*) (Fig. 10-27). Os tumores podem surgir dentro de 40 a 50 anos após a exposição. A excisão e o enxerto são frequentemente possíveis antes do desenvolvimento do câncer.

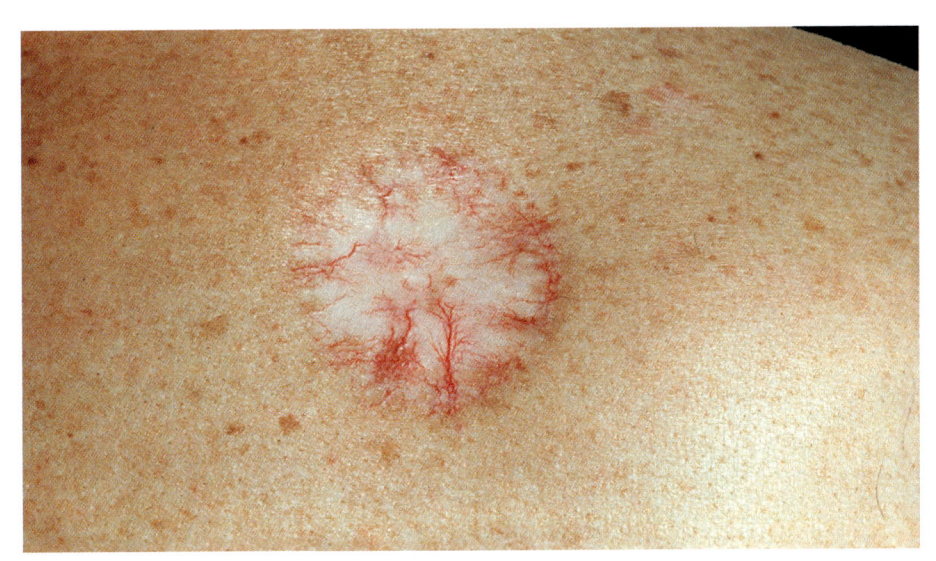

SEÇÃO 10 FOTOSSENSIBILIDADE, DISTÚRBIOS FOTOINDUZIDOS E DISTÚRBIOS POR RADIAÇÃO IONIZANTE   219

Figura 10-26 Radiodermatite crônica Esclerose combinada com atrofia e telangiectasia. Foi o resultado de irradiação de um hemangioma infantil durante a lactância.

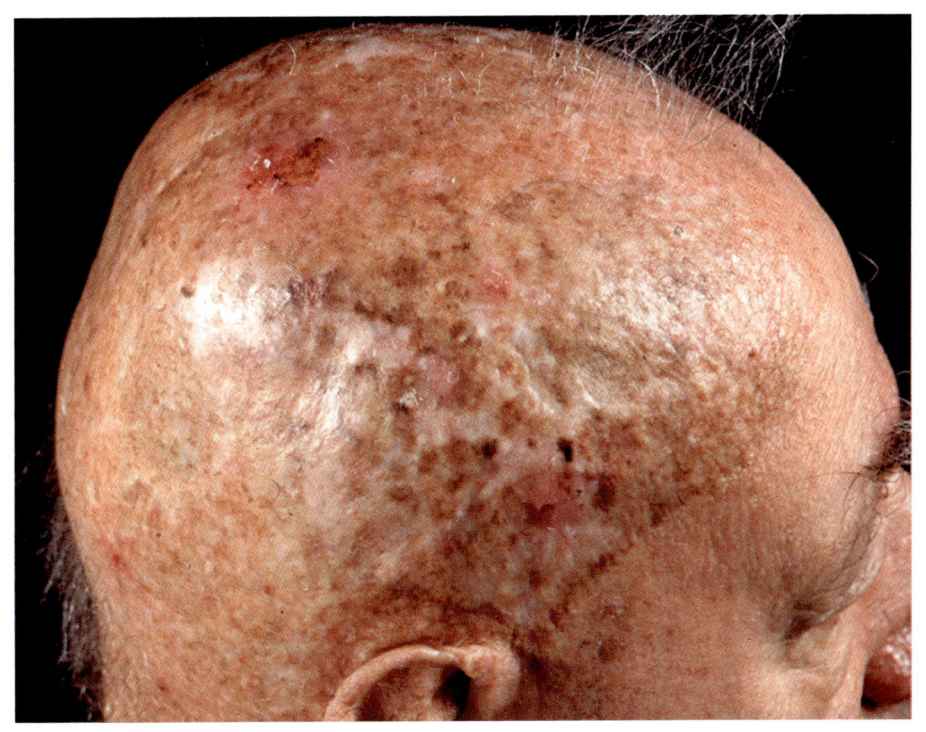

Figura 10-27 Radiodermatite crônica Poiquilodermia (marrom: hiperpigmentação; branca: hipopigmentação; vermelha: telangiectasia) combinada com atrofia e esclerose. Ausência de cabelos. Essas alterações cutâneas intensas são o resultado de irradiação excessiva administrada ao paciente quando criança para tratamento de infecção fúngica do couro cabeludo. Este paciente pode desenvolver carcinoma espinocelular no futuro.

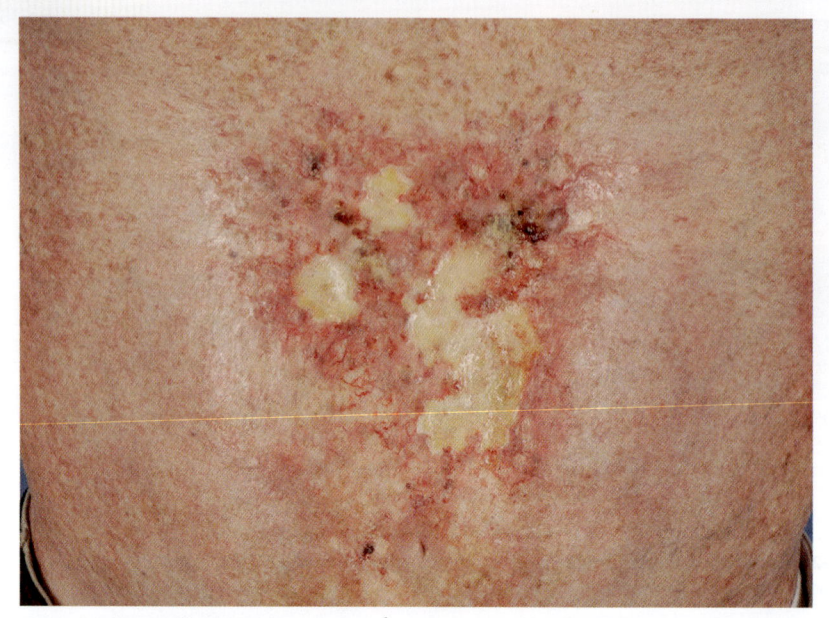

Figura 10-28 Radiodermatite crônica Área de poiquilodermia grave com telangiectasias e áreas irregulares de necrose coriácea, branco-amarelada e firmemente aderente. A lesão é extremamente dolorosa. Ocorreu após radioterapia repetida com feixe de elétrons para micose fungoide.

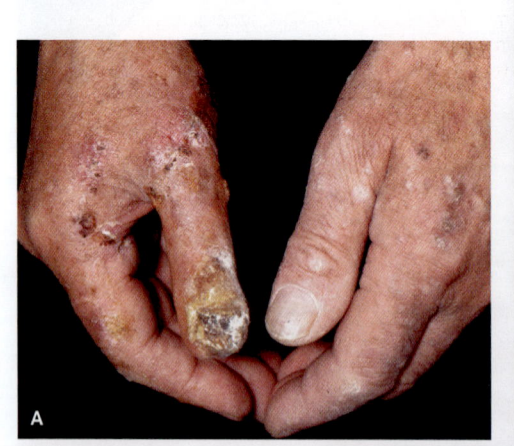

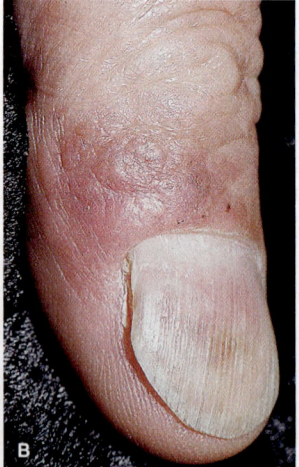

Figura 10-29 Carcinoma espinocelular (CEC) induzido por irradiação (A) Mãos de um radiologista idoso que, há décadas, não seguiu as medidas de precaução e raramente usava luvas durante os exames fluoroscópicos. São observadas múltiplas ceratoses causadas pelos raios X; a lesão hiperceratótica do polegar direito destruiu a unha e representa um CEC induzido pelos raios X. **(B)** Alterações ungueais no local de exposição à radiação. Observam-se as estrias lineares resultantes da lesão da matriz ungueal. Na prega ungueal e estendendo-se proximalmente ao polegar, há uma placa eritematosa irregular que, em sua maior parte, representa CEC *in situ*, mas que focalmente também é um CEC invasivo.

SEÇÃO 11

LESÕES PRÉ-CANCEROSAS E CARCINOMAS CUTÂNEOS

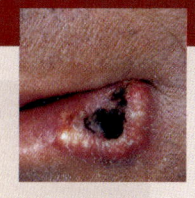

LESÕES PRÉ-CANCEROSAS E CÂNCERES EPIDÉRMICOS

Os cânceres epiteliais cutâneos (câncer cutâneo não melanoma [CCNM]) originam-se geralmente dos ceratinócitos germinativos epidérmicos ou das estruturas anexiais. Os dois tipos principais de CCNM são o carcinoma basocelular (CBC) e o carcinoma espinocelular (CEC). Com frequência, o CEC tem sua origem em uma lesão *in situ* identificável, que pode ser tratada antes que ocorra invasão franca. Em contrapartida, o CBC *in situ* não é conhecido, mas a ocorrência de CBCs "superficiais" com invasão mínima é comum.

Nos indivíduos de pele clara, as etiologias mais comuns dos CCNMs consistem em luz solar, radiação ultravioleta (RUV) e papilomavírus humano (HPV). As ceratoses actínicas solares são as lesões precursoras mais comuns do CEC *in situ* (CECIS) e do CEC invasivo que surge em locais de exposição crônica ao sol em indivíduos de ascendência da Europa Setentrional (ver Seção 10). A RUV e o HPV são responsáveis pelo espectro de alterações observadas, incluindo desde displasia epitelial, CECIS até CEC invasivo. Com muito menos frequência, o CCNM pode ser causado por radiação ionizante (áreas de lesão por radiação crônica), inflamação crônica, hidrocarbonetos (alcatrão) e ingestão crônica de arsênico inorgânico. Esses tumores podem ser muito mais agressivos do que os associados à RUV ou ao HPV. Na população crescente de indivíduos imunossuprimidos (indivíduos com HIV/Aids, receptores de transplantes de órgãos sólidos, etc.), os CECs induzidos por RUV e pelo HPV são muito mais comuns e podem ser mais agressivos.

CERATOSE ACTÍNICA CID-10: L57.0

- Lesões descamativas aderentes, isoladas ou múltiplas, secas e ásperas, que se desenvolvem em adultos, na pele habitualmente exposta ao sol, geralmente sobre uma base de dermatoeliose.
- As ceratoses actínicas podem evoluir para o carcinoma espinocelular.
- *Sinônimo*: ceratose solar.

EPIDEMIOLOGIA

IDADE DE INÍCIO Meia-idade, embora na Austrália e no sudoeste dos Estados Unidos as ceratoses solares possam ocorrer em indivíduos < 30 anos.
SEXO Mais comum nos homens.
ETNIA Fototipos cutâneos (FTCs) I, II e III; raramente observada na pele de FTC IV; quase nunca acomete indivíduos de pele negra.
OCUPAÇÃO Profissionais que trabalham ao ar livre (particularmente fazendeiros, agricultores, marinheiros) e pessoas que praticam esportes ao ar livre (tênis, golfe, alpinismo, pesca em águas profundas).

PATOGÊNESE

A exposição solar prolongada e repetida em indivíduos suscetíveis (FTCs I, II e III) resulta em danos cumulativos aos ceratinócitos pela ação da RUV, principalmente – se não exclusivamente – UVB (290 a 320 nm).

MANIFESTAÇÃO CLÍNICA

SINTOMAS CUTÂNEOS As lesões podem ser sensíveis. Dolorosas se forem escoriadas com as unhas.
LESÕES CUTÂNEAS Levam meses a anos para se desenvolver. Escama hiperceratótica aderente, que é removida com dificuldade e dor (**Figs. 11-1** e **11-2**). São cor da pele, amarelo-amarronzado ou marrom que parece "sujo"; costuma haver coloração avermelhada. As lesões são ásperas, semelhantes a uma lixa grossa, "mais palpáveis do que visíveis". Geralmente < 1 cm, ovais ou redondas (**Fig. 11-2**).
Apresentação especial. CAPE (ceratose actínica pigmentada extensiva). Essa lesão é mais bem descrita como "lesão semelhante ao lentigo maligno (LM), mas que, à palpação, assemelha-se à ceratose actínica" (**Fig. 11-3**). Ocorrência incomum. As características que diferenciam a CAPE incluem o seu tamanho (> 1,5 cm), pigmentação (marrom a negra e variegada) e história de disseminação lenta, particularmente a superfície verrucosa. A lesão é importante, visto que pode simular o LM.

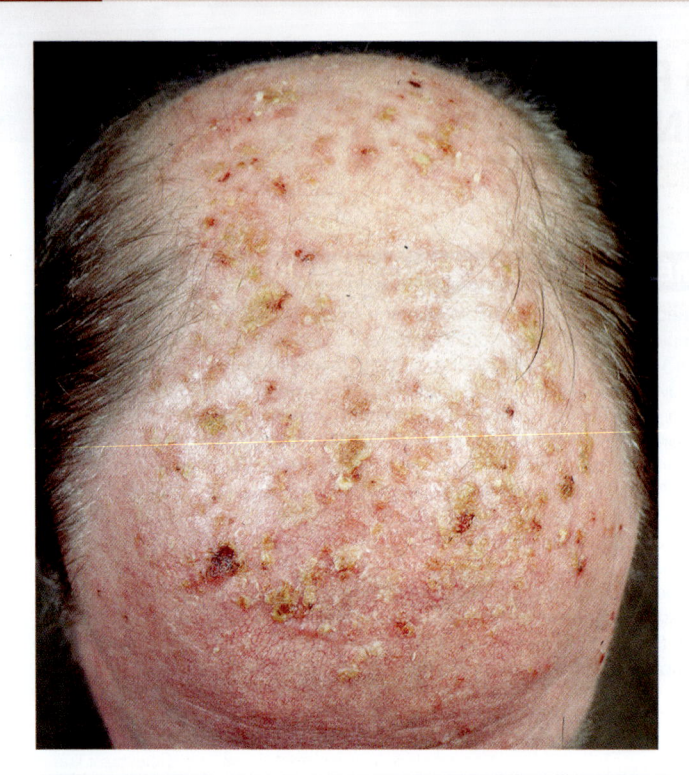

Figura 11-1 Máculas e pápulas eritematosas e acastanhadas, com escamas aderentes e grosseiras, que se tornam confluentes no couro cabeludo calvo deste paciente com dermatoeliose Há hiperceratoses amareladas a acinzentadas. As lesões iniciais podem ser mais facilmente palpáveis do que vistas. A abrasão suave com a unha é dolorosa, um achado diagnóstico útil.

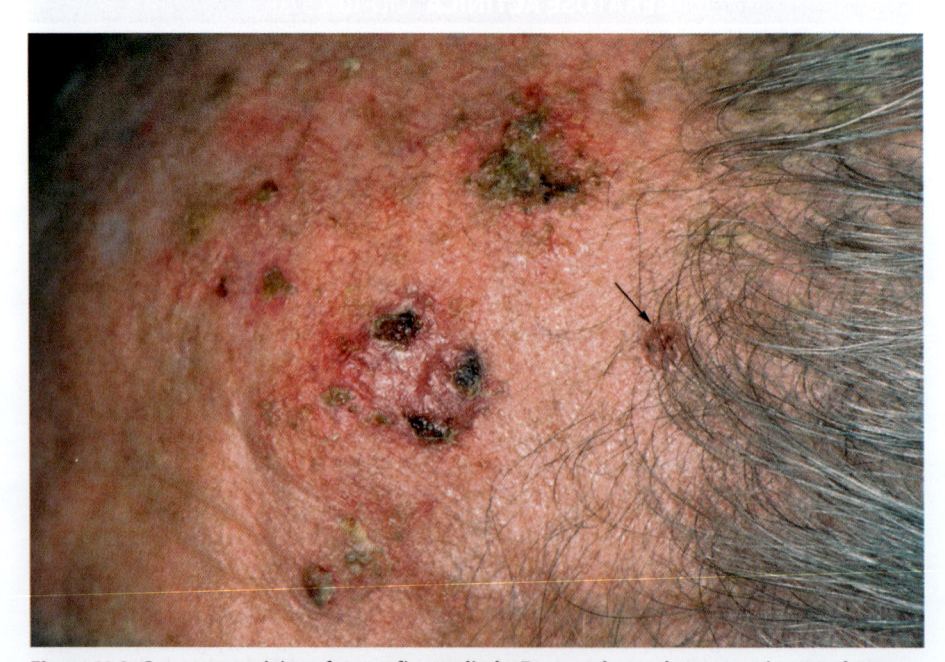

Figura 11-2 Ceratoses actínicas, fotografia ampliada. Escamas bem aderentes acinzentadas e com aspecto sujo A abrasão dessas hiperceratoses é dolorosa e provoca erosões. Pode-se observar um pequeno carcinoma basocelular na borda do couro cabeludo (*seta*).

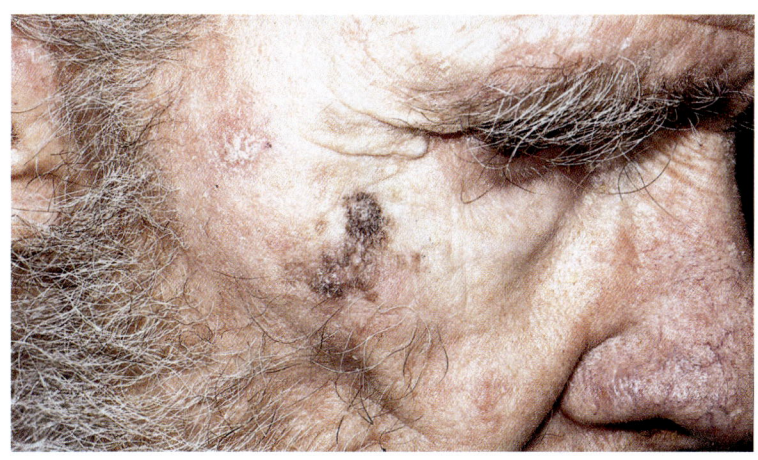

Figura 11-3 Ceratose actínica pigmentada extensiva (CAPE) Assemelha-se visualmente ao lentigo maligno (**Fig. 12-7**), porém assemelha-se, à palpação, à ceratose actínica.

Distribuição. Lesão única isolada ou lesões isoladas dispersas. Acomete a face (fronte [**Fig. 11-1**], nariz, regiões malares, têmporas, borda vermelha do lábio inferior), orelhas (nos homens), região cervical (face lateral), antebraços, mãos (dorso), região pré-tibial e couro cabeludo em homens calvos (**Figs. 11-1** e **11-2**). Os homens com alopécia androgenética são particularmente suscetíveis à dermatoeliose grave e ceratose solar do couro cabeludo exposto.

EXAMES LABORATORIAIS

DERMATOPATOLOGIA Grandes ceratinócitos de coloração brilhante, com pleomorfismo leve a moderado na camada basal, que se estende até os folículos, ceratinócitos atípicos (disceratóticos) e paraceratose.

DIAGNÓSTICO E DIAGNÓSTICO DIFERENCIAL

É normalmente estabelecido com base nas manifestações clínicas. Diferencial: lúpus eritematoso cutâneo crônico; ceratose seborreica, verrugas planas, CEC (*in situ*), CBC superficial. As lesões acentuadamente hiperceratóticas e a CAPE podem exigir biópsia para exclusão da possibilidade de CEC (*in situ* ou invasivo) ou LM.

EVOLUÇÃO E PROGNÓSTICO

As ceratoses solares podem desaparecer espontaneamente; todavia, em geral, persistem por vários anos. A incidência verdadeira do CEC que surge em ceratoses solares preexistentes (**Fig. 11-4**) não é conhecida, mas é estimada em 1%.

MANEJO

PREVENÇÃO São evitadas com o uso de filtros solares altamente efetivos para UVB/UVA.

Tratamento tópico de lesões isoladas. *Criocirurgia*. Também cirurgia com laser. Laser de érbio ou de dióxido de carbono. Em geral, é eficaz para tratar lesões isoladas. Para as lesões faciais extensas, o *resurfacing* facial é efetivo. *Terapia fotodinâmica*. Efetiva, porém dolorosa e incômoda.

Tratamento tópico de campo. Trata não apenas as lesões isoladas, mas também as lesões iniciais inaparentes. Assim, resulta em uma dermatite com muito mais erosões do que eram as ceratoses actínicas visíveis. O paciente deve ser alertado de que isso ocorrerá.

Creme de 5-fluoruracila (5-FU) a 5%. Efetivo, porém de difícil aplicação para muitos indivíduos. O tratamento das lesões faciais provoca eritema e erosões significativas, resultando em desfiguração estética temporária. Pode-se aumentar a eficácia se o fármaco for aplicado sob curativo oclusivo e/ou combinado com tretinoína tópica. Todavia, isso resulta em erosões confluentes. Ocorre reepitelização após a interrupção do tratamento.

Imiquimode (2 vezes por semana, durante 16 semanas). Causa dermatite por citocinas e também resulta em irritação e erosões, mas é altamente efetivo.

Gel de mebutato de ingenol (150 μg/g, 500 μg/g). Diariamente, por 3 dias consecutivos; leva a erosões intensas, mas é altamente efetivo.

Retinoides tópicos. Quando utilizados cronicamente, são efetivos para profilaxia e tratamento da dermatoeliose e das ceratoses solares superficiais.

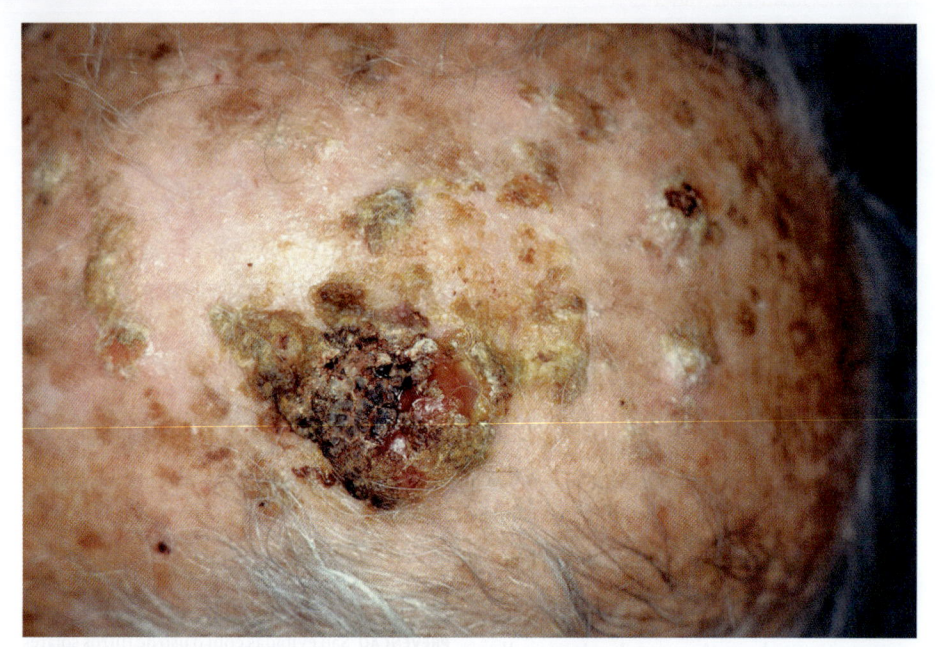

Figura 11-4 Ceratoses solares e carcinoma espinocelular invasivo Múltiplas ceratoses solares fortemente aderentes e de aparência suja. O nódulo grande mostrado nesta fotografia está coberto por hiperceratoses e crostas hemorrágicas; está parcialmente erodido e tem consistência firme. Este nódulo é um carcinoma espinocelular invasivo. Esta fotografia é apresentada para demonstrar a transição das lesões pré-cancerosas em carcinoma franco.

Diclofenaco em gel. Quando aplicado de modo crônico, é efetivo para as ceratoses actínicas superficiais; causa também irritação.
Peeling facial. O ácido tricloroacético (5 a 10%) é efetivo para as lesões disseminadas.

LESÕES PRÉ-CANCEROSAS EPITELIAIS E CECIS

A displasia dos ceratinócitos da epiderme e da mucosa escamosa pode acometer as camadas inferiores da epiderme ou toda a sua espessura. As células basais amadurecem e transformam-se em ceratinócitos displásicos, resultando em uma pápula ou placa hiperceratótica, clinicamente identificada como "ceratose". Existe um *continuum* desde a displasia até o CECIS e o CEC invasivo. Essas lesões têm vários epônimos, como doença de Bowen ou eritroplasia de Queyrat, que, como termos morfológicos descritivos, são úteis; entretanto termos como CECIS associado à RUV ou ao HPV são mais expressivos, porém só podem ser usados para as lesões cuja etiologia for conhecida.

As lesões pré-cancerosas epiteliais e o CECIS podem ser classificados em: *induzidos por RUV* (ceratoses solares [actínicas], ceratoses actínicas liquenoides, ceratoses actínicas bowenoides e doença de Bowen [CECIS]), *induzidos pelo HPV* (lesões intraepiteliais escamosas de baixo grau [LIEBs] e papulose bowenoide [CECIS]), ceratoses *induzidos por arsênico* (ceratoses palmoplantares, ceratoses arsenicais bowenoides) e *ceratoses por hidrocarbonetos (alcatrão)* e *ceratoses térmicas.*

CERATOSE SOLAR OU ACTÍNICA
(ver a discussão anterior)

CORNO CUTÂNEO CID-10: L85.8

- O corno cutâneo (CC) é uma entidade *clínica* que tem aparência de um chifre de animal, com base papular ou nodular e cobertura ceratótica de vários formatos e comprimentos (**Fig. 11-5**).
- Os CCs consistem mais frequentemente em ceratoses solares hipertróficas. Pode ocorrer também formação de CC não pré-canceroso em ceratoses seborreicas e verrugas.
- Os CCs desenvolvem-se habitualmente em áreas de dermatoeliose na face, na orelha, no dorso das mãos ou nos antebraços e regiões pré-tibiais.
- Do ponto de vista clínico, os CCs variam, quanto ao tamanho, de poucos milímetros a vários centímetros (**Fig. 11-5**). O corno pode ser branco, preto ou amarelado e de formato reto, curvo ou helicoidal.
- Ao exame histológico, observa-se habitualmente a presença de ceratose actínica hipertrófica, CECIS ou CEC invasivo na base. Em virtude da possibilidade de CEC invasivo, os CCs sempre devem ser excisados.

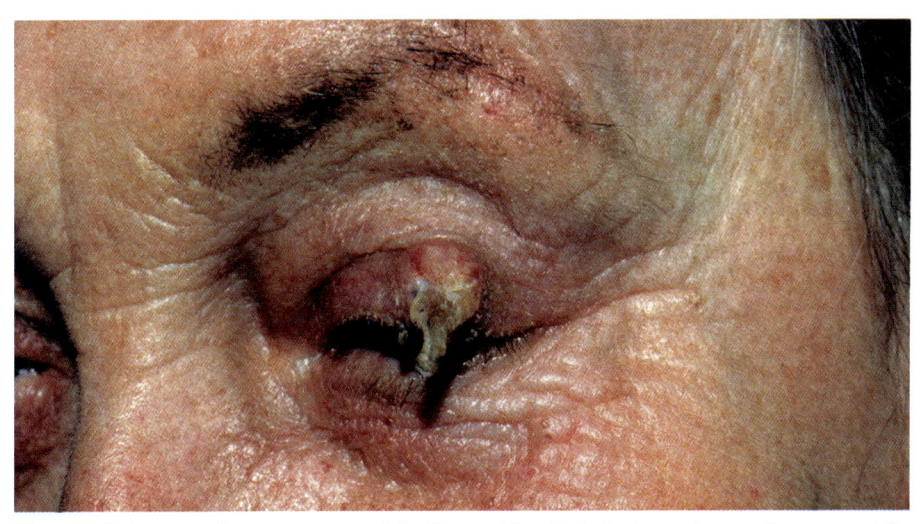

Figura 11-5 Corno cutâneo: ceratose actínica hipertrófica Projeção de ceratina semelhante a um chifre com base ligeiramente elevada em área de dermatoeliose avançada na pálpebra superior de uma mulher de 85 anos. A excisão revelou a presença de carcinoma espinocelular invasivo na base da lesão.

CERATOSES ARSENICAIS CID-10: T57.0

- Surgem várias décadas após a ingestão crônica de arsênico (exposição medicinal, ocupacional ou ambiental). Tornaram-se muito raras em países industrializados, mas, na atualidade, essas lesões são observadas no oeste de Bengala e em Bangladesh, onde a água potável ainda pode conter arsênico.
- As ceratoses arsenicais têm o potencial de transformação em CECIS ou CEC invasivo.
- Existem dois tipos: pápulas puntiformes e amarelas nas palmas e nas plantas (**Fig. 11-6A**); ceratoses indistinguíveis das ceratoses actínicas no tronco e em outras partes do corpo. Com frequência, estão associadas a CECISs pequenos do tipo bowenoide e máculas hipopigmentadas ligeiramente deprimidas ("pingos de chuva na poeira") (**Fig. 11-6B**).
- Tratamento: igual ao das ceratoses solares.

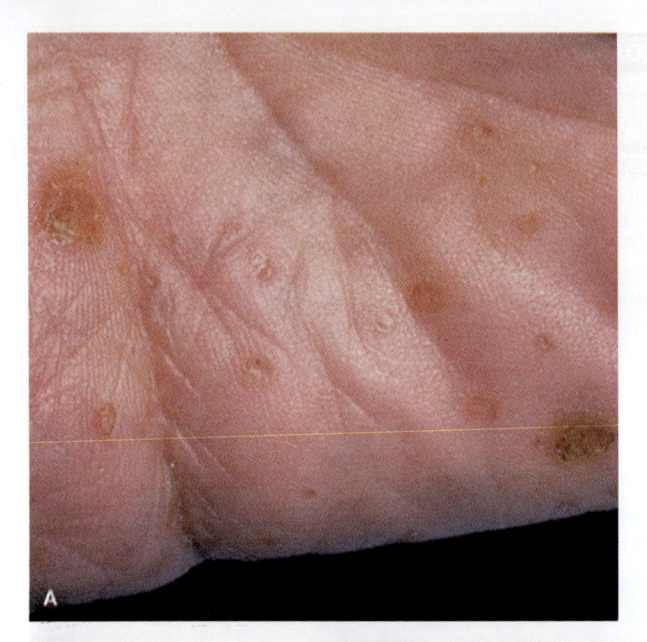

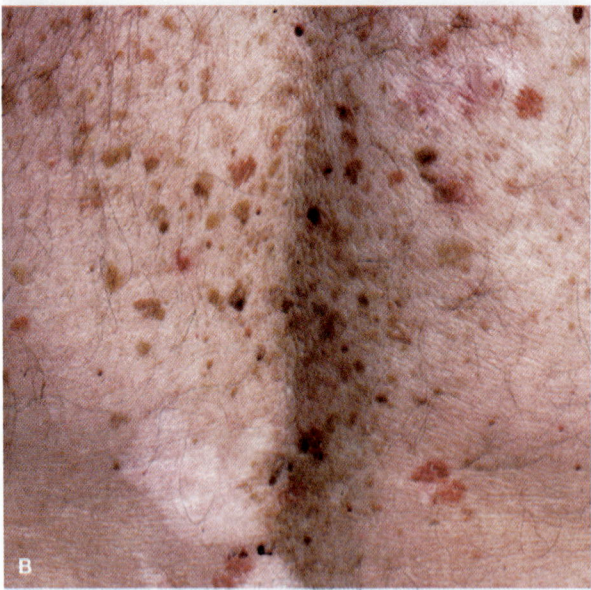

Figura 11-6 Ceratoses arsenicais **(A)** Várias ceratoses puntiformes, firmemente aderentes e muito duras na palma da mão. **(B)** Ceratoses arsenicais no dorso. São observadas múltiplas lesões cuja coloração varia de vermelho a castanho, marrom-escuro e branco. As lesões marrons consistem em uma mistura de ceratoses arsenicais (duras e ásperas) e pequenas ceratoses seborreicas (moles e lisas). A diferença pode ser mais facilmente percebida ao toque do que vista. As lesões vermelhas consistem em pequenas ceratoses bowenoides e doença de Bowen (CECIS, ver **Fig. 11-7**). As áreas maculares brancas são ligeiramente deprimidas e representam cicatrizes atróficas superficiais resultantes de desprendimento espontâneo ou tratamento das ceratoses arsenicais. A fotografia como um todo dá a impressão de "pingos de chuva na poeira".

CARCINOMA ESPINOCELULAR *IN SITU* CID-10: D04

- Manifesta-se na forma de máculas, pápulas ou placas solitárias ou múltiplas, que podem ser hiperceratóticas ou descamativas.
- O CECIS é mais frequentemente causado por RUV ou pela infecção por HPV.
- Em geral, surge em lesões displásicas epiteliais, como ceratoses solares ou lesões intraepiteliais escamosas (LIEs) induzidas pelo HPV (ver Seção 27).
- As placas escamosas nitidamente demarcadas na pele, de cor rosa ou vermelha, são conhecidas como *doença de Bowen*; lesões semelhantes – mas em geral não descamativas na glande e na vulva – são conhecidas como *eritroplasia* (ver Seção 33).
- O CECIS anogenital induzido pelo HPV é conhecido como *papulose bowenoide*.
- O CECIS sem tratamento pode evoluir para o CEC invasivo. No CECIS induzido pelo HPV em indivíduos com HIV/Aids, as lesões frequentemente regridem por completo após tratamento antirretroviral bem-sucedido e reconstituição imune.
- O tratamento consiste em 5-fluoruracila tópica, imiquimode, criocirurgia, evaporação a *laser* de CO_2 ou excisão, incluindo cirurgia micrográfica de Mohs.

ETIOLOGIA

RUV, HPV, arsênico, alcatrão, exposição crônica ao calor e dermatite por radiação crônica.

MANIFESTAÇÃO CLÍNICA

As lesões são mais frequentemente assintomáticas, mas podem sangrar. A formação de nódulos ou o aparecimento de dor ou sensibilidade no CECIS sugerem evolução para CEC invasivo.

ALTERAÇÕES CUTÂNEAS O CECIS surge na forma de mácula, pápula ou placa descamativa ou hiperceratótica nitidamente demarcada (Fig. 11-7). As lesões têm coloração rosa ou vermelha, com superfície ligeiramente descamativa ou erosões, podendo ser crostosas. Solitárias ou múltiplas. Essas lesões são conhecidas como *doença de Bowen* (Fig. 11-7).

O CECIS macular ou semelhante a uma placa brilhante, nitidamente demarcado e de cor vermelha na glande do pênis ou nos lábios menores vulvares é denominado *eritroplasia de Queyrat* (ver Seção 34). O CECIS anogenital induzido pelo HPV pode ter coloração vermelha, castanha, marrom ou preta e é designado como *papulose bowenoide* (ver Seção 34). As lesões erodidas podem ter áreas crostosas. O CECIS pode não ser diagnosticado durante anos, resultando em grandes lesões com bordas anulares ou policíclicas (Fig. 11-8). Quando ocorre invasão, aparecem lesões nodulares dentro da placa e, em seguida, a lesão é geralmente denominada *carcinoma de Bowen* (Fig. 11-8).

Distribuição. O CECIS induzido por RUV surge geralmente em uma ceratose solar em indivíduos com fotoenvelhecimento (dermatoeliose) (Fig. 11-9); o CECIS induzido por HPV surge principalmente na área genital, mas também periungueal, sendo mais comum no polegar ou no leito ungueal (ver Fig. 32-16). CECIS induzido por raios X surge na radiodermatite crônica (ver Fig. 10-29).

EXAMES LABORATORIAIS

DERMATOPATOLOGIA Carcinoma *in situ* com perda da arquitetura da epiderme e diferenciação regular; polimorfismo dos ceratinócitos, discetatose de células isoladas, aumento da taxa de mitose e células multinucleadas. A epiderme pode estar espessada, mas a membrana basal está intacta.

DIAGNÓSTICO E DIAGNÓSTICO DIFERENCIAL

O diagnóstico clínico é confirmado pelos resultados da dermatopatologia. O diagnóstico diferencial inclui todas as placas vermelho-rosadas bem demarcadas: eczema numular, psoríase, ceratose seborreica, ceratoses solares, verruga vulgar, verruga plana, condiloma acuminado, CBC superficial, melanoma amelanótico e doença de Paget.

EVOLUÇÃO E PROGNÓSTICO

Sem tratamento, o CECIS evolui para o CEC invasivo (Fig. 11-8). Em indivíduos com HIV/Aids, as lesões regridem com tratamento antirretroviral (TAR) bem-sucedido. Podem ocorrer metástases para linfonodos sem invasão demonstrável. Disseminação metastática para os linfonodos.

TRATAMENTO

QUIMIOTERAPIA TÓPICA O creme de *5-fluoruracila*, aplicado diariamente ou 2 vezes ao dia, com ou sem curativo oclusivo, é efetivo. O *imiquimode* também é efetivo, mas ambos exigem um tempo considerável.

CRIOCIRURGIA Altamente efetiva. Em geral, as lesões são tratadas mais agressivamente do que as ceratoses solares e, consequentemente, ocorrem cicatrizes superficiais.

TERAPIA FOTODINÂMICA Efetiva, porém demorada e dolorosa.

EXCISÃO CIRÚRGICA INCLUINDO CIRURGIA MICROGRÁFICA DE MOHS Proporciona a maior taxa de cura, porém tem maior tendência a causar cicatrizes esteticamente desfigurantes. Deve ser realizada em todas as lesões em que não tenha sido possível excluir a ocorrência de invasão por biópsia.

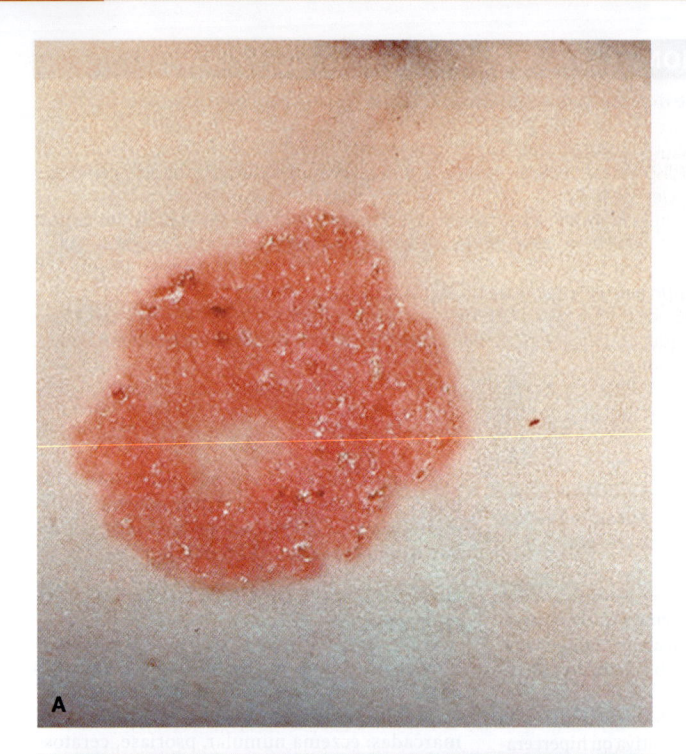

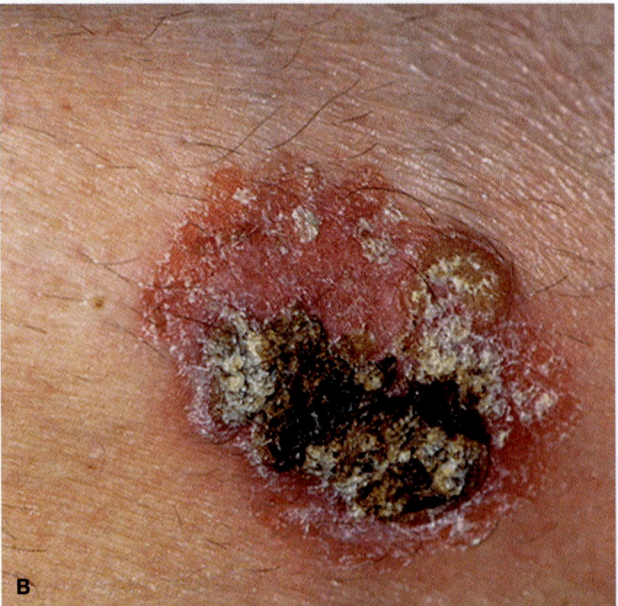

Figura 11-7 Carcinoma espinocelular *in situ*: doença de Bowen
(A) Grande placa eritematosa e descamativa, nitidamente demarcada, simulando uma lesão psoriásica. **(B)** Placa psoriasiforme semelhante com um misto de descamação, hiperceratose e crostas hemorrágicas na superfície.

Seção 11   Lesões pré-cancerosas e carcinomas cutâneos   229

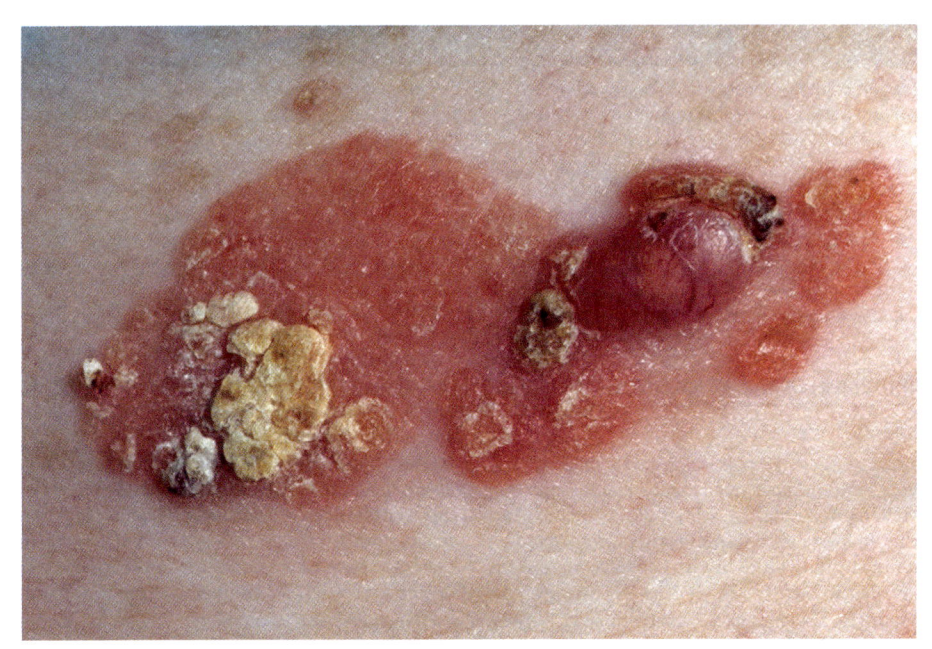

Figura 11-8 Carcinoma espinocelular *in situ* (CECIS): doença de Bowen e carcinoma espinocelular invasivo: carcinoma de Bowen Esta placa de coloração vermelha a laranja no dorso, nitidamente demarcada, com contornos irregulares e descamação psoriasiforme, representa um CECIS ou doença de Bowen. O nódulo vermelho nesta placa indica que, neste caso, a lesão não é mais um carcinoma *in situ*, mas que houve desenvolvimento de carcinoma invasivo.

Figura 11-9 Carcinoma espinocelular: locais de predileção

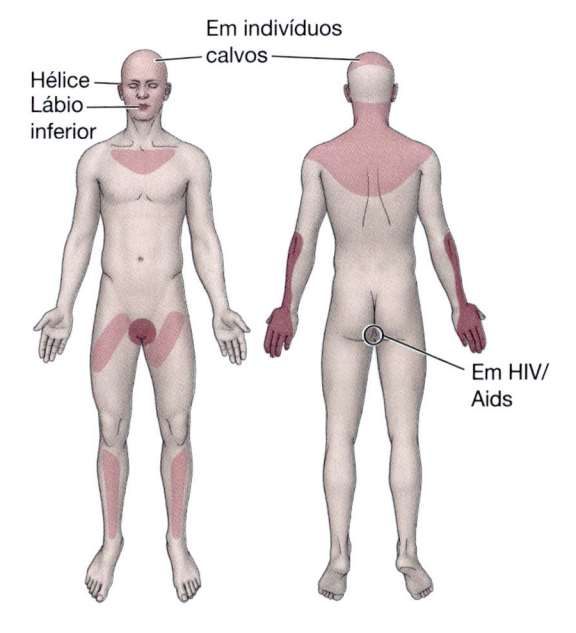

Em indivíduos calvos
Hélice
Lábio inferior
Em HIV/Aids

CARCINOMA ESPINOCELULAR INVASIVO CID-10: C44.8

- O CEC da pele é um tumor maligno dos ceratinócitos, que se desenvolve na epiderme.
- Em geral, o CEC surge a partir de lesões pré-cancerosas epidérmicas (ver discussão anterior) e, dependendo da etiologia e do grau de diferenciação, varia em sua agressividade.
- A lesão consiste em uma placa ou nódulo com graus variáveis de ceratinização no nódulo e/ou na superfície. Regra prática: o CEC indiferenciado é macio e não apresenta hiperceratose, enquanto o CEC diferenciado é duro à palpação e tem hiperceratose.
- A maioria das lesões induzidas pela RUV é diferenciada e tem baixa taxa de metástases à distância em indivíduos saudáveis sob os demais aspectos. O CEC indiferenciado e o CEC em indivíduos imunossuprimidos são mais agressivos, com maior incidência de metástases.
- O tratamento é cirúrgico.

EPIDEMIOLOGIA E ETIOLOGIA

Radiação ultravioleta

IDADE DE INÍCIO Depois dos 55 anos de idade em indivíduos brancos nos Estados Unidos e na Europa; na Austrália, na Nova Zelândia, na Flórida e no sudoeste e sul da Califórnia, acomete especialmente indivíduos brancos na terceira e quarta décadas de vida.

INCIDÊNCIA Estados Unidos Continental: 12:100.000 homens brancos; 7:100.000 mulheres brancas. Havaí: 62:100.000 indivíduos brancos.

SEXO Homens > mulheres; entretanto o CEC pode ocorrer mais frequentemente nas pernas de mulheres.

EXPOSIÇÃO Luz solar. A fototerapia e a fotoquimioterapia excessiva podem levar ao desenvolvimento de CEC, particularmente em pacientes com FTCs I e II ou pacientes com história pregressa de exposição à radiação ionizante.

ETNIA Indivíduos de pele clara e pouca capacidade de bronzeamento (FTCs I e II) (ver Seção 10). Os indivíduos de pele parda ou negra podem desenvolver CEC devido a numerosos outros agentes etiológicos diferentes da RUV.

GEOGRAFIA Mais comum nas regiões que têm muitos dias ensolarados ao longo do ano, isto é, na Austrália e no sudoeste dos Estados Unidos.

OCUPAÇÃO Indivíduos que trabalham ao ar livre (p. ex., agricultores, marinheiros, salva-vidas, instaladores de linhas telefônicas, trabalhadores em construção civil e estivadores).

Papilomavírus humano

Geralmente são oncogênicos os tipos 16, 18 e 31; entretanto os tipos 33, 35, 39, 40 e 51 a 60 também estão associados ao CECIS e ao CEC invasivo. Os HPVs-5, 8 e 9 também foram isolados de CEC.

Outros fatores etiológicos

IMUNOSSUPRESSÃO Os receptores de transplantes de órgãos sólidos, os indivíduos com imunossupressão crônica associada a distúrbios inflamatórios e os pacientes com doença pelo HIV apresentam incidência aumentada de CECIS e CECs invasivos induzidos por RUV e HPV. Nesses indivíduos, os CECs são mais agressivos do que os encontrados em indivíduos imunocompetentes.

INFLAMAÇÃO CRÔNICA Lúpus eritematoso cutâneo crônico, úlceras crônicas, cicatrizes de queimaduras, radiodermatite crônica e líquen plano da mucosa oral.

CARCINÓGENOS INDUSTRIAIS Piche, alcatrão, óleo de parafina crua, óleo combustível, creosoto, óleo lubrificante e nitrosureias.

ARSÊNICO INORGÂNICO No passado, o arsênico trivalente era utilizado em medicamentos como pílulas asiáticas, pílulas de Donovan e solução de Fowler (utilizada como tratamento para psoríase ou anemia). O arsênico ainda é encontrado na água potável de algumas regiões geográficas (oeste de Bengala e Bangladesh).

MANIFESTAÇÃO CLÍNICA

Evolução lenta – qualquer pápula ou placa ceratótica isolada ou erodida em paciente suspeito, que persiste por mais de 1 mês, é considerada como carcinoma até prova em contrário. Além disso, também são considerados carcinomas um nódulo que se desenvolve em uma placa que preencha os critérios clínicos de CECIS (doença de Bowen), uma lesão cronicamente erodida no lábio inferior ou no pênis ou lesões nodulares que se desenvolvem na margem ou dentro de uma úlcera venosa crônica ou em uma área de dermatite por radiação crônica. Observa-se que o CEC em geral é assintomático. Com frequência, os carcinógenos potenciais só podem ser determinados após anamnese detalhada.

Evolução rápida – o CEC invasivo pode surgir em poucas semanas e, com frequência, é doloroso e/ou sensível.

Para finalidades didáticas, podem ser diferenciados dois tipos:

1. CECs altamente diferenciados, que quase sempre exibem sinais de ceratinização dentro ou na superfície (hiperceratose) do tumor. As lesões têm consistência firme ou dura à palpação (**Figs. 11-10**, **11-11**, **11-12**, **11-13**).

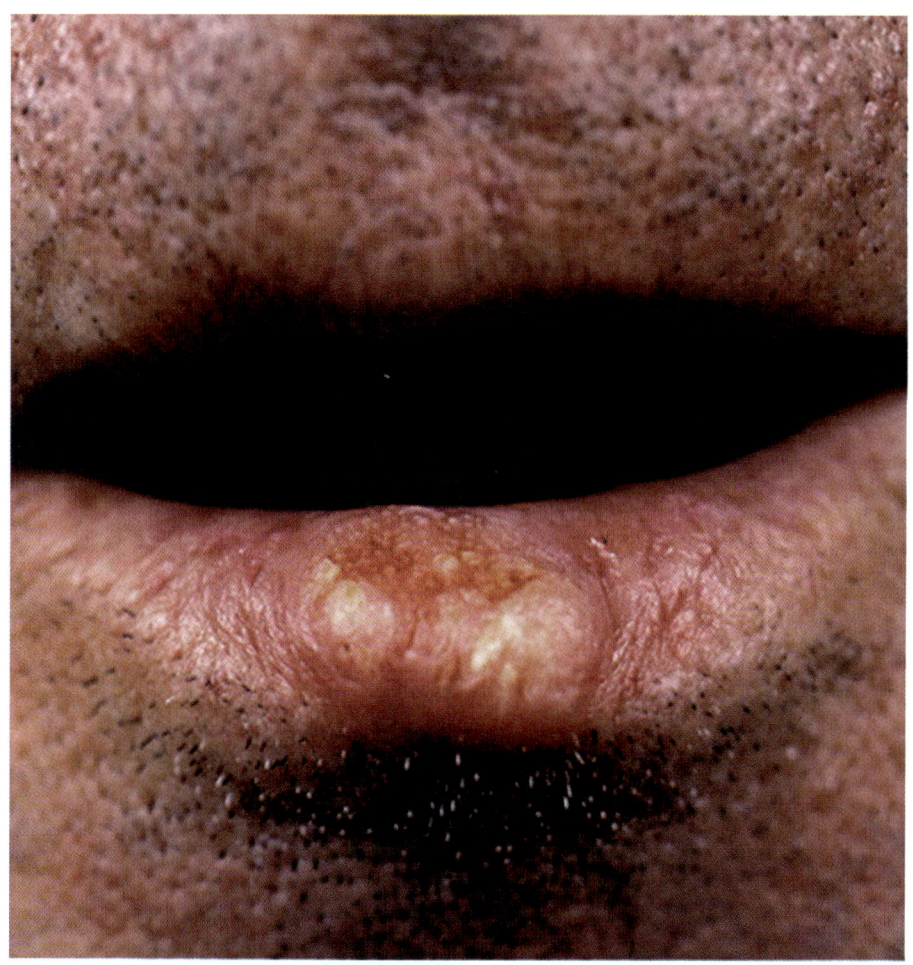

Figura 11-10 Carcinoma espinocelular: invasivo do lábio Nódulo grande, porém sutil, mais palpável do que visível, na borda vermelha do lábio inferior, com áreas de hiperceratose amarelada. Pode-se perceber que esse nódulo infiltrou todo o lábio.

2. CECs pouco diferenciados, que não apresentam sinais de ceratinização; ao exame clínico, parecem carnudos, granulomatosos e, consequentemente, são macios à palpação (Fig. 11-14).

CEC diferenciado

LESÕES Pápula, placa ou nódulo endurecido (Figs. 11-4, 11-10 e 11-11); descamação ceratótica espessa aderente ou hiperceratose (Figs. 11-4 e 11-12); quando há erosão ou ulceração, a lesão pode ter uma crosta no centro e borda elevada, hiperceratótica e firme (Figs. 11-11 e 11-12). Pode-se espremer um material córneo da margem ou do centro da lesão (Figs. 11-11, 11-12 e 11-13) Lesão eritematosa, amarelada ou da cor da pele; de consistência dura; poligonal, oval, redonda ou umbilicada e ulcerada.

Distribuição. Em geral, isolada, embora possa ser múltipla. Ocorre geralmente em áreas expostas (Fig. 11-9). Lesões ceratóticas e/ou ulceradas induzidas pelo sol, particularmente no couro cabeludo de indivíduos calvos, nas regiões malares, no nariz, no lábio inferior, nas orelhas, na região pré-auricular, no dorso das mãos (Fig. 11-13), nos antebraços, no tronco e na região pré-tibial (mulheres).

OUTRAS ANORMALIDADES FÍSICAS Linfadenopatia regional devida a metástases.

ASPECTOS ESPECIAIS No CEC relacionado com RUV, há evidências de *dermatoeliose* e *ceratoses solares*. Os CECs dos lábios se desenvolvem a

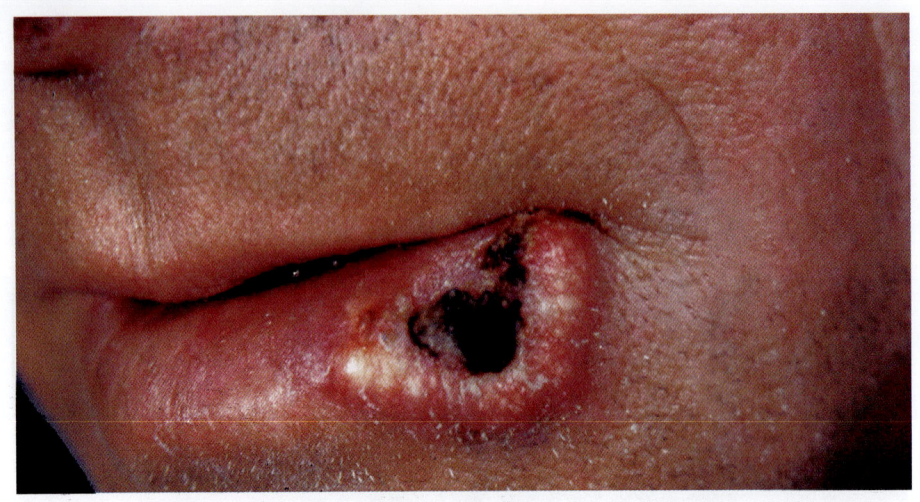

Figura 11-11   Carcinoma espinocelular (CEC) Nódulo redondo, de consistência firme e evolução indolente, com escara central negra. Observa-se a cor amarelada na periferia do tumor, indicando a presença de ceratina. Os CECs mostrados na **Figura 11-10** e nesta fotografia são de consistência dura e acometem o lábio inferior. O CEC raramente ocorre no lábio superior, visto que essa área é protegida do sol. O CEC no lábio é facilmente diferenciado do CBC nodular, visto que este não desenvolve hiperceratose nem ceratinização dentro do tumor e não ocorre na borda vermelha do lábio.

partir de leucoplasia ou queilite actínica. Em 90% dos casos, eles são encontrados no lábio inferior (**Figs. 11-10** e **11-11**). Na radiodermatite crônica, os CECs originam-se de ceratoses induzidas por radiação; nos indivíduos com história de ingestão crônica de arsênico, surgem a partir das ceratoses arsenicais. O CEC diferenciado (i.e., hiperceratótico) induzido pelo HPV ocorre na genitália; o CEC causado por tratamento excessivo com PUVA acomete os membros inferiores (região pré-tibial) ou a genitália. Os CECs que surgem em cicatrizes de queimaduras, nas úlceras de estase crônicas de longa duração e em áreas de inflamação crônica são frequentemente difíceis de identificar. É necessário suspeitar de CEC quando as lesões nodulares são de consistência dura e exibem sinais de ceratinização.

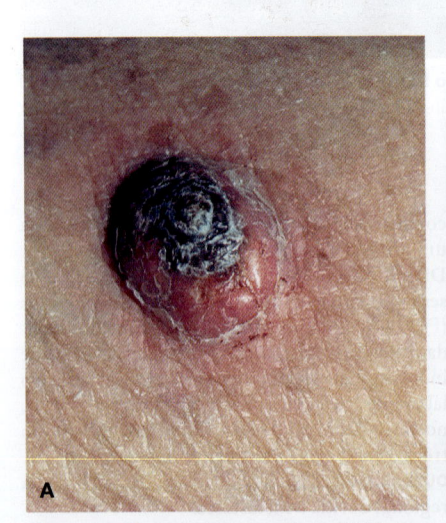

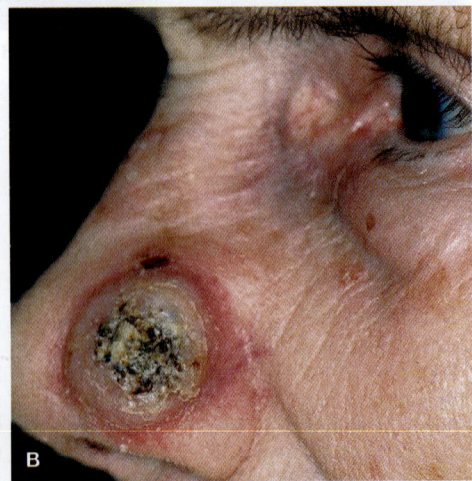

Figura 11-12   Carcinoma espinocelular bem diferenciado   (A) Nódulo no antebraço, recoberto por hiperceratose negra cupuliforme. **(B)** Grande nódulo duro e redondo no nariz, com hiperceratose central. Nenhuma dessas lesões pode ser clinicamente diferenciada do ceratoacantoma (ver **Fig. 11-17**).

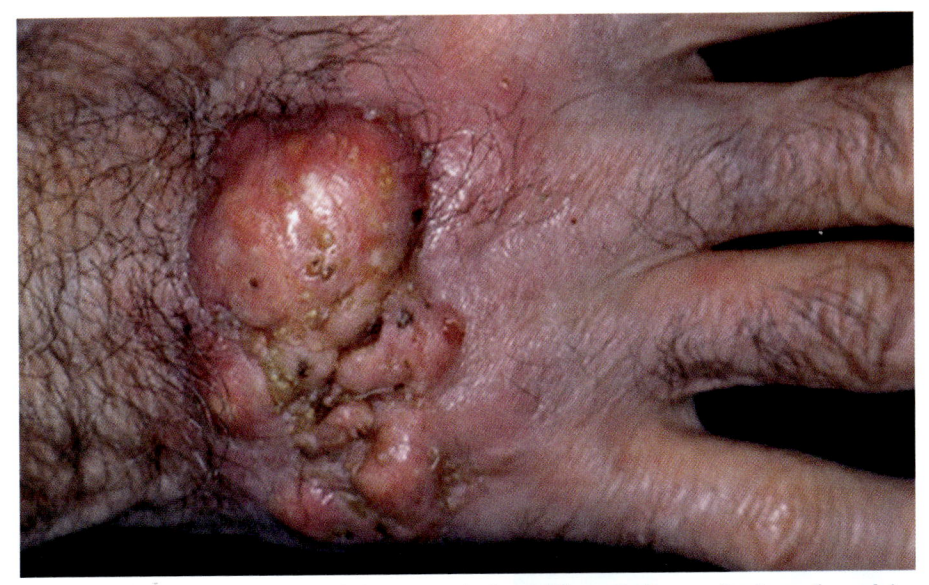

Figura 11-13 Carcinoma espinocelular avançado, bem diferenciado, na mão de um fazendeiro de 65 anos O nódulo volumoso é liso, de consistência muito dura à palpação e exibe coloração amarelada, indicando focos de ceratina dentro do nódulo. Se a lesão fosse incisada nas áreas amareladas, seria possível espremer um material branco-amarelado (ceratina).

Forma especial: carcinoma cuniculatum, que acomete geralmente a planta dos pés, altamente diferenciado e relacionado ao HPV, mas que também pode ocorrer em outros contextos (Fig. 11-15); *carcinoma verrucoso*, também conhecido como papilomatose oral florida, na mucosa oral (ver Seção 33).

HISTOPATOLOGIA CEC com graus variáveis de anaplasia e ceratinização.

CEC indiferenciado

LESÕES Pápulas e nódulos carnudos, granulares, friáveis e erosivos e vegetações papilomatosas (Fig. 11-14). Ulceração com base necrótica e bordas carnudas e macias. As lesões sangram facilmente e formam crostas; vermelhas, macias, poligonais, irregulares e frequentemente com aspecto semelhante a uma couve-flor.

Distribuição. Lesões isoladas, mas também múltiplas, particularmente na genitália, onde surgem de eritroplasia, e no tronco (Fig. 11-8), nos membros inferiores ou na face, onde se desenvolvem secundariamente à doença de Bowen.

OUTRAS ALTERAÇÕES CUTÂNEAS VARIADAS A linfadenopatia como evidência de metástases regionais é muito mais comum do que nos CECs hiperceratóticos bem diferenciados.

HISTOPATOLOGIA CEC anaplásico com múltiplas mitoses e pouca evidência de diferenciação e ceratinização.

DIAGNÓSTICO DIFERENCIAL

Qualquer nódulo, placa ou úlcera persistente, mas particularmente quando surgem na pele lesionada pelo sol, nos lábios inferiores, em áreas de radiodermatite, em cicatrizes de queimaduras antigas

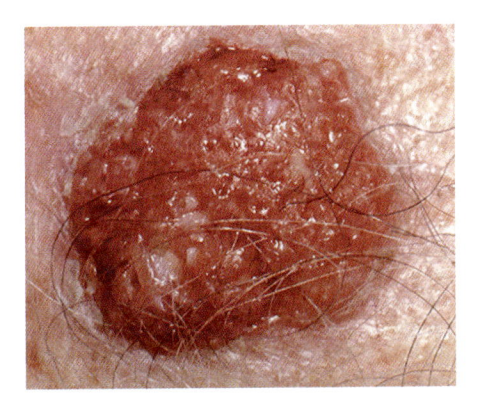

Figura 11-14 Carcinoma espinocelular indiferenciado Nódulo circular, cupuliforme e avermelhado, com superfície parcialmente erodida, na têmpora de um homem de 78 anos. A lesão não apresenta hiperceratose e é macia e friável. Quando curetada, sangra facilmente.

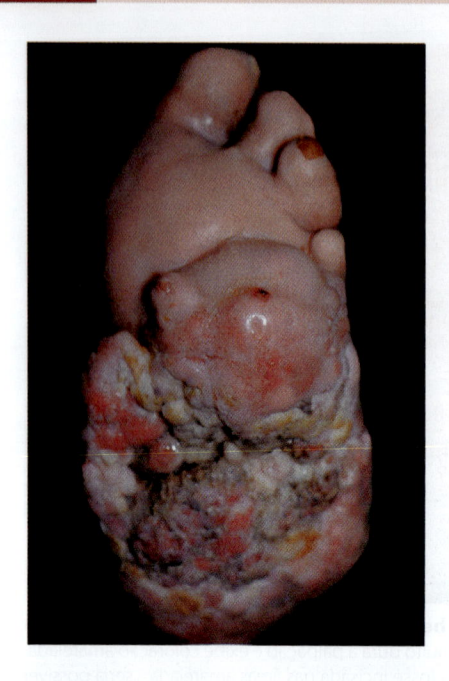

Figura 11-15 Carcinoma espinocelular (*carcinoma cuniculatum*) em um paciente com neuropatia periférica devida à hanseníase Tumor vegetante volumoso, parcialmente necrótico e hiperceratótico na planta do pé. A lesão foi diagnosticada como úlcera neuropática, atribuída à hanseníase, porém continuou crescendo e tornou-se elevada e ulcerada.

ou na genitália, devem ser examinados quanto à possibilidade de CEC. O ceratoacantoma (CA) pode ser clinicamente indistinguível do CEC diferenciado (ver Ceratoacantoma, p. 235).

TRATAMENTO

CIRURGIA Dependendo da localização e da extensão da doença, deve-se efetuar excisão com fechamento primário, retalhos cutâneos ou enxerto. Cirurgia por micrografia de Mohs em áreas difíceis. A radioterapia só deve ser utilizada se a cirurgia não for possível.

EVOLUÇÃO E PROGNÓSTICO

RECIDIVA E METÁSTASES O CEC provoca destruição local dos tecidos e tem potencial metastático. As metástases são dirigidas para os linfonodos regionais e surgem em 1 a 3 anos após o diagnóstico inicial. Ocorrem também metástases em trânsito. Nos receptores de transplantes de órgãos sólidos, pode-se verificar a presença de metástases por ocasião do diagnóstico/detecção do CECs ou pouco tempo depois. O CEC cutâneo apresenta uma taxa global de metástases de 3 a 4%. Os CECs de alto risco são definidos por diâmetro > 2 cm, com nível de invasão > 4 mm e níveis de Clark IV ou V[1]; acometimento dos ossos, músculos e nervos pelo tumor

(o denominado CECs neurotrópico, que ocorre frequentemente na fronte e no couro cabeludo); localização na orelha, no lábio e na genitália; os tumores que se desenvolvem em uma cicatriz ou após radiação ionizante são, em geral, altamente indiferenciados. Os cânceres que se desenvolvem em fístulas crônicas de osteomielite, em cicatrizes de queimaduras e em áreas de radiodermatite apresentam uma taxa de metástases de 31, 20 e 18% respectivamente. O CEC que surge em ceratoses solares tem o menor potencial metastático.

CEC NA IMUNOSSUPRESSÃO Os receptores de transplantes de órgãos apresentam incidência acentuadamente aumentada de CCNM, principalmente CEC de alto risco, que é de 40 a 50 vezes maior do que na população geral. Os fatores de risco incluem FTC, exposição solar cumulativa, idade por ocasião do transplante, sexo masculino, infecções por HPV, grau e duração da imunossupressão e tipo de imunossupressor administrado. Com frequência, as lesões são múltiplas, geralmente em áreas expostas ao sol, mas também nas regiões genital, anal e perigenital (Fig. 11-16). Esses tumores crescem rapidamente e são agressivos; em uma série de pacientes submetidos a transplante de coração na Austrália, 27% morreram por câncer de pele.

Os pacientes com Aids apresentam risco apenas ligeiramente aumentado de desenvolver CCNM. Em uma série, foi observado um aumento de quatro vezes no risco de desenvolver CEC do lábio. Todavia, a incidência de CEC anal está significativamente aumentada nessa população (ver também Seção 27).

---

[1]Nível de Clark I: intraepidérmico; nível II: o tumor invade a derme papilar; nível III: o tumor preenche a derme papilar; nível IV: o tumor invade a derme reticular; nível V: o tumor invade o tecido subcutâneo.

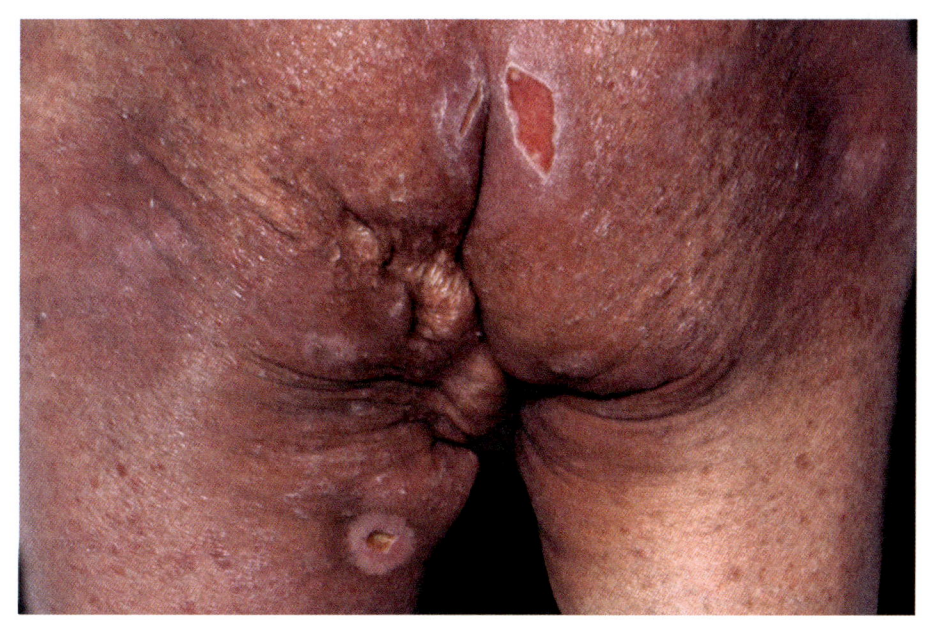

Figura 11-16 Carcinomas espinocelulares em um paciente receptor de transplante renal na parte superior da coxa e na nádega São observados vários nódulos de consistência firme, parcialmente ulcerados. O paciente tinha lesões semelhantes e menores em outras partes do corpo. Tendo em vista que ele tinha psoríase e havia se exposto durante muito tempo ao sol, as lesões nas áreas expostas foram provavelmente devidas à radiação ultravioleta. A lesão mostrada nesta fotografia foi provavelmente iniciada pelo papilomavírus humano, visto que o paciente apresentava lesão semelhante na região perianal e na glande. A úlcera na nádega direita é um local de excisão, onde as suturas foram prematuramente removidas.

CERATOACANTOMA CID-10: C44.9

- O CA é uma lesão singular; anteriormente considerada como pseudocâncer, é hoje classificada pela maioria dos especialistas como variante do CEC.
- Tumor epitelial de crescimento rápido, relativamente comum, com potencial de destruição tecidual e metástases (raras); todavia, na maioria dos casos, ocorre regressão espontânea.
- Foram identificados os HPVs 9, 16, 19, 25 e 37 nos CAs. Outros fatores etiológicos possíveis incluem RUV e carcinógenos químicos (piche, alcatrão).
- Idade de início: acima dos 40 anos. Razão homem:mulher de 2:1.
- Nódulo cupuliforme com tampão ceratótico central (**Fig. 11-17**). Tem consistência firme, porém não dura. A lesão é da cor da pele ou ligeiramente vermelha, marrom. A remoção da placa ceratótica resulta em uma cratera.
- Predileção por áreas expostas ao sol.
- Ocorrem múltiplos CAs.
- Na maioria dos casos, há regressão espontânea em 6 a 12 meses. Todavia, foram detectadas metástases locais ou viscerais.
- Histopatologia: nem sempre é possível excluir o CEC altamente diferenciado.
- O tratamento é por excisão.

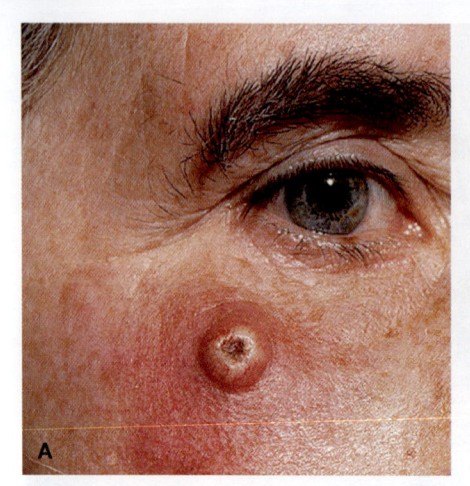

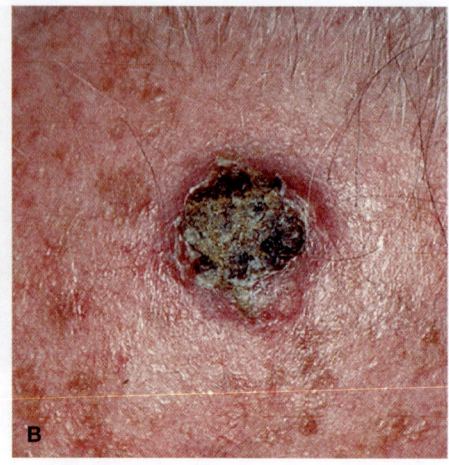

Figura 11-17 Ceratoacantoma mostrando diferentes estágios de evolução (A) Inicialmente, há um nódulo cupuliforme redondo, muito firme à palpação, avermelhado com tampão hiperceratótico central. Essa lesão desprendeu-se parcialmente, deixando uma cratera central. **(B)** A hiperceratose progrediu e, neste momento, substituiu a maior parte do nódulo, deixando apenas uma borda muito fina de tecido tumoral na periferia.

CARCINOMA BASOCELULAR (CBC) CID-10: C44

- O CBC é o câncer mais comum em seres humanos.
- O CBC é causado pela RUV; em muitos casos, mutação do gene *PTCH*.
- Tipos clínicos diferentes: nodular, ulcerado, pigmentado, esclerosante e superficial.
- O CBC é localmente invasivo, agressivo e destrutivo, porém tem crescimento lento e exibe tendência muito limitada (literalmente nenhuma) a metastatizar.
- O tratamento consiste em excisão cirúrgica, cirurgia micrográfica de Mohs, eletrodissecção e curetagem. Além disso, criocirurgia e creme de imiquimode.

EPIDEMIOLOGIA

IDADE DE INÍCIO Depois dos 40 anos de idade.
SEXO Sexo masculino > sexo feminino.
INCIDÊNCIA Trata-se do câncer mais comum nos seres humanos. Estados Unidos: 500 a 1.000:100.000, mais alta no Cinturão do Sol; > 400.000 novos casos anualmente.
ETNIA Raro em indivíduos de pele morena e negra.

ETIOLOGIA

RUV, principalmente do espectro UVB (290 a 320 nm), que induz mutações dos genes supressores. A propensão ao desenvolvimento de múltiplos CBCs pode ser hereditária. O CBC está associado a mutações no gene *PTCH* em muitos casos.
FATORES PREDISPONENTES Os indivíduos com FTCs I e II e os albinos são altamente suscetíveis a desenvolver CBC após exposição prolongada ao sol. Além disso, uma história de exposição solar intensa na juventude predispõe a pele ao desenvolvimento de CBC em uma idade mais avançada. O tratamento anterior com raios X para acne facial aumenta acentuadamente o risco de desenvolver CBC. O CBC multicêntrico superficial ocorre de 30 a 40 anos após a ingestão de arsênico, mas também pode surgir sem nenhuma causa aparente.

MANIFESTAÇÃO CLÍNICA

Evolução lenta, geralmente assintomática. O primeiro sintoma pode consistir em erosão ou sangramento após traumatismo mínimo.
LESÕES CUTÂNEAS Existem cinco tipos *clínicos*: nodular, ulcerado, pigmentado, esclerosante (cicatricial) e superficial.

- *CBC nodular*: pápula ou nódulo translúcido ou "perolado". Cor da pele ou avermelhada, superfície lisa com telangiectasia, bem demarcada e de consistência firme (**Figs. 11-18 e 11-19**).

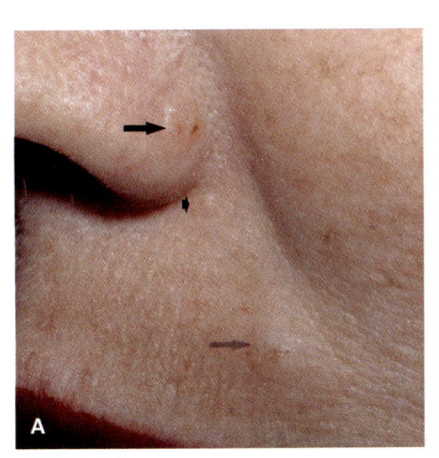

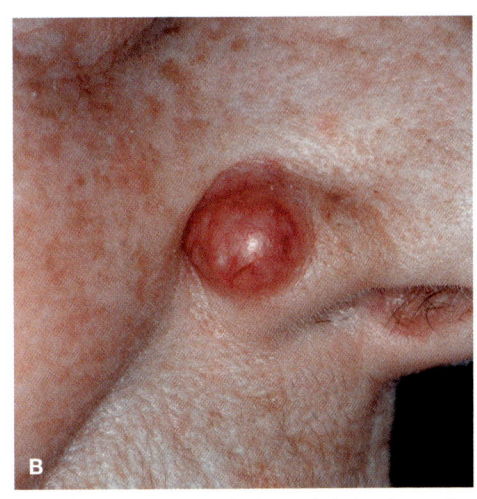

Figura 11-18 Carcinoma basocelular (CBC): tipo nodular (A) Pequena pápula perolada (*seta*) na narina e pápula ainda menor (seta pequena) no sulco nasolabial. Essas lesões representam estágios muito iniciais do CBC. A seta cinza indica nevo melanocítico dérmico. **(B)** Esta lesão é um CBC nodular mais avançado. Nódulo solitário, avermelhado e brilhante, com vasos telangiectásicos grandes na asa do nariz, que se desenvolveu na pele com dermatoeliose.

Partes do CBC nodular podem exibir erosões ou pontilhado de pigmentação melânica.

- *CBC ulcerado:* úlcera (frequentemente coberta com uma crosta) com borda cilíndrica (úlcera roedora ou *ulcus rodens*), que também é transparente, perolada, lisa com telangiectasia e de consistência firme (Figs. 11-20 e 11-21).
- *CBC esclerosante:* surge como uma pequena placa de morfeia ou uma cicatriz superficial, frequentemente com bordas mal definidas, da cor da pele, esbranquiçada, mas também com pigmentação salpicada (Fig. 11-22). Nesse tipo infiltrativo de CBC, há uma quantidade excessiva de estroma fibroso. Histologicamente, há faixas de tumor do tipo dedos que se estendem para o tecido circundante. Assim, a excisão exige margens amplas. O CBC esclerosante pode evoluir para o CBC nodular ou ulcerado (Figs. 11-22B e 11-23).
- *CBC multicêntrico superficial:* surge como placas finas (Figs. 11-24 e 11-25). Coloração rosa ou vermelha; com a ajuda de uma lupa, pode-se observar uma borda filiforme fina e telangiectasias características. Trata-se da única forma de CBC que pode apresentar grau significativo de descamação. Esse tipo também pode originar o CBC nodular e ulcerado (Fig. 11-25). Com frequência, o CBC sangra com escoriação mínima. Em contrapartida, a ceratose solar não sangra, porém é dolorosa com a escoriação.
- *CBC pigmentado:* pode ser marrom a azulado ou preto (Fig. 11-26). Superfície lisa e brilhante, de consistência dura e firme; pode ser indistinguível do melanoma extensivo superficial ou do melanoma nodular, porém é habitualmente mais duro. Podem ocorrer lesões *císticas*: redondas, ovais, com centro deprimido ("umbilicado"). Em qualquer tipo de CBC, pode-se observar pigmentação pontilhada.

Distribuição (Fig. 11-27). Lesão única isolada; as lesões múltiplas não são raras; > 90% ocorrem na face. Examinar cuidadosamente as "áreas de risco": cantos medial e lateral dos olhos (Fig. 11-19), sulco nasolabial (Fig. 11-18B) e atrás das orelhas (Figs. 11-20B e 11-21). Os CBCs multicêntricos superficiais ocorrem no tronco (Figs. 11-24 e 11-25). O CBC origina-se apenas da epiderme que tem a capacidade de desenvolver folículos (pelos). Por conseguinte, os CBCs raramente ocorrem na borda vermelha dos lábios ou nas mucosas genitais.

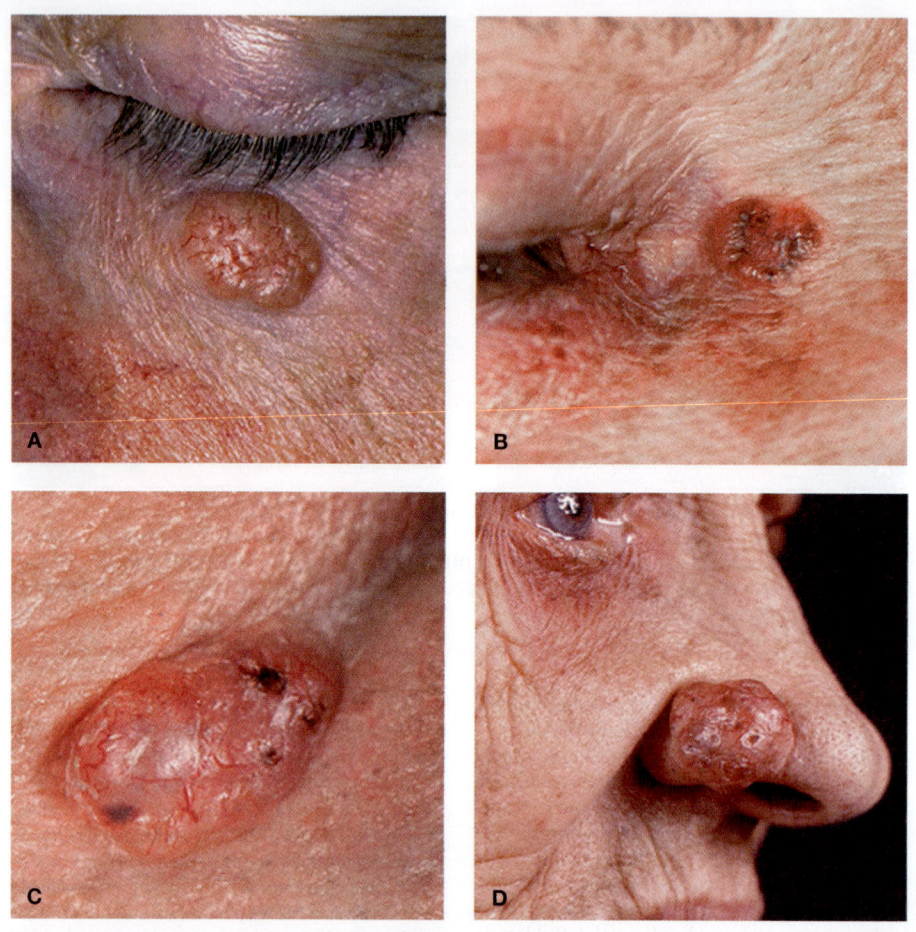

Figura 11-19 Carcinoma basocelular (CBC): tipo nodular (A) Placa lisa e brilhante na pálpebra inferior, com várias telangiectasias. **(B)** Nódulo perolado oval no nariz, próximo ao canto interno do olho. **(C)** Tumor perolado liso com telangiectasia abaixo da pálpebra inferior. O tumor é de consistência dura, bem demarcado e assintomático. **(D)** Nódulo grande, avermelhado, brilhante e de consistência firme com pequenas úlceras no nariz.

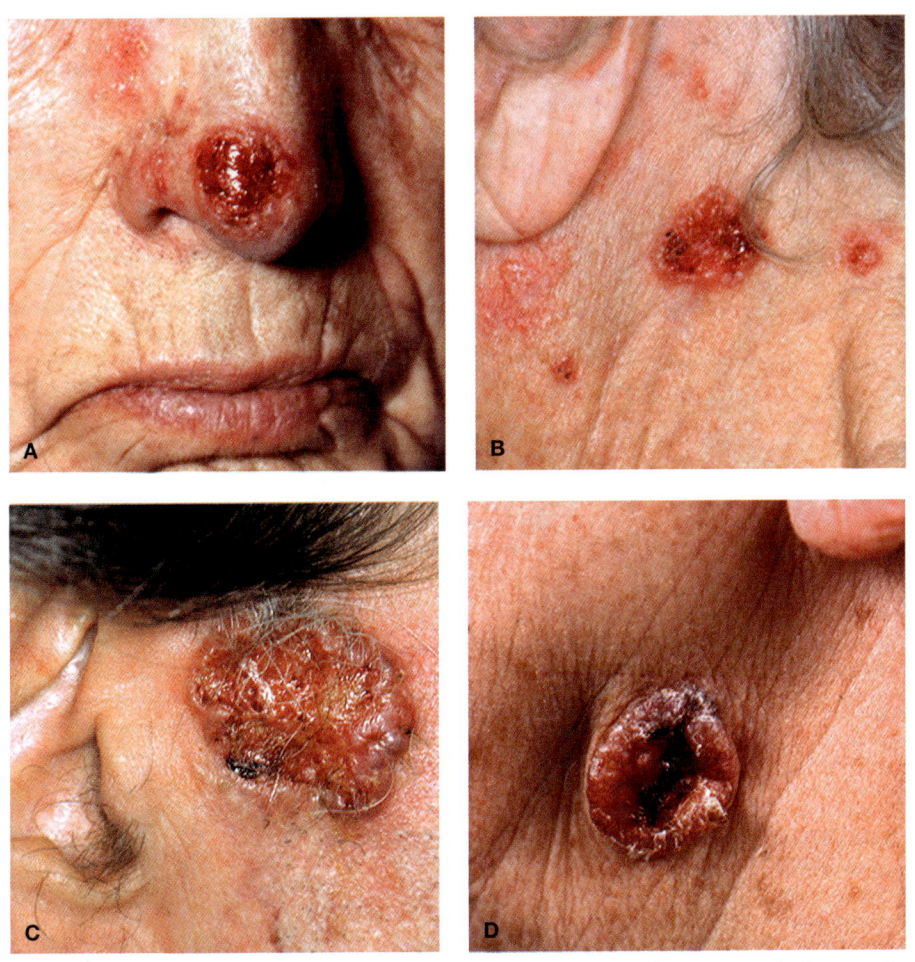

Figura 11-20 **Carcinoma basocelular ulcerado: úlcera roedora (*ulcus rodens*)** **(A)** Grande úlcera circular na ponta do nariz, com borda elevada semelhante a um muro. **(B)** Lesão semelhante na região retroauricular. Borda perolada cilíndrica ao redor da úlcera. **(C)** Úlcera roedora (*ulcus rodens*) na região pré-auricular. A borda perolada cilíndrica circunda uma úlcera com necrose amarela e pequena crosta preta. **(D)** Úlcera profunda com borda cilíndrica circundante, lisa, brilhante e parcialmente coberta por crostas na região mandibular. Todas essas lesões são de consistência dura à palpação.

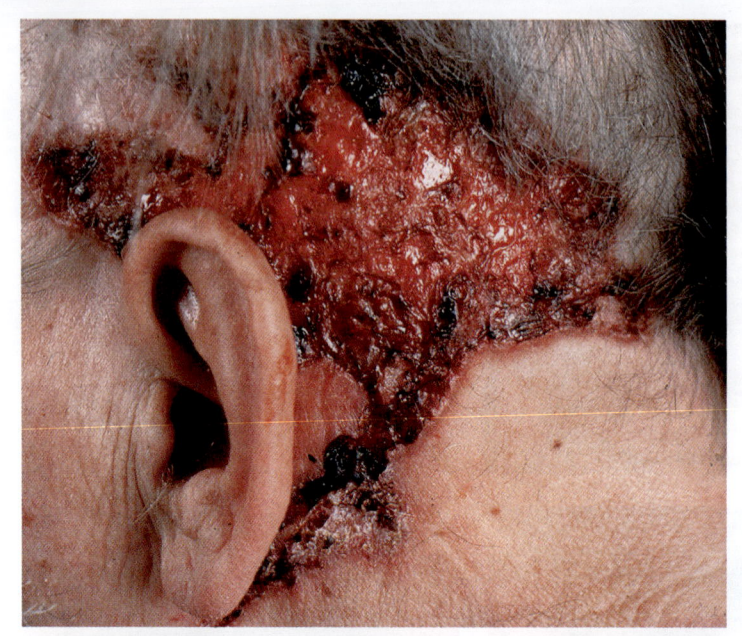

Figura 11-21 Grande úlcera roedora (*ulcus rodens*) na região cervical e área retroauricular, estendendo-se até a têmpora Toda a lesão consiste em tecido de granulação de consistência firme, parcialmente coberto por crostas hemorrágicas. O diagnóstico só pode ser estabelecido com o exame da borda, que é cilíndrica, elevada, firme e lisa.

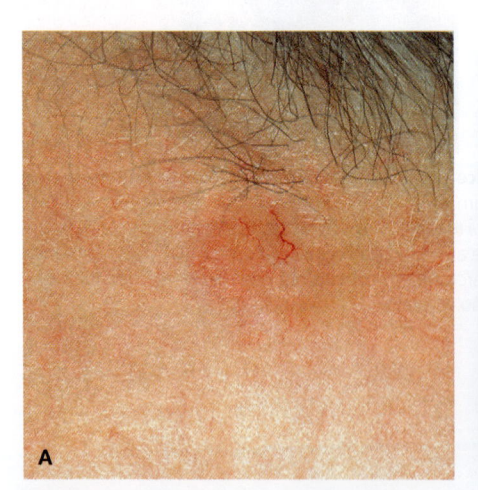

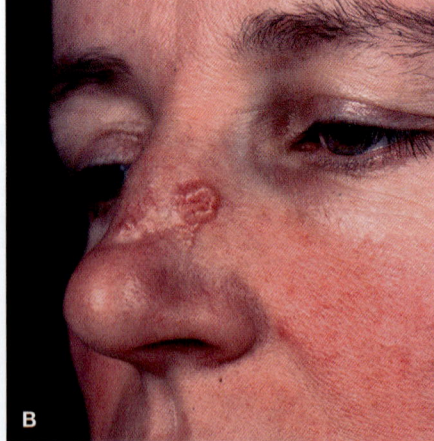

Figura 11-22 Carcinoma basocelular (CBC): tipo esclerosante (A) Pequena área indiscernível, semelhante à morfeia superficial, mal definida e de coloração amarelada com telangiectasia. Entretanto, à palpação, pode-se perceber endurecimento em placa, que se estende além das margens visíveis da lesão. Após verificação do diagnóstico por biópsia, é necessário proceder-se à excisão com margens amplas. **(B)** Grande área deprimida, semelhante a uma cicatriz, no nariz; nas margens laterais e mediais dessa "cicatriz", observa-se a borda cilíndrica característica do CBC nodular. Esta lesão está ilustrada para demonstrar que os CBCs esclerosante e nodular representam simplesmente dois padrões diferentes de crescimento.

Figura 11-23 Carcinoma basocelular (CBC) esclerosante, nodular e ulcerado Na têmpora e na região supraciliar, há uma grande lesão que se assemelha à morfeia, esbranquiçada e de consistência firme à palpação, mas no mesmo nível da pele. Dentro da lesão e em suas margens, são observados pequenos nódulos de CBC. No canto lateral do olho, há uma úlcera grande com bordas cilíndricas, representando uma úlcera roedora (*ulcus rodens*). Esta fotografia também demonstra que os diferentes tipos de CBC são apenas padrões diferentes de crescimento.

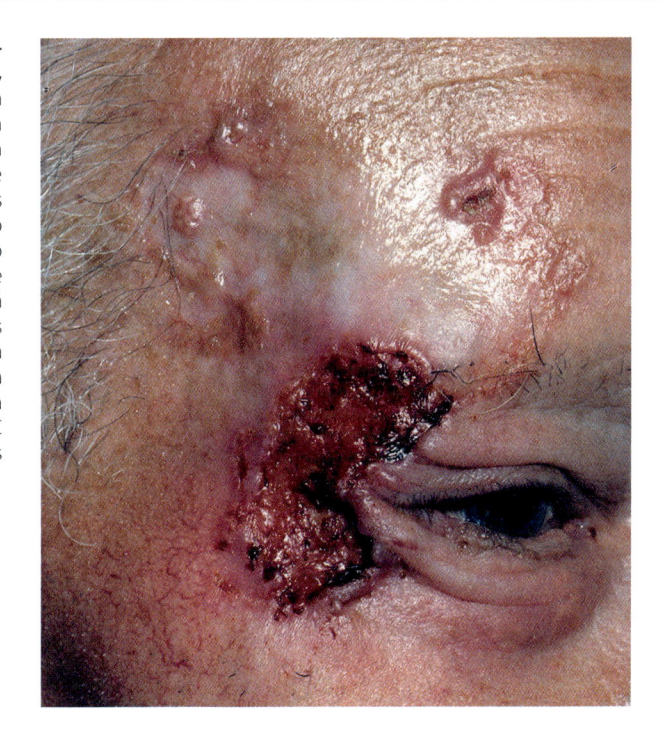

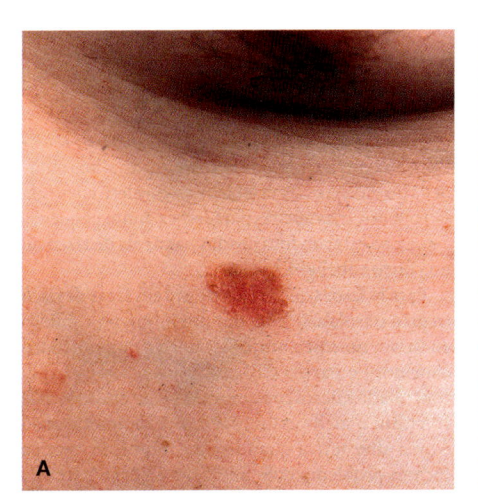

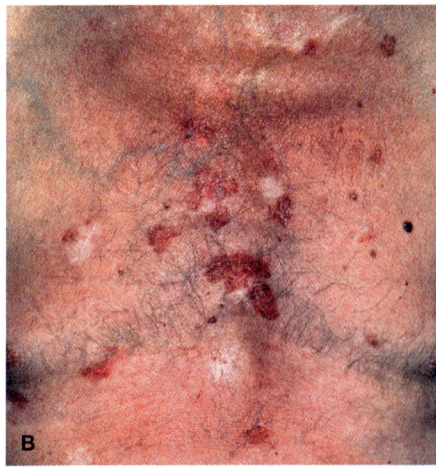

Figura 11-24 Carcinoma basocelular (CBC) superficial: lesão solitária e lesões múltiplas (A) Esta lesão vermelho-brilhante apresenta uma borda cilíndrica ligeiramente elevada, que pode ser detectada com "iluminação lateral"; embora essa lesão seja característica o suficiente para ser diagnosticada clinicamente, é necessário efetuar uma biópsia para confirmar o diagnóstico. **(B)** Muitos CBCs superficiais no tronco. Lesões planas acentuadamente eritematosas, frequentemente descamativas e sem borda cilíndrica. As áreas hipopigmentadas representam cicatrizes superficiais após crioterapia dos CBCs superficiais.

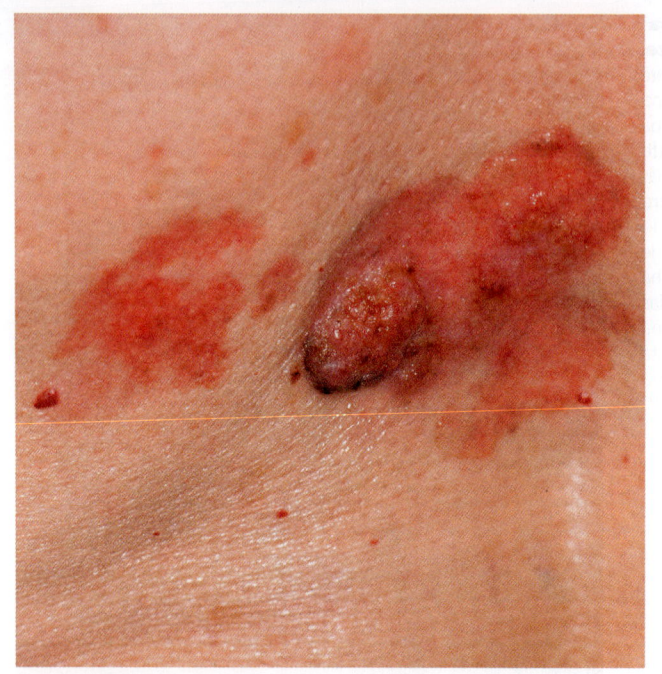

Figura 11-25 Carcinoma basocelular (CBC) superficial invasivo Duas áreas vermelhas irregulares com bordas cilíndricas e telangiectasias centrais. Na lesão maior, o CBC está elevado, com superfície irregular e, nesse estágio, assume a morfologia e o comportamento de crescimento de um CBC nodular; a lesão à direita é erosiva e evoluirá para uma úlcera.

EXAMES LABORATORIAIS

DERMATOPATOLOGIA Tumor sólido constituído pela proliferação de células basais atípicas grandes e ovais, de coloração azul-escuro pela hematosina e eosina (H&E), porém com pouca anaplasia e mitoses raras; disposição em paliçada na periferia; quantidades variáveis de estroma mucinoso.

DIAGNÓSTICO E DIAGNÓSTICO DIFERENCIAL

Os CBCs graves que surgem nas áreas de risco (parte central da face, atrás das orelhas) são prontamente detectados mediante exame cuidadoso com boa iluminação, lupa e palpação cuidadosa e dermatoscopia. O diagnóstico é estabelecido em bases clínicas e confirmado pelo exame microscópico. O diagnóstico diferencial inclui todas as pápulas lisas, como nevos melanocíticos dérmicos, tricoepitelioma, dermatofibroma e outras; se forem pigmentadas, deve-se considerar melanoma extensivo superficial e melanoma nodular; se forem ulceradas, é preciso incluir todas as úlceras indolores de consistência firme, inclusive CEC e cancro primário da sífilis.

TRATAMENTO

Excisão com fechamento primário, retalhos cutâneos ou enxertos. A criocirurgia e a eletrocirurgia são opções, mas apenas para lesões muito pequenas e que não estejam localizadas nas áreas de risco ou no couro cabeludo.

Para as lesões que se encontram em áreas de risco (região nasolabial, ao redor dos olhos, no conduto auditivo, no sulco auricular posterior e no couro cabeludo) e para o CBC esclerosante, a cirurgia controlada microscopicamente (cirurgia de Mohs) constitui a melhor abordagem. A radioterapia só é uma alternativa quando a desfiguração estética for um problema com a excisão cirúrgica (p. ex., pálpebras ou lesões grandes na região nasolabial) ou no paciente muito idoso.

Dispõe-se de uma variedade de tratamentos tópicos, que podem ser utilizados para os CBCs superficiais, mas apenas quando esses tumores estiverem situados abaixo da região cervical. A *criocirurgia* é efetiva, porém deixa uma cicatriz branca que persiste por toda a vida. A eletrocauterização com curetagem também é simples e efetiva, mas deixa cicatrizes e só deve ser utilizada para lesões pequenas. A 5-fluoruracila tópica em pomada e o

Figura 11-26 Carcinoma basocelular (CBC) pigmentado **(A)** Nódulo com bordas irregulares e tonalidades variegadas de pigmentação melânica, facilmente confundido com melanoma maligno. Somente o exame histológico estabelece o diagnóstico correto. **(B)** Nódulo preto semelhante, porém com ulceração central. Esse CBC pigmentado também é clinicamente indistinguível do melanoma nodular.

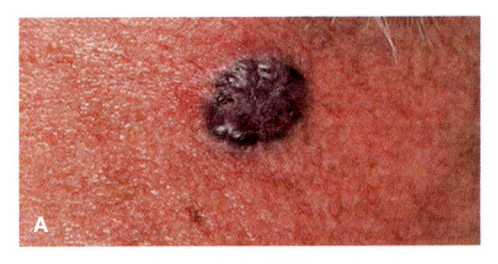

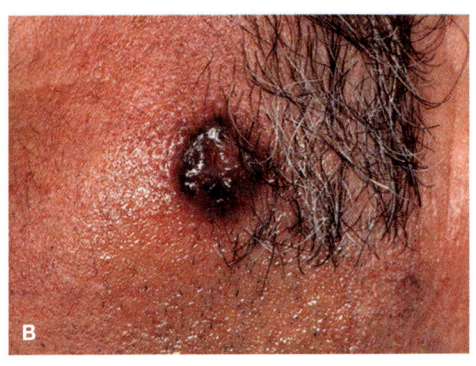

Figura 11-27 Carcinoma basocelular (CBC): locais de predileção Os pontos indicam CBCs multicêntricos superficiais.

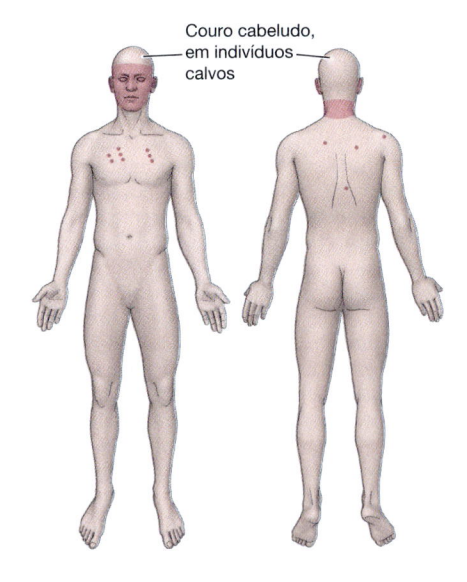

Couro cabeludo, em indivíduos calvos

creme de imiquimode para o CBC superficial, 5 vezes por semana, durante 6 semanas, são eficazes e não causam cicatrizes visíveis, no entanto necessitam de tempo considerável e podem não remover radicalmente todo o tecido tumoral. Ambos exigem a adesão do paciente ou do cuidador ao tratamento. O imiquimode é particularmente apropriado para indivíduos jovens que não querem ter cicatrizes. A terapia fotodinâmica mostra-se efetiva apenas para lesões muito superficiais, e as sessões de irradiação (corante fotodinâmico + luz visível) são dolorosas.

EVOLUÇÃO E PROGNÓSTICO

O CBC não sofre metástases. A razão disso é que o crescimento do tumor depende de seu estroma que, com a invasão das células tumorais nos vasos, não se dissemina junto com as células tumorais. Quando as células tumorais se implantam em áreas distantes, elas não se multiplicam nem crescem, devido à ausência dos fatores de crescimento derivados do seu estroma. São observadas exceções quando o CBC apresenta sinais de desdiferenciação – por exemplo, após radioterapia inadequada. A maioria das lesões é prontamente controlada por várias técnicas cirúrgicas. Entretanto, podem ocorrer problemas graves com o CBC que se desenvolve nas áreas de risco da cabeça. Nesses locais, o tumor pode invadir profundamente os tecidos, causar destruição extensa do músculo e do osso e até mesmo invadir a dura-máter. Nesses casos, a morte pode resultar de hemorragia dos vasos de grande calibre erodidos ou de infecção, mas o vismodegibe é efetivo.

SÍNDROME DO NEVO BASOCELULAR (SNBC) CID-10: Q87.8

- Esse distúrbio autossômico dominante é causado por mutações no gene *patched* localizado no cromossomo 9q (9q22).
- A síndrome acomete a pele, com múltiplos CBCs (**Fig. 11-28**) e as denominadas depressões palmoplantares (**Fig. 11-29**); e caracteriza-se pela expressão variável de anormalidades em diversos sistemas, incluindo malformações do esqueleto, tecidos moles, olhos, sistema nervoso central (SNC) e órgãos endócrinos.
- Ocorre principalmente em indivíduos brancos, mas também é observada em pessoas de pele parda e negra, com incidência igual em ambos os sexos.
- Os CBCs começam na infância ou nos primeiros anos da adolescência e persistem por toda a vida.
- Os CBCs são mais numerosos nas áreas de pele expostas ao sol, mas também ocorrem nas áreas cobertas, e o indivíduo pode apresentar centenas de lesões.
- As manifestações gerais características consistem em bossa frontal, raiz do nariz alargada e hipertelorismo (**Fig. 11-28**). Revisão dos sistemas: Anomalias congênitas, inclusive testículos não descidos e hidrocefalia, ceratocistos odontogênicos da mandíbula, que podem ser múltiplos e unilaterais ou bilaterais. Dentição defeituosa, costelas bífidas ou alargadas, peito escavado, quartos ossos metacarpais curtos, escoliose e cifose. As lesões oculares consistem em estrabismo, hipertelorismo, *distopia cantorum*, cataratas, glaucoma e coloboma com cegueira. Pode haver agenesia do corpo caloso, calcificação da foice e meduloblastoma. Todavia, o retardo mental é raro. Foi relatada a ocorrência de fibrossarcoma da mandíbula, fibromas ovarianos, teratomas e cistadenomas.
- As *lesões cutâneas* consistem em pequenos CBCs nodulares puntiformes ou maiores (**Fig. 11-28**); todavia ocorrem também CBCs "comuns", nodulares, ulcerados e esclerosantes. Os tumores das pálpebras, das axilas e da região cervical tendem a ser pedunculados e, com frequência, são simétricos na face. Ocorrem lesões palmoplantares características, que são observadas em 50% dos pacientes, bem como pequenas depressões, que são puntiformes ou de até vários milímetros de tamanho e 1 mm de profundidade (**Fig. 11-29**).
- A importância dessa síndrome deve-se ao fato de um grande número de cânceres cutâneos exigir vigilância durante toda a vida. As excisões múltiplas podem causar quantidades consideráveis de cicatrizes. Os tumores persistem por toda a vida, e o paciente precisa ser acompanhado cuidadosamente.
- *Sinônimos*: síndrome de Gorlin, síndrome do CBC nevoide.

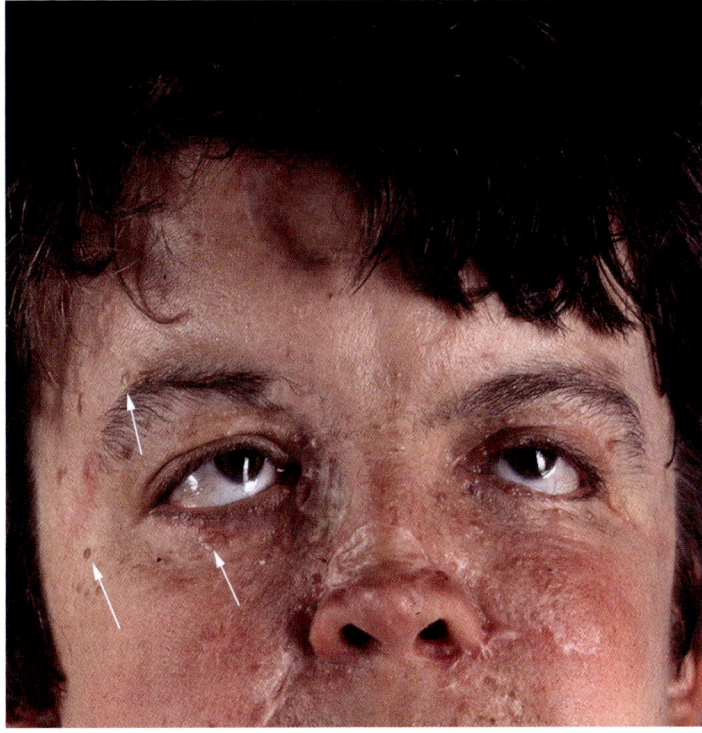

Figura 11-28 Síndrome do nevo basocelular: carcinomas basocelulares (CBCs) pequenos Pequenas lesões papulares avermelhadas dispersas por toda a face, sendo três marcadas com uma seta. Todas estas lesões representam CBCs pequenos. Observam-se cicatrizes consideráveis produzidas pela remoção de lesões anteriores. Observam-se também a bossa frontal e o estrabismo.

Figura 11-29 Síndrome do nevo basocelular: depressões palmares Superfície palmar com lesões deprimidas e nitidamente demarcadas, de 1 a 2 mm, isto é, depressões palmares.

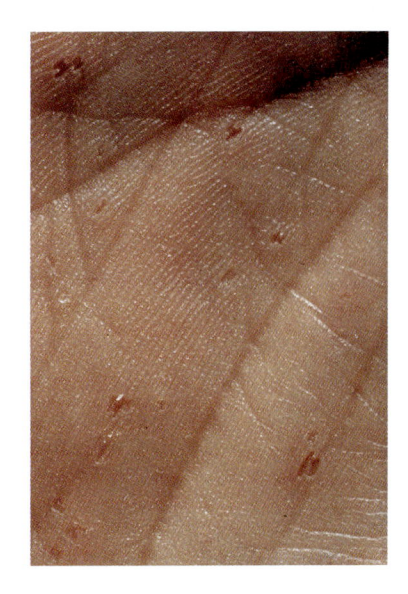

TUMORES MALIGNOS DE APÊNDICES CUTÂNEOS CID-10: C44.9

- Os carcinomas das glândulas sudoríparas écrinas são raros e incluem porocarcinoma écrino, carcinoma écrino siringoide, carcinoma mucinoso e carcinoma écrino de células claras.
- Os carcinomas das glândulas apócrinas também são raros e desenvolvem-se nas axilas, nos mamilos, na vulva e nas pálpebras.
- Os carcinomas das glândulas sebáceas também são raros e surgem mais comumente nas pálpebras.
- Essas lesões são clinicamente indistinguíveis de outros carcinomas e, em geral, são mais agressivas do que outros CECs cutâneos invasivos.

CARCINOMA DE CÉLULAS DE MERKEL CID-10: C44.9

- O CCM (tumor neuroendócrino cutâneo) é um raro tumor sólido maligno; acredita-se que se origine a partir de uma célula epitelial especializada, denominada célula de Merkel. Trata-se de uma célula "clara" não ceratinizante presente na camada de células basais da epiderme, livre na derme e ao redor dos folículos pilosos na forma de disco piloso de Pinkus.
- O CCM ocorre quase exclusivamente em indivíduos brancos.
- O CCM é de 10 a 30 vezes mais comum em pacientes imunossuprimidos do que em indivíduos imunocompetentes.
- A etiologia permanece desconhecida, mas pode estar relacionada à lesão crônica causada pela RUV. Foi detectada a presença do poliomavírus em 80% das lesões do CCM.
- O tumor pode ser solitário ou múltiplo e ocorre na cabeça e nos membros.
- Existe alta taxa de recidiva após a excisão; todavia o aspecto mais importante é que esse carcinoma se dissemina para os linfonodos regionais em > 50% dos pacientes, bem como nas vísceras e no SNC.
- O CCM manifesta-se na forma de pápula, nódulo ou tumor cutâneo ou subcutâneo (0,5 a 5 cm) (**Figs. 11-30** e **11-31**), de coloração rosada, vermelha a violeta ou marrom-avermelhada, cupuliforme e, em geral, solitário. A pele que o recobre é normal; todavia as lesões maiores podem ulcerar.
- As lesões crescem rapidamente e, em geral, acometem indivíduos com > 50 anos de idade.
- A dermatopatologia mostra padrões nodulares ou difusos de pequenas células basaloides ou semelhantes ao linfoma, agregadas e de coloração intensamente azul, que também podem estar dispostas em lâminas, formando ninhos, cordões e trabéculas.
- A imunocitoquímica revela marcadores de citoceratina e neurofilamentos, cromogranina A e enolase específica dos neurônios; a microscopia eletrônica revela as organelas características.
- O tratamento consiste em excisão ou cirurgia de Mohs, e a biópsia do linfonodo-sentinela ou a dissecção profilática dos linfonodos regionais são recomendadas, tendo em vista a elevada taxa de metástases regionais. A radioterapia no local do CCM e dos linfonodos regionais é efetuada na maioria dos casos, exceto quando as lesões forem muito pequenas.
- As taxas de recidiva são altas; em uma série, até mesmo sem recidiva local, cerca de 60% dos pacientes desenvolveram metástases nos linfonodos regionais, assim como 86% dos pacientes com recidiva local. O prognóstico é reservado.

Figura 11-30 Carcinoma de célula de Merkel Nódulo violáceo pequeno localizado acima da orelha, presente há cerca de 2 semanas. A biópsia do linfonodo-sentinela revelou a presença de metástases de carcinoma neuroendócrino. Observam-se também as ceratoses actínicas da hélice e da concha da orelha.

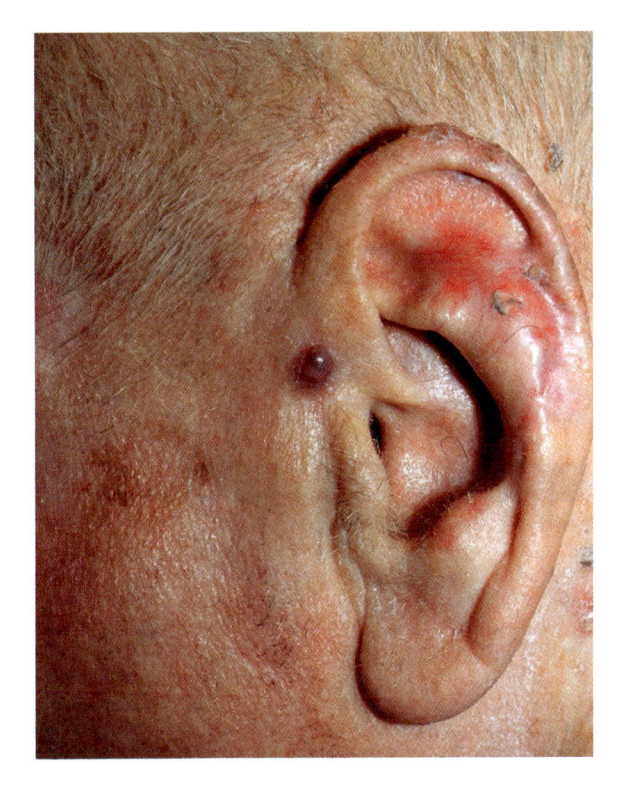

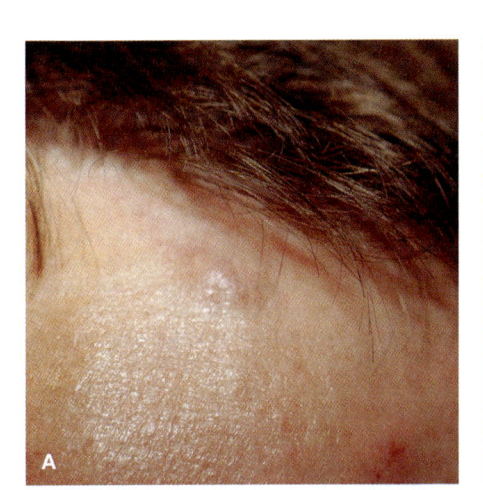

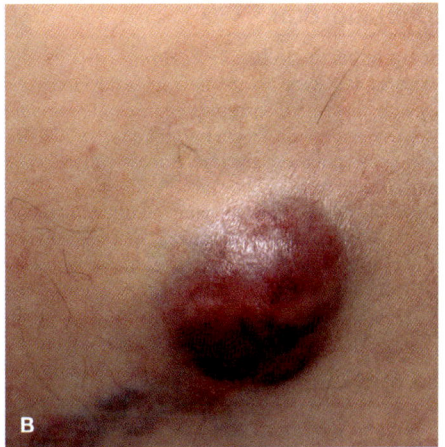

Figura 11-31 Carcinoma de célula de Merkel **(A)** Nódulo ligeiramente dérmico quase imperceptível de 6 mm abaixo da linha de implantação dos cabelos, presente há cerca de 6 semanas. Foi também constatada a presença de metástases nos linfonodos pré-auriculares. **(B)** Nódulo dérmico violáceo de 3 cm de diâmetro no antebraço de um homem de 60 anos. Havia metástases para os linfonodos axilares.

SEÇÃO 12

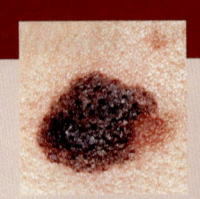

PRECURSORES DO MELANOMA E MELANOMA CUTÂNEO PRIMÁRIO

PRECURSORES DO MELANOMA CUTÂNEO

Os precursores do melanoma são lesões benignas, mas que têm o potencial de transformação maligna, dando origem, assim, ao melanoma. São reconhecidas duas dessas entidades: (1) nevos melanocíticos (NMs) displásicos e (2) NMs congênitos.

NEVO MELANOCÍTICO DISPLÁSICO (ND) CID-10: D48.5

- Os nevos displásicos (NDs) constituem um tipo especial de lesões pigmentadas, circunscritas, adquiridas, que resultam da proliferação desordenada de melanócitos variavelmente atípicos.
- Os NDs surgem *de novo* ou como parte de um nevo melanocítico.
- Os NDs são diferenciados clinicamente dos nevos adquiridos comuns: maiores e de coloração mais variada, contorno assimétrico e bordas irregulares; também têm achados histológicos característicos.
- Os NDs são considerados precursores potenciais do melanoma extensivo superficial (MES) e também constituem marcadores para indivíduos com risco de desenvolver melanoma cutâneo maligno primário, em um ND ou na pele normal.
- Os NDs ocorrem de forma esporádica ou no contexto da *síndrome do ND familiar*: famílias com ND múltiplo familiar e melanomas (anteriormente chamado de FAMMM ou síndrome do sinal B-K).
- *Sinônimo*: nevo melanocítico atípico.

EPIDEMIOLOGIA

IDADE DE INÍCIO Crianças e adultos.
PREVALÊNCIA Os NDs acometem 5% da população branca em geral. Ocorrem em quase todo paciente com melanoma cutâneo familiar e em 30 a 50% dos pacientes com melanomas cutâneos primários não familiares esporádicos.
SEXO Os NDs acometem igualmente ambos os sexos.
ETNIA Indivíduos de pele branca. Não se dispõe de dados sobre indivíduos de pele parda ou negra; os NDs raramente são diagnosticados na população japonesa.
TRANSMISSÃO Autossômica dominante.

PATOGÊNESE

Múltiplos *loci* foram implicados na síndrome do ND/melanoma familiar, e é provável que o ND seja um traço heterogêneo complexo. Pressupõe-se que um clone anormal de melanócitos possa ser ativado por exposição à luz solar. Os pacientes imunossuprimidos (submetidos a transplante renal) com ND apresentam incidência mais alta de melanoma. Os NDs preferem as áreas expostas da pele, particularmente aquelas com exposição intermitente ao sol (p. ex., dorso), e isso pode estar relacionado ao grau de exposição solar. Todavia, os NDs também podem ser encontrados em áreas do corpo totalmente cobertas.

MANIFESTAÇÃO CLÍNICA

DURAÇÃO DAS LESÕES Os NDs surgem geralmente em uma fase mais avançada da infância em comparação com os NMs adquiridos comuns, os quais aparecem pela primeira vez no final da infância, pouco antes da puberdade. Novas lesões continuam a se desenvolver ao longo de muitos anos nos indivíduos acometidos; por outro lado, os NMs adquiridos comuns não surgem depois da meia-idade e desaparecem por completo nos indivíduos idosos. Acredita-se que os NDs não sofram regressão espontânea ou, quando isso ocorre, a regressão é muito menor do que os NMs adquiridos comuns. Além disso, enquanto os NMs comuns apresentam-se, em geral, em um estágio de desenvolvimento aproximadamente comparável em determinada região do corpo (p. ex., juncionais, compostos, dérmicos), os NDs ocorrem *"em descompasso"*, por exemplo, em uma mistura de lesões grandes e pequenas, planas e elevadas, castanhas e muito escuras (Fig. 12-1).

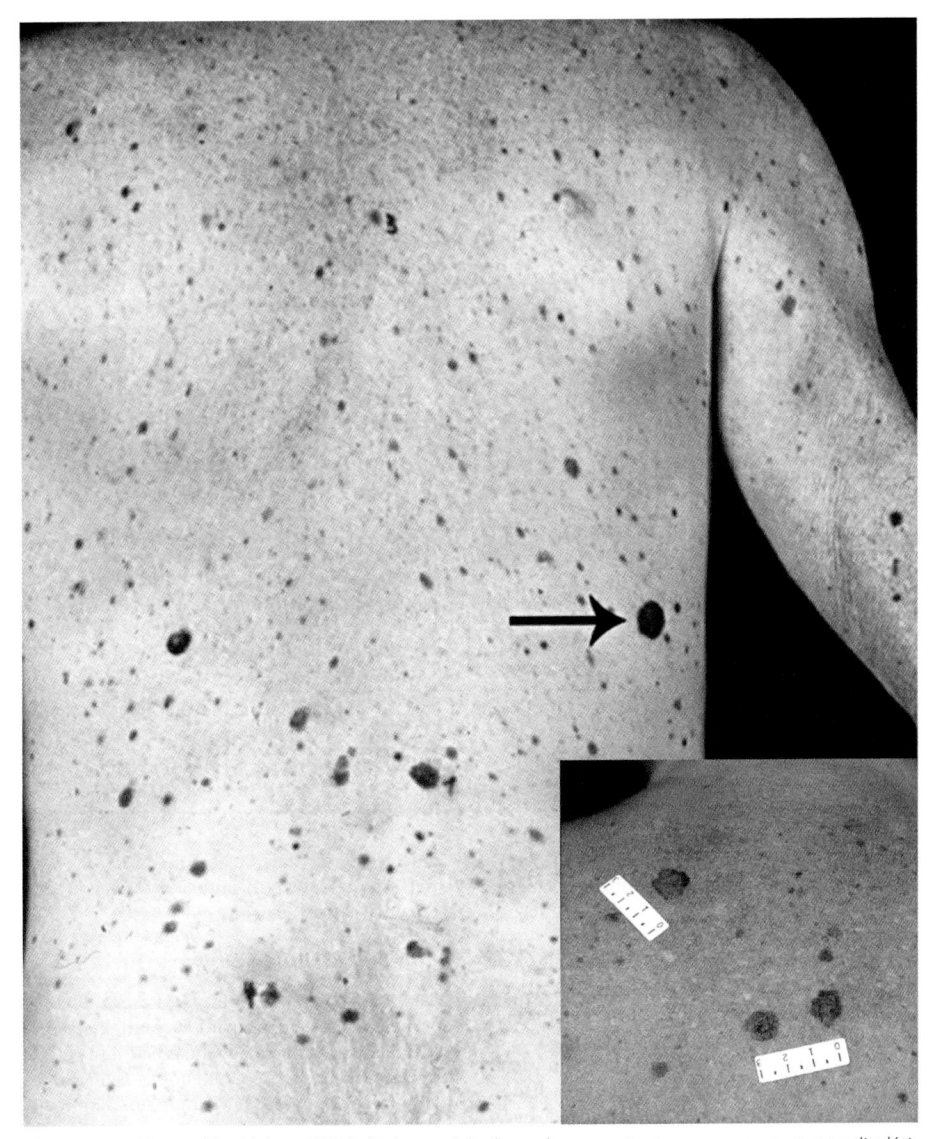

SEÇÃO 12 PRECURSORES DO MELANOMA E MELANOMA CUTÂNEO PRIMÁRIO   249

Figura 12-1 Nevos displásicos (NDs) Visão geral do dorso de um paciente com nevos comuns e displásicos. Observa-se que várias lesões têm dimensões e cores diferentes, em um padrão "descompassado". A lesão indicada pela seta era um melanoma extensivo superficial. Detalhe: maior aumento de três NDs. Observam-se a irregularidade e a coloração variegada, que são diferentes nas três lesões (em padrão "descompassado"). Além disso, as lesões medem 1 cm ou mais de diâmetro. As lesões menores consistem em nevo melanocítico comum.

QUADRO 12-1 Dados comparativos dos NMs (nevos melanocíticos) comuns, dos NDs (nevos displásicos) e do MES (melanoma de espalhamento superficial)

Lesão	NM (Figs. 9-1 a 9-4)	ND (Figs. 12-1 e 12-2)	MES (Figs. 12-8, 12-12 e 12-13)
Quantidade	Alguns ou muitos	Um ou muitos	Lesão única (1-2% têm lesões múltiplas)
Distribuição	Principalmente no tronco e nos membros	Principalmente no tronco e nos membros	Em qualquer parte, porém com predomínio na região superior do dorso e nas pernas
Início	Infância, adolescência	Início da adolescência	Qualquer idade, principalmente em adultos
Tipo	Máculas (juncional) Pápulas (composto, dérmico)	Máculas com partes elevadas (assimetricamente, maculopapulares)	Placa, irregular
A Assimetria	Simetria	Assimetria	Maior assimetria
B Bordas	Regulares, bem demarcadas	Irregulares, bem ou mal demarcadas	Irregulares, bem demarcadas
C Cor	Castanha, marrom, marrom-escura, padrão uniforme e homogêneo	Castanha, marrom, marrom-escura, rosa, vermelha, padrão heterogêneo e variegado, em "ovo frito", "em alvo"	Castanha, marrom, marrom-escura, preta, rosa, vermelha, azul, branca, geralmente uma mistura, com padrão altamente variegado, pontilhado ou salpicado
D Diâmetro	< 5 mm, raramente até < 10 mm	Até 15 mm	Maioria > 5 mm (iniciando, naturalmente, com lesões menores)
E Crescimento (*enlargement*)	Interrupção na adolescência	Continua na vida adulta, porém é limitado	Aumenta de tamanho em qualquer idade, crescimento ilimitado

SINTOMAS CUTÂNEOS Assintomático.

HISTÓRIA FAMILIAR No contexto familiar, membros da família podem desenvolver melanoma na ausência de ND.

MANIFESTAÇÕES CLÍNICAS Os NDs exibem algumas das características do NM comum e algumas do MES, de modo que eles ocupam posição intermediária entre essas duas morfologias (Quadro 12-1). Nenhuma manifestação leva isoladamente ao diagnóstico; na verdade, existe um conjunto de achados. Os NDs são mais irregulares e mais claros do que o NM comum, que normalmente é maculopapular; possuem bordas distintas *e* indistintas (Figs. 12-1 e 12-2) e exibem maior complexidade de coloração do que os nevos comuns (Figs. 12-1 e 12-2), porém menor que a do melanoma. Existem tipos em "ovo frito" e "em alvo" (Fig. 12-2 e Quadro 12-1). O melanoma que surge a partir de um ND aparece inicialmente como uma pequena pápula (frequentemente de cor diferente) ou como mudança no padrão de coloração ou alteração pronunciada da cor dentro da lesão precursora (Fig. 12-3).

DERMATOSCOPIA Essa técnica não invasiva possibilita a melhora de > 70% na acurácia para o diagnóstico clínico de ND. A *dermatoscopia digital* possibilita o acompanhamento computadorizado das lesões e a detecção imediata de qualquer alteração com o passar do tempo, indicando o desenvolvimento de neoplasia maligna.

EXAMES LABORATORIAIS

DERMATOPATOLOGIA Hiperplasia e proliferação dos melanócitos em um padrão "lentiginoso" em fila indiana na camada de células basais, na forma de células fusiformes ou epitelioides e em ninhos irregulares e dispersos. Melanócitos "atípicos", formação de "pontes" entre as cristas interpapilares por ninhos melanocíticos; melanócitos fusiformes orientados paralelamente à superfície da pele. Fibroplasia lamelar e fibrose eosinofílica concêntrica (que não constitui uma característica constante). A atipia histológica nem sempre se correlaciona com a atipia clínica. O ND pode surgir em contiguidade com um NM composto (raramente um nevo juncional), de localização central.

DIAGNÓSTICO E DIAGNÓSTICO DIFERENCIAL

O diagnóstico de ND é estabelecido pelo reconhecimento clínico de lesões distintas características (ver Quadro 12-1), e a acurácia diagnóstica

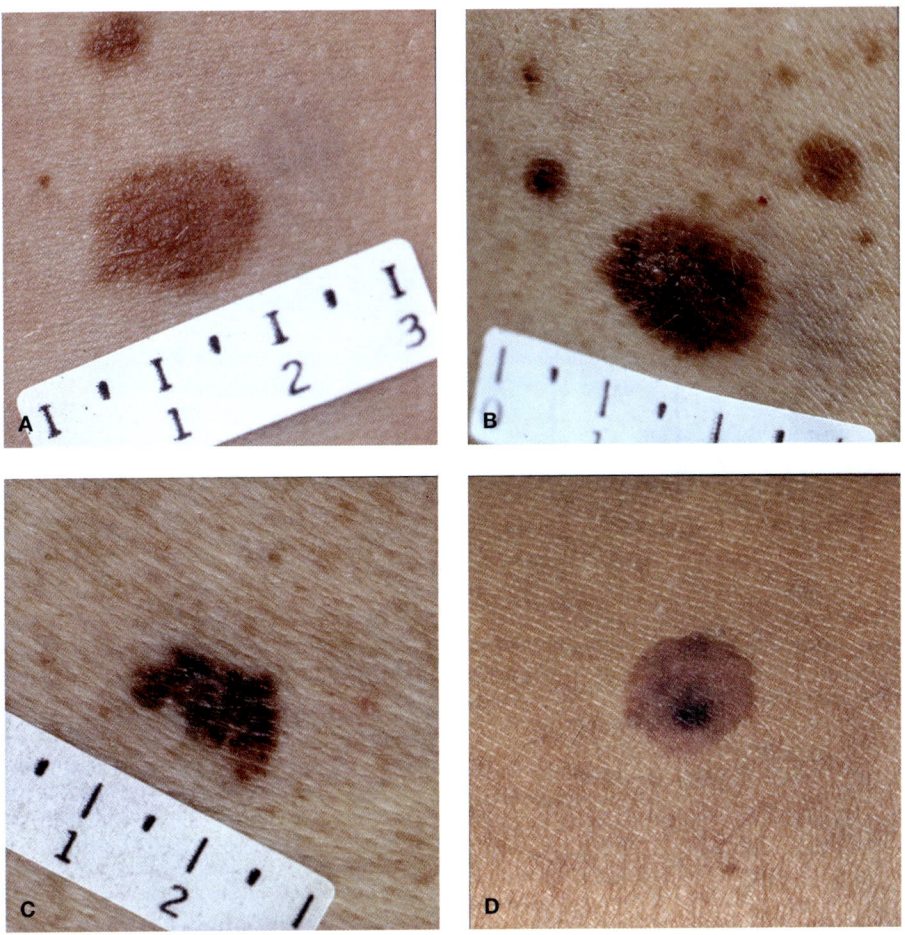

Figura 12-2 Nevos displásicos (NDs) **(A)** Uma grande lesão macular oval e muito plana, de coloração uniformemente castanha. A borda entalhada à esquerda e o tamanho (> 1 cm) constituem os únicos critérios que levam à suspeita de ND. **(B)** Embora seja relativamente simétrica, esta lesão é maculopapular, com coloração variegada e diâmetro de 1,5 cm. As lesões menores consistem em nevo melanocítico comum. **(C)** Lesão altamente assimétrica, com margem tanto mal quanto bem definida, borda entalhada e coloração castanha variegada a preta. É clinicamente indistinguível do melanoma extensivo superficial (ver **Figs. 12-12A** e **B**), porém trata-se histologicamente de um ND. **(D)** Uma lesão relativamente simétrica e bem demarcada, com área excêntrica mais intensamente pigmentada (lesão em alvo).

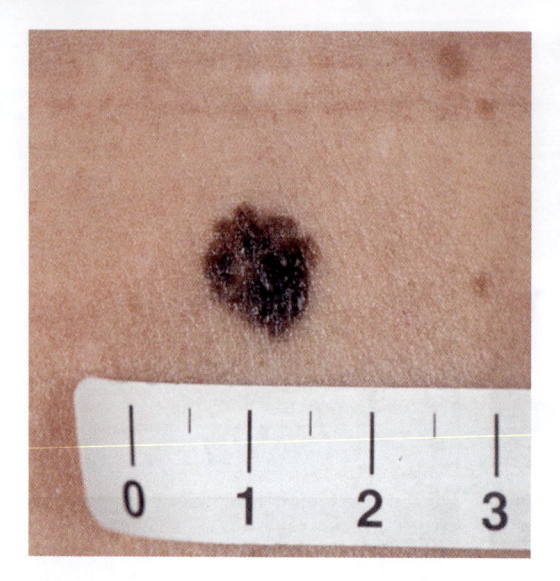

Figura 12-3 Melanoma extensivo superficial: originando-se a partir de um nevo displásico (ND) Toda a lesão era originalmente maculopapular e tinha coloração marrom ainda visualizada na faixa superior em forma crescente. Por ocasião de uma consulta de acompanhamento 6 anos mais tarde, o centro e a metade inferior da lesão estavam mais elevados e tinham adquirido cor preta, como mostra esta fotografia. O melanoma evoluiu a partir de um ND. Confirmado por histopatologia.

é consideravelmente aumentada com a dermatoscopia. Hoje, as correlações clinicopatológicas estão bem documentadas. Uma vez estabelecido o diagnóstico de ND em um membro da família, os irmãos, os filhos e os pais também devem ser examinados à procura de ND.

DIAGNÓSTICO DIFERENCIAL NM congênito, NM adquirido comum, MES, melanoma *in situ* (MIS), lentigo maligno, nevo de Spitz, carcinoma basocelular pigmentado.

ASSOCIAÇÃO COM MELANOMA O ND é considerado um marcador para indivíduos com risco de desenvolver melanoma e precursor do MES. Foi observada uma associação anatômica (em contiguidade) do ND em 36% dos casos de melanoma primário esporádico, em cerca de 70% dos casos de melanoma primário familiar e em 94% dos melanomas com melanoma familiar e ND.

Riscos de desenvolver melanoma maligno primário ao longo da vida

- População geral: 1,2%.
- Síndrome do ND familiar com *dois* parentes consanguíneos portadores de melanoma: 100%.
- Todos os outros pacientes com ND: 18%.
- A presença de *1* ND duplica o risco de desenvolver melanoma; na presença de ≥ 10 NDs, o risco aumenta 12 vezes.

TRATAMENTO

Excisão cirúrgica das lesões com margens estreitas. *Laser* ou outros tipos de destruição física *nunca* devem ser utilizados, visto que não possibilitam a verificação histopatológica do diagnóstico.

Pacientes com ND em casos de melanoma familiar devem ser cuidadosamente acompanhados: No ND familiar, a cada 3 meses; no ND esporádico, a cada 6 meses a 1 ano. É importante fazer acompanhamento fotográfico. O método mais confiável é a dermatoscopia digital, que deve estar disponível em todos os centros especializados em lesões pigmentadas e melanoma. Os pacientes devem receber panfletos ilustrados em cores, mostrando o aspecto clínico do ND, do melanoma maligno e do NM adquirido comum. Pacientes com ND (familiar e não familiar) não devem tomar banhos de sol e devem aplicar filtro solar quando estiverem ao ar livre. Não devem usar bronzeamento artificial. Os familiares do paciente também devem ser examinados regularmente.

NEVO MELANOCÍTICO CONGÊNITO (NMC) CID-10: D22.9

- Os NMCs são lesões pigmentadas da pele, que, em geral, estão presentes ao nascimento; variedades raras de NMC podem surgir e se tornar clinicamente aparentes durante a infância.
- Podem ser de qualquer tamanho, desde muito pequenos a muito grandes.
- São neoplasias nevomelanocíticas benignas.
- Entretanto, todos os NMCs, independentemente de seu tamanho, podem ser precursores do melanoma maligno.

EPIDEMIOLOGIA

PREVALÊNCIA Ocorre em 1% dos recém-nascidos brancos; a maioria tem < 3 cm de diâmetro. Verifica-se a presença de NMCs maiores em 1:2.000 a 1:20.000 dos recém-nascidos. As lesões com ≥ 9,9 cm de diâmetro têm prevalência de 1:20.000, enquanto o NMC gigante (que ocupa uma importante parte de determinada região anatômica) ocorre em 1:500.000 dos recém-nascidos e, assim, é muito raro.

IDADE DE INÍCIO Presente ao nascimento (congênito). Alguns NMCs tornam-se visíveis apenas depois do nascimento (*tardios*), desenvolvendo-se gradualmente como lesão relativamente grande no decorrer de um período de algumas semanas.

SEXO Prevalência igual em ambos os sexos.

ETNIA Acomete todas as etnias.

PATOGÊNESE

Ocorrem presumivelmente em consequência de defeito no desenvolvimento dos melanoblastos derivados da crista neural. Esse defeito provavelmente surge depois de 10 semanas de vida intrauterina, mas antes do sexto mês de gestação. A ocorrência do nevo "dividido" da pálpebra, isto é, metade do nevo na pálpebra superior e metade na pálpebra inferior, é uma indicação de que os melanócitos que migraram da crista neural estavam nesse local antes da divisão das pálpebras (24 semanas).

NMC PEQUENO E GRANDE Os NMCs exibem uma gama bastante ampla de manifestações clínicas, porém as seguintes características são típicas (Figs. 12-4 e 12-5). Os NMCs geralmente deformam a superfície da pele até certo ponto e, por esse motivo, formam uma placa com ou sem pelos terminais grossos, marrom-escuros ou pretos (o crescimento dos pelos é de início tardio) (Figs. 12-4B e 12-5B). A lesão é nitidamente demarcada (Fig. 12-4) ou funde-se imperceptivelmente com a pele circundante; contornos regulares ou irregulares. As lesões grandes podem ser "vermiformes" ou macias (Fig. 12-5) e, raramente, são firmes (tipo desmoplásico). A superfície da pele é lisa ou de textura semelhante à de um "seixo", mamilada, rugosa, cerebriforme, bulbosa, tuberosa ou lobulada (Fig. 12-5B). Essas alterações da superfície são observadas mais frequentemente em lesões que se estendem profundamente na derme reticular.

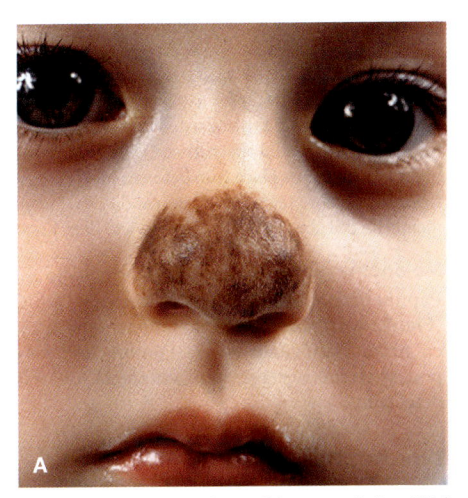

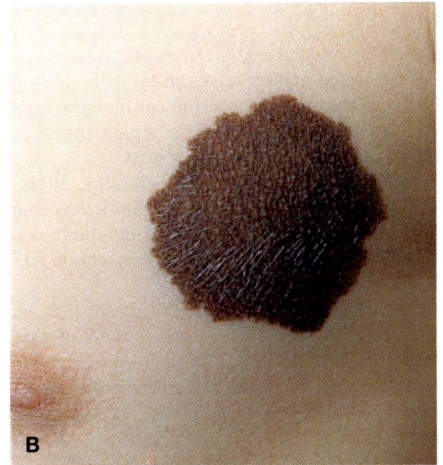

Figura 12-4 Nevo melanocítico congênito (A) Pequena placa marrom variegada no nariz. A lesão estava presente ao nascimento. (B) Nevo melanocítico congênito, de tamanho intermediário. (Comparar o tamanho com o mamilo.) Placa marrom-chocolate nitidamente demarcada, com bordas bem definidas em um lactente. Com o crescimento do indivíduo, as lesões podem tornar-se elevadas e pilosas, e observa-se também uma penugem discreta nesta lesão.

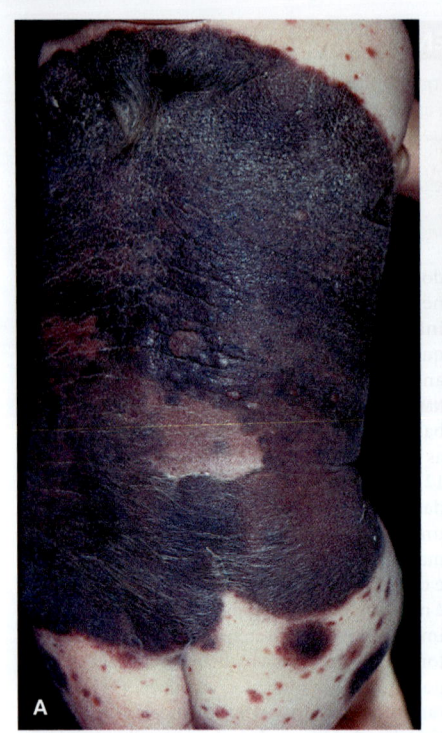

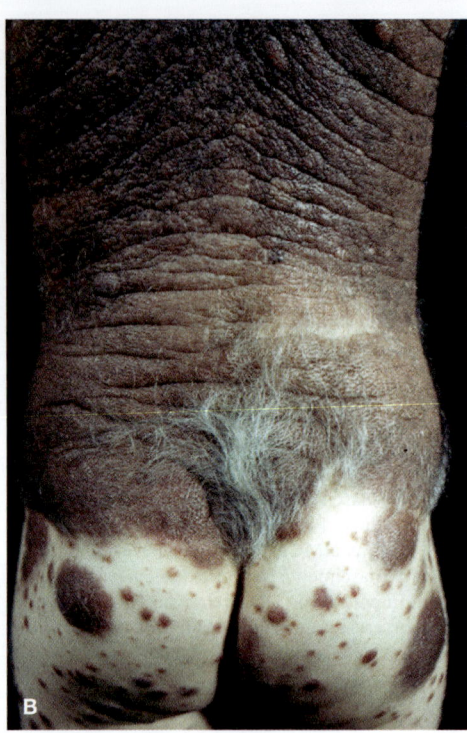

Figura 12-5 Nevo melanocítico congênito (NMC) gigante (A) Neste lactente, a lesão acomete a maior parte da pele, com substituição completa da pele normal do dorso e múltiplos NMCs menores nas nádegas e nas coxas. Observa-se a presença de hipertricose na parte inferior. O desenvolvimento de melanoma em um NMCs gigante é difícil de diagnosticar precocemente na presença de tecido extremamente anormal. **(B)** NMC gigante na mesma criança, 5 anos depois. Houve espessamento do NMC, que se tornou rugoso e mais piloso na região sacral. A lesão tem, agora, coloração mais clara, isto é, mais marrom do que preta, e os NMCs menores nas nádegas aumentaram tanto em número quanto em tamanho.

Cor. Marrom-clara ou marrom-escura, preta. À dermatoscopia, observa-se um pontilhado fino de tonalidade mais escura com cor marrom mais clara ao redor; com frequência, a pigmentação é folicular. O NMC com "halo" é raro.
Tamanho. Pequeno (Fig. 12-4), grande (> 20 cm) ou gigante (Fig. 12-5). Os NMs adquiridos com diâmetro > 1,5 cm devem ser considerados como NMCs provavelmente tardios ou representam ND.
Formato. Oval ou redondo.
Distribuição das lesões. Lesão isolada e distinta em qualquer local. Menos de 5% dos casos de NMCs são múltiplos. As lesões múltiplas são mais comuns em associação a NMCs grandes. Ocorrem numerosos NMCs pequenos em pacientes com NMCs gigantes, nos quais podem ser encontrados numerosos NMCs pequenos no tronco e nos membros, distantes do local do NMC gigante (Fig. 12-5).

NMC muito grande ("gigante")

O NMC gigante da cabeça e da região cervical pode estar associado ao comprometimento das leptomeninges pelo mesmo processo patológico; essa apresentação pode ser assintomática ou pode se manifestar por convulsões, defeitos neurológicos focais ou hidrocefalia obstrutiva. O NMC gigante é habitualmente uma placa com deformação da superfície, que recobre segmentos inteiros do tronco, dos membros, da cabeça ou da região cervical (Fig. 12-5).

Melanoma no NMC

Pápula ou nódulo que surge dentro do NMC (Fig. 12-6). Com frequência, o melanoma surge em nevomelanócitos dérmicos ou subcutâneos e pode já estar em estágio muito avançado quando detectado.

DIAGNÓSTICO DIFERENCIAL

No diagnóstico diferencial do NMC, devem-se considerar as seguintes condições: NM adquirido comum, ND, nevo azul congênito, nevo *spilus*, nevo de Becker, nevos epidérmicos pigmentados e máculas café com leite. Os NMCs pequenos são

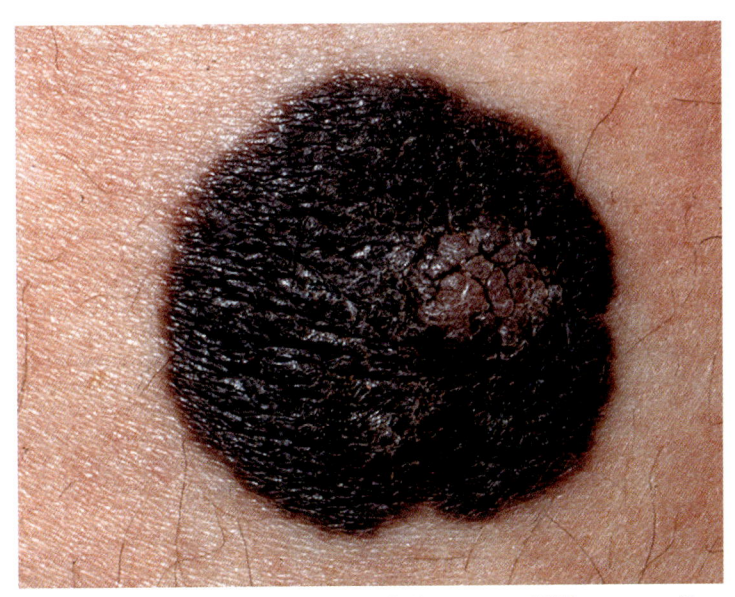

Figura 12-6 Melanoma: origem a partir de um nevo NMC pequeno Placa preta na coxa de uma mulher de 36 anos, que estava presente desde o nascimento. Recentemente, apareceu um nódulo excêntrico ligeiramente menos pigmentado nessa lesão. Trata-se de um melanoma.

praticamente indistinguíveis, do ponto de vista clínico, dos NMs adquiridos comuns, exceto pelo seu tamanho, e as lesões com > 1,5 cm podem ser consideradas como NMCs tardios ou NDs.

EXAMES LABORATORIAIS

HISTOPATOLOGIA As células nevomelanocíticas (nevomelanócitos) ocorrem na forma de grupos bem ordenados (*tecas*) na epiderme e na derme, como lâminas, ninhos ou cordões. *Quando presente, uma infiltração difusa de faixas de nevomelanócitos no terço inferior da derme reticular e no tecido subcutâneo é muito específica do NMC.* Nos NMCs grandes e gigantes, os nevomelanócitos podem se estender para os músculos, os ossos, a dura-máter e o crânio.

EVOLUÇÃO E PROGNÓSTICO

Por definição, o NMC aparece ao nascimento, porém a lesão pode surgir durante a infância (*NMC tardio*). A história natural do NMC não está bem documentada, porém essas lesões podem ser observadas em indivíduos idosos, em uma idade em que os NMs adquiridos comuns já desapareceram.
NMC grande ou gigante. O risco, ao longo da vida, de desenvolver melanoma em um NMC grande foi estimado em pelo menos 6,3%. Em 50% dos pacientes que desenvolvem melanoma em NMCs grandes, o diagnóstico é estabelecido entre 3 e 5 anos de idade. O melanoma que surge a partir de NMC grande tem prognóstico ruim, visto que é detectado tardiamente.
NMC pequeno. O risco de desenvolver melanoma maligno ao longo da vida é de 1 a 5%. A associação esperada de NMC pequeno e melanoma é de < 1:171.000 com base apenas na probabilidade. Entretanto, deve-se considerar a excisão profilática do NMC pequeno por ocasião da puberdade, se não houver nenhuma característica atípica (coloração variegada e bordas irregulares); os NMCs pequenos com características atípicas devem ser excisados imediatamente.

TRATAMENTO

EXCISÃO CIRÚRGICA Único método aceitável. *NMC pequeno e grande:* Excisão com enxerto cutâneo de espessura total, se necessário; retalhos de transferência, expansores de tecido para as grandes lesões. *NMC gigante:* O risco de desenvolvimento de melanoma é significativo, mesmo nos primeiros 3 a 5 anos de idade, razão pela qual o NMC gigante deve ser removido o mais cedo possível. É necessário considerar os aspectos individuais (dimensões, localização, grau de perda funcional ou gravidade da mutilação). Na atualidade, novas técnicas cirúrgicas que utilizam a própria pele normal do paciente desenvolvida em cultura de tecido podem ser utilizadas para facilitar a remoção de NMCs muito grandes. Além disso, podem-se utilizar expansores de tecidos.

MELANOMA CUTÂNEO CID-10: C43

- O melanoma cutâneo é o tumor de pele mais maligno. O melanoma origina-se da transformação maligna dos melanócitos na junção dermoepidérmica, ou dos nevomelanócitos dos NDs ou dos NMCs, que se tornam invasivos e metastatizam depois de intervalos variáveis de tempo.

CLASSIFICAÇÃO DO MELANOMA

I. Melanoma *de novo*
  A. Melanoma *in situ* (MIS)
  B. Lentigo maligno-melanoma (LMM)
  C. Melanoma extensivo superficial (MES)
  D. Melanoma nodular (MN)
  E. Melanoma acrolentiginoso (MAL)
  F. Melanoma das mucosas (MM)
  G. Melanoma desmoplásico (MD)
II. Melanoma com origem a partir de lesões precursoras
  A. Melanoma com origem a partir de NM displásico
  B. Melanoma com origem a partir de NM congênito
  C. Melanoma com origem a partir de NM comum

QUATRO INFORMAÇÕES IMPORTANTES SOBRE O MELANOMA CUTÂNEO

1. O melanoma cutâneo está alcançando proporções epidêmicas

Em 2009, foi estimado que, nos Estados Unidos, aproximadamente 122 mil homens e mulheres foram diagnosticados com melanoma cutâneo, dos quais 69 mil eram invasivos. O melanoma é uma neoplasia maligna comum, cuja incidência está aumentando. Nos Estados Unidos, o risco de melanoma invasivo ao longo da vida foi de 1:50 em 2010. A U.S. Surveillance Epidemiology and End Results (SEER) estimou em 8.650 o número de mortes por melanoma nos Estados Unidos. Nesse país, o número de melanomas continua aumentando em 7% ao ano. Hoje, o melanoma cutâneo representa 5% dos cânceres recém-diagnosticados em homens e 6% nas mulheres. Trata-se da principal doença fatal que surge na pele, responsável por 80% das mortes por câncer de pele. As estatísticas norte-americanas referentes ao câncer mostram que o melanoma apresenta a segunda maior taxa de mortalidade entre homens com 65 anos ou mais. Por outro lado, as mortes por melanoma ocorrem em idade mais precoce do que as causadas pela maioria dos outros cânceres, e o melanoma está entre os tipos mais comuns de câncer em adultos jovens.

2. O diagnóstico precoce e a excisão primária levam praticamente à cura

Os atuais programas de educação sobre o melanoma cutâneo enfatizam a detecção do melanoma precoce, com altas taxas de cura após excisão cirúrgica. De todos os cânceres, o melanoma cutâneo é o que tem mais benefícios com a detecção dos tumores primários curáveis em seu estágio inicial, evitando-se, assim, a doença metastática e a morte. A curabilidade está diretamente relacionada ao tamanho e à profundidade de invasão do tumor. Hoje, o recurso mais crítico para vencer essa doença é, portanto, a identificação de melanomas "finos" de estágio inicial pelo exame clínico. O exame de toda a pele à procura de melanoma e seus precursores deve ser realizado de modo rotineiro.

Cerca de 30% dos melanomas originam-se de lesões melanocíticas preexistentes, enquanto 70% desenvolvem-se na pele normal. Quase todos os melanomas exibem fase inicial de crescimento radial, seguida de uma fase subsequente de crescimento vertical. Como as metástases ocorrem apenas raramente durante a fase de crescimento radial, a detecção de melanomas no estágio inicial (i.e., melanomas "finos") durante essa fase é essencial.

Existe o paradoxo de que, mesmo com uma taxa de mortalidade crescente, foi constatada melhora alentadora no prognóstico global do melanoma, com taxas de sobrevida de 5 anos muito altas (aproximadamente de 98%) para os melanomas primários finos (< 0,75 mm) e uma taxa de 83% para todos os estágios. O prognóstico favorável é totalmente atribuível à detecção precoce.

3. Todos os médicos e enfermeiros têm a responsabilidade de detectar o melanoma em uma fase precoce

A detecção precoce do melanoma primário assegura maior sobrevida. Por conseguinte, a gravidade dessa doença faz a responsabilidade dos profissionais de saúde assumir o principal papel: as lesões pigmentadas não devem passar despercebidas. Assim, recomenda-se que, na prática clínica, independentemente da queixa principal, seja solicitado um exame completo do corpo a todos os pacientes de etnia branca por ocasião da primeira consulta, e que todas as regiões do corpo, incluindo couro cabeludo, espaços interdigitais e orifícios (boca, ânus, vulva) sejam examinadas.

4. Exames de todas as lesões pigmentadas adquiridas, de acordo com a regra ABCDE

Essa regra analisa as lesões pigmentadas de acordo com a simetria, a borda, a cor, o diâmetro, o crescimento e a elevação (ver Lentigo maligno-melanoma, p. 260 e Quadro 12-1). Embora não se aplique a todos os tipos de melanoma, essa regra possibilita a diferenciação diagnóstica da maioria dos melanomas dos nevos comuns e outras lesões pigmentadas.

ETIOLOGIA E PATOGÊNESE

A etiologia e a patogênese do melanoma cutâneo não são conhecidas. Estudos epidemiológicos demonstraram que a predisposição genética e a exposição solar desempenham um papel no desenvolvimento do melanoma. Os principais genes envolvidos no desenvolvimento do melanoma residem no cromossomo 9p21. Dos membros de famílias suscetíveis ao melanoma, 25 a 40% apresentam mutações no gene inibidor da quinase 2A dependente de ciclina (*CDKN2A*), enquanto algumas famílias exibem mutações no gene da quinase 4 dependente de ciclina (*CDK4*). Trata-se de genes supressores tumorais, que fornecem base racional para a relação entre suscetibilidade e melanoma. Em 66% dos melanomas, observa-se uma mutação do gene *BRAF*, enquanto outros exibem mutação em *MC1R*.

Com base em estudos epidemiológicos, há evidências convincentes de que a exposição à radiação solar constitui a principal causa do melanoma cutâneo. O melanoma cutâneo é o maior problema em pessoas brancas de pele clara (fototipos cutâneos I e II). Queimaduras solares durante a infância e a exposição com queimaduras intermitentes em pessoas de pele clara também parecem ter um maior impacto que a exposição cumulativa à RUV ao longo do tempo. Outros fatores predisponentes e de risco incluem a presença de lesões precursoras (nevos displásicos e NMs congênitos) e história familiar de melanoma nos pais, filhos ou irmãos. Os fatores de risco para o desenvolvimento de melanoma estão relacionados no Quadro 12-2.

QUADRO 12-2 Fatores de risco para o desenvolvimento de melanoma

- Marcadores genéticos (*CDKN2a*), *BRAF, MC1R*
- Fototipos cutâneos I e II
- História familiar de nevos displásicos ou melanoma
- História pessoal de melanoma
- Irradiação ultravioleta, particularmente queimaduras solares durante a infância e exposições intermitentes com queimaduras
- Quantidade (> 50) e tamanho (> 5 mm) de nevos melanocíticos
- Nevos congênitos
- Quantidade de nevos displásicos (> 5)
- Síndrome do nevo melanocítico displásico

PADRÕES DE CRESCIMENTO DO MELANOMA

Quase todos os melanomas exibem fase inicial de crescimento radial, seguida de uma fase subsequente de crescimento vertical. A *fase de crescimento radial* refere-se a um padrão de crescimento predominantemente intraepidérmico, pré-invasivo ou minimamente invasivo. O *crescimento vertical* refere-se a um crescimento dentro da derme e, portanto, na vizinhança dos vasos que funcionam como caminhos para as metástases. Tendo em vista que a maioria dos melanomas produz o pigmento melanina, mesmo os melanomas pré-invasivos em sua fase de crescimento radial são clinicamente detectáveis pelos seus padrões de coloração. A diferença de prognóstico entre os tipos clínicos de melanoma está relacionada principalmente à duração da fase de crescimento radial, que pode se estender por anos a décadas no LMM, de meses a 2 anos no MES e de 6 meses ou menos no MN.

RECONHECIMENTO DO MELANOMA

Seis sinais do melanoma maligno (regra ABCDE)

Observação: Não se aplicam ao melanoma nodular.

A. *Assimetria* da forma – uma metade é diferente da outra metade.
B. A *borda* é irregular – bordas irregularmente recortadas, entalhadas ou nitidamente demarcadas.
C. A *coloração* não é uniforme; moteada – variação aleatória de cores; todas as tonalidades de marrom, preto, cinza, azul, vermelho e branco.
D. O *diâmetro* costuma ser grande — maior que a ponta de uma borracha de lápis (6,0 mm). D é também usado para o sinal do "patinho feio" ("*ugly duckling*"). Essas lesões são diferentes de outras lesões pigmentadas (nevos) no corpo em relação a mudança de tamanho, formato e cor.
E. A *elevação* quase sempre está presente e é irregular – a alteração da superfície é avaliada por iluminação lateral. O MIS e as lesões acrolentiginosas são inicialmente maculares; outros utilizam a letra E para *Evolução*. A história de aumento no tamanho da lesão constitui um dos sinais mais importantes do melanoma maligno.

APRESENTAÇÕES CLÍNICAS DO MELANOMA

O Quadro 12-3 fornece um resumo das características clínicas dos quatro tipos principais de melanoma. Frequência do melanoma com base no tipo de tumor: MES, 70%; MN, 15%; LMM, 5%; e melanoma acral e não classificado, 10%. MIS e melanoma desmoplásico também são discutidos nesta seção.

QUADRO 12-3 Quatro tipos principais de melanoma

Tipo	Frequência (%)	Local	Crescimento radial	Crescimento vertical
Extensivo superficial	70	Qualquer local, membros inferiores, tronco	Meses a 2 anos	Tardio
Nodular	15	Qualquer local, tronco, cabeça, região cervical	Não há crescimento radial clinicamente detectável	Imediato
Lentigo maligno-melanoma	5	Face, região cervical, dorso das mãos	Anos	Muito tardio
Melanoma acrolentiginoso (MAL)	5 a 10	Palmas, plantas, subungueal	Meses a anos	Precoce, porém, de reconhecimento tardio

MELANOMA IN SITU (MIS) CID-10: D03.9

- As manifestações clínicas do MIS nem sempre se apresentam claramente. O MIS é principalmente uma definição histopatológica, e o termo é empregado quando as células do melanoma limitam-se à epiderme, acima da membrana basal. Ocorrem atipia melanocítica basilar, hiperplasia e disseminação dos melanócitos basais alinhados em fila única ao longo da membrana basal ou distribuídos por toda a epiderme (disseminação pagetoide). Cada melanoma começa como uma lesão *in situ*; entretanto o MIS só pode ser diagnosticado clinicamente quando a fase de crescimento radial for suficientemente longa para que se torne visualmente detectável. Essas lesões são planas, no mesmo nível da pele e, por conseguinte, trata-se de uma *mácula* (**Fig. 12-7**) ou de uma mácula com elevação quase imperceptível (**Fig. 12-8**), com bordas irregulares e acentuada variação da cor: marrom, marrom-escuro e preto ou com tonalidades avermelhadas, porém sem tons de cinza ou azul, visto que isso só ocorre quando a melanina (dentro dos macrófagos) ou os melanócitos ou células do melanoma estão localizados na derme. A distinção clínica entre MIS e ND com atipia grave pode não ser possível.
- Os correlatos clínicos do MIS são *lentigo maligno* (**Fig. 12-7**) e *MES* plano (**Fig. 12-8**), e ambas as lesões são discutidas adiante, em suas respectivas seções.

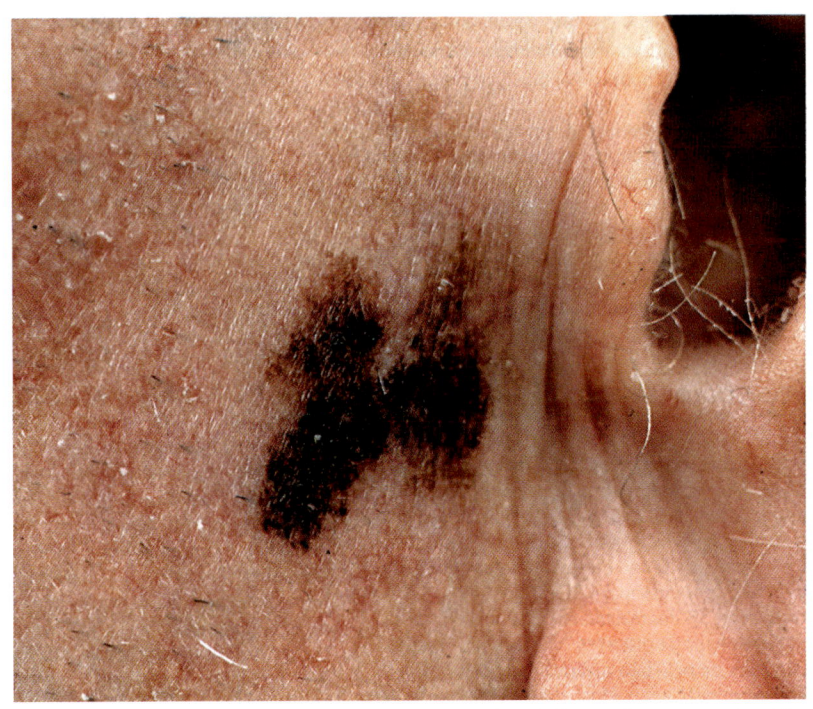

Figura 12-7 Melanoma *in situ*: lentigo maligno Grande mácula assimétrica e muito irregular, localizada na região pré-auricular de um homem de 78 anos. Observa-se uma notável variação da pigmentação (castanho, marrom, marrom-escuro, preto).

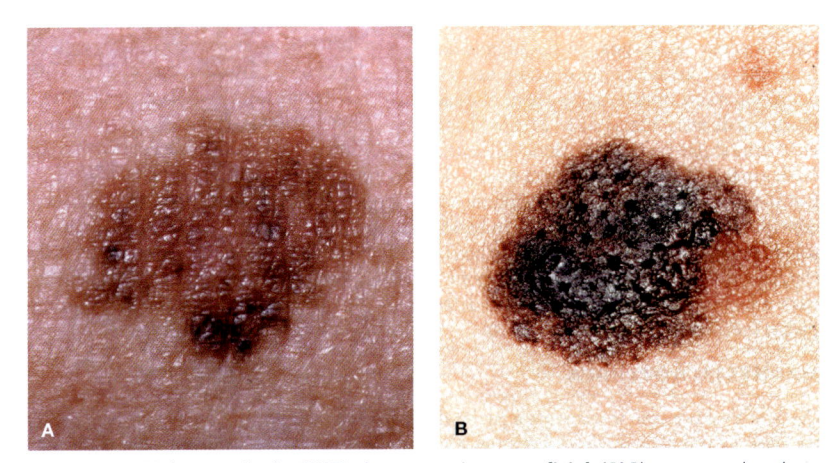

Figura 12-8 Melanoma *in situ* (MIS), tipo extensivo superficial (A) Placa pouco elevada no braço de um homem branco de 75 anos, detectada pela primeira vez há 5 anos, que aumentou gradualmente de tamanho. A lesão é assimétrica, e também há assimetria na distribuição das cores, que são variegadas e exibem salpicos marrom-escuros sobre uma base castanha. O exame dermatopatológico da lesão revelou um melanoma extensivo superficial *in situ*. **(B)** Pequena placa quase oval e pouco elevada, com borda relativamente regular, porém notável quanto à variegação das cores: castanha, marrom-escuro e até mesmo preta, com uma área alaranjada à direita. O exame dermatopatológico mais uma vez revelou MIS, com padrão de crescimento pagetoide das células do melanoma intraepidérmico.

> ### LENTIGO MALIGNO-MELANOMA (LMM) CID-10: C43
>
> - O menos comum (< 5%) dos quatro tipos principais de melanoma em indivíduos de etnia branca (**Quadro 12-3**).
> - Ocorre em indivíduos idosos, em áreas mais expostas ao sol – face e antebraços.
> - A luz solar constitui o fator patogênico mais importante.
> - O LMM sempre começa na forma de *lentigo maligno* (LM), que consiste em uma neoplasia intraepidérmica macular e é um tipo de MIS (**Figs. 12-7** e **12-9**). Por conseguinte, o LM não é uma lesão precursora, mas, sim, evolutiva do melanoma.
> - Áreas papulares ou nodulares focais indicam mudança da fase de crescimento radial para a vertical e, portanto, invasão da derme; nesse estágio, a lesão é denominada LMM (**Fig. 12-10**).
> - Para as características clínicas mais importantes, ver o **Quadro 12-3**.

EPIDEMIOLOGIA

IDADE DE INÍCIO Idade mediana de 65 anos.
SEXO Incidência idêntica em ambos os sexos.
ETNIA Raro em indivíduos de pele morena (p. ex., asiáticos, indianos do leste da Índia) e extremamente raro em negros (afro-americanos e africanos). Incidência mais alta entre indivíduos de pele branca, com fototipos cutâneos I, II e III.
INCIDÊNCIA 5% dos melanomas cutâneos primários.
FATORES PREDISPONENTES Mesmos fatores dos cânceres de pele não melanoma induzidos pelo sol: população mais idosa e ocupações ao ar livre (agricultores, marinheiros e trabalhadores da construção).

PATOGÊNESE

Diferentemente do MES e do MN, que parecem estar relacionados com a exposição de alta intensidade e intermitente à luz solar e que ocorrem nas áreas expostas esporadicamente (dorso e pernas) de adultos jovens ou de meia-idade, o LM e o LMM ocorrem na face, na região cervical e no dorso dos antebraços ou das mãos (**Quadro 12-3**). Além disso, o LM e o LMM quase sempre acometem indivíduos idosos com indícios de lesão cutânea grave induzida pelo sol (dermatoeliose). A evolução da lesão revela mais claramente a transição da fase de crescimento radial para a vertical e do MIS clinicamente detectável para o melanoma invasivo (**Fig. 12-10**).

MANIFESTAÇÃO CLÍNICA

O LMM evolui muito lentamente a partir do LM ao longo de um período de vários anos, algumas vezes até 20 anos. Em praticamente todos os casos, há dermatoeliose como base.
LESÕES CUTÂNEAS *Lentigo maligno.* Mácula uniformemente *plana* (**Fig. 12-7**); de 0,5 cm ou mais, até 20 cm (**Fig. 12-9A**). Em geral, bem demarcada; em algumas áreas, apresenta também bordas imprecisas ou altamente irregulares, frequentemente com um entalhe; configuração "geográfica", com baías e penínsulas (**Fig. 12-9B**). As lesões iniciais são castanhas, enquanto as lesões avançadas exibem variações notáveis de tonalidades de marrom e preto (salpicado) e aparecem como uma "mancha" (**Fig. 12-7**); trama aleatória de tonalidade preta sobre uma base marrom (**Fig. 12-9A**). *Não* há tonalidades de vermelho e azul.
Lentigo maligno-melanoma. A alteração clínica que indica transição do LM para o LMM é o aparecimento de tonalidades variegadas de vermelho, branco e azul e de pápulas, placas ou nódulos (**Fig. 12-10**). Por conseguinte, o LMM é igual ao LM *acrescido de* (1) áreas cinzentas (indicando regressão focal) e áreas azuis (indicando pigmentação da derme [melanócitos ou melanina]) e (2) pápulas ou nódulos, que podem ser azuis, pretos ou rosados (**Fig. 12-9B**). A dermatoscopia é essencial. Em raros casos, o LMM pode não ser pigmentado. Nessas situações, a lesão é da cor da pele e vermelha em placas e pode não ser clinicamente diagnosticável (ver LMM amelanótico, p. 273).
Distribuição. Lesão isolada única em área de exposição solar: fronte, nariz, regiões malares, região cervical, antebraços e dorso das mãos; raramente na parte inferior das pernas.
OUTRAS ALTERAÇÕES CUTÂNEAS NAS ÁREAS DO TUMOR Alterações induzidas pela exposição ao sol: ceratose solar, sardas, telangiectasias, adelgaçamento da pele, isto é, dermatoeliose.
EXAME CLÍNICO GERAL Verificar a presença de linfadenopatia regional.

EXAMES LABORATORIAIS

DERMATOPATOLOGIA O LM apresenta uma quantidade aumentada de melanócitos atípicos distribuídos em uma única camada ao longo da camada basal e acima da membrana basal da epiderme, que exibe alongamento das cristas interpapilares (**Fig. 12-10**). Em geral, os melanócitos atípicos estão dispersos isoladamente, mas também podem se agregar em pequenos ninhos e estender-se dentro dos folículos pilosos, alcançando a camada intermediária da derme, mesmo no estágio pré-invasivo do LM. No LMM, esses melanócitos atípicos invadem a derme

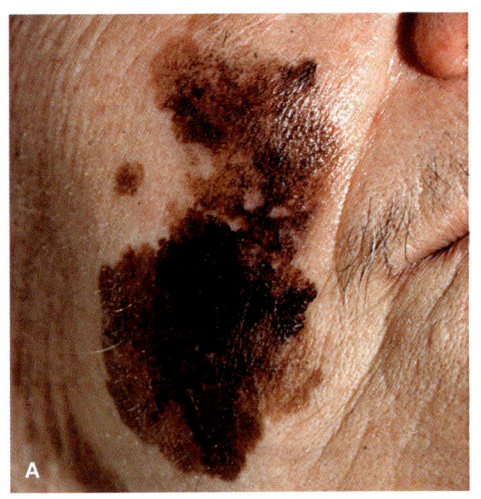

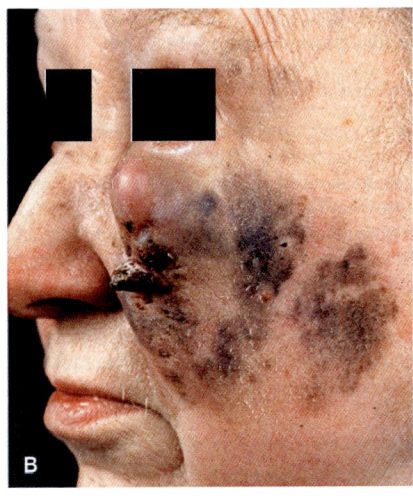

Seção 12 Precursores do melanoma e melanoma cutâneo primário

Figura 12-9 Lentigo maligno (A) Lentigo maligno muito grande na região malar direita, com variegação característica de cor (castanha, marrom, preta) e formato altamente irregular. A lesão é plana, macular, representando, portanto, um melanoma *in situ*. **(B)** O lentigo maligno classicamente macular apresenta formato muito irregular e é variegado nas cores. Entretanto, há um componente azulado e um grande nódulo rosado na região infraorbitária, indicando uma passagem da fase de crescimento radial para a vertical e, portanto, invasão: a lesão, nesse estágio, é denominada lentigo maligno-melanoma.

Figura 12-10 Lentigo maligno-melanoma À direita da lesão, a figura ilustra uma grande mácula variegada semelhante a uma efélide (sem nenhuma elevação acima do plano da pele) com bordas irregulares; as áreas castanhas apresentam quantidades aumentadas de melanócitos, geralmente atípicos e bizarros, que se distribuem em fileira única ao longo da camada basal; em alguns locais na derme, houve invasão por melanócitos malignos, que formaram ninhos (fase de crescimento radial). À esquerda, observa-se um grande nódulo intensamente pigmentado e composto por células epitelioides, que invadiram a derme (fase de crescimento vertical); os nódulos de todos os quatro subtipos principais de melanoma são indistinguíveis uns dos outros.

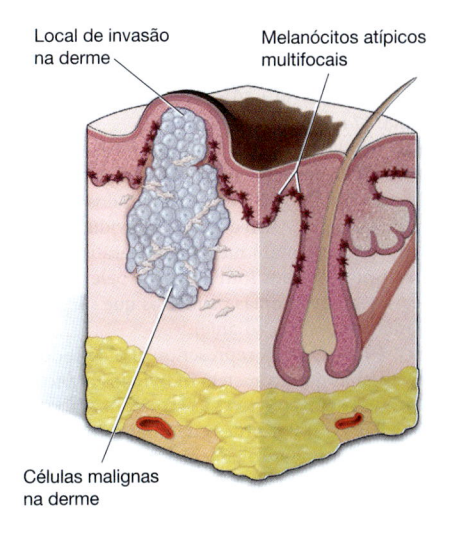

Local de invasão na derme

Melanócitos atípicos multifocais

Células malignas na derme

(fase de crescimento vertical) e se expandem nos tecidos mais profundos (Fig. 12-10).

DIAGNÓSTICO DIFERENCIAL

MÁCULA/PÁPULA/NÓDULO CASTANHO-MARROM VARIEGADO As *ceratoses seborreicas* podem ser escuras, porém são exclusivamente pápulas ou placas e apresentam superfície pontilhada característica, frequentemente com um componente verrucoso, isto é, uma superfície "verrucosa", porém gordurosa que, quando escarificada, **exibe escamas finas**. O *lentigo solar*, apesar de ser macular, não apresenta a mesma intensidade ou variegação de tonalidades marrom, marrom-escura e preta observada **no LM**. A dermatoscopia é essencial.

PROGNÓSTICO

Resumido no Quadro 12-5.

TRATAMENTO

Ver também p. 278.

1. Lesões muito iniciais do LM: imiquimode.
2. Excisar com uma margem de 1 cm além da lesão clinicamente visível, quando possível, e contanto que o componente plano não envolva um órgão importante. O uso da lâmpada de Wood e a dermatoscopia auxiliam na definição das bordas.
3. Biópsia de linfonodo-sentinela nas lesões > 1 mm de espessura.

MELANOMA EXTENSIVO SUPERFICIAL (MES) CID-10: C43

- O MES é o tipo mais comum de melanoma (70%) que acomete indivíduos de pele branca.
- Surge mais frequentemente na parte superior do dorso e ocorre como lesão de crescimento moderadamente lento, no decorrer de um período de até 2 anos.
- O MES tem morfologia distinta: lesão plana (placa) elevada. A variação de pigmentos do MES é semelhante, porém mais notável que a variedade de cores observada na maioria dos LMMs. A coloração exibida é uma mistura de marrom, marrom-escuro, preto, azul e vermelho, com regiões cinzentas ou cinza-ardósia nas áreas de regressão do tumor.
- Ver Quadros 12-1 e 12-3 para as características clínicas mais importantes.

EPIDEMIOLOGIA

IDADE DE INÍCIO 30 a 50 anos de idade (idade mediana: 37 anos).
SEXO Incidência ligeiramente maior em mulheres.
ETNIA Muito predominante em pessoas de pele clara. Apenas 2% dos indivíduos acometidos têm pele parda ou negra. Além disso, os indivíduos pardos e negros apresentam melanomas geralmente nos membros; 50% dos indivíduos de pele parda ou negra têm melanomas primários que surgem na planta dos pés (ver adiante).
INCIDÊNCIA O MES representa 70% de todos os melanomas que acometem indivíduos brancos.
FATORES PREDISPONENTES E FATORES DE RISCO (ver Quadro 12-2) Por ordem de importância, esses fatores são: *presença de lesões precursoras* (ND, NMC; p. 248 e p. 253); *história familiar* de melanoma nos pais, filhos ou irmãos; *pele de cor clara* (fototipos cutâneos I e II); e queimaduras solares, particularmente antes da adolescência. Observa-se incidência particularmente aumentada em profissionais jovens de áreas urbanas, com padrão frequente de exposição intensa e intermitente ao sol ("finais de semana") ou que passam as férias de inverno em regiões próximas à linha do Equador.

PATOGÊNESE

Nos estágios iniciais de crescimento, ocorre uma fase de crescimento intraepidérmico ou radial, durante a qual as células pigmentadas tumorigênicas estão confinadas na epiderme e, portanto, não podem metastatizar. Nesse estágio, o MES é um MIS (Figs. 12-8 e 12-11). Esse "período benigno" da fase de crescimento radial, com potencial de cura, é seguido da fase de crescimento vertical invasivo, durante a qual as células malignas formam um nódulo tumorigênico que invade verticalmente a derme, com potencial de produzir metástases (Fig. 12-11).

A fisiopatologia do MES ainda não foi elucidada. Certamente, em uma porcentagem considerável de MES, a exposição à luz solar constitui um fator, e o MES está relacionado a episódios ocasionais de exposição solar recreativa, durante um período suscetível (< 14 anos de idade). Cerca de 10% dos MESs ocorrem em famílias de alto risco. Os demais casos podem ocorrer de modo esporádico em indivíduos sem risco genético específico.

MANIFESTAÇÃO CLÍNICA

A história habitual do MES consiste em transformação de uma lesão pigmentada preexistente (principalmente um ND). Entretanto, convém assinalar que 70% dos melanomas surgem na pele "normal"; todavia, como o crescimento inicial é lento, e os melanomas frequentemente ocorrem em indivíduos com numerosos nevos, o estágio inicial do MES pode ser confundido pelo paciente com um nevo preexistente.

Figura 12-11 Melanoma extensivo superficial
A borda é irregular e elevada em toda a sua extensão; a biópsia dessa placa que circunda o nódulo grande revela uma distribuição pagetoide de melanócitos grandes por toda a epiderme em várias camadas, isoladamente ou em ninhos, com atipia uniforme (fase de crescimento radial). À esquerda, observa-se um nódulo grande e áreas papulares e nodulares menores dispersas por toda a porção circundante da placa (fase de crescimento vertical). Os nódulos também podem apresentar células epitelioides fusiformes ou pequenos melanócitos malignos, conforme observado no lentigo maligno-melanoma e no melanoma nodular.

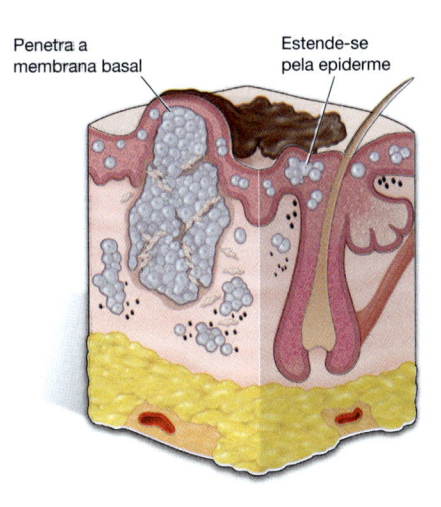

Penetra a membrana basal

Estende-se pela epiderme

O paciente ou um parente próximo pode observar escurecimento gradual em uma área de "sinal" (ver Figs. 12-3 e 12-8) ou mudança de formato; e, à medida que as áreas escuras aumentam, surge uma variedade de cores, com misturas de marrom, marrom-escuro e preto. Além disso, as bordas de uma lesão que antes apresentava formato regular podem tornar-se irregulares, com pseudópodes ou com um entalhe.

Com a passagem da fase de crescimento radial para a fase de crescimento vertical (Fig. 12-11) e, portanto, com a invasão da derme, a lesão adquire o aspecto clínico de uma pápula e, posteriormente, de um nódulo no topo da placa ligeiramente elevada do MES. Como muitos MESs têm inicialmente o potencial de regressão mediada pela infiltração do tumor por linfócitos (ITL), ainda que apenas parcial, outras áreas da placa do MESs podem diminuir até alcançar o nível da pele normal circundante, e as misturas de cores de marrom a preto são ampliadas pelo acréscimo de tonalidades de vermelho, branco, azul e azul-acinzentado.

LESÕES CUTÂNEAS (Figs. 12-12 e 12-13) O MES é a lesão para a qual a regra ABCDE (p. 257) melhor se aplica. Inicialmente, trata-se de uma placa muito plana de 5 a 12 mm ou menos (Fig. 12-8); as lesões mais antigas medem 10 a 25 mm (Fig. 12-12). Lesões assimétricas (uma metade é diferente da outra) (Fig. 12-12A, B, C) ou ovais, com bordas irregulares (Fig. 12-12D) e, frequentemente, com uma ou mais endentações (entalhes) (Figs. 12-12 e 12-13). Nitidamente demarcadas. Coloração marrom-escura, preta com mistura de tonalidades de rosa, cinza e cinza-azulado – com acentuada variegação e padrão aleatório. As áreas brancas indicam partes do tumor que regrediram (Figs. 12-12C e D). Por conseguinte, o MES é uma placa plana com todas as tonalidades de marrom ao preto, acrescidas das cores da bandeira norte-americana

ou tricolor (vermelho, azul e branco) (Fig. 12-12D). *Nenhuma lesão pigmentada benigna apresenta essas características.* À medida que a fase de crescimento vertical progride, aparecem nódulos (Fig. 12-13B); por fim, observa-se o desenvolvimento de erosões e até mesmo úlceras superficiais (Figs. 12-13C e D).
Distribuição. Lesões únicas isoladas; as lesões múltiplas primárias são raras. Dorso (homens e mulheres); pernas (mulheres, entre os joelhos e os tornozelos); face anterior do tronco e pernas nos homens; as lesões são relativamente menos numerosas nas áreas cobertas, por exemplo, nádegas, região inferior do abdome, área do sutiã.
DERMATOSCOPIA Aumenta a acurácia do diagnóstico em mais de 70%.
EXAME CLÍNICO GERAL Sempre pesquisar a presença de linfonodos regionais aumentados.

EXAMES LABORATORIAIS

DERMATOPATOLOGIA Os melanócitos malignos sofrem expansão em um padrão pagetoide, isto é, em múltiplas camadas dentro da epiderme (se estiver limitada à epiderme, a lesão é um MIS) e nos corpos papilares superficiais da derme – fase de crescimento radial. Os melanócitos malignos ocorrem isoladamente ou em ninhos (ver Fig. 12-11) e são positivos para S-100 e HMB-45. Na fase de crescimento vertical, apresentam-se clinicamente como pequenos nódulos, que se expandem ainda mais na derme reticular e além (Fig. 12-11). Para o estadiamento microscópico, ver Quadro 12-4 e p. 277.

EVOLUÇÃO E PROGNÓSTICO

Se não for tratado, o MES resulta em invasão profunda (crescimento vertical) em alguns meses a anos. O prognóstico está resumido no Quadro 12-5.

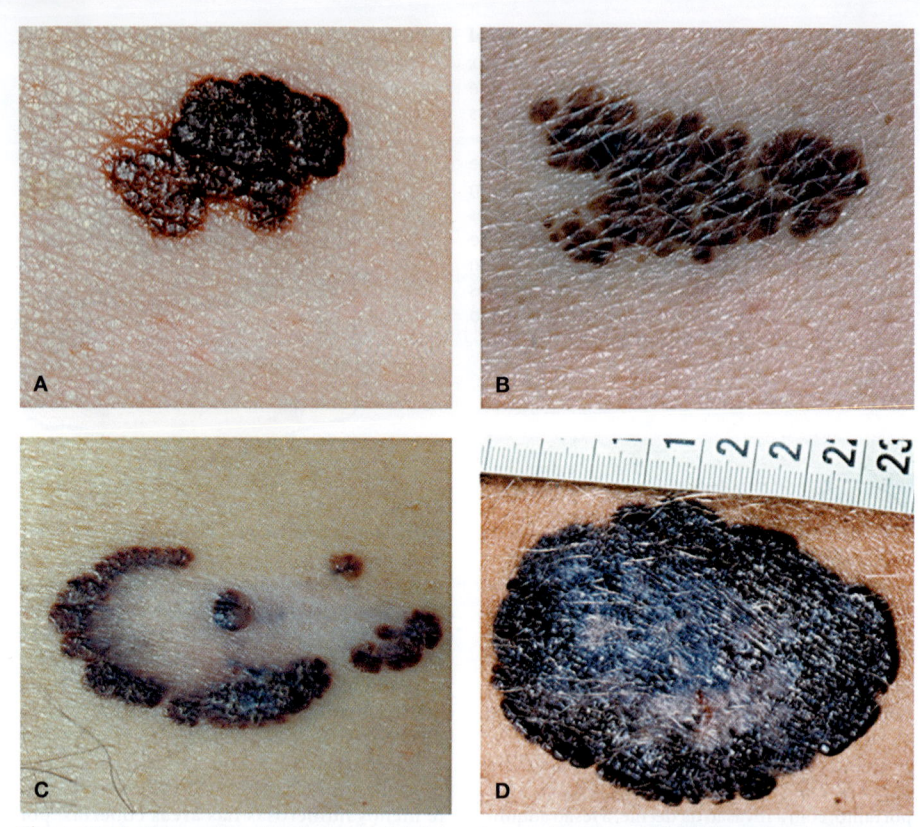

Figura 12-12 Melanoma extensivo superficial, fase de crescimento radial **(A)** Placa elevada, assimétrica e irregular plana e de coloração variegada (marrom, preta) no tronco, com margens nitidamente demarcadas. A superfície também é irregular, com padrão em "pedras de calçamento" (ver também **Fig. 12-3**). **(B)** Placa plana assimétrica, com bordas irregulares e nitidamente demarcadas e superfície com aparência em "pedras de calçamento". A pigmentação melânica varia do marrom-claro ao marrom-escuro e preta, e existem áreas mais claras intercaladas. **(C)** Lesão extremamente irregular, com pápulas de cor marrom-escura a preto-azulada, formando um anel ao redor de uma área macular branca, com uma pápula central marrom-azulada. A área branca indica regressão espontânea. **(D)** Placa relativamente simétrica, porém grande (8 cm), com bordas bem demarcadas e entalhadas e variação considerável de cores: preto, azul, vermelho e branco.

DIAGNÓSTICO

Diagnóstico clínico de acordo com a regra ABCDE, confirmado por dermatoscopia. Em caso de dúvida, efetuar uma *biópsia*; a biópsia excisional total com margens estreitas constitui o procedimento ideal. A biópsia incisional ou com *punch* é aceitável quando não for possível realizar uma biópsia excisional total, ou quando a lesão for grande, exigindo cirurgia extensa para retirá-la por completo. Não se deve efetuar uma biópsia por *shaving*, visto que ela não possibilita uma avaliação do nível de invasão.

TRATAMENTO

TRATAMENTO CIRÚRGICO Ver p. 278.

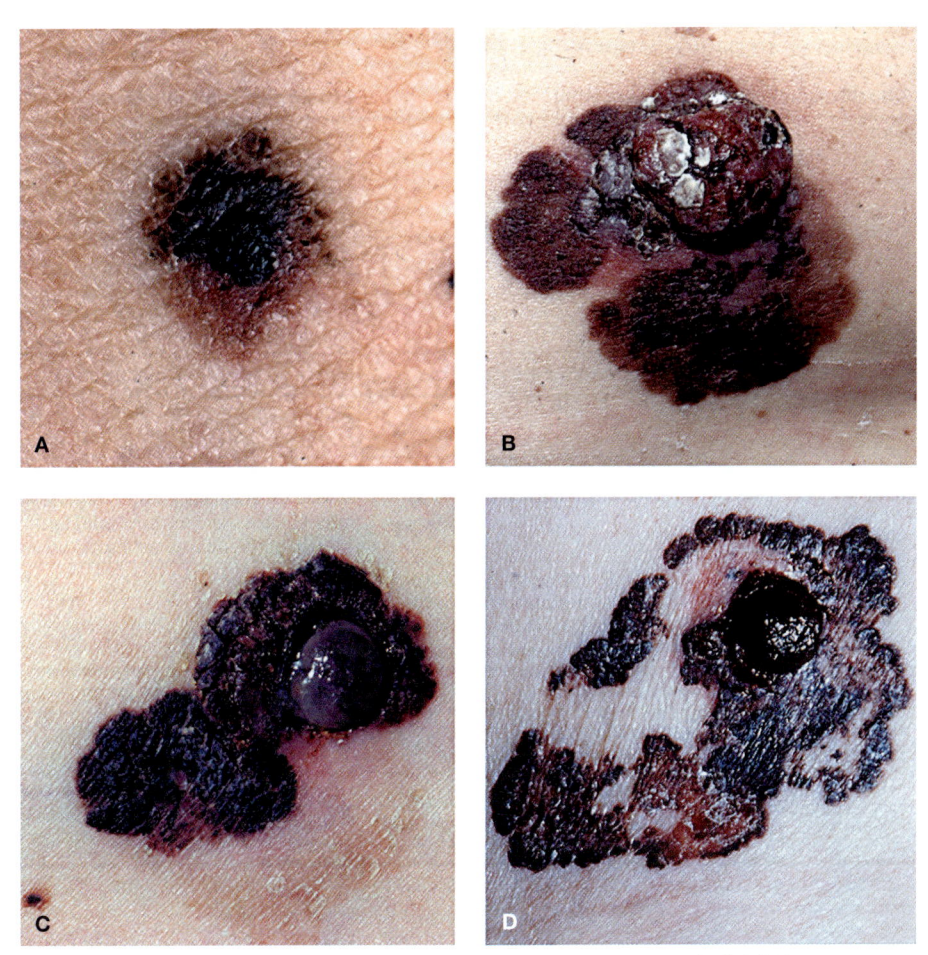

Figura 12-13 Melanoma extensivo superficial, fase de crescimento vertical (A) Placa apenas minimamente irregular com coloração variegada (marrom, preta). No centro, há um pequeno nódulo preto, em forma de cúpula. Representa a transição para a fase de crescimento vertical. **(B)** Placa muito plana e irregular com bordas entalhadas e coloração altamente variegada (castanha, marrom, preta e vermelha). Ligeiramente fora do centro, há um grande nódulo parcialmente recoberto com crosta (fase de crescimento vertical). **(C)** Placa altamente irregular e assimétrica com superfície semelhante a "pedras de calçamento" e coloração variegada (preta, marrom). À direita, observa-se um nódulo excêntrico erodido, de coloração preta a azul, representando a fase de crescimento vertical. **(D)** Placa assimétrica e altamente irregular, de coloração azulada a preta, com tonalidades de marrom, vermelho e branco (regressão). Fora do centro, há um nódulo preto erodido (crescimento vertical).

QUADRO 12-4 Classificação TNM dos melanomas

Classificação T	Espessura (mm)	Estado de ulceração/mitoses
T1	≤ 1,0	a: Sem ulceração e mitose < 1/mm^2 b: Com ulceração ou mitose ≥ 1/mm^2
T2	1,01 a 2,0	a: Sem ulceração b: Com ulceração
T3	2,01 a 4,0	a: Sem ulceração b: Com ulceração
T4	> 4,0	a: Sem ulceração b: Com ulceração
Classificação N	**Nº de linfonodos metastáticos**	**Massa de linfonodo metastático**
N1	1 linfonodo	a: Micrometástase b: Macrometástase
N2	2 a 3 linfonodos	a: Micrometástase b: Macrometástase c: Metástase(s) em trânsito/satélite(s) sem linfonodos metastáticos
N3	4 ou mais linfonodos metastáticos ou linfonodos aglomerados ou metástase(s) em trânsito/satélite(s) com linfonodo(s) metastático(s)	
Classificação M	**Local**	**Lactato desidrogenase sérica**
M1a	Metástases distantes na pele, subcutâneas ou linfonodais	Normal
M1b	Metástases pulmonares	Normal
M1c	Todas as outras metástases viscerais Qualquer metástase distante	Normal Elevada

Fonte: Reproduzido com permissão de Balch CM, et al. Update on the melanoma staging system: the importance of sentinel node staging, mitotic rate and primary tumor. *J Surg Oncol* 2011; 104:379-385.

QUADRO 12-5 Taxas de sobrevida para melanoma nos estágios I a III da classificação TNM*

Estágio	Tumor	Estado dos linfonodos	Carga tumoral de linfonodos	Taxa de sobrevida de 5 anos (%)
IA	T1a	Nenhum	–	97
IB	T1b	Nenhum	–	94
IB	T2a	Nenhum	–	91
IIA	T2b	Nenhum	–	82
IIA	T3a	Nenhum	–	79
IIB	T3b	Nenhum	–	68
IIB	T4a	Nenhum	–	71
IIC	T4b	Nenhum	–	53
IIIA	T1-T4a	N1a/N2a	Microscópica	78
IIIB	T1-T4b	N1a/N2a	Microscópica	55
IIIB	T1-T4a	N1b/N2b	Macroscópica	48
IIIC	T1-T4b	N1b/N2b/N3	Macroscópica ou 4 + linfonodos	38
IIIC	T1-T4a	N3	4 + quaisquer linfonodos	47

*De Balch CM et al. Melanoma of the skin. In: Edge SE et al. eds. *AJCC, Cancer Staging Manual*. 7th ed. New York, NY: Springer; 2010.

Seção 12 Precursores do melanoma e melanoma cutâneo primário

MELANOMA NODULAR (MN) CID-10: 43.8

- O MN é o segundo tipo de melanoma mais frequente depois do MES.
- Ocorre, em grande parte, em indivíduos de meia-idade com pele clara e, à semelhança do MES, nas áreas menos expostas.
- Desde o início, o tumor encontra-se na fase de crescimento vertical (**Fig. 12-14**).
- O MN é uniformemente elevado e ocorre como placa espessa ou lesão exofítica, polipoide ou cupuliforme.
- O padrão de coloração geralmente não é variegado, e a lesão exibe tonalidade azul ou azul-escuro uniforme ou, o que é menos comum, pode ser muito pouco pigmentada ou despigmentada (melanoma amelanótico).
- O MN é um tipo de melanoma primário, que se desenvolve muito rapidamente (alguns meses a 2 anos) na pele normal ou a partir de um nevo melanocítico, na forma de proliferação nodular (crescimento vertical) sem componente epidérmico adjacente, como sempre se observa no LMM e no MES.

Observação: Para as características clínicas mais importantes, ver **Quadro 12-3**.

Figura 12-14 Melanoma nodular Esse tipo de melanoma origina-se na junção dermoepidérmica e estende-se verticalmente na derme (fase de crescimento vertical). A epiderme lateral às áreas dessa invasão não apresenta melanócitos atípicos. Como no caso do lentigo maligno-melanoma e melanoma extensivo superficial, o tumor pode apresentar grandes células epitelioides, células fusiformes, pequenos melanócitos malignos ou misturas desses três tipos de células.

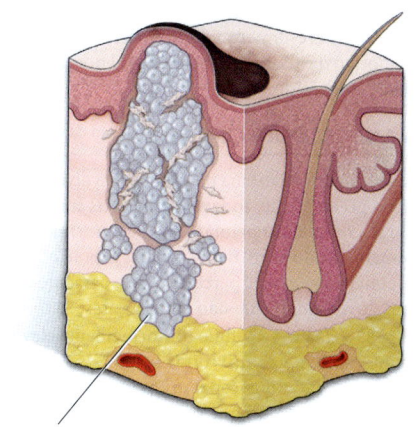

Invasão principalmente profunda

EPIDEMIOLOGIA

IDADE DE INÍCIO Indivíduos de meia-idade.
SEXO Incidência idêntica em ambos os sexos.
ETNIA O MN ocorre em todas as etnias; todavia, nos japoneses, é nove vezes mais frequente (27%) que o MES (3%).
INCIDÊNCIA Nos Estados Unidos, o MN representa 15% (até 30%) dos melanomas.
FATORES PREDISPONENTES E FATORES DE RISCO Ver Lentigo maligno-melanoma, p. 260 e Quadro 12-2.

PATOGÊNESE

Tanto o MN quanto o MES ocorrem aproximadamente nos mesmos locais (região superior do dorso nos homens, pernas nas mulheres) e, presumivelmente, os mesmos fatores patogenéticos atuam no MN, conforme descrito no MES. Quanto ao padrão de crescimento do MN, ver Figura 12-14. O motivo da alta frequência de MN nos japoneses não é conhecido.

MANIFESTAÇÃO CLÍNICA

Esse tipo de melanoma pode se desenvolver em um nevo preexistente; todavia, com mais frequência, surge como lesão primária na pele normal. Diferentemente do MES, o MN evolui em poucos meses e, com frequência, é percebido pelo paciente como um novo "sinal" que não existia antes.

LESÕES CUTÂNEAS Nódulo uniformemente elevado, semelhante a um mirtilo (Figs. 12-15A e B) ou placa ulcerada ou "espessa"; pode se tornar polipoide. Coloração uniformemente azul-escuro, preta ou cinza-escuro (Figs. 12-15A e B); as lesões podem ser rosadas, com vestígios de marrom ou uma borda preta (MN amelanótico, ver Melanoma nodular amelanótico, p. 273). Superfície lisa ou descamativa, erodida (Fig. 12-15C) ou ulcerada (Fig. 12-15D). As lesões iniciais medem de 1 a 3 cm, mas podem crescer muito mais se não forem detectadas. Formato oval ou redondo, geralmente com bordas lisas e regulares, como em todos os outros tipos de melanoma. Lesão bem demarcada, podendo ser pedunculada (Fig. 12-15D).
Distribuição. Igual ao MES. Nos japoneses, o MN ocorre nos membros (braços e pernas).

EXAME CLÍNICO GERAL Sempre investigar a presença de linfonodos.

EXAMES LABORATORIAIS

DERMATOPATOLOGIA Melanócitos malignos, que aparecem como células atípicas epitelioides, fusiformes ou pequenas; apresentam pouco crescimento lateral (radial) dentro e abaixo da epiderme e invadem verticalmente a derme e a gordura subcutânea subjacente (ver Fig. 12-14). São positivos para S-100 e normalmente para HMB-45 também. Para o estadiamento microscópico, ver p. 277.
SOROLOGIA Os níveis séricos de S-100 beta e atividade inibidora do melanoma (AIM), e os níveis de S-cisteinildopa e lactato desidrogenase (LDH) são marcadores de pacientes com melanoma *avançado*. Até hoje, a LDH constitui o único marcador estatisticamente significativo de doença *progressiva*.

DIAGNÓSTICO

O diagnóstico é clínico e com auxílio da dermatoscopia. Todavia, a dermatoscopia pode não ter sucesso nas lesões uniformemente pretas. Se houver qualquer dúvida, deve-se realizar *biópsia*. Quando possível, a biópsia excisional total com margens estreitas constitui o procedimento ideal. Se a biópsia for positiva para melanoma, será necessário efetuar nova excisão do local (ver Tratamento, p. 278). A biópsia incisional ou com *punch* é aceitável quando não for possível realizar uma biópsia excisional total, ou quando a lesão for grande, exigindo cirurgia extensa para retirá-la por completo.

DIAGNÓSTICO DIFERENCIAL

PÁPULA/NÓDULO AZUL/PRETO O MN pode ser confundido com *hemangioma* (história de longa duração) e *granuloma piogênico* (história breve – algumas semanas) (ver Fig. 12-15C) e, em alguns casos, é quase indistinguível do *carcinoma basocelular pigmentado*, embora seja geralmente mais macio. Entretanto, qualquer nódulo semelhante a um mirtilo de origem recente (6 meses a 1 ano) deve ser excisado ou, se for grande, é obrigatório realizar biópsia incisional para estabelecer o diagnóstico histológico.

PROGNÓSTICO

Resumido no Quadro 12-5.

TRATAMENTO

TRATAMENTO CIRÚRGICO Ver p. 278.

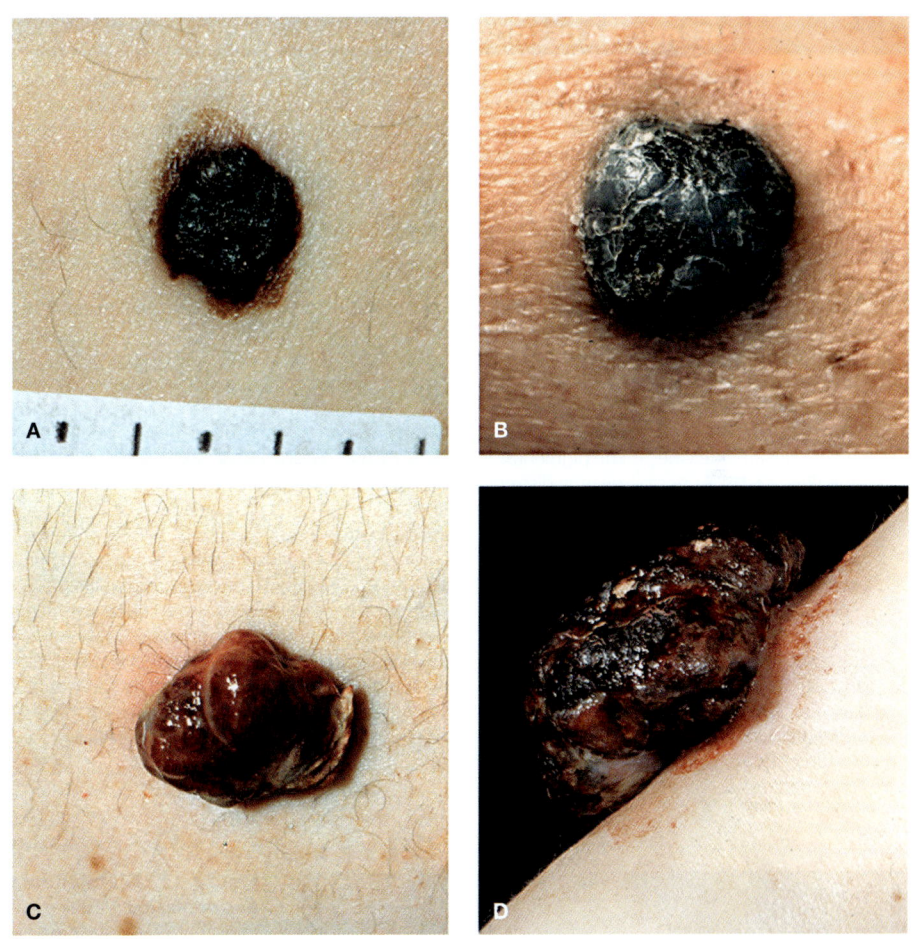

Seção 12 Precursores do melanoma e melanoma cutâneo primário

Figura 12-15 Melanoma nodular (A) Nódulo liso cupuliforme de 9 mm, com borda marrom mais plana, que se desenvolveu no dorso de um homem de 38 anos. **(B)** Pápula preta de 1 cm localizada na região posterior da coxa de uma mulher de 60 anos. A lesão estava presente há menos de 1 ano. **(C)** Nódulo marrom erodido e hemorrágico, com configuração semelhante a um cogumelo, conferindo-lhe um aspecto entalado. Essas lesões podem ser confundidas com uma lesão vascular, como o granuloma piogênico. **(D)** Nódulo grande (5 cm), hemorrágico, preto e irregular implantado na pele como um cogumelo. A lesão proliferou no decorrer de 6 meses, e o paciente de 56 anos não procurou um médico com medo de que "pudesse ser um melanoma".

MELANOMA DESMOPLÁSICO (MD) CID-10: C43

- O termo *desmoplasia* refere-se à proliferação de tecido conectivo e, quando aplicado ao melanoma maligno, descreve (1) um componente fibroblástico dérmico do melanoma, com proliferação apenas mínima dos melanócitos na junção dermoepidérmica; (2) melanoma maligno superficial centrado em um nervo, com ou sem componente melanocítico intraepidérmico atípico; ou (3) outras lesões nas quais o tumor parece originar-se do lentigo maligno ou, raramente, do MAL ou do melanoma extensivo superficial.
- Além disso, foram observados padrões de crescimento do MD no melanoma maligno recidivante.
- O MD pode ser uma variante do LMM, visto que a maioria das lesões ocorre na cabeça e na região cervical em pacientes com dermatoeliose.
- O MD tem mais tendência a sofrer recidiva local e a metastatizar do que o LMM. O MD é raro e ocorre mais frequentemente em mulheres e em indivíduos com > 55 anos de idade.
- Por ocasião do diagnóstico, as lesões do MD já estão presentes há meses ou anos. O MD é assintomático, geralmente não é pigmentado e, por conseguinte, passa despercebido pelo paciente. As lesões iniciais podem aparecer como máculas ou placas lentiginosas variegadas, algumas vezes, com pequenos pontilhados de cor azul-acinzentada. As lesões mais avançadas podem ocorrer como nódulos dérmicos e, embora geralmente careçam de pigmentação melânica, podem exibir elevações papulares cinzas a azuis (**Fig. 12-16**). As bordas, quando discerníveis, são irregulares, conforme observado no LM.
- O diagnóstico exige um dermatopatologista experiente; células fusiformes positivas para imunoperoxidase S-100 devem ser identificadas no colágeno da matriz. A coloração para HMB-45 pode ser negativa. Ocorre proliferação melanocítica juncional característica, isoladamente ou em ninhos focais, lembrando o LM. As células fusiformes positivas para S-100 estão embebidas no colágeno da matriz, que separa amplamente os núcleos dessas células. O neurotropismo é característico, isto é, células tumorais semelhantes aos fibroblastos ao redor ou dentro do endoneuro dos pequenos nervos.
- Existem diversos pontos de vista no que concerne ao prognóstico do MD. Em uma série, cerca de 50% dos pacientes sofreram recidiva local após excisão primária do MD, normalmente dentro de 3 anos após a excisão; alguns pacientes tiveram múltiplas recidivas. As metástases para linfonodos ocorrem menos frequentemente que a recidiva local. Em uma série, 20% dos pacientes desenvolveram metástases, e o MD foi considerado um tumor mais agressivo do que o LMM.
- Para o tratamento, ver p. 278.

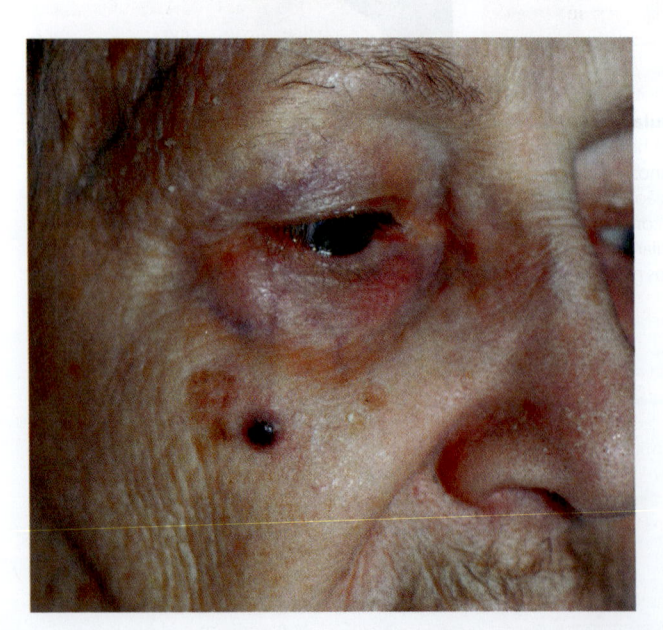

Figura 12-16 Melanoma desmoplásico Nódulo muito duro preto-azulado na região malar de uma mulher de 85 anos. Sofreu recidiva 1 ano após a excisão primária: ao exame histopatológico, tratava-se de um melanoma desmoplásico com espessura de mais de 3,4 mm e que apresentava invasão neural. Observar a coloração vermelha a azulada na pálpebra inferior, provavelmente causada por congestão de vasos comprimidos pelo tumor.

MELANOMA ACROLENTIGINOSO (MAL) CID-10: C43

- O MAL é uma apresentação especial do melanoma cutâneo que se desenvolve na planta, palma e leito ungueal das mãos ou dos pés.
- O MAL acomete mais frequentemente asiáticos, africanos subsaarianos e afro-americanos, respondendo por 50 a 70% dos melanomas cutâneos encontrados nessas populações.
- Ocorre mais frequentemente em homens idosos (≥ 60 anos) e, em geral, exibe crescimento lento ao longo de um período de vários anos.
- O desenvolvimento lento do tumor é a razão pela qual esse tipo de melanoma é frequentemente descoberto apenas quando surgem nódulos ou, no caso de comprometimento ungueal, quando a unha se desprende; por conseguinte, o prognóstico é ruim.

EPIDEMIOLOGIA

IDADE DE INÍCIO A idade mediana é de 65 anos.
INCIDÊNCIA E ETNIA 7 a 9% de todos os melanomas; em pessoas brancas, 2 a 8%; em asiáticos, africanos e afro-americanos, 50% dos melanomas; em japoneses, 50 a 70% dos melanomas.
SEXO A razão entre homens e mulheres é de 3:1.

PATOGÊNESE

As máculas pigmentadas que são frequentemente observadas nas plantas de negros africanos podem ser comparadas aos NDs. O MAL apresenta padrão de crescimento semelhante ao do LMM.

MANIFESTAÇÃO CLÍNICA

O MAL é de crescimento lento (cerca de 2,5 anos desde o seu aparecimento até o estabelecimento do diagnóstico). Os tumores ocorrem na superfície volar (palmas ou plantas) e, em sua fase de crescimento radial, podem se manifestar como uma "mancha" de crescimento gradual. O MAL na forma de melanoma subungueal (polegar ou hálux) surge inicialmente no leito ungueal e acomete, no decorrer de 1 a 2 anos, a matriz da unha, o epolíquio e a lâmina ungueal. Na fase de crescimento vertical, observa-se o desenvolvimento de nódulos; com frequência, trata-se de áreas de ulceração, e podem ocorrer deformidade e desprendimento da unha.
LESÕES CUTÂNEAS ACRAIS E PALMAS/PLANTAS Lesão macular ou ligeiramente elevada na fase de crescimento radial (Fig. 12-17), com desenvolvimento focal de pápulas e nódulos durante a fase de crescimento vertical. Variações acentuadas de cor, incluindo marrom, preto, azulado, áreas pálidas despigmentadas (Fig. 12-17). Bordas irregulares como no LMM; geralmente, bem demarcadas, porém, não raramente, com limites pouco definidos. Esse tipo de MAL ocorre nas plantas, palmas, superfícies dorsal e palmar/plantar dos dedos das mãos e dos pés (Fig. 12-17).
SUBUNGUEAL Mácula subungueal que começa na matriz da unha e se estende, acometendo o leito e a lâmina ungueais. Podem ocorrer pápulas, nódulos e destruição da lâmina ungueal na fase de crescimento vertical (Fig. 12-17B). Uma pigmentação marrom-escura ou preta pode se distribuir por toda a unha e pele circundante, assemelhando-se ao LM (Figs. 12-17A e B). À medida que a lesão passa para a fase de crescimento vertical, surge uma pápula ou nódulo, e a unha se desprende (Figs. 12-17A e B). Com frequência, os nódulos ou as pápulas não são pigmentados. O MAL amelanótico frequentemente passa despercebido por vários meses e, como não ocorrem alterações pigmentares, pode se manifestar inicialmente como distrofia ungueal.

DIAGNÓSTICO DIFERENCIAL

O MAL (tipo plantar) não raramente é considerado uma "verruga plantar" e tratado como tal. A dermatoscopia tem valor decisivo. Além disso, o MAL é frequentemente diagnosticado de modo incorreto como *tinea nigra*.
COLORAÇÃO SUBUNGUEAL O MAL (subungueal) costuma ser considerado um sangramento traumático sob a unha e hematomas subungueais podem persistir por mais de 1 ano. Porém, a área completamente pigmentada costuma se mover gradualmente para fora. A diferenciação entre MAL e hemorragia subungueal pode ser facilmente feita por dermatoscopia. Com a destruição da lâmina ungueal, as lesões são mais frequentemente consideradas "infecções fúngicas". Quando surgem nódulos tumorais não pigmentados, são diagnosticados incorretamente como granuloma piogênico.

EXAMES LABORATORIAIS

DERMATOPATOLOGIA O diagnóstico histológico da fase de crescimento radial do MAL do tipo volar pode ser difícil e pode exigir a realização de biópsias incisionais grandes para se obterem múltiplos cortes. Em geral, observa-se intensa inflamação linfocítica na junção dermoepidérmica. Grandes melanócitos característicos ao longo da camada de células basais podem se estender na forma de grandes ninhos na derme, ao longo dos ductos écrinos. Os melanócitos malignos invasivos frequentemente são fusiformes, de modo que o MAL geralmente tem aspecto desmoplásico ao exame histológico.

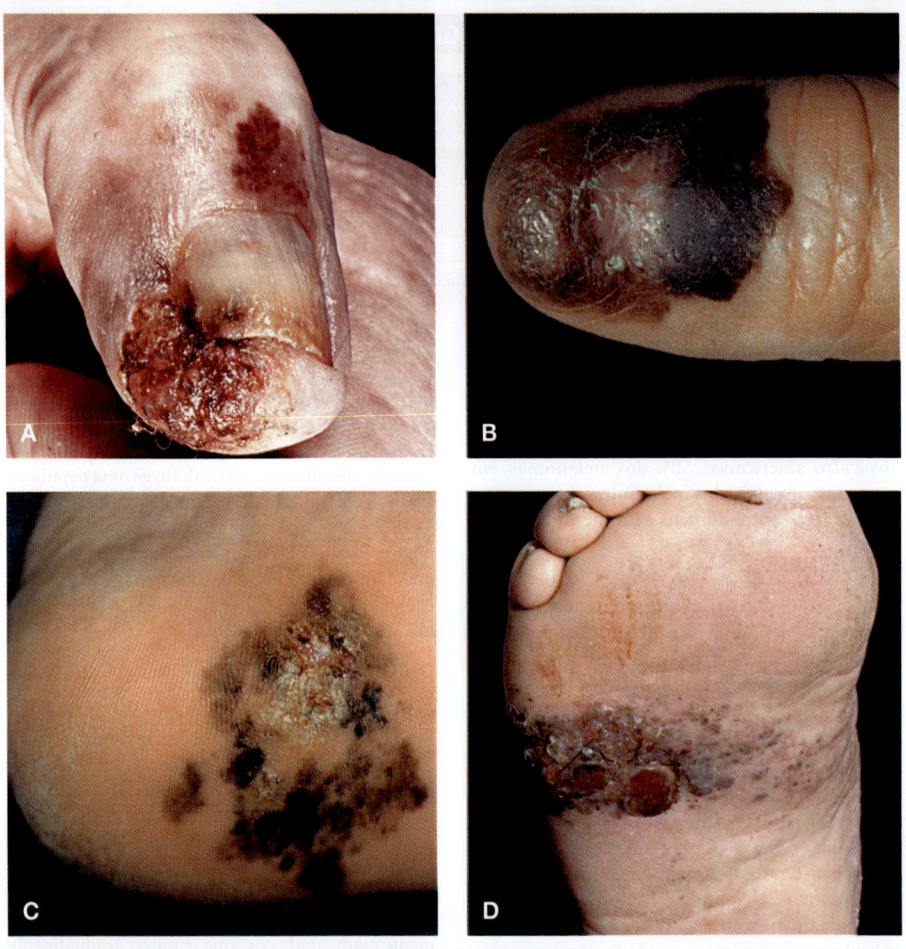

Figura 12-17 Melanoma acrolentiginoso (MAL) (A) MAL em desenvolvimento no polegar. Componente lentiginoso na pele do dorso do polegar: manchas, com áreas demarcadas e mal demarcadas de coloração marrom e cinza-azulada. Componentes nodulares ulcerados subungueal e distal. **(B)** O tumor substituiu todo o leito ungueal e a pele circundante: lesão macular com coloração variegada, semelhante ao lentigo maligno. Houve desprendimento da unha. Esse MAL levou à destruição da matriz da unha e foi diagnosticado inicialmente como distrofia ungueal. **(C)** MAL no calcanhar. Observa-se um componente macular altamente variegado – marrom a cinza e preto; o componente nodular é hiperceratótico, avermelhado e ulcerado. **(D)** MAL na planta do pé. Trata-se de uma lesão avançada com componente macular e nódulo ulcerado avermelhado. A lesão media 10 mm de profundidade, e havia aumento dos linfonodos inguinais.

PROGNÓSTICO

O MAL do tipo volar pode ser enganoso na sua aparência clínica, e as lesões "planas" podem ser profundamente invasivas. As taxas de sobrevida de 5 anos são < 50%. O MAL de tipo subungueal apresenta melhor taxa de sobrevida de 5 anos (80%) do que o tipo volar, porém os dados provavelmente não são acurados. O prognóstico ruim para o MAL do tipo volar pode estar relacionado ao retardo excessivo até o estabelecimento do diagnóstico.

TRATAMENTO

Ao se considerar a excisão cirúrgica, é importante determinar a extensão da lesão por dermatoscopia. MAL subungueal e MAL de tipo volar: amputação (dedo[s] do pé e da mão); MAL volar e plantar: ampla excisão com enxerto de pele de espessura parcial. A biópsia do linfonodo-sentinela é necessária na maioria dos casos (ver "Tratamento do melanoma", p. 278).

MELANOMA AMELANÓTICO CID-10: C43

- Todos os tipos de melanoma podem ser amelanóticos.
- Como carecem da pigmentação característica como marcador, essas lesões representam um desafio em termos de diagnóstico (**Fig. 12-18**).
- Entretanto, há frequentemente clones pigmentados no tumor, que revelam a sua natureza de melanoma (**Figs. 12-18B** e **C**).
- Na maioria dos casos, apenas a biópsia revelará o diagnóstico correto (**Figs. 12-18A** e **D**).

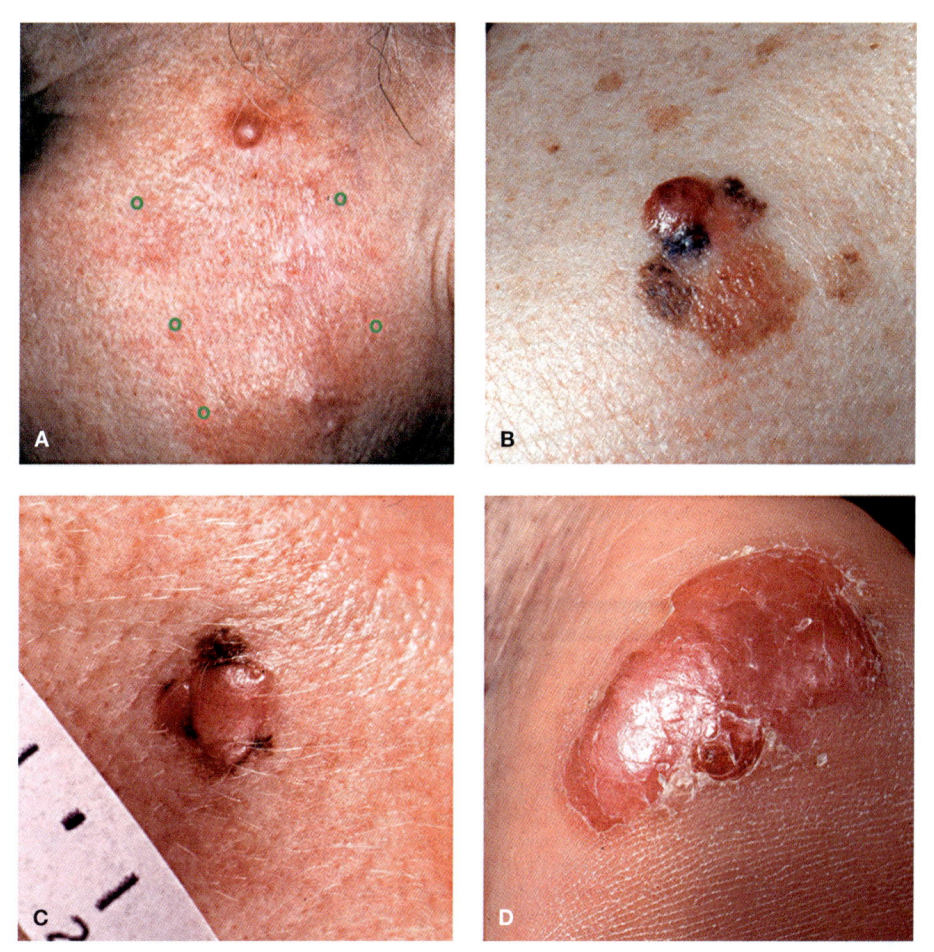

Figura 12-18 Melanoma amelanótico (A) LMM amelanótico. O nódulo vermelho era macio e foi diagnosticado como granuloma piogênico e excisado. O exame histopatológico revelou ser um melanoma, e as biópsias com *punch* subsequentes realizadas na pele eritematosa da região malar mostraram lentigo maligno (LM). Os contornos da lesão do LM, determinados por biópsias adicionais com *punch*, estão demarcados com círculos verdes. Observa-se que, sobre a lesão mandibular, há também proliferação nodular (vertical). **(B)** Melanoma extensivo superficial amelanótico. A verdadeira natureza deste nódulo vermelho é revelada pelo crescente azul em sua base e pela placa variegada marrom-avermelhada com a qual está em contiguidade. **(C)** Melanoma nodular amelanótico. Esse nódulo vermelho-cereja apresenta extensões maculares marrons nas posições 4, 6, 9 e 12 do relógio, revelando o diagnóstico correto. **(D)** MAL amelanótico no calcanhar. Essa lesão vermelho-cereja foi diagnosticada clinicamente como poroma écrino. A biópsia revelou a presença de MAL profundamente invasivo.

MELANOMA MALIGNO DA MUCOSA CID-10: C43.9

- Os melanomas malignos que se desenvolvem no revestimento epitelial das mucosas do trato respiratório e dos tratos gastrintestinal e urogenital são muito raros, com incidência anual de 0,15 por 100.000 indivíduos.
- Os principais locais dos melanomas da mucosa são a vulva e a vagina (45%) e as cavidades nasal e oral (43%).
- Os melanomas da mucosa são tão raros que não existem grandes bancos de dados em comparação aos do melanoma cutâneo.
- Por conseguinte, o estadiamento microscópico patológico não tem sido possível, e o estabelecimento preciso do prognóstico, que tem sido útil no melanoma cutâneo (espessura de Breslow), até o momento não tem sido possível nos melanomas da mucosa.

Melanomas da cavidade oral

Há demora no diagnóstico do melanoma das superfícies orais e nasais. Embora a melanose da mucosa seja comum em pessoas negras e da Índia oriental, isso envolve bilateralmente a mucosa bucal e gengival (ver Seção 33). Quando houver uma única área de melanose, deve ser realizada uma biópsia para descartar o melanoma; isso também é verdade para nevos pigmentados na cavidade oral, os quais devem ser excisados.

Melanomas da genitália

Esses melanomas desenvolvem-se principalmente na glande ou no prepúcio (ver Seção 34), bem como nos lábios menores da vulva; uma menor quantidade ocorre no clitóris e nos lábios maiores da vulva. A maioria dos tumores estende-se até a vagina, na borda mucocutânea. Esses melanomas assemelham-se ao LM e ao LMM e apresentam evolução também semelhante (ver Seção 34). Os melanomas da vulva costumam ser planos como o LMM com grandes áreas de MIS. Isso é importante ao planejar a excisão de todas as lesões a fim de evitar sua recorrência. A dermatoscopia deve ser utilizada para se delimitar a periferia da lesão, como no caso do LMM.

Melanoma anorretal

Com frequência, ocorre como tumor primário localizado, frequentemente polipoide ou nodular, mas também pode se apresentar de modo semelhante ao LMM.

MELANOMA METASTÁTICO CID-10: C79.2/79.8

- O melanoma metastático ocorre em 15 a 26% dos melanomas nos estágios I e II (ver a discussão adiante).
- A disseminação da doença a partir de seu local primário ocorre normalmente de acordo com uma sequência progressiva: melanoma primário → metástase regional (ver **Fig. 12-19**) → metástase distante.
- Pode ocorrer metástase a distância, pulando os linfonodos regionais e indicando disseminação hematogênica.
- As metástases a distância ocorrem em qualquer local, porém acometem frequentemente os seguintes órgãos: pulmões (18 a 36%), fígado (14 a 29%), cérebro (12 a 20%), osso (11 a 17%) e intestino (1 a 7%).
- Com mais frequência, o melanoma dissemina-se inicialmente para linfonodos distantes, pele (**Fig. 12-19B**) e tecidos subcutâneos (42 a 57%) (**Fig. 12-19D**).
- Ocorre recidiva local se a excisão não for adequada (**Fig. 12-20**) ou pode acometer a pele de toda uma região, com e sem tratamento cirúrgico adequado (**Figs. 12-19A** e **C**).
- A metástase disseminada também pode levar ao alojamento de células de melanoma metastático único em todos os órgãos com melanose da pele (**Fig. 12-21**), das mucosas, do fígado, dos rins, do músculo cardíaco e de outros tecidos.
- O *melanoma metastático sem tumor primário detectável* é raro, de 1 a 6%. Resulta de metástase de um melanoma que sofreu regressão espontânea total.
- O melanoma pode sofrer recidiva tardia (≥ 10 anos). O intervalo habitual é de 14 anos, porém foram constatadas recidivas "muito tardias" (> 15 anos) em uma série no Massachusetts General Hospital, com 0,072% (20 de 2.766 casos).
- Os *pacientes com metástase solitária* limitada aos linfonodos subcutâneos não regionais ou aos pulmões têm maior tendência a se beneficiar da intervenção cirúrgica.

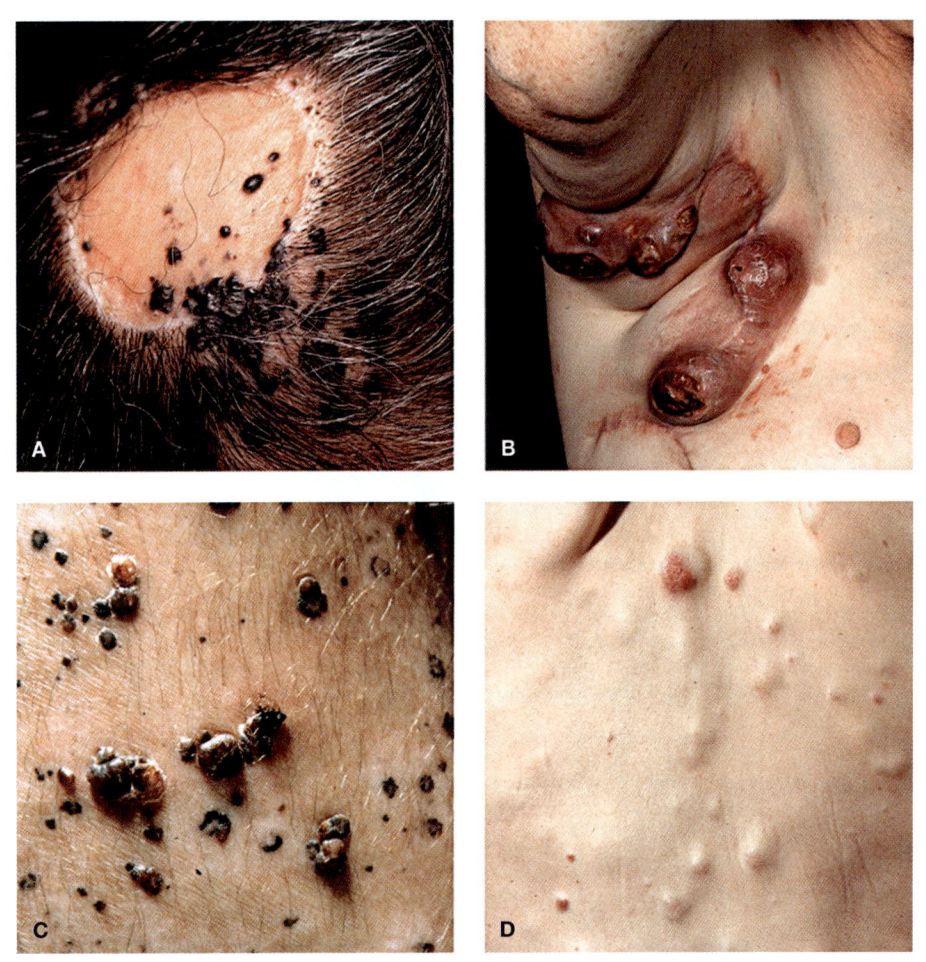

Figura 12-19 Melanoma metastático **(A)** Recidiva local e metástases cutâneas em trânsito após excisão de melanoma primário do couro cabeludo e enxerto de pele de espessura parcial. Observação: as metástases estão localizadas tanto na pele circundante quanto no enxerto. **(B)** Metástases avançadas nos linfonodos axilares e metástases em trânsito na pele mamária. O tumor primário foi um melanoma nodular com coloração de piche e estava localizado lateralmente à mama (a cicatriz pode ser ainda observada). Observe que tanto os nódulos em trânsito quanto os nódulos axilares que se estendem na pele são amelanóticos. **(C)** Múltiplas metástases de melanoma para a pele após disseminação hematogênica. **(D)** Metástases subcutâneas de melanoma por disseminação hematogênica. Como não são azuladas, essas metástases são amelanóticas. Os melanomas primário e metastático podem diferir quanto ao potencial de pigmentação.

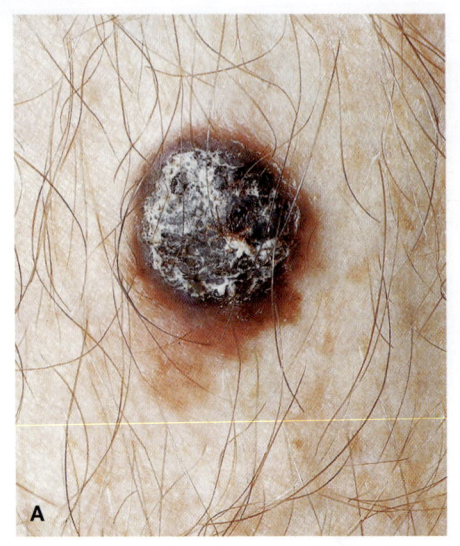

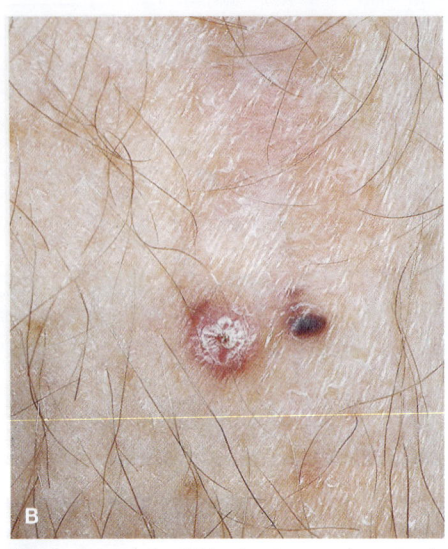

Figura 12-20 Melanoma metastático: recidiva na cicatriz da excisão (A) Lesão pigmentada na canela de um homem de 35 anos, que estava presente há < 2 anos. A dermatopatologia foi inicialmente interpretada como nevo de células fusiformes (Spitz). Por conseguinte, o local da lesão primária não foi reexcisado. **(B)** São observadas duas pápulas ao redor da cicatriz da excisão, das quais, uma com coloração marrom-azulada. A histologia da lesão excisada foi revisada e classificada como melanoma extensivo superficial, enquanto a histopatologia das duas pápulas observadas aqui foi de melanoma metastático.

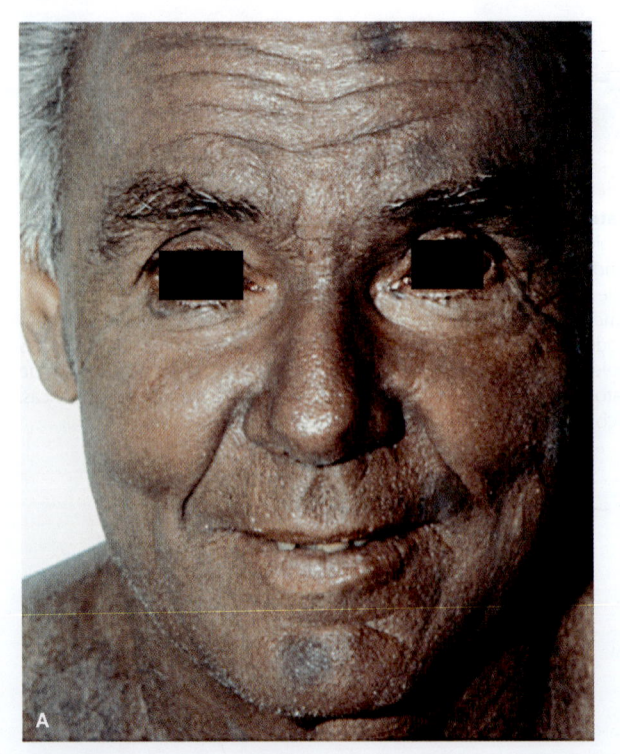

Figura 12-21 Melanose universal devido a melanoma metastático (A) São encontradas metástases unicelulares por toda a pele e mucosas deste paciente branco, e foram encontradas células de melanoma metastático circulantes no sangue. A urina era escura (melanogenúria), e, na necropsia, os órgãos internos também estavam negros.

Figura 12-21 (continuação) **(B)** A mão do paciente é mostrada ao lado da mão de um enfermeiro para se demonstrar a diferença de cor.

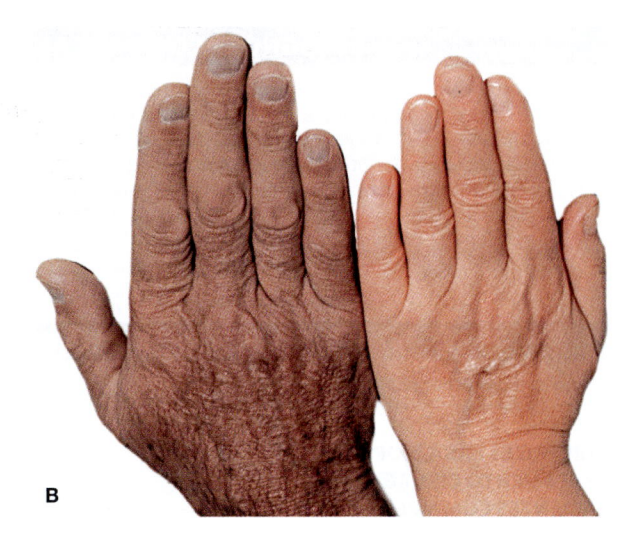

ESTADIAMENTO DO MELANOMA

- O estadiamento do melanoma depende de sua classificação TNM (tumor primário, linfonodos regionais, metástases, **Quadro 12-4**).
- O *estadiamento clínico* do melanoma diferencia as doenças local, regional e distante e tem como base o estadiamento microscópico do melanoma e a avaliação clínica e de imagem à procura de metástases.
- O *estadiamento patológico* consiste no estadiamento microscópico do tumor primário e na avaliação patológica dos linfonodos regionais (**Quadro 12-5**). O estadiamento do melanoma está fortemente correlacionado à sobrevida do paciente.

Estadiamento microscópico

O *estadiamento microscópico* é realizado de acordo com o método de Breslow. A espessura do melanoma primário é medida a partir da camada granular da epiderme até a parte mais profunda do tumor. A espessura do melanoma (nível de invasão) constitui a variável prognóstica única mais importante e, portanto, fundamental para as decisões terapêuticas (**Quadro 12-4**). A taxa de mitose no tumor primário também é um importante critério para o estadiamento do melanoma (**Quadro 12-4**).

De acordo com o nível de invasão tecidual, o estadiamento microscópico de Clark (nível I de Clark, intraepidérmico; nível II, invasão da derme papilar; nível III, ocupação da derme papilar; nível IV, invasão da derme reticular; nível V, invasão da gordura subcutânea) não é mais considerado uma variável prognóstica significativa.

Biópsia do linfonodo-sentinela

A biópsia do linfonodo-sentinela pode prever a existência de melanoma metastático clinicamente indetectável nos linfonodos regionais, com identificação das células malignas em cortes corados por hematosina e eosina (H&E); coloração para a proteína S-100, HMB-45 e tirosinase.

Quando os linfonodos não são palpáveis, não há certeza de que existam micrometástases; estas podem ser detectadas pela *técnica do linfonodo-sentinela*. A hipótese é a de que o *primeiro linfonodo* que drena uma cadeia linfática, conhecido como *linfonodo-sentinela*, possa prever a presença ou ausência de metástases em outros linfonodos dessa cadeia. O mapeamento linfático (ML) ou a linfadenectomia-sentinela (LS) são realizados no mesmo dia, com uma única injeção de ^{99m}Tc filtrado por via SC no local do melanoma primário para ML e LS dirigidos por sonda. De modo alternativo, um dia após a linfocintilografia, efetua-se biópsia do linfonodo-sentinela orientada por sonda gama e um corante azul também injetado no local do tumor primário; o linfonodo-sentinela é submetido a exame histopatológico e imuno-histoquímico. O ML é muito útil na localização das áreas de drenagem, particularmente com tumores primários no tronco, que podem drenar para um dos lados e para ambos os linfonodos axilares e inguinais.

A dissecção dos linfonodos só é realizada se forem detectadas micrometástases no linfonodo-sentinela. A técnica do linfonodo-sentinela também é essencial na tomada de decisão quanto ao uso de tratamento adjuvante.

PROGNÓSTICO DO MELANOMA

Quando ocorreram metástases regionais ou distantes, o prognóstico do melanoma pode ser excelente ou muito ruim, dependendo de o tumor ser diagnosticado como inicial ou tardio (**Quadro 12-5**). Isso ressalta a importância do diagnóstico precoce, da entrevista dos pacientes acerca dos fatores de risco para melanoma, da triagem dos indivíduos que pertencem a grupos de risco e do exame completo do corpo de qualquer paciente que procure um médico para exame clínico. O prognóstico relacionado com o grupo de estadiamento para o melanoma cutâneo é mostrado no **Quadro 12-5**.

TRATAMENTO DO MELANOMA

O único tratamento curativo do melanoma é a excisão cirúrgica precoce.

DIRETRIZES PARA BIÓPSIA E TRATAMENTO CIRÚRGICO DE PACIENTES COM MELANOMA

I. Biópsia
  A. Biópsia excisional total com margens estreitas – técnica de biópsia ideal, sempre que possível.
  B. A biópsia incisional ou com *punch* é aceitável quando não for possível realizar uma biópsia excisional total, ou quando a lesão for grande, exigindo cirurgia extensa para retirá-la por completo.
  C. Obter uma amostra da lesão: se for elevada, retirar a área mais elevada; se for plana, retirar a área mais escura.
II. Melanoma *in situ*
  A. Excisar com margem de 0,5 cm.
III. LMM
  A. Excisar com uma margem de 1 cm além da lesão clinicamente visível ou da cicatriz de biópsia – a não ser que o componente plano envolva um órgão importante (p. ex., pálpebra), caso em que é aceitável manter margens mais estreitas.
  B. Excisar até a fáscia ou o músculo subjacente, se não houver fáscia. Para fechamento da ferida, podem-se utilizar retalhos ou enxertos cutâneos.
  C. Não se recomenda a dissecção de linfonodos, a não ser que estes sejam clinicamente palpáveis e com suspeita de tumor.
  D. Ver a recomendação para exame do linfonodo-sentinela para uma espessura > 1 mm (p.281).
IV. MES, MN e MAL
  A. Espessura < 1 mm.
    1. Excisar com uma margem de 1 cm a partir da borda da lesão.
    2. Excisar até a fáscia ou o músculo subjacente, se não houver fáscia. Com frequência, é possível o fechamento direto sem enxerto.
    3. Não se recomenda a dissecção de linfonodos, a não ser que sejam clinicamente palpáveis e com suspeita de tumor.
  B. Espessura de 1 a 4 mm.
    1. Excisar com margem de 2 cm a partir da borda da lesão, com exceção da face, onde podem ser necessárias margens mais estreitas.
    2. Excisar até a fáscia ou o músculo subjacente, se não houver fáscia. Pode haver necessidade de enxerto.
    3. Recomenda-se a técnica do linfonodo-sentinela para tumores com espessura de > 1 mm.
    4. A linfadenectomia é realizada seletivamente e apenas nas cadeias de linfonodos com células tumorais ocultas (i.e., linfonodo-sentinela positivo). Se o linfonodo-sentinela for negativo, o paciente não precisa se submeter à dissecção de linfonodos.
    5. Recomenda-se a dissecção terapêutica dos linfonodos se estes forem clinicamente palpáveis e se houver suspeita de tumor.
    6. Se o linfonodo regional for positivo e totalmente removido sem qualquer evidência de doença a distância, deve-se considerar o tratamento adjuvante com α-interferona 2b (α-IFN-2b).

TRATAMENTO ADJUVANTE

Consiste no tratamento de um paciente após a remoção de todo o tumor detectável; entretanto considera-se que o paciente corre alto risco de recidiva (i.e., estágios IIb e III). Conforme citado antes, a α-IFN-2b (dose alta ou baixa) está sujeita a intensa investigação. No entanto, apesar dos resultados iniciais promissores até o momento, não foi demonstrado nenhum benefício convincente na sobrevida global.

Tratamento das metástases a distância (estágio IV)*

A perspectiva para pacientes com melanoma metastático irressecável mudou dramaticamente nos últimos anos. Enquanto a sobrevida média desses pacientes estava ao redor de 6 meses na época da quimioterapia, ela aumentou para mais de 2 anos em estudos clínicos recentes com os novos fármacos direcionados e inibidores do ponto de verificação imune.

Até 50% dos melanomas abrigam uma mutação B-RAF V600, o que leva à ativação constitutiva da via de sinalização da MAP-quinase. O tratamento com inibidores específicos da mutação B-raf leva, às vezes rapidamente, a respostas em mais da metade dos pacientes. Porém, essas respostas costumam ser curtas e com uma sobrevida livre de progressão de cerca de 7 meses. Isso melhorou muito com uma combinação de inibidores de B-RAF com MEK, o que aumentou a média de sobrevida livre de progressão para mais de 12 meses, sendo o padrão atual de tratamento para pacientes com uma mutação B-RAF V600.

Pontos de verificação imune, como CTLA-4 ou PD1, conferem sinais que podem diminuir a atividade de células T. Isso pode ser bloqueado usando-se terapia com anticorpos monoclonais que ativem a reação das células T ao tumor. O bloqueio de CTLA-4 apresentou taxas de resposta modestas, mas foi associado com sobrevida a longo prazo em cerca de 20% dos pacientes com melanoma. Os anticorpos bloqueadores de PD-1 demonstraram taxas de resposta de 35 a 40% em estudos clínicos e parecem ser especialmente eficazes em pacientes que expressam o ligante PD-L1 na superfície tumoral. Recentemente, a combinação de um anticorpo bloqueador de CTLA-4 com um anticorpo para PD-1 foi aprovada para o tratamento de melanoma metastático, mostrando taxas de resposta de cerca de 60%, com resposta completa em mais de 10% dos pacientes.

A radioterapia costuma ter efeitos apenas modestos, apresentando a melhor atividade quando se aplicam doses suficientemente altas, como, por exemplo, na radiocirurgia estereotáxica para metástases cerebrais. A cirurgia para pacientes com doença mono ou oligometastática é também ainda uma estratégia viável, enquanto a quimioterapia, para a qual o benefício da sobrevida nunca foi demonstrado em ensaios clínicos controlados, é cada vez mais usada apenas nos estágios finais do tratamento como medida paliativa.

---

*Cortesia do Dr. Christoph Höller.

SEÇÃO 13

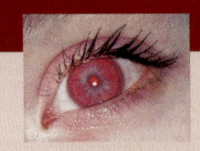

DISTÚRBIOS PIGMENTARES

- A cor normal da pele é composta por uma mistura de quatro biocromos: (1) *hemoglobina reduzida* (azul), (2) *oxi-hemoglobina* (vermelha), (3) *carotenoides* (amarelos; exógenos, provenientes da dieta) e (4) *melanina* (marrom).
- O principal determinante da cor da pele é o pigmento melanina, e as variações na quantidade e na distribuição da melanina na pele constituem a base das três principais cores da pele humana: negra, parda e branca.
- Essas três cores de pele básicas são geneticamente determinadas e são chamadas de *pigmentação melânica constitutiva*. A pigmentação básica normal da cor da pele pode ser aumentada intencionalmente pela exposição à radiação ultravioleta (RUV) ou pelos hormônios hipofisários, e essa condição é conhecida como *pigmentação melânica indutível*.
- A combinação da pigmentação melânica constitucional e da combinação melânica indutível determina o que se conhece como *fototipo cutâneo* (FTC) (ver **Quadro 10-2**). A etnia não constitui necessariamente um componente dessa definição, por exemplo, as pessoas de etnia africana "negra" podem ter FTC III, enquanto um indivíduo branco do leste da Índia pode ter um FTC IV ou até mesmo FTC V. *O FTC é um marcador de risco de câncer de pele e deve ser registrado na primeira consulta do paciente*.
- O aumento da quantidade de melanina na epiderme leva a um estado conhecido como *hipermelanose*. A hipermelanose reflete dois tipos de alterações:
    - Aumento na quantidade de melanócitos na epiderme, produzindo níveis aumentados de melanina, uma condição denominada *hipermelanose melanocítica* (um exemplo é o *lentigo*).
    - Ausência de aumento na quantidade de melanócitos, porém com aumento apenas na produção de melanina, uma condição conhecida como *hipermelanose melanótica* (um exemplo é o *melasma*).
- Ambos os tipos de hipermelanose podem resultar de três fatores: genéticos, hormonais (como no caso da doença de Addison) e RUV (como ocorre no bronzeamento).
- A hipomelanose refere-se a uma redução da quantidade de melanina na epiderme. Isso reflete dois tipos principais de alterações:
    - Redução apenas na produção de melanina, denominada *hipomelanose melanopênica* (um exemplo é o albinismo).
    - Redução na quantidade de melanócitos ou a sua ausência na epiderme, resultando em níveis diminuídos ou indetectáveis de melanina. Essa condição é denominada *hipomelanose melanocitopênica* (um exemplo é o vitiligo).
- A hipomelanose também resulta de distúrbios genéticos (como no albinismo), de distúrbios autoimunes (como no vitiligo) ou de outros processos inflamatórios (como na leucodermia pós-inflamatória da psoríase).

VITILIGO CID-10: L80

- Distribuição mundial; acomete 1% da população.
- Representa um importante problema psicológico para indivíduos de pele parda ou negra, resultando em graves dificuldades de adaptação social.
- Distúrbio crônico, com predisposição multifatorial e fatores desencadeantes.
- Do ponto de vista clínico, caracteriza-se pelo desenvolvimento de máculas totalmente brancas, que crescem e podem acometer toda a pele.
- Exame microscópico: ausência completa de melanócitos.
- Raramente associado a doenças autoimunes sistêmicas e/ou endócrinas.

EPIDEMIOLOGIA

SEXO Incidência igual em ambos os sexos. O predomínio nas mulheres sugerido pela literatura provavelmente reflete a maior preocupação dessas pacientes pela aparência estética.

IDADE DE INÍCIO Pode começar em qualquer idade; todavia, em 50% dos casos, tem início entre 10 e 30 anos de idade.

INCIDÊNCIA Comum, de distribuição mundial. Acomete até 1% da população.

ETNIA Acomete todas as etnias. A prevalência aparentemente aumentada relatada em alguns países e entre indivíduos de pele mais escura resulta do notável contraste entre as máculas brancas do vitiligo e a pele escura e do estigma social acentuado observado em países como a Índia.

HEREDITARIEDADE O vitiligo tem base genética; > 30% dos indivíduos acometidos relatam a ocorrência de vitiligo em um dos pais, em irmãos ou filhos. Foi relatada a ocorrência de vitiligo em gêmeos homozigóticos. A transmissão é mais provavelmente poligênica, com expressão variável. O risco de vitiligo para filhos de indivíduos acometidos não é conhecido, mas pode ser < 10%. Os indivíduos de famílias com prevalência aumentada de doença da tireoide, diabetes melito, alopécia areata e vitiligo parecem correr risco aumentado de desenvolver vitiligo.

PATOGÊNESE

Foram formuladas três teorias principais acerca do mecanismo de destruição dos melanócitos no vitiligo:

1. A *teoria autoimune* sustenta que ocorre destruição de melanócitos selecionados por linfócitos citotóxicos, que foram de algum modo ativados.
2. A *hipótese de autodestruição* sugere que os melanócitos são destruídos por substâncias tóxicas produzidas como parte da biossíntese normal da melanina. Isso poderia, então, ativar os mecanismos citados na hipótese autoimune.
3. A *hipótese neurogênica* tem como base a interação entre os melanócitos e as células nervosas. Isso provavelmente seja verdade apenas no vitiligo segmentar.

MANIFESTAÇÃO CLÍNICA

Muitos pacientes atribuem o início do vitiligo a um traumatismo físico (quando o vitiligo aparece na área de traumatismo – fenômeno de Koebner), a uma doença ou ao estresse emocional. O vitiligo também aparece após exposição ocupacional a compostos fenólicos, mais comumente o 4-terc-butilfenol. Uma reação a uma queimadura solar também pode desencadear a doença.

LESÕES CUTÂNEAS Máculas de 5 mm a 5 cm de diâmetro *ou mais* (Figs. 13-1 e 13-2). Cor de "giz" ou branco-pálido, com bordas nitidamente demarcadas. A doença progride com o crescimento gradual das máculas antigas ou com o aparecimento de novas lesões. As margens são *convexas*. O vitiligo tricrômico (três cores: branco, marrom-claro, marrom-escuro) representa diferentes estágios na evolução da doença. A pigmentação ao redor de um folículo piloso existente em uma mácula branca representa uma pigmentação residual ou a recuperação da pigmentação.

Distribuição. Dois padrões gerais. O tipo *focal* caracteriza-se por uma ou várias máculas em uma única região; em alguns casos, isso pode representar um estágio evolutivo inicial de um dos outros tipos. O vitiligo *generalizado* é mais comum e se caracteriza pela distribuição disseminada de máculas despigmentadas, que frequentemente exibem uma notável simetria (Fig. 13-2). Ocorrem máculas características ao redor dos olhos (Fig. 13-1) e da boca, nos dedos das mãos, nos cotovelos e nos joelhos, bem como na região lombar e nas áreas genitais (Fig. 13-3). O *padrão "lábio-extremidades"* acomete a pele ao redor da boca, bem como os segmentos distais dos dedos das mãos e dos pés; pode haver acometimento dos lábios, dos mamilos, da genitália e do ânus. A confluência do vitiligo resulta na formação de grandes áreas brancas, e o vitiligo generalizado extenso pode deixar apenas algumas áreas de pele com pigmentação normal – *vitiligo universal* (Fig. 13-4).

VITILIGO SEGMENTAR Trata-se de um subtipo especial, que geralmente se desenvolve em uma região unilateral; em geral, não se estende além da região inicial acometida (embora isso nem sempre ocorra). Uma vez presente, é muito estável. Pode ter uma patogênese diferente do vitiligo generalizado, mas pode estar associado ao vitiligo em outros locais.

MANIFESTAÇÕES CUTÂNEAS ASSOCIADAS Pelos brancos e encanecimento prematuro dos cabelos. As áreas circunscritas de cabelos brancos, análogas às máculas do vitiligo, são denominadas *polioses*. Alopécia areata (ver Seção 31) e nevo halo (ver Seção 9). Em pacientes em idade mais avançada, pode ocorrer fotoenvelhecimento, bem como ceratoses solares, nas máculas do vitiligo de indivíduos com história pregressa de exposições prolongadas à luz solar, mas o carcinoma espinocelular limitado às máculas brancas é muito raro.

EXAME CLÍNICO GERAL O vitiligo raramente está associado à doença da tireoide (tireoidite de Hashimoto e doença de Graves); também diabetes melito – provavelmente em < 5% dos casos; anemia perniciosa (incomum, porém com risco aumentado); doença de Addison (muito raramente); e síndrome de endocrinopatia múltipla (rara). O exame oftalmológico pode revelar sinais de coriorretinite cicatrizada ou irite. A visão não é afetada. A audição permanece normal. A *síndrome de Vogt-Koyanagi-Harada* consiste em vitiligo + poliose + uveíte + disacusia + alopécia areata.

EXAMES LABORATORIAIS

EXAME COM LÂMPADA DE WOOD Para a identificação das máculas de vitiligo na pele muito clara.

DERMATOPATOLOGIA Em certos casos difíceis, pode ser necessária a realização de biópsia de pele. As máculas de vitiligo exibem pele normal, exceto pela ausência de melanócitos.

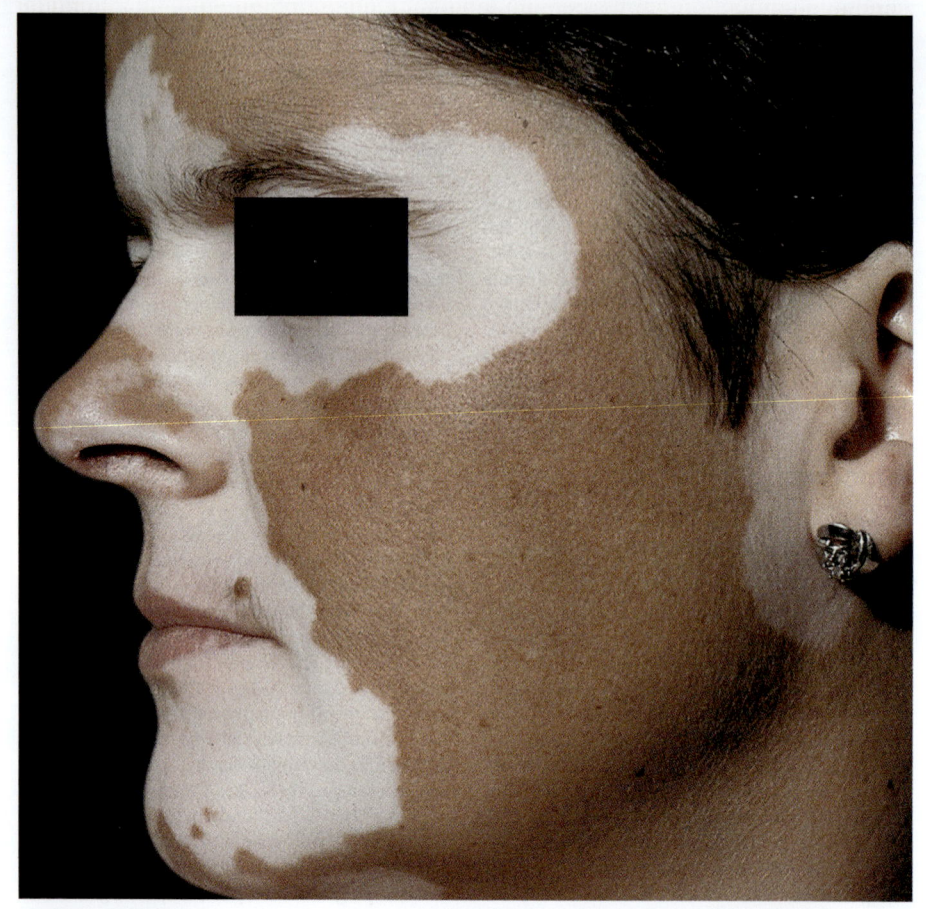

Figura 13-1 Vitiligo: face Despigmentação extensa da área central da face. A pele vitiliginosa envolvida tem bordas convexas, que se estendem na pele pigmentada normal. Observa-se a cor branco-giz e a delimitação nítida. *Observa-se também que o nevo melanocítico dérmico no lábio superior conservou a sua pigmentação.*

MICROSCOPIA ELETRÔNICA Ausência de melanócitos e de melanossomos nos ceratinócitos.

EXAMES LABORATORIAIS Para descartar doenças associadas endócrinas ou autoimunes.

DIAGNÓSTICO

Normalmente, o diagnóstico de vitiligo pode ser facilmente estabelecido com base no exame clínico de um paciente com máculas progressivas, adquiridas, cor branco-giz, bilaterais (geralmente simétricas) e bem demarcadas em áreas características.

DIAGNÓSTICO DIFERENCIAL DE VITILIGO

- *Pitiríase alba* (escamas discretas, margens pouco limitadas, cor esbranquiçada) (ver Pitiríase alba, p. 296).
- *Pitiríase versicolor alba* (descamação fina com fluorescência amarelo-esverdeada ao exame com lâmpada de Wood, preparação com KOH positiva) (ver Pitiríase versicolor, p. 293 e Seção 26).
- *Hanseníase* (áreas endêmicas, máculas *anestésicas* de coloração esbranquiçada, habitualmente com bordas mal definidas) (ver Seção 25).

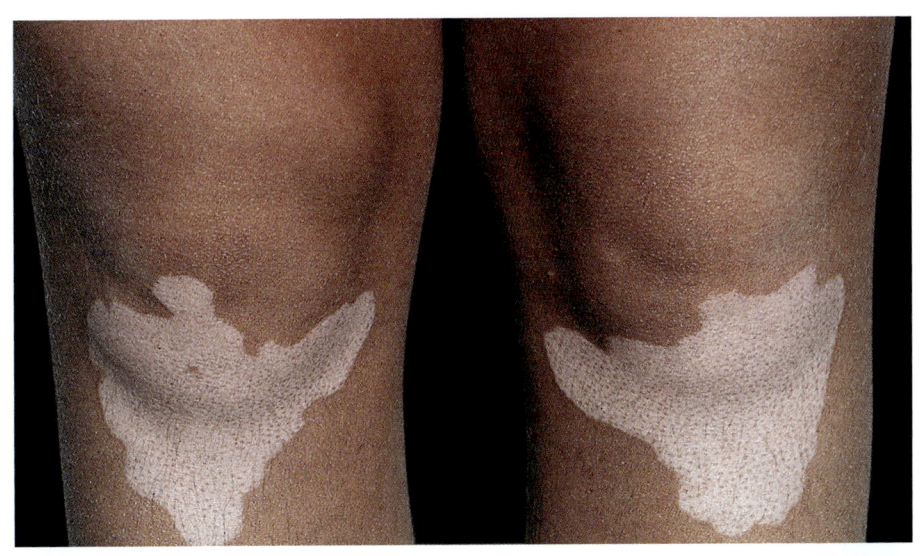

Figura 13-2 Vitiligo: joelhos Máculas despigmentadas e nitidamente demarcadas nos joelhos. Com exceção da perda de pigmento, a pele vitiliginosa tem aspecto normal. Existe uma notável simetria. Observam-se as minúsculas manchas pigmentadas foliculares dentro das áreas de vitiligo, que representam uma repigmentação.

- *Leucodermia pós-inflamatória* (máculas esbranquiçadas; geralmente com história de psoríase ou eczema na mesma área das máculas; ver Hipomelanose pós-inflamatória [psoríase], p. 294).
- *Micose fungoide* (pode ser confundida, visto que pode haver apenas despigmentação, e a biópsia é necessária) (ver Hipopigmentação pós-inflamatória, p. 295 e Seção 21).
- *Leucodermia química* (história de exposição a determinados compostos fenólicos). Trata-se de um diagnóstico diferencial difícil, visto que os melanócitos também estão ausentes, como ocorre no vitiligo. É mais provável que seja vitiligo.
- *Nevo anêmico* (não é realçado com exame com lâmpada de Wood; não exibe eritema após fricção).
- *Nevo despigmentado* (estável, congênito, máculas esbranquiçadas, unilateral).
- *Hipomelanose de Ito* (bilateral, linhas de Blaschko, padrão marmóreo; 60 a 75% dos casos exibem comprometimento sistêmico – sistema nervoso central, olhos, sistema musculoesquelético).
- *Esclerose tuberosa* (estável, máculas esbranquiçadas congênitas poligonais, em forma de folha de freixo, máculas segmentares ocasionais e máculas semelhantes a confetes) (ver Seção 16).
- *Leucodermia associada a melanoma* (também é provável que seja vitiligo).
- *Síndrome de Vogt-Koyanagi-Harada* (problemas visuais, fotofobia e disacusia bilateral).
- *Síndrome de Waardenburg* (causa mais comum de surdez congênita, máculas brancas e topete branco, heterocromia da íris).

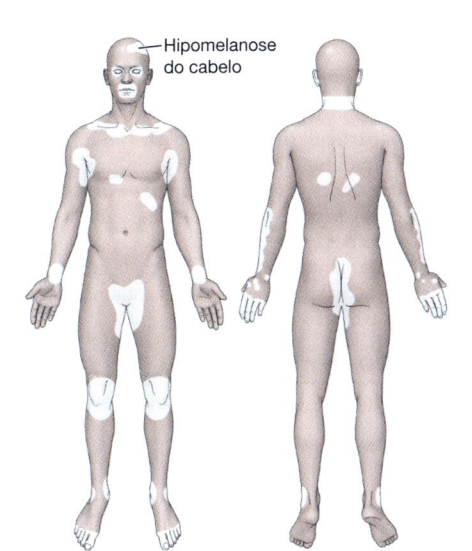

Figura 13-3 Vitiligo: locais de predileção

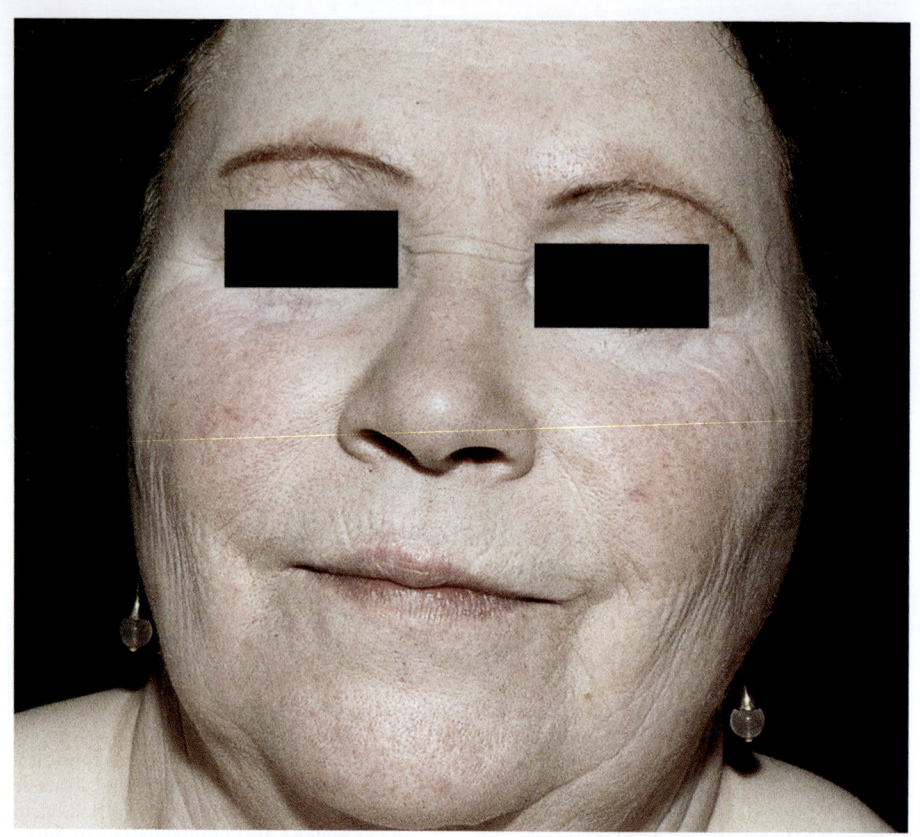

Figura 13-4 Vitiligo universal As máculas vitiliginosas coalesceram, acometendo todas as áreas da pele, com despigmentação completa da pele e dos pelos desta mulher. A paciente está utilizando uma peruca de cabelos pretos e escureceu os supercílios com lápis de sobrancelha e as margens das pálpebras com delineador.

- *Piebaldismo* (congênito, topete branco, estável, faixa pigmentada no dorso, padrão distinto com grandes máculas hiperpigmentadas no centro das áreas hipomelanóticas).

EVOLUÇÃO E PROGNÓSTICO

O vitiligo é uma doença crônica. A evolução é altamente variável, porém o aspecto mais característico consiste em seu início rápido, seguido de um período de estabilidade ou progressão lenta. Até 30% dos pacientes podem relatar a ocorrência de alguma repigmentação espontânea em algumas áreas – particularmente as expostas ao sol. O vitiligo rapidamente progressivo ou "galopante" pode causar despigmentação rápida e extensa, com perda total do pigmento da pele e dos cabelos, mas não dos olhos.

O tratamento da doença associada ao vitiligo (i.e., doença da tireoide) não tem nenhum impacto sobre a evolução do vitiligo.

MANEJO

As abordagens usadas no manejo do vitiligo são as seguintes:

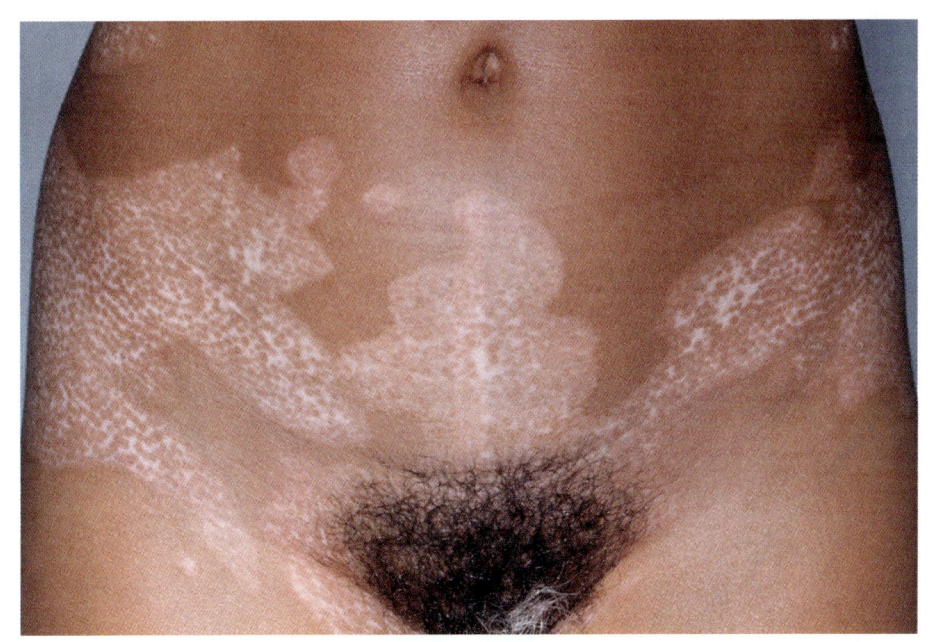

Figura 13-5 Repigmentação do vitiligo Padrão folicular de repigmentação produzida pelo tratamento com PUVA em uma grande mácula vitiliginosa na região abdominal inferior. Devido à confluência das máculas, as áreas vitiliginosas quase ocuparam a pele normal circundante, porém ainda são mais claras. Os melanócitos podem persistir no epitélio dos folículos pilosos e servem para repovoar a pele acometida, espontaneamente, com fotoquimioterapia ou com fototerapia de 312 nm.

Filtros solares

Os dois objetivos dos filtros solares consistem em proteger a pele acometida contra as reações agudas da queimadura solar e limitar o bronzeamento da pele normalmente pigmentada.

Maquiagem estética

O objetivo da maquiagem com pintura ou base é ocultar as máculas brancas, de modo que o vitiligo não fique evidente.

Repigmentação

O objetivo da repigmentação (Figs. 13-5 e 13-6) consiste na recuperação permanente da pigmentação melânica normal.

MÁCULAS LOCALIZADAS

- *Glicocorticoides tópicos:* monitorar o paciente à procura de sinais precoces de atrofia induzida por esteroides.
- *Inibidores tópicos da calcineurina:* tacrolimo e pimecrolimo. Foi relatado que esses fármacos são mais efetivos quando associados a UVB ou tratamento com excimer *laser*.
- *Fotoquimioterapia tópica* (8-metoxipsoraleno [8-MOP] tópico e UVA).
- *Excimer laser* (308 nm): melhores resultados na face.

VITILIGO GENERALIZADO

- *Fotoquimioterapia sistêmica:* pode-se realizar PUVA oral com luz UVA artificial ou solar e 5-MOP (disponível na Europa) ou 8-MOP. O tratamento tem eficácia de até 85% em > 70% dos pacientes com vitiligo da cabeça, da região cervical, dos braços, das pernas e do tronco (Figs. 13-5 e 13-6). Todavia, é necessário 1 ano de tratamento, no mínimo, para alcançar esse resultado. As regiões distais das mãos e dos pés e a variante "lábio-extremidades" de vitiligo não têm resposta satisfatória.
- *UVB de banda estreita, 312 nm:* é tão efetiva quanto o PUVA e não exige o uso de psoralenos. Trata-se do tratamento de escolha para crianças com < 6 anos de idade.

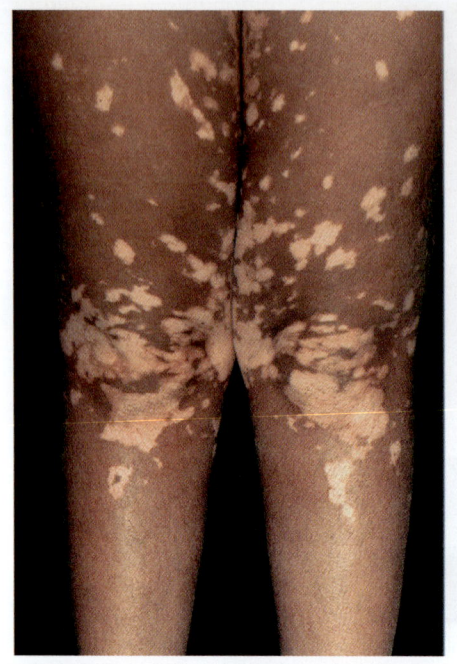

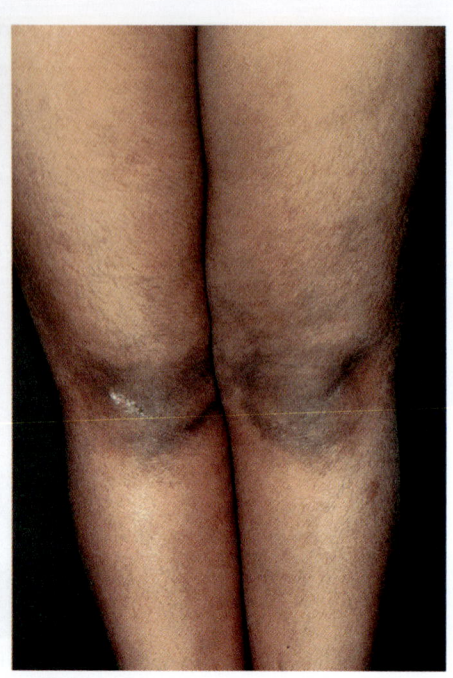

Figura 13-6 Vitiligo: repigmentação induzida por tratamento Esta mulher indiana de 20 anos está sendo tratada com fotoquimioterapia (PUVA). Há discreto eritema nas máculas do vitiligo na fase inicial (esquerda) do tratamento, o qual será seguido por pigmentação folicular como na **Figura 13-5**. Após 1 ano de tratamento, o vitiligo sofreu repigmentação completa, mas agora há hiperpigmentação dos joelhos (direita). Entretanto, essa hiperpigmentação desaparecerá com o passar do tempo, e a cor das regiões repigmentadas se misturará com a da pele circundante.

Observação: A resposta a todos os tratamentos é lenta. Quando ocorre, é indicada por minúsculas máculas, geralmente foliculares, de pigmentação (Fig. 13-5).

Minienxerto
O minienxerto (enxertos de Thiersch autólogos, enxertos de bolhas de aspiração, minienxertos autólogos com *punch*, transplante de melanócitos autólogos cultivados) pode constituir uma técnica útil para o tratamento das máculas de vitiligo segmentar refratário e estável. A área enxertada pode apresentar um aspecto em "pedra de calçamento".

Despigmentação
A despigmentação tem por objetivo "uniformizar" a cor da pele em pacientes com vitiligo extenso ou nos que não responderam ou rejeitaram outros tratamentos.

TRATAMENTOS O clareamento da *pele normalmente pigmentada* com creme de monobenziléter de hidroquinona (MEH) a 20% é um processo permanente e irreversível. A taxa de sucesso é > 90%. A cor final da despigmentação com MEH é branco-giz, semelhante à das máculas do vitiligo.

ALBINISMO OCULOCUTÂNEO CID-10: E70.3

- Classificação (ver **Quadro 13-1**).
- Prevalência estimada em 1:20.000, AOC1 e AOC2 respondem por 40 a 50% dos casos.
- As mutações no gene da tirosinase são responsáveis pela atividade deficiente da tirosinase nos melanócitos (**Quadro 13-1**).
- Presente por ocasião do nascimento.
- Pele: variada, dependendo do tipo. "Branco-neve", branco cremoso (**Figura 13-7**; **Quadro 13-1**), castanho-clara.
- Pelos: brancos (tirosinase-negativo; **Fig. 13-7A**); amarelados, cor de creme ou castanho-claros (tirosinase-positivo); vermelhos, platinados (**Quadro 13-1**).
- Olhos: nistagmo, redução da acuidade visual, transparência da íris (**Fig. 13-7B**), diminuição da pigmentação da retina, hipoplasia da fóvea, estrabismo.
- Dermatopatologia: os melanócitos estão presentes, porém a tirosinase está reduzida, dependendo do tipo.
- Teste molecular. Disponível para classificar as alterações gênicas específicas.
- Importância: redução da acuidade visual; desenvolvimento de dermatoeliose e câncer de pele sem proteção contra a luz solar. Particularmente importante para albinos que residem na África (**Fig. 13-8**).
- Tratamento: não existe nenhum tratamento disponível. Os albinos devem ser acompanhados por um oftalmologista (problemas visuais) e por um dermatologista (proteção contra a luz solar e detecção de câncer de pele).
- Grupo de voluntários nacionais de albinos (nos EUA: NOAH – *National Organization for Albinism and Hypomelanosis* [Noé (Noah) do Antigo Testamento era supostamente albino]).

QUADRO 13-1 Classificação do albinismo

Tipo	Subtipos	*Locus* do gene	Inclui	Manifestações clínicas
AOC1	AOC1A	TYR	AOC tirosinase-negativo	Cabelos e pele brancos, olhos (rosados ao nascer → azuis)
	AOC1B	TYR	AOC com pigmentação mínima	
			AOC platinado	Pele branca a quase normal e pigmentação dos pelos
			AOC amarelado	Pelos amarelados (feomelanina), cabelos vermelho-claros ou castanhos
			AOC termossensível	Pode apresentar pigmentação quase normal, mas não nas axilas
			AOC autossômico recessivo (alguns casos)	
AOC2		P	AOC tirosinase-positivo	Cabelos amarelados, pele branca "cremosa" (África)
			AOC pardo	Pele parda/marrom-clara (África)
AOC3		TYRP1	AOC autossômico recessivo (alguns casos)	
			AOC ruivo	Pele avermelhada e castanho-avermelhada e olhos castanhos (África) Semelhante ao fenótipo AOC2
AOC4		MATP		
SHP		SHP	Síndrome de Hermansky-Pudlak Tipos 1-8	Pele/cabelos iguais aos do AOC1A ou AOC1B ou AOC2, diátese hemorrágica (Porto Rico)
SCH		LYST	Síndrome de Chédiak-Higashi	Cabelos prateados/hipopigmentação/problemas clínicos graves
AO1		AO1	AO ligado ao X	Pigmentação normal da pele e dos cabelos

AOC, albinismo oculocutâneo; TYR, tirosinase; P, proteína rosada; TYRP1, proteína 1 relacionada à tirosinase; AO, albinismo ocular; MATP, proteína transportadora associada à membrana; LYST, tráfego dos lisossomos.
Fonte: Modificado com permissão de Bahadoran P, et al. Albinism. In: Freedberg IM, Eisen AZ, Wolff K, et al, eds. *Fitzpatrick's Dermatology in General Medicine*. 6th ed. New York, NY: McGraw-Hill; 2003.

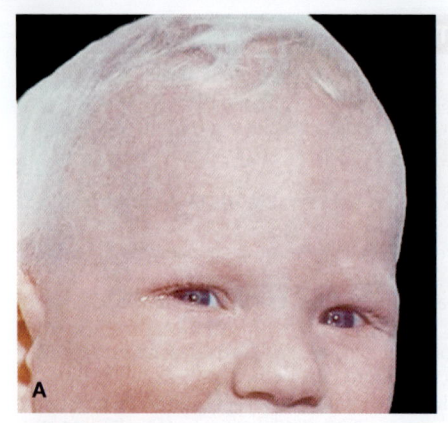

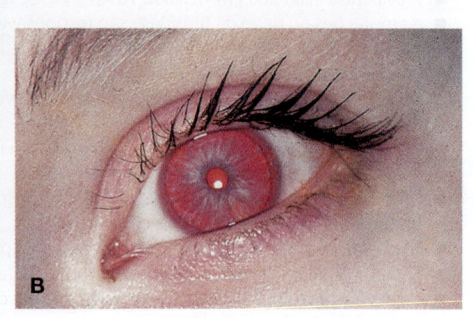

Figura 13-7 (A) Albinismo oculocutâneo Pele, cílios, supercílios e cabelos brancos. A íris aparece transparente. O pigmento heme confere à face uma tonalidade rosada. Há estrabismo devido à fotofobia e nistagmo.
(B) A transparência da íris é uma condição *sine qua non* em todos os tipos de albinismo oculocutâneo, mesmo nos pacientes cuja íris é castanha. A íris é raramente rosada, exceto nos lactentes, e o diagnóstico de albinismo depende da detecção de transparência da íris. Esse exame é melhor realizado em uma sala escura com uma lanterna focada na esclera.

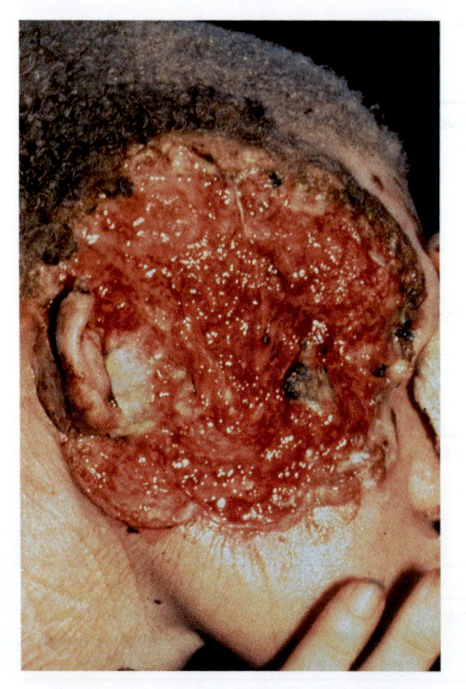

Figura 13-8 Carcinoma espinocelular em um albino da Tanzânia Este africano de 32 anos era totalmente branco e, portanto, desprotegido da exposição à luz solar. O carcinoma desenvolveu-se aos 28 anos e destruiu grande parte do lado esquerdo da face, incluindo o olho. Havia tumores menores no lado esquerdo da face, bem como nas mãos e antebraços. O paciente sucumbiu ao carcinoma metastático.

MELASMA CID-10: L81.1

- O melasma (do grego, "mancha negra") é uma hiperpigmentação marrom-clara ou marrom-escura adquirida, que surge nas áreas expostas, mais frequentemente na face, e que resulta da exposição à luz solar.
- O melasma pode estar associado à gravidez, ao uso de hormônios contraceptivos ou, possivelmente, a determinados fármacos, como a difenil-hidantoína, ou pode ser idiopático.
- É muito comum, particularmente entre pessoas de pele parda constitucional em uso de contraceptivos orais e que vivem em climas ensolarados; em 10% dos casos são homens.
- Hiperpigmentação macular nitidamente demarcada na região malar e na área frontal da face (**Fig. 13-9**). Em geral, uniforme, mas também pode ser variegada.
- Tratamento: As preparações comercialmente disponíveis incluem: hidroquinona, solução a 3% e creme a 4%; ácido azelaico, creme a 20%; e combinação de fluocinolona a 0,01%, hidroquinona a 4% e tretinoína a 0,05%. O creme de hidroquinona a 4% pode ser combinado com creme de tretinoína a 0,05% ou ácido glicólico pelo farmacêutico. *Em nenhuma circunstância, o MEH ou outros éteres de hidroquinona (monometil ou monoetil) devem ser utilizados no tratamento do melasma, visto que esses fármacos podem levar a uma perda permanente dos melanócitos, com desenvolvimento de leucodermia variegada desfigurante.*
- *Profilaxia:* bloqueadores solares opacos.
- *Sinônimos:* cloasma (do grego, "mancha verde"), máscara da gravidez.

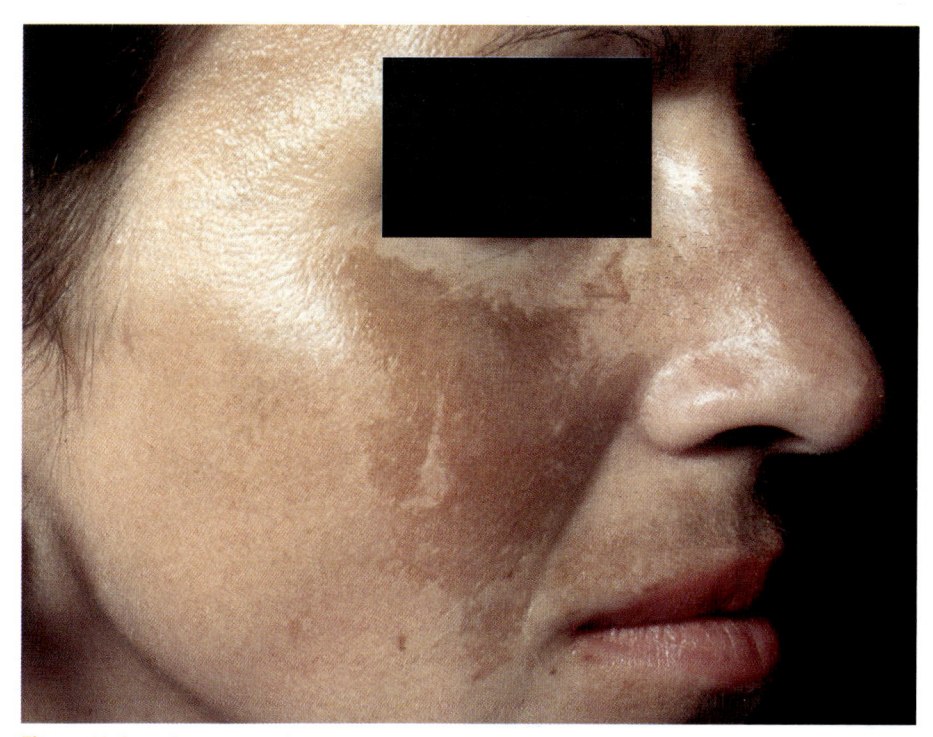

Figura 13-9 Melasma Máculas hiperpigmentadas bem demarcadas na região malar, nariz e acima do lábio superior.

ALTERAÇÕES CUTÂNEAS PIGMENTARES PÓS-INFLAMATÓRIAS

HIPERPIGMENTAÇÃO CID-10: L81.0

- A *hiperpigmentação melânica epidérmica pós-inflamatória* constitui um problema significativo para os indivíduos com fototipos cutâneos IV, V e VI (**Figs. 13-10** e **13-11**). Essa pigmentação desfigurante pode se desenvolver em indivíduos com acne (**Fig. 13-10**), psoríase, líquen plano (**Fig. 13-11**), dermatite atópica ou dermatite de contato, ou após qualquer tipo de traumatismo da pele. Pode persistir por várias semanas a meses e nem sempre responde à aplicação tópica de hidroquinona, que acelera o seu desaparecimento. Em geral, as lesões limitam-se à área previamente inflamada e apresentam bordas indistintas e irregulares.
- A *dermatose cinzenta* (*ashy*) é uma hiperpigmentação macular acinzentada nas pessoas de fototipo cutâneo IV. Trata-se de hiperpigmentação dérmica indistinguível da hiperpigmentação que ocorre após o líquen plano.
- Algumas erupções relacionadas a fármacos podem estar associadas com *hiperpigmentação melânica dérmica* (**Fig. 13-12**). Pode ocorrer hiperpigmentação dérmica e epidérmica na amiloidose macular (ver Amiloidose macular, Seção 14).
- A *melanose de Riehl* (melanodermatite tóxica) é uma pigmentação reticular e confluente, negra a marrom-violeta, que acomete a face e a região cervical (**Fig. 13-13**). Pode resultar de hipersensibilidade de contato ou sensibilidade de fotocontato relacionada a substâncias químicas, particularmente fragrância em cosméticos.

Para a hipermelanose causada por *reações fototóxicas* induzidas por psoralenos (dermatite em Berloque), ver Seção 10 e, para a *hiperpigmentação não dependente de melanina* por fármacos, ver Seção 23.

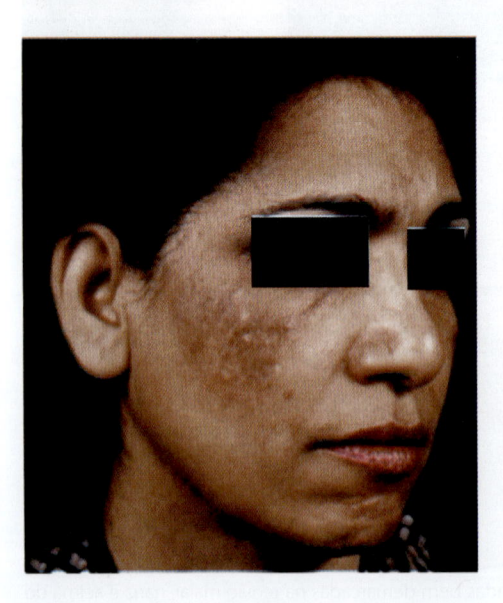

Figura 13-10 Hipermelanose com acne Nesta mulher paquistanesa de 30 anos, a hipermelanose devida à acne, combinada com melasma e cicatrizes hipopigmentadas de acne, era considerada um desastre estético, não apenas pela paciente, mas também por seu marido. A paciente foi tratada com sucesso com hidroquinona a 3% acrescentada a um creme de tretinoína a 0,05%.

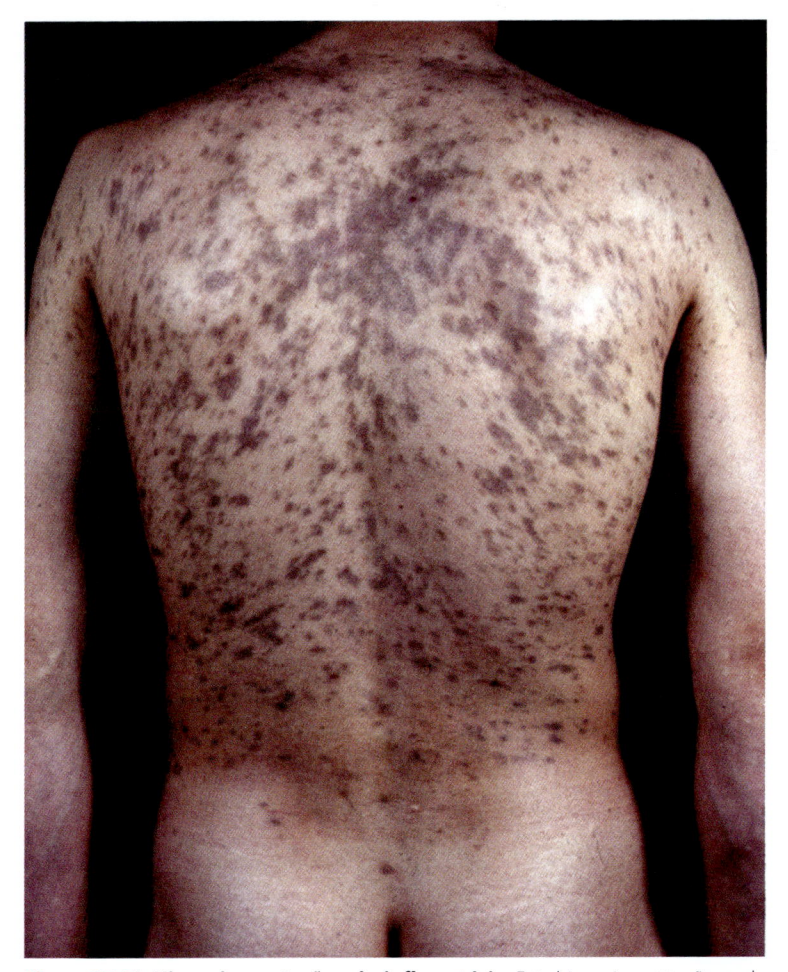

Figura 13-11 Hiperpigmentação pós-inflamatória Esta hiperpigmentação pode ocorrer após erupção farmacodérmica ou após o líquen plano, particularmente na pele com fototipos cutâneos IV, V e VI, como foi o caso deste homem de meia-idade do leste da Índia. Há uma condição descrita como *dermatose cinzenta*, que é clinicamente indistinguível da hiperpigmentação pós-inflamatória que ocorre no líquen plano, conforme mostrado aqui. A hiperpigmentação pós-inflamatória representa um grave problema em mulheres jovens com fototipos cutâneos IV e V.

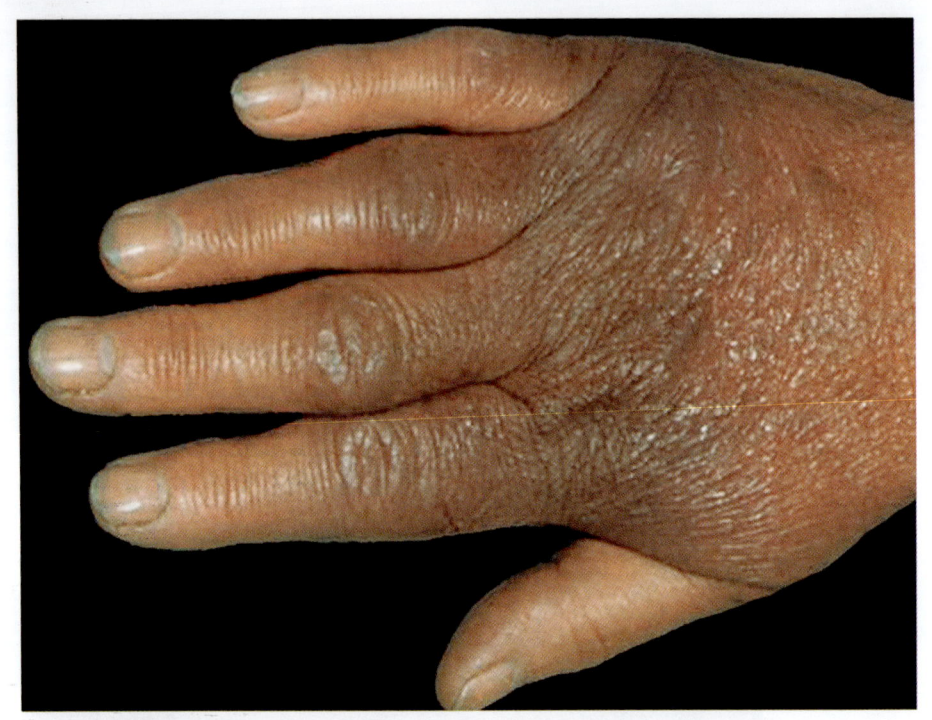

Figura 13-12 Hiperpigmentação dérmica pós-inflamatória Esta lesão apareceu na mão de uma mulher africana com fototipo cutâneo IV, após erupção medicamentosa fixa.

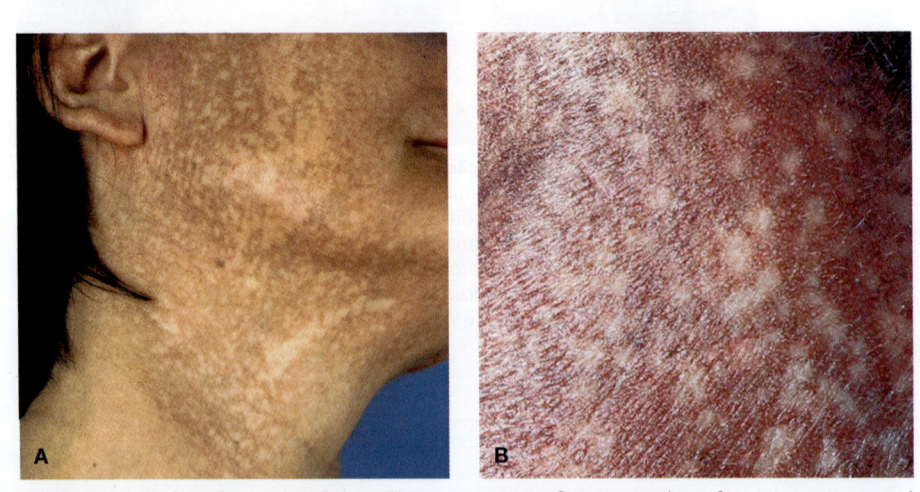

Figura 13-13 Melanodermatite tóxica (A) Pigmentação confluente reticular na face e na região cervical de uma mulher de 42 anos, especializada em química, que trabalhava em uma indústria de cosméticos; ao longo dos anos, esta mulher aplicou em sua própria pele a maior parte dos produtos perfumados que estava encarregada de produzir. Como ela vivia em uma região ensolarada, isso aumenta a suspeita de sensibilidade por fotocontato crônico. **(B)** Nesta mulher indiana, a hiperpigmentação mosqueada coalesceu, produzindo hiperpigmentação mosqueada marrom-escura nas regiões malares. Por motivos profissionais, esta paciente também utilizava cosméticos em excesso. Esses casos não são tão raros na Índia, sendo chamados de líquen plano da Índia; no entanto a relação com o líquen plano comum não está clara.

HIPOPIGMENTAÇÃO CID-10: L81.8

- A hipomelanose pós-inflamatória está sempre relacionada à perda de melanina. Trata-se de uma apresentação especial da pitiríase versicolor (**Fig. 13-14**, ver também Seção 26), em que a hipopigmentação também pode permanecer por várias semanas após o desaparecimento da infecção ativa.
- A hipomelanose não é incomum na dermatite atópica, na psoríase (**Fig. 13-15**), na parapsoríase em gotas e na pitiríase liquenoide crônica.
- Ela pode estar presente no lúpus eritematoso cutâneo (**Fig. 13-16**), na alopécia mucinosa, na micose fungoide (**Fig. 13-17**), no líquen estriado, na dermatite seborreica e na hanseníase (ver Hanseníase, Seção 25).
- Pode ocorrer hipomelanose após dermoabrasão e *peeling* químico. Nessas circunstâncias, há "bloqueio de transferência", em que os melanossomos estão presentes nos melanócitos, mas não são transferidos para os ceratinócitos, resultando em hipomelanose. Em geral, as lesões não apresentam coloração branco-giz, conforme observado no vitiligo, mas são esbranquiçadas e têm limites imprecisos.
- Um tipo comum de hipopigmentação está associado à *pitiríase alba* (**Fig. 13-18**). Trata-se de uma hipomelanose macular, que ocorre principalmente na face de crianças, de cor esbranquiçada, com descamação pulverulenta. As margens relativamente indistintas sob a luz de Wood e a descamação diferenciam essa dermatite eczematosa do vitiligo. É autolimitada.
- A hipomelanose não é incomum após injeções intralesionais de glicocorticoides. Quando as injeções são suspensas, há desenvolvimento de pigmentação normal na região.
- Dependendo do distúrbio associado, a hipomelanose pós-inflamatória pode responder à fotoquimioterapia com PUVA oral.

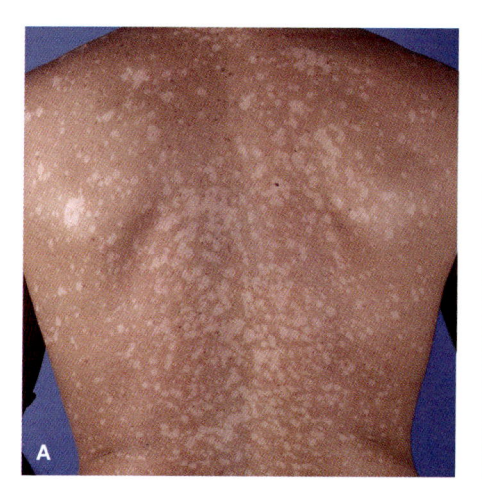

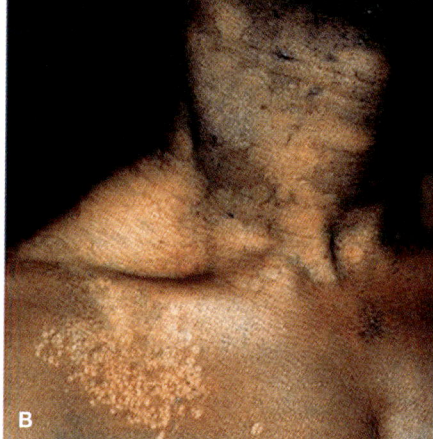

Figura 13-14 Pitiríase versicolor (A) Máculas hipopigmentadas descamativas e nitidamente demarcadas no dorso de um indivíduo com fototipo cutâneo III. A abrasão suave da superfície acentua a descamação. Esse tipo de hipomelanose pode persistir por muito tempo após o tratamento da erupção e a regressão do processo primário. **(B) Pitiríase versicolor na pele de um indivíduo africano** As lesões são perifoliculares no tórax e coalescem, formando placas confluentes na região cervical, onde a descamação fina pode ser mais bem observada.

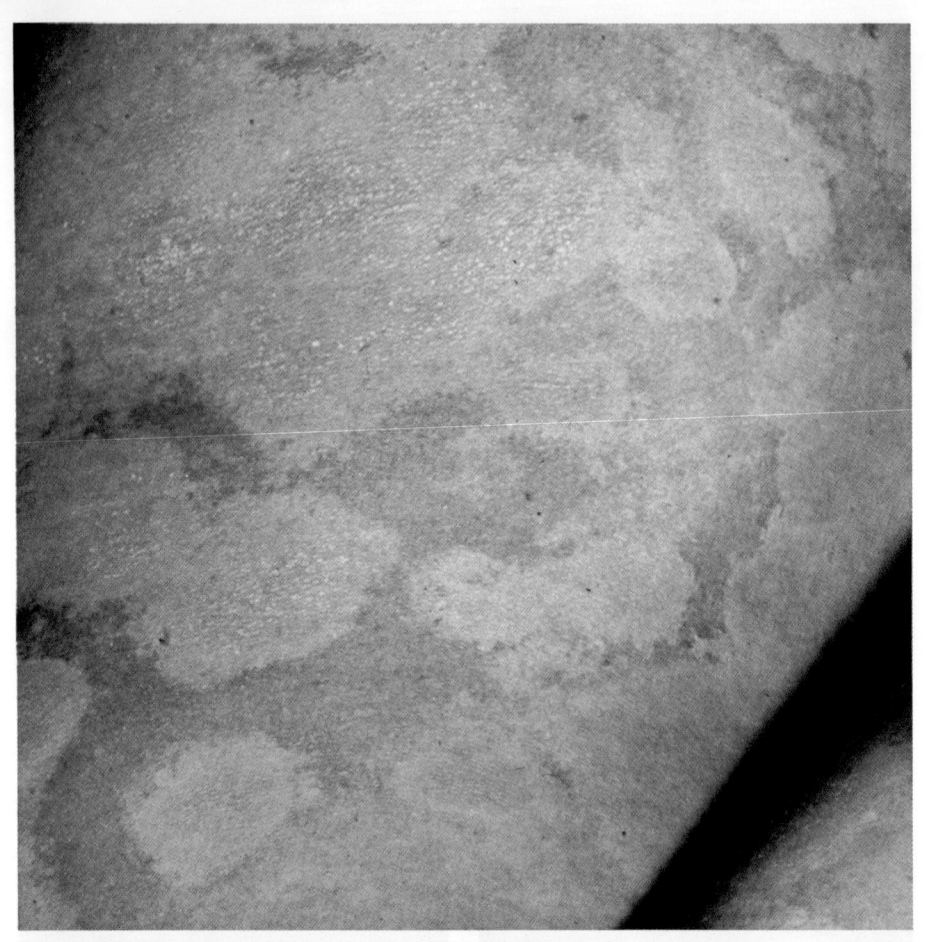

Figura 13-15 Hipomelanose pós-inflamatória (psoríase) As lesões hipomelanóticas correspondem exatamente à erupção precedente. Há algumas lesões de psoríase residual dentro das lesões.

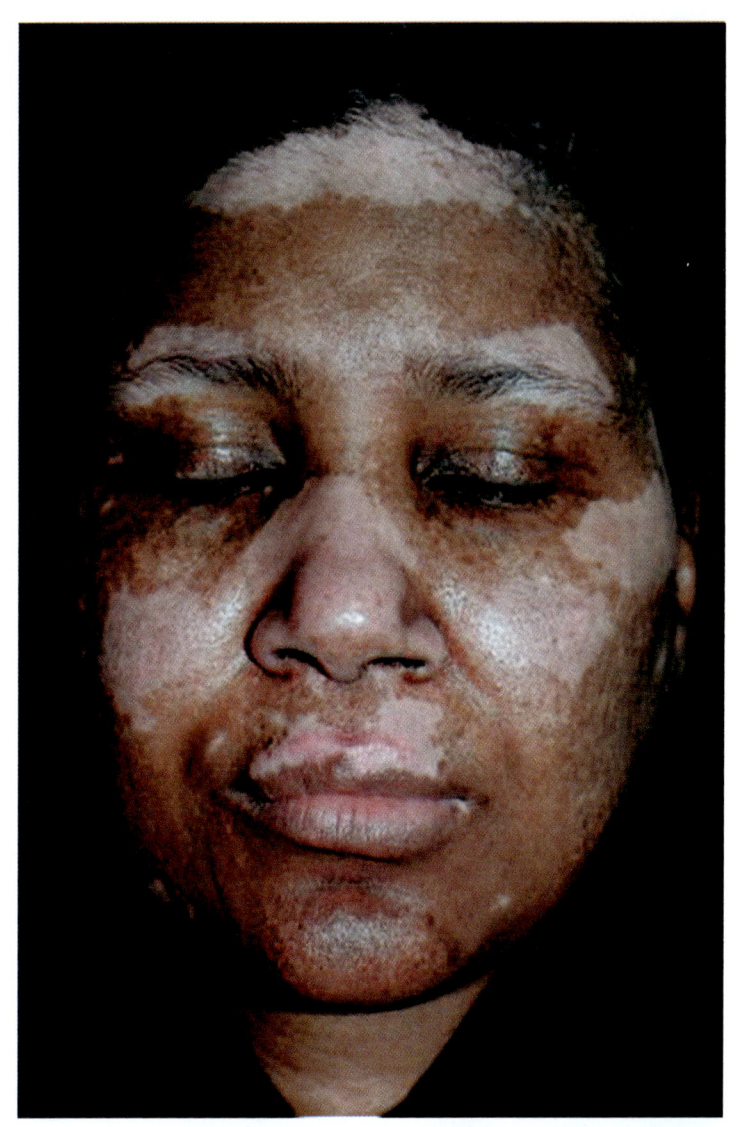

Figura 13-16 Hipopigmentação pós-inflamatória em uma mulher vietnamita de 33 anos. A paciente teve lúpus eritematoso cutâneo crônico. A inflamação residual do lúpus ainda pode ser vista no lábio superior.

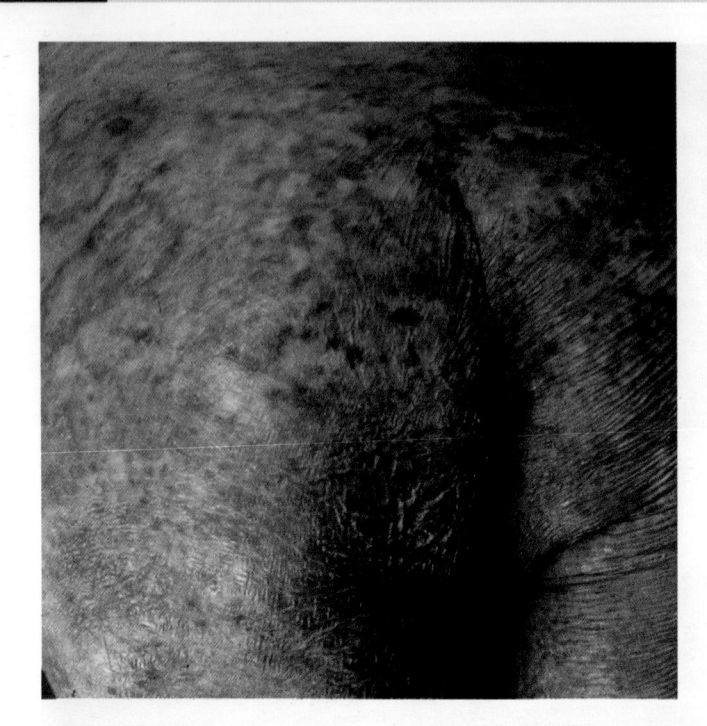

Figura 13-17 Hipopigmentação moteada, mas também hiperpigmentação na micose fungoide. Este paciente tinha sido tratado com feixes de elétrons.

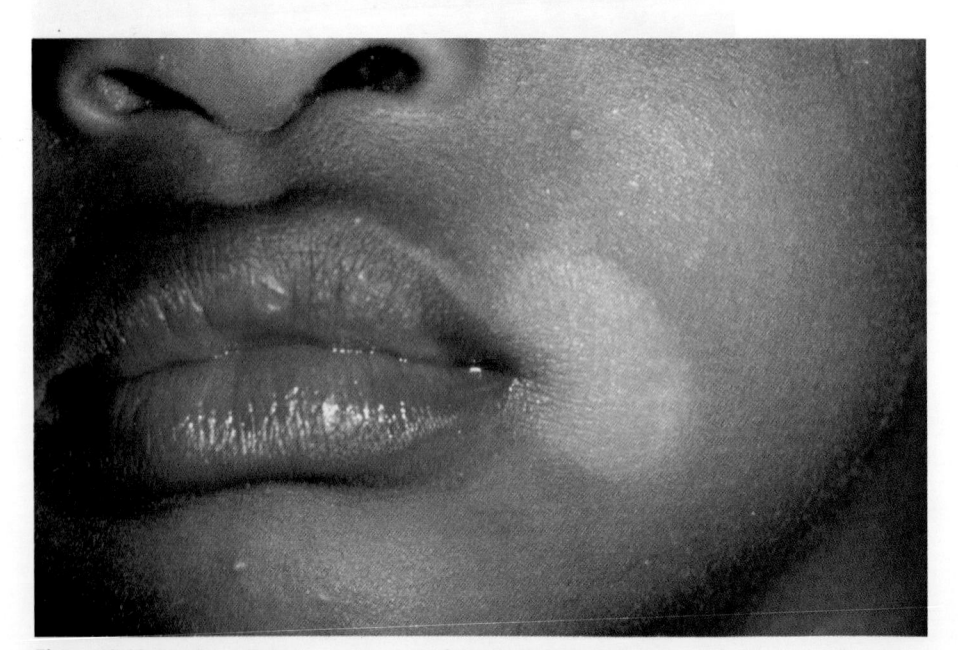

Figura 13-18 Pitiríase alba Hipomelanose desfigurante comum, que, como o próprio nome indica, é uma área branca (alba) com descamação muito discreta (pitiríase). É observada em grande número de crianças no verão nas regiões temperadas. Trata-se principalmente de um problema estético em indivíduos de pele parda ou negra e ocorre comumente na face, como no caso desta criança. Entre 200 pacientes com pitiríase alba, 90% tinham de 6 a 12 anos. Em adultos jovens, a pitiríase alba ocorre com muita frequência nos braços e no tronco.

PARTE II

DERMATOLOGIA E MEDICINA INTERNA

SEÇÃO 14

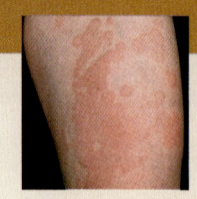

A PELE NAS DOENÇAS IMUNES, AUTOIMUNES, AUTOINFLAMATÓRIAS E REUMÁTICAS

URTICÁRIA E ANGIOEDEMA CID-10: L50

- A urticária consiste em lesões urticariformes (pápulas e placas edemaciadas e transitórias, habitualmente pruriginosas, devido ao edema dos corpos papilares) (**Fig. 14-1**; ver também **Fig. 14-2**). As lesões urticariformes são superficiais e bem demarcadas.
- O angioedema consiste em uma área edemaciada maior, que acomete a derme e o tecido subcutâneo (**Fig. 14-3**) e é profunda e maldefinida. Por conseguinte, a urticária e o angioedema constituem o mesmo processo edematoso, mas que acometem diferentes níveis do plexo vascular cutâneo: papilar e profundo.
- A urticária e/ou o angioedema podem ser recorrentes agudos ou recorrentes crônicos.
- São reconhecidas outras formas de urticária/angioedema: dependentes de IgE e de seus receptores, físicas, de contato, relacionadas à degranulação dos mastócitos e idiopáticas.
- Além disso, o angioedema/urticária podem ser mediados pela bradicinina, pelo sistema do complemento e por outros mecanismos efetores.
- A vasculite urticariforme é uma forma especial de venulite necrosante cutânea (ver p. 360).
- Existem algumas síndromes com angioedema, nas quais as lesões urticariformes raramente estão presentes (p. ex., angioedema hereditário).

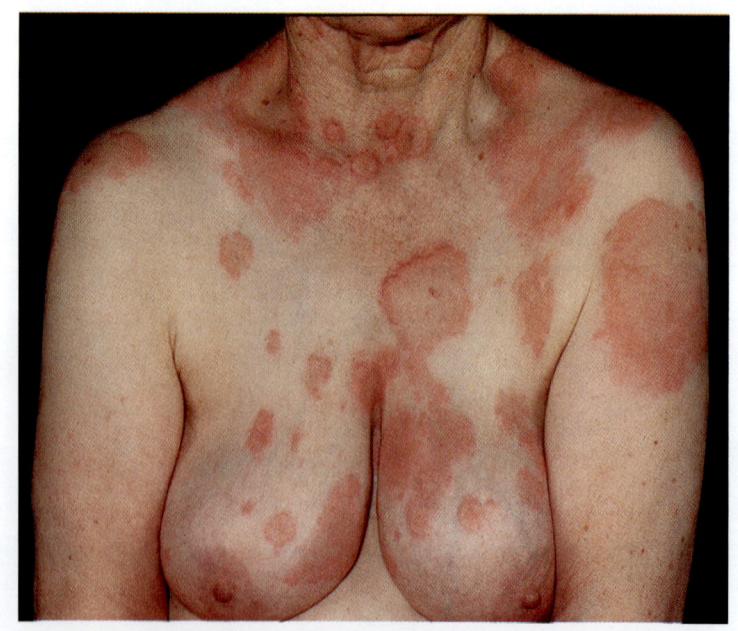

Figura 14-1 Urticária aguda Lesões urticadas grandes e pequenas com bordas eritematosas e coloração central mais clara. Bem demarcadas. A lesão localizada na parte superior do braço esquerdo é mal definida na sua borda inferior, onde está regredindo.

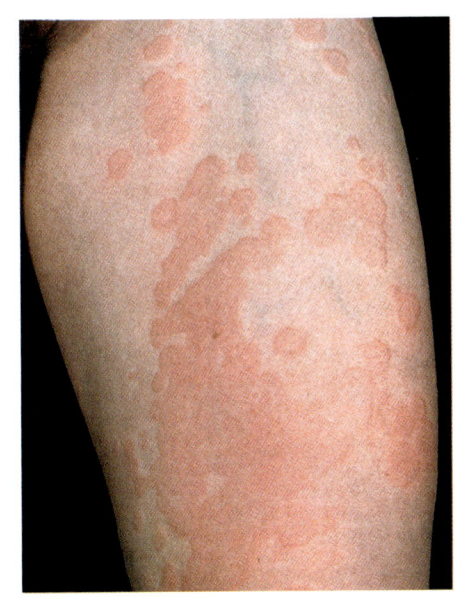

Figura 14-2 Urticária crônica Urticária crônica de 5 anos de duração em uma mulher de 35 anos, saudável sob os demais aspectos. As erupções ocorrem quase diariamente e, como são altamente pruriginosas, elas comprometem seriamente a qualidade de vida da paciente. Embora tenha sido suprimida por anti-histamínicos, houve recidiva imediata após a interrupção do tratamento. Os exames clínicos e laboratoriais repetidos não revelaram causa aparente. Assim, essa condição é chamada de urticária idiopática crônica.

EPIDEMIOLOGIA E ETIOLOGIA

INCIDÊNCIA 15 a 23% da população podem ter tido essa condição durante a sua vida.
ETIOLOGIA A urticária/angioedema não é uma doença, mas um padrão de reação cutânea. Ver a classificação e a etiologia no Quadro 14-1.

TIPOS CLÍNICOS

URTICÁRIA AGUDA Início agudo e recidiva em < 30 dias. Lesões urticariformes habitualmente grandes e, com frequência, associadas ao angioedema (Figs. 14-1 e 14-3); frequentemente depende de IgE com diátese atópica; relacionada a alimentos, parasitas e penicilina. Além disso, é mediada pelo complemento nas reações semelhantes à doença do soro (sangue total, imunoglobulinas, penicilina). Com frequência, acompanhada de angioedema. Comum. (Ver também "Urticária aguda induzida por fármaco" na Seção 23).
URTICÁRIA CRÔNICA Recidiva ao longo de um período > 30 dias. Lesões urticariformes pequenas e grandes

QUADRO 14-1 Etiologia e classificação da urticária/angioedema

Imunológica
  Urticária mediada por IgE
  Urticária mediada pelo complemento
  Urticária autoimune
  Urticária de contato imunológica

Física
  Dermografismo
  Urticária ao frio
  Urticária solar
  Urticária colinérgica
  Angioedema de pressão
  Angioedema vibratório

Urticária causada por agentes de degranulação dos mastócitos, pseudoalérgenos, inibidores da enzima conversora de angiotensina (ECA)
Urticária idiopática
Urticária de contato não imunológica
Urticária associada a doenças autoimunes vasculares/do tecido conectivo

Síndromes distintas de angioedema (± urticária)
  Angioedema hereditário
  Síndrome de angioedema-urticária-eosinofilia

(Fig. 14-2). Raramente é dependente de IgE, porém é frequentemente causada por autoanticorpos anti-FcεR; etiologia desconhecida em 80% dos casos e, portanto, considerada idiopática. Intolerância aos salicilatos e benzoatos. Comum. A urticária crônica acomete predominantemente adultos e é cerca de duas vezes mais comum nas mulheres do que nos homens. Até 40% dos pacientes com urticária crônica de > 6 meses de duração ainda apresentam urticária 10 anos depois.
SINTOMAS Prurido. Dor no angioedema nas palmas e plantas. O angioedema da língua e da faringe interfere na fala, na ingestão de alimentos e na respiração. O angioedema da laringe pode levar à asfixia.

MANIFESTAÇÃO CLÍNICA

LESÕES CUTÂNEAS Lesões *urticadas* bem demarcadas (Fig. 14-1), pequenas (< 1 cm) a grandes (> 8 cm), eritematosas ou brancas com bordas eritematosas, redondas, ovais, acriformes, anulares, serpiginosas (Figs. 14-1 e 14-2), devido à confluência e à resolução em uma área, com progressão em outra área (Fig. 14-2). As lesões são pruriginosas e transitórias.
Angioedema – aumento de volume transitório e da cor da pele de porções da face (pálpebras, lábios ou língua) (Fig. 14-3 e **Angioedema induzido por**

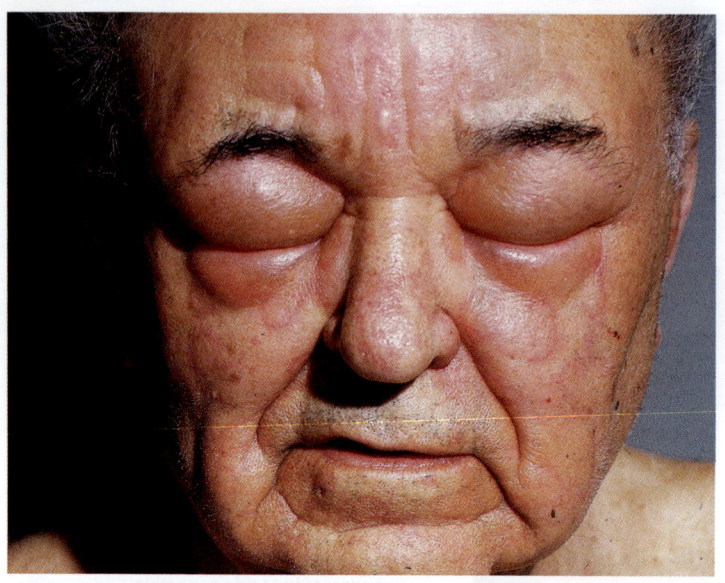

Figura 14-3 Urticária aguda e angioedema Observa-se que existem lesões urticariformes superficiais e edema difuso profundo. Essa condição ocorreu após o paciente ingerir mariscos. Ele já havia apresentado episódios anteriores semelhantes, mas nunca considerara os frutos do mar como a causa.

fármacos, Seção 23), extremidades ou outros locais, resultando de edema subcutâneo.

Distribuição. Habitualmente regional ou generalizada. Localizada nos casos de urticária/angioedema solar, de pressão, de vibração e ao frio e limitada ao local do mecanismo desencadeante (ver adiante).

CARACTERÍSTICAS ESPECIAIS RELACIONADAS À PATOGÊNESE

Urticária imunológica. Mediada por IgE. As lesões na urticária aguda mediada por IgE resultam da liberação, induzida por antígenos, de moléculas biologicamente ativas por mastócitos ou leucócitos basofílicos sensibilizados com anticorpos IgE específicos (hipersensibilidade anafilática tipo I). Os mediadores liberados aumentam a permeabilidade das vênulas e modulam a liberação de moléculas biologicamente ativas por outros tipos de células. Frequentemente com base atópica. Antígenos: alimentos (leite, ovos, trigo, mariscos, nozes), agentes terapêuticos, fármacos (penicilina) (ver também "Urticária aguda induzida por fármacos, angioedema, edema e anafilaxia", na Seção 23), helmintos. Mais comumente de forma aguda (Fig. 14-1) e **Angioedema induzido por fármacos**, Seção 23).

Mediada pelo complemento. *Tipo agudo*: Por meio de imunocomplexos que ativam o complemento e liberam anafilatoxinas que induzem a degranulação dos mastócitos. Doença do soro, administração de sangue total, imunoglobulinas.

Autoimune. Comum, crônica. Autoanticorpos dirigidos contra FcεRI e/ou IgE. Teste cutâneo positivo ao soro autólogo. Clinicamente, os pacientes com esses autoanticorpos (até 40% dos pacientes com urticária crônica) são indistinguíveis dos indivíduos que não os produzem (Fig. 14-2). Esses autoanticorpos podem explicar por que a plasmaférese, as imunoglobulinas intravenosas e a ciclosporina induzem remissão da atividade da doença nesses pacientes.

Urticária de contato imunológica. Em geral, observada em crianças com dermatite atópica, que foram sensibilizadas a alérgenos ambientais (gramíneas, animais), ou em indivíduos sensibilizados ao uso de luvas de látex; pode ser acompanhada de anafilaxia.

URTICÁRIA FÍSICA Dermografismo. Ocorrem lesões urticariformes lineares após uma pancada leve ou coçadura da pele; são pruriginosas e desaparecem em 30 minutos (Fig. 14-4); 4,2% da população normal é acometida; o dermografismo sintomático é incomodo.

Urticária ao frio. Geralmente observada em crianças ou adultos jovens; lesões urticariformes limitadas às áreas expostas ao frio, que aparecem dentro de alguns minutos após reaquecimento. O teste do "cubo de gelo" (aplicação de um cubo

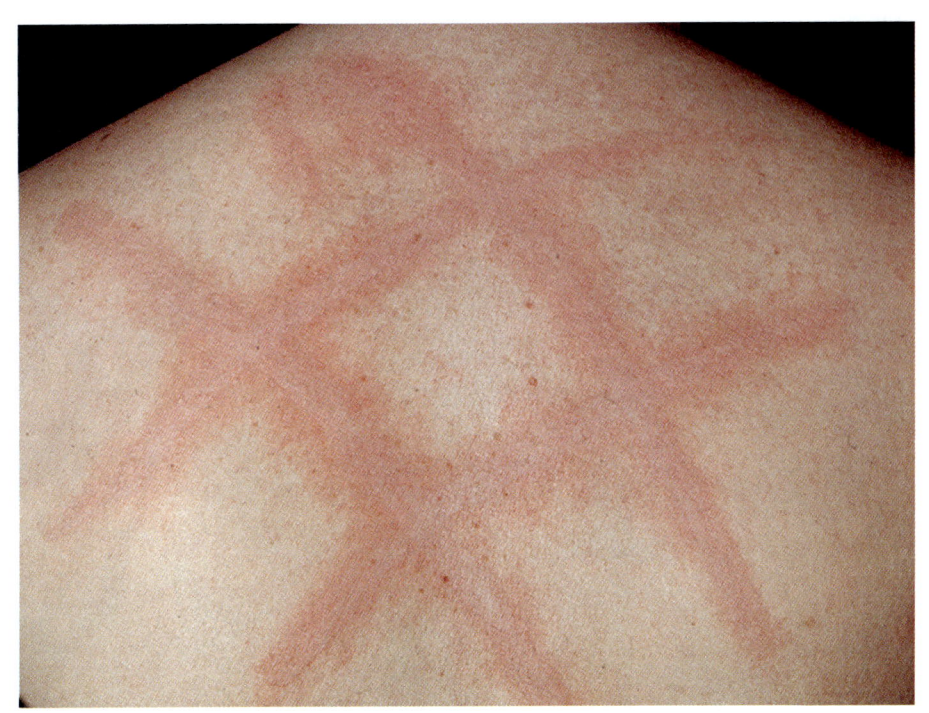

Figura 14-4 Urticária: dermografismo A urticária apareceu 5 minutos depois que o paciente foi arranhado nas costas. O paciente tinha prurido generalizado há vários meses, porém sem ocorrência espontânea de urticária.

de gelo à pele durante alguns minutos) provoca uma lesão urticariforme.

Urticária solar. Urticária que ocorre após exposição ao sol. O espectro de ação é de 290 a 500 nm; as lesões urticariformes persistem por < 1 hora, podendo ser acompanhadas de síncope. A histamina é um dos mediadores (ver Seção 10 e Fig. 10-11).

Urticária colinérgica. A prática de exercício a ponto de transpirar provoca pequenas lesões urticariformes papulares características e altamente pruriginosas (Fig. 14-5). Pode ser acompanhada de sibilância.

Urticária aquagênica. Muito rara. O contato com água em qualquer temperatura induz erupção semelhante à urticária colinérgica.

Angioedema de pressão. Edema eritematoso induzido por pressão duradoura (edema das nádegas quando o indivíduo permanece sentado, edema das mãos após usar um martelo, edema dos pés após caminhar). Tardio (30 minutos a 12 horas). Doloroso, pode persistir por vários dias e interfere na qualidade de vida do indivíduo. Nenhuma anormalidade laboratorial; pode ocorrer febre.

Angioedema vibratório. Pode ser familiar (autossômico dominante) ou esporádico. Raro. Acredita-se que resulte da liberação de histamina por mastócitos ocasionada por um estímulo "vibratório" – esfregar uma toalha nas costas produz lesões, mas uma pressão direta sobre a pele (sem movimentos) não produz.

URTICÁRIA CAUSADA POR AGENTES QUE PROVOCAM DEGRANULAÇÃO DE MASTÓCITOS E POR PSEUDOALÉRGENOS E URTICÁRIA IDIOPÁTICA CRÔNICA Podem ocorrer urticária/angioedema e até mesmo sintomas semelhantes aos da anafilaxia com meios de contraste radiológicos e em consequência da intolerância a salicilatos, conservantes e aditivos alimentares (p. ex., ácido benzoico e benzoato de sódio), vários corantes azo, incluindo tartrazina e corante amarelo (pseudoalérgenos) (Fig. 14-2), bem como inibidores da enzima conversora da angiotensina (ECA). Pode ser aguda e crônica. Na urticária idiopática crônica, a histamina liberada dos mastócitos na pele é considerada o principal mediador; também os eicosanoides e neuropeptídeos.

Urticária de contato não imunológica. Causada por efeitos diretos de agentes urticantes exógenos que penetram na pele ou nos vasos sanguíneos. Restrita ao local de contato. Ácido sórbico, ácido benzoico em soluções oftálmicas e nos alimentos, aldeídos cinâmicos em cosméticos, histamina, acetilcolina, serotonina em contato com urtiga.

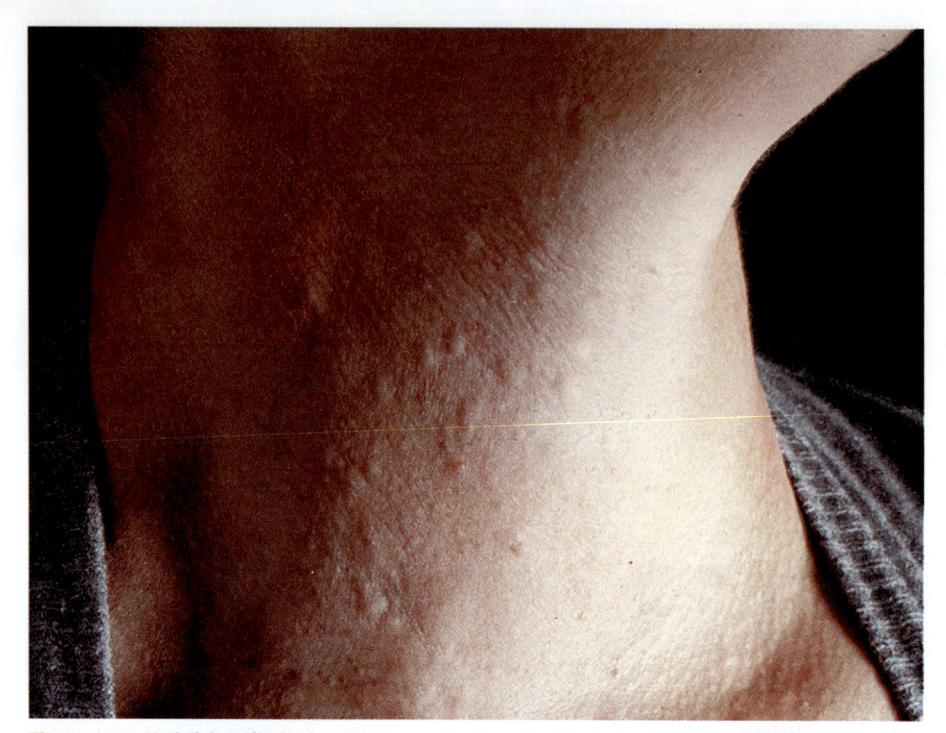

Figura 14-5 Urticária colinérgica Pequenas pápulas urticariformes na região cervical, que surgem dentro de 30 minutos após a realização de exercício vigoroso. As lesões urticariformes papulares são mais bem visualizadas com iluminação lateral.

URTICÁRIA ASSOCIADA A DOENÇAS AUTOIMUNES VASCULARES/DO TECIDO CONECTIVO As lesões urticariformes podem estar associadas ao lúpus eritematoso sistêmico (LES) e à síndrome de Sjögren. Todavia, na maioria dos casos, essas lesões representam vasculite urticariana (ver p. 356).

SÍNDROMES DISTINTAS DE ANGIOEDEMA (± URTICÁRIA) Angioedema hereditário (AEH). Distúrbio autossômico dominante grave; pode ocorrer após traumatismo (físico e emocional). Angioedema da face (Fig. 14-6) e dos membros, episódios de edema da laringe e dor abdominal aguda causada por angioedema da parede intestinal, apresentando-se como emergência cirúrgica. Raramente ocorre urticária. As anormalidades laboratoriais envolvem o sistema do complemento: níveis diminuídos do inibidor da C1-esterase (85%) ou por inibidor disfuncional (15%), baixo nível de C4 na presença de níveis normais de C1 e C3. O angioedema resulta da produção de bradicinina, visto que o inibidor de C1-esterase também é o principal inibidor do fator de Hageman e da calicreína, as duas enzimas necessárias para a formação de cininas. Os episódios podem ser potencialmente fatais.

Síndrome de angioedema-urticária-eosinofilia. Angioedema grave, apenas ocasionalmente com urticária pruriginosa, acometendo a face, a região cervical, os membros e o tronco, de 7 a 10 dias de duração. Ocorre febre, e se verifica acentuado aumento do peso (de 10 a 18%) em consequência da retenção de líquidos. Não há comprometimento de nenhum outro órgão. As anormalidades laboratoriais incluem leucocitose acentuada (20.000 a 70.000/μL) e eosinofilia (60 a 80% de eosinófilos), que estão relacionadas à gravidade do episódio. Não há história familiar. Essa condição é rara e o prognóstico é bom.

EXAMES LABORATORIAIS

SOROLOGIA Pesquisa de antígenos associados à hepatite B, avaliação do sistema do complemento, pesquisa de anticorpos IgE específicos por teste radioalergoabsorvente (RAST), autoanticorpos anti-FcεRI. Sorologia para o lúpus e a síndrome de Sjögren. Teste cutâneo com soro autólogo para urticária autoimune.

HEMATOLOGIA A velocidade de hemossedimentação (VHS) está frequentemente elevada na vasculite urticariforme, e pode haver hipocomplementemia;

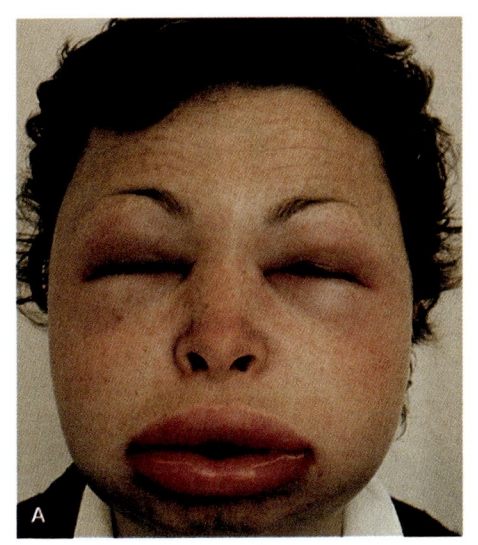

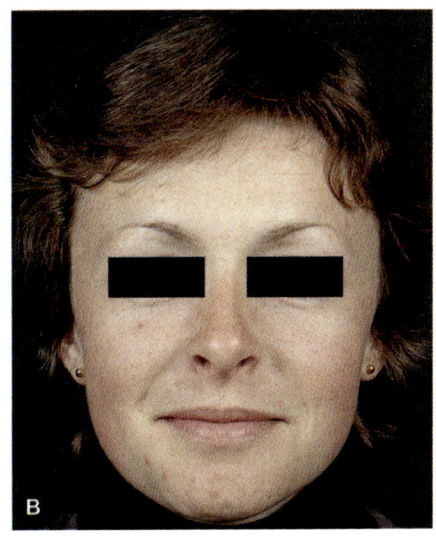

Figura 14-6 Angioedema hereditário (A) Edema grave da face durante um episódio, resultando em desfiguração grotesca. **(B)** O angioedema regride dentro de poucas horas. Essas são as características normais do paciente. O paciente tinha história familiar positiva e sofreu múltiplos episódios semelhantes, incluindo dor abdominal em cólica.

eosinofilia transitória na urticária devido a reações a alimentos, parasitas e fármacos; níveis altos de eosinofilia na síndrome de angioedema-urticária-eosinofilia.

ESTUDOS DO COMPLEMENTO Triagem para inibidor funcional de C1 no AEH.

ULTRASSONOGRAFIA Para o diagnóstico precoce de comprometimento intestinal no AEH; na presença de dor abdominal, pode indicar edema do intestino.

PARASITOLOGIA Amostra de fezes para pesquisar a presença de parasitas.

DIAGNÓSTICO

É de suma importância obter uma história clínica detalhada (doenças pregressas, fármacos, alimentos, parasitas, esforço físico, exposição solar). A história deve diferenciar o *tipo de lesão* – urticária, angioedema ou urticária + angioedema; deve-se considerar também a *duração das lesões* (< 1 hora ou ≥ 1 hora), *prurido*; *dor* ao caminhar (em caso de comprometimento dos pés), *ruborização, ardência* e *sibilância* (na urticária colinérgica). *Febre* na doença do soro e na síndrome de angioedema-urticária-eosinofilia; no angioedema, ocorrem *rouquidão, estridor* e *dispneia*. *Artralgia* (doença do soro, vasculite urticariforme), *dor abdominal em cólica* no AEH. Deve-se obter história detalhada dos fármacos utilizados, incluindo penicilina, ácido acetilsalicílico, anti-inflamatórios não esteroides e inibidores da ECA.

O dermografismo é provocado por fricção suave da pele; a urticária de pressão é testada pela aplicação de pressão (peso) perpendicular à pele; o angioedema vibratório é induzido por um estímulo vibratório, como esfregar as costas com uma toalha. A *urticária colinérgica* pode ser melhor diagnosticada pela realização de exercício até transpirar e por injeção intracutânea de acetilcolina ou mecolil, que produzirão micropápulas urticariformes. A *urticária solar* é avaliada por exposição a UVB, UVA e luz visível (ver Urticária solar, Seção 10). A *urticária ao frio* é verificada por resposta urticariforme à aplicação de um cubo de gelo à pele ou por um tubo de ensaio contendo água gelada. A urticária autoimune é testada pelo teste cutâneo com soro autólogo e determinação do anticorpo anti-FcεRI. Quando as lesões urticariformes não desaparecerem em até 24 horas, deve-se suspeitar de vasculite urticariforme e efetuar biópsia. O indivíduo com *síndrome de angioedema-urticária-eosinofilia* tem febre alta, leucocitose pronunciada (em grande parte, eosinófilos), notável aumento do peso corporal em consequência da retenção de água e padrão cíclico, que pode ocorrer e recidivar no decorrer de um período de vários anos. O *AEH* tem história familiar positiva e caracteriza-se por angioedema em consequência de traumatismo, por dor abdominal e por níveis diminuídos de C4 e do inibidor da C1-esterase.

A Figura 14-7 fornece uma abordagem prática ao diagnóstico de urticária/angioedema, e a Figura 14-8, ao diagnóstico de angioedema exclusivamente.

PARTE II DERMATOLOGIA E MEDICINA INTERNA

```
Aspecto clínico: lesões
urticariformes, angioedema
        ↓
História clínica: urticária ou
edema transitório recidivante
        ↓
Lesões urticariformes
± angioedema
        ↓
Duração do episódio
de urticária
   ↙      ↓      ↘
30 min a 2 h   4-36 h   24-48 h com equimoses,
                         artralgia grave,
                         febre, ↓C4
               ↙    ↘              ↓
         Evolução  Evolução
         < 6 semanas  > 6 semanas
```

- **História de estímulo físico** / **Teste de estimulação física**
- **Considerar fármacos, alimentos, teste cutâneo para alimentos, infecção (particularmente em crianças), outros estímulos identificáveis**
- **Provas de função tireoidiana, anticorpo antimicrossomal, anticorpo antitireoglobulina, teste cutâneo com soro autólogo, antirreceptor de IgE in vitro**
- **Biópsia de pele**

Positivo → **Urticária autoimune crônica**
Negativo → **Urticária idiopática crônica**
Positivo → **Vasculite urticariforme**

→ **Urticária física**
→ **Urticária/angioedema agudos**

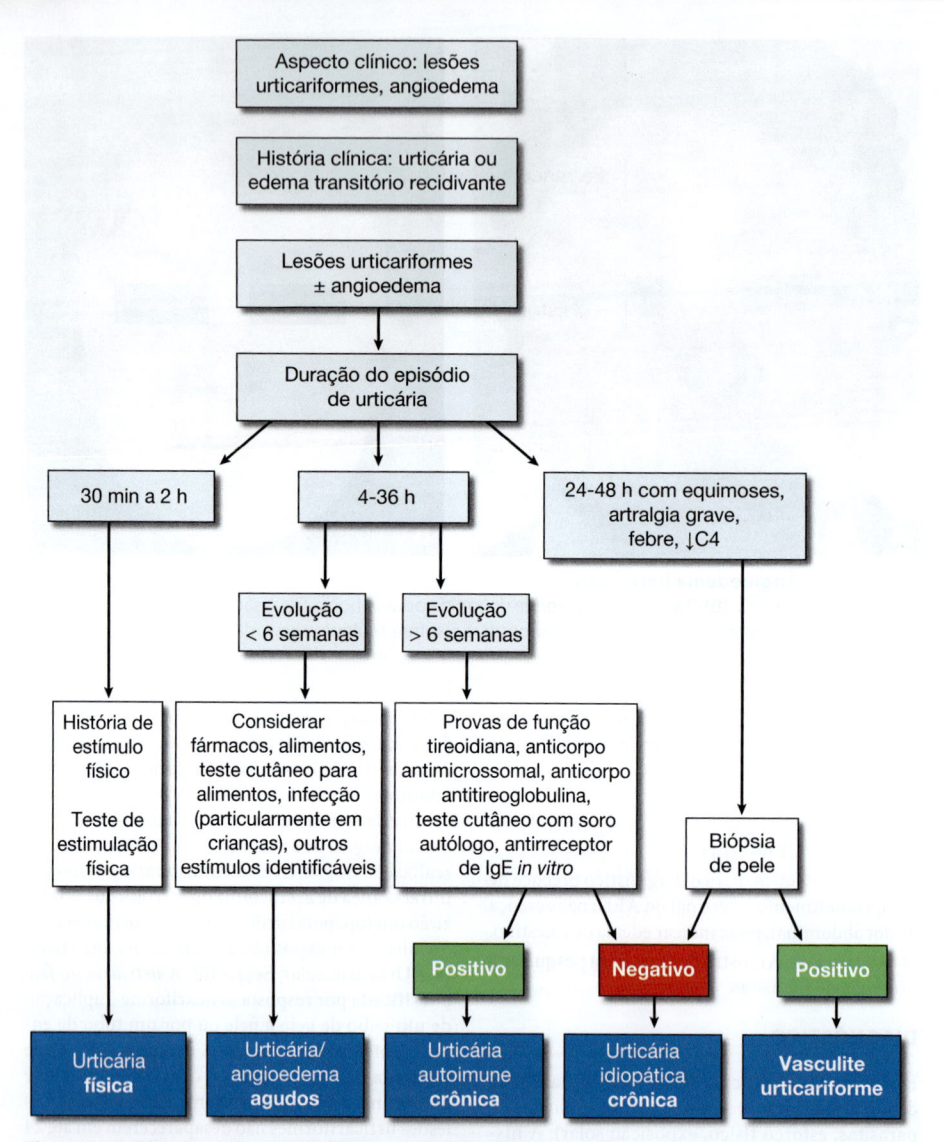

Figura 14-7 Abordagem ao paciente com urticária/angioedema (Modificada com permissão de Kaplan AP. Urticaria and angioedema. In: Wolff K, Goldsmith LA, Katz SI, et al, eds. *Fitzpatrick's Dermatology in General Medicine*. 7th ed. New York, NY: McGraw-Hill, 2008, p. 339.)

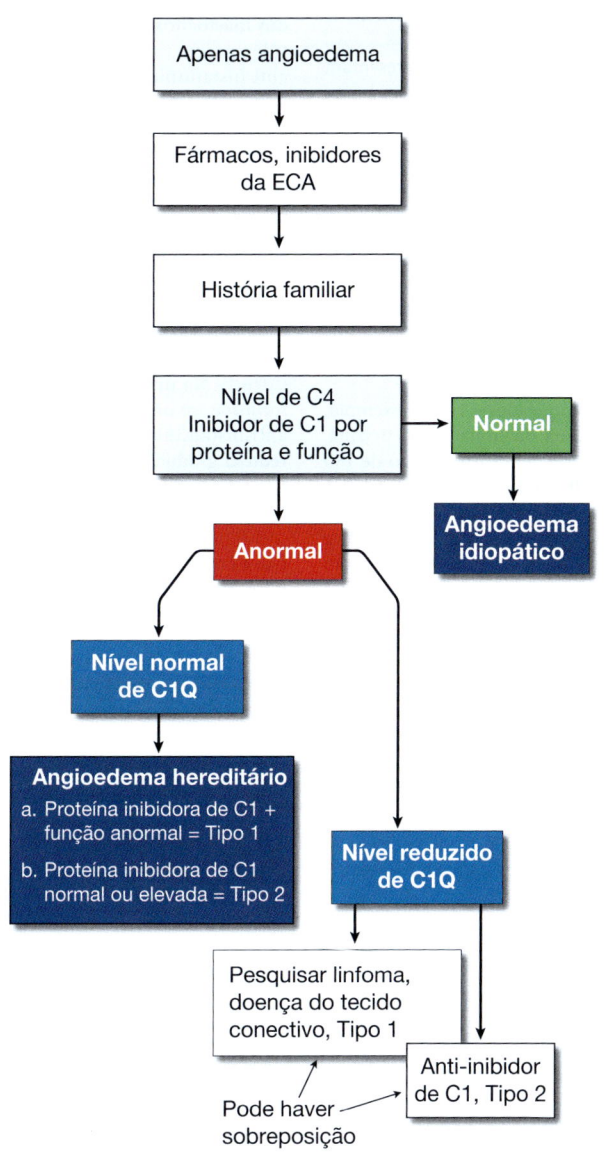

SEÇÃO 14 A PELE NAS DOENÇAS IMUNES, AUTOIMUNES, AUTOINFLAMATÓRIAS E REUMÁTICAS

```
Apenas angioedema
        ↓
Fármacos, inibidores
     da ECA
        ↓
História familiar
        ↓
Nível de C4
Inibidor de C1 por  ──→  Normal
proteína e função            ↓
        ↓                 Angioedema
     Anormal              idiopático
    ↙      ↘
Nível normal        Nível reduzido
  de C1Q              de C1Q
    ↓                   ↓
Angioedema hereditário
a. Proteína inibidora de C1 +
   função anormal = Tipo 1
b. Proteína inibidora de C1
   normal ou elevada = Tipo 2

Pesquisar linfoma,
doença do tecido
conectivo, Tipo 1
         ↓
Anti-inibidor
de C1, Tipo 2

Pode haver sobreposição
```

Figura 14-8 Abordagem ao paciente com angioedema (sem urticária) (Modificada com permissão de Kaplan AP. Urticaria and angioedema. In: Wolff K, Goldsmith LA, Katz SI, et al, eds. *Fitzpatrick's Dermatology in General Medicine.* 7th ed. New York, NY: McGraw-Hill, 2008, p. 339.)

EVOLUÇÃO E PROGNÓSTICO

Cinquenta por cento dos pacientes que apresentam apenas urticária ficam livres das lesões em 1 ano, porém 20% têm lesões durante > 20 anos. O prognóstico é satisfatório na maioria das síndromes, com exceção do AEH, que pode ser fatal sem tratamento.

MANEJO

Profilaxia por eliminação das substâncias químicas ou fármacos que atuam como fatores etiológicos: ácido acetilsalicílico e aditivos alimentares, particularmente na urticária recidivante crônica – raramente, bem-sucedida; evitar os fatores desencadeantes nas urticárias físicas.

ANTI-HISTAMÍNICOS Bloqueadores H_1, por exemplo, hidroxizina, terfenadina; ou loratadina, cetirizina, fexofenadina; em geral, a administração de 180 mg/dia de fexofenadina ou 10 a 20 mg/dia de loratadina controla a maioria dos casos de urticária crônica, porém a interrupção do tratamento leva habitualmente à recidiva; se esses fármacos não tiverem sucesso, administram-se bloqueadores H_1 e H_2 (cimetidina) e/ou agentes estabilizadores dos mastócitos (cetotifeno). A doxepina, um antidepressivo tricíclico com acentuada atividade anti-histamínica H_1, é valiosa quando a urticária grave está associada à ansiedade e à depressão.

PREDNISONA Na urticária *aguda* com angioedema; também utilizada na síndrome de angioedema-urticária-eosinofilia.

DANAZOL OU ESTANOZOLOL Tratamento de longo prazo do AEH; monitora-se a ocorrência de hirsutismo e irregularidades menstruais; plasma fresco total ou inibidor da C1-esterase para a crise aguda. O icatibanto, um antagonista muito efetivo do receptor B_2 da bradicinina para aplicação subcutânea, está atualmente disponível.

OUTROS Na urticária *idiopática crônica* ou *autoimune*, se não houver nenhuma resposta aos anti-histamínicos: substituir pela ciclosporina e reduzir gradualmente a dose, se os glicocorticoides estiverem contraindicados ou se ocorrerem efeitos colaterais.

OMALIZUMABE A urticária idiopática crônica que não é controlada por anti-histamínicos (dobro da dose convencional) responderá ao omalizumabe, 300 mg, SC, a cada 4 semanas. É muito caro.

SÍNDROME DO ERITEMA MULTIFORME (EM) CID-10: L51

- Padrão reativo comum dos vasos sanguíneos na derme, com alterações epidérmicas secundárias.
- Manifesta-se, clinicamente, por lesões papulares e vesicobolhosas eritematosas e em forma de íris.
- Em geral, acomete os membros (particularmente as palmas e as plantas) e as mucosas.
- Evolução benigna com recidivas frequentes.
- A maioria dos casos está relacionada à infecção por herpes simples (HSV).
- As recidivas podem ser evitadas com tratamento de longo prazo com agentes anti-HSV.
- Evolução mais grave no EM *major*.

EPIDEMIOLOGIA

IDADE DE INÍCIO Menos de 20 anos de idade em 50% dos casos.
SEXO Mais frequente em homens do que em mulheres.

ETIOLOGIA

Reação cutânea a uma variedade de estímulos antigênicos, mais comumente ao herpes simples.
INFECÇÃO Herpes simples, *Mycoplasma*.
FÁRMACOS Sulfonamidas, fenitoína, barbitúricos, fenilbutazona, penicilina, alopurinol.
IDIOPÁTICO Provavelmente também devido a infecções não detectadas por herpes simples ou por *Mycoplasma*.

MANIFESTAÇÃO CLÍNICA

As lesões evoluem no decorrer de vários dias. Pode haver história pregressa de EM. As lesões podem ser pruriginosas ou dolorosas, particularmente na boca. Nas formas graves, ocorrem sintomas constitucionais, como febre, fraqueza, mal-estar.

LESÕES CUTÂNEAS As lesões podem se desenvolver no decorrer de um período de ≥ 10 dias. Mácula → pápula (1 a 2 cm) → vesículas e bolhas no centro da pápula. Cor vermelho-escura. Aparecem *lesões em íris ou em alvo*, que são características (**Figs. 14-9** e **14-10**). Localizadas nas mãos e na face ou generalizadas (**Figs. 14-11** e **14-12**). Bilaterais e, com frequência, simétricas.

Locais de predileção. Dorso das mãos, palmas e plantas; antebraços; pés; face; cotovelos e joelhos; pênis (50%) e vulva (ver Fig. 14-13).

MUCOSAS Erosões com fibrinas nas mucosas; algumas vezes com ulcerações: lábios (Figs. 14-10, 14-11, ver também Seção 33), orofaringe, nasal, conjuntival (Fig. 14-11), vulvar e anal.

OUTROS ÓRGÃOS Olhos, com úlceras de córnea, uveíte anterior.

EVOLUÇÃO

FORMAS LEVES (EM *MINOR*) Pouco ou nenhum acometimento das mucosas; vesículas, porém sem bolhas nem sintomas sistêmicos. Erupção habitualmente restrita aos membros, à face, com lesões em alvo clássicas (Figs. 14-9 e 14-10). O EM *minor* recorrente está geralmente associado a um surto de herpes simples que o precede em vários dias.

FORMAS GRAVES (EM *MAJOR*) Com mais frequência, ocorre como reação medicamentosa, sempre com acometimento das mucosas; as lesões são graves, extensas, com tendência a se tornarem confluentes e bolhosas, com sinal de Nikolsky positivo nas lesões eritematosas (Figs. 14-11 e 14-12). Sintomas sistêmicos: febre, prostração. A queilite e a estomatite interferem na ingestão alimentar; vulvite e balanite com micção. A conjuntivite pode levar a ceratite e ulceração; ocorrem também lesões na faringe e na laringe.

EXAMES LABORATORIAIS

DERMATOPATOLOGIA Inflamação caracterizada por infiltrado mononuclear perivascular e edema da camada superior da derme; apoptose dos ceratinócitos, com necrose epidérmica focal e formação de bolhas subepidérmicas. Nos casos graves, necrose completa da epiderme, conforme observado na necrólise epidérmica tóxica (ver Seção 8).

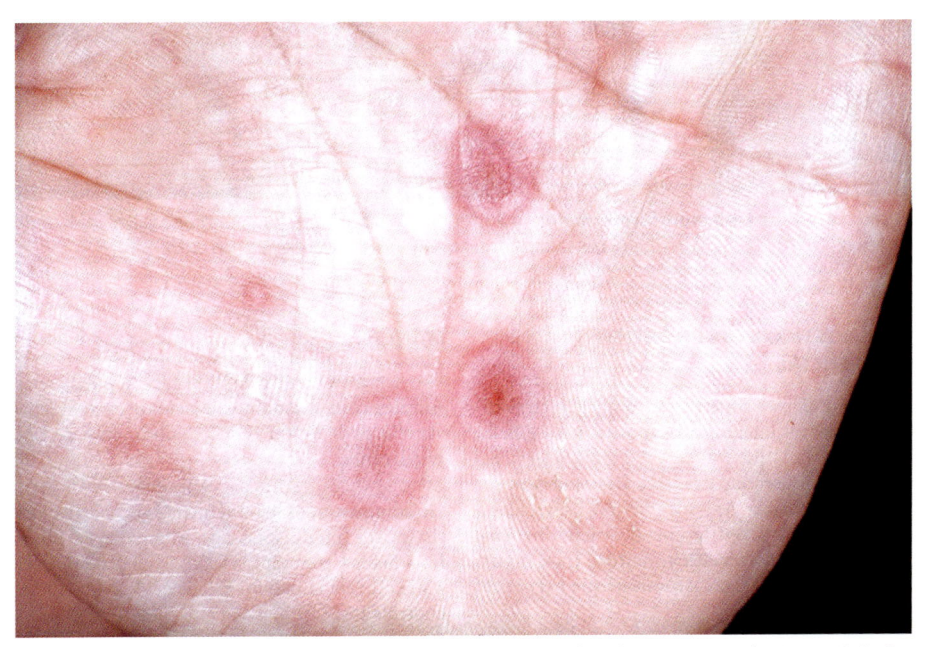

Figura 14-9 Eritema multiforme Lesões em íris ou em alvo na palma de um paciente de 16 anos. As lesões consistem em pápulas muito planas, com borda vermelha, anel violáceo e centro vermelho.

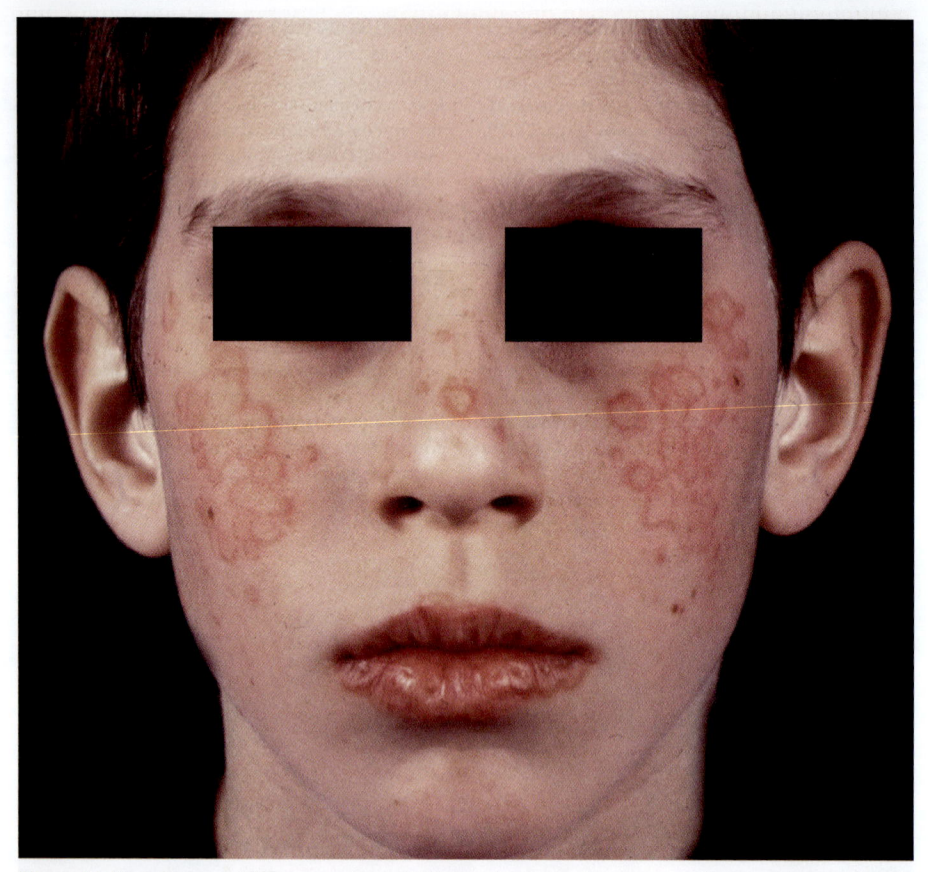

Figura 14-10 Eritema multiforme: *minor* Múltiplas pápulas confluentes, semelhantes a alvos, na face de um menino de 12 anos. A morfologia em alvo das lesões é mais bem observada nos lábios.

DIAGNÓSTICO E DIAGNÓSTICO DIFERENCIAL

A lesão em alvo e a simetria são muito características, e o estabelecimento do diagnóstico não é difícil.

ERUPÇÕES EXANTEMÁTICAS AGUDAS Farmacodermias, psoríase, sífilis secundária, urticária, síndrome de Sweet generalizada. As lesões das mucosas podem ter um diagnóstico diferencial difícil: doenças bolhosas, erupção medicamentosa fixa, lúpus eritematoso agudo, gengivoestomatite herpética primária.

MANEJO

PREVENÇÃO O controle da infecção por herpes simples com o uso de valaciclovir ou fanciclovir VO pode evitar o desenvolvimento de EM recidivante.

GLICOCORTICOIDES Em pacientes em estado crítico, são administrados habitualmente glicocorticoides sistêmicos (prednisona, 50 a 80 mg/dia, em doses fracionadas, com rápida redução da dose), porém a sua eficiência não foi estabelecida por estudos controlados.

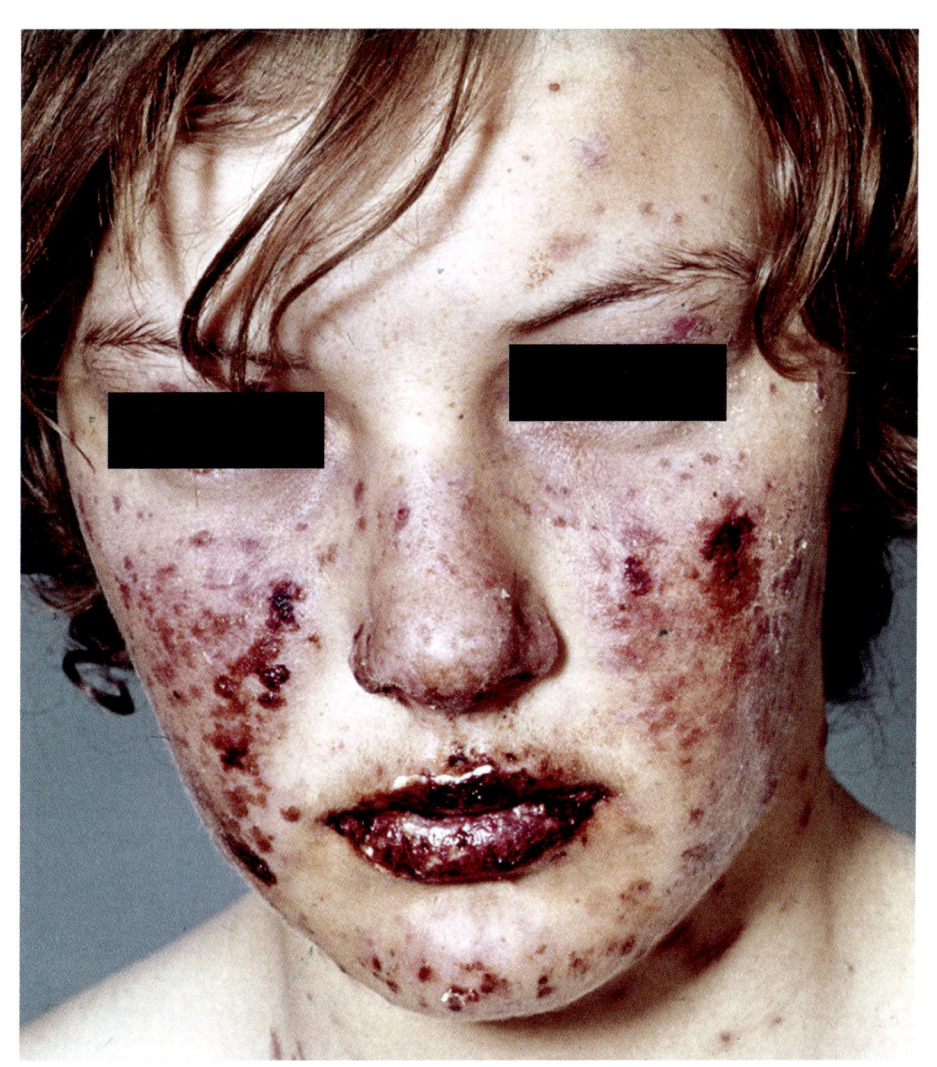

SEÇÃO 14 A PELE NAS DOENÇAS IMUNES, AUTOIMUNES, AUTOINFLAMATÓRIAS E REUMÁTICAS 309

Figura 14-11 Eritema multiforme: *major* Pápulas eritematosas, confluentes em alvo, erosões e crostas na face. Há queilite erosiva e crostosa, indicando acometimento da mucosa, bem como conjuntivite com erosões palpebrais. A paciente também apresenta exantema generalizado, com lesões em íris.

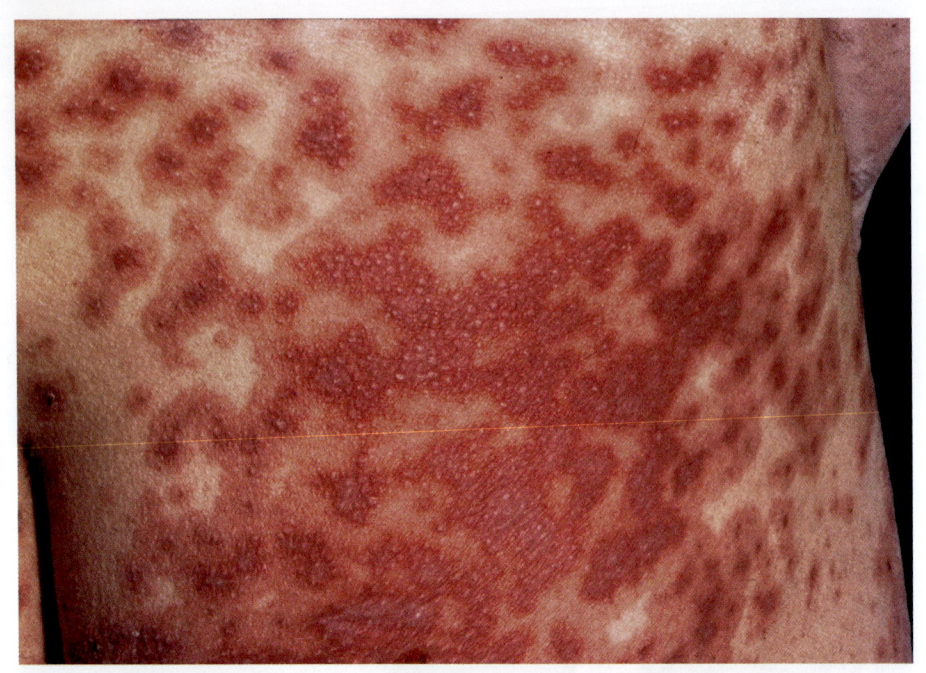

Figura 14-12 Eritema multiforme: *major* Múltiplas lesões em alvo coalesceram, e haverá desenvolvimento de erosões. Este paciente tinha febre e acometimento das mucosas oral, conjuntival e genital.

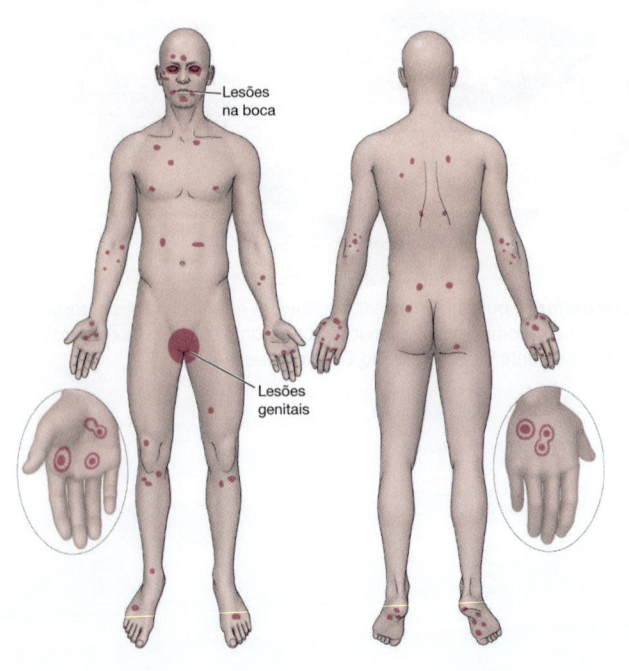

Figura 14-13 Eritema multiforme: locais de predileção e distribuição

Lesões na boca

Lesões genitais

CRIOPIRINOPATIAS (CAPS)* CID-10: L53.8

- Trata-se de doenças autoinflamatórias sistêmicas raras, de caráter autossômico dominante.
- Incluem a síndrome autoinflamatória familiar associada ao frio (FCAS), a síndrome de Muckle-Wells (MWS) (**Fig. 14.14**) e a doença inflamatória multissistêmica de início neonatal (NOMID).
- A maioria apresenta mutações em NLRP3.
- Erupções urticariformes (**Fig. 14-14**), febre (periódica ou contínua), conjuntivite, artralgia e elevação dos reagentes de fase aguda. Sem tratamento, ocorrem perda auditiva progressiva, perda progressiva da visão (MWS, NOMID), retardo mental, hidrocefalia, crescimento ósseo excessivo (NOMID) e amiloidose.
- O exame histopatológico da lesão cutânea revela edema, dilatação dos capilares superficiais, infiltrados neutrofílicos perivasculares e periécrinos.
- O tratamento com anti-IL-1 é efetivo.

Fonte: Lee CCR and Goldbach-Mansky R. Systemic autoinflammatory diseases: In: Goldsmith LA, Katz SI, Gilchrest BA, Paller AS, Leffell DJ, and Wolff K (eds.). *Fitzpatrick's Dermatology in General Medicine*, 8th ed. New York, NY: McGraw-Hill; 2012:1584–1599.

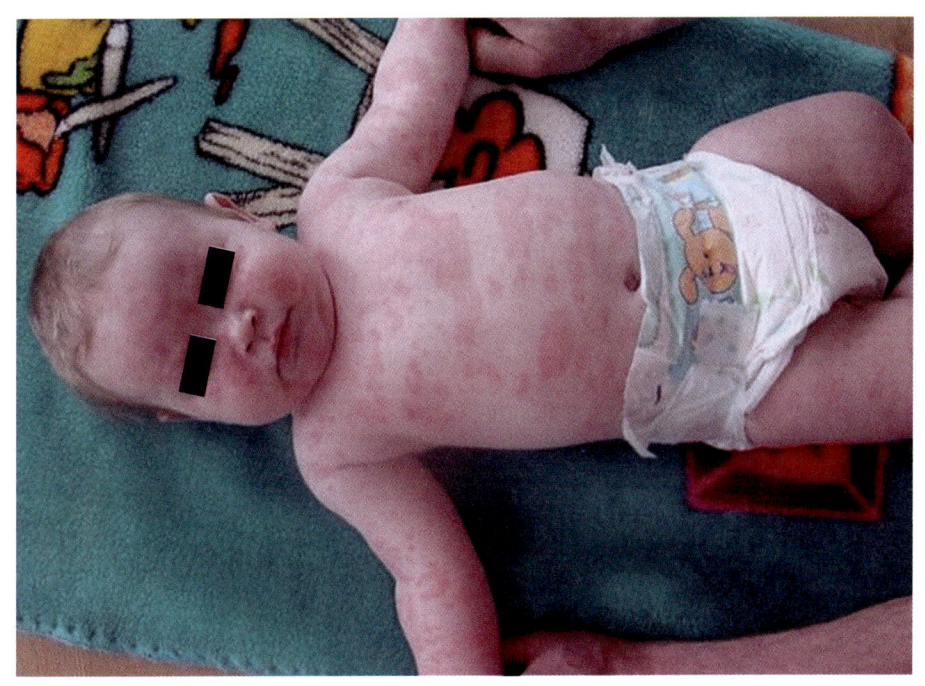

Figura 14-14 Síndrome de Muckle-Wells Lactente de 2 meses de idade com febre, artralgia e exantema urticariforme. (Usada com permissão de Drs. Klemens Rappersberger e Christian Posch.)

LÍQUEN PLANO (LP) CID-10: L43

- Distribuição mundial; incidência inferior a 1%, todas as etnias.
- O LP é uma dermatose inflamatória aguda ou crônica, que acomete a pele e/ou as mucosas.
- Caracteriza-se por pápulas poligonais, pruriginosas, planas (do latim *planus*, "plano"), rosadas a violáceas e brilhantes. As características das lesões foram designadas por quatro Ps – pápula, purpúrea, poligonal, pruriginosa.
- Distribuição: predileção pelas superfícies flexoras dos braços e das pernas, podendo tornar-se generalizado.
- Na boca, pápulas reticuladas branco-leitosas; podem se tornar erosivas e até mesmo ulcerar.
- Principal sintoma: prurido; ocorre na boca, com dor.
- Tratamento: glicocorticoides tópicos e sistêmicos, ciclosporina.

EPIDEMIOLOGIA E ETIOLOGIA

IDADE DE INÍCIO 30 a 60 anos.
SEXO Mulheres > homens.
ETIOLOGIA Idiopático na maioria dos casos; todavia a imunidade celular desempenha importante papel. A maioria dos linfócitos no infiltrado consiste em células CD8+ e CD45Ro+ (de memória). Fármacos, metais (ouro, mercúrio) ou infecções (vírus da hepatite C) resultam em alteração da imunidade celular. Pode haver suscetibilidade genética associada ao antígeno leucocitário humano (HLA), o que explicaria a predisposição em determinadas pessoas. As lesões liquenoides da doença do enxerto contra hospedeiro (DECH) crônica da pele são indistinguíveis das lesões do LP (ver Seção 22).

MANIFESTAÇÃO CLÍNICA

INÍCIO Agudo (dias) ou insidioso (no decorrer de várias semanas). As lesões persistem por meses a anos, são assintomáticas ou pruriginosas; algumas vezes, ocorre prurido intenso. As lesões das mucosas são dolorosas, particularmente quando ulceradas.
LESÕES CUTÂNEAS Pápulas planas, medindo de 1 a 10 mm, nitidamente demarcadas e brilhantes (Fig. 14-15). Violáceas com linhas brancas (estrias de Wickham) (Fig. 14-15A), mais bem visualizadas com lupa após aplicação de uma gota de óleo mineral. Poligonais ou ovais (Fig. 14-15B). Lesões agrupadas (Figs. 14-15 e 14-16), anulares ou dispersas e disseminadas quando a doença é generalizada (Fig. 14-17). Nos indivíduos de pele escura, é comum haver hiperpigmentação pós-inflamatória. As lesões podem acometer os lábios (Fig. 14-18A) e exibir disposição linear após traumatismo (fenômeno de Koebner ou isomórfico) (Fig. 14-18B).
Locais de predileção. Punhos (superfícies flexoras), região lombar, canelas (lesões hiperceratóticas mais espessas), couro cabeludo, glande peniana (ver Seção 34), boca (ver Seção 33).

Variantes

Hipertrófico. Grandes placas espessas que surgem nos pés (Fig. 14-16B), no dorso das mãos (Fig. 14-16A) e nas canelas; mais comum em homens negros. Embora a pápula característica do LP seja lisa, as lesões hipertróficas podem se tornar hiperceratóticas.
Atrófico. Pápulas e placas branco-azuladas e bem demarcadas, com atrofia central.
Folicular. Pápulas e placas ceratótico-foliculares isoladas, que resultam em alopécia cicatricial. A *síndrome de Graham Little* refere-se a lesões espinofoliculares, LP característico da pele e das mucosas e alopécia cicatricial do couro cabeludo (ver Seção 31).
Vesicular. Podem surgir lesões vesiculares ou bolhosas nas placas do LP ou independentemente delas na pele de aparência normal. Trata-se de alterações observadas na imunofluorescência direta, compatíveis com o penfigoide bolhoso, e o soro desses pacientes contém autoanticorpos IgG do penfigoide bolhoso (ver Seção 6).
Pigmentado. Máculas hiperpigmentadas marrom-escuras nas áreas expostas ao sol e nas superfícies flexoras. Ocorrem em latino-americanos e em outras populações de pele escura. Semelhança significativa ou talvez identidade com a dermatose cinzenta (ver Fig. 13-11).
Actínico. Lesões papulares do LP surgem nas áreas expostas ao sol, particularmente no dorso das mãos e nos braços.
Ulcerativo. O LP pode levar à formação de úlceras resistentes ao tratamento, particularmente nas plantas, exigindo-se enxerto cutâneo.
MUCOSAS Cerca de 40 a 60% dos indivíduos com LP apresentam acometimento da orofaringe (ver Seção 33).
LP reticular. Padrão reticulado (semelhante a uma rede) de hiperceratose branca rendilhada na mucosa oral (ver Seção 33), nos lábios (Fig. 14-18A), na língua e na gengiva.

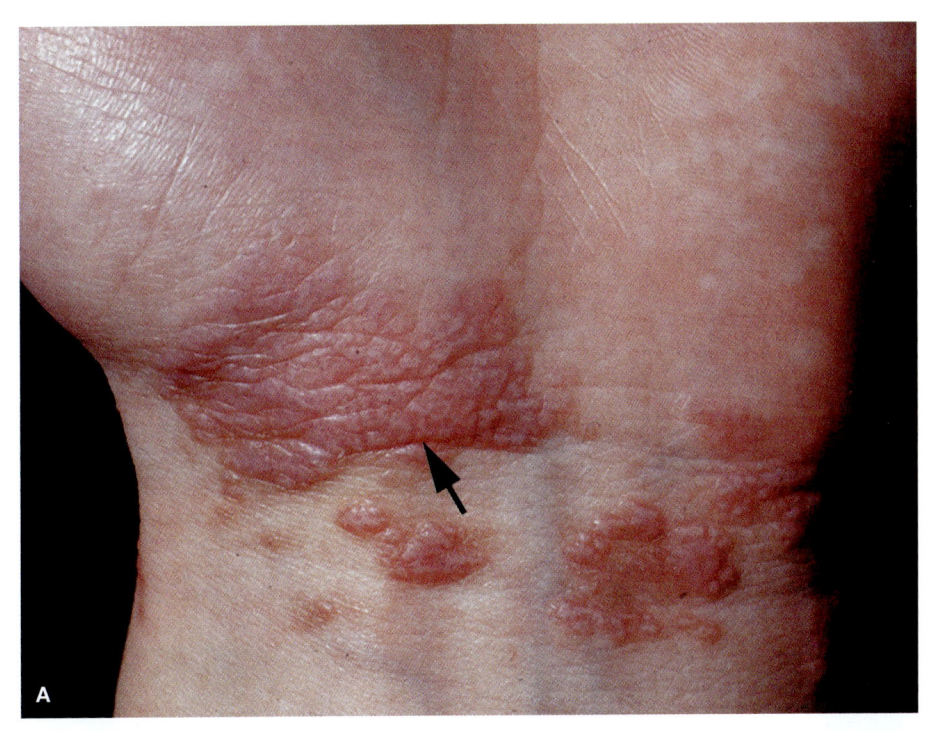

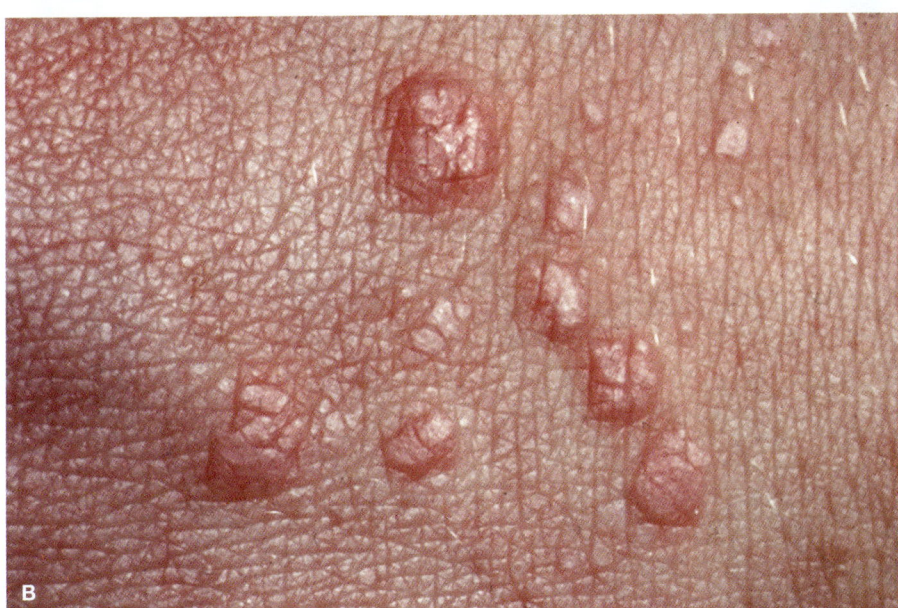

Figura 14-15 Líquen plano (A) Pápulas poligonais planas nitidamente demarcadas, de cor violácea, agrupadas e confluentes. A superfície é brilhante e, à inspeção mais cuidadosa com lente de aumento, são observadas linhas brancas finas (estrias de Wickham, *seta*). **(B)** Fotografia ampliada das pápulas poligonais planas, violáceas e brilhantes.

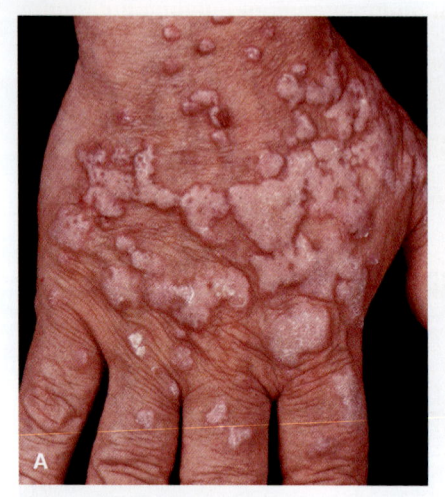

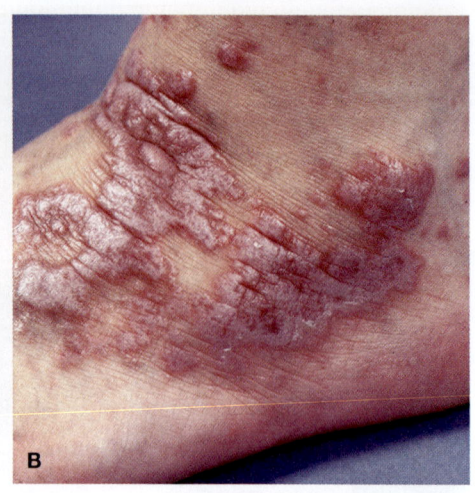

Figura 14-16 Líquen plano hipertrófico (A) Pápulas e placas hiperceratóticas confluentes no dorso da mão de um homem de pele clara de ascendência africana. A hiperceratose cobre as estrias de Wickham, e a cor violácea característica das lesões só pode ser observada nas margens. **(B)** Líquen plano hipertrófico no dorso do pé. As lesões formam placas espessas com superfície hiperceratótica e borda violácea.

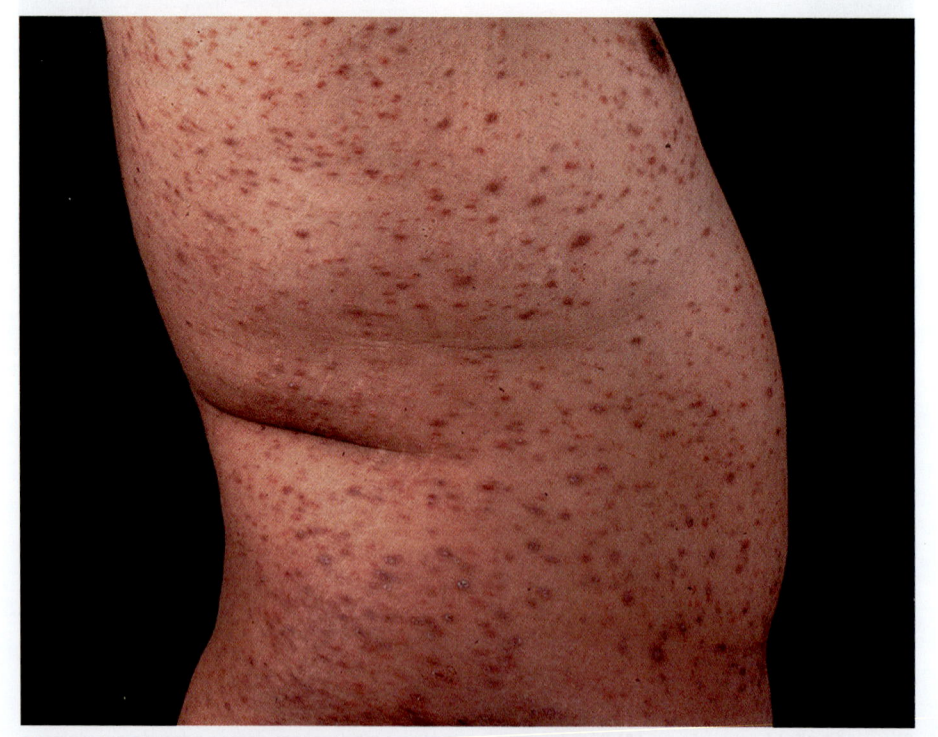

Figura 14-17 Líquen plano disseminado Inúmeras pápulas disseminadas no tronco e nos membros (não mostrados aqui) de um filipino de 45 anos. Em virtude da cor étnica da pele, as pápulas não são tão violáceas quanto às de indivíduos brancos, porém exibem tonalidade acastanhada.

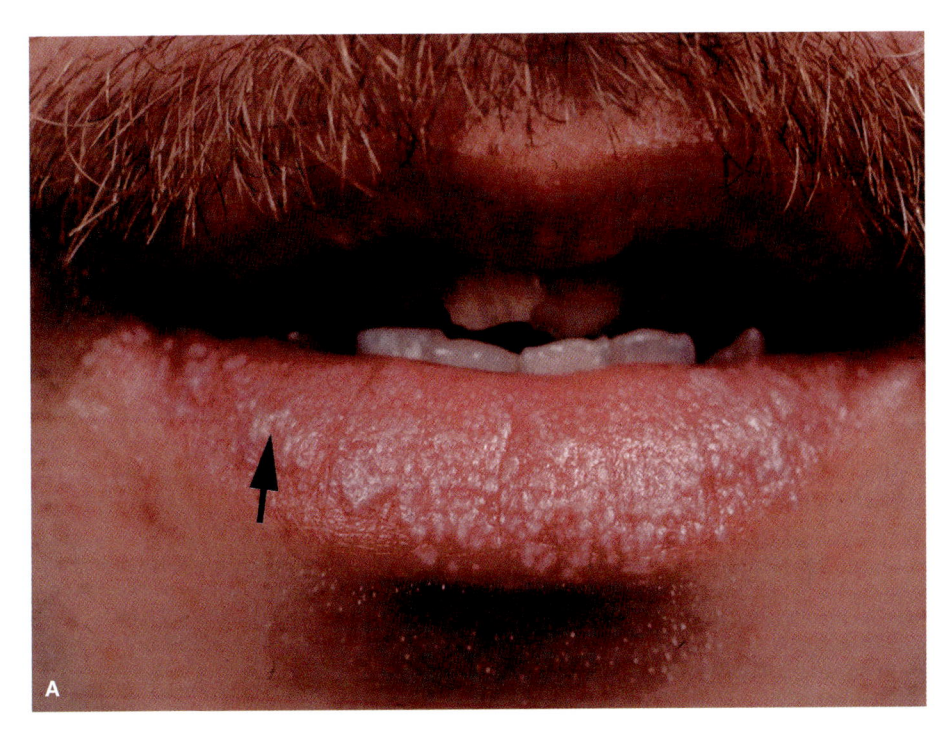

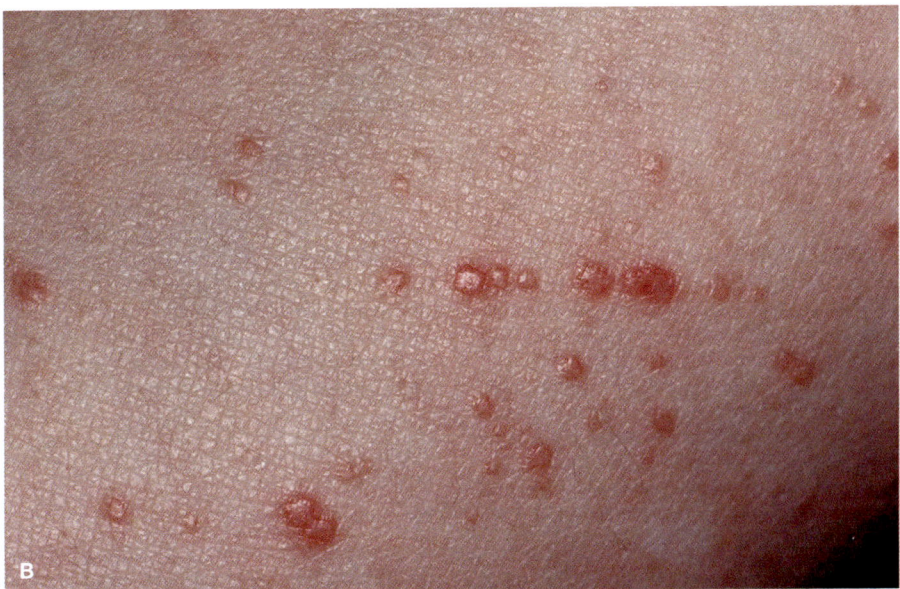

SEÇÃO 14 A PELE NAS DOENÇAS IMUNES, AUTOIMUNES, AUTOINFLAMATÓRIAS E REUMÁTICAS

Figura 14-18 Líquen plano (A) Pápulas planas, confluentes e branco-prateadas nos lábios. *Observação:* estrias de Wickham (*seta*). **(B)** Líquen plano, fenômeno de Koebner. Disposição linear das pápulas planas e brilhantes que irromperam após arranhadura.

LP erosivo ou ulcerativo. Erosão superficial com/sem coágulo de fibrina na superfície; ocorre na língua e na mucosa oral (ver Seção 33); erosão dolorosa vermelho-brilhante da gengiva (gengivite descamativa) (ver Seção 33) ou dos lábios (Fig. 14-18A). Em casos muito raros, pode ocorrer desenvolvimento de carcinoma nas lesões orais.
GENITÁLIA Lesões papulares (ver Seção 34) agminadas, anulares ou erosivas que surgem no pênis (particularmente na glande), no escroto, nos lábios maiores e menores da vulva e na vagina.
CABELOS E UNHAS **Couro cabeludo.** LP folicular, atrofia da pele do couro cabeludo com alopécia cicatricial (ver Seções 31 e 32).
Unhas. Destruição do leito e das pregas ungueais, com fissuras longitudinais (ver Seção 32).

ERUPÇÕES SEMELHANTES AO LÍQUEN PLANO

As erupções semelhantes ao LP simulam estreitamente o LP característico, tanto do ponto de vista clínico quanto histológico. Ocorrem como uma das manifestações clínicas da DECH crônica, bem como na dermatomiosite (DM) e como manifestações cutâneas do linfoma maligno; entretanto, também podem se desenvolver em consequência do tratamento com determinados fármacos e após uso industrial de certos compostos (ver Seção 23).

DIAGNÓSTICO E DIAGNÓSTICO DIFERENCIAL

Achados clínicos confirmados pela histopatologia.
LP papular. Lúpus eritematoso cutâneo crônico, psoríase, pitiríase rósea, dermatite eczematosa, DECH liquenoide; lesões isoladas: carcinoma basocelular superficial, doença de Bowen (carcinoma espinocelular *in situ*).
LP hipertrófico. Psoríase vulgar, líquen simples crônico, prurigo nodular, dermatite de estase, sarcoma de Kaposi.
MUCOSAS Leucoplasia, candidíase pseudomembranosa ("sapinho"), leucoplasia pilosa associada ao HIV, lúpus eritematoso, traumatismo por mordedura, placas mucosas da sífilis secundária, pênfigo vulgar, penfigoide bolhoso (ver Seção 33).
LP induzido por fármacos. Ver Seção 23.

EXAMES LABORATORIAIS

DERMATOPATOLOGIA Inflamação com hiperceratose, aumento da camada granular, acantose irregular, degeneração da camada de células basais por liquefação e infiltrado mononuclear em faixa que envolve a epiderme. Apoptose dos ceratinócitos (corpúsculos coloides de Civatte) observada na junção dermoepidérmica. A imunofluorescência direta revela depósitos intensos de fibrina na junção, IgM e, com menos frequência, IgA, IgG e C3 nos corpúsculos coloides.

EVOLUÇÃO

O LP cutâneo persiste geralmente por vários meses e, em alguns casos, por anos; o LP hipertrófico no terço inferior dos membros inferiores e o LP oral frequentemente persistem por décadas. A incidência de carcinoma espinocelular da cavidade oral está aumentada em indivíduos com LP oral (5%).

TRATAMENTO

Tratamento tópico
Glicocorticoides. Glicocorticoides tópicos com curativo oclusivo para as lesões cutâneas. A triancinolona intralesional (3 mg/mL) mostra-se útil para as lesões sintomáticas cutâneas ou da mucosa oral e lábios.
Soluções de ciclosporina e tacrolimo. "Bochechos" prolongados para o LP oral com sintomas graves.

Tratamento sistêmico
Ciclosporina. Nos casos muito resistentes e generalizados, uma dose de 5 mg/kg ao dia induzirá remissão rápida, que frequentemente não é seguida de recidiva.
Glicocorticoides. A prednisona oral é efetiva para indivíduos com prurido sintomático, erosões dolorosas, disfagia ou desfiguração estética. Prefere-se um curto ciclo com redução progressiva das doses: inicialmente, 70 mg, com redução gradual de 5 mg/dia.
Retinoides sistêmicos (acitretina). A dose de 1 mg/kg ao dia é útil como tratamento adjuvante nos casos graves (oral, hipertrófico); todavia, em geral, é necessário tratamento tópico adicional.

Fotoquimioterapia com PUVA
Para indivíduos com LP generalizado ou nos casos resistentes ao tratamento tópico.

Outros tratamentos
O micofenolato de mofetila e os análogos da heparina (enoxaparina) em doses baixas apresentam propriedades antiproliferativas e imunomoduladoras; azatioprina.

DOENÇA DE BEHÇET CID-10: M35.2

- Rara; distribuição mundial, porém com prevalência étnica acentuadamente variável.
- Trata-se de uma doença vasculítica multissistêmica desconcertante, com comprometimento de múltiplos órgãos.
- Os sintomas principais consistem em úlceras aftosas orais recidivantes, úlceras genitais, eritema nodoso, tromboflebite superficial, pústulas cutâneas, iridociclite e uveíte posterior.
- Outros sintomas podem incluir artrite, epididimite, ulcerações ileocecais e lesões vasculares e do sistema nervoso central (SNC).
- Evolução progressiva recidivante crônica, com prognóstico potencialmente ruim.

EPIDEMIOLOGIA

IDADE DE INÍCIO Terceira e quarta décadas de vida.
PREVALÊNCIA Mais alta na Turquia (80 a 420 casos em 100.000), no Japão, na Coreia, no Sudeste Asiático, no Oriente Médio, na Europa Meridional. Rara na Europa Setentrional e nos EUA (0,12 a 0,33 em 100.000).
SEXO Homens > mulheres, mas depende da origem étnica.

PATOGÊNESE

A etiologia é desconhecida. No leste do Mediterrâneo e no leste da Ásia, observa-se associação ao HLA-B5 e HLA-B51; nos Estados Unidos e na Europa, não há nenhuma associação consistente com HLA. As lesões resultam de vasculite leucocitoclástica (aguda) e linfocítica (tardia).

MANIFESTAÇÃO CLÍNICA

As úlceras dolorosas irrompem de modo cíclico nas mucosas da cavidade oral e/ou da genitália. A orodinofagia e as úlceras orais podem persistir/sofrer recidiva semanas a meses antes do aparecimento de outros sintomas.

PELE E MUCOSAS **Úlceras aftosas**. Úlceras em saca-bocado (3 a > 10 mm), com bordas onduladas ou elevadas e base necrótica (Fig. 14-19); halo vermelho; ocorrem em grupos (2 a 10) na mucosa oral (100%) (Fig. 14-19), na vulva, no pênis e no escroto (Figs. 14-20 e 14-21); muito dolorosas.

Lesões semelhantes ao eritema nodoso. Nódulos inflamatórios dolorosos nos braços e nas pernas (40%) (ver Seção 7).

Outras. Pústulas inflamatórias, tromboflebite superficial, *placas inflamatórias* que lembram as da síndrome de Sweet (ver Seção 7), *lesões semelhantes ao pioderma gangrenoso* (ver Seção 7), *lesões purpúricas palpáveis* da vasculite necrosante (ver p. 349).

ACHADOS SISTÊMICOS **Olhos**. Principal causa de morbidade. Uveíte posterior, uveíte anterior, vasculite retiniana, vitreíte, hipópio, cataratas secundárias, glaucoma, neovascularização.

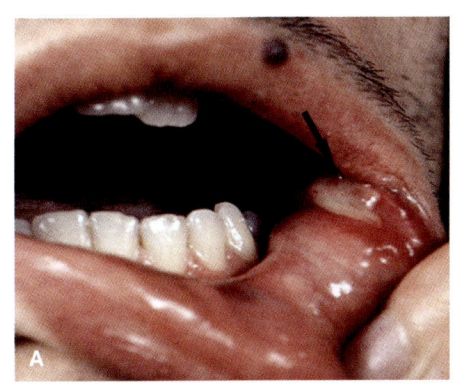

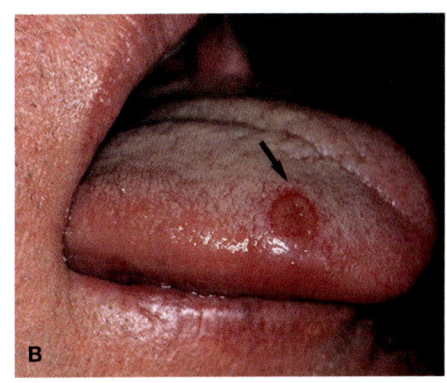

Figura 14-19 Doença de Behçet Úlceras aftosas orais. **(A)** Trata-se de úlceras em saca-bocado extremamente dolorosas com base necrótica na mucosa oral e nos fórnices superior e inferior deste homem turco de 28 anos (*seta*). **(B)** Úlcera em saca-bocado na língua de outro paciente (*seta*).

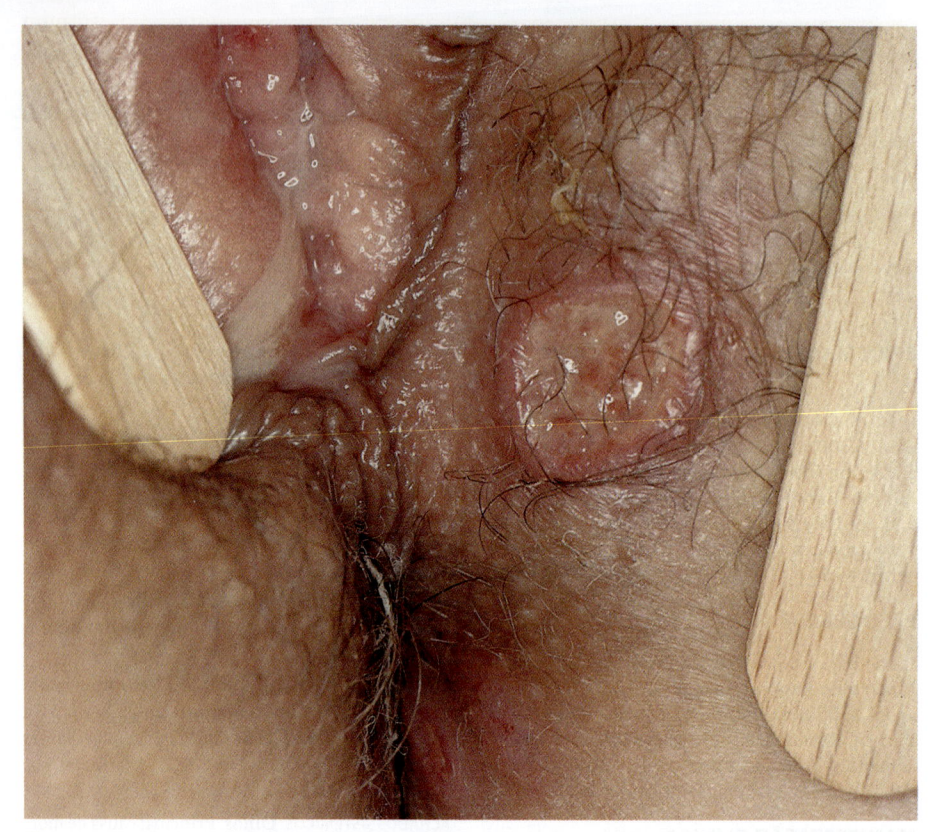

Figura 14-20 Doença de Behçet: úlceras genitais Múltiplas grandes úlceras aftosas na pele dos lábios da vulva e do períneo. Além disso, esta paciente de 25 anos de idade de ascendência turca tinha úlceras aftosas na boca e tinha sofrido anteriormente um episódio de uveíte.

Sistema musculoesquelético. Oligoartrite assimétrica não erosiva.
Neurológicos. Início tardio, ocorrendo em 25% dos pacientes. Meningoencefalite, hipertensão intracraniana benigna, paralisia de nervos cranianos, lesões do tronco encefálico, lesões piramidais/extrapiramidais, psicose.
Vasculares. Aneurismas, oclusões arteriais, trombose venosa; varizes; hemoptise. Vasculite coronariana: miocardite, arterite coronariana, endocardite, doença valvar.
Trato GI. Úlceras aftosas em todos os segmentos.

EXAMES LABORATORIAIS

DERMATOPATOLOGIA Vasculite leucocitoclástica com necrose fibrinoide das paredes dos vasos sanguíneos nas lesões iniciais agudas; vasculite linfocítica nas lesões tardias.

TESTE DE PATERGIA Teste de patergia positivo confirmado pelo médico dentro de 24 ou 48 horas após punção da pele com agulha estéril. Costuma resultar na formação de pústula inflamatória.
TIPAGEM HLA Associação significativa com HLA-B5 e HLA-B51 em japoneses, coreanos e turcos, bem como no Oriente Médio.

DIAGNÓSTICO E DIAGNÓSTICO DIFERENCIAL

O diagnóstico é estabelecido de acordo com os Critérios Internacionais Revisados para a doença de Behçet (Fig. 14-22).

DIAGNÓSTICO DIFERENCIAL *Úlceras orais e genitais*: infecções virais (HSV, vírus da varicela-zóster [VVZ]), doença mão-pé-boca, herpangina, cancro, histoplasmose, carcinoma espinocelular.

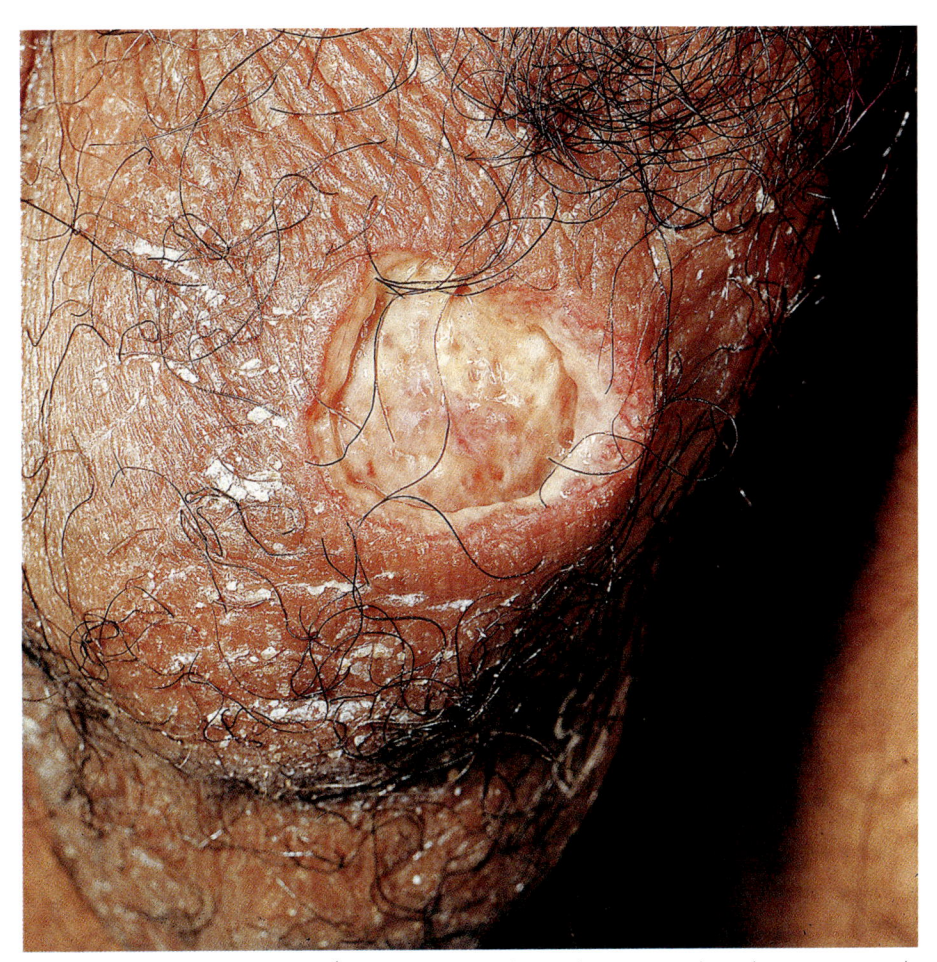

Figura 14-21 Doença de Behçet Úlcera em saca-bocado grande no escroto de um homem coreano de 40 anos. O paciente também tinha úlceras aftosas na boca e pústulas nas coxas e nas nádegas.

EVOLUÇÃO E PROGNÓSTICO

Evolução altamente variável, com recidivas e remissões; as lesões orais estão sempre presentes; as remissões podem durar semanas, meses ou anos. No leste do Mediterrâneo e no leste da Ásia, a evolução tende a ser grave e a doença constitui uma das principais causas de cegueira. Na presença de comprometimento do SNC, a taxa de mortalidade é mais alta.

TRATAMENTO

ÚLCERAS AFTOSAS Glicocorticoides tópicos potentes. Triancinolona intralesional, 3 a 10 mg/mL, injetada na base da úlcera. Talidomida, 50 a 100 mg, VO à noite. Colchicina, 0,6 mg, VO, 2 a 3 vezes ao dia. Dapsona, 50 a 100 mg/dia, VO.
COMPROMETIMENTO SISTÊMICO Prednisona com ou sem azatioprina, ciclofosfamida, azatioprina como única medicação, clorambucila, ciclosporina.

A

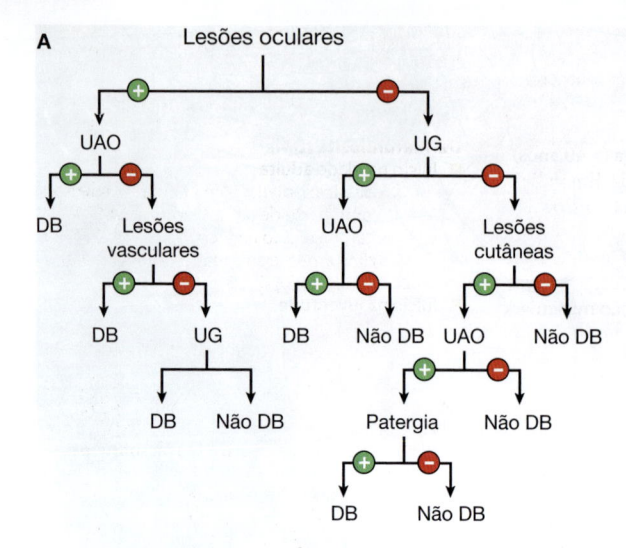

```
                    Lesões oculares
                    ⊕           ⊖
              UAO                  UG
            ⊕     ⊖             ⊕      ⊖
         DB   Lesões          UAO    Lesões
              vasculares              cutâneas
              ⊕    ⊖         ⊕   ⊖    ⊕     ⊖
            DB   UG       DB  Não DB UAO   Não DB
            ⊕   ⊖                   ⊕    ⊖
          DB  Não DB             Patergia Não DB
                                  ⊕   ⊖
                                 DB  Não DB
```

Figura 14-22 Critérios Internacionais Revisados para a Doença de Behçet (International Team for the Revision of ICBD; coordenador, F. Davatchi) **(A)** Formato de árvore de classificação e **(B)** formato tradicional. DB, doença de Behçet; UG, úlcera genital; UAO, úlcera aftosa oral. (Modificada com permissão de Zouboulis CC. Adamantiades-Behçet disease. In: Wolff K, Goldsmith LA, Katz SI, et al, eds. *Fitzpatrick's Dermatology in General Medicine*. 7th ed. New York, NY: McGraw-Hill; 2008, pp. 1620–1622.)

B

O diagnóstico da doença de Behçet é estabelecido com um escore de 3 pontos	
1 ponto	Aftose oral
1 ponto	Manifestações cutâneas (pseudofoliculite, aftose cutânea)
1 ponto	Lesões vasculares (flebite, flebite superficial, trombose de grandes veias, aneurisma, trombose arterial)
1 ponto	Teste de patergia positivo
2 pontos	Aftose genital
2 pontos	Lesões oculares

DERMATOMIOSITE CID-10: M33

- A dermatomiosite (DM) é uma doença sistêmica que pertence ao grupo das miopatias inflamatórias idiopáticas, um grupo heterogêneo de doenças autoimunes geneticamente determinadas, que têm como alvo a pele e/ou os músculos esqueléticos.
- A DM caracteriza-se por alterações inflamatórias violáceas (heliotrópio), +/− edema das pálpebras e da área periorbitária; eritema da face, da região cervical e da parte superior do tronco; e pápulas violáceas planas nas articulações das falanges.
- A DM está associada à polimiosite, pneumonite intersticial e comprometimento miocárdico.
- Ocorre também DM sem miopatia (DM amiopática) e polimiosite sem acometimento cutâneo.
- A DM juvenil segue uma evolução diferente e está associada à vasculite e calcinose.
- A DM de início no adulto pode estar associada a neoplasias malignas internas.
- O prognóstico é reservado.

EPIDEMIOLOGIA E ETIOLOGIA

RARA Incidência de > 6 casos por milhão, porém esse valor tem como base os pacientes hospitalizados e não inclui indivíduos sem acometimento muscular. Início na juventude e na idade adulta (> 40 anos).
ETIOLOGIA A etiologia é desconhecida. Em indivíduos com > 55 anos de idade, pode estar associada à neoplasia maligna.
ESPECTRO CLÍNICO Varia desde DM apenas com inflamação cutânea (DM amiopática) até casos de polimiosite apenas com inflamação muscular. Ocorre acometimento cutâneo em 30 a 40% dos adultos e em 95% das crianças com DM/polimiosite. Para a classificação, ver Quadro 14-2.

MANIFESTAÇÃO CLÍNICA

SINTOMAS + FOTOSSENSIBILIDADE As manifestações da doença cutânea podem preceder a miosite ou vice-versa; com frequência, ambas são detectadas simultaneamente. Fraqueza muscular, dificuldade em se levantar da posição em decúbito dorsal, subir escadas, elevar os braços acima da cabeça ou virar-se no leito. Disfagia; ardência e prurido no couro cabeludo.
LESÕES CUTÂNEAS Rubor heliotrópico (púrpuro-avermelhado) periorbitário, habitualmente associado a algum grau de edema (Fig. 14-23). Pode estender-se ao couro cabeludo (+ alopécia não fibrosante), toda a face, parte superior do tórax e braços (Fig. 14-24A).

QUADRO 14-2 Classificação abrangente das dermatomiopatias inflamatórias idiopáticas

Dermatomiosite (DM)
- Início na idade adulta
    - DM clássica: isolada; com neoplasia maligna; como parte de um distúrbio de superposição do tecido conectivo
    - DM clinicamente amiopática: DM amiopática: DM hipomiopática
- Início na juventude
    - DM clássica
    - DM clinicamente amiopática: DM amiopática: DM hipomiopática

Polimiosite (PM)
- PM isolada
- PM como parte de um distúrbio de sobreposição do tecido conectivo
- PM associada a uma neoplasia maligna de órgãos internos*

Miosite com corpúsculos de inclusão

Outros subgrupos clinicopatológicos de miosite
- Miosite focal
- Miosite proliferativa
- Miosite orbitária
- Miosite eosinofílica
- Miosite granulomatosa

*Embora estudos europeus atuais com base em populações tenham claramente confirmado que a DM clássica de início na vida adulta esteja associada a um risco significativo de neoplasia maligna de órgãos internos, a evidência de que essa relação exista para a PM é muito mais fraca.

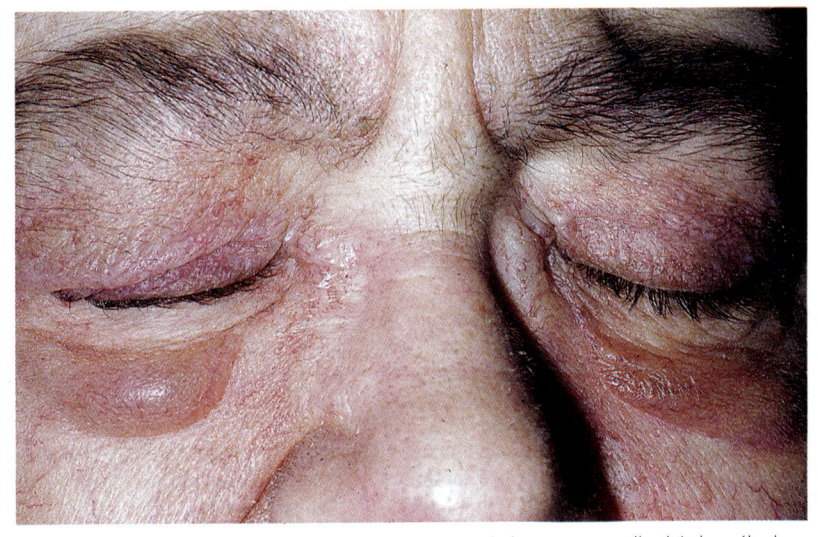

Figura 14-23 Dermatomiosite Eritema heliotrópico (púrpuro-avermelhado) das pálpebras superiores e edema das pálpebras inferiores. Esta mulher de 55 anos apresentou fraqueza muscular pronunciada da cintura escapular e teve um nódulo mamário diagnosticado como carcinoma.

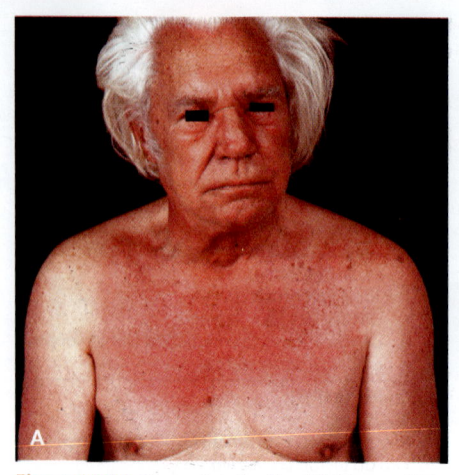

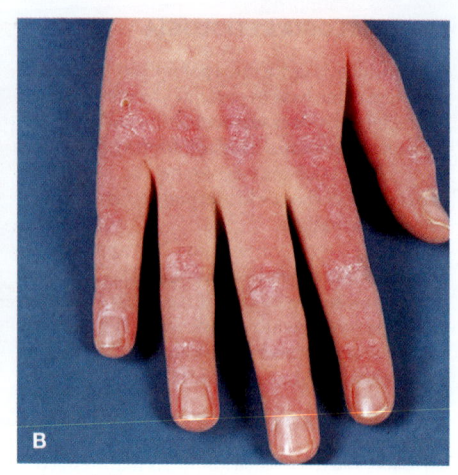

Figura 14-24 Dermatomiosite (A) Eritema violáceo e edema da face, principalmente nas regiões periorbitárias e malares, além do tórax. Este paciente mal conseguia levantar os braços e não conseguia subir escadas. **(B)** Eritema violáceo e pápulas de Gottron no dorso das mãos e dos dedos, particularmente nas articulações interfalângicas. Eritema periungueal e telangiectasias.

Além disso, há dermatite papulosa com graus variáveis de eritema violáceo nas mesmas áreas. Pápulas violáceas planas (pápulas de Gottron) com graus variáveis de atrofia na nuca e nos ombros e sobre as articulações metacarpofalângicas e interfalângicas (Fig. 14-24B). *Observação:* no lúpus, as lesões ocorrem geralmente na região interarticular dos dedos (ver p. 332). Eritema periungueal com telangiectasia, trombose das alças capilares e infartos. As lesões nos cotovelos e articulações das falanges podem evoluir para erosões e úlceras que regridem, formando cicatrizes estreladas (particularmente na DM juvenil com vasculite). As lesões de longa duração podem evoluir para poiquilodermia (coloração moteada vermelha, branca e marrom) (Fig. 14-25). A calcificação dos tecidos subcutâneos/fáscias é comum em um estágio avançado da evolução da DM juvenil (Fig. 14-26), particularmente ao redor dos cotovelos e nas regiões trocantéricas e ilíacas (calcinose cutânea); pode evoluir para a calcinose universal.

MÚSCULOS ± Hipersensibilidade muscular, ± atrofia muscular. Fraqueza muscular progressiva que acomete musculatura proximal e da cintura escapular e pélvica.

Comprometimento ocasional dos músculos faciais, bulbares, da faringe e do esôfago. Os reflexos tendíneos profundos estão dentro dos limites normais.

OUTROS ÓRGÃOS Pneumonite intersticial, miocardiopatia, artrite, particularmente na DM juvenil (20 a 65%).

ASSOCIAÇÃO COM DOENÇAS Pacientes com > 50 anos de idade que apresentam DM correm risco maior do que o esperado de desenvolver neoplasia maligna, particularmente câncer de ovário em mulheres. Além disso, ocorrem carcinoma de mama, broncopulmonar e do trato GI.

EXAMES LABORATORIAIS

BIOQUÍMICA Elevação da creatina-fosfoquinase (65%), aldolase (40%), lactato desidrogenase e transaminase glutâmico-oxaloacética.

AUTOANTICORPOS Autoanticorpos contra 155 kDa e/ou Se em 80% dos casos, contra 140 kDa em 58% e contra Jo-1 em 20% e fatores antinucleares (FANs) (de baixa especificidade) em 40%.

URINA Excreção elevada de creatina na urina de 24 horas (> 200 mg/24 h).

ELETROMIOGRAFIA Irritabilidade aumentada no local de inserção dos eletrodos, fibrilações espontâneas, descargas pseudomiotônicas, ondas agudas positivas.

RESSONÂNCIA MAGNÉTICA (RM) A RM dos músculos revela lesões focais.

ELETROCARDIOGRAMA (ECG) Evidências de miocardite; irritabilidade atrial, ventricular; bloqueio atrioventricular.

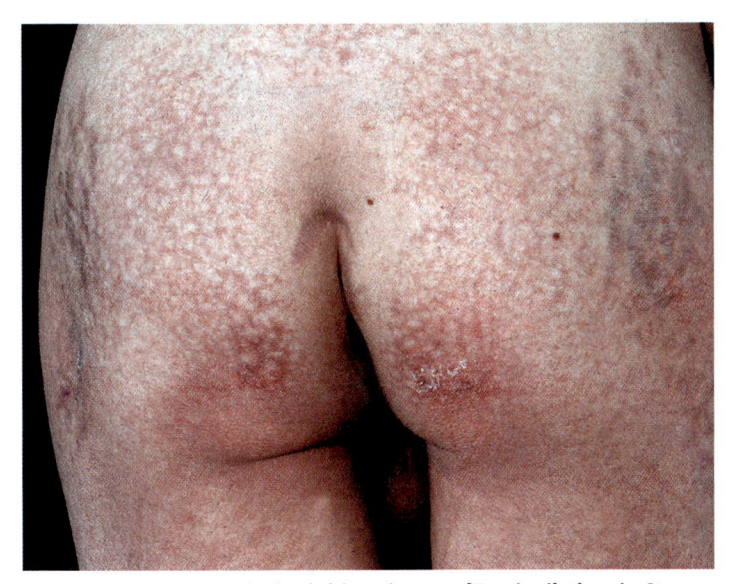

Figura 14-25 Dermatomiosite, início na juventude, poiquilodermia Pigmentação acastanhada reticular, moteada e telangiectasia, juntamente com pequenas cicatrizes brancas. Observam-se estrias nas regiões trocantéricas em consequência do tratamento com glicocorticoides sistêmicos.

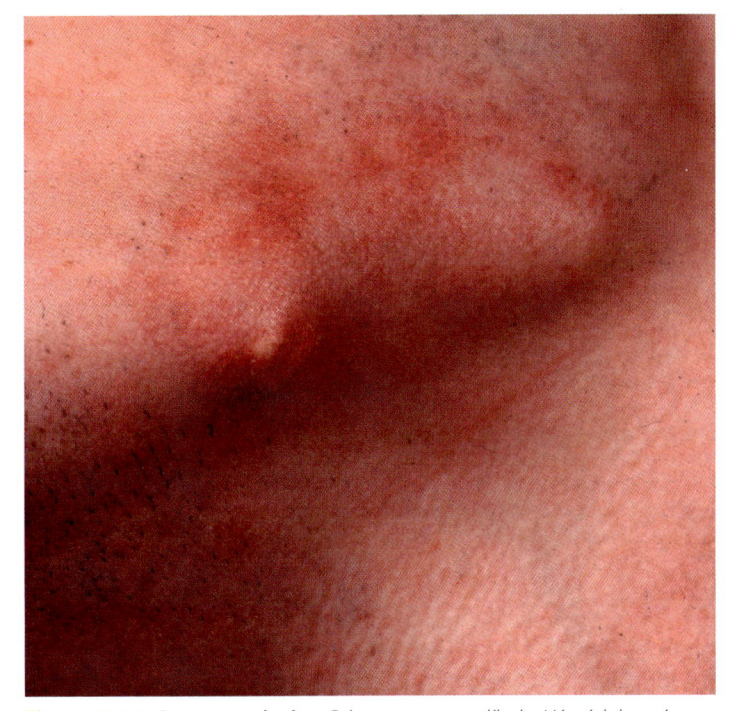

Figura 14-26 Dermatomiosite Calcinose na mandíbula. Há nódulos pétreos, dois dos quais sofreram ulceração e revelam massa branco-giz na base. Quando espremidos, exsudam pasta branca.

RADIOGRAFIA **Tórax:** ± fibrose intersticial. *Esôfago:* peristalse reduzida.

PATOLOGIA **Pele.** Achatamento da epiderme, degeneração hidrópica da camada de células basais, edema da camada superior da derme, infiltrado inflamatório disperso, depósitos fibrinoides PAS-positivos na junção dermoepidérmica, acúmulo de mucopolissacarídeos ácidos na derme (todas essas alterações são compatíveis com DM, porém não são diagnósticas).

Músculo. Biópsia da cintura escapular e pélvica; de um músculo fraco ou sensível. Exame histológico – necrose segmentar dentro das fibras musculares, com perda das estrias transversais; miosite. Observa-se a presença de vasculite na DM juvenil.

DIAGNÓSTICO E DIAGNÓSTICO DIFERENCIAL

Sinais cutâneos com fraqueza dos músculos proximais e 2 de 3 critérios laboratoriais: níveis séricos elevados das "enzimas musculares", alterações eletromiográficas características e biópsia muscular diagnóstica. O diagnóstico diferencial inclui lúpus eritematoso, doença mista do tecido conectivo, miopatia por esteroides, triquinose e toxoplasmose.

EVOLUÇÃO E PROGNÓSTICO

O prognóstico é reservado; entretanto, com tratamento, é relativamente satisfatório, exceto em pacientes com neoplasias malignas e em paciente com comprometimento pulmonar. Com tratamento imunossupressor agressivo, a taxa de sobrevida em 8 anos é de 70 a 80%. Observa-se um prognóstico melhor em pacientes que recebem tratamento sistêmico precoce. As causas mais comuns de morte incluem neoplasia maligna, infecção, doença cardíaca e doença pulmonar. O tratamento bem-sucedido de uma neoplasia maligna associada é frequentemente seguido de melhora/regressão da DM.

TRATAMENTO

PREDNISONA A dose é de 0,5 a 1 mg/kg de peso corporal por dia. Deve ser reduzida gradualmente quando os níveis das "enzimas musculares" se aproximarem do normal. A prednisona é mais efetiva quando associada à azatioprina, na dose de 2 a 3 mg/kg ao dia. *Observação:* pode ocorrer miopatia por esteroides depois de 4 a 6 semanas de tratamento.

ALTERNATIVAS Metotrexato, ciclofosfamida, ciclosporina, agentes antifator de necrose tumoral (TNF)-α. O tratamento com altas doses de imunoglobulina IV (2 g/kg de peso corporal, administrados em 2 dias), a intervalos mensais, poupa doses de glicocorticoides para obter remissões ou mantê-las.

LÚPUS ERITEMATOSO (LE) CID-10: L93

- O LE é o termo empregado para se referir a um espectro de doenças ligadas entre si por manifestações clínicas características e padrões distintos de autoimunidade celular e humoral.
- O LE ocorre mais comumente em mulheres (razão entre homens e mulheres de 1:9).
- O LE varia desde manifestações potencialmente fatais do LES agudo até acometimento limitado e exclusivo da pele no LECC (**Fig. 14-27**). Mais de 85% dos pacientes com LE apresentam lesões cutâneas, que podem ser classificadas em LE específico e inespecífico.
- O **Quadro 14-3** fornece uma versão abreviada da classificação de Gilliam das lesões cutâneas específicas do LE.
- O LE cutâneo agudo (LECA) quase sempre está associado ao LES, ao LE cutâneo subagudo (LECS) em cerca de 50% dos casos, e o LECC mais frequentemente apresenta apenas doença cutânea. Todavia, podem ocorrer lesões do LECC no LES.
- O LECA e o LECS são altamente fotossensíveis.

Figura 14-27 Espectro do lúpus eritematoso (LE), desenvolvido pelo falecido Dr. James N. Gilliam O lado esquerdo apresenta condições que definem apenas a doença cutânea, e pode-se verificar que o LE cutâneo crônico estende-se até a seção das doenças sistêmicas. Isso também se aplica ao lúpus profundo (paniculite lúpica) e ao LE cutâneo subagudo, enquanto o LE cutâneo agudo caracteriza-se apenas por doença sistêmica. A parte inferior mostra que a doença por imunocomplexos predomina na doença sistêmica, enquanto a imunidade mediada por células (IMC) é predominante nas manifestações da doença cutânea.

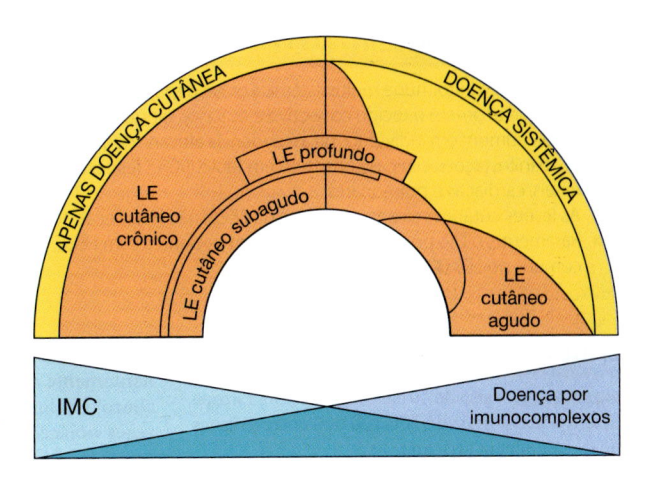

QUADRO 14-3 Classificação abreviada de Gilliam das lesões cutâneas do lúpus eritematoso (LE)

I. Doença cutânea específica do LE (LE cutâneo* [LEC])
  A. LE cutâneo agudo [LECA]
    1. LECA localizado (erupção malar; exantema em asa de borboleta)
    2. LECA generalizado (erupção maculopapular do lúpus, exantema malar, dermatite lúpica fotossensível)
  B. LE cutâneo subagudo [LECS]
    1. LECS anular
    2. LECS papuloescamoso (LED disseminado, LE disseminado subagudo, LE fotossensível maculopapular)
  C. LE cutâneo crônico [LECC]
    1. LE discoide [LED] clássico: (a) LED localizado; (b) LED generalizado
    2. LED hipertrófico/verrucoso
    3. Lúpus profundo
    4. LED das mucosas: (a) LED oral; (b) LED conjuntival
    5. Lúpus túmido (placa urticariforme do LE)
    6. LE da geladura (lupus da "frieira")
    7. LED liquenoide (LE/líquen plano sobrepostos)

II. Doenças cutâneas inespecíficas do LE
Incluem desde vasculites necrosante e urticariforme até livedo reticular, fenômeno de Raynaud, mucinose dérmica e lesões bolhosas no LE.

*Os termos alternativos ou sinônimos são citados entre parênteses; as siglas estão entre colchetes.
Fonte: Sontheimer RD. Lupus 1997;6(2):84-95. Reimpresso com autorização de Sage. Copyright 1997 by Stockton Press.

LÚPUS ERITEMATOSO SISTÊMICO (LES) CID-10: M32.1

- Essa doença autoimune multissistêmica grave depende da imunidade mediada pelas células B policlonais, que acomete o tecido conectivo e os vasos sanguíneos.
- É mais comum em indivíduos de ascendência africana negra; a razão entre homens e mulheres é de 1:9.
- As manifestações clínicas consistem em febre (90%), lesões cutâneas (85%), artrite e doenças do SNC, renais, cardíacas e pulmonares.
- As lesões cutâneas são as do LECA e do LECS; não raramente, também do LECC.
- Raramente, o LES pode se desenvolver em pacientes com LECC; por outro lado, as lesões do LECC são comuns no LES (Fig. 14-27).

EPIDEMIOLOGIA

PREVALÊNCIA Varia de 40 casos/100.000 na Europa Setentrional a mais de 200/100.000 entre pessoas de descendência africana.

IDADE DE INÍCIO 30 anos (mulheres), 40 anos (homens).

SEXO Razão homens:mulheres de 1:9.

ETNIA Mais comum em pessoas de descendência africana.

FATORES DESENCADEANTES História familiar (< 5%); a luz solar (radiação ultravioleta [RUV]) constitui o fator desencadeante mais importante (ocorre em 36% dos casos). A síndrome de LES pode ser induzida por fármacos (hidralazina, certos anticonvulsivantes e procainamida), porém a erupção constitui uma manifestação relativamente incomum do LES induzido por fármacos.

MANIFESTAÇÃO CLÍNICA

Lesões presentes durante semanas (agudas), meses (crônicas). Prurido, ardência das lesões cutâneas. Fadiga (100%), febre (100%), perda de peso e mal-estar. Artralgia ou artrite, dor abdominal, sintomas do SNC.

LESÕES CUTÂNEAS Compreendem as lesões do LECA (Quadro 14-3) nas fases agudas da doença e lesões do LECS e LECC. As lesões do LECA só ocorrem no LES agudo ou subagudo; as lesões do LECS e LECC estão presentes no LES subagudo e crônico, mas também podem ocorrer no LES agudo. Em geral, as lesões do LECA são desencadeadas pela luz solar.

LECA. Erupção em asa de borboleta Erupção macular, eritematosa e confluente, em asa de borboleta, na face (Fig. 14-28), nitidamente demarcada com descamação fina; erosões (exacerbações agudas) e crostas.

Generalizado. Lesões papulares ou urticariformes, eritematosas e isoladas na face, bem como no dorso das mãos (Fig. 14-29A), nos braços e no V do pescoço.

Outras. Bolhas, frequentemente hemorrágicas (exacerbações agudas). *Pápulas* e *placas descamativas*, como no LECS (ver p. 330) e *placas discoides*, como no LECC (ver p. 332), predominantemente na face e nos braços, bem como no couro cabeludo. Pápulas eritematosas, algumas vezes violáceas, ligeiramente descamativas, densamente agrupadas e *confluentes* no dorso dos dedos das mãos, preservando-se normalmente as regiões articulares (Fig. 14-29A). Observa-se a diferença com a DM (Fig. 14-24B). *Eritema palmar*, em sua maior parte, nas pontas dos dedos das mãos (Fig. 14-29B), *telangiectasias nas pregas ungueais*, microtrombos, eritema, edema da pele periungueal (ver Seção 32). Púrpura "palpável" (vasculite) nos membros inferiores (ver p. 349). *Lesões urticariformes* com púrpura (vasculite urticariforme) (ver p. 356).

PELOS Alopécia difusa ou lesões discoides associadas à alopécia em placas (ver Fig. 14-34; ver Seção 31).

MUCOSAS Úlceras que se desenvolvem em lesões necróticas purpúricas no palato (80%), na mucosa oral ou nas gengivas (ver Seção 33).

Locais de predileção. (Fig. 14-30). Localizadas ou generalizadas, de preferência nas áreas expostas à luz solar. Face (80%); couro cabeludo (Fig. 14-34) (lesões discoides); região pré-esternal; ombros; dorso dos antebraços, das mãos, dos dedos e ponta dos dedos das mãos (Fig. 14-29B).

COMPROMETIMENTO MULTISSISTÊMICO EXTRACUTÂNEO Artralgia ou artrite (80%), doença renal (50%), pericardite (20%), pneumonite (20%), distúrbios gastrintestinais (devidos à arterite e à peritonite asséptica), hepatomegalia (30%), miopatia (30%), esplenomegalia (20%), linfadenopatia (50%), neuropatia periférica (14%), doença do SNC (10%), crises convulsivas ou encefalopatia orgânica (14%).

EXAMES LABORATORIAIS

PATOLOGIA Pele. Atrofia da epiderme, degeneração da junção dermoepidérmica por liquefação, edema da derme, infiltrado linfocítico dérmico e degeneração fibrinoide do tecido conectivo e das paredes dos vasos sanguíneos.

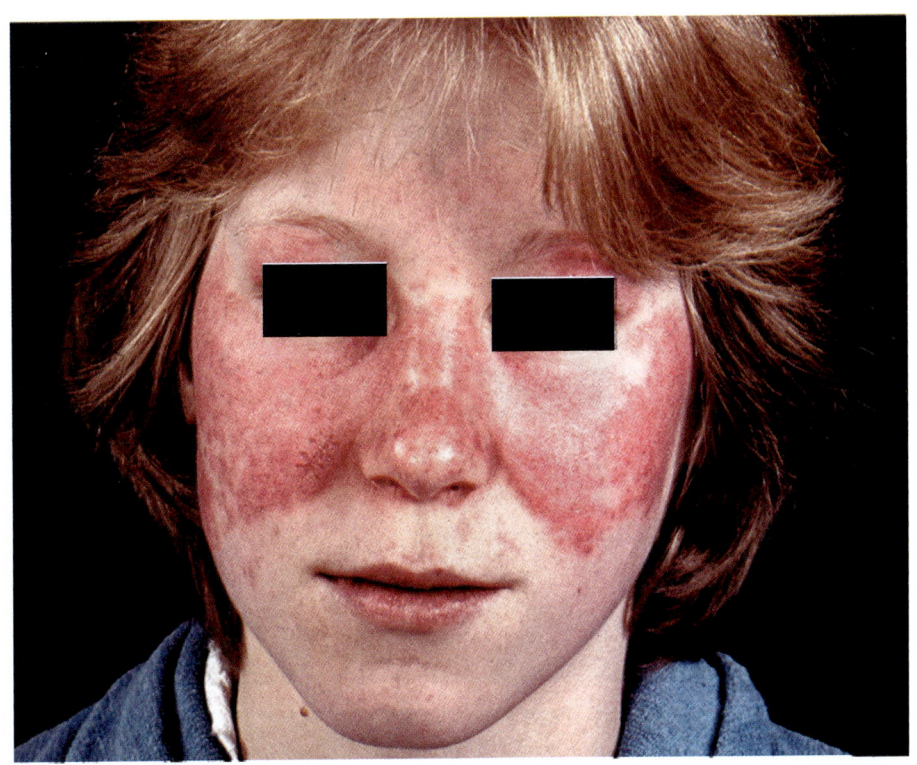

Figura 14-28 Lúpus eritematoso sistêmico agudo Eritema nitidamente demarcado, vermelho-vivo, com edema discreto e descamação mínima em "padrão em asa de borboleta" na face. Trata-se da "erupção malar" característica. Observa-se também que a paciente é mulher e jovem.

Imunofluorescência da pele. O teste da faixa lúpica (TFL, imunofluorescência direta) revela depósitos granulares ou globulares de IgG, IgM, C3 em um padrão em faixa ao longo da junção dermoepidérmica. Positivo nas lesões cutâneas em 90% dos casos e na pele clinicamente normal (áreas expostas ao sol, 70 a 80%; não expostas ao sol, 50%).
SOROLOGIA FAN positivos (> 95%); padrão periférico de fluorescência nuclear. Anticorpos anti-DNA de fita dupla, anticorpos anti-Sm e anticorpos anti-rRNP específicos do LES; baixos níveis de complemento (particularmente na presença de comprometimento renal). Autoanticorpos anticardiolipina (anticoagulante lúpico) em um subgrupo específico (síndrome do anticorpo anticardiolipina); os autoanticorpos anti-SS-A (Ro) têm baixa especificidade para o LES, porém são específicos no subgrupo do LECS (Quadro 14-4).
HEMATOLOGIA Anemia (normocítica, normocrômica ou, raramente, hemolítica Coombs-positiva, leucopenia [> 4.000/μL]), linfopenia, trombocitopenia, VHS elevada.

QUADRO 14-4 Autoanticorpos patogênicos no lúpus eritematoso sistêmico

Pele	Anti-DNA de fita dupla (70 a 80%)
	Nucleossomo (60 a 90%)
	Ro (30 a 40%)
Cérebro	Receptor NMDA (33 a 50%)
Rins	Anti-DNA de fita dupla (70 a 80%)
	Nucleossomo (60 a 90%)
	C1q (40 a 50%)
	Ro (30 a 40%)
	Sm (10 a 30%)
	Alfa-actinina (20 a 30%)
Trombose	Fosfolipídeos (20 a 30%)
Anormalidades cardíacas fetais	Ro (30 a 40%)
	La (15 a 20%)
Abortamento	Fosfolipídeos (20 a 30%)

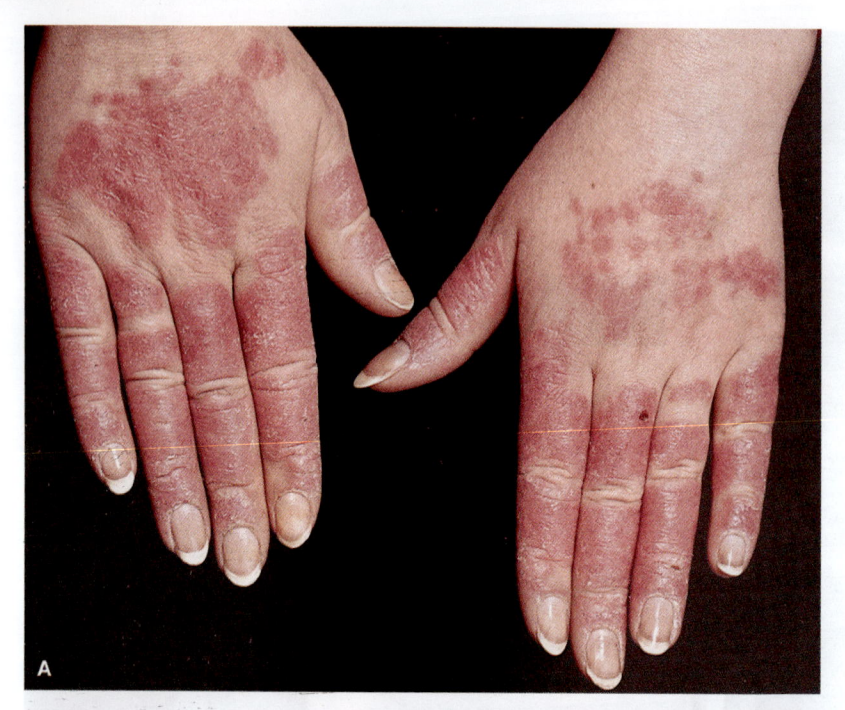

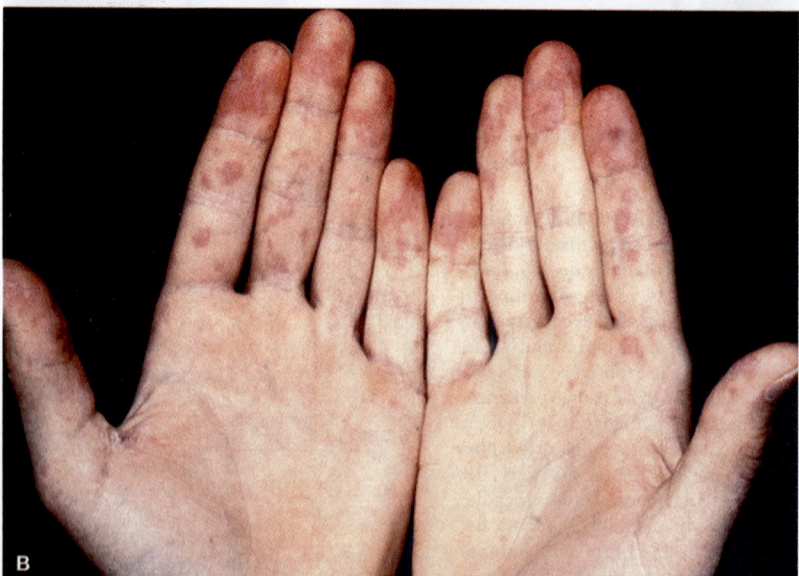

Figura 14-29 Lúpus eritematoso sistêmico agudo (A) Pápulas e placas bem demarcadas, vermelhas a violáceas no dorso dos dedos e das mãos, preservando-se normalmente a pele sobre as articulações. Trata-se de um sinal importante para o diagnóstico diferencial quando se considera a dermatomiosite, que frequentemente acomete a pele que recobre as articulações (comparar com a **Fig. 14-24B**). **(B)** Eritema palmar acometendo principalmente as pontas dos dedos das mãos. É patognomônico.

EXAME DE URINA Proteinúria persistente, cilindros.

DIAGNÓSTICO

Estabelecido com base nas manifestações clínicas, no exame histopatológico, no TFL e na sorologia, de acordo com os critérios revisados da American Rheumatism Association (ARA) para a classificação do LES (Quadro 14-5).

PROGNÓSTICO

A taxa de sobrevida em 5 anos é de 93%.

MANEJO

MEDIDAS GERAIS Repouso, evitar a exposição ao sol.
INDICAÇÕES PARA PREDNISONA (60 mg/dia, em doses fracionadas): (1) comprometimento do SNC, (2)

QUADRO 14-5 Critérios da ARA revisados de 1982 para a classificação do lúpus eritematoso sistêmico*

Critério	Definição
1. Exantema malar	Eritema fixo, plano ou elevado, sobre as eminências malares, com tendência a preservar os sulcos nasolabiais.
2. Erupção discoide	Placas eritematosas elevadas com descamação ceratótica aderente e tamponamento folicular; podem ocorrer cicatrizes atróficas nas lesões mais antigas.
3. Fotossensibilidade	Erupções cutâneas em consequência de reação incomum à luz solar, com base na história do paciente ou por observação do médico.
4. Úlceras orais	Ulceração oral ou nasofaríngea, geralmente indolor, observada pelo médico.
5. Artrite	Artrite não erosiva acometendo duas ou mais articulações periféricas, caracterizada por hipersensibilidade, edema ou derrame.
6. Serosite	a. Pleurite – história convincente de dor pleurítica ou atrito audível pelo médico ou evidências de derrame pleural *ou* b. Pericardite – documentada pelo ECG, atrito ou sinais de derrame pericárdico.
7. Distúrbio renal	a. Proteinúria persistente – 0,5 g/dia ou 3+ se a quantificação não for realizada *ou* b. Cilindros celulares – podem ser hemáticos, hemoglobínicos, granulares, tubulares ou mistos.
8. Distúrbio neurológico	a. Crises convulsivas – na ausência de fármacos desencadeantes ou distúrbios metabólicos conhecidos, por exemplo, uremia, cetoacidose ou desequilíbrio eletrolítico *ou* b. Psicose – na ausência de fármacos desencadeantes ou distúrbios metabólicos conhecidos, por exemplo, uremia, cetoacidose ou desequilíbrio eletrolítico.
9. Distúrbio hematológico	a. Anemia hemolítica – com reticulocitose *ou* b. Leucopenia – < 4.000/µL na contagem total em duas ou mais ocasiões, *ou* c. Linfopenia – < 1.500/µL em duas ou mais ocasiões *ou* d. Trombocitopenia – < 100.000/µL na ausência de fármacos desencadeantes.
10. Distúrbio imunológico	a. Anti-DNA – anticorpo dirigido contra o DNA nativo em títulos anormais *ou* b. Anti-Sm – presença de anticorpo contra o antígeno nuclear Sm *ou* c. Pesquisa positiva para anticorpos antifosfolipídeo, com base nos seguintes achados: (1) nível sérico anormal de anticorpos IgG ou IgM anticardiolipina, (2) teste positivo para anticoagulante lúpico utilizando um método padronizado, ou (3) teste sorológico falso-positivo para sífilis comprovadamente positivo durante pelo menos 6 meses e confirmado pelo resultado negativo do teste de imobilização de *Treponema pallidum* ou teste de absorção do anticorpo treponêmico fluorescente.
11. Fator antinuclear	Título anormal de fatores antinucleares por imunofluorescência de ensaio equivalente em qualquer momento e na ausência de fármacos com associação conhecida à síndrome do "lúpus induzido por fármacos".

*A classificação proposta tem como base 11 critérios. Para a finalidade de identificar pacientes em estudos clínicos, pode-se afirmar que um indivíduo tem lúpus eritematoso sistêmico se 4 ou mais dos 11 critérios estiverem presentes, de modo sequencial ou simultaneamente, durante qualquer período de observação.
Fonte: Reproduzido com permissão de Tan EM, et al. The 1982 revised criteria for the classification of systemic lupus erythematosus. *Arthritis Rheum.* 1982; 25:1271. ©1982 American College of Rheumatology.

comprometimento renal, (3) pacientes em estado crítico sem comprometimento do SNC, (4) crise hemolítica e (5) trombocitopenia.
AGENTES IMUNOSSUPRESSORES CONCOMITANTES Azatioprina, micofenolato de mofetila, metotrexato, ciclofosfamida, dependendo do órgão acometido e da atividade da doença. Na doença renal, o tratamento consiste em ciclofosfamida em injeções IV.
ANTIMALÁRICOS A hidroxicloroquina é útil para o tratamento das lesões cutâneas no LES subagudo e crônico, porém não diminui a necessidade de prednisona. É preciso observar as precauções no uso da hidroxicloroquina. Alternativa: cloroquina, quinacrina.
INVESTIGACIONAIS Agentes anti-TNF: efalizumabe, rituximabe, leflunomida, agentes anti-α-IFN, belimumabe.

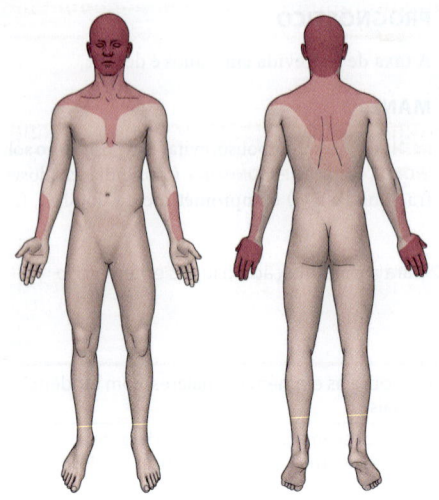

Figura 14-30 Locais de predileção do lúpus eritematoso cutâneo

LÚPUS ERITEMATOSO CUTÂNEO SUBAGUDO (LECS) CID-10: L93.1

- Cerca de 10% da população acometida por LE.
- Pacientes jovens e de meia-idade, incomum em negros ou hispânicos. Mulheres > homens.
- *Fatores desencadeantes:* exposição à luz solar.
- Início súbito, com aparecimento de placas anulares ou psoriasiformes principalmente na parte superior do tronco, nos braços, no dorso das mãos, comumente após exposição à luz solar; fadiga leve, mal-estar; alguma artralgia, febre de origem indeterminada.
- *Dois tipos de lesões cutâneas:* (1) *lesões papuloescamosas psoriasiformes*, nitidamente demarcadas, com descamação fina discreta, evoluindo para placas confluentes vermelho-vivas, ovais, arciformes ou policíclicas, exatamente como na psoríase, e (2) *lesões anulares* vermelho-vivas com regressão central e pouca descamação (**Fig. 14-31**). Em ambos os casos, pode haver telangiectasia, porém não ocorre tamponamento folicular, e a enduração é menor do que a observada no LECC. As lesões regridem com atrofia discreta (sem cicatrizes) e hipopigmentação. Telangiectasia periungueal, alopécia não cicatricial difusa.
- *Distribuição:* dispersas, disseminadas nas áreas expostas à luz – ombros, superfícies extensoras dos braços, superfície dorsal das mãos, parte superior do dorso, área do V da região cervical na parte superior do tórax.
- Os pacientes apresentam alguns critérios do LES, incluindo fotossensibilidade, artralgias, serosite, doença renal; 50% apresentam LES; o TFL é positivo em 60% dos casos. Todos apresentam anticorpos anti-Ro (SS-A) e a maioria tem autoanticorpos anti-La (SS-B).
- Teste com UV: dose eritematosa mínima abaixo da UVB normal (ver Seção 10). Pode-se observar o desenvolvimento de lesões nos locais do teste.
- Prognóstico melhor do que o do LES em geral; entretanto alguns pacientes com doença renal têm prognóstico reservado. As mulheres com LECS e anticorpos Ro-(SS-A) positivos podem dar à luz lactentes com lúpus neonatal e bloqueio cardíaco congênito.
- Tratamento: os glicocorticoides, o pimecrolimo e o tacrolimo tópicos são parcialmente úteis para as lesões cutâneas. A talidomida sistêmica (100 a 300 mg/dia) é muito efetiva para as lesões cutâneas, mas não para a doença sistêmica (atenção para a teratogenicidade). Hidroxicloroquina, 400 mg/dia, cloridrato de quinacrina, 100 mg/dia. No comprometimento sistêmico, prednisona ± agentes imunossupressores.

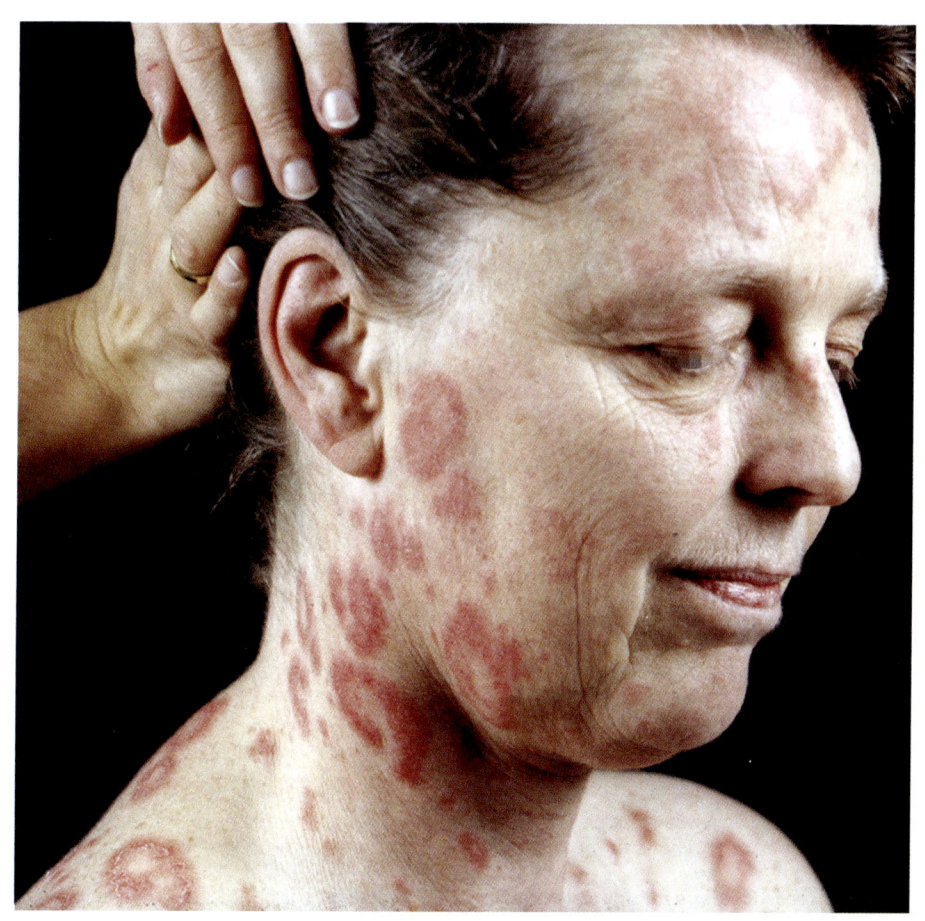

Figura 14-31 Lúpus eritematoso cutâneo subagudo (LECS) Placas vermelhas arredondadas, ovais e anulares na fronte, nas regiões malares e cervicais e na parte superior do tronco, com descamação mínima, em uma mulher de 56 anos. A erupção ocorreu após exposição solar. Trata-se do LECS do tipo anular.

LÚPUS ERITEMATOSO CUTÂNEO CRÔNICO (LECC) CID-10: L93.0

- **Idade de início:** 20 a 45 anos. Mulheres > homens. Mais grave em indivíduos negros.
- Na maioria dos casos, esse distúrbio é exclusivamente cutâneo, sem comprometimento sistêmico (**Fig. 14-27**). Todavia, ocorrem lesões do LECC no LES.
- Pode ser desencadeado pela luz solar, porém em menor grau do que o LECA ou o LECS. As lesões persistem por vários meses a anos. Em geral, não há sintomas; algumas vezes, ocorre prurido ou ardência discretos. Não há sintomas sistêmicos.
- O LECC pode se manifestar como LE discoide crônico (LEDC) ou como paniculite do LE (ver **Quadro 14-3**).
- As lesões do LEDC começam como pápulas vermelho-vivas, que evoluem para placas com bordas bem demarcadas e descamação aderente (**Fig. 14-32**). As escamas são difíceis de remover e exibem espículas na superfície interna (com o uso de lente de aumento), lembrando tachas para tapete. As placas são redondas ou ovais, anulares ou policíclicas, com bordas irregulares que se expandem na periferia e regridem no centro, resultando em atrofia e cicatrizes (**Fig. 14-33**). As lesões "queimadas" podem consistir em máculas rosadas ou brancas e cicatrizes (**Fig. 14-34**), mas também podem ser hiperpigmentadas, particularmente em indivíduos de pele parda ou negra (**Fig. 14-35**).
- O *LEDC* pode ser localizado ou generalizado, acometendo predominantemente a face e o couro cabeludo; o dorso do antebraço, as mãos, os dedos das mãos e dos pés e, com menos frequência, o tronco (**Fig. 14-30**).
- **Mucosas:** < 5% dos pacientes apresentam acometimento dos lábios (hiperceratose, cicatrizes hipermelanóticas, eritema) e áreas eritematosas ou esbranquiçadas atróficas, com ou sem ulceração na mucosa oral, na língua e no palato (ver Seção 33). *Aparelho ungueal:* distrofia ungueal se houver acometimento da matriz da unha.
- **Dermatopatologia:** hiperceratose, atrofia da epiderme, tamponamento folicular, degeneração por liquefação da camada de células basais, infiltrado inflamatório linfocítico. Reação intensa ao PAS da zona da camada basal subepidérmica. O TFL é positivo em 90% das lesões ativas e negativo nas lesões "queimadas" (cicatrizadas) e na pele normal, tanto nas áreas expostas quanto nas não expostas ao sol. Baixa incidência de FAN, com títulos de > 1:16.
- Diagnóstico diferencial do LEDC: ceratose actínica, psoríase, erupção polimorfa à luz, LP, *tinea facialis*, lúpus vulgar.
- Apenas 1 a 5% dos pacientes podem desenvolver LES; na presença de lesões localizadas, ocorre remissão completa em 50% dos casos; na presença de lesões generalizadas, as remissões são menos frequentes (< 10%). *Observar novamente:* as lesões do LECC podem constituir o sinal cutâneo inicial do LES.
- Tratamento:
  - **Glicocorticoides e inibidores da calcineurina tópicos:** em geral, não são muito efetivos; os glicocorticoides fluorados tópicos devem ser aplicados com cautela, devido à ocorrência de atrofia. Triancinolona acetonida intralesional, 3 a 5 mg/mL, para as lesões pequenas.
  - **Antimaláricos:** hidroxicloroquina, em doses de até 6,5 mg/kg de peso corporal ao dia. Se a hidroxicloroquina for ineficaz, deve-se acrescentar quinacrina, em dose de 100 mg, três vezes ao dia. É preciso monitorar a ocorrência de efeitos colaterais oculares.
  - **Retinoides:** as lesões hiperceratóticas do LEDC respondem de modo satisfatório à acitretina sistêmica (0,5 mg/kg de peso corporal).
  - **Talidomida:** a dose de 100 a 300 mg/dia é efetiva. As contraindicações devem ser observadas.

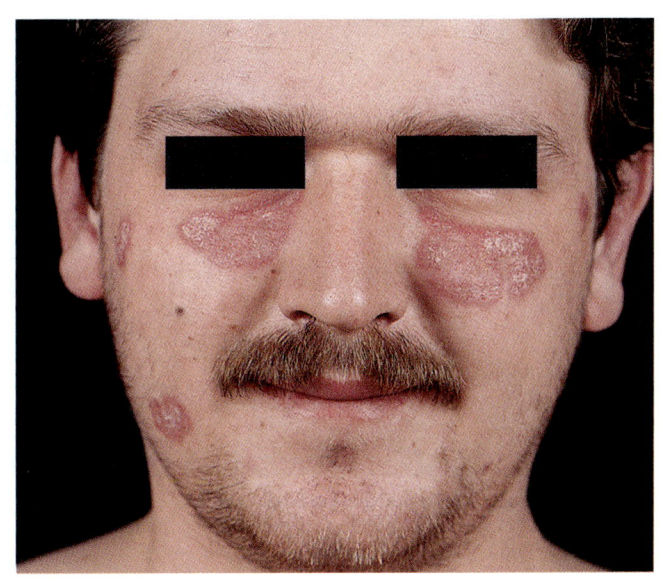

Figura 14-32 Lúpus eritematoso cutâneo crônico Placas hiperceratóticas eritematosas bem demarcadas, com atrofia, tamponamento folicular e descamação aderente em ambas as regiões malares. Trata-se da apresentação clássica do lúpus erimatoso discoide crônico.

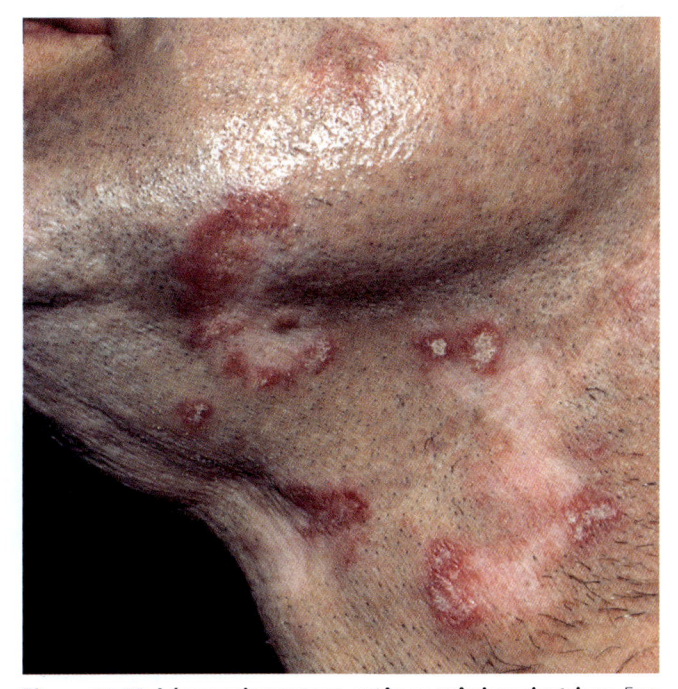

Figura 14-33 Lúpus eritematoso cutâneo crônico: cicatrizes Esta fotografia mostra múltiplas lesões cicatrizadas, que são brancas e deprimidas e que, em suas bordas, apresentam lesões eritematosas ativas e descamativas. Isso pode causar desfiguração estética considerável.

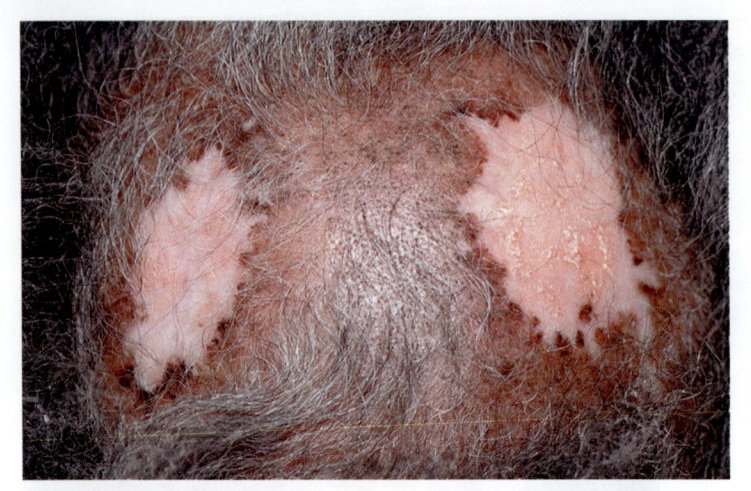

Figura 14-34 Lúpus eritematoso cutâneo crônico O acometimento do couro cabeludo resultou em alopécia completa com eritema residual, atrofia e cicatrizes brancas neste homem negro. A demarcação nítida das lesões na periferia indica que elas originalmente eram placas de LEDC.

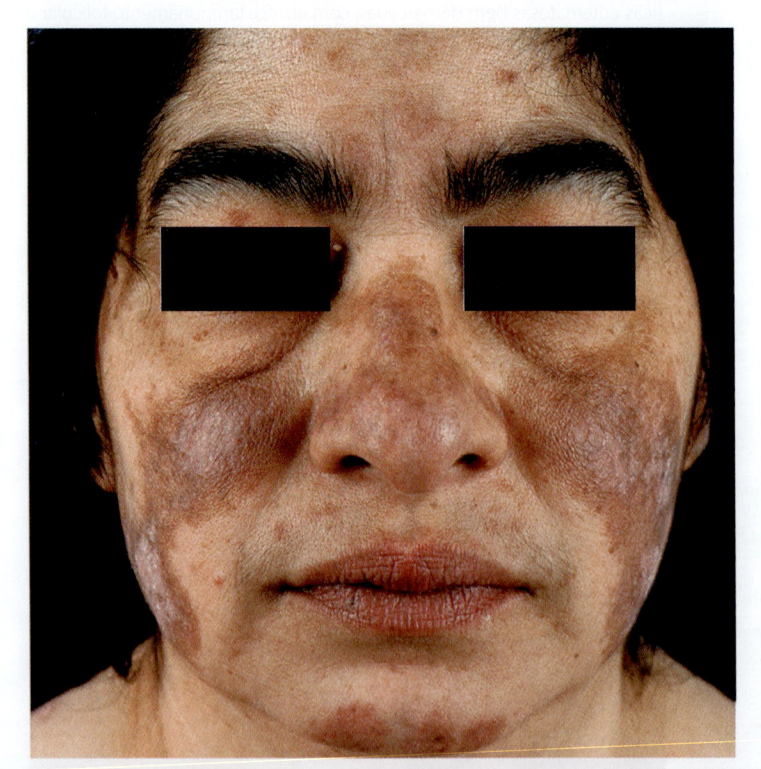

Figura 14-35 Lúpus eritematoso cutâneo crônico: hiperpigmentação À medida que as lesões inflamatórias regridem, pode ocorrer hiperpigmentação da pele atrófica e parcialmente cicatrizada, em particular nos pacientes com fototipos cutâneos III e IV. Embora as lesões cutâneas fossem de lúpus eritematoso cutâneo crônico, esta paciente tinha lúpus eritematoso sistêmico.

PANICULITE LÚPICA CRÔNICA (PLC) CID-10: L93.2

- A paniculite lúpica crônica é uma forma de LECC, em que ocorrem nódulos subcutâneos circunscritos e de consistência firme ou infiltração em placa. As lesões podem preceder ou aparecer depois do início das lesões do LEDC. As lesões do LEDC também podem estar ausentes.
- Os nódulos subcutâneos ocorrem com e sem lesões do LEDC na pele sobrejacente.
- As lesões resultam em atrofia subcutânea e cicatrizes, formando áreas deprimidas (**Fig. 14-36**).
- Face, couro cabeludo, braços, tronco, coxas, nádegas.
- Trata-se geralmente de uma forma de lúpus cutâneo, porém 35% dos pacientes apresentam forma leve de LES (ver **Fig. 14-27**).
- Diagnóstico diferencial: morfeia, eritema nodoso, sarcoidose, outros tipos de paniculite.
- Tratamento: antimaláricos, talidomida (é preciso estar atento às contraindicações), corticosteroides sistêmicos.
- *Sinônimo*: lúpus eritematoso profundo.

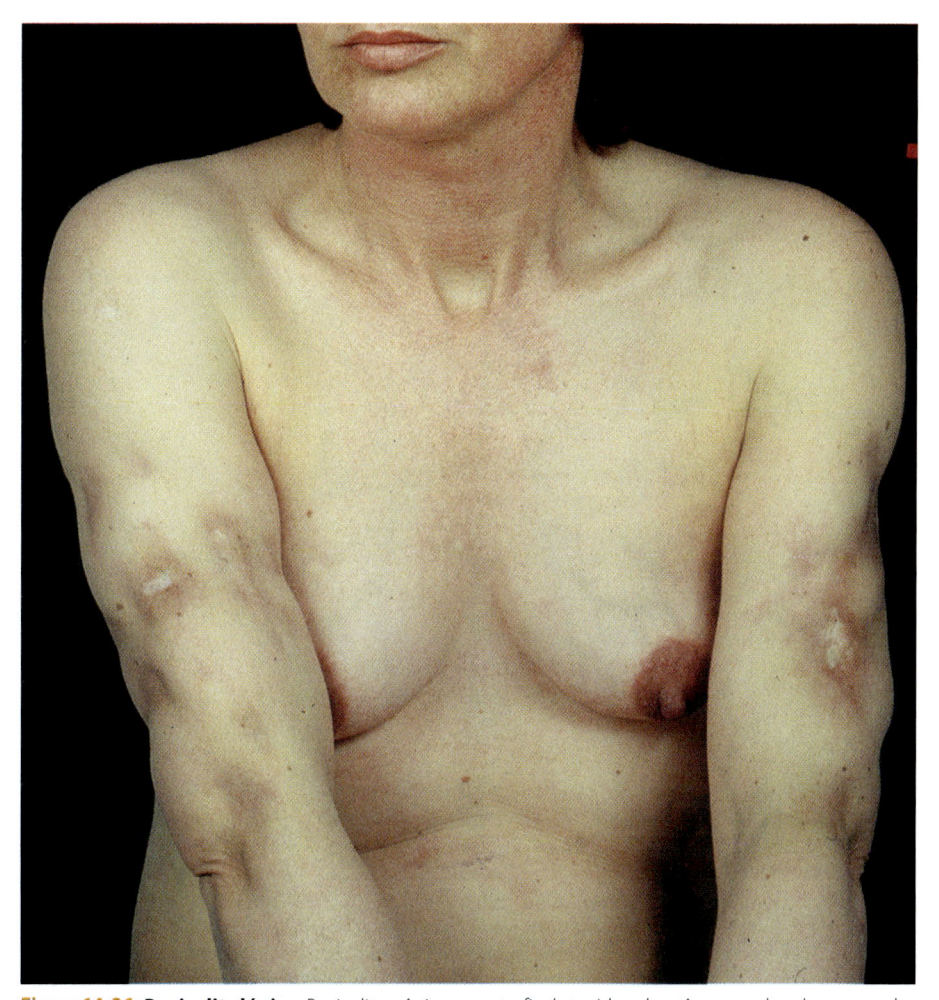

Figura 14-36 Paniculite lúpica Paniculite crônica com atrofia do tecido subcutâneo, resultando em grandes áreas de depressão da pele sobrejacente, representando as lesões em regressão. Nos locais onde o eritema ainda é visível, a palpação revela nódulos e placas subcutâneos de consistência firme. Além disso, algumas lesões apresentam cicatrizes no centro.

LIVEDO RETICULAR CID-10: L53.8

- Livedo reticular (LR) consiste em uma coloração azulada (lívida) moteada da pele, que ocorre em padrão reticular. O livedo reticular não é um diagnóstico em si, mas, sim, um padrão reativo.
- A classificação faz a seguinte distinção:
    - *Livedo reticular idiopático* (LRI): coloração púrpura/lívida da pele com padrão reticular, que desaparece após aquecimento. Trata-se de um fenômeno fisiológico. (*Sinônimo: cutis marmorata.*)
    - *Livedo reticular secundário (sintomático)* (LRS): coloração púrpura com padrão semelhante a uma explosão estelar ou de um relâmpago, reticulado, porém com tramas abertas (não anulares); na maioria dos casos, mas nem sempre, fica restrito aos membros inferiores e às nádegas (**Fig. 14-37**). Esse padrão reativo frequentemente indica uma doença sistêmica grave (**Quadro 14-6**). (*Sinônimo: livedo racemoso.*)
    - A *síndrome de Sneddon* é uma doença potencialmente fatal, que ocorre mais frequentemente nas mulheres do que nos homens e se manifesta na pele como LRS (**Fig. 14-37**) e no SNC como ataques isquêmicos transitórios e acidentes vasculares encefálicos. A síndrome pode estar associada à vasculite livedoide, com ulcerações nos tornozelos e regiões acrais (ver Seção 27).
- Tratamento: não há necessidade de tratamento para o LRI; para o LRS, evitar o resfriamento, pentoxifilina, ácido acetilsalicílico em doses baixas, heparina.

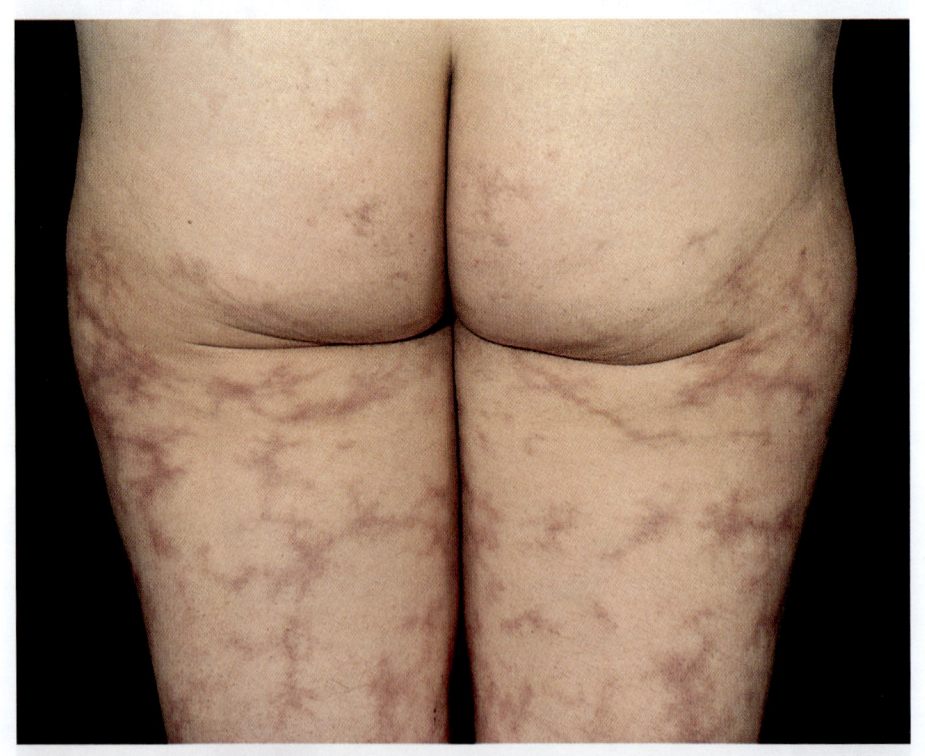

Figura 14-37 Livedo reticular sintomático Padrão reticular arborizante na região posterior das coxas e nas nádegas, definido por riscas eritematosas violáceas, semelhantes a relâmpagos. A pele dentro das áreas eritematosas é normalmente pálida. Essas lesões ocorreram em uma paciente com hipertensão lábil e múltiplos acidentes vasculares encefálicos e, portanto, foram patognomônicas da síndrome de Sneddon.

QUADRO 14-6 Distúrbios associados ao livedo reticular sintomático

Obstrução vascular	Alterações da viscosidade	Fármacos
Ateroembolia	Trombocitemia	Amantadina
Arteriosclerose	Poliglobulinemia	Quinina
Poliarterite nodosa	Crioglobulinemia	Quinidina
Poliarterite nodosa cutânea	Crioaglutinemia	
Vasculite reumatoide	Coagulação intravascular disseminada	
Vasculite livedoide		
Síndrome de Sneddon	Lúpus eritematoso Síndrome do anticorpo anticardiolipina Leucemia/linfoma	

FENÔMENO DE RAYNAUD CID-10: I73.0

- O fenômeno de Raynaud (FR) consiste em isquemia digital que ocorre com exposição ao frio e/ou em consequência de estresse emocional. Pode ocorrer em indivíduos que utilizam ferramentas vibratórias (costureiras, cortadores de carne), digitadores e pianistas.
- O FR primário é um distúrbio cuja etiologia não é identificada; o FR secundário refere-se ao FR e à doença subjacente.
- As várias causas do FR secundário estão listadas no **Quadro 14-7**. As mais comuns incluem: *distúrbios reumáticos* (esclerodermia sistêmica [85%], LES [35%], DM [30%], síndrome de Sjögren, artrite reumatoide, poliarterite nodosa), *doenças com proteínas sanguíneas anormais* (crioproteínas, crioaglutininas, macroglobulinas), fármacos (bloqueadores β-adrenérgicos, nicotina) e *doenças arteriais* (arteriosclerose obliterante, tromboangeíte obliterante).
- **Episódio transitório:** há empalidecimento ou cianose dos dedos das mãos ou dos pés, que se estende da ponta dos dedos até vários níveis. A parte distal do dedo da mão até a linha de isquemia torna-se branca e/ou azulada e fria (**Fig. 14-38**); a pele proximal é rosada e quente. Quando os dedos são reaquecidos, o empalidecimento pode ser substituído por cianose devido ao fluxo sanguíneo lento. No final do episódio, a cor normal ou uma cor vermelha refletem a fase de hiperemia reativa.
- **Vasospasmo repetido ou persistente:** os pacientes com FR frequentemente apresentam vasospasmos persistentes, em vez de crises episódicas. As alterações cutâneas consistem em anormalidades tróficas, com desenvolvimento de pele retesada e atrófica, pterígio, baqueteamento e encurtamento das falanges distais, esclerodactilia como na esclerodermia sistêmica localizada (ESL) (ver Esclerodermia, p. 339). A gangrena das extremidades é rara na DR (< 1%), porém é comum no FR associado à esclerodermia, com úlceras dolorosas. O sequestro das falanges terminais ou o desenvolvimento de gangrena (**Fig. 14-39**) pode levar à autoamputação das pontas dos dedos.
- Excluir a esclerodermia e outras condições (**Quadro 14-7**).
- Tratamento: bloqueadores dos canais de cálcio, fármacos antiadrenérgicos, prostaciclina IV, bosentana (antagonista do receptor de endotelina), injeções locais de toxina botulínica.

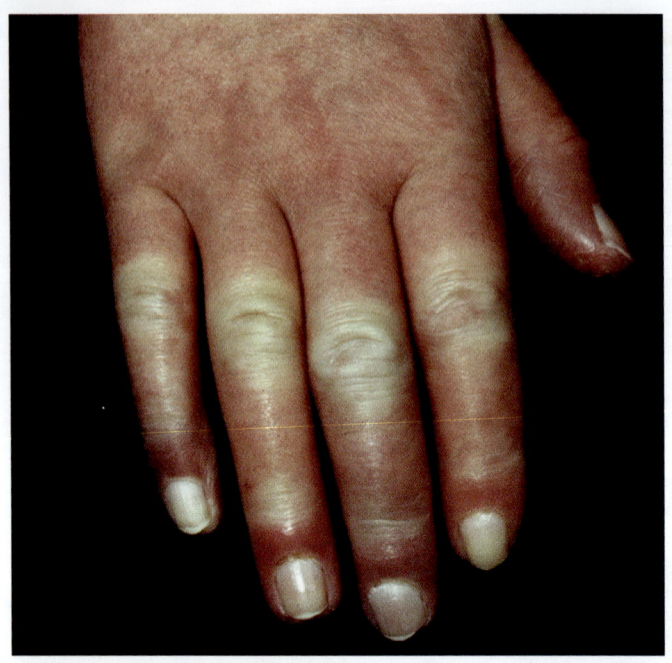

Figura 14-38 Fenômeno de Raynaud A mão apresenta cianose distal; é particularmente evidente nos leitos ungueais; proximalmente, a pele é branca devido ao vasospasmo. Episódios como este podem ocorrer após contato com água fria.

QUADRO 14-7 Causas ou distúrbios associados ao fenômeno de Raynaud secundário*

- Doenças do tecido conectivo
  - Esclerodermia, LES, dermatomiosite, vasculite
- Doenças arteriais obstrutivas
  - Aterosclerose, tromboembolia
- Fármacos e toxinas
  - Bloqueadores β-adrenérgicos, ergotaminas, bleomicina
- Distúrbio neurológico
  - Síndrome do túnel do carpo
- Exposições ocupacionais/ambientais
  - Lesão por ferramentas vibratórias, cloreto de vinil
- Distúrbios de hiperviscosidade
  - Crioproteínas, crioaglutininas
- Outras causas

*Para informações mais detalhadas, ver Kippel JH. Raynaud phenomenon, em Wolff K et al. (eds.): *Fitzpatrick's Dermatology in General Medicine*, 7th ed. New York, McGraw-Hill, 2008:1646.

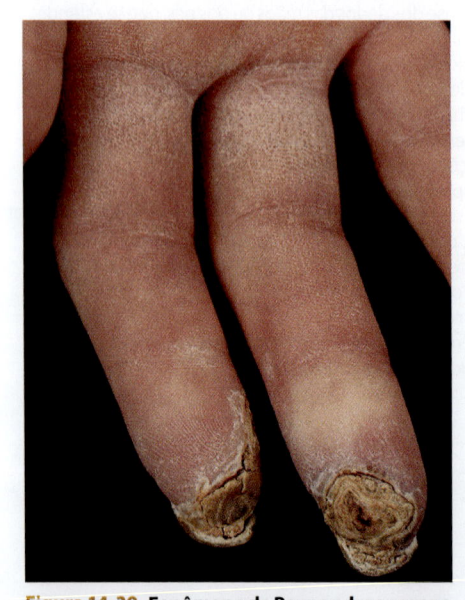

Figura 14-39 Fenômeno de Raynaud: gangrena das extremidades O vasospasmo persistente das arteríolas de calibre médio pode, algumas vezes, resultar em gangrena da parte distal dos dedos, conforme ilustrado neste paciente com esclerodermia.

ESCLERODERMIA CID-10: M34

- A esclerodermia é um distúrbio multissistêmico não muito raro, que se caracteriza por alterações inflamatórias, vasculares e escleróticas da pele e de vários órgãos internos, particularmente os pulmões, o coração e o trato GI.
- São reconhecidas a esclerodermia sistêmica localizada (ESL) (60%) e a esclerodermia sistêmica difusa (ESD).
- As manifestações clínicas sempre presentes consistem em esclerose cutânea e fenômeno de Raynaud.
- Morbidade considerável; alta taxa de mortalidade da ESD.
- *Sinônimos*: esclerose sistêmica progressiva, esclerose sistêmica, esclerodermia sistêmica.

EPIDEMIOLOGIA

PREVALÊNCIA 20 por milhão na população norte-americana.
IDADE DE INÍCIO 30 a 50 anos.
SEXO Razão mulheres:homens de 4:1.

CLASSIFICAÇÃO

A esclerodermia sistêmica pode ser dividida em dois subgrupos: a ESL e a ESD. Os pacientes com ESL representam 60% dos casos; são normalmente mulheres; têm idade mais avançada do que os pacientes com ESD; e apresentam longa história de fenômeno de Raynaud, com acometimento cutâneo limitado às mãos, aos pés, à face e aos antebraços (acroesclerose), com alta incidência de anticorpos anticentrômeros. A ESL inclui a síndrome CREST, e as manifestações sistêmicas podem levar anos para aparecer; os pacientes morrem geralmente de outras causas. Os pacientes com ESD apresentam início relativamente rápido e acometimento difuso, não apenas das mãos e dos pés, mas também do tronco e da face, com sinovite, tenossinovite e início precoce de comprometimento de órgãos internos.

Os anticorpos anticentrômeros são raros, mas se verifica a presença de anticorpos Scl-70 (antitopoisomerase I) em 33% dos casos.

ETIOLOGIA E PATOGÊNESE

A etiologia é desconhecida. O evento primário pode consistir em lesão das células endoteliais dos vasos sanguíneos. Ocorre edema, seguido de fibrose; os capilares cutâneos estão quantitativamente reduzidos, e os capilares restantes sofrem dilatação e proliferação, transformando-se em telangiectasia visível.

MANIFESTAÇÃO CLÍNICA

Fenômeno de Raynaud (ver p. 337) com dor e resfriamento dos dedos das mãos. Dor/rigidez dos dedos das mãos e dos joelhos. Poliartrite migratória. Pirose, disfagia, particularmente com alimentos sólidos. Constipação intestinal, diarreia, distensão abdominal, má absorção e perda de peso. Dispneia ao esforço e tosse seca.

PELE Mãos/pés. *Fase inicial*: fenômeno de Raynaud com alterações trifásicas da cor, isto é, palidez, cianose e rubor (Fig. 14-40B, ver também Fig. 14-38).

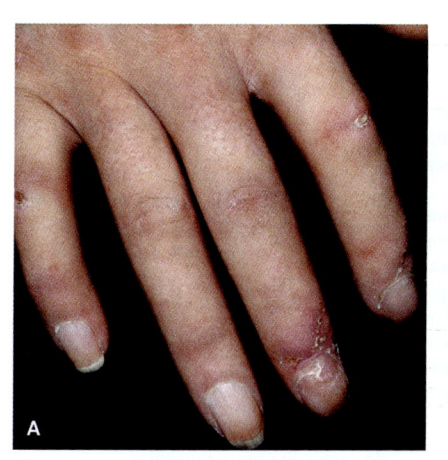

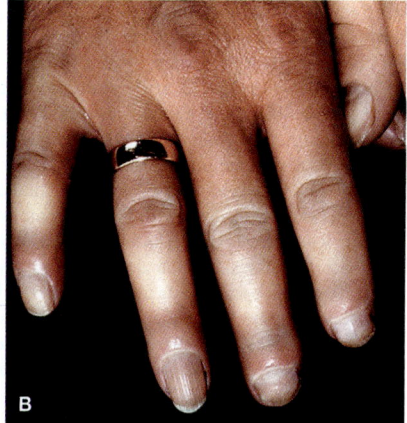

Figura 14-40 Esclerodermia (sistêmica localizada): acroesclerose (A) As mãos e os dedos estão edemaciados (sem cacifo); a pele não tem dobras e está aderida aos planos profundos. As pontas dos dedos estão afiladas (dedos de Madonna). **(B)** Os dedos exibem eritema azulado e vasoconstrição (azul e branca): fenômeno de Raynaud. Os dedos estão edemaciados, e a pele está aderida aos planos profundos. As falanges distais (dedos indicador e dedo médio) estão encurtadas, associadas à reabsorção óssea.

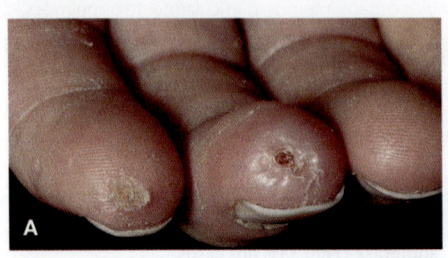

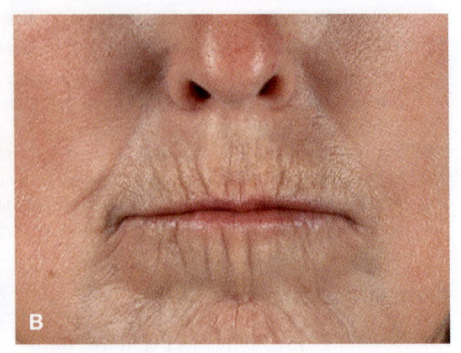

Figura 14-41 Esclerodermia (sistêmica localizada): acroesclerose (A) Necroses características "em mordida de rato" e úlceras nas pontas dos dedos. **(B)** Afilamento dos lábios – microstomia (que é melhor evidenciada quando a paciente tenta abrir a boca), sulcos periorais radiais. Nariz pontiagudo em forma de bico.

Precede a esclerose em vários meses e anos. Edema sem cacifo das mãos/pés. Ulcerações dolorosas nas pontas dos dedos ("necrose em mordida de rato") (Fig. 14-41A), e nas articulações interfalângicas; as lesões regridem com cicatrizes deprimidas. *Início tardio*: esclerodactilia com afilamento dos dedos das mãos (dedos de Madonna) (Fig. 14-40A) com pele cérea, brilhante e endurecida, firmemente aderida e que não possibilita formar dobras ou rugas; crepitação coriácea sobre as articulações, contraturas em flexão; telangiectasia periungueal, crescimento das unhas em forma de garra sobre falanges distais encurtadas (Fig. 14-40B). A reabsorção óssea e a ulceração resultam em perda das falanges distais. Perda das glândulas sudoríparas com anidrose; adelgaçamento e perda completa dos pelos nas partes distais dos membros.
Face. *Fase inicial*: Edema periorbitário. *Início tardio*: o edema e a fibrose resultam em perda das linhas faciais normais, face semelhante a uma máscara (os pacientes parecem ser mais jovens do que são na realidade) (Fig. 14-42), afilamento dos lábios, microstomia, sulcos periorais radiais (Fig. 14-41B), nariz pontiagudo em forma de bico. Telangiectasia (Fig. 14-43) e hiperpigmentação difusa.
Tronco. Na ESD, o tórax e a parte proximal dos membros superiores e inferiores são acometidos precocemente. Pele de aparência tensa, rígida e cérea, que não forma dobras. Redução do movimento respiratório da parede torácica e da mobilidade articular.
OUTRAS ALTERAÇÕES Calcificação cutânea. Ocorre nas pontas dos dedos das mãos ou nas proeminências ósseas ou em qualquer local esclerodermatoso; pode sofrer ulceração e exsudar massa branca.
Alterações da cor. Hiperpigmentação, que pode ser generalizada e, nos membros, pode ser acompanhada de hipopigmentação perifolicular.
Mucosas. Esclerose do ligamento sublingual; raramente, endurecimento doloroso das gengivas e da língua.

Distribuição das lesões. *Fase inicial*: na ESL, ocorre o acometimento precoce nos dedos das mãos, nas mãos e na face, e, em muitos pacientes, a esclerodermia permanece limitada a essas regiões. *Início tardio*: os segmentos distais dos membros superiores e inferiores podem ser acometidos e, em certas ocasiões, o tronco. Na ESD, a esclerose dos membros e do tronco pode começar precocemente, logo depois ou concomitantemente com o acometimento das extremidades.
VARIANTE CLÍNICA Síndrome CREST, isto é, *c*alcinose cutânea + fenômeno de *R*aynaud + disfunção *e*sofágica + *e*sclerodactilia + *t*elangiectasia. Telangiectasia macular emaranhada, particularmente na face (Fig. 14-43), na parte superior do tronco e nas mãos; também em todo o trato GI. Calcinose nas proeminências ósseas, nas pontas dos dedos das mãos, nos cotovelos e nas regiões trocantéricas (de modo semelhante à DM, ver Fig. 14-26).

EXAME CLÍNICO GERAL

Esôfago. Disfagia, diminuição da peristalse, esofagite de refluxo.
SISTEMA GASTRINTESTINAL O comprometimento do intestino delgado pode provocar constipação intestinal, diarreia, flatulência e má absorção.
PULMÕES Fibrose pulmonar e alveolite. Redução da função pulmonar, devido à restrição dos movimentos da parede torácica.
CORAÇÃO Defeitos de condução cardíaca, insuficiência cardíaca, pericardite.
RINS Comprometimento renal em 45% dos casos. Uremia lentamente progressiva, hipertensão maligna.
SISTEMA MUSCULOESQUELÉTICO Síndrome do túnel do carpo. Fraqueza muscular.

EXAMES LABORATORIAIS

DERMATOPATOLOGIA *Fase inicial*: infiltrado celular discreto ao redor dos vasos sanguíneos da derme,

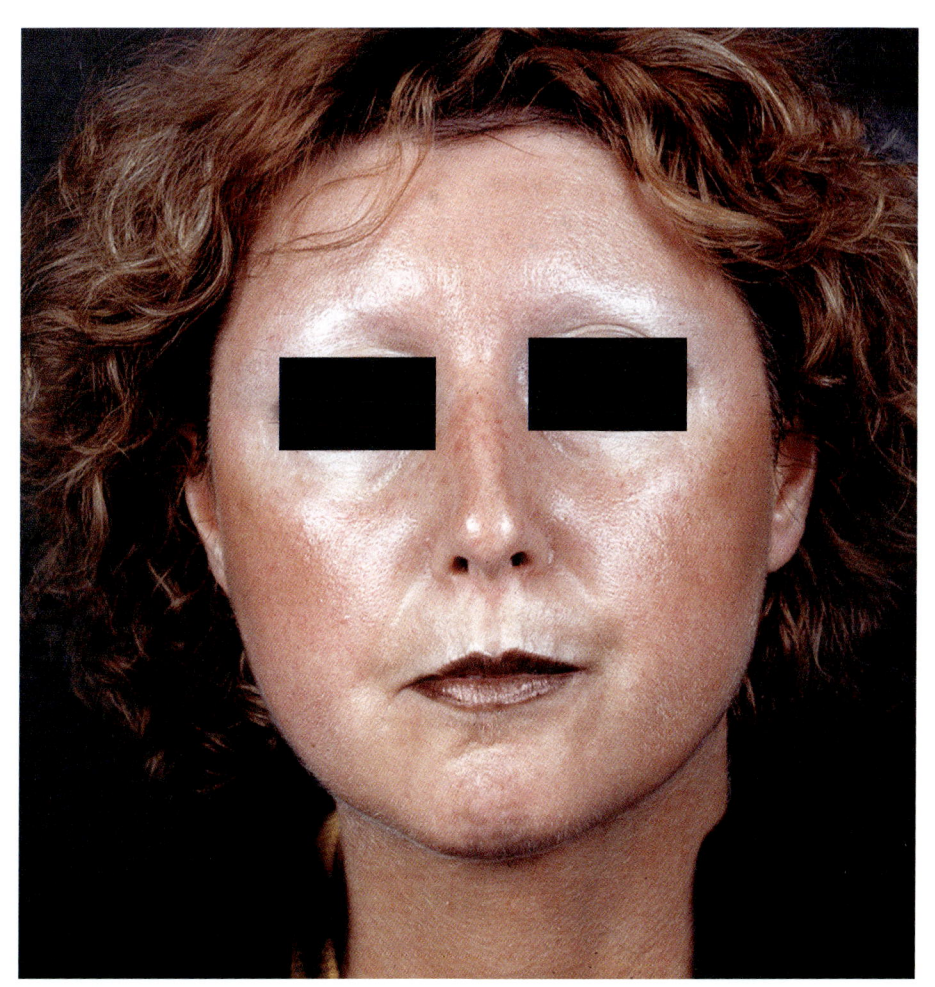

Figura 14-42 Esclerodermia (sistêmica difusa) Face semelhante a uma máscara com pele brilhante e esticada e perda das linhas faciais normais, conferindo uma aparência mais jovem do que a idade real; os cabelos são ressecados. O afilamento dos lábios e a esclerose perioral resultam em boca pequena. Há também esclerose (áreas esbranquiçadas e brilhantes) e múltiplas telangiectasias (não visíveis com esta ampliação).

nas espirais écrinas e na interface entre a derme e o tecido subcutâneo. *Início tardio*: alargamento e homogeneização dos feixes de colágeno, obliteração e redução dos espaços entre os feixes, espessamento da derme com substituição da gordura subcutânea da camada superior ou por colágeno hialinizado de todos os planos do tecido subcutâneo. Escassez de vasos sanguíneos, espessamento/hialinização das paredes dos vasos sanguíneos.
AUTOANTICORPOS Os pacientes com ESD apresentam FANs circulantes. Os autoanticorpos reagem com proteínas do centrômero ou com a DNA topoisomerase I; uma menor porcentagem de pacientes apresenta FANs. Ocorrem autoanticorpos anticentrômeros em 21% dos pacientes com ESD e em 71% dos pacientes com a síndrome CREST; anticorpos anti-DNA topoisomerase I (Scl-70) em 33% dos pacientes com ESD e em 18% dos pacientes com síndrome CREST.

DIAGNÓSTICO E DIAGNÓSTICO DIFERENCIAL

Manifestações clínicas confirmadas por dermatopatologia.
DIAGNÓSTICO DIFERENCIAL *Esclerose difusa*: doença mista do tecido conectivo, fascite eosinofílica, escleromixedema, morfeia, porfiria cutânea tarda,

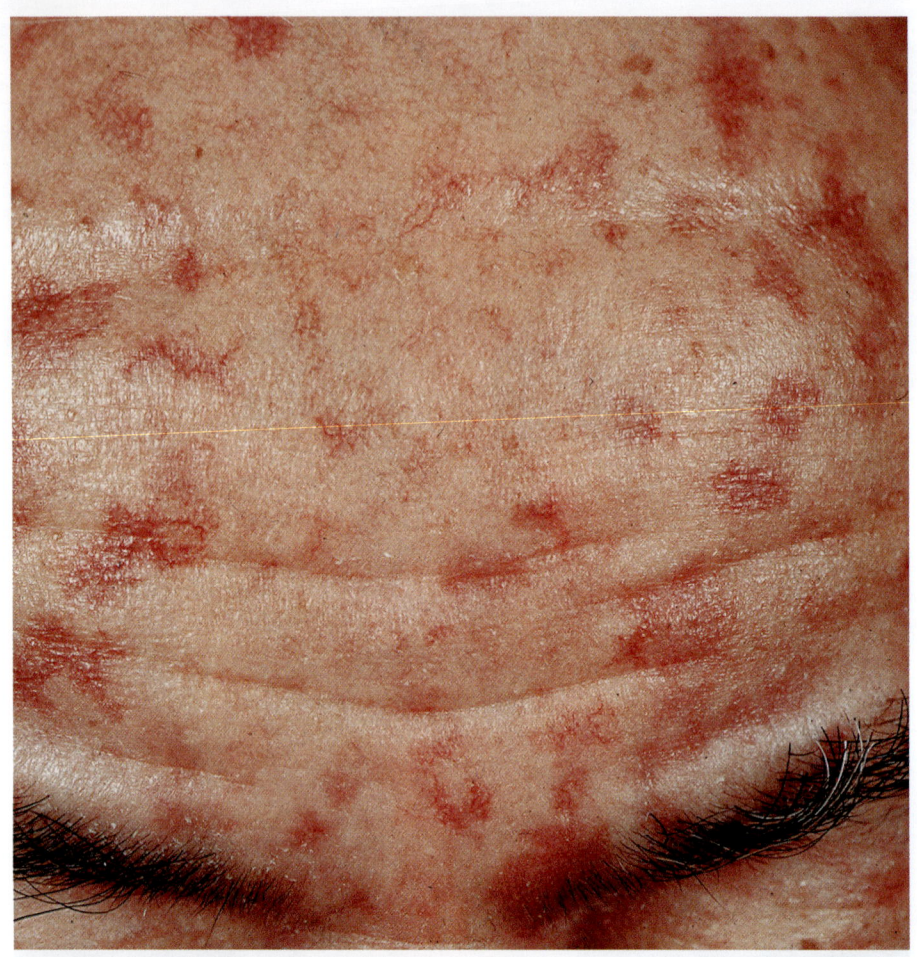

Figura 14-43 Esclerodermia: síndrome CREST Numerosas telangiectasias maculares ou emaranhadas na fronte. A síndrome completa inclui calcinose cutânea, fenômeno de Raynaud, dismotilidade esofágica, esclerose e telangiectasia.

DECH crônica, líquen escleroso e atrófico, exposição ao cloreto de polivinil, reação adversa a fármacos (pentazocina, bleomicina). Fibrose sistêmica nefrogênica e por gadolínio (ver Seção 18).

EVOLUÇÃO E PROGNÓSTICO

A evolução da ESD caracteriza-se por progressão lenta e inexorável da esclerose cutânea e/ou visceral; a taxa de sobrevida em 10 anos é de > 50%. A doença renal constitui a principal causa de morte, seguida de comprometimento cardíaco e pulmonar. Ocorrem remissões espontâneas. A ESL, incluindo a síndrome CREST, evolui mais lentamente e apresenta prognóstico mais favorável; alguns pacientes não desenvolvem comprometimento visceral.

TRATAMENTO

Nas fases iniciais da doença, os glicocorticoides sistêmicos podem ser benéficos por períodos limitados de tempo. Todos os outros tratamentos sistêmicos (ácido etilenodiaminotetracético [EDTA], ácido aminocaproico, D-penicilamina, *para*-aminobenzoato, colchicina) não demonstraram produzir efeitos benéficos duradouros. Os agentes imunossupressores (ciclosporina, metotrexato, ciclofosfamida, micofenolato de mofetila) demonstraram melhorar as lesões cutâneas, porém apresentaram apenas benefício limitado para o comprometimento sistêmico. Fotoférese: produz melhora em um terço dos pacientes. Imunoablação/transplante de células-tronco: estudos em andamento.

DISTÚRBIOS TIPO ESCLERODERMIA

- Ocorre um distúrbio semelhante à ESD em indivíduos expostos ao cloreto de polivinil.
- A bleomicina também provoca fibrose pulmonar e fenômeno de Raynaud, mas não esclerose cutânea.
- As alterações cutâneas indistinguíveis da esclerose cutânea semelhante à ESD, acompanhadas de mialgia, pneumonite, miocardite, neuropatia e encefalopatia, estão relacionadas à ingestão de determinados lotes de L-triptofano (*síndrome de eosinofilia-mialgia*).
- A *síndrome do óleo tóxico* que ocorreu como epidemia na Espanha, em 1981, afetando 25 mil pessoas, foi atribuída ao consumo de óleo de semente de colza desnaturado. Depois de uma fase aguda, com exantema, febre, pneumonite e mialgia, a síndrome evoluiu para uma condição com anormalidades neuromusculares e lesões cutâneas semelhantes às da esclerodermia.
- Escleromixedema e escleredema de Buschke são entidades distintas e muito raras com prognóstico reservado.
- Ocorre também esclerose semelhante à ESL na porfiria cutânea tarda (ver Seção 10) e na DECH (ver Seção 22).

MORFEIA CID-10: L94.0

- Esclerose cutânea localizada e circunscrita, caracterizada por pele inicialmente violácea e, posteriormente, endurecida, de cor marfim.
- Pode ser solitária, linear, generalizada e, raramente, acompanhada de atrofia das estruturas subjacentes.
- Não está relacionada à esclerodermia sistêmica.
- *Sinônimos*: esclerodermia localizada, esclerodermia circunscrita.

EPIDEMIOLOGIA E ETIOLOGIA

INCIDÊNCIA Rara entre 20 e 50 anos de idade; na morfeia linear, o início é observado em idade mais precoce. A morfeia panesclerótica, um distúrbio incapacitante, começa geralmente antes dos 14 anos de idade.

SEXO O sexo feminino é acometido cerca de três vezes mais frequentemente do que o masculino, inclusive as crianças. A incidência da esclerodermia linear é igual em ambos os sexos.

Etiologia. A etiologia é desconhecida. Pelo menos alguns pacientes (predominantemente na Europa) com morfeia clássica apresentam esclerose devida à infecção por *Borrelia burgdorferi*. A morfeia tem sido observada após radioterapia para câncer de mama. *A morfeia não está relacionada à esclerodermia sistêmica.*

CLASSIFICAÇÃO DOS VÁRIOS TIPOS DE MORFEIA

- *Circunscrita:* placas ou faixas.
- *Macular:* pequenas placas confluentes.
- *Esclerodermia linear:* membro superior ou inferior.
- *Frontoparietal (en coup de sabre).*
- *Morfeia generalizada.*
- *Panesclerótica:* acometimento da derme, do tecido adiposo, das fáscias, dos músculos e dos ossos.

MANIFESTAÇÃO CLÍNICA

SINTOMAS Em geral, não há sintomas. Não há fenômeno de Raynaud. A morfeia linear e a forma panesclerótica podem resultar em assimetria significativa da face ou dos membros, contraturas em flexão e incapacidade. A morfeia pode causar desfiguração grave.

ALTERAÇÕES CUTÂNEAS *Placas* – circunscritas, endurecidas, firmes, porém em áreas pouco definidas da pele; 2 a 15 cm de diâmetro, arredondadas ou ovais, frequentemente mais nítidas à palpação do que à inspeção. No início, as placas são purpúreas ou cor de malva. Com o tempo, a superfície torna-se lisa e brilhante depois de vários meses a anos, cor de marfim com borda lilás – "anel lilás" (Fig. 14-44). Pode haver hiperpigmentação ou hipopigmentação nas áreas escleróticas afetadas (Fig. 14-45). Raramente, as lesões tornam-se atróficas e hiperpigmentadas sem passar por um estágio esclerótico (atrofodermia de Pasini e Pierini) (ver Morfeia macular, p. 346).

Distribuição

Circunscrita: tronco (Fig. 14-44), membros, face, genitália; com menos frequência, axilas, períneo, aréolas.

Generalizada: inicialmente no tronco (parte superior, mamas, abdome) (Fig. 14-45), coxas.

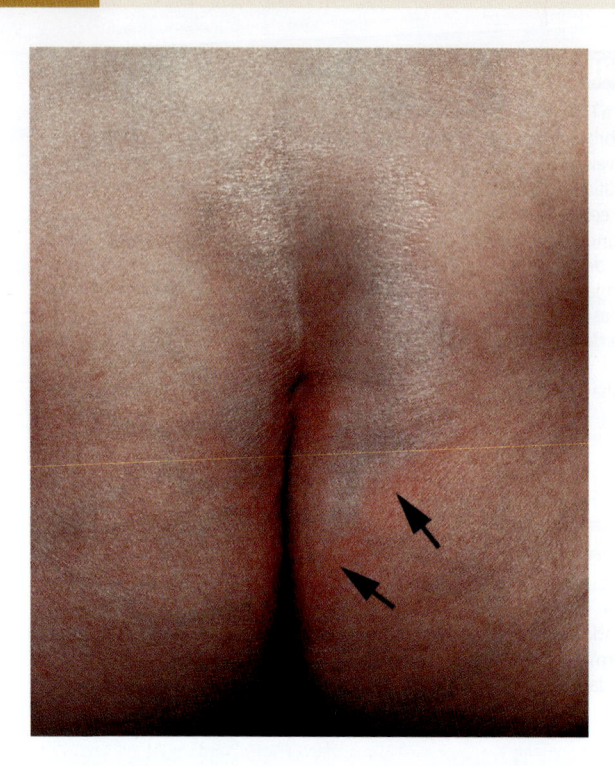

Figura 14-44 Morfeia Placa brilhante endurecida, cor de marfim, com bordas cor de lilás mal definidas (*setas*). As lesões são, em sua maioria, mais bem percebidas à palpação do que à inspeção, visto que são endurecidas.

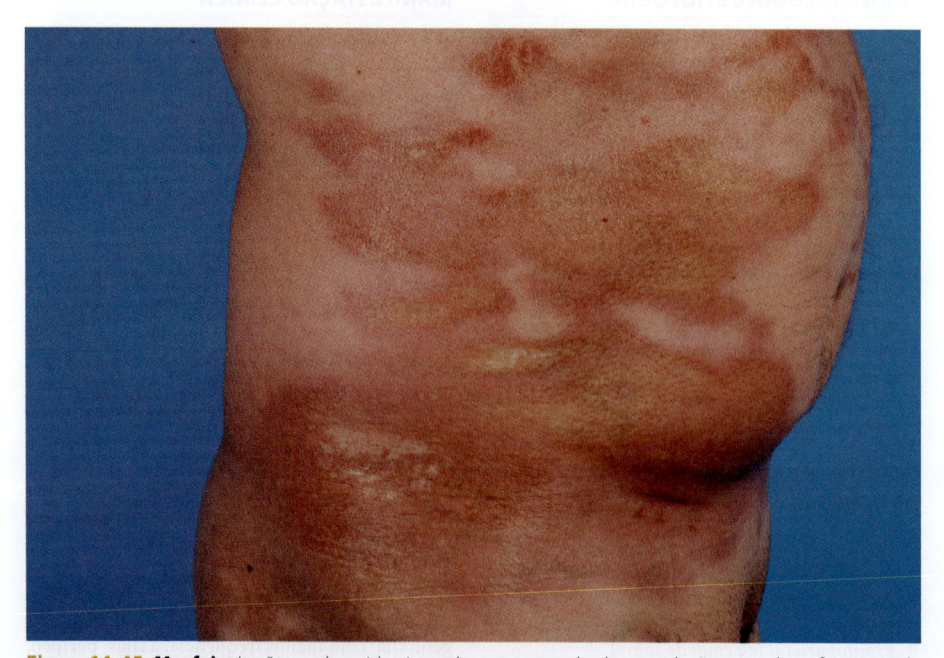

Figura 14-45 Morfeia Lesões endurecidas, irregulares e acastanhadas, com lesões maculares focais cor de marfim no flanco e abdome esquerdos. Havia lesões semelhantes no dorso.

Linear: geralmente nos membros (Fig. 14-46) ou *frontoparietal* – couro cabeludo e face (Fig. 14-47); nesse caso, as lesões podem se assemelhar a uma cicatriz produzida por um golpe de sabre (*en coup de sabre*).

Macular: placas maculares pequenas (< 3 mm), confluentes (Fig. 14-48A); clinicamente indistinguível do líquen escleroso e atrófico (ver p. 347).

Atrófica: atrofodermia de Pasini e Pierini (Fig. 14-48B).

Panesclerótica: no tronco (Fig. 14-49) ou nos membros.

BOCA Pode haver hemiatrofia associada da língua na morfeia linear da cabeça.

PELOS E UNHAS Alopécia cicatricial com placas no couro cabeludo. Particularmente na morfeia linear da cabeça. Distrofia ungueal nas lesões lineares dos membros ou na morfeia panesclerótica.

Exame clínico geral

A morfeia localizada ao redor das articulações e a morfeia linear podem resultar em contraturas em flexão. A morfeia panesclerótica está associada à atrofia e à fibrose dos músculos. O comprometimento extenso do tronco pode resultar em restrição respiratória. Na morfeia linear da cabeça (Fig. 14-47), pode ocorrer atrofia associada das estruturas oculares e atrofia do osso. *Observação:* a morfeia pode estar associada ao líquen escleroso e atrófico.

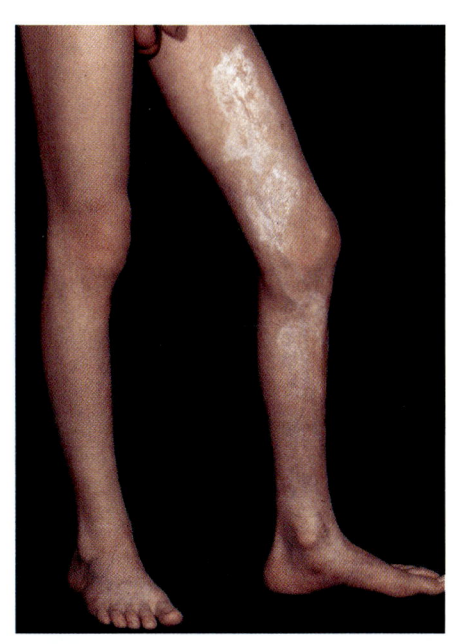

Figura 14-46 Morfeia linear Lesão endurecida, branca e cor de marfim, que se estende da parte superior da coxa até o dorso do pé. O endurecimento é pronunciado e, na região acima do joelho, estende-se até a fáscia (morfeia panesclerótica). Se for progressiva, limitará a mobilidade articular.

Figura 14-47 Morfeia linear, *en coup de sabre* Duas lesões lineares, parcialmente cor de branco-marfim (no couro cabeludo), e lesões deprimidas hiperpigmentadas (na fronte), que se estendem do alto da cabeça, onde resultaram em alopécia, até a fronte e a órbita. As lesões assemelham-se a cicatrizes provocadas após golpes de sabre, daí a designação em francês. Essas lesões podem se estender até o osso e, raramente, até a dura-máter.

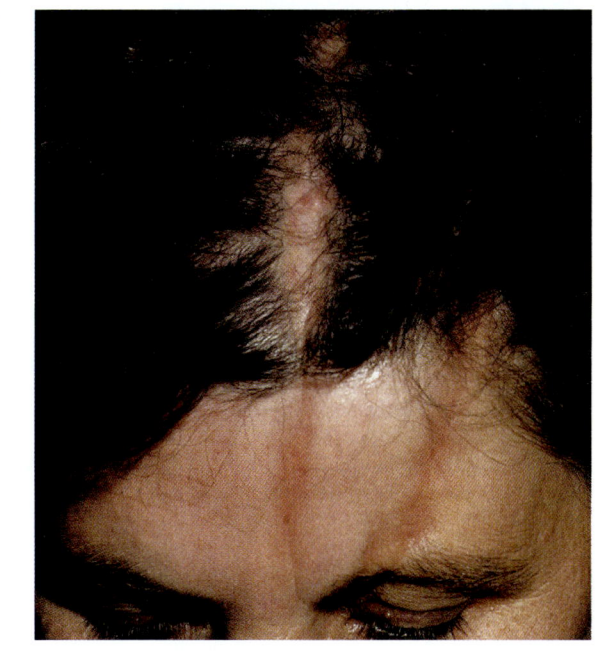

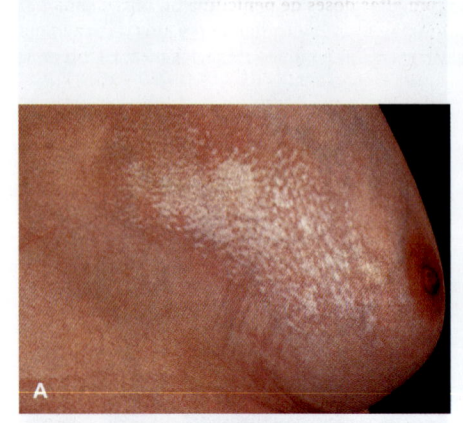

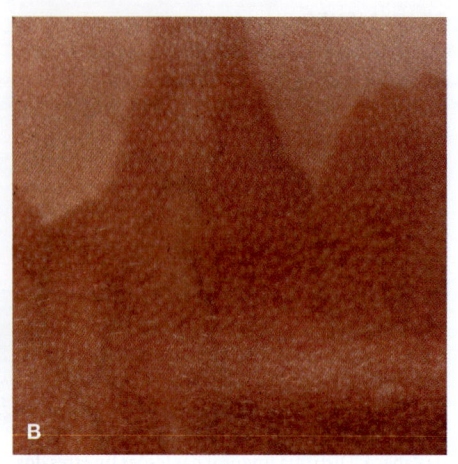

Figura 14-48 Morfeia macular (A) São observadas múltiplas máculas brilhantes, cor de marfim-branco e confluentes, produzindo um padrão reticulado. Essas lesões são bastante superficiais e, portanto, menos endurecidas. Um diagnóstico diferencial importante é o líquen escleroso e atrófico. **(B)** Forma atrófica hiperpigmentada da morfeia (denominada atrofodermia de Pasini e Pierini). Observa-se pigmentação marrom difusa e nitidamente demarcada, com padrão folicular menos pigmentado. Essas lesões são atróficas e não endurecidas.

DIAGNÓSTICO E DIAGNÓSTICO DIFERENCIAL

Diagnóstico clínico, confirmado por biópsia. Placa esclerótica associada à infecção por *B. burgdorferi*, acrodermatite crônica atrófica, esclerose sistêmica progressiva, líquen escleroso e atrófico, condições semelhantes à esclerodermia (p. 343).

EXAMES LABORATORIAIS

SOROLOGIA Testes sorológicos apropriados para excluir a infecção por *B. burgdorferi*.
DERMATOPATOLOGIA A epiderme tem aparência normal a atrófica, com perda das cristas interpapilares. Derme edemaciada com colágeno homogêneo e eosinofílico. Discreto infiltrado misto perivascular ou difuso. Mais tarde, ocorre espessamento da derme com poucos fibroblastos e colágeno denso; infiltrado inflamatório na junção dermossubcutânea; desaparecimento progressivo dos apêndices dérmicos. Histopatologia distinta do líquen escleroso e atrófico.

EVOLUÇÃO

Pode ser lentamente progressiva; raramente, podem ocorrer remissões espontâneas.

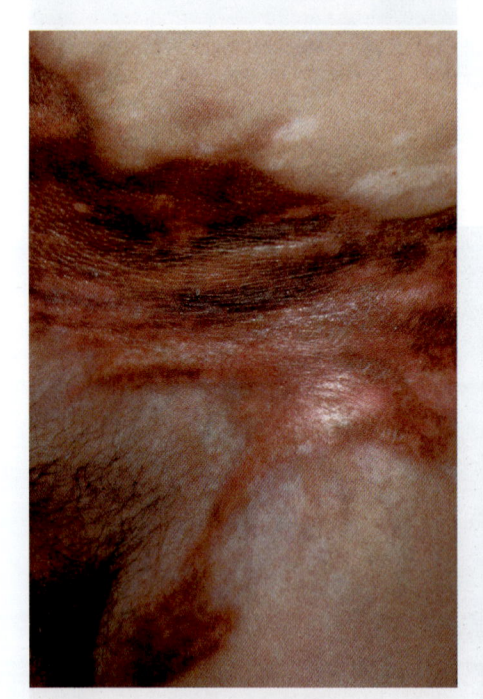

Figura 14-49 Morfeia panesclerótica Esse tipo de morfeia acomete todas as camadas da pele, incluindo a fáscia e até mesmo o músculo. A pele é brilhante, hiperpigmentada e dura como madeira. É evidente que a morfeia panesclerótica leva a uma considerável redução funcional. Quando essas lesões ocorrerem na parte superior do tronco, poderão comprometer a expansibilidade do tórax e, portanto, a respiração.

TRATAMENTO

Não existe nenhum tratamento efetivo para a morfeia. Alguns relatam melhora das lesões iniciais com vários ciclos de 4 semanas de prednisona (20 mg/dia) interrompidos por 2 meses sem tratamento.

LESÕES SEMELHANTES À MORFEIA ASSOCIADAS À BORRELIOSE DE LYME Em pacientes com acometimento inicial, pode-se observar regressão da esclerose com altas doses de penicilina ou ceftriaxona por via parenteral; o tratamento é administrado em vários ciclos ao longo de vários meses. Obtém-se uma resposta mais satisfatória se for associado a glicocorticoides orais.

FOTOTERAPIA COM UVA-1 (340 A 400 NM) Ligeiramente efetiva, porém resulta em hiperpigmentação.

LÍQUEN ESCLEROSO E ATRÓFICO (LEA) CID-10: L90.0

- O LEA é um distúrbio atrófico crônico, que acomete principalmente a pele anogenital em mulheres, mas também em homens. As mulheres são acometidas 10 vezes mais frequentemente do que os homens.
- Trata-se de uma doença de adultos, mas que também ocorre em crianças de 1 a 13 anos de idade.
- As pápulas isoladas, esbranquiçadas, cor de marfim ou branco-porcelana, nitidamente demarcadas e isoladas, podem se tornar confluentes, formando *placas* (**Fig. 14-50**). A superfície das lesões pode ser elevada ou estar no mesmo plano da pele normal; as lesões mais antigas podem ser deprimidas. Ocorre dilatação dos orifícios pilossebáceos ou dos ductos das glândulas sudoríparas, que estão preenchidos por tampões de ceratina ("valeiras"); se o tamponamento for pronunciado, a superfície parece hiperceratótica (**Fig. 14-50**).
- Ocorrem *bolhas* e *erosões*, e a *púrpura* constitui frequentemente uma manifestação característica e que identifica a doença (**Fig. 14-50**); telangiectasia.
- Ocorrem lesões na genitália e, menos comumente, também na pele em geral. Na vulva, as placas hiperceratóticas podem se tornar erosivas e maceradas; a região vulvar pode se tornar atrófica, enrugada, particularmente o clitóris e os lábios menores da vulva, com redução do diâmetro do introito vaginal (**Fig. 14-50**, ver também Seção 34). Fusão dos lábios menores e maiores da vulva. Pode haver extensão para períneo e ânus.
- Nos homens não circuncidados, o prepúcio apresenta inicialmente pápulas confluentes branco-marfim (ver Seção 34); em seguida, torna-se esclerótico e não pode ser retraído (*fimose*). A glande adquire cor de marfim ou branco-porcelana, é semitransparente e assemelha-se a uma madrepérola, com hemorragias purpúricas misturadas.
- O LEA não genital é geralmente assintomático; as lesões genitais são sintomáticas. Nas mulheres, as lesões da região vulvar feminina podem ser sensíveis, particularmente quando a mulher está andando; prurido; dor, particularmente se houver erosões; disúria; dispareunia. Nos homens, balanite recidivante, fimose adquirida.
- A histopatologia é diagnóstica, com infiltrado linfocítico denso envolvendo a epiderme, inicialmente hipertrófica e, em seguida, atrófica; posteriormente, o infiltrado penetra na derme, sendo separado da epiderme por uma zona subepidérmica edemaciada e desorganizada.
- A etiologia do LEA não é conhecida; entretanto, relatos da Europa documentaram uma associação do DNA de espécies de *Borrelia* com o LEA na Alemanha e no Japão. O DNA das espiroquetas detectados nesses pacientes não foi encontrado em nenhuma das amostras de pacientes norte-americanos.
- A evolução do LEA caracteriza-se por exacerbações e remissões. Nas meninas, pode sofrer regressão espontânea; nas mulheres, leva à atrofia da vulva e, nos homens, à fimose. Os pacientes devem ser monitorados para o desenvolvimento de carcinoma espinocelular da vulva e do pênis.
- O tratamento é muito importante, visto que essa doença pode causar atrofia devastadora dos pequenos lábios da vulva e do capuz do clitóris. Foi constatada a eficácia de *preparações de glicocorticoides tópicos potentes* (propionato de clobetasol) para o LEA genital; todavia esses fármacos só devem ser utilizados por 6 a 8 semanas. Os pacientes devem ser monitorados à procura de sinais de atrofia induzida pelos glicocorticoides. O *pimecrolimo* e o *tacrolimo* são quase tão efetivos. Os *androgênios tópicos* são menos utilizados hoje, visto que podem causar, algumas vezes, hipertrofia do clitóris. *Terapia sistêmica*: hidroxicloroquina, 125 a 150 mg/dia, por várias semanas a alguns meses (monitorar a ocorrência de efeitos colaterais oculares).
- Nos homens, a *circuncisão* alivia os sintomas da fimose e, em alguns casos, pode levar à remissão.

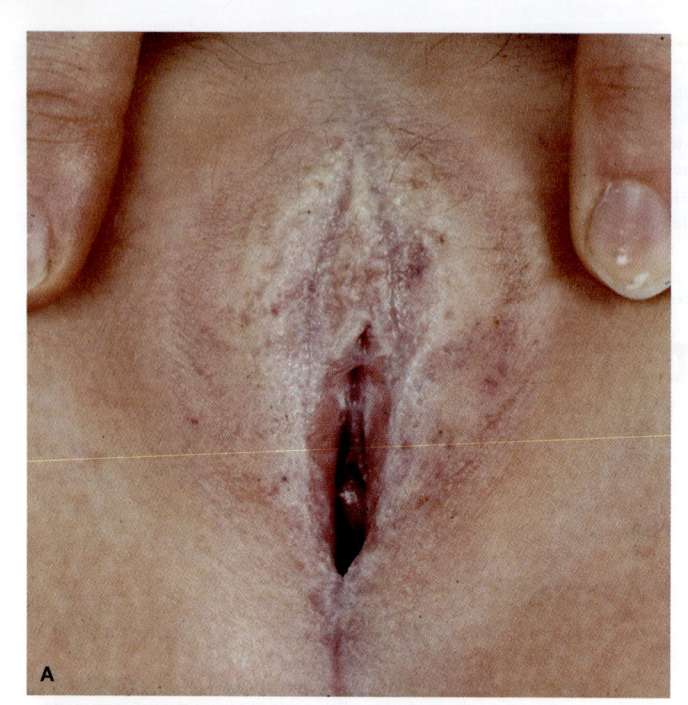

Figura 14-50 Líquen escleroso e atrófico (LEA) **(A)** Líquen escleroso na vulva de uma menina de 6 anos de idade. Houve fusão dos lábios maiores e menores da região vulvar, que são brancos, escleróticos e focalmente hiperceratóticos, com hemorragias puntiformes. **(B)** Múltiplas pápulas endurecidas, branco-marfim e ligeiramente hiperceratóticas que coalescem, formando uma placa branca, cuja maior parte, entretanto, aparece em cor vermelho-viva, devido às hemorragias puntiformes. Tórax de uma mulher de 42 anos.

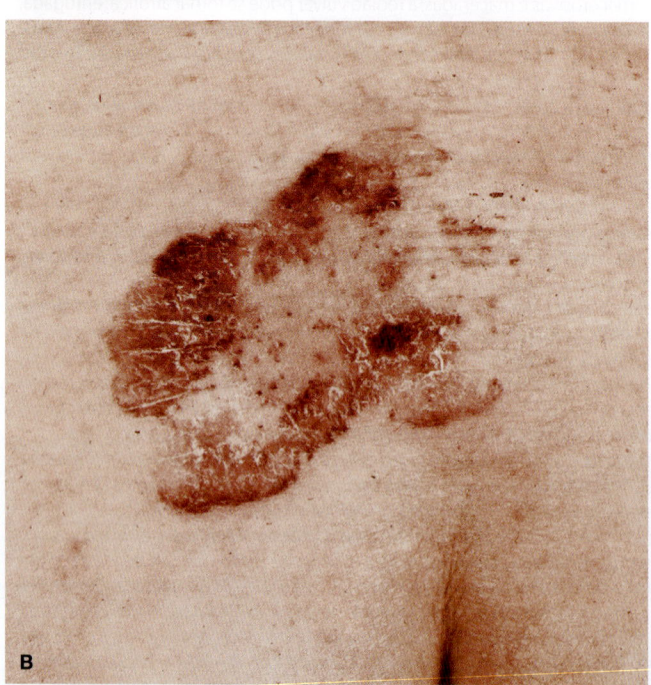

VASCULITE

Os vasos são acometidos na maioria dos processos inflamatórios do corpo humano. A *vasculite* refere-se às condições nas quais os vasos constituem o alvo de inflamação. As vasculites são mais bem classificadas de acordo com o calibre dos vasos acometidos (**Fig. 14-51**).

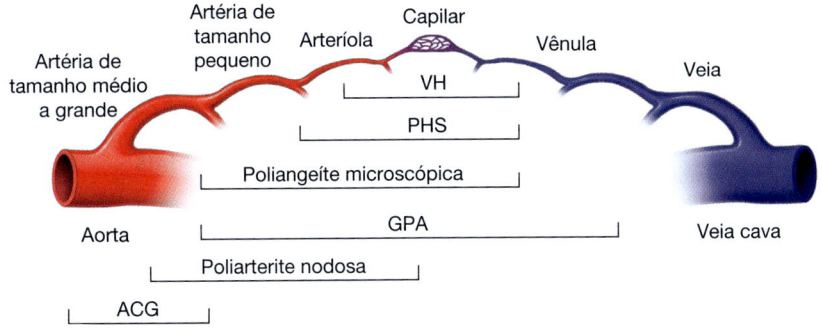

Figura 14-51 Esquema de classificação das vasculites VH, vasculite por hipersensibilidade; PHS, púrpura de Henoch-Schönlein; ACG, arterite de células gigantes; GPA, granulomatose com poliangeíte. (Modificada com permissão de Jennette JC, et al. Nomenclature of systemic vasculitides. Proposal of an international consensus conference. *Arthritis Rheum.* 1994; 37:187. ©1994 American College of Rheumatology.)

VASCULITE POR HIPERSENSIBILIDADE CID-10: D69.0

- A vasculite por hipersensibilidade (VH) abrange um grupo heterogêneo de vasculites associadas à hipersensibilidade aos antígenos de agentes infecciosos, fármacos ou outras fontes exógenas ou endógenas.
- Do ponto de vista patológico, caracteriza-se pelo acometimento das vênulas pós-capilares e por inflamação e necrose fibrinoide (vasculite necrosante).
- Clinicamente, o acometimento cutâneo é característico e se manifesta por "púrpura palpável".
- Ocorre comprometimento vascular sistêmico, principalmente nos rins, nos músculos, nas articulações, no trato GI e nos nervos periféricos.
- A púrpura de Henoch-Schönlein é um tipo de VH associada a depósitos de IgA na pele e ao envolvimento do trato GI, rins e articulações.
- *Sinônimos*: vasculite cutânea alérgica, vasculite necrosante.

EPIDEMIOLOGIA E ETIOLOGIA

IDADE DE INÍCIO Todas as idades.
SEXO Incidência idêntica em ambos os sexos.
ETIOLOGIA Idiopática em 50% dos casos.

PATOGÊNESE

O mecanismo proposto para a vasculite necrosante consiste no depósito de imunocomplexos circulantes nas vênulas pós-capilares. As alterações iniciais da permeabilidade venular, devido à liberação de aminas vasoativas das plaquetas, dos basófilos e/ou dos mastócitos, facilitam o depósito de imunocomplexos, os quais podem ativar o sistema do complemento ou podem interagir diretamente com os receptores Fc nas membranas das células endoteliais. Quando o sistema do complemento é ativado, a formação das anafilatoxinas C3a e C5a pode desencadear a degranulação dos mastócitos. Além disso, o C5a pode atrair neutrófilos que liberam enzimas lisossômicas durante a fagocitose dos complexos, causando lesão subsequente do tecido vascular.

MANIFESTAÇÃO CLÍNICA

O agente etiológico provável consiste no uso recente de um fármaco tomado poucas semanas antes do início da VH, bem como em uma infecção, uma doença vascular/do tecido conectivo diagnosticada ou uma paraproteinemia. Início e evolução: agudo (em poucos dias, como no caso da vasculite farmacodérmica ou idiopática), subagudo (semanas, particularmente nos tipos urticariformes), crônico (recidivante ao longo de vários anos). Os sintomas incluem prurido e dor em queimação; pode não haver nenhum sintoma, ou o paciente pode apresentar febre e mal-estar; sinais de neurite periférica, dor abdominal (isquemia intestinal), artralgia, mialgia, comprometimento renal (micro-hematúria) e comprometimento do SNC.

LESÕES CUTÂNEAS A *púrpura palpável* constitui a manifestação característica. Esse termo descreve petéquias palpáveis que ocorrem como máculas e pápulas vermelho-brilhantes bem demarcadas, com hemorragia puntiforme central (Fig. 14-52) (as petéquias causadas por defeitos da coagulação ou trombocitopenia são estritamente maculares e, portanto, não são palpáveis). As lesões são esparsas, separadas ou confluentes, e se localizam primariamente na parte inferior das pernas e tornozelos (Figs. 14-52A e B), mas podem se espalhar para nádegas e braços. A estase agrava ou desencadeia as lesões. As lesões purpúricas não empalidecem sob pressão (com lâmina de vidro). Inicialmente vermelhas, tornam-se púrpuras e até mesmo negras no centro (Fig. 14-52B). No caso de inflamação intensa, as pápulas purpúricas transformam-se em bolhas hemorrágicas, tornam-se necróticas (Fig. 14-52B) e até mesmo ulceram.

EXAMES LABORATORIAIS

HEMATOLOGIA Excluir a possibilidade de púrpura trombocitopênica.

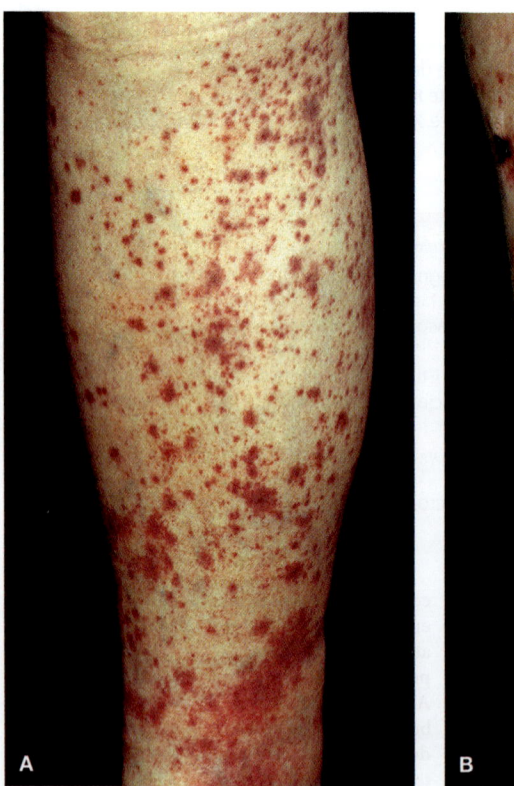

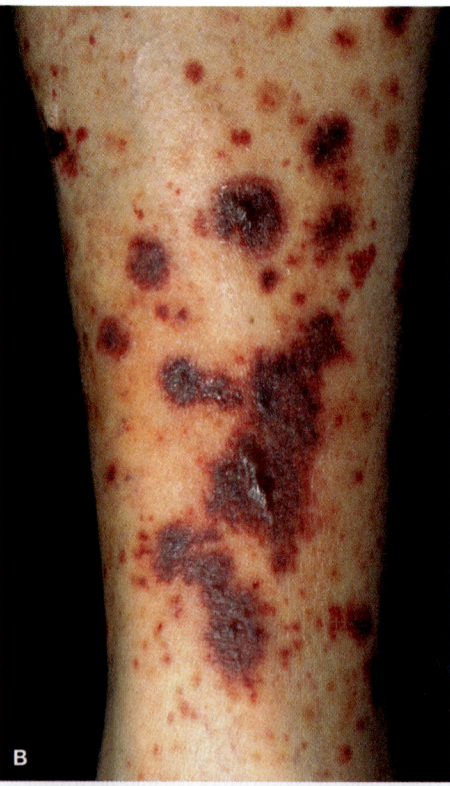

Figura 14-52 Vasculite por hipersensibilidade (A) A vasculite cutânea manifesta-se clinicamente como "púrpura palpável" nos membros inferiores. Embora pareçam máculas à inspeção, as lesões podem ser palpadas, o que as diferencia das petéquias, por exemplo, na púrpura trombocitopênica. As lesões mostradas aqui apresentam pontos centrais de coloração vermelha mais escura e não empalidecem à pressão com lâmina de vidro, indicando hemorragia. **(B)** Estágio mais avançado. As lesões progrediram para bolhas hemorrágicas, e algumas tornaram-se necróticas. As lesões podem progredir até a formação de úlceras.

VHS. Elevada.
SOROLOGIA O nível sérico do complemento está reduzido ou normal em alguns pacientes, dependendo dos distúrbios associados.
EXAME DE URINA Cilindros hemáticos, albuminúria.
OUTROS Dependendo da doença subjacente.
DERMATOPATOLOGIA *Venulite necrosante.* Depósito de material eosinofílico (fibrinoide) nas paredes das vênulas pós-capilares na parte superior da derme e infiltrado inflamatório perivenular e intramural, que consiste predominantemente em neutrófilos. Hemácias extravasadas e neutrófilos fragmentados ("poeira nuclear"). Necrose franca das paredes dos vasos. As técnicas de imunofluorescência revelam depósitos intramurais de C3 e imunoglobulinas.

DIAGNÓSTICO E DIAGNÓSTICO DIFERENCIAL

Têm como base as manifestações clínicas e a histopatologia.
DIAGNÓSTICO DIFERENCIAL Púrpura trombocitopênica, exantema como a erupção induzida por fármacos na presença de trombocitopenia, coagulação intravascular disseminada (CIVD) com púrpura fulminante, vasculite séptica (febres maculosas por riquétsias), embolias sépticas (endocardite infecciosa), bacteremia (infecção gonocócica disseminada, meningococemia [aguda/crônica]), púrpura pigmentada, outras vasculites não infecciosas.

EVOLUÇÃO E PROGNÓSTICO

Dependem da doença subjacente. Na variante idiopática, podem ocorrer múltiplos episódios ao longo de vários anos. Em geral, é autolimitada, porém pode ocorrer lesão renal irreversível.

TRATAMENTO

ANTIBIÓTICOS Antibióticos para pacientes com vasculite que ocorre após infecção bacteriana.
PREDNISONA Para pacientes com doença moderada a grave.
IMUNOSSUPRESSORES CITOTÓXICOS Ciclofosfamida, azatioprina geralmente em associação com prednisona. Ciclosporina, imunoglobulina intravenosa em altas doses. Infliximabe e rituximabe.

PÚRPURA DE HENOCH-SCHÖNLEIN CID-10: D69.0

- Trata-se de um subtipo específico de vasculite por hipersensibilidade, que ocorre principalmente em crianças, mas que também acomete adultos.
- Obtém-se história de infecção das vias respiratórias superiores (75%) por estreptococos do grupo A.
- O distúrbio consiste em púrpura palpável (como na **Fig. 14-52**), acompanhada de angina intestinal (dor abdominal difusa que se agrava após as refeições), isquemia intestinal, incluindo geralmente diarreia sanguinolenta, comprometimento renal (hematúria e cilindros hemáticos) e artrite.
- Ao exame histopatológico, observa-se a presença de vasculite necrosante, e os imunorreagentes depositados na pele são IgA.
- A morbidade de longo prazo pode resultar da doença renal progressiva (5%).

POLIARTERITE NODOSA CID-10: M30.0

- A poliarterite nodosa (PAN) é uma vasculite necrosante multissistêmica das artérias musculares de pequeno e médio calibres, com acometimento das artérias renais e viscerais.
- A poliangeíte microscópica (PAM) pode ser diferente da PAN, porém isso não está comprovado e, por esse motivo, ela é incluída nessa descrição.
- A *PAN cutânea* é uma variante rara com vasculite sintomática limitada à pele e, algumas vezes, aos nervos periféricos.
- Inflamação necrosante das artérias musculares de pequeno e médio calibres; pode se propagar circunferencialmente, acometendo veias adjacentes. As lesões são segmentares e tendem a acometer as bifurcações. Cerca de 30% dos casos estão associados à antigenemia das hepatites B e C, isto é, à formação de imunocomplexos.
- Sintomas constitucionais: Febre, asma, mialgias. Sintomas cutâneos: dor, parestesias.
- **Lesões cutâneas:** ocorrem em 15% dos casos. Nódulos inflamatórios subcutâneos (0,5 a 2 cm) vermelho-vivos a azulados, que seguem o trajeto das artérias acometidas. Violáceos, tornam-se confluentes para formar placas subcutâneas dolorosas (**Fig. 14-53**) e acompanhadas de livedo reticular; o livedo em "explosão estelar" é patognomônico e se caracteriza por um grupo de lesões nodulares. A isquemia dos nódulos é seguida de formação de úlceras (**Fig. 14-53B**). Em geral, ocorrem bilateralmente nas pernas e nas coxas. Outras áreas: braços, tronco, cabeça, região cervical, nádegas. O livedo reticular pode se estender para o tronco. Duração: dias a meses. Regride com hiperpigmentação pós-inflamatória ou violácea residual. As lesões cutâneas na PAN sistêmica e cutânea são idênticas.
- Revisão dos sistemas:
    - **Cardiovascular:** hipertensão, insuficiência cardíaca congestiva, pericardite, defeitos do sistema de condução, infarto do miocárdio.
    - **Neurológico:** acidente vascular encefálico. Nervos periféricos: comprometimento motor/sensorial misto com padrão de mononeurite múltipla.
    - **Músculos:** mialgias difusas (excluindo cintura escapular e pélvica), membros inferiores.
    - **Sistema GI:** náuseas, vômitos, dor abdominal, hemorragia, infarto.
    - **Olhos:** alterações hipertensivas, vasculite ocular, aneurisma da artéria da retina, edema/atrofia do disco do nervo óptico.
    - **Rins:** insuficiência renal, edema.
    - **Testículos:** dor e sensibilidade.
- **Dermatopatologia:** os neutrófilos polimorfonucleares infiltram todas as camadas da parede dos vasos musculares e as áreas perivasculares. Necrose fibrinoide da parede vascular, com comprometimento do lúmen, trombose, infarto dos tecidos irrigados pelo vaso acometido, com ou sem hemorragia.
- **Hemograma:** é comum a ocorrência de leucocitose neutrofílica; raramente, eosinofilia; anemia de doença crônica. ± Elevação da VHS; creatinina sérica, ureia.
- **Sorologia:** autoanticorpos anticitoplasma de neutrófilos (p-ANCA) em alguns casos. Em 60% dos pacientes com PAM, antigenemia de superfície da hepatite B; em 30% dos casos, hepatite C.
- Sem tratamento, as taxas de morbidade e de mortalidade são muito altas, caracterizadas por deterioração fulminante ou progressão inexorável associada a exacerbações agudas intermitentes. Morte por insuficiência renal, infarto e perfuração intestinais, complicações cardiovasculares, hipertensão refratária. *PAN cutânea*: Evolução benigna recidivante crônica.
- Tratamento: *Terapia combinada*: prednisona, 1 mg/kg de peso corporal ao dia, e ciclofosfamida, 2 mg/kg ao dia.
- Rituximabe é tão efetivo quanto a ciclofosfamida.

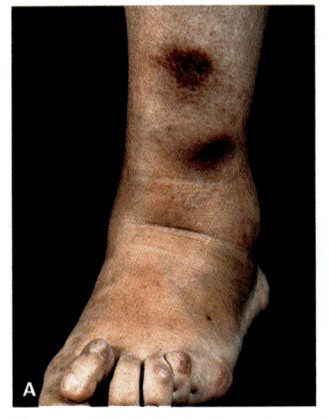

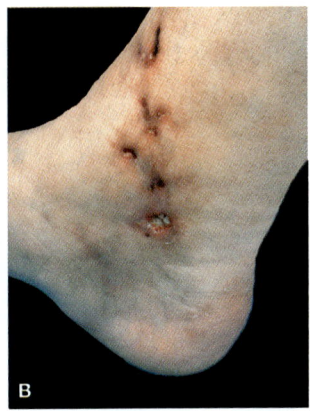

Figura 14-53 Poliarterite nodosa (A) Dois nódulos dérmicos e subcutâneos ocorrendo na região pré-tibial da perna. **(B)** Pode-se observar um padrão em "explosão estelar" nas regiões supramaleolar e retromaleolar da perna direita de outro paciente. Essas lesões representam infarto cutâneo com ulceração.

GRANULOMATOSE COM POLIANGEÍTE CID-10: M31.3

- Anteriormente chamada granulomatose de Wegener. Trata-se de uma vasculite sistêmica, definida por uma tríade clínica de manifestações, que consistem em comprometimento das vias respiratórias superiores, dos pulmões e dos rins.
- A tríade histopatológica que consiste em granulomas necrosantes nas vias respiratórias superiores e nos pulmões, vasculite das artérias e das veias e glomerulonefrite.
- As manifestações cutâneas são as da vasculite por hipersensibilidade, lesões nodulares ulcerativas e ulcerações orais/nasais. De modo geral, em 50% dos pacientes, porém em apenas 13% como apresentação inicial. As *úlceras com bordas recortadas e solapadas* são mais características; assemelham-se ao pioderma gangrenoso (**Fig. 14-54**). *Pápulas, vesículas, púrpura palpável* como na vasculite por hipersensibilidade (necrosante) (**Fig.14-55**), nódulos subcutâneos, placas, lesões nodulares ulcerativas como na PAN. Mais comuns nos membros inferiores. Também na face, tronco e membros superiores.
- **Mucosas:** ulcerações orais (**Fig. 14-56**). Com frequência, constituem o primeiro sintoma. ± Ulceração da mucosa nasal, formação de crostas e coágulos sanguíneos; perfuração do septo nasal; deformidade do nariz em sela. Obstrução das tubas auditivas com otite média serosa; ± dor. Conduto auditivo externo: dor, eritema, edema. Hiperplasia gengival acentuada.
- **Olhos:** 65%. Conjuntivite leve, episclerite, esclerite, esclerouveíte granulomatosa, vasculite dos vasos ciliares, lesão expansiva retro-orbitária com proptose.
- **Sistema nervoso:** neurite craniana, mononeurite múltipla, vasculite encefálica.
- **Doença renal:** 85%. Sinais de insuficiência renal na GPA avançada.
- **Pulmonares:** múltiplos infiltrados nodulares bilaterais. Infiltrados semelhantes nos seios paranasais e na nasofaringe.
- Síndrome de doença crônica. Febre. Dor nos seios paranasais, secreção nasal purulenta ou sanguinolenta. Tosse, hemoptise, dispneia, desconforto torácico.
- **Hematologia:** anemia discreta. Leucocitose. ± Trombocitose.
- **VHS:** acentuadamente elevada.
- **Bioquímica:** comprometimento da função renal.
- **Exame de urina:** proteinúria, hematúria, cilindros hemáticos.
- **Sorologia:** os autoanticorpos anticitoplasma de neutrófilos (c-ANCA) são marcadores sorológicos da GPA. Uma protease de 29 kDa (PR-3) é o principal antígeno do c-ANCA; os títulos correlacionam-se com a atividade da doença. Hipergamaglobulinemia, particularmente da classe IgA.
- **Patologia:** todos os tecidos acometidos, inclusive a pele – vasculite necrosante das artérias/veias de pequeno calibre, com formação de granulomas intra e extravasculares. Rins: glomerulonefrite focal/segmentar.
- Sem tratamento, a GPA é geralmente fatal, devido à insuficiência renal rapidamente progressiva. Com tratamento combinado com ciclofosfamida e prednisona, obtém-se remissão de longo prazo em 90% dos casos.
- **Tratamento de escolha: ciclofosfamida mais prednisona.** *Rituximabe:* para pacientes com doença refratária. **Sulfametoxazol-trimetoprima:** como tratamento adjuvante e/ou profilaxia das infecções bacterianas das vias respiratórias superiores, que promovem a exacerbação da doença.

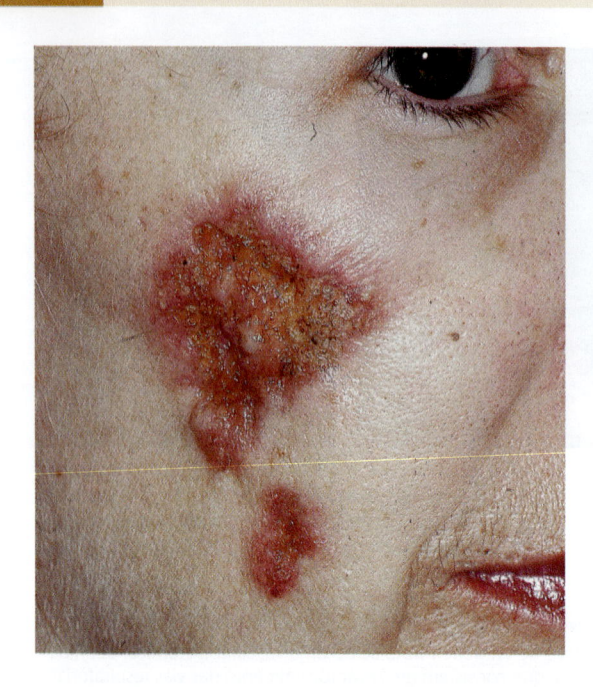

Figura 14-54 Granulomatose com poliangeíte (anteriormente chamada granulomatose de Wegener) Ulceração irregular semelhante ao pioderma gangrenoso na região malar, com bordas recortadas e solapadas, que constitui frequentemente a primeira manifestação da GPA.

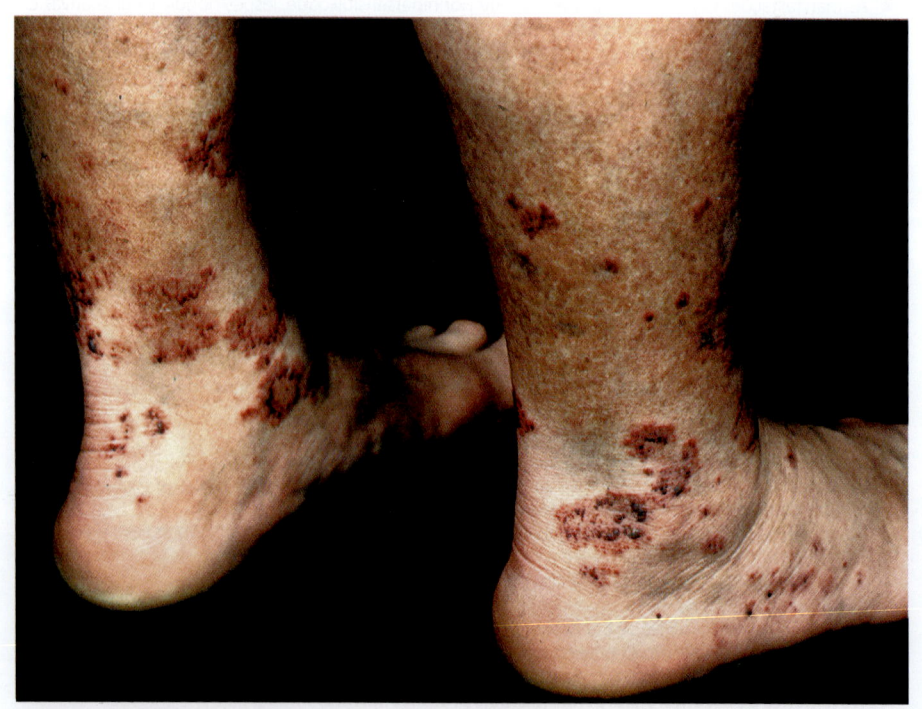

Figura 14-55 GPA Púrpura palpável com lesões hemorrágicas e necróticas nas pernas, como na vasculite por hipersensibilidade.

Figura 14-56 GPA Úlcera grande no palato coberta por uma massa necrótica densa e aderente; observa-se edema concomitante no lábio superior. Ocorrem lesões semelhantes nos seios paranasais e na árvore traqueobrônquica.

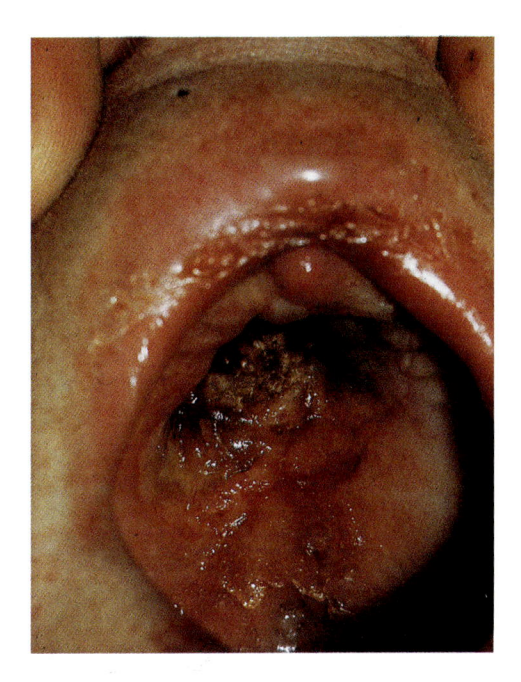

ARTERITE DE CÉLULAS GIGANTES CID-10: M31.6

- A arterite de células gigantes é uma vasculite granulomatosa sistêmica das artérias de médio e grande calibres, que acomete mais notavelmente a artéria temporal e outros ramos da artéria carótida em indivíduos idosos (**Fig. 14-57**).
- Manifestações cutâneas: as artérias temporais superficiais estão edemaciadas, proeminentes, tortuosas, ± espessamentos nodulares. Sensibilidade. No início, a artéria acometida pulsa; posteriormente, ocorre obstrução com perda das pulsações. ± Eritema da pele sobrejacente. Gangrena, isto é, infarto cutâneo da área irrigada pela artéria acometida na região temporal/parietal do couro cabeludo, com bordas irregulares e bem demarcadas (**Fig. 14-57A**); ulceração com exposição do osso (**Fig. 14-57B**). Cicatrizes nas áreas de ulcerações antigas. Hiperpigmentação pós-inflamatória sobre a artéria acometida.
- Outros sintomas: síndrome de doença crônica. Cefaleia intensa normalmente bilateral, dor no couro cabeludo, fadiga, anemia, VHS elevada. Claudicação da mandíbula/língua quando o indivíduo fala/mastiga. Envolvimento ocular: comprometimento visual transitório, neurite óptica isquêmica, neurite retrobulbar, cegueira persistente. Vasculite sistêmica: claudicação dos membros, acidente vascular encefálico, infarto do miocárdio, aneurismas/dissecções da aorta, infarto de órgãos viscerais. *Síndrome da polimialgia reumática*: rigidez, desconforto geral, dor nos músculos da região cervical, dos ombros, da região lombar, dos quadris e das coxas.
- **Biópsia de artéria temporal:** biópsia de nódulo sensível da artéria acometida após exame de fluxo com Doppler. Lesões focais. Panarterite com infiltrados de células mononucleares inflamatórias dentro da parede vascular, com formação frequente de granulomas de células gigantes. Proliferação da túnica íntima com obstrução vascular, fragmentação da lâmina elástica interna, necrose extensa da túnica íntima e da túnica média.
- Sem tratamento, pode resultar em cegueira secundária à neurite óptica isquêmica. Resposta excelente ao tratamento com glicocorticoides. Remissão depois de vários anos.
- Tratamento:
  - **Prednisona:** Terapia de primeira linha. Inicialmente, 40 a 60 mg/dia; em seguida, reduzir gradualmente a dose quando houver melhora dos sintomas; continuar com uma dose de 7,5 a 10 mg/dia durante 1 a 2 anos.
  - **Metotrexato:** o metotrexato em baixas doses (15 a 20 mg), uma vez por semana, tem considerável efeito poupador de glicocorticoides.
  - Rituximabe.

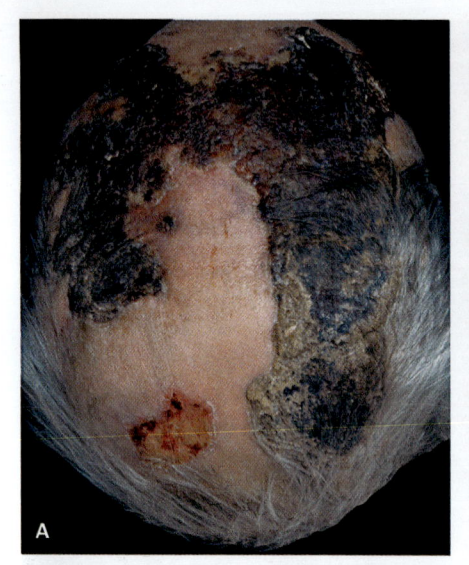

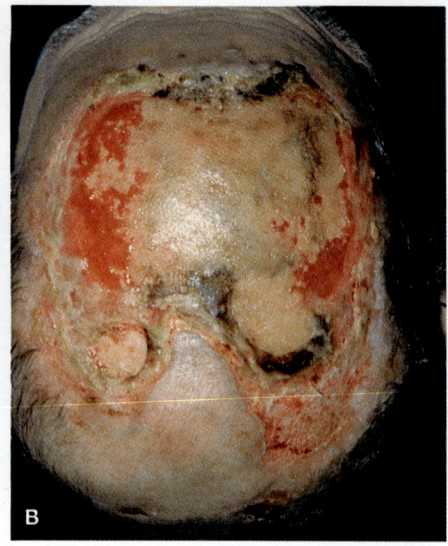

Figura 14-57 Arterite de células gigantes (A) Este homem idoso tinha cefaleias excruciantes e perda progressiva da visão. Houve desenvolvimento de necrose bilateral no couro cabeludo. **(B)** Neste paciente, o tecido necrótico desprendeu-se, expondo o osso do crânio. Ambos os pacientes sobreviveram com altas doses de prednisona, e as úlceras cicatrizaram.

VASCULITE URTICARIANA CID-10: L50.8

- A vasculite urticariana é uma doença multissistêmica, que se caracteriza por lesões cutâneas semelhantes à urticária, exceto pelo fato de as lesões urticariformes persistirem por > 24 horas. Lesões semelhantes à urticária (i.e., placas edemaciadas e lesões urticariformes), algumas vezes endurecidas, eritematosas e circunscritas (**Fig.14-58**); as lesões podem estar associadas a prurido, ardência, sensação de ferroadas, dor, sensibilidade, algumas vezes com angioedema. Ocorre erupção em episódios transitórios, que comumente duram > 24 horas e podem se estender por até 3 a 4 dias. O formato das lesões modifica-se lentamente, revelando, com frequência, púrpura quando empalidecem parcialmente sob pressão (lâmina de vidro); regridem com coloração verde-amarelada e hiperpigmentação.
- Febre, artralgia e elevação da VHS. Outros sintomas: náuseas e dor abdominal. Tosse, dispneia, dor torácica e hemoptise. Pseudotumor cerebral. Sensibilidade ao frio. Comprometimento renal: glomerulonefrite difusa.
- A síndrome é frequentemente acompanhada de vários graus de comprometimento extracutâneo. Manifestações extracutâneas: articulações (70%), trato GI (20 a 30%), SNC (> 10%), sistema ocular (> 10%), rins (10 a 20%), linfadenopatia (5%).
- Acredita-se que seja uma doença por imunocomplexos, semelhante à vasculite por hipersensibilidade (ver p. 349). Pode ser um sintoma de LES; na doença do soro, hepatite B; idiopática.
- Exames laboratoriais: vasculite leucocitoclástica; micro-hematúria, proteinúria (10%); hipocomplementemia (70%).
- Com maior frequência, essa síndrome tem evolução crônica (meses a anos), porém benigna. Os episódios sofrem recorrência no decorrer de períodos que variam de meses a anos. Ocorre recidiva da doença renal dentro de meses a anos. A doença renal só ocorre em pacientes com hipocomplementemia.
- Tratamento: bloqueadores H_1 e H_2 (doxepina [10 mg, duas vezes ao dia, a 25 mg, três vezes ao dia] *mais* cimetidina [300 mg, três vezes ao dia]/ranitidina [150 mg, duas vezes ao dia]) *mais* um agente anti-inflamatório não esteroide (indometacina [75 a 200 mg/dia]/ibuprofeno [1.600 a 2.400 mg/dia]/naproxeno [500 a 1.000 mg/dia]). Colchicina, 0,6 mg, 2 ou 3 vezes ao dia, *ou* dapsona, 50 a 150 mg/dia. Prednisona; azatioprina, ciclofosfamida; plasmaférese. Bloqueadores TNF-α.

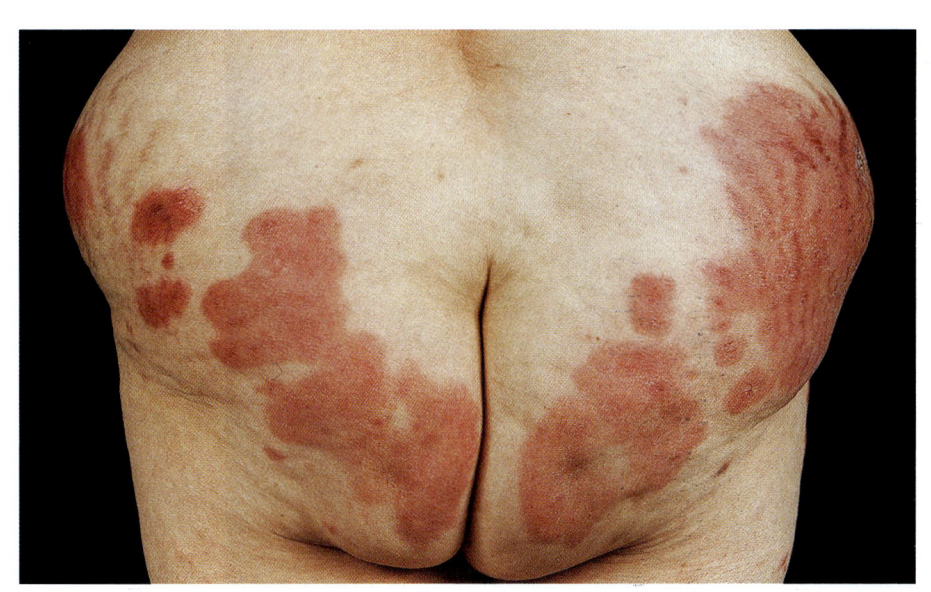

Figura 14-58 Vasculite urticariana Placas e lesões urticariformes eritematosas nas nádegas que, em parte, não empalidecem com diascopia (compressão da pele lesionada com lâmina de vidro), indicando hemorragia. Isso difere da urticária. Além disso, diferentemente das lesões da urticária, que costumam regredir em 24 horas, as lesões da vasculite urticariana persistem por até 3 dias antes de regredirem, com hiperpigmentação residual (depósito de hemossiderina). As lesões da urticária mudam de formato em pouco tempo, enquanto as da vasculite urticariana modificam-se lentamente.

VASCULITE NODULAR CID-10: M79.3

- A vasculite nodular é uma forma de paniculite lobular associada à vasculite dos vasos sanguíneos subcutâneos, com alterações isquêmicas subsequentes, que provocam lesão dos adipócitos, necrose, inflamação e granulação.
- Os sinônimos incluem *eritema indurado* e *doença de Bazin*; todavia, hoje, esses termos são reservados para os casos de vasculite nodular que estão associados à infecção por *Mycobacterium tuberculosis*.
- Mulheres de meia-idade a idosas.
- **Etiologia:** foi implicada a ocorrência de lesão vascular mediada por imunocomplexos devida a antígenos bacterianos. Imunoglobulinas, complemento e antígenos bacterianos foram detectados por imunofluorescência e, em alguns casos, foram identificadas sequências de DNA de micobactérias pela reação em cadeia da polimerase. As culturas para bactéria são invariavelmente negativas.
- **Lesões cutâneas:** nódulos ou placas subcutâneos, inicialmente eritematosos, sensíveis ou assintomáticos (**Fig. 14-59**) nas panturrilhas, raramente na região pré-tibial e nas coxas. As lesões adquirem cor vermelho-azulada, são de consistência firme e flutuam antes de ulcerar. As úlceras drenam líquido seroso/oleoso, são irregulares, em saca-bocado e com margens violáceas ou marrons (**Fig. 14-59**). Persistem por períodos prolongados antes de regredirem com cicatrizes atróficas.
- **Manifestações associadas:** perniciose folicular, livedo, veias varicosas, perna espessa atarracada e pele fria e edemaciada.
- **Exame clínico geral:** os pacientes são normalmente saudáveis.
- **Dermatopatologia:** granulomas tuberculoides, reação de corpo estranho com células gigantes e necrose dos lóbulos de adipócitos. Vasculite dos vasos de calibre médio predominantemente venular, porém, algumas vezes, arterial nas áreas septais.
- **Evolução:** recidivante crônica, com formação de cicatrizes.
- **Tratamento:** tratamento com tuberculostáticos nos casos em que se comprova a etiologia por *M. tuberculosis*. Nos demais casos, o repouso ao leito, o uso de meias de compressão, as tetraciclinas e o iodeto de potássio demonstraram ser efetivos. Os glicocorticoides sistêmicos são, algumas vezes, necessários para se obter remissão. Em alguns pacientes, a dapsona é efetiva.

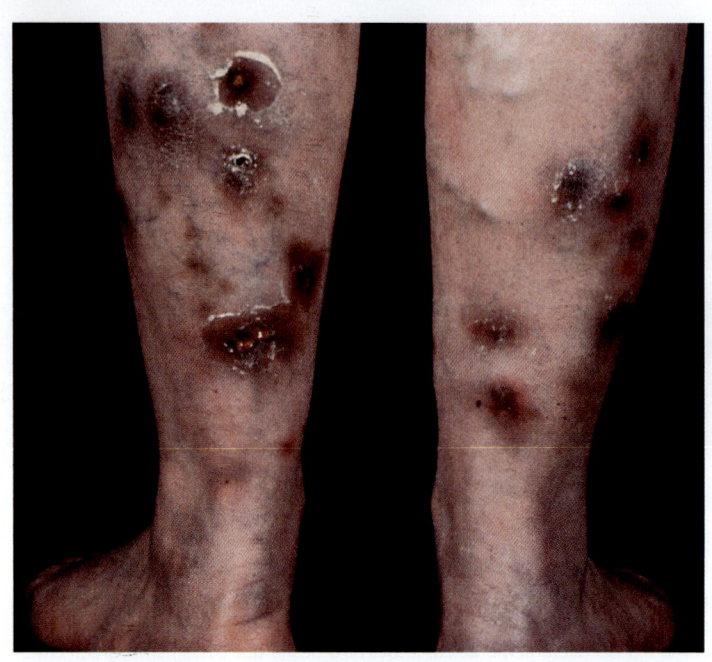

Figura 14-59 Vasculite nodular Múltiplos nódulos de localização profunda, marrons a azulados, particularmente nas superfícies posteriores de ambas as pernas. As lesões, que são relativamente assintomáticas, podem sofrer necrose, formando úlceras de cicatrização lenta. São também observadas veias varicosas na panturrilha direita.

DERMATOSES PURPÚRICAS PIGMENTADAS (DPP) CID-10: L81.7

- As DPPs são diferenciadas pelas suas características clínicas, apresentam manifestações dermatopatológicas idênticas e incluem:
    - Doença de Schamberg, também conhecida como dermatose purpúrica pigmentada progressiva ou púrpura pigmentar progressiva (**Fig. 14-60A**).
    - Doença de Majocchi, também conhecida como púrpura anular telangiectoide (**Fig. 14-60B**).
    - Doença de Gougerot-Blum, também conhecida como dermatite liquenoide purpúrica pigmentada ou púrpura pigmentosa crônica.
    - Líquen áureo, também conhecido como líquen purpúrico.
- Do ponto de vista clínico, cada entidade caracteriza-se por hemorragias puntiformes recentes, cor de pimenta-de-caiena, associadas a hemorragias mais antigas e ao depósito de hemossiderina. Ao exame histológico, observa-se a presença de capilarite. Resulta em hiperpigmentações salpicadas.
- As DPPs são significativas apenas quando causam preocupação estética ao paciente; são importantes pelo fato de serem frequentemente confundidas com manifestações de vasculite ou trombocitopenia.
- **Etiologia:** A etiologia é desconhecida. Acredita-se que o processo primário consista em lesão imune celular, com lesão vascular subsequente e extravasamento das hemácias. Outros fatores etiológicos pressão, traumatismo, fármacos (paracetamol, ampicilina-carbromal, diuréticos, meprobamato, agentes anti-inflamatórios não esteroides, zomepiraco sódico).
- **Início e duração:** insidioso, com evolução lenta, exceto na variante induzida por fármacos, que pode se desenvolver rapidamente e ter distribuição mais generalizada. Persiste por vários meses a anos. A maioria dos casos de púrpura farmacodérmica regride mais rapidamente após a interrupção do fármaco. Em geral, assintomáticas, embora possam ser ligeiramente pruriginosas.
- **Manejo:** as preparações tópicas de glicocorticoides de potências baixa e intermediária podem inibir o aparecimento de novas lesões purpúricas. A tetraciclina ou a minociclina sistêmicas (50 mg, duas vezes ao dia) são efetivas. O uso de PUVA é efetivo nas formas graves. *É necessário o uso de meias de compressão em todas as formas.*

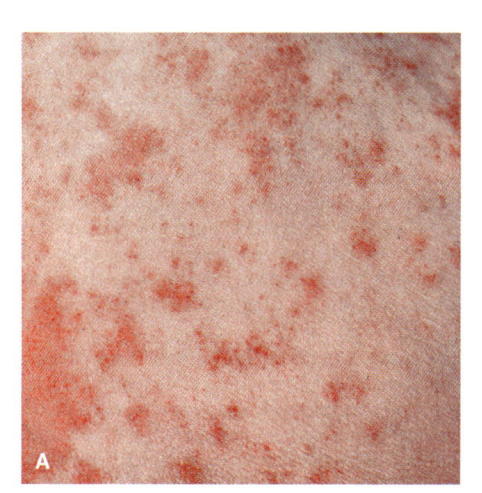

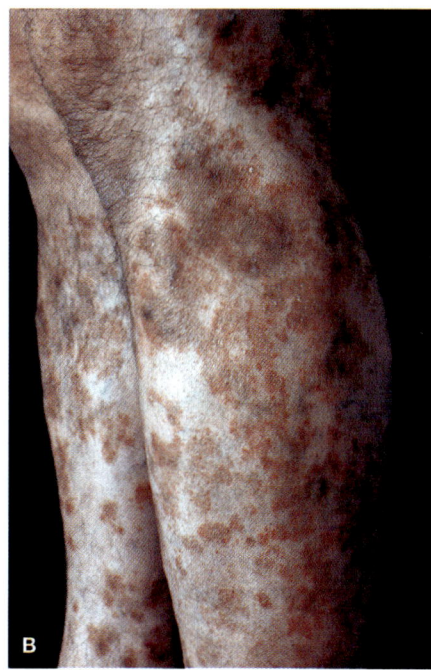

Figura 14-60 Dermatose purpúrica pigmentada. (A) Doença de Schamberg Múltiplas lesões purpúricas isoladas e confluentes não palpáveis na perna, que não empalidecem sob pressão. As micro-hemorragias agudas regridem com depósito de hemossiderina, produzindo uma mancha pontilhada de cor marrom. **(B) Doença de Majocchi** Múltiplas lesões purpúricas não palpáveis, que não empalidecem sob pressão, dispostas em configurações anulares. Observar a coloração marrom-escura desfigurante das lesões antigas.

DOENÇA DE KAWASAKI CID-10: M30.3

- A doença de Kawasaki (DK) é uma doença febril aguda de lactentes e crianças.
- Caracterizada por eritema e edema da pele e das mucosas, com descamação subsequente e linfadenite cervical.
- Congestão não exsudativa bilateral das conjuntivas bulbares, inflamação da orofaringe.
- Complicações: anormalidades coronarianas, incluindo aneurismas (30%), miocardite, artrite, uretrite e meningite asséptica.
- O tratamento imediato com imunoglobulina intravenosa e ácido acetilsalicílico reduz os aneurismas coronarianos.
- *Sinônimo*: síndrome linfonodal mucocutânea.

EPIDEMIOLOGIA E ETIOLOGIA

IDADE DE INÍCIO Pico de incidência com 1 ano de idade, incidência média aos 2,6 anos, incomum depois dos 8 anos. Nos adultos, a maioria dos casos de DK provavelmente representa a síndrome do choque tóxico.
SEXO Predomínio do sexo masculino, 1,5:1.
ETNIA Nos Estados Unidos: japoneses > negros > brancos.
ETIOLOGIA Desconhecida.
ESTAÇÕES DO ANO Inverno e primavera.
GEOGRAFIA Descrita pela primeira vez no Japão, em 1961; nos EUA, em 1971. Ocorrem epidemias.

PATOGÊNESE

Vasculite generalizada. A endarterite dos *vasa vasorum* acomete as túnicas externa e íntima das artérias coronárias proximais, com ectasia, formação de aneurismas, obstrução vascular e embolização distal, com infarto do miocárdio subsequente.

Outros vasos: artérias braquiocefálicas, celíacas, renais e iliofemorais. Na DK, ocorre aumento de atividade das células T auxiliares e dos monócitos, níveis séricos elevados de IL-1, TNF-α, IL-6, adrenomedulina e fator de crescimento do endotélio vascular, anticorpos antiendotélio, bem como níveis aumentados de antígenos de ativação induzidos por citocinas no endotélio vascular. A resposta das células T é desencadeada por um superantígeno.

MANIFESTAÇÕES CLÍNICAS/FASES

FASE I: PERÍODO FEBRIL AGUDO Início súbito de febre, de aproximadamente 12 dias de duração, seguida (geralmente em 1 a 3 dias) pela maioria das outras manifestações principais. Sintomas constitucionais de diarreia, artrite e fotofobia.

FASE II: FASE SUBAGUDA Persiste por aproximadamente 30 dias de doença; febre, trombocitose, descamação, artrite, artralgia, cardite; maior risco de morte súbita.

FASE III: PERÍODO DE CONVALESCENÇA Começa dentro de 8 a 10 semanas após o início da doença. É quando todos os sinais desaparecem, e termina quando a VHS se normaliza; taxa de mortalidade muito baixa durante esse período.

Lesões cutâneas

FASE I As lesões aparecem em 1 a 3 dias após o início da febre. A duração é, em média, de 12 dias. Quase todas as anormalidades mucocutâneas ocorrem durante essa fase.

Exantema. O eritema é comumente detectado pela primeira vez nas palmas/plantas e, dentro de 2 dias, espalha-se para o tronco e os membros. Primeiras lesões: máculas eritematosas; as lesões aumentam e tornam-se mais numerosas. Tipo: lesões urticariformes (mais comuns); padrão morbiliforme (comum); lesões escarlatiniformes e semelhantes ao eritema multiforme (EM) em < 5% dos casos. Máculas confluentes a eritema em placas no períneo, que persistem após a regressão de outras anormalidades. Edema sem cacifo das mãos/pés: intensamente eritematoso a violáceo; edema de consistência firme com dedos das mãos fusiformes (Fig. 14-61). Palpação: As lesões podem ser sensíveis.

Mucosas. Congestão das conjuntivas bulbares; observada 2 dias após o início da febre; duração de 1 a 3 semanas (ao longo da fase febril). Lábios: vermelhos, ressecados, fissurados (Fig. 14-61), com crostas hemorrágicas; duração de 1 a 3 semanas.

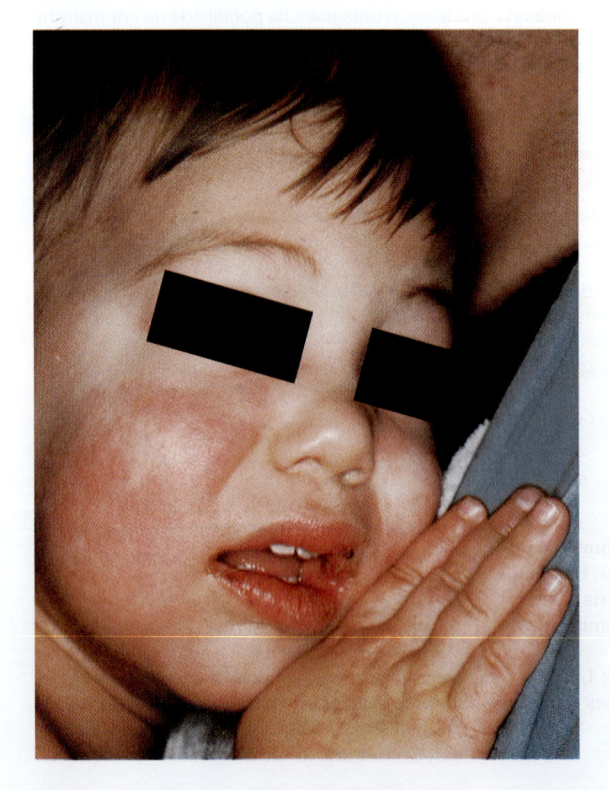

Figura 14-61 Doença de Kawasaki Lábios vermelho-cereja com fissuras hemorrágicas em um menino com febre alta prolongada. Esta criança também apresentou erupção morbiliforme generalizada, congestão conjuntival e língua "em morango" (não mostrada). Observam-se eritema e edema nas pontas dos dedos.

Orofaringe: eritema difuso. Língua: língua "em morango" (eritema e protuberância das papilas linguais).
Linfonodos cervicais. Linfadenopatia (Fig. 14-62) dolorosa, de consistência firme, > 1,5 cm.
FASE II Descamação altamente característica; ocorre após a regressão do exantema (Fig. 14-63). Começa nas pontas dos dedos das mãos e dos pés, na junção das unhas com a pele; ocorre desprendimento progressivo de lâminas descamativas da epiderme palmar/plantar.
FASE III Podem-se observar linhas de Beau (sulcos transversais na superfície da unha) (ver Seção 32). Possível eflúvio telógeno.
MANIFESTAÇÕES CLÍNICAS GERAIS Irritação meníngea. Pneumonia. Artrite/artralgias dos joelhos, quadris e cotovelos. Tamponamento pericárdico, arritmias, atritos, insuficiência cardíaca congestiva, disfunção ventricular esquerda.

EXAMES LABORATORIAIS

BIOQUÍMICA Anormalidades das provas de função hepática.
HEMATOLOGIA Leucocitose (> 18.000/μL). Trombocitose depois de 10 dias de doença. Elevação da VHS na fase II. A VHS normaliza-se na fase III.
EXAME DE URINA Piúria.

DERMATOPATOLOGIA Arterite acometendo vasos de pequeno e médio calibres, com edema das células endoteliais nas vênulas pós-capilares, dilatação dos pequenos vasos sanguíneos, infiltrados perivasculares linfocíticos/monocitários nas artérias/arteríolas da derme.
ELETROCARDIOGRAMA Prolongamento dos intervalos PR e QT; alterações do segmento ST e da onda T.
ECOCARDIOGRAMA E ANGIOGRAFIA Aneurismas coronarianos em 20% dos casos.

DIAGNÓSTICO E DIAGNÓSTICO DIFERENCIAL

CRITÉRIOS DIAGNÓSTICOS Pico febril de > 39,4°C, com 5 dias ou mais de duração, sem outra causa, associado a 4 de 5 critérios: (1) congestão conjuntival bilateral; (2) pelo menos uma das seguintes alterações das mucosas – lábios congestionados/fissurados, faringe congestionada, língua "em morango"; (3) pelo menos uma das seguintes anormalidades dos membros – eritema das palmas/plantas, edema/das mãos/dos pés, descamação generalizada/periungueal; (4) erupção maculopapular intensamente eritematosa ou escarlatiniforme difusa, lesões em íris; e (5) linfadenopatia cervical (pelo menos um linfonodo com ≥ 1,5 cm de diâmetro).

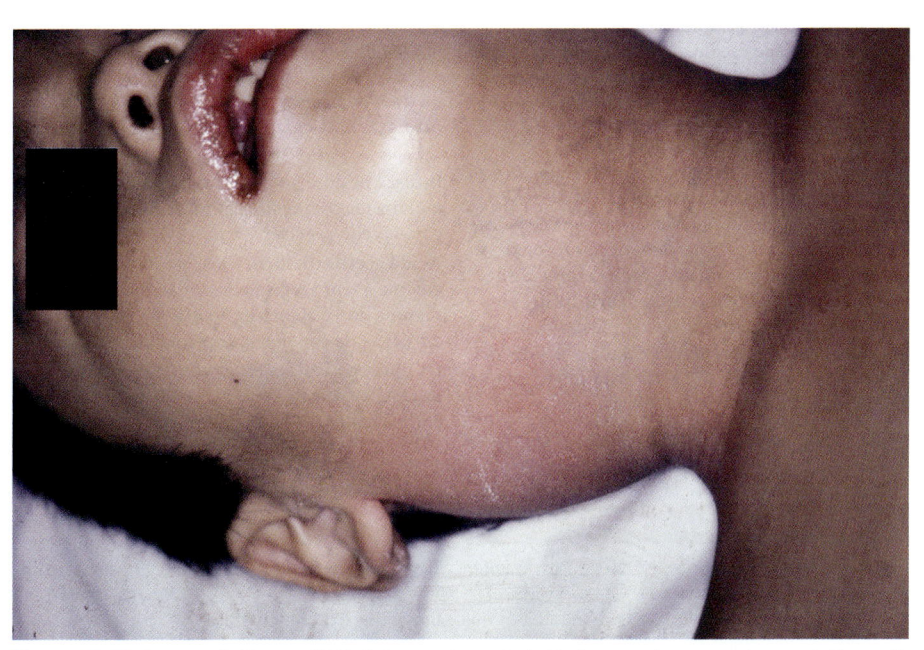

Figura 14-62 Doença de Kawasaki Linfadenopatia cervical visível nesta criança com doença de Kawasaki. Observar também os lábios vermelho-cereja com fissuras e o exantema macular na região cervical. (Contribuição da fotografia: Tomisaku Kawasaki, MD. Reutilizada com permissão de *Knoop K, et al*, eds. *The Atlas of Emergency Medicine.* 3rd ed. New York, NY: McGraw-Hill; 2010.)

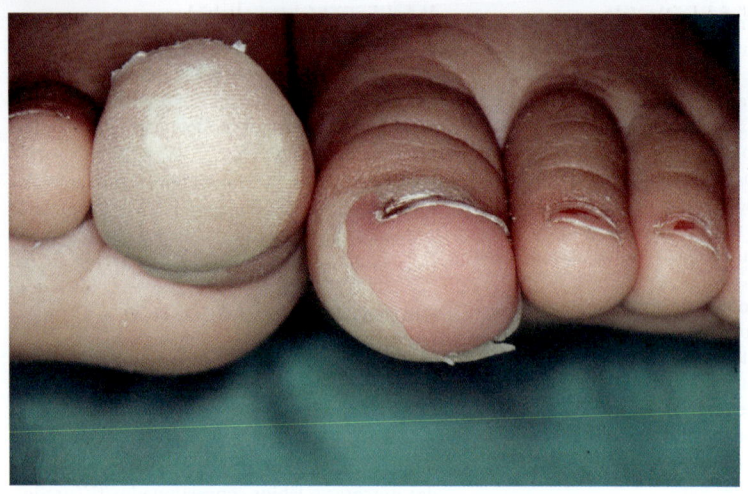

Figura 14-63 Doença de Kawasaki Descamação periungueal. Esse achado normalmente começa em 2 a 3 semanas após o início da doença de Kawasaki, diferentemente da descamação perineal, que ocorre durante a evolução inicial da doença em lactentes. (Contribuição da fotografia: Tomisaku Kawasaki, MD. Reutilizada com permissão de *Knoop K, et al*, eds. *The Atlas of Emergency Medicine*. 3rd ed. New York, NY: McGraw-Hill; 2010.)

DIAGNÓSTICO DIFERENCIAL Farmacodermia, artrite reumatoide juvenil, mononucleose infecciosa, exantemas virais, leptospirose, febre maculosa das Montanhas Rochosas, síndrome do choque tóxico, síndrome da pele escaldada estafilocócica, EM, doença do soro, LES, síndrome de artrite reativa.

EVOLUÇÃO E PROGNÓSTICO

A evolução clínica é trifásica. Ocorre recuperação sem complicações na maioria dos casos. Complicações do sistema cardiovascular ocorrem em 20% dos casos. Ocorrem aneurismas das artérias coronárias dentro de 2 a 8 semanas, associados a miocardite, isquemia/infarto do miocárdio, pericardite, obstrução vascular periférica, obstrução do intestino delgado, acidente vascular encefálico. A taxa de mortalidade é de 0,5 a 2,8% e está associada a aneurismas das artérias coronárias.

TRATAMENTO

O diagnóstico deve ser estabelecido precocemente, e a atenção deve ser direcionada para a profilaxia das complicações cardiovasculares.

HOSPITALIZAÇÃO Recomendada durante a fase I da doença, com monitoração das complicações cardíacas e vasculares.

TERAPIA SISTÊMICA Imunoglobulina intravenosa. Infusão de dose única de 2 g/kg durante 10 horas, juntamente com ácido acetilsalicílico (ver adiante), o mais cedo possível.

Ácido acetilsalicílico. Dose de 100 mg/kg ao dia até que a febre regrida ou até 14 dias de doença, seguida de 5 a 10 mg/kg ao dia, até normalização da VHS e da contagem de plaquetas.

Os glicocorticoides estão contraindicados. Seu uso está associado a uma maior taxa de aneurismas coronarianos.

ARTRITE REATIVA (anteriormente chamada síndrome de Reiter) CID-10: M02.3

- A AR é definida por um episódio de artrite periférica de > 1 mês de duração, que ocorre em associação com uretrite e/ou cervicite.
- Desencadeada por infecção, geralmente dos tratos urogenital e gastrintestinal.
- *Salmonella, Campylobacter, Shigella, Yersinia* e *Chlamydia* desencadeiam AR, porém outras infecções também podem iniciá-la.
- Frequentemente acompanhada de ceratodermia blenorrágica, balanite circinada, conjuntivite e estomatite.
- A tríade clássica consiste em artrite, uretrite e conjuntivite.

EPIDEMIOLOGIA E ETIOLOGIA

IDADE DE INÍCIO 22 anos (idade mediana) no tipo que ocorre após infecção sexualmente transmissível (IST).
SEXO 90% dos pacientes são homens (tipo pós-venéreo).
ETNIA Mais comum em brancos da Europa Setentrional; rara em asiáticos e negros africanos.
DIÁTESE GENÉTICA Ocorre HLA-B27 em até 75% dos brancos com AR, porém, em apenas 8% da população branca saudável. Os pacientes HLA-B27-negativo apresentam evolução mais leve, com grau significativamente menor de sacroileíte, uveíte e cardite.
DOENÇAS ASSOCIADAS A incidência de AR pode estar aumentada em indivíduos infectados pelo HIV.
ETIOLOGIA Desconhecida.

PATOGÊNESE

A AR parece estar ligada a *fatores genéticos*, isto é, HLA-B27, e a *patógenos entéricos*, como *Salmonella enteritidis, S. typhimurium, S. heidelberg; Yersinia enterocolitica, Y. pseudotuberculosis; Campylobacter fetus; Shigella flexneri*; ou a patógenos urogenitais (como *Chlamydia* ou *Ureaplasma urealyticum*). São observados dois padrões: a *forma epidêmica*, que ocorre após IST (tipo mais comum nos Estados Unidos e no Reino Unido), e a *forma pós-disentérica*, que ocorre após infecção GI (tipo mais comum na Europa Continental e no Norte da África).

MANIFESTAÇÃO CLÍNICA

Início 1 a 4 semanas após a infecção: Enterocolite, uretrite não gonocócica. Em geral, a uretrite e/ou a conjuntivite aparecem em primeiro lugar, seguidas de artrite.

Os sintomas consistem em mal-estar, febre, disúria, secreção uretral. Olhos: vermelhos, ligeiramente sensíveis, artrite soronegativa.
LESÕES CUTÂNEAS Assemelham-se às da psoríase, particularmente nas palmas/plantas e na glande do pênis.
Ceratodermia blenorrágica: pápulas ou máculas castanho-avermelhadas, algumas vezes encimadas por vesículas que crescem; os centros das lesões tornam-se pustulares e/ou hiperceratóticos, com formação de crostas (Fig. 14-64), principalmente nas palmas e nas plantas. Placas psoriasiformes, eritematosas e descamativas no couro cabeludo, nos cotovelos e nas nádegas. Podem ocorrer placas erosivas, semelhantes à psoríase pustulosa, particularmente no corpo do pênis e no escroto.
Balanite circinada (Fig. 14-65): erosões superficiais com bordas serpiginosas, micropustulosas quando o paciente não é circuncidado; placas crostosas e/ou hiperceratóticas quando circuncidado, isto é, psoriasiformes.
UNHAS Pústulas subungueais pequenas → onicólise e hiperceratose subungueal.
MUCOSAS **Uretra**. Secreção mucopurulenta ou serosa estéril. **Boca**. Lesões erosivas na língua ou no palato duro, lembrando a glossite migratória.

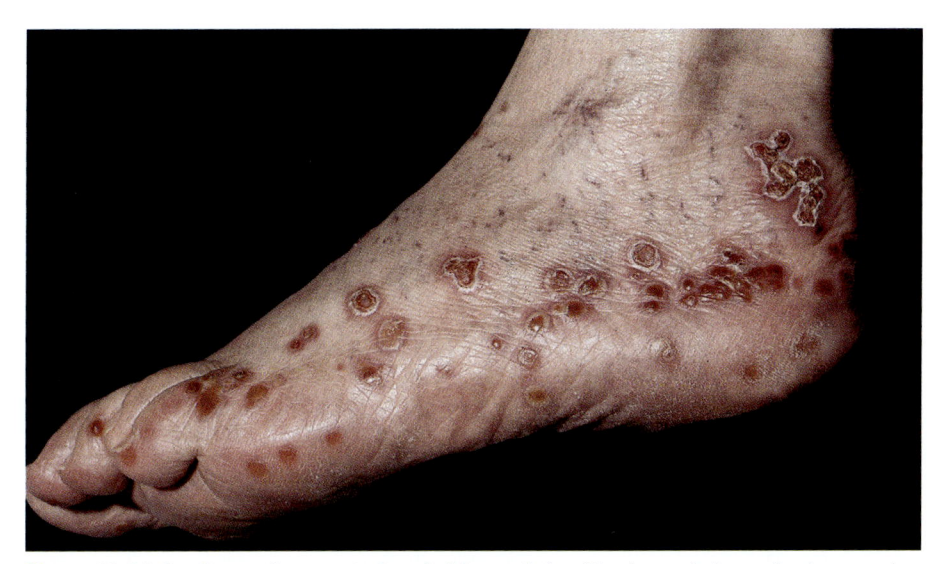

Figura 14-64 Artrite reativa: ceratodermia blenorrágica Pápulas, vesículas e pústulas castanho-avermelhadas, com erosão central e formação característica de crostas e descamação periférica nas superfícies dorsolateral e plantar do pé.

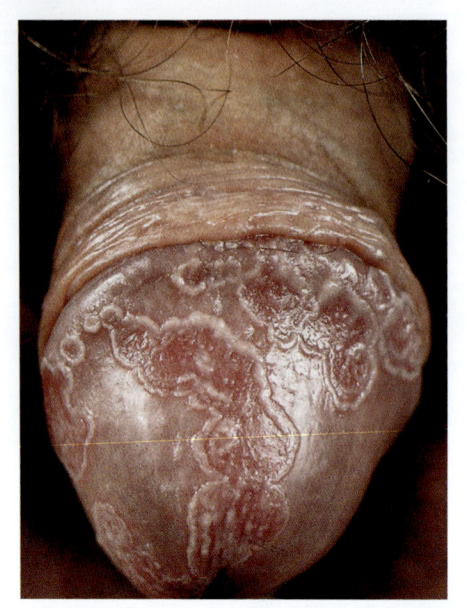

Figura 14-65 Artrite reativa: balanite circinada
Erosões úmidas e bem demarcadas com borda circinada ligeiramente elevada com micropústulas na glande do pênis.

Olhos. Conjuntivite bilateral discreta e evanescente; uveíte anterior.
ACHADOS SISTÊMICOS Artrite soronegativa: oligoarticular, assimétrica; acomete mais comumente os joelhos, os tornozelos, as pequenas articulações dos pés; edema difuso dos dedos das mãos e dos pés, entesite.

EXAMES LABORATORIAIS

HEMATOLOGIA Anemia, leucocitose, trombocitose, VHS elevada.
CULTURA Cultura da secreção uretral negativa para gonococos, podendo ser positiva para *Chlamydia* ou *Ureaplasma*. Coprocultura: pode ser positiva para *Shigella*, *Yersinia* e outros microrganismos.
DERMATOPATOLOGIA Espongiose, vesiculação; posteriormente, hiperplasia epidérmica psoriasiforme, pústulas espongiformes, paraceratose. Infiltrado neutrofílico perivascular na derme superficial; edema.

DIAGNÓSTICO E DIAGNÓSTICO DIFERENCIAL

Excluir lesões cutâneas com outras espondiloartropatias e artropatias reativas: psoríase vulgar com artrite psoriásica, infecção gonocócica disseminada, LES, espondilite anquilosante, artrite reumatoide, gota, doença de Behçet.

EVOLUÇÃO E PROGNÓSTICO

Apenas 30% dos pacientes desenvolvem a tríade completa de artrite, uretrite e conjuntivite; 40% têm apenas uma manifestação. A maioria segue evolução autolimitada, com regressão em 3 a 12 meses. A AR pode ser recidivante ao longo de muitos anos em 30% dos casos. Há artrite deformante crônica em 10 a 20% dos casos.

TRATAMENTO

INFECÇÃO PREGRESSA O papel da antibioticoterapia não está comprovado para modificar a evolução da AR pós-venérea.
MANIFESTAÇÕES CUTÂNEAS Tratamento semelhante ao da psoríase (ver Seção 3). Balanite: glicocorticoides de baixa potência. Palmar/plantar: preparações de glicocorticoides potentes, que são mais efetivos quando utilizado com curativo oclusivo. Doença disseminada ou refratária: retinoides sistêmicos (acitretina, 0,5 a 1 mg/kg de peso corporal), fototerapia e PUVA. Agentes anti-TNF.
PREVENÇÃO DE INFLAMAÇÃO/DEFORMIDADE ARTICULAR Repouso, anti-inflamatórios não esteroides. Metotrexato, acitretina. Na presença de HIV/Aids, o tratamento antirretroviral pode melhorar a AR.

SARCOIDOSE CID-10: D86

- Doença granulomatosa sistêmica de etiologia desconhecida.
- Acomete principalmente os pulmões (linfadenopatia bilateral, infiltração pulmonar).
- Pele: pápulas vermelho-amareladas, translúcidas, com aparência de geleia de maçã à diascopia; nódulos e placas vermelho-azuladas.
- Com frequência, as lesões localizam-se nas cicatrizes.
- Histologicamente, granuloma "nu" não caseoso.
- O eritema nodoso é a lesão cutânea inespecífica mais comum nos estágios iniciais da sarcoidose; sugere prognóstico favorável.

EPIDEMIOLOGIA

IDADE DE INÍCIO Menos de 40 anos de idade (faixa de 12 a 70 anos).
SEXO Incidência idêntica em ambos os sexos.
ETNIA A doença tem distribuição mundial, sendo frequente na Escandinávia. Acomete todas as etnias. Nos EUA e na África do Sul, é muito mais frequente em negros.
OUTROS FATORES A etiologia é desconhecida. A doença pode ocorrer em famílias.

MANIFESTAÇÕES CLÍNICAS

Início das lesões: dias (na forma de eritema nodoso agudo) ou meses (na forma de pápulas ou placas sarcoidóticas assintomáticas na pele, ou infiltrados pulmonares detectados em radiografia de tórax de rotina). Sintomas constitucionais, como febre, fadiga, perda de peso, arritmias.

LESÕES CUTÂNEAS As lesões mais precoces consistem em pápulas da cor da pele ou acastanhadas, que surgem ao redor dos orifícios na face (Fig. 14-66). Placas infiltradas acastanhadas ou púrpureas, que podem ser anulares, policíclicas, serpiginosas e que ocorrem principalmente nos membros, nas nádegas e no tronco (Fig. 14-67). Pode-se observar clareamento central, com atrofia discreta. Em certas ocasiões, nódulos de consistência firme e de cor marrom ou púrpureas podem aparecer na face, no tronco ou nos membros, particularmente nas mãos. *Lúpus pérnio*: infiltrações difusas, violáceas, macias e pastosas no nariz, nas regiões malares (Fig. 14-68) ou nos lóbulos das orelhas. Aumento de volume dos dedos, devido à osteíte cística (Fig. 14-69). A sarcoidose tende a infiltrar cicatrizes antigas, que passam a exibir pápulas ou nódulos translúcidos, vermelho-purpúreos ou amarelados (Fig. 14-70). *Observação*: com a compressão com lâmina de vidro, todas as lesões cutâneas da sarcoidose adquirem coloração marrom-amarelada semitransparente, semelhante à "geleia de maçã". No couro cabeludo, a sarcoidose pode causar alopécia cicatricial (ver Seção 31).

REVISÃO DE SISTEMAS Aumento das glândulas parótidas, infiltrados pulmonares, dispneia cardíaca, neuropatia, uveíte, cálculos renais. *Síndrome de Löfgren*: eritema nodoso, febre, artralgias, adenopatia hilar bilateral aguda. *Síndrome de Hereford (-Waldenström)*: febre, parotidite, uveíte, paralisia facial.

EXAMES LABORATORIAIS

DERMATOPATOLOGIA Grandes ilhas de células epitelioides com algumas células gigantes e linfócitos (os denominados tubérculos nus). Corpúsculos asteroides em histiócitos grandes; em certas ocasiões, necrose fibrinoide.

TESTES CUTÂNEOS Os testes intradérmicos para antígenos de memória são geralmente, mas nem sempre, negativos.

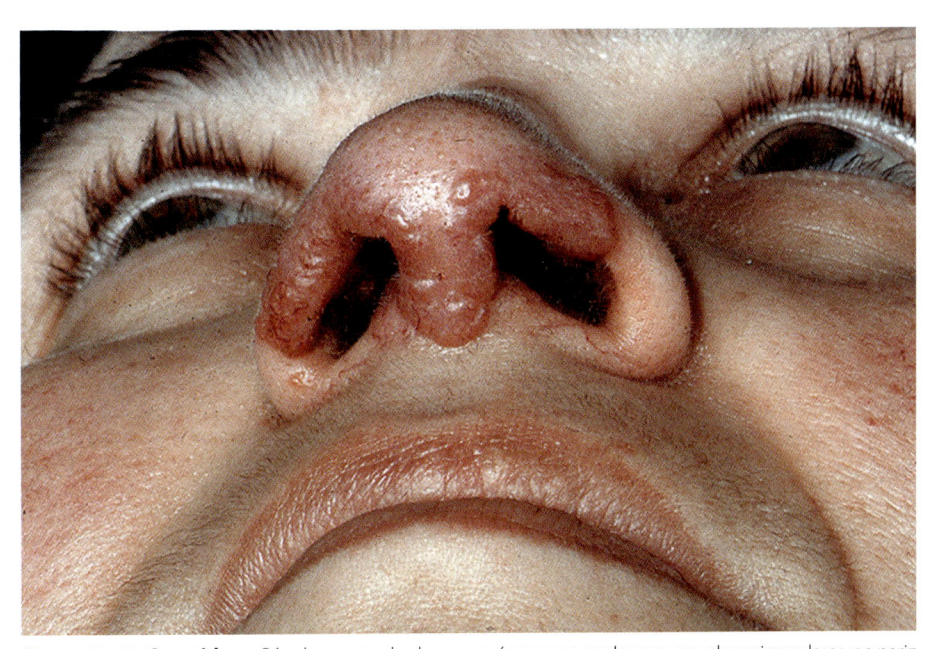

Figura 14-66 Sarcoidose Pápulas acastanhadas a purpúreas, que coalescem em placas irregulares, no nariz desta mulher que também apresentava comprometimento pulmonar intenso. A compressão das lesões com lâmina de vidro revela cor semelhante à "geleia de maçã".

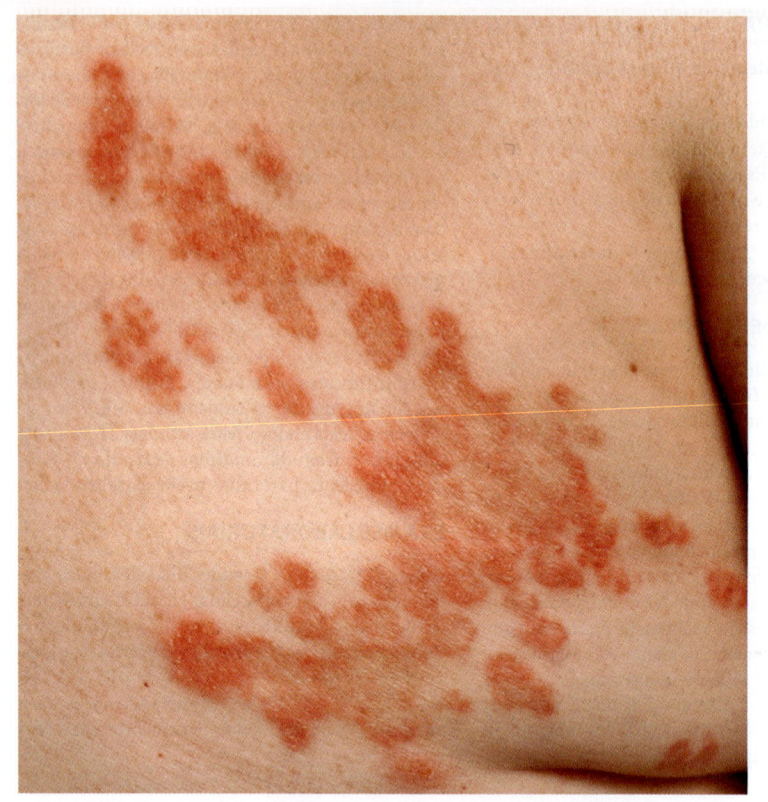

Figura 14-67 Sarcoidose: lesões granulomatosas Múltiplas placas infiltradas, vermelho-acastanhadas, circinadas, confluentes e de consistência firme, que têm tendência a regredir no centro. Isso explica a aparência anular e multicêntrica. As lesões são positivas à diascopia, isto é, a cor rosa-acastanhada em "geleia de maçã" persiste nas lesões após compressão com lâmina de vidro.

EXAMES DE IMAGEM O comprometimento sistêmico é verificado radiologicamente por cintilografia com gálio e biópsia transbrônquica, hepática ou de linfonodos. Anormal em 90% dos pacientes: Linfadenopatia hilar, infiltrados pulmonares. Lesões císticas nos ossos das falanges (osteíte cística).
BIOQUÍMICA DO SANGUE Nível sérico elevado da enzima conversora de angiotensina, hipergamaglobulinemia, hipercalcemia.

DIAGNÓSTICO

A biópsia da lesão cutânea ou dos linfonodos constitui o melhor critério para o diagnóstico de sarcoidose.

TRATAMENTO

SARCOIDOSE SISTÊMICA Glicocorticoides sistêmicos para a doença ocular ativa, a doença pulmonar ativa, as arritmias cardíacas, o comprometimento do SNC ou a hipercalcemia.
SARCOIDOSE CUTÂNEA Glicocorticoides. *Local:* a triancinolona intralesional, 3 mg/mL, é efetiva para as lesões pequenas. *Sistêmico:* glicocorticoides para o comprometimento disseminado ou desfigurante.
Hidroxicloroquina. Dose de 100 mg, duas vezes ao dia, para as lesões disseminadas ou desfigurantes refratárias à triancinolona intralesional. Eficaz apenas em algumas ocasiões.
Metotrexato. Doses baixas para o comprometimento cutâneo e sistêmico disseminado, embora nem sempre efetivo. Ciclofosfamida apenas para a doença potencialmente fatal.
Anti-TNF-α Agentes anti-TNF-α, incluindo talidomida (monitorar para tuberculose).

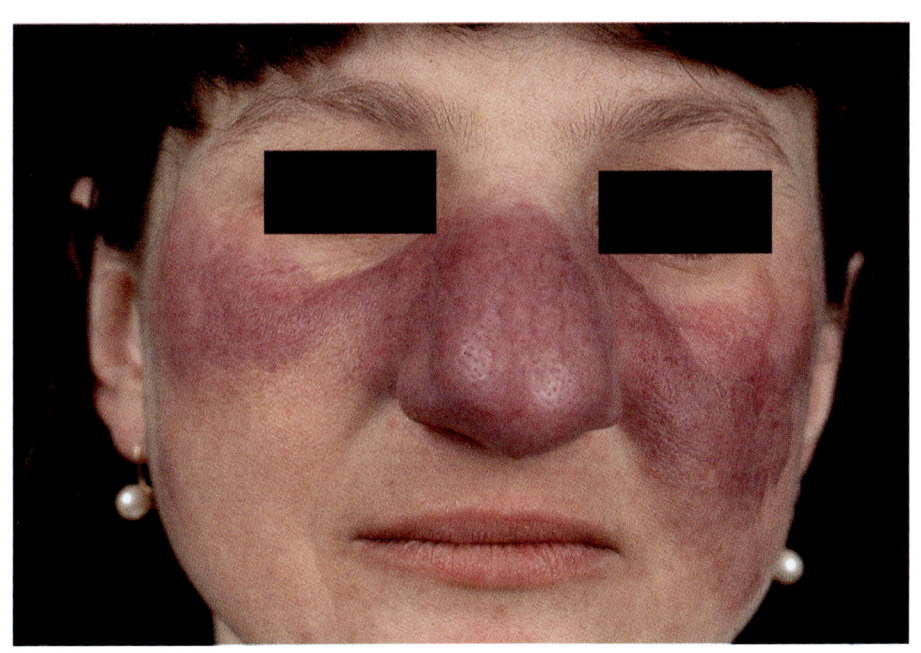

Figura 14-68 Sarcoidose Este é o aspecto clássico do "lúpus pérnio", com infiltrações violáceas, macias e pastosas nas regiões malares e no nariz, que está grosseiramente aumentado.

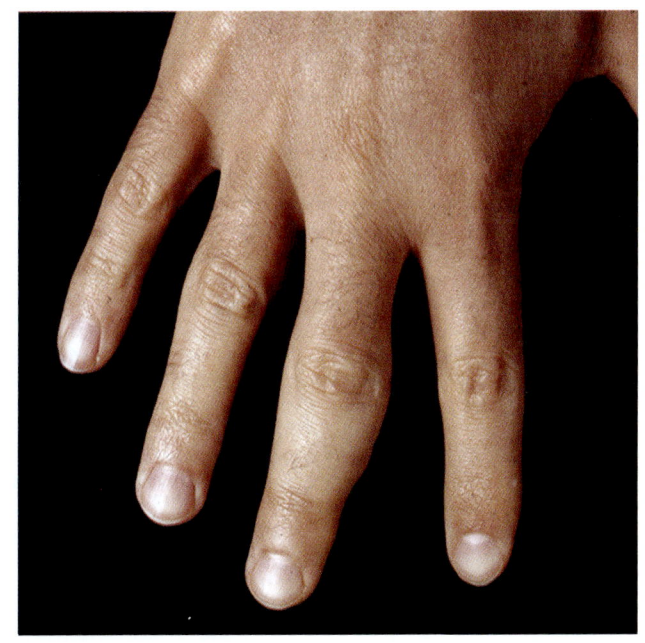

Figura 14-69 Sarcoidose Aumento de volume de consistência firme no dedo médio, devido à osteíte cística em um homem de 52 anos com comprometimento pulmonar.

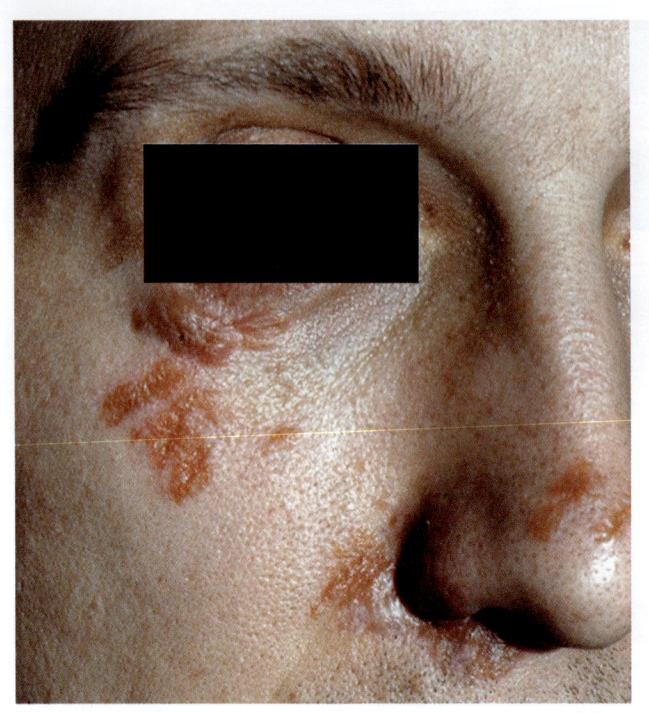

Figura 14-70 Sarcoidose em cicatrizes As cicatrizes bizarras são quase totalmente substituídas por infiltrados sarcoidóticos vermelho-acastanhados. Há alguns anos, este homem sofreu acidente de motocicleta e teve lesões faciais ao cair na estrada de terra.

GRANULOMA ANULAR (GA) CID-10: L92.0

- Dermatose dérmica comum, autolimitada, assintomática e crônica.
- Ocorre geralmente em crianças e adultos jovens. Proporção entre mulheres:homens: 2:1.
- Etiologia e patogênese são desconhecidas, mas pode haver associação com diabetes.
- Consiste em pápulas de disposição anular e cor da pele ou vermelho-acastanhado, que aparecem comumente no dorso das mãos e dos pés, nos cotovelos e joelhos (**Fig. 14-71A**).
- Algumas vezes há generalização na distribuição com múltiplas lesões nas extremidades e tronco. Pode ser anular (**Fig. 14-71B**) ou micropapular (**Fig. 14-71C**).
- **Variantes:** *GA Subcutâneo:* Nódulos indolores únicos ou múltiplos nos dedos das mãos e dos pés (**Fig. 14-71D**). As lesões *perfurantes* são muito raras e acometem principalmente as mãos; umbilicação central seguida de formação de crostas e ulceração. Raramente pode acometer a fáscia e os tendões, causando esclerose. *GA generalizado:* nessa forma, deve-se proceder a uma investigação para diabetes melito.
- **Dermatopatologia.** Focos de infiltrações inflamatórias e histiocíticas crônicas nas camadas superficial e intermediária da derme, com necrobiose do tecido conectivo, circundada por uma parede de histiócitos empaliçada e células gigantes multinucleadas.
- A doença desaparece em 2 anos em 75% dos pacientes. As recorrências são comuns (40%), mas também desaparecem.
- **Tratamento:** O GA é um distúrbio cutâneo localizado, e não um marcador de doença interna, e a sua remissão espontânea é a regra. Uma opção é não tratar se as lesões não forem desfigurantes. As lesões podem regredir após biópsia. *Triancinolona intralesional.* A aplicação de 3 mg/mL nas lesões é muito efetiva. *Criocirurgia.* As lesões superficiais respondem ao nitrogênio líquido, porém pode ocorrer atrofia. *Fotoquimioterapia com PUVA.* Efetiva no GA generalizado. *Glicocorticoides sistêmicos.* Efetivos no GA generalizado, porém as recidivas são comuns.

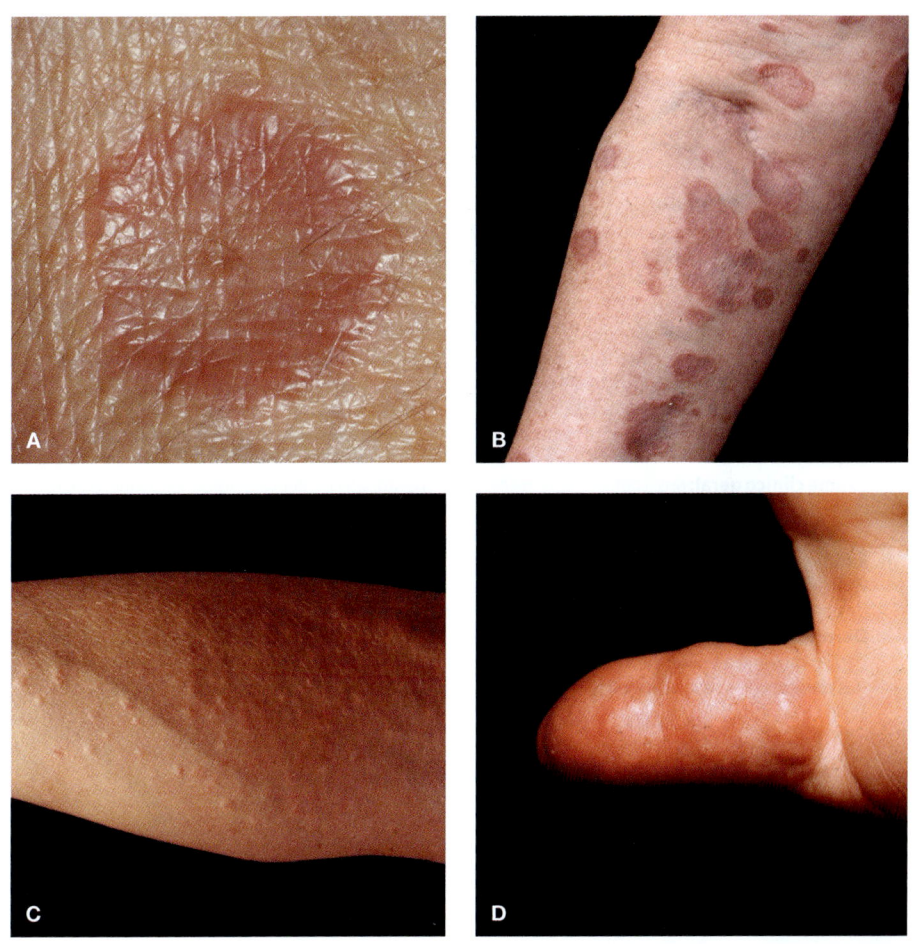

Figura 14-71 Granuloma anular **(A)** Pápulas peroladas confluentes, formando um anel bem demarcado com regressão central. **(B)** Granulomas múltiplos, formando placas anulares e semicirculares, com regressão central, no braço de uma mulher de 60 anos. **(C)** Granuloma anular disseminado. Múltiplas pápulas branco-peroladas bem demarcadas, e algumas exibem depressão central. **(D)** GA nodular subcutâneo no polegar.

AMILOIDOSE AL SISTÊMICA CID-10: E85

- A amiloidose refere-se ao depósito extracelular de proteínas fibrilares amiloides e de uma proteína, denominada *componente amiloide P* (AP) em vários tecidos; um componente idêntico ao AP está presente no soro e é denominado *SAP*. Esses depósitos amiloides podem afetar as funções normais do organismo.
- A amiloidose AL é rara, ocorre em muitos pacientes, mas não em todos, com mieloma múltiplo e discrasia de células B.
- **Lesões cutâneas:** pápulas lisas e céreas (**Fig. 14-72**), mas também nódulos na face, particularmente ao redor dos olhos (**Fig. 14-73**) e em outros locais. Púrpura após traumatismo, púrpura em "beliscão" em pápulas céreas (**Fig. 14-73**), algumas vezes acometendo também grandes áreas de superfície sem comprometimento nodular. Os locais de predileção incluem a região ao redor dos olhos, região central da face, membros, dobras do corpo, axilas, umbigo e região anogenital. Alterações ungueais: semelhantes às do líquen plano (ver Seção 32). Macroglossia: língua difusamente aumentada, firme e de consistência "lenhosa" (**Fig. 14-74**).
- **Manifestações sistêmicas:** fadiga, fraqueza, anorexia, perda de peso, mal-estar, dispneia; sintomas relacionados a comprometimento hepático, renal e GI; parestesias associadas à síndrome do túnel do carpo, neuropatia.
- **Exame clínico geral:** rins – nefrose; sistema nervoso – neuropatia periférica, síndrome do túnel do carpo; cardiovascular – bloqueio cardíaco parcial, insuficiência cardíaca congestiva; fígado – hepatomegalia; trato GI – diarreia, algumas vezes hemorrágica, má absorção; linfadenopatia.
- **Exames laboratoriais:** podem revelar trombocitose de > 500.000/μL. Proteinúria e níveis séricos elevados de creatinina; hipercalcemia. Aumento da IgG. Presença de proteína monoclonal em dois terços dos pacientes com amiloidose primária ou associada ao mieloma. Medula óssea: mieloma.
- **Dermatopatologia:** acúmulo de massas fracamente eosinofílicas de substância amiloide no corpo papilar próximo à epiderme, na derme papilar e reticular, nas glândulas sudoríparas, ao redor e dentro das paredes dos vasos sanguíneos. Imuno-histoquímica para avaliar a proporção de cadeias leves kappa e lambda.

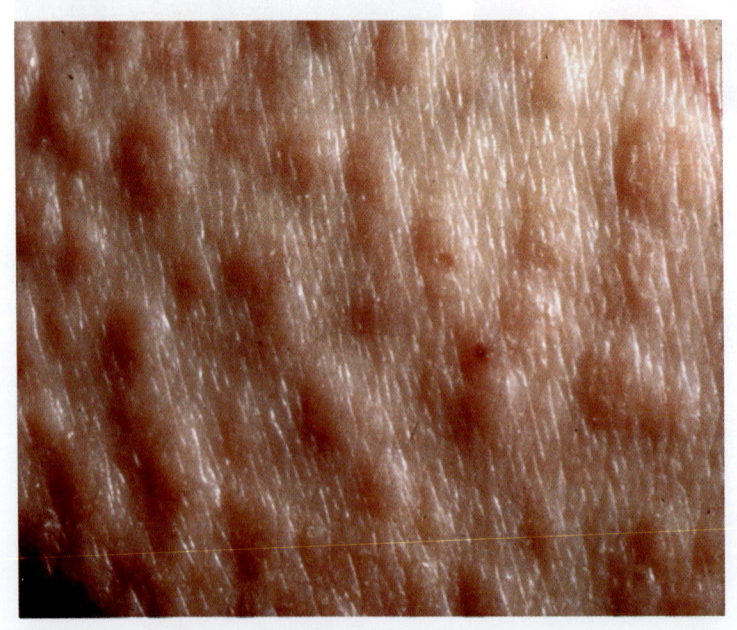

Figura 14-72 Amiloidose AL sistêmica Pápulas céreas no tronco de um homem de 58 anos com mieloma.

Seção 14 A PELE NAS DOENÇAS IMUNES, AUTOIMUNES, AUTOINFLAMATÓRIAS E REUMÁTICAS 371

Figura 14-73 Amiloidose AL sistêmica: "púrpura em beliscão" A parte superior da pápula é amarelada e não hemorrágica, enquanto a parte inferior é hemorrágica. A denominada púrpura em beliscão da pálpebra superior pode surgir em nódulos amiloides após beliscar ou esfregar a pálpebra.

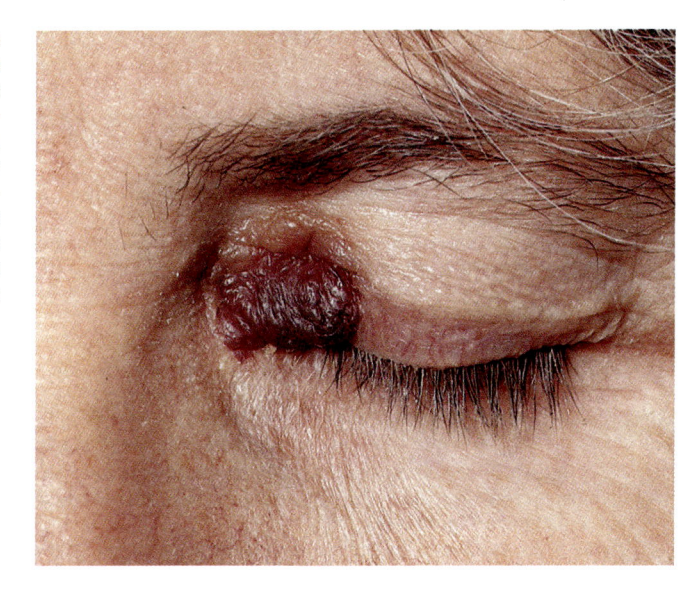

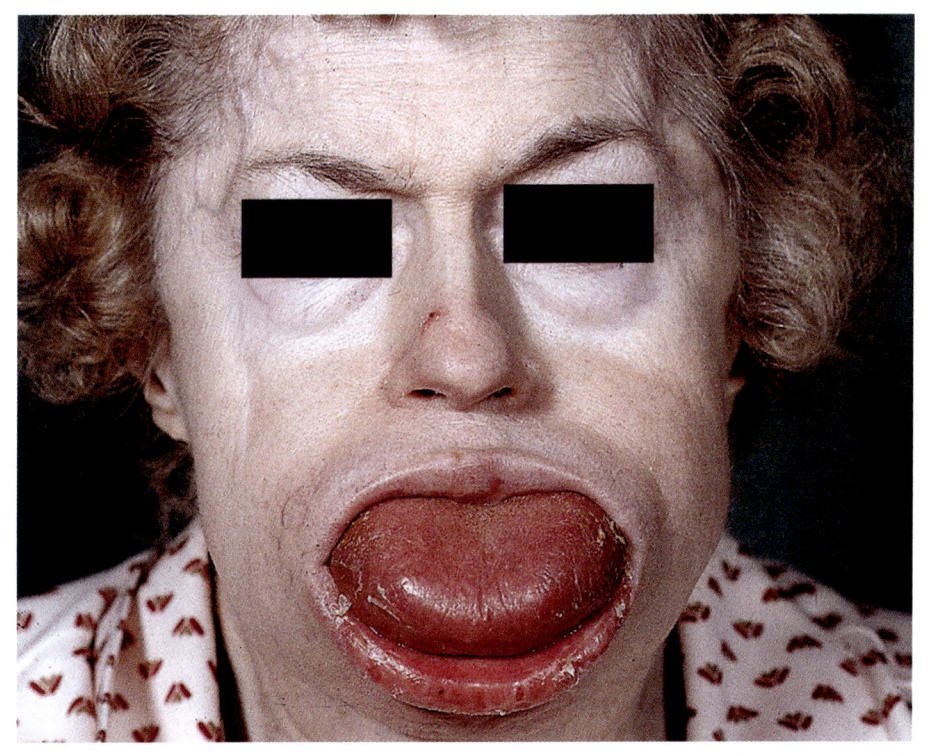

Figura 14-74 Amiloidose AL sistêmica: macroglossia A infiltração intensa da língua com amiloide resultou em imenso crescimento; a língua não pode ser retraída totalmente dentro da boca, devido a seu tamanho. (Usada com permissão de Evan Calkins, MD.)

AMILOIDOSE AA SISTÊMICA CID-10: E85

- Amiloidose de tipo reativo.
- Ocorre em qualquer distúrbio associado a uma resposta duradoura de fase aguda.
- 60% dos casos apresentam artrite inflamatória. Nos demais casos, ocorrem outros distúrbios infecciosos inflamatórios crônicos ou neoplásicos.
- As fibrilas amiloides derivam de fragmentos da clivagem da proteína A amiloide sérica circulante de reação da fase aguda.
- Manifesta-se com proteinúria, seguida de disfunção renal progressiva; síndrome nefrótica.
- Não há lesões cutâneas características na amiloidose AA.

AMILOIDOSE CUTÂNEA LOCALIZADA CID-10: E85.4

- Três variedades de amiloidose localizada que não estão relacionadas às amiloidoses sistêmicas.
- *Amiloidose nodular:* uma ou múltiplas lesões nodulares lisas, com ou sem púrpura nos membros, na face ou no tronco (**Fig. 14-75A**).
- *Amiloidose liquenoide:* pápulas distintas, muito pruriginosas e vermelho-acastanhadas nas pernas (**Fig. 14-75B**).
- *Amiloidose macular:* lesões maculares reticuladas, pruriginosas e marrom-acinzentadas, que ocorrem principalmente na parte superior do dorso (**Fig. 14-76**). As lesões frequentemente exibem um padrão "ondulado" distinto.
- Na amiloidose liquenoide e macular, as fibrilas amiloides na pele são derivadas da ceratina. Embora essas três formas localizadas de amiloidose estejam limitadas à pele e não tenham nenhuma relação com doenças sistêmicas, as lesões cutâneas da amiloidose nodular são idênticas às que ocorrem na amiloidose AL, em que as fibrilas amiloides derivam de fragmentos de cadeias leves de imunoglobulinas.

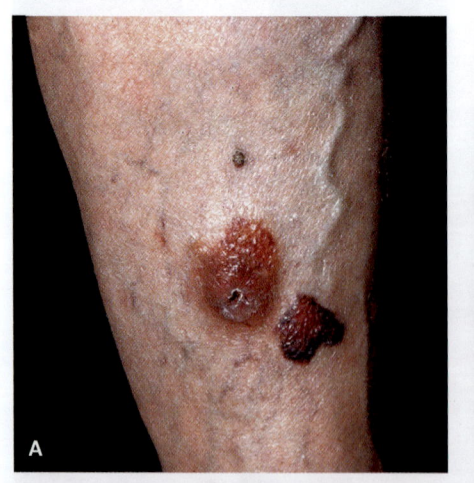

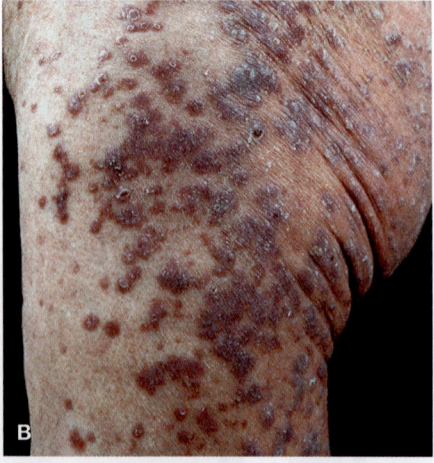

Figura 14-75 Amiloidose cutânea localizada (A) Nodular. Dois nódulos semelhantes a placas, céreos, amarelo-alaranjados com hemorragia. **(B)** Amiloidose liquenoide. Pápulas descamativas confluentes e agrupadas de cor violácea-pálida. Trata-se de uma doença estritamente cutânea.

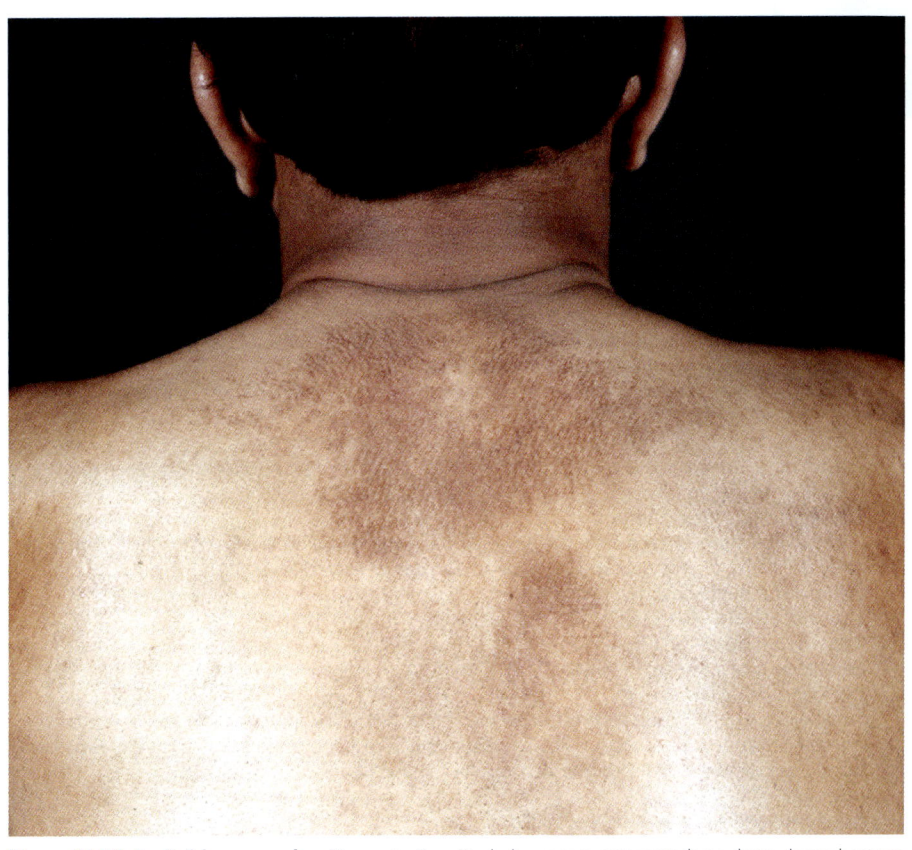

Figura 14-76 Amiloidose macular Pigmentação reticulada marrom-acinzentada no dorso de um homem árabe de 56 anos.

SEÇÃO 15

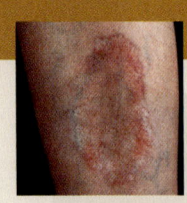

DOENÇAS ENDÓCRINAS, METABÓLICAS E NUTRICIONAIS

DOENÇAS CUTÂNEAS ASSOCIADAS AO DIABETES MELITO

- Acantose *nigricans* (ver Seção 5) e lipodistrofia.
  Associadas à resistência à insulina no diabetes melito. Os fatores de crescimento epidérmico semelhantes à insulina podem causar hiperplasia da epiderme.
- Reações cutâneas adversas a fármacos no diabetes (ver Seção 23).
  Insulina: reações locais – lipodistrofia com diminuição do tecido adiposo nos locais de injeção subcutânea; reação semelhante ao fenômeno de Arthus, com lesão urticariforme no local de injeção.
  Alergia sistêmica à insulina: urticária, reações semelhantes à doença do soro.
  Agentes hipoglicemiantes orais: erupções exantematosas, urticária, eritema multiforme, fotossensibilidade.
- Calcifilaxia (ver Seção 18).
- Distúrbios perfurantes cutâneos.
  Distúrbios raros em que tampões córneos perfuram a derme, ou são eliminados restos dérmicos através da epiderme. Nem sempre estão associados ao diabetes melito (ver Seção 18).
- Bolhas diabéticas (bulose diabética) (p. 375).
- Dermatopatia diabética (p. 377).
- Xantomas eruptivos (p. 387).
- Granuloma anular (ver Seção 14).
- Infecções (ver Seções 25 e 26).
  O diabetes melito mal controlado está associado a uma incidência aumentada de infecções primárias e secundárias por *Staphylococcus aureus*, celulite (*S. aureus*, estreptococos do grupo A), eritrasma, dermatofitoses, candidíase e mucormicose com infecções necrosantes da nasofaringe.
- Necrobiose lipoídica (p. 378).
- Neuropatia periférica (pé diabético) (p. 376).
- Doença vascular periférica (ver Seção 17).
  Vasculopatia dos vasos de pequeno calibre (microangiopatia): afeta arteríolas, vênulas e capilares. Caracterizada por espessamento da membrana basal e proliferação de células endoteliais. Manifesta-se clinicamente por eritema acral semelhante à erisipela, ± ulceração.
  Vasculopatia de grandes vasos: incidência acentuadamente aumentada no diabetes melito. A isquemia é mais frequentemente sintomática nas pernas e nos pés, com gangrena e ulceração. Predispõe a infecções.
- Escleredema diabético.
  Sinônimo: escleredema *adultorum* de Buschke. Não precisa estar associado ao diabetes melito. O início correlaciona-se com a duração do diabetes e com a presença de microangiopatia. Manifestações cutâneas: endurecimento da pele e do tecido subcutâneo semelhante à esclerodermia, pouco demarcado, acometendo a região superior do dorso, da região cervical e os segmentos proximais dos membros. Início e progressão rápidos.
- Síndrome do tipo esclerodermia. Espessamento da pele semelhante à esclerodermia e limitação da mobilidade articular ("sinal do rezador").

SEÇÃO 15 DOENÇAS ENDÓCRINAS, METABÓLICAS E NUTRICIONAIS

BOLHA DIABÉTICA CID-10: E14.6

- Bolhas grandes e intactas, que surgem espontaneamente nas pernas, nos pés, no dorso das mãos e dos dedos sobre uma base não inflamada (**Fig. 15-1**).
- Quando sofrem ruptura, ocorrem erosões vermelho-brilhantes exsudativas, mas que cicatrizam após várias semanas.
- A localização no dorso das mãos e dos dedos sugere porfiria cutânea tarda, porém não há anormalidades no metabolismo das porfirinas.
- Não foi implicado nenhum traumatismo, nem mecanismo imunológico. Ao exame histológico, as bolhas apresentam uma fenda intra ou subepidérmica, sem acantólise.

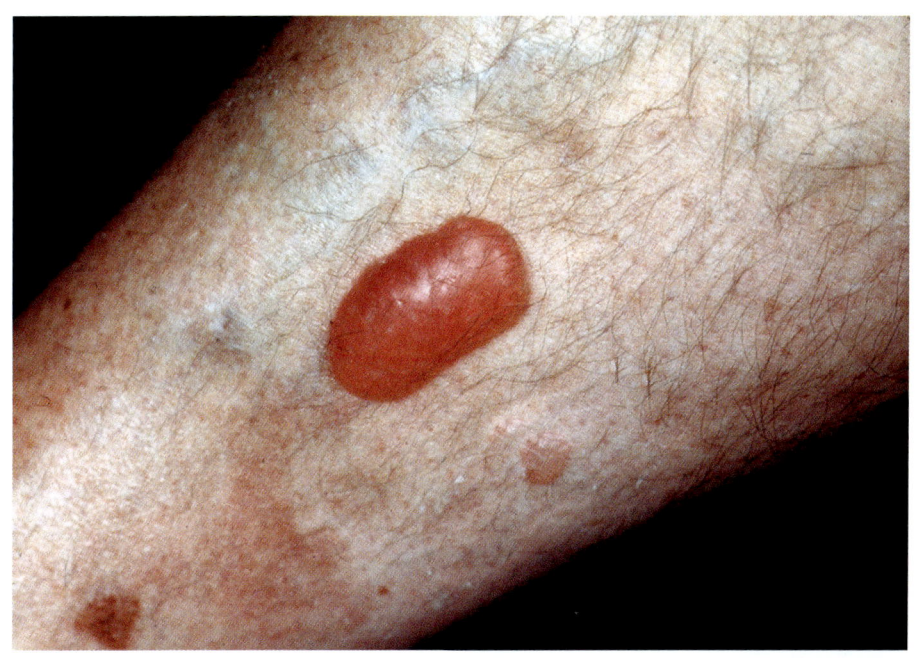

Figura 15-1 **Bolha diabética** Observa-se uma grande bolha intacta na pele da região pré-tibial da perna direita. O paciente teve muitas das complicações vasculares do diabetes melito, isto é, insuficiência renal, retinopatia e aterosclerose obliterante, resultando em amputação do hálux do pé esquerdo.

"PÉ DIABÉTICO" E NEUROPATIA DIABÉTICA CID-10: E14.6

- A neuropatia periférica é responsável pelo "pé diabético".
- Outros fatores incluem angiopatia, aterosclerose e infecção, os quais, na maioria das vezes, estão combinados.
- A neuropatia diabética é sensorimotora combinada. A neuropatia motora leva à fraqueza e à atrofia da musculatura distal.
- A neuropatia autônoma acompanha a neuropatia sensorial e causa anidrose, que pode não ser limitada aos segmentos distais dos membros.
- A neuropatia sensorial predispõe às úlceras neurotróficas sobre proeminências ósseas dos pés, habitualmente no hálux e na planta do pé (**Fig. 15-2**).
- As úlceras são circundadas por um anel de calosidade e podem se estender até a articulação e osso subjacente, resultando em osteomielite.

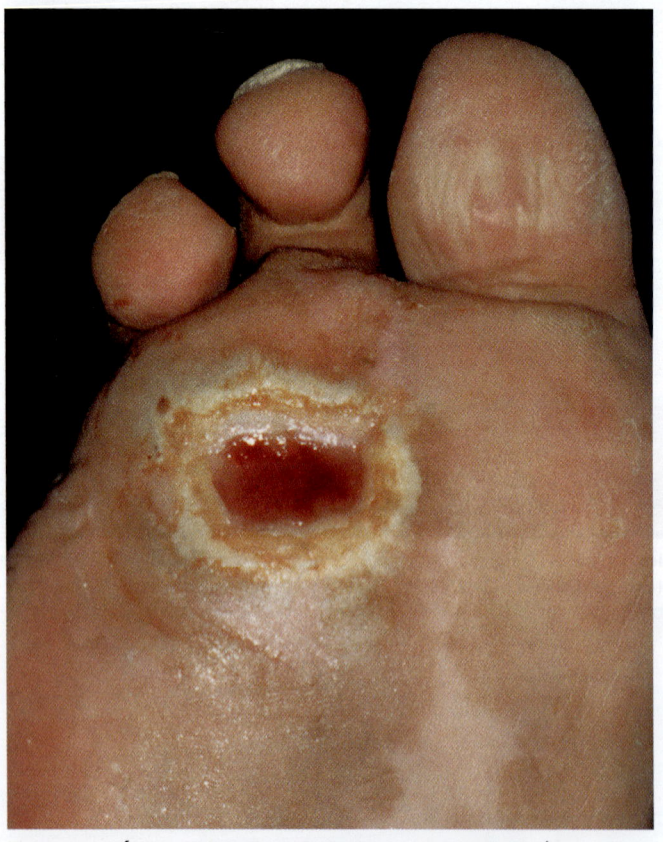

Figura 15-2 Úlcera neuropática diabética na planta do pé Úlcera grande sobre a segunda articulação metacarpofalângica esquerda. O paciente, um homem de 60 anos com diabetes melito há 25 anos, apresenta neuropatia sensorial significativa nos pés e nas pernas, bem como doença vascular periférica, o que resultou na amputação do quarto dedo e do dedo mínimo dos pés.

Seção 15 Doenças endócrinas, metabólicas e nutricionais

DERMOPATIA DIABÉTICA CID-10: E14.5

- Lesões atróficas, ligeiramente deprimidas, circunscritas e assintomáticas na superfície anterior das pernas (**Fig. 15-3**).
- As lesões surgem em grupos e regridem gradualmente, porém outras lesões aparecem e, em certas ocasiões, podem ulcerar.
- O significado patogênico da dermopatia diabética ainda não foi estabelecido, mas esse distúrbio é frequentemente acompanhado de microangiopatia.

Figura 15-3 Dermopatia diabética Erosão crostosa na área de lesão traumática e muitas áreas deprimidas rosadas e cicatrizes antigas são observadas na superfície anterior da perna de um homem de 56 anos com diabetes melito. Foram observadas alterações idênticas na outra perna.

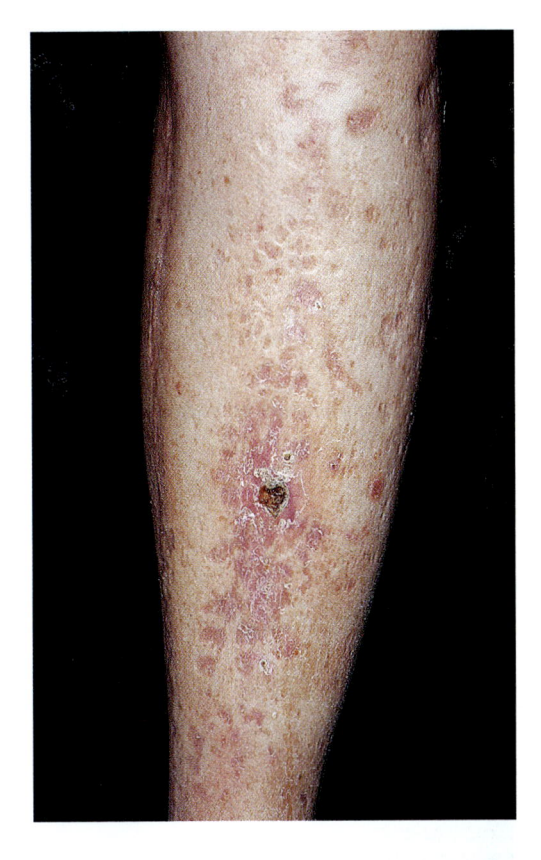

NECROBIOSE LIPOÍDICA CID-10: L92.1

- A necrobiose lipoídica (NL) é um distúrbio cutâneo frequentemente, mas nem sempre, associado ao diabetes melito.
- Acomete adultos jovens, indivíduos no início da meia-idade, mas não é incomum no diabetes juvenil. Razão mulheres:homens de 3:1.
- Incidência: 0,3 a 3% dos pacientes diabéticos. Um terço dos pacientes apresenta diabetes clínico, um terço tem apenas tolerância anormal à glicose, e outro terço tem tolerância normal à glicose.
- A gravidade da NL não está relacionada à gravidade do diabetes melito. O controle do diabetes não tem nenhum efeito sobre a evolução da NL.
- A lesão começa como uma pápula vermelha-acastanhada ou cor da pele, que evolui lentamente, formando uma placa cérea bem demarcada de tamanho variável (**Fig. 15-4**). A borda bem demarcada e ligeiramente elevada conserva uma cor vermelha-acastanhada, enquanto o centro torna-se deprimido e adquire uma tonalidade amarelo-alaranjada. Múltiplas telangiectasias de tamanho variável. As lesões maiores formadas por crescimento centrífugo ou por coalescência de lesões menores adquirem configuração serpiginosa ou policíclica. Pode ocorrer ulceração, e as úlceras curadas formam cicatrizes deprimidas. As lesões "queimadas" são castanhas, com telangiectasia.
- Em geral, 1 a 3 lesões; > 80% dos casos ocorrem na região pré-tibial; algumas vezes, são simétricas. Menos comumente nos pés, nos braços, no tronco ou na face e no couro cabeludo; raramente podem ser generalizadas.
- Dermatopatologia: esclerose, desorganização do padrão fasciculado do colágeno → necrobiose, circundada por infiltração granulomatosa concomitante na camada inferior da derme. Microangiopatia.
- Não há necessidade de confirmação por biópsia; todavia a biópsia pode ser necessária nos estágios iniciais para excluir a presença de granuloma anular (que frequentemente coexiste com a NL), de sarcoidose e de xantoma.
- Glicocorticoides. *Tópicos:* o uso de curativo oclusivo é útil; entretanto podem ocorrer ulcerações quando a NL é coberta. *Intralesionais:* a aplicação de triancinolona, 5 mg/mL, nas lesões ativas ou nas margens da lesão em geral interrompe o crescimento das placas da NL. Ulceração: a maioria das úlceras existentes nas lesões da NL cicatriza, com cuidados locais da ferida; se não houver cicatrização, pode ser necessária a excisão de toda a lesão, com enxerto.

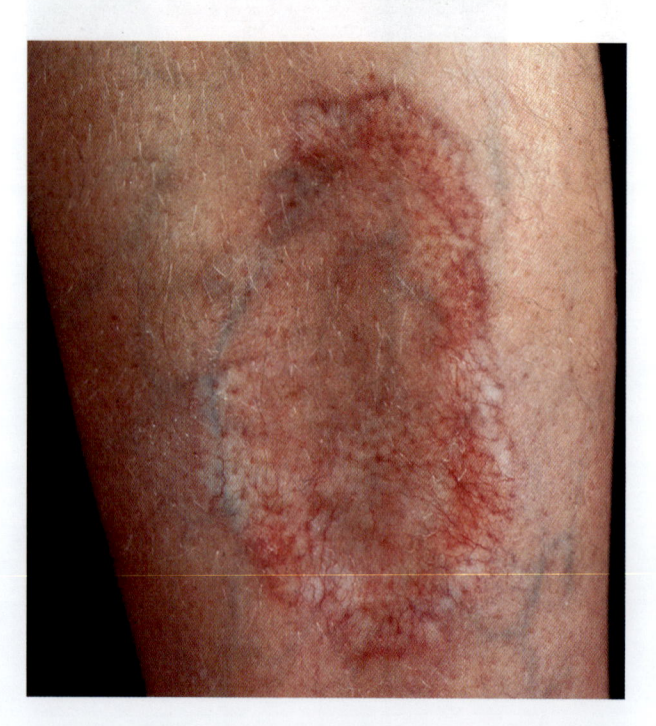

Figura 15-4 Necrobiose lipoídica diabética Uma placa grande e simétrica com bordas ativas, bem demarcadas, elevadas e firmes, rosa-acastanhadas e amarelas, com centro amarelado na região pré-tibial de uma mulher diabética de 28 anos. As partes centrais da lesão estão deprimidas, com alterações atróficas de adelgaçamento da epiderme e telangiectasia sobre uma base amarelada.

SÍNDROME DE CUSHING E HIPERCORTISOLISMO CID-10: E24

- A *síndrome de Cushing* (SC) caracteriza-se por obesidade do tronco, fácies em lua cheia, estrias abdominais, hipertensão, diminuição da tolerância aos carboidratos, catabolismo proteico, transtornos psiquiátricos e amenorreia e hirsutismo nas mulheres. A SC está associada a um excesso de adrenocorticosteroides de fonte endógena ou exógena.
- A *doença de Cushing* refere-se à SC associada a um adenoma hipofisário secretor de hormônio adrenocorticotrófico (ACTH).
- A *SC medicamentosa* refere-se à SC causada pela administração exógena de glicocorticoides.
- Lesões cutâneas: paciente obeso pletórico com constituição física "clássica", que resulta da redistribuição da gordura: fácies em lua cheia (**Fig. 15-5**), giba de "búfalo", obesidade do tronco e braços e pernas finos. Estrias purpúreas, principalmente no abdome e no tronco; atrofia cutânea com equimoses que surgem a traumatismos mínimos e telangiectasia. Hipertricose facial com pelos pigmentados e, com frequência, aumento dos pelos lanuginosos da face e dos braços; alopécia androgênica nas mulheres. Acne de início recente (sem comedões) ou exacerbação da acne preexistente.
- Sintomas gerais: Fadiga e fraqueza muscular, hipertensão, transtornos de personalidade, amenorreia nas mulheres, poliúria e polidipsia.
- A pesquisa laboratorial inclui determinação da glicemia, nível sérico de potássio e cortisol livre na urina de 24 horas. Teste anormal de supressão com dexametasona, com incapacidade de suprimir a secreção de cortisol endógeno quando se administra dexametasona. Nível elevado de ACTH. Tomografia computadorizada (TC) do abdome e da hipófise. Avaliação da osteoporose.
- O tratamento consiste na eliminação dos glicocorticoides exógenos ou na detecção e correção da causa endógena subjacente.

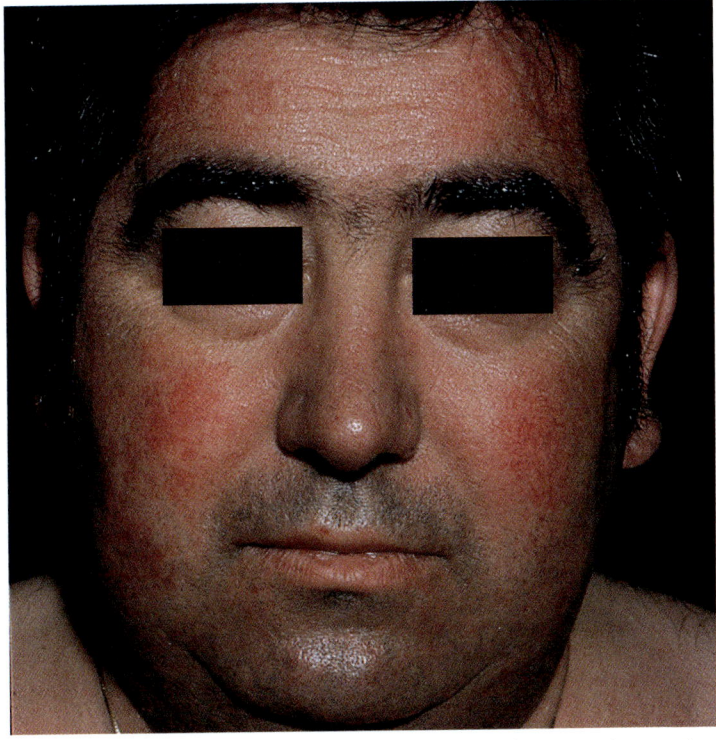

Figura 15-5 Síndrome de Cushing Fácies pletórica em lua cheia, com eritema e telangiectasias nas regiões malares e na fronte; a face, a região cervical e as regiões supraclaviculares (não mostradas nesta fotografia) apresentam deposição aumentada de gordura.

DOENÇA DE GRAVES E HIPERTIREOIDISMO CID-10: E05

- A doença de Graves (DG) é um distúrbio com três manifestações principais: Hipertireoidismo com bócio difuso, oftalmopatia e dermopatia. Com frequência, essas manifestações não ocorrem concomitantemente, algumas podem não ocorrer e podem seguir uma evolução independente uma da outra.
- *Oftalmopatia:* a oftalmopatia da DG tem dois componentes: espástico (olhar arregalado, retardo do piscar, retração palpebral) e mecânico (proptose [**Fig. 15-6A**], oftalmoplegia, oculopatia congestiva, quemose, conjuntivite, edema periorbitário e complicações potenciais, como ulceração da córnea, neurite óptica e atrofia do nervo óptico). Oftalmopatia exoftálmica: fraqueza dos músculos oculares com olhar para dentro, convergência, estrabismo e diplopia.
- *Acropaquia*, que representa a proliferação diafisária do periósteo com baqueteamento dos dedos das mãos (**Fig. 15-6B**).
- *Dermopatia (mixedema pré-tibial):* lesões iniciais – nódulos e placas bilaterais, assimétricos, firmes e sem cacifo, de coloração rosada, da cor da pele ou purpúrea (**Fig. 15-6C**); lesões tardias – confluência das lesões iniciais, que acometem simetricamente as regiões pré-tibiais e, nos casos extremos, podem resultar em acometimento grotesco de toda a perna e dorso do pé. Superfície lisa com aparência semelhante a uma casca de laranja, que mais tarde se torna verrucosa.
Observação: a dermopatia também pode ocorrer *após* tratamento do hipertireoidismo.
- *Tireoide:* bócio tóxico difuso, assimétrico, lobular. Aumento assimétrico e lobular da glândula tireoide, frequentemente com sopro.
- Tratamento: *Tireotoxicose* – agentes antitireóideos. Ablação da tireoide, cirurgicamente ou pelo uso de iodo radioativo. *Oftalmopatia* – tratamento sintomático nos casos leves. Casos graves: prednisona, em uma dose inicial de 100 a 120 mg/dia, com redução gradual para 5 mg/dia. Irradiação da órbita. Descompressão orbitária. *Dermopatia* – glicocorticoides tópicos com curativo oclusivo de plástico. Glicocorticoides orais em baixas doses (prednisona, 5 mg/dia). Triancinolona intralesional, 3 a 5 mg/mL, para as lesões menores.

HIPOTIREOIDISMO E MIXEDEMA CID-10: E03

- O mixedema resulta da produção insuficiente de hormônios tireoidianos e pode ser causado por diversos distúrbios.
- O hipotireoidismo pode ser *tireoprivo* (p. ex., congênito, idiopático primário, pós-ablação); *bociogênico* (p. ex., defeitos hereditários de biossíntese, transmissão materna, deficiência de iodo, tireoidite induzida por fármacos ou crônica); *trofoprivo* (p. ex., hipófise); ou *hipotalâmico* (p. ex., infecção [encefalite], neoplasia).
- Os sintomas iniciais do mixedema consistem em fadiga, letargia, intolerância ao frio, constipação intestinal, rigidez e cãibras musculares, síndrome do túnel do carpo, menorragia, lentidão das atividades intelectuais e motoras, perda do apetite, aumento do peso e voz grossa.
- A fácies é inexpressiva e apática (**Fig. 15-7**), com congestão das pálpebras. A pele parece edemaciada, fria, cérea, seca, áspera e pálida, com rugas acentuadas.
- Os cabelos são secos, ásperos e quebradiços. Adelgaçamento dos cabelos, dos pelos da barba (**Fig. 15-7**) e dos pelos genitais. Sobrancelhas: alopécia no terço lateral. Unhas quebradiças e de crescimento lento.
- Língua volumosa, lisa, vermelha e grosseira.
- A pesquisa laboratorial inclui provas de função da tireoide, determinação do hormônio tireoestimulante, cintilografia e colesterol sérico (↑).
- O tratamento consiste em reposição hormonal.

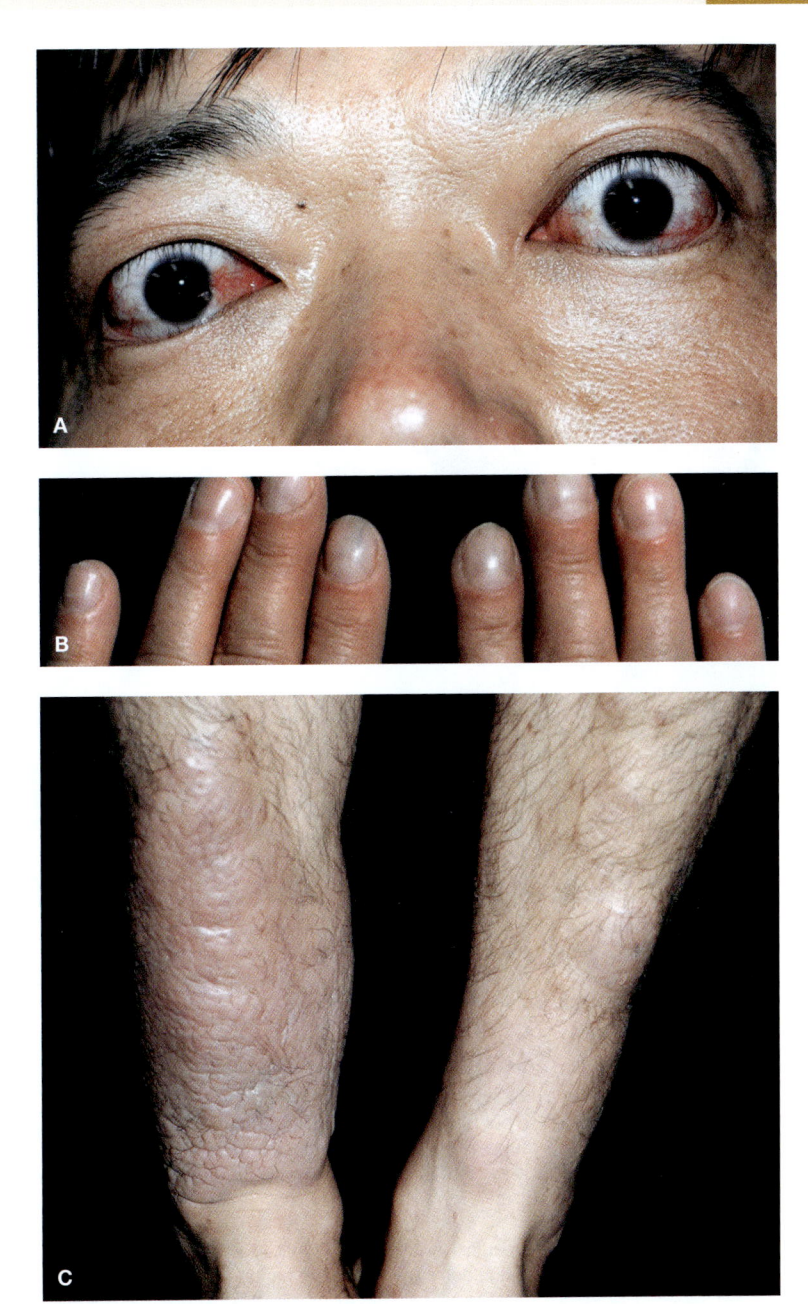

Figura 15-6 Doença de Graves (A) Proptose, retração palpebral e telangiectasia e hemorragia na conjuntiva bulbar. **(B)** Acropatia tireóidea (osteoartropatia) com baqueteamento dos dedos. **(C)** As pápulas, os nódulos e as placas de cor rosada e cor da pele na região pré-tibial são denominados dermopatia (anteriormente, mixedema pré-tibial).

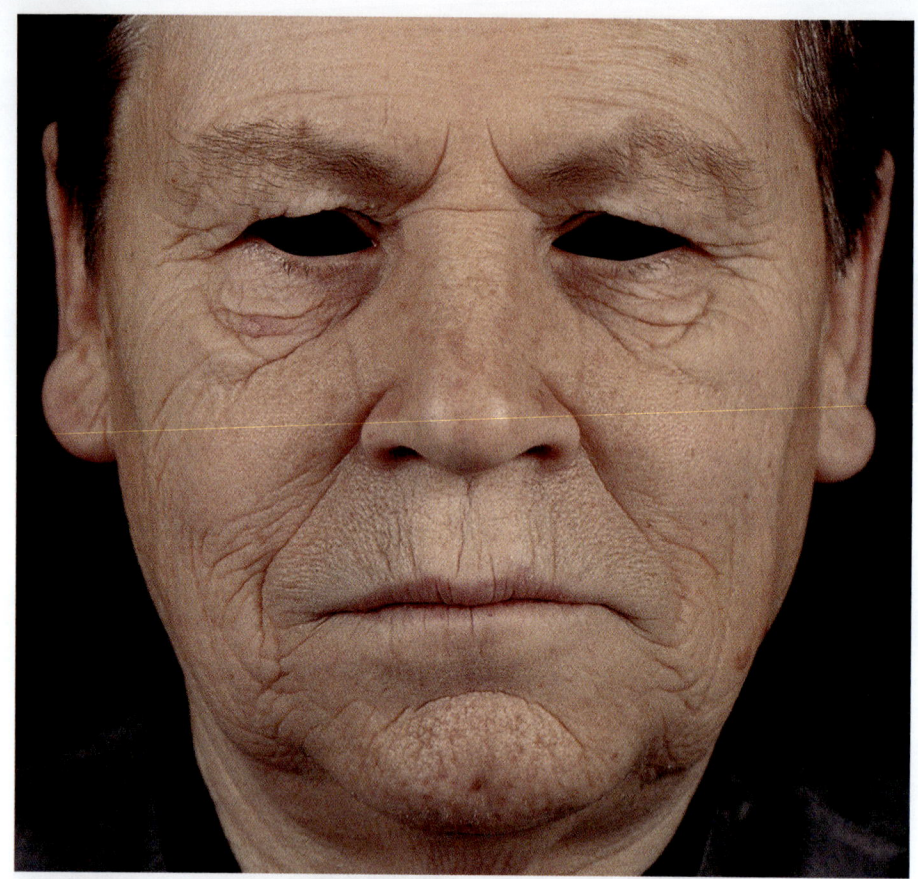

Figura 15-7 Mixedema Pele seca e pálida; adelgaçamento da parte lateral dos supercílios; congestão da face e das pálpebras; aumento na quantidade de rugas; face apática, inexpressiva e sem barba.

DOENÇA DE ADDISON CID-10: E27.1

- A doença de Addison é uma síndrome causada por insuficiência corticossuprarrenal.
- É insidiosa e caracteriza-se por hiperpigmentação acastanhada generalizada e progressiva, fraqueza lentamente progressiva, fadiga, anorexia, náusea e, com frequência, sintomas GIs (vômitos e diarreia).
- As alterações laboratoriais sugestivas incluem baixo nível sérico de sódio, nível sérico elevado de potássio e nível elevado de ureia sanguínea. O diagnóstico é confirmado por exames específicos para insuficiência suprarrenal.
- Pele: o paciente pode ter aparência totalmente normal, exceto pela hiperpigmentação acastanhada generalizada: (1) em áreas onde normalmente ocorre pigmentação, seja espontânea ou induzida por RUV: ao redor dos olhos, na face, no dorso das mãos (**Fig. 15-8A**), nos mamilos, na linha negra (abdome), nas axilas e nas regiões anogenitais de ambos os sexos. (2) Em áreas novas: mucosa gengival ou oral, dobras das palmas (**Fig. 15-8B**), proeminências ósseas. Além disso, em cicatrizes pós-operatórias.
- Essa doença deve ser tratada por um endocrinologista.

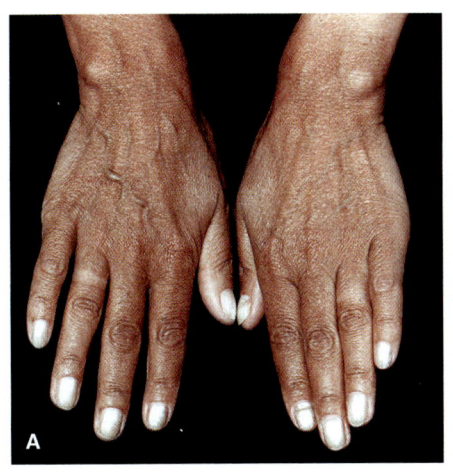

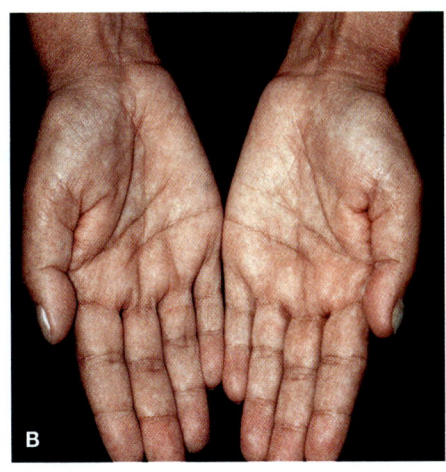

Figura 15-8 Doença de Addison (A) Hiperpigmentação em consequência da acentuação da pigmentação normal das mãos de um paciente com doença de Addison. **(B)** Observa-se a pigmentação acentuada nas dobras palmares.

DISTÚRBIOS METABÓLICOS E NUTRICIONAIS

XANTOMAS CID-10: E75.5

- Os xantomas cutâneos consistem em máculas, pápulas, placas, nódulos de coloração castanho-amarelada, rosada ou alaranjada ou em infiltrações dos tendões.
- Do ponto de vista histológico, há acúmulos de células xantomatosas – macrófagos contendo gotículas de lipídeos.
- Os xantomas podem constituir um sintoma de doença metabólica sistêmica, de histiocitose generalizada ou de um processo de armazenamento localizado da gordura fagocitada.
- A classificação dos xantomas metabólicos tem como base este princípio: (1) xantomas devidos à hiperlipidemia e (2) xantomas normolipidêmicos.
- A causa dos xantomas no primeiro grupo pode consistir em hiperlipidemia primária, na maioria dos casos geneticamente determinada (**Quadro 15-1**), ou hiperlipidemia secundária, associada a certas doenças dos órgãos internos, como cirrose biliar, diabetes melito, insuficiência renal crônica, alcoolismo, hipertireoidismo e gamopatia monoclonal, ou associada à ingestão de determinados fármacos, como β-bloqueadores e estrogênios.
- Alguns dos xantomas estão associados a níveis plasmáticos elevados de colesterol das lipoproteínas de baixa densidade (LDL) e, por conseguinte, a um grave risco de ateromatose e infarto do miocárdio. Por essa razão, é sempre necessário proceder à determinação laboratorial dos níveis plasmáticos de lipídeos. Em alguns casos, verifica-se a presença de deficiência de apoproteína.
- O **Quadro 15-2** mostra as correlações dos tipos de xantoma com os distúrbios das lipoproteínas.

QUADRO 15-1 Classificação das hiperlipidemias genéticas

Frederickson Tipo	Classificação	Perfil lipídico
I	Deficiência familiar de lipase lipoproteica (hiperquilomicronemia, hipertrigliceridemia)	TG++, C normal, QM++, HDL–/normal
IIa	Hipercolesterolemia familiar	TG normal, C+, LDL+
IIb	Hiperlipidemia combinada familiar	TG+, C+, LDL+, VLDL+
III	Disbetalipidemia familiar (doença das partículas remanescentes)	TG+, C+, IDL+, remanescentes de QM+
IV	Hipertrigliceridemia familiar	TG+, C normal/+, LDL++, VLDL++
V	Hipertrigliceridemia combinada familiar	TG+, C+, VLDL++, QM++

TG, triglicerídeos; C, colesterol; QM, quilomícrons; HDL, lipoproteínas de alta densidade; LDL, lipoproteínas de baixa densidade; VLDL, lipoproteínas de densidade muito baixa; IDL, lipoproteínas de densidade intermediária; +, nível elevado; –, nível reduzido.

QUADRO 15-2 Manifestações clínicas dos xantomas

Tipo de xantoma	Distúrbios genéticos	Distúrbios secundários
Eruptivo	Deficiência familiar de lipase lipoproteica Deficiência de Apo-C2, deficiência de Apo-AI e apo-AI/CIII Hipertrigliceridemia familiar Hipertrigliceridemia familiar com quilomicronemia	Obesidade Colestase Diabetes Medicamentos: retinoides, tratamento com estrogênio, inibidores da protease
Tuberoso	Hipercolesterolemia familiar Disbetalipoproteinemia familiar Fitosterolemia	Gamopatias monoclonais Mieloma múltiplo Leucemia
Tendinoso	Hipercolesterolemia familiar Defeito familiar de apo-B Disbetalipoproteinemia familiar Fitosterolemia Xantomatose cerebrotendinosa	
Plano		
Palmar	Disbetalipoproteinemia familiar, deficiência homozigótica de apo-AI	
Intertriginoso	Hipercolesterolemia homozigótica familiar	Colestase
Difuso		Gamopatias monoclonais, colestase
Xantelasma	Hipercolesterolemia familiar Disbetalipoproteinemia familiar	Gamopatias monoclonais
Outros		
Arco corneano	Hipercolesterolemia familiar	
Tonsilar	Doença de Tangier	

Apo, apolipoproteína.
Fonte: Reproduzido com permissão de Schaefer EJ, Santos RD. Xanthomas and lipoprotein disorders. In: Goldsmith LA, Katz SI, Gilchrest BA, et al, eds. Fitzpatrick's Dermatology in General Medicine. 8th ed. New York, McGraw-Hill, 2012, p. 1601.

XANTELASMA CID-10: H02.6

- É o tipo mais comum de todos os xantomas. Na maioria dos casos, trata-se de um achado isolado, não relacionado com hiperlipidemia.
- Ocorre em indivíduos com > 50 anos de idade; todavia, quando ocorre em crianças ou adultos jovens, está associado à hipercolesterolemia familiar (HF) ou à disbetalipoproteinemia familiar (DF).
- As lesões cutâneas são assintomáticas. Pápulas e placas macias, poligonais e de coloração amarelo-alaranjada, localizadas nas pálpebras superiores e inferiores (**Fig. 15-9**) e ao redor do ângulo interno do olho. Crescimento lento a partir de manchas minúsculas no decorrer de meses a anos.
- Deve-se determinar o nível plasmático de colesterol; se estiver elevado, deve-se efetuar uma triagem para o tipo de hiperlipidemia (HF ou DF). Se a causa for hiperlipidemia, pode-se esperar a ocorrência de complicações com doença cardiovascular aterosclerótica.
- *Laser*, excisão, eletrodissecção ou aplicação tópica de ácido tricloroacético. As recidivas não são incomuns.
- *Sinônimos*: xantelasma palpebral, xantoma periocular.

XANTOMA TENDINOSO CID-10: E75.5

- Esses tumores subcutâneos são amarelados ou da cor da pele e movimentam-se com os tendões extensores (**Fig. 15-10**).
- Constituem um sintoma de HF, que se manifesta como hiperlipidemia tipo IIa.
- Esse distúrbio é autossômico recessivo, com fenótipo diferente nos estados heterozigoto e homozigoto.
- No indivíduo homozigoto, os xantomas aparecem no início da infância, e as complicações cardiovasculares surgem no início da adolescência; a elevação da concentração plasmática de LDL é extrema. Esses pacientes raramente passam dos 20 anos de idade.
- *Manejo:* dieta com baixo teor de colesterol e gorduras saturadas, suplementada com colestiramina ou estatinas. Nos casos extremos, devem-se considerar medidas como *shunt* portocavo ou transplante de fígado.
- *Sinônimo:* xantoma *tendineum*.

XANTOMA TUBEROSO CID-10: E78.5

- Essa doença caracteriza-se por nódulos amarelados (**Fig. 15-11**) localizados principalmente nos cotovelos e joelhos, por confluência de xantomas eruptivos coexistentes.
- Os xantomas tuberosos são encontrados em pacientes com DF, hipertrigliceridemia familiar com quilomicronemia (tipo V) e HF (**Quadro 15-2**).
- Nos pacientes homozigotos com HF, os xantomas tuberosos são mais planos e são da cor da pele. Não são acompanhados de xantomas eruptivos (ver adiante).
- *Manejo:* tratamento do distúrbio subjacente.
- *Sinônimo:* xantoma *tuberosum*.

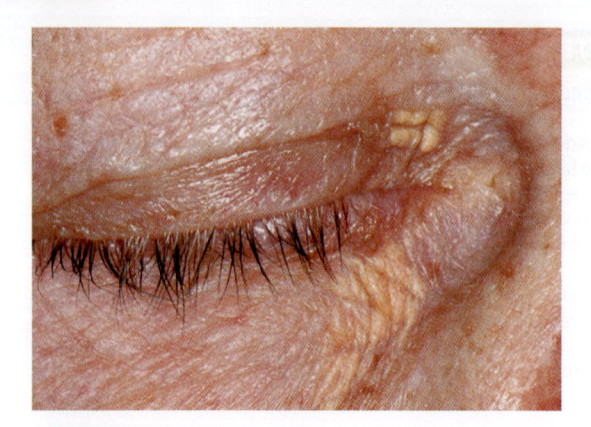

Figura 15-9 Xantelasma Várias pápulas dérmicas ligeiramente elevadas, de coloração creme-alaranjada sobre as pálpebras de um indivíduo normolipêmico.

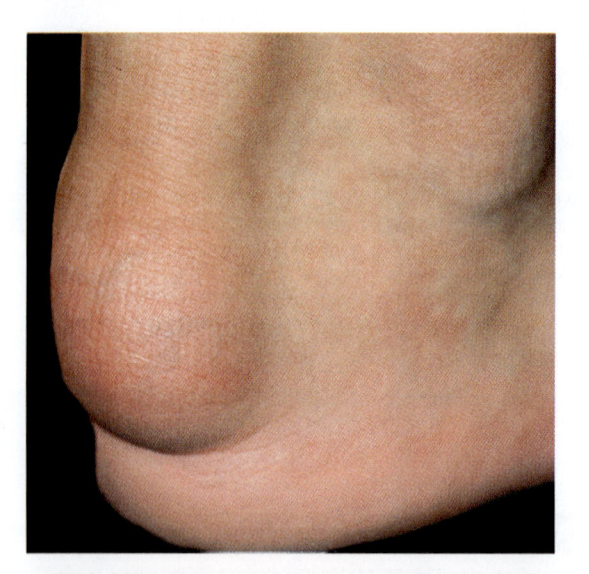

Figura 15-10 Xantoma tendinoso Grande tumor subcutâneo aderente ao tendão do calcâneo.

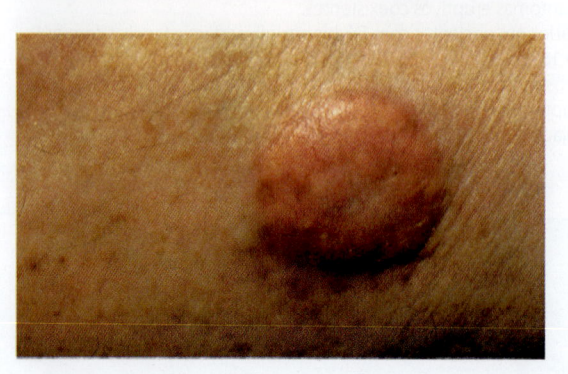

Figura 15-11 Xantoma tuberoso Nódulo firme, plano e amarelado.

XANTOMA ERUPTIVO CID-10: E78.2

- Essas pápulas de tipo inflamatório definidas "irrompem" subitamente e em grandes quantidades, aparecendo geralmente nas nádegas, nos cotovelos, nos antebraços (**Fig. 15-12**) e nos joelhos.
- Trata-se de um sinal de hipertrigliceridemia familiar (HF), DF, deficiência familiar da lipase lipoproteica muito rara (**Quadro 15-2**) e de diabetes descontrolado.
- As pápulas são cupuliformes, bem-definidas, inicialmente vermelhas e, em seguida, com centro amarelo e halo avermelhado (**Fig. 15-12**).
- As lesões podem ser dispersas, isoladas, em uma determinada região (p. ex., cotovelos, joelhos [**Fig. 15-12**], nádegas), ou podem aparecer em grupos "compactos", que se tornam confluentes, formando xantomas "tuberoeruptivos" nodulares.
- *Manejo*: resposta muito favorável a dietas de baixa caloria e pobres em gordura.

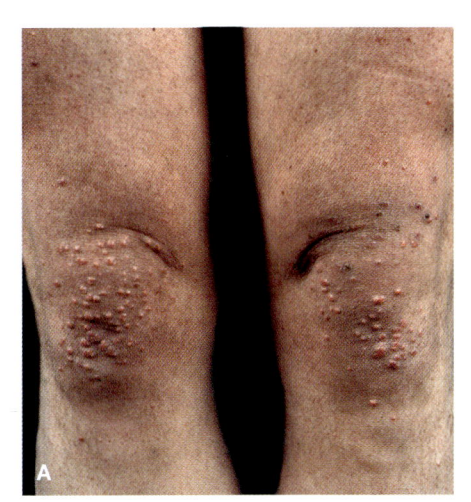

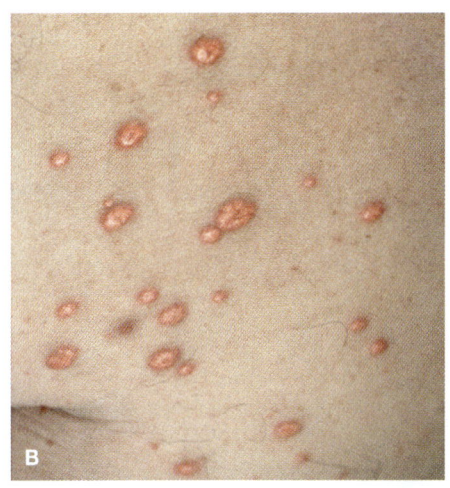

Figura 15-12 Xantomas eruptivos papulares **(A)** Várias pápulas isoladas vermelho-amareladas, que se tornam confluentes nos joelhos de um paciente com diabetes melito descontrolado; as lesões também estavam localizadas em ambos os cotovelos e nas nádegas. **(B)** Ampliação dos xantomas no tronco de outro paciente.

XANTOMA ESTRIADO PALMAR CID-10: E78.5

- Esse distúrbio caracteriza-se por infiltrações planas ou elevadas, amarelo-alaranjadas, localizadas nas *dobras* volares das palmas e dos dedos das mãos (**Fig. 15-13**).
- São patognomônicas da DF (tipo III) (**Quadro 15-2**). Além do xantoma estriado palmar, a DF também apresenta xantomas tuberosos (**Fig. 15-11**) e xantelasma palpebral (**Fig. 15-9**).
- Os pacientes com DF tendem a desenvolver doença cardiovascular aterosclerótica, particularmente isquemia das pernas e dos vasos coronários.
- *Tratamento*: os pacientes com DF respondem de modo muito favorável a uma dieta com restrição de gorduras e carboidratos. Se houver necessidade, o tratamento pode ser suplementado com estatinas, fibratos ou ácido nicotínico.

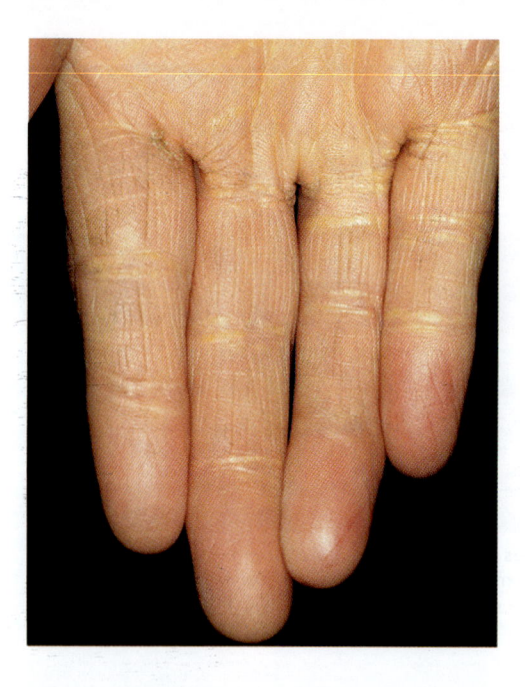

Figura 15-13 Xantoma estriado palmar As dobras palmares, particularmente nas articulações interfalângicas, são amareladas, constituindo frequentemente uma lesão muito sutil, apenas percebida com exame cuidadoso.

XANTOMA PLANO NORMOLIPÊMICO

- O xantoma plano é um xantoma normolipêmico, que consiste em pigmentação amarelo-alaranjada difusa e em elevações discretas da pele (**Fig. 15-14**). Existe uma borda demarcada.
- Essas lesões podem ser idiopáticas ou secundárias à leucemia, no entanto a associação mais comum é com o mieloma múltiplo.
- Essas lesões podem preceder em muitos anos o início do mieloma múltiplo.

Figura 15-14 Xantoma plano Placas vermelho-amareladas e ligeiramente elevadas na região cervical, percebidas principalmente devido à acentuação da textura da pele em um paciente normolipêmico com linfoma. Os xantomas planos ocorrem mais comumente na parte superior do tronco e na região cervical, e mais frequentemente acometem indivíduos com mieloma.

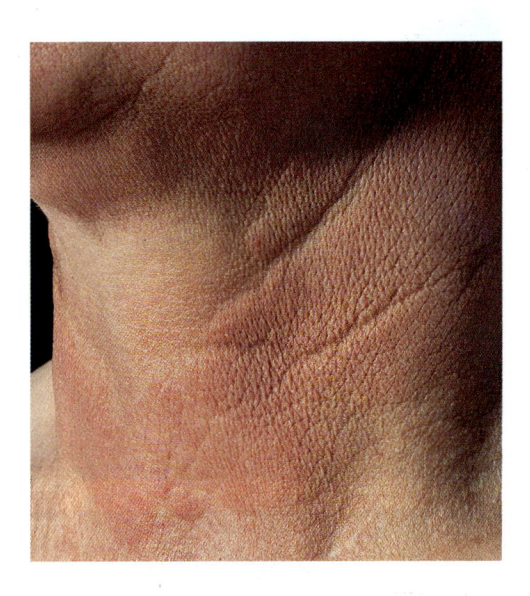

ESCORBUTO CID-10: E54

- O escorbuto é uma doença aguda ou crônica, causada pela deficiência alimentar de ácido ascórbico (vitamina C).
- O escorbuto ocorre em lactentes ou crianças mantidas com dieta que consiste apenas em leite processado ou em adultos desdentados que não consomem saladas nem vegetais crus.
- *Fatores desencadeantes:* gravidez, lactação e tireotoxicose; mais comum no alcoolismo.
- Os sintomas do escorbuto começam depois de 1 a 3 meses de ausência de ingestão de vitamina C. Lassidão, fraqueza, artralgia e mialgia.
- *Lesões cutâneas:* petéquias, hiperceratose folicular com hemorragia perifolicular, particularmente nas pernas (**Fig.15-15A**). Os pelos tornam-se quebradiços e ficam encravados nessas pápulas hiperceratóticas perifoliculares (pelos em saca-rolha, **Fig. 15-15B**); além disso, ocorrem equimoses extensas (**Fig. 15-15C**), que podem ser generalizadas. Unhas: hemorragias subungueais.
- Gengivas: edemaciadas, púrpuras, esponjosas, que sangram facilmente. Amolecimento e queda dos dentes.
- Hemorragias que ocorrem dentro do periósteo dos ossos longos e nas articulações → edema doloroso e, nas crianças, separação das epífises. Há depressão do esterno para dentro: Rosário do escorbuto (elevação em margens costais). As hemorragias retrobulbar, subaracnóidea e intracerebral podem levar à morte.
- *Exames laboratoriais:* anemia normocítica normocrômica. Deficiência de folato, resultando em anemia macrocítica. Teste de fragilidade capilar positivo. Nível sérico de ácido ascórbico nulo. Os achados radiográficos são diagnósticos.
- Sem tratamento, o escorbuto é fatal. Com tratamento, o sangramento espontâneo cessa em 24 horas, a dor muscular e a dor óssea regridem rapidamente, e o sangramento gengival desaparece em 2 a 3 dias.
- *Tratamento:* ácido ascórbico, 100 mg, 3 a 5 vezes ao dia, até alcançar uma dose de 4 g; em seguida, uma dose de 100 mg/dia é curativa em alguns dias a semanas.

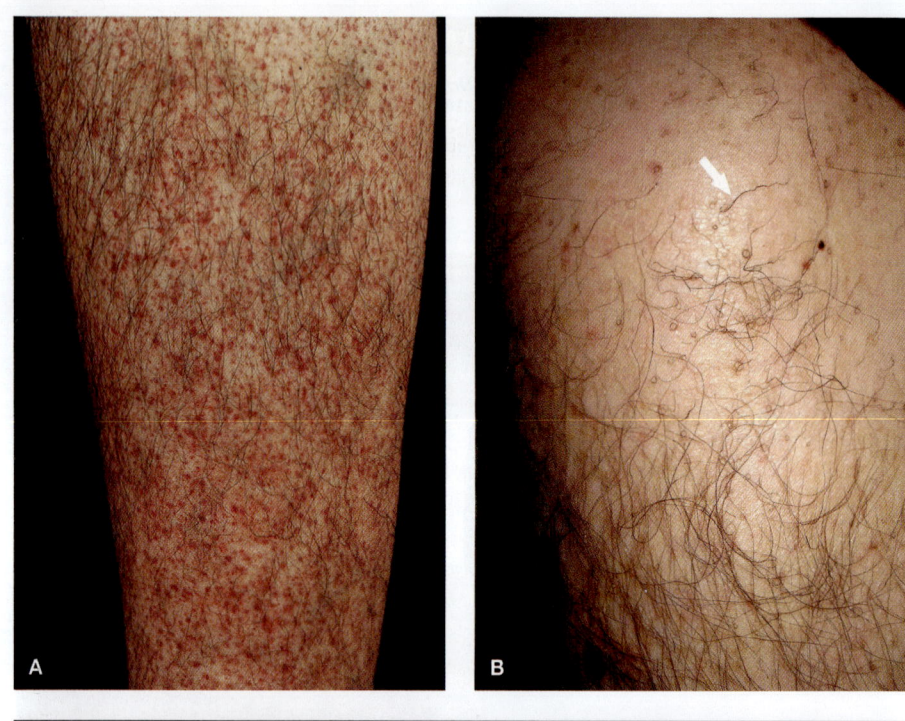

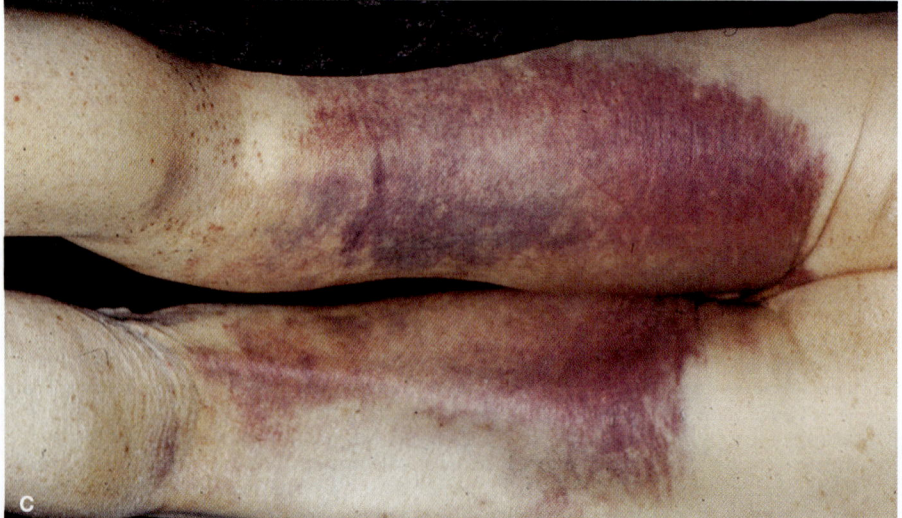

Figura 15-15 Escorbuto (A) Púrpura perifolicular na perna. Com frequência, os folículos estão ocluídos por ceratina (hiperceratose perifolicular). Essa erupção ocorreu em um homem alcoolista, morador de rua, de 46 anos, que também apresentava sangramento gengival e amolecimento dos dentes. **(B)** A **hiperceratose hiperfolicular** costuma levar aos pelos em saca-rolhas (*seta*). (Usada com permissão de Adam Lipworth, MD.) **(C)** Essas equimoses extensas ocorreram em um homem desdentado de 65 anos, que vivia sozinho e cuja alimentação consistia principalmente em biscoitos molhados em água.

DEFICIÊNCIA ADQUIRIDA DE ZINCO E ACRODERMATITE ENTEROPÁTICA CID-10: E60, E83.2

- A deficiência adquirida de zinco (DAZ) ocorre em indivíduos idosos, devido a uma deficiência alimentar ou incapacidade de absorção intestinal de zinco (má absorção, alcoolismo, nutrição parenteral prolongada).
- A acrodermatite enteropática (AE) é um distúrbio genético da absorção de zinco, de caráter autossômico recessivo. Ocorre em lactentes alimentados com leite de vaca durante dias a semanas ou amamentados ao seio materno, pouco depois do desmame.
- *Manifestações cutâneas:* idênticas na DAZ e na AE. Máculas e placas de dermatite eczematosa seca, descamativa, de coloração vermelho-brilhante e bem demarcadas, que evoluem para lesões vesiculobolhosas, pustulares, erosivas e crostosas (**Figs. 15-16** e **15-17A**). Inicialmente nas regiões perioral e anogenital; mais tarde, couro cabeludo mãos e pés, regiões de flexão e tronco. As pontas dos dedos das mãos são brilhantes e eritematosas, com fissuras e paroníquia secundária. Perlèche. As lesões tornam-se secundariamente infectadas por *Candida albicans*, *S. aureus*. Cicatrização deficiente das feridas.
- Alopécia difusa, encanecimento dos cabelos. Paroníquia, estrias ungueais e queda das unhas.
- Língua vermelha e brilhante; erosões superficiais semelhantes a aftas; candidíase oral secundária.
- Fotofobia; humor irritável, deprimido. As crianças com AE resmungam e choram constantemente. Deficiência de crescimento.
- Anemia, baixos níveis séricos plasmáticos de zinco; excreção urinária reduzida de zinco.
- Após reposição de zinco, as lesões cutâneas gravemente infectadas e erosivas cicatrizam em 1 a 2 semanas (**Fig. 15-17B**); a diarreia cessa, e observa-se melhora da irritabilidade e da depressão dentro de 24 horas.
- *Tratamento:* suplementação dietética ou IV com sais de zinco, em doses 2 a 3 vezes maiores do que a quantidade diária necessária, restabelece a reserva normal do zinco em questão de dias a semanas.

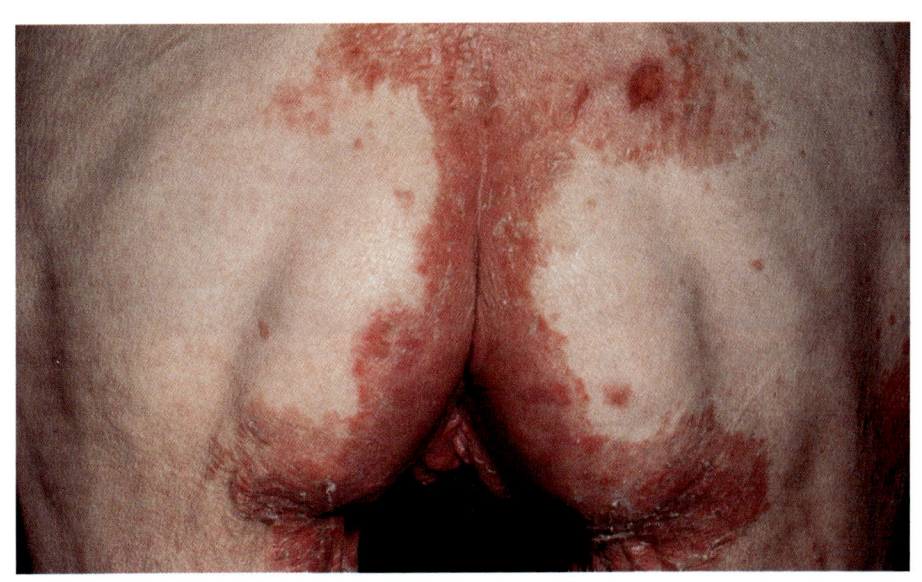

Figura 15-16 Deficiência adquirida de zinco Placas psoriasiformes e eczematosas bem demarcadas, com descamação e erosões sobre o sacro, no sulco interglúteo, nas nádegas e no quadril de uma mulher alcoolista de 60 anos, cuja alimentação consistia em picles e vinho de má qualidade. A paciente também tinha uma erupção semelhante ao redor da boca, perlèche, glossite atrófica e pontas dos dedos brilhantes, lustrosas e exsudativas.

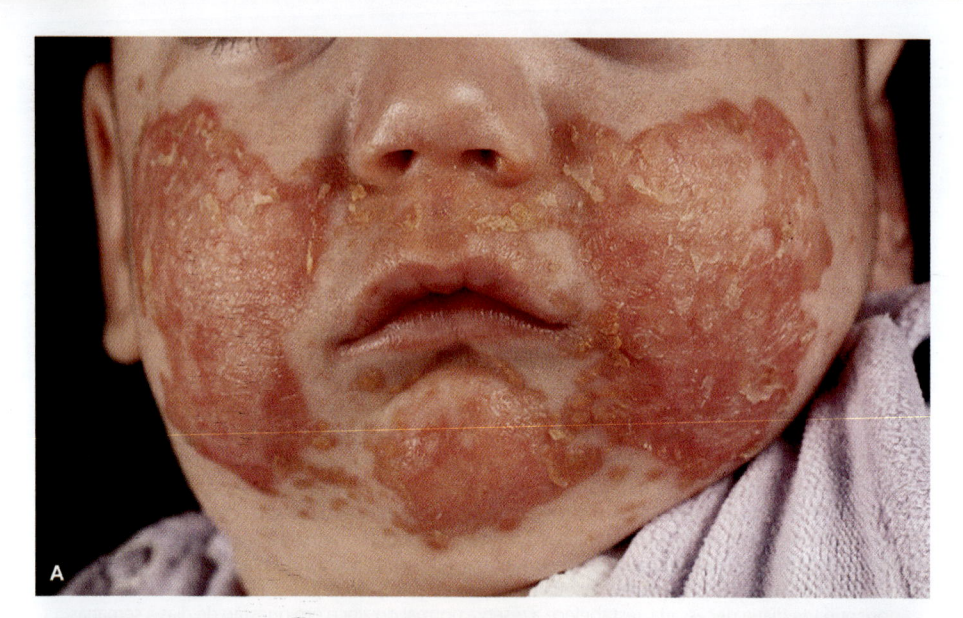

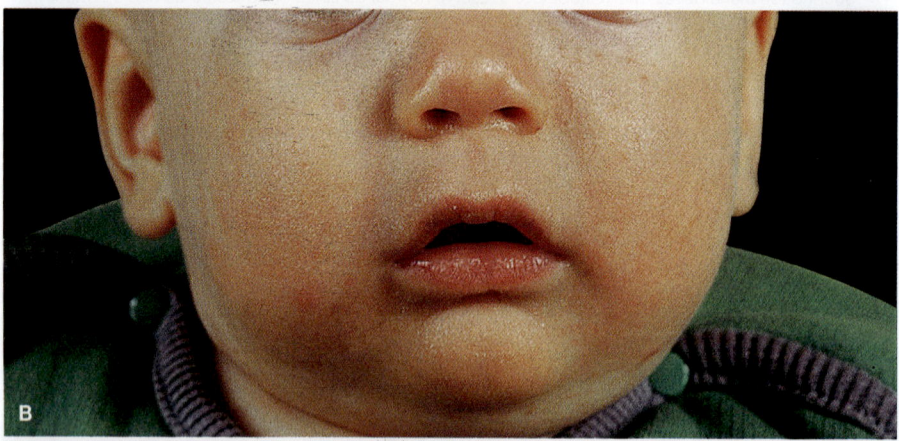

Figura 15-17 Acrodermatite enteropática **(A)** Placas simétricas, parcialmente erosivas, descamativas e crostosas, bem demarcadas, na face de um lactente após o desmame. Lesões semelhantes também foram observadas nas regiões perigenital e perianal e nas pontas dos dedos das mãos. A criança era muito irritável, queixosa e chorosa e tinha diarreia. **(B)** Dentro de 24 horas após a reposição de zinco, a irritabilidade e a diarreia desapareceram, e houve melhora do humor do lactente; depois de 10 dias (como mostra a fotografia), as lesões periorais e perigenitais haviam cicatrizado.

PELAGRA CID-10: E52

- A pelagra é causada por deficiência alimentar de niacina ou triptofano ou de ambos. O triptofano é convertido em niacina no organismo. Uma alimentação predominantemente à base de milho é geralmente implicada.
- A pelagra caracteriza-se por três Ds: *d*ermatite, *d*iarreia e *d*emência. As alterações cutâneas são causadas por exposição à luz solar e por pressão.
- A doença começa com eritema pruriginoso e ardente simétrico no dorso das mãos, na região cervical e na face. Vesículas e bolhas podem surgir e romper-se, com formação de crostas e lesões descamativas (**Fig. 15-18A**). Posteriormente, a pele torna-se endurecida, liquenificada, áspera e coberta por escamas e crostas escuras; há também rachaduras e fissuras e demarcação nítida da pele normal (**Fig. 15-18B**).
- Distribuição: dorso das mãos e dos dedos ("luva de esgrima") (**Fig. 15-18B**), faixa ao redor da região cervical ("colar de Casal") (**Fig. 15-18A**), dorso dos pés até os maléolos, com preservação do calcanhar e distribuição em asa de borboleta na face.
- O diagnóstico é confirmado pela detecção de níveis dos metabólitos urinários diminuídos.
- A administração oral de 100 a 300 mg de niacinamida em associação com outras vitaminas do complexo B leva à regressão completa das lesões.

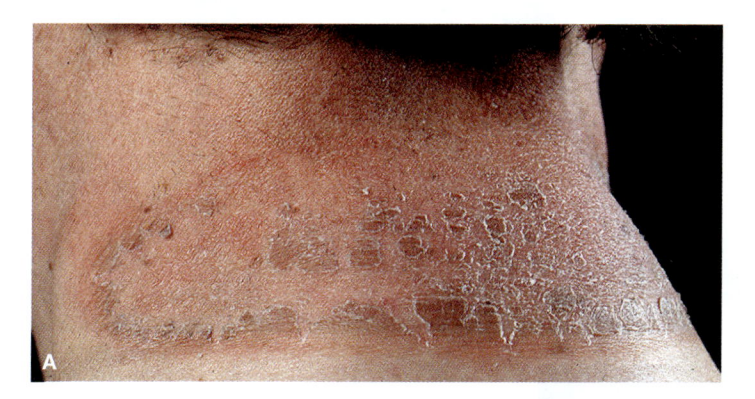

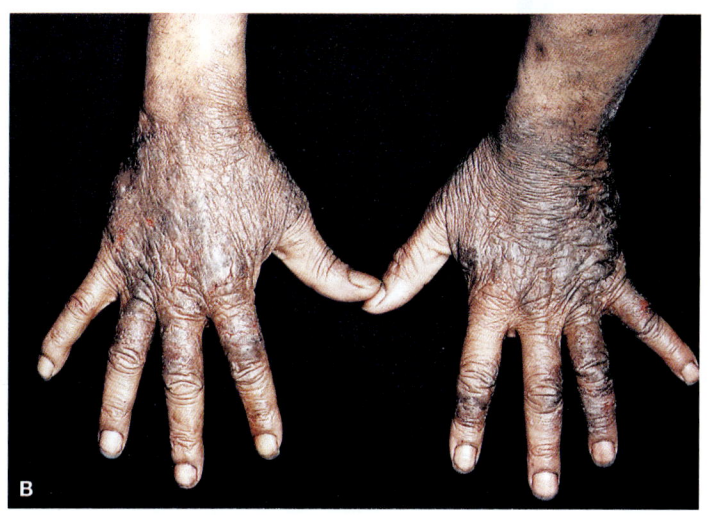

Figura 15-18 Pelagra (A) Placa descamativa crostosa em forma de faixa ao redor da região cervical ("colar de Casal"). **(B)** "Luva de esgrima" da pelagra; pele endurecida, liquenificada, pigmentada e descamativa no dorso das mãos. Observa-se a demarcação nítida no antebraço.

GOTA CID-10: M10

- Síndrome clínica que ocorre em um grupo de doenças caracterizadas pelo depósito de cristais de urato monossódico no líquido sinovial e nas articulações.
- A artrite gotosa aguda ocorre geralmente em indivíduos de meia-idade e acomete, em geral, uma única articulação do membro inferior, normalmente a primeira articulação metatarsofalângica. Pode acometer também os dedos das mãos (**Fig. 15-19A**).
- Gota intercrítica descreve o intervalo entre as crises de gota. Com o passar do tempo, os episódios tendem a ser poliarticulares.
- Na gota tofácea crônica, os pacientes raramente têm períodos assintomáticos. Os cristais de urato são encontrados nos tecidos moles, na cartilagem (**Fig. 15-19B**) e nos tendões.
- A gota pode ocorrer com ou sem hiperuricemia, doença renal e nefrolitíase.

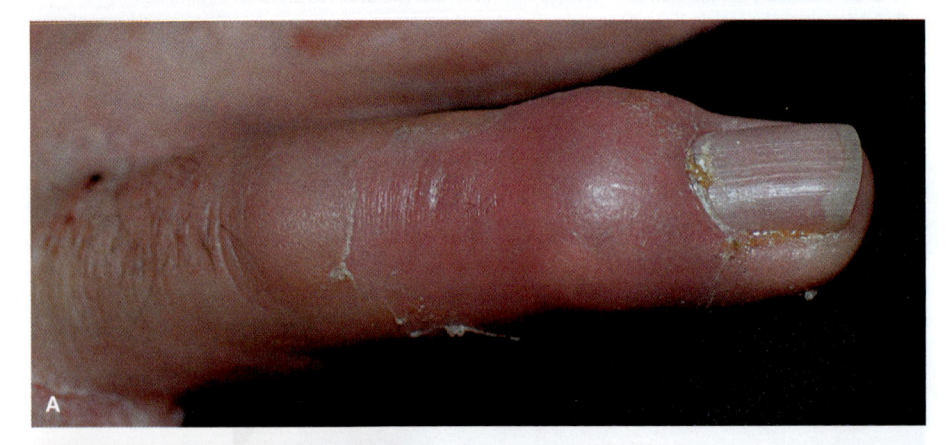

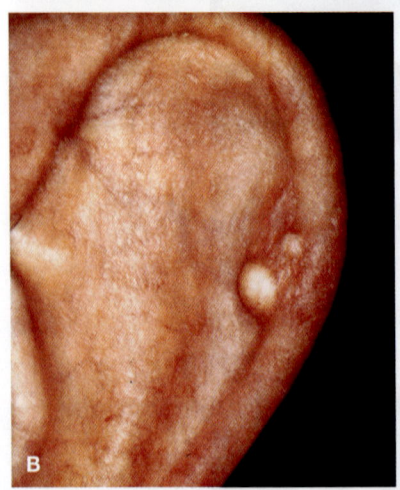

Figura 15-19 Artrite gotosa aguda (A) Afetando a articulação interfalângica distal do dedo mínimo. **(B)** Tofos gotosos na hélice da orelha.

DOENÇAS CUTÂNEAS NA GRAVIDEZ

- As alterações cutâneas normais associadas à gravidez consistem em escurecimento da linha alba (*linea nigra*), melasma (ver Seção 13) e estrias (**Fig. 15-20**).
- O prurido que ocorre durante a gravidez pode ser devido a uma exacerbação de dermatose preexistente ou a uma dermatose específica da gravidez.
- As dermatoses específicas da gravidez associadas a risco fetal são a colestase gestacional, a psoríase pustulosa da gravidez (impetigo herpetiforme) e o penfigoide gestacional.
- As dermatoses específicas da gravidez que não estão associadas a risco fetal incluem a erupção polimórfica da gravidez e o prurigo gestacional.
- A **Figura 15-21** fornece um algoritmo para abordagem a uma gestante com prurido.

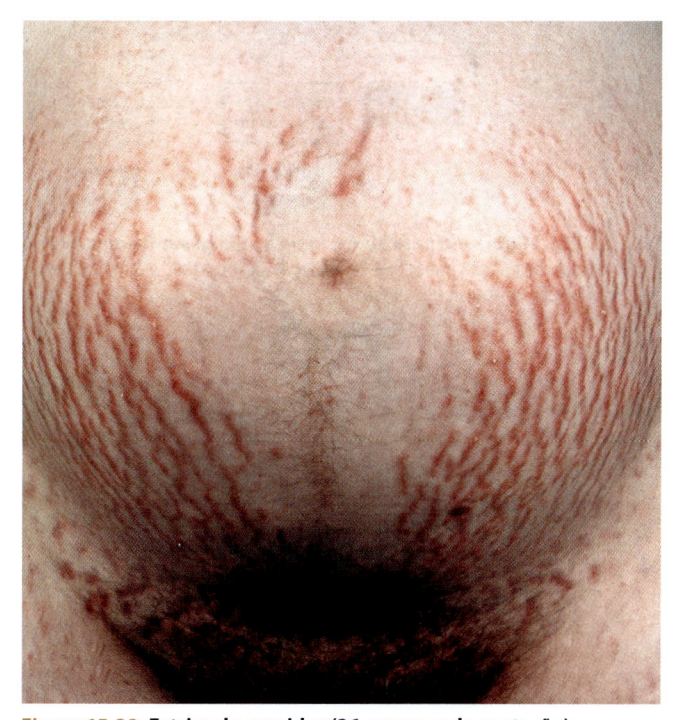

Figura 15-20 **Estrias da gravidez (36 semanas de gestação).**

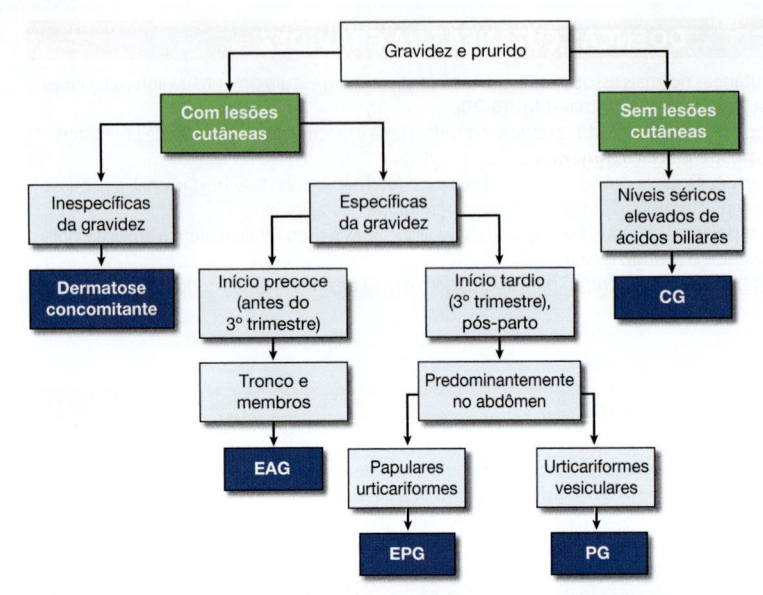

```
                        ┌─────────────────────┐
                        │ Gravidez e prurido  │
                        └──────────┬──────────┘
              ┌────────────────────┴────────────────────┐
    ┌─────────────────┐                      ┌─────────────────┐
    │  Com lesões     │                      │   Sem lesões    │
    │   cutâneas      │                      │    cutâneas     │
    └────────┬────────┘                      └────────┬────────┘
       ┌─────┴──────┐                                 │
┌────────────┐  ┌────────────┐                ┌──────────────┐
│Inespecíficas│  │ Específicas│                │Níveis séricos│
│ da gravidez │  │ da gravidez│                │ elevados de  │
└──────┬──────┘  └──────┬─────┘                │ácidos biliares│
       │                │                      └──────┬───────┘
┌──────────────┐        │                         ┌───┴───┐
│  Dermatose   │   ┌────┴────┐                    │  CG   │
│ concomitante │   │         │                    └───────┘
└──────────────┘   ▼         ▼
         ┌─────────────┐  ┌─────────────┐
         │Início precoce│  │Início tardio│
         │ (antes do    │  │(3° trimestre),│
         │3° trimestre) │  │  pós-parto   │
         └──────┬──────┘  └──────┬──────┘
                │                │
         ┌──────────────┐  ┌──────────────────┐
         │  Tronco e    │  │Predominantemente │
         │  membros     │  │   no abdômen     │
         └──────┬───────┘  └──────┬───────────┘
                │           ┌─────┴──────┐
             ┌─────┐        ▼            ▼
             │ EAG │  ┌──────────┐ ┌──────────────┐
             └─────┘  │Papulares │ │Urticariformes│
                      │urticari- │ │ vesiculares  │
                      │ formes   │ │              │
                      └────┬─────┘ └──────┬───────┘
                        ┌─────┐        ┌─────┐
                        │ EPG │        │ PG  │
                        └─────┘        └─────┘
```

Figura 15-21 Algoritmo para abordagem a uma gestante com prurido.
EAG, erupção atópica da gravidez; EPG, erupção polimórfica da gravidez; PG, penfigoide gestacional; CG, colestase gestacional.

COLESTASE GESTACIONAL (CG) CID-10: O99.2

- Ocorre no terceiro trimestre.
- Sintomas principais: prurido, localizado (palmas) ou generalizado. Mais intenso durante a noite.
- Lesões cutâneas sempre ausentes, porém ocorrem escoriações nos casos graves.
- Elevação dos níveis séricos de ácidos biliares.
- Os riscos fetais incluem prematuridade, sofrimento fetal intraparto e morte fetal.
- Tratamento: ácido ursodesoxicólico, plasmaférese.

PENFIGOIDE GESTACIONAL (PG) CID-10: O26.4

- O PG é uma dermatose inflamatória polimórfica pruriginosa da gravidez e do puerpério. Trata-se de um processo autoimune com anticorpos IgG fixadores do complemento circulantes no soro. Esse distúrbio é descrito na Seção 6.

ERUPÇÃO POLIMÓRFICA DA GRAVIDEZ (EPG) CID-10: O99.7

- A EPG é uma erupção pruriginosa característica da gravidez, que começa geralmente no terceiro trimestre, com mais frequência em primíparas (76%). É de ocorrência comum, com estimativa de 1 em 120 a 240 gestações.
- Não há risco aumentado de morbidade ou mortalidade fetal.
- A etiologia e a patogênese ainda não foram elucidadas.
- O tempo médio de início é de 36 semanas de gestação, geralmente em 1 a 2 semanas antes do parto. Entretanto, *os sinais e os sintomas podem começar no puerpério.*
- Ocorre prurido intenso no abdome, frequentemente nas estrias da gravidez. As *lesões cutâneas* consistem em pápulas eritematosas, de 1 a 3 mm, que coalescem rapidamente, formando placas urticariformes (**Fig. 15-22**) com formato e disposição policíclicos; surgem halos esbranquiçados ao redor da periferia das lesões. Lesões em alvo. Minúsculas vesículas de 2 mm; mas não há bolhas. Embora o prurido seja o principal sintoma, as escoriações são raras. Ocorre acometimento do abdome, das nádegas, das coxas (**Fig. 15-22**), da superfície medial dos braços e da região lombar.
- A face, as mamas, as palmas e as plantas raramente são acometidas. A área periumbilical é geralmente preservada. Não há lesões nas mucosas.
- O diagnóstico diferencial inclui todas as erupções abdominais pruriginosas durante a gravidez (**Fig. 15-21**), farmacodermias, dermatite de contato alérgica e prurido metabólico.
- Os *exames laboratoriais*, incluindo histopatologia e imuno-histopatologia, não contribuem para o diagnóstico.
- A maioria das gestantes não sofre recidiva no puerpério, em gestações subsequentes ou com o uso de anticoncepcionais orais. Quando ocorre, a recidiva é normalmente muito mais leve.
- Tratamento: esteroides tópicos de alta potência, que frequentemente podem ser reduzidos de modo gradual; a prednisona oral, em doses de 10 a 40 mg/dia, alivia os sintomas em 24 horas. Os anti-histamínicos orais são ineficazes.
- Sinônimos: EPG, erupção toxêmica da gravidez, prurigo da gravidez de início tardio.

Figura 15-22 Erupção polimórfica da gravidez (anteriormente denominada pápulas e placas urticariformes e pruriginosas da gravidez [PPUPG]) Presença de pápulas urticariformes em ambas as coxas, onde coalescem, formando placas urticariformes. Presença de pápulas e lesões urticariformes semelhantes nas estrias da gravidez no abdome desta gestante com 35 semanas. As lesões eram extremamente pruriginosas, causando insônia noturna e muito estresse; não há escoriações.

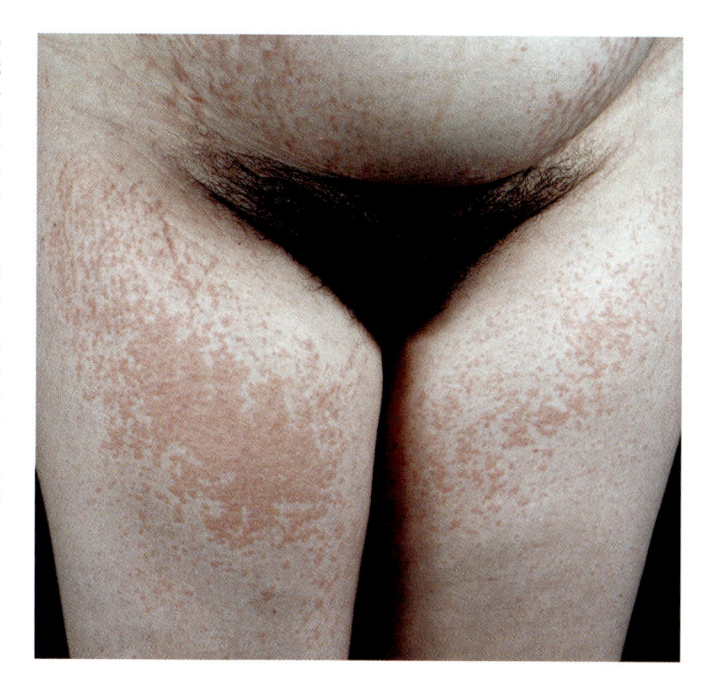

PRURIGO GESTACIONAL E ERUPÇÃO ATÓPICA DA GRAVIDEZ (EAG) CID-10: L20.9

- Atualmente, o prurigo gestacional foi reclassificado como parte do espectro da EAG.
- Muito comum.
- A EAG consiste em exacerbações da dermatite atópica (também ocorre em pacientes que previamente não tinham DA); manifesta-se com lesões eczematosas ou prurigo (ver Seção 2).
- O principal sintoma é o prurido.

PSORÍASE PUSTULOSA NA GESTAÇÃO CID-10: L40.1

- Anteriormente denominada *impetigo herpetiforme*.
- Do ponto de vista clínico e histopatológico, é indistinguível da psoríase pustular de von Zumbusch.
- Ardência, ferroadas, ausência de prurido.
- A paciente pode apresentar hipocalcemia e níveis diminuídos de vitamina D.
- Ver "Psoríase pustulosa" na Seção 3.

MANIFESTAÇÕES CUTÂNEAS DA OBESIDADE

- Nos países ocidentais, a obesidade é amplamente reconhecida como uma epidemia.
- A obesidade é responsável por alterações na função de barreira da pele, das glândulas sebáceas e produção de sebo, das glândulas sudoríparas, dos vasos linfáticos, da estrutura e da função do colágeno, da cicatrização de feridas, da micro e macrocirculação e da gordura subcutânea.
- A obesidade está implicada em um amplo espectro de doenças dermatológicas, incluindo *acantose nigricans* (Seção 5), acrocórdons, ceratose pilar (Seção 4), *hiperandrogenismo* e *hirsutismo* (Seção 31), *estrias atróficas*, *adipose dolorosa* e redistribuição do tecido adiposo, linfedema, *insuficiência venosa crônica* (Seção 17) e *hiperceratose plantar* (Seção 4).
- Celulite, infecções cutâneas (Seção 25), hidradenite supurativa (Seção 1), *psoríase* (Seção 3), *síndrome de resistência à insulina* e *gota tofácea*.

SEÇÃO 16

DOENÇAS GENÉTICAS

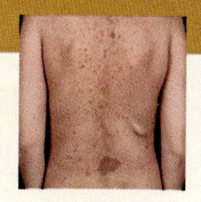

PSEUDOXANTOMA ELÁSTICO CID-10: Q82.8

- O pseudoxantoma elástico (PXE) é um distúrbio hereditário grave do tecido conectivo, que acomete o tecido elástico na pele, nos vasos sanguíneos e nos olhos. Herança autossômica recessiva (mais comum) e autossômica dominante. *Incidência:* 1:40.000 a 1:100.000.
- *Etiologia e patogênese:* Mutação patogênica no gene *ABCC6*, que codifica MRP6, um membro da família de proteínas transportadoras transmembrana dependentes de ATPase. A MRP6 pode atuar como bomba de efluxo para o transporte de conjugados de glutationa de pequeno peso molecular, podendo facilitar a calcificação das fibras elásticas. Acredita-se também que a MRP6 seja importante para a desintoxicação celular.
- As principais manifestações cutâneas consistem em um padrão característico de superfície em *casca de laranja*, produzido por grupos estreitamente reunidos de pápulas amarelas ("pedras de calçamento") com padrão reticular na região cervical, nas axilas e em outras dobras do corpo (**Fig. 16-1**).
- Os efeitos sobre o sistema vascular incluem hemorragia GI, hipertensão que ocorre em indivíduos jovens, em consequência do comprometimento das artérias renais, e claudicação.
- As manifestações oculares (estrias "angioides" e hemorragias retinianas) podem levar à cegueira.
- *Dermatopatologia*: A biópsia de uma cicatriz pode demonstrar alterações características do PXE *antes do aparecimento das alterações cutâneas típicas*. Edema e aglomerados irregulares de coloração basofílica das fibras elásticas, que aparecem retorcidas e "fragmentadas", com depósito de cálcio.
- A evolução é inexoravelmente progressiva. Hemorragia da artéria gástrica → hematêmese. Doença vascular periférica → acidentes vasculares encefálicos, aterosclerose obliterante ou angina intestinal. As gestações são complicadas por abortamentos e complicações cardiovasculares. Cegueira. A expectativa de vida frequentemente é reduzida devido à ocorrência de infarto do miocárdio ou hemorragia GI intensa.
- *Tratamento:* Aconselhamento genético. Avaliar os familiares para PXE. É fundamental uma reavaliação periódica pelo médico da atenção primária e pelo oftalmologista.
- *Organização de apoio:* PXE International, *www.pxe.org*.

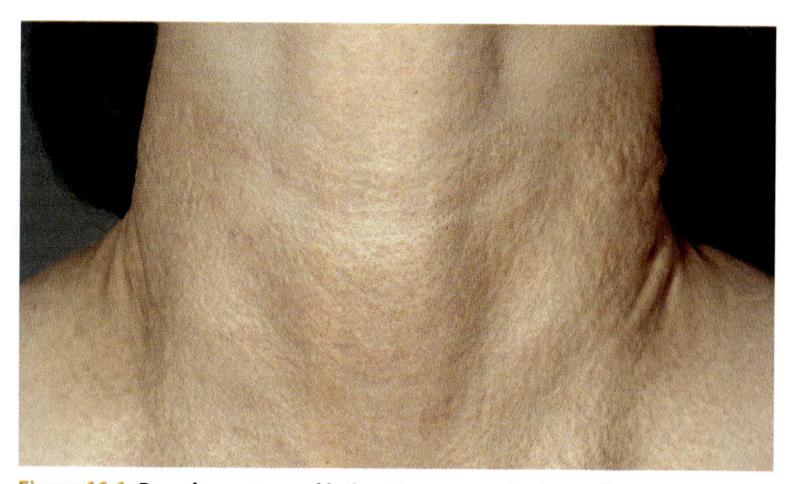

Figura 16-1 Pseudoxantoma elástico Numerosas pápulas confluentes amareladas (pseudoxantomatosas) formam uma grande placa circunferencial áspera na região cervical de uma mulher de 32 anos. As alterações do tecido conectivo nessa doença resultam em dobras excessivas na parte lateral da região cervical.

ESCLEROSE TUBEROSA (ET) CID-10: Q85.1

- A ET é uma doença autossômica dominante, que resulta de hiperplasia geneticamente programada das células ectodérmicas e mesodérmicas e que se manifesta por uma variedade de lesões na pele, no SNC (hamartomas), no coração, nos rins e em outros órgãos.
- As principais manifestações iniciais formam a tríade de crises convulsivas, retardo mental e manchas brancas congênitas.
- Os angiofibromas faciais são patognomônicos, mas só aparecem no 3º ou 4º ano.

EPIDEMIOLOGIA

INCIDÊNCIA Em instituições para doentes mentais, 1:100 a 1:300; na população geral, 1:20.000 a 1:100.000.
IDADE DE INÍCIO Lactância.
SEXO Incidência igual.
ETNIA Acomete todas as etnias.
HEREDITARIEDADE Autossômica dominante. A ET é causada por mutações de um gene supressor tumoral, *TSCS1* ou *TSCS2*. O *TSCS1* se encontra no cromossomo 9q34. O *TSCS2* se encontra no 16p13.3.

MANIFESTAÇÃO CLÍNICA

As máculas brancas estão presentes no nascimento ou aparecem na lactância (> 80% ocorrem com 1 ano de idade, 100% aparecem aos 2 anos); > 20% dos angiofibromas estão presentes com 1 ano de idade, 50% ocorrem até os 3 anos. Ocorrem convulsões (espasmos do lactente) em 86% dos casos; quanto mais precoce o início das convulsões, mais grave o retardo mental. Retardo mental (49%).
LESÕES CUTÂNEAS (incidência de 96%).
Máculas hipomelanóticas. "Esbranquiçadas"; uma ou muitas, geralmente mais de três. Poligonais ou em "impressão digital", medindo 0,5 a 2 cm; manchas lanceoladas ovais ou em forma de folha de freixo (*ash-leaf*) (Fig. 16-2), medindo de 3 a 4 cm (até 12 cm); máculas brancas minúsculas semelhantes a "confetes", medindo de 1 a 2 mm (Fig. 16-3). As máculas brancas ocorrem no tronco (>), nos membros inferiores (>), nos membros superiores (7%), na cabeça e na região cervical (5%). As máculas brancas brilham sob a lâmpada de Wood (Fig. 16-2B).
Angiofibromas. Cupuliformes e lisos, 0,1 a 0,5 cm, de cor avermelhada ou da cor da pele (Fig. 16-4). Ocorrem na região central da face. São de consistência firme e disseminados, mas podem coalescer; denominados *adenoma sebáceo*, embora representem angiofibromas (presentes em 70%).
Placas. Representam nevos de tecido conectivo (placa de "chagrém"), presentes em 40% dos casos; cor da pele; ocorrem no dorso e nas nádegas (Fig. 16-5B).
Pápulas ou nódulos periungueais. Verifica-se a presença de fibromas ungueais (tumores de Koenen) em 22% dos casos, que surgem no final da infância e apresentam a mesma patologia (angiofibroma) das pápulas faciais (Fig. 16-5A).

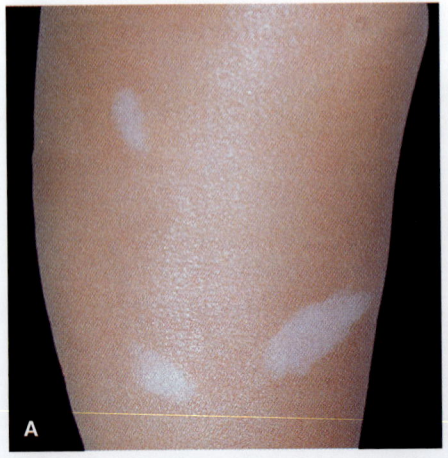

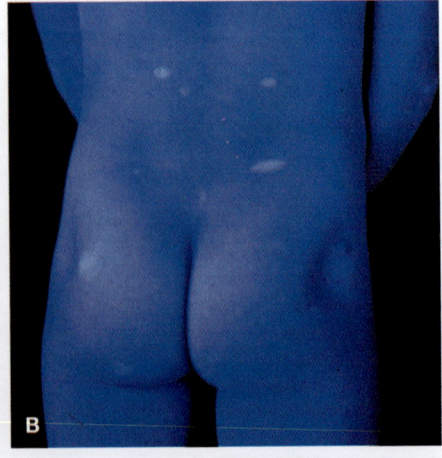

Figura 16-2 Esclerose tuberosa: máculas hipopigmentadas em forma de folha de freixo (*ash-leaf*)
(A) Três máculas hipomelanóticas alongadas e bem demarcadas (em forma de folha de freixo) na perna de uma criança de pele parda. **(B)** As máculas hipomelanóticas em forma de folha de freixo na pele pálida são mais bem visualizadas com uma lâmpada de Wood, que as faz brilhar.

SISTEMAS ASSOCIADOS

SNC (tumores que produzem convulsões), olhos (placas retinianas cinzentas ou amareladas, 50%), coração (rabdomiomas benignos), hamartomas de tipo celular misto (rins, fígado, tireoide, testículos e sistema GI).

EXAMES LABORATORIAIS

DERMATOPATOLOGIA **Máculas brancas.** Quantidade diminuída de melanócitos, tamanho reduzido dos melanossomos, diminuição da melanina nos melanócitos e nos ceratinócitos.
Angiofibromas. Proliferação dos fibroblastos, aumento do colágeno, angioneogênese, dilatação capilar, ausência de tecido elástico.
PATOLOGIA CEREBRAL Os "tubérculos" são gliomas.
EXAMES DE IMAGEM **Radiografia de crânio.** Múltiplas densidades calcificadas.

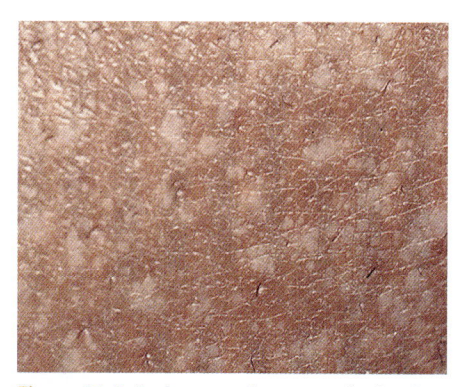

Figura 16-3 Esclerose tuberosa: máculas "em confete" Numerosas máculas hipopigmentadas, bem definidas, pequenas e semelhantes a confetes, de dimensões variáveis, na perna. Essas lesões são patognomônicas.

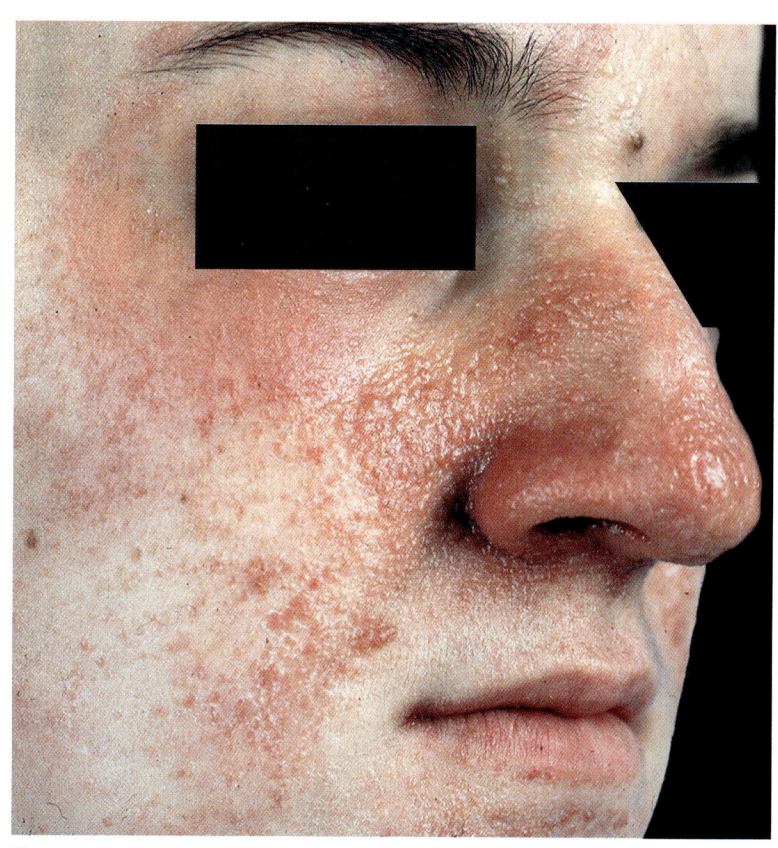

Figura 16-4 Esclerose tuberosa: angiofibromas Pápulas angiomatosas (eritematosas, brilhantes) pequenas e confluentes na região malar e no nariz. Essas lesões não estavam presentes nos primeiros anos de vida e só apareceram depois dos 4 anos de idade.

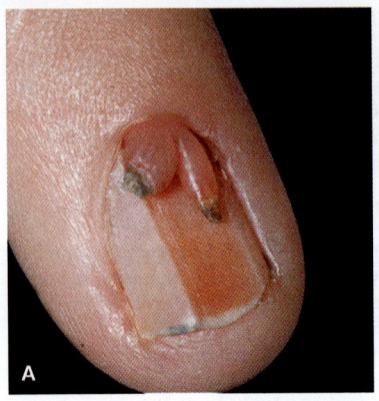

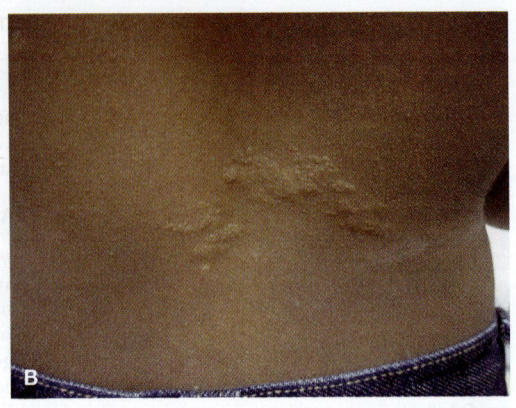

Figura 16-5 Esclerose tuberosa (A) Fibroma periungueal (tumor de Koenen). **(B)** Placa de chagrém, ligeiramente elevada, da cor da pele. Essa lesão representa um nevo de tecido conectivo. (Usada com permissão de Jennifer Tan, MD).

TC. Deformidade ventricular e depósitos tumorais ao longo das bordas estriotalâmicas.
RM. Nódulos subependimais.
Eletrencefalografia. Anormal.
Ultrassonografia renal. Revela hamartoma renal.

DIAGNÓSTICO

A presença de mais de cinco máculas em folha de freixo (Fig. 16-2) em um lactente é altamente sugestiva. As manchas "em confete" (Fig. 16-2) são praticamente patognomônicas. Avaliar o paciente com um estudo dos membros da família e obtenção de vários tipos de exames por imagem, bem como eletrencefalografia. Pode não haver retardo mental nem convulsões.

DIAGNÓSTICO DIFERENCIAL

MANCHAS BRANCAS Vitiligo localizado, nevo anêmico, *tinea versicolor*, nevo despigmentado, pitiríase alba e hipomelanose pós-inflamatória.

ANGIOFIBROMAS Tricolemoma, siringoma, pápulas faciais da cor da pele, nevos dérmicos. *Observação:* os angiofibromas da face (Fig. 16-4) têm sido confundidos e tratados como acne vulgar ou rosácea.
FIBROMAS PERIUNGUEAIS Verruga vulgar.

EVOLUÇÃO E PROGNÓSTICO

A ET é um distúrbio autossômico grave que causa problemas importantes relacionados ao comportamento causados pelo retardo mental, e a terapia visa o controle das crises convulsivas.
Nos casos graves, 30% dos pacientes morrem antes do quinto ano de vida, e 50 a 75% morrem antes de alcançar a idade adulta. Os gliomas malignos não são raros. O aconselhamento genético é fundamental.

TRATAMENTO

PREVENÇÃO Aconselhamento.
TRATAMENTO Cirurgia a *laser* para os angiofibromas.

NEUROFIBROMATOSE (NF) CID-10: Q85.0

- A NF é uma doença de caráter autossômico dominante, que se manifesta por alterações da pele, do sistema nervoso, dos ossos e das glândulas endócrinas. Essas alterações incluem uma variedade de anormalidades congênitas, tumores e hamartomas.
- São reconhecidas duas formas principais de NF: (1) a NF clássica de von Recklinghausen, denominada *NF1*, e (2) a NF central ou acústica, denominada *NF2*. Também foram relatadas diversas variantes menos comuns (variantes NF3-NF7).
- Ambos os tipos apresentam manchas café com leite e neurofibromas, porém apenas a NF2 exibe neuromas acústicos *bilaterais* (os neuromas acústicos unilaterais constituem um aspecto variável da NF1).
- Um importante sinal diagnóstico encontrado apenas na NF1 consiste nos hamartomas pigmentados da íris (nódulos de Lisch).
- *Sinônimo:* doença de von Recklinghausen.

EPIDEMIOLOGIA

INCIDÊNCIA *NF1*: 1:4.000; *NF2*: 1:50.000.
ETNIA Acomete todas as etnias.
SEXO Ligeiramente mais frequente no sexo masculino do que no feminino.
HEREDITARIEDADE Autossômica dominante; o gene da NF1 está localizado no cromossomo 17 (q1.2) e codifica uma proteína denominada neurofibromina. O gene da NF2 está localizado no cromossomo 22 e codifica uma proteína denominada merlina.

MANIFESTAÇÃO CLÍNICA

As máculas café com leite (CCL) geralmente não estão presentes por ocasião do nascimento, aparecendo durante os primeiros 3 anos de vida; os neurofibromas surgem no final da adolescência. As manifestações clínicas em vários órgãos estão relacionadas à patologia, como cefaleias hipertensivas (feocromocitomas), fraturas patológicas (cistos ósseos), retardo mental, tumor cerebral (astrocitoma), baixa estatura, puberdade precoce (menarca precoce, hipertrofia do clitóris).

LESÕES CUTÂNEAS Máculas CCL. Pigmentação melânica marrom-clara ou marrom-escura *uniforme*, com limites bem demarcados. As lesões variam de tamanho, desde numerosas máculas minúsculas de < 2 mm "semelhantes a sardas" (Fig. 16-6, as "sardas axilares" são patognomônicas) até máculas marrons muito grandes, > 20 cm (Fig. 16-7). As máculas CCL também variam em número, desde algumas poucas até centenas.

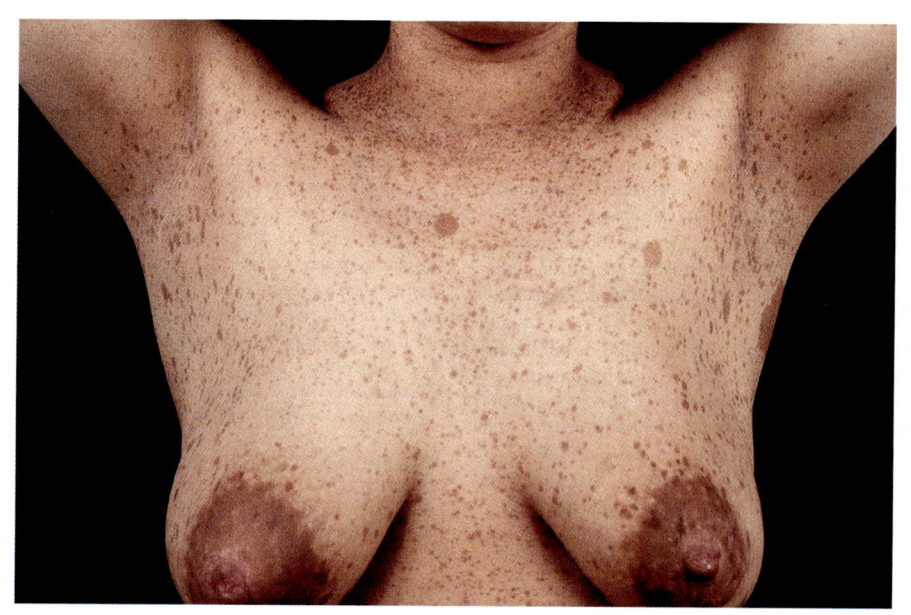

Figura 16-6 Neurofibromatose (NF1) Várias máculas café com leite maiores (> 1 cm) na parte superior do tórax e numerosas máculas pequenas nas axilas ("sardas" axilares) em uma mulher de pele parda. São observados incontáveis neurofibromas em estágio inicial, pequenos e rosa-acastanhados no tórax, nas mamas e na região cervical.

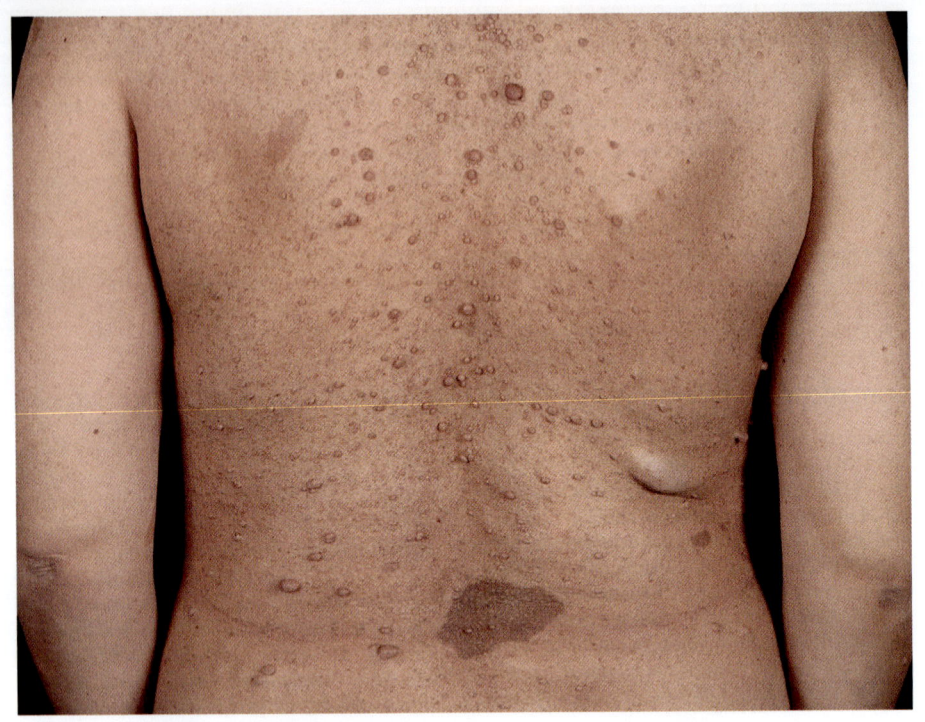

Figura 16-7 Neurofibromatose (NF1) As pápulas e os nódulos macios, da cor da pele ou rosa-acastanhados presentes no dorso são neurofibromas. As lesões apareceram pela primeira vez no final da infância. Uma grande mancha café com leite apresenta-se no dorso. Os grandes nódulos subcutâneos macios e pouco definidos existentes na região lombar, à direita, e na linha axilar posterior direita são neuromas plexiformes.

Pápulas/nódulos (neurofibromas). Lesões da cor da pele, rosadas ou castanhas (**Fig. 16-7**); planas, cupuliformes ou pedunculadas (**Fig. 16-8**); macias ou firmes, algumas vezes sensíveis; "sinal da casa de botão" – a invaginação produzida com a ponta do dedo indicador é patognomônica.

Neuromas plexiformes. Lesões pendentes, macias (**Figs. 16-7** e **16-9**), de consistência pastosa; podem ser maciças, acometendo todo o membro, a cabeça ou parte do tronco.

Distribuição. Lesões distribuídas de modo aleatório, mas que podem estar localizadas em uma única região (NF1 segmentar). O tipo segmentar pode ser hereditário ou pode ser um hamartoma esporádico.

OUTRAS ANORMALIDADES FÍSICAS **Olhos.** Os hamartomas pigmentados da íris (nódulos de Lisch) começam a aparecer aos 5 anos de idade e estão presentes em 20% das crianças com NF antes de 6 anos, mas também podem ser encontrados em 95% dos pacientes adolescentes com NF1 (**Fig. 16-10**). Esses hamartomas não se correlacionam com a gravidade da doença. Não são observados na NF2.
Feocromocitoma suprarrenal. Hipertensão arterial e ruborização episódica.
Sistema nervoso periférico. Elefantíase neuromatosa (desfiguração grosseira causada pela NF dos troncos nervosos).
Sistema nervoso central. Glioma óptico, neuroma acústico (raro e unilateral na NF1, mas comum e bilateral na NF2), astrocitoma, meningioma, neurofibroma.
Hematológicas. A leucemia mielógena crônica juvenil pode ser mais comum.

EXAMES LABORATORIAIS

EXAME COM LÂMPADA DE WOOD Nos indivíduos brancos de pele clara, as máculas CCL são mais facilmente visualizadas quando examinadas com lâmpada de Wood.

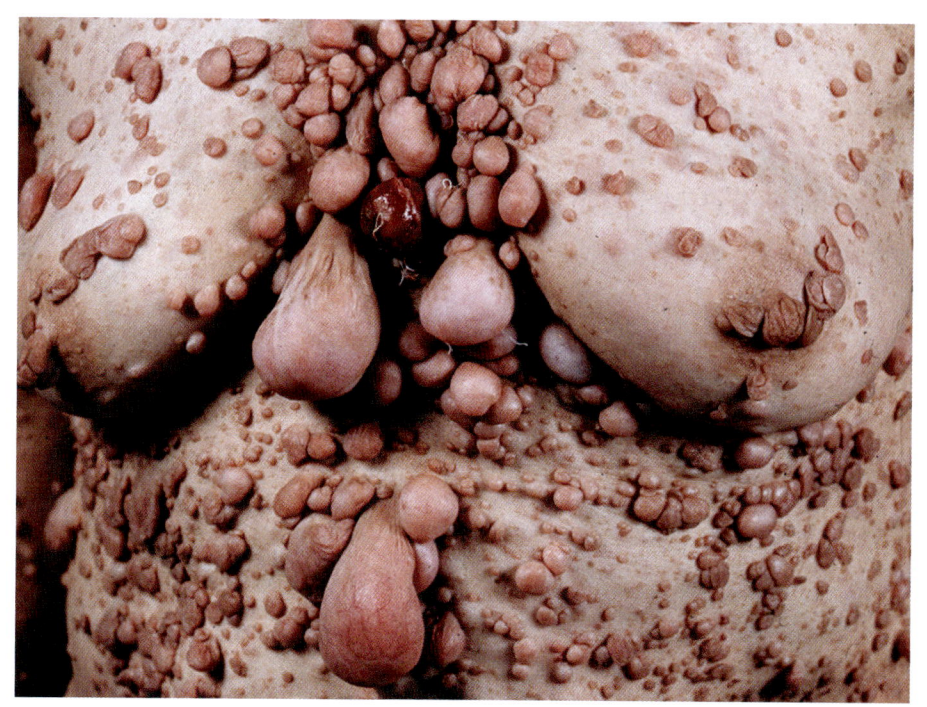

Figura 16-8 Neurofibromatose (NF1) Quantidade excessivamente grande de neurofibromas pedunculados pequenos e grandes no tórax de uma mulher de 56 anos, que também tinha grave desfiguração da face devido à presença de numerosos neurofibromas e neuromas plexiformes.

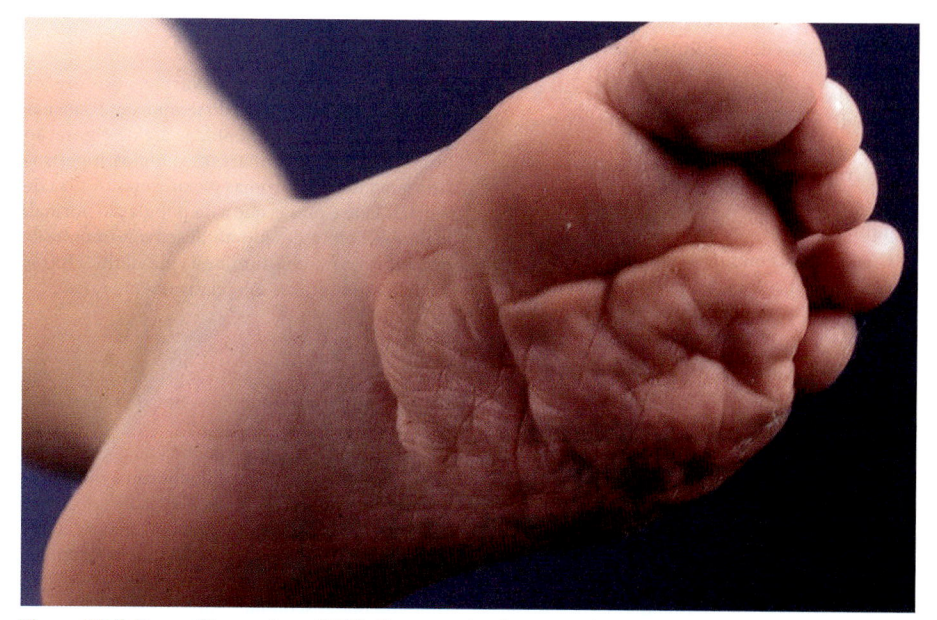

Figura 16-9 Neurofibromatose (NF1) Neuroma plexiforme na planta do pé de uma criança. Essa massa subcutânea pouco definida é macia e assintomática. O paciente tinha máculas café com leite e múltiplos neurofibromas.

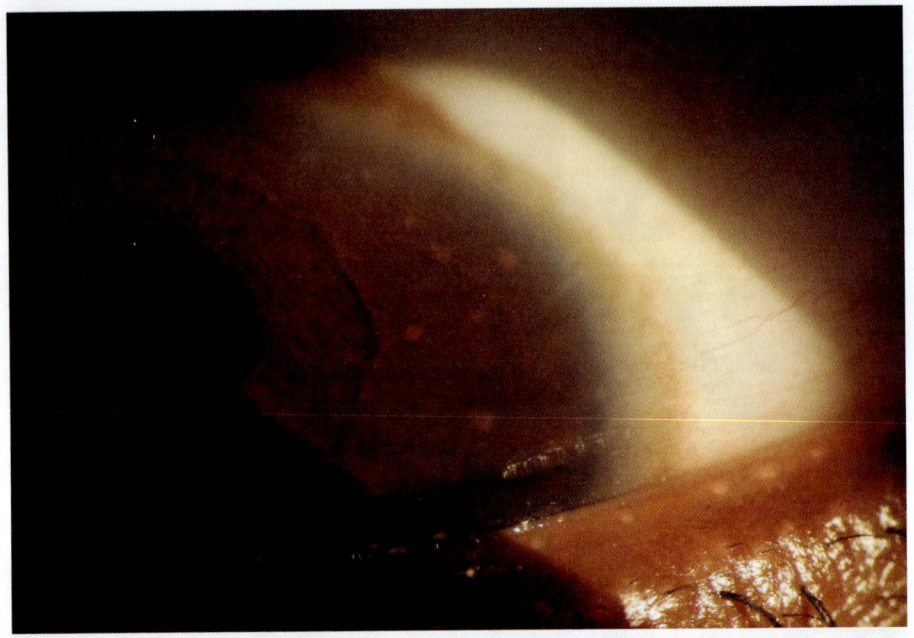

Figura 16-10 Os nódulos de Lisch são visíveis apenas mediante exame com lâmpada de fenda e aparecem como pápulas "lustrosas", cupuliformes, amareladas a marrom e transitórias, de até 2 mm.

DIAGNÓSTICO E DIAGNÓSTICO DIFERENCIAL

Presença de dois dos seguintes critérios:

- Máculas CCL múltiplas – mais de seis lesões com diâmetro de 1,5 cm em adultos e mais de cinco lesões com diâmetro de 0,5 cm ou mais em crianças com menos de 5 anos de idade.
- Numerosas sardas nas regiões axilares e inguinais.
- Com base nas manifestações clínicas e características histológicas, dois ou mais neurofibromas de qualquer tipo, ou um neurofibroma plexiforme.
- Displasia da asa do esfenoide ou arqueamento ou adelgaçamento congênito do córtex dos ossos longos, com ou sem pseudoartrite.
- Gliomas bilaterais dos nervos ópticos.
- Dois ou mais nódulos de Lisch ao exame com lâmpada de fenda.
- Parente de primeiro grau (pais, irmãos ou filhos) com NF1 de acordo com os critérios anteriores.

DIAGNÓSTICO DIFERENCIAL Máculas CCL marrons: síndrome de Albright (fibroma poliostótico, displasia e puberdade precoce). Observação: pode-se verificar a presença de algumas máculas CCL (3 ou menos) em 10 a 20% da população normal.

EVOLUÇÃO E PROGNÓSTICO

Ocorre comprometimento variável dos órgãos acometidos com o passar do tempo, desde apenas algumas máculas pigmentadas até desfiguração pronunciada, com milhares de nódulos, hipertrofia segmentar e neuromas plexiformes. A taxa de mortalidade é maior que a da população normal, principalmente devido ao desenvolvimento de neurofibrossarcoma durante a vida adulta. Outras complicações graves são relativamente raras.

MANEJO

ACONSELHAMENTO ESTÉTICO Os grupos de apoio da NF ajudam os indivíduos gravemente acometidos no ajuste social.

Um ortopedista deve tratar as duas principais complicações ósseas: a cifoescoliose e o arqueamento tibial. Um cirurgião plástico é envolvido na cirurgia reconstrutiva para a assimetria facial. Os distúrbios de linguagem e os déficits de aprendizagem devem ser avaliados por um psicólogo. É fundamental o acompanhamento anual rigoroso para a detecção de sarcomas que podem surgir dentro dos neuromas plexiformes.

TELANGIECTASIA HEMORRÁGICA HEREDITÁRIA CID-10: I78.0

- A telangiectasia hemorrágica hereditária é um distúrbio autossômico dominante, que afeta os vasos sanguíneos, particularmente nas mucosas da boca e do trato GI. Ela é causada por variantes em genes envolvidos na cascata de sinalização TFG-β/BMP: *ENG* (codifica a endoglina), *ACVRL1* (receptor da superfície celular); *SMAD4* (molécula de sinalização intracelular); *GDF2* (fator de crescimento).
- Com frequência, a doença é precedida de epistaxe recorrente, que frequentemente ocorre na infância.
- As lesões diagnósticas consistem em telangiectasias maculares e papulares pulsáteis, pequenas e geralmente puntiformes (**Figs. 16-11A** e **B**) nos lábios, na língua, na face, nas palmas e plantas, nos dedos das mãos e dos pés, nos leitos ungueais, nas conjuntivas, na nasofaringe e por toda a extensão dos tratos GI e urogenital. No paciente de 18 anos de idade, mostrado na **Figura 16-11A**, houve repetidos episódios de epistaxe, porém as telangiectasias não foram percebidas até que o paciente fosse avaliado devido à presença de anemia. Uma cuidadosa anamnese revelou que o pai do paciente tinha uma forma leve da mesma doença.
- Podem ocorrer fístulas arteriovenosas pulmonares.
- O sangramento crônico resulta em anemia.
- A eletrocauterização e o tratamento com *laser* de corante pulsado são utilizados para destruir as lesões cutâneas e mucosas acessíveis. Foram utilizados estrogênios para o tratamento do sangramento refratário.
- *Sinônimo:* síndrome de Osler-Weber-Rendu.

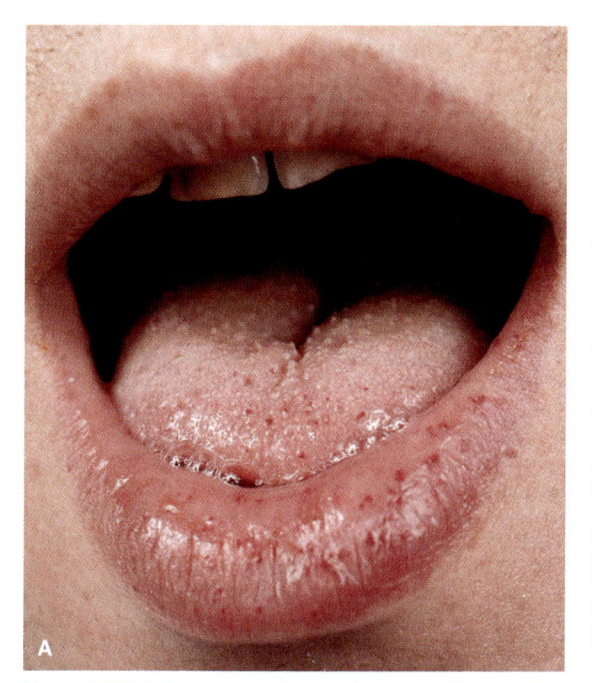

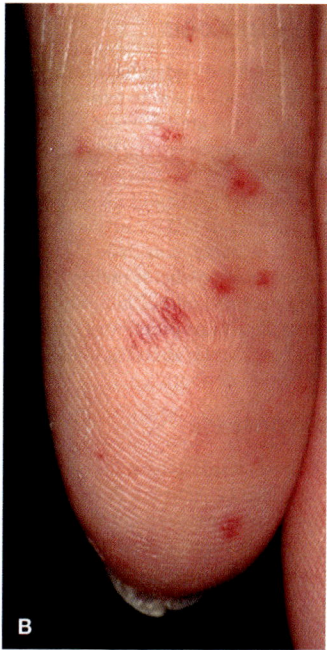

Figura 16-11 Telangiectasia hemorrágica hereditária (A) Diversas telangiectasias maculares e papulares vermelhas, isoladas, de 1 a 2 mm, no lábio inferior e na língua. **(B)** Diversas telangiectasias puntiformes no dedo indicador de outro paciente. Com o uso da dermatoscopia ou de uma lâmina de vidro, pode-se verificar que as lesões são pulsáteis.

SEÇÃO 17

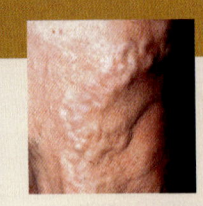

SINAIS CUTÂNEOS DE INSUFICIÊNCIA VASCULAR

ATEROSCLEROSE, INSUFICIÊNCIA ARTERIAL E ATEROEMBOLIA CID-10: I70

- A aterosclerose obliterante (AO) está associada a um espectro de achados cutâneos de alterações isquêmicas lentamente progressivas, em especial quando ocorrem nas extremidades inferiores.
- Os sintomas incluem desde isquemia aguda a claudicação intermitente com dor muscular ao esforço e fadiga, até isquemia dos membros, com dor em repouso e lesão tecidual.
- As manifestações cutâneas consistem em pele seca, queda dos pelos, onicodistrofia, gangrena e ulceração.
- A ateroembolia refere-se ao fenômeno de desprendimento de restos ateromatosos de uma artéria proximal acometida ou de aneurisma, com microembolização centrífuga e consequente ocorrência de lesões cutâneas agudas de isquemia e infarto.
- Mais comum em indivíduos de idade avançada e com procedimentos invasivos.
- As manifestações consistem em cor azulada ou coloração dos dedos dos pés ("dedo do pé azul"), livedo reticular e gangrena.

EPIDEMIOLOGIA

IDADE DE INÍCIO Indivíduos de meia-idade e idosos. Sexo masculino > sexo feminino.
INCIDÊNCIA A aterosclerose é a causa de 90% dos casos de doença arterial nos países desenvolvidos.
FATORES DE RISCO PARA ATEROSCLEROSE Tabagismo, hiperlipidemia, baixos níveis de lipoproteínas de alta densidade (HDL), níveis elevados de lipoproteínas de baixa densidade (LDL) e de colesterol, hipertensão, diabetes melito, hiperinsulinemia, obesidade abdominal, história familiar de cardiopatia isquêmica prematura e história pessoal de doença vascular encefálica ou de doença vascular periférica obstrutiva.

PATOGÊNESE

A aterosclerose constitui a causa mais comum de insuficiência arterial. Pode ser generalizada ou localizada nas artérias coronárias, nos vasos do arco aórtico que se dirigem para a cabeça e região cervical ou nos que irrigam os membros inferiores, isto é, artérias femoral, poplítea, tibiais anterior e posterior. Além da obstrução das artérias de grande calibre, os indivíduos com diabetes melito frequentemente apresentam microvasculopatia (ver Seção 15, Doenças endócrinas, metabólicas e nutricionais).
ATEROEMBOLIA Múltiplos depósitos pequenos de fibrina, plaquetas e colesterol embolizam a partir de lesões ateroscleróticas proximais ou de locais de aneurisma. Isso ocorre espontaneamente ou após cirurgia intravascular ou após determinados procedimentos, como arteriografia, fibrinólise ou anticoagulação.

MANIFESTAÇÃO CLÍNICA

Aterosclerose/insuficiência arterial das artérias dos membros inferiores

SINTOMAS Dor quando realiza exercícios, isto é, *claudicação intermitente*. Com a progressão da insuficiência arterial, ocorrem dor e/ou parestesias em repouso na perna e/ou no pé, particularmente à noite. Palidez, cianose, padrão vascular livedoide (Fig. 17-1), queda dos pelos do membro acometido. As primeiras alterações do infarto consistem em áreas semelhantes a mapas e bem demarcadas de necrose epidérmica. Posteriormente, pode ocorrer gangrena negra e seca na pele infartada (cianose purpúrea → palidez branca → gangrena negra) (Fig. 17-2). O desprendimento do tecido necrosado leva à formação de úlceras bem demarcadas, nas quais podem ser observadas as estruturas subjacentes, como tendões.
EXAME CLÍNICO GERAL Pulsos. Os pulsos dos vasos de grande calibre estão frequentemente diminuídos ou ausentes. Nos pacientes diabéticos com microangiopatia predominante, pode ocorrer gangrena na presença de pulsos adequados.
Sinal de Bürger. Com a redução significativa do fluxo sanguíneo arterial, a elevação do membro provoca palidez (mais bem percebida na planta dos pés); a posição pendente provoca hiperemia tardia e exagerada.
Dor. As úlceras isquêmicas são dolorosas; nos pacientes diabéticos com neuropatia e úlceras isquêmicas, a dor pode ser mínima ou ausente.
Distribuição. As úlceras isquêmicas podem aparecer inicialmente entre os dedos dos pés, em áreas de pressão, e começar nas fissuras da face plantar do calcanhar. Gangrena seca dos pés, que começa

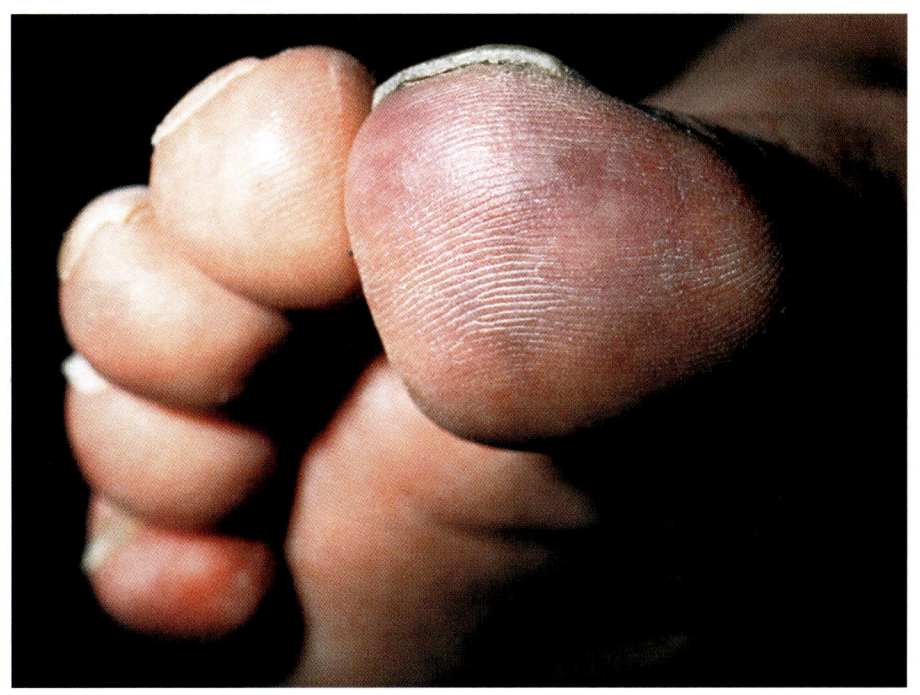

Figura 17-1 Aterosclerose obliterante, fase inicial O hálux apresenta palidez e eritema livedoide moteado na ponta. Neste homem diabético de 68 anos, houve obstrução da artéria ilíaca.

nos dedos dos pés, nas áreas de pressão ou nos dedos das mãos (Fig. 17-2B).

Ateroembolia
Sintomas. Dor aguda e sensibilidade na área de embolização.
LESÕES CUTÂNEAS Livedo reticular violáceo nas pernas, nos pés, mas também acometendo as nádegas. Alterações isquêmicas com recuperação precária da cor após compressão da pele. "Dedo do pé azul" (Fig. 17-3): placas endurecidas e dolorosas, que aparecem frequentemente após a ocorrência de livedo reticular nas panturrilhas e nas coxas; podem sofrer necrose (Fig. 17-4), tornar-se negras e crostosas e sofrer ulceração.
EXAME CLÍNICO GERAL Pulsos. Os pulsos distais podem permanecer intactos.

EXAMES LABORATORIAIS
HEMATOLOGIA Excluir a possibilidade de anemia, policitemia.
PERFIL LIPÍDICO Hipercolesterolemia (> 240 mg/dL), frequentemente associada à elevação da LDL. Hipertrigliceridemia (250 mg/dL) costuma estar associada à elevação de lipoproteínas de muito baixa densidade.
DERMATOPATOLOGIA DA ATEROEMBOLIA As amostras de biópsia das camadas profundas da pele e dos músculos revelam obstrução das arteríolas por fibrose, com células gigantes multinucleadas circundando fendas biconvexas em forma de agulhas, que correspondem aos microêmbolos de cristais de colesterol.
EXAME COM DOPPLER Revela redução ou interrupção do fluxo sanguíneo.
ARTERIOGRAFIA A aterosclerose é mais bem visualizada por angiografia. Ulceração das placas ateromatosas na parte abdominal da aorta ou em vasos mais distais.

DIAGNÓSTICO E DIAGNÓSTICO DIFERENCIAL

DIAGNÓSTICO DIFERENCIAL Claudicação intermitente. Pseudoxantoma elástico, doença de Bürger (tromboangeíte obliterante), artrite e gota.
Pé doloroso. Gota, neuroma interdigital, pé chato, bursite do calcâneo, fascite plantar, ruptura do músculo plantar.
Lesões da perna/pé causadas por isquemia e infarto. Vasculite, fenômeno de Raynaud (vasospasmo), coagulação intravascular disseminada, crioglobulinemia, síndrome de hiperviscosidade (macroglobulinemia), embolia séptica (endocardite infecciosa), embolia asséptica; necrose induzida por fármacos (varfarina, heparina), intoxicação

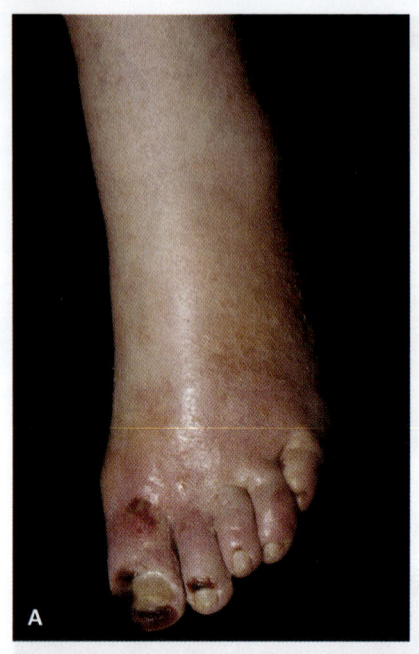

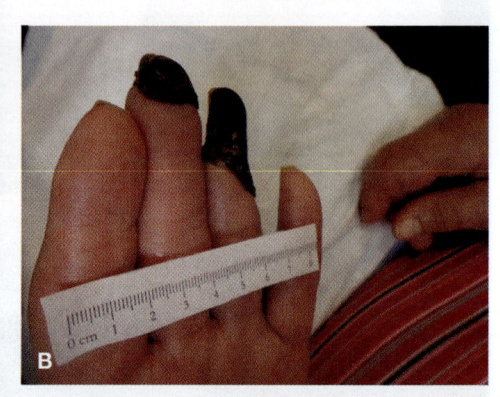

Figura 17-2 Aterosclerose obliterante **(A)** Há palidez da parte anterior do pé e eritema moteado distal, com gangrena incipiente do hálux e do segundo dedo. Esta paciente diabética apresenta obstrução parcial da artéria femoral. A paciente era fumante. **(B)** Gangrena mais avançada nas pontas dos dedos. A paciente tinha insuficiência arterial de longa data e observou de maneira subaguda a alteração de cor com perda de sensibilidade apesar das tentativas de revascularização e restauração do fluxo sanguíneo. (Usada com permissão de Virginia Capasso, PhD, APRN.)

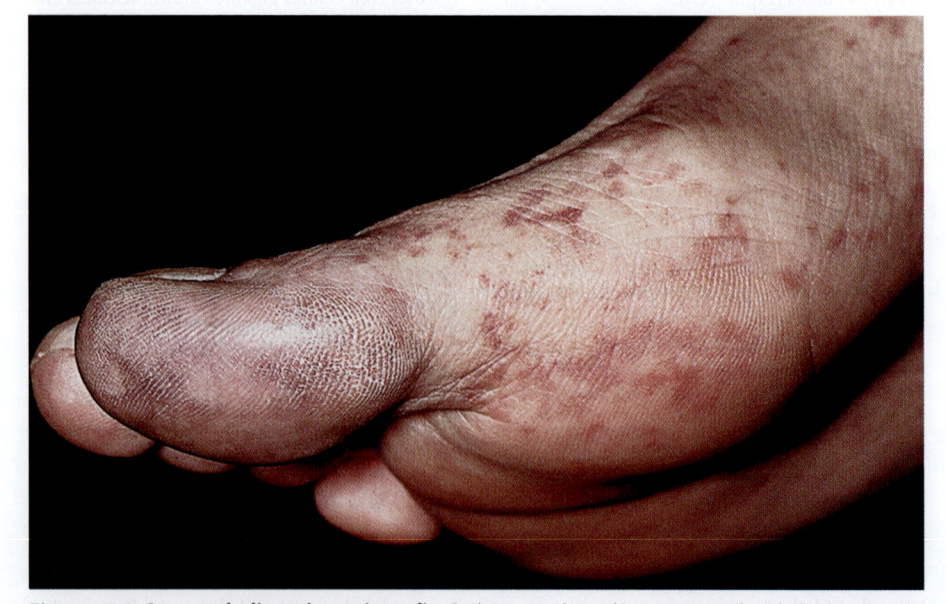

Figura 17-3 Ateroembolia após angiografia Padrão vascular violáceo e moteado ("dedo do pé azul") na parte anterior do pé e no hálux. Essas anormalidades foram observadas após cateterização intravascular e angiografia em um indivíduo com AO.

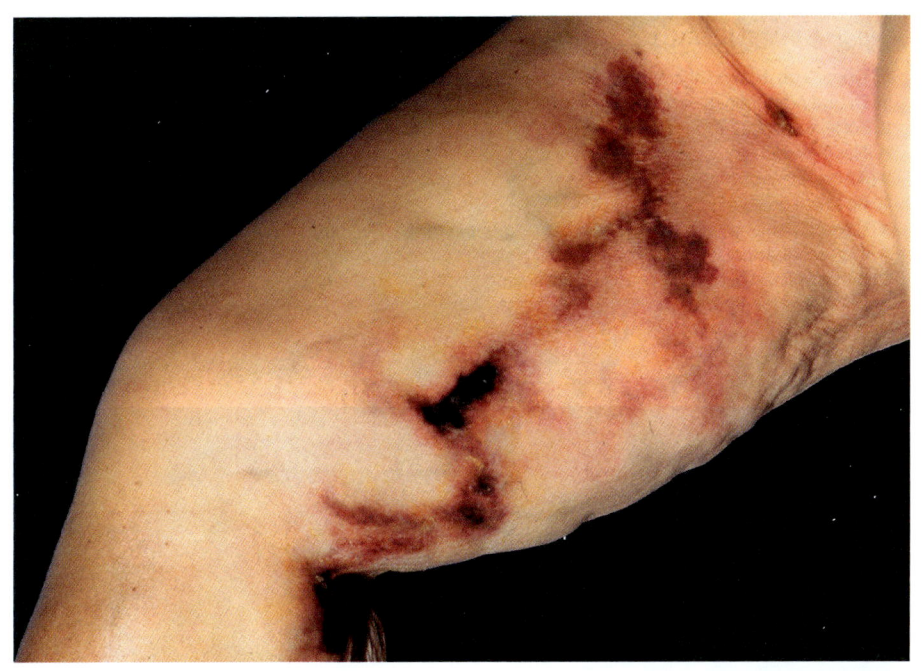

Figura 17-4 Ateroembolia com infarto cutâneo Coloração violácea e infartos cutâneos com disposição linear na superfície medial da coxa de uma mulher de 73 anos com aterosclerose, insuficiência cardíaca e diabetes.

por derivados do ergot, injeção intra-arterial, síndromes do livedo reticular, compressão externa (encarceramento poplíteo).

EVOLUÇÃO E PROGNÓSTICO

A *insuficiência arterial* é uma doença lentamente progressiva. A aterosclerose de artérias coronárias e carótidas costuma ser determinante da sobrevida do paciente. As taxas de amputação diminuíram de 80% para < 40% com a cirurgia vascular intensiva. A *ateroembolia* pode representar um episódio único se a ateroembolização ocorrer após um procedimento intra-arterial. Pode ser recidivante quando espontânea e está associada à ocorrência de necrose tecidual significativa.

TRATAMENTO

PREVENÇÃO A meta do tratamento consiste na prevenção da aterosclerose.

Tratamento clínico da *hiperlipidemia primária*: Com estatinas, dieta e exercícios. Reduzir a pressão arterial elevada. *Abandonar o tabagismo*. Incentivar as caminhadas para a formação de novos vasos colaterais. Posicionar o pé isquêmico no nível mais baixo possível sem provocar edema. Heparina e varfarina. Prostaciclinas IV. Analgésicos.

TRATAMENTO CIRÚRGICO Endarterectomia ou *bypass* para obstruções ilíacas. Desbridamento local do tecido necrótico. Amputação da perna/pé: indicada quando os tratamentos clínico e cirúrgico falharem.

TROMBOANGEÍTE OBLITERANTE (TO) CID-10: I73.1

- Doença obstrutiva inflamatória rara das artérias e veias de pequeno e médio calibres.
- Ocorre predominantemente em homens, de 20 a 40 anos de idade.
- Forte associação com tabagismo.
- Nos indivíduos que fazem uso de maconha, ocorre angeíte clinicamente indistinguível da TO.
- As manifestações clínicas consistem em sensibilidade ao frio; isquemia; claudicação da perna, do pé, do braço ou da mão.
- Cianose periférica, úlceras isquêmicas, gangrena (**Fig. 17-5**) e tromboflebite superficial.
- *Manejo*: abandono do tabagismo, analgésicos, cuidados com as feridas; agentes antiplaquetários, prostaciclinas, pentoxifilina, angioplastia, simpatectomia, amputação.
- *Sinônimo*: doença de Bürger.

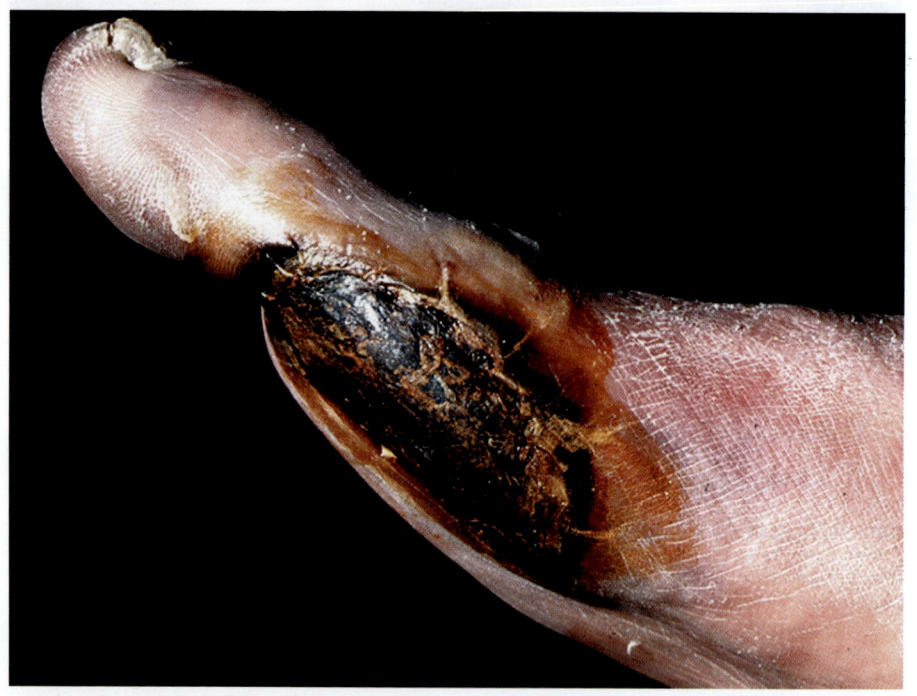

Figura 17-5 Tromboangeíte obliterante Necrose causada por infarto do hálux de um homem de 28 anos. A lesão é extremamente dolorosa. (A coloração amarelo-acastanhada deve-se à desinfecção com iodo.)

TROMBOFLEBITE E TROMBOSE VENOSA PROFUNDA
CID-10: I80 E I82.9

- A flebite superficial (FS) é uma trombose inflamatória de uma veia *normal* superficial, frequentemente causada por infecção ou traumatismo provocado por agulhas e cateteres.
- A trombose inflamatória de uma veia *varicosa* ocorre geralmente no contexto da síndrome de insuficiência venosa crônica (IVC).
- A trombose venosa profunda (TVP) é causada por obstrução trombótica de uma veia, com ou sem resposta inflamatória.
- Ocorre em consequência de fluxo sanguíneo lento, hipercoagulabilidade ou alterações na parede venosa.

Fatores predisponentes e causas da trombose venosa profunda

Fatores comuns
- Cirurgia de grande porte
- Fraturas
- Insuficiência cardíaca congestiva
- Infarto agudo do miocárdio
- Acidente vascular encefálico
- Gravidez e pós-parto
- Lesões da medula espinal
- Choque

Fatores menos comuns
- Anemia falciforme
- Homocistinúria
- Deficiência de proteína C ou S
- Anticoncepcionais orais
- Neoplasias malignas
- Varicosidades venosas
- História pregressa de trombose venosa
- Mutação do fator V de Leiden
- Insuficiência pulmonar grave
- Imobilização prolongada
- Deficiência de antitrombina III
- Anticorpos antifosfolipídeos
- Colite ulcerativa

ETIOLOGIA E PATOGÊNESE

O trombo forma-se em uma área de fluxo venoso lento. A resposta inflamatória ao trombo provoca dor e sensibilidade. A organização do trombo na veia destrói as paredes da veia, resultando na síndrome pós-trombótica.

MANIFESTAÇÃO CLÍNICA

Os pacientes queixam-se de dor ou desconforto doloroso no membro acometido ou verificam a ocorrência de edema do membro. Alguns pacientes podem ser assintomáticos. A embolia pulmonar pode constituir a primeira indicação de TVP.

A tromboflebite superficial é diagnosticada pelo endurecimento característico de uma veia superficial, com eritema, dor e aumento da temperatura (Fig. 17-6A). A TVP manifesta-se por edema, calor e sensibilidade do membro (Fig. 17-6B), com distensão proeminente das veias colaterais. São reconhecidos dois tipos de complexos ao exame: o membro pode ficar muito pálido e doloroso (*flegmasia alba dolens*) (Fig. 17-6B), ou pode ser cianótico e doloroso com dedos frios se o fluxo arterial também estiver acometido (*flegmasia coerulea dolens*).

A *flebite migratória* descreve um endurecimento inflamatório das veias superficiais, que migra em determinada região do corpo; pode estar associada à tromboangeíte obliterante e a neoplasias malignas. A *doença de Mondor* (flebite esclerosante) descreve a ocorrência de endurecimento de uma veia subcutânea que se estende da mama até a região axilar e que, durante a cicatrização, provoca encurtamento do cordão venoso, com retração da pele.

EXAMES LABORATORIAIS

A imagem do sistema venoso por ultrassonografia com Doppler colorido e exame com Doppler revela ausência de fluxo ou das variações respiratórias normais do fluxo venoso nas obstruções das veias proximais.

DIAGNÓSTICO DIFERENCIAL

Linfedema, celulite, erisipela, flebite superficial e linfangite. Um diagnóstico diferencial raro é a ruptura do músculo plantar, que provoca dor, edema e áreas de equimose na região pendente do tornozelo.

MANEJO

O manejo da FS consiste em compressão, agentes antiplaquetários e anti-inflamatórios não esteroides.

O tratamento da TVP consiste em anticoagulação. Heparina IV e heparinas de baixo peso molecular. A varfarina pode ser iniciada por via oral no mesmo momento. Recentemente foram aprovados pela FDA novos agentes anticoagulantes, incluindo fondaparinux, rivaroxabana, dabigatrana, apixabana e edoxabana para o tratamento de TVP e EP em circunstâncias específicas.

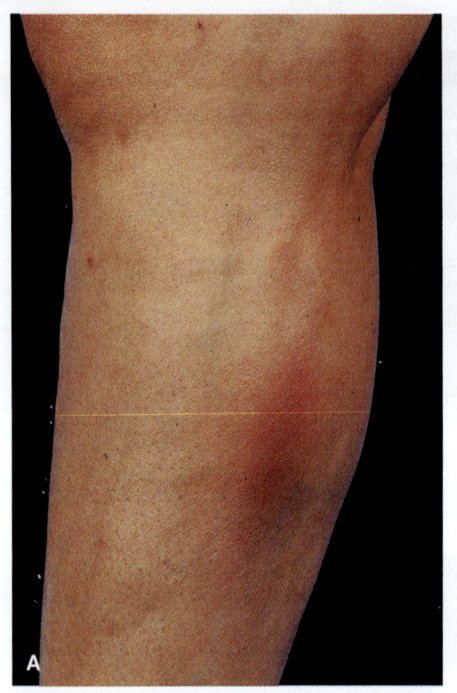

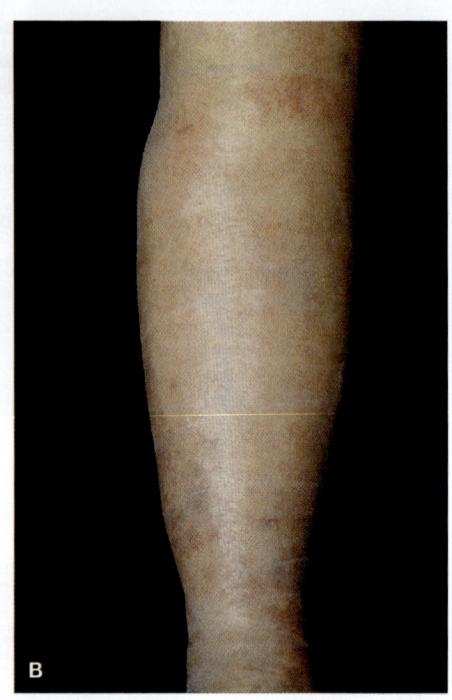

Figura 17-6 Flebite superficial e trombose venosa profunda (A) Cordão eritematoso linear doloroso, que se estende da fossa poplítea até a metade da panturrilha em um homem de 35 anos com varicosidades moderadas. A flebite ocorreu depois de um voo de 15 horas. **(B)** A perna está edemaciada, pálida, com coloração cianótica variegada e dolorosa. O episódio ocorreu depois de uma cirurgia de abdome (as marcas circulares devem-se a uma bandagem de compressão).

INSUFICIÊNCIA VENOSA CRÔNICA (IVC) CID-10: I87.2

- A IVC resulta da ausência de retorno centrípeto do sangue venoso e elevação da pressão capilar.
- As alterações resultantes consistem em edema, dermatite de estase, hiperpigmentação, fibrose da pele e dos tecidos subcutâneos (lipodermatosclerose) da perna e ulceração.
- As úlceras venosas representam as feridas crônicas mais comuns nos seres humanos.

EPIDEMIOLOGIA E ETIOLOGIA

Veias varicosas: Pico de incidência do início aos 30 a 40 anos. As veias varicosas são três vezes mais comuns nas mulheres do que nos homens.
ETIOLOGIA A IVC está mais comumente associada a veias varicosas e à síndrome pós-flebítica. As veias varicosas seguem padrão hereditário.
FATORES AGRAVANTES Gravidez, aumento do volume sanguíneo, do débito cardíaco e da pressão venocava, uso de progesterona.

PATOGÊNESE

As valvas lesionadas das veias profundas da panturrilha tornam-se incompetentes para impedir o fluxo retrógrado do sangue. A fibrina deposita-se no espaço extravascular, resultando em esclerose e obstrução dos vasos linfáticos e da microvascularização.

Esse ciclo repete-se: evento inicial → agravamento da estase venosa e dilatação das veias varicosas → trombose → lipodermatosclerose → dermatite de estase → ulceração.

MANIFESTAÇÃO CLÍNICA

A IVC está comumente associada a uma sensação de peso ou desconforto doloroso nas pernas, que é agravada pela posição ereta (pendência) e aliviada com a caminhada. A lipodermatosclerose pode limitar os movimentos do tornozelo e causar dor e limitação da mobilidade, as quais, por sua vez, aumentam a estase.

Lesões cutâneas

VEIAS VARICOSAS As veias superficiais da perna ficam dilatadas, tortuosas e com valvas incompetentes; são mais bem avaliadas com o paciente na posição ereta (Fig. 17-7A). *Blow-out* nos locais das veias comunicantes incompetentes. As veias varicosas podem ou não estar associadas à flebectasia em "explosão estrelar", geralmente sobre a área de uma veia comunicante incompetente (Fig.17-7B).

EDEMA Pendente; melhora ou resolução pela manhã, depois de uma noite na posição horizontal. Dorso dos pés, tornozelos, pernas.

DERMATITE ECZEMATOSA (DE ESTASE) Ocorre em pacientes com IVC nas pernas e nos tornozelos (Fig. 17-8). Trata-se de uma dermatite eczematosa clássica, com pápulas inflamatórias e erosões descamativas e crostosas; além disso, há pigmentação pontilhada, com hemorragias recentes e antigas, esclerose da derme e escoriações provocadas pela coçadura. Se a dermatite de estase eczematosa for extensa, pode estar associada à dermatite eczematosa generalizada, isto é, reação "id" ou autossensibilização (ver Seção 2).

ATROFIA BRANCA Pequenas placas deprimidas de cor branco-marfim (Fig. 17-9) no tornozelo e/ou no pé; configuração estrelada e irregular, com coalescência; pigmentação pontilhada; borda pigmentada de hemossiderina, geralmente dentro da dermatite de estase. Ocorre frequentemente após traumatismo.

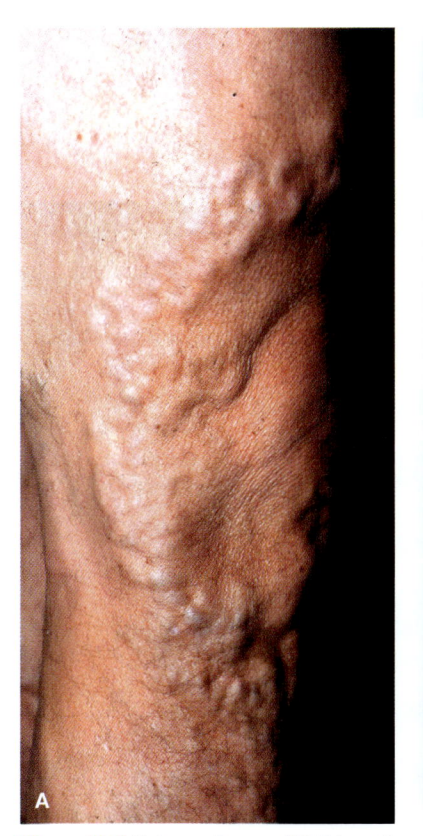

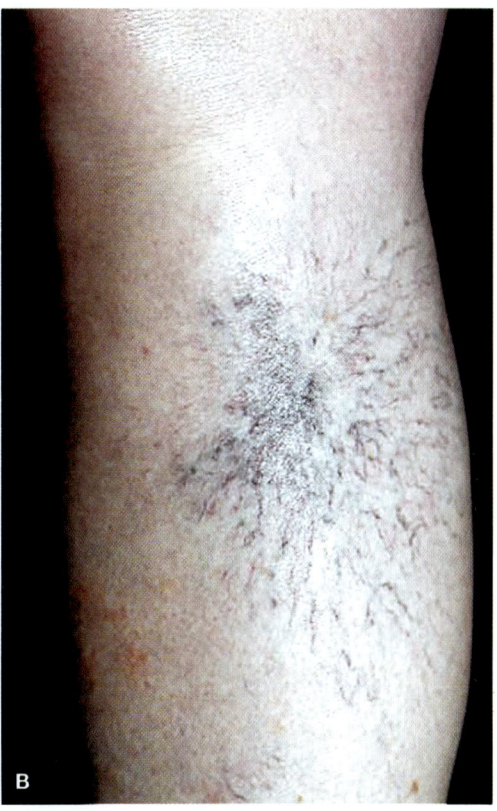

Figura 17-7 Veias varicosas (A) Veias varicosas irregulares, serpiginosas e contorcidas na coxa e abaixo do joelho de um homem de 70 anos, que também apresentava lipodermatosclerose e dermatite de estase nas pernas. **(B)** *Venectasias em "explosão estrelar" na panturrilha*. Trata-se de uma área sobre uma veia comunicante insuficiente.

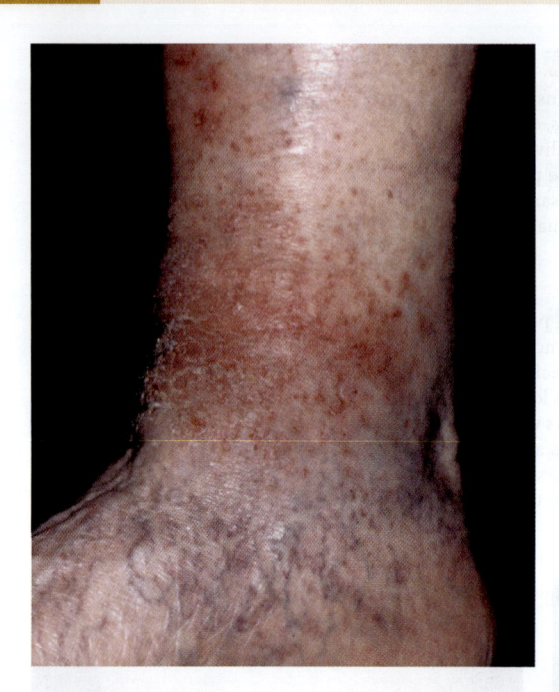

Figura 17-8 Dermatite de estase na IVC Placa de dermatite eczematosa sobre varicosidades venosas na superfície medial do tornozelo de uma mulher de 59 anos. A lesão é papular, descamativa e pruriginosa.

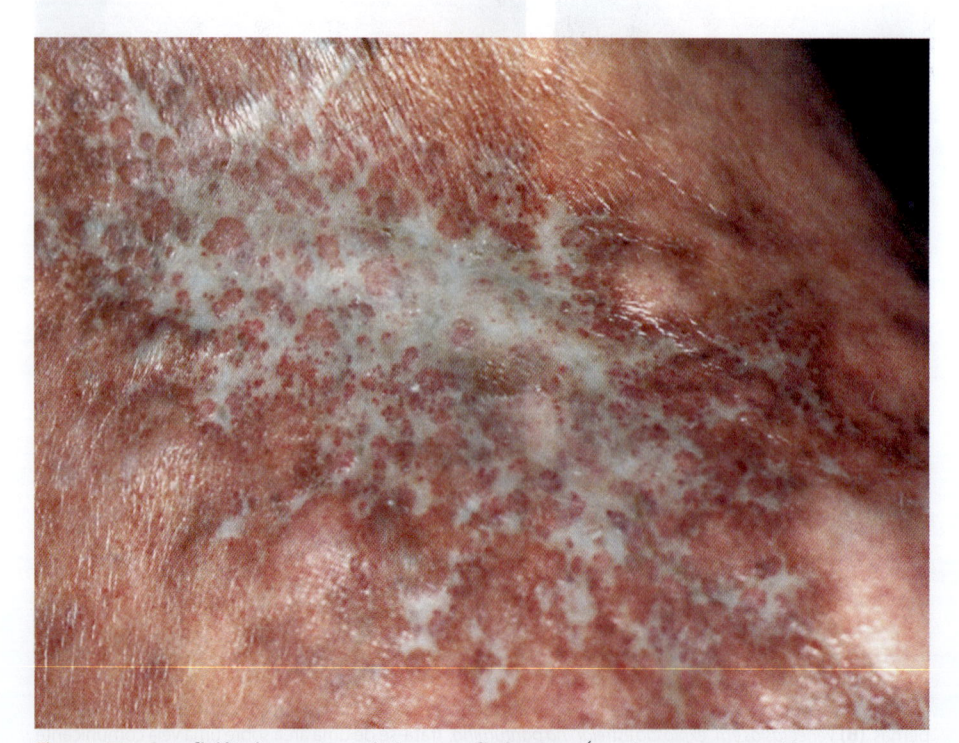

Figura 17-9 Insuficiência venosa crônica: atrofia branca Área de pigmentação difusa e moteada, devido a placas de hemossiderina e de coloração branco marfim da atrofia branca. Essas lesões são pruriginosas e dolorosas.

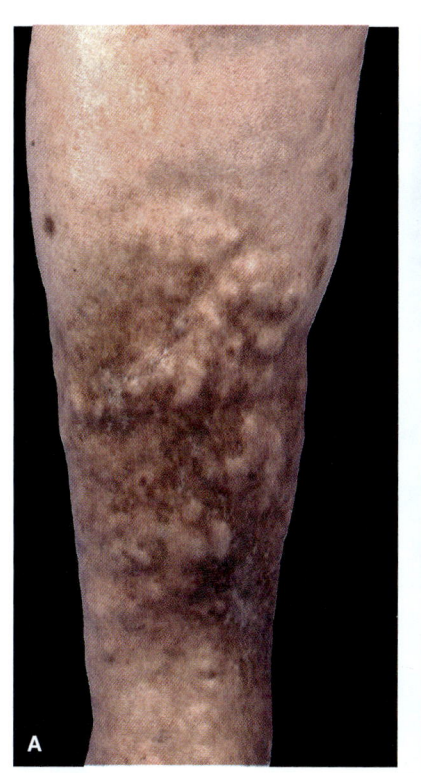

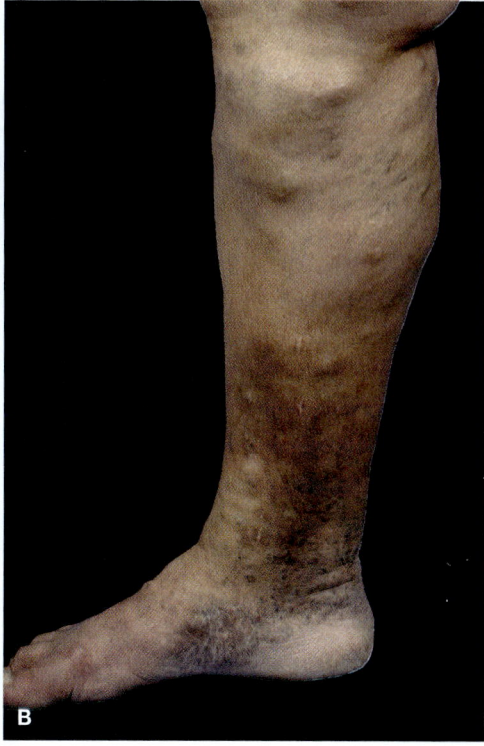

Seção 17 Sinais cutâneos de insuficiência vascular 417

Figura 17-10 Insuficiência venosa crônica e lipodermatosclerose (A) O tornozelo está relativamente fino e a parte superior da panturrilha está edemaciada, criando um aspecto em "garrafa de champanhe" ou em "pé de piano". **(B)** As veias varicosas são menos visíveis nesta fotografia, mas podem ser facilmente palpadas na placa esclerótica que envolve a panturrilha ("sinal do sulco"). Há também pigmentação e dermatite de estase papular pouco intensa.

LIPODERMATOSCLEROSE Inflamação, endurecimento e pigmentação do terço inferior da perna, criando um aspecto semelhante a uma "garrafa de champanhe" ou "pé de piano", com edema acima e abaixo da região esclerótica (Fig. 17-10A). O "sinal do sulco" é produzido por veias varicosas sinuosas que se estendem pelo tecido esclerótico. Pode ocorrer uma alteração verrucosa da epiderme que recobre a esclerose, podendo estar associada a linfedema crônico.

ULCERAÇÃO Ocorre em 30% dos casos; "microúlcera hiperálgica" muito dolorosa na região da atrofia branca; base necrótica circundada por atrofia branca, dermatite de estase e lipodermatosclerose (Figs. 17-10B e 17-11). Em geral, ocorrem úlceras venosas medialmente e acima dos tornozelos (Fig. 17-11).

EXAMES LABORATORIAIS

DOPPLER E ULTRASSONOGRAFIA COM DOPPLER COLORIDO Detectam as veias incompetentes e a obstrução venosa causada por trombo.

DERMATOPATOLOGIA *Fase inicial*: vênulas pequenas e vasos linfáticos dilatados; edema do espaço extracelular. *Fase tardia*: capilares dilatados, congestionados com formação de tufos e tortuosidade das vênulas; depósito de fibrina. *Hipertrofia das células endoteliais*; trombose venosa; proliferação angioendoteliomatosa simulando o sarcoma de Kaposi. Em todos os estágios, extravasamento de hemácias, que se rompem e formam hemossiderina, que é fagocitada pelos macrófagos. Os vasos linfáticos ficam encarcerados em um estroma fibrótico, isto é, lipodermatosclerose.

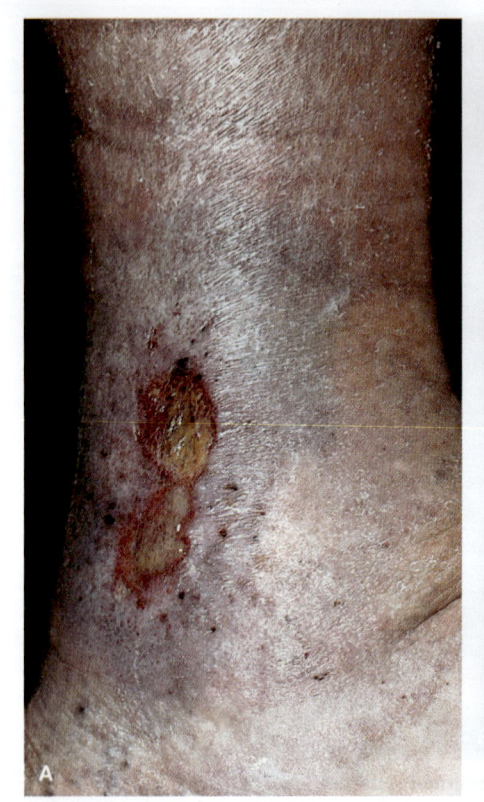

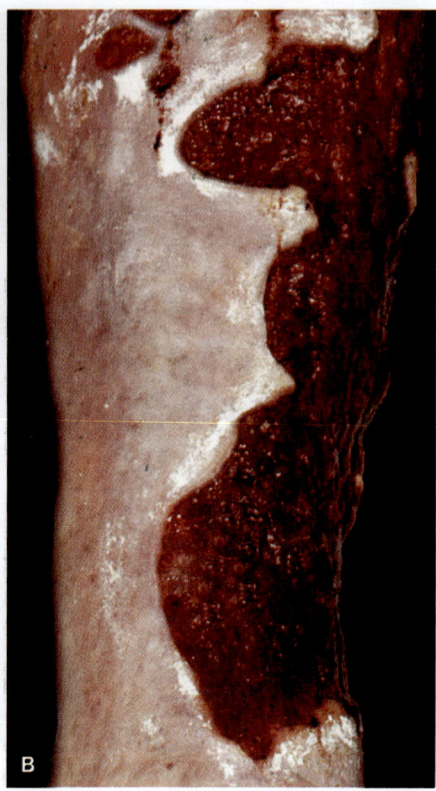

Figura 17-11 Insuficiência venosa (A) Duas úlceras coalescentes com base necrótica em uma área de atrofia branca, lipodermatosclerose e dermatite de estase. As marcas de coçadura indicam prurido da pele circundante, enquanto as úlceras são dolorosas. **(B)** Úlcera gigante, bem demarcada, com bordas recortadas e base vermelho-vivo na perna com lipodermatosclerose.

DIAGNÓSTICO

Em geral, estabelecido com base em história clínica, manifestações clínicas, Doppler e ultrassonografia com Doppler colorida.

TRATAMENTO

PRÉ-REQUISITOS Curativos ou meias de compressão; bota de Unna.
ATROFIA BRANCA Evitar o traumatismo da área acometida. Triancinolona intralesional aplicada às lesões dolorosas.
DERMATITE DE ESTASE Glicocorticoides tópicos (em curto prazo). Tratamento com antibióticos tópicos (p. ex., mupirocina) quando ocorre infecção secundária. Cultura para *Staphylococcus aureus* resistente à meticilina.

VEIAS VARICOSAS Escleroterapia injetável. Injeta-se um agente esclerosante nas varicosidades, seguido de compressão prolongada.
Cirurgia vascular. As veias perfurantes incompetentes são identificadas, ligadas e cortadas; em seguida, fleboextração das veias safenas magna e/ou parva do tronco principal.
Técnicas endovasculares. Essas novas tecnologias incluem dissecção subfascial endoscópica das veias perfurantes (realizada principalmente para a eliminação das veias perfurantes incompetentes na IVC) e *laser* de diodo endovenoso endoscópico ou aquecimento térmico por radiofrequência, que resulta em obstrução da veia varicosa.

ÚLCERAS DE PERNA/PÉ MAIS COMUNS CID-10: L97

- As úlceras de perna ocorrem comumente em indivíduos de meia-idade e idosos.
- Surgem em associação à IVC, à insuficiência arterial crônica ou à neuropatia sensorial periférica.
- As úlceras de perna são comuns, particularmente no diabetes melito.
- As úlceras de perna estão associadas a uma morbidade de longo prazo significativa e, com frequência, não cicatrizam, a não ser que o(s) problema(s) subjacente(s) seja(m) corrigido(s).
- Raramente, pode haver desenvolvimento de carcinoma espinocelular (CEC) nas úlceras venosas crônicas.

ÚLCERAS VENOSAS A prevalência das úlceras venosas é estimada em aproximadamente 1%. Essa prevalência aumenta com a idade do paciente, a presença de obesidade, lesões precedentes (fraturas) da perna, TVP e flebite. As úlceras venosas estão associadas a, pelo menos, um ou a todos os sintomas de IVC (Fig. 17-11); únicas ou múltiplas; geralmente encontradas na superfície medial da parte inferior da panturrilha, particularmente no maléolo (medial > lateral), na área suprida por veias comunicantes incompetentes (Fig. 17-11). As úlceras venosas podem acometer a circunferência de toda a perna (Fig. 17-11B). São nitidamente demarcadas, de formato irregular, relativamente superficiais com borda em declive e frequentemente dolorosas. A base é normalmente coberta por fibrina e material necrótico (Fig. 17-11A), e se observa sempre uma colonização bacteriana secundária. Pode haver desenvolvimento de CEC em uma úlcera venosa crônica (Fig. 17-12) da perna.

ÚLCERAS ARTERIAIS As úlceras arteriais estão associadas à presença de doença arterial periférica (aterosclerose obliterante, ver p. 408). São caracteristicamente dolorosas à noite. Ocorrem nas regiões pré-tibial, supramaleolar (em geral, lateral) e em locais distantes, como os dedos dos pés. Em saca-bocado, com bordas nitidamente demarcadas (Fig. 17-13).

Um tipo especial de úlcera arterial é a *úlcera de Martorell*, que está associada à hipertensão lábil e carece de sinais clínicos de AO. As úlceras começam com uma escara negra, circundada de eritema e, após desprendimento do tecido necrótico, adquirem um aspecto em saca-bocado, com bordas nitidamente demarcadas e eritema circundante; muito dolorosas na superfície anterolateral da perna.

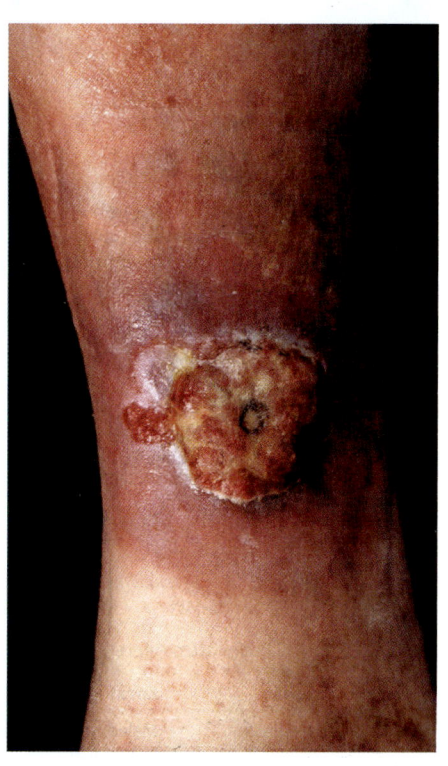

Figura 17-12 Carcinoma espinocelular na úlcera venosa crônica Úlcera venosa presente há > 10 anos em uma área de lipodermatosclerose e dermatite de estase. Por fim, a base da úlcera tornou-se elevada, dura e menos dolorosa. A biópsia profunda (marca circular no centro) revelou necrose e, na base, carcinoma espinocelular invasivo.

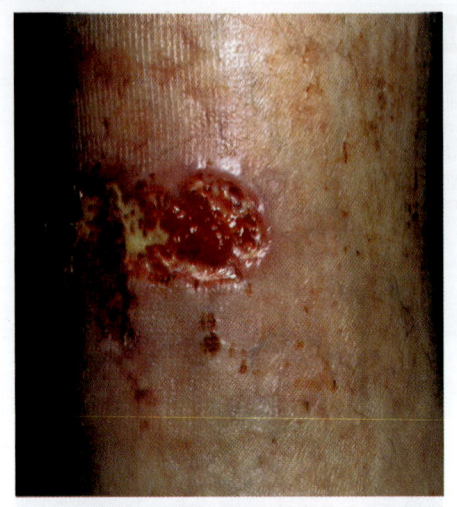

Figura 17-13 Insuficiência arterial crônica com úlcera em "saca-bocado" nitidamente demarcada, com contornos irregulares O membro estava sem pulso, e havia isquemia intensa nos dedos dos pés.

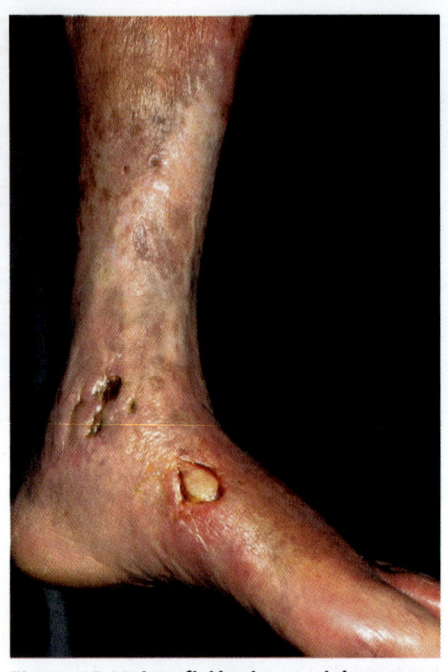

Figura 17-14 Insuficiência arterial e venosa crônica; úlceras arterial e venosa "combinadas" Pode-se observar a lipodermatosclerose pronunciada e a ulceração na região supramaleolar da perna (componente venoso) e a coloração purpúrea da parte anterior do pé e dedos dos pés, com úlcera em saca-bocado revelando o tendão na região metatarsal (componente arterial).

QUADRO 17-1 Diagnóstico diferencial dos três tipos principais de úlceras de perna

	Lesão	Local	Pele circundante	Exame clínico geral
Venosa	Irregular	Maleolar e supramaleolar (medial)	Lipodermatosclerose	Veias varicosas
	Bordas solapadas		Dermatite de estase	Dor, agravada na posição pendente
	Base necrótica Fibrina		Atrofia branca Pigmentação Linfedema	
Arterial	Em saca-bocado	Locais de pressão: distais (dedos dos pés), pré-tibial, supramaleolar (lateral)	Atrófica, brilhante	Pulsos fracos/ausentes
	Base necrótica		Queda dos pelos Palidez ou hiperemia reativa	Palidez com a elevação da perna Dor agravada com a elevação da perna
Neuropática	Em saca-bocado	Locais de pressão	Formação de calo antes da ulceração e úlcera circundante	Neuropatia periférica
		Plantar		Diminuição da sensibilidade Ausência de dor

ÚLCERAS ARTERIAIS E VENOSAS COMBINADAS Essas úlceras surgem em pacientes com IVC e AO (Fig. 17-14).

ÚLCERAS NEUROPÁTICAS Ocorrem nas plantas, dedos dos pés e calcanhar. Geralmente associadas ao diabetes melito de longa duração (ver Pé diabético, Seção 15).

DIAGNÓSTICO DIFERENCIAL

O diagnóstico diferencial dos três tipos principais de úlceras de perna/pé é apresentado no Quadro 17-1. Outras considerações no diagnóstico diferencial incluem CEC ulcerado, carcinoma basocelular, uso de drogas injetáveis (destruição da pele pelas picadas), úlcera de pressão (bota de esquiador). Ocorrem também ulcerações na vasculite (particularmente na poliarterite nodosa), eritema indurado, calcifilaxia e várias infecções (ectima, úlcera de Buruli, infecção por *Mycobacterium marinum*, goma, hanseníase, micose profunda, úlcera crônica por herpes-vírus simples [HSV]) e na anemia falciforme, policitemia vera, pioderma gangrenoso, necrobiose lipoídica com ulceração e lesões factícias.

EVOLUÇÃO E PROGNÓSTICO

A evolução e o prognóstico dependem da doença subjacente.

TRATAMENTO

MEDIDAS GERAIS Em geral, fatores como anemia e desnutrição devem ser corrigidos para se facilitar a cicatrização. Controle da hipertensão, redução do peso no indivíduo obeso, exercícios; mobilização do paciente; correção do edema causado por disfunção cardíaca, renal ou hepática. O tratamento da doença subjacente é de suma importância. Nas úlceras neuropáticas, o manejo consiste em corrigir o diabetes melito subjacente, excluir a possibilidade de osteomielite subjacente, distribuir o peso nos pontos de pressão, com uso de calçados especiais nos casos de úlceras neuropáticas. *Observação:* os pacientes diabéticos têm predisposição particular a úlceras e, com frequência, apresentam vários fatores etiológicos atuantes, isto é, doença vascular periférica, neuropatia, infecção e dificuldade de cicatrização.

TRATAMENTO TÓPICO DA ÚLCERA E DA PELE CIRCUN-DANTE Tratar a dermatite de estase na IVC com curativos úmidos e pomada de glicocorticoide de potência moderada a alta. Desbridamento do material necrótico por meios mecânicos (cirurgicamente) ou com agentes de desbridação enzimáticos; antissépticos e antibióticos para tratamento da infecção. Curativos de hidrocoloide. Para úlceras limpas de cicatrização lenta, procedimentos cirúrgicos como enxertos por aposição, enxertos de pele de espessura parcial, enxertos epidérmicos, aloenxertos de ceratinócitos cultivados ou enxertos compostos.

VASCULITE LIVEDOIDE (VL) CID-10: L95.0

- A VL é uma vasculopatia trombótica dos vasos da derme, que se limita aos membros inferiores e que começa principalmente na região do tornozelo.
- Caracteriza-se pela tríade de livedo reticular, atrofia branca e úlceras em saca-bocado pequenas e muito dolorosas, que têm pouca tendência a cicatrizar (Fig. 17-15).
- A atrofia branca na VL é clinicamente indistinguível da observada na IVC, exceto pela presença de veias varicosas (comparar as Figs. 17-15 e 17-9). A VL é um padrão de reação da pele, que frequentemente sofre recidiva no inverno ou no verão ("livedo reticular com úlceras de inverno e verão").
- Ao exame histológico, observa-se a presença de trombos de fibrina nas veias e artérias dérmicas de pequeno e médio calibres, com necrose em forma de cunha e hialinização das paredes dos vasos (vasculite hialinizante segmentar).
- A VL pode ser idiopática ou pode estar associada à síndrome de Sneddon (ver Fig. 14-42), à síndrome do anticorpo antifosfolipídeo ou a condições de hipercoagulabilidade ou hiperviscosidade.
- Tratamento: repouso ao leito, analgésico, heparina em dose baixa e inibidores da agregação plaquetária. A dor pode ser aliviada, e a cicatrização, acelerada com glicocorticoides sistêmicos. Existem relatos não científicos sobre a eficácia dos agentes anabolizantes, como danazol e estanozolol.
- As úlceras maiores precisam ser excisadas e recobertas com enxerto.

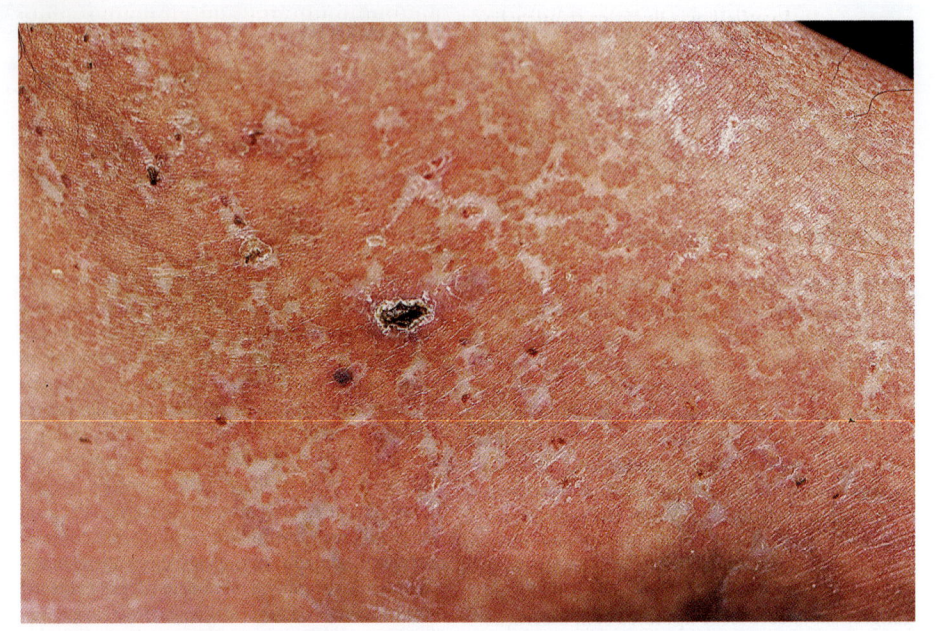

Figura 17-15 Vasculite livedoide (vasculopatia livedoide) Caracteriza-se pela tríade de livedo reticular, atrofia branca e pequenas úlceras crostosas e dolorosas. A vasculite livedoide é clinicamente indistinguível da atrofia branca observada na IVC, exceto pela ausência de veias varicosas.

INSUFICIÊNCIA LINFÁTICA CRÔNICA CID-10: I89

- O linfedema na infância e no início da vida adulta é genético e, com frequência, é causado por defeitos no receptor do fator de crescimento endotelial vascular 3 e no FoxC2, um fator de transcrição.
- O linfedema adquirido em adultos pode estar relacionado à IVC; infecções crônicas e recidivantes dos tecidos moles (erisipela, celulite; ver Seção 25); dissecção de linfonodos e radioterapia após câncer e, em algumas regiões geográficas, filariose.
- Manifestações clínicas: edema dos membros, edema inicialmente com cacifo, evoluindo lentamente para endurecimento de consistência lenhosa sem cacifo.
- O linfedema prolongado pode resultar em aumento grotesco do membro; hiperplasia epidérmica verrucosa (**Fig. 17-16**).
- A infecção secundária dos tecidos moles (erisipela e celulite) é comum e recidivante, resultando em agravamento do distúrbio.
- O tratamento consiste principalmente em compressão (como na IVC) e em drenagem linfática manual; antibióticos na infecção secundária.
- O linfangiossarcoma (no linfedema pós-mastectomia) é uma complicação rara: síndrome de Stewart-Treves.

Figura 17-16 Insuficiência linfática crônica: linfedema Há espessamento da perna de consistência lenhosa e hiperceratose intensa, com crescimentos papilomatosos e de aspecto seixoso. Este paciente de 60 anos teve inúmeros episódios de erisipela e celulite. Tinha também diabetes melito e aterosclerose.

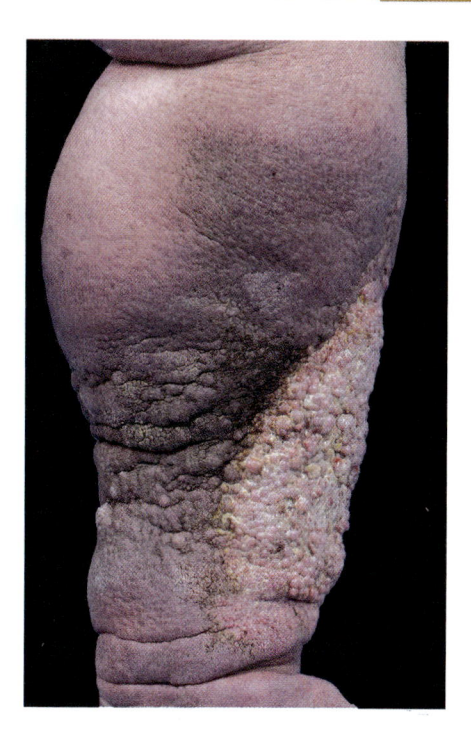

ÚLCERAS DE PRESSÃO CID-10: L89

- As úlceras de pressão formam-se nas interfaces de sustentação do corpo sobre proeminências ósseas, em consequência de compressão externa da pele, forças de cisalhamento e atrito, causando necrose tecidual isquêmica.
- Ocorrem em pacientes com obnubilação mental ou com redução da sensibilidade (como ocorre na doença da medula espinal) na região acometida. A infecção secundária resulta em celulite localizada, que pode se estender localmente até o osso ou o músculo ou penetrar na corrente sanguínea.

EPIDEMIOLOGIA

IDADE DE INÍCIO Qualquer idade, embora a maior prevalência das úlceras de pressão seja observada em pacientes idosos acamados por longos períodos de tempo.
SEXO Prevalência igual em ambos os sexos.

PATOGÊNESE

Fatores de risco: cuidados inadequados de enfermagem, sensibilidade diminuída/imobilidade (obnubilação mental, doença da medula espinal), hipotensão, incontinência urinária ou fecal, presença de fratura, hipoalbuminemia e estado nutricional precário. A infecção também compromete ou impede a cicatrização.

MANIFESTAÇÃO CLÍNICA

LESÕES CUTÂNEAS Categorias clínicas de úlceras de pressão. Alterações iniciais: eritema localizado, que empalidece com a pressão.
Estágio I: Eritema da pele íntegra, que não empalidece sob pressão.
Estágio II: Necrose superficial ou de espessura parcial acometendo a epiderme e/ou a derme. Bolhas → necrose da derme (negra) → úlcera superficial.
Estágio III: Necrose profunda, úlcera em forma de cratera com perda da espessura total da pele (**Fig.17-17**); a lesão ou necrose podem se estender até a fáscia, porém sem penetrá-la.

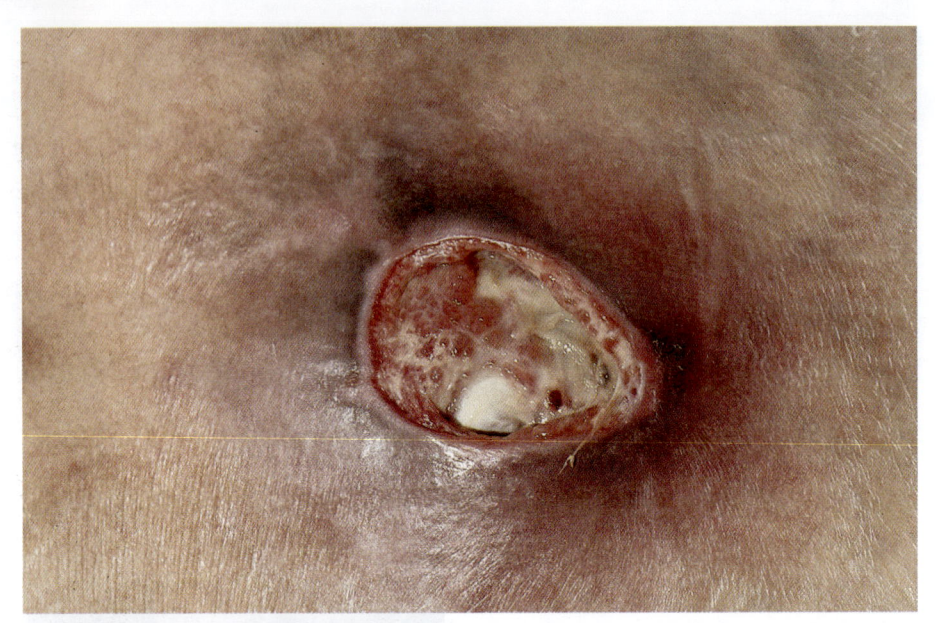

Figura 17-17 Úlcera de pressão, estágio III Úlcera crateriforme bem demarcada com perda de toda a espessura da pele, estendendo-se até a fáscia na região do trocanter maior.

Estágio IV: necrose de espessura total (→ ulceração) com acometimento das estruturas de sustentação, como músculo e osso (Fig. 17-18). Pode crescer até atingir muitos centímetros. Pode ser ou não dolorosa à palpação. As bordas das úlceras podem estar solapadas.

As úlceras de pressão bem desenvolvidas com tecido desvitalizado na base (escara) têm mais probabilidade de adquirir infecção secundária.
Distribuição. Ocorrem sobre proeminências ósseas: sacro (60%) > tuberosidades isquiáticas, trocanter maior (Fig. 17-17), calcanhar (Fig. 17-18) > cotovelo, joelho, tornozelo e região occipital.

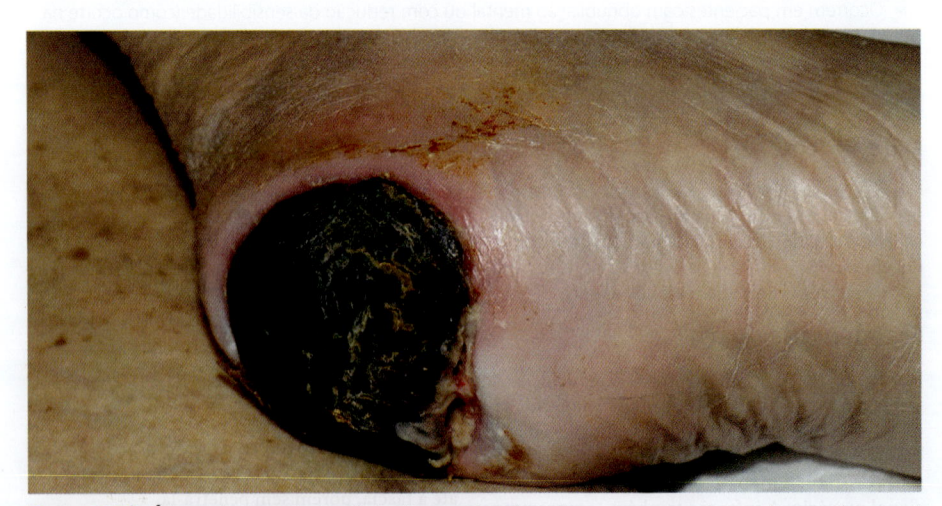

Figura 17-18 Úlcera de pressão, estágio IV, no calcanhar A necrose negra observada estendeu-se até o osso do calcâneo, que também teve de ser desbridado.

EXAMES LABORATORIAIS

Exames hematológicos

CULTURA DO MATERIAL DA FERIDA Para bactérias aeróbias e anaeróbias.

HEMOCULTURAS Costuma haver bacteremia após manipulação da úlcera.

PATOLOGIA **Biópsia de pele**. Necrose da epiderme com necrose da glândula e ducto écrino. As úlceras profundas exibem infartos cuneiformes do tecido subcutâneo.

Biópsia óssea. Fundamental para o diagnóstico de osteomielite contígua.

DIAGNÓSTICO E DIAGNÓSTICO DIFERENCIAL

Em geral, o diagnóstico é estabelecido clinicamente. O diagnóstico diferencial inclui úlcera infecciosa (infecção actinomicótica, micose profunda, úlcera herpética crônica), queimadura térmica, úlcera maligna, pioderma gangrenoso, fístula retocutânea.

EVOLUÇÃO E PROGNÓSTICO

Se a pressão for aliviada, algumas alterações são reversíveis. Ocorre osteomielite nas úlceras de pressão que não cicatrizam (32 a 81%). A septicemia está associada a uma elevada taxa de mortalidade. Com o tratamento adequado, as úlceras de estágios I e II cicatrizam em 1 a 4 semanas, enquanto as úlceras dos estágios III e IV cicatrizam em 6 a 12 semanas ou mais.

MANEJO

PROFILAXIA NOS PACIENTES DE RISCO Mudar a posição do paciente a cada 2 horas (com mais frequência, se possível); procurar áreas de lesão cutânea nos pontos de pressão; minimizar o atrito e as forças de cisalhamento.

- Utilizar colchão de ar como interface para reduzir a compressão.
- Minimizar a exposição da pele à umidade excessiva resultante de incontinência, transpiração ou secreção da ferida.
- Avaliar e corrigir o estado nutricional; considerar o uso de suplementos de vitamina C e zinco.

ÚLCERAS DE ESTÁGIOS I E II Antibióticos tópicos (exceto neomicina) sob gaze estéril úmida podem ser suficientes para as erosões iniciais. Curativos de hidrogel ou hidrocoloide.

ÚLCERAS DE ESTÁGIOS III E IV Tratamento cirúrgico: desbridamento do tecido necrótico, remoção das proeminências ósseas, retalhos e enxertos de pele.

COMPLICAÇÕES INFECCIOSAS Ciclo prolongado de agentes antimicrobianos, dependendo do antibiograma, com desbridamento cirúrgico do osso necrótico na presença de osteomielite.

SEÇÃO 18

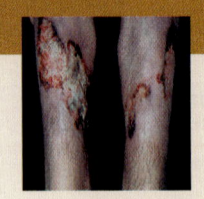

SINAIS CUTÂNEOS DE INSUFICIÊNCIA RENAL

CLASSIFICAÇÃO DAS ALTERAÇÕES CUTÂNEAS

- Insuficiência renal aguda
  - Edema
  - "Geada" urêmica (depósito de cristais de ureia sobre a superfície da pele nos casos com uremia grave)
- Insuficiência renal crônica
  - Edema
  - "Geada" urêmica
  - Calcifilaxia
  - Doença bolhosa da hemodiálise (pseudoporfiria, ver Seção 23)
  - Dermopatia fibrosante nefrogênica
  - Dermatose perfurante adquirida

CALCIFILAXIA CID-10: E83.5

- Caracterizada por necrose cutânea progressiva associada a vasculite de vasos de pequeno e médio calibres, calcificação e trombose.
- Ocorre no cenário de doença renal em estágio terminal, diabetes melito e hiperparatireoidismo secundário. Frequentemente segue-se ao início de hemodiálise ou diálise peritoneal.
- Fatores desencadeantes: glicocorticosteroides, infusões de albumina, tobramicina IM, complexo de ferrodextrana, heparina cálcica e vitamina D.
- As lesões pré-infarto apresentam padrão moteado ou de livedo reticular, vermelho-escuro (**Fig. 18-1A**).
- O quadro evolui com escaras negras coriáceas (**Fig. 18-1B**) e úlceras com crosta firmemente aderida, de cor preta ou aspecto coriáceo. As úlceras aumentam de tamanho ao longo de semanas a meses; quando desbridada atinge a fáscia ou além; é possível palpar áreas de enduração, como placas, ao redor das lesões de infarto ou das úlceras (**Fig. 18-2**).
- Extremamente dolorosa.
- Membros inferiores, abdome, nádegas e pênis.
- Azotemia. Produto íon fosfato × cálcio geralmente elevado. Níveis de paratormônio geralmente (mas não obrigatoriamente) elevados. Dermatopatologia: calcificação de vasos sanguíneos de pequeno e médio calibres na derme e nos tecidos subcutâneos.
- Evolução lenta, apesar do tratamento. Infecção secundária das úlceras.
- Manejo: tratamento da insuficiência renal, paratireoidectomia parcial quando indicada, desbridamento do tecido necrótico.

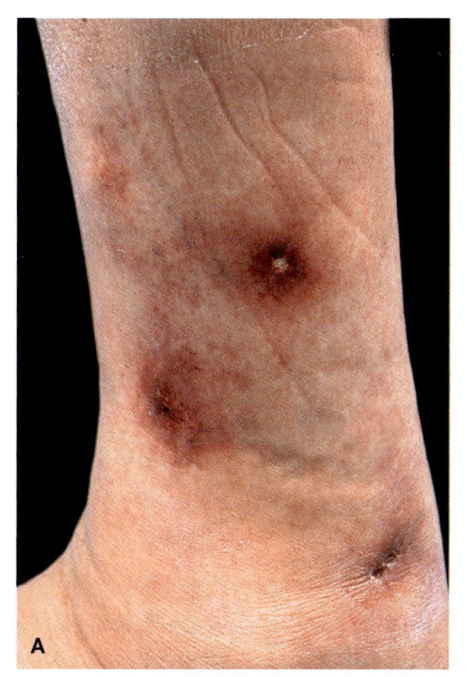

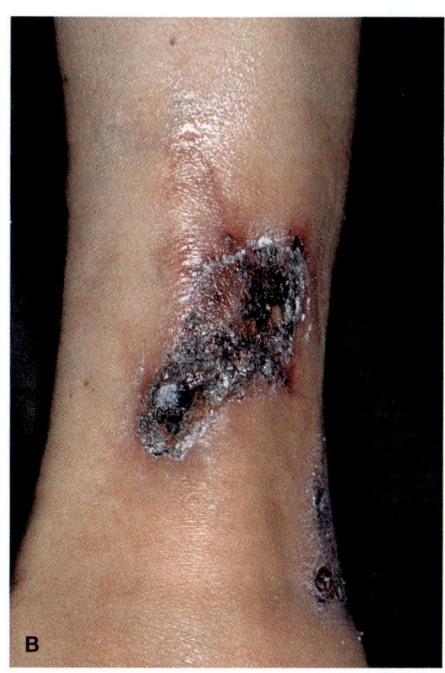

Figura 18-1 Calcifilaxia (A) Fase inicial. Área de eritema moteado, com aspecto de explosão estelar, e livedo reticular reminiscente com duas pequenas úlceras. Paciente portador de insuficiência renal crônica e em hemodiálise. Mesmo nesta fase inicial, as lesões são extremamente dolorosas. **(B)** Calcifilaxia com lesão mais avançada. Observa-se área irregular de necrose no membro inferior em paciente com diabetes melito e insuficiência renal crônica em hemodiálise. A pele circundante encontra-se endurecida e consiste em uma placa subcutânea que só pode ser percebida à palpação.

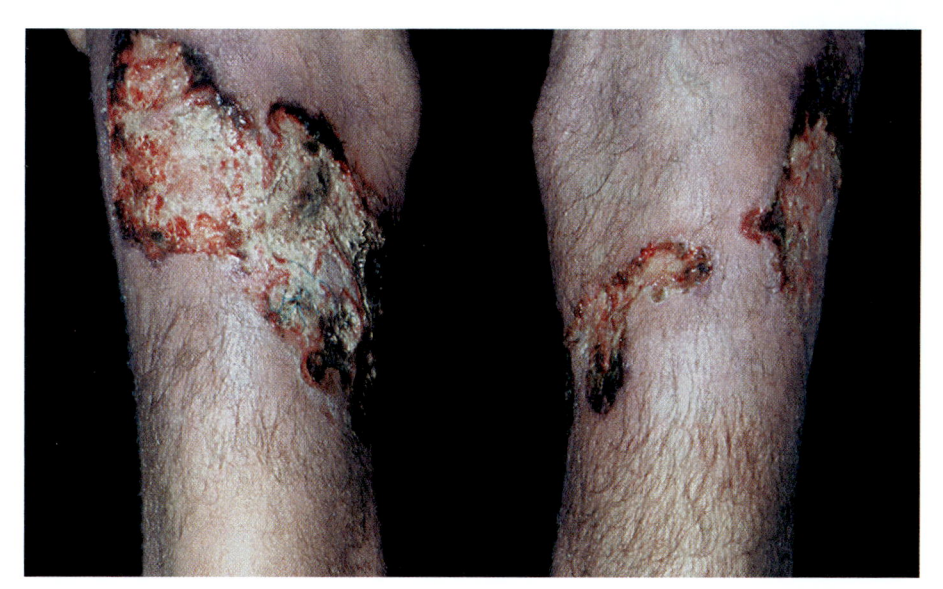

Figura 18-2 Calcifilaxia extensa As lesões estão ulceradas; a pele ao redor está endurecida, sendo mais evidente na coxa esquerda onde a pele está sem pelos. Havia lesões semelhantes no abdome.

DERMOPATIA FIBROSANTE NEFROGÊNICA (DFN) CID-10: L90.5

- Distúrbio fibrosante que ocorre em pacientes com insuficiência renal aguda ou crônica.
- A maioria dos pacientes encontra-se em hemodiálise ou em diálise peritoneal; na insuficiência renal aguda, a DFN ocorre sem diálise.
- Faz parte de um espectro mais amplo de *fibrose nefrogênica sistêmica* que envolve coração, pulmões, diafragma, músculo esquelético, fígado, trato urogenital e sistema nervoso central.
- Etiologia desconhecida, mas há forte associação ao uso de contraste contendo gadodiamida para angiorressonância magnética. A gadodiamida é encontrada apenas nas lesões, e não no tecido normal.
- Caracteriza-se por instalação aguda de endurações intensas com formato em nódulo ou placa e fixas aos planos profundos à palpação (**Fig. 18-3**); até 20 cm ou mais de diâmetro com superfície irregular ondulada.
- Principalmente nos membros inferiores, com menor frequência nos membros superiores e no dorso, mas não acomete na face.
- Formigamento, sensibilidade ao toque, frequentemente dolorosa.
- Diagnóstico diferencial: morfeia, mixedema pré-tibial, lipodermatosclerose e paniculite.
- O curso é crônico, sem remissão; prognóstico reservado.
- Tratamento desconhecido. Imatinibe pode ser benéfico. O tiossulfato de sódio pode ser administrado durante a diálise, mas isso pode ser complicado pela acidose metabólica. O tiossulfato de sódio intralesional tem sido usado com sucesso em alguns casos.

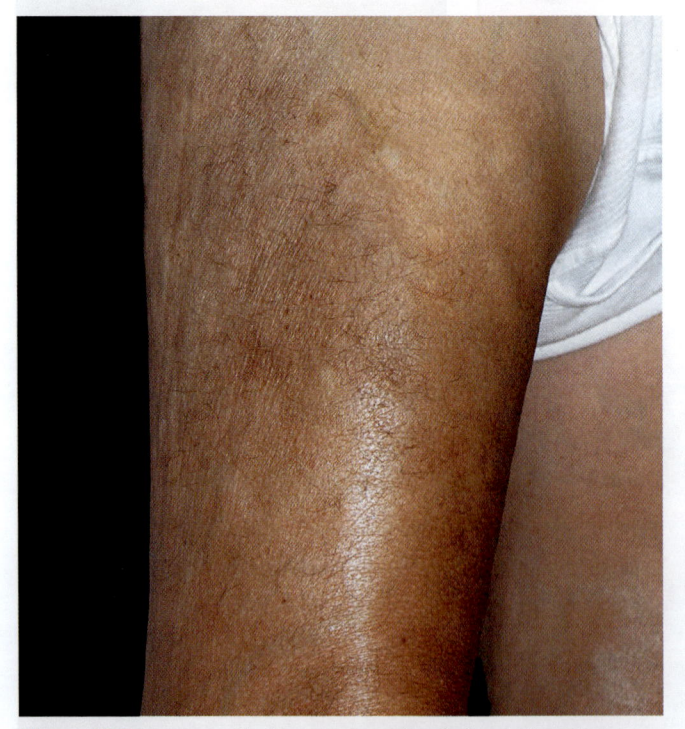

Figura 18-3 Dermopatia fibrosante nefrogênica Induração intensa em placa, fixa aos planos profundos à palpação, com superfície irregular nos membros inferiores. Este paciente apresentava insuficiência renal crônica em estágio terminal e estava em programa de hemodiálise.

DERMATOSES PERFURANTES ADQUIRIDAS CID-10: L87.0/87.1

- Ocorre em pacientes com insuficiência renal crônica e com diabetes melito; em até 10% dos pacientes em hemodiálise.
- Quadro pruriginoso crônico desencadeado por trauma.
- Pápulas umbilicadas com crosta hiperceratótica central (**Fig. 18-4**).
- Eliminação transepidérmica de colágeno.
- Relação não bem definida com outros distúrbios perfurantes.

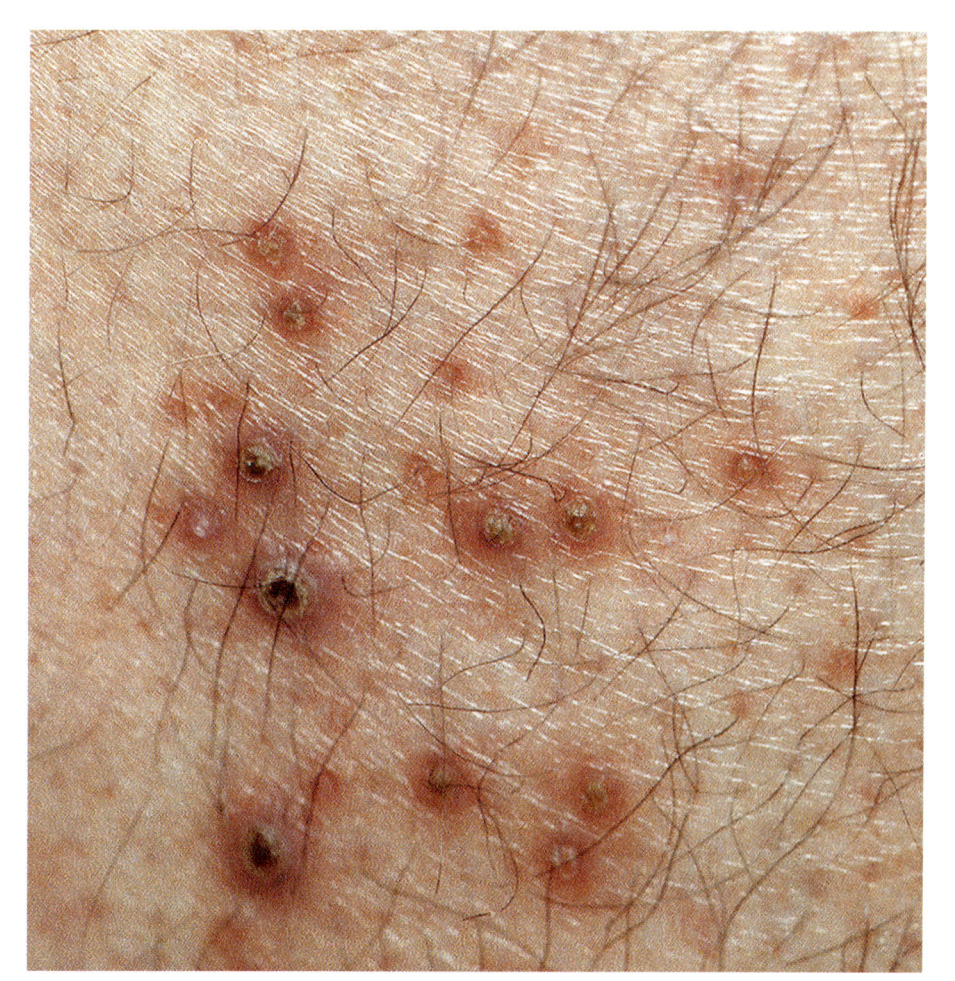

Figura 18-4 Dermatose perfurante adquirida em paciente em programa de hemodiálise Pápulas pruriginosas umbilicadas com crosta hiperceratótica central.

SEÇÃO 19

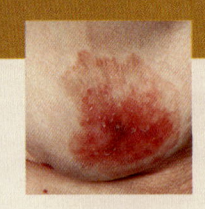

SINAIS CUTÂNEOS DE CÂNCERES SISTÊMICOS

SINAIS MUCOCUTÂNEOS DE CÂNCERES SISTÊMICOS CID-10: C80

- As alterações mucocutâneas podem sugerir neoplasias sistêmicas de várias formas:
    - pela associação de distúrbios mucocutâneos hereditários com neoplasias sistêmicas;
    - pela ação a distância, isto é, síndromes paraneoplásicas.
- Disseminação do câncer para a pele ou para as mucosas por extensão direta, linfática ou hematogênica (metástases cutâneas).

CLASSIFICAÇÃO DOS SINAIS CUTÂNEOS DO CÂNCER SISTÊMICO[1]

CÂNCERES METASTÁTICOS

TUMOR PERSISTENTE Extensão linfática e disseminação hematogênica.
EXTENSÃO DIRETA Doença de Paget e doença de Paget extramamária.
   Linfomas com acometimento cutâneo secundário (Seção 21).

DISTÚRBIOS HEREDITÁRIOS

Síndrome de Cowden
Síndrome de Peutz-Jeghers
Neurofibromatose (ver Seção 16)
Esclerose tuberosa (ver Seção 16)
Neoplasia endócrina múltipla (tipos 1 e 2b)

SÍNDROMES PARANEOPLÁSICAS

Acantose *nigricans* maligna, palmas "em tripas de boi"
- Ictiose adquirida
- Síndrome de Bazex
- Síndrome carcinoide
- *Dermatomiosite* (ver Seção 14)
- Síndrome de secreção ectópica de ACTH
- Eritema *gyratum repens*
- Síndrome de Gardner

Síndrome do glucagonoma
- Hipertricose lanuginosa
- Síndrome de Muir-Torre
- Ceratoses palmares

Pênfigo paraneoplásico (síndrome multiorgânica autoimune paraneoplásica)
- Prurido
- *Pioderma gangrenoso* (ver Seção 7)
- *Síndrome de Sweet* (ver Seção 7)
- *Vasculite* (ver Seção 14)

---

[1]Os distúrbios descritos nesta seção estão assinalados em **negrito**, enquanto os distúrbios discutidos em outras seções aparecem em *itálico*. Os distúrbios raros não incluídos neste livro estão descritos em CA deWitt et al, em K Wolff et al (eds): *Fitzpatrick's Dermatology in General Medicine*. 7th ed. New York, McGraw-Hill, 2008, pp. 1493-1507.

CÂNCER METASTÁTICO PARA A PELE* CID-10: C80

- O câncer metastático para a pele caracteriza-se por nódulos dérmicos ou subcutâneos, solitários ou múltiplos, que ocorrem como células metastáticas provenientes de uma neoplasia maligna primária não contígua (a distância).
- As células são transportadas e depositadas na pele ou no tecido subcutâneo por uma das seguintes vias:
  - via linfática;
  - disseminação hematogênica;
  - disseminação por contiguidade através da cavidade peritoneal ou de outros tecidos.
- *Lesões cutâneas* nódulo (**Figs. 19-1** e **19-2**), placa elevada, área fibrótica espessada. As lesões são inicialmente detectadas quando medem < 5 mm. A área fibrótica pode se assemelhar à morfeia; quando ocorre no couro cabeludo, pode causar alopécia. Inicialmente, a epiderme permanece intacta, distendida sobre o nódulo; com o passar do tempo, a superfície pode sofrer ulceração (**Fig. 19-3**) ou pode se tornar hiperceratótica. A lesão pode exibir aspecto inflamatório, isto é, pode ser rosada a vermelha ou hemorrágica. As lesões são firmes a endurecidas. Podem ser solitárias, pouco numerosas ou múltiplas. Podem alcançar dimensões consideráveis e podem ser confundidas com um câncer de pele primário (**Fig. 19-3**).

*Para melanoma e câncer cutâneo não melanoma metastático, ver Seções 11 e 12.

PADRÕES ESPECIAIS DE ENVOLVIMENTO CUTÂNEO

Mama

Carcinoma metastático inflamatório (carcinoma erisipelóide): Placa ou mancha eritematosa com borda em crescimento ativo (**Fig. 19-4**). Mais frequentemente ocorre com câncer de mama, que pode se disseminar pelos vasos linfáticos até a pele da mama afetada, resultando na formação de placas inflamatórias, que se assemelham à erisipela (daí a designação *carcinoma erisipelóide*). Ocorre também com outros cânceres (de pâncreas, parótidas, tonsilas, cólon, estômago, reto, melanoma, órgãos pélvicos, ovário [**Fig. 19-5**], útero, próstata, pulmão e mesotelioma [**Fig. 19-6**]).

Carcinoma metastático telangiectásico (*carcinoma telangiectásico*): Câncer de mama que aparece como telangiectasias puntiformes com capilares dilatados na área do carcinoma erisipeloide. Pápulas violáceas ou papulovesículas que se assemelham ao linfangioma circunscrito.

Carcinoma metastático em couraça: Induração difusa da pele tipo morfeia (**Fig. 19-7**). Usualmente, extensão local do câncer de mama, que ocorre na própria mama ou na região pré-esternal. A placa esclerodermoide pode envolver o tórax e se assemelha à armadura feita de metal utilizada por couraceiros. Ocorre também com tumores primários de pulmão, do trato GI e dos rins.

Doença de Paget: Ver adiante.

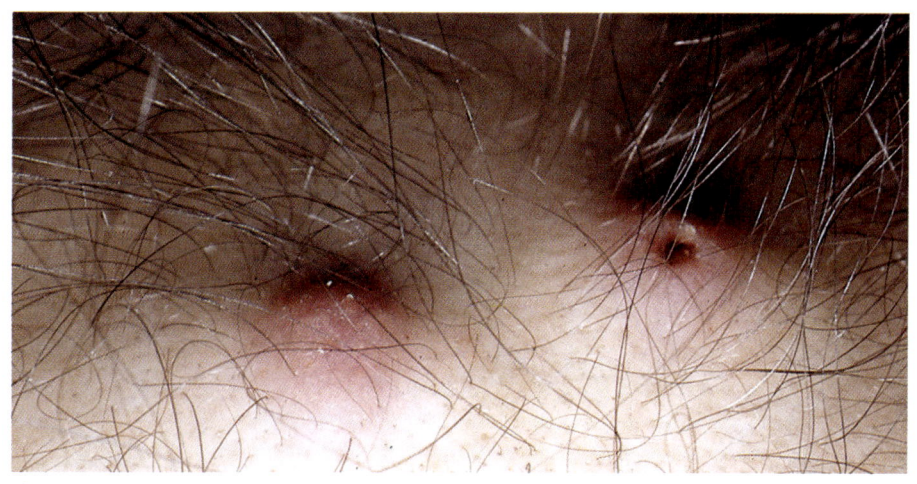

Figura 19-1 Câncer metastático para a pele: câncer broncogênico Nódulos dérmicos no couro cabeludo de um paciente submetido à quimioterapia para câncer de pulmão metastático; os nódulos só se tornaram evidentes após a queda dos cabelos durante a quimioterapia. O nódulo à esquerda é assintomático, eritematoso e não inflamado. O nódulo à direita apresenta depressão central, que corresponde ao local da biópsia com *punch*.

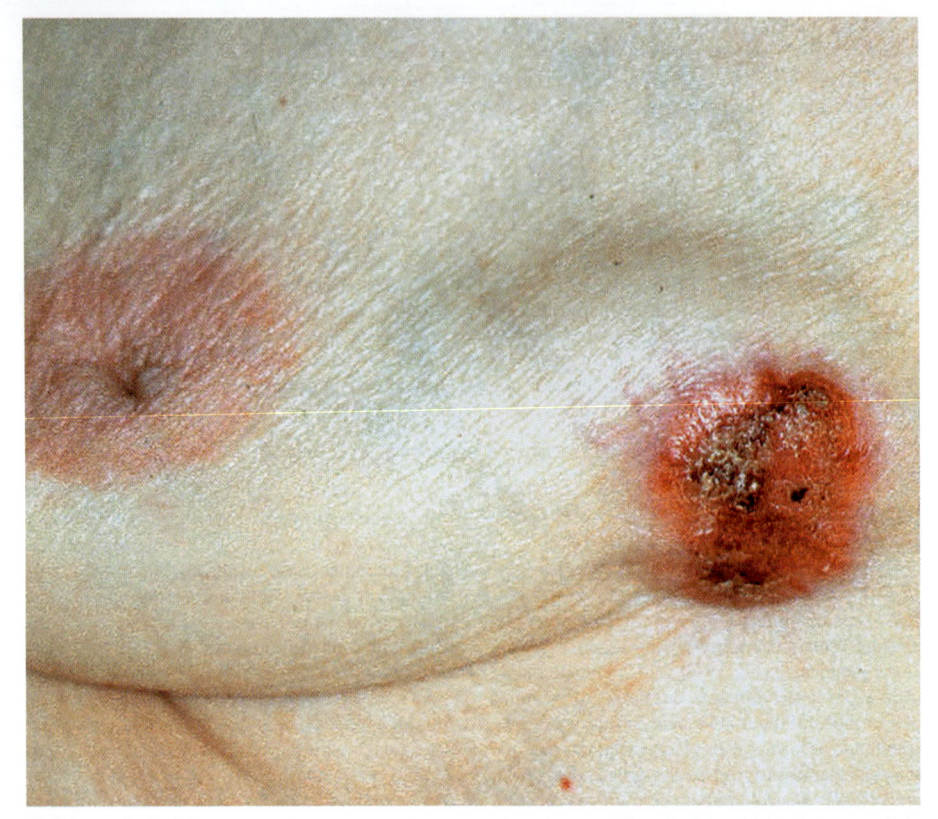

Figura 19-2 Câncer metastático para a pele *Câncer de mama*: Nódulo grande na mama de uma mulher de 40 anos com câncer de mama, presente há 4 meses.

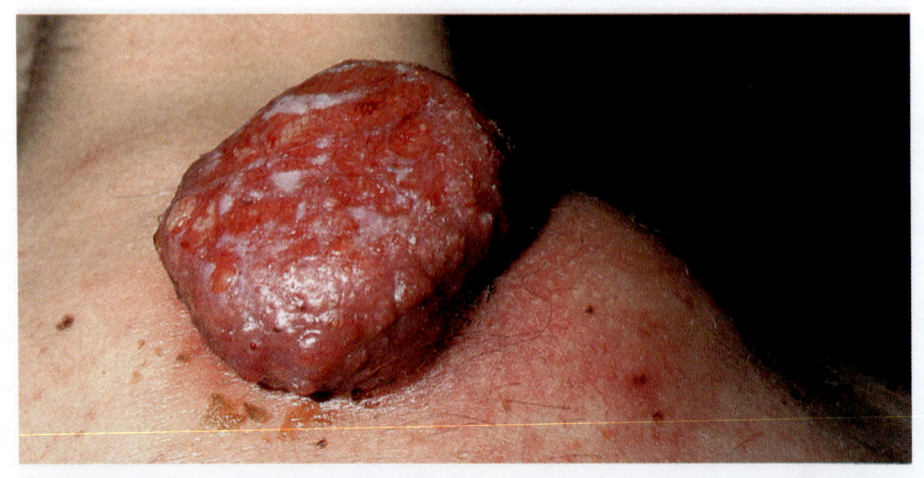

Figura 19-3 Câncer metastático para a pele Adenocarcinoma do trato GI. Esta massa vegetante era apenas a ponta do *iceberg*: uma massa muito mais volumosa encontrava-se no tecido subcutâneo.

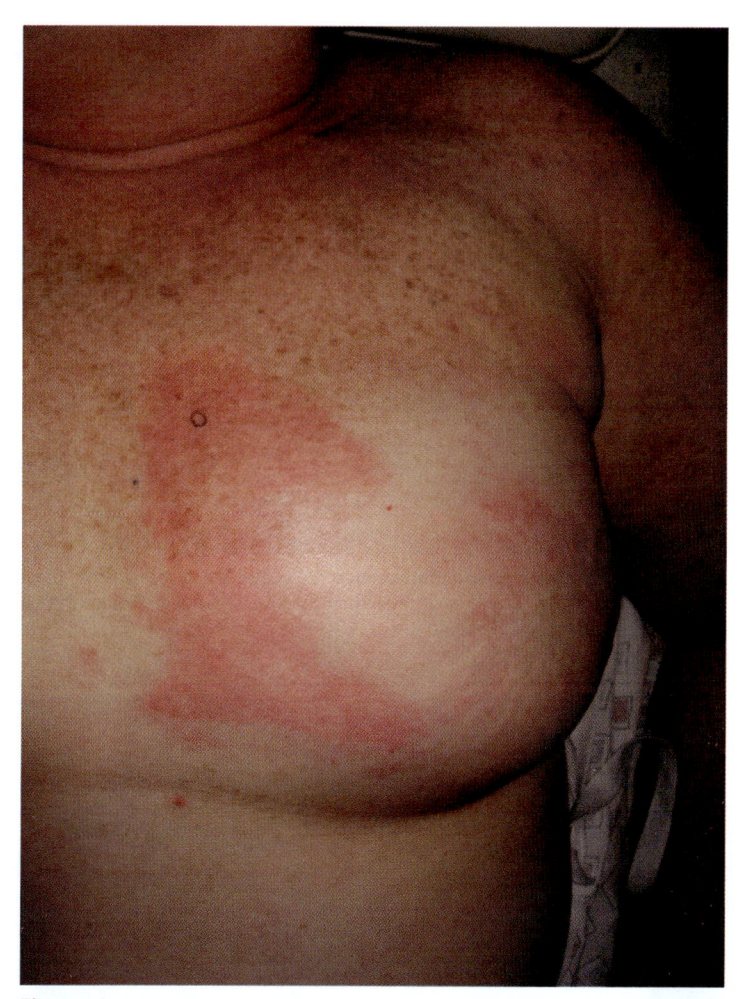

Figura 19-4 Câncer metastático para a pele: câncer de mama inflamatório (carcinoma erisipelóide) Grande lesão eritematosa e apenas minimamente endurecida que cobre toda a mama e a região pré-esternal; a lesão é avermelhada e bem definida, assemelhando-se, portanto, à erisipela. À palpação, foi constatada a presença de um nódulo mamário de 2 × 2 cm.

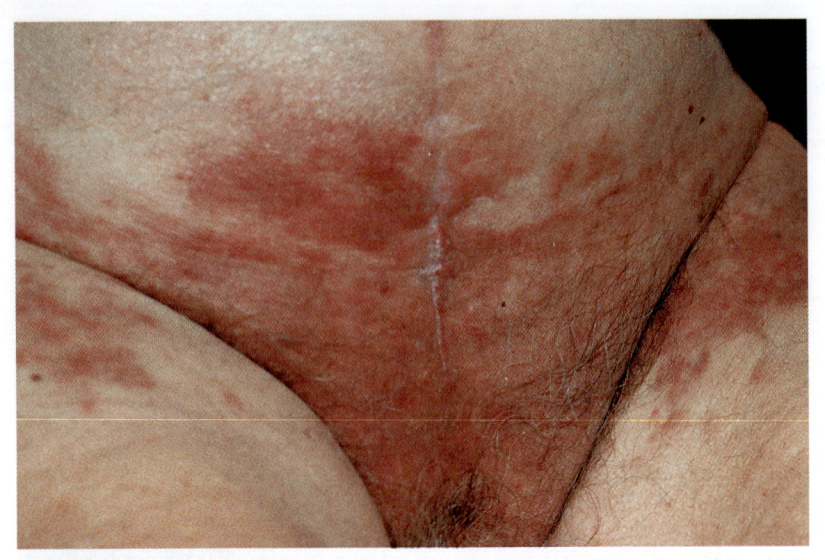

Figura 19-5 Câncer de ovário metastático Manifestando-se como carcinoma erisipelóide na região inferior do abdome e na região inguinal. A investigação revelou a presença de câncer de ovário com carcinomatose peritoneal.

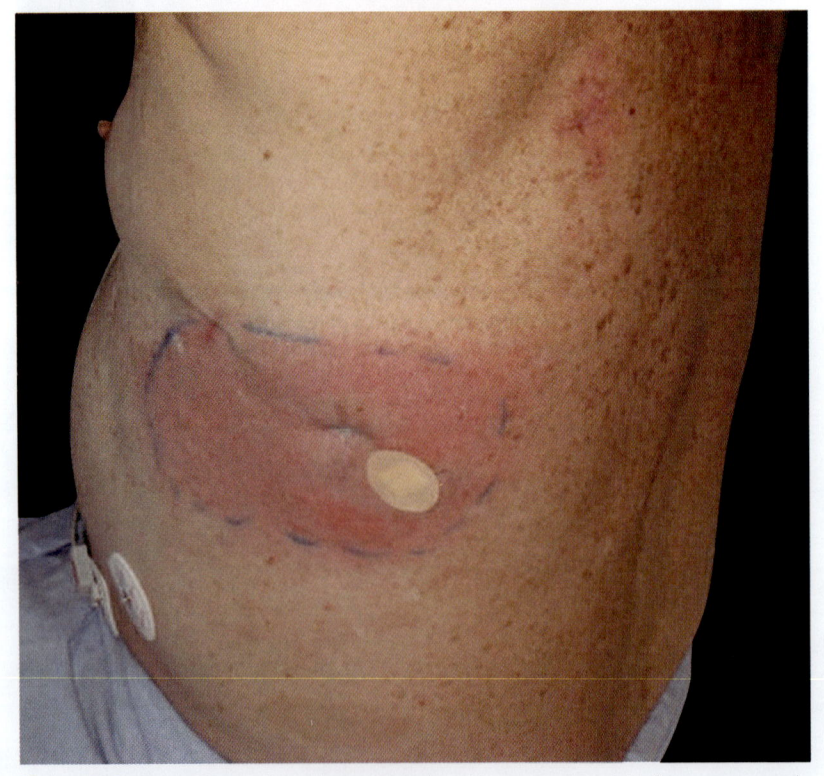

Figura 19-6 Mesotelioma Placa eritematosa endurecida na parte lateral do tórax, representando um carcinoma erisipeloide decorrente de um mesotelioma.

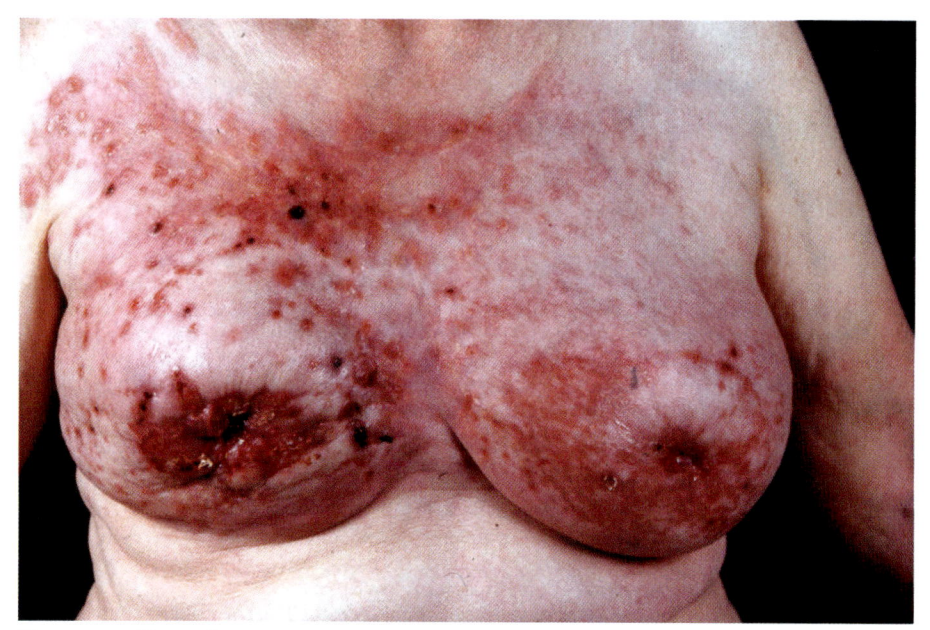

Figura 19-7 Câncer de mama metastático: câncer em couraça Ambas as mamas estão endurecidas à palpação – semelhante a uma armadura. Há múltiplos nódulos ulcerados pequenos e grandes, bem como uma base de eritema semelhante à erisipela (carcinoma erisipelóide).

Múltiplos nódulos lisos no couro cabeludo: Adenocarcinoma de próstata, câncer de pulmão e câncer de mama (Fig. 19-1).
Alopécia neoplásica: No couro cabeludo, áreas de queda de cabelo semelhantes à alopécia areata; áreas bem demarcadas, vermelho-rosadas, planas e de superfície lisa.
Intestino grosso. Com frequência, manifesta-se na pele do abdome ou da região perineal, mas também no couro cabeludo ou na face. A maioria tem a sua origem no reto. Pode se manifestar como carcinoma inflamatório metastático (semelhante ao carcinoma erisipelóide) na região inguinal, na região supraclavicular ou na face e na região cervical. Com menos frequência, nódulos sésseis ou pedunculados nas nádegas, nódulos vasculares agrupados na região inguinal ou no escroto, ou tumor facial. Raramente, fístula cutânea após apendicectomia ou semelhante à hidradenite supurativa.
Carcinoma de pulmão. Pode produzir grande quantidade de nódulos metastáticos dentro de um curto período. Com mais frequência, nódulo(s) avermelhado(s) no couro cabeludo (Fig. 19-1). Tronco: lesões simétricas; ao longo do trajeto dos vasos intercostais, podem ser zosteriformes; em cicatrizes (local de toracotomia ou trajeto de aspiração com agulha).
Hipernefroma. Pode produzir lesão solitária; também disseminado. Em geral, aparece uma lesão vascular, ± pulsátil, ± pedunculada, que pode se assemelhar ao granuloma piogênico. Mais comum na cabeça (couro cabeludo) e na região cervical, mas também ocorre no tronco e nos membros.
Carcinoma de bexiga e de ovário. Podem se disseminar por contiguidade para a pele do abdome e da região inguinal, de modo semelhante ao câncer de mama, conforme descrito anteriormente, e de aparência semelhante à erisipela (Fig. 19-5).
OUTROS PADRÕES Com a dilatação dos vasos linfáticos e a hemorragia superficial, pode se assemelhar ao linfangioma. Na presença de estase linfática e edema da derme, assemelha-se à pele de porco ou à casca de laranja.

DOENÇA DE PAGET MAMÁRIA CID-10: C50.0

- A doença de Paget mamária (DPM) é uma neoplasia maligna que acomete unilateralmente o mamilo ou a aréola, e simula uma dermatite eczematosa crônica.
- Representa a disseminação por contiguidade de um carcinoma intraductal subjacente da mama (1 a 4% dos cânceres de mama).
- Ocorre normalmente em mulheres (> 50 anos); existem raros exemplos em homens.
- O início é insidioso, no decorrer de vários meses ou anos. A doença pode ser assintomática, ou podem ocorrer prurido, dor, ardência, secreção, sangramento, ulceração e invaginação do mamilo.
- A lesão cutânea apresenta-se como placa descamativa avermelhada, com limites bastante demarcados, oval, com bordas irregulares. Quando a escama é removida, a superfície apresenta-se úmida e exsudativa (**Fig. 19-8**). O tamanho das lesões varia de 0,3 a 15 cm (**Fig. 19-9**). Nos estágios iniciais, não há induração da placa; posteriormente, ocorrem induração e infiltração, e nódulos podem ser palpados na mama. Inicialmente, há achatamento ou retração do mamilo; uma massa mamária subjacente é palpável em menos da metade dos pacientes. A doença pode ser bilateral. As metástases para os linfonodos ocorrem mais frequentemente quando a DPM está associada à massa palpável subjacente.
- O diagnóstico diferencial inclui dermatite eczematosa, psoríase, papiloma ductal benigno, hiperceratose de retenção no mamilo-aréola, impetigo, CEC *in situ* e pênfigo familiar.
- A *dermatite eczematosa dos mamilos* é geralmente bilateral; não apresenta induração e responde rapidamente à aplicação tópica de glicocorticoides. Entretanto, deve-se suspeitar de doença de Paget se o "eczema" persistir por > 3 semanas. O diagnóstico é confirmado por biópsia, que demonstra a presença de células neoplásicas na epiderme, seguindo um padrão patognomônico de disseminação. O carcinoma intraductal subjacente é definido por mamografia.
- O tratamento consiste em cirurgia, radioterapia e/ou quimioterapia, como em qualquer outro tipo de carcinoma de mama. Dissecção dos linfonodos se houver linfonodos regionais palpáveis. O prognóstico varia. Quando a massa na mama não é palpável, 92% dos pacientes sobrevivem por 5 anos após a excisão; 82% sobrevivem por 10 anos. Quando existe uma massa palpável na mama, 38% sobrevivem por 5 anos, e 22%, por 10 anos. O prognóstico é pior quando há linfadenopatia.

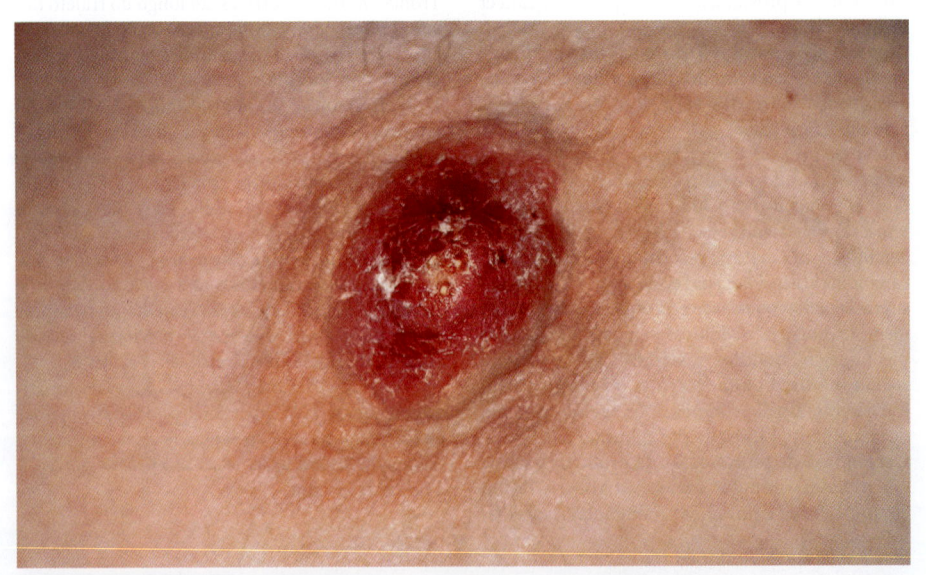

Figura 19-8 Doença de Paget mamária Placa vermelha bem demarcada, simulando eczema ou psoríase no mamilo. A placa está ligeiramente endurecida e se observa discreta descamação; qualquer lesão avermelhada semelhante ao eczema no mamilo e na aréola que não responda à aplicação tópica de glicocorticoide deve ser submetida à biópsia.

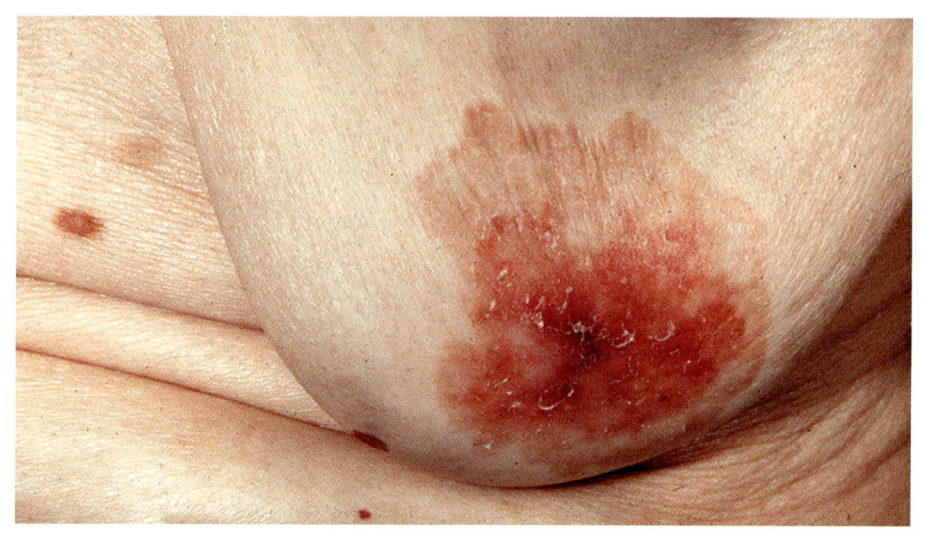

Figura 19-9 Doença de Paget mamária Placa psoriasiforme bem demarcada que causou obliteração da aréola e do mamilo. Havia um nódulo na mama e uma pequena massa axilar.

DOENÇA DE PAGET EXTRAMAMÁRIA CID-10: C44.9

- A doença de Paget extramamária (DPE) é uma neoplasia maligna da pele anogenital e axilar, histologicamente idêntica e clinicamente semelhante à doença de Paget mamária.
- Com frequência, representa a extensão intraepidérmica de um adenocarcinoma primário das glândulas apócrinas subjacentes ou dos tratos GI inferior, urinário ou genital feminino.
- Todavia, muitas vezes não está associada a um câncer subjacente.
- A histogênese da DPE não é uniforme. A doença ocorre como extensão ascendente *in situ* de um adenocarcinoma *in situ* das glândulas mais profundas (25%). A DPE pode, também, ter origem primária multifocal na epiderme e nos seus apêndices. Tumores primários na região anorretal podem surgir na mucosa retal ou nas glândulas intramurais.
- Início insidioso, disseminação lenta, e prurido. Apresenta-se como uma placa eritematosa, com descamação, erosão (**Fig. 19-10**), formação de crosta, exsudação; lesões de aspecto eczematoso, porém com bordas nitidamente demarcadas (**Fig. 19-10**), configuração geográfica. As lesões sempre devem ser submetidas à biópsia.
- Ao exame histológico, as células de Paget estão dispersas entre os ceratinócitos, ocorrem em grupos e se estendem profundamente para as estruturas anexiais (folículos pilosos, ductos écrinos). Com frequência, detecta-se a presença de adenocarcinoma anexial quando cuidadosamente pesquisado.
- Na DPE perineal/perianal, o carcinoma subjacente deve ser procurado por *toque retal, proctoscopia, sigmoidoscopia* e *enema baritado*. Na DPE genital, a investigação do carcinoma subjacente é realizada por *cistoscopia, pielografia intravenosa*; na DPE vulvar, por *exame pélvico*.
- O diagnóstico diferencial inclui todas as placas eritematosas: dermatite eczematosa, líquen simples crônico, líquen escleroso e atrófico, líquen plano, psoríase intertriginosa, intertrigo por *Candida*, CEC *in situ* (eritroplasia de Queyrat), CEC *in situ* induzido pelo papilomavírus humano, melanoma extensivo superficial amelanótico.
- Em geral, a DPE é muito maior do que clinicamente aparente. A excisão cirúrgica deve ser controlada histologicamente (cirurgia micrográfica de Mohs). Se as células de Paget estiverem localizadas na derme e houver linfonodos regionais palpáveis, a dissecação dos linfonodos pode melhorar o prognóstico, que está relacionado ao adenocarcinoma subjacente. A DPE permanece *in situ* na epiderme e no epitélio anexial em > 65% dos casos. Quando não há neoplasia maligna subjacente, observa-se, todavia, elevada taxa de recidiva, mesmo após excisão aparentemente adequada; isso se deve à origem multifocal na epiderme e nas estruturas anexiais.

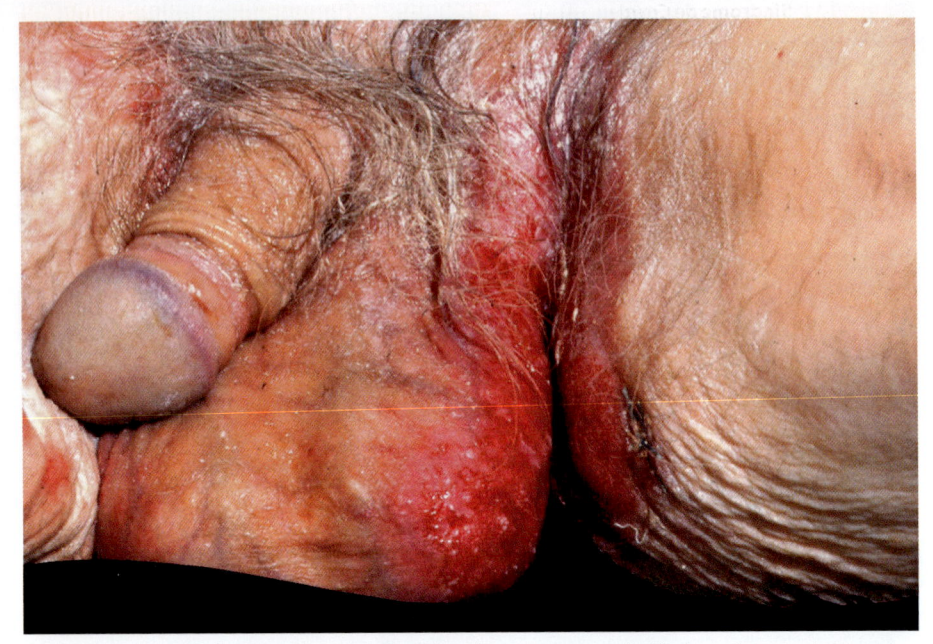

Figura 19-10 Doença de Paget extramamária Placa eritematosa úmida, bem demarcada, erosada e exsudativa no escroto e nas pregas inguinais de um homem idoso. Essa lesão é comumente confundida com intertrigo por *Candida* e tratada sem sucesso como tal.

SÍNDROME DE COWDEN (SÍNDROME DOS HAMARTOMAS MÚLTIPLOS)
CID-10: D23.9

- A síndrome de Cowden (sobrenome do paciente do primeiro caso descrito) é uma síndrome rara neoplásica hereditária autossômica dominante, com expressividade variável em diversos sistemas, na forma de múltiplas neoplasias hamartomatosas de origens ectodérmica, mesodérmica e endodérmica.
- Na maioria dos casos, as mutações de linhagem germinativa no gene supressor tumoral *PTEN* estão localizadas no cromossomo 10q22-23.
- Há uma suscetibilidade especial para os cânceres de mama e de tireoide, e as lesões cutâneas constituem marcadores importantes.
- As lesões cutâneas podem surgir pela primeira vez na infância e se desenvolvem com o passar do tempo. As lesões consistem em tricolemomas, isto é, pápulas da cor da pele, rosadas (**Fig. 19-11B**) ou castanhas, com aspecto de verrugas planas na região central da face, nos lábios e nas orelhas; *ceratoses puntiformes translúcidas* das palmas e das plantas; e *pápulas hiperceratóticas planas* no dorso das mãos e nos antebraços. Mucosas: *pápulas* nas superfícies gengivais, labiais (**Fig. 19-11A**) e palatinas, que coalescem, adquirindo aspecto em "pedras de calçamento". Papilomas da mucosa oral e da língua.
- Além do câncer de mama (20%), que frequentemente é bilateral, e do câncer de tireoide (8%), são observados vários hamartomas internos:
  - *Mama:* doença fibrocística, fibroadenoma, adenocarcinoma, ginecomastia nos homens.
  - *Tireoide:* bócio, adenomas, cistos do ducto tireoglosso, adenocarcinoma folicular.
  - *Trato GI:* pólipos hamartomatosos distribuídos por todo o trato GI, porém em quantidades maiores no intestino grosso; adenocarcinoma que se origina de pólipo.
  - *Trato genital feminino:* cistos ovarianos e anormalidades menstruais.
  - *Sistema musculoesquelético:* craniomegalia, cifoescoliose, fácies "adenoide", arco palatino elevado.
  - *SNC:* retardo mental, crises convulsivas, neuromas, ganglioneuromas e meningiomas do meato acústico.
- É importante estabelecer o diagnóstico de síndrome de Cowden, de modo que esses pacientes possam ser acompanhados cuidadosamente para a detecção precoce de câncer de mama e câncer de tireoide.

Figura 19-11 Síndrome de Cowden (A) Numerosas pápulas confluentes e avermelhadas na mucosa oral, conferindo aparência em "pedras de calçamento". **(B)** Várias pápulas verrucosas da cor da pele na face, que representam tricolemomas.

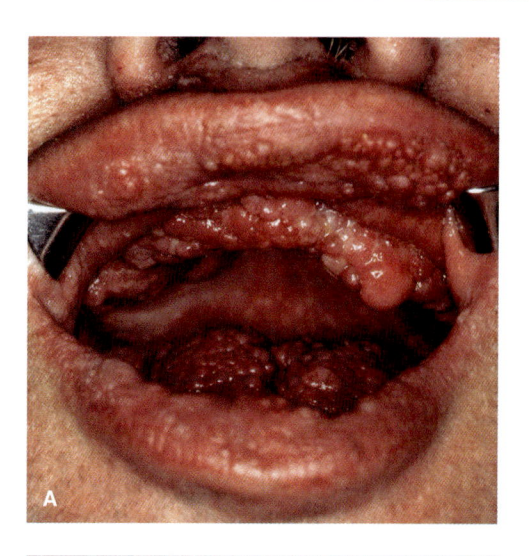

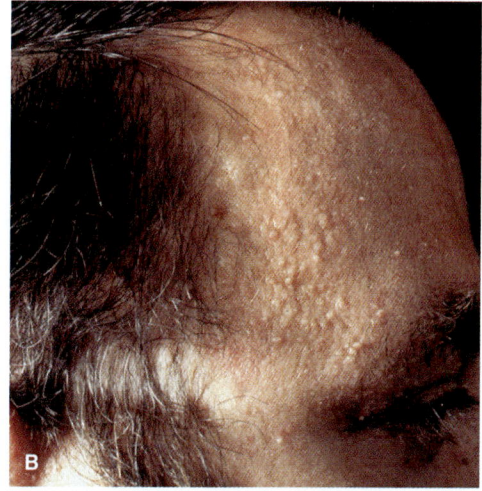

SÍNDROME DE PEUTZ-JEGHERS CID-10: L81.8

- A síndrome de Peutz-Jeghers é uma polipose familiar (autossômica dominante, com mutação espontânea em 40% dos casos), caracterizada por numerosas máculas pigmentadas pequenas, acastanhadas (lentigos) nos lábios, na mucosa oral (marrons a negro-azuladas) e na ponte do nariz, palmas e plantas.
- O gene foi mapeado no cromossomo 19p13.3.
- As máculas nos lábios podem desaparecer com o decorrer do tempo, mas não a pigmentação da boca; por conseguinte, a pigmentação oral constitui uma condição *sine qua non* para o diagnóstico (**Fig. 19-12**).
- Há frequentemente, mas nem sempre, numerosos pólipos hamartomatosos no intestino delgado, bem como no intestino grosso e no estômago, que provocam sintomas abdominais, como dor, sangramento GI e anemia.
- Embora as máculas pigmentadas sejam congênitas ou se desenvolvam na lactância ou no início da infância, os pólipos aparecem no final da infância ou antes dos 30 anos de idade.
- Pode ocorrer desenvolvimento de adenocarcinoma nos pólipos, e se observa incidência aumentada de cânceres de mama, de ovário e de pâncreas.
- A expectativa de vida é normal, exceto se ocorrer o desenvolvimento de carcinoma no trato GI. As neoplasias malignas podem ser mais frequentes em pacientes japoneses com essa síndrome. A colectomia profilática tem sido recomendada para esses pacientes.

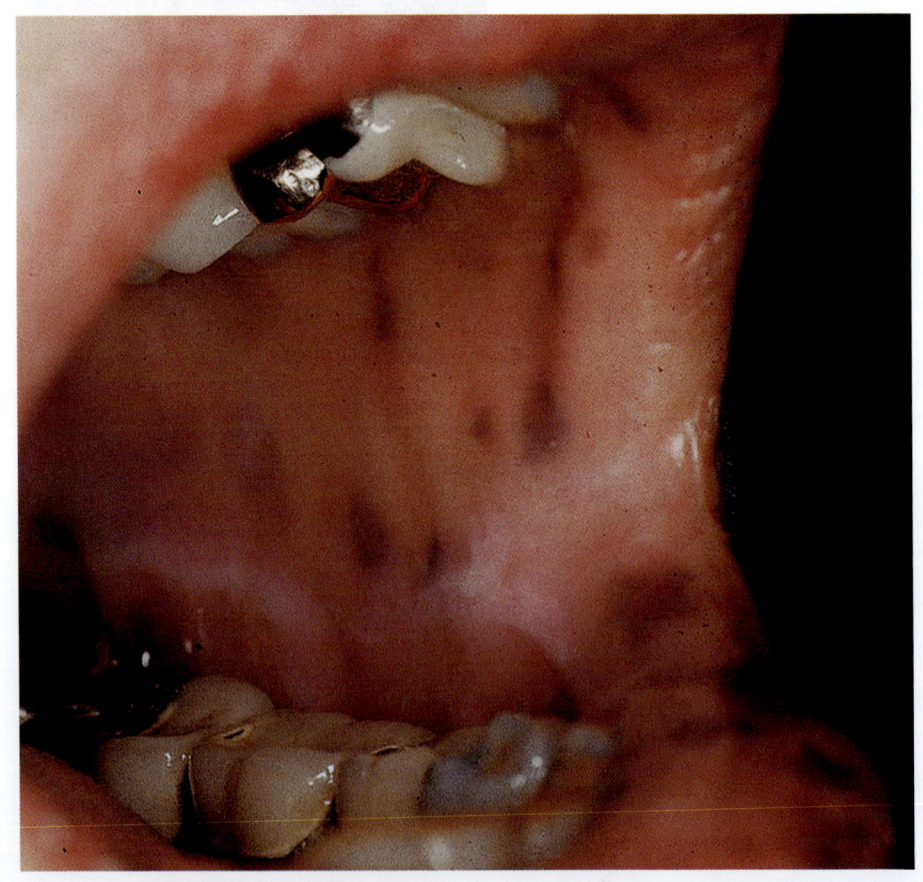

Figura 19-12 Síndrome de Peutz-Jeghers Diversos lentigos marrom-escuros na borda do vermelhão do lábio e na mucosa oral. Este paciente tinha sangramento GI devido a pólipos hamartomatosos no intestino delgado.

SÍNDROME DO GLUCAGONOMA CID-10: E16.3

- A síndrome do glucagonoma é uma entidade clínica rara, porém bem descrita, causada pela produção excessiva de glucagon por um tumor de células α do pâncreas.
- A síndrome caracteriza-se por eritema necrolítico migratório (ENM) superficial, com erosões que formam crostas e cicatrizam com hiperpigmentação.
- Manchas inflamatórias e placas eritematosas (**Figs. 19-13** e **19-14**) com formato circular, circinado, arqueado ou anular, que crescem com clareamento central, resultando em configurações geográficas que se tornam confluentes (**Fig. 19-14**). As bordas apresentam vesiculação ou formação de bolhas, crostas e descamação.
- As lesões acometem as regiões periorais e perigenitais, bem como as áreas flexoras e intertriginosas.
- Pontas dos dedos das mãos avermelhadas, brilhantes e erodidas (**Fig. 19-15**).
- Ocorrem glossite, queilite angular (**Fig. 19-13**) e blefarite.
- O exame físico geral revela consumpção e desnutrição.
- A maioria dos casos está associada ao glucagonoma, porém a patogênese do ENM não é conhecida. Há casos de ENM sem glucagonoma.
- *Diagnóstico diferencial*: Inclui todas as placas eritematosas úmidas: acrodermatite enteropática, deficiência de zinco, psoríase pustular, candidíase mucocutânea, doença de Hailey-Hailey (pênfigo familiar).
- *Exames laboratoriais*: Níveis plasmáticos aumentados em jejum de glucagon para > 1.000 ng/L (faixa normal de 50 a 250 ng/L) estabelecem o diagnóstico. Há também hiperglicemia, diminuição da tolerância à glicose, má absorção grave, hipoaminoacidemia franca, baixo nível sérico de zinco. A angiografia por TC localiza o tumor dentro do pâncreas e as metástases no fígado.
- A dermatopatologia das lesões cutâneas iniciais revela necrose das camadas superiores da epiderme em faixa, com retenção de núcleos picnóticos e citoplasma pálido dos ceratinócitos.
- O prognóstico depende do grau de agressividade do glucagonoma. No momento do diagnóstico, já ocorreram metástases hepáticas em 75% dos pacientes. Se as metástases forem de crescimento lento, os pacientes poderão ter sobrevida prolongada, mesmo com doença metastática.
- O ENM responde precariamente a todos os tipos de tratamento. Alguns casos tiveram resposta parcial à reposição de zinco. O ENM regride após a excisão do tumor. No entanto, a excisão cirúrgica do glucagonoma produz cura em apenas 30% dos casos, devido às metástases (geralmente hepáticas) persistentes. A resposta à quimioterapia é precária.

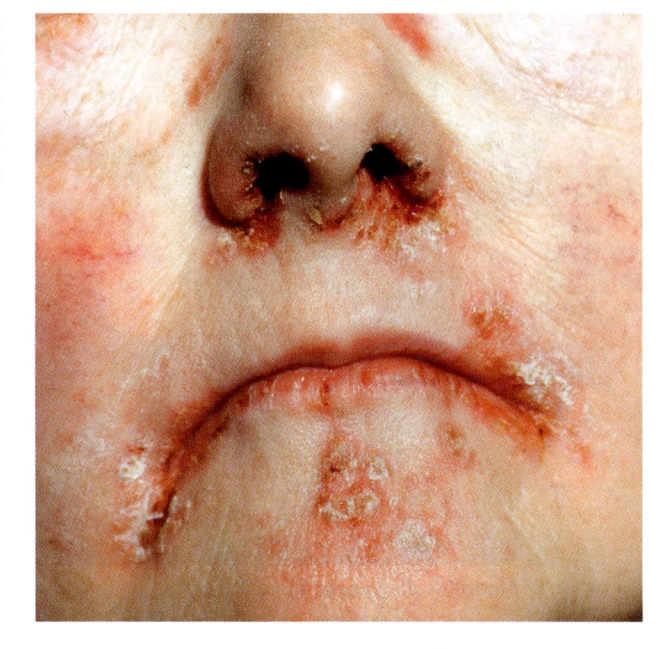

Figura 19-13 Síndrome do glucagonoma: eritema necrolítico migratório Dermatose inflamatória com queilite angular, placas inflamatórias, descamativas, erodidas e crostosas e fissuras ao redor do nariz e da boca.

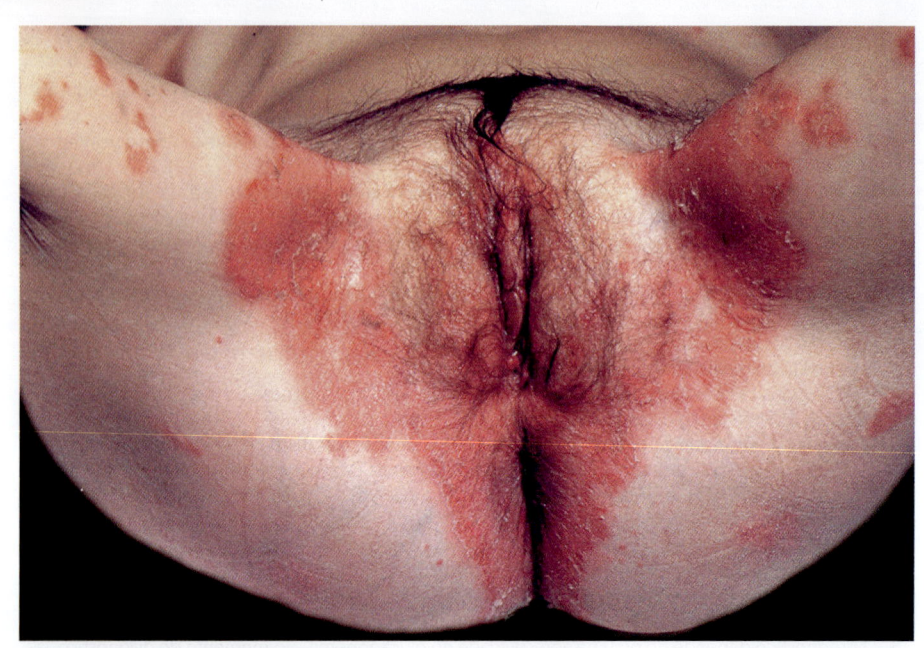

Figura 19-14 Síndrome do glucagonoma: eritema necrolítico migratório Erosões policíclicas nas regiões anogenital, glútea e sacral. As lesões são nitidamente demarcadas, com epiderme flácida necrótica ainda recobrindo parte dessas erosões.

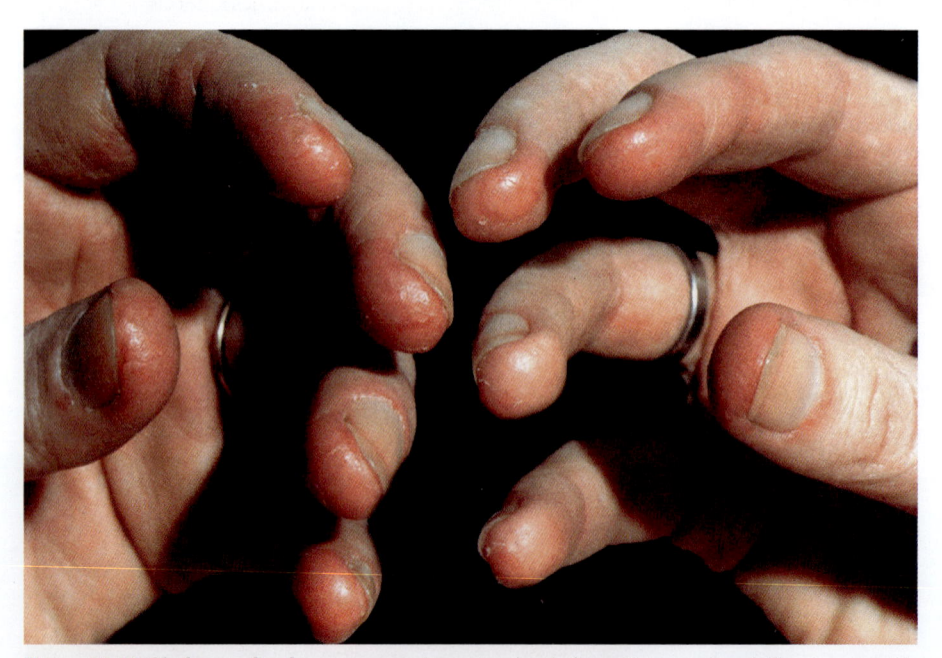

Figura 19-15 Síndrome do glucagonoma As pontas dos dedos estão vermelhas, brilhantes e parcialmente erodidas.

ACANTOSE *NIGRICANS* MALIGNA CID-10: L83

- Como outras formas de acantose *nigricans* (AN) (ver Seção 5), a AN maligna começa na forma de espessamento e hiperpigmentação, difuso e aveludado, localizado principalmente na região cervical, nas axilas e em outras dobras do corpo, bem como nas regiões perioral e periorbitária, umbilical, mamilar e genital, conferindo à pele uma aparência suja (ver **Fig. 5-1**).
- A AN maligna difere de outras formas de AN principalmente devido (1) à hiperceratose e à hiperpigmentação aveludadas mais pronunciadas, (2) ao acometimento acentuado da mucosa e ao acometimento da junção mucocutânea, (3) às mãos com aspecto "em tripa de boi" e (4) à perda de peso e à consumpção, em consequência da neoplasia maligna subjacente.
- A AN pode preceder em 5 anos outros sintomas de neoplasia maligna, comumente adenocarcinoma dos tratos GI ou urogenital, carcinoma brônquico ou, com menos frequência, linfoma. A AN maligna é uma doença verdadeiramente paraneoplásica, e é fundamental proceder a uma investigação à procura de neoplasias malignas subjacentes. A remoção da neoplasia maligna é seguida de regressão da AN.
- Ver "Acantose *nigricans*", na Seção 5.

PÊNFIGO PARANEOPLÁSICO (PPN) (SÍNDROME MULTIORGÂNICA AUTOIMUNE PARANEOPLÁSICA) CID-10: L10.8

- Acomete predominantemente as mucosas e de forma mais grave.
- As lesões combinam características clínicas, histopatológicas e imunopatológicas do pênfigo vulgar (Seção 6) e do eritema multiforme (Seção 14).
- As manifestações clínicas mais proeminentes consistem em graves erosões orais (**Fig. 19-16**) e conjuntivais em pacientes com neoplasia maligna subjacente.
- Essas neoplasias são, em ordem de frequência: linfomas não Hodgkin, leucemia linfática crônica, doença de Castleman, timoma, sarcoma e macroglobulinemia de Waldenström.
- Os pacientes com PPN também podem apresentar evidências clínicas e sorológicas de miastenia *gravis* e citopenia autoimune.
- O soro de pacientes com PPN contém autoanticorpos dirigidos contra antígenos da plaquina (na placa intercelular dos desmossomos), da envoplaquina e da periplaquina, bem como contra a desmoplaquina I e II. Com menos frequência, o soro desses pacientes pode conter autoanticorpos que reconhecem o antígeno do penfigoide bolhoso (230 kDa), plectina e placoglobina.
- Os autoanticorpos do PPN provocam formação de bolhas em camundongos recém-nascidos e são detectados por imunofluorescência indireta no epitélio da bexiga urinária de roedores.
- O tratamento tem por objetivo a eliminação ou a supressão da neoplasia maligna, mas também pode exigir o uso de glicocorticoides sistêmicos.

Figura 19-16 Pênfigo paraneoplásico Erosões graves recobrindo praticamente toda a mucosa da cavidade oral, parcialmente recobertas de fibrina. As lesões são extremamente dolorosas, interferindo na ingestão alimentar adequada.

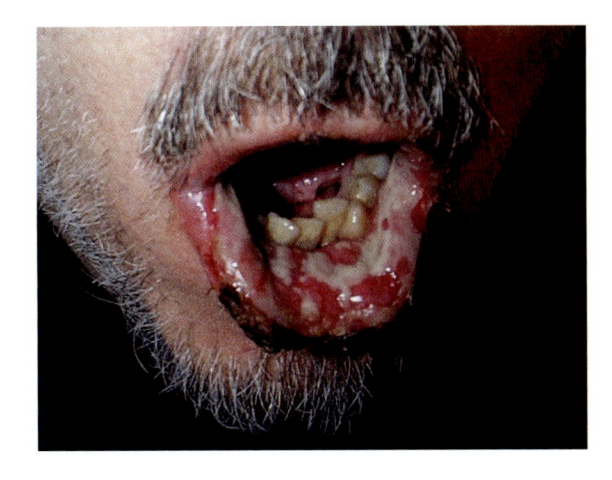

SEÇÃO 20

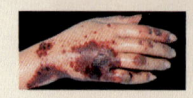

SINAIS CUTÂNEOS DE DOENÇA HEMATOLÓGICA

PÚRPURA TROMBOCITOPÊNICA CID-10: D69.3

- A púrpura trombocitopênica (PT) caracteriza-se por hemorragias cutâneas que ocorrem em associação a uma redução da contagem de plaquetas.
- As hemorragias ocorrem em locais de pequenos traumatismos/pressão (contagem de plaquetas < 40.000/µL) ou espontaneamente (contagem de plaquetas < 10.000/µL).
- A PT é causada por diminuição da produção de plaquetas, sequestro esplênico ou aumento na destruição das plaquetas.
- *Diminuição da produção de plaquetas.* Lesão direta da medula óssea, fármacos (citosina arabinosida, daunorrubicina, ciclofosfamida, bussulfano, metotrexato, 6-mercaptopurina, alcaloides da vinca, diuréticos tiazídicos, etanol, estrogênios), substituição da medula óssea, anemia aplástica, deficiência de vitaminas, síndrome de Wiskott-Aldrich.
- *Sequestro esplênico.* Esplenomegalia e hipotermia.
- *Destruição aumentada das plaquetas. Imunológica:* PT autoimune, hipersensibilidade a fármacos (sulfonamidas, quinina, quinidina, carbamazepina, digitoxina, metildopa), após transfusão. *Não imunológica:* infecção, válvulas cardíacas protéticas, coagulação intravascular disseminada e PT trombótica (anemia hemolítica microangiopática, trombocitopenia, anormalidades neurológicas, febre e doença renal).
- **Lesões cutâneas.** *Petéquias* – máculas pequenas (puntiformes ou do tamanho da cabeça de um alfinete), vermelhas, que não empalidecem sob pressão, não são palpáveis e tornam-se acastanhadas à medida que envelhecem (**Fig. 20-1**); posteriormente, adquirem tonalidade verde-amarelada. *Equimoses* – manchas negras e azuladas; áreas mais extensas de hemorragia. *Víbices* – hemorragias lineares (**Fig. 20-1**), produzidas por traumatismo ou pressão. São mais comuns nas pernas e na parte superior do tronco, mas podem ocorrer em qualquer local.
- **Mucosas.** *Petéquias* – mais frequentemente no palato (**Fig. 20-2**), sangramento gengival.
- **Exame clínico geral.** Possibilidade de hemorragia do SNC e interna, anemia.
- **Exames hematológicos.** Trombocitopenia.
- **Sorologia.** Descartar doença pelo HIV; anticorpos contra ADAMTS 13 (uma protease).
- **Biópsia das lesões cutâneas** (o sangramento geralmente pode ser controlado suturando o local da biópsia). Realizada para excluir a possibilidade de vasculite.
- **Diagnóstico diferencial.** Púrpura senil, púrpura do escorbuto, púrpura pigmentar progressiva (doença de Schamberg), púrpura após manobra de Valsalva vigorosa (tosse, vômitos/ânsia de vômito), púrpura traumática, púrpura factícia ou iatrogênica, vasculite.
- **Manejo.** Identificar causa subjacente e proceder à sua correção, se possível. Glicocorticoides orais, imunoglobulinas IV em dose alta, ou transfusão de plaquetas para a púrpura trombocitopênica idiopática crônica (a esplenectomia pode estar indicada).

Seção 20 Sinais cutâneos de doença hematológica

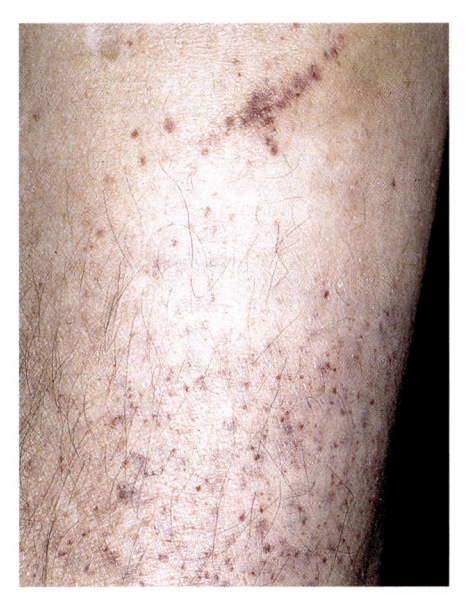

Figura 20-1 Púrpura trombocitopênica Múltiplas petéquias no braço de um homem de 25 anos infectado pelo HIV constituíram a manifestação inicial de sua doença. As petéquias com disposição linear no local de traumatismo mínimo são denominadas víbices.

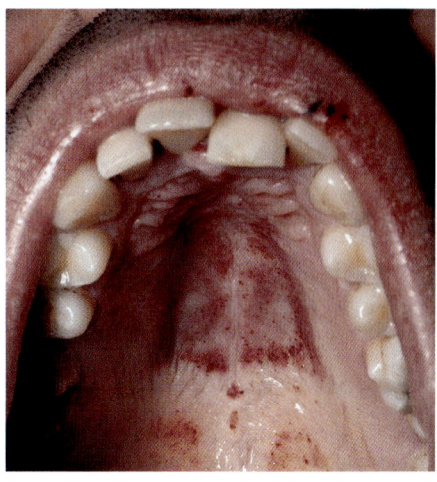

Figura 20-2 Púrpura trombocitopênica Pode se manifestar inicialmente na mucosa oral ou na conjuntiva. Neste caso, são observadas múltiplas hemorragias petequiais no palato.

COAGULAÇÃO INTRAVASCULAR DISSEMINADA CID-10: D65

- A coagulação intravascular disseminada (CIVD) é um distúrbio generalizado da coagulação sanguínea que ocorre dentro dos vasos sanguíneos.
- Associação com ampla gama de circunstâncias clínicas: sepse bacteriana, complicações obstétricas, doença maligna disseminada e trauma grave.
- Manifesta-se por púrpura fulminante (infartos cutâneos e/ou gangrena das extremidades) ou sangramento de múltiplos locais.
- O espectro dos sintomas clínicos associados à CIVD varia desde uma forma relativamente leve e subclínica até casos explosivos e potencialmente fatais.
- *Sinônimos*: púrpura fulminante, coagulopatia de consumo, síndrome de desfibrinação, síndrome coagulofibrinolítica.

EPIDEMIOLOGIA

IDADE DE INÍCIO Todas as idades; ocorre em crianças.

ETIOLOGIA E PATOGÊNESE

- *Eventos que desencadeiam a CIVD:* produtos liberados por tumores, traumatismo com esmagamento, cirurgia extensa, lesão intracraniana grave; retenção de produtos da concepção, descolamento prematuro da placenta, embolia por líquido amniótico; mordidas de determinadas cobras; reação transfusional hemolítica, leucemia promielocítica aguda.
- *Destruição extensa das superfícies endoteliais:* vasculite na febre maculosa das Montanhas Rochosas, meningococemia ou, ocasionalmente, septicemia por microrganismos Gram-negativos; infecção por estreptococos do grupo A, intermação, hipertermia maligna; oxigenação prolongada com bomba (reparo de aneurisma aórtico); eclâmpsia, pré-eclâmpsia; angioma em tufos e hemangioendotelioma kaposiforme; síndrome de Kasabach-Merritt; complexos imunes; púrpura gangrenosa pós-varicela.
- *Condições que complicam e propagam a CIVD:* choque e ativação da via do complemento.

A ativação descontrolada da coagulação resulta em trombose e consumo de plaquetas/fatores da coagulação II, V e VIII. Fibrinólise secundária. Se a ativação ocorrer lentamente, haverá formação excessiva de produtos ativados, predispondo a infartos vasculares/trombose venosa. Se o início for agudo, ocorrem hemorragias ao redor das feridas e locais de acesso IV/cateteres ou sangramento nos tecidos profundos.

MANIFESTAÇÃO CLÍNICA

Horas a dias; rápida evolução. Febre e calafrios associados ao aparecimento de lesões hemorrágicas.
LESÕES CUTÂNEAS *Infarto (púrpura fulminante)* (Figs. 20-3 a 20-5): equimoses extensas com bordas bem demarcadas e irregulares ("geográficas") com coloração púrpura-escura a azul (Fig. 20-5) e halo eritematoso, ± evolução para bolhas hemorrágicas (Fig. 20-3) e gangrena azul a negra (Fig. 20-5); as lesões múltiplas são frequentemente simétricas; parte distal dos membros, áreas de pressão; lábios, orelhas, nariz, tronco; acrocianose periférica seguida de gangrena nas mãos, nos pés, na ponta do nariz com autoamputação subsequente se o paciente sobreviver.

Hemorragia em vários locais cutâneos, isto é, incisões cirúrgicas, punção venosa ou locais de inserção de cateteres.
MUCOSAS Hemorragia gengival.
EXAME CLÍNICO GERAL Febre alta, taquicardia, ± choque. Diversas anormalidades, dependendo do problema clínico/cirúrgico associado.

EXAMES LABORATORIAIS

DERMATOPATOLOGIA Obstrução das arteríolas com trombos de fibrina. Infiltrado denso de neutrófilos ao redor do infarto e hemorragia extensa.

EXAMES HEMATOLÓGICOS **Hemograma**. No esfregaço sanguíneo, são observados esquistócitos (hemácias fragmentadas) em consequência da retenção e lesão das hemácias dentro dos trombos de fibrina; baixa contagem de plaquetas. Leucocitose.
Perfil da coagulação. Redução do fibrinogênio plasmático; elevação dos produtos de degradação da fibrina; prolongamento do tempo de protrombina, tempo de tromboplastina parcial e tempo de trombina.
HEMOCULTURAS Para a sepse bacteriana.

DIAGNÓSTICO E DIAGNÓSTICO DIFERENCIAL

A suspeita clínica é confirmada pelos exames de coagulação. Diagnóstico diferencial de *grandes infartos cutâneos*: Necrose após início de terapia com varfarina, necrose por heparina e calcifilaxia, ateroembolia.

EVOLUÇÃO E PROGNÓSTICO

A taxa de mortalidade é elevada. Os pacientes que sobrevivem necessitam de enxertos cutâneos ou amputação para remoção do tecido gangrenado. Complicações comuns: sangramento grave, trombose, isquemia/necrose tecidual, hemólise, falência de órgãos.

TRATAMENTO

Antibioticoterapia vigorosa para controlar as infecções. Controle de sangramento ou trombose: heparina, pentoxifilina, concentrado de proteína C, imunoglobulina intravenosa e PFC.

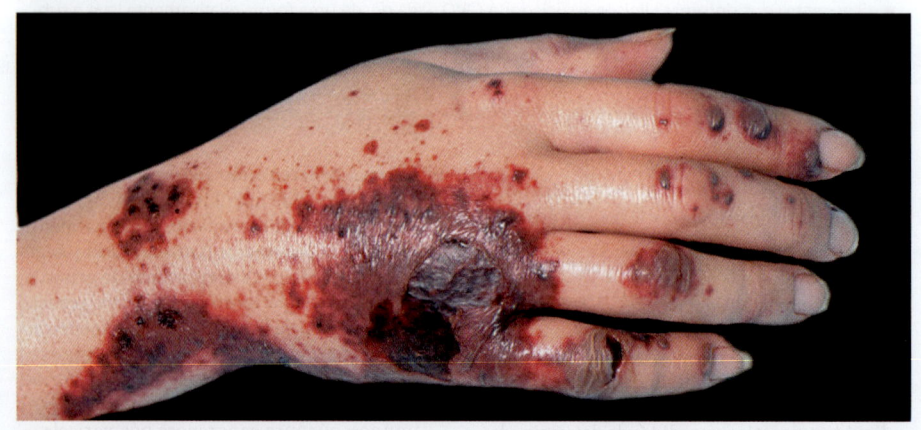

Figura 20-3 Coagulação intravascular disseminada: púrpura fulminante Área geográfica extensa de infarto cutâneo com hemorragia acometendo a mão. Foram observadas lesões semelhantes na face, na outra mão e nos pés.

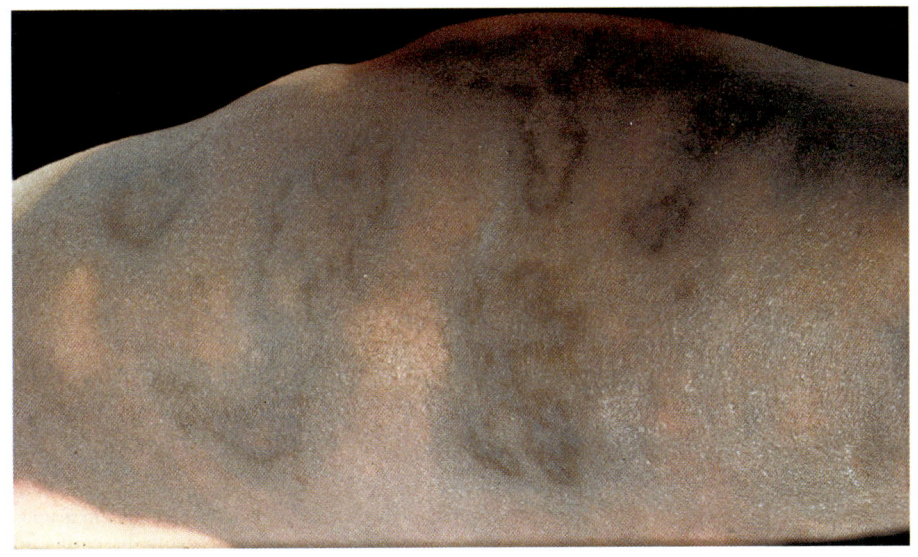

SEÇÃO 20 SINAIS CUTÂNEOS DE DOENÇA HEMATOLÓGICA   447

Figura 20-4 Infarto cutâneo extenso com hemorragia em toda a perna Este evento catastrófico ocorreu após sepse depois de cirurgia abdominal.

Figura 20-5 Coagulação intravascular disseminada: púrpura fulminante Infartos cutâneos geográficos no tórax; foram também observadas lesões nas mãos, nos cotovelos, nas coxas e nos pés. O paciente era diabético e apresentou sepse por *Staphylococcus aureus*.

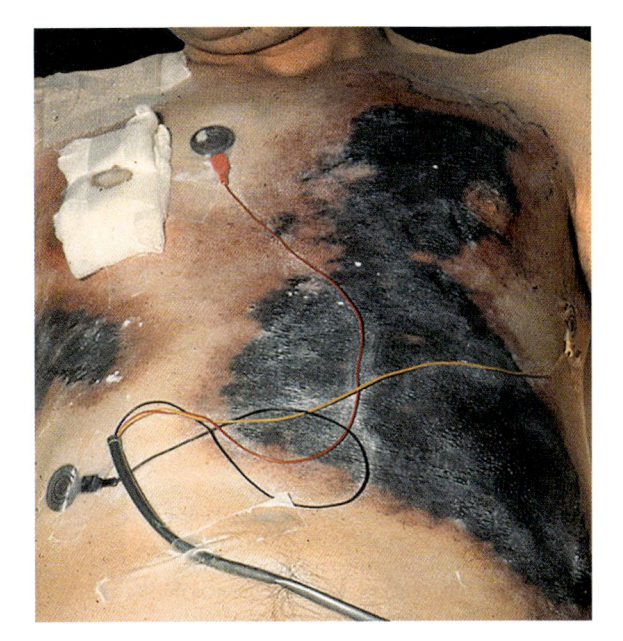

CRIOGLOBULINEMIA CID-10: D89.1

- A crioglobulinemia (CG) refere-se à presença de imunoglobulinas no soro (que se precipitam em temperatura baixa e se dissolvem novamente a 37°C), formando complexos com outras imunoglobulinas ou proteínas.
- As manifestações clínicas associadas incluem púrpura nas áreas expostas ao frio, fenômeno de Raynaud, urticária ao frio, necrose hemorrágica acral, distúrbios hemorrágicos, vasculite, artralgia, manifestações neurológicas, hepatoesplenomegalia e glomerulonefrite.
- A precipitação das crioglobulinas (quando presentes em grandes quantidades) causa oclusão dos vasos e também está associada à hiperviscosidade.
- A agregação das plaquetas e o consumo dos fatores da coagulação por crioglobulinas causam distúrbio da coagulação.
- Depósito de imunocomplexos seguido de ativação do complemento e vasculite.

ETIOLOGIA E PATOGÊNESE

Crioglobulinas tipo I: Imunoglobulinas monoclonais (IgM, IgG, IgA, cadeias leves). *Associadas a* discrasias de plasmócitos, como mieloma múltiplo, macroglobulinemia de Waldenström, distúrbios linfoproliferativos, como linfoma de células B.

Crioglobulinas tipo II: Crioglobulinas mistas: dois componentes de imunoglobulina, dos quais um é monoclonal (comumente IgG e, com menos frequência, IgM), enquanto o outro é policlonal. *Associadas a* mieloma múltiplo, macroglobulinemia de Waldenström, leucemia linfocítica crônica; artrite reumatoide, lúpus eritematoso sistêmico e síndrome de Sjögren.

Crioglobulinas tipo III: Imunoglobulinas policlonais que formam crioprecipitados com IgG policlonal ou com um componente sérico diferente das imunoglobulinas, ocasionalmente misturado com complemento e lipoproteínas. Representa uma doença por imunocomplexos. *Associadas a* doenças autoimunes, doenças do tecido conectivo; ampla variedade de doenças infecciosas, isto é, hepatite B, hepatite C, infecção pelo vírus Epstein-Barr, infecção por citomegalovírus, endocardite bacteriana subaguda, hanseníase, sífilis e infecções estreptocócicas.

MANIFESTAÇÃO CLÍNICA

Há sensibilidade ao frio em < 50% dos casos. Podem ocorrer calafrios, febre, dispneia e diarreia após exposição ao frio. Púrpura pode surgir após longos períodos sentado ou em pé. Em consequência do comprometimento de outros órgãos sistêmicos, artralgias, sintomas renais, sintomas neurológicos, dor abdominal e trombose arterial.

- *Púrpura não inflamatória* (geralmente, tipo I), que ocorre nas áreas expostas ao frio; por exemplo, hélice da orelha (**Fig. 20-6**), ponta do nariz.
- *Acrocianose e fenômeno de Raynaud*, com ou sem gangrena grave subsequente das pontas dos dedos das mãos e dos pés ou outras áreas dos braços ou das pernas (geralmente, tipo I ou II) (**Fig. 20-7**).
- *Púrpura palpável* com bolhas e necroses (normalmente, tipos II e III), devido à vasculite de hipersensibilidade, ocorrendo em grupos nos membros inferiores, com disseminação para as coxas e o abdome; desencadeada por permanecer em pé (**Fig. 20-8**), menos comumente pelo frio.
- *Livedo reticular*, principalmente nos membros inferiores e superiores.
- *Urticária* induzida pelo frio, associada à púrpura.
- *Comprometimento sistêmico:* cerca de 30 e 60% dos indivíduos com CG essencial mista (tipo II) desenvolvem doença renal com hipertensão, edema ou insuficiência renal. O comprometimento neurológico manifesta-se na forma de

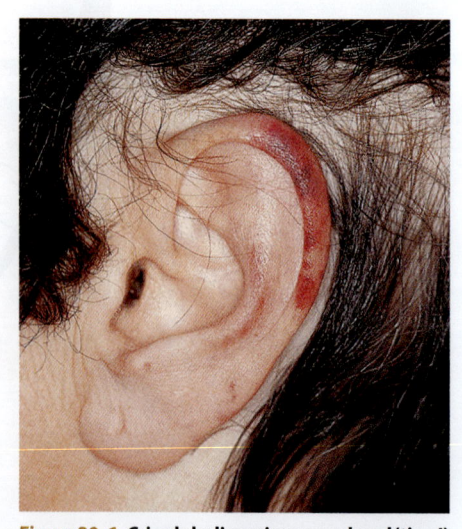

Figura 20-6 Crioglobulinemia: monoclonal (tipo I)
Essa lesão purpúrica não inflamatória na hélice da orelha apareceu no primeiro dia frio do outono.

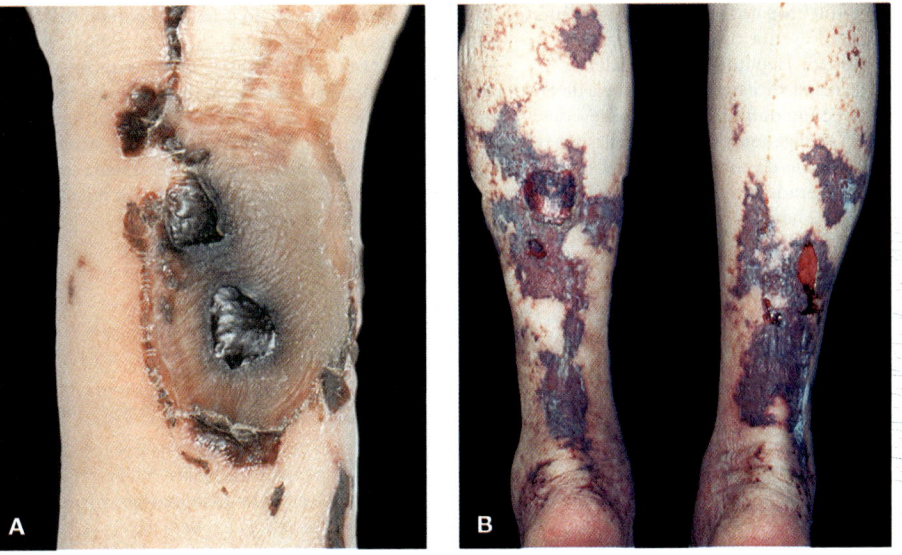

SEÇÃO 20 SINAIS CUTÂNEOS DE DOENÇA HEMATOLÓGICA   449

Figura 20-7 Crioglobulinemia: mista (tipo II) (A) Necrose extensa e hemorragia na pele do antebraço. Houve também gangrena dos dedos das mãos e dos pés. **(B)** Necrose hemorrágica extensa em ambas as pernas. Houve também gangrena acral em quatro dedos do pé.

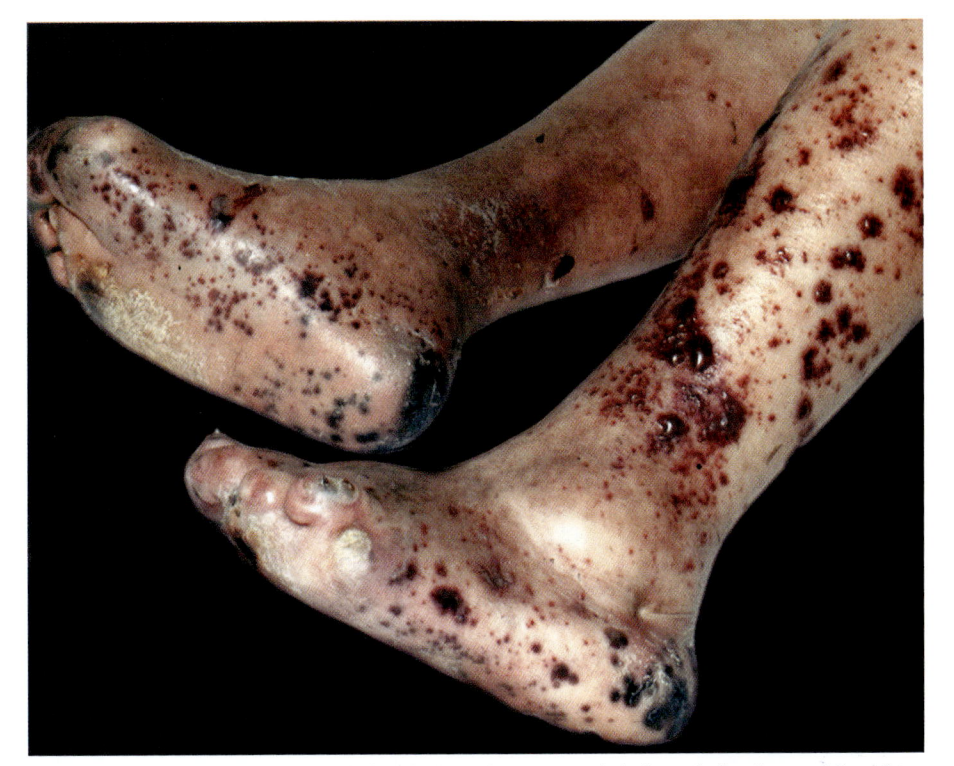

Figura 20-8 Crioglobulinemia: policlonal (tipo III) Púrpura palpável com bolhas hemorrágicas disseminadas e necrose, como ocorre em qualquer outro tipo de vasculite por hipersensibilidade (comparar com a **Fig. 14-57**). Este paciente tinha diabetes e amputação de vários dedos do pé.

polineuropatia sensorimotora periférica, que se apresenta como parestesias ou pé caído. Artrite. Hepatoesplenomegalia.
- O *diagnóstico* é confirmado pela determinação das crioglobulinas (o sangue deve ser coletado em seringa aquecida, as hemácias são removidas por meio de centrífuga aquecida; o plasma é refrigerado em tubos de Wintrobe a 4°C por 24 a 72 horas e, em seguida, centrifugado, com determinação do criócrito) e diagnóstico da doença subjacente.
- A *evolução* caracteriza-se por erupções cíclicas induzidas pelo frio ou flutuações na atividade da doença subjacente.
- O *tratamento* é o da doença subjacente. A doença idiopática pode ser tratada com plasmaférese, corticosteroides orais e micofenolato de mofetila.

LEUCEMIA CUTÂNEA CID-10: C94.7

- A leucemia cutânea (LC) caracteriza-se por infiltração localizada ou disseminada da pele por células leucêmicas. Trata-se, em geral, de um sinal de disseminação de doença sistêmica ou de recidiva de leucemia preexistente. O termo leucemia cutânea aleucêmica descreve um distúrbio raro em que não há evidência extracutânea de recidiva da leucemia. O prognóstico tende a ser ruim.
- A incidência varia de < 5 a 50%, dependendo do tipo de leucemia, tanto aguda quanto crônica, incluindo a fase leucêmica do linfoma não Hodgkin e a leucemia de células pilosas.
- Ocorre mais comumente na leucemia monocítica aguda M5 e na leucemia mielomonocítica aguda M4.
- As lesões mais comuns consistem em pápulas pequenas (2 a 5 mm) (**Figs. 20-9** e **20-10**), nódulos (**Figs. 20-11** e **20-12**) ou placas. As lesões da LC são frequentemente um pouco mais rosadas, violáceas ou mais escuras do que a pele normal e são sempre palpáveis, endurecidas e firmes.
- Localizadas ou disseminadas; normalmente no tronco (**Fig. 20-9**), nos membros (**Fig. 20-11**) e na face (**Fig. 20-10**), porém podem ocorrer em qualquer local. Podem ser hemorrágicas quando associadas à trombocitopenia ou podem ulcerar (**Fig. 20-12**). Pode ocorrer eritrodermia (raramente). Ocorre infiltração gengival leucêmica (hipertrofia) na leucemia monocítica aguda.
- Os *distúrbios inflamatórios* que ocorrem em pacientes com leucemia são modificados pela participação das células leucêmicas no infiltrado, resultando em apresentações incomuns desses distúrbios – por exemplo, psoríase com hemorragia ou erosões/úlceras.
- As doenças inflamatórias cutâneas que podem estar associadas à leucemia incluem a síndrome de Sweet, o pioderma gangrenoso bolhoso, a urticária e a vasculite necrosante.
- Os sintomas sistêmicos são os associados à neoplasia maligna hematológica.
- O *diagnóstico* é estabelecido a partir da suspeita e confirmado por biópsia de pele, imunofenotipagem e estudos de rearranjo dos receptores das células B ou T. Exames hematológicos, com análise completa do aspirado de medula óssea e esfregaço do sangue periférico.
- O prognóstico da LC está diretamente relacionado ao prognóstico da doença sistêmica.
- O *tratamento* é geralmente dirigido para a própria leucemia. Entretanto, a quimioterapia sistêmica suficiente para obter remissão da medula óssea pode não tratar efetivamente as lesões cutâneas. Por conseguinte, pode ser necessária a combinação de quimioterapia sistêmica e terapia local com feixes de elétrons ou PUVA para as lesões da LC resistentes à quimioterapia. A quimioterapia intralesional tem sido usada no tratamento de poucas lesões localizadas ou de lesões únicas.

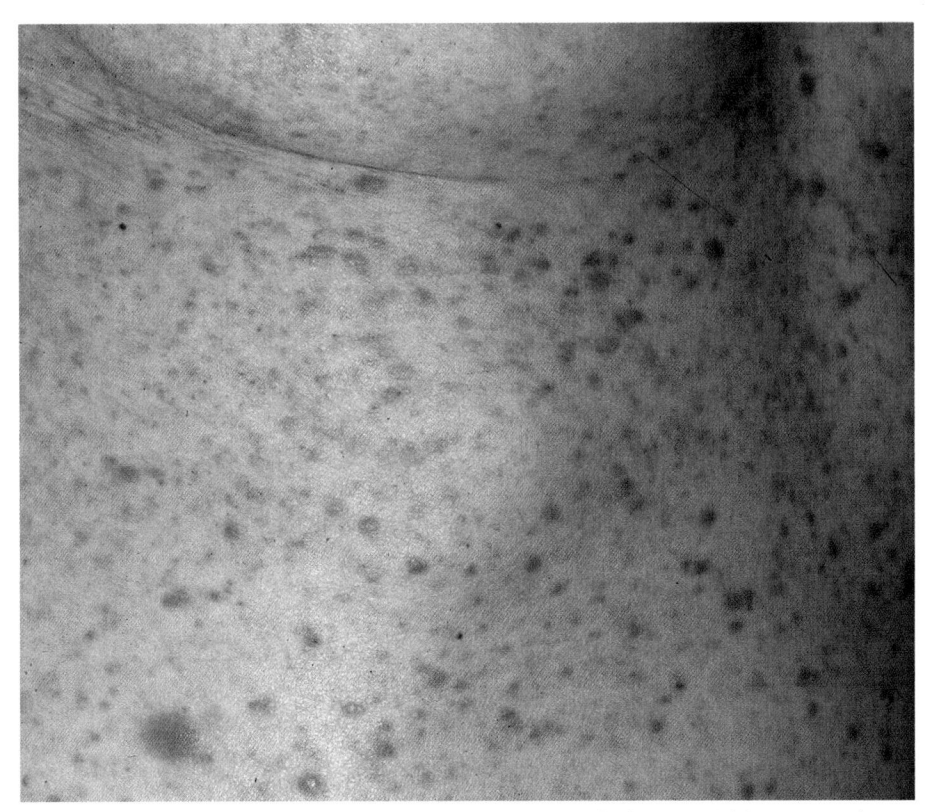

SEÇÃO 20 SINAIS CUTÂNEOS DE DOENÇA HEMATOLÓGICA 451

Figura 20-9 Leucemia cutânea Centenas de pápulas rosa-acastanhadas e um nódulo no tronco de uma mulher com leucemia mielógena aguda, que surgiram em um intervalo de 1 semana. Essas lesões em si são "inespecíficas" e não sugerem um diagnóstico; entretanto, quando se observa esse tipo de erupção, convém realizar um hemograma e uma biópsia.

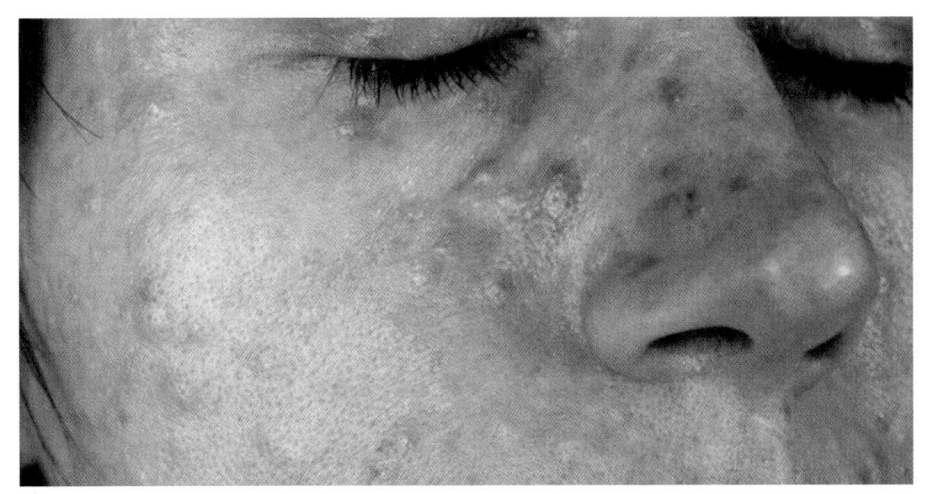

Figura 20-10 Leucemia cutânea Múltiplas pápulas eritematosas e da cor da pele em uma mulher febril de 38 anos, que surgiram 1 semana antes desta fotografia. A paciente tinha leucemia mielógena aguda.

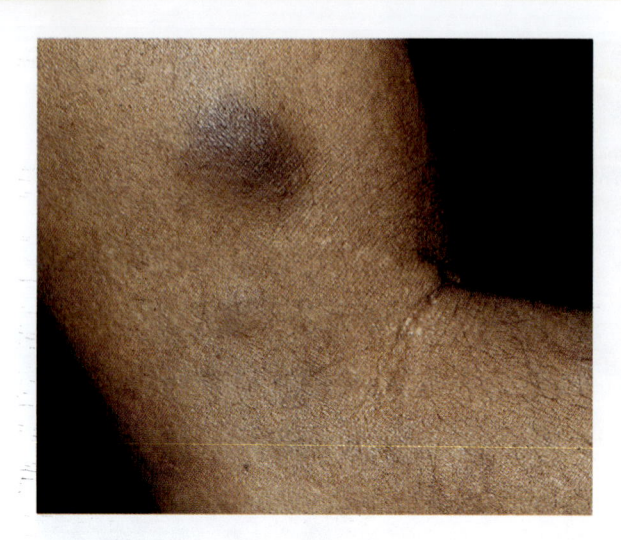

Figura 20-11 Leucemia cutânea Nódulo marrom-escuro grande no braço de um homem com leucemia mielógena aguda; havia também seis nódulos semelhantes no tronco.

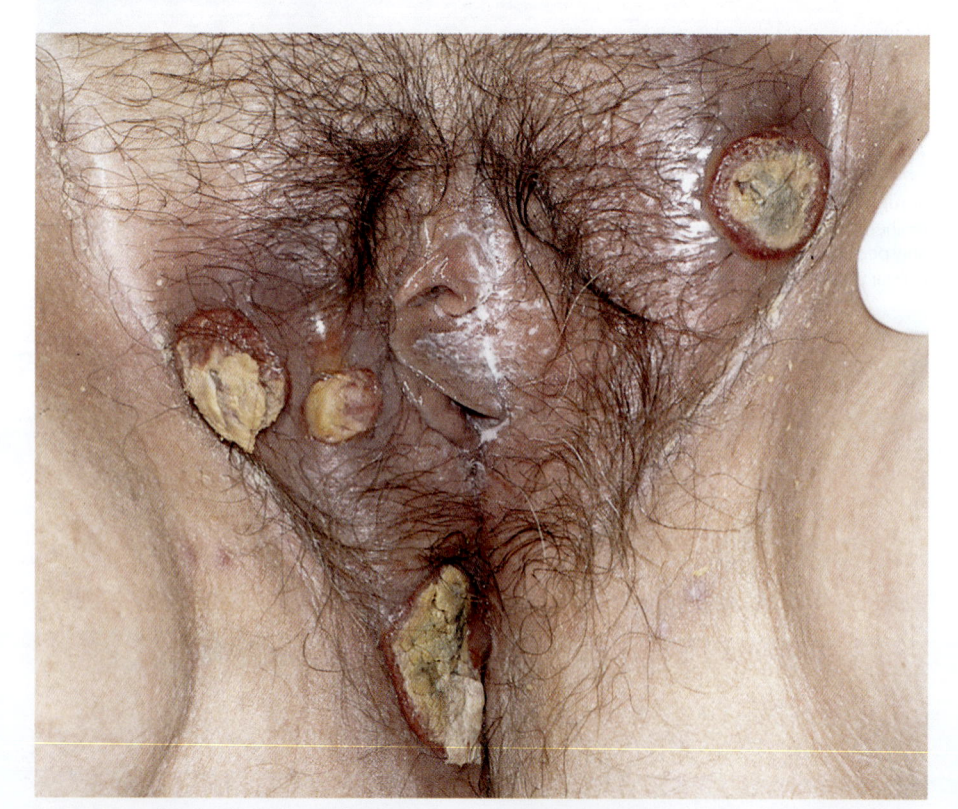

Figura 20-12 Leucemia cutânea: cloroma Grandes tumores ulcerados de tonalidade esverdeada (cloromas) nas regiões inguinal e perineal em uma mulher com leucemia mielógena aguda; havia também lesões semelhantes nas axilas e na língua.

HISTIOCITOSE DAS CÉLULAS DE LANGERHANS CID-10: D76.0

- A histiocitose das células de Langerhans (HCL) compreende um grupo de distúrbios idiopáticos, caracterizados histologicamente pela proliferação e infiltração dos tecidos por histiócitos do tipo de células de Langerhans, que se fundem em células gigantes multinucleadas e formam granulomas com eosinófilos.
- Etiologia: há controvérsia sobre a natureza reativa *versus* neoplásica da HCL.
- Do ponto de vista clínico, a HCL caracteriza-se por alterações cutâneas, que incluem desde edema dos tecidos moles até alterações semelhantes à dermatite seborreica, lesões papulares e pustulares, erosões e ulcerações.
- As lesões sistêmicas acometem os ossos (erosões líticas) e os pulmões, a medula óssea, o fígado, o baço e os linfonodos.
- A evolução é variável, desde formas localizadas de regressão espontânea até casos generalizados e fatais.
- O tratamento depende da extensão da doença e do comprometimento sistêmico.

CLASSIFICAÇÃO

Os distúrbios dos histiócitos são classificados em HCL (anteriormente denominada histiocitose X), histiocitose de células não Langerhans[1] e histiocitose maligna. A HCL foi classificada recentemente conforme apresentado no Quadro 20-1.

EPIDEMIOLOGIA

IDADE DE INÍCIO HCL unifocal. Mais comumente na infância e no início da vida adulta.
HCL multifocal unissistêmica. Mais comumente na infância.
HCL multifocal multissistêmica (previamente chamada de doença de Letterer-Siwe). Ocorre principalmente em crianças com menos de 2 anos de idade.
HCL pulmonar. Principalmente em tabagistas. A tríade de diabetes insípido, exoftalmia e lesões ósseas líticas era anteriormente chamada de doença de Hand-Schuller Christian.
SEXO Sexo masculino > sexo feminino.
INCIDÊNCIA Rara, estimada em 0,5:100.000 crianças.

PATOGÊNESE

O estímulo para a proliferação das células de Langerhans não é conhecido. Há controvérsia sobre a sua natureza reativa *versus* neoplásica.

MANIFESTAÇÃO CLÍNICA

HCL UNIFOCAL Os sintomas sistêmicos não são comuns. Dor e/ou edema sobre a lesão óssea subjacente. Perda dos dentes na presença de doença mandibular, fratura, otite média devido ao acometimento da mastoide.
HCL MULTIFOCAL As lesões cutâneas erosivas são exsudativas, pruriginosas ou dolorosas e podem ter odor fétido. Otite média causada pela destruição dos ossos temporal e mastoide, proptose devido a massas orbitárias, dentes frouxos com infiltração da maxila ou da mandíbula, disfunção hipofisária com comprometimento da sela turca associado a retardo do crescimento e diabetes insípido. Comprometimento pulmonar associado a tosse crônica ou pneumotórax.

Lesões cutâneas
HCL unifocal. (*Granuloma eosinofílico*)

QUADRO 20-1 Classificação da HCL

HCL unifocal	Manifestada mais comumente por lesão osteolítica solitária óssea ou por lesão cutânea ou dos tecidos moles.
HCL multifocal	Lesões ósseas múltiplas, que interferem nas funções das estruturas adjacentes; a HCL multifocal também acomete a pele (segundo órgão acometido com mais frequência), os tecidos moles, os linfonodos, os pulmões e a hipófise. Raramente, a glândula tireoide também pode ser envolvida.
Síndromes clínicas	
Granuloma eosinofílico	Lesões unifocais da pele, das mucosas ou dos tecidos moles.
Doença de Hand-Schüller-Christian	Forma multifocal progressiva crônica de HCL com acometimento cutâneo e sistêmico.
Doença de Letterer-Siwe	Trata-se da forma mais agressiva de HCL multifocal, com acometimento cutâneo e sistêmico.
Síndrome de Hashimoto-Pritzker	Variante benigna e de regressão espontânea da HCL na infância.

---

[1]Para as histiocitoses de células não Langerhans, o leitor pode consultar Gelmeti C e Caputo R in Wolff K et al. (eds.), *Fitzpatrick's Dermatology in General Medicine*, 7th ed. New York, McGraw-Hill, 2008:1424-1434.

- Edema sobre a lesão óssea (p. ex., úmero, costela, mastoide), hiperestesia.
- Nódulo cutâneo/subcutâneo, amarelado, que pode ser hiperestésico e sofrer ruptura, ocorrendo em qualquer local.
- Úlcera bem demarcada, comumente nas regiões genital e perigenital ou na mucosa oral (gengiva, palato duro). Base necrótica, com secreção, hiperestésica (Fig. 20-13).

HCL multifocal. Como no caso da HCL unifocal; além disso, erupções localizadas regionalmente (cabeça) ou generalizadas (tronco). Lesões papuloescamosas, semelhantes à dermatite seborreica (descamativas, oleosas) ou semelhantes à dermatite eczematosa (Fig. 20-14); algumas vezes, vesiculares ou purpúricas (Fig. 20-15). As lesões tornam-se necróticas e podem se tornar maciçamente crostosas. A remoção das crostas resulta na formação de pequenas úlceras superficiais em saca-bocado, que regridem com formação de cicatrizes. As lesões intertriginosas coalescem, podem ser erosivas e exsudativas, tornam-se secundariamente infectadas e ulceram. O comprometimento da mandíbula e da maxila pode resultar em perda dos dentes (Fig. 20-13). Ulceração da vulva e/ou ânus (Fig. 20-16).
MANIFESTAÇÕES CLÍNICAS GERAIS HCL multifocal. Ocorrem lesões ósseas na calota craniana, no osso esfenoide, na sela turca, na mandíbula, nos ossos longos dos membros superiores e nas vértebras. Achados associados de acometimento da hipófise.
Multissistêmica multifocal (DHSC). Lesões líticas do crânio, proptose, diabetes melito e lesões cutâneas.
DLS. Hepatoesplenomegalia, linfadenopatia, comprometimento dos pulmões, de outros órgãos e da medula óssea; trombocitopenia, lesões cutâneas disseminadas e ulcerativas (Figs. 20-15 e 20-16).

EXAMES LABORATORIAIS

HISTOPATOLOGIA Proliferação das células de Langerhans com citoplasma eosinofílico pálido abundante e bordas celulares indistintas; núcleo reniforme preguead0 e endentado com cromatina finamente dispersa; epidermotropismo. As células de Langerhans na HCL precisam ser identificadas por marcadores e imuno-histoquímicos (proteína S-100, CD1a e CD207 [langerina]). No passado, havia necessidade de alterações morfológicas e ultraestruturais (grânulos de Birbeck) para o diagnóstico, mas isso hoje é raramente realizado.

EVOLUÇÃO E PROGNÓSTICO

HCL UNIFOCAL Evolução benigna, com prognóstico excelente para regressão espontânea, porém com destruição tecidual.
HCL MULTIFOCAL É possível a ocorrência de remissões espontâneas. O prognóstico é pior nos extremos de idade e na presença de acometimento extrapulmonar.

TRATAMENTO

HCL UNIFOCAL Curetagem com ou sem preenchimento com fragmentos ósseos. Radioterapia em doses baixas (300 a 600 rad). Corticosteroides intralesionais. Lesões extraósseas em tecidos moles: excisão cirúrgica ou radioterapia em baixas doses.
HCL MULTIFOCAL O diabetes insípido e o retardo do crescimento são tratados com vasopressina e hormônio do crescimento humano. Radioterapia em doses baixas para as lesões ósseas. Tratamento sistêmico com glicocorticoides e/ou vimblastina, isoladamente ou em associação a etoposídeo. Pacientes que não respondem ao tratamento: poliquimioterapia (vincristina e citarabina e prednisona ou vincristina e doxorrubicina e prednisona), cladribina (2-clorodesoxiadenosina). O transplante de medula óssea constitui uma opção.
LESÕES CUTÂNEAS Glicocorticoides para lesões cutâneas isoladas. Além disso, uso tópico de tacrolimo e imiquimode. Extensa ou generalizada: as lesões cutâneas respondem melhor ao uso de PUVA ou mostarda nitrogenada tópica, mas também à talidomida oral. Em raras situações, quando a doença expressa CD30, o brentuximabe tem apresentado benefício clínico.

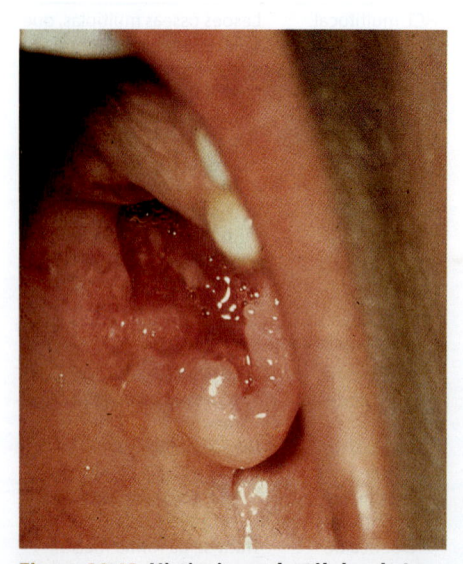

Figura 20-13 Histiocitose de células de Langerhans: granuloma eosinofílico Nódulo ulcerado solitário com perda dos dentes na borda gengival, próximo ao palato, associado ao comprometimento do osso maxilar. A lesão era assintomática e só foi detectada quando os molares caíram e o paciente consultou o médico.

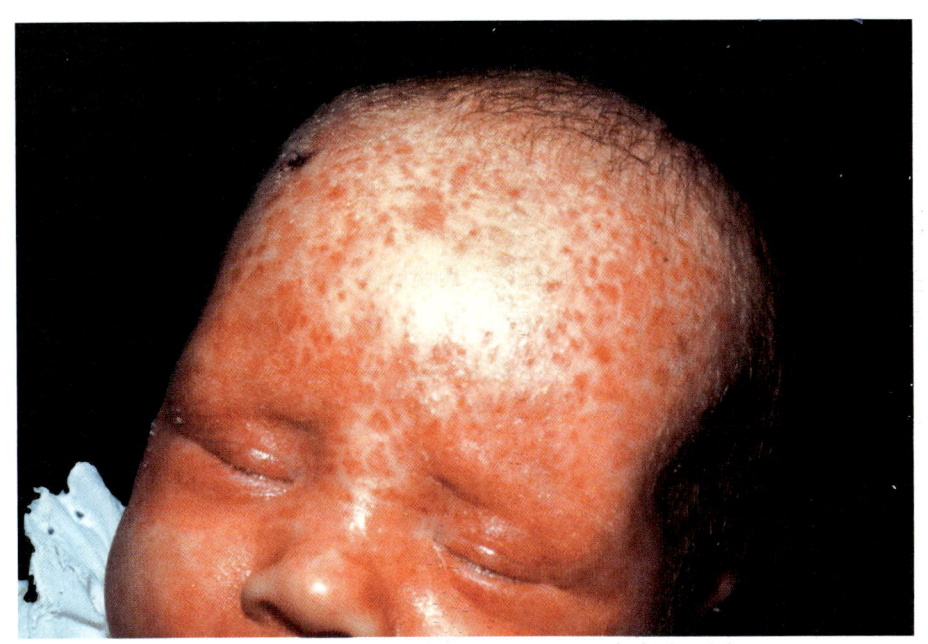

Figura 20-14 Histiocitose de células de Langerhans Eritema e pequenas pápulas de cor alaranjada, com descamação gordurosa na face e no couro cabeludo deste lactente. Estas foram as únicas lesões por ocasião da apresentação inicial e foram confundidas com dermatite seborreica do lactente. Após as lesões se mostrarem refratárias ao tratamento tópico e após o aparecimento de outras lesões purpúricas e crostosas no tronco, foi realizada biópsia e estabelecido o diagnóstico correto.

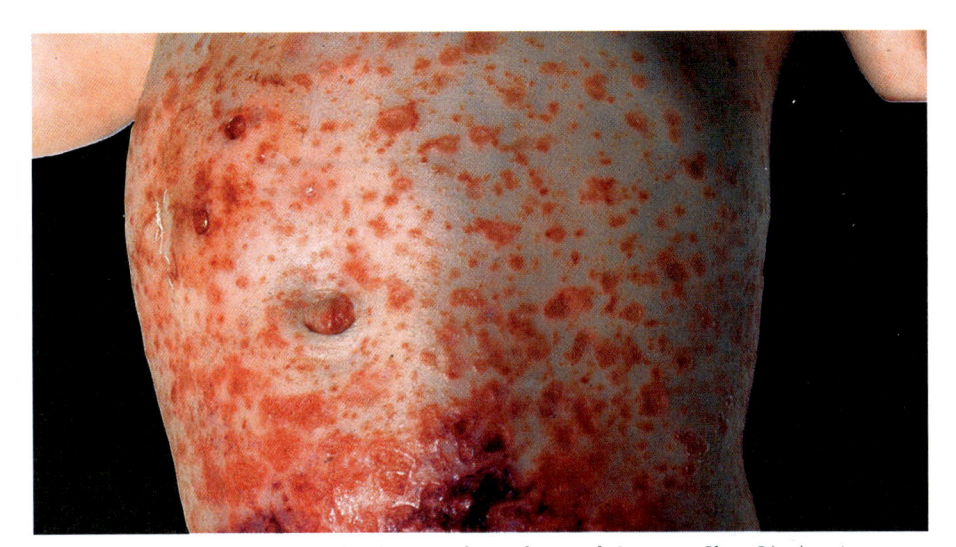

Figura 20-15 Histiocitose de células de Langerhans: doença de Letterer-Siwe Pápulas eritematosas e vesículas com púrpura e crostas, que se tornaram confluentes no abdome deste lactente. Algumas lesões sofreram ulceração e se apresentam crostosas.

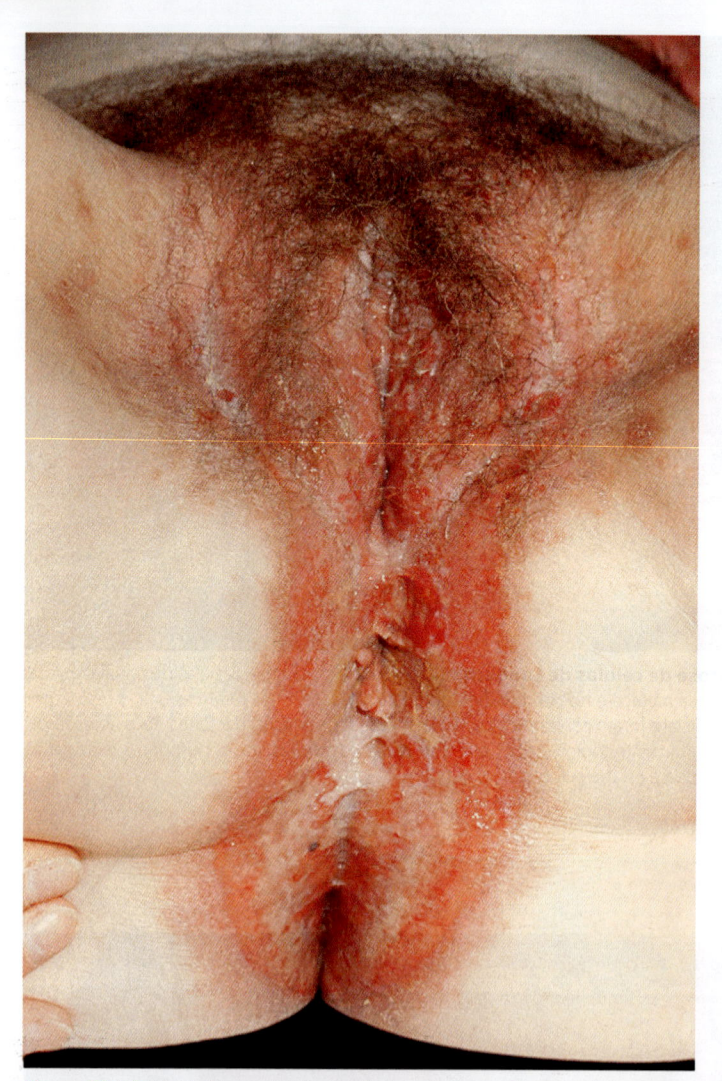

**Figura 20-16 Histiocitose de células de Langerhans: doença de Letterer-
-Siwe em adulto** Placas eritematosas confluentes com necrose e ulceração nas regiões anogenital e perineal em uma mulher de 65 anos.

SÍNDROMES DE MASTOCITOSE CID-10: Q82.2

- A mastocitose caracteriza-se pelo acúmulo anormal de mastócitos na pele e em vários órgãos.
- O **Quadro 20-2** apresenta uma classificação abreviada da mastocitose, de acordo com a Organização Mundial da Saúde.
- A pele é o órgão mais acometido.
- As lesões cutâneas são nodulares localizadas ou maculopapulares generalizadas (**Quadro 20-3**).
- Devido à liberação de substâncias farmacologicamente ativas, os sintomas cutâneos consistem em edema urticariforme ou formação de bolhas com prurido; os sintomas sistêmicos incluem ruborização, vômitos, diarreia, cefaleia e síncope.
- A maioria dos pacientes com mastocitose apresenta apenas acometimento cutâneo, e a maioria não tem sintomas sistêmicos. Todavia, até metade dos pacientes com mastocitose sistêmica pode não ter nenhuma anormalidade cutânea.

EPIDEMIOLOGIA

IDADE DE INÍCIO Entre o nascimento e os 2 anos de idade (55%) (mastocitose cutânea nodular [MCN], mastocitose cutânea em placa papular [MCPP], urticária pigmentosa [UP]), embora a mastocitose possa ocorrer em qualquer idade. A mastocitose com início na infância raramente está associada à mastocitose sistêmica.
SEXO Discreto predomínio do sexo masculino.
PREVALÊNCIA Desconhecida.

PATOGÊNESE

A proliferação dos mastócitos nos seres humanos depende do ligante de Kit, que é o receptor do fator de células-tronco. Foram identificadas mutações do *c-kit* no sangue e nos tecidos de pacientes com mastocitose. Os mastócitos contêm várias substâncias farmacologicamente ativas associadas com os achados clínicos da mastocitose: histamina (urticária ou sintomas GIs), prostaglandina D_2 (rubor, sintomas cardiovasculares, broncoconstrição ou sintomas GIs), heparina (sangramento em tecidos ou osteoporose), protease neutra/hidrolase ácida (fibrose hepática esparsa ou lesões ósseas).

QUADRO 20-2	Classificação abreviada da mastocitose de acordo com a OMS
Mastocitose cutânea (MC)	
Mastocitose sistêmica indolente (MSI)	
Mastocitose sistêmica associada a doença hematológica clonal de linhagem não mastocística (MS-DHCLNM)	
Mastocitose sistêmica agressiva (MSA)	
Leucemia de mastócitos (LM)	
Sarcoma de mastócitos (SM)	
Mastocitoma extracutâneo	

Fonte: Reproduzido com permissão de Jaffe ES, et al, eds. *WHO Classification of Tumours: Pathology and Genetics of Tumours of the Haematopoietic and Lymphoid Tissues*. Lyon: IARC Press; 2001.

MANIFESTAÇÃO CLÍNICA

A fricção da lesão provoca prurido e leva à formação de pápulas urticariformes (*sinal de Darier*) (ver mastocitose generalizada adiante). Vários fármacos e substâncias são capazes de provocar a degranulação dos mastócitos e a liberação de substâncias farmacologicamente ativas que exacerbam as lesões cutâneas (urticária, prurido) e causam rubor, como álcool, dextrana, polimixina B, morfina, codeína, escopolamina, D-tubocurarina, anti-inflamatórios não esteroides. O episódio de ruborização também pode ser desencadeado pelo calor ou pelo frio e pode ser acompanhado de cefaleia, náusea, vômitos, diarreia, dispneia/sibilos e síncope. O comprometimento sistêmico pode levar a sintomas de má absorção; hipertensão portal. Dor óssea. Sintomas neuropsiquiátricos (mal-estar, irritabilidade).

LESÕES CUTÂNEAS (MC) LOCALIZADA MCN. Lesões maculares, papulares a nodulares (mastocitoma) (Fig. 20-17), frequentemente solitárias; podem ser múltiplas, porém em pequeno número. De coloração amarela a rosa-acastanhada. Tornam-se eritematosas e elevadas (urticariformes) quando são friccionadas, devido à degranulação dos mastócitos (sinal de Darier); em alguns pacientes, as lesões tornam-se bolhosas.

GENERALIZADA MCPP. Placas acastanhadas e, em certas ocasiões, amareladas, de até 2 a 5 cm, nitidamente demarcadas com contornos irregulares. Sinal de Darier positivo (Fig. 20-18). Ausência de descamação; em certas ocasiões, com formação de bolhas após fricção. Ocorre principalmente em lactentes e crianças.

QUADRO 20-3	Classificação da mastocitose cutânea (MC)
Localizada	MC nodular (mastocitoma, MCN)
Generalizada	MC maculopapular (MCMP)
	MC em placa papular (MCPP)
	Urticária pigmentosa (UP)
	Telangiectasia macular eruptiva *perstans* (TMEP)
	MC difusa (MCD)

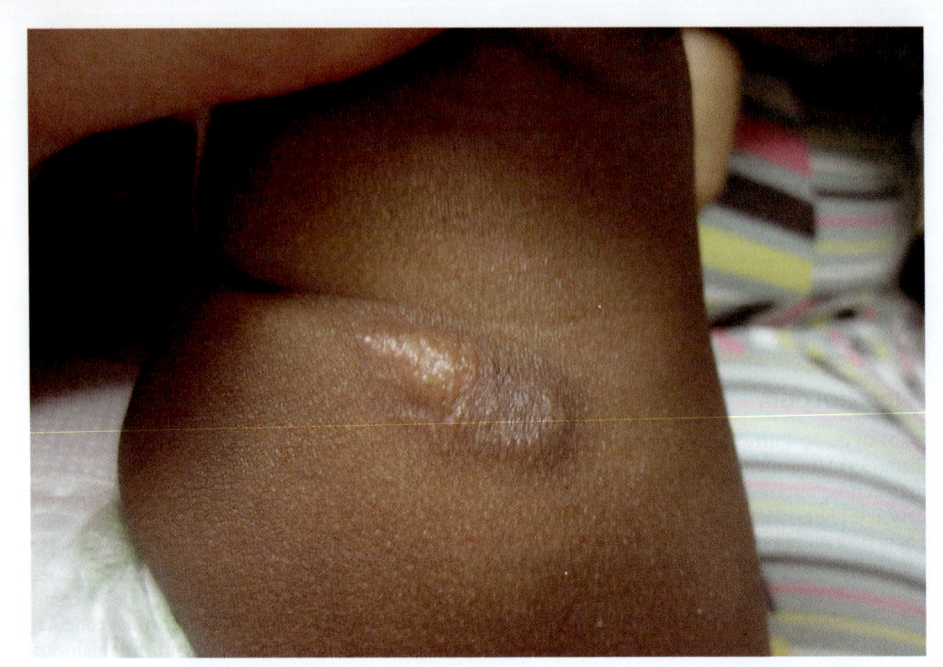

Figura 20-17 Mastocitose: mastocitoma solitário (mastocitose cutânea nodular [MCN]) Placa castanha solitária com bordas pouco demarcadas na panturrilha de um lactente. Quando friccionada vigorosamente, a lesão tornou-se eritematosa elevada e houve formação de uma bolha. (Usada com permissão de Jennifer Tan, MD.)

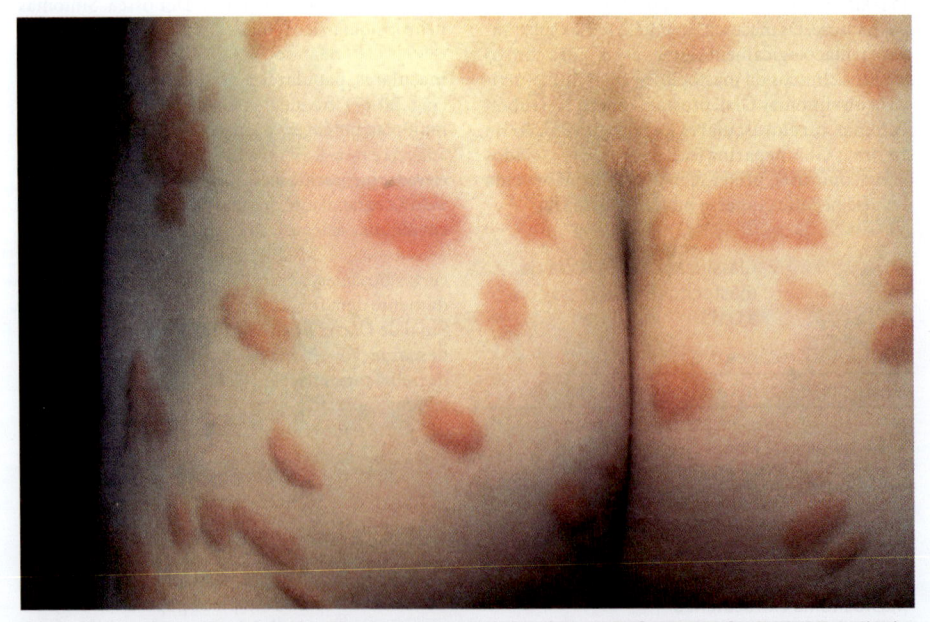

Figura 20-18 Mastocitose: generalizada (mastocitose cutânea em placa papular [MCPP]) Múltiplas pápulas planas e placas pequenas de coloração acastanhada a amarelada nas nádegas de uma criança. As lesões são assintomáticas. A fricção de uma das lesões na nádega esquerda resultou em urticária e rubor por reflexo axônico, um sinal de Darier positivo, e prurido.

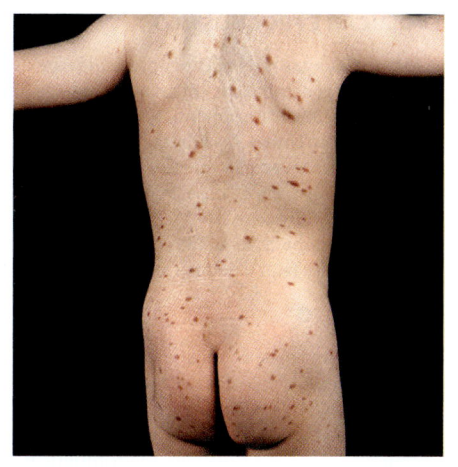

Figura 20-19 Mastocitose: urticária pigmentosa (UP) Múltiplas pápulas generalizadas, castanhas a marrons, em uma criança. O paciente sofreu alguns episódios de síncope, diarreia e sibilos; uma investigação clínica revelou mastocitose sistêmica.

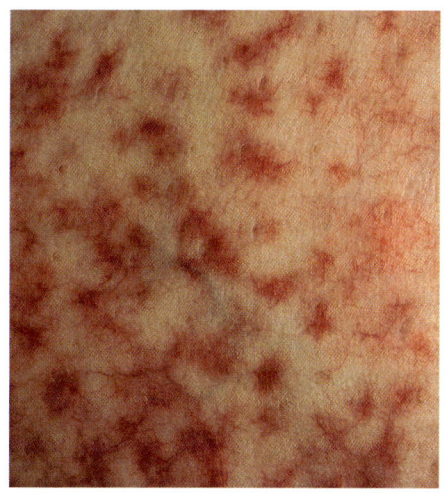

Figura 20-20 Mastocitose: telangiectasia macular eruptiva *perstans* (TMEP) Pequenas máculas eritematosas estreladas e telangiectasias no dorso de uma mulher de 45 anos com mastocitose sistêmica (indolente).

UP. Máculas acastanhadas a pápulas ligeiramente elevadas, castanhas a marrons (Fig. 20-19). Lesões disseminadas, em pequeno número ou > 100, com distribuição simétrica generalizada. Sinal de Darier (formação de lesões urticariformes) após fricção; nos lactentes, as lesões podem se tornar bolhosas. Ocorre na infância ou tem início na idade adulta. Ruborização vermelho-viva difusa, de ocorrência espontânea, após fricção da pele ou após a ingestão de álcool ou de agentes que desencadeiam a degranulação dos mastócitos.

TMEP. Máculas acastanhadas a avermelhadas, semelhantes a sardas (Fig. 20-20), com telangiectasias finas nas lesões de longa duração. Centenas de lesões, tronco > membros; as lesões podem ser confluentes. Ocorrência de urticária com fricção suave. Dermatografismo. A TMEP só ocorre em adultos e é muito rara.

MCD. Grandes áreas da pele de aspecto amarelado e espessado; consistência "pastosa". As lesões são lisas, com elevação dispersa, semelhantes ao couro, "mastocitose pseudoxantomatosa", com dobras cutâneas acentuadas, particularmente nas axilas/região inguinal. Podem surgir grandes bolhas após traumatismo ou de modo espontâneo. A MCD pode se apresentar como eritrodermia (Fig. 20-21). É muito rara e ocorre em todas as idades.

EXAMES LABORATORIAIS

DERMATOPATOLOGIA Acúmulo de mastócitos de aparência normal na derme. Os infiltrados de

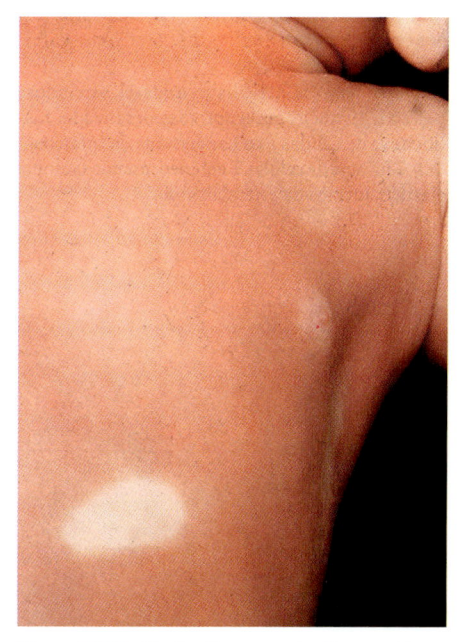

Figura 20-21 Mastocitose: mastocitose cutânea difusa (MCD) A pele deste lactente está uniformemente eritematosa (eritrodermia) devido à infiltração de mastócitos, com preservação de várias áreas brancas de pele normal. Esta criança apresentou sintomas sistêmicos associados à exacerbação da eritrodermia: síncope, sibilos e diarreia.

mastócitos podem ser esparsos (fusiformes) ou densamente agregados (formato cuboide) e exibem distribuição perivascular ou nodular. Podem ser usados diversos métodos de coloração e imunoperoxidase nos casos difíceis (azul toluidina metacromático e Giemsa), como triptase e C-kit.

HEMOGRAMA Mastocitose sistêmica: anemia, leucocitose, eosinofilia.

SANGUE Níveis de triptase ↑, parâmetros da coagulação.

URINA Os pacientes com acometimento cutâneo extenso podem apresentar aumento da excreção de histamina na urina de 24 horas.

CINTILOGRAFIA ÓSSEA E EXAMES DE IMAGEM Definem o comprometimento ósseo (lesões osteolíticas, osteoporose ou osteosclerose), endoscopia para o acometimento do intestino delgado.

MEDULA ÓSSEA Esfregaço e/ou biópsia para a morfologia e os marcadores dos mastócitos.

DIAGNÓSTICO

Suspeita clínica, sinal de Darier positivo, confirmado por biópsia de pele.

DIAGNÓSTICO DIFERENCIAL

MCN Xantogranuloma juvenil, nevo de Spitz.

RUBORIZAÇÃO SÚBITA (FLUSHING) Síndrome carcinoide.

UP, MCPP, TMEP HCL, sífilis secundária, sarcoidose papular, histiocitoma eruptivo generalizado, histiocitose de células não Langerhans da infância.

MCD Linfoma de células T cutâneo, pseudoxantoma elástico, formas de eritrodermia.

EVOLUÇÃO E PROGNÓSTICO

A maioria dos casos de mastocitose solitária e de UP e MCPP generalizadas em crianças regride de modo espontâneo. Raramente apresentam acometimento sistêmico. Os adultos com início de UP ou TMEP com acometimento cutâneo extenso possuem maior risco de desenvolver mastocitose sistêmica (ver **Quadro 20-2**). Em crianças pequenas, a degranulação aguda e extensa pode ser potencialmente fatal (choque).

TRATAMENTO

Evitar os fármacos e as substâncias passíveis de provocar degranulação dos mastócitos e liberação de histamina (ver anteriormente).

Anti-histamínicos, tanto H_1 quanto H_2, isoladamente ou com cetotifeno. O cromoglicato dissódico, em uma dose de 200 mg, quatro vezes ao dia, pode melhorar o prurido, a ruborização, a diarreia, a dor abdominal e os transtornos da função cognitiva, mas não as lesões cutâneas. Imatinibe para pacientes com mutação KIT na posição F522C; todavia, esse fármaco não é efetivo na presença de outras mutações KIT. O tratamento com PUVA é efetivo para as lesões cutâneas disseminadas, porém a recidiva é comum. O colapso vascular é tratado com epinefrina. A MCN responde à aplicação de pomadas de glicocorticoides potentes sob curativo oclusivo ou à triancinolona acetonida intralesional; no entanto pode, por fim, sofrer recidiva.

SEÇÃO 21

LINFOMAS E SARCOMAS CUTÂNEOS

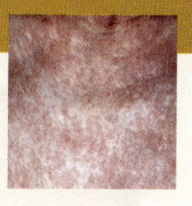

- Os linfomas cutâneos são proliferações clonais de células T ou B neoplásicas, raramente de células *natural killer* ou de células dendríticas plasmocitoides. Os linfomas cutâneos constituem o segundo grupo mais comum de linfomas extranodais. A incidência anual é estimada em 1:100.000.

LEUCEMIA/LINFOMA DE CÉLULAS T DO ADULTO   CID-10: C91.5, C84.5

- A leucemia/linfoma de células T do adulto (LLTA) é uma neoplasia de células T CD4+/CD25+ causada pelo vírus linfotrófico de células T humanas I (HTLV-I).
- Manifesta-se por infiltrados cutâneos, hipercalcemia, comprometimento visceral, lesões osteolíticas e linfócitos anormais em esfregaços de sangue periférico.
- O HTLV-I é um retrovírus humano. A infecção pelo vírus geralmente não causa doença, o que sugere a atuação de outros fatores ambientais. Após a infecção pelo HTLV-I, pode haver imortalização de algumas células T CD4+ infectadas, aumento da atividade mitótica, instabilidade genética e déficit da imunidade celular.
- A LLTA ocorre no sudoeste do Japão (Kyushu), na África, nas ilhas do Caribe e no sudeste dos Estados Unidos. A transmissão do vírus ocorre por meio de relações sexuais, transmissão perinatal ou exposição ao sangue ou a hemoderivados (à semelhança do HIV).
- Existem quatro categorias principais. Nas formas *latente* e *crônica* relativamente indolentes, a sobrevida mediana é de 2 anos ou mais. Nas formas *aguda* e *linfomatosa*, varia de apenas 4 a 6 meses.
- Os sintomas consistem em febre, emagrecimento, dor abdominal, diarreia, derrame pleural, ascite, tosse e escarro. Ocorrem lesões cutâneas em 50% dos pacientes com LLTA. Pápulas eritematosas, violáceas, confluentes e pequenas, isoladas ou múltiplas (**Fig. 21-1**), ± púrpura; nódulos violáceos a acastanhados de consistência firme (**Fig. 21-2**); lesões papuloescamosas, placas grandes, ± ulceração; tronco > face > membros; eritrodermia generalizada; poiquilodermia; alopécia difusa. Linfadenopatia (75%), poupando os linfonodos mediastinais. Hepatomegalia (50%) e esplenomegalia (25%).
- Os pacientes são soropositivos (ELISA, Western blot) para o HTLV-I; entre os usuários de drogas IV, até 30% apresentam infecção retroviral concomitante pelo HTLV-I e HIV. A contagem de leucócitos varia desde valores normais até 500.000/µL. Os esfregaços de sangue periférico revelam linfócitos com núcleos polilobulados ("células em flor"). A *dermatopatologia* revela infiltrados linfomatosos compostos por numerosos linfócitos grandes anormais, ± células gigantes, ± microabscessos de Pautrier. Ocorre hipercalcemia em 25% dos pacientes por ocasião do diagnóstico de LLTA e em > 50% durante a evolução clínica; acredita-se que a hipercalcemia seja devida à reabsorção óssea osteoclástica.
- O tratamento consiste em vários esquemas de quimioterapia citotóxica; as taxas de resposta completa são < 30%, e as respostas carecem de durabilidade, no entanto foram obtidos bons resultados com a combinação de zidovudina oral e α-interferona (IFN) subcutâneo em pacientes com LLTA de tipo agudo e tipo linfoma. O transplante alogênico de células-tronco hematopoiéticas demonstra ser promissor.

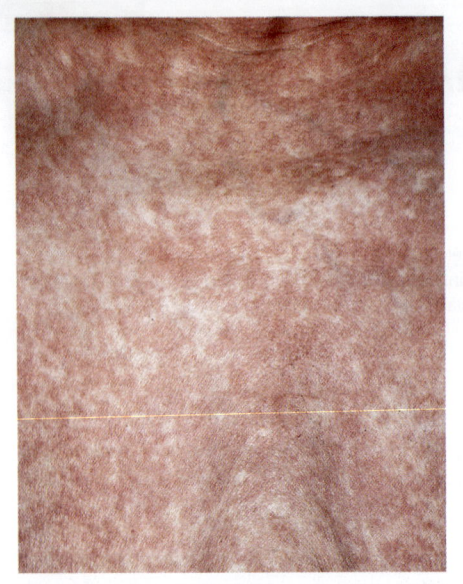

Figura 21-1 Leucemia/linfoma de células T do adulto Erupção generalizada de pequenas pápulas violáceas confluentes, com predileção pelo tronco. O paciente apresentou febre, emagrecimento, dor abdominal, leucocitose intensa com "células em flor" no esfregaço, linfadenopatia, hepatoesplenomegalia e hipercalcemia.

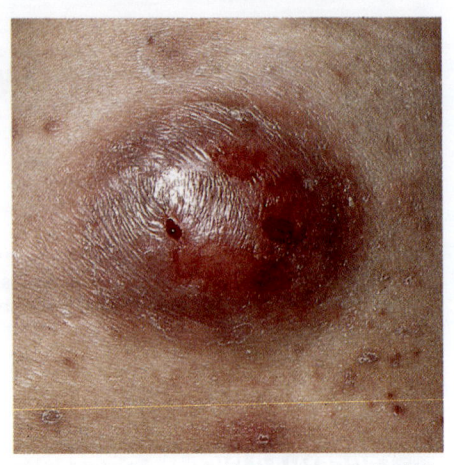

Figura 21-2 Leucemia/linfoma de células T do adulto Nódulos violáceos a acastanhados de consistência firme, como o da fotografia, constituem outra manifestação cutânea da LLTA. Esses nódulos podem ulcerar.

LINFOMA CUTÂNEO DE CÉLULAS T (LCCT) CID-10: C84.5

- O LCCT é um termo que se aplica para descrever o linfoma de células T que se manifesta inicialmente na pele; entretanto, como o processo neoplásico acomete todo o sistema linforreticular, os linfonodos e os órgãos internos também são afetados ao longo da evolução da doença. O LCCT é uma doença maligna das células T auxiliares (CD4+), mas subtipos com predomínio de CD8+ também são diagnosticados.
- Na forma clássica do LCCT, denominada *micose fungoide* (MF), as células malignas são células CD4+ cutâneas; no entanto a entidade clínica da MF hoje se expandiu para o espectro do LCCT, incluindo LCCT não MF.
- Embora todos os casos de MF sejam LCCT, nem todos os casos de LCCT são MF.
- Apenas a forma clássica da MF é discutida aqui.

MICOSE FUNGOIDE (MF) CID-10: C84.0/C84.1

- A MF é o linfoma cutâneo mais comum.
- Surge na meia-idade ou na velhice, com predomínio do sexo masculino de 2:1.
- Proliferação clonal de células T CTLA+ CD4+ residentes na pele, com mistura de células T CD8+ (resposta antitumoral).
- Classificada nos estágios de mancha, placa ou tumor.
- As manifestações associadas consistem em prurido, alopécia, hiperceratose palmoplantar e infecções bacterianas.
- Ao exame histológico, há epidermotropismo das células T com núcleos hiperlobulados. No estágio tumoral, ocorrem infiltrados nodulares da derme.
- O prognóstico está relacionado ao estágio.
- Tratamento: orientado pelos sintomas e adaptado ao estágio.

EPIDEMIOLOGIA E ETIOLOGIA

IDADE DE INÍCIO A idade mediana por ocasião do diagnóstico é de 55 a 60 anos.
SEXO Razão homens:mulheres de 2:1.
INCIDÊNCIA Incomum, porém não rara.
ETIOLOGIA A etiologia é desconhecida. O LCCT é uma neoplasia maligna das células T CTLA+ CD4+ residentes na pele.

MANIFESTAÇÃO CLÍNICA

Evolução ao longo de meses a anos, frequentemente precedida por uma variedade de diagnósticos, como psoríase, dermatite numular e parapsoríase em "placas grandes". Sintomas: prurido, frequentemente refratário ao tratamento, mas pode ser assintomático.
ALTERAÇÕES CUTÂNEAS As lesões são classificadas em manchas, placas e tumores. Os pacientes podem apresentar simultaneamente mais de um tipo de lesão.
Manchas. Manchas descamativas ou não descamativas, de distribuição aleatória, com diferentes tonalidades de vermelho (Fig. 21-3). Bem ou mal definidas; no início, são superficiais, lembrando muito eczema ou psoríase (Figs. 21-3 e 21-4) ou simulando dermatofitose ("micose"), tornando-se posteriormente mais espessas.
Placas. Placas redondas, ovais, mas frequentemente também arciformes, anulares e com configurações bizarras (Figs. 21-3 e 21-5). As lesões distribuem-se de modo aleatório, mas frequentemente preservam as áreas expostas nos estágios iniciais.
Tumores. As lesões mais tardias consistem em nódulos (Figs. 21-5 e 21-6) e tumores, com ou sem ulceração (Fig. 21-7). A infiltração extensa pode causar uma face de aparência leonina (Fig. 21-8). A confluência pode resultar em eritrodermia (ver Seção 8). Ocorre ceratodermia palmoplantar, e pode haver queda dos cabelos. A poiquilodermia pode estar presente desde o início ou pode se desenvolver mais tarde (Fig. 21-9).
EXAME CLÍNICO GERAL Linfadenopatia, geralmente após o aparecimento de placas espessas e nódulos.

EXAMES LABORATORIAIS

DERMATOPATOLOGIA Infiltrados esparsos e/ou em faixas nas camadas superiores da derme com linfócitos atípicos (células micóticas), que se estendem até a epiderme e os apêndices cutâneos. A anormalidade clássica é o epidermotropismo desses infiltrados de células T, que formarão microabscessos na epiderme (microabscessos de Pautrier). Costuma ser observada fibroplasia da parte superior da derme. Alguns casos não demonstram atipia linfocítica significativa. Nos estágios de placa e tumor, o infiltrado estende-se profundamente na derme e a ultrapassa. As células micóticas são células T com núcleos hipercromáticos e de formato irregular (cerebriformes). As mitoses podem ser raras a numerosas.

As células micóticas consistem em células T CTLA+ CD4+ monoclonais ativadas. Entretanto, as lesões da MF frequentemente apresentam um componente de células T CD8+, e se acredita que essas células reflitam uma resposta antitumoral.
HEMATOLOGIA Eosinofilia de 6 a 12%, podendo alcançar 50%. Creme leucocitário: células T circulantes anormais (tipo célula micótica) e aumento da contagem dos leucócitos (20.000/μL). O exame de medula óssea não é útil nos estágios iniciais. A citometria do sangue periférico também pode ser útil

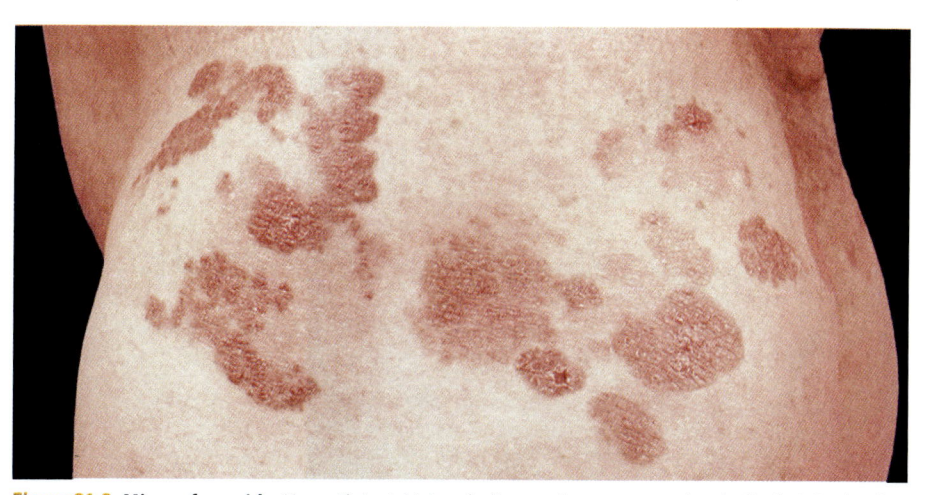

Figura 21-3 Micose fungoide Nos estágios iniciais, as lesões consistem em manchas de distribuição aleatória, bem e/ou mal demarcadas e, mais tarde, placas, como mostra a fotografia de um homem de 37 anos. Podem ser descamativas e exibem várias tonalidades de vermelho. Simulam o eczema, a psoríase ou a dermatofitose.

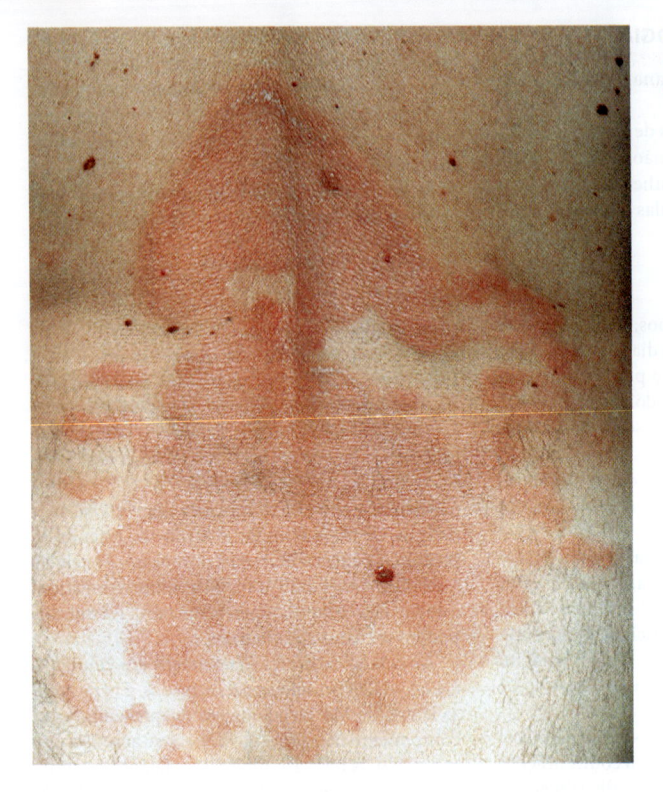

Figura 21-4 Micose fungoide (MF): estágio de manchas/placas Os estágios mais avançados exibem confluência das manchas e placas, com configuração irregular. Esse paciente foi tratado sem sucesso para a psoríase durante 2 anos. Morfologicamente, o diagnóstico também poderia ser de dermatofitose confluente extensa (ver Seção 26), porém a preparação de KOH negativa descartou esse diagnóstico. Somente após uma biópsia foi possível estabelecer o diagnóstico correto de MF.

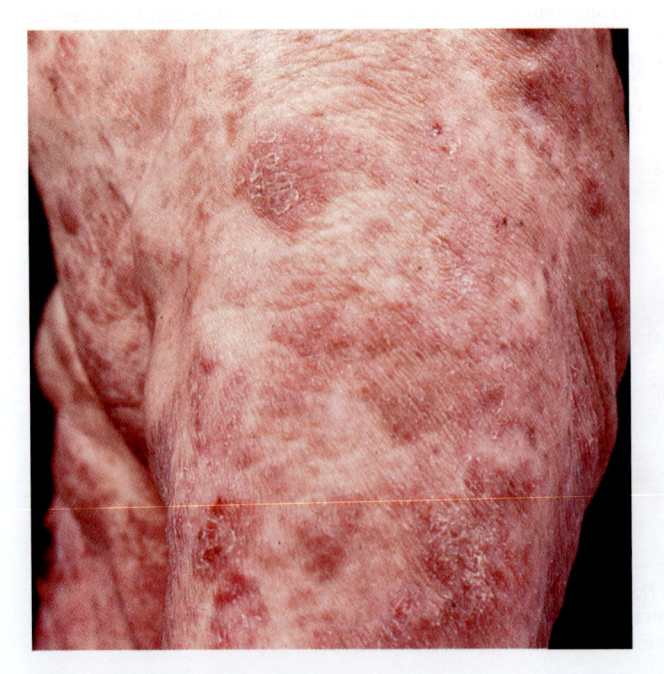

Figura 21-5 Micose fungoide Estágio de placa e de nódulos iniciais com descamação castanho-avermelhada e placas crostosas e nódulos planos.

Figura 21-6 Micose fungoide: estágio tumoral As placas descamativas e crostosas semelhantes a eczema observadas no braço e no tórax tornaram-se nodulares no ombro. Este paciente tinha lesões semelhantes em outras áreas, e o estágio foi IIB ($T_3 N_1 M_0$).

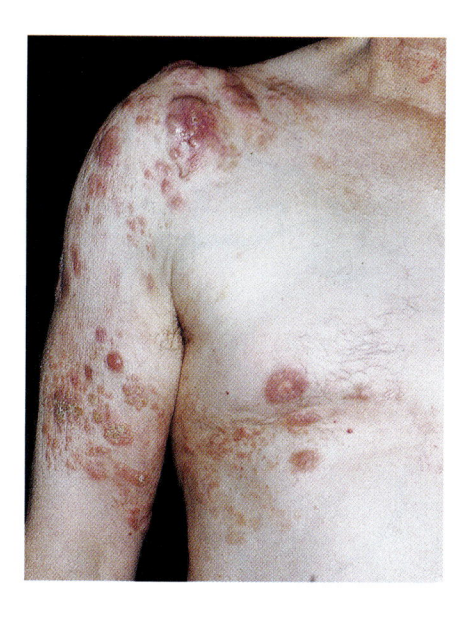

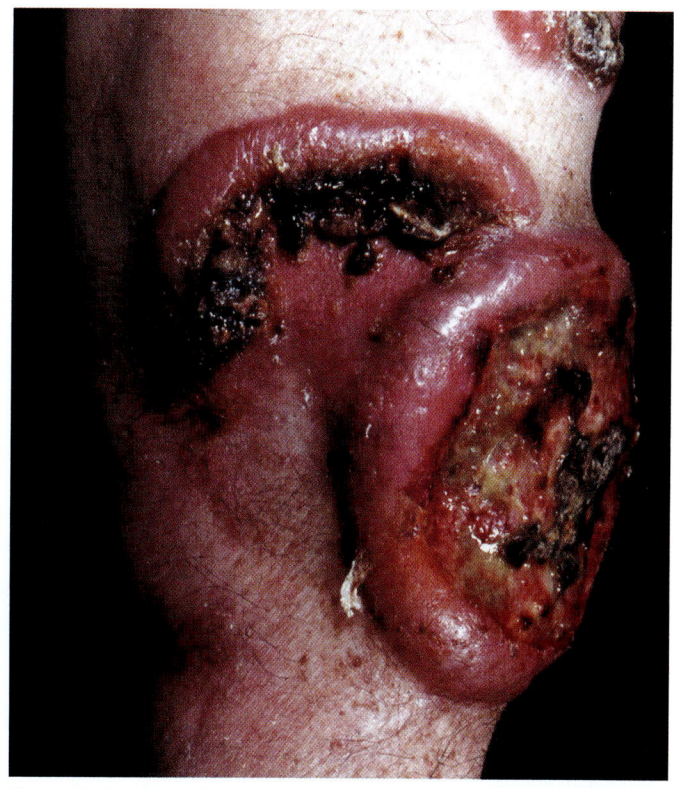

Figura 21-7 Micose fungoide: tumores Dois tumores ulcerados grandes na perna de um homem de 58 anos. Essas lesões se assemelham a cogumelos.

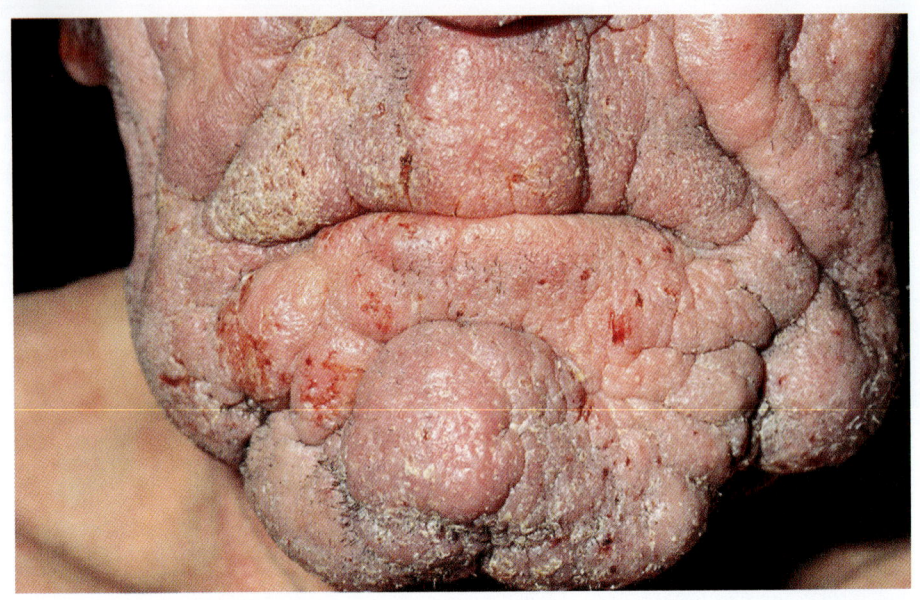

Figura 21-8 Micose fungoide: fácies leonina Neste paciente com 50 anos, a doença começou com placas eczematoides generalizadas e extremamente pruriginosas no tronco, que foram tratadas como eczema durante 4 anos. A infiltração nodular intensa da face ocorreu recentemente, resultando em uma fácies leonina.

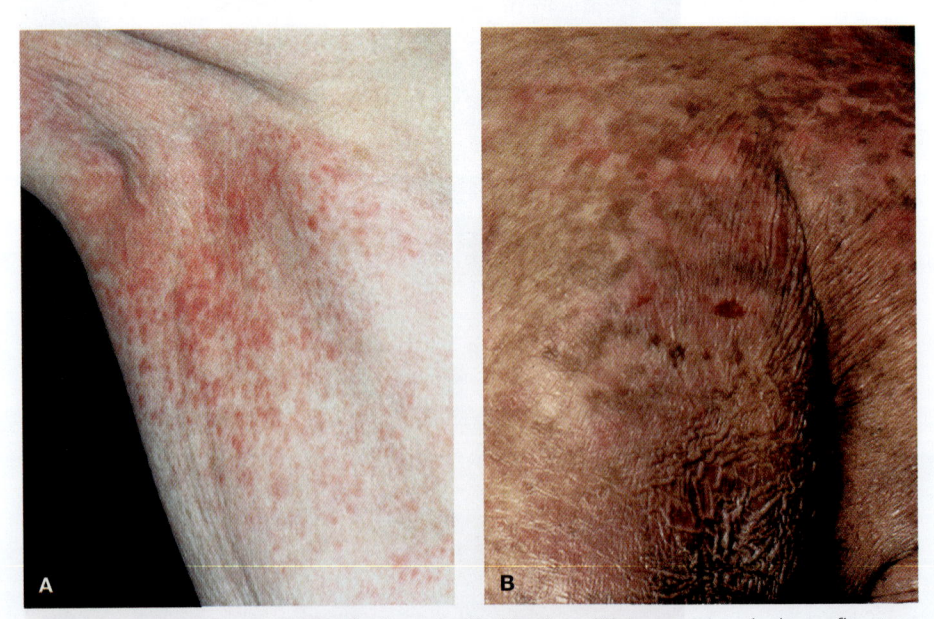

Figura 21-9 Micose fungoide (MF): lesões poiquilodérmicas (A) As pequenas pápulas confluentes e reticuladas misturadas com atrofia superficial dão a impressão de poiquilodermia. Este paciente tinha manchas em outras partes do corpo, semelhantes às mostradas na **Figura 20-3**. **(B)** A poiquilodermia na MF também pode ser causada por tratamento. Este paciente tinha sido tratado com feixes de elétrons.

para a detecção da proporção anormal das células CD4+. Podem ser usados estudos de receptores das células T para a detecção de expansão clonal.
EXAMES DE IMAGEM Nos estágios I e II da doença, os exames complementares de imagem (TC, cintilografia com gálio, cintilografia de fígado-baço e linfangiografia) não fornecem mais informações do que as biópsias dos linfonodos.
TC. Na doença mais avançada, para identificar linfonodos retroperitoneais em pacientes com acometimento cutâneo extenso e linfadenopatia.

DIAGNÓSTICO E DIAGNÓSTICO DIFERENCIAL

Nos estágios iniciais, o diagnóstico de MF representa um problema. As lesões clínicas podem ser características, porém a confirmação histológica pode não ser possível durante vários anos, apesar das biópsias repetidas. Imunofenotipagem das células T infiltrativas com o uso de anticorpos monoclonais e estudos de rearranjo de receptores de células T. A linfadenopatia e a detecção de células T circulantes anormais no sangue parecem se correlacionar com o acometimento de órgãos *internos*.
DIAGNÓSTICO DIFERENCIAL Principalmente *placas descamativas*. É necessário ter um alto índice de suspeita em pacientes com "psoríase", "eczema" e poiquilodermia atípicos ou refratários. Com frequência, a MF simula a psoríase por ser uma placa descamativa, desaparecendo com exposição à luz solar.
AVALIAÇÃO DO PACIENTE COM MF E ESTADIAMENTO O enfoque consiste na avaliação da carga tumoral, grau de atipia das células malignas e estado de imunocompetência do paciente. O Quadro 21-1 fornece um fluxograma para a avaliação do paciente, enquanto o Quadro 21-2 mostra a classificação TNM e o estadiamento da MF.

EVOLUÇÃO E PROGNÓSTICO

Imprevisíveis; a MF (pré-MF) pode estar presente há anos. A evolução varia dependendo do estágio

QUADRO 21-2 Estadiamento TNM da micose fungoide

Classificação	Definição
Estágio	
T1	Manchas, placas ou ambas acometendo < 10% da área de superfície corporal
T2	Manchas, placas ou ambas acometendo 10% da área de superfície corporal
T3	Um ou mais tumores cutâneos
T4	Eritrodermia
N0	Linfonodos clinicamente não acometidos
N1	Linfonodos clinicamente palpáveis, porém histologicamente não acometidos
N2	Linfonodos clinicamente não palpáveis, porém histologicamente acometidos
N3	Linfonodos clinicamente aumentados e histologicamente acometidos
Nx	Linfonodos anormais sem histologia disponível
M0	Ausência de doença visceral
M1	Doença visceral
B0	Ausência de células atípicas circulantes (células de Sézary)
B1	Células atípicas circulantes (células de Sézary)
B2	Alta carga tumoral (> 1.000/µL células de Sézary)
Grupos de estágio	
IA	T1 N0 M0
IB	T2 N0 M0
IIA	T1 ou 2 N1 M0
IIB	T3 N0 a 1 M0
IIIA	T4 N0 M0
IIIB	T4 N1 M0
IVA	T1 a 4 N2 a 3 M0
IVB	T1 a 4 N0 a 3 M1

Fonte: Dados de E Olsen et al: Revisions to the staging and classification of mycosis fungoides and Sezary syndrome: a proposal of the International Society for Cutaneous Lymphomas (ISCL) and the cutaneous lymphoma task force of the European Organization of Research and Treatment of Cancer (EORTC). Blood. 110:1713, 2007.

QUADRO 21-1 Avaliação do paciente com MF

Pele
  Determinação da área de superfície corporal
  Exame histológico de rotina
  Imunofenotipagem
  Reação em cadeia da polimerase para rearranjo dos receptores de células T

Sangue
  Hemograma completo com exame do esfregaço
  Imunofenotipagem

Linfonodos
  Palpação de todos os linfonodos
  Medição dos linfonodos aumentados por TC
  Biópsia dos linfonodos aumentados

tumoral e da origem do paciente estudado. No National Institutes of Health (NIH), foi constatada uma sobrevida média de 5 anos a partir do diagnóstico histológico, ao passo que, na Europa, observou-se uma evolução menos maligna (tempo de sobrevida de até 10 a 15 anos). Todavia, isso pode ser devido à seleção dos pacientes. O prognóstico é muito mais grave quando (1) houver tumores (sobrevida média de 2,5 anos), (2) houver linfadenopatia (sobrevida média de 3 anos), (3) > 10% da superfície cutânea estiverem acometidos com MF no estágio pré-tumoral e (4) houver eritrodermia generalizada. Os pacientes com < 50 anos de idade apresentam duas vezes a taxa de sobrevida de pacientes com > 60 anos.

TRATAMENTO

O tratamento é orientado para os sintomas e adaptado de acordo com a extensão e o estágio da doença. No estágio pré-MF, em que o diagnóstico histológico é apenas compatível, mas não confirmado, a fotoquimioterapia com PUVA ou o tratamento com UVB de banda estreita são os mais efetivos.

Para a doença no estágio de placas comprovada histologicamente, porém sem linfadenopatia e sem células T circulantes anormais, a fotoquimioterapia com PUVA também constitui o método de escolha, isoladamente ou em combinação com isotretinoína oral, ou bexaroteno VO, ou α-IFN subcutânea. Nesse estágio, utiliza-se também a quimioterapia tópica com mostarda nitrogenada em base de pomada (10 mg/dL), carmustina tópica (BCNU) (para acometimento limitado da área de superfície corporal) e tratamento corporal total com feixes de elétrons, isoladamente ou em combinação. Os tumores isolados são tratados com radioterapia local ou feixes de elétrons. Para o estágio de placas extensas com múltiplos tumores ou em pacientes com linfadenopatia ou células T circulantes anormais, os feixes de elétrons mais a quimioterapia provavelmente constituem a melhor combinação no momento atual; existem estudos controlados e randomizados em andamento para avaliar as diversas combinações. Além disso, a fotoquimioterapia extracorpórea com PUVA está sendo avaliada em pacientes com síndrome de Sézary, a forma leucêmica da doença (ver adiante).

VARIANTES DA MICOSE FUNGOIDE

- *MF foliculotrópica*: com acometimento preferencial da cabeça e da região cervical, com ou sem mucinose, degeneração dos folículos pilosos (anteriormente denominada "mucinose folicular", "alopécia mucinosa") (**Fig. 21-10**).
- *MF hipopigmentada*: manchas hipopigmentadas em pacientes de pele escura.
- *Reticulose pagetoide (doença de Woringer-Kolopp)*: trata-se de uma variante especial de MF, que consiste em manchas e placas *localizadas* (**Fig. 21-11**), com proliferação de células T neoplásicas que se estendem para dentro da epiderme, seguindo um padrão semelhante ao da doença de Paget. Não foi observada a ocorrência de disseminação extracutânea, e o prognóstico é excelente.
- *Pele frouxa granulomatosa*: subtipo raro de MF, com dobras de pele frouxa nas principais pregas cutâneas (**Fig. 21-12**).
- *Síndrome de Sézary*: variante leucêmica; ver Síndrome de Sézary e Seção 8.

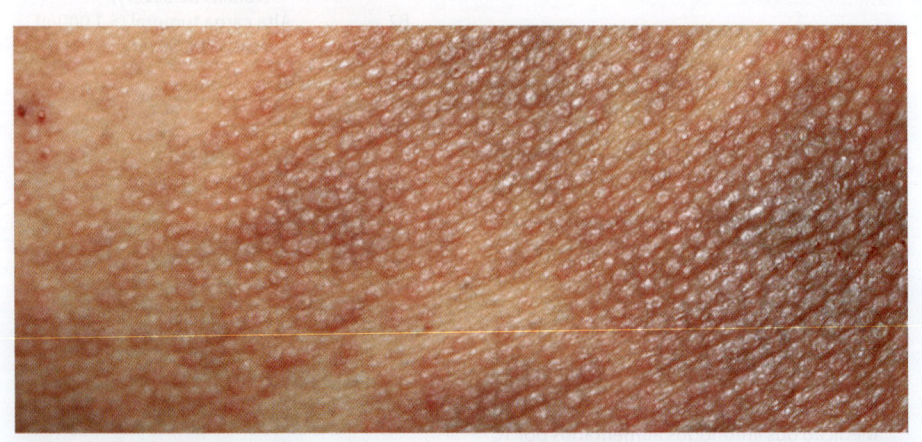

Figura 21-10 MF foliculotrópica Múltiplas pápulas foliculares pequenas. Essa condição é denominada "mucinose folicular".

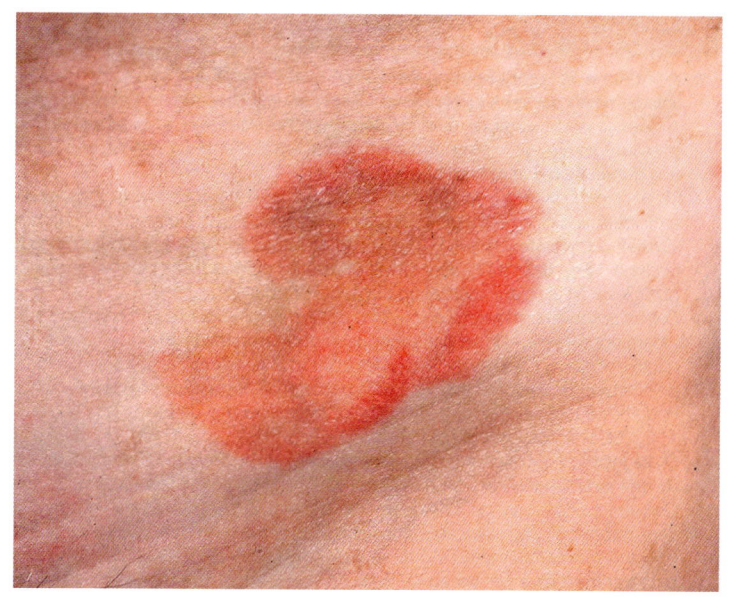

Figura 21-11 Reticulose pagetoide Esta placa singular, localizada na região inguinal de uma mulher de 53 anos, assemelha-se à psoríase, com descamação mínima. A lesão era assintomática e permaneceu por 10 meses. O exame histológico revelou células T intraepidérmicas com padrão pagetoide.

Figura 21-12 Pele frouxa granulomatosa Infiltrados em placa e de consistência firme na região cervical e na parte anterior do tórax e dobras cutâneas frouxas nas regiões axilar e escapular.

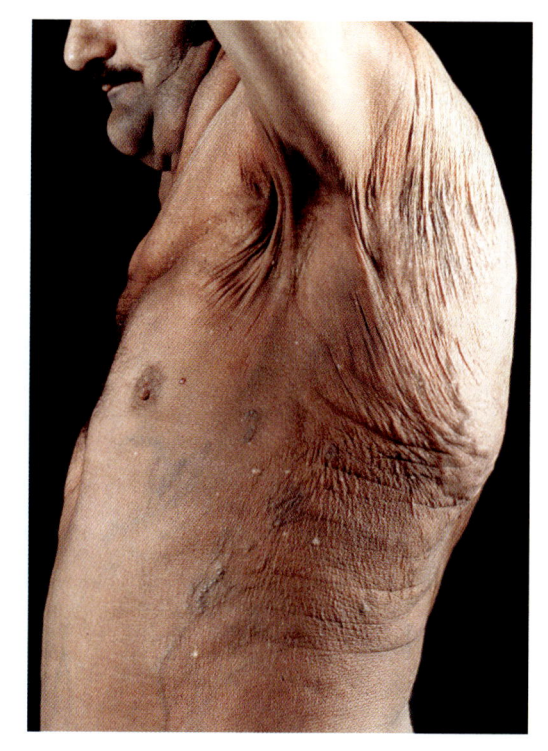

SÍNDROME DE SÉZARY CID-10: C84.1

- A síndrome de Sézary é uma variante especial rara da MF, que se caracteriza por eritrodermia universal, linfadenopatia periférica e infiltrados celulares com linfócitos atípicos (células de Sézary) na pele e no sangue.
- A doença pode surgir *de novo* ou, com menos frequência, resultar da extensão de MF circunscrita preexistente. Em geral, essa síndrome ocorre em pacientes com > 60 anos de idade e é mais comum nos homens do que nas mulheres.
- Os pacientes mostram-se enfermos, têm calafrios e parecem assustados, e se verifica a presença de eritrodermia descamativa generalizada com espessamento considerável da pele. Devido à coloração vermelho-brilhante da pele, a síndrome foi também denominada "síndrome do homem vermelho" (ver Seção 8 e **Fig. 8-3**). Há hiperceratose difusa das palmas e das plantas, queda difusa dos cabelos que pode levar à calvície, e linfadenopatia generalizada.
- *Dermatopatologia*: a mesma da MF, mas pode ser muito mais sutil. Os linfonodos podem conter células inflamatórias inespecíficas (linfadenopatia dermatopática), ou pode haver substituição completa do padrão nodal por células de Sézary. Os infiltrados celulares nas vísceras são iguais aos encontrados na pele. *Imunofenotipagem*: células T CD4+; rearranjo dos receptores de células T: processo monoclonal. Pode haver leucocitose moderada ou contagem normal de leucócitos. O creme leucocitário contém 15 a 30% de linfócitos atípicos (células de Sézary).
- O diagnóstico se baseia em três manifestações: eritrodermia, linfadenopatia generalizada e presença de quantidades aumentadas de linfócitos atípicos no creme leucocitário.
- Convém assinalar que qualquer dermatite esfoliativa pode simular a síndrome de Sézary (ver Seção 8).
- Sem tratamento, a evolução é progressiva e os pacientes morrem em consequência de infecções oportunistas. O tratamento é igual ao da MF, acrescido de medidas de suporte apropriadas necessárias para a eritrodermia (ver Seção 8).

PAPULOSE LINFOMATOIDE CID-10: L41.2

- A papulose linfomatoide é uma erupção polimorfa autolimitada crônica e assintomática, de etiologia desconhecida.
- Trata-se de um linfoma de células T autolimitado, de baixo grau, com risco pequeno, porém real, de progressão para formas mais malignas de linfoma.
- A incidência é de 1,2 a 1,9 caso por milhão, e a doença ocorre de modo esporádico em ambos os sexos, desde a infância até a idade avançada; a idade média é de 40 anos.
- Caracteriza-se por grupos recorrentes de lesões que regridem espontaneamente, com características histológicas de atipia linfocítica.
- A patogênese não é conhecida; a papulose linfomatoide é considerada um linfoma de baixo grau, talvez induzido por estimulação antigênica crônica e controlado por mecanismos de defesa do hospedeiro. Pertence ao espectro dos distúrbios linfoproliferativos cutâneos primários de células CD30+.
- Semelhança clínica estreita com a pitiríase liquenoide e varioliforme aguda (ver **Fig. 3-23A** e **B**). Pápulas eritematosas a vermelho-castanhadas (**Fig. 21-13**) e nódulos, de 2 a 5 mm de diâmetro, que inicialmente são lisos e hemorrágicos e, posteriormente, hiperceratóticos, com necrose central negra, crostas (**Fig. 21-13**) e ulceração. Algumas até centenas de lesões assintomáticas ou pruriginosas, dispostas de modo aleatório e frequentemente agrupadas, recidivantes, principalmente no tronco e nos membros; raramente, nas mucosas oral e genital. As lesões individuais evoluem no decorrer de um período de 2 a 8 semanas e regridem de modo espontâneo. Cicatrizes hiperpigmentadas ou hipopigmentadas atróficas após as lesões ulceradas.
- Não há comprometimento de outros sistemas orgânicos.
- *Dermatopatologia*: infiltrado de células mistas perivascular ou intersticial, superficial ou profundo, em forma de cunha. As células atípicas podem representar 50% do infiltrado. *Tipo A*: grandes linfócitos CD30+ atípicos, semelhantes a histiócitos, com citoplasma abundante e núcleo convoluto. *Tipo B*: linfócitos CD30– atípicos e menores, com núcleos cerebriformes. *Tipo C*: grandes células CD30+ formam lâminas que lembram o linfoma de células cutâneas anaplásicas grandes (LCCAG, ver p. 472).
- *Diagnóstico diferencial*: com base na histologia e imuno-histoquímica características, ausência de comprometimento sistêmico com base na história clínica e no exame físico.
- *Evolução*: pode sofrer remissão em 3 semanas, ou pode persistir por décadas. Em 10 a 20% dos pacientes, a papulose linfomatoide é precedida, está associada ou é seguida de outro tipo de linfoma: MF, doença de Hodgkin ou LCCAG CD30+. Pode persistir, apesar da quimioterapia sistêmica ou do linfoma concomitante.
- Nenhum tratamento demonstrou ser consistentemente efetivo. Os agentes tópicos incluem glico-corticoides e BCNU. Irradiação com feixes de elétrons, PUVA. Retinoides, metotrexato, clorambucila, ciclofosfamida, ciclosporina; brentuximabe e α-IFN-2b, porém nenhum deles com efeitos duradouros.

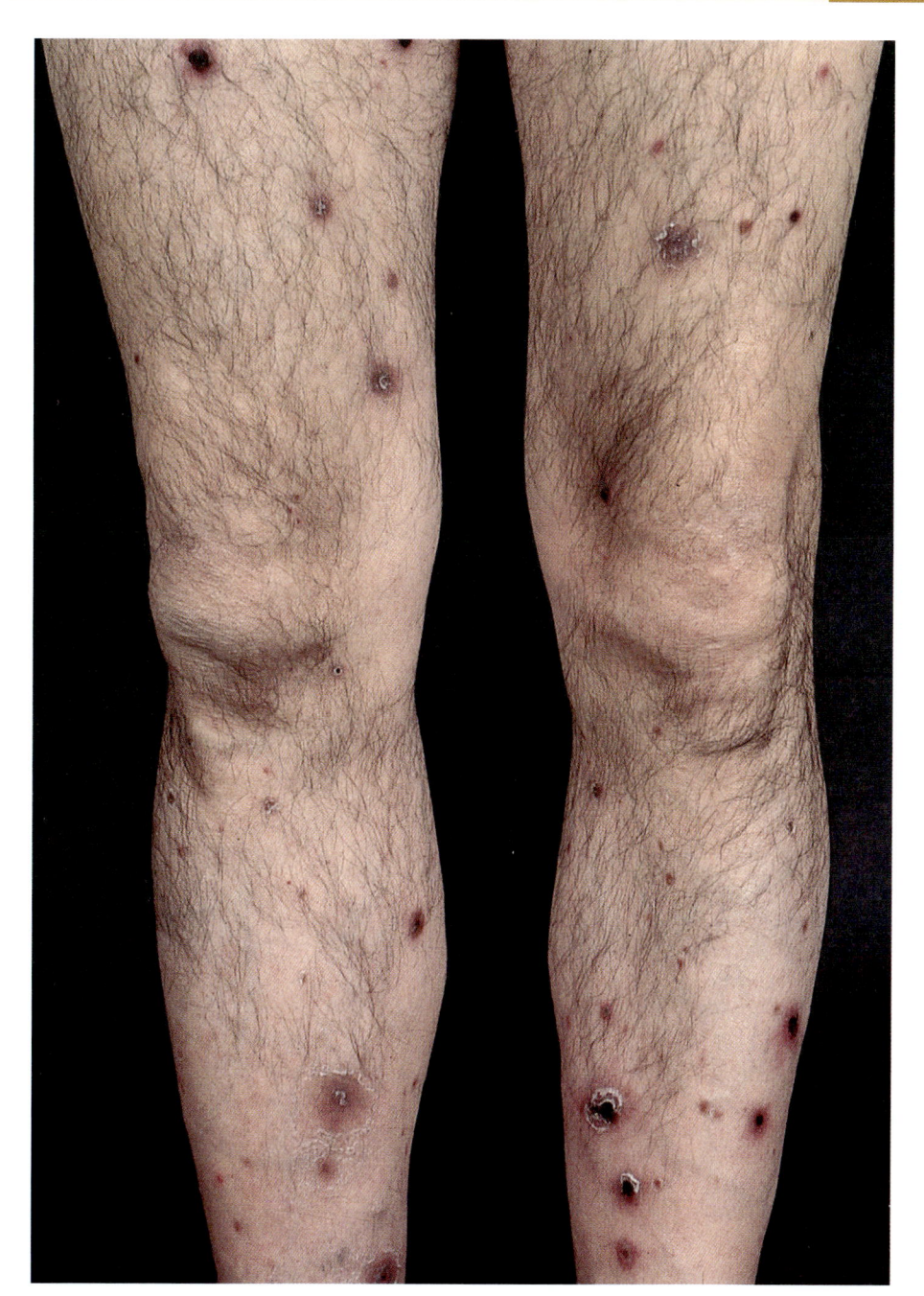

Figura 21-13 Papulose linfomatoide Grupos de pápulas marrom-avermelhadas aparecem em surtos, acometendo todo o corpo. As lesões são assintomáticas, tornam-se hiperceratóticas, crostosas e necróticas no centro. Como as lesões surgem de modo assincrônico, todos os estágios de evolução são observados simultaneamente.

LINFOMA DE CÉLULAS CUTÂNEAS ANAPLÁSICAS GRANDES (LCCAG)
CID-10: C84.5

- Os LCCAGs são linfomas cutâneos constituídos por células tumorais grandes que expressam o antígeno CD30, sem qualquer evidência ou história de papulose linfomatoide, MF ou outros tipos de LCCTs.
- Ocorrem em adultos e se apresentam como nódulos e tumores solitários, avermelhados ou acastanhados, que frequentemente tendem a ulcerar (**Fig. 21-14**).
- Os infiltrados nodulares não são epidermotrópicos, e as células neoplásicas exibem morfologia anaplásica. Pelo menos 75% das células neoplásicas são CD30+ e também expressam o fenótipo CD4+. Outros marcadores têm sido usados para determinar se o tumor é primário da pele ou sistêmico, mas estudos de seguimento têm mostrado que essa abordagem não é confiável.
- Os LCCAGs têm prognóstico favorável, com taxa de sobrevivência relacionada com a doença em 5 anos de 90%.
- O tratamento consiste em radioterapia, porém foi relatado um tratamento bem-sucedido com PUVA em associação com α-IFN.

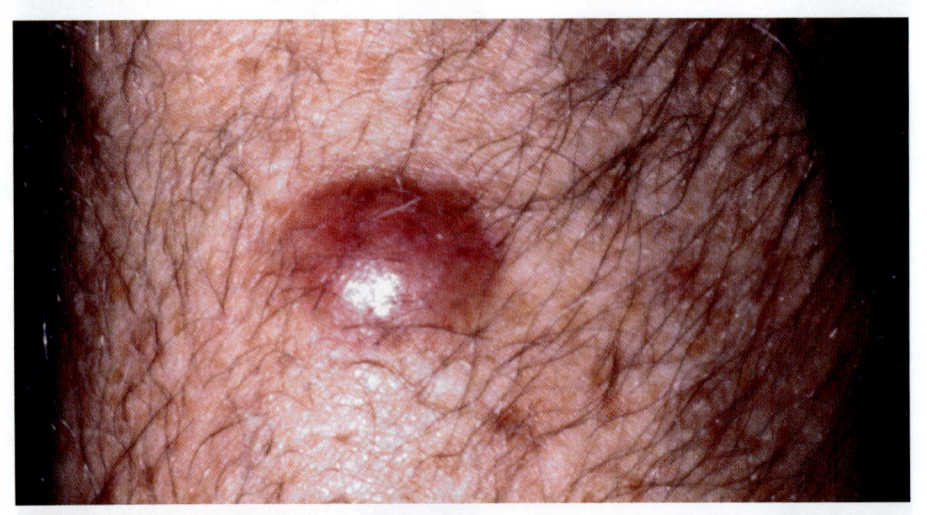

Figura 21-14 Linfoma de células anaplásicas grandes Nódulo violáceo avermelhado solitário no antebraço de um homem de 46 anos. O exame histopatológico revelou células mononucleares anaplásicas não epidermotrópicas, cuja maior parte tinha o fenótipo CD4+, CD30+. A lesão foi excisada, e não houve recidiva.

LINFOMA CUTÂNEO DE CÉLULAS B CID-10: C85.1

- A proliferação clonal dos linfócitos B pode se limitar à pele ou, com mais frequência, estar associada ao linfoma sistêmico de células B. Trata-se de uma doença rara. Representa 20% de todos os linfomas cutâneos.
- Ocorre em indivíduos com > 50 anos de idade.
- Grupos de nódulos e placas assintomáticos, de cor vermelha a cor de ameixa (**Fig. 21-15**), com superfície lisa, consistência firme, indolores, cutâneos ou subcutâneos.
- Linfoma cutâneo primário de células do centro folicular, linfoma cutâneo primário da zona marginal, linfoma cutâneo primário difuso de grandes células B (tipos de perna e não de perna) e linfoma intravascular de grandes células B (não primariamente cutâneos, mas que afetam a pele: linfoma de células do manto, granulomatose linfomatoide, leucemia linfocítica crônica e linfoma de Burkitt) são entidades especialmente definidas.
- *Dermatopatologia*: infiltrados monomórficos nodulares densos ou difusos de linfócitos, geralmente separados da epiderme por uma zona de colágeno normal ("zona grenz"). Os estudos com anticorpos monoclonais específicos contra as células B facilitam a diferenciação do linfoma cutâneo de células B do pseudolinfoma e do LCCT, possibilitando uma classificação mais acurada do tipo celular. A maioria dos casos reage com CD19, 20, 22 e 79A. Os estudos de genotipagem confirmam o diagnóstico com rearranjo dos genes das imunoglobulinas, geralmente IgH.
- Os pacientes devem ser minuciosamente investigados à procura de doença nodal e extracutânea; se for encontrada, os exames de medula óssea, linfonodos e sangue periférico revelam características morfológicas, citoquímicas e imunológicas semelhantes às encontradas nos infiltrados cutâneos.
- *Tratamento*: consiste em radioterapia das lesões localizadas e quimioterapia para doença sistêmica.

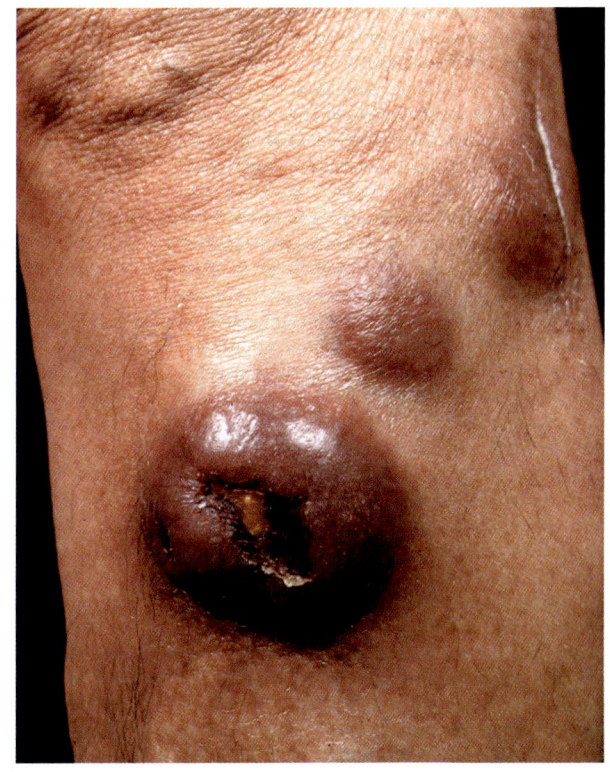

Figura 21-15 Linfoma cutâneo de células B Nódulos cutâneos e subcutâneos lisos na perna. Um deles está ulcerado. As lesões eram assintomáticas e de consistência firme e constituíram os primeiros sinais do linfoma de células B.

SARCOMA DE KAPOSI (SK) CID-10: C46.0

- O SK é um tumor sistêmico multifocal, que se origina das células endoteliais.
- Invariavelmente associado à infecção por herpes-vírus humano tipo 8 (HHV-8).
- Quatro variantes clínicas: SK clássico, SK africano endêmico, SK associado ao tratamento imunossupressor e SK associado ao HIV/Aids.
- Doença localizada e/ou generalizada, dependendo do estágio e da variante: manchas, placas e nódulos.
- Comprometimento sistêmico: principalmente trato GI e pulmões.
- Responde à radioterapia e à quimioterapia.

ETIOPATOGÊNESE

O DNA do HHV-8 foi identificado em amostras de tecidos de todas as variantes de SK. Há evidências soroepidemiológicas de que esse vírus esteja envolvido na patogênese.

CLASSIFICAÇÃO E VARIANTES CLÍNICAS

SK CLÁSSICO OU EUROPEU Ocorre em homens idosos de ascendência do leste europeu (Mediterrâneo e judeus asquenazis). Não é incomum no leste e sul da Europa; raro nos EUA. Sexo masculino > sexo feminino. Surge predominantemente nas pernas, mas também ocorre nos linfonodos e nos órgãos abdominais; progressão lenta.

SK AFRICANO ENDÊMICO Representa de 9 a 12,8% de todas as neoplasias malignas no Zaire. Duas faixas etárias distintas: adultos jovens, com idade média de 35 anos; e crianças pequenas, com idade média de 3 anos. Sexo masculino > sexo feminino. Não há evidências de imunodeficiência subjacente. São observados quatro padrões clínicos (ver adiante).

SK ASSOCIADO À IMUNOSSUPRESSÃO IATROGÊNICA Raro. Mais comum em receptores de transplante de órgãos sólidos, bem como em indivíduos que recebem tratamento crônico com agentes imunossupressores. Surge, em média, em 16,5 meses após o transplante. Regride com a interrupção do tratamento imunossupressor.

SK ASSOCIADO AO HIV/AIDS Nos indivíduos infectados pelo HIV, o risco de SK é 20 mil vezes maior do que na população geral, 300 vezes maior do que nos outros indivíduos imunossuprimidos. Apesar de um declínio observado nesses últimos anos, o SK continua sendo o tumor mais comum em homens homossexuais com Aids. Raramente, as mulheres podem apresentar SK associado ao HIV/Aids. O SK associado à infecção pelo HIV tem progressão rápida e comprometimento sistêmico extenso. Por ocasião da apresentação inicial, 1 em 6 indivíduos infectados pelo HIV com SK apresentam contagens de células T CD4+ de ≤ 500/µL. No entanto, recentemente os tumores têm sido relatados de maneira significativa após a reconstituição imunológica.

Variantes raras têm recentemente permeado a literatura em pessoas não infectadas pelo HIV, fora do Mediterrâneo, em pacientes não iatrogenicamente imunossuprimidos. Em geral, os homens jovens perecem estar em maior número nessas coortes de casos raros.

PATOGÊNESE

As células SK provavelmente originam-se do endotélio da microvascularização sanguínea/linfática. As lesões do SK produzem fatores que estimulam sua própria proliferação, bem como a proliferação de outras células, porém ainda não se sabe como o HHV-8 induz/promove a proliferação das células endoteliais.

MANIFESTAÇÃO CLÍNICA

As lesões mucocutâneas são geralmente assintomáticas, no entanto estão associadas a estigmas estéticos significativos. Algumas vezes, as lesões podem ulcerar e sangrar facilmente. As lesões grandes das palmas ou das plantas podem impedir o desempenho funcional do indivíduo. As lesões nos membros inferiores, que são tumorais, ulceradas ou associadas a edema significativo, frequentemente causam dor moderada a intensa. As lesões uretrais ou do canal anal podem estar associadas à obstrução. O envolvimento GI raramente causa sintomas, mas pode levar a obstrução e sangramento nos estágios avançados. O SK pulmonar pode causar broncospasmo, tosse refratária, dispneia e insuficiência respiratória progressiva.

LESÕES CUTÂNEAS Com mais frequência, o SK começa na forma de uma mácula semelhante a uma equimose (Fig. 21-16). As máculas evoluem para manchas, pápulas, placas (Figs. 21-16 a 21-18), nódulos e tumores, que são violáceos, vermelhos, rosados ou acastanhados e que adquirem coloração púrpura-acastanhada (Figs. 21-16 e 21-19) com um halo esverdeado de hemossiderina, à medida que envelhecem. Com frequência, são inicialmente ovais e, no tronco, exibem distribuição paralela às linhas de tensão da pele (Fig. 21-20). As lesões podem ocorrer inicialmente em áreas de traumatismo, geralmente nas regiões acrais (Fig. 21-18). Com o passar do tempo, as lesões individuais podem aumentar e se tornar confluentes, formando massas

Figura 21-16 Sarcoma de Kaposi clássico Máculas confluentes equimóticas de coloração púrpura-acastanhada e um nódulo de 1 cm no dorso da mão de um homem judeu asquenazi de 65 anos. A lesão foi originalmente confundida com uma equimose, visto que havia lesões semelhantes nos pés e na outra mão. O aparecimento de nódulos acastanhados juntamente a outras máculas determinou o encaminhamento deste paciente totalmente saudável sob os demais aspectos a um dermatologista, que estabeleceu o diagnóstico de sarcoma de Kaposi, o qual foi confirmado por biópsia. Observa-se também onicomicose de todas as unhas dos dedos.

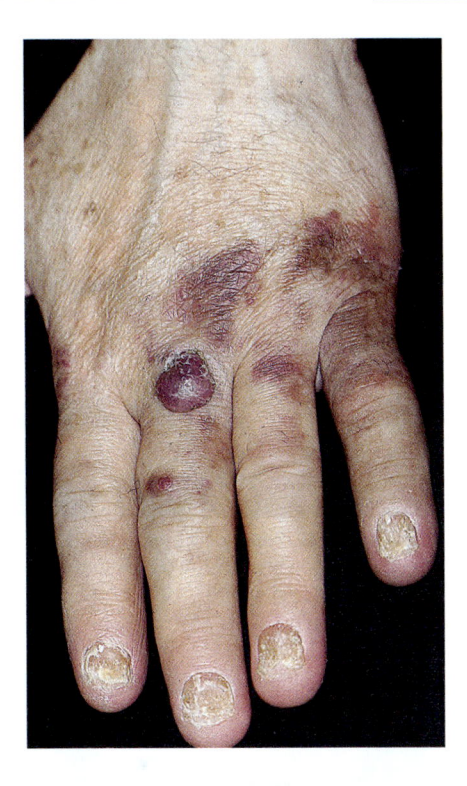

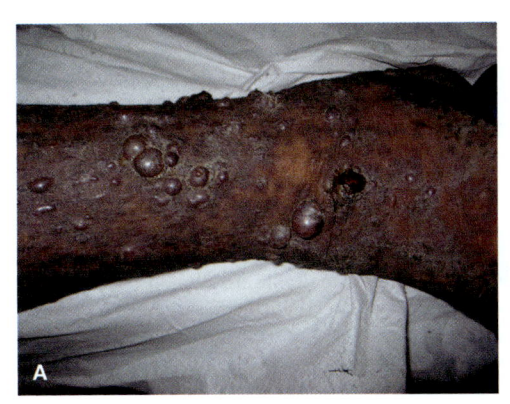

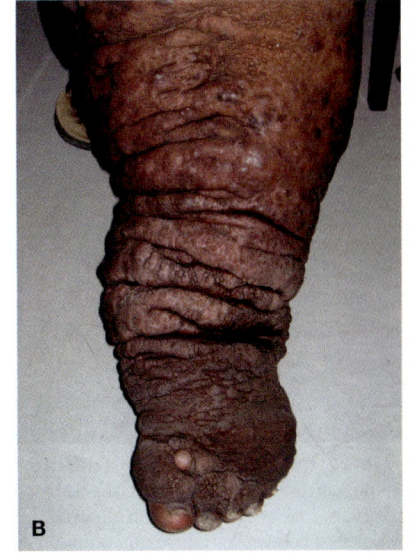

Figura 21-17 Sarcoma de Kaposi associado ao HIV/Aids (A) Múltiplas pápulas e nódulos violáceos, alguns coalescendo e com ulceração espontânea. Nota-se infiltração ao redor da lesão primária. A perna ficou edematosa devido ao envolvimento linfático. **(B)** Em casos mais avançados, a obliteração completa dos vasos linfáticos leva a um quadro tipo elefantíase, muitas vezes assimétrico. Pápulo-nódulos violáceos distintos ainda podem ser vistos. (Usada com permissão de Adam Lipworth, MD.)

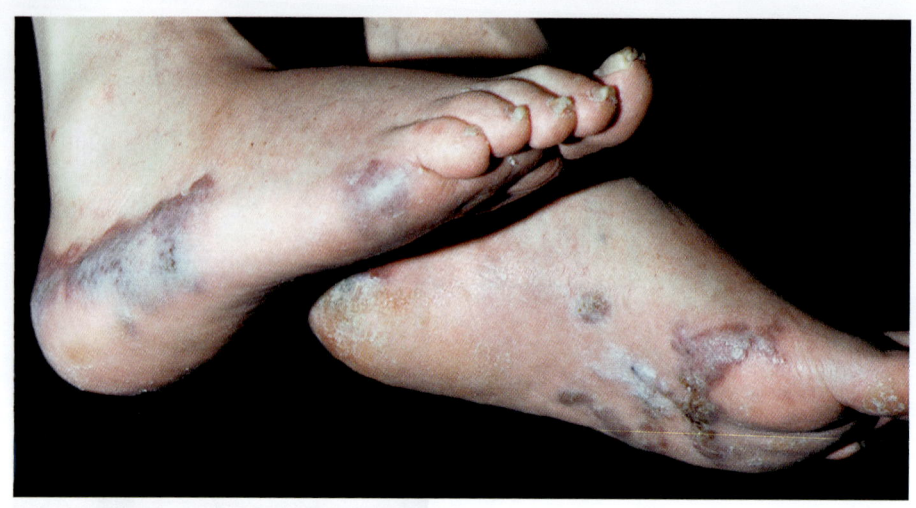

Figura 21-18 Sarcoma de Kaposi (SK) clássico do pé Nódulos e placas de coloração acastanhada a azul, parcialmente hiperceratóticos nas plantas e superfícies laterais dos pés. Trata-se de uma localização característica do SK clássico de estágio inicial.

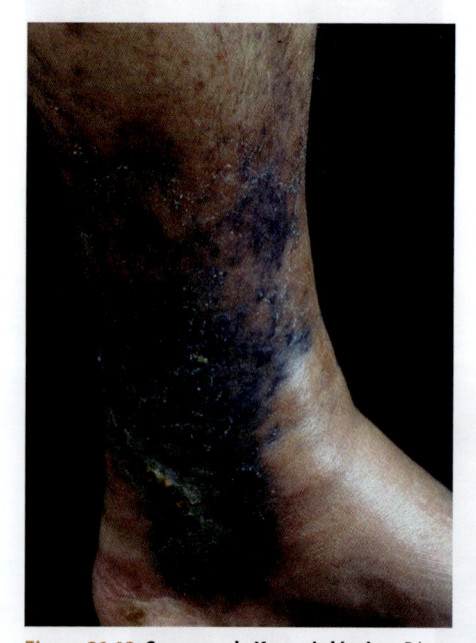

Figura 21-19 Sarcoma de Kaposi clássico Pápulas negras confluentes na parte distal da perna, que lembram a dermatite de estase hiperpigmentada na insuficiência venosa crônica. O comprometimento dos vasos linfáticos levou à formação de edema acentuado da panturrilha. Isso indica que a doença está muito avançada.

tumorais. As alterações secundárias aos nódulos e tumores maiores incluem erosão, ulceração, formação de crostas e hiperceratose.

Costuma haver *linfedema* nas extremidades inferiores (Figs. 21-17 e 21-19) resultando de massas confluentes de lesões causadas por envolvimento mais profundo de linfáticos e linfonodos. Inicialmente, o edema distal pode ser unilateral; todavia, subsequentemente, torna-se simétrico e acomete não apenas as pernas, mas também a genitália e/ou a face.

Distribuição. Lesões disseminadas ou localizadas. No SK clássico, as lesões quase sempre ocorrem nos pés e nas pernas ou nas mãos, e se espalham lentamente de modo centrípeto (Figs. 21-16 e 21-19). As lesões também podem ocorrer na ponta do nariz (Fig. 21-17), na região periorbitária, nas orelhas e no couro cabeludo, bem como no pênis e nas pernas; o acometimento do tronco é raro. No SK associado ao HIV/Aids, ocorrem acometimento precoce da face e distribuição disseminada das lesões no tronco (Fig. 21-20).

MUCOSAS As lesões orais constituem a primeira manifestação do SK em 22% dos casos; no SK associado ao HIV/Aids, essas lesões frequentemente representam um marcador para contagens de células T CD4+ de < 200/μL, mas há exceções. São muito comuns (50% dos indivíduos) no palato duro, aparecendo inicialmente como manchas violáceas, que evoluem e se transformam em pápulas e nódulos com aparência de pedras de

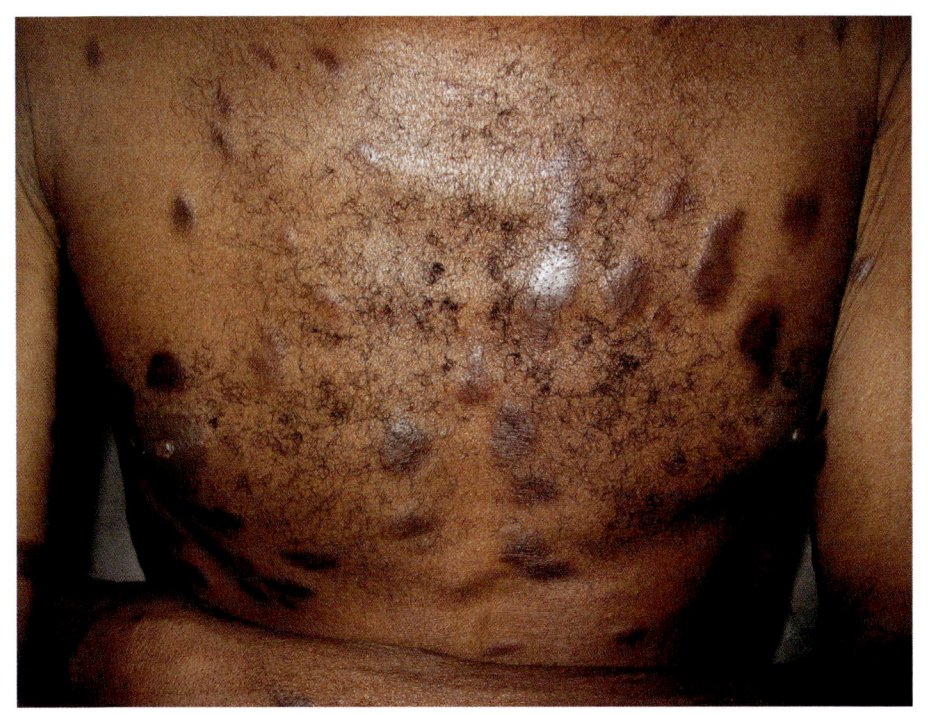

Figura 21-20 Sarcoma de Kaposi associado ao HIV/Aids Múltiplas placas e nódulos purpúreos no dorso de um paciente homossexual com Aids. O paciente tinha contagem de células T CD4+ < 200/μL. (Usada com permissão de Adam Lipworth, MD.)

calçamento (ver Seção 33). As lesões também surgem no palato mole, na úvula palatina, na faringe, nas gengivas e na língua. As lesões conjuntivais são incomuns.

Características especiais do SK africano endêmico (não associado ao HIV). São reconhecidos quatro padrões clínicos:

- Tipo nodular: segue uma evolução bastante benigna, com duração média de 5 a 8 anos e se assemelha ao SK clássico.
- Tipo florido ou vegetante: caracteriza-se por um comportamento biológico mais agressivo; é também nodular, porém pode se estender profundamente no tecido subcutâneo, no músculo e nos ossos.
- Tipo infiltrativo: exibe evolução ainda mais agressiva, com acometimento mucocutâneo florido e visceral.
- Tipo linfadenopático: acomete predominantemente crianças e adultos jovens. Com frequência, limita-se aos linfonodos e às vísceras; todavia,

em certas ocasiões, acomete também a pele e as mucosas.

EXAME CLÍNICO GERAL As lesões *viscerais* do SK, apesar de comuns, são frequentemente assintomáticas. Isso é particularmente verdadeiro para os casos de SK clássico. Na necropsia de indivíduos infectados pelo HIV com SK mucocutâneo, 75% apresentam acometimento visceral (intestino, fígado, baço, pulmões).

Linfonodos. Os linfonodos estão acometidos em 50% dos casos de SK associado ao HIV/Aids e em todos os casos de SK de tipo africano linfadenopático.

Trato urogenital. Próstata, glândulas seminais, testículos, bexiga, pênis e escroto.

Pulmões. Infiltrados pulmonares, particularmente no SK associado ao HIV.

Trato GI. Podem ocorrer hemorragia GI, obstrução retal, enteropatia com perda proteica.

Outras. Coração, cérebro, rins e glândulas suprarrenais.

EXAMES LABORATORIAIS

BIÓPSIA DE PELE Canais vasculares revestidos por células endoteliais atípicas distribuídas entre uma rede de fibras de reticulina e hemácias extravasadas com depósito de hemossiderina. No *estágio nodular*: células fusiformes em lâminas e feixes, com atipia citológica discreta a moderada, necrose de células isoladas, retenção das hemácias dentro de uma extensa rede de espaços vasculares em forma de fenda. A coloração para o HHV-8 pode ser usada em casos de incerteza diagnóstica.

EXAMES DE IMAGEM Para detectar o acometimento de órgãos internos.

DIAGNÓSTICO E DIAGNÓSTICO DIFERENCIAL

Diagnóstico confirmado por biópsia das lesões cutâneas.

DIAGNÓSTICO DIFERENCIAL Inclui lesões pigmentadas isoladas: dermatofibroma, granuloma piogênico, hemangioma, angiomatose bacilar (epitelioide), nevo melanocítico, equimose, granuloma anular, reações a picadas de inseto e dermatite de estase.

EVOLUÇÃO E PROGNÓSTICO

SK CLÁSSICO A sobrevida média é de 10 a 15 anos; a morte geralmente ocorre por outras causas não relacionadas. Em > 35% dos casos, há desenvolvimento de neoplasias malignas secundárias.

SK AFRICANO ENDÊMICO A sobrevida média em adultos jovens é de 5 a 8 anos; nas crianças pequenas, de 2 a 3 anos.

SK ASSOCIADO À IMUNOSSUPRESSÃO IATROGÊNICA A evolução pode ser crônica ou rapidamente progressiva; o SK regride normalmente após a interrupção dos agentes imunossupressores.

SK associado ao HIV/Aids (ver também Seção 27). Os indivíduos infectados pelo HIV com contagens elevadas de células T CD4+ podem ter doença estável ou lentamente progressiva ao longo de muitos anos. Pode ocorrer rápida progressão do SK após o declínio das contagens de células T CD4+ para valores baixos, com tratamento prolongado com glicocorticoides sistêmicos ou doença, com pneumonia por *Pneumocystis carinii*. O SK intestinal e/ou pulmonar constitui a causa de morte em 10 a 20% dos pacientes. Os pacientes que só têm algumas lesões, presentes há vários meses, sem história de infecções oportunistas e com contagens de células T CD4+ de > 200/µL, tendem a responder melhor ao tratamento e apresentam prognóstico global mais favorável. Por ocasião do diagnóstico inicial, 40% dos pacientes com SK apresentam comprometimento GI; 80% são constatados na necropsia. A taxa de sobrevida é reduzida em pacientes com comprometimento no trato GI. O SK pulmonar tem elevada taxa de mortalidade a curto prazo, isto é, com sobrevida mediana de < 6 meses.

MANEJO

O tratamento do SK tem por objetivo o controle dos sintomas da doença, e não a sua cura. Diversas modalidades terapêuticas locais e sistêmicas mostram-se efetivas no controle dos sintomas. O SK clássico responde bem à radioterapia das áreas acometidas. O SK africano endêmico, quando sintomático, responde melhor à quimioterapia sistêmica. O SK associado a agentes imunossupressores regride ou desaparece quando as doses dos fármacos são reduzidas ou suspensas. O SK associado ao HIV/Aids frequentemente responde a uma variedade de tratamentos locais; para o acometimento mucocutâneo extenso ou dos órgãos internos, indica-se quimioterapia. Naturalmente, estes tratamentos são acrescidos à terapia antirretroviral (TARV) que é o tratamento mais efetivo.

Intervenção limitada

RADIOTERAPIA Indicada para as lesões tumorais, as lesões confluentes com grande área de superfície, as lesões grandes nas partes distais dos membros e as lesões grandes orofaríngeas. **Criocirurgia.** Indicada para os nódulos intensamente pigmentados e que fazem protrusão. **Cirurgia a *laser*.** O *laser* de corante pulsado é efetivo para as lesões superficiais pequenas. **Terapia fotodinâmica.** Para pequenas lesões superficiais.

ELETROCIRURGIA Efetiva para as lesões nodulares ulceradas e hemorrágicas. **Excisão cirúrgica.** Efetiva para pequenas lesões selecionadas. **Quimioterapia citotóxica intralesional.** Vimblastina, vincristina e bleomicina.

Intervenção agressiva

Quimioterapia com agente único. Com adriamicina, vimblastina, formulações lipídicas de daunorrubicina e doxorrubicina. Paclitaxel, talidomida, col-3. **Poliquimioterapia.** Vincristina + bleomicina + adriamicina ou α-IFN + zidovudina.

Terapia tipo-específica

- *SK clássico*: Qualquer das anteriores.
- *SK africano*: Qualquer das anteriores.
- *SK relacionado a imunossupressão*: Redução da imunossupressão, substituição dos inibidores da calcineurina por rapamicina.
- *SK relacionado ao HIV/Aids*: Qualquer um dos fármacos citados anteriormente, de preferência antraciclinas lipossômicas administradas por via IV, mais TARV.

ANGIOSSARCOMA CID-10: C49.9

- Os tumores são compostos de células de revestimento dos vasos sanguíneos. Os linfangiossarcomas surgem de células de revestimento dos vasos linfáticos. Os angiossarcomas cutâneos podem se apresentar em qualquer local da pele, mas, em pessoas idosas, há predileção por couro cabeludo, face e região cervical. Na face, pode começar como uma lesão tipo equimose (**Fig. 21-21B**). Não há predileção por nenhuma etnia.
- Quando ocorrem em locais de linfedema crônico, geralmente após mastectomia radical para tratamento de câncer de mama, é diagnosticada a síndrome de Stweart-Treves, e isso costuma ter um prognóstico pior.
- Clinicamente os tumores apresentam-se como nódulos arredondados azuis ou vermelhos (**Fig. 21-21A**). Nas apresentações tardias podem ser observados vários nódulos, alguns com erosão superficial pela rápida renovação celular.
- A histopatologia mostra uma coleção de vasos chanfrados, atipia nuclear e pleomorfismo. Em tumores altamente não diferenciados, marcadores vasculares, como CD31, CD34, factor VIII e Ulex, podem ser úteis.
- O tratamento é difícil. A excisão cirúrgica costuma ser indicada, dependendo da extensão clínica do tumor. O controle das margens cirúrgicas costuma ser difícil de obter. Radioterapia e quimioterapia costumam ser usadas. As recorrências são comuns. O prognóstico é ruim, particularmente na síndrome de Stewart-Treves.

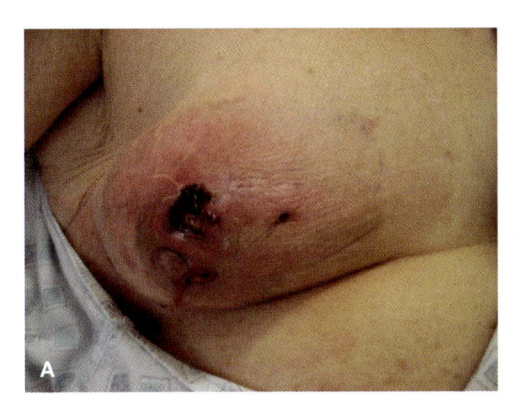

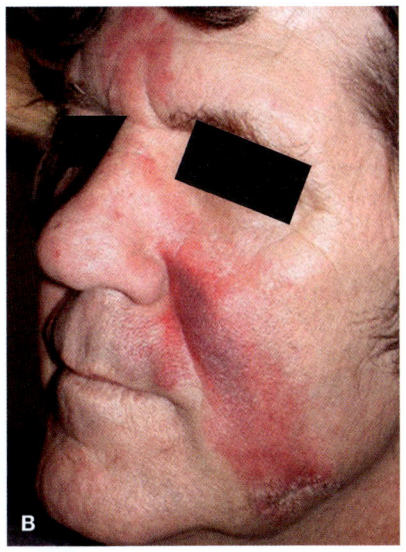

Figura 21-21 Angiossarcoma (A) Esta placa ulcerada sobre uma área de induração e eritema foi observada em uma região previamente irradiada. A cirurgia radical não conseguiu controlar o crescimento tumoral e sua extensão. (Usada com permissão de Ruth Ann Vleugels, MD.) **(B)** Esta apresentação incomum lembrando uma equimose claramente segue um padrão vascular. O tratamento é, em grande parte, paliativo. (Usada com permissão de Maryam Asgari, MD.)

DERMATOFIBROSSARCOMA PROTUBERANTE (DFP) CID10: C44.9

- Sarcoma tecidual que surge na derme e costuma penetrar a gordura.
- A etiologia é desconhecida, mas tem sido relatado que surge em cicatrizes. É causado por translocação entre os cromossomos 17 e 22.
- A incidência é baixa, aproximadamente 1 a 5 pessoas por milhão.
- Parece haver uma taxa mais alta em negros americanos em comparação com caucasianos, e as mulheres são maioria. O crescimento tumoral pode ser acelerado durante a gestação.
- O pico de idade da incidência é entre 20 a 50 anos.
- O tumor pode apresentar-se como uma placa inespecífica que costuma lembrar um queloide, com coloração purpúrica a amarronzada (**Fig. 21-22**). Outras variantes clínicas incluem o tumor de Bednar (pigmentado), o fibroblastoma de células gigantes (geralmente em crianças) e o DFP fibrossarcomatoso, que possui maior risco de metástases.
- O diagnóstico é feito por histopatologia, a qual mostra proliferação de células fusiformes geralmente dispostas como espiral (padrão em espinha de peixe). A diferenciação clínica com o dermatofibroma pode ser feita pela coloração para CD34.
- O tratamento costuma ser cirúrgico. Tem sido usada a cirurgia micrográfica de MOHS. Devido à base molecular deste tumor, o imatinibe tem sido usado, principalmente para tentar reduzir o tamanho do tumor antes da intervenção cirúrgica. A radioterapia é também uma opção.
- Se for eliminado pela ressecção, o prognóstico é bom.

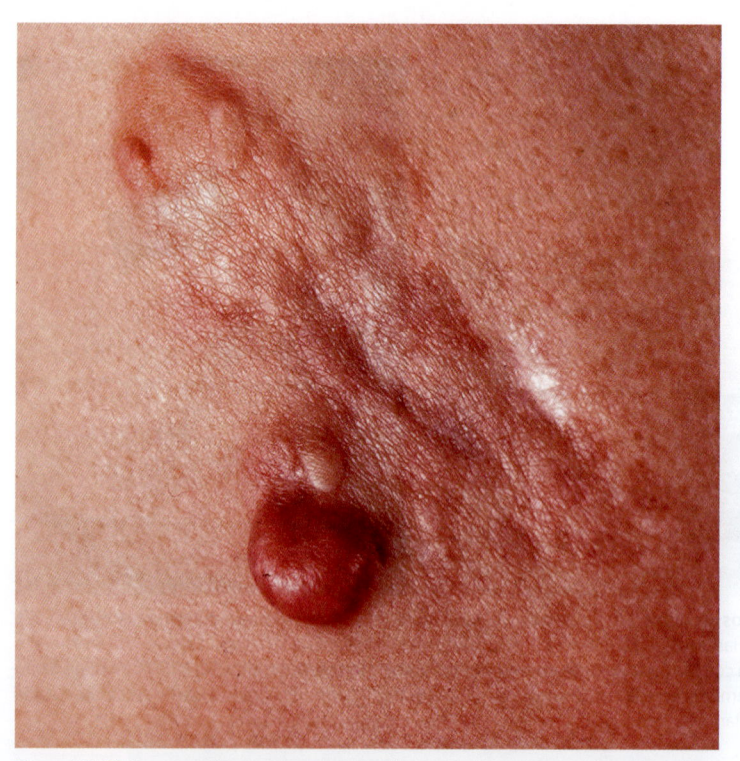

Figura 21-22 Dermatofibrossarcoma protuberante Os tumores podem apresentar-se como nódulos que coalescem em placas, muitas vezes lembrando um queloide. Na margem inferior, há um nódulo avermelhado que representa crescimento exofítico. Embora o próprio tumor tenha crescimento lento, a infiltração periférica da pele diferencia essa lesão de uma cicatriz hipertrófica ou queloide. A lesão foi excisada com margens amplas e não houve recidiva.

FIBROXANTOMA ATÍPICO (FXA) CID-10: C44.9

- Tumor de crescimento rápido, não muito raro e de potencial maligno intermediário.
- O FXA consiste em uma pápula, nódulo ou placa solitária assintomática, que frequentemente se assemelha, no início, ao CEC ou ao CBC.
- Ocorre na pele danificada pelo sol de indivíduos idosos, acometendo particularmente a fronte, o couro cabeludo (**Fig. 21-23**), o nariz e as orelhas.
- Na histopatologia, pode mostrar células altamente atípicas e bizarras que podem ser confundidas com neoplasias mais agressivas.
- O tratamento é cirúrgico.

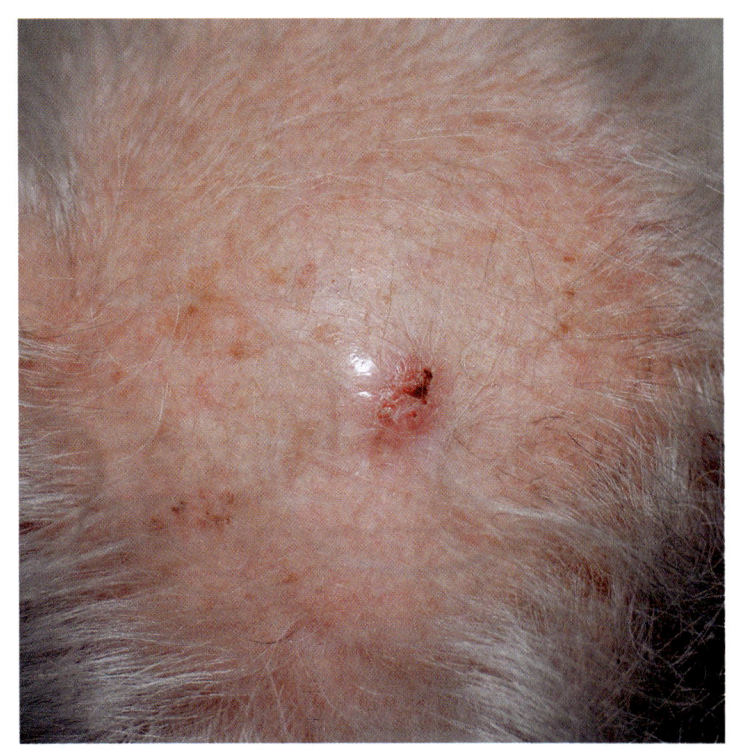

Figura 21-23 Fibroxantoma atípico Homem de 57 anos com dermatoeliose e história de ceratoses solares, carcinoma espinocelular *in situ* e invasivo e carcinoma basocelular. Este nódulo no vértice da cabeça era clinicamente atípico para carcinoma basocelular ou espinocelular; o exame histopatológico revelou fibroxantoma atípico.

SEÇÃO 22

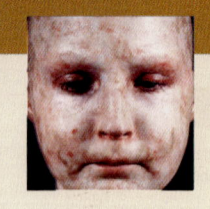

DOENÇAS CUTÂNEAS EM PACIENTES COM TRANSPLANTE DE ÓRGÃO OU DE MEDULA ÓSSEA

Os receptores de transplante de órgão são cronicamente imunossuprimidos, e sua imunidade mediada por linfócitos T encontra-se comprometida. As doenças prevalentes são, em sua maioria, infecções com perfil semelhante ao que ocorre em outros quadros associados ao comprometimento da imunidade por células T, como a Aids (ver **Fig. 22-1**). Além disso, os receptores de transplante de órgão têm risco aumentado de evoluir com câncer de pele não melanoma e outros tipos de câncer. Os receptores de transplante de medula óssea e de células-tronco são candidatos à doença do enxerto contra hospedeiro (DECH).

INFECÇÕES MAIS COMUMENTE ASSOCIADAS A TRANSPLANTE DE ÓRGÃO

Linha do tempo das infecções comuns após transplante

| Infecções convencionais | Infecções oportunistas (e latentes) | Infecções adquiridas na comunidade ou persistentes |

Bacterianas
- Infecções de ferida, nosocomiais
- Nocardia
- Mycobacterium

Virais
- HSV
- VVZ
- CMV
- EBV
- Retinite por CMV
- HPV e manifestações
- MCV

Fúngicas
- Candida
- Aspergillus
- Cryptococcus
- Fungos endêmicos (histoplasma, coccidioides)

Tempo após o transplante (meses): 0 1 2 3 4 5 6

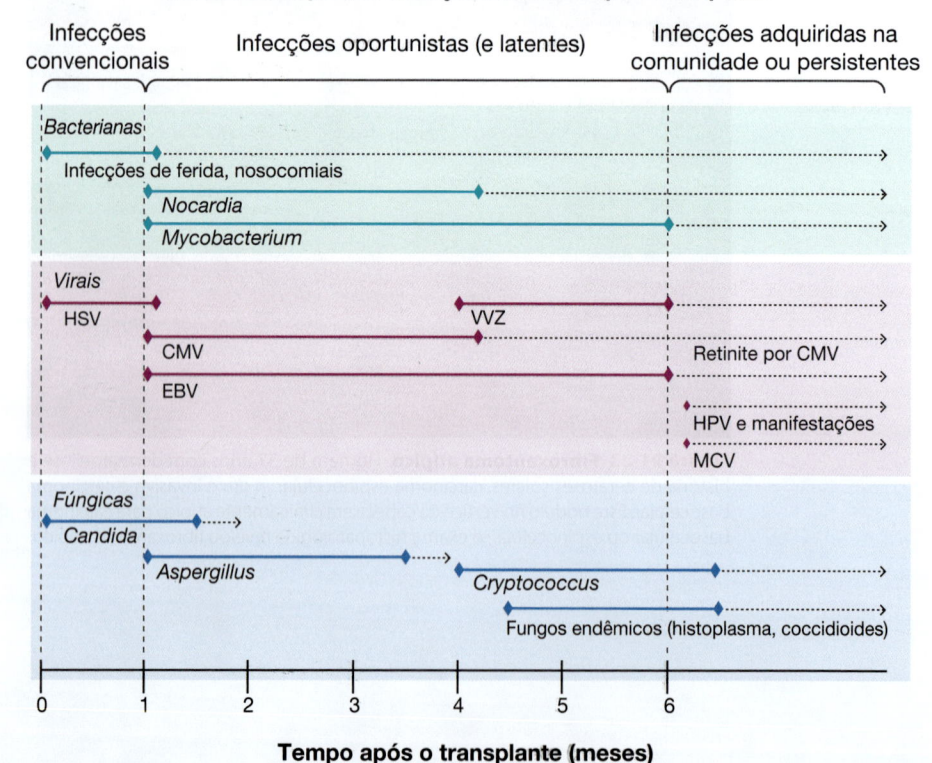

Figura 22-1 Linha do tempo das infecções comuns após transplante. CMV, citomegalovírus; EBV, vírus Epstein-Barr; HPV, papilomavírus humano; HSV, herpes-vírus simples; MCV, vírus do molusco contagioso; VVZ, vírus da varicela-zóster.

SEÇÃO 22 DOENÇAS CUTÂNEAS EM PACIENTES COM TRANSPLANTE DE ÓRGÃO OU DE MEDULA ÓSSEA

CÂNCERES DE PELE ASSOCIADOS A TRANSPLANTES DE ÓRGÃO*

- O câncer de pele não melanoma é o tipo mais comum em pacientes adultos submetidos a transplante de órgão sólido.
- A maioria é carcinoma espinocelular (CEC) (Seção 11).
- O risco de desenvolver CEC aumenta exponencialmente com a duração da imunossupressão.
- A incidência acumulada é de 80% após 20 anos de imunossupressão em pacientes com transplante renal. O CEC é agressivo em pacientes transplantados.
- A infecção por HPV está implicada na patogênese.
- Outras lesões epiteliais proliferativas são ceratose actínica, ceratoacantomas, poroceratose, tumores de anexos cutâneos e carcinoma de célula de Merkel (Seção 11).
- As crianças e adultos submetidos a transplante de órgão também podem ter risco aumentado de melanoma (Seção 12).
- Doenças linfoproliferativas são comuns em receptores de enxerto e estão relacionadas à proliferação de linfócitos B mediada pelo vírus Epstein-Barr, sendo a maioria linfomas com origem em linfócitos B. Linfomas cutâneos de células T representam 30% dos linfomas cutâneos em pacientes transplantados (Seção 21).
- O sarcoma de Kaposi ocorre em receptores de transplante imunossuprimidos com incidência de 0,5 a 5%. Em todos os casos, há infecção por herpes-vírus associado a sarcoma de Kaposi (HVSK) (Seção 21).

*As manifestações clínicas são discutidas nas respectivas seções.

DOENÇA DO ENXERTO CONTRA HOSPEDEIRO (DECH) CID-10: T86.8

- A DECH é o conjunto de disfunções causadas pela ação de células imunocompetentes histoincompatíveis do doador contra os tecidos de um hospedeiro imunocompetente.
- A reação do enxerto contra hospedeiro (RECH) é a expressão da DECH em um determinado órgão (p. ex., RECH cutânea).
- A RECH cutânea aguda geralmente ocorre em 10 a 100 dias após o transplante de medula óssea (TMO). Porém, o diagnóstico atualmente depende de achados clínicos e não do número de dias após o transplante. Trata-se da RECH mais precoce e mais frequente. As RECHs hepáticas e GIs também são comuns.
- A RECH cutânea crônica geralmente ocorre em um período > 100 dias após o TMO alogênico e se manifesta na forma de alterações liquenoide e esclerodermoide. Mais uma vez, atualmente as características clínicas definem o diagnóstico em vez de os dias após o transplante.
- **Incidência.** TMO alogênico: 20 a 80% das enxertias bem-sucedidas. TMO autólogo: ocorre RECH cutânea leve em 8%. Baixa incidência após transfusão de sangue em pacientes imunossuprimidos, transferência materno-fetal e doenças com imunodeficiência.

DECH CUTÂNEA AGUDA

- Durante os primeiros meses após o TMO (geralmente entre 10 e 100 dias, mas a doença aguda pode ocorrer mesmo após o desenvolvimento de DECH crônica): prurido leve localizado/generalizado; dor à compressão das palmas e plantas. Náusea/vômitos, dor abdominal; diarreia líquida. Icterícia; urina amarelo-escura.
- **Lesões cutâneas.** Inicialmente máculas e/ou pápulas discretas e isoladas na região superior do tronco, mãos/pés (**Fig. 22-2**), especialmente palmas/plantas. Máculas; confluentes na face, frequentemente erosivas (**Fig. 22-3**). Doloroso. Edema leve com tom violáceo, periungueal e sobre a orelha. Eritema frequentemente em disposição perifolicular. Se controlado/resolvido, o eritema diminui com subsequente descamação (**Fig. 22-4**) e hiperpigmentação pós-inflamatória. Se houver progressão, as máculas/pápulas tornam-se generalizadas e confluentes, evoluindo para eritrodermia. Bolhas subepidérmicas, principalmente em regiões sob pressão/locais traumatizados, palmas/plantas. Sinal de Nikolsky positivo. Quando as bolhas se disseminam com ruptura/erosão, caracteriza-se a forma cutânea aguda de DECH semelhante à necrólise epidérmica tóxica (NET), a qual apresenta prognóstico pior (ver Seção 8) (**Fig. 22-5**). Para estadiamento, ver o **Quadro 22-1**.
- **Mucosas.** Lesões semelhantes às do líquen plano na mucosa da boca; estomatite erosiva, lesões orais e oculares semelhantes às da síndrome *sicca*; esofagite/estenose esofágica. Ceratoconjuntivite.
- **Manifestações clínicas.** Febre, icterícia, náusea, vômitos, dor/sensibilidade à palpação do quadrante superior direito, cólica, dor abdominal, diarreia, serosite, insuficiência pulmonar, urina escura.
- **Bioquímica.** Aumento de AST, bilirrubinas, fosfatase alcalina.
- **Dermatopatologia.** Vacuolização focal da camada de células basais, apoptose de ceratinócitos isolados; infiltrado mononuclear perivenular leve. Aposição de linfócitos aos ceratinócitos necróticos (satelitose); os vacúolos coalescem para formar fendas subepidérmicas → formação de bolhas subepidérmicas. Intumescimento de células endoteliais. Imunocitoquímica: a expressão de HLA-DR nos ceratinócitos precede as alterações morfológicas e, assim, representa um sinal diagnóstico importante e precoce.
- **Diagnóstico diferencial.** Reação exantemática a fármacos, exantema viral, NET, eritrodermia.
- **Evolução e prognóstico.** RECH leve a moderada responde bem ao tratamento. Prognóstico de RECH semelhante à NET é reservado. DECH grave suscetível a infecções – bacterianas, fúngicas, virais (CMV, HSV, VVZ). A DECH aguda é causa primária ou associada de morte em 15 a 70% dos receptores de TMO.
- **Tratamento tópico.** Glicocorticoides. PUVA, fotoférese extracorpórea. Sistêmicos. Metilprednisona, tacrolimo, sirolimo, ciclosporina, metotrexato, micofenolato de mofetila, etanercepte, infliximabe.

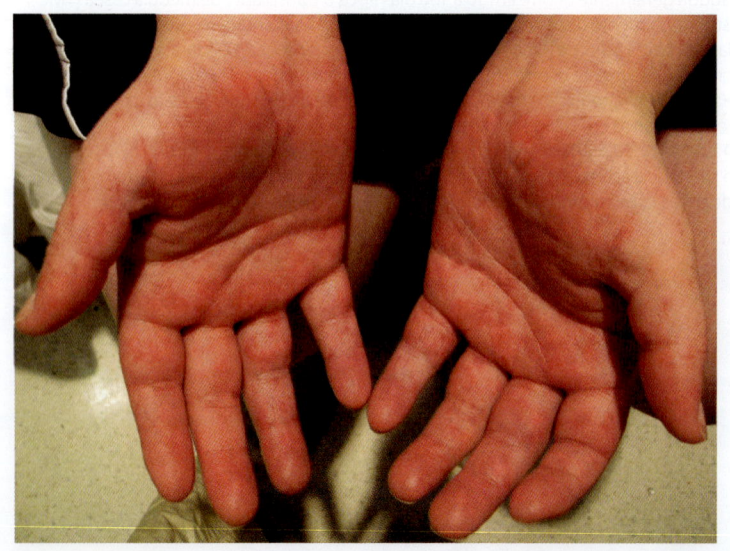

Figura 22-2 DECH cutânea aguda Máculas eritematosas que desaparecem com a pressão, isoladas e confluentes, e raras pápulas elevadas com limites imprecisos, envolvendo ambas as mãos. O quadro clínico evoluiu para doença disseminada, espalhando-se da periferia para o tronco centralmente. Por fim, foi observado edema facial proeminente. (Usada com permissão de Jennifer Tan, MD.)

Figura 22-3 DECH cutânea aguda envolvendo a face de um menino de 10 anos As lesões individuais confluem, observam-se descamação discreta e erosões sobre lábios, regiões malares e mento. As mucosas estão intensamente envolvidas.

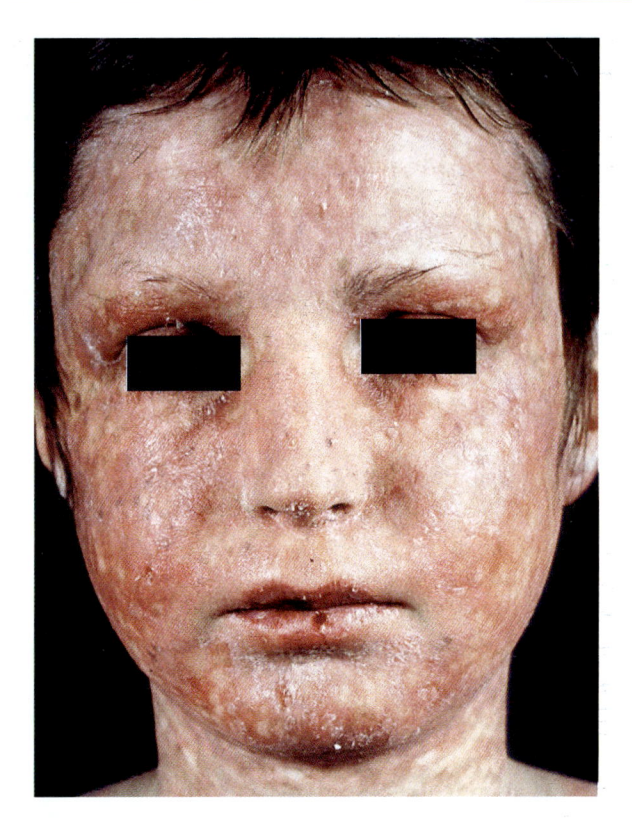

Figura 22-4 DECH cutânea aguda em fase de remissão As lesões maculopapulares adquiriram um tom acastanhado, e se observa descamação leve.

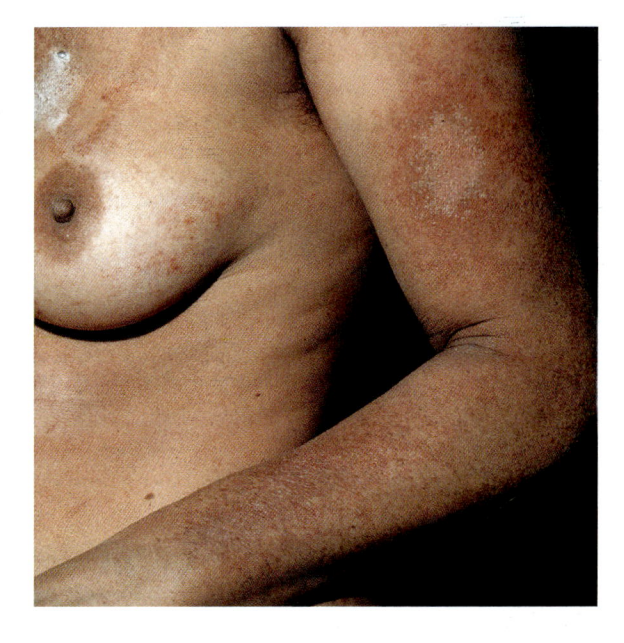

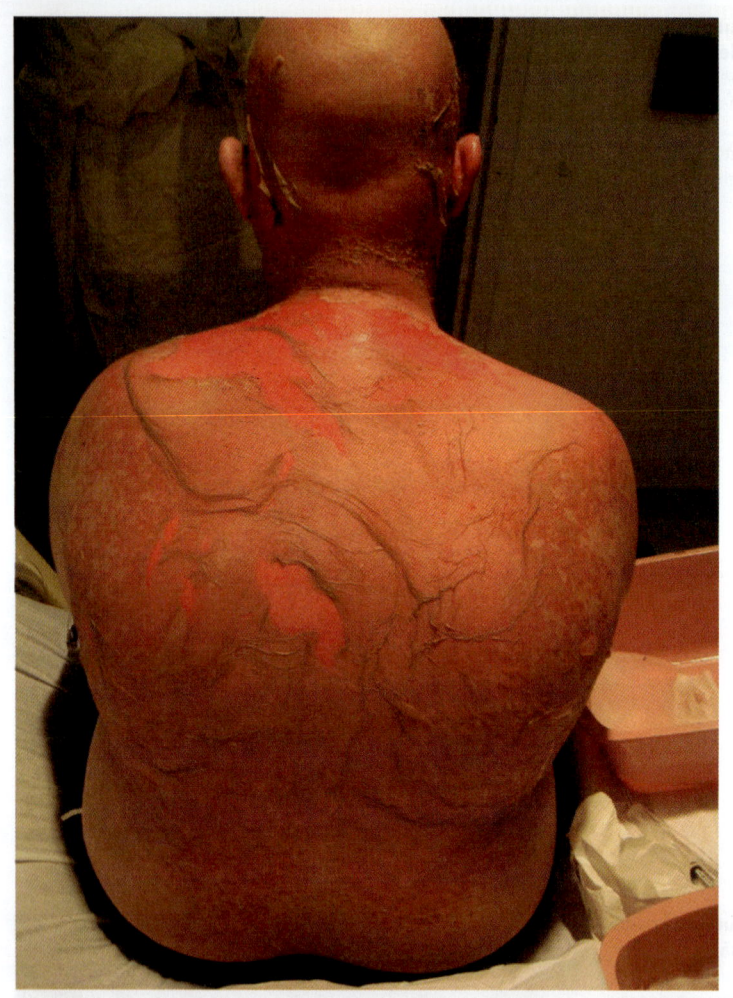

Figura 22-5 RECH aguda, semelhante à NET Necrose epidérmica confluente com enrugamento e deslocamento da epiderme necrótica. Essa reação intensa envolveu toda a pele e é indistinguível do quadro da NET. Isso ocorreu após TMO alogênico, e apresenta uma alta mortalidade. (Usada com permissão de Jennifer Tan, MD.)

QUADRO 22-1 Estadiamento clínico da DECH cutânea aguda

1. Erupção eritematosa maculopapular envolvendo < 25% da superfície corporal
2. Erupção eritematosa maculopapular envolvendo 25-50% da superfície corporal
3. Eritrodermia
4. Formação de bolhas

DECH CUTÂNEA CRÔNICA

- Mais de 100 dias após TMO. Evoluindo a partir de RECH aguda ou como quadro *de novo*. A RECH aguda nem sempre é seguida por RECH crônica. A classificação clínica distingue entre instalação quiescente, instalação progressiva e DECH cutânea crônica *de novo*. A RECH crônica ocorre em 25% dos receptores de medula óssea, obtida de irmão HLA-idêntico, que sobreviva por > 100 dias. Trata-se da causa mais comum de mortalidade não associada a recidivas.
- **Lesões cutâneas.** Pápulas planas (semelhantes ao líquen plano) de cor violácea, inicialmente nas extremidades distais e, posteriormente, generalizadas (**Fig. 22-6**) e/ou confluentes, formando áreas de esclerose dérmica (**Fig. 22-7A**), com escamas sobrejacentes que lembram a esclerodermia, principalmente no tronco, nas nádegas, no quadril e nas coxas. Nos casos mais graves, alterações esclerodermoides generalizadas intensas envolvem também a face (**Fig. 22-7B**) com necrose, ulceração das extremidades e de áreas submetidas à pressão. Perda de cabelo; anidrose; unhas: distrofia (pterígio, formação de sulcos), anoníquia; hipopigmentação semelhante ao vitiligo. Também foram relatadas variantes asteatótica, psoriasiforme e ictiosiforme.
- **Mucosas.** Como o líquen plano erosivo/ulcerativo, glossite, descamação e gengivite.
- **Manifestações clínicas.** Doença hepática crônica, consumpção.
- **Bioquímica.** Elevação de ALT, AST, γ-glutamiltransferase.
- **Dermatopatologia.** Semelhante ao *líquen plano* ou à *esclerodermia*.
- **Evolução e prognóstico.** A RECH esclerodermoide com contratura de pele/articulações pode causar prejuízo da mobilidade e ulcerações. Perda permanente de cabelo; xerostomia, xeroftalmia, úlceras da córnea e cegueira. Disabsorção. A DECH cutânea crônica leve pode ter resolução espontânea. A RECH crônica pode estar associada a infecções bacterianas recorrentes e ocasionalmente fatais.
- **Tratamento.** Glicocorticoides *tópicos*, PUVA e fotoférese extracorpórea. *Imunossupressão sistêmica* com prednisona, ciclosporina, azatioprina, micofenolato de mofetila, metotrexato, tacrolimo e talidomida. O conceito mais importante no tratamento é tratar os sintomas sem reduzir nem prejudicar os efeitos do enxerto *versus* leucemia/linfoma e, assim, aumentar a possibilidade de remissão da doença. Costuma haver necessidade de consulta clínica com oncologista nesse estágio.

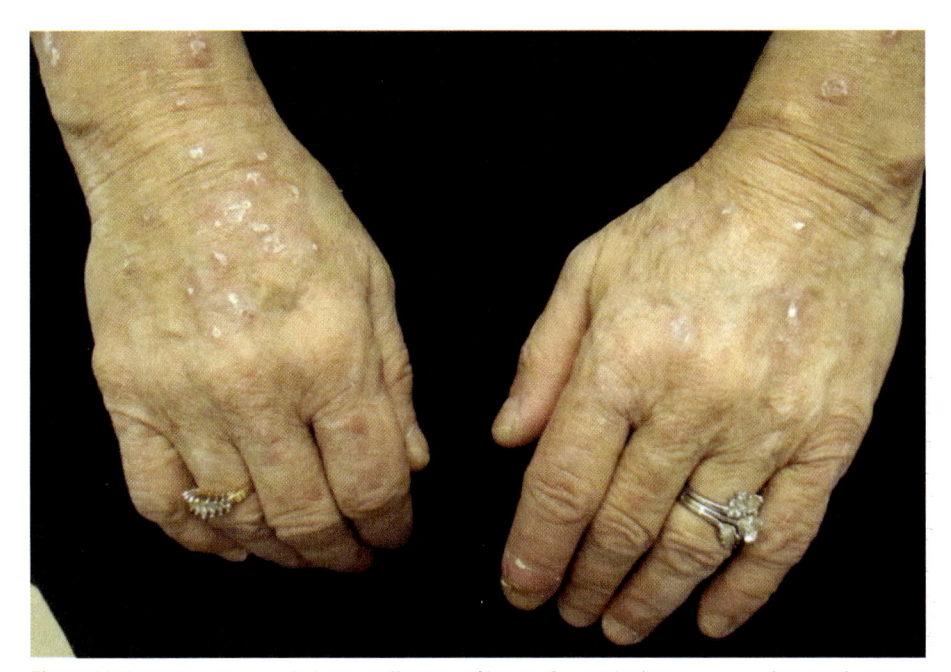

Figura 22-6 DECH cutânea crônica semelhante ao líquen plano Pápulas eritematosas liquenoides, muitas vezes com escamas psoriasiformes (daí o termo semelhante ao líquen plano em vez de liquenoide), sobre superfícies extensoras em mulher de 65 anos após transplante de células-tronco para leucemia mielógena aguda.

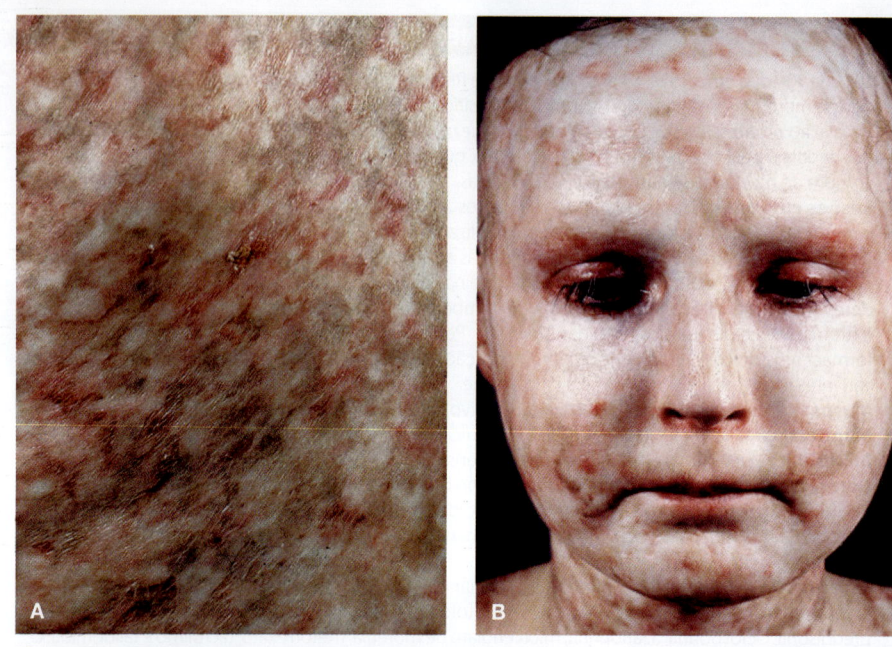

Figura 22-7 DECH cutânea crônica esclerodermoide **(A)** Visão aproximada do dorso de paciente com alterações poiquilodérmicas (hipo e hiperpigmentação) e telangiectasias na pele esclerótica. **(B)** Pele firmemente aderida com aspecto de mármore e telangiectasias neste menino de 10 anos também mostrado na **Figura 22-3**. A pele tem aspecto e consistência de esclerodermia grave. Neste caso, a RECH aguda evoluiu diretamente para RECH crônica envolvendo toda a pele da cabeça, tronco e membros.

SEÇÃO 23

REAÇÕES CUTÂNEAS ADVERSAS A FÁRMACOS[1]

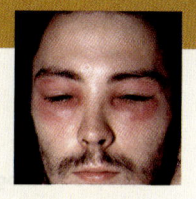

REAÇÕES CUTÂNEAS ADVERSAS A FÁRMACOS CID-10: T88.7

- Reações cutâneas adversas a fármacos (RCAFs) são imprevisíveis. Elas acometem 2 a 3% dos pacientes hospitalizados e causam 0,1-0,3% de mortes hospitalares.
- Nos Estados Unidos, os eventos medicamentosos adversos são responsáveis por até 140 mil mortes e custos de 136 bilhões de dólares anualmente.
- A maioria das reações é leve, acompanhada de prurido e regride prontamente após a interrupção do fármaco desencadeante.
- *As farmacodermias podem simular praticamente todas as expressões morfológicas encontradas em dermatologia e devem ser a primeira hipótese no diagnóstico diferencial de uma erupção de aparecimento súbito.*
- As farmacodermias são causadas por mecanismos imunológicos ou não imunológicos e são provocadas pela administração tópica ou sistêmica de um fármaco.
- A maioria dessas reações depende de um mecanismo de hipersensibilidade; são, portanto, reações imunológicas, que podem ser dos tipos I, II, III ou IV.

CLASSIFICAÇÃO

RCAFs MEDIADAS POR MECANISMOS IMUNOLÓGICOS (ver Quadro 23-1). Deve-se observar que, na maioria das reações, há envolvimento de mecanismos celulares e humorais. As reações não imunológicas estão resumidas no Quadro 23-2.

DIRETRIZES PARA A AVALIAÇÃO DE UMA POSSÍVEL RCAF

- Excluir causas alternativas, especialmente infecções (mais comumente virais).
- Examinar o intervalo entre a introdução de um fármaco e o aparecimento da reação.
- Observar a ocorrência de qualquer melhora após a interrupção do uso do fármaco.
- Determinar se reações semelhantes foram associadas ao mesmo composto.
- Observar a ocorrência de qualquer reação após readministração do fármaco.

MANIFESTAÇÕES QUE INDICAM A POSSIBILIDADE DE RCAF POTENCIALMENTE FATAL

- Dor cutânea
- Eritema confluente
- Edema facial ou acometimento da região central da face
- Eritema palmar/plantar doloroso
- Descolamento e bolhas epidérmicas
- Sinal de Nikolsky positivo
- Erosões das mucosas
- Urticária
- Edema da língua
- Febre alta (temperatura > 40°C)
- Aumento dos linfonodos
- Artralgia
- Dispneia, sibilos, hipotensão
- Púrpura palpável
- Necrose cutânea

TIPOS CLÍNICOS DE REAÇÕES ADVERSAS A FÁRMACOS

As RCAFs podem ser exantemáticas e se manifestar como urticária/angioedema, anafilaxia e reações anafilactoides ou doença do soro. Elas podem simular outras dermatoses e também podem se apresentar como necrose cutânea, pigmentação, alopécia e hipertricose. Elas podem induzir a alterações ungueais. Os Quadros 23-3 e 23-4 fornecem uma visão geral dessas reações.

---

[1] As reações ou alterações cutâneas que ocorrem regularmente após a administração prolongada ou de doses altas de determinados fármacos, como glicocorticoides, retinoides, ciclosporina e outros, não são discutidas nesta seção, mas apresentadas ao longo de todo o livro, toda vez que esses fármacos forem descritos de modo mais detalhado.

QUADRO 23-1 Reações cutâneas adversas a fármacos mediadas por mecanismos imunológicos*

Tipo de reação	Patogênese	Exemplos de fármacos desencadeantes	Padrões clínicos
Tipo I	Mediada por IgE; reações imunológicas do tipo imediato	Penicilina, outros antibióticos	Urticária/angioedema da pele/mucosa, edema de outros órgãos e choque anafilático
Tipo II	Fármaco + anticorpos citotóxicos provocam lise de células, como plaquetas ou leucócitos	Penicilina, sulfonamidas, quinidina, isoniazida	Petéquias causadas por púrpura trombocitopênica, pênfigo induzido por fármaco
Tipo III	Produção de anticorpos IgG ou IgM contra o fármaco; os imunocomplexos depositados nos vasos de pequeno calibre ativam o complemento e induzem o recrutamento de granulócitos	Imunoglobulinas, antibióticos, rituximabe, infliximabe	Vasculite, urticária, doença do soro
Tipo IV	Reação imunológica celular; os linfócitos sensibilizados reagem com o fármaco, liberando citocinas, que desencadeiam a resposta inflamatória cutânea**	Sulfametoxazol, anticonvulsivantes, alopurinol	Reações exantemáticas morbiliformes, erupção fixa por fármaco, erupções liquenoides, síndrome de Stevens-Johnson, necrólise epidérmica tóxica

*De acordo com a classificação das reações imunológicas de Gell e Coombs.
**Para sensibilidade de contato, ver Seção 2.

QUADRO 23-2 Reações adversas a fármacos não imunológicas

Idiossincrasia	Reações devidas a deficiências enzimáticas hereditárias
Idiossincrasia individual a determinado fármaco tópico ou sistêmico	Os mecanismos envolvidos ainda não são conhecidos
Acúmulo	As reações são dependentes da dose, com base na quantidade total do fármaco ingerido: pigmentação causada por ouro, amiodarona ou minociclina
Reações causadas pela combinação de um fármaco com radiação ultravioleta (fotossensibilidade)	Reações que apresentam patogênese tóxica, mas que também podem ser de natureza imunológica (ver Seção 10)
Irritação/toxicidade de um fármaco de aplicação tópica	5-fluoruracila, imiquimode
Atrofia causada por fármaco de aplicação tópica	Glicocorticoides

QUADRO 23-3 Tipos de RCAFs clínicas

Tipo	Fármacos	Comentário
Reações exantemáticas	Qualquer	Mais comum; a reação inicial ocorre comumente < 14 dias após a ingestão do fármaco; ocorre recidiva após readministração (ver p. 494)
Urticária/angioedema	Ver **Quadro 23-4**	Segundo tipo mais comum; surge geralmente dentro de 36 horas após a exposição inicial; dentro de alguns minutos após reexposição ao fármaco (ver p. 498) (**Figs. 22-6** e **22-7**)
Erupções fixas por fármaco	Ver **Quadro 23-6**	Terceiro tipo mais comum, ver p. 499
Anafilaxia e reações anafilactoides	Antibióticos, extratos de alérgenos, meios de contraste radiológicos, anticorpos monoclonais (ver **Quadro 23-5**)	Tipo mais grave de RCAF, surge dentro de alguns minutos ou horas; mais comum após administração oral do que parenteral. A administração intermitente do fármaco pode predispor à anafilaxia
Doença do soro	Imunoglobina intravenosa, antibióticos, albumina sérica bovina (utilizada para recuperação de oócitos na fertilização *in vitro*), cefaclor, cefprozila, bupropiona, minociclina, rituximabe, infliximabe	5 a 21 dias após a exposição inicial. *Forma leve*: febre, urticária, artralgia. *Forma grave (completa)*: febre, urticária, angioedema, artralgia, artrite, linfadenopatia, eosinofilia, ± nefrite, ± endocardite

QUADRO 23-4 RCAFs que simulam outras dermatoses

Tipo	Fármacos	Comentário
Erupção acneiforme	Glicocorticoides, esteroides anabólicos, contraceptivos, halogênios, isoniazida, lítio, azatioprina, danazol, erlotinibe	Simula a acne. Ver Seção 1 e p. 496
Erupções bolhosas	Naproxeno, ácido nalidíxico, furosemida, oxaprozina, penicilamina, piroxicam, tetraciclinas	Simulam erupção fixa por fármaco, vasculite induzida por fármaco, síndrome de Stevens-Johnson (SSJ), necrólise epidérmica tóxica (NET), porfiria, pseudoporfiria, pênfigo induzido por fármaco, penfigoide induzido por fármaco, doença por IgA linear induzida por fármaco, bolhas em áreas de pressão em pacientes sedados
Reações semelhantes à dermatomiosite	Penicilamina, AINEs, carbamazepina, hidroxiureia	Simulam a dermatomiosite. Ver Seção 14

(continua)

QUADRO 23-4 RCAFs que simulam outras dermatoses *(continuação)*

Tipo	Fármacos	Comentário
Síndrome de hipersensibilidade a fármacos	Antiepiléticos, sulfonamidas e outros fármacos	Simula reações exantemáticas; comprometimento sistêmico (ver p. 501)
Erupções eczematosas	Etilenodiamina, anti-histamínicos, aminofilina/supositórios de aminofilina; procaína/benzocaína; iodetos, compostos orgânicos iodados, meios de contraste radiográficos/iodo; estreptomicina, canamicina, paromomicina, gentamicina/sulfato de neomicina; nitroglicerina em comprimidos/pomada; dissulfiram/tiuram	A administração sistêmica de um fármaco a um indivíduo previamente sensibilizado a esse fármaco por aplicação tópica pode desencadear dermatite eczematosa disseminada (dermatite de contato sistêmica, ver Seção 2) ou urticária
Eritema multiforme, SSJ, NET	Anticonvulsivantes, sulfonamidas, alopurinol, AINEs (piroxicam)	Ver Seções 8 e 14
Eritema nodoso	Sulfonamidas, outros agentes antimicrobianos, analgésicos, contraceptivos orais, fator de estimulação de colônias de granulócitos (G-CSF)	Ver Seção 7
Dermatite esfoliativa e eritrodermia	Sulfonamidas, antimaláricos, fenitoína, penicilina	Ver Seção 8
Erupções liquenoides (semelhantes ao líquen plano)	Ouro, betabloqueadores, inibidores da ECA, particularmente captopril; antimaláricos, diuréticos tiazídicos, furosemida, espironolactona, penicilamina, bloqueadores dos canais de cálcio, carbamazepina, lítio, sulfonilureia, alopurinol	Ver Seção 14 Podem ser extensas, aparecendo várias semanas a meses após o início do tratamento farmacológico; podem evoluir para a dermatite esfoliativa O acometimento dos anexos pode resultar em alopécia e anidrose A regressão após a interrupção do fármaco é lenta, de 1 a 4 meses; até 24 meses após a administração de ouro
Lúpus eritematoso (LE)	Procainamida, hidralazina, isoniazida, minociclina, acebutolol, bloqueadores dos canais de Ca^{2+}, inibidores da ECA, docetaxel	Ver Seção 14 5% dos casos de LE sistêmico são induzidos por fármacos Manifestações cutâneas, incluindo fotossensibilidade; todavia não é comum a ocorrência de urticária, lesões semelhantes ao eritema multiforme e fenômeno de Raynaud
Necrose	Varfarina, heparina, α-IFN, agentes citotóxicos	Ver p. 506
Fotossensibilidade	Ver Quadros 10-4, 10-5 e 10-6	Ver Seção 10 Fototóxica, fotoalérgica ou de fotocontato

(continua)

QUADRO 23-4 RCAFs que simulam outras dermatoses *(continuação)*

Tipo	Fármacos	Comentário
Distúrbios pigmentares	Amiodarona, minociclina, antimaláricos, agentes citotóxicos	Ver p. 502
Erupções semelhantes à pitiríase rósea	Ouro, captopril, imatinibe e outros fármacos	Para as manifestações clínicas, ver Seção 3
Pseudolinfoma	Fenitoína, carbamazepina, alopurinol, antidepressivos, fenotiazinas, benzodiazepínicos, anti-histamínicos, betabloqueadores, agentes hipolipemiantes, ciclosporina, D-penicilamina	Erupções papulares com histologia simulando o linfoma
Pseudoporfiria	Tetraciclina, furosemida, naproxeno	Ver Seção 10 e p. 505
Erupção psoriasiforme	Antimaláricos, betabloqueadores, sais de lítio, AINEs, IFN, penicilamina, metildopa	Ver Seção 3
Púrpura	Penicilina, sulfonamidas, quinina, isoniazida	Ver Seção 20. Não é rara a ocorrência de hemorragia na RCAF morbiliforme nas pernas. Há também relatos de púrpura pigmentada progressiva associada a fármacos (ver Seção 14)
Erupções pustulares	Ampicilina, amoxicilina, macrolídios, tetraciclinas, β-bloqueadores, bloqueadores dos canais de Ca^{2+}, Inibidores do EGFR (**Fig. 23-4**)	Pustulose exantematosa generalizada aguda (PEGA, p. 496); devem ser diferenciadas da psoríase pustular; a presença de eosinófilos no infiltrado sugere PEGA
Reações semelhantes à esclerodermia	Penicilamina, bleomicina, bromocriptina, valproato de Na, 5-hidroxitriptofano, docetaxel, gencitabina, óleo de semente de colza contendo acetanilida	Ver Seção 14
Síndrome de Sweet	Ácido all-*trans* retinoico, contraceptivos, G-CSF, GM-CSF, minociclina, imatinibe, sulfametoxazol-trimetoprima	Ver Seção 7
Vasculite	Propiltiouracila, hidralazina, G-CSF, fator de estimulação de colônias de granulócitos-macrófagos (GM-CSF), alopurinol, cefaclor, minociclina, penicilamina, fenitoína, isotretinoína	Ver Seção 14

REAÇÕES EXANTEMÁTICAS A FÁRMACOS CID-10: T88.7

- Uma reação exantemática a fármacos (REF) (erupção) é uma reação de hipersensibilidade adversa a um fármaco ingerido ou administrado por via parenteral que simula um exantema viral do tipo sarampo.
- Trata-se do tipo mais comum de farmacodermia.
- O acometimento sistêmico é leve.
- *Fármacos com alta probabilidade de reação* (3 a 5%): penicilina e antibióticos relacionados, carbamazepina, alopurinol e sais de ouro (10 a 20%). *Probabilidade média:* sulfonamidas (bacteriostáticas, antidiabéticas e diuréticas), anti-inflamatórios não esteroides (AINEs), derivados da hidantoína, isoniazida, cloranfenicol, eritromicina, estreptomicina. *Baixa probabilidade* (< 1%): barbitúricos, benzodiazepínicos, fenotiazinas e tetraciclinas.
- **Sensibilização prévia ao fármaco.** Os pacientes com história pregressa de erupção exantemática a fármacos terão mais tendência a desenvolver uma reação semelhante se forem novamente expostos ao mesmo fármaco.
- Ocorre sensibilização durante a administração ou após completar o tratamento com o fármaco; o pico de incidência é observada no 9° dia após a administração. Todavia, a REF pode ocorrer a qualquer momento entre o 1º dia e 3 semanas após iniciar o tratamento. A reação à penicilina pode começar em 2 semanas ou mais após a interrupção do fármaco. No paciente previamente sensibilizado, a erupção começa em 2 ou 3 dias após a readministração do fármaco.
- As reações são frequentemente muito pruriginosas. As lesões cutâneas dolorosas sugerem o desenvolvimento de uma RCAF mais grave, como necrólise epidérmica tóxica (NET).
- **Revisão dos sistemas.** ± Febre e calafrios.
- **Lesões cutâneas.** Máculas e/ou pápulas, de alguns milímetros a 1 cm (**Fig. 23-1**). Apresenta coloração vermelho-viva ou "farmacogênica". Com o passar do tempo, as lesões tornam-se confluentes e formam grandes máculas, eritema policíclico *gyratum*, erupções reticulares, eritema em placas (**Fig. 23-1**), eritrodermia; também pode ser semelhante ao eritema multiforme. Pode ocorrer púrpura nas lesões das pernas. Nos indivíduos com trombocitopenia, as erupções exantemáticas podem simular a vasculite, devido à hemorragia intralesional. Pode ocorrer esfoliação e/ou descamação durante a cicatrização.
- **Distribuição.** Simétrica (**Fig. 23-1**). Quase sempre ocorre no tronco e nos membros. Nas crianças, as reações podem se limitar à face e aos membros.
- **Mucosas.** Enantema na mucosa oral.
- **Exames laboratoriais.** Eosinofilia periférica. Dermatopatologia: linfócitos e eosinófilos perivasculares.
- O diagnóstico diferencial deve incluir todas as erupções exantemáticas: exantema viral, sífilis secundária, pitiríase rósea atípica e estágio inicial da dermatite de contato alérgica disseminada.
- Após a suspensão do fármaco, a erupção costuma melhorar. Porém, ela pode piorar nos primeiros dias. A erupção também pode começar após a interrupção do fármaco. A erupção costuma recorrer com o retratamento.
- A etapa definitiva no tratamento consiste em identificar o fármaco desencadeante e interromper o seu uso. A administração de anti-histamínicos orais pode aliviar o prurido. **Glicocorticoides.** *Preparação tópica potente, oral ou IV.* Quando o fármaco desencadeante não puder ser substituído nem interrompido, podem-se administrar glicocorticoides sistêmicos para tratar a RCAF. **Profilaxia.** Os pacientes devem estar atentos para a sua hipersensibilidade a fármacos específicos e a outros fármacos da mesma classe que podem exibir reação cruzada. Recomenda-se utilizar uma pulseira de alerta médico.

REAÇÕES A FÁRMACOS ESPECÍFICOS (SELECIONADOS)

Alopurinol. Incidência: 5%. A reação começa na face e se espalha rapidamente para todas as regiões; pode apresentar fotodistribuição. Início: 2 a 3 semanas após iniciar o tratamento. Manifestações associadas: edema facial; vasculite sistêmica, acometendo particularmente os rins. A erupção pode desaparecer, apesar da administração continuada do fármaco.

Ampicilina, amoxicilina. Em até 100% dos pacientes com síndrome de mononucleose por EBV ou CMV. Incidência aumentada de REF às penicilinas em pacientes em uso de alopurinol. Em 10% dos casos, ocorre reação cruzada com cefalosporinas.

Carbamazepina. Morfologia: eritema difuso; pode evoluir para eritrodermia grave. Localização: A reação começa na face e se espalha rapidamente para todas as regiões; pode apresentar fotodistribuição. Início: 2 semanas após iniciar o tratamento. Manifestações associadas: Edema facial.

Derivados da hidantoína. Eritema macular → confluente. Começa na face e se espalha para o tronco e os membros. Início: 2 semanas após iniciar o tratamento. Manifestações associadas: febre, eosinofilia periférica; edema facial; linfadenopatia (histologicamente pode simular o linfoma).

Sulfonamidas. Ocorre em até 50 a 60% dos pacientes infectados pelo HIV/Aids (sulfametoxazol-trimetoprima). Os pacientes sensibilizados a um fármaco à base de sulfa podem apresentar reação cruzada com outra sulfa em 20% dos casos.

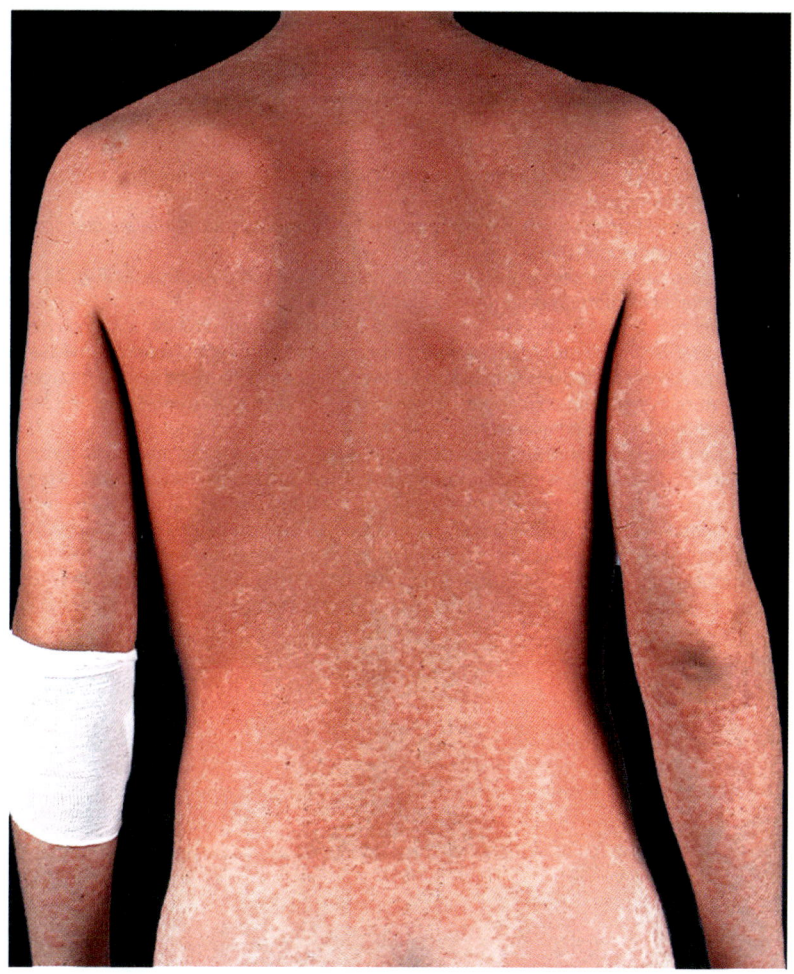

Figura 23-1 Erupção exantemática a fármaco: ampicilina Máculas e pápulas intensamente eritematosas, de disposição simétrica, isoladas em algumas áreas e confluentes em outras, com distribuição no tronco e nos membros.

ERUPÇÕES PUSTULOSAS CID-10: T88.7

- A *pustulose exantemática generalizada aguda* (PEGA) é uma erupção febril aguda, que frequentemente está associada à leucocitose (**Fig. 23-2**). Após a administração do fármaco, pode demorar 1 a 3 semanas até que apareçam as lesões. No entanto, em pacientes previamente sensibilizados, os sintomas cutâneos podem ocorrer dentro de 2 a 3 dias.
- O início é agudo, mais frequentemente após a ingestão de fármaco; todavia as infecções virais também podem desencadear a doença.
- Em geral, a PEGA manifesta-se na forma de pústulas não foliculares estéreis, que ocorrem sobre um eritema edemaciado difuso (**Fig. 23-2**).
- As lesões podem estar irregularmente dispersas (**Fig. 23-2**) ou agrupadas (**Fig. 23-3**), começando geralmente nas flexuras do corpo e/ou na face.
- É comum a ocorrência de febre e elevação da contagem dos neutrófilos do sangue periférico.
- Em geral, o exame histopatológico revela pústulas subcórneas e/ou intraepidérmicas espongiformes; edema acentuado da derme papilar; e, por fim, vasculite, eosinófilos e/ou necrose focal dos ceratinócitos.
- As pústulas regridem de modo espontâneo em < 15 dias, e, aproximadamente 2 semanas depois, ocorre descamação generalizada.
- O diagnóstico diferencial inclui psoríase pustulosa, reação de hipersensibilidade com formação de pústulas, dermatose pustulosa subcórnea (doença de Sneddon-Wilkinson) e vasculite pustulosa.
- As *erupções pustulosas acneiformes* (ver Seção 1) estão associadas a iodetos, brometos, hormônio adrenocorticotrófico (ACTH), glicocorticoides, isoniazida, androgênios, lítio, actinomicina D e fenitoína. Os inibidores da tirosina-quinase EGFR erlotinibe, gefitinibe, cetuximabe e panitumumabe produzem pústulas que são acneiformes, mas sem comedões, e acometem a face (**Fig. 23-4**); todavia também podem surgir em áreas atípicas, como os braços e as pernas, e são geralmente monomórficas.

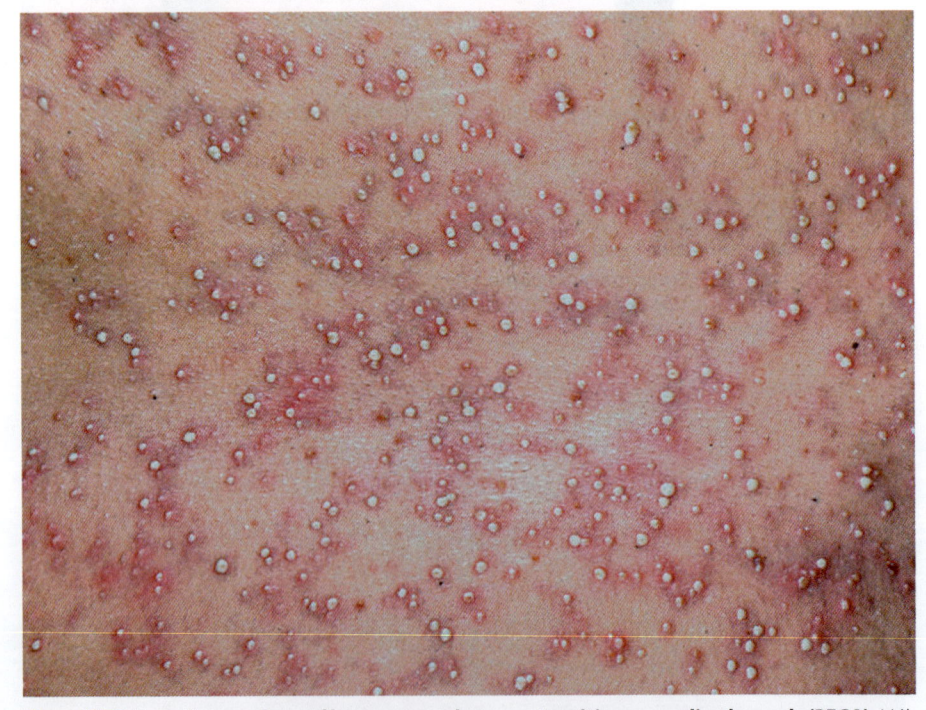

Figura 23-2 Erupção pustulosa a fármaco: pustulose exantemática generalizada aguda (PEGA) Múltiplas pústulas não foliculares minúsculas sobre uma base de eritema difuso, que surgiram inicialmente nas grandes flexuras do corpo e, em seguida, cobriram todo o tronco e a face.

Figura 23-3 Erupção pustulosa a fármaco: PEGA Múltiplas pústulas estéreis circundadas por eritema vermelho-vivo em uma mulher de 58 anos que apresentava febre e leucocitose. Diferentemente das pústulas disseminadas da **Figura 23-2**, as pústulas, neste caso, tendem a se agrupar e confluir. Diagnóstico diferencial com a psoríase pustulosa de von Zumbusch (comparar com a **Fig. 3-12**).

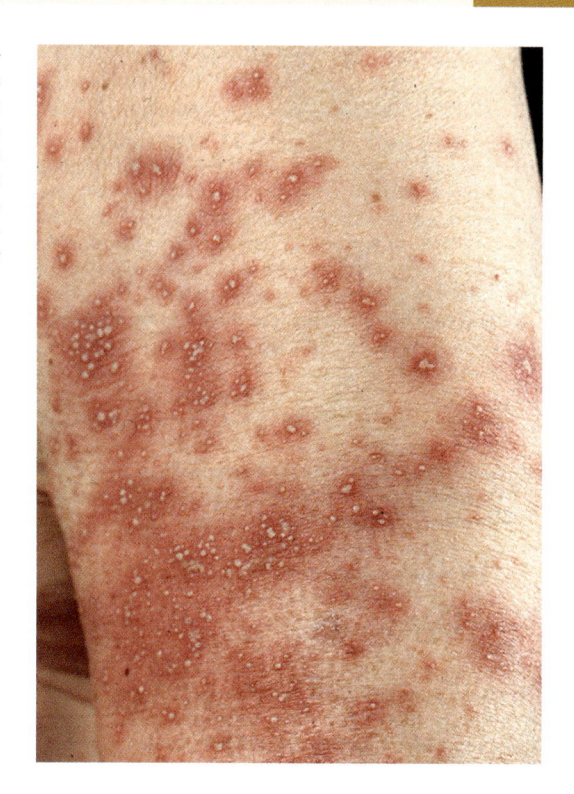

Figura 23-4 Erupção pustulosa a fármaco: erlotinibe Esta erupção pustulosa localizada na face ocorreu em um paciente tratado com anticorpo monoclonal anti-EGR para câncer de cólon. Diagnóstico diferencial com acne e rosácea.

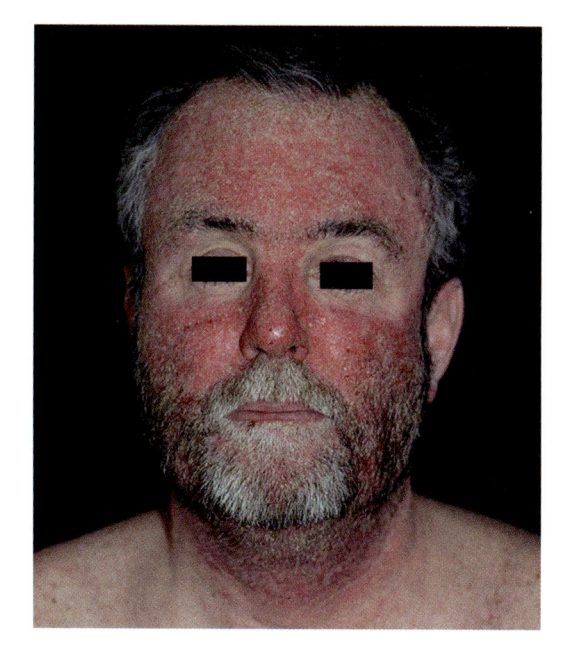

URTICÁRIA AGUDA, ANGIOEDEMA, EDEMA E ANAFILAXIA INDUZIDA POR FÁRMACOS (Ver também Seção 14)

- Urticária e angioedema induzidos por fármacos ocorrem por diversos mecanismos (ver **Quadro 23-1**) e se caracterizam clinicamente por lesões urticariformes transitórias (ver **Fig. 14-6**) e angioedema causando edema tecidual extenso com envolvimento de tecidos profundos da derme e subcutâneos. O angioedema é frequentemente pronunciado na face (**Fig. 23-5A**) ou nas mucosas (língua, **Fig. 23-5B**).
- Em alguns casos, a urticária/angioedema cutâneo estão associados à anafilaxia sistêmica, que se manifesta por angústia respiratória, colapso vascular e/ou choque.
- O **Quadro 23-5** fornece uma lista de fármacos que causam urticária/angioedema e anafilaxia.
- **Intervalo entre a exposição inicial ao fármaco e o aparecimento da urticária**
- *Mediada por IgE*. Sensibilização inicial, geralmente em 7 a 14 dias. Nos indivíduos previamente sensibilizados, a urticária aparece normalmente dentro de poucos minutos ou horas.
- *Mediada por imunocomplexos*. Sensibilização inicial geralmente em 7 a 10 dias, podendo se estender por até 28 dias; em indivíduos previamente sensibilizados, em 12 a 36 horas.
- *Analgésicos/anti-inflamatórios*. 20 a 30 minutos (até 4 horas).
- **Sensibilização prévia ao fármaco.** *Meios de contraste radiográficos*. Probabilidade de 25 a 35% de repetir reação em indivíduos com história pregressa de reação aos meios de contraste.
- **Sintomas cutâneos.** Prurido, ardência das palmas e plantas; em caso de edema das vias respiratórias, ocorre dificuldade de respirar.
- **Sintomas constitucionais.** Mediada por IgE: ruborização, fadiga repentina, bocejos, cefaleia, fraqueza, tontura; dormência da língua, espirros, broncospasmo, sensação de pressão subesternal, palpitações, náusea, vômitos, dor abdominal em cólica, diarreia; pode ocorrer artralgia.

Em geral, a urticária/o angioedema induzidos por fármacos regridem no decorrer de algumas horas, dias ou semanas após a interrupção do fármaco desencadeante.

TRATAMENTO Os fármacos desencadeantes devem ser identificados, e o seu uso, suspenso. **Anti-histamínicos.** Bloqueadores H_1, bloqueadores H_2 ou uma combinação deles. **Glicocorticoides sistêmicos.** *Intravenosos*. Hidrocortisona ou metilprednisolona para os sintomas graves. *Orais*. A prednisona, em dose de 70 mg, com redução gradual de 10 ou 5 mg ao dia, durante 1 a 2 semanas, é geralmente adequada. Na **urticária aguda grave/anafilaxia:** *Epinefrina*. 0,3 a 0,5 mL de uma diluição a 1:1.000 por via subcutânea, sendo a dose repetida em 15 a 20 minutos. Manutenção da via aérea. Acesso intravenoso. *Meios de contraste radiográficos*. Evitar o uso de meios de contraste que reconhecidamente causaram reação prévia. Se isso não for possível, efetuar um pré-tratamento do paciente com anti-histamínico e prednisona (1 mg/kg), 30 a 60 minutos antes da exposição ao meio de contraste.

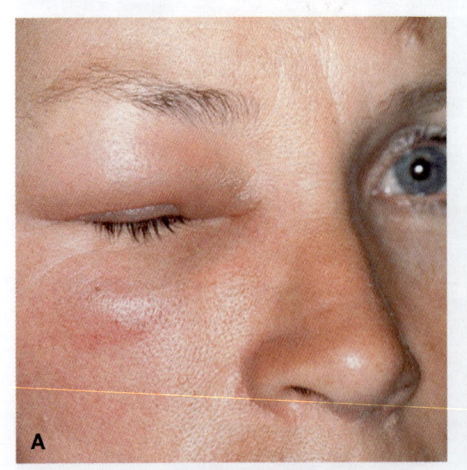

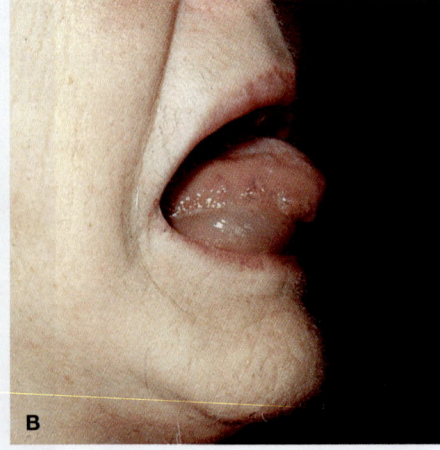

Figura 23-5 Angioedema induzido por fármaco: penicilina (A) O angioedema resultou em fechamento do olho direito. **(B)** O angioedema sublingual em outro paciente interferiu na respiração, na fala e na ingestão de alimentos e gerou muita preocupação.

QUADRO 23-5 Fármacos que causam urticária/angioedema/anafilaxia

Tipo de fármaco	Fármacos específicos
Antibióticos	Penicilinas: ampicilina, amoxicilina, dicloxacilina, mezlocilina, penicilina G, penicilina V, ticarcilina. Cefalosporinas de terceira geração, sulfonamidas e derivados
Fármacos cardiovasculares	Amiodarona, procainamida
Imunoterápicos, vacinas	Soro antilinfocítico, levamisol, soro equino, anticorpos monoclonais
Agentes citostáticos	L-Asparaginase, bleomicina, cisplatina, daunorrubicina, 5-fluoruracila, procarbazina, tiotepa
Inibidores da enzima conversora de angiotensina	Captopril, enalapril, lisinopril
Bloqueadores dos canais de cálcio	Nifedipino, diltiazem, verapamil
Fármacos que liberam histamina	Morfina, meperidina, atropina, codeína, papaverina, propanidida, alfaxalona, D-tubocurarina, suxametônio, anfetamina, tiramina, hidralazina, tolazolina, cansilato de trimetafana, pentamidina, propamidina, estilbamidina, quinina, vancomicina, meios de contraste radiográficos e outros fármacos

ERUPÇÃO FIXA POR FÁRMACOS CID-10: T88.7

- A erupção fixa por fármacos (EFF) é uma reação cutânea adversa a um fármaco ingerido e se caracteriza pela formação de uma mancha macular ou placa eritematosa solitária (porém, algumas vezes, múltipla). Os agentes mais implicados estão relacionados no **Quadro 23-6**.
- Se o paciente for novamente exposto ao fármaco desencadeante, a EFF ocorre repetidamente na mesma região da pele (i.e., fixa) dentro de algumas horas após a ingestão.
- *Sintomas cutâneos*: Geralmente assintomáticas. Pode ser pruriginosa, dolorosa ou com sensação de ardência.
- **Lesões cutâneas.** Mácula bem demarcada de forma arredondada ou oval. Inicialmente, eritema, em seguida, de coloração vermelho-escura à violácea (**Fig. 23-6A**). Frequentemente, as lesões são solitárias e podem se espalhar, tornando-se muito grandes; todavia podem ser múltiplas (**Fig. 23-7**), com distribuição aleatória. As lesões podem evoluir para uma bolha (**Fig. 23-6B**) e, em seguida, para uma erosão. As lesões erosadas, particularmente na genitália ou na mucosa oral, são muito dolorosas. Após a regressão, a área apresenta uma hiperpigmentação pós-inflamatória de coloração marrom escura a violeta. A pele genital (ver Seção 34) é o local frequentemente acometido; qualquer área, no entanto, pode ser afetada; perioral, periorbitária (**Fig. 23-6A**). As lesões também ocorrem nas conjuntivas e na orofaringe.
- **Dermatopatologia.** Semelhante aos achados no eritema multiforme e/ou NET.
- **Teste de contato.** Ocorre resposta inflamatória em apenas 30% dos casos.
- A EFF regride dentro de algumas semanas após a interrupção do fármaco. Recorre dentro de poucas horas após a ingestão de uma única dose do mesmo fármaco.
- **Manejo.** Interromper o uso do fármaco desencadeante. Lesões não erosadas: glicocorticoides tópicos potentes em pomada. Lesões erosadas: pomada antimicrobiana. Para as lesões mucosas disseminadas, generalizadas e intensamente dolorosas, administrar prednisona oral, 1 mg/kg de peso corporal, com redução gradual da dose no decorrer de 2 semanas.

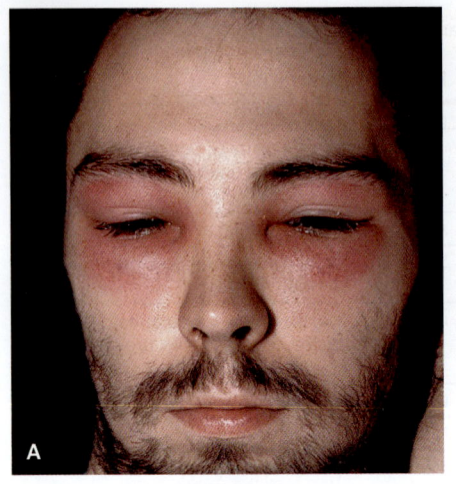

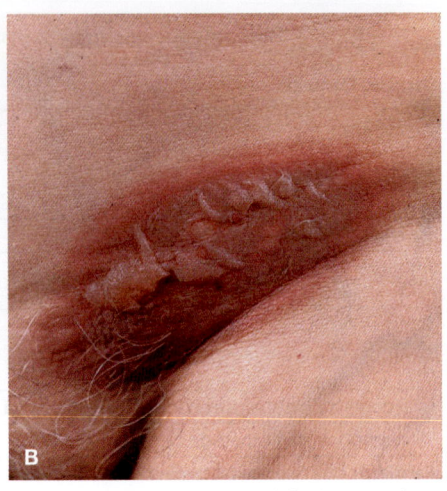

Figura 23-6 Erupção fixa por fármaco **(A)** Tetraciclina. Duas placas periorbitárias bem definidas com edema. Este foi o segundo episódio após a ingestão de tetraciclina. Não houve nenhuma outra lesão. **(B)** Paracetamol. Lesão violácea oval e grande, com formação de bolhas no centro. Houve também lesões orais erosivas.

QUADRO 23-6	Agentes geralmente envolvidos na erupção fixa por fármaco
Tetraciclinas (tetraciclina, minociclina, doxiciclina)	
Sulfonamidas, outros fármacos com sulfa	
Metronidazol, nistatina, salicilatos, AINEs, fenilbutazona, fenacetina	
Barbitúricos	
Anticoncepcionais orais	
Quinina (incluindo a quinina da água tônica), quinidina	
Fenolftaleína	
Corantes (amarelos): em alimentos ou fármacos	

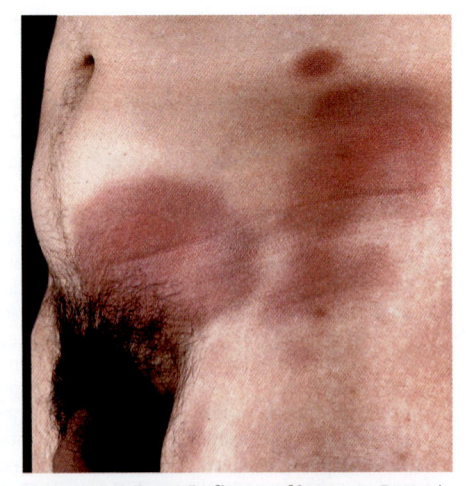

Figura 23-7 Erupção fixa por fármacos Doxiciclina. Múltiplas lesões. Houve também placas violáceas semelhantes nas regiões anterior e posterior do tronco.

SÍNDROME DE HIPERSENSIBILIDADE A FÁRMACOS CID.0: T88.7

- A síndrome de hipersensibilidade a fármacos é uma reação adversa idiossincrásica a fármacos, que começa subitamente nos primeiros 2 meses após o início de tratamento farmacológico. Caracteriza-se por febre, mal-estar e edema facial com linfadenopatia ou dermatite esfoliativa. *Sinônimo:* reação adversa à droga com eosinofilia e sintomas sistêmicos (DRESS).
- **Etiologia.** Mais comumente: antiepiléticos (fenitoína, carbamazepina, fenobarbital; é comum a ocorrência de sensibilidade cruzada entre esses três fármacos) e sulfonamidas (agentes antimicrobianos, dapsona, sulfassalazina). Menos comumente: alopurinol, sais de ouro, sorbinila, minociclina, zalcitabina, bloqueadores dos canais de cálcio, ranitidina, talidomida, mexiletina.
- Alguns pacientes apresentam incapacidade geneticamente determinada de desintoxicar os produtos metabólicos tóxicos de óxido de arena dos anticonvulsivantes. A *N*-acetilação lenta da sulfonamida e a suscetibilidade aumentada dos leucócitos aos metabólitos tóxicos da hidroxilamina estão associadas a um risco mais elevado de síndrome de hipersensibilidade.
- **Lesões cutâneas.** *Fase inicial:* erupção morbiliforme (**Fig. 23-8**) na face, na parte superior do tronco e nos membros superiores; não pode ser diferenciada da erupção exantemática a fármacos. As lesões podem evoluir para a dermatite esfoliativa generalizada/eritrodermia, particularmente se o fármaco não for interrompido. A erupção torna-se infiltrada, com acentuação edematosa dos folículos. O edema facial (particularmente periorbitário) é característico e pode resultar em formação de bolhas. Podem ocorrer pústulas estéreis. A erupção pode se tornar purpúrica nas pernas. Podem ocorrer esfoliação e/ou descamação durante a cicatrização.
- ***Distribuição.*** Simétrica. Quase sempre no tronco e nos membros. As lesões podem se tornar confluentes e generalizadas.
- **Mucosas.** Queilite, erosões, faringe eritematosa, aumento das tonsilas.
- **Exame clínico geral.** Ocorre também acometimento do fígado, rins, linfonodos, coração, pulmões, articulações, músculos, tireoide e cérebro.
- **Eosinofilia** (30% dos casos). Leucocitose. Linfócitos atípicos semelhantes aos da mononucleose. **Histologia.** *Pele.* Infiltrado linfocítico denso e difuso ou superficial e perivascular. ± Eosinófilos ou edema da derme. Em alguns casos, infiltrado em banda de linfócitos atípicos com epidermotropismo, simulando o linfoma cutâneo de células T.
- **Critérios diagnósticos propostos.** (1) Farmacodermia, (2) anormalidades hematológicas (eosinofilia ≥ 1.500/μL ou linfócitos atípicos) e (3) acometimento sistêmico (adenopatias de ≥ 2 cm de diâmetro ou hepatite [AST ≥ 2 N] ou nefrite intersticial ou pneumonite intersticial ou cardite). O diagnóstico é confirmado quando são identificados três critérios.
- Evolução e prognóstico: a erupção e a hepatite podem persistir por várias semanas após a interrupção do uso do fármaco. Nos pacientes tratados com glicocorticoides sistêmicos, a erupção e a hepatite podem recidivar com a redução progressiva das doses de glicocorticoides. Em geral, a linfadenopatia regride quando o fármaco é suspenso; todavia foram relatados raros casos de evolução para linfoma. Os pacientes podem morrer em consequência de hipersensibilidade sistêmica, como na miocardite eosinofílica (10%). As manifestações clínicas sofrem recidiva quando o fármaco é novamente administrado.
- **Tratamento.** Identificar e interromper o fármaco desencadeante. *Sistêmicos.* A prednisona (0,5 mg/kg ao dia) resulta frequentemente em rápida melhora dos sintomas e dos parâmetros laboratoriais.
- **Profilaxia.** O indivíduo deve estar atento quanto à sua hipersensibilidade a fármacos específicos e quanto ao fato de outros fármacos da mesma classe poderem apresentar reação cruzada. Esses fármacos nunca devem ser administrados novamente. O paciente deve utilizar uma pulseira de alerta médico.

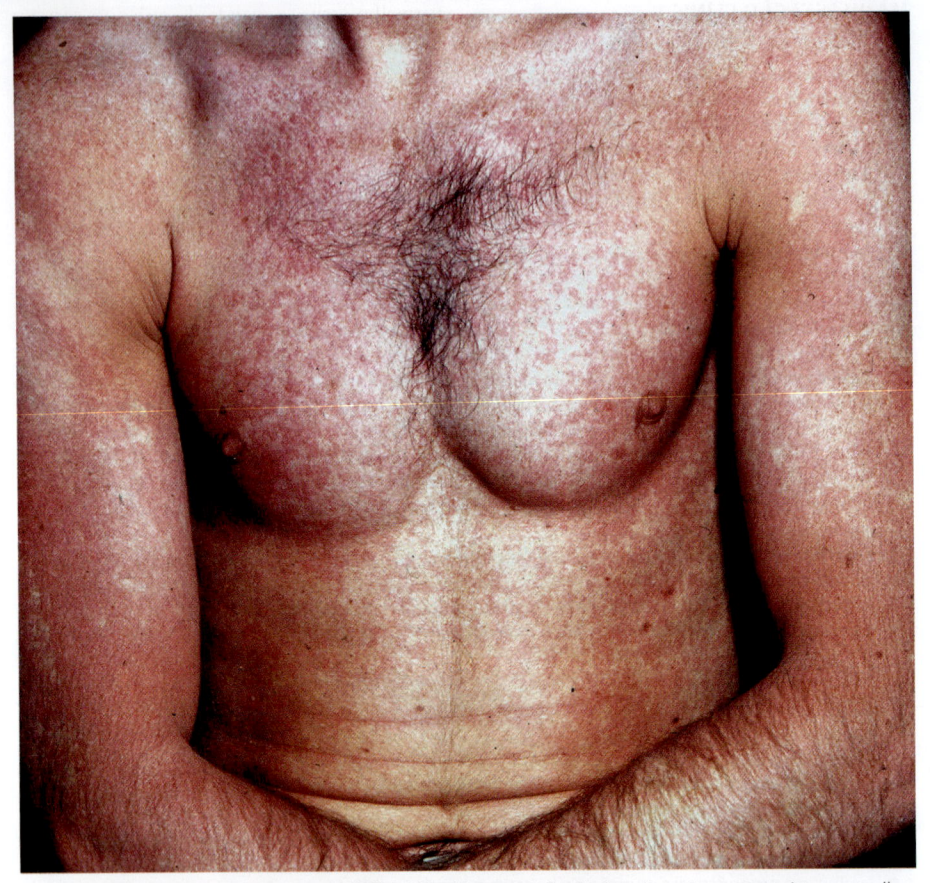

Figura 23-8 Síndrome de hipersensibilidade a fármacos: fenitoína Erupção exantemática vermelho-viva, simétrica e confluente em algumas áreas; o paciente teve linfadenopatia associada e febre.

PIGMENTAÇÃO INDUZIDA POR FÁRMACOS CID-10: T88.7

- É comum e resulta do depósito de uma variedade de pigmentos endógenos e exógenos na pele.
- Fármacos que mais causam hiperpigmentação:
    - Antiarrítmicos: amiodarona.
    - Antimaláricos: cloroquina, hidroxicloroquina, quinacrina e quinina.
    - Antimicrobianos: minociclina, clofazimina e zidovudina.
    - Anticonvulsivantes: hidantoínas.
    - Citostáticos: bleomicina, ciclofosfamida, doxorrubicina, daunorrubicina, bussulfano, 5-fluoruracila, dactinomicina.
- Metais: prata, ouro, ferro.
- Hormônios: ACTH, estrogênio ou progesterona.
- Psiquiátricos: clorpromazina.
- Dietéticos: β-caroteno.

MANIFESTAÇÃO CLÍNICA

AMIODARONA Mais de 75% dos pacientes após doses cumulativas de 40 g em > 4 meses de tratamento. Mais comum nos fototipos cutâneos I e II, podendo estar limitada às áreas expostas ao sol em uma pequena proporção dos pacientes (8%). Eritema vermelho-escuro e, mais tarde, melanose dérmica cinza-azulada (Fig. 23-9) nas áreas expostas (face e mãos). Pigmento semelhante à lipofuscina depositado nos macrófagos e nas células endoteliais.

ANTIMALÁRICOS *Cloroquina, hidroxicloroquina.* Ocorre em 25% dos pacientes tratados durante > 4 meses. Pigmentação acastanhada,

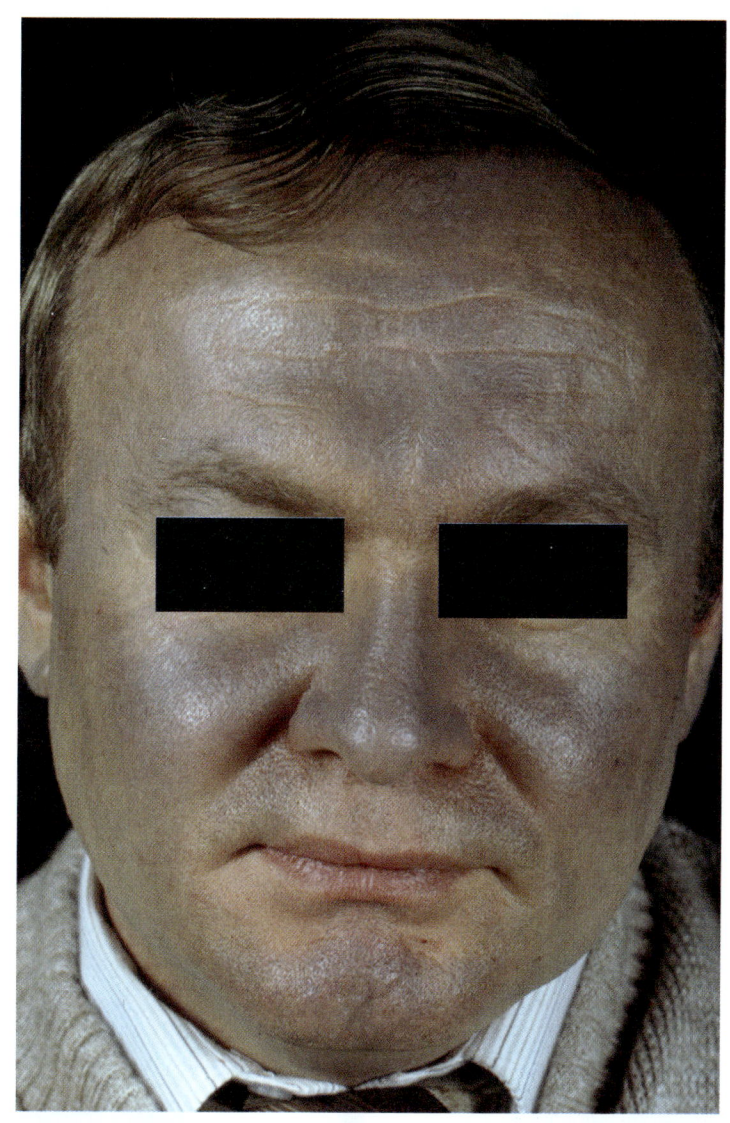

Figura 23-9 Pigmentação induzida por fármacos: amiodarona Mistura notável de pigmentação cinza-ardósia e marrom na face. A cor azulada deve-se ao depósito de melanina e lipofuscina contidas nos macrófagos e nas células endoteliais da derme. A cor marrom deve-se à melanina. A pigmentação é reversível, mas pode levar até 1 ano ou mais para regredir por completo.

cinza-acastanhada e/ou azul-escuro devido à melanina ou à hemossiderina. Sobre a face anterior das pernas; face e nuca; palato duro; sob as unhas das mãos e pés (ver Seção 32); também pode ocorrer na córnea e na retina. *Quinacrina*: Pele e esclera amarela ou amarelo-esverdeada (lembrando icterícia); fluorescência amarelo-esverdeada no leito ungueal sob lâmpada de Wood.

MINOCICLINA Início tardio, geralmente após uma dose total de > 50 g; entretanto pode ocorrer depois de uma pequena dose. Não se deve à melanina, mas a um pigmento marrom contendo ferro. Pigmentação cinza-azulada ou cinza-ardósia (Fig. 23-10). Distribuição nas superfícies extensoras das pernas, tornozelos, dorso dos pés, face, particularmente ao redor dos olhos; locais de traumatismo ou de inflamação, como cicatrizes da acne, contusões, abrasões; palato duro; dentes; unhas.

CLOFAZIMINA Pigmentação alaranjada, marrom-avermelhada (com tonalidades de rosa a negro), mal definida nas áreas expostas à luz; conjuntivas; acompanhada de suor, urina e fezes avermelhados. A gordura subcutânea exibe coloração alaranjada.

ZIDOVUDINA Máculas marrons nos lábios ou na mucosa oral; bandas marrons longitudinais nas unhas.

FENITOÍNA Doses altas durante um longo período de tempo (> 1 ano). A *pigmentação* é mosqueada, semelhante ao melasma, em áreas expostas à luz; causada por melanina.

BLEOMICINA Pigmentação castanha, marrom a negra, devido ao aumento da melanina na epiderme em áreas de inflamação mínima, isto é, faixas lineares paralelas em áreas de escoriação em consequência de escarificação (pigmentação "flagelada"), mais comumente no dorso, nos cotovelos, nas pequenas articulações e nas unhas.

CICLOFOSFAMIDA Pigmentação marrom. Máculas difusas ou isoladas nos cotovelos; palmas com pigmentação semelhante à da doença de Addison (ver Fig. 15-8) e máculas.

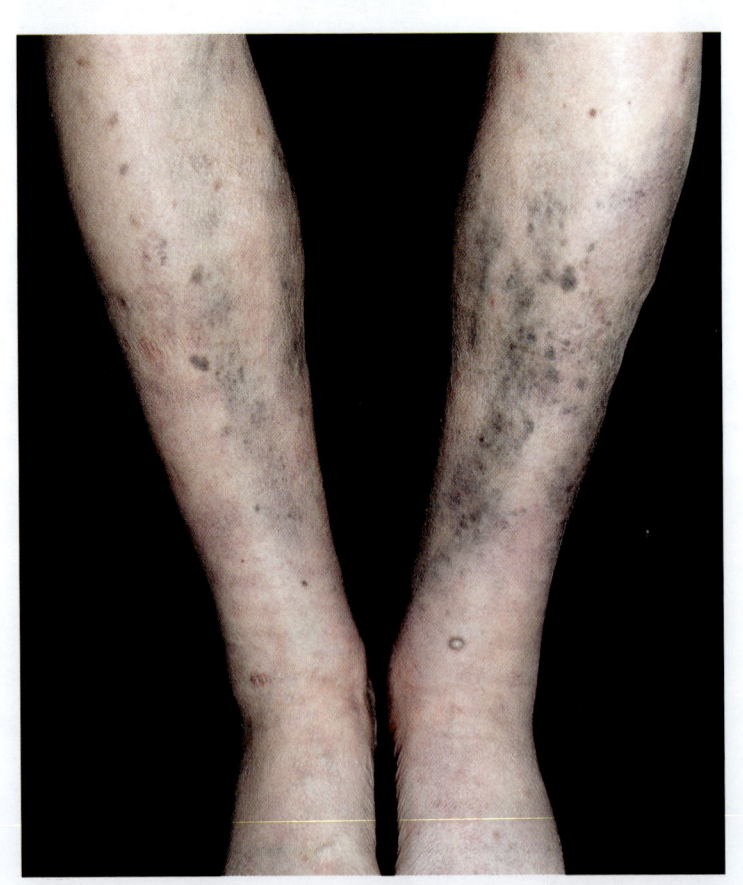

Figura 23-10 Pigmentação induzida por fármacos: minociclina Pigmentação cinza-azulada notável nas pernas. Esta mulher de 75 anos foi tratada com minociclina durante > 1 ano, devido à infecção por micobactérias não tuberculosas.

BUSSULFANO Ocorre em 5% dos pacientes tratados. Pigmentação tipo doença de Addison. Face, axilas, tórax, abdome e mucosa oral.
ACTH Pigmentação addisoniana da pele e da mucosa oral. Os primeiros 13 aminoácidos do ACTH são idênticos aos do hormônio estimulante α-melanócito (MSH) (ver Fig. 15-11).
ESTROGÊNIOS/PROGESTERONA A pigmentação é causada por estrogênios endógenos e exógenos combinados com progesterona, isto é, durante a gravidez ou com uso de contraceptivos orais. A luz solar causa escurecimento acentuado da pigmentação. Coloração castanha/marrom. Melasma (ver Fig. 13-9).

PRATA (ARGIRIA OU ARGIROSE) *Fonte*: gotas nasais de nitrato de prata; sulfadiazina de prata aplicada na forma de pomada. Sulfeto de prata (filme fotográfico). Coloração azul-acinzentada. Ocorre principalmente em áreas expostas à luz, isto é, face, dorso das mãos, unhas e conjuntivas; é também difusa.
FERRO *Fonte*: injeções IM de ferro; transfusões sanguíneas múltiplas. Coloração acastanhada ou azul-acinzentada. Generalizada; além disso, depósitos localizados no local das injeções.
CAROTENO Ingestão de grandes quantidades de vegetais contendo β-caroteno; comprimidos de β-caroteno. Pigmentação amarelo-alaranjado. Mais evidente nas palmas e plantas.

PSEUDOPORFIRIA CID-10: E80.2

- A pseudoporfiria é um distúrbio caracterizado clinicamente por manifestações cutâneas de porfiria cutânea tarda (PCT) (ver Seção 10) sem a excreção anormal característica de porfirina.
- Os fármacos que causam pseudoporfiria incluem: naproxeno, nabumetona, oxaprozina, diflunisal, celecoxibe, tetraciclinas, cetoprofeno, ácido mefenâmico, ácido tiaprofênico, ácido nalidíxico, amiodarona e furosemida.
- Ocorre no dorso das mãos e dos pés com bolhas tensas características, que sofrem ruptura, formam erosões (**Fig. 23-11**) e regridem com formação de cicatrizes e milia.
- Caracteriza-se pela formação de bolhas subepidérmicas com pouca ou nenhuma inflamação da derme e, diferentemente da PCT verdadeira, pouco ou nenhum depósito de imunorreagentes ao redor dos vasos sanguíneos da camada superior da derme e paredes dos capilares.
- Ocorre também uma dermatose bolhosa morfológica e histologicamente indistinguível da PCT em pacientes com insuficiência renal crônica submetidos à hemodiálise de manutenção (ver Seção 18).

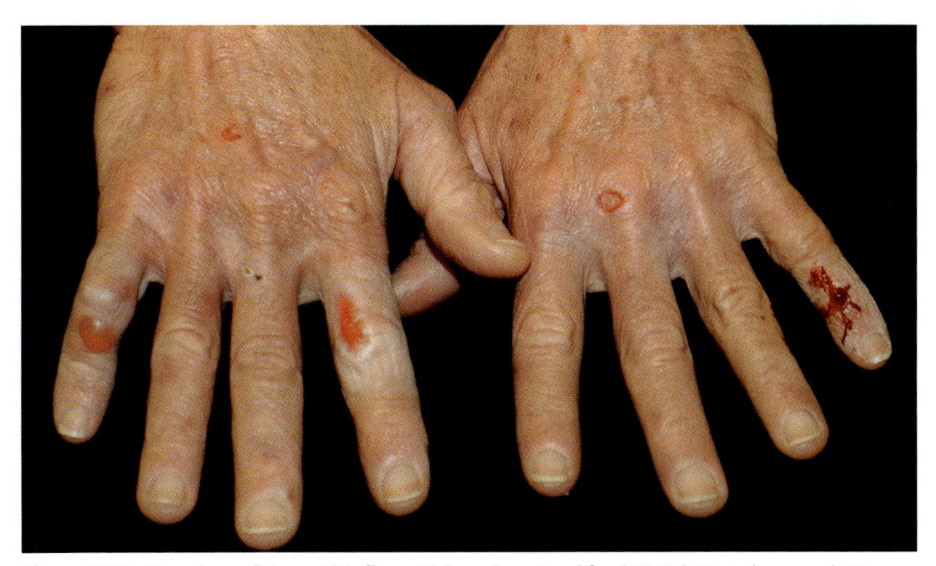

Figura 23-11 Pseudoporfiria: anti-inflamatórios não esteroides (AINEs) Neste homem de 20 anos, as bolhas apareceram no dorso de ambas as mãos, resultando em erosões e crostas, e eram clinicamente indistinguíveis da porfiria cutânea tarda. Todavia, não houve fluorescência na urina, e a determinação das porfirinas foi negativa. O paciente havia utilizado um AINE para tratamento da artrite e tinha disfunção renal.

NECROSE RELACIONADA A RCAF CID-10: T88.7

- Determinados fármacos podem causar necrose cutânea quando administrados por VO ou nos locais de injeção.
- A *necrose cutânea induzida pela varfarina* é uma reação rara, que surge entre o terceiro e o quinto dias de tratamento anticoagulante com derivados da varfarina, manifestada por infarto cutâneo.
- *Fatores de risco*: doses iniciais mais altas, obesidade, sexo feminino; indivíduos com deficiência hereditária de proteína C, proteína S ou deficiência de antitrombina III.
- As lesões variam conforme a intensidade da reação: petéquias, equimoses, infartos hemorrágicos hipersensíveis até necrose extensa; as lesões são bem demarcadas, com coloração púrpura escura a negra (**Fig. 22-12**). *Distribuição*: áreas de gordura subcutânea abundante: mamas (**Fig. 23-12**), nádegas, abdome, coxas, panturrilhas; as regiões acrais são preservadas.
- *Diagnóstico diferencial*: púrpura fulminante (coagulação intravascular disseminada), hematoma/equimose/ infecção necrosante dos tecidos moles, vasculite ou picada da aranha-marrom reclusa.
- A *heparina* pode causar necrose cutânea, geralmente no local da injeção SC (**Fig. 23-13**).
- A α-*IFN* pode causar necrose e ulceração nos locais de injeções, frequentemente no panículo adiposo da região inferior do abdome ou nas coxas (**Fig. 23-14**).
- Os medicamentos que contêm ergotamina causam gangrena acral; os supositórios contendo ergotamina, após uso prolongado, causam escaras negras anais e perianais extremamente dolorosas que, após o seu desprendimento, formam úlceras profundas e dolorosas (**Fig. 23-15**).
- *Embolia cutânea medicamentosa*: necrose profunda que ocorre nos locais de injeção IM de fármacos oleosos administrados inadvertidamente em uma artéria (**Fig. 23-16**).
- A necrose também ocorre em áreas submetidas à pressão em pacientes obnubilados ou profundamente sedados (**Fig. 23-17**).

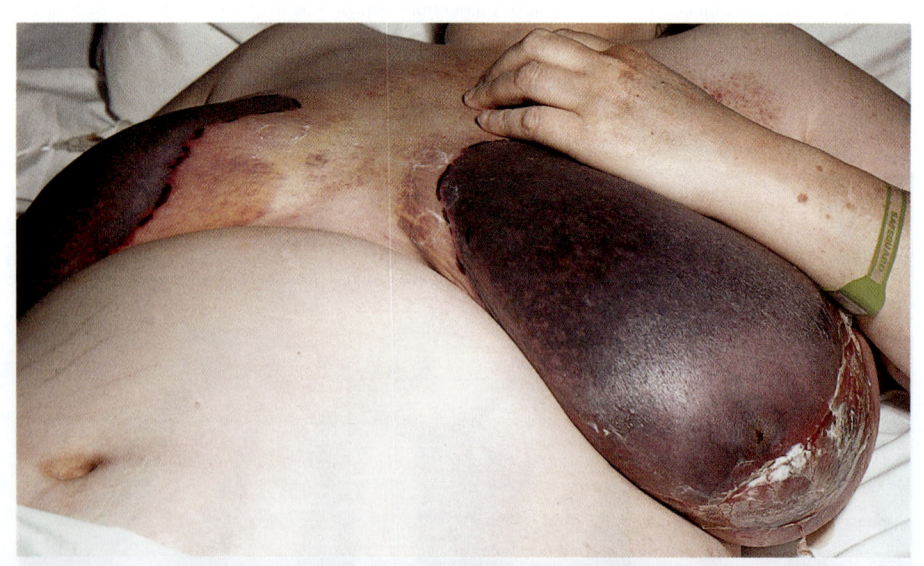

Figura 23-12 Necrose cutânea relacionada a RCAF: varfarina Surgiram áreas bilaterais de infarto cutâneo com coloração púrpura a negra das mamas, circundadas por uma área de eritema, no quinto dia de tratamento com varfarina.

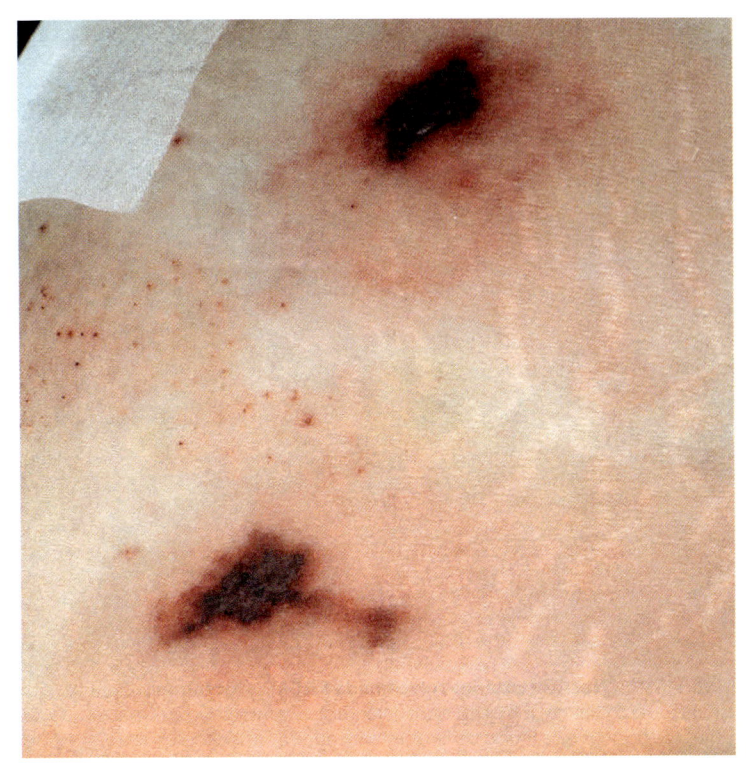

Figura 23-13 Necrose cutânea relacionada a RCAF: heparina Duas lesões irregulares de eritema vermelho-escuro com necrose hemorrágica central no abdome ocorreram no período pós-operatório nesta paciente que recebeu injeção de heparina.

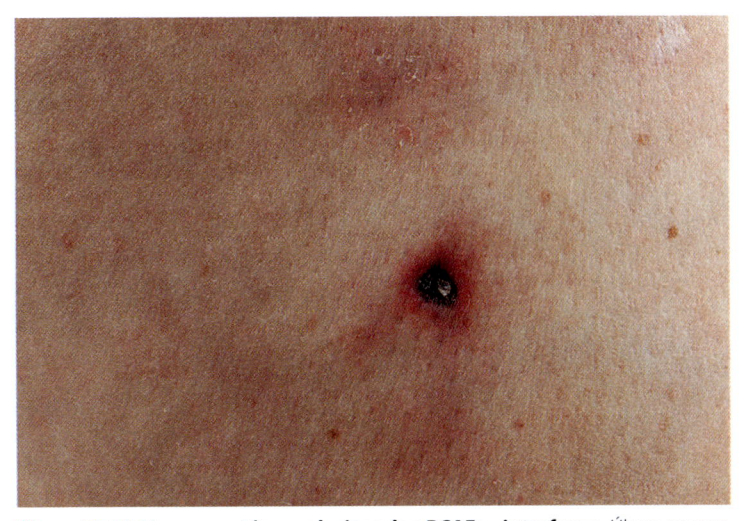

Figura 23-14 Necrose cutânea relacionada a RCAF: α-interferon Úlcera na coxa, no local de injeção de interferona.

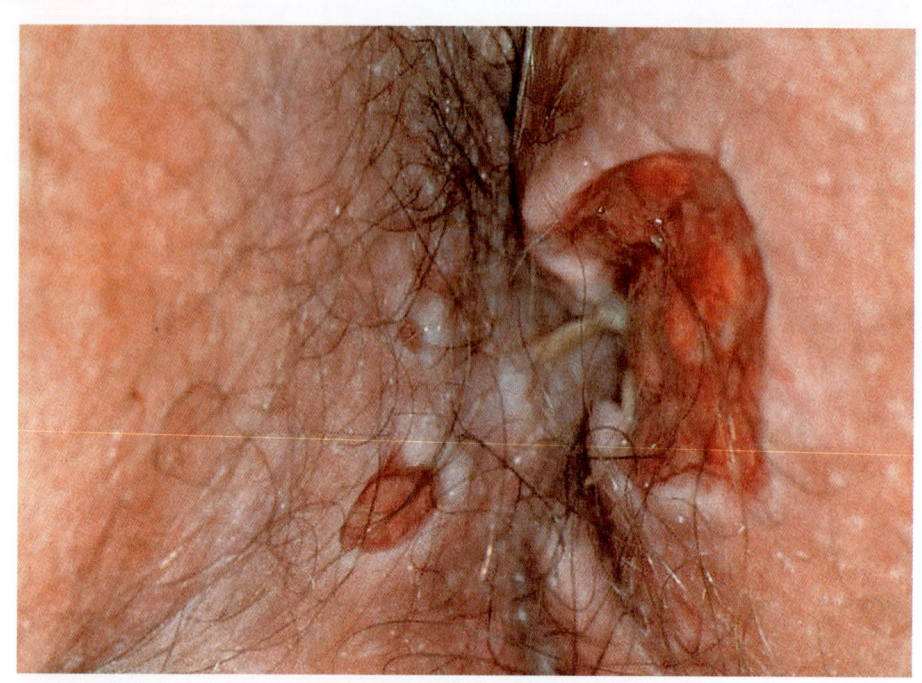

Figura 23-15 Necrose cutânea relacionada a RCAF: ergotamina Este homem de 60 anos usou supositórios de ergotamina para aliviar a dor durante muitos meses. Ocorreu necrose negra e dolorosa seguida de ulceração no ânus e na região perianal, estendendo-se até o reto.

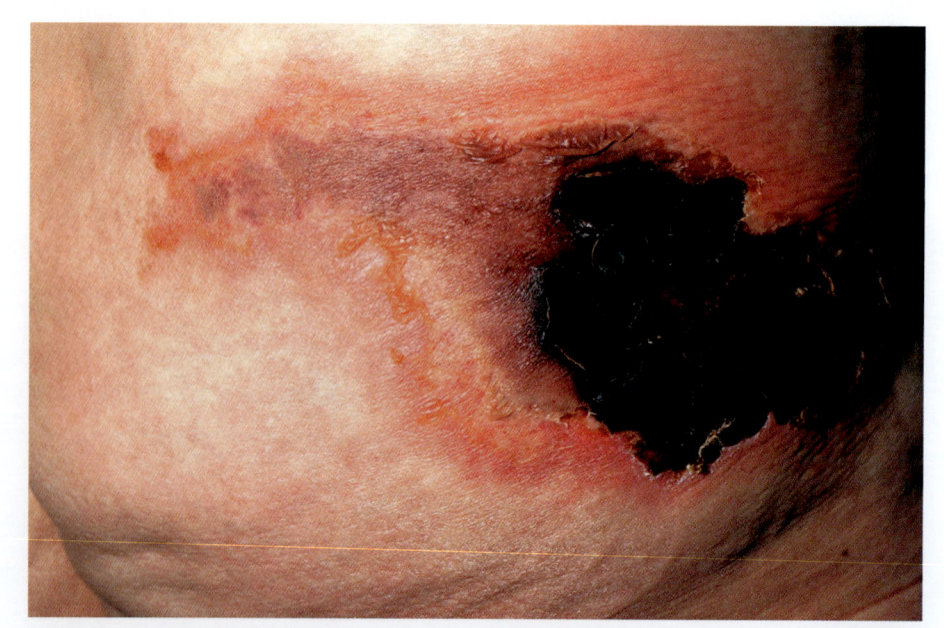

Figura 23-16 Necrose relacionada a RCAF após injeção intramuscular Embolia cutânea medicamentosa. O fármaco (uma preparação oleosa de testosterona) foi injetado inadvertidamente dentro de uma artéria.

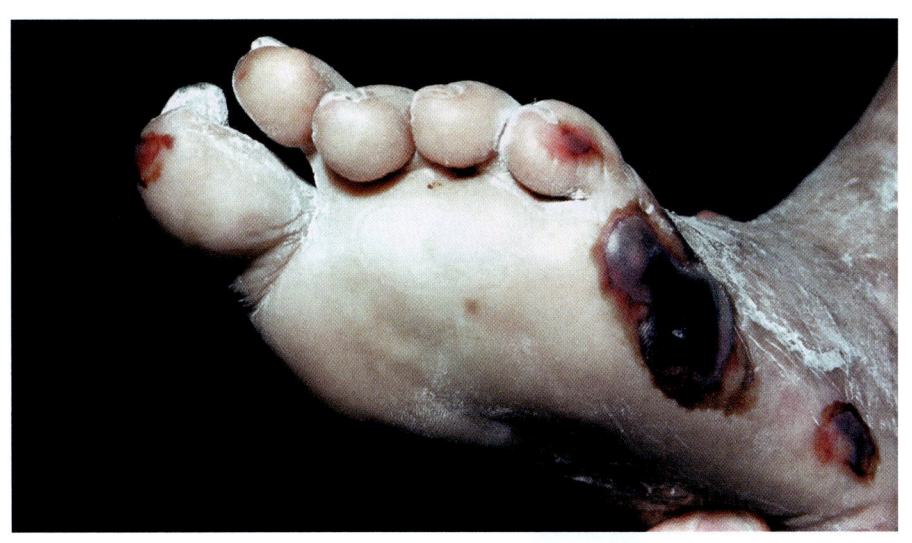

Figura 23-17 Necrose relacionada à reação cutânea adversa a fármaco com formação de bolhas hemorrágicas após superdosagem de barbitúricos Este paciente tentou suicídio.

RCAF RELACIONADA A QUIMIOTERAPIA CID-10: T88.7

- A quimioterapia pode induzir toxicidade cutânea local e sistêmica, com ampla variedade de manifestações cutâneas, desde benignas até potencialmente fatais.
- A RCAF pode estar associada a superdosagem, efeitos colaterais farmacológicos, toxicidade cumulativa, toxicidade tardia ou interações medicamentosas.
- As manifestações clínicas variam desde alopécia (ver Seção 31) e anormalidades ungueais (ver Seção 32) até mucosite e eritema acral, frequentemente com anormalidades sensoriais: disestesia palmoplantar (capecitabina, citarabina, doxorrubicina, fluoruracila).
- Os agentes quimioterápicos também são responsáveis pela inflamação e ulceração nos locais de extravasamento de medicamentos intravenosos, como doxorrubicina ou taxol, que podem ser seguidas de necrose da pele com ulceração.
- Outras reações incluem "memória" da ou intensificação por radiação (como no caso do metotrexato), erosão ou ulceração da psoríase devido à superdosagem de metotrexato, inflamação e desprendimento das ceratoses actínicas devido ao uso de 5-fluoruracila ou fludarabina, ou erosões causadas pela cisplatina mais 5-fluoruracila (**Fig. 23-18A**).
- O **Quadro 23-7** fornece uma lista dos agentes quimioterápicos mais recentes, incluindo agentes biológicos e as RCAFs que causam.

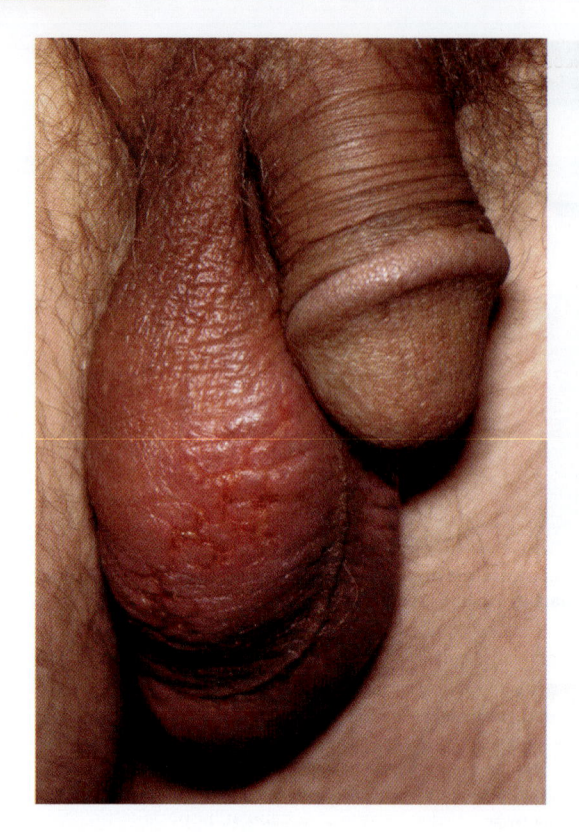

Figura 23-18 Celulite relacionada a RCAF *Erosões causadas por cisplatina e 5-fluoruracila (5-FU).* Este paciente recebeu quimioterapia com cisplatina e 5-FU. Surgiram lesões erosivas dolorosas no escroto, e houve também mucosite erosiva.

QUADRO 23-7 Agentes quimioterápicos mais recentes e suas RCAFs

Classe	Agentes	RCAF[a]
Inibidores do fuso	Taxanos: docetaxel, paclitaxel	Reação cutânea mão-pé,[b] com anormalidades sensoriais associadas: eritrodisestesia; urticária por memória da radiação, exantemas, mucosite, alopécia, alterações ungueais (ver Seção 32); alterações semelhantes à esclerodermia nos membros inferiores; lúpus eritematoso cutâneo subagudo (LECS), PEGA e erupção fixa por fármacos (paclitaxel)
	Alcaloides da vinca: vincristina, vimblastina, vinorelbina	Flebite, alopécia, eritema acral, reações ao extravasamento (incluindo necrose)
Antimetabólitos	Fludarabina	Hiperpigmentação supravenosa em serpentina, exantema macular ou papular, mucosite, eritema acral, pênfigo paraneoplásico, LECS induzido por fármacos
	Cladribina	Exantema, NET (?)
	Capecitabina	Reação cutânea mão-pé,[b] hiperpigmentação acral, ceratodermia palmoplantar, granuloma piogênico, inflamação das ceratoses actínicas

(continua)

QUADRO 23-7 Agentes quimioterápicos mais recentes e suas RCAFs *(continuação)*

Classe	Agentes	RCAF[a]
	Tegafur	Reação cutânea mão-pé,[b] hiperpigmentação acral; pitiríase liquenoide e varioliforme aguda, reações fototóxicas
	Gencitabina	Mucosite, alopécia, exantema maculopapular memória da radiação, dermatose bolhosa IgA linear, pseudoesclerodermia, lipodermatosclerose, placas semelhantes à erisipela, pseudolinfoma, papulose linfomatoide
	Pemetrexede	Exantema, memória da radiação, vasculite urticariforme
Agentes genotóxicos	Carboplatina	Alopécia, reação de hipersensibilidade (eritema, edema facial, dispneia, taquicardia, sibilos), eritema palmoplantar, rubor facial
	Oxaliplatina	Reação de hipersensibilidade (ver anteriormente); reação irritativa por extravasamento; memória da radiação
	Doxorrubicina lipossômica	Eritema acral, eritrodisestesia palmoplantar, hidradenite écrina neutrofílica, hiperpigmentação (azul-acinzentada), mucosite, alopécia, exantemas, memória da radiação, reativação por luz ultravioleta
	Daunorrubicina lipossômica	Alopécia, mucosite, reações ao extravasamento
	Idarrubicina	Memória da radiação; alopécia, eritema acral, mucosite, alterações ungueais (faixas pigmentadas transversas), reações ao extravasamento
	Topotecana	Exantema maculopapular, alopécia, hidradenite neutrofílica
	Irinotecano	Mucosite, alopécia, reações liquenoides
Inibidores da transdução de sinais	Antagonistas do EGFR: gefitinibe, cetuximabe, erlotinibe, panitumumabe	Erupções papulopustulares em áreas seborreicas, placas eritematosas, telangiectasias; xerose, paroníquia; anormalidades dos pelos (tricomegalia, encrespamento, fragilidade; ver Seção 31). Costuma começar 1 semana após o início do fármaco. Pode ser tratado com antibióticos tópicos, retinoides (tópicos ou sistêmicos). Também pode causar paroníquia, tricomegalia, vasculite leucocitoclástica, urticária, anafilaxia e eritema necrolítico migratório
	Inibidores multiquinase: imatinibe	Exantema maculopapular (face, antebraços, tornozelos), dermatite esfoliativa, reação semelhante à reação do enxerto contra hospedeiro, eritema nodoso, vasculite, SSJ, PEGA; hipopigmentação, hiperpigmentação, escurecimento dos pelos, hiperpigmentação ungueal, erupção semelhante ao líquen plano (pele e mucosa oral), mucinose folicular, erupção semelhante à pitiríase rósea, síndrome de Sweet, exacerbação da psoríase, hiperceratose palmoplantar, porfiria cutânea tarda, linfoma cutâneo primário de células B associado ao EBV

(continua)

QUADRO 23-7 Agentes quimioterápicos mais recentes e suas RCAFs *(continuação)*

Classe	Agentes	RCAF[a]
	Dasatinibe e nilotinibe	Eritema localizado e generalizado, exantema maculopapular, mucosite, prurido, esfoliação, alopécia, xerose, "acne", urticária, paniculite, síndrome de Sweet
	Sorafenibe e sunitinibe	Erupção/descamação, reação cutânea mão-pé,[b] dor, alopécia, mucosite, xerose, edema com rubor, dermatite seborreica, coloração amarelada da pele (sunitinibe, 1 semana após iniciar o fármaco), hemorragias subungueais em "estilhaço", pioderma gangrenoso, CEC (tipo KA) e lesões melanocíticas eruptivas (sorafenibe)
Inibidor do proteassomo	Bortezomibe	Nódulos e placas eritematosos, exantema morbiliforme, ulceração, vasculite e síndrome de Sweet
Imunomoduladores	Ipilimumabe (CTLA-4 AB)	Efeitos colaterais imunomediados: erupção macular e papular, prurido, hepatite, vitiligo, hipotireoidismo, enterocolite, hepatite, SSJ/NET
	Pembrolizumabe e nivolumabe (anticorpo contra o receptor PD-1)	Efeitos colaterais imunomediados: erupção macular e papular, prurido, vitiligo, hipotireoidismo, enterocolite, hepatite, mucosite
Inibidores de BRAF	Vemurafinibe	Erupção cutânea (68%), artralgias, fotossensibilidade (42%), CEC (23%, mais comum nos primeiros meses)
	Dabrafenibe	Febre, cefaleia e erupção cutânea

[a]São listadas apenas reações adversas cutâneas.
[b]Reação cutânea mão-pé: eritema hiperceratótico com halo de eritema, hipersensível, localizado em áreas de pressão nas pontas dos dedos das mãos, dedos dos pés e calcanhares.
Fonte: De N Haidary et al. J Am Acad Dermatol. 2008; 58:545. Favor observar que este quadro também foi complementado pelos autores.

SEÇÃO 24

DISTÚRBIOS DE ETIOLOGIA PSIQUIÁTRICA

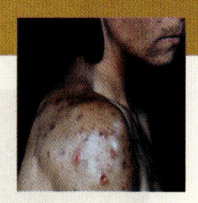

SÍNDROME DISMÓRFICA CORPORAL (SDC)   CID-10: F45.2

- Os pacientes com síndrome dismórfica consideram sua imagem distorcida aos olhos das outras pessoas; isso se torna quase uma obsessão.
- O paciente com SDC geralmente não consulta um psiquiatra, mas sim um dermatologista ou um cirurgião plástico. O paciente característico é solteiro, do sexo feminino, adulto jovem e ansioso.
- As queixas dermatológicas comuns localizam-se na face (rugas, acne, cicatrizes, hipertricose, xerose labial), couro cabeludo (calvície incipiente, crescimento capilar excessivo), genitália (glândulas sebáceas normais no pênis, escroto vermelho, vulva vermelha, odor vaginal), hiperidrose e bromidrose.
- O tratamento é problemático. Uma estratégia é estabelecer uma relação de confiança com o paciente; em algumas consultas, a queixa pode ser explorada e mais bem discutida.
- Se paciente e médico não concordarem que a queixa seja uma alteração cutânea ou capilar muito exagerada, há indicação para encaminhamento ao psiquiatra; essa orientação geralmente não é aceita, e o problema pode persistir indefinidamente.

DELÍRIO DE PARASITOSE   CID-10: F22.0

- Nesse transtorno raro que ocorre em adultos e persiste por meses ou anos, há dor ou parestesias associadas a numerosas lesões de pele, em sua maioria escoriações, que o paciente acredita serem resultado de infestação por parasitas (**Fig. 24-1A**).
- A instalação do prurido ou parestesia inicial pode estar relacionada à xerose ou, inclusive, a uma infestação real prévia tratada.
- Os pacientes fustigam com as unhas ou escavam sua pele com agulhas ou pinças para remover os "parasitas" (**Fig. 24-1B**).
- É importante afastar outras causas de prurido. Trata-se de um problema grave; os pacientes realmente sofrem e se opõem a buscar auxílio psiquiátrico.
- O paciente deve ser encaminhado ao psiquiatra para ao menos uma consulta e recomendação de tratamento farmacológico: pimozida mais algum antidepressivo. O tratamento é difícil e, muitas vezes, malsucedido.

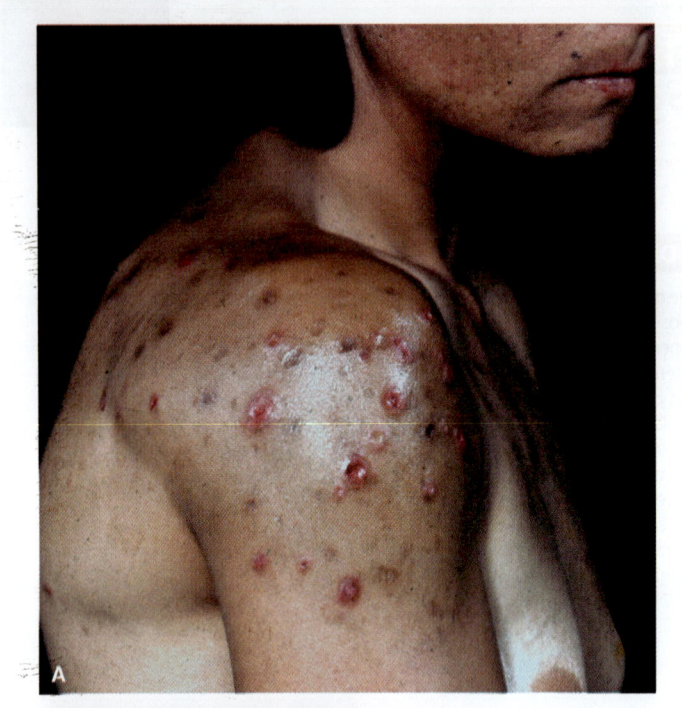

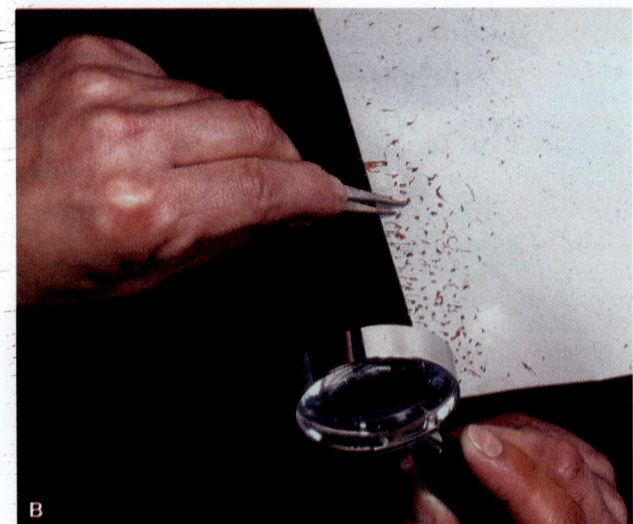

Figura 24-1 Delírio de parasitose (A) Geralmente os pacientes coletam pequenos debris de sua pele, raspando com as unhas ou com algum instrumento, e os mostram ao médico para exame de parasitas. Neste caso, foram utilizadas pinças, tendo como resultado úlceras, lesões crostosas e cicatrizes. **(B)** Ocasionalmente, o quadro pode evoluir com comportamento agressivo como o apresentado neste caso, em que a paciente mostrou como coletava os "parasitas" de sua pele sobre um pedaço de papel. Na maioria dos casos, os pacientes não são dissuadidos de seu delírio monossintomático.

ESCORIAÇÕES NEURÓTICAS E TRICOTILOMANIA CID-10: L98.1, F63.3

- *Escoriações neuróticas* não são raras, e ocorrem mais em mulheres entre a terceira e a quinta décadas de vida.
- Os pacientes podem relacionar o início a um evento específico ou a estresse crônico; os pacientes negam as beliscadas e arranhões.
- Clinicamente observa-se uma mistura de diversos tipos de lesão, principalmente escoriações, todas produzidas pelo hábito de beliscar a pele com as unhas; principalmente no rosto (**Fig. 24-2**), no dorso (**Fig. 24-3**) e nos membros, mas também em outros locais. É possível que haja máculas despigmentadas atróficas ou hiperpigmentadas → cicatrizes (**Fig. 24-3**).
- As lesões localizam-se apenas em pontos alcançáveis pelas mãos do paciente e, consequentemente, com frequência poupam a região central do dorso.
- Talvez haja necessidade de orientação psiquiátrica se o problema não for resolvido, considerando-se que possa causar desfiguração estética da face e ser fonte de desagregação familiar. A evolução é prolongada, a não ser que sejam feitos ajustes na vida.
- A pimozida tem se mostrado útil, mas deve ser utilizada com cautela e sob orientação e monitoramento de psicofarmacologista. Também podem ser utilizados antidepressivos.
- **Tricotilomania.** Trata-se de desejo ou hábito compulsivo de arrancar os cabelos. Pode ocorrer no couro cabeludo ou em qualquer região com pelos (p. ex., barba). Confluência de áreas com pelos esparsos e muito curtos, pequenas áreas de alopécia e áreas normais (**Fig. 24-4**). Mais acentuada do lado da mão dominante. Pode estar associada a escoriações neuróticas induzidas por arrancos vigorosos com pinça. Microscopicamente, pelos na fase anágena, pelos quebradiços e cilindros pigmentares. Tratamento semelhante ao das escoriações neuróticas.

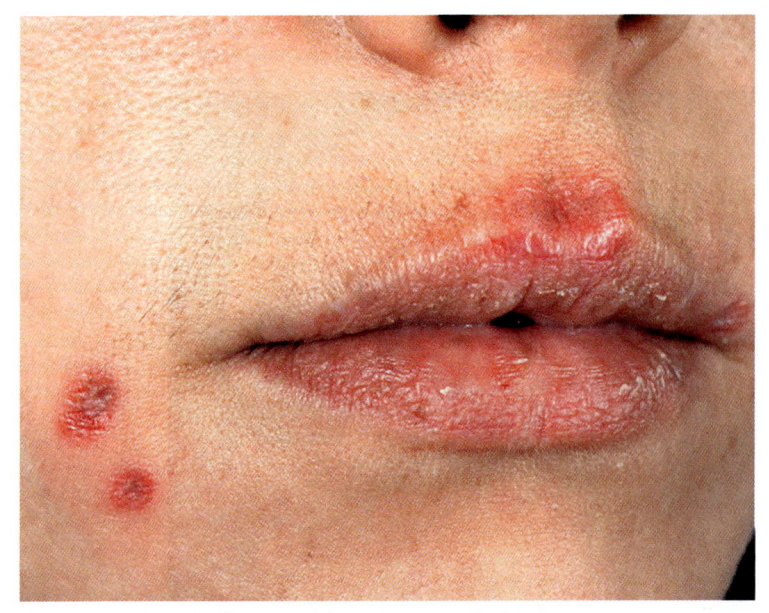

Figura 24-2 Escoriações neuróticas Diversas máculas eritematosas e crostosas e lesões sobre a região inferior da bochecha e o lábio superior em uma jovem de 19 anos com acne facial leve. Não se observam lesões primárias. A paciente, moderadamente depressiva, apresentava lesões acneiformes leves, que eram compulsivamente manipuladas com suas unhas.

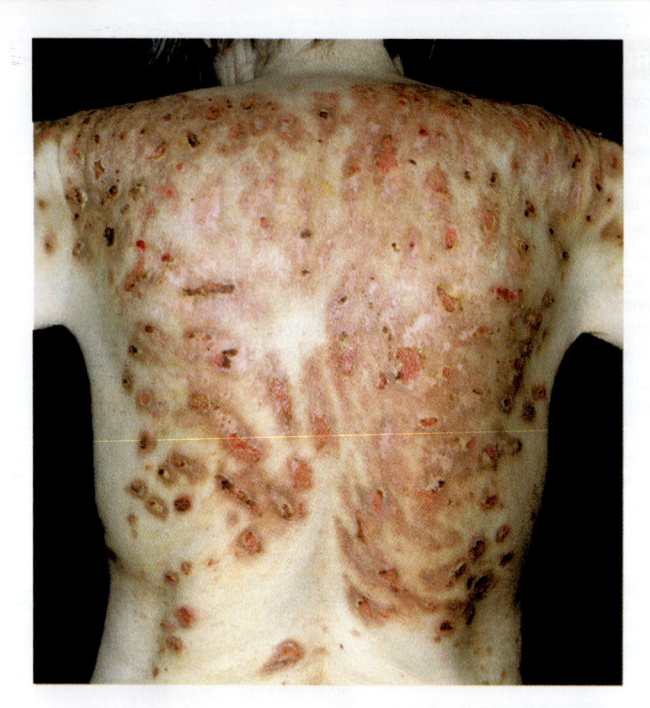

Figura 24-3 Escoriações neuróticas: dorso Escoriações nas regiões superior e média do dorso e nas nádegas (não mostradas) e áreas lineares de hiperpigmentação pós-inflamatória, com crosta e cicatrizes em uma mulher diabética com 66 anos. As lesões estavam presentes há no mínimo 10 anos. A lesão ulcerada crostosa foi resolvida com oclusão com fita adesiva. Após a retirada da proteção, a paciente retomou o processo de escoriação.

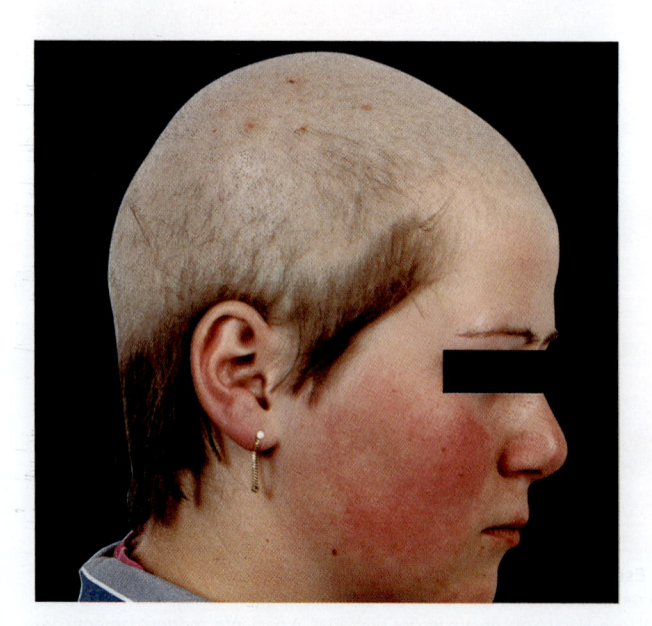

Figura 24-4 Tricotilomania Esta alopécia extensa em paciente de 17 anos foi causada por prática de puxar e arrancar o cabelo. A paciente parecia equilibrada, mas levemente deprimida e tinha conflitos graves com seus pais. Após ser bastante questionada, ela admitiu que arrancava o cabelo.

SÍNDROMES FACTÍCIAS (SÍNDROME DE MÜNCHHAUSEN) CID-10: F68.1

- O termo *factício* significa "artificial" e, nesse quadro, há lesões dermatológicas autoinflingidas; o paciente pode negar responsabilidade ou admitir a mutilação deliberada da pele.
- Ocorre em adultos jovens, predominantemente no sexo feminino. A história da evolução das lesões é vaga (história "vazia").
- As lesões podem estar presentes há semanas, meses ou anos (**Fig. 24-5**).
- O paciente pode ter aspecto normal e agir normalmente, embora com frequência cause impressão de estranheza e tenha personalidade bizarra.
- As lesões cutâneas são cortes (**Fig. 24-5**), úlceras e escaras necróticas muito aderidas (**Fig. 24-6**). O formato das lesões pode ser linear (**Fig. 24-5**), bizarro, com padrões geométricos, singulares ou múltiplos. O diagnóstico pode ser difícil, mas a natureza das lesões (formatos geométricos bizarros) sugere imediatamente a etiologia artificial.
- É importante afastar todas as outras causas possíveis – infecções crônicas, granulomas e vasculite – e proceder à biópsia antes de firmar o diagnóstico de *dermatose factícia*, em benefício do paciente e porque o médico pode ser acusado de imperícia se não diagnosticar um eventual processo verdadeiramente patológico.
- Com frequência, há algum transtorno de personalidade ou estresse psicossocial, ou alguma doença psiquiátrica.
- O problema demanda muito tato por parte do médico, que pode evitar algum resultado grave (como suicídio) construindo uma relação de empatia com o paciente para determinar a causa.
- O quadro pode persistir por anos nos pacientes que tenham escolhido sua pele como órgão-alvo de seus conflitos. Há indicação clara de encaminhamento para avaliação e tratamento psiquiátrico.

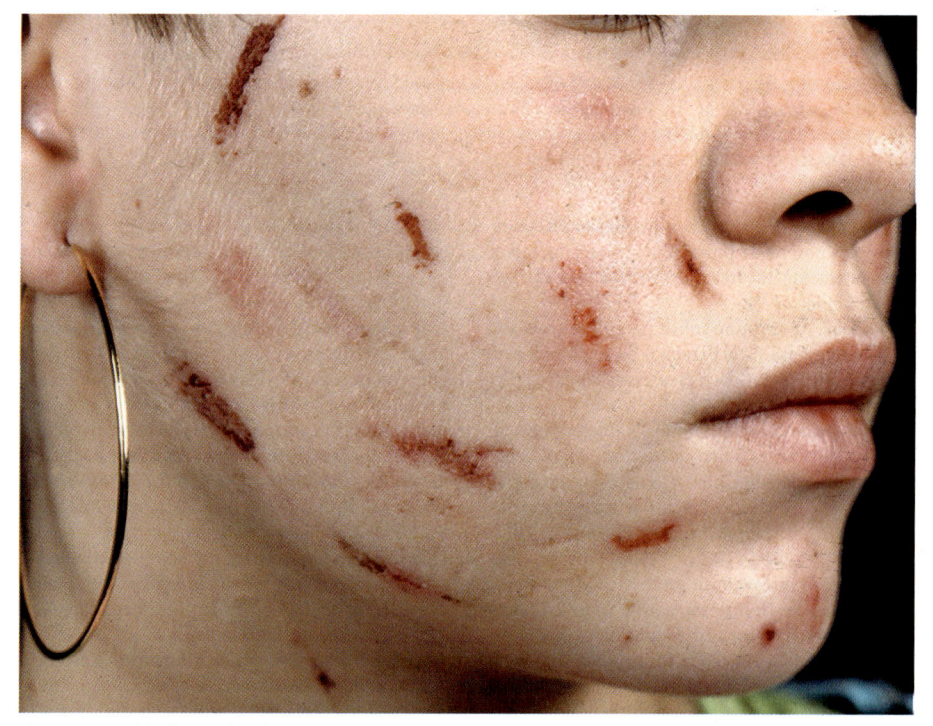

Figura 24-5 Síndrome factícia Estes cortes lineares foram autoinflingidos com uma gilete por uma paciente com síndrome *borderline*. Cortes semelhantes muito mais profundos foram encontrados nos antebraços.

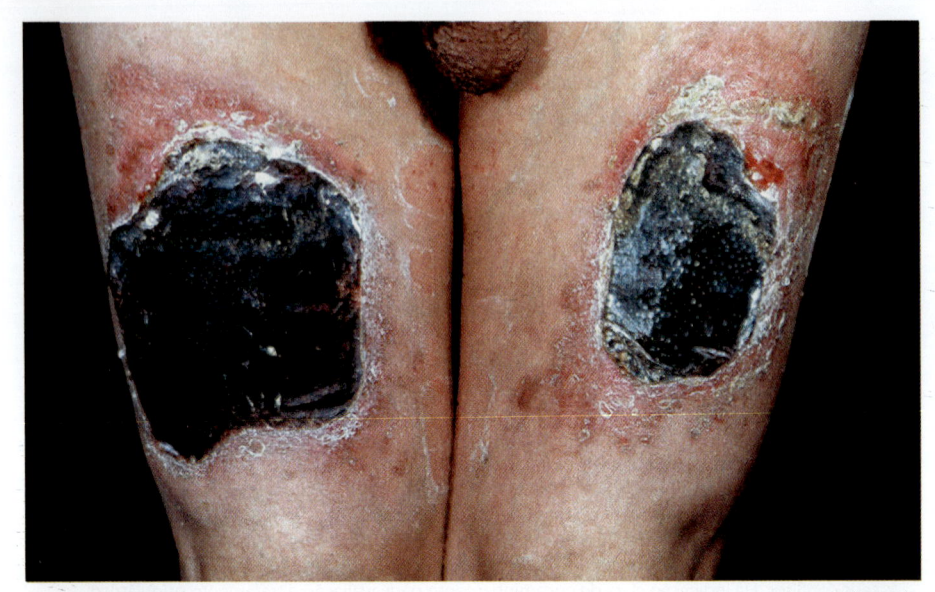

Figura 24-6 Síndrome factícia Estas lesões necróticas foram autoprovocadas com a aplicação de ácido sulfúrico diluído e bandagens apertadas. O paciente parecia equilibrado e se recusou a consultar um psiquiatra.

SINAIS CUTÂNEOS DE USO DE DROGAS INJETÁVEIS

- Os usuários de drogas injetáveis com frequência desenvolvem estigmas cutâneos em consequência de seu vício, com injeções subcutâneas ou intravasculares.
- As lesões cutâneas variam desde reação contra corpo estranho em resposta ao material injetado, passando por infecções até cicatrizes.

REAÇÕES ÀS INJEÇÕES CUTÂNEAS Lesão cutânea. Múltiplos pontos de punção nos locais injetados, frequentemente lineares sobre as veias ou cicatrizes lineares (Fig. 24-7).

Tatuagens. O carbono sobre as agulhas (causado pela chama para esterilização) pode resultar em tatuagem inadvertida e cicatrizes lineares pigmentadas (Fig. 24-8).

Granuloma de corpo estranho. A injeção subcutânea de adulterantes (talco, açúcar, amido, bicarbonato de sódio, farinha, fibras de algodão, vidro, etc.) pode desencadear uma reação de corpo estranho ± celulite ± granuloma ± ulceração (Fig. 24-9).

REAÇÕES ÀS INJEÇÕES INTRAVASCULARES Lesão venosa. A injeção intravenosa pode causar trombose, tromboflebite, flebite séptica. É comum haver edema crônico de membro superior.

Lesão arterial. As injeções intra-arteriais crônicas podem resultar em dor no local da injeção, cianose, eritema, déficits sensoriais e motores e comprometimento vascular (insuficiência vascular/gangrena).

INFECÇÕES Transmissão de agentes infecciosos. O uso de drogas injetáveis pode resultar na transmissão de HIV, hepatite B e hepatite C com infecções sistêmicas potencialmente fatais.

Infecção no local de injeção. Entre as infecções locais, estão celulite (Fig. 24-9), abscesso, linfangite, flebite/tromboflebite séptica. Os microrganismos mais comuns são os do usuário da droga; por exemplo, *S. aureus* e *Streptococcus* do grupo A. Microrganismos menos comuns: bactérias entéricas, anaeróbios, *Clostridium botulinum*, flora oral, fungos (*Candida albicans*) e infecções polimicrobianas.

Infecções sistêmicas. A injeção intravenosa de micróbios pode resultar em infecção do endotélio vascular, principalmente de valva cardíaca, causando endocardite infecciosa.

Cicatrizes atróficas em saca-bocado. Resultam de infecções subcutâneas após reação inflamatória (estéril ou infectada) ao material injetado (Fig. 24-7).

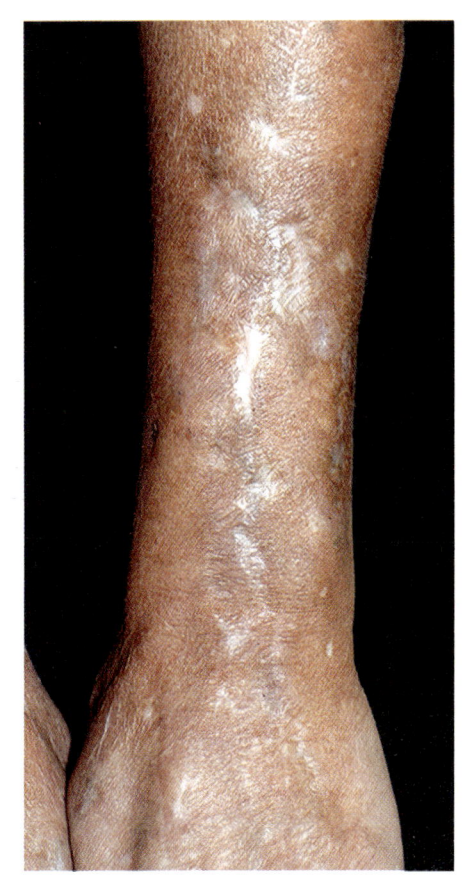

Figura 24-7 Uso de droga injetável: trajetos de injeção na veia no antebraço Criam-se trajetos lineares com punções, fibrose e crostas com as injeções diárias nas veias superficiais.

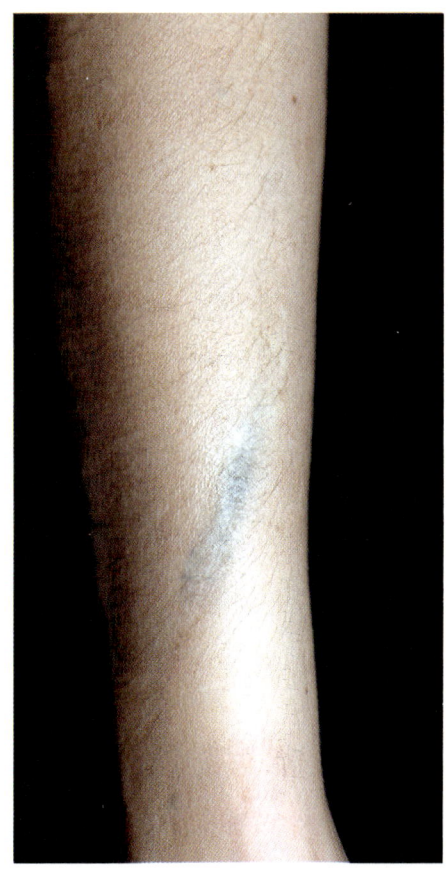

Figura 24-8 Tatuagens lineares Produzidas pelo carbono sobre as agulhas utilizadas nas injeções intravenosas.

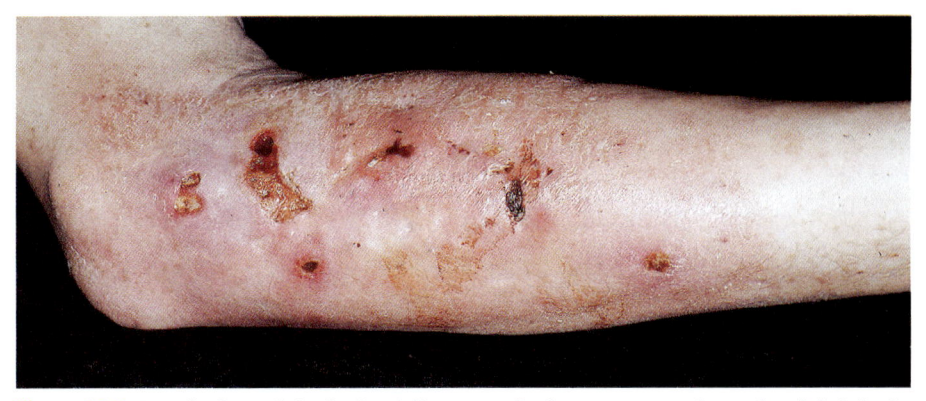

Figura 24-9 Uso de droga injetável: celulite e reação de corpo estranho no local da injeção
O paciente injetava droga no tecido subcutâneo assim como nas veias do antebraço, resultando em reação do tipo corpo estranho e em celulite por *S. aureus* com bacteremia associada e endocardite infecciosa.

PARTE III

DOENÇAS CAUSADAS POR AGENTES MICROBIANOS

SEÇÃO 25

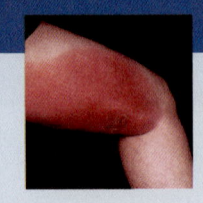

COLONIZAÇÕES E INFECÇÕES BACTERIANAS DA PELE E DOS TECIDOS MOLES

A microbiota, ou microbioma, humana é constituída por diversas espécies de vírus, bactérias, fungos e outras espécies que vivem na superfície da pele e dentro do corpo humano. Elas fazem parte do organismo, assim como o ser humano também faz parte desse complexo ecossistema. O corpo humano contém mais de 10 vezes mais células microbianas do que células humanas. A pele sustenta uma variedade de comunidades microbianas que habitam nichos distintos. A colonização microbiana da pele é mais densa nas áreas intertriginosas úmidas e ocluídas, como as axilas, a região anogenital e os espaços interdigitais dos pés. O estrato córneo intacto representa a mais importante defesa contra a invasão de bactérias patogênicas.

Os estafilococos coagulase-negativos normalmente colonizam a pele pouco depois do nascimento e não são considerados patógenos quando isolados em culturas de amostras da pele.

A proliferação excessiva da flora em áreas ocluídas resulta em síndromes clínicas, como *eritrasma*, *ceratólise sulcada* e *tricomicose*.

Pioderma é um termo arcaico, que literalmente significa "pus na pele". As infecções da pele e dos tecidos moles, que são comumente causadas pelo Staphylococcus aureus e por estreptococos do grupo A (EGAs), têm sido designadas como "pioderma". O pioderma gangrenoso é um processo inflamatório *não infeccioso*, frequentemente associado a um distúrbio sistêmico, como doença inflamatória intestinal.

S. aureus coloniza as narinas e a pele intertriginosa de modo intermitente, pode penetrar no estrato córneo e causar *infecções cutâneas*, como impetigo e foliculite. Infecções mais profundas resultam em *infecções dos tecidos moles*. S. aureus resistente à meticilina (MRSA) é um patógeno importante nas infecções adquiridas na comunidade (MRSA-AC) e nas infecções adquiridas no hospital MRSA-AH. A cepa USA300 do MRSA constitui a principal causa de infecções da pele e dos tecidos moles, bem como de infecções mais invasivas na comunidade e no contexto dos serviços de saúde.

Em geral, o EGA coloniza inicialmente a pele e, em seguida, a nasofaringe. Os estreptococos do grupo B (EGBs; *Streptococcus agalactiae*) e os estreptococos do grupo G (EGGs) β-hemolíticos colonizam o períneo de alguns indivíduos e podem causar infecções superficiais e invasivas.

A produção cutânea de toxinas por bactérias (S. aureus e EGA) provoca intoxicações sistêmicas, como a síndrome do choque tóxico (SCT) e a escarlatina.

ERITRASMA CID-10: L08.1

- Etiologia. *Corynebacterium minutissimum*, um bacilo Gram-positivo (difteroide); normalmente faz parte do microbioma humano. O seu crescimento é favorecido por microclima cutâneo úmido.

MANIFESTAÇÃO CLÍNICA

Assintomático, exceto pela ocorrência de alteração sutil da cor da pele.

Placas nitidamente demarcadas (Fig. 25-1). Castanhas ou rosadas; hiperpigmentação pós-inflamatória em indivíduos de pele mais escura.

Nas regiões interdigitais dos pés, podem ser maceradas (Fig. 25-2). *Distribuição*: pele intertriginosa, isto é, espaços interdigitais dos pés (Fig. 25-2), dobras inguinais, axilas, outros locais ocluídos.

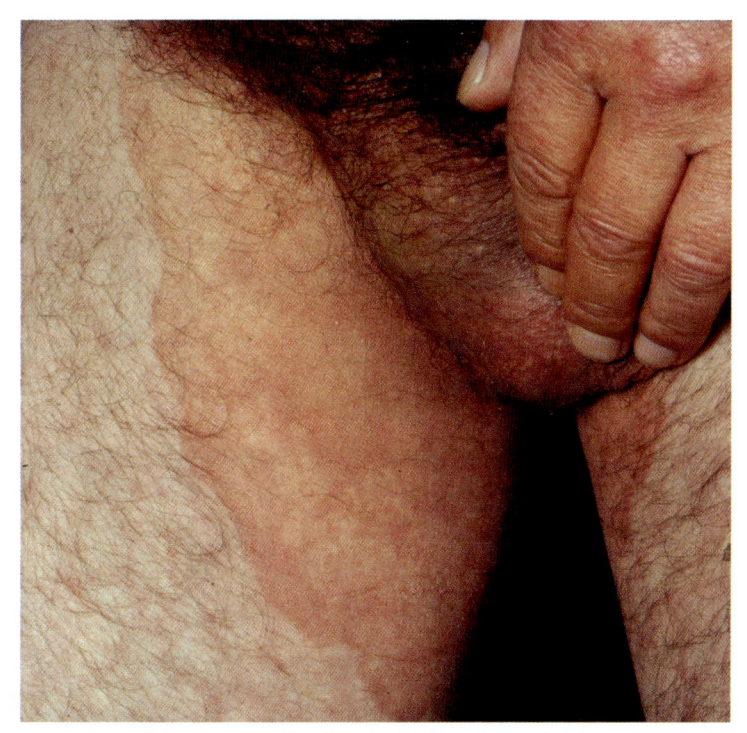

Figura 25-1 Eritrasma: regiões inguinais Placas castanhas bem-demarcadas nas flexuras genitocrurais. O exame com lâmpada de Wood demonstra fluorescência vermelho-coral brilhante, que diferencia o eritrasma da psoríase intertriginosa. A preparação com KOH foi negativa para hifas.

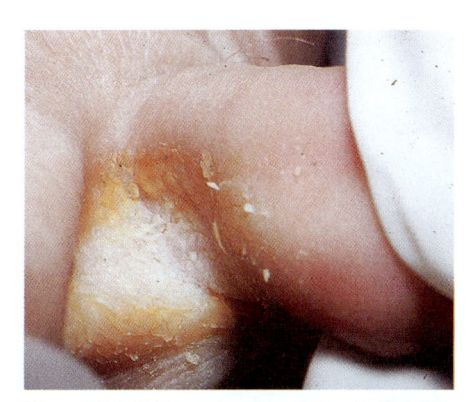

Figura 25-2 Eritrasma: espaço interdigital Esta membrana interdigital macerada emitiu fluorescência vermelho-coral brilhante quando examinada com lâmpada de Wood; a preparação com KOH foi negativa para hifas. Nos climas temperados, os espaços interdigitais constituem o local mais comum de eritrasma. Em alguns casos, a *tinea interdigitalis* e/ou o intertrigo por *Pseudomonas* podem coexistir.

DIAGNÓSTICO

O exame com lâmpada de Wood demonstra fluorescência vermelho-coral. A preparação com KOH é negativa; exclui a possibilidade de dermatofitose epidérmica.

DIAGNÓSTICO DIFERENCIAL

Psoríase intertriginosa, dermatofitose epidérmica, pitiríase versicolor, doença de Hailey-Hailey.

EVOLUÇÃO

Persiste e sofre recidiva, a não ser que o microclima seja modificado.

TRATAMENTO

Habitualmente controlado com lavagem com peróxido de benzoíla, ou higienização com álcool em gel. A loção de clindamicina e a eritromicina são benéficas.

CERATÓLISE SULCADA

- Etiologia. *Kytococcus sedentarius*. Faz parte do microbioma humano nas plantas dos pés na presença de hiperidrose; produz duas proteases extracelulares que podem digerir a ceratina.

MANIFESTAÇÃO CLÍNICA

Depressões perfurantes no estrato córneo, de 1 a 8 mm de diâmetro (Fig. 25-3). As depressões podem permanecer isoladas ou podem se tornar confluentes, formando grandes áreas de estrato córneo erosado. As lesões são mais aparentes na presença de hiperidrose e maceração. Acometimento simétrico ou assimétrico dos pés. *Distribuição:* áreas sujeitas a pressão, superfície ventral dos dedos dos pés, coxins gordurosos dos pés, calcanhar; interface dos dedos dos pés.

DIAGNÓSTICO

Diagnóstico clínico. Preparação com KOH para excluir a *tinea pedis*.

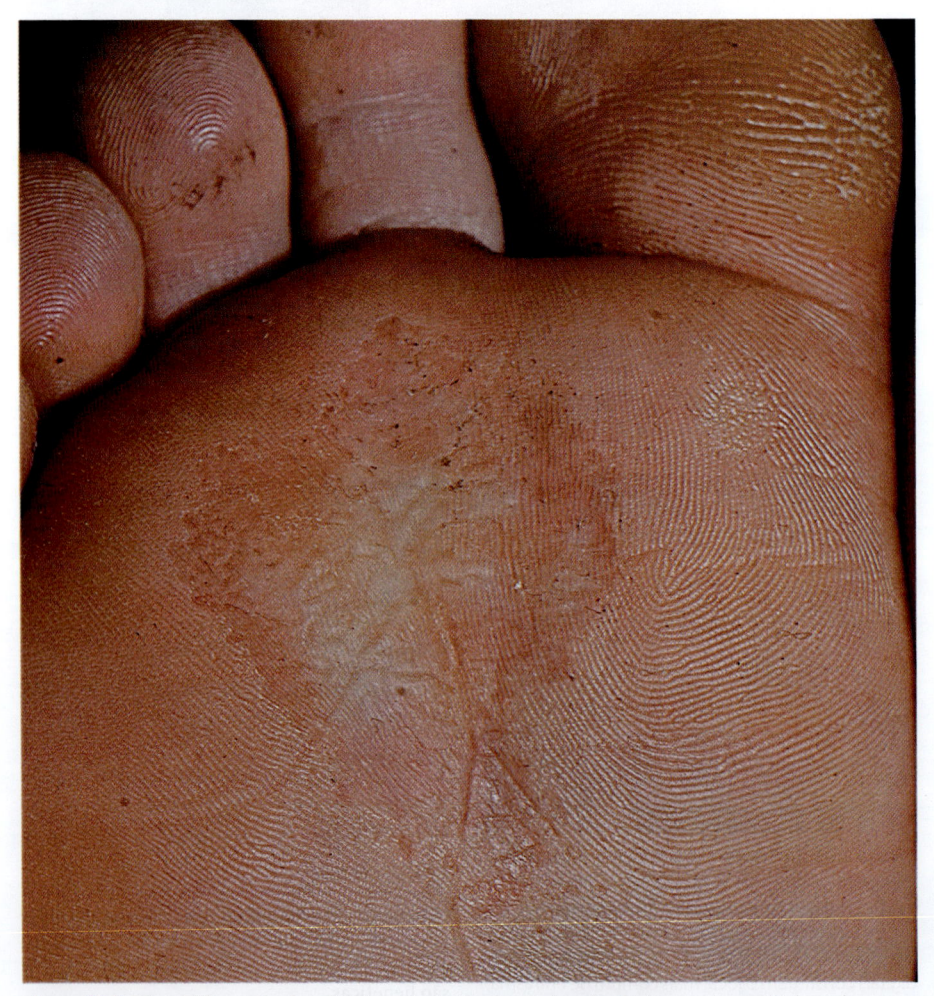

Figura 25-3 Ceratólise sulcada: plantar O estrato córneo da pele plantar mostra múltiplos sulcos confluentes (defeitos no estrato córneo).

DIAGNÓSTICO DIFERENCIAL

Pode-se verificar a presença concomitante de *tinea pedis*, eritrasma, intertrigo por *Candida* e infecção dos espaços interdigitais por *Pseudomonas*.

EVOLUÇÃO

Persiste e sofre recidiva, a não ser que o microclima seja modificado.

TRATAMENTO

Habitualmente controlado com lavagem com peróxido de benzoíla, ou higienização com álcool em gel. Antibióticos tópicos, como eritromicina e clindamicina, e solução de cloreto de alumínio também podem ser úteis.

TRICOMICOSE CID-10: A48.8/L08.8

- Colonização superficial da haste dos pelos em regiões de suor, axilas e região púbica.
- Etiologia. *Corynebacterium tenuis* e outras *espécies* de corinebactérias; difteroide Gram-positivo. *Não é causada por fungos.*
- Concreções granulares com odor fétido (amarelas, negras ou vermelhas) na haste dos pelos (**Fig. 25-4**). Os pelos estão espessados, com aparência em juntas e firmemente aderidos.
- Tratamento. Habitualmente controlado com lavagem com peróxido de benzoíla, ou higienização com álcool em gel. Antiperspirantes. Raspagem da área.

Figura 25-4 Tricomicose axilar Homem obeso de 40 anos de idade. Os pelos axilares exibem incrustação cor de creme. São também observados alguns acrocódons.

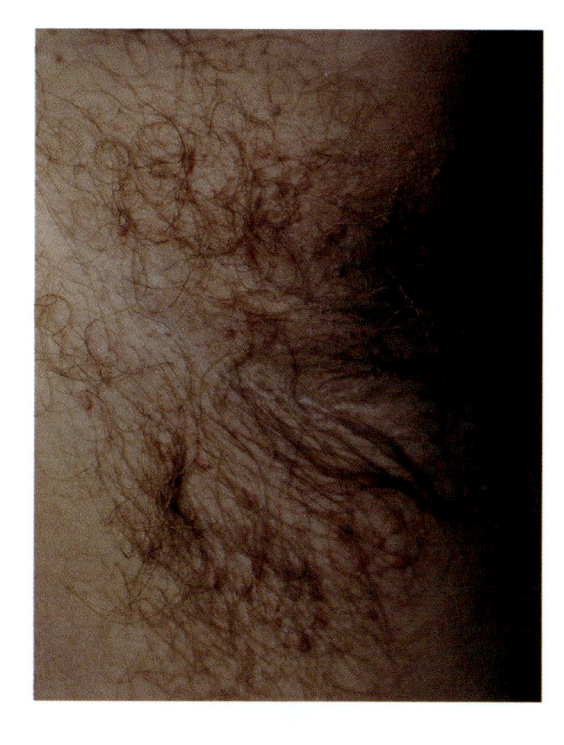

INTERTRIGO CID-10: L30.4

- Intertrigo (do latim *inter*, "entre"; *trigo*, "friccionar").
- Inflamação de superfícies cutâneas opostas (regiões inframamárias, axilas, regiões inguinais, pregas glúteas, dobras cutâneas redundantes dos indivíduos obesos). Pode representar dermatose inflamatória ou colonização ou infecção superficial.
- Dermatoses que ocorrem na pele intertiginosa incluem psoríase intertriginosa, dermatite seborreica, doença de Hailey-Hailey e histiocitose de células de Langerhans. *S. aureus* e estreptococos podem causar infecção secundária a essas dermatoses.

INTERTRIGO INFECCIOSO

BACTERIANO
- Estreptococos beta-hemolíticos. Grupo A (Fig. 25-5), grupo B e grupo G (Fig. 25-6). O intertrigo estreptocócico pode evoluir para infecção dos tecidos moles (Fig. 25-6).
- *S. aureus*. Frequentemente entra na pele por meio dos folículos pilosos, causando foliculite e furúnculos.
- *Pseudomonas aeruginosa* (Fig. 25-7).
- *C. minutissimum* (eritrasma) (Figs. 25-1 e 25-2).
- *K. sedentarius* (ceratólise sulcada) (Fig. 25-3).

MANIFESTAÇÃO CLÍNICA

Geralmente assintomáticas. A ocorrência de desconforto indica normalmente infecção, em vez de colonização. O intertrigo por *S. aureus* ou por estreptococo pode constituir uma porta de entrada para infecção dos tecidos moles.

DIAGNÓSTICO

Identificação do patógeno por cultura para bactérias, exame com lâmpada de Wood ou preparação com KOH.

TRATAMENTO

Identificação e tratamento do patógeno.

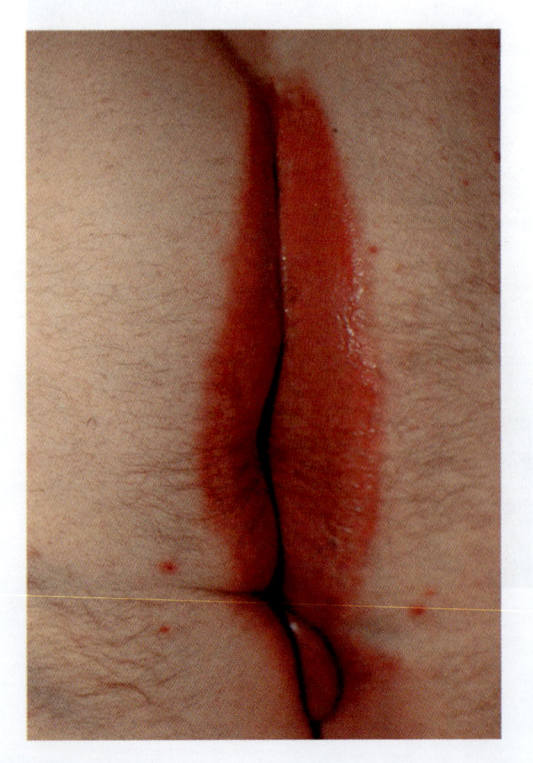

Figura 25-5 Intertrigo interglúteo: estreptococos do grupo A Placa eritematosa úmida e dolorosa em um homem com psoríase intertriginosa e odor fétido. A infecção regrediu com penicilina VK.

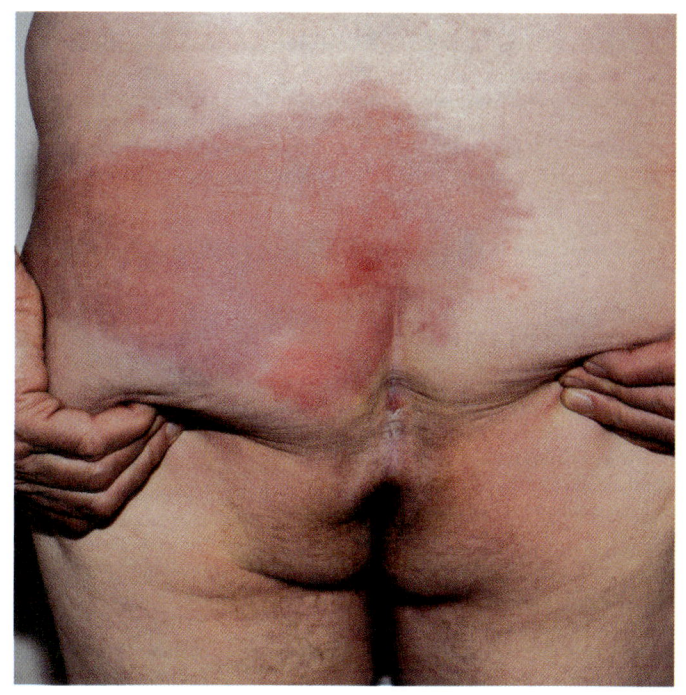

Figura 25-6 Erisipela: estreptococo do grupo G Homem de 65 anos com placa eritematosa nitidamente demarcada nas nádegas. A porta de entrada da infecção foi o intertrigo interglúteo.

Figura 25-7 Intertrigo interdigital: *P. aeruginosa* Erosão do espaço interdigital do pé com base vermelho-brilhante e eritema circundante. Foi também constatada a presença de *tinea pedis* (padrões interdigital e em mocassim) e hiperidrose, que facilitaram o crescimento de *Pseudomonas*.

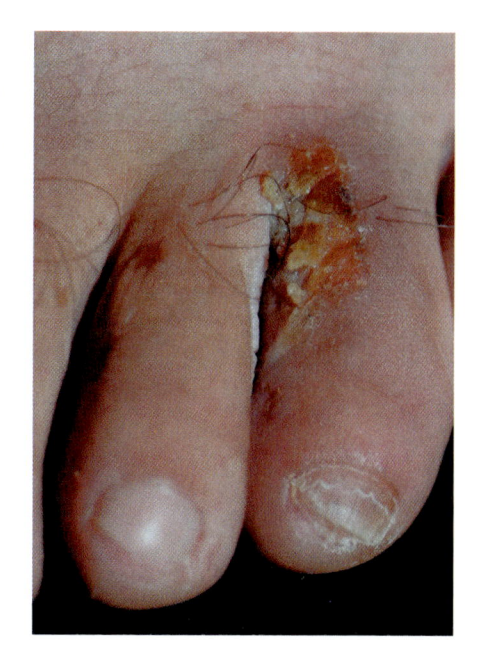

> ### IMPETIGO CID-10: L01.0
>
> - Etiologia. *S. aureus*; EGA.
> - Porta de entrada. O impetigo ocorre adjacente ao local de colonização por *S. aureus*, como as narinas. Infecção secundária de (1) soluções de continuidade mínimas na epiderme (impetiginização), (2) dermatoses preexistentes, (3) outras infecções, como eczema herpético, ou (4) feridas.
> - Manifestações clínicas. Erosões com crostas cor de mel.
> - Tratamento.
>   - Redução da colonização.
>   - Antibióticos tópicos aplicados às áreas colonizadas e infectadas; antibióticos sistêmicos.

EPIDEMIOLOGIA E ETIOLOGIA

- *S. aureus*: Sensível à meticilina (MSSA) e resistente à meticilina (MRSA). Impetigo bolhoso: produção local de toxina A epidermolítica pelo *S. aureus*, que também causa a síndrome da pele escaldada estafilocócica (SPEE).
- Estreptococo β-hemolítico: grupo A.

O *S. aureus* e o EGA não são membros do *microbioma* da pele humana. Podem colonizar transitoriamente a pele e causar infecções superficiais.
DEMOGRAFIA Infecções secundárias, qualquer idade. As infecções primárias ocorrem mais frequentemente em crianças.
PORTAS DE ENTRADA DA INFECÇÃO Mais comumente, soluções de continuidade mínimas na pele. Lesões faciais estão frequentemente associadas à colonização das narinas pelo *S. aureus*. Dermatoses, como dermatite atópica ou doença de Hailey-Hailey. Feridas traumáticas. Ocorrem infecções bacterianas em outras infecções cutâneas.

MANIFESTAÇÃO CLÍNICA

As infecções superficiais são frequentemente assintomáticas. O ectima pode ser doloroso e hiperestésico.
IMPETIGO Erosões com crostas (Figs. 25-8 e 25-9). Crostas amarelo-douradas são frequentemente observadas no impetigo; porém, não são patognomônicas; as lesões medem de 1 a 3 cm ou mais; cicatrização central geralmente aparente quando as lesões estão presentes há várias semanas (Fig. 25.9).

Disposição: lesões dispersas e isoladas; sem tratamento, as lesões podem se tornar confluentes; ocorrem lesões-satélites por autoinoculação. É comum haver infecção secundária de várias dermatoses (Figs. 25-10 e 25-11).
IMPETIGO BOLHOSO Bolhas superficiais contendo líquido ligeiramente turvo ou amarelo transparente com halo eritematoso que surge na pele de aspecto normal. As lesões bolhosas rompem facilmente revelando *erosões* rasas e úmidas (Figs. 25-12 e 25-13). *Distribuição*: mais comum nas áreas intertriginosas.
ECTIMA Ulceração com crosta espessa aderente (Fig. 25-14). As lesões podem ser hipersensíveis e endurecidas. Costuma ocorrer em locais ocluídos (comum em população de rua ou soldados nas trincheiras durante o combate, os quais não trocam as botas).

DIAGNÓSTICO DIFERENCIAL

IMPETIGO Escoriação, dermatite de contato, herpes simples, dermatofitose epidêmica, escabiose.
BOLHAS INTACTAS Dermatite de contato aguda, picadas de insetos, queimaduras térmicas, porfiria cutânea tarda (PCT) (dorso das mãos).
ECTIMA Escoriações, picadas de insetos.

DIAGNÓSTICO

Manifestações clínicas confirmadas por cultura: *S. aureus*, comumente; a ausência de resposta aos antibióticos orais sugere MRSA. EGA.

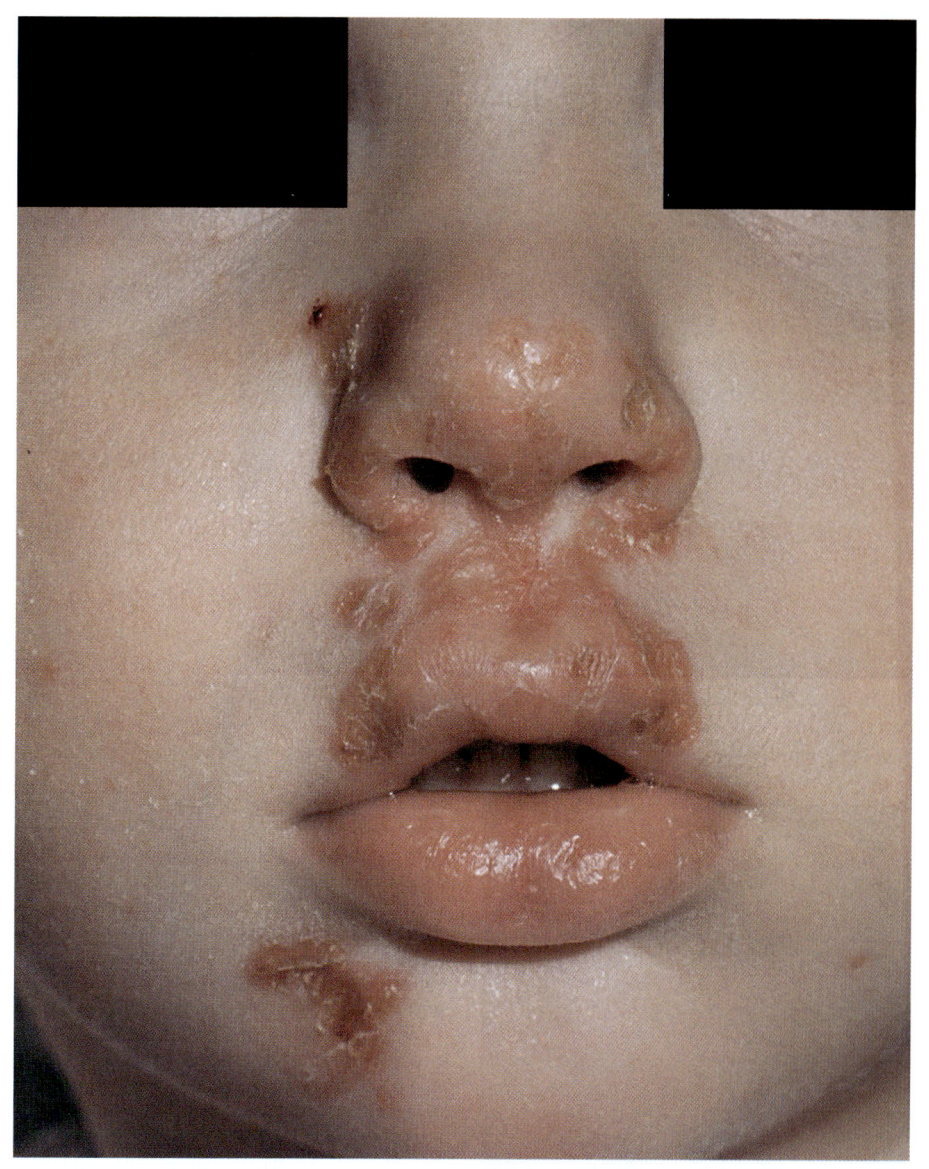

Figura 25-8 Impetigo: *S. aureus* sensível à meticilina (MSSA) Erosões eritematosas e crostosas que se tornam confluentes no nariz, na região malar, nos lábios e no mento de uma criança portadora nasal de *S. aureus*.

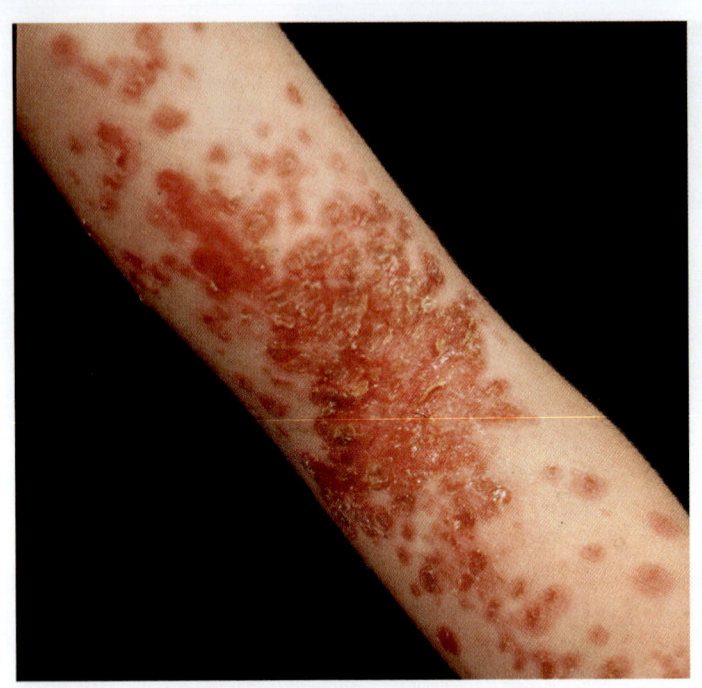

Figura 25-9 Impetigo: MSSA Erosões crostosas e eritematosas que se tornam confluentes na fossa antecubital, parte superior e inferior do braço em criança com dermatite atópica.

EVOLUÇÃO

Sem tratamento, as lesões do impetigo tornam-se mais extensas e resultam em ectima. Com o tratamento adequado, ocorre regressão imediata. As lesões podem evoluir para infecções mais profundas da pele e dos tecidos moles. As complicações não supurativas da infecção por EGA incluem psoríase gutata, escarlatina e glomerulonefrite. O ectima pode regredir com formação de cicatrizes. Podem ocorrer infecções recidivantes por *S. aureus* ou por EGA, devido à incapacidade de erradicar os patógenos ou em consequência de recolonização. A infecção por MRSA não diagnosticada não responde aos antibióticos orais habituais administrados para tratar o MSSA.

TRATAMENTO

PREVENÇÃO Lavar com peróxido de benzoíla. Examinar os familiares à procura de sinais de impetigo. Etanol ou álcool isopropílico para limpar as mãos e/ou as áreas acometidas.

TRATAMENTO TÓPICO As pomadas de mupirocina e retapamulina são altamente efetivas para eliminar o *S. aureus* das narinas e das lesões cutâneas.

TRATAMENTO ANTIMICROBIANO SISTÊMICO Com base na sensibilidade dos microrganismos isolados.

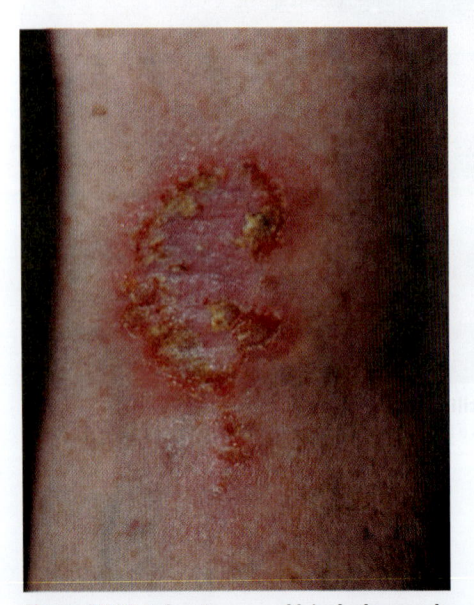

Figura 25-10 Infecção secundária da doença de Hailey-Hailey: *S. aureus* **resistente à meticilina (MRSA)** Esta mulher de 51 anos com doença de Hailey-Hailey apresenta infecção crônica de erosões cutâneas na coxa por MRSA.

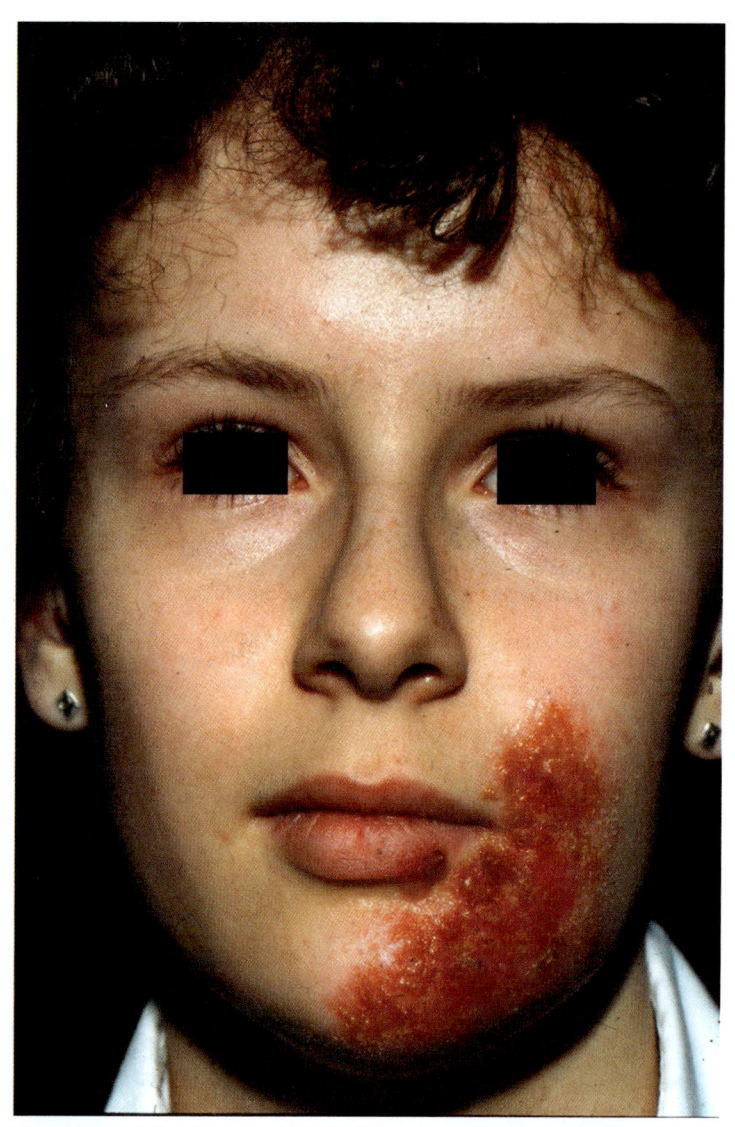

Figura 25-11 Infecção secundária de dermatite atópica leve: MRSA Menino de 11 anos com lesões crostosas amareladas na região malar esquerda e mento.

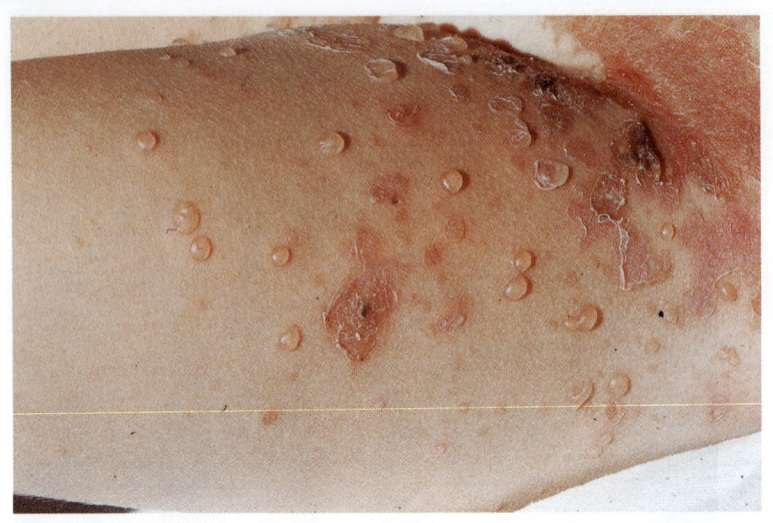

Figura 25-12 Impetigo bolhoso Bolhas de paredes finas, dispersas, isoladas, intactas e que sofreram ruptura na região inguinal e parte adjacente da coxa de uma criança; as lesões na região inguinal romperam, resultando em erosões superficiais.

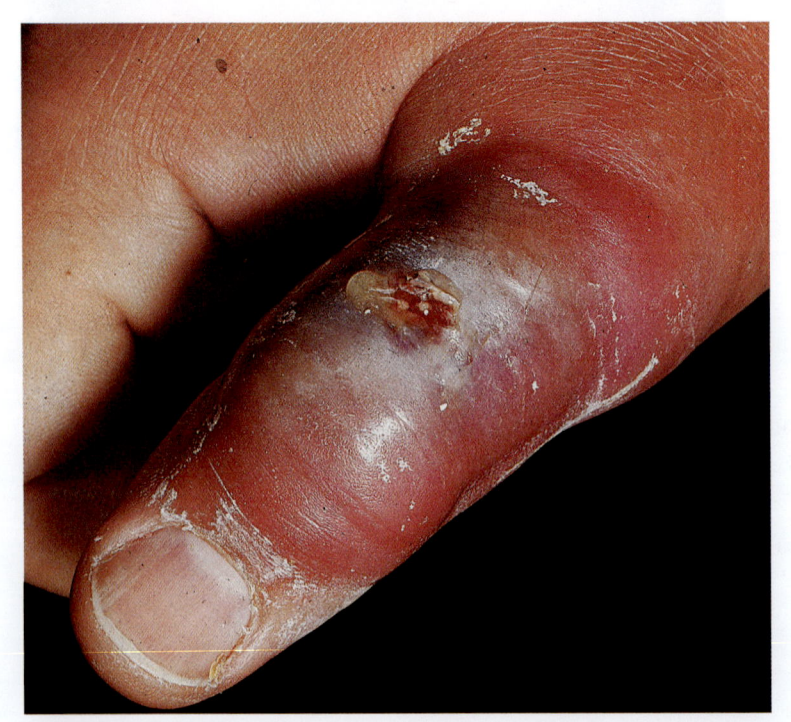

Figura 25-13 Impetigo bolhoso com dactilite bolhosa: *S. aureus* Grande bolha única com eritema e edema circundantes no polegar de uma criança; a bolha sofreu ruptura, e houve exsudação de soro claro.

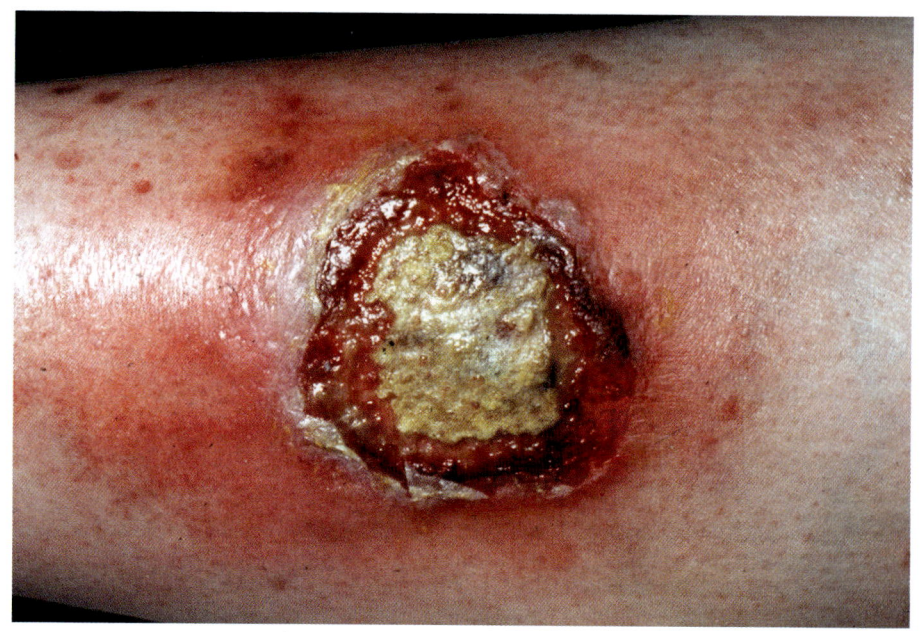

Figura 25-14 Ectima: MSSA Úlcera com crosta espessa na perna, a qual estava presente em um paciente sem-teto que não tirava as botas há semanas. A crosta era aderente, e o local sangrou com o desbridamento.

ABSCESSO, FOLICULITE, FURÚNCULO E CARBÚNCULO CID-10: L02.9

- Infecções em camadas mais profundas da pele podem ocorrer após inoculação traumática da pele ou extensão de uma infecção nos folículos pilosos.
- *Abscesso*: inflamação localizada, aguda ou crônica, associada a um acúmulo de pus em um tecido. Resposta inflamatória a um processo infeccioso ou material estranho.
- *Foliculite*: infecção do folículo piloso com ± pus no óstio do folículo.
- *Furúnculo*: nódulo ou abscesso agudo, de localização profunda, vermelho, quente e hipersensível, que se origina de foliculite estafilocócica.
- *Carbúnculo*: infecção mais profunda formada por abscessos interligados, que comumente surge em vários folículos pilosos contíguos.

EPIDEMIOLOGIA E ETIOLOGIA

S. aureus (MSSA, MRSA).
Outros microrganismos. Menos comuns.

Pode ocorrer abscesso estéril como resposta a um corpo estranho (farpa, cisto de inclusão rompido, locais de injeção). O abscesso odontogênico cutâneo pode se desenvolver em qualquer parte da região inferior da face, mesmo em locais distantes de sua origem (ver Abscesso odontogênico [dental] cutâneo, Seção 33).

A foliculite, o furúnculo e o carbúnculo representam um espectro de gravidade da infecção por *S. aureus*. Porta de entrada: óstio dos folículos pilosos.

MANIFESTAÇÃO CLÍNICA

ABSCESSO Pode surgir em qualquer órgão ou tecido. Os abscessos cutâneos originam-se na derme, na gordura subcutânea, no músculo ou em uma variedade de estruturas mais profundas. A princípio, forma-se um nódulo vermelho sensível. Com o passar do tempo (dias a semanas), há acúmulo de pus em um espaço central (Fig. 25-15). O abscesso bem-formado caracteriza-se pela flutuação da parte central da lesão. Surge em locais de traumatismo. Cisto de inclusão rompidos no dorso frequentemente apresentam-se como abscessos dolorosos. Quando surgem de foliculite por *S. aureus*, abscessos podem ser solitários ou múltiplos.

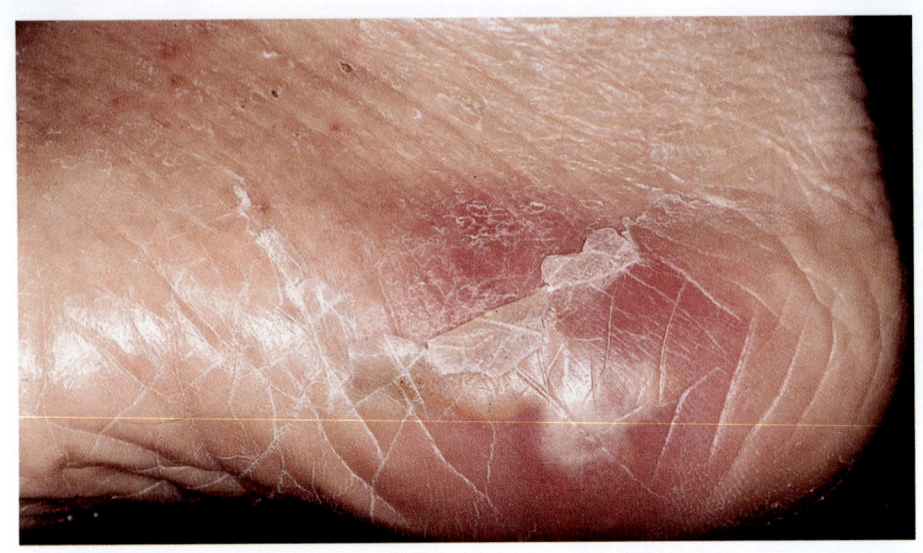

Figura 25-15 Abscesso: MSSA Abscesso muito doloroso com eritema circundante no calcanhar. O paciente era diabético com neuropatia sensorial; uma ferida com agulha de costura alojada no calcanhar forneceu a porta de entrada. O corpo estranho foi removido cirurgicamente.

FOLICULITE Inicia-se na porção superior do folículo piloso. Pode ser causada por bactérias, fungos, vírus e ácaros. Pápulas, pústulas, erosões ou crostas foliculares no infundíbulo folicular, podendo se estender profundamente por toda a extensão do folículo (sicose). Geralmente indolores ou levemente dolorosas; podem ser pruriginosas (Fig. 25-16). Os fatores predisponentes incluem a raspagem de regiões pilosas, a oclusão de áreas pilosas, preparações tópicas de corticosteroides, antibióticos sistêmicos promovendo o crescimento de bactérias Gram-negativas, diabetes melito e imunossupressão. Com a extensão da infecção, pode haver evolução para abscesso ou furúnculo.

Agentes bacterianos: *S. aureus* (impetigo de Bockhart); *Pseudomonas aeruginosa* (banho quente em banheira); foliculite Gram-negativa.
Vírus: herpes, molusco contagioso (ver Seção 27).
Fungos: *Candida, Malassezia*, dermatófitos (ver Seção 26).
Outras: sifilítica (ver Seção 30), *Demodex* (ver Seção 28).

Variantes
FOLICULITE POR *S. AUREUS* Pode ser superficial (infundibular) (Fig. 25-16) ou profunda (sicose) (extensão abaixo do infundíbulo) (Fig. 25-17) com formação de abscesso. Nos casos mais graves (sicose lupoide), as unidades pilossebáceas podem ser destruídas e substituídas por tecido fibroso cicatricial.

FOLICULITE POR GRAM-NEGATIVOS Ocorre em indivíduos com acne vulgar tratados com antibiótico VO. A "acne" caracteristicamente piora após ter estado bem-controlada. Caracterizada por pequenas pústulas foliculares e/ou abscessos maiores nas regiões malares.
FOLICULITE DA BANHEIRA QUENTE (*Pseudomonas aeruginosa*). Ocorre no tronco após imersão em banheira (Fig. 25-18).
FURÚNCULO A princípio, nódulo firme e doloroso com até 1 a 2 cm de diâmetro. Em muitos indivíduos, os furúnculos ocorrem em locais onde há foliculite estafilocócica. O nódulo torna-se flutuante, com formação de abscesso ± pústula central. Após a drenagem do abscesso, permanece um nódulo com cavitação. O furúnculo pode ser circundado por uma zona variável de celulite. *Distribuição*: qualquer região pilosa – região da barba, nuca e região occipital do couro cabeludo, axilas, nádegas. Lesões solitárias ou múltiplas (Figs. 25-19 a 25-23).
CARBÚNCULO A evolução assemelha-se à do furúnculo. Formado por múltiplos furúnculos adjacentes que coalescem (Fig. 25-24). Caracteriza-se por múltiplos abscessos dérmicos e subcutâneos loculados, pústulas superficiais, tampões necróticos e orifícios semelhantes a uma peneira para drenagem do pus.

Figura 25-16 Foliculite infecciosa, superficial na axila: MRSA Paciente do sexo masculino de 25 anos com lesões axilares dolorosas e pruriginosas durante várias semanas. Pústulas e pápulas foliculares múltiplas encontradas na axila depilada. A raspagem facilita a entrada de *S. aureus* no folículo piloso superficial. As lesões foram curadas com minociclina.

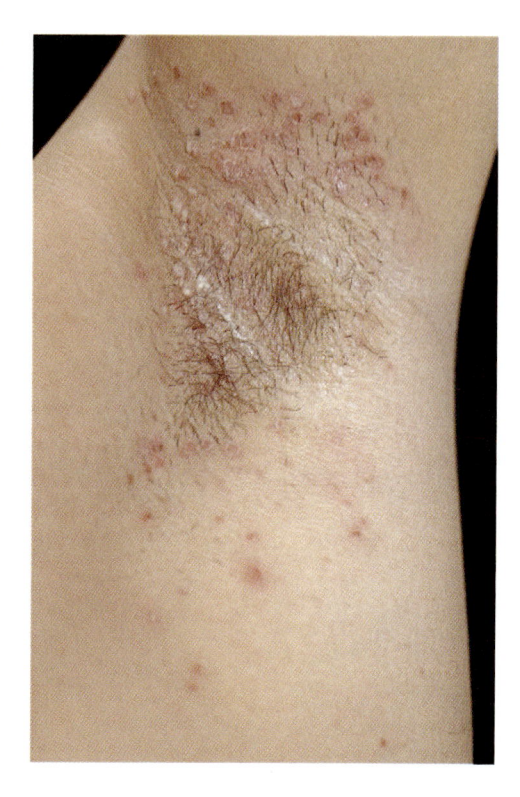

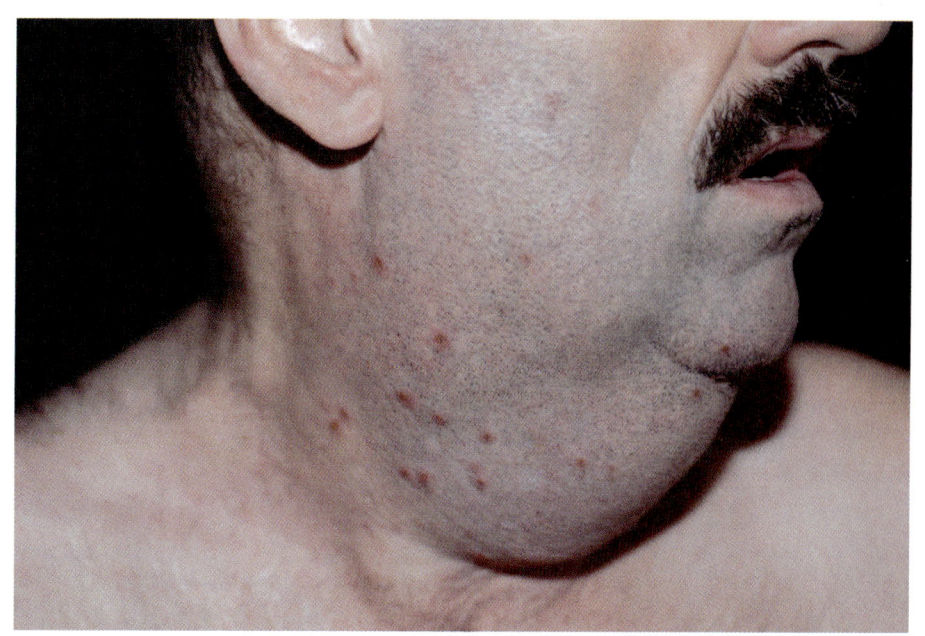

Figura 25-17 Foliculite infecciosa Paciente do sexo masculino com HIV/Aids e lesões pustulares pruriginosas persistentes e rompidas na região da barba durante vários meses.

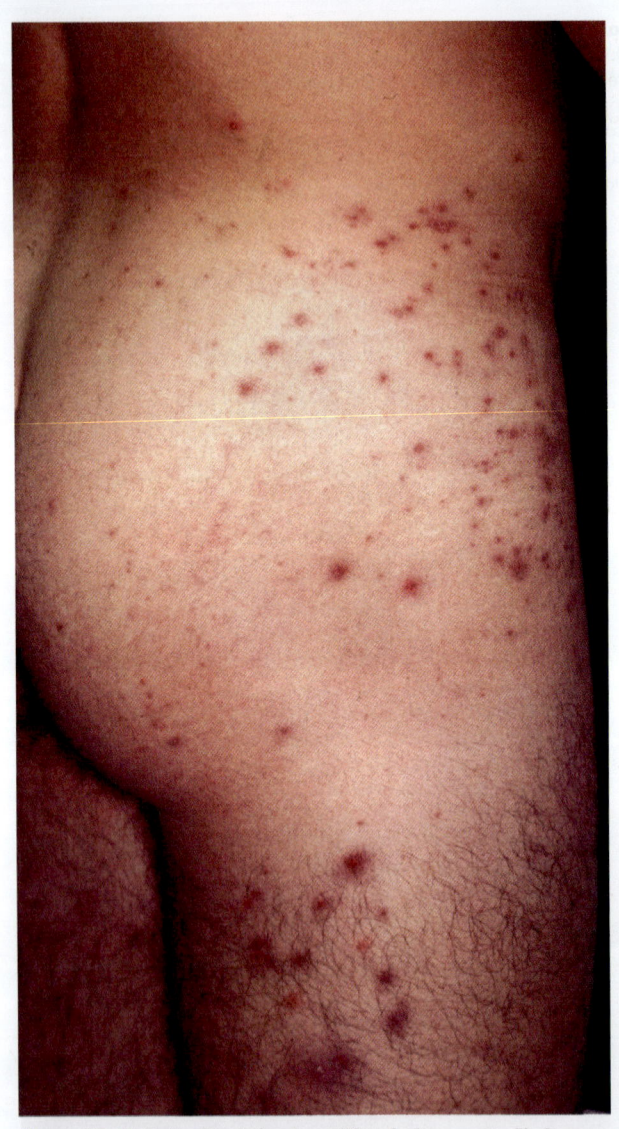

Figura 25-18 Foliculite infecciosa ("banheira quente"): *P. aeruginosa* Paciente do sexo masculino de 31 anos com múltiplas pústulas foliculares dolorosas 3 dias após tomar banho de banheira com água quente. A cultura da lesão isolou *P. aeruginosa*.

SEÇÃO 25 COLONIZAÇÕES E INFECÇÕES BACTERIANAS DA PELE E DOS TECIDOS MOLES 537

Figura 25-19 Furúnculo: MSSA Abscesso no lábio superior de um homem de 35 anos. A lesão é crostosa no topo, sólida e extremamente dolorosa. O tratamento do furúnculo consistiu em incisão e drenagem da lesão e administração de antibióticos.

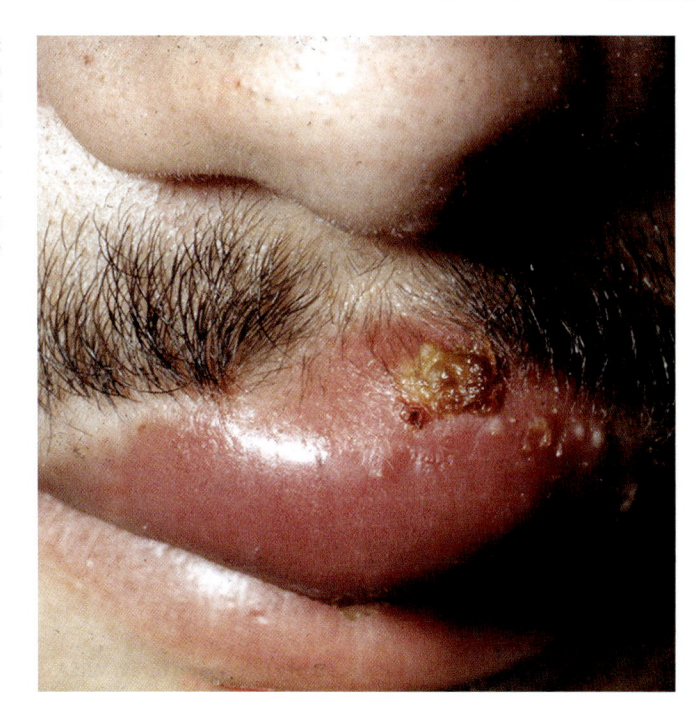

Figura 25-20 Furúnculos e celulite: MRSA Homem de 64 anos que desenvolveu furúnculos no dorso da mão esquerda **(A)** e no antebraço **(B)**. A infecção estava disseminando-se a partir do abscesso, na forma de celulite.

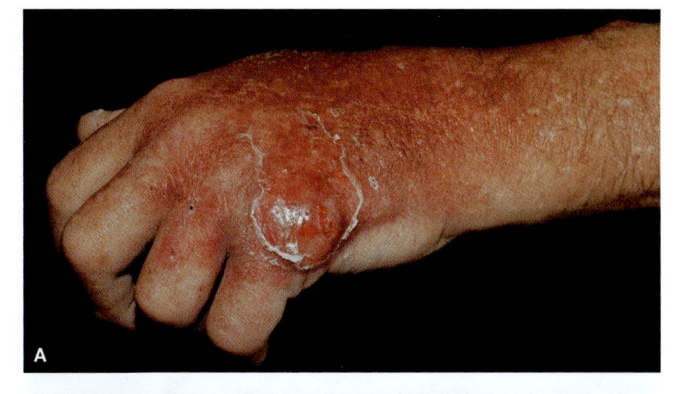

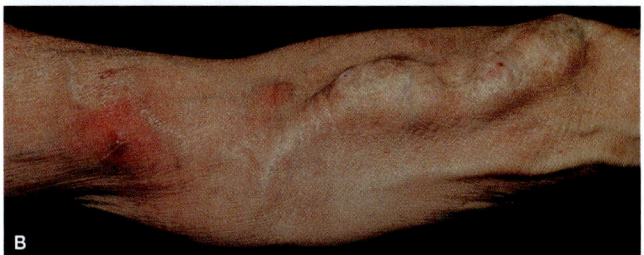

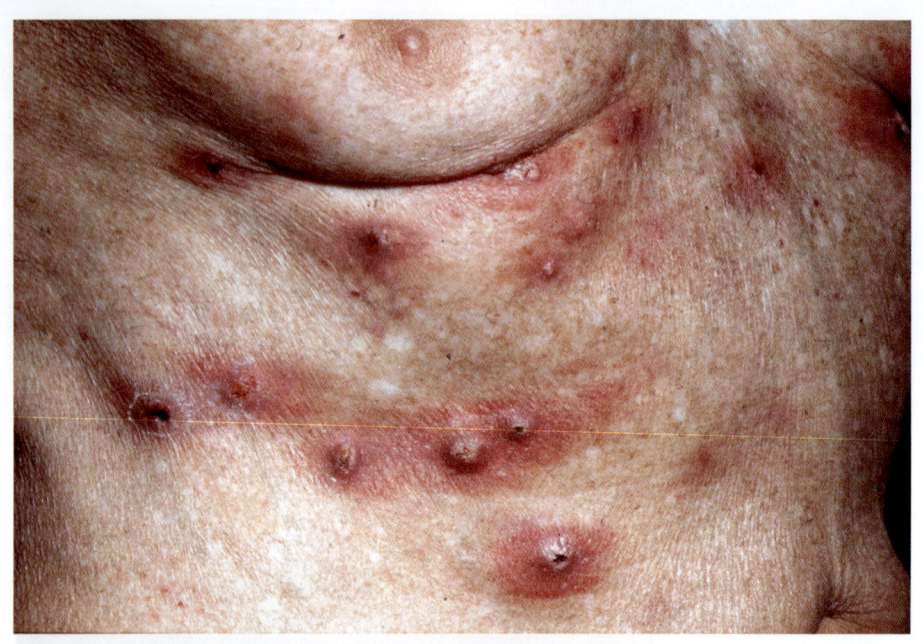

Figura 25-21 Múltiplos furúnculos na parte inferior do tórax: MRSA Enfermeira diabética de 60 anos de idade com múltiplos nódulos dolorosos. MRSA foi isolado em cultura de amostras das narinas e de um abscesso. Ela foi tratada com clindamicina e mupirocina nas narinas. Teve licença do trabalho até as culturas se tornarem negativas para colonização pelo *S. aureus*.

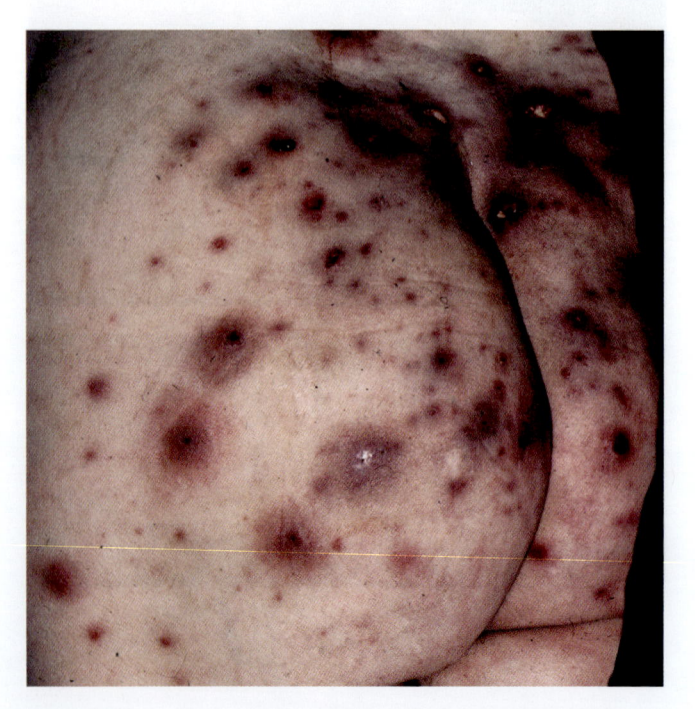

Figura 25-22 Furúnculos múltiplos: MRSA Múltiplos nódulos dolorosos nas nádegas de uma mulher de 52 anos com diabetes.

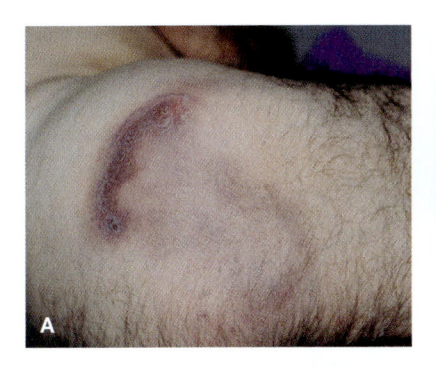

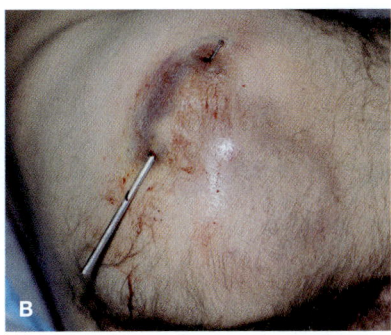

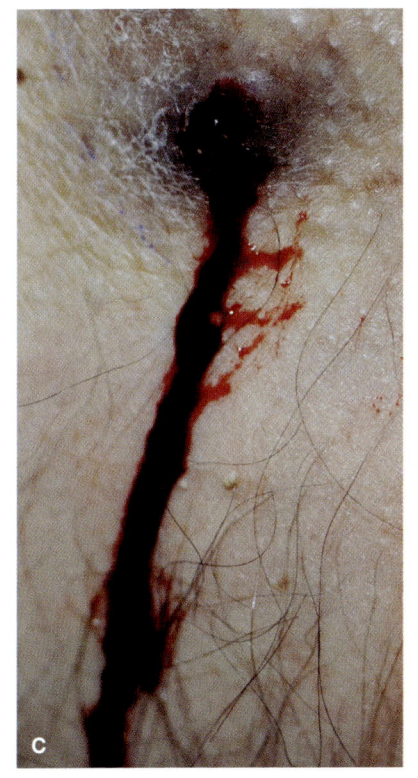

Figura 25-23 Abscesso crônico, botriomicose: MRSA Homem de 41 anos com doença pelo HIV e abscesso extenso por vários meses. **(A)** Abscesso na nádega direita. **(B)** Drenagem do abscesso e tratamento com linezolida. **(C)** Os grânulos brancos observados na drenagem representam colônias de *S. aureus*.

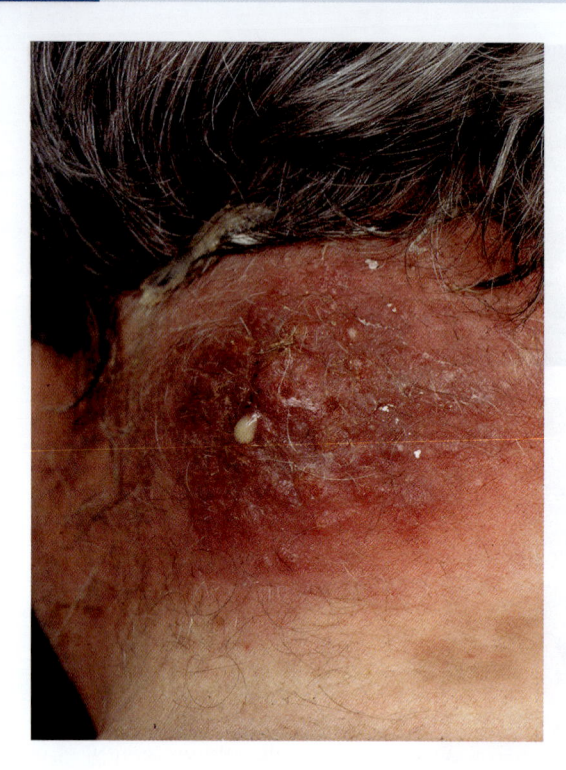

Figura 25-24 Carbúnculo: MSSA Grande placa inflamatória, salpicada de pústulas com drenagem de pus na nuca. A infecção estendeu-se até a fáscia e formou-se com a confluência de muitos furúnculos.

DIAGNÓSTICO DIFERENCIAL

FOLICULITE Distúrbios acneiformes (acne vulgar, rosácea, dermatite perioral), foliculite eosinofílica associada ao HIV, irritantes químicos (cloracne), reações adversas acneiformes a fármacos (inibidores dos receptores epidérmicos do fator de crescimento [p. ex., erlotinibe], halogênios, glicocorticoides, lítio), foliculite queloidiana, pseudofoliculite da barba.

NÓDULO DÉRMICO/SUBCUTÂNEO DOLOROSO Cisto epidermoide ou pilar rompido, hidradenite supurativa.

DIAGNÓSTICO

Manifestações clínicas confirmadas pelos resultados da coloração pelo método de Gram e de cultura.

EVOLUÇÃO

A maioria dos casos de foliculites e abscessos melhoram com o tratamento eficaz. Se o diagnóstico e o tratamento forem adiados, a furunculose pode ser complicada por infecção dos tecidos moles, bacteremia e disseminação hematogênica para vísceras. Alguns indivíduos são suscetíveis à furunculose recidivante, particularmente os diabéticos.

TRATAMENTO

PROFILAXIA *Corrigir a condição predisponente subjacente.* Higienização com sabão bactericida ou com peróxido de benzoíla ou gel de isopropil/etanol.

TERAPIA ANTIMICROBIANA Foliculite bacteriana. A maioria dos casos responde às penicilinas naturais, mas se pode considerar o uso de dicloxacilina, amoxicilina, cefalosporinas de primeira geração e clindamicina, geralmente por 7 a 10 dias. Considerar a possibilidade de cultura para detectar microrganismos resistentes. Minociclina, trimetoprima-sulfametoxazol e quinolonas podem ser necessárias. É possível que haja mais resistência à família das eritromicinas.

Foliculite por Gram-negativos. Associada à antibioticoterapia sistêmica para acne vulgar. Suspender os antibióticos em uso. Lavar com peróxido de benzoíla. Em alguns casos, ampicilina (250 mg, quatro vezes ao dia), ou sulfametoxazol-trimetoprima, quatro vezes ao dia. Isotretinoína.

O tratamento de um **abscesso**, **furúnculo** ou **carbúnculo** é a incisão e drenagem, considerando-se a terapia antimicrobiana sistêmica em pacientes imunocomprometidos ou quando houver sinais de infecção sistêmica.

INFECÇÃO DE TECIDOS MOLES

- Caracteriza-se por inflamação da pele e dos tecidos subcutâneos adjacentes. Os tecidos moles referem-se aos tecidos que conectam, sustentam ou circundam outras estruturas e órgãos: pele, tecido adiposo, tecidos fibrosos, fáscias, tendões, ligamentos.
- Síndromes. Celulite, erisipela, linfangite, fascite necrosante, infecção de feridas.
- Inflamação de tecidos moles. Embora seja frequentemente infecciosa, a inflamação dos tecidos moles pode constituir uma manifestação não infecciosa, como no caso das dermatoses neutrofílicas, do eritema nodoso e da celulite eosinofílica.
- Celulite. Começa geralmente em uma porta de entrada na pele e se dissemina proximalmente como lesão única em expansão. Raramente, a infecção dos tecidos moles pode ocorrer após disseminação hematogênica, com múltiplos locais de infecção. Com mais frequência, a celulite é aguda e causada por *S. aureus*.
- Inflamação aguda. Resulta de *citocinas* e de *superantígenos* bacterianos, e não à infecção tecidual intensa.
- Infecção crônica dos tecidos moles. Nocardiose, esporotricose e feo-hifomicose.

CELULITE CID-10: L03.9

- Infecção aguda da derme e dos tecidos subcutâneos com progressiva expansão. Caracterizada por uma área de pele avermelhada, quente e sensível. A porta de entrada da infecção é, em geral, aparente. O patógeno mais comum é *S. aureus*. A erisipela é uma variante da celulite que acomete os vasos linfáticos cutâneos e é habitualmente causada por estreptococos β-hemolíticos.

EPIDEMIOLOGIA E ETIOLOGIA

ETIOLOGIA Adultos: *S. aureus*, EGA.

Menos comumente por estreptococos beta-hemolíticos: grupos B, C ou G. *Erysipelothrix rhusiopathiae* (erisipeloide); *P. aeruginosa, Pasteurella multocida, Vibrio vulnificus*; complexo *Mycobacterium fortuitum*. Em crianças: pneumococos, *Neisseria meningitidis* grupo B (periorbital). As infecções por *Haemophilus influenzae* tipo b (Hib) são muito menos comuns, devido à imunização contra Hib.

Infecções crônicas dos tecidos moles. Nocardia brasiliensis, Sporothrix schenckii, espécies de *Madurella*, espécies de *Scedosporium*, micobactérias não tuberculosas (MNTs).

Saliva e mordeduras de cães e gatos: P. multocida e outras espécies de *Pasteurella. Capnocytophaga canimorsus* (ver Choque séptico: necrose isquêmica de regiões acrais, p. 567).

PORTAS DA INFECÇÃO Os patógenos entram por meio de qualquer solução de continuidade na pele ou na mucosa. A *tinea pedis* e as úlceras de perna e pé constituem portas de acesso comuns. As infecções ocorrem após bacteremia/sepse com disseminação cutânea.

FATORES DE RISCO Defeitos nos mecanismos de defesa do hospedeiro, diabetes melito, abuso de drogas e álcool, câncer e quimioterapia contra câncer, linfedema crônico (pós-mastectomia, episódio prévio de celulite, erisipela).

Após a entrada, a infecção dissemina-se para os espaços teciduais e planos de clivagem (Fig. 25-25) à medida que as hialuronidases decompõem os polissacarídeos da matriz, as fibrinolisinas digerem as barreiras de fibrina e as lecitinases destroem as membranas celulares. A desvitalização dos tecidos locais é geralmente necessária para possibilitar a ocorrência de infecção significativa por bactérias anaeróbias. A quantidade de microrganismos infectantes é comumente pequena, sugerindo que a celulite possa ser mais uma reação às citocinas e aos superantígenos bacterianos do que uma infecção tecidual intensa.

MANIFESTAÇÃO CLÍNICA

Sintomas de febre e calafrios podem se desenvolver antes de a celulite se tornar clinicamente aparente. Febre alta (38,5°C) e calafrios estão geralmente associados à infecção por EGA. Dor e desconforto localizadas. Infecções necrosantes estão associadas a dor intensa e sintomas sistêmicos.

Placa vermelha, quente, edemaciada e brilhante, que surge na porta de entrada. Aumenta com extensão proximal (Figs. 25-26 e 25-27); em geral, as bordas são nitidamente demarcadas, irregulares e ligeiramente elevadas. Pode haver formação de vesículas, bolhas, erosões, abscessos, hemorragia e necrose na placa (Fig. 25-27). Linfangite. Os linfonodos regionais podem estar aumentados e doloridos.

DISTRIBUIÇÃO *Adultos*. As *pernas* constituem o local mais comum (Fig. 25-27). *Braço*: em homens

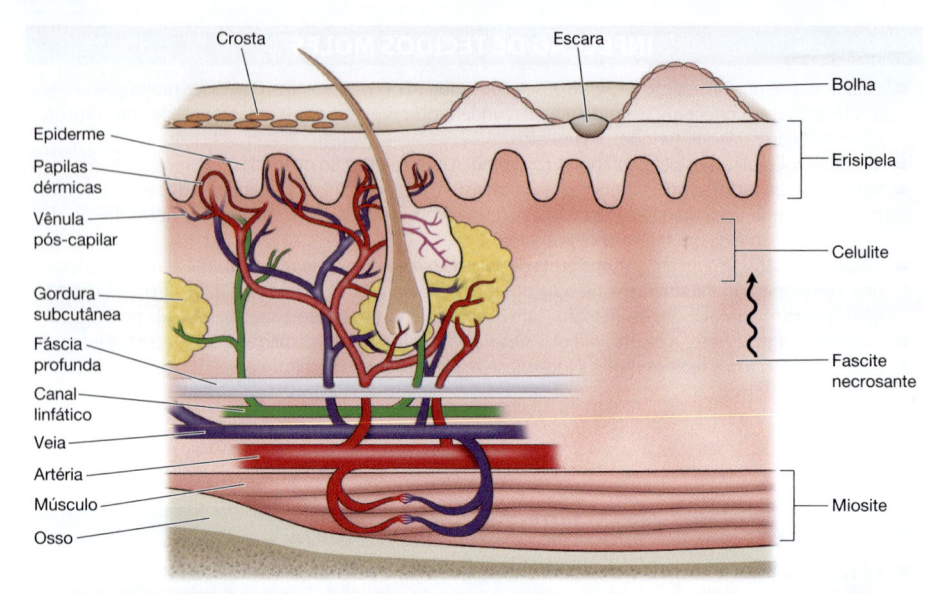

Figura 25-25 Componentes estruturais da pele e dos tecidos moles, infecções superficiais e infecções das estruturas mais profundas A rica rede de capilares abaixo das papilas dérmicas desempenha um papel essencial na localização da infecção e no desenvolvimento da reação inflamatória aguda. (Reproduzida com permissão de Stevens DL. Infections of the skin, muscles, and soft tissues. In: Longo DL, Fauci AS, Kasper DL, et al, eds. *Harrison's Principles of Internal Medicine*. 18th ed. New York, NY: McGraw-Hill; 2012.)

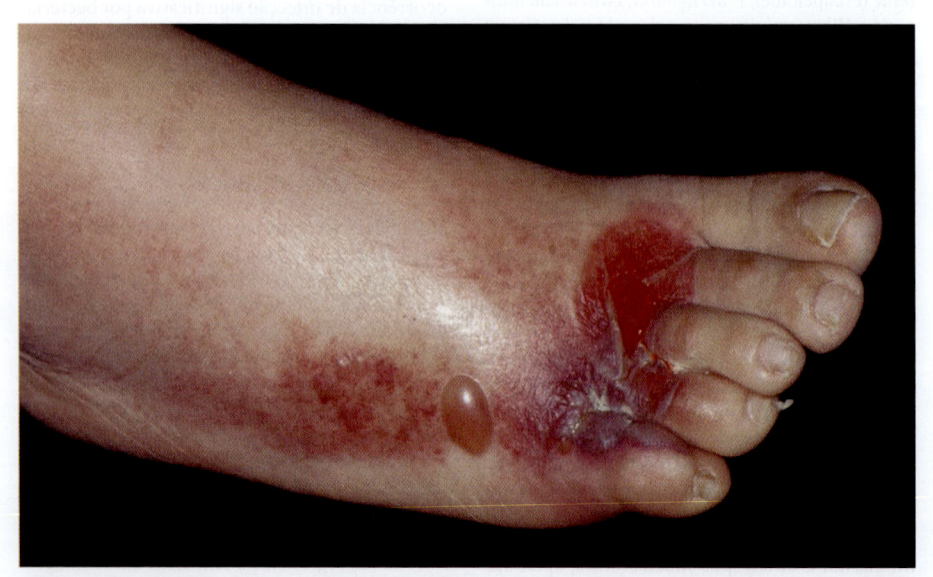

Figura 25-26 Celulite na porta de entrada: MSSA Um homem de 51 anos com *tinea pedis* interdigital sentiu dor no dorso do pé. A preparação com KOH foi positiva para hifas dermatofíticas. MSSA foi isolado em cultura de amostra do espaço interdigital.

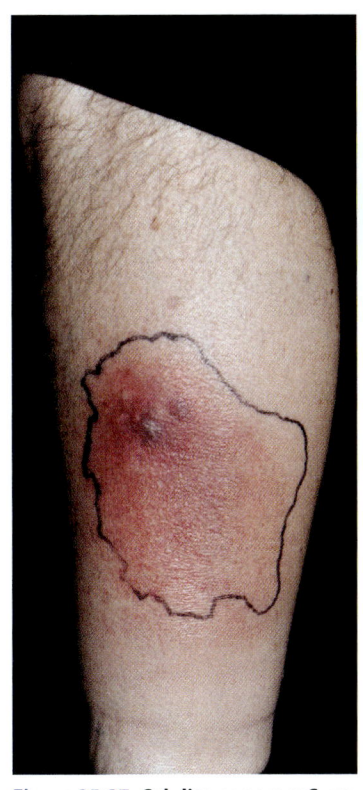

Figura 25-27 Celulite na perna: S. aureus resistente à meticilina Homem de 70 anos com eritema crescente e edema na parte inferior da perna associados com febre.

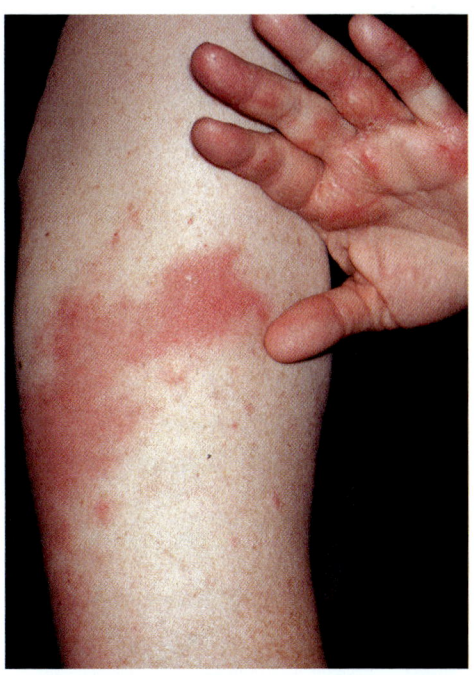

Figura 25-28 Celulite recidivante no braço com linfedema crônico: S. aureus sensível à meticilina Um câncer da mama direita foi tratado com mastectomia e excisão dos linfonodos 10 anos antes. Então, ocorreu linfedema do braço direito. A dermatite da mão foi secundariamente infectada por MSSA. Ocorreu celulite repetidamente na presença de linfedema crônico.

jovens, considerar o uso de drogas IV; em mulheres, pós-mastectomia (Fig. 25-28). *Tronco*: local de ferida cirúrgica. *Face*: após rinite, conjuntivite e faringite; associada à colonização das narinas por S. aureus e da faringe por EGA.

VARIANTES DE CELULITE CONFORME O PATÓGENO

S. aureus: a porta de entrada é normalmente evidente; a celulite constitui a extensão de infecção focal. Síndromes de toxinas: síndrome da pele escaldada estafilocócica (SPEE), SCT. A bacteremia pode ser seguida de endocardite.

Os estreptococos β-hemolíticos EGA (*Streptococcus pyogenes*) colonizam a pele e a orofaringe. EGB e EGG colonizam a região anogenital. As infecções dos tecidos moles por estreptococos β-hemolíticos disseminam-se rapidamente ao longo dos vasos linfáticos cutâneos superficiais, manifestando-se como placas vermelhas doloridas em expansão, isto é, erisipela (Figs. 25-29 e 25-30). Depois do parto, conhecida como *sepse puerperal*; a infecção pode se estender à pélvis. A celulite por EGB ocorre em recém-nascidos, com alta taxa de morbidade e mortalidade. A infecção por EGA com fascite necrosante e SCT estreptocócica apresenta alta taxa de morbidade e mortalidade.

E. rhusiopathiae: ocorre erisipeloide em indivíduos que manuseiam porcos, ovelhas, aves domésticas e peixes. *Placa inflamada e dolorosa* com bordas elevadas, irregulares e nitidamente demarcadas, que ocorre no local de inoculação, isto é, dedos das mãos ou mão (Fig. 25-31), com disseminação para o punho, mas não para o antebraço. Cor: vermelho-purpúra na fase aguda; acastanhada com a resolução. Aumenta perifericamente, com clareamento central. Em geral, não há sintomas sistêmicos.

Ectima gangrenoso: trata-se de uma variante rara de infecção necrosante dos tecidos moles causada por *P. aeruginosa em pacientes enfermos*. Clinicamente, caracteriza-se por uma região central infartada com

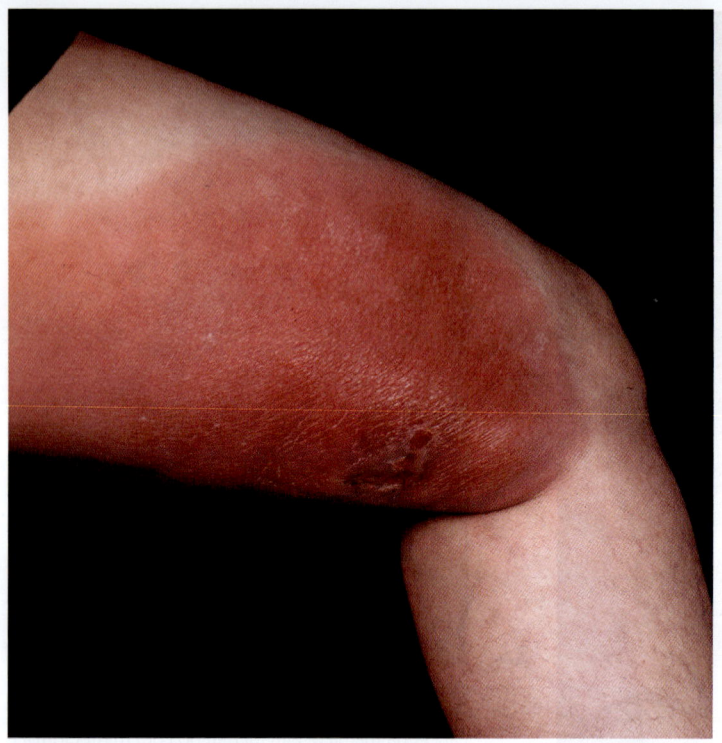

Figura 25-29 Erisipela da coxa: estreptococo do grupo B Paciente do sexo feminino, de 52 anos, com febre. A porta de entrada foi uma picada de inseto na fossa poplítea. A lesão era muito dolorosa.

halo eritematoso, que se expande rapidamente sem tratamento eficaz (Fig. 25-32). *Distribuição*: ocorre mais comumente nas axilas, na região inguinal e no períneo. O prognóstico depende de diagnóstico e tratamento imediatos e da rápida correção dos defeitos nos mecanismos de defesa do hospedeiro, geralmente correção da neutropenia.

H. influenzae: ocorre principalmente em crianças menores de 2 anos de idade. Os locais mais comuns de acometimento são a região malar, a área periorbitária, a cabeça e a região cervical. Clinicamente, ocorrem edema e eritema violáceo característico. O uso da vacina contra Hib reduziu drasticamente a incidência dessa infecção.

V. vulnificus, V. cholerae não 01 e não 0139. Distúrbios subjacentes: Cirrose, diabetes, imunossupressão, hemocromatose e talassemia. Ocorre após a ingestão de frutos do mar crus/malcozidos, gastrenterite, bacteremia com disseminação para a pele; além disso, exposição da pele à água do mar. Caracteriza-se pela formação de bolhas, vasculite necrosante (Fig. 25-33). Acomete comumente os membros; com frequência é bilateral.

Aeromonas hydrophila: traumatismo associado à água; ferida preexistente. Hospedeiro imunocomprometido. Ocorre nas pernas. Infecção necrosante dos tecidos moles.

C. canimorsus. Imunossupressão ou asplenia; exposição à saliva ou mordedura de cães. Causa sepse fulminante e coagulação intravascular disseminada (ver Choque séptico: necrose isquêmica de regiões acrais, p. 567).

P. multocida: causa mais comum de infecção após mordedura de animais; infecção dos tecidos moles.

Espécies de *Clostridium*. Infecção associada a traumatismo; contaminação por solo ou por fezes; tumor intestinal maligno. A infecção caracteriza-se pela produção de gás (crepitação à palpação), toxicidade sistêmica pronunciada. Infecção necrosante.

Micobactérias não tuberculosas. História de cirurgia recente, injeção, ferida penetrante, tratamento com corticosteroides sistêmicos. Celulite de baixo grau. Múltiplos locais de infecção. Ausência de manifestações sistêmicas.

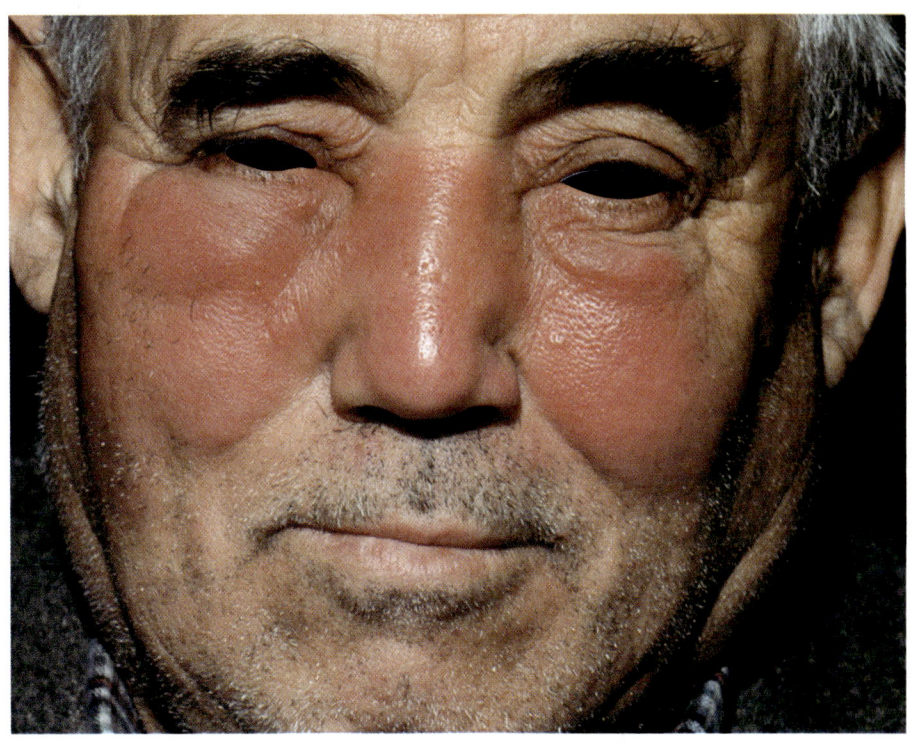

Seção 25 Colonizações e infecções bacterianas da pele e dos tecidos moles   **545**

Figura 25-30 Erisipela da face: estreptococos do grupo A Placas eritematosas, edemaciadas, brilhantes, bem-definidas e dolorosas acometendo a região central da face de um homem saudável nos demais aspectos. À palpação, a pele estava quente e sensível. Febre (39,5°C).

Figura 25-31 Erisipeloide da mão Placa de celulite violácea e bem-demarcada (sem alterações epidérmicas de descamação ou vesiculação) no dorso da mão e nos dedos, que surgiu após o paciente limpar peixe; a área estava ligeiramente dolorosa, sensível e quente.

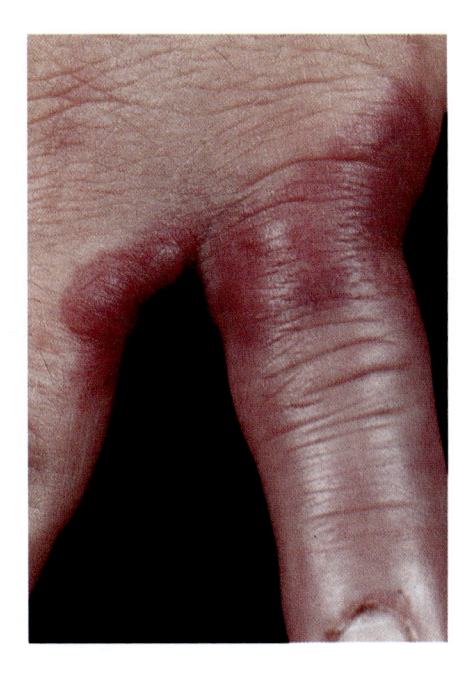

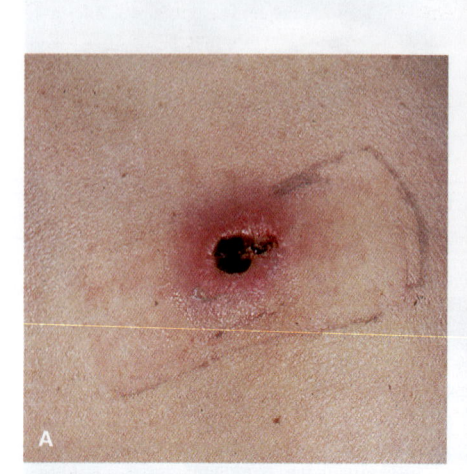

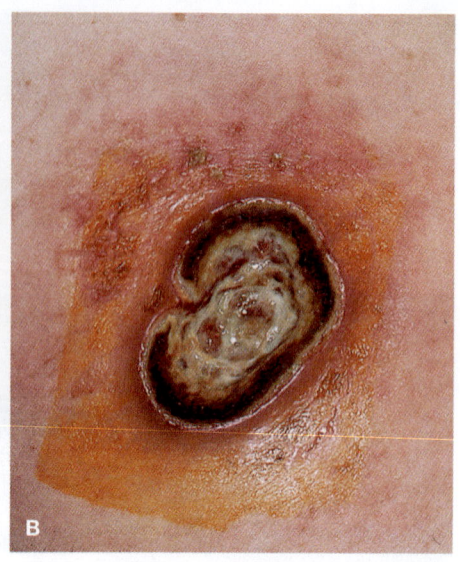

Figura 25-32 Ectima gangrenoso da nádega: *P. aeruginosa* Homem de 30 anos com doença pelo HIV e neutropenia. **(A)** Área infartada extremamente dolorosa, com eritema circundante que surgiu há 5 dias. Esta infecção cutânea primária estava associada à bacteremia. **(B)** 2 semanas depois, a lesão havia progredido para uma grande ulceração. O paciente faleceu 3 meses depois por pneumonite por *P. aeruginosa* associada à neutropenia crônica.

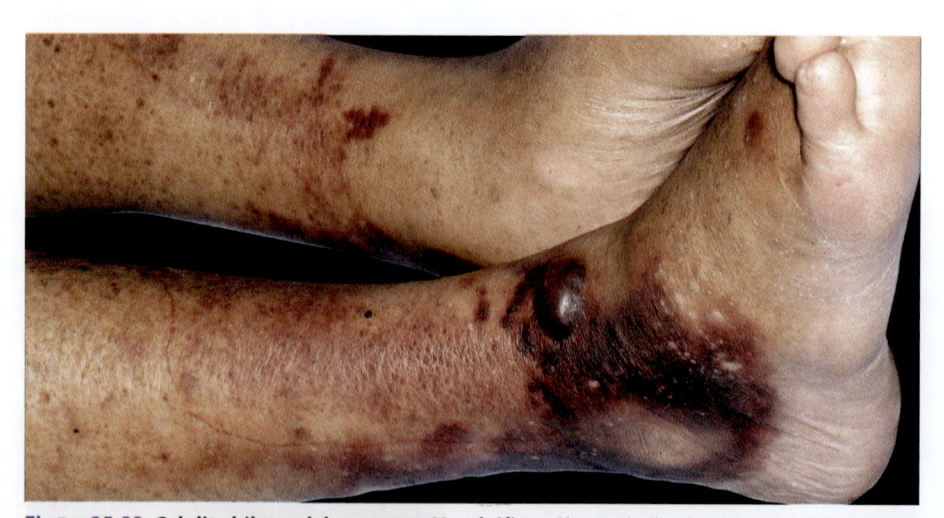

Figura 25-33 Celulite bilateral das pernas: *V. vulnificus* Placas e bolhas hemorrágicas bilaterais das pernas, nos tornozelos e nos pés de um idoso diabético com cirrose. Diferentemente de outros tipos de celulite, em que os microrganismos penetram localmente na pele, a celulite causada por *V. vulnificus* ocorre normalmente após enterite primária com bacteremia e disseminação para a pele. A maioria dos casos inicialmente diagnosticados como celulite bilateral é inflamatória (eczema, dermatite de estase, psoríase), e não infecciosa.

Cryptococcus neoformans: pacientes imunocomprometidos. Placa edemaciada, dolorosa, quente e vermelha nos membros. Raramente, múltiplos locais não contíguos.
Mucormicose: ocorre geralmente em indivíduos com diabetes melito não controlado.
Nocardiose: *ver* Infecções Cutâneas por *Nocardia*, p. 559.
Eumicetoma: *ver* Seção 26
Cromoblastomicose: *ver* Seção 26

DIAGNÓSTICO DIFERENCIAL

ERISIPELA/CELULITE Tromboflebite venosa profunda, urticária, picadas de insetos (resposta de hipersensibilidade), erupção medicamentosa fixa, eritema nodoso, gota aguda, eritema migratório (EM).
INFECÇÃO NECROSANTE DE TECIDO SUBCUTÂNEO Vasculite, vasculopatia oclusiva, doença vascular periférica, calcifilaxia, necrose por varfarina, lesão traumática, crioglobulinemia, pioderma gangrenoso e mordida de aranha-marrom-reclusa.

DIAGNÓSTICO

O diagnóstico clínico tem como base os aspectos morfológicos da lesão e o contexto clínico, isto é, doenças subjacentes, história de viagem, exposição a animais, história de mordeduras e idade. Confirmado por cultura em apenas 29% dos casos em pacientes imunocompetentes. A suspeita de fascite necrosante (ver adiante) requer a realização imediata de biópsia profunda e cultura de tecido.

EVOLUÇÃO

Com a definição do diagnóstico e a instituição do tratamento no momento oportuno, a infecção dos tecidos moles regride com tratamento antibiótico oral ou parenteral.

Se o tratamento eficaz for adiado, ocorre disseminação da infecção (linfática, hematogênica), com locais metastáticos de infecção. Em pacientes imunocomprometidos, o prognóstico depende da restauração imediata da imunidade alterada, habitualmente com correção da neutropenia.

TRATAMENTO

Tratamento antibiótico sistêmico em altas doses, de acordo com o tipo e a sensibilidade do microrganismo.

INFECÇÃO NECROSANTE DE TECIDOS MOLES CID-10: M72.6

- Caracterizam-se pela rápida progressão da infecção, com necrose extensa dos tecidos moles e pele sobrejacente. Fascite necrosante.
- Etiologia. Geralmente polimicrobiana, historicamente por EGA beta-hemolítico. Infecção necrosante dos tecidos moles também causada por *P. aeruginosa* e espécies de *Clostridium*.
- Porta de entrada. A infecção pode começar profundamente no local de traumatismo mínimo sem perfuração (equimose, distensão muscular). Traumatismo mínimo, laceração, perfuração por agulhas ou incisão cirúrgica em um membro. As variantes clínicas da infecção necrosante de tecidos moles diferem de acordo com o microrganismo etiológico, a localização anatômica da infecção e as condições subjacentes. A *miosite necrosante estreptocócica* ocorre como miosite primária. A *SCT estreptocócica* pode ocorrer com fascite necrosante. Os EGBs causam fascite necrosante em incisões de episiotomia.
- Diagnóstico. É fundamental compreender a patogênese e decidir sobre os tratamentos antimicrobiano e cirúrgico apropriados.
- Quando a necrose cutânea não for óbvia, *deve-se suspeitar do diagnóstico se houver sinais de sepse* e/ou algum dos seguintes sinais/sintomas locais: dor intensa, edema endurecido, bolhas, cianose, palidez cutânea, hipestesia cutânea, crepitação, fraqueza muscular, exsudatos de odor fétido.

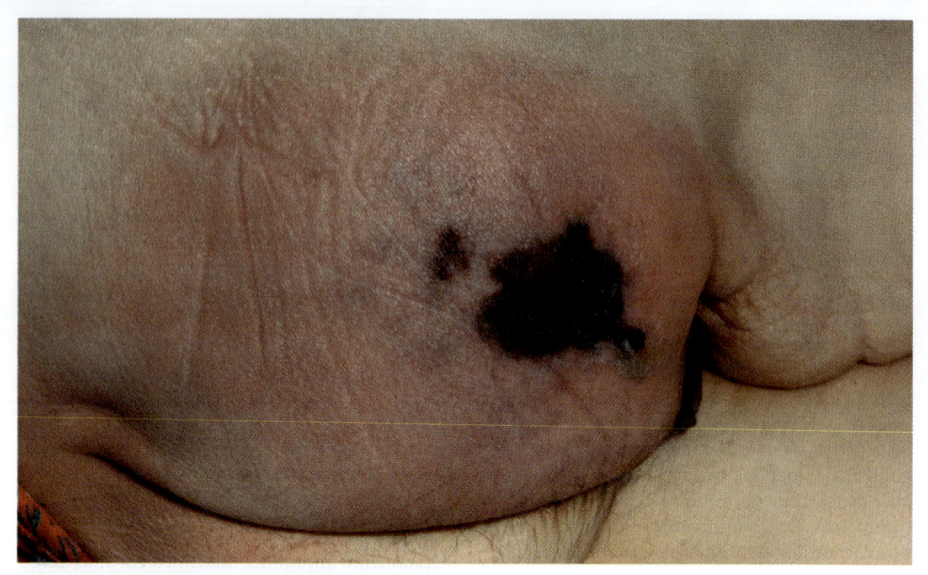

Figura 25-34 Fascite necrosante da nádega Escara negra dentro de uma placa eritematosa edemaciada acometendo toda a nádega, com área de necrose que progride rapidamente.

MANIFESTAÇÃO CLÍNICA

Eritema, edema, calor e dor localizados na área acometida, comumente em um membro.

Os *achados característicos* aparecem dentro de 36 a 72 horas do início: os tecidos moles envolvidos ficam de *cor azul escura*; aparecem *vesículas* ou *bolhas*. A infecção espalha-se rapidamente ao longo dos planos fasciais (Fig. 25-34). Ocorre desenvolvimento de *necrose* cutânea extensa de tecidos moles. O tecido acometido pode estar *anestésico*. A necrose manifesta-se na forma de *escara negra*, com borda irregular circundante de eritema. *Febre* e outros sintomas constitucionais são proeminentes à medida que o processo inflamatório se estende rapidamente no decorrer dos próximos dias. Podem ocorrer *abscessos metastáticos* em consequência da bacteremia. Ocorre tromboflebite secundária. Sem desbridamento cirúrgico, a fascite necrosante é fatal.

DIAGNÓSTICO DIFERENCIAL

Pioderma gangrenoso, calcifilaxia, púrpura fulminante, necrose por varfarina, úlcera de pressão, picada de aranha-marrom reclusa.

TRATAMENTO

DESBRIDAMENTO CIRÚRGICO É necessário desbridamento cirúrgico precoce e completo do tecido necrótico em associação com agentes antimicrobianos em altas doses.

LINFANGITE CID-10: I89.1

- Processo inflamatório que acomete os vasos linfáticos subcutâneos.
- Etiologia.
  - Linfangite aguda: EGA; *S. aureus*; outras bactérias. Herpes-vírus simples.
  - Linfangite nodular subaguda a crônica: *Mycobacterium marinum*, outras MNTs, *Sporotrix schenkii*, *N. brasiliensis*.

MANIFESTAÇÃO CLÍNICA

LINFANGITE AGUDA Porta de entrada: solução de continuidade da pele, ferida, paroníquia causada por *S. aureus*, infecção primária por herpes-vírus simples. Dor e/ou eritema proximalmente à solução de continuidade da pele. Estrias lineares vermelhas e cordões linfáticos palpáveis, de até vários centímetros de largura, estendem-se da lesão local até os linfonodos regionais (Fig. 25-35), que frequentemente estão aumentados e sensíveis.

Linfangite subaguda e crônica; linfangite nodular; ver discussão sobre Nocardiose (p. 559), infecção por MNT (p. 583) e esporotricose (ver Seção 26).

DIAGNÓSTICO DIFERENCIAL

LESÕES LINEARES NOS MEMBROS Dermatite de contato fitoalérgica (hera venenosa ou carvalho-venenoso), fitofotodermatite, tromboflebite superficial.
LINFANGITE NODULAR Infecção por *M. marinum*, *N. brasiliensis*, *S. schenckii*.

DIAGNÓSTICO

A associação de lesão periférica aguda com estrias lineares vermelhas proximais hipersensíveis/dolorosas que se estendem até os linfonodos regionais estabelece o diagnóstico de linfangite. Isolamento do *S. aureus* ou de EGA em amostra obtida da porta de entrada.

EVOLUÇÃO

Regride com diagnóstico e tratamento corretos. Bacteremia com infecção metastática é incomum com o tratamento adequado.

TRATAMENTO

Antibióticos sistêmicos, dependendo do microrganismo etiológico.

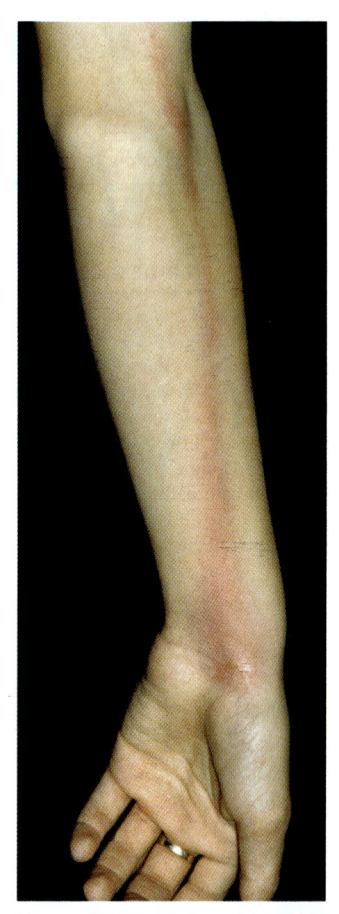

Figura 25-35 Linfangite aguda do antebraço: *S. aureus* Pequena área de celulite na superfície volar do punho com estria linear sensível, que se estende proximalmente até o braço; a infecção disseminou-se a partir da porta de entrada para os vasos linfáticos superficiais.

INFECÇÃO DE FERIDAS

- **Ferida.** Lesão em consequência de incisão cirúrgica da pele ou lesão traumática (ferida aberta), ou em que um traumatismo sem ruptura da pele provoca contusão (ferida fechada). Infecção da ferida: a pele e todas as feridas são colonizadas por bactérias e outros micróbios, isto é, *microbioma cutâneo*. A infecção caracteriza-se por dor, sensibilidade, purulência, eritema e calor e deve ser diagnosticada com base nas manifestações clínicas, bem como nos resultados de culturas.

ETIOLOGIA E EPIDEMIOLOGIA

CLASSIFICAÇÃO *Feridas traumáticas:* feridas abertas ou fechadas (Fig. 25-36). *Feridas cirúrgicas:* infecção em incisões cirúrgicas (Fig. 25-37). *Feridas causadas por queimaduras:* a ferida causada por queimadura pode ser superficialmente colonizada por *S. aureus*; infecção de ferida cirúrgica aberta relacionada com queimadura; celulite de ferida por queimadura; infecção invasiva em feridas por queimaduras desbridadas (Fig. 25-38). *Úlceras crônicas:* insuficiência arterial; insuficiência venosa; úlceras neuropáticas/diabetes melito; úlceras de pressão (úlceras de decúbito) (Figs. 25-39 a 25-41). *Mordeduras:* animais; seres humanos; picadas de insetos.

EPIDEMIOLOGIA O *S. aureus* é o patógeno mais comum em infecções de feridas, MSSA e cada vez mais MRSA. As infecções de feridas cirúrgicas são até 10 vezes mais prováveis entre pacientes portadores de *S. aureus* nas narinas. As infecções hospitalares (nosocomiais) ou as infecções associadas a serviços de saúde (mais comumente infecções de feridas cirúrgicas) constituem a complicação mais comum que afeta pacientes hospitalizados.

PATOGÊNESE As feridas são inicialmente colonizadas pela flora cutânea ou por microrganismos introduzidos. Em alguns casos, esses microrganismos proliferam, causando resposta inflamatória do hospedeiro.

Figura 25-36 Infecção de laceração em um receptor de transplante renal: MRSA Paciente imunossuprimido de 60 anos de idade, receptor de transplante renal, não percebeu a ocorrência de laceração na panturrilha. São observados eritema e endurecimento ao redor da ferida crostosa. MRSA foi isolado em cultura. Há também dois carcinomas espinocelulares invasivos na panturrilha indicados pelos círculos.

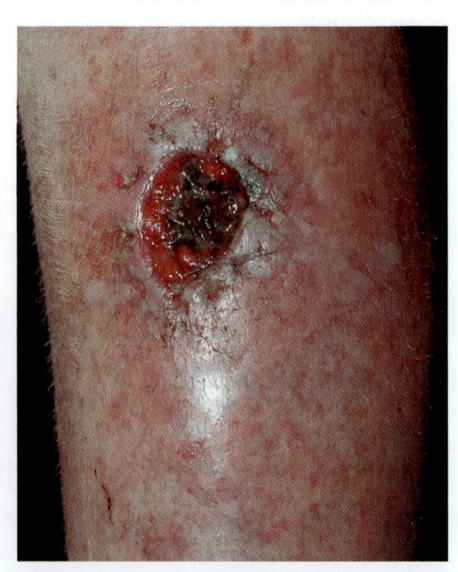

Figura 25-37 Infecção da ferida de excisão cirúrgica: MSSA A ferida cirúrgica tornou-se dolorosa e hipersensível 7 dias após a excisão de carcinoma espinocelular; observa-se a presença de infecção de tecido mole (celulite) adjacente à borda da ferida. Há tecido necrótico na base.

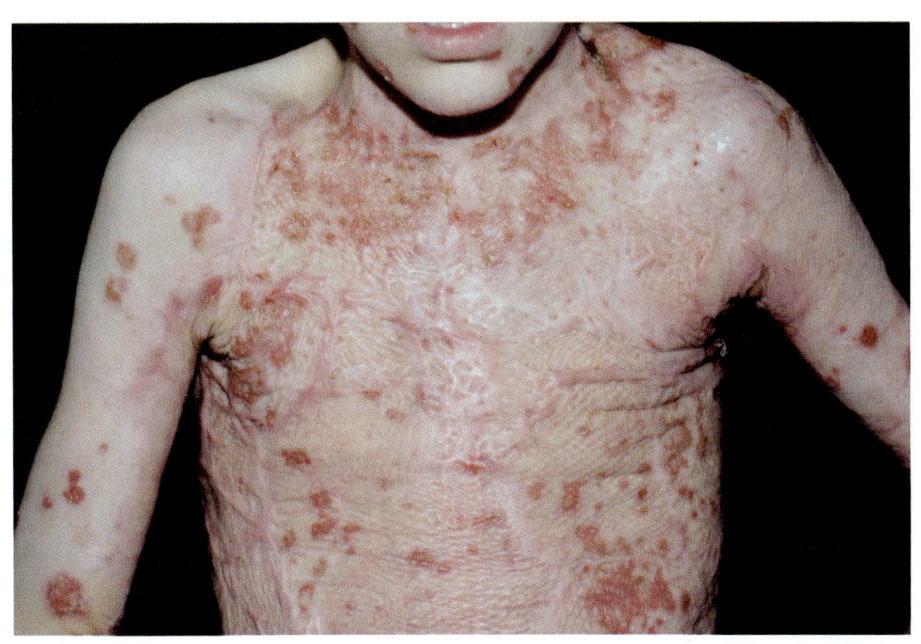

Figura 25-38 Infecção de ferida causada por queimadura: MSSA Menino de 10 anos de idade com queimadura térmica de terceiro grau extensa, tratado com enxerto de pele autóloga, apresenta novas erosões crostosas extensas. O MSSA foi isolado em cultura de material da área infectada.

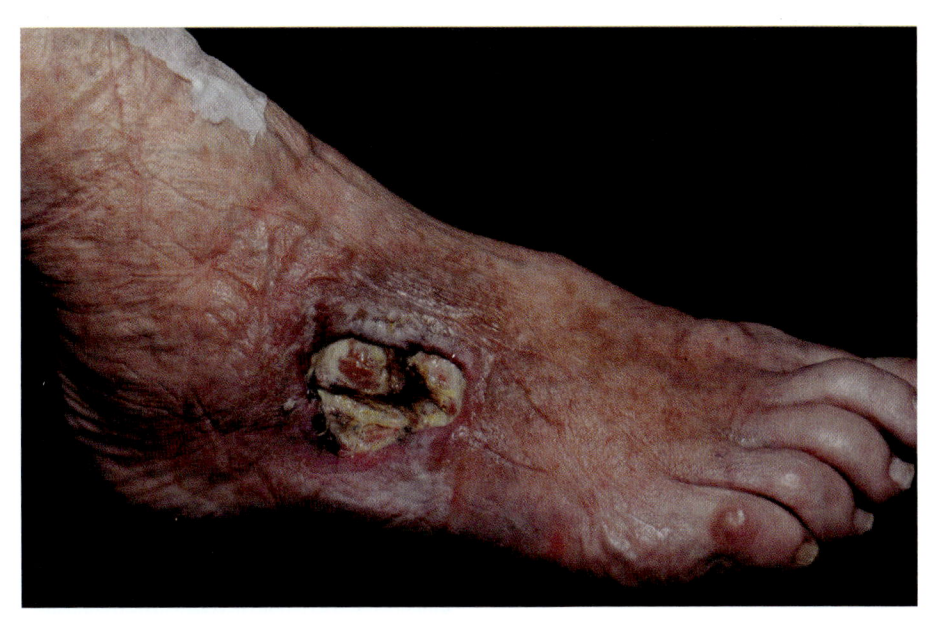

Figura 25-39 Infecção de ferida de úlcera de estase Mulher de 75 anos com veias varicosas e úlcera de estase infectada por *S. aureus* resistente à meticilina e *Pseudomonas aeruginosa*. Foram administrados antibióticos intravenosos. As veias incompetentes foram tratadas com ablação por *laser* endovascular.

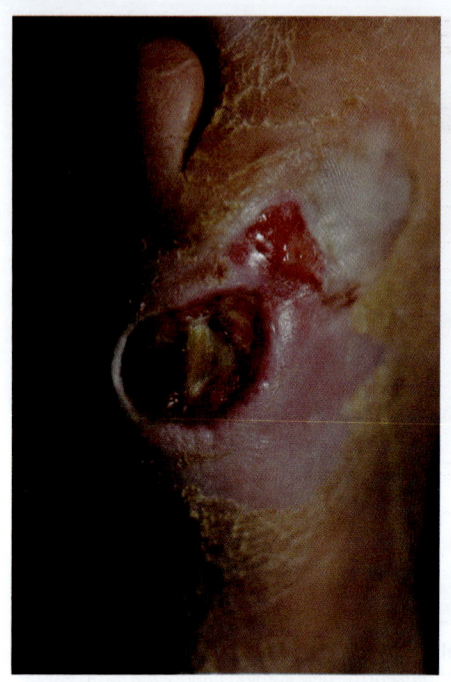

Figura 25-40 Infecção de úlcera diabética: *S. aureus* resistente à meticilina Homem de 86 anos com diabetes melito tipo 2 tinha uma úlcera neuropática crônica na face lateral do pé direito. A úlcera aumentou rapidamente, associada com febre e nível de glicose de 450 mg/dL. MRSA foi isolado da ferida. O paciente foi hospitalizado e tratado com antibióticos intravenosos. Faleceu 3 meses depois.

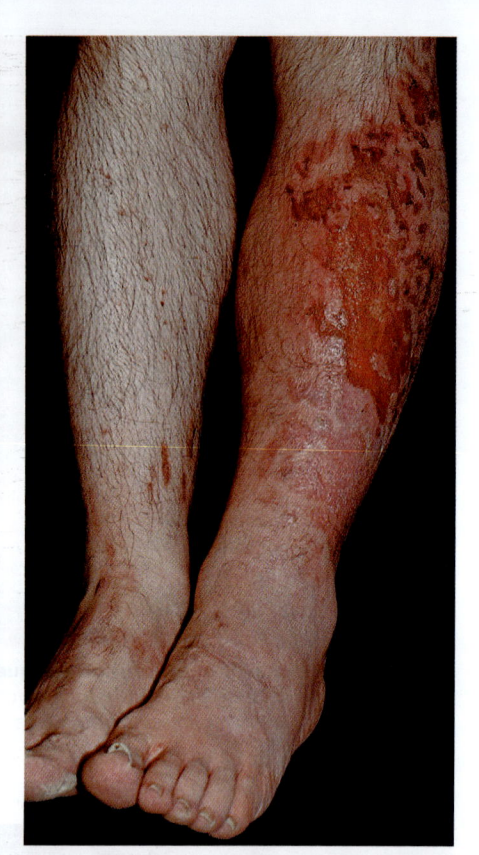

Figura 25-41 Infecção de ferida e celulite: *S. aureus* resistente à meticilina Homem de 53 anos com transtorno obsessivo-compulsivo escoriava os membros à noite. Ocorreu infecção por MRSA repetidamente. As úlceras regrediram com doxiciclina, doxepina e botas de Unna aplicadas semanalmente.

MANIFESTAÇÃO CLÍNICA

INFECÇÃO LOCAL Sensibilidade na área da ferida, eritema, calor, drenagem purulenta, endurecimento. Infecção invasiva: mal estar, anorexia, sudorese, febre ou calafrios. Síndrome séptica: febre e hipotensão.

TIPOS DE INFECÇÕES CIRÚRGICAS Infecção superficial da ferida, infecção da ferida com infecção dos tecidos moles, isto é, celulite e erisipela, abscesso de tecidos moles, infecção necrosante dos tecidos moles, tétano.

DIAGNÓSTICO DIFERENCIAL

Dermatite de contato alérgica (p. ex., neomicina), pioderma gangrenoso, vasculite.

DIAGNÓSTICO

Como todas as feridas abertas são colonizadas por microrganismos, o diagnóstico de infecção depende das características clínicas da ferida. A cultura de amostra da ferida identifica o(s) potencial(is) patógeno(s).

TRATAMENTO

Embora todas as feridas necessitem de tratamento, apenas as lesões infectadas precisam ser tratadas com agentes antimicrobianos.

DISTÚRBIOS CAUSADOS POR BACTÉRIAS PRODUTORAS DE TOXINAS

- As bactérias colonizam a pele e as mucosas (*microbioma* mucocutâneo), replicam-se localmente e produzem toxinas, que causam doenças mucocutâneas locais e sistêmicas.
- Síndromes clínicas causadas por essas toxinas:
  - S. aureus.
    - *Impetigo bolhoso* (ver **Figs. 25-12** e **25-13**).
    - Síndrome da pele escaldada estafilocócica. Forma generalizada com epidermólise extensa, seguida de descamação.
    - SCT. Forma abortiva, escarlatina estafilocócica.
  - EGA.
    - *Escarlatina*.
    - *SCT estreptocócica*.
    - *Bacillus anthracis:* antraz cutâneo.
    - *Corynebacterium diphtheriae:* difteria.
- *Clostridium tetani:* Tétano.

SÍNDROME DA PELE ESCALDADA ESTAFILOCÓCICA CID-10: L00

- Etiologia. *S. aureus*, produtor de toxinas esfoliativas. Ocorre em recém-nascidos e crianças pequenas.
- Patogênese. A doença desenvolve-se após a síntese de toxina e a resposta subsequente do hospedeiro desencadeada pela presença de toxina. Exotoxinas (esfoliatina) quebram a desmogleína-1 na camada de células granulares da epiderma, resultando na sua separação.

MANIFESTAÇÃO CLÍNICA

FORMA LOCALIZADA Ver "Impetigo bolhoso" em Figuras 25-12 e 25-13. Bolhas purulentas flácidas e intactas, agrupadas. A ruptura das bolhas resulta na formação de lesões úmidas vermelhas e/ou erosivas crostosas. As lesões estão frequentemente agrupadas em uma área intertriginosa.

FORMA GENERALIZADA Alterações esfoliativas induzidas por toxinas: inicialmente, ocorrem *exantema escarlatiniforme macular* (síndrome da escarlatina estafilocócica febril) ou eritema difuso maldefinido com aspecto fino, pontilhado, semelhante a uma lixa. Em 24 horas, o eritema adquire coloração intensa, e a pele acometida torna-se sensível. Inicialmente, ocorre em torno dos orifícios da face, na região cervical, nas axilas e na região inguinal, tornando-se mais disseminado em 24 a 48 horas.

O acometimento superficial da epiderme é mais pronunciado em torno dos orifícios na face, nas áreas flexurais da região cervical, das axilas, região inguinal, área antecubital e dorso (pontos de pressão). Com a ocorrência de epidermólise, a epiderme aparece enrugada e pode ser removida por pressão suave (a pele assemelha-se a um lenço de papel úmido) (*sinal de Nikolsky*) (**Fig. 25-42**). Em alguns lactentes, formam-se bolhas flácidas.

A epiderme descoberta forma erosões com base eritematosa e úmida (**Fig. 25-43A**). Ocorre descamação com a cicatrização (**Fig. 25-43B**).

As mucosas não são acometidas. Por outro lado, a SCT manifesta-se com eritema da mucosa.

DIAGNÓSTICO DIFERENCIAL

Síndrome de Kawasaki, erupções cutâneas adversas a medicamentos, escarlatina.

DIAGNÓSTICO

Achados clínicos confirmados por culturas bacterianas de impetigo bolhoso ou das narinas. Erosões por toxina epidermolítica podem não apresentar bactérias.

EVOLUÇÃO

Com tratamento antibiótico adequado, as áreas desnudas superficialmente curam em 3 a 5 dias, associadas à descamação generalizada; não há formação de cicatrizes.

TRATAMENTO

Antibióticos sistêmicos para tratar a infecção e interromper a produção de toxinas.

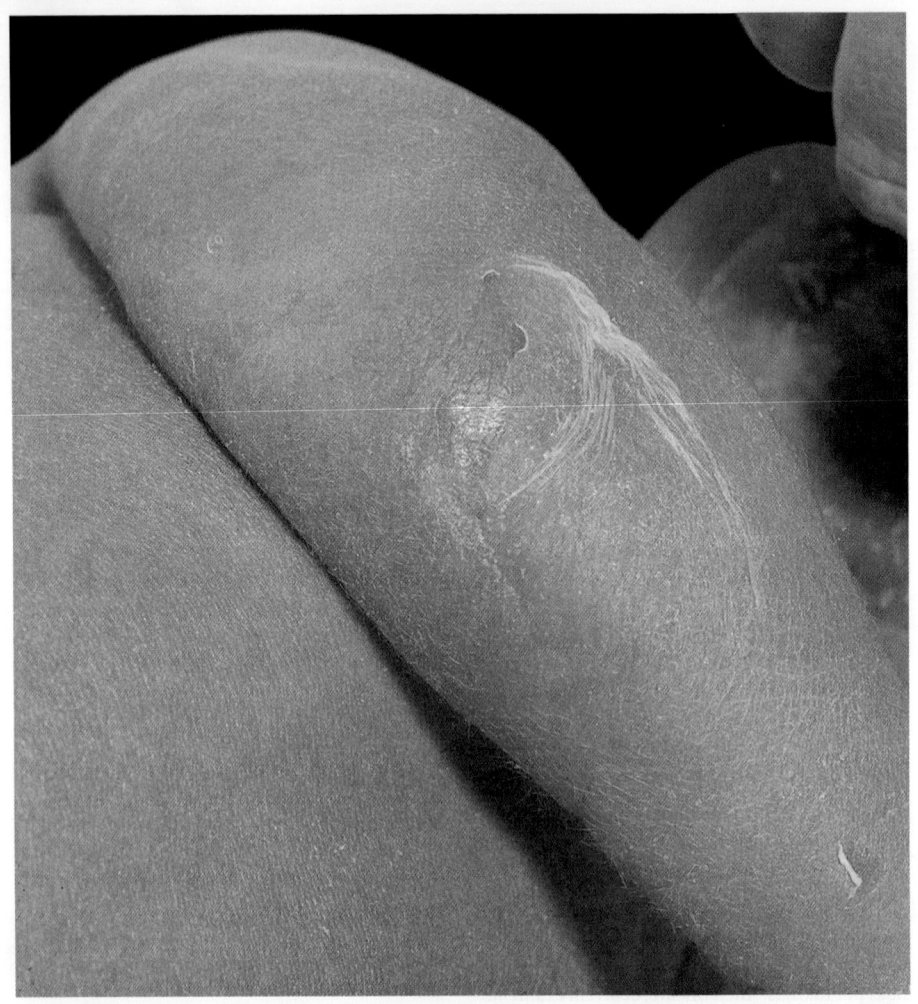

Figura 25-42 Síndrome da pele escaldada estafilocócica: sinal de Nikolsky A pele deste lactente está difusamente eritematosa; a pressão suave exercida sobre a pele do braço provocou desprendimento da epiderme, que se dobra como um lenço de papel.

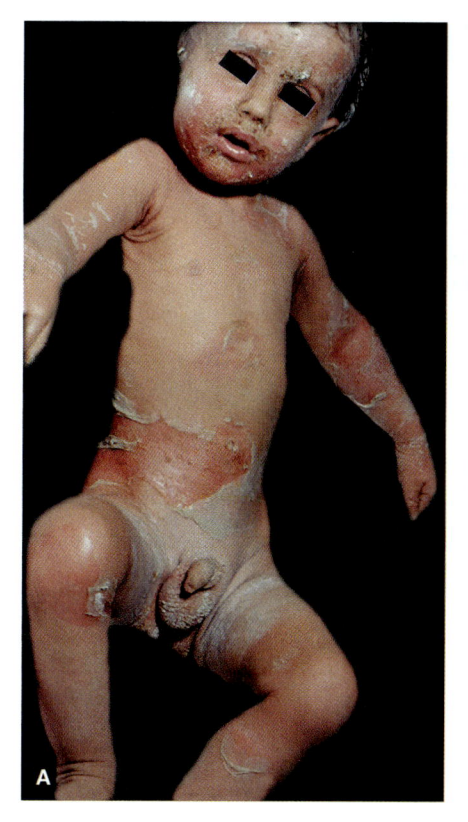

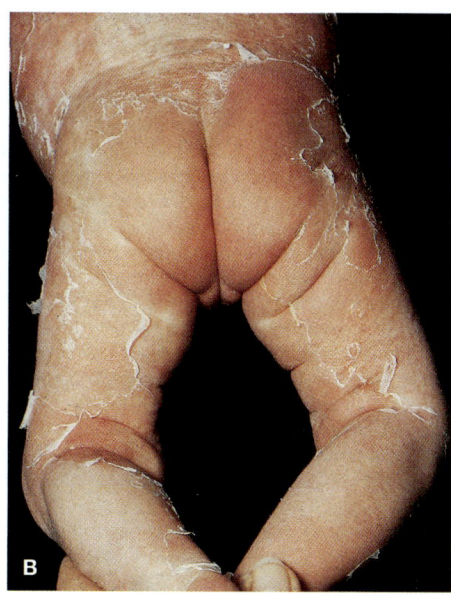

Figura 25-43 Síndrome da pele escaldada estafilocócica Desprendimento e descamação. Neste lactente, o eritema difuso, sensível e doloroso foi seguido de desprendimento generalizado da epiderme e erosões. **(A)** *S. aureus* colonizou as narinas com impetigo perioral, local de produção da exotoxina. **(B)** Descamação extensa nas nádegas e nas pernas.

SÍNDROME DO CHOQUE TÓXICO CID-10: A48.3

- Etiologia. *S. aureus* produtor de exotoxina (TSCT-1); com menos frequência, EGA.
- SCT estafilocócica
  - SCT menstrual (SCTM).
  - A SCT não menstrual (SCTNM) ocorre secundariamente a uma ampla variedade de infecções primárias e secundárias de dermatoses subjacentes por *S. aureus*.
- SCT estreptocócica. Infecção da pele ou dos tecidos moles com produção de toxina.
- Manifestações clínicas. Início rápido de febre, hipotensão, falência de múltiplos órgãos. Exantema. Eritrodermia escarlatiniforme generalizada e que não empalidece à compressão, tipo "queimadura solar indolor", mais intensa ao redor das áreas infectadas. Regride dentro de 3 dias após o seu aparecimento. Edema. Eritema/úlceras em mucosas. Descamação 1 semana após o início do exantema. Começa no torso, face e extremidades, seguido pelas mãos e pés.
- Evolução. SCT estreptocócica: taxa de mortalidade de 25 a 50%. SCTNM: taxa de mortalidade de 6,4%; SCTM: taxa de mortalidade de 2,5%.
- Tratamento. Antibióticos sistêmicos para tratar a infecção e interromper a produção de toxinas. Tratamento de suporte.

ESCARLATINA CID-10: A38

- Etiologia.
    - EGA β-hemolíticos (*S. pyogenes*), cepas produtoras de toxina eritrogênica.
    - *S. aureus* produtor de toxina esfoliativa (TE).
- Manifestações clínicas. Infecção: faringite, tonsilite, ferida infectada ou dermatoses.
- **Síndrome tóxica (escarlatina).** Agudamente enfermo, com febre alta, fadiga, faringite, cefaleia, náusea, vômitos e taquicardia. Linfadenite cervical anterior associada à faringite/tonsilite. Ocorre exantema escarlatiniforme em indivíduos não imunizados.
- **Exantema.** Face ruborizada com palidez perioral. O eritema finamente puntiforme é inicialmente observado na parte superior do tronco (**Fig. 25-44**); pode ser acentuado nas dobras do corpo, como região cervical, axilas, região inguinal, fossas antecubitais e poplíteas; ocorrem petéquias lineares (sinal de Pastia) nas dobras do corpo. As palmas e as plantas são normalmente preservadas. As lesões puntiformes iniciais tornam-se eritematosas e confluentes, isto é, *escarlatiniformes*. O *exantema regride* em 4 a 5 dias e é seguido de *descamação* do corpo e dos membros e de esfoliação em lâminas nas palmas e dedos das mãos e plantas e dedos dos pés. Nas infecções subclínicas ou brandas, o exantema e a faringite podem passar despercebidos.
- **Enantema.** Faringe de cor vermelho-viva. *Manchas de Forchheimer*: máculas vermelhas e pequenas no palato mole. Podem ocorrer petéquias puntiformes no palato. *Língua branca*: a língua é inicialmente branca com papilas edemaciadas, vermelhas e dispersas (língua em morango branco) (**Fig. 25-45**). Língua em morango vermelho: em torno do quarto ou do quinto dia, ocorre desprendimento da membrana hiperceratótica, e a mucosa lingual adquire uma coloração vermelho-viva (**Fig. 25-45**).
- Complicações: Febre reumática aguda 1 a 4 semanas após o início da faringite (incidência marcadamente reduzida nas últimas cinco décadas), glomerulonefrite aguda mais comum após impetigo com cepa nefritogênica de EGA (tipos 2, 4, 12, 49 e 60), psoríase gutata (ver Seção 3) e eritema nodoso (ver Seção 7).
- Diagnóstico diferencial. Exantema viral, erupção cutânea adversa a medicamento, síndrome de Kawasaki, mononucleose infecciosa.
- Diagnóstico. Testes rápidos direto com antígenos: realizados para detectar antígenos de EGA em amostras de *swab* de garganta. Isolamento de EGA em cultura de amostra obtida da garganta ou de ferida. As hemoculturas raramente são positivas. *Critérios de Centor* para o diagnóstico de faringite estreptocócica aguda: história de febre, exsudatos tonsilares; adenopatia cervical anterior sensível; ausência de tosse.
- Tratamento. A penicilina sistêmica constitui o fármaco de escolha, e as alternativas incluem eritromicina, clindamicina, claritromicina ou cefalosporinas.

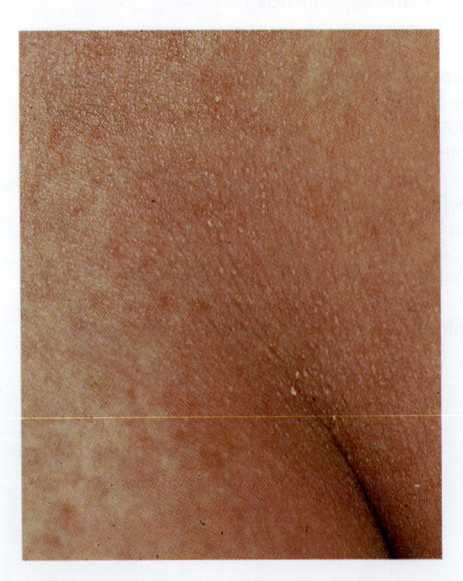

Figura 25-44 Escarlatina: exantema O eritema finamente puntiforme tornou-se confluente (escarlatiniforme); petéquias podem ocorrer e apresentarem configuração linear dentro do exantema nas dobras do corpo (linha de Pastia).

Figura 25-45 Escarlatina: língua em morango vermelho e branco As placas brancas na parte posterior da língua representam resíduos da língua em morango branco inicial.

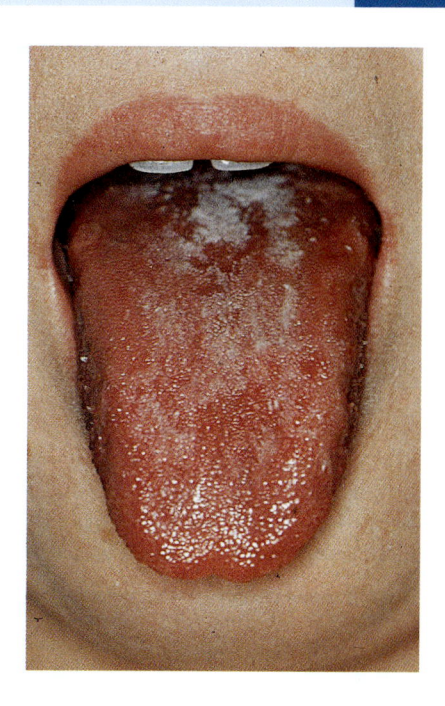

ANTRAZ CUTÂNEO (CARBÚNCULO DE ANTRAZ) CID-10: A22.0

- Etiologia. *B. anthracis*, um bastonete Gram-positivo aeróbio não móvel. Zoonose. Os esporos podem permanecer dormentes no solo durante décadas. Ocorre germinação de baixo grau no local primário, resultando em edema e necrose locais. Infecção primária: pele, pulmonar e GI. Patogênese: mediada por toxinas.
- Transmissão. Zoonose de mamíferos, particularmente herbívoros. As infecções humanas resultam de contato com animais silvestres e domésticos contaminados ou produtos animais. Não ocorre transmissão entre seres humanos. Indivíduos de risco: agricultores, pastores; abatedouros, trabalhadores da indústria têxtil.
- Antraz cutâneo (carbúnculo de antraz). Responsável por 95% dos casos de antraz nos EUA.
    - Corte ou abrasão em locais expostos da cabeça, região cervical e dos membros. Uma pápula pruriginosa, indolor e inespecífica (que se assemelha a uma picada de inseto) surge dentro de 3 a 5 dias após a introdução dos endosporos. Em 1 a 2 dias, a lesão evolui, formando vesícula(s) ± hemorragia + necrose. As vesículas sofrem ruptura e formam *úlceras com edema local extenso* (**Fig. 25-46**), produzindo, por fim, escaras secas (1 a 3 cm). Pode haver formação de lesões-satélites em *linfangite nodular* proximalmente ao membro edemaciado (**Fig. 25-46**).
- Diagnóstico diferencial: ectima, picada de aranha-marrom reclusa, tularemia ulceroglandular, orf, mormo.
- Diagnóstico. Isolamento de *B. anthracis* das lesões cutâneas, do sangue ou das secreções respiratórias, ou determinação de anticorpos específicos no sangue de indivíduos com sintomas suspeitos.
- Evolução e tratamento. A taxa de mortalidade em indivíduos com antraz cutâneo sem tratamento é de cerca de 20%. A penicilina sistêmica constitui o fármaco de escolha, e as alternativas incluem eritromicina, azitromicina, claritromicina ou cefalosporinas.

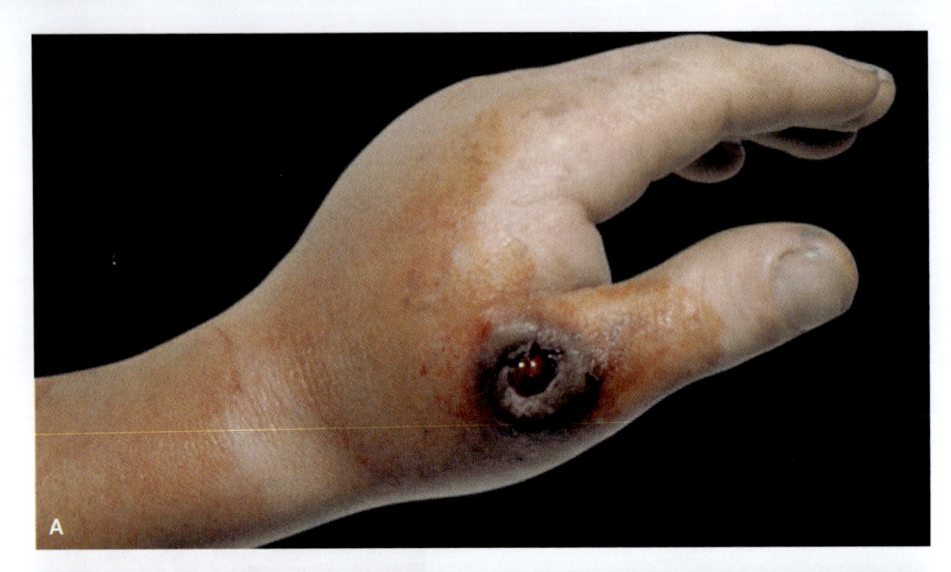

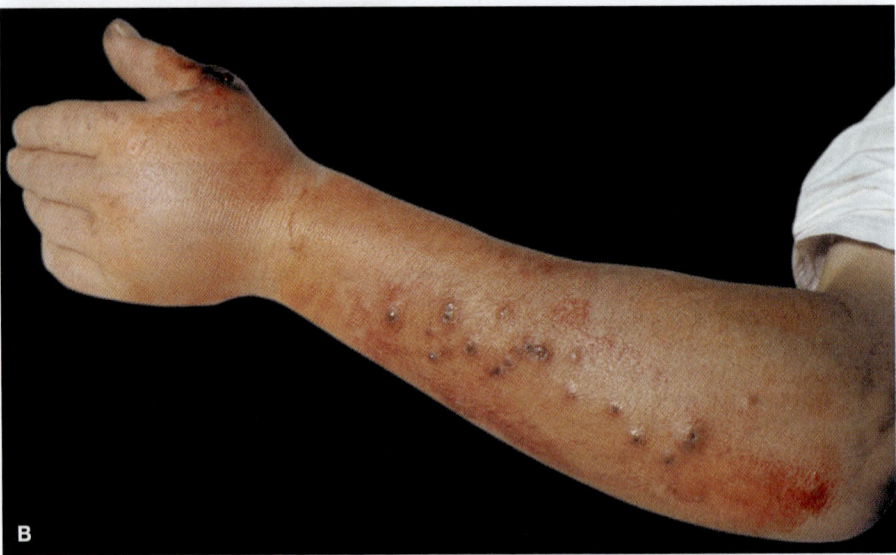

Figura 25-46 Antraz cutâneo Agricultor de 40 anos com antraz cutâneo. **(A)** Escara negra no local de inoculação, com úlcera hemorrágica central no polegar associada a edema maciço da mão. **(B)** Linfangite nodular que se estende proximalmente a partir da lesão primária no polegar.

DIFTERIA CUTÂNEA CID-10: A36.3

- Etiologia. *Corynebacterium diphtheria*. Os casos nos países industrializados são extremamente raros.
- Patogênese. Infecção localizada causada por cepas toxigênicas e não toxigênicas. A infecção aguda pode acometer qualquer ferida das mucosas ou da pele. A toxina provoca miocardite e *neuropatia periférica*.
- Manifestações clínicas. Lesões cutâneas: ferida inespecífica. Membrana cinza espessa na faringe. Miocardite, arritmias. Polineurite envolvendo os nervos cranianos: diplopia, fala arrastada ou dificuldade para deglutir.
- Diagnóstico. Estabelecido com o isolamento de *C. diphtheria* em cultura de amostra de ferida.
- Tratamento. Penicilina, eritromicina, antitoxina.
  Vacinação. A imunidade conferida pela vacina declina com o passar do tempo. Recomendam-se doses de reforço a cada 10 anos.

INFECÇÕES CUTÂNEAS POR *NOCARDIA*

- Etiologia. Espécies de bactérias do gênero *Nocardia*. Actinomicetos Gram-positivos anaeróbios e saprofíticos que vivem no solo. Os actinomicetos eram classificados incorretamente como fungos. *N. brasiliensis* está geralmente associada a uma doença limitada à pele. Ocorre infecção após inoculação traumática na pele de um membro.
- Manifestações clínicas. **Celulite.** Ocorre inflamação dentro de 1 a 3 semanas após inoculação traumática. Eritema em expansão, endurecimento; firme e não flutuante. A infecção, quando não tratada, pode progredir, acometendo músculos, tendões, ossos e articulações adjacentes. A disseminação é rara e ocorre em indivíduos com defeitos nos mecanismos de defesa do hospedeiro.
  Linfangite nodular. Começa na forma de nódulo no local de inoculação. Se não for tratada, a infecção estende-se nos vasos linfáticos, com nódulos subcutâneos lineares.
  Nocardiose cutânea. O nódulo aparece no local de inoculação (**Fig. 25-47**), mais comumente nos pés ou nas mãos. Quando não tratada, a infecção se expande, formando placas com *tratos fistulosos* e formação de *fístula* (**Fig. 25-48**). À semelhança do eumicetoma, pode-se observar a presença de grânulos (massas densas de filamentos bacterianos que se estendem radialmente a partir de um núcleo central) no pus de drenagem e tecido. Depois de vários anos, pode ocorrer deformidade do membro, com acometimento das estruturas anatômicas adjacentes.
- Diagnóstico. Presença de grânulos e microrganismos na secreção purulenta. Isolamento e determinação da espécie de *Nocardia* no pus, exsudato ou tecido. Determinação da sensibilidade dos microrganismos isolados.
- Diagnóstico diferencial. **Linfangite nodular.** Esporotricose, infecção por MNT.
  Actinomicetoma. Eumicetoma.
- Evolução. Tende a sofrer recidiva, particularmente quando há deficiência nos mecanismos de defesa do hospedeiro.
- Tratamento. Sulfametoxazol/trimetoprima é o agente antimicrobiano preferido. Minociclina ou linezolida. Excisão/desbridamento cirúrgico.

Figura 25-47 Nocardiose cutânea Mulher de 23 anos da América Central com lesão dolorosa por 6 meses. Desenvolvimento de nódulos eritematosos violáceos confluentes na região pré-patelar direita que surgiu sobre uma abrasão. *Nocardia brasiliensis* foi isolada em cultura de amostra de biópsia. A lesão regrediu com sulfametoxazol-trimetoprima.

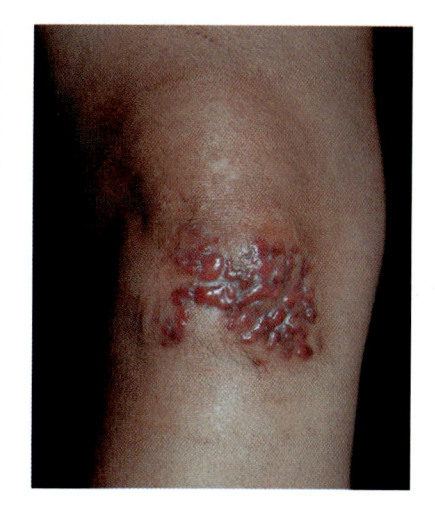

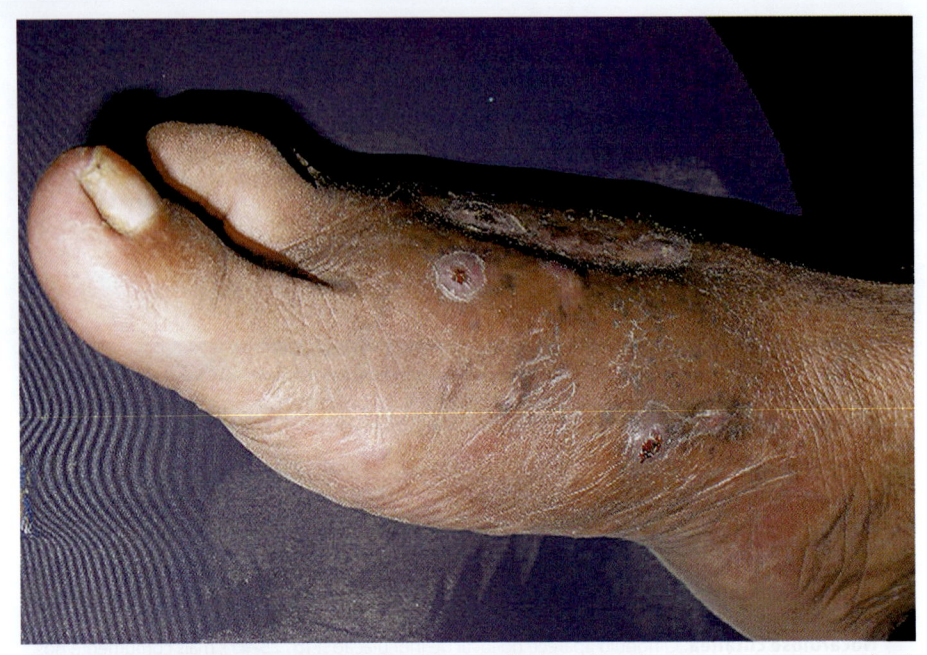

Figura 25-48 Nocardiose cutânea crônica Edema, múltiplos trajetos fistulosos e acometimento do pé. (Usada com permissão de Amor Khachemoune, MD e The Ronald O. Perelman Department of Dermatology, NYU School of Medicine.)

RIQUETSIOSES

- Riquétsias. Bactéria Gram-negativa. Cocobacilos/bacilos curtos; obrigatoriamente intracelulares.
- Transmitidas aos seres humanos por artrópodes: carrapatos, ácaros, pulgas, piolhos; reservatórios nos mamíferos; os seres humanos são hospedeiros incidentais.
- Riquetsioses. Grupo das febres maculosas, grupo do tifo, grupo do tifo rural.

MANIFESTAÇÃO CLÍNICA

Exposição a vetores ou a reservatórios animais, viagem ou residência em áreas endêmicas (https://www.cdc.gov/typhus/).

Tâche noire (mancha negra). Lesão numular com escara central e halo eritematoso, que surge no local de picada do vetor.

EXANTEMA Maculopapular. Exceção: Riquetsiose variceliforme com pápulas-vesículas.

MANIFESTAÇÕES TARDIAS VARIÁVEIS CONFORME O PATÓGENO As lesões podem se tornar hemorrágicas, com vasculite.

DIAGNÓSTICO

Confirmado por amostras séricas pareadas antes e após a convalescença ou por demonstração de riquétsias.

DERMATOPATOLOGIA As riquétsias multiplicam-se nas células endoteliais dos vasos sanguíneos de pequeno calibre e produzem vasculite, com necrose e trombose.

EVOLUÇÃO

As riquétsias podem causar infecções potencialmente fatais. Ordem decrescente de taxa de mortalidade: *R. rickettsii* (febre maculosa das Montanhas Rochosas [FMMR]); *R. prowazekii* (tifo epidêmico transmitido por piolhos); *Orientia tsutsugamushi* (tifo rural); *R. conorii* (febre maculosa do Mediterrâneo); *R. typhi* (tifo murino endêmico); em raros casos, outros microrganismos do grupo das febres maculosas.

TRATAMENTO

A doxiciclina é o fármaco de escolha, em dose de 100 mg, duas vezes ao dia, VO. Alternativas: ciprofloxacino ou cloranfenicol.

SEÇÃO 25 COLONIZAÇÕES E INFECÇÕES BACTERIANAS DA PELE E DOS TECIDOS MOLES

FEBRES MACULOSAS TRANSMITIDAS POR CARRAPATOS CID-10: A77.9

- Exantema característico: máculas e pápulas.
- FMMR, *R. rickettsia*.
- Febre botonosa por *R. conorii*. Tifo do carrapato siberiano *R. sibirica*; tifo do carrapato australiano, *R. australis*, febre maculosa oriental por *R. japonica;* febre do carrapato africano *R. africae*, etc.
- Riquetsiose variceliforme por *R. akari*.
- Transmissão. Vetor: *Dermatocentor andersoni/variablis* (carrapato do cachorro americano), *Amblyomma americannum* (carrapato lone star), *Rhipicephalus sanguineus* (carrapato marrom do cachorro), *Ixodes holocyclus/tasmani*. Distribuição mundial. A adesão costuma não ser percebida.
- Inoculação. *Picada;* contato das fezes do vetor com a ferida aberta. *História de viagem*: viagem recente ou moradia em região endêmica.

MANIFESTAÇÃO CLÍNICA

Período de incubação: Média de 7 dias após a picada do carrapato. Início súbito dos sintomas em 50% dos pacientes. Mais comuns: cefaleia, febre; ocorrem também calafrios, mialgias, artralgias, mal-estar, anorexia.

Tâche noire no local da inoculação. Escara de inoculação: forma-se uma pápula no local de picada, que evolui para uma úlcera indolor de crosta negra com halo eritematoso (Fig. 25-49) em 3 a 7 dias. Ocorre em todas as febres maculosas, exceto a FMMR.

EXANTEMA Cerca de 3 a 4 dias após o aparecimento da *tâche noire*, surgem máculas e pápulas eritematosas no tronco; subsequentemente, podem se disseminar, acometendo a face, os membros, as palmas e as plantas. A densidade da erupção aumenta nos próximos dias. Nos casos graves, as lesões podem se tornar hemorrágicas.

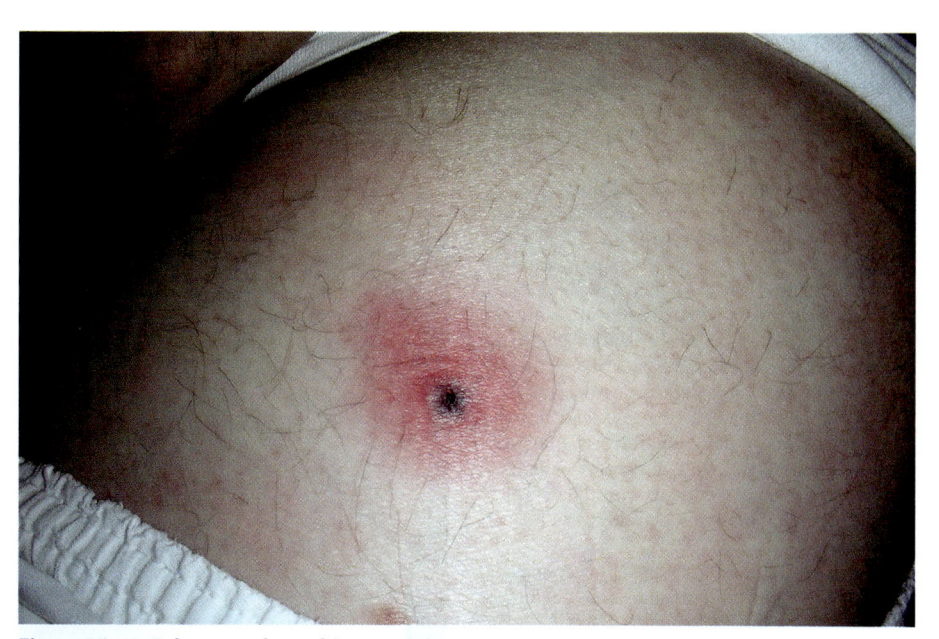

Figura 25-49 Febre maculosa africana: *tâche noire* Mulher de 65 anos, que recentemente retornou de uma viagem à África do Sul, percebeu uma lesão na coxa e relatou a ocorrência de sintomas gripais. Observa-se uma crosta central escura (*tâche noire*) com halo de eritema no local de picada do carrapato. A sorologia com amostras pareadas confirmou o diagnóstico de febre maculosa africana. Os sintomas regrediram com doxiciclina.

DISTRIBUIÇÃO Padrão de disseminação e distribuição semelhante em todas as febres maculosas – tronco, membros, face (padrão centrífugo) – *exceto* a FMMR, que aparece inicialmente nos punhos e nos tornozelos e tem disseminação centrípeta.
ACHADOS SISTÊMICOS Conjuntivite, faringite, fotofobia. Sintomas do sistema nervoso central (SNC): confusão, estupor, *delirium*, convulsões, coma; comuns na FMMR, mas não observados em outras febres maculosas.

DIAGNÓSTICO DIFERENCIAL

Exantemas virais, erupção medicamentosa, vasculite.

DIAGNÓSTICO

Os dados clínicos, epidemiológicos e da sorologia da fase convalescente estabelecem o diagnóstico de riquetsiose do grupo das febres maculosas.

EVOLUÇÃO

Na França e na Espanha, a taxa de mortalidade assemelha-se à da FMMR. As febres maculosas são geralmente mais leves em crianças. As taxas de morbidade e mortalidade são mais altas (até 50%) em indivíduos com diabetes melito, insuficiência cardíaca e alcoolismo.

FEBRE MACULOSA DAS MONTANHAS ROCHOSAS CID-10: A77.0

- Etiologia. *Rickettsia rickettsii*.
- Transmissão. Picada de carrapato infectado; apenas 60% dos pacientes percebem que foram picados. Mais comum na primavera no Sudeste dos EUA; > 2.000 casos relatados de FMMR anualmente nos EUA.

MANIFESTAÇÃO CLÍNICA

Início súbito dos sintomas. Febre, calafrios, tremores. Anorexia, náusea e vômitos. Mal-estar e irritabilidade. Cefaleia intensa. Mialgias. Pode simular abdome agudo, colecistite aguda e apendicite aguda. A *tâche noire* é rara na FMMR.

Exantema inicial: máculas rosadas de 2 a 6 mm, que empalidecem sob pressão (Figs. 25-50 e 25-51). Dentro de 1 a 3 dias, evoluem para pápulas vermelho-escuras (Fig.25-52). Em geral, o exantema começa nos punhos, antebraços e tornozelos e, um pouco mais tarde, nas palmas e plantas. Dentro de 6 a 18 horas, a erupção apresenta disseminação centrípeta para os braços, as coxas, o tronco e a face.

Exantema tardio: em 2 a 4 dias, as lesões tornam-se hemorrágicas e não empalidecem mais sob pressão. Edema local. Podem ocorrer petéquias nas palmas e plantas. Ocorre necrose das extremidades distais após hipotensão prolongada. Edema podálico.

Febre não maculosa: ≤ 10% dos casos. Associada a uma taxa de mortalidade mais alta, devido ao estabelecimento tardio do diagnóstico.

DIAGNÓSTICO

As considerações clínicas e epidemiológicas são mais importantes do que o diagnóstico laboratorial nas fases iniciais da FMMR. Deve-se suspeitar de FMMR em crianças, adolescentes e homens com mais de 60 anos com febre e exposição a carrapatos em áreas endêmicas. O diagnóstico é estabelecido clinicamente e confirmado posteriormente. Apenas 3% dos pacientes com FMMR apresentam a tríade de exantema, febre e história de picada de carrapato nos primeiros 3 dias da doença.

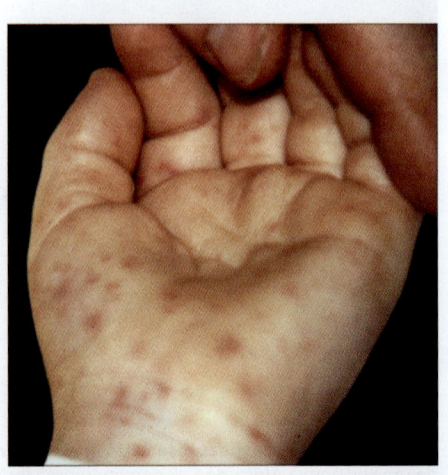

Figura 25-50 Febre maculosa das Montanhas Rochosas: estágio inicial Surgiram máculas e pápulas eritematosas inicialmente nos punhos desta criança pequena. As lesões não empalidecem totalmente sob pressão, indicando hemorragia precoce dos vasos sanguíneos da derme.

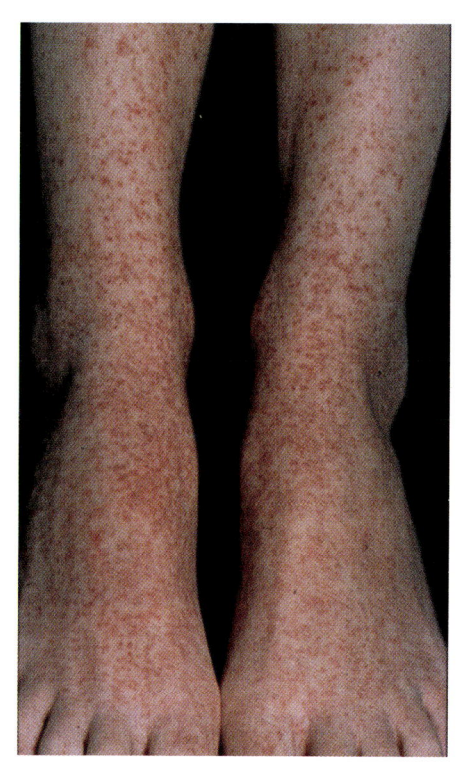

SEÇÃO 25 COLONIZAÇÕES E INFECÇÕES BACTERIANAS DA PELE E DOS TECIDOS MOLES

Figura 25-51 Febre maculosa das Montanhas Rochosas: estágio inicial Máculas e pápulas eritematosas e hemorrágicas surgiram inicialmente nos tornozelos deste adolescente.

EVOLUÇÃO

A evolução grave está associada à idade avançada, ao retardo no estabelecimento do diagnóstico, à demora ou ausência de tratamento; é mais comum em homens, indivíduos de pele mais escura e indivíduos alcoolistas ou com deficiência de G6PD. Taxa de mortalidade: 0,5%. A FMMR fulminante é definida como uma doença fatal, cuja evolução é inusitadamente rápida (i. e., 5 dias do início até a morte) e se caracteriza normalmente por início precoce de sinais neurológicos e exantema tardio ou ausente. Nos casos não complicados, a defervescência ocorre geralmente em 48 a 72 horas após o início do tratamento.

TRATAMENTO

A doxiciclina é o tratamento preferido. Cloranfenicol.

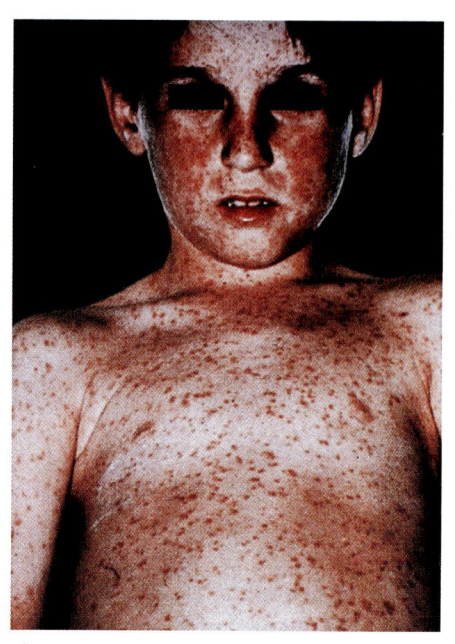

Figura 25-52 Febre maculosa das Montanhas Rochosas: estágio tardio Máculas e pápulas hemorrágicas disseminadas na face, na região cervical, no tronco e nos braços desta criança de mais idade no quarto dia de doença febril. As lesões iniciais foram observadas nos punhos e nos tornozelos e, subsequentemente, disseminaram-se em direção centrípeta.

RIQUETSIOSE VARICELIFORME CID-10: A79.1

- Epidemiologia. *R. akari*. Vetor: ácaros de camundongos (*Liponyssoides sanguineus*); outros ácaros; transmissão transovariana. Distribuição geográfica: EUA, Europa, Rússia, África do Sul, Coreia.

MANIFESTAÇÃO CLÍNICA

Tâche noire (Fig. 25-53). No local de picada do carrapato.
EXANTEMA 2 a 6 dias após o início dos sintomas inespecíficos, surgem máculas e pápulas vermelhas. Podem evoluir para vesículas características (variceliformes); ocorrem erosões crostosas. Em geral, as lesões regridem sem deixar cicatrizes.

EVOLUÇÃO

A febre desaparece em 6 a 10 dias sem tratamento com doxiciclina.

DIAGNÓSTICO DIFERENCIAL

Exantemas virais, varicela, pitiríase liquenoide e variceliforme aguda.

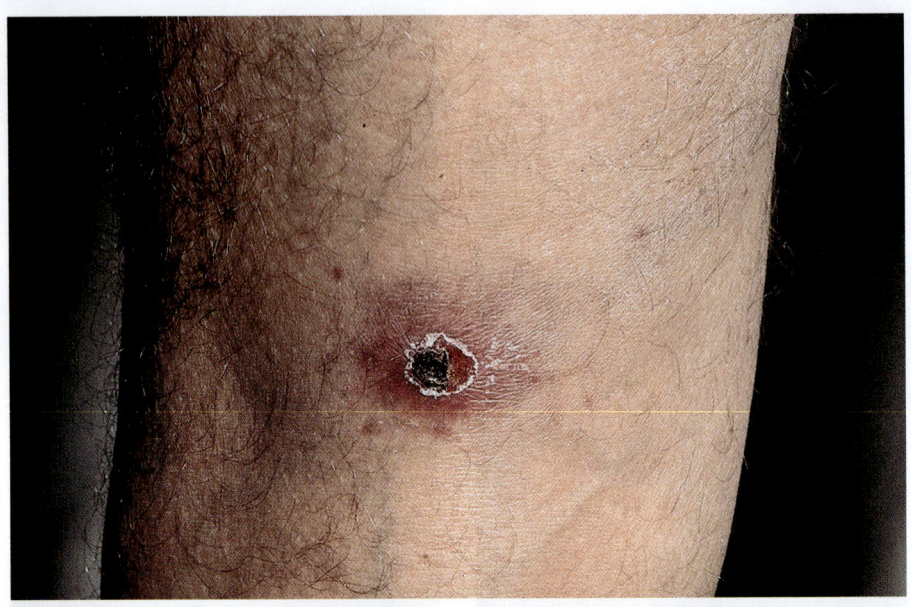

Figura 25-53 Riquetsiose variceliforme: *tâche noire* Pápula ulcerada e crostosa (escara) com halo eritematoso, semelhante a uma queimadura de cigarro, no local de picada do carrapato.

ENDOCARDITE INFECCIOSA CID-10: I.33.0

- Inflamação do endocárdio. Infecciosa e não infecciosa. Mais comumente da valva cardíaca. Caracteriza-se por vegetações, que consistem em fibrina, plaquetas, células inflamatórias (e microcolônias de microrganismos em caso de endocardite infecciosa).
- *Endocardite infecciosa.* Ocorre em locais de alteração do endotélio ou do endocárdio. O evento inicial consiste na *adesão das bactérias* a valvas lesionadas durante a bacteremia transitória. As bactérias proliferam dentro das lesões cardíacas, isto é, *vegetações*, com extensão local e lesão cardíaca. Subsequentemente, ocorre *embolização séptica* para a pele, os rins, o baço, o encéfalo, etc. A presença de *imunocomplexos circulantes* pode resultar em glomerulonefrite, artrite ou várias manifestações mucocutâneas de vasculite. A embolização dos fragmentos de vegetações resulta em *infecção/infarto de tecidos distantes*.
  - A endocardite bacteriana aguda provoca rápida lesão das estruturas cardíacas, há disseminação hematogênica para locais extracardíacos e pode evoluir para a morte em poucas semanas.
  - A endocardite bacteriana subaguda (EBS) causa lesão estrutural lenta, raramente provoca infecção metastática e é gradualmente progressiva, a não ser que seja complicada por algum evento embólico significativo ou por ruptura de aneurisma micótico.
- Endocardite não infecciosa: ocorre em valvas previamente não lesionadas. Estado hipercoagulável. Endocardite marântica. Endocardite de Libman-Sacks.
- Diagnóstico: com base nas manifestações clínicas, no ecocardiograma e nas hemoculturas.

MANIFESTAÇÃO CLÍNICA

EMBOLIA SÉPTICA ARTERIAL Comum na endocardite aguda por *S. aureus*. Infecção focal disseminada hematogenicamente (Fig. 25-54). Aparente em até 50% dos casos.

NÓDULOS DE OSLER Nódulos eritematosos dolorosos, mais comumente encontrados nas polpas dos dedos das mãos e dedos dos pés de alguns pacientes com endocardite infecciosa.

LESÕES DE JANEWAY Lesões eritematosas e nodulares, indolores, mais comumente encontradas nas palmas e plantas (Fig. 25-55) de alguns pacientes com endocardite infecciosa.

HEMORRAGIAS EM ESTILHAÇO Pequena hemorragia subungueal longitudinal linear, inicialmente vermelha e, em seguida, marrom. Ocorre no terço médio do leito ungueal na EBS.

PETÉQUIAS Pequenas máculas castanho-avermelhadas, que não empalidecem sob pressão. Ocorrem

Seção 25 Colonizações e infecções bacterianas da pele e dos tecidos moles 565

Figura 25-54 Vasculite séptica associada à bacteremia Nódulo dérmico com hemorragia e necrose no dorso de um dedo. Este tipo de lesão ocorre com bacteremia (p. ex., *S. aureus*, gonococos) e fungemia (p. ex., *Candida tropicalis*).

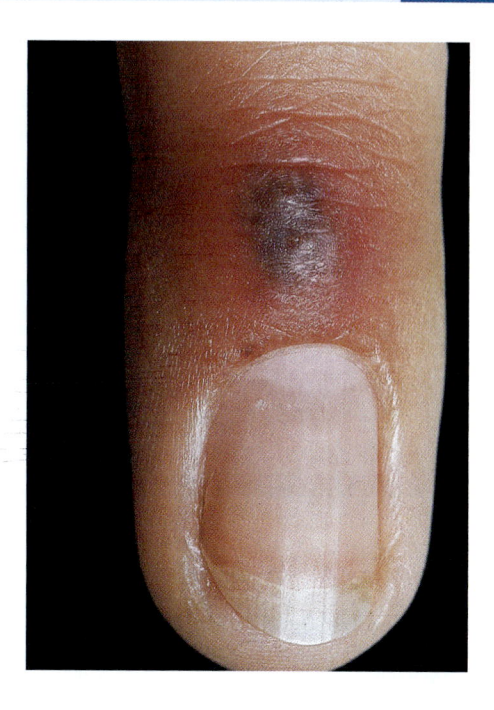

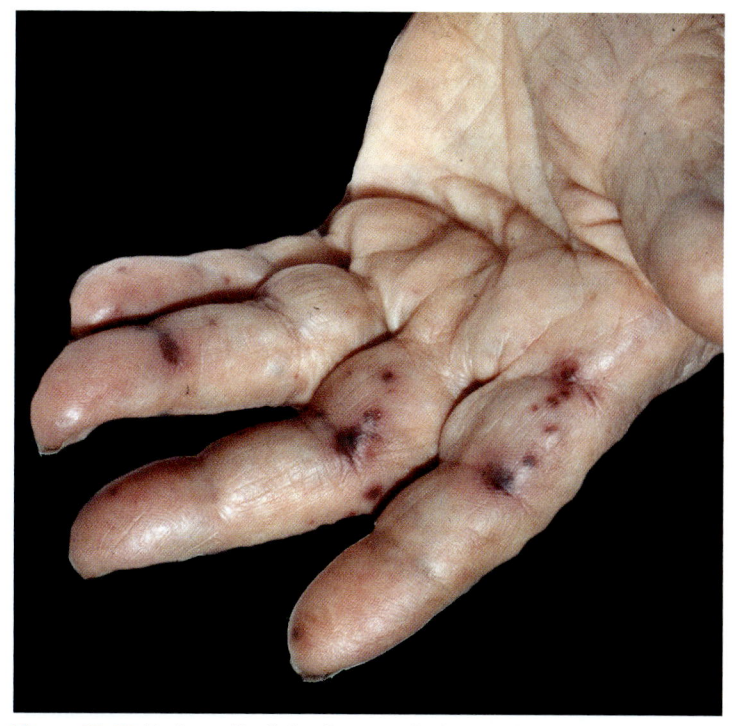

Figura 25-55 Endocardite infecciosa aguda: lesões de Janeway Pápulas infartadas e hemorrágicas na superfície volar dos dedos das mãos de um paciente com endocardite por *S. aureus*.

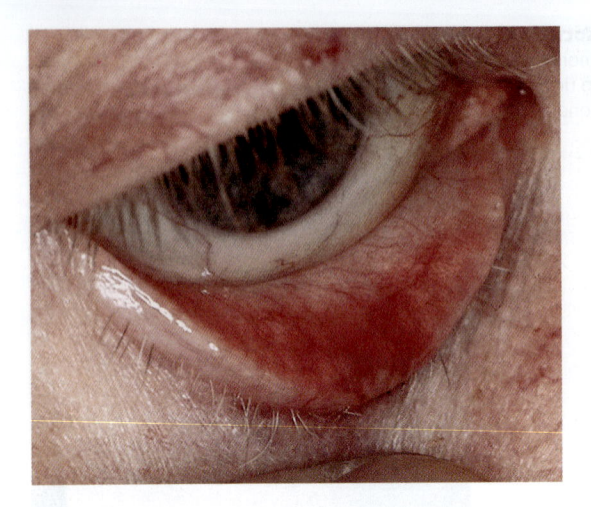

Figura 25-56 Endocardite infecciosa aguda: hemorragia subconjuntival Hemorragia submucosa da pálpebra inferior de um diabético idoso com endocardite enterocócica; o paciente também apresentava hemorragias subungueais lineares ("em estilhaço") na porção média do leito ungueal e lesões de Janeway na superfície volar dos dedos das mãos. A infecção ocorreu após sepse urinária.

nos membros, na parte superior do tórax e nas mucosas (conjuntivas [Fig. 25-56], palato). Surgem em grupos. Desaparecem depois de alguns dias (20 a 40%).

MANCHAS DE ROTH Mancha branca na retina, próximo ao disco óptico, frequentemente circundada por hemorragias; são também observadas na anemia perniciosa e na leucemia.

EMBOLIA SÉPTICA Máculas, pápulas ou nódulos hemorrágicos e dolorosos, comumente localizados nas partes distais dos membros.

EVOLUÇÃO E TRATAMENTO

A evolução varia de acordo com a doença cardíaca subjacente e as condições de saúde iniciais do paciente, bem como as complicações que surgem. Complicações: insuficiência cardíaca congestiva, acidente vascular encefálico, outras embolias sistêmicas, embolização pulmonar séptica. O comprometimento da valva aórtica apresenta maior risco de morte ou necessidade de cirurgia. Antibióticos.

SEPSE CID: A41.9

- A sepse é um estado inflamatório de todo o corpo em resposta a uma infecção. Pode ser complicada por disfunção de múltiplos órgãos.
- Caracteriza-se por febre ou hipotermia, taquipneia, taquicardia e, nos casos graves, síndrome de disfunção de múltiplos órgãos.
- Epidemiologia. Nos EUA > 1 milhão de casos por ano; mais de 200 mil mortes. Dois terços dos casos ocorrem em pacientes hospitalizados por outras doenças. A incidência está aumentando. Fatores de risco: doença crônica e imunossupressão.

MANIFESTAÇÃO CLÍNICA

Infecção cutânea como fonte de sepse: infecções cutâneas superficiais, infecções de tecidos moles, feridas. *E. gangrenosum* (Fig. 25-32): *P. aeruginosa* mais comumente.

EXANTEMA Ver meningococemia e FMMR (Fig. 25-50).

PETÉQUIAS A localização cutânea/orofaríngea sugere infecção meningocócica; com menos frequência, *H. influenzae*. Em pacientes com picadas de carrapato que vivem em áreas endêmicas, considerar a possibilidade de FMMR (Figs. 25-51 e 25-52).

LESÕES BOLHOSAS HEMORRÁGICAS *V. vulnificus* no paciente (diabetes melito, doença hepática) com história de ingestão de ostras ou mexilhões crus (Fig. 25-33).

Coagulação intravascular disseminada. Ver Seção 20.

Hipotensão prolongada grave com necrose acral dos *dedos das mãos, mãos e pés* (Fig. 25-57).

EVOLUÇÃO E TRATAMENTO

A sepse no estágio inicial é reversível; o choque séptico apresenta alta morbidade e mortalidade. Antibióticos em altas doses e tratamento da coagulação intravascular disseminada.

Figura 25-57 Choque séptico: necrose isquêmica de regiões acrais A sepse por *Capnocytophaga canimorsus* (mordedura de cão) com hipotensão e hipoperfusão prolongadas resultou em infarto dos dedos das mãos e do nariz.

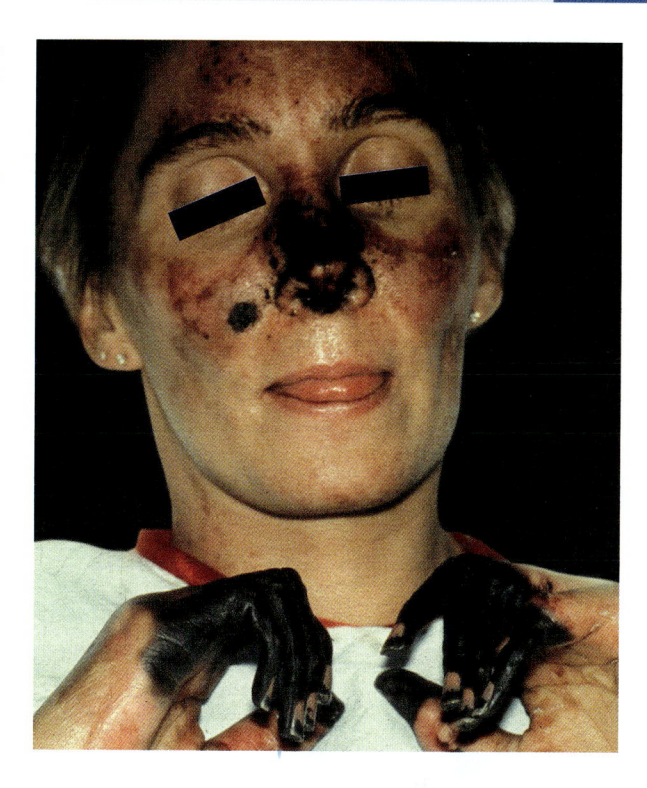

INFECÇÃO MENINGOCÓCICA CID-10: A39.9

- Etiologia. *N. meningitidis* coloniza a nasofaringe. Infecta apenas os seres humanos; não há reservatórios animais. Dissemina-se por contato interpessoal por meio de gotículas respiratórias.
- Demografia. A doença ocorre de modo esporádico no mundo inteiro. A carga mais alta da doença deve-se às epidemias cíclicas que ocorrem no "cinturão da meningite", na África.

MANIFESTAÇÃO CLÍNICA

Ocorrem pequenas *máculas* e *pápulas* rosadas que empalidecem sob pressão pouco depois do início da doença (Fig. 25-58). Com a friabilidade vascular e hemorragia, ocorrem *petéquias* e *equimoses*; inicialmente observadas nos tornozelos, nos punhos, nas axilas, nas mucosas e nas conjuntivas. Pode ocorrer um grupo de petéquias nos pontos de pressão – por exemplo, onde o manguito de pressão arterial foi inflado. *Equimoses* e *púrpura* podem progredir para bolhas hemorrágicas, sofrer necrose e ulcerar. Na doença fulminante, as lesões hemorrágicas necróticas confluentes podem apresentar necrose cinzenta a negra de formato bizarro (i.e., *púrpura fulminante*), associadas à coagulação intravascular disseminada (CID) (Fig. 25-59).

MENINGOCOCEMIA SEPTICEMIA Os meningococos penetram na corrente sanguínea e se multiplicam, causando lesão das paredes dos vasos sanguíneos e sangramento na pele e nos órgãos. Caracteriza-se pelo desenvolvimento de choque e falência de múltiplos órgãos. Pode ocorrer gangrena periférica, exigindo amputação nos pacientes que sobrevivem.

SÍNDROME DE WATERHOUSE–FRIDERICHSEN Septicemia meningocócica fulminante, caracterizada por febre alta, choque, púrpura disseminada, coagulação intravascular disseminada, trombocitopenia e insuficiência suprarrenal.

MENINGITE MENINGOCÓCICA A bacteremia pode resultar em disseminação para muitos órgãos, particularmente as meninges. Os sintomas da meningite meningocócica são os da meningite bacteriana típica, isto é, febre, cefaleia, rigidez de nuca e presença de neutrófilos polimorfonucleares no líquido cerebrospinal.

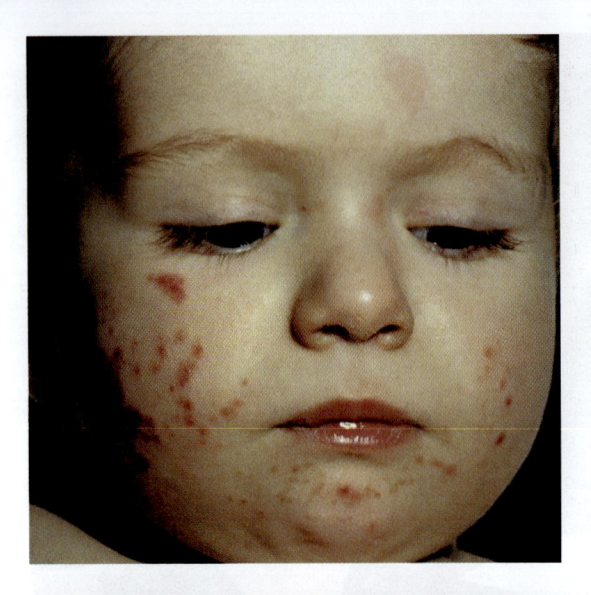

Figura 25-58 Meningococemia aguda: exantema inicial Máculas e pápulas isoladas, rosadas a púrpuras, bem como púrpura na face desta criança pequena. Estas lesões representam o estágio inicial da coagulação intravascular disseminada com sua apresentação cutânea, a púrpura fulminante.

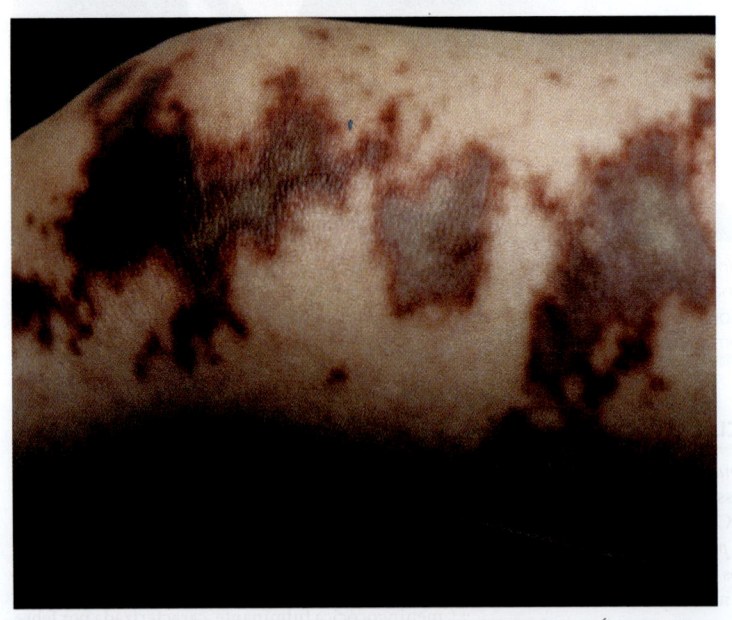

Figura 25-59 Meningococemia aguda: púrpura fulminante Áreas cinzas a negras, semelhantes a mapas geográficos, de infarto cutâneo da perna de uma criança com meningite por *Neisseria meningitidis* (NM) e coagulação intravascular disseminada com púrpura fulminante.

MENINGOCOCEMIA CRÔNICA Bacteremia intermitente. A replicação lenta leva à disseminação em vários órgãos: meninges, pericárdio, grandes articulações e pele. A reação inflamatória do hospedeiro limita-se ao local invadido.

DIAGNÓSTICO DIFERENCIAL

Erupções cutâneas adversas a medicamentos, vasculite, FMMR, endocardite infecciosa.

DIAGNÓSTICO

O diagnóstico etiológico definitivo depende do isolamento de meningococos do sangue ou do local de infecção.

EVOLUÇÃO

O início dos sintomas é súbito, e pode ocorrer morte dentro de poucas horas. Em até 10 a 15% dos sobreviventes, ocorrem sequelas neurológicos persistentes, incluindo perda da audição, distúrbios da fala, perda de membros, retardo mental e paralisia.

TRATAMENTO

Tratamento com antibióticos em altas doses e tratamento da CIVD.
PROFILAXIA Dispõe-se de várias vacinas para controlar a doença.

INFECÇÕES POR *BARTONELLA*

- Etiologia. Espécies de *Bartonella*; bacilos Gram-negativos muito pequenos, capazes de aderir às células de mamíferos e invadi-las, como células endoteliais e hemácias.
- Transmissão. Arranhadura ou mordedura de gato. Piolhos do corpo ou picada de mosquito-pólvora.

MANIFESTAÇÃO CLÍNICA

Variam de acordo com o estado imunológico do hospedeiro.
Bartonella henselae. Hospedeiro imunocompetente: *doença da arranhadura do gato*. Doença pelo HIV: *angiomatose bacilar*.
B. bacilliformis. Indivíduos não imunes, não residentes em áreas endêmicas: *febre de Oroya* com doença febril grave, anemia profunda. Com imunidade após convalescença: *verruga peruana* com lesões cutâneas vermelho-púrpuras (assemelham-se às lesões angiomatosas da angiomatose bacilar).
B. quintana. *Febre das trincheiras*, que se apresenta como doença sistêmica febril com bacteremia prolongada; não há manifestações cutâneas.
Doenças causadas por espécies de *Bartonella*:

- Doença da arranhadura do gato: *B. henselae*.
- Angiomatose bacilar: *B. henselae*, *B. quintana*.
- Peliose bacilar: *B. henselae*.
- Febre das trincheiras: *B. quintana*.
- Bartonelose (doença de Carrión); febre de Oroya e verruga peruana: *B. bacilliformis*.

DOENÇA DA ARRANHADURA DO GATO (DAG) CID-10: A28.1

- Etiologia. *B. henselae*. Reservatório: Gato doméstico.
- Transmissão. Associada à exposição a gatos jovens. As hemoculturas obtidas dos filhotes de gatos são frequentemente positivas para *B. henselae*. As pulgas do gato *Ctenocephalides felis* transmitem a infecção entre gatos.
- Aspectos demográficos/idade de início. A maioria dos casos ocorre em crianças.
- Patogênese. *B. henselae* provoca inflamação granulomatosa em indivíduos saudáveis (DAG) e angiogênese em indivíduos imunocomprometidos.

MANIFESTAÇÃO CLÍNICA

LOCAL DE INOCULAÇÃO Pápula, vesícula ou pústula pequena (0,5 a 1 cm) de aspecto inócuo; pode sofrer ulceração; pele de cor rosada a vermelha; consistência firme, algumas vezes com sensível (Fig. 25-60). Arranhadura linear residual de gato. Persiste por 1 a 3 semanas. *Distribuição*: pele exposta da face e das mãos.
CONJUNTIVAS Se a porta de entrada for a conjuntiva, ocorre granulação amarelo-esbranquiçada de 3 a

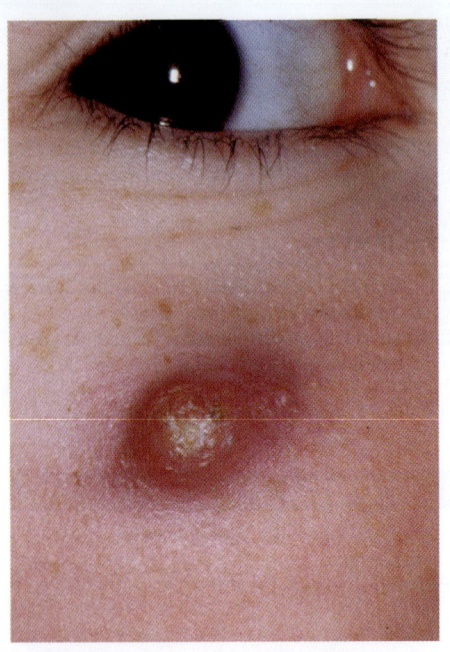

Figura 25-60 Bartonelose: doença da arranhadura do gato com lesão primária Nódulo eritematoso na região malar de uma menina de 9 anos no local de arranhadura de gato. O diagnóstico foi estabelecido com base nos achados histológicos da amostra excisada.

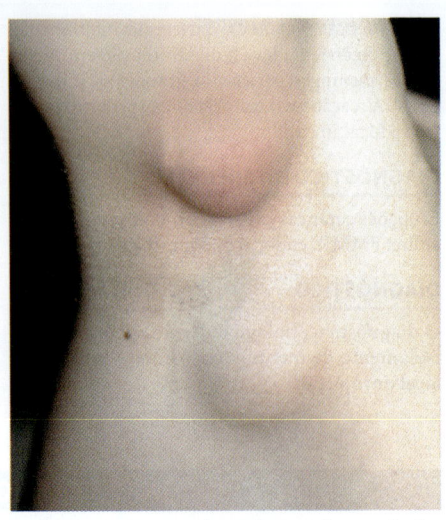

Figura 25-61 Bartonelose: doença da arranhadura do gato com adenopatia axilar Linfadenopatia axilar aguda e muito dolorosa em uma criança; houve arranhões de gato no dorso da mão ipsilateral. (Usada com permissão de Howard Heller, MD.)

5 mm na conjuntiva palpebral, associada à linfadenopatia retroauricular e/ou cervical hipersensível (*síndrome oculoglandular de Parinaud*).

Apresentações incomuns: urticária, erupção maculopapular ou eritema nodoso.

LINFADENOPATIA REGIONAL (Fig. 25-61) Torna-se evidente dentro de 2 a 3 semanas após inoculação em 90% dos casos; a lesão primária, quando presente, pode ter regredido por ocasião do aparecimento da linfadenopatia. Os linfonodos são frequentemente únicos, moderadamente sensíveis e móveis. Linfonodos acometidos: epitrocleares, axilares, peitorais e cervicais. Os linfonodos podem supurar. Em geral, a linfadenopatia regride em 3 meses. A linfadenopatia generalizada ou o comprometimento dos linfonodos de mais de uma região são raros.

DIAGNÓSTICO DIFERENCIAL

SÍNDROME CANCRIFORME Linfadenite bacteriana supurativa, infecção por MNT, esporotricose, tularemia.

OUTRAS INFECÇÕES ASSOCIADAS A GATOS Infecções por mordeduras causadas por *P. multocida* e *C. canimorsus*, esporotricose; dermatofitose por *Microsporum canis*.

DIAGNÓSTICO

Sugerido pela presença de linfadenopatia regional que se desenvolve em 2 a 3 semanas em um indivíduo que teve contato com gato e lesão primária no local de contato; confirmado pela identificação de *B. henselae* nos tecidos ou por sorologia.

EVOLUÇÃO

Doença autolimitada, geralmente em 1 a 2 meses. Raramente, há morbidade prolongada com febre alta persistente, linfadenite supurativa, sintomas sistêmicos graves. Pode ser confundida com linfoma. É incomum a ocorrência de encefalopatia associada à doença da arranhadura do gato. A antibioticoterapia não tem sido muito efetiva para modificar a evolução da infecção.

TRATAMENTO

No indivíduo imunocomprometido, azitromicina; no indivíduo imunocompetente, ocorre regressão espontânea.

ANGIOMATOSE BACILAR (AB) CID-10: A44.8

- Etiologia. *B. henselae, B. quintana*. Ambas causam angiomas cutâneos. *B. quintana* provoca nódulos subcutâneos e lesão osteolítica.
- Demografia. Ocorre na doença avançada pelo HIV. Diminuição da incidência com terapia antirretroviral (TAR) e profilaxia das infecções oportunistas.
- Fatores de risco. *B. henselae*: contato com gatos e/ou suas pulgas (*C. felis*). *B. quintana*: baixa renda, população de rua, infestação por piolhos-do-corpo (*P. humanis corporis*).

MANIFESTAÇÃO CLÍNICA

Pápulas ou nódulos que se assemelham a *angiomas* (vermelho-brilhantes, violáceos ou cor da pele) (Fig. 25-62); até 2 a 3 cm de diâmetro; em geral, localizados na derme, com adelgaçamento ou erosão da epiderme sobrejacente. As lesões maiores podem ulcerar. *Nódulos subcutâneos*, de 1 a 2 cm de diâmetro, que se assemelham a cistos. Raramente, há formação de abscessos. As pápulas/nódulos incluem desde lesões únicas até mais de 100. Consistência firme; não empalidecem sob pressão.
DISTRIBUIÇÃO Qualquer área; porém, as palmas e as plantas são normalmente preservadas. Em certas ocasiões, ocorrem lesões no local de arranhadura de gato. Pode-se observar uma lesão única na forma de *dactilite*.
MUCOSAS Lesões semelhantes a angiomas dos lábios e da mucosa oral. Acometimento da laringe com obstrução.
ACHADOS SISTÊMICOS A infecção pode se disseminar por via hematogênica ou linfática, tornando-se sistêmica e acometendo comumente o fígado (peliose hepática) e o baço. As lesões também podem ocorrer no coração, na medula óssea, nos linfonodos, nos músculos, nos tecidos moles e no SNC.

DIAGNÓSTICO DIFERENCIAL

Sarcoma de Kaposi, granuloma piogênico, angioma em cereja.

DIAGNÓSTICO

Manifestações clínicas confirmadas pela demonstração de *Bartonella bacilli* na coloração pela prata de Warthin-Starry em amostra de biópsia das lesões ou cultura ou pesquisa de anticorpos.

EVOLUÇÃO E TRATAMENTO

Raramente observada em indivíduos com doença pelo HIV tratados com sucesso com TAR. A infecção sistêmica não tratada causa morbidade e mortalidade significativas. Com o tratamento antimicrobiano eficaz (eritromicina é o tratamento de escolha; alternativamente, doxiciclina), as lesões regridem em 1 a 2 semanas. Como outras infecções que ocorrem na doença pelo HIV, pode haver recidiva, exigindo profilaxia secundária durante toda a vida.

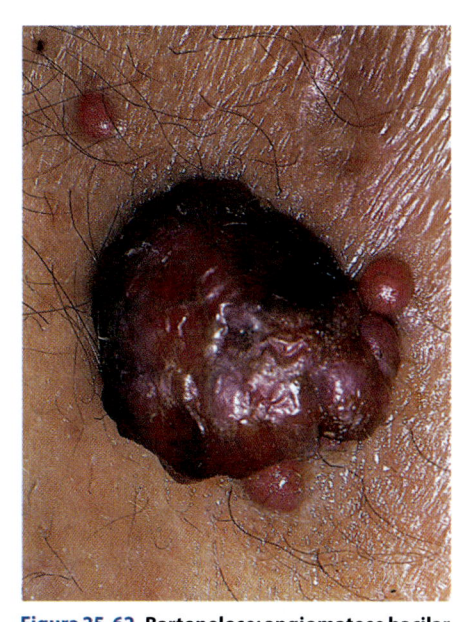

Figura 25-62 Bartonelose: angiomatose bacilar
Pápulas semelhantes a hemangioma em cereja de 3 a 5 mm e um nódulo maior semelhante ao granuloma piogênico na canela de um homem com doença avançada pelo HIV. Este paciente também tinha lesões nodulares subcutâneas. A lesão regrediu rapidamente com eritromicina oral; porém, houve necessidade de profilaxia secundária para as lesões recidivantes.

TULAREMIA CID-10: A21.9

- **Etiologia:** *Francisella tularensis*, tipos A e B. Após inoculação na pele, nas mucosas, nos pulmões (inalação) ou trato GI, *F. tularensis* multiplica-se e dissemina-se pelos canais linfáticos para os linfonodos e a corrente sanguínea.
- **Transmissão.** *Picada de vetores* (carrapatos, moscas-dos-cervos, piolhos-do-corpo, outros artrópodes). Manuseio de carnes de animais infectados; inoculação na conjuntiva; ingestão de alimento contaminado; inalação. Nos EUA, a maioria dos casos ocorre de junho a setembro, quando a transmissão pelos artrópodes é mais comum.
- Reservatórios animais. Coelhos, lebres, rato almiscarado, esquilos, rato-do-mato e castores.
- Incidência. Rara; nos EUA, são notificados menos de 200 casos anualmente; subdiagnosticada e subnotificada.

MANIFESTAÇÃO CLÍNICA

Cerca de 48 horas após a inoculação, surge uma pápula pruriginosa no local de traumatismo ou de picada de inseto, seguida de aumento dos linfonodos regionais. Febre de até 41°C.

Local de inoculação: pápula eritematosa sensível, que evolui para uma vesiculopústula e cresce até formar uma úlcera crostosa com bordas elevadas e nitidamente demarcadas (96 horas) (Fig. 25-63). Centro deprimido, frequentemente recoberto por uma escara negra (cancriforme). Lesão primária no dedo da mão/na mão, no local de traumatismo ou de picada de inseto; região inguinal ou axila após picada de carrapato.

OUTRAS MANIFESTAÇÕES CUTÂNEAS Após a bacteremia, pode ocorrer *exantema* no tronco e nos membros, com máculas, pápulas e petéquias. Eritema multiforme. Eritema nodoso.

CONJUNTIVAS Na tularemia oculoglandular, ocorre inoculação de *F. tularensis* nas conjuntivas, causando conjuntivite purulenta, com dor, edema e congestão. Pequenos nódulos amarelados surgem nas conjuntivas e sofrem ulceração.

LINFONODOS REGIONAIS Com o desenvolvimento da úlcera, os linfonodos aumentam e se tornam sensíveis, isto é, síndrome cancriforme (Fig. 25-63). Sem tratamento, transformam-se em bubões supurados.

DIAGNÓSTICO DIFERENCIAL

Úlcera cutânea aguda: furúnculo, paroníquia, antraz cutâneo, infecção por *P. multocida*, esporotricose, infecção por *M. marinum. Síndrome cancriforme:* linfadenite por herpes-vírus simples, peste, doença da arranhadura do gato.

DIAGNÓSTICO

Diagnóstico clínico em um paciente com síndrome cancriforme, com exposição a animais ou insetos envolvidos.

EVOLUÇÃO

Sem tratamento, a taxa de mortalidade da forma ulceroglandular é de 5%; porém, cai para 1% se o tratamento for iniciado imediatamente.

TRATAMENTO

A estreptomicina é o tratamento de escolha. Além disso, gentamicina, cloranfenicol, doxiciclina e ciprofloxacino.

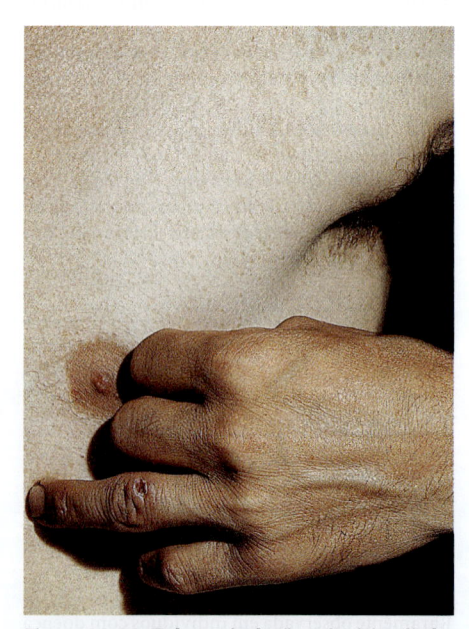

Figura 25-63 Tularemia: lesão primária e linfadenopatia regional Uma úlcera crostosa no local de inoculação é observada no dorso do dedo anular esquerdo, associada ao aumento dos linfonodos axilares (síndrome cancriforme). A infecção ocorreu após o paciente ter matado e tosquiado um coelho.

INFECÇÕES CUTÂNEAS POR *PSEUDOMONAS AERUGINOSA*

- *P. aeruginosa*: não exigente, móvel; produz piocianina e pioverdina, pigmentos que produzem uma coloração amarelada a verde-escura ou azulada.
- Ecologia. Disseminado na natureza, encontrado na água, no solo, nas plantas e em animais, preferindo ambientes úmidos. Nos indivíduos saudáveis, a taxa de estado de portador na pele é baixa; as *Pseudomonas* são minimamente invasivas.
- Transmissão. A maioria das infecções invasivas é adquirida em hospitais. As portas de entrada incluem feridas, úlceras, queimaduras térmicas; corpos estranhos (cateter IV ou urinário), aspiração/aerossolização nas vias respiratórias.

MANIFESTAÇÃO CLÍNICA

UNHAS VERDES *P. aeruginosa* cresce, formando um biofilme na superfície inferior ou dorsal de unhas anormais. As unhas com onicólise, como na psoríase e na onicomicose, criam um ambiente úmido para a colonização de *Pseudomonas*. Com menos frequência, *Pseudomonas* pode colonizar a superfície dorsal das unhas dos dedos das mãos em associação à paroníquia crônica. A lâmina ungueal onicolítica pode ser desbastada para eliminar o espaço anormal.

INTERTRIGO O intertrigo dos espaços interdigitais por microrganismos Gram-negativos apresenta-se como pele macerada e erosada nos espaços interdigitais dos dedos dos pés. *Pseudomonas* constitui a causa mais comum. Em geral, ocorre em situações de hiperidrose e hidratação do estrato córneo. Pode-se observar também a presença de *tinea pedis* interdigital e eritrasma. O intertrigo superficial pode progredir, com ulceração interdigital e infecção dos tecidos moles.

OTITE EXTERNA *Orelha de nadador:* o ambiente úmido do meato acústico externo proporciona um meio para a infecção superficial, que se manifesta na forma de prurido, dor e secreção; comumente autolimitada. A otite externa maligna ocorre mais comumente em pacientes idosos diabéticos; pode evoluir para uma infecção invasiva mais profunda.

FOLICULITE DA BANHEIRA QUENTE *P. aeruginosa* pode infectar numerosos folículos pilosos durante a exposição em banheiras aquecidas ou em piscinas de fisioterapia, manifestando-se na forma de múltiplas pústulas foliculares no tronco (Fig. 25-18). A infecção é autolimitada.

COLONIZAÇÃO DE FERIDAS As queimaduras térmicas, as úlceras de estase, as úlceras de pressão e as feridas cirúrgicas são mais comumente colonizadas por *Pseudomonas* (Fig. 25-39) após tratamento prévio de infecção por *S. aureus* com antibióticos sistêmicos, diabetes melito e outros defeitos nos mecanismos de defesa do hospedeiro. Pode ocorrer infecção dos tecidos moles em feridas colonizadas.

INFECÇÃO DOS TECIDOS MOLES E ECTIMA GANGRENOSO A infecção superficial pode evoluir para a celulite. Ectima gangrenoso é uma infecção necrosante dos tecidos moles associada à invasão dos vasos sanguíneos, vasculite séptica, oclusão vascular e necrose (Fig. 25-32).

BACTEREMIA POR *PSEUDOMONAS* A disseminação hematogênica de *P. aeruginosa* pode acometer a derme, resultando na formação de múltiplos nódulos subcutâneos sensíveis.

DIAGNÓSTICO

A suspeita clínica é confirmada por cultura da lesão cutânea.

TRATAMENTO

Antibióticos de acordo com a sensibilidade dos microrganismos. Desbridamento cirúrgico.

INFECÇÕES MICOBACTERIANAS

Micobactérias são bastonetes ou cocobacilos álcool-ácido-resistentes. Foram identificadas mais de 120 espécies. Um número relativamente pequeno está associado à ocorrência de doença humana:

- Hanseníase
- Tuberculose
- Infecções por micobactérias não tuberculosas (MNT)
- A úlcera de Buruli ou de Bairnsdale é a terceira doença micobacteriana mais comum em todo o mundo.

HANSENÍASE CID-10: A30.9

- Etiologia. *Mycobacterium leprae*.
- Doença granulomatosa crônica principalmente adquirida durante a infância ou idade adulta jovem.
- Local de infecção: Pele, sistema nervoso periférico, vias respiratórias superiores, olhos, testículos.
- As manifestações clínicas, a história natural e o prognóstico da hanseníase estão relacionados com a resposta do hospedeiro: vários tipos de hanseníase (tuberculoide, lepromatosa, etc.) representam o espectro da resposta imunológica do hospedeiro (imunidade celular).

Fonte: https://www.cdc.gov/leprosy/

CLASSIFICAÇÃO

Com base nas manifestações clínicas, imunológicas e bacteriológicas.

- *Tuberculoide (TT):* acometimento cutâneo localizado e/ou comprometimento dos nervos periféricos; poucos microrganismos.
- *Lepromatosa (LL):* acometimento generalizado, incluindo a pele, as mucosas das vias respiratórias superiores, o sistema reticuloendotelial, as glândulas suprarrenais e os testículos; numerosos bacilos.
- *Limítrofe (borderline) (ou "dimórfica") (BB):* apresenta características da TT e da LL. Em geral, presença de numerosos bacilos, com lesões cutâneas variadas: máculas, placas; evolui para a TT ou regride para a LL.
- *Formas indeterminadas.*
- *Formas transicionais:* Ver "Patogênese" na discussão a seguir.

ETIOLOGIA E EPIDEMIOLOGIA

Mycobacterium leprae: bacilo intracelular obrigatório álcool-acido-resistente; replica-se com eficiência máxima em temperaturas de 27 a 30°C. O microrganismo não pode ser cultivado *in vitro*. Infecta a pele e os nervos cutâneos (lâmina basal da célula de Schwann). Em pacientes não tratados, apenas 1% dos microrganismos são viáveis. Os bacilos crescem melhor nos tecidos mais frios (pele, nervos periféricos, câmara anterior do olho, vias respiratórias superiores, testículos), preservando as áreas mais quentes da pele (axilas, região inguinal, couro cabeludo e linha média do dorso). Os seres humanos são os principais reservatórios de *M. leprae*. Os tatus silvestres (sul dos EUA), bem como os macacos *mangabey* e os chimpanzés, são infectados naturalmente por *M. leprae*; os tatus podem desenvolver lesões lepromatosas.

Pico de incidência dos 10 aos 20 anos de idade; pico de prevalência dos 30 aos 50 anos. Mais comum nos homens do que nas mulheres. Existe uma relação inversa entre a cor da pele e a gravidade da doença; nos africanos negros, a suscetibilidade é alta; porém, há predomínio de formas mais leves da doença, isto é, TT *versus* LL.

TRANSMISSÃO Incerta. Propaga-se provavelmente de pessoa para pessoa por meio de gotículas respiratórias.

DEMOGRAFIA Doença dos países em desenvolvimento. Em 2010, 228.474 novos casos foram detectados no mundo inteiro; 294 nos EUA. A grande maioria ocorreu em Angola, Bangladesh, Brasil, China, Congo, Etiópia, Indonésia, Madagascar, Moçambique, Mianmar, Nepal, Nigéria, Filipinas, Sudão e Sri Lanka. Grupos de risco: contatos íntimos com pacientes que apresentam doença predominantemente multibacilar ativa e não tratada; indivíduos que vivem em países com doença altamente endêmica. A maioria dos indivíduos tem imunidade natural e não desenvolve a doença.

PATOGÊNESE O espectro clínico da hanseníase depende exclusivamente das limitações variáveis na capacidade de o hospedeiro desenvolver uma imunidade celular eficaz contra *M. leprae*. O microrganismo é capaz de invadir e se multiplicar nos nervos periféricos e de infectar e sobreviver nas células endoteliais e fagocíticas de muitos órgãos. A infecção subclínica é comum em residentes de áreas endêmicas. A expressão clínica da hanseníase consiste no desenvolvimento de um *granuloma*; o paciente pode desenvolver um "*estado reacional*", que pode ocorrer em alguma forma em mais de 50% de determinados grupos de pacientes.

ESPECTRO GRANULOMATOSO DA HANSENÍASE
- Polo tuberculoide de alta resistência (TT).
- Polo lepromatoso de resistência baixa ou ausente (LL).
- Região dimórfica ou *borderline* (BB).
- Duas regiões intermediárias.
  - Lepromatosa *borderline* (LB).
  - Tuberculoide *borderline* (TB).

O espectro, por ordem decrescente de resistência: TT, TB, BB, LB, LL.

RESPOSTAS IMUNOLÓGICAS As respostas imunológicas ao *M. leprae* podem produzir vários tipos de reações associadas a uma súbita alteração do estado clínico.

Reações tipo 1 da hanseníase. Sensibilidade e dor agudas ou insidiosas ao longo do(s) nervo(s) acometido(s), associadas à perda de função.

Reações tipo 2 da hanseníase. Eritema nodoso leproso (ENL). Observadas em metade dos pacientes com LL; ocorrem geralmente após o início do tratamento para a hanseníase, com frequência nos primeiros 2 anos de tratamento. Inflamação intensa com lesões semelhantes ao eritema nodoso. *Reação de Lucio.* Pacientes com LL difusa desenvolvem grandes úlceras descamativas poligonais e superficiais nas pernas. A reação parece ser uma variante do ENL ou ocorrer secundariamente à oclusão arteriolar.

MANIFESTAÇÃO CLÍNICA

O período de incubação é de 2 a 40 anos (mais comumente, 5 a 7 anos). O início é insidioso e indolor; acomete inicialmente o sistema nervoso periférico, com parestesias dolorosas persistentes ou recorrentes e dormência sem quaisquer sinais clínicos visíveis. Nesse estágio, podem surgir erupções cutâneas maculares transitórias; há formação de bolhas, mas sem qualquer traumatismo reconhecido. O acometimento neural leva a fraqueza muscular, atrofia muscular, dor intensa e contraturas das mãos e dos pés.

Figura 25-64 Hanseníase: tipo tuberculoide Máculas e placas anestésicas, ligeiramente descamativas, hipopigmentadas e bem-demarcadas na região posterior do tronco.

HANSENÍASE TUBERCULOIDE (TT, TB) Algumas *máculas hipopigmentadas hipoestésicas* bem-definidas (Fig. 25-64), com bordas elevadas e dimensões variando de poucos milímetros até lesões muito grandes que recobrem todo o tronco. Borda eritematosa ou púrpura e centro hipopigmentado. As lesões são nitidamente demarcadas e elevadas; frequentemente anulares; aumentam perifericamente. A área central torna-se atrófica ou deprimida. As lesões avançadas são anestésicas e desprovidas de apêndices cutâneos (glândulas sudoríparas, folículos pilosos). Acomete qualquer local, incluindo a face. *TT*: as lesões podem regredir de modo espontâneo e não estão associadas a reações da hanseníase. *TB*: as lesões não melhoram espontaneamente; podem ocorrer reações tipo 1 da hanseníase.

Acometimento dos nervos: pode haver um nervo espessado na borda da lesão; com frequência, aumento pronunciado de nervo periférico (nervos ulnar, auricular posterior, fibular, tibial posterior). Não há acometimento da pele na *hanseníase neural*. O acometimento de nervos está associado a hipoestesia (picada de alfinete, temperatura, vibração) e miopatia.

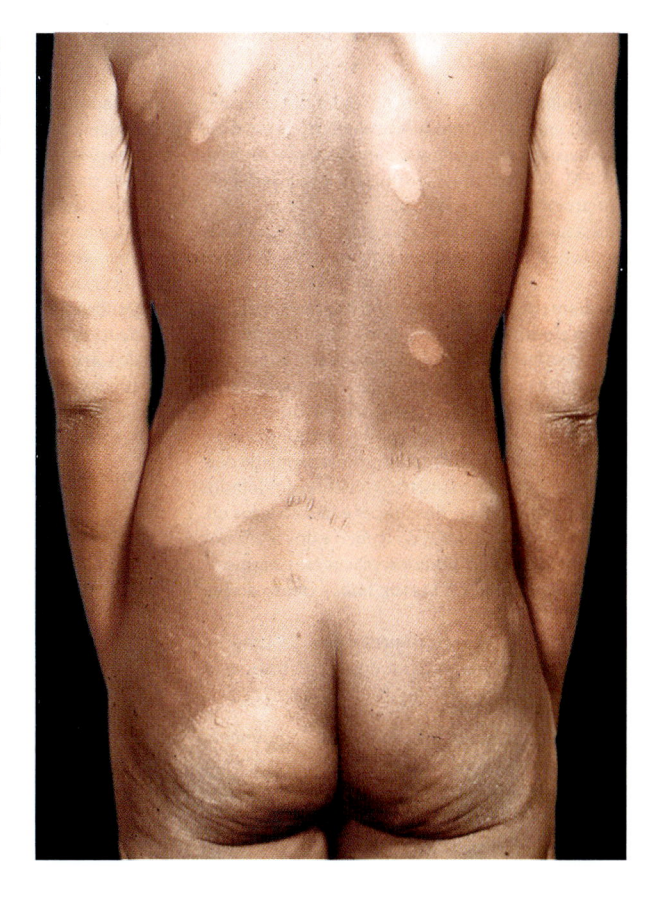

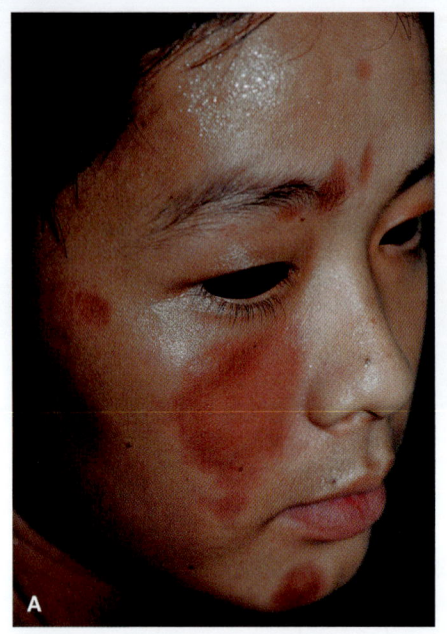

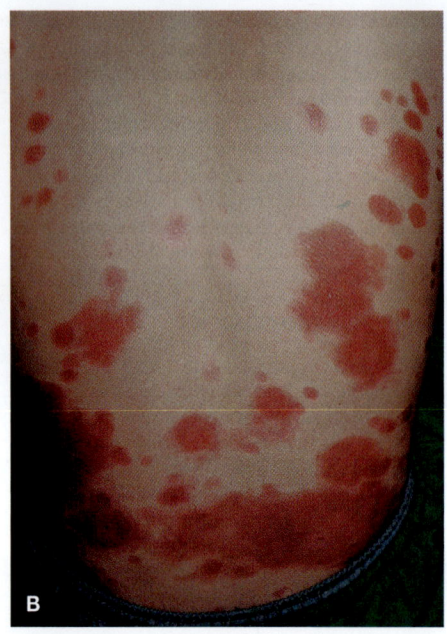

Figura 25-65 Hanseníase: tipo *borderline* Homem vietnamita de 26 anos. **(A)** Placas eritematosas infiltradas e bem-demarcadas na face. **(B)** Placas vermelhas idênticas na parte inferior do dorso.

HANSENÍASE *BORDERLINE* BB As lesões são intermediárias entre as formas tuberculoide e lepromatosa e consistem em máculas, pápulas e placas (Fig. 25-65). A anestesia e a diminuição da sudorese são proeminentes nas lesões.

HANSENÍASE LEPROMATOSA (LL, BL) Pápulas/nódulos cor da pele ou ligeiramente eritematosos. As lesões crescem, e novas lesões aparecem e coalescem. Tardiamente: nódulos de distribuição simétrica, placas elevadas, infiltrado dérmico difuso que, na face, resulta em queda dos pelos (parte lateral dos supercílios e cílios) e em fácies leonina (face de leão; Fig. 25-66). A *lepromatose difusa*, que ocorre no oeste do México e no Caribe, manifesta-se na forma de infiltração difusa e espessamento da derme. Acometimento simétrico bilateral dos lóbulos das orelhas, da face, dos braços e das nádegas ou, com menos frequência, do tronco e dos membros inferiores. Língua: nódulos, placas ou fissuras.

Acometimento dos nervos: mais extenso do que na TT.

Outros tipos de acometimento: vias respiratórias superiores, câmara anterior dos olhos, testículos.

Estados reacionais

Estados inflamatórios mediados imunologicamente, que ocorrem de modo espontâneo ou após o início do tratamento.

Reações tipo 1 da hanseníase: as lesões cutâneas tornam-se agudamente inflamadas e estão associadas a edema e dor; podem ulcerar. Edema mais acentuado na face, nas mãos e nos pés.

Reações tipo 2 da hanseníase (ENL): manifestam-se na forma de nódulos cutâneos vermelhos e dolorosos que surgem superficialmente e em regiões profundas; em contraste com o eritema nodoso verdadeiro, as lesões formam abscessos ou ulceram, ocorrendo mais comumente na face e membros extensores.

Reação de Lucio: ocorre em pacientes do México ou do Caribe com LL difusa. Manifesta-se na forma de placas eritematosas de formato irregular; as lesões podem regredir espontaneamente ou podem sofrer necrose com ulceração.

Manifestações clínicas gerais

Membros: neuropatia sensorial, úlceras plantares, infecção secundária; paralisias ulnar e fibular (Fig. 25-67), articulações de Charcot. O carcinoma espinocelular pode se desenvolver em úlceras crônicas dos pés (ver Fig. 11-13).

Nariz: congestão nasal crônica, epistaxe; destruição da cartilagem com deformidade do nariz em sela (Fig. 25-67).

Olhos: paralisias de nervos cranianos, lagoftalmia, insensibilidade da córnea. Na LL, a câmara anterior do olho pode ser acometida com uveíte, glaucoma e formação de cataratas. Pode ocorrer lesão da córnea secundariamente à triquíase e neuropatia sensorial, infecção secundária e paralisia muscular.

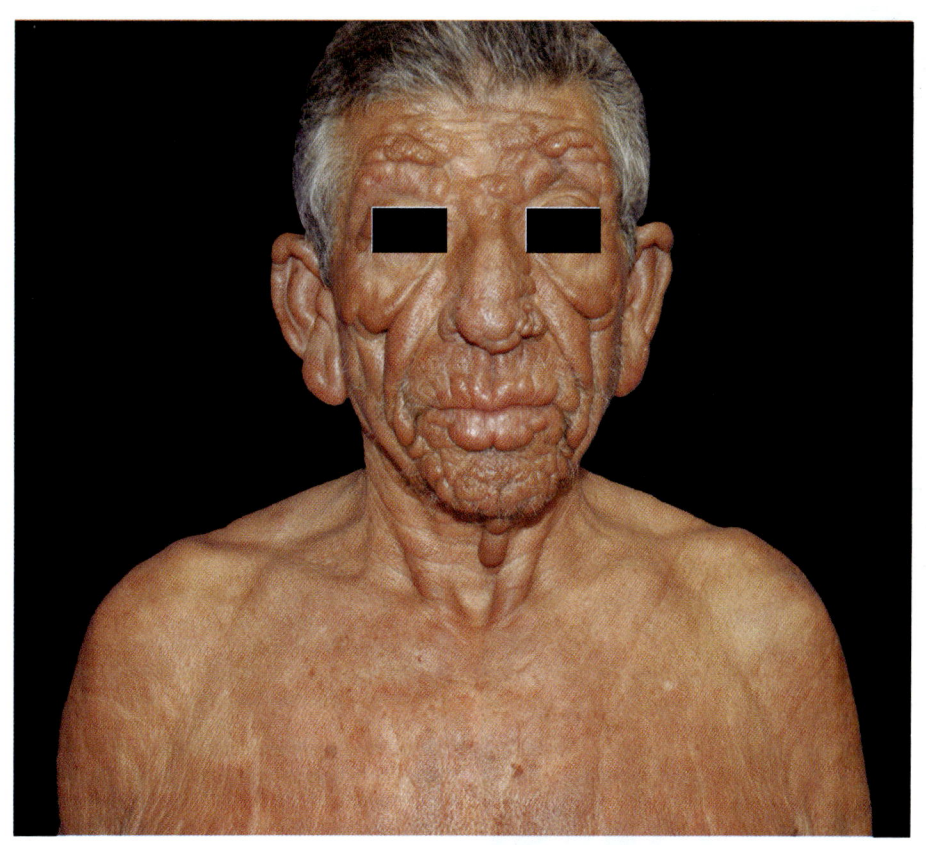

Figura 25-66 A infiltração cutânea difusa, as múltiplas lesões nodulares e a perda sensorial constituem as características essenciais da **hanseníase lepromatosa (LL).** Este paciente apresentou lesões na parte superior do tórax, na fronte, nas orelhas, no nariz, nos lábios e nas regiões perilabial e mentoniana, bem como pele frouxa nas regiões malares e palpebrais superiores, com comprometimento da força muscular do lado esquerdo. O paciente também apresentava madarose superciliar e ciliar. Havia aumento dos nervos ulnar e tibial posterior. Um esfregaço de pele corado com Ziehl-Neelsen demonstrou um índice bacteriano de 6+ para bacilos álcool-acido-resistentes em grupamentos, e a titulação da IgM anti-PGL-1 por ELISA foi de 3,445 (ponto de corte de 0,295). O esquema de tratamento com múltiplos fármacos de 12 meses da Organização Mundial da Saúde e a prednisona foram prescritos, com melhora significativa. A LL é a forma anérgica da hanseníase; desencadeia resposta imunológica humoral exacerbada, mas ineficiente, tornando os pacientes altamente infecciosos. No diagnóstico diferencial, as seguintes doenças devem ser consideradas: micose fungoide, neurofibromatose, sarcoidose, amiloidose, sífilis, leishmaniose anérgica e lobomicose. (Usada com permissão de Claudio G. Salgado, MD, PhD, e Josafá G. Barreto, PhD, Universidade Federal do Pará, Brasil.)

Testículos: podem ser acometidos na LL com consequente hipogonadismo.

Complicações da hanseníase: pode haver desenvolvimento de *carcinoma espinocelular* nas úlceras neurotróficas crônicas nos membros inferiores (ver Fig. 11-13). Os tumores consistem geralmente em neoplasias malignas de baixo grau; porém, podem metastatizar para linfonodos regionais e levar à morte. *Amiloidose secundária* com anormalidades hepáticas e renais.

DIAGNÓSTICO DIFERENCIAL

Lesões hipopigmentadas com granulomas.
Sarcoidose, leishmaniose, infecção por MNT, linfoma, sífilis, granuloma anular.

EXAMES LABORATORIAIS

RASPADOS INTRADÉRMICOS (*SLIT-SKIN SMEARS*) Efetua-se uma pequena incisão na pele; em seguida, o local é raspado para obter líquido tecidual a partir do

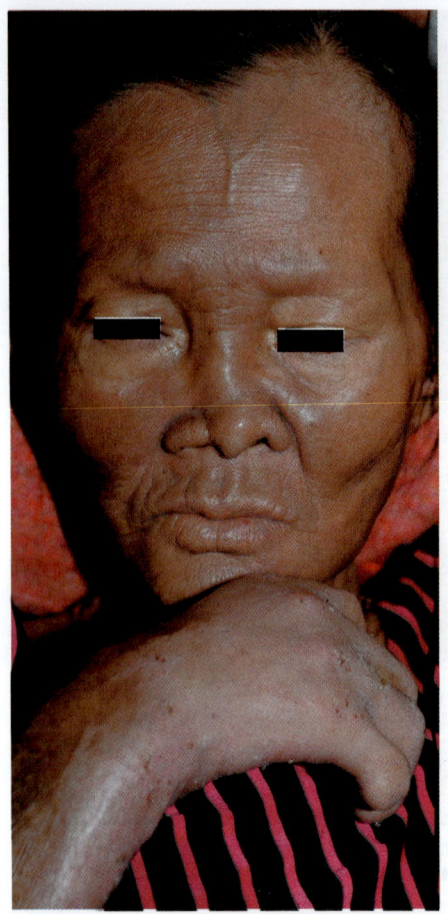

Figura 25-67 Hanseníase: tipo lepromatoso Mulher vietnamita de 60 anos com doença avançada tratada. Observa-se a presença de paralisia ulnar, perda dos dedos da mão direita e deformidade do nariz em sela associada à perda da cartilagem nasal.

qual se prepara um esfregaço que é examinado após coloração pelo método Ziehl-Neelsen. Em geral, são obtidas amostras de vários locais (lóbulos das duas orelhas, cotovelos, joelhos e lesões ativas). Um alto índice bacteriano (IB) é visto na LL, um IB baixo/negativo pode ser visto em casos paucibacilares, em casos tratados e em casos examinados por técnico sem experiência.

CULTURA *M. leprae* não é cultivado *in vitro*; entretanto, cresce quando inoculado no coxim plantar de camundongos. Culturas rotineiras para bactérias para excluir a possibilidade de infecção secundária.

REAÇÃO EM CADEIA DA POLIMERASE (PCR) O DNA do *M. leprae* detectado por essa técnica estabelece o diagnóstico de hanseníase paucibacilar no estágio inicial e identifica *M. leprae* após o início do tratamento.

SOROLOGIA Mede os anticorpos IgM contra o glicolipídeo fenólico-1 (PGL-1).

DERMATOPATOLOGIA A TT apresenta granulomas de células epitelioides que se formam ao redor dos nervos da derme; os BAARs são esparsos ou ausentes. A LL apresenta infiltrado celular extenso, que é separado da epiderme por uma zona estreita de colágeno normal. Os apêndices cutâneos são destruídos. Os macrófagos estão repletos de *M. leprae* e exibem citoplasma abundante espumoso ou vacuolado (células da hanseníase ou células de Virchow).

DIAGNÓSTICO

É realizado se forem detectados um ou mais dos achados cardinais: paciente de área endêmica, lesões cutâneas características da hanseníase com diminuição ou perda da sensibilidade, espessamento dos nervos periféricos, identificação de *M. leprae* na pele ou, menos comumente, em outros locais.

EVOLUÇÃO

Depois dos primeiros anos de tratamento farmacológico, o problema mais difícil consiste no tratamento das alterações secundárias aos déficits neurológicos – contraturas e alterações tróficas das mãos e dos pés. Raramente, a hanseníase de longa duração pode ser complicada por amiloidose secundária com insuficiência renal. As reações tipo 1 da hanseníase perduram por 2 a 4 meses nos indivíduos com TB e até 9 meses nos indivíduos com BB. As reações tipo 2 da hanseníase (ENL) ocorrem em 50% dos pacientes com LL e em 25% dos com BB nos primeiros 2 anos de tratamento. O ENL pode ser complicado por uveíte, dactilite, artrite, neurite, linfadenite, miosite e orquite. A reação de Lucio ocorre secundariamente à vasculite, com infarto subsequente.

TRATAMENTO

Princípios gerais do tratamento:

- Tuberculoide (TT): dapsona mais rifampicina.
- Lepromatosa (LL): dapsona mais cloflazimina mais rifampicina.
- Erradicar a infecção com tratamento para a hanseníase.
- Prevenir e tratar as reações (prednisona ou talidomida).
- Reduzir o risco de lesão neural.
- Educar o paciente a lidar com a neuropatia e a anestesia.
- Tratar as complicações da lesão neural.
- Reabilitar o paciente dentro da sociedade.

O tratamento envolve uma ampla abordagem multidisciplinar, incluindo cirurgia ortopédica, podiatria, oftalmologia e fisioterapia.

TUBERCULOSE CUTÂNEA CID-10: A18.4

- Etiologia. Complexo *Mycobacterium tuberculosis*. Acomete comumente os pulmões, raramente a pele.
- Transmissão. Disseminação pelo ar de núcleos de gotículas respiratórias de pacientes com tuberculose pulmonar infecciosa.
- Infecção cutânea. Inoculação exógena na pele. Extensão direta a partir de tecidos mais profundos, como articulações; disseminação linfática para a pele, disseminação hematogênica para a pele.

CLASSIFICAÇÃO

INOCULAÇÃO EXÓGENA DA PELE Tuberculose por inoculação primária (TIP), i.e., *cancro tuberculoso*: ocorre no local de inoculação em hospedeiro não imunizado. *Tuberculose verrucosa cutânea* (TVC): ocorre no local inoculado de um indivíduo com infecção tuberculosa prévia.

A tuberculose também pode resultar da imunização com o bacilo Calmette-Guérin (BCG).

DISSEMINAÇÃO ENDÓGENA DA PELE Vasos linfáticos, via hematogênica, fluidos corporais (escarro, fezes, urina). *Lúpus vulgar. Escrofuloderma.* Abscesso tuberculoso metastático. Tuberculose miliar aguda. *Tuberculose orificial.*

PATOGÊNESE

O tipo de lesão clínica depende da via de inoculação cutânea e do estado imunológico do hospedeiro.

- A inoculação cutânea resulta na formação de um *cancro tuberculoso* no hospedeiro não imune e *TVC* no hospedeiro imune.
- A extensão direta a partir de uma infecção tuberculosa subjacente, isto é, linfadenite ou tuberculose dos ossos e das articulações, resulta em *escrofuloderma*.
- A disseminação linfática para a pele leva ao desenvolvimento de *lúpus vulgar*.
- A disseminação hematogênica resulta em *tuberculose miliar aguda, lúpus vulgar* ou *abscesso tuberculoso metastático*.
- A autoinoculação de fluidos corporais, como escarro, urina e fezes, resulta em *tuberculose orificial*.

Globalmente, a incidência de tuberculose cutânea está aumentando, associada à doença pelo HIV. O problema de resistência a múltiplos fármacos (RMF) também é comum em indivíduos com doença pelo HIV.

MANIFESTAÇÃO CLÍNICA

TIP Inicialmente, surge uma pápula no local de inoculação dentro de 2 a 4 semanas após a inoculação. A lesão aumenta de tamanho e evolui para uma úlcera indolor, o *cancro tuberculoso* (Fig. 25-68), com base granular rasa. As úlceras mais antigas tornam-se endurecidas com crostas espessas. A inoculação mais profunda resulta na formação de *abscesso subcutâneo*. Mais comum na pele exposta em locais de pequenos traumatismos. Ocorrem úlceras orais na gengiva ou no palato após a ingestão de bacilos bovinos no leite não pasteurizado. A *linfadenopatia regional* ocorre várias semanas após o aparecimento de úlcera (*síndrome cancriforme*) (Fig. 25-68).

TVC Pápula inicial com halo violáceo. Evolui para uma *placa verrucosa* ou *hiperceratótica* ou *de consistência firme* (Fig. 25.69). Ocorrem fendas e fissuras a partir das quais pode haver drenagem de pus e material ceratinoso. A borda é frequentemente irregular. Em geral, as lesões são únicas, mas podem ocorrer múltiplas lesões. Mais comumente nas superfícies dorsolaterais das mãos e dos dedos. Em crianças, ocorrem nos membros inferiores e joelhos. Não há linfadenopatia.

LÚPUS VULGAR A pápula inicial é maldefinida e macia e evolui, formando uma *placa irregular bem-delimitada* (Fig. 25-70). Marrom-avermelhada. A diascopia (lâmina de vidro pressionada contra a pele) revela uma *cor de "geleia de maçã"* (i.e., castanho-alaranjada). Em geral, as lesões são moles e friáveis. A superfície é, a princípio, lisa ou ligeiramente descamativa, mas pode se tornar hiperceratótica. As formas hipertróficas resultam em nódulos tumorais moles. As formas ulcerativas aparecem como úlceras em saca-bocado, frequentemente serpiginosas e circundadas por infiltrado macio acastanhado. Normalmente única, mas pode ocorrer em vários locais. A maioria das lesões ocorre na cabeça e na região cervical, mais frequentemente no nariz, nas orelhas ou no couro cabeludo. As lesões nas orelhas ou no nariz podem resultar em destruição da cartilagem subjacente. A *cicatriz é proeminente*. Com frequência, surgem novos infiltrados acastanhados dentro das cicatrizes atróficas.

ESCROFULODERMA Nódulo subcutâneo de consistência firme que, a princípio, é livremente móvel; em seguida, a lesão torna-se amolecida e evolui para um *nódulo ou placa irregular de localização profunda*, que se liquefaz e perfura (Fig. 25-71). As úlceras e trajetos fistulosos irregulares, geralmente de forma linear ou serpiginosa, liberam pus ou material caseoso. As bordas são solapadas, invertidas, com bolsas subcutâneas dissecantes que se alternam com infiltrados flutuantes moles e cicatrizes em ponte. Com mais frequência, ocorre nas *regiões parotídea, submandibular e supraclavicular*; parte lateral do pescoço; a escrofuloderma resulta mais frequentemente de disseminação contígua de linfonodos acometidos ou ossos (falanges, esterno, costelas) ou articulações com tuberculose.

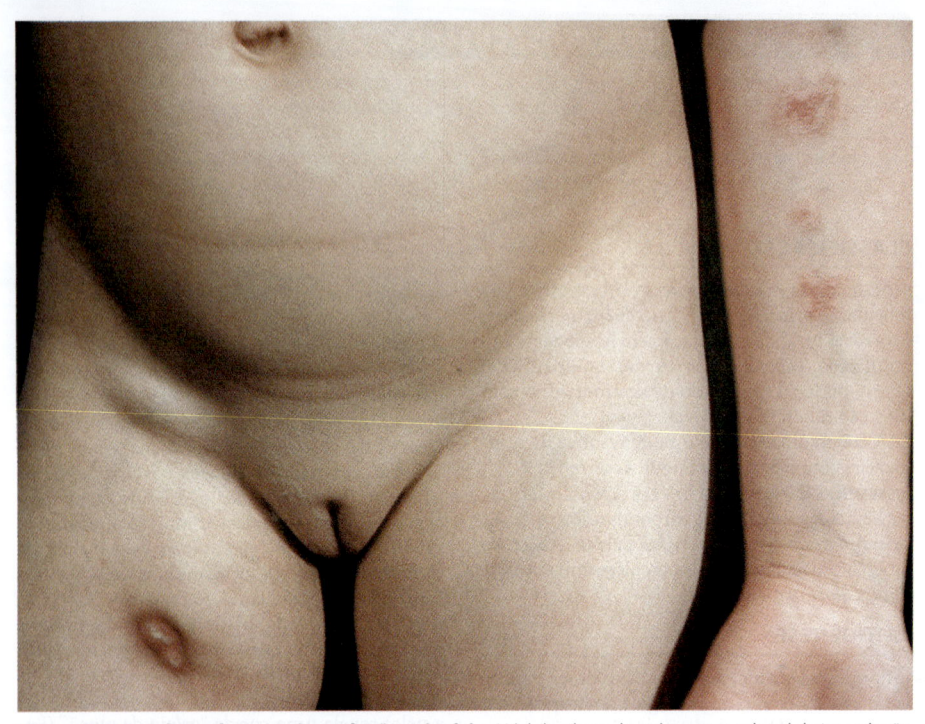

Figura 25-68 Tuberculose por inoculação primária Nódulo ulcerado volumoso no local de inoculação de *Mycobacterium tuberculosis* na coxa direita associado à linfadenopatia inguinal. As pápulas eritematosas no antebraço esquerdo surgiram no local do teste tuberculínico.

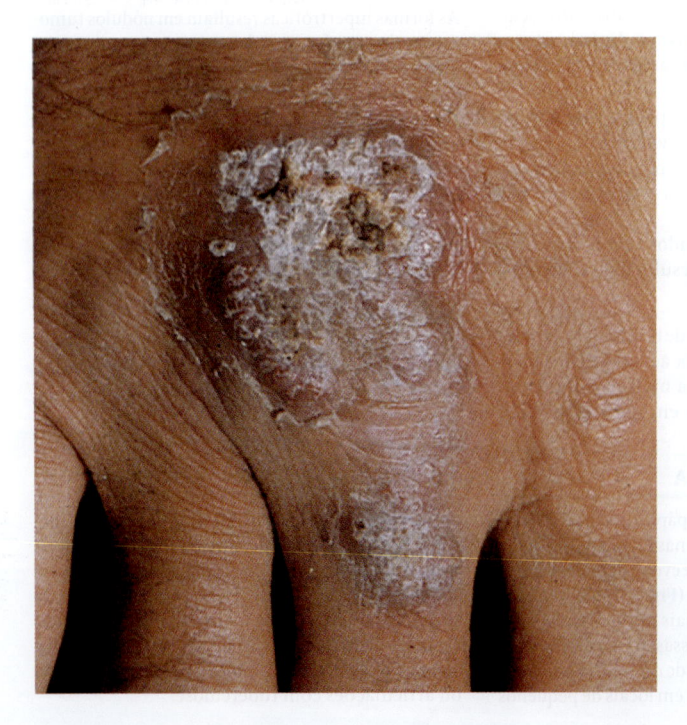

Figura 25-69 Tuberculose verrucosa cutânea Homem de 40 anos com placas verrucosas e crostosas no dorso da mão direita por 6 meses. (Reproduzida com permissão de Sethi A. Tuberculosis and infections with atypical Mycobacteria. In: Goldsmith LA, Katz SI, Gilchrest BA, et al, eds. Fitzpatrick's Dermatology in General Medicine. 8th ed. New York, McGraw-Hill; 2012.)

ABSCESSO TUBERCULOSO METASTÁTICO Abscesso subcutâneo, indolor, "frio", flutuante. Coalesce com a pele sobrejacente, rompendo-se e formando fístulas e úlceras. Lesões únicas ou múltiplas, frequentemente em locais de traumatismo prévio.

TUBERCULOSE MILIAR AGUDA Exantema. As *lesões disseminadas* consistem em máculas e pápulas muito pequenas ou em lesões purpúricas. Algumas vezes, são vesiculares e crostosas. A remoção da crosta revela umbilicação. Disseminadas por todas as partes do corpo, particularmente no tronco.

TUBERCULOSE ORIFICIAL Pequeno nódulo amarelado na mucosa que se rompe para formar uma *úlcera circular ou irregular dolorosa* (Fig. 25-72), com bordas solapadas. Mucosa circundante edemaciada e inflamada. Como a tuberculose orificial resulta da autoinoculação de micobactérias a partir de tuberculose progressiva de órgãos internos, é comumente encontrada nas mucosas oral, faríngea (tuberculose pulmonar), vulvar (tuberculose urogenital) e anal (tuberculose intestinal). As lesões podem ser únicas ou múltiplas e, quando localizadas na boca, ocorrem mais comumente na língua, nos palatos mole e duro ou nos lábios.

DIAGNÓSTICO

Manifestações clínicas, teste cutâneo tuberculínico (Fig. 25-73) e dermatopatologia confirmado pelo isolamento de *M. tuberculosis* por cultura ou por PCR.

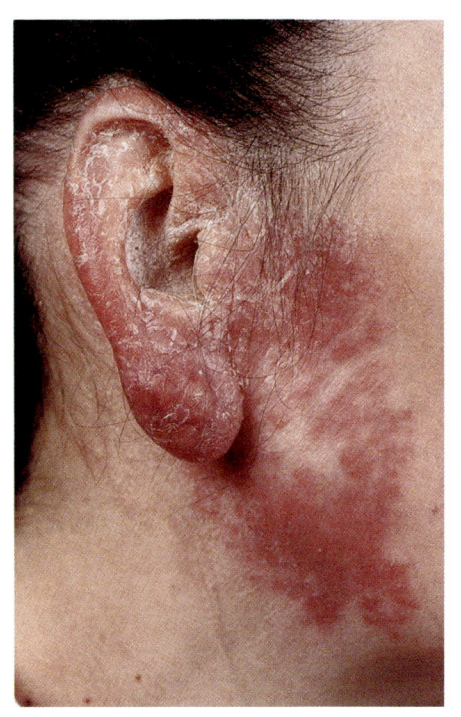

Figura 25-70 Lúpus vulgar Placa castanho-avermelhada que na diascopia exibe a diagnóstica cor castanho-amarelada em "geleia de maçã". Observam-se a infiltração nodular do lóbulo da orelha, descamação da hélice e cicatrização atrófica no centro da placa.

Figura 25-71 Escrofuloderma: parte lateral da parede torácica Duas úlceras na parede torácica e na axila associadas a trajetos fistulosos subjacentes.

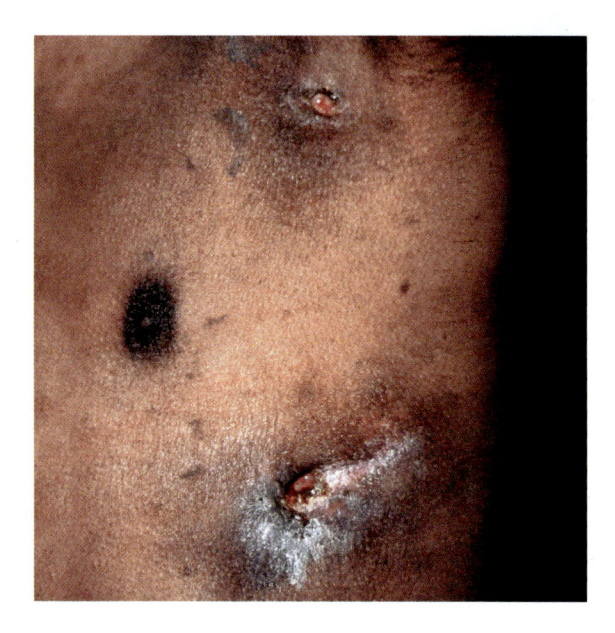

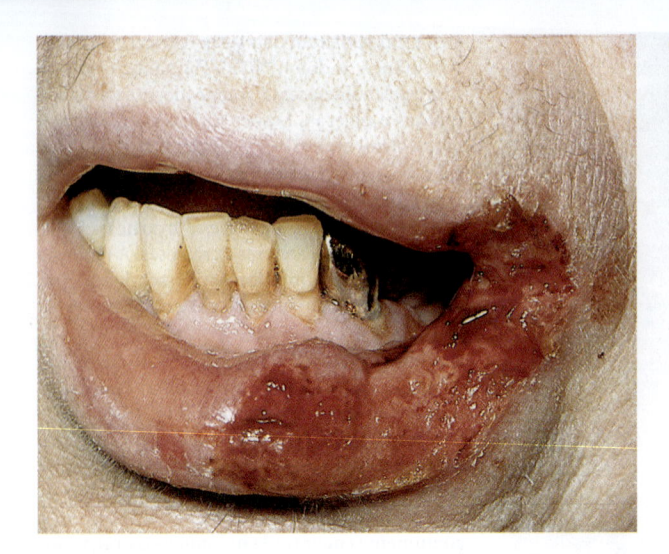

Figura 25-72 Tuberculose orificial: lábios Grande úlcera muito dolorosa nos lábios deste paciente com tuberculose pulmonar cavitária avançada.

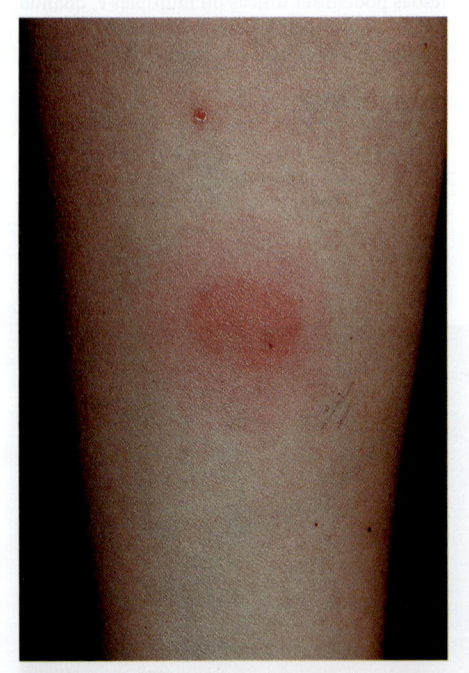

Figura 25-73 Teste com derivado proteico purificado ou de Mantoux: resultado positivo Esta mulher taiwanesa de 31 anos, com psoríase e teste cutâneo negativo 1 ano antes, foi novamente testada antes de iniciar o tratamento com etanercepte. Adquiriu a infecção enquanto visitava o pai que tinha tuberculose pulmonar em Taiwan. No local do teste, observa-se uma placa vermelha com eritema circundante.

EVOLUÇÃO

A evolução da tuberculose cutânea é muito variável, dependendo do tipo de infecção cutânea, do tamanho do inóculo, da extensão da infecção extracutânea, da idade do paciente, do estado imunológico e do tratamento.

TRATAMENTO

Somente a TIP e a TVC limitam-se à pele. Todos os outros padrões de tuberculose cutânea estão associados à infecção sistêmica que sofreu disseminação secundária para a pele. Por conseguinte, o tratamento deve ser direcionado para a obtenção de cura, prevenção das recidivas e da emergência de mutantes resistentes a fármacos (multirresistentes).

TERAPIA ANTITUBERCULOSA O tratamento prolongado para a tuberculose com pelo menos dois fármacos está indicado para todos os casos de tuberculose cutânea, exceto a TVC que pode ser excisada.

- Tratamento antituberculoso padronizado:
  - Isoniazida (5 mg/kg ao dia).
  - Rifampicina (600 mg/kg ao dia).
- Suplementado nas fases iniciais com:
  - Etambutol (25 mg/kg ao dia) e/ou
  - Estreptomicina (10 a 15 mg/kg ao dia) e/ou
  - Pirazinamida (15 a 30 mg/kg ao dia).

A isoniazida e a rifampicina são administradas durante pelo menos 9 meses; o tratamento pode ser reduzido para 6 meses se forem administrados quatro fármacos nos primeiros 2 meses.

TUBERCULOSE MULTIRRESISTENTE (MDR) A incidência está aumentando.

INFECÇÕES MICOBACTERIANAS NÃO TUBERCULOSAS CID-10: A31.1

- As micobactérias não tuberculosas (MNTs) são definidas como outras micobactérias distintas do complexo M. tuberculosis e M. leprae. Ocorrem naturalmente no ambiente: *M. marinum, M. ulcerans,* complexo *M. fortuitum, M. abscessus, M. avium-intracellulare, M. haemophilum*.
- Infecção. Capazes de causar infecções primárias em indivíduos saudáveis e infecções mais graves em pacientes com defeitos nos mecanismos de defesa do hospedeiro, por exemplo:
  - Indivíduos imunocompetentes: infecções cutâneas primárias nos locais de inoculação. Nódulos, lesões linfocutâneas ou linfangite nodular.
  - Hospedeiro imunocomprometido: lesões cutâneas e das mucosas disseminadas.
- Diagnóstico. Detecção de micobactérias no exame histoquímico ou por cultura em meios específicos. As novas técnicas moleculares com base na amplificação do DNA aceleram o diagnóstico, identificam fontes comuns de infecção e revelam novos tipos de MNT.
- Tratamento. Claritromicina, rifampicina, fluoroquinolonas e minociclina.

INFECÇÃO POR *MYCOBACTERIUM MARINUM*

- Etiologia. *M. marinum*, uma micobactéria não tuberculosa ambiental. A infecção ocorre geralmente após inoculação traumática em ambiente aquático, isto é, aquário, água sem cloro.
- Demografia. Adultos saudáveis. Infecções mais invasivas ou disseminadas em indivíduos com defeitos nos mecanismos de defesa do hospedeiro.

MANIFESTAÇÃO CLÍNICA

PERÍODO DE INCUBAÇÃO Variável, normalmente semanas a meses após a inoculação. As lesões podem ser assintomáticas ou sensíveis.

LOCAL DE INOCULAÇÃO Uma ou mais pápulas que crescem, formando *placa* ou *nódulo* inflamatórios (Fig. 25-74), vermelhos a castanho-avermelhados, de 1 a 4 cm de tamanho, na mão dominante. A superfície das lesões pode ser *hiperceratótica* ou *verrucosa* (Fig. 25-75). A lesão pode se tornar *ulcerada*, com crosta superficial, base com tecido de granulação, ± secreção serossanguínea ou purulenta. Em alguns casos, podem surgir pequenas pápulas-satélites e seios de drenagem. Em geral, lesão única sobre uma proeminência óssea. Pode ocorrer infecção mais extensa dos tecidos moles na presença de defeitos nos mecanismos de defesa do hospedeiro. Surge uma cicatriz atrófica após regressão espontânea ou tratamento bem-sucedido.

LINFANGITE NODULAR Os nódulos de localização profunda em configuração linear na mão e no antebraço exibem disseminação linfocutânea (Fig. 25-76). A reação inflamatória edematosa pode simular a bursite, a sinovite ou a artrite ao redor do cotovelo, punho ou articulações interfalângicas. Tenossinovite, artrite séptica, osteomielite. Defeitos nos mecanismos de defesa do hospedeiro.

INFECÇÃO DISSEMINADA Rara. Pode ocorrer na presença de defeitos nos mecanismos de defesa do hospedeiro. Linfadenopatia regional de ocorrência incomum.

DIAGNÓSTICO

História de traumatismo em ambiente aquático, manifestações clínicas, confirmadas pelo isolamento de *M. marinum* em cultura. *M. marinum* cresce a 32°C (mas não a 37°C) em 2 a 4 semanas. As lesões iniciais resultam em numerosas colônias. As lesões com 3 meses ou mais geralmente formam poucas colônias.

ACHADOS LABORATORIAIS

BIÓPSIA DA LESÃO A coloração álcool-ácido demonstra *M. marinum* apenas em cerca de 50% dos casos.

EVOLUÇÃO

Em geral, autolimitada, mas pode permanecer ativa por um período prolongado. As lesões papulonodulares únicas regridem de modo espontâneo em 3 meses a 3 anos; a linfangite nodular pode persistir por vários anos. Na presença de defeitos nos mecanismos de defesa do hospedeiro, pode ocorrer infecção profunda mais extensa.

TRATAMENTO

Fármaco de primeira escolha: claritromicina e rifampicina ou etambutol durante 1 a 2 meses após a regressão das lesões (3 a 4 meses). A minociclina isoladamente pode ser efetiva.

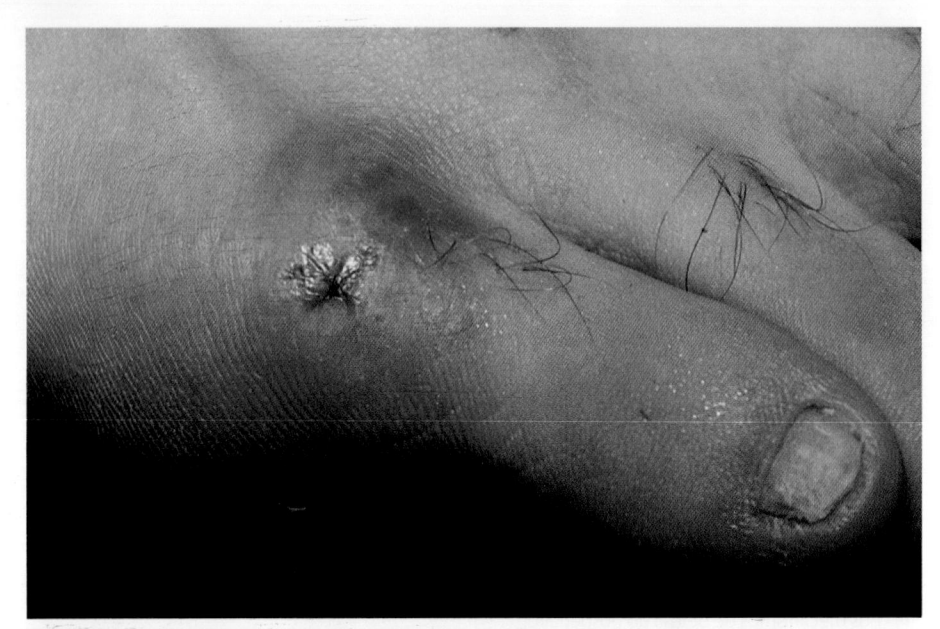

Figura 25-74 *M. marinum*: infecção no local de inoculação no pé Homem de 31 anos com placa endurecida e dolorosa na superfície dorsolateral do pé. A lesão surgiu no local de uma pequena bolha um ano antes, enquanto estava no Afeganistão. Três biópsias e culturas de tecido realizadas anteriormente não tiveram sucesso em estabelecer um diagnóstico. Após injeção intralesional de triancinolona, 1,5 mg/mL, foram identificados bacilos álcool-ácido-resistentes na amostra de biópsia, e *M. marinum* foi isolado em cultura. O paciente foi tratado com sucesso com quatro agentes antimicobacterianos.

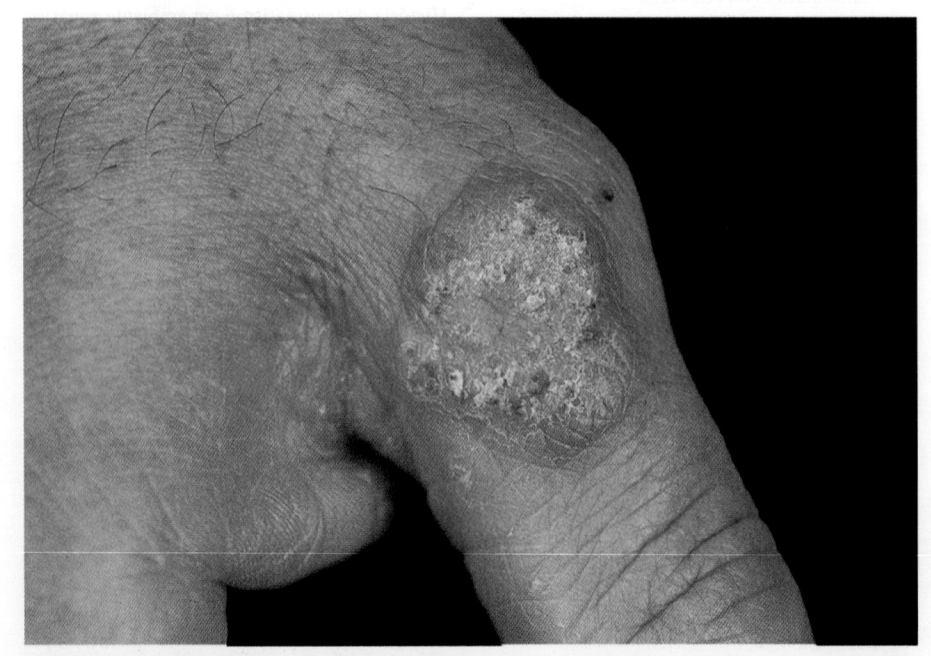

Figura 25-75 Infecção por *M. marinum*: placa verrucosa Placa verrucosa vermelho-violeta no dorso do polegar direito de um aquariófilo no local de uma abrasão.

Figura 25-76 M. marinum: infecção dos tecidos moles e linfangite iniciada no dedo Mulher de 48 anos com edema doloroso do dedo médio, que se desenvolveu há 4 meses. Lembra-se de ter limpado um aquário várias semanas antes de o dedo se tornar vermelho e doloroso. O dedo e a mão ficaram progressivamente mais inflamados, e surgiram nódulos vermelhos no antebraço. Foi observado um discreto aumento dos linfonodos axilares.

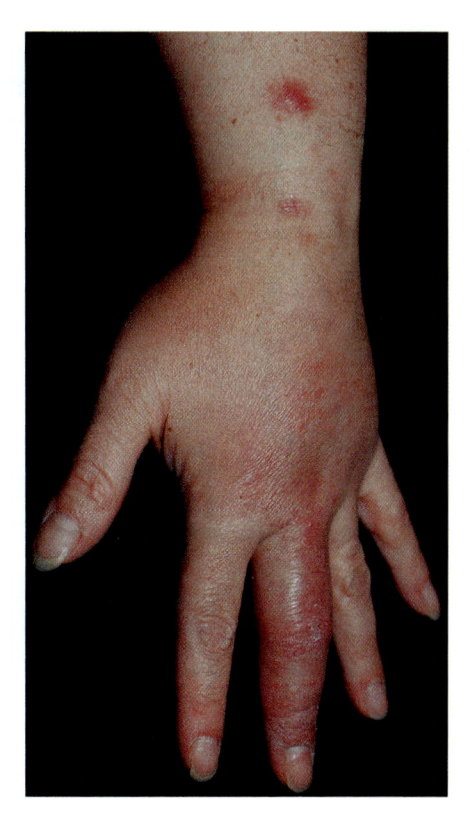

INFECÇÃO POR *MYCOBACTERIUM ULCERANS* CID-10: A31.1

- *Sinônimos:* úlcera de Buruli ou doença ulcerosa de Buruli na África. Úlcera de Bairnsdale ou Daintree na Austrália.
- Etiologia. *M. ulcerans*. O hábitat natural desse microrganismo ainda não foi estabelecido. Incidência: terceira infecção micobacteriana mais comum depois da tuberculose e da hanseníase.
- Transmissão. Inoculação provavelmente por meio de traumatismo mínimo em locais úmidos, alagadiços ou pantonosos. Picadas de insetos aquáticos; *M. ulcerans* replica-se nas glândulas salivares dos insetos; nas áreas endêmicas, 5 a 10% dos insetos aquáticos contêm o micróbio nas glândulas salivares.
- Demografia. Ocorre em mais de 30 países. Regiões tropicais da África Ocidental; Austrália, Papua Nova Guiné; região central do México.
- Patogênese. *M. ulcerans* produz um polipeptídeo tóxico (micolactona), que suprime a resposta imunológica ao micróbio.

MANIFESTAÇÃO CLÍNICA

O período de incubação é de cerca de 3 meses. O nódulo inicial no local de traumatismo e a ulceração subsequente são comumente indolores. Em geral, não há febre nem manifestações constitucionais.

Ocorre edema subcutâneo indolor no local de inoculação. Pápula(s), nódulo(s) e placas frequentemente passam despercebidos. A lesão aumenta e *ulcera*. A úlcera estende-se até a gordura subcutânea, e suas bordas são profundamente solapadas (Fig. 25-77). As ulcerações podem crescer, acometendo todo o membro. As pernas são mais comumente acometidas, em locais de traumatismo. Qualquer local pode ser acometido. Pode ocorrer acometimento dos tecidos moles e dos ossos. À medida que as úlceras regridem, podem ocorrer cicatrizes e deformidades incapacitantes. Pode ocorrer osteomielite.

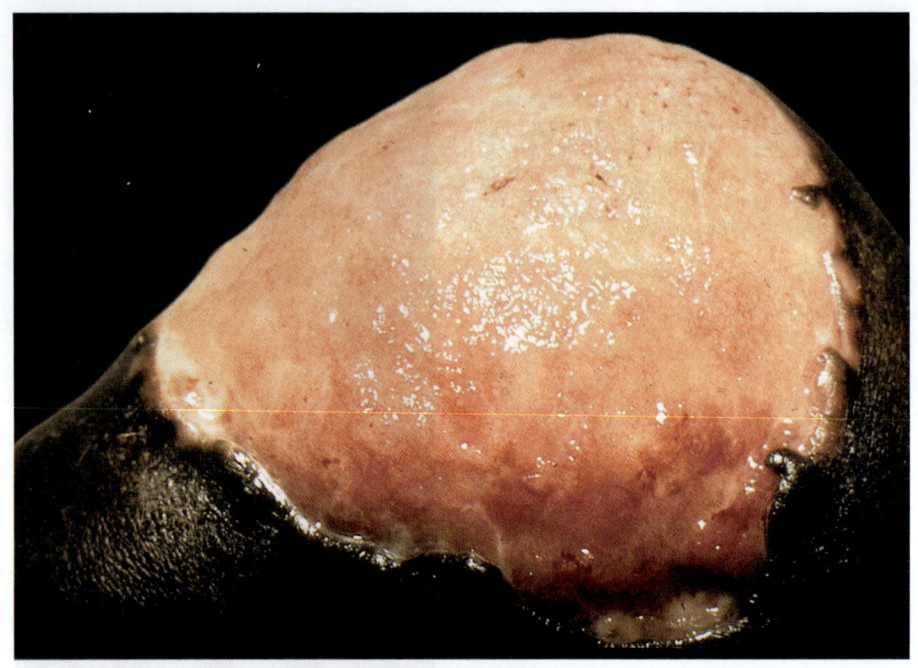

Figura 25-77 M. ulcerans: úlcera de Buruli Jovem ugandense de 15 anos com úlcera gigante com base limpa e bordas solapadas, estendendo-se ao tecido subcutâneo. (Usada com permissão de Dr. Manfred Dietrich.)

DIAGNÓSTICO
Identificação do micróbio em cultura ou por PCR.

ACHADOS LABORATORIAIS

DERMATOPATOLOGIA A necrose origina-se nos septos interlobulares da gordura subcutânea. Resposta inflamatória precária, apesar da presença de grupos de bacilos extracelulares. Granulação com células gigantes, mas sem necrose caseosa. Os BAARs são sempre detectáveis.

DIAGNÓSTICO DIFERENCIAL
Esporotricose, nocardiose, feo-hifomicose, carcinoma espinocelular.

EVOLUÇÃO
Devido à demora no diagnóstico e na instituição do tratamento, as lesões são frequentemente extensas. As ulcerações persistem por vários meses a anos. Por fim, ocorre cicatrização espontânea em alguns pacientes; fibrose, contratura do membro e linfedema. A desnutrição e a anemia retardam a cicatrização.

TRATAMENTO

TRATAMENTO ANTIMICOBACTERIANO Rifampicina e estreptomicina combinadas com cirurgia. A combinação de rifampicina e ciprofloxacino pode ser eficaz.
CIRURGIA Excisão seguida de enxerto.

INFECÇÕES PELO COMPLEXO *MYCOBACTERIUM FORTUITUM* CID-10: A31.1

- Etiologia. *M. fortuitum, M. chelonae, M. abscessus*. Os microrganismos estão amplamente distribuídos no solo, na poeira e na água.
- Reservatórios naturais. Ambientes nosocomiais: abastecimento locais de água, áreas úmidas dos hospitais, agentes biológicos contaminados.
- As infecções cutâneas são responsáveis por 60% das infecções.
- Transmissão. Inoculação por feridas traumáticas perfurantes, cateterismo percutâneo ou injeções. Bacias de água em salões de pedicure (*M. fortuitum*).

MANIFESTAÇÃO CLÍNICA

Em geral, período de incubação de um mês (faixa de 1 semana a 2 anos).
INFECÇÕES DE PELE E TECIDOS MOLES Lesões nodulares nas pernas após banhos para os pés em salões de pedicure. Furunculose (Fig. 25-78); a raspagem dos pelos fornece uma porta de entrada. Infecções das feridas em locais cirúrgicos ou em locais de traumatismo. Múltiplos nódulos, abscessos e úlceras crostosas na presença de defeitos nos mecanismos de defesa do hospedeiro (Figs. 25-79 e 25-80).

DIAGNÓSTICO

Amostra de biópsia de pele da lesão ou identificação por PCR.

EXAMES LABORATORIAIS

DERMATOPATOLOGIA Com frequência, há necrose sem caseação. Pode-se observar a presença de BAAR dentro dos microabscessos.

EVOLUÇÃO

A infecção torna-se crônica, a não ser que seja tratada com agentes antimicobacterianos, ± desbridamento cirúrgico.

TRATAMENTO

Quimioterapia antimicobacteriana. Desbridamento cirúrgico com fechamento tardio para as infecções localizadas.

Figura 25-78 Infecção por *M. fortuitum* Mulher de 45 anos com nódulos eritematosos sensíveis nas pernas. As lesões surgiram várias semanas após fazer as unhas do pé com pedicure. A depilação das pernas pode ter facilitado a infecção. *M. fortuitum* foi isolado em cultura de amostra de biópsia das lesões.

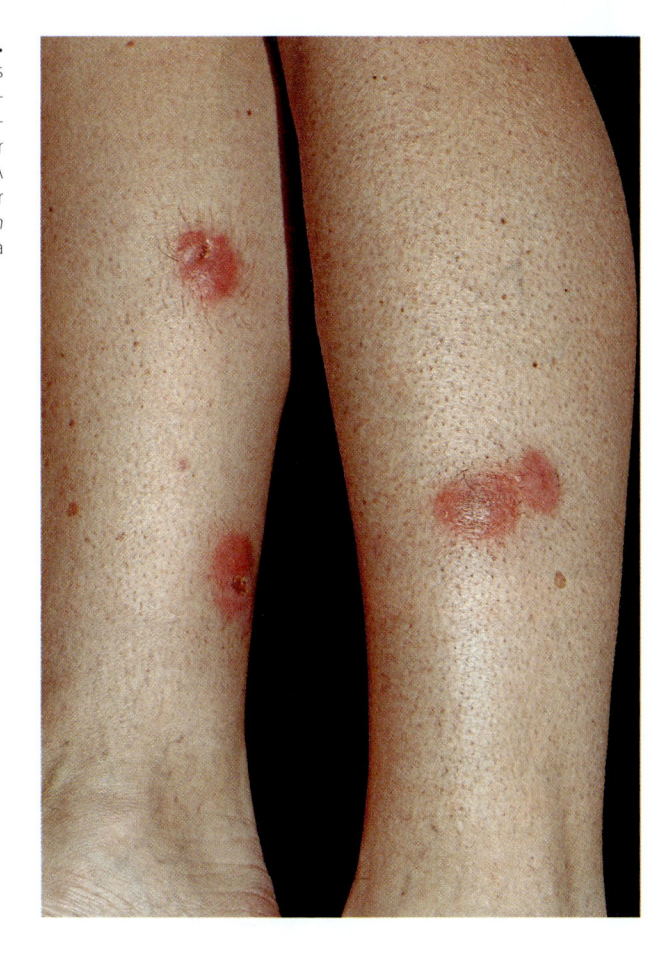

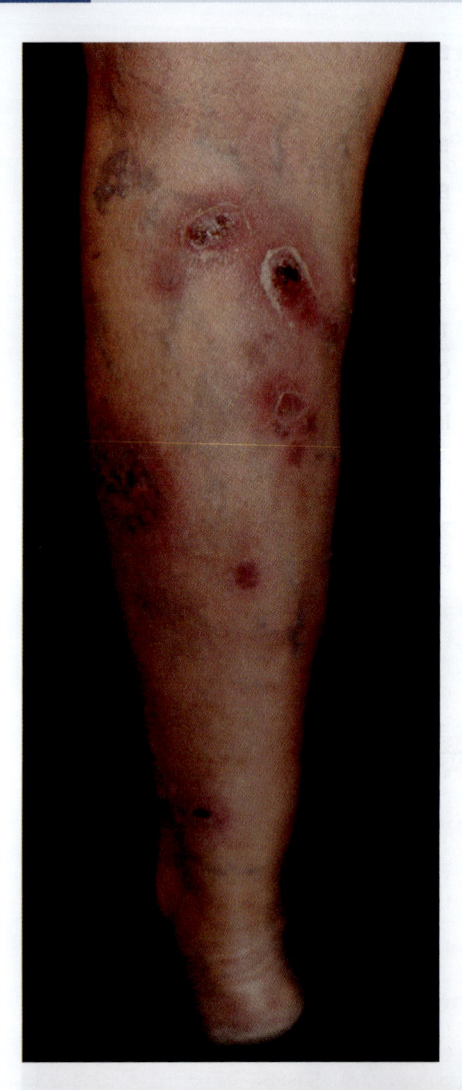

Figura 25-79 Múltiplos locais de infecção de tecidos moles na perna: *Mycobacterium chelonae* Esta mulher de 74 anos com doença pulmonar progressiva crônica, tratada com prednisona e azatioprina, desenvolveu infecções dos tecidos moles com múltiplos abscessos nas mãos, nas pernas e nos pés. *M. chelonae* foi isolado em cultura de amostra de biópsia.

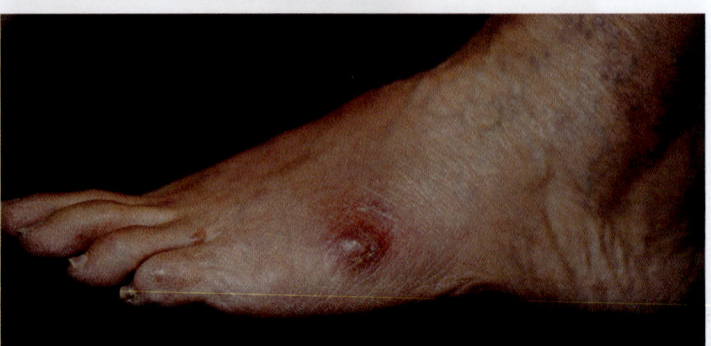

Figura 25-80 Abscesso por *M. chelonae* **na superfície dorsolateral do pé esquerdo** Mulher de 74 anos tratada com prednisona e azatioprina. *M. chelonae* foi isolado em amostra de biópsia da lesão.

DOENÇA DE LYME CID-10: A69.2

- Agente etiológico: espiroquetas *Borrelia*. Transmitida a humanos pela picada do carrapato *Ixodes scapularis* (EUA) ou *Ixodes ricinus* (Europa) (carrapato do cervo).
- Doença localizada inicial de estágio 1: até 30 dias após a picada do carrapato. Placa eritematosa no local de picada, *eritema migratório* (EM), observado em 70 a 80% dos casos. Síndrome aguda (febre, calafrios, mialgia, cefaleia, fraqueza, fotofobia). *Linfocitoma*.
- Doença disseminada inicial de estágio 2: dias a semanas após a picada do carrapato. *Lesões secundárias*. Meningite, *neurite craniana* (8%), radiculoneurite (4%), neurite periférica. *Cardite*: bloqueio atrioventricular (1%). *Dor musculoesquelética migratória* (33%), *artralgias*.
- Doença disseminada tardia de estágio 3: infecção persistente que ocorre meses ou anos depois: artrite intermitente ou persistente, encefalopatia crônica ou polineuropatia, acrodermatite crônica atrófica (ACA).
- Síndrome de doença de Lyme pós-tratamento: 10 a 20% dos pacientes tratados apresentam sintomas persistentes.

ETIOLOGIA E EPIDEMIOLOGIA

AGENTE ETIOLÓGICO EUA: *Borrelia burgdorferi*, recentemente *Borrelia mayonii* (meio-oeste dos EUA). Europa: *B. afzelii, B. garinii*.

VETOR Ninfas infectadas do carrapato *Ixodes*. Três estágios de desenvolvimento dos carrapatos: *larva, ninfa, adulto;* cada estágio necessita de uma refeição de sangue. O hospedeiro preferencial do *Ixodes* adulto é o cervo de cauda branca.

ESTAÇÕES DO ANO No meio-oeste e leste dos EUA, a maioria dos casos ocorre entre o final de maio e início do outono.

RISCO DE EXPOSIÇÃO Fortemente associada à prevalência dos carrapatos-vetores e à proporção dos carrapatos portadores de *B. burgdorferi*. No nordeste dos EUA, com doença endêmica, a taxa de infecção das ninfas do carrapato *I. scapularis* por *B. burgdorferi* é normalmente de 20 a 35%.

INCIDÊNCIA A DL constitui a infecção mais comum transmitida por vetores nos EUA, que notificaram 25.359 casos em 2014. Casos notificados em todos os 50 estados, exceto no Havaí.

PATOGÊNESE Após inoculação na pele, os espiroquetas multiplicam-se e migram em direção centrífuga, produzindo a lesão do *EM*, e invadem os vasos sanguíneos, sofrendo disseminação hematogênica para outros órgãos. O espiroqueta exibe tropismo particular para tecidos da pele, do sistema nervoso e das articulações. O microrganismo permanece nos tecidos acometidos durante todos os estágios da doença. A resposta imunológica aos espiroquetas desenvolve-se de modo gradual. Os anticorpos IgM específicos alcançam o seu nível máximo entre a terceira e a sexta semanas após o início da doença. A resposta da IgG específica desenvolve-se gradualmente no decorrer de vários meses. Os tecidos acometidos produzem citocinas pró-inflamatórias, TNF-α e IL-1.

MANIFESTAÇÃO CLÍNICA

Período de incubação para o *EM*: 3 a 32 dias após a picada do carrapato. *Manifestações cardíacas*: 35 dias (3 semanas a mais de 5 meses após a picada do carrapato). *Manifestações neurológicas*: 38 dias em média (2 semanas a meses) após a picada do carrapato. *Manifestações reumatológicas*: 4 dias a 2 anos após a picada.

PRÓDROMOS Com infecção disseminada (estágio 2), ocorrem mal-estar, fadiga, letargia, cefaleia, febre, calafrios, rigidez de nuca, artralgia, mialgia, dor nas costas, anorexia, dor de garganta, náusea, disestesia, vômitos, dor abdominal, fotofobia.

HISTÓRIA Devido ao pequeno tamanho (*semente de papoula*) das ninfas dos carrapatos, a maioria dos pacientes não percebe a picada do carrapato; os carrapatos adultos têm o tamanho de uma *semente de gergelim*. As picadas são assintomáticas. A remoção das ninfas dentro de 36 horas após a sua fixação pode impedir a transmissão. O EM pode estar associado a uma sensação de ardência, prurido ou dor. Apenas 75% dos pacientes com doença de Lyme exibem EM. As queixas articulares são mais comuns na América do Norte. O acometimento neurológico é mais comum na Europa. Na doença persistente, ocorre fadiga crônica.

INFECÇÃO LOCALIZADA DE ESTÁGIO 1 *EM*. A mácula ou pápula eritematosa inicial cresce em direção centrífuga dentro de poucos dias, formando uma lesão com borda vermelha distinta no local da picada (Fig. 25-81). O diâmetro mediano máximo é de 15 cm. À medida que o EM se expande, o local pode permanecer uniformemente eritematoso, ou ocorrem vários anéis de tonalidades variáveis de vermelho, com anéis concêntricos (lesões *em alvo* ou *olho de boi*). Quando ocorre no couro cabeludo, apenas uma faixa linear pode ser evidente na face ou na região cervical (Fig. 25-82). São observadas *múltiplas lesões de EM* com múltiplas picadas. Locais mais comuns: coxa, região inguinal e axila. O centro pode se tornar endurecido, vesicular, equimótico ou necrótico. Com a evolução do EM, podem ocorrer hiperpigmentação pós-inflamatória, alopécia transitória e descamação. *Linfocitoma por Borrelia* (LB). Observado principalmente na Europa. Em geral, surge no local de

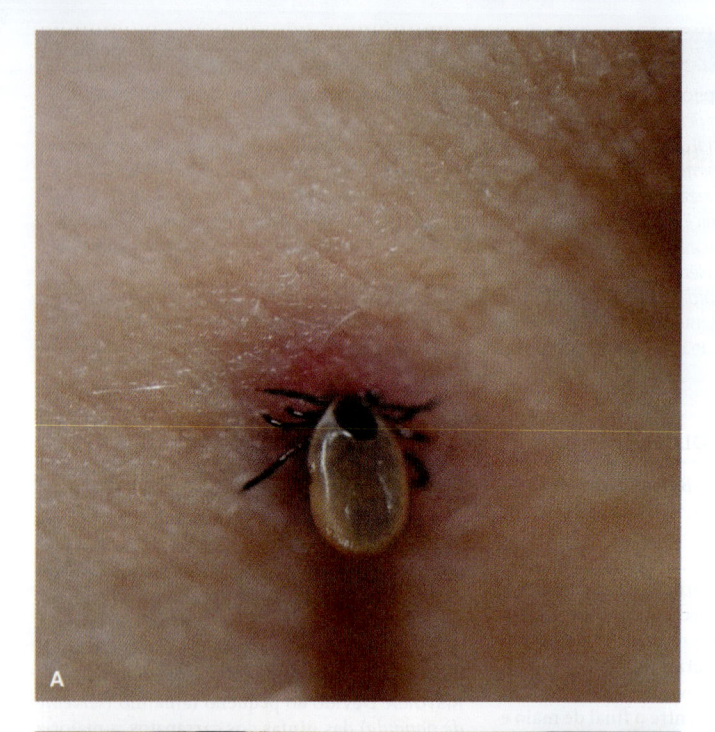

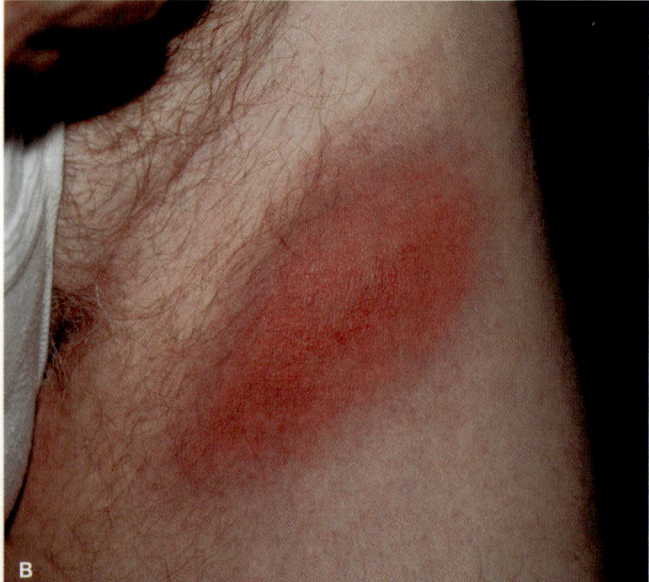

Figura 25-81 Borreliose de Lyme: eritema migratório (EM) na parte superior da coxa **(A)** Adesão do carrapato *Ixodes*; **(B)** eritema oval lentamente crescente (i.e., migratório). Irá regredir no centro, formando um anel.

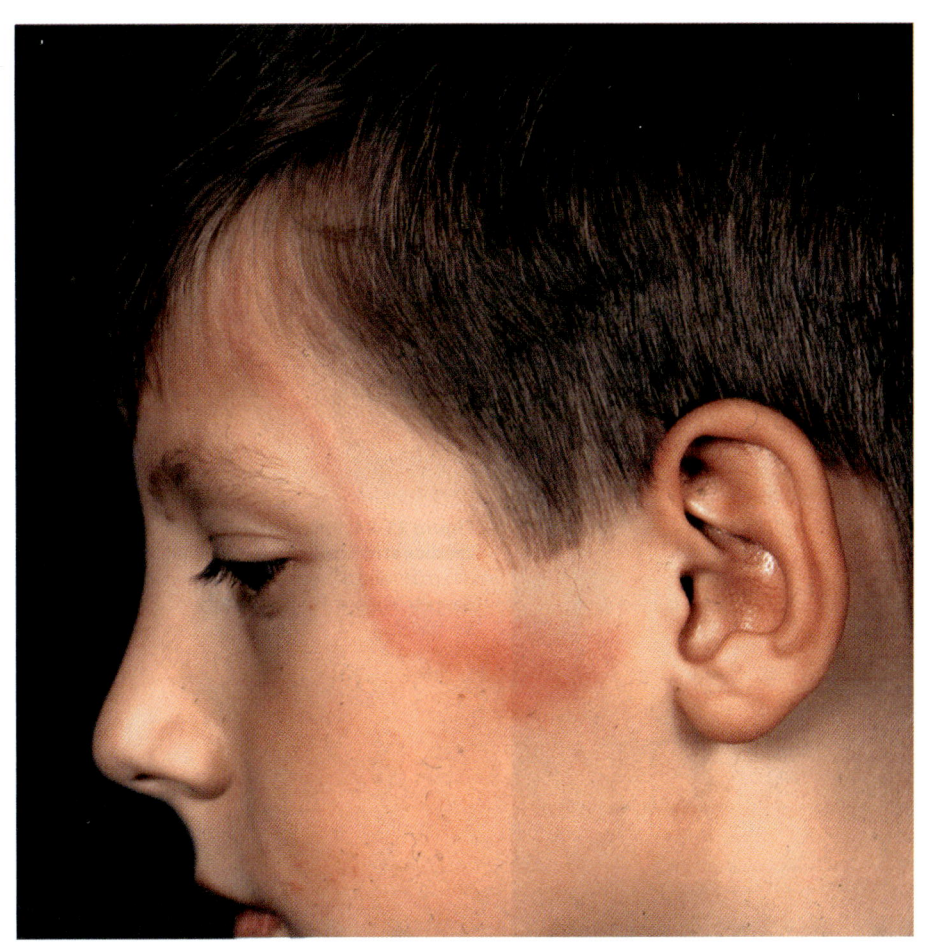

Figura 25-82 Borreliose de Lyme: eritema migratório na face Esta lesão eritematosa serpiginosa na fronte representa a borda de uma grande lesão do couro cabeludo.

picada do carrapato. Alguns pacientes apresentam história de EM; outros podem exibir EM concomitante, localizado ao redor ou nas proximidades do linfocitoma. Em geral, manifesta-se na forma de nódulo único vermelho-azulado (Fig. 25-83). Locais de predileção: lóbulo da orelha (crianças), mamilo/aréola (adultos), escroto; 3 a 5 cm de diâmetro.

Outras manifestações cutâneas. Exantema malar, urticária difusa, nódulos subcutâneos (paniculite).

INFECÇÃO DISSEMINADA DE ESTÁGIO 2 *Lesões secundárias.* As lesões secundárias assemelham-se ao EM, mas são menores, migram menos, carecem de endurecimento central e podem ser descamativas. As lesões aparecem em qualquer local, exceto nas palmas e plantas. Podem ocorrer algumas ou muitas lesões, podem se tornar confluentes.

INFECÇÃO PERSISTENTE DE ESTÁGIO 3 *Acrodermatite crônica atrófica (ACA)* associada à infecção por *B. afzelii* na Europa e na Ásia. Mais comum em mulheres idosas. Inicialmente, *eritema violáceo* difuso ou *localizado*, geralmente em um dos membros, acompanhado de edema discreto a proeminente. Estende-se em direção centrífuga no decorrer de vários meses a anos, deixando áreas centrais de atrofia; as veias e o tecido subcutâneo tornam-se proeminentes (Fig. 25-84). São observados fibromas localizados e placas na forma de nódulos subcutâneos ao redor dos joelhos e dos cotovelos.

DIAGNÓSTICO DIFERENCIAL

ERITEMA MIGRATÓRIO Picada de insetos (eritema anular causado por carrapatos, mosquitos, himenópteros), dermatofitoses epidérmicas, dermatite de contato alérgica, placa precursora da pitiríase rósea, erupção medicamentosa fixa.

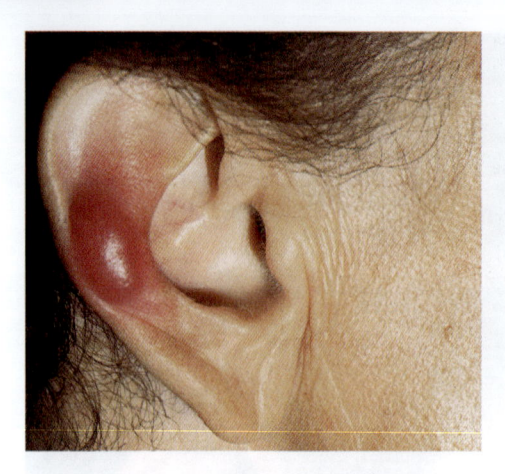

Figura 25-83 Borreliose de Lyme: linfocitoma cutâneo Nódulo vermelho-purpúreo único na orelha.

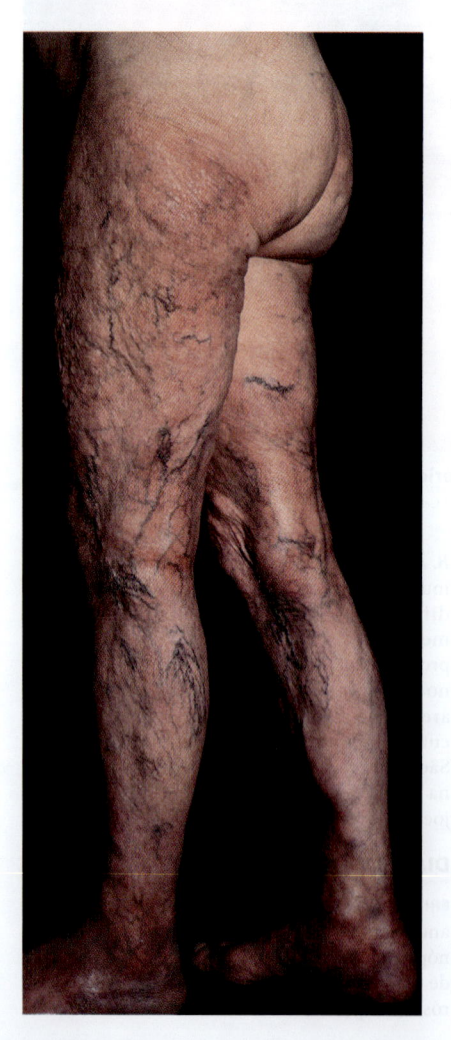

Figura 25-84 Borreliose de Lyme: acrodermatite crônica atrófica, estágio terminal Atrofia avançada da epiderme e da derme com eritema violáceo associado das pernas e dos pés; a visibilidade das veias superficiais é notável.

No meio-oeste e no sul dos EUA, ocorre doença semelhante à doença de Lyme transmitida pelo carrapato-estrela-solitária (*Amblyomma americanum*); designada como *doença exantemática associada ao carrapato-do-sul*.

LESÕES SECUNDÁRIAS Sífilis secundária, pitiríase rósea, eritema multiforme, urticária.

EXAMES LABORATORIAIS

Biópsia da pele do EM. Infiltrados intersticiais e perivasculares superficiais e profundos, contendo linfócitos e plasmócitos com algum grau de lesão vascular (vasculite leve ou oclusão hipervascular). Os espiroquetas podem ser demonstrados em até 40% das amostras de biópsia do EM.

DIAGNÓSTICO

O Centers for Disease Control and Prevention (CDC) recomenda uma abordagem em duas etapas: https://www.cdc.gov/lyme/diagnosistesting/labtest/twostep/index.html.

O *diagnóstico de borreliose de Lyme (BL) na fase inicial* é estabelecido com base nas *manifestações clínicas características* em um indivíduo que reside em uma área endêmica ou a visitou; não exige confirmação laboratorial. Diagnóstico de *BL tardia* confirmado por testes sorológicos específicos.

EVOLUÇÃO

Após tratamento adequado, as lesões iniciais regridem dentro de 2 semanas, e as manifestações tardias são evitadas. As manifestações tardias identificadas precocemente costumam regredir após a terapia antibiótica adequada. Contudo, o retardo no diagnóstico pode resultar em incapacidade permanente articular ou neurológica. O EM (infecção de curta duração) tratado com agentes antimicrobianos não confere imunidade protetora. Se a BL não for tratada durante meses, pode haver desenvolvimento de imunidade, que protegerá contra a reinfecção durante anos.

TRATAMENTO

Doxiciclina 100 mg duas vezes ao dia por 14 a 21 dias é o tratamento de escolha para a doença inicial localizada e disseminada. A doença de Lyme em estágio tardio deve ser tratada por 14 a 28 dias. Amoxicilina, cefuroxima, ceftriaxona, cefotaxime e penicilina podem ser usadas em crianças com menos de 8 anos de idade, em gestantes e em pacientes alérgicos à doxiciclina.

SEÇÃO 26

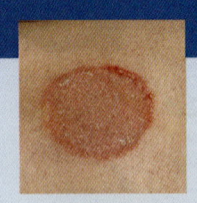

INFECÇÕES FÚNGICAS DA PELE, PELOS E UNHAS

INTRODUÇÃO

- **Infecções fúngicas superficiais.** Causadas por fungos que têm a capacidade de colonizar (microbioma cutâneo) e de invadir superficialmente a pele e as mucosas:
  - Espécies de *Candida*
  - Espécies de *Malassezia*
  - Dermatófitos
- **Infecções fúngicas cutâneas crônicas mais profundas.** Ocorrem após inoculação percutânea:
  - Feo-hifomicose (eumicetoma, cromoblastomicose)
  - Esporotricose
- **Infecções fúngicas sistêmicas com disseminação cutânea.** Ocorrem mais frequentemente na presença de defeitos dos mecanismos de defesa do hospedeiro. A infecção pulmonar primária dissemina-se por via hematogênica para vários órgãos sistêmicos, incluindo a pele: criptococose, histoplasmose, blastomicose norte-americana, coccidioidomicose e penicilinose.

INFECÇÕES FÚNGICAS SUPERFICIAIS CID-10: B36.9

- As **infecções fúngicas superficiais** são as mais comuns entre todas as infecções mucocutâneas e são frequentemente causadas pela proliferação exagerada e desequilibrada do microbioma mucocutâneo.
- **Espécies de *Candida*.** Necessitam de um ambiente quente e úmido.
- **Espécies de *Malassezia*.** Necessitam de lipídeos para seu crescimento.
- **Dermatófitos.** Infectam o epitélio ceratinizado, folículos pilosos e aparato ungueal. Espécies de *Trichosporon*, *Microsporum* e *Epidermophyton*.
- ***Hortaea werneckii*.** Causa a *tinea nigra*.

CANDIDÍASE CID-10: B37.9

- **Etiologia.** Mais comumente causada pela levedura *Candida albicans*. Menos frequentemente por outras espécies de *Candida*.

MANIFESTAÇÃO CLÍNICA

CANDIDÍASE DAS MUCOSAS Em indivíduos sob outros aspectos saudáveis: Orofaringe e genitália. Defeitos nos mecanismos de defesa do hospedeiro: acomete o esôfago e a árvore traqueobrônquica.

CANDIDÍASE CUTÂNEA Área intertriginosa e pele ocluída.

CANDIDEMIA DISSEMINADA Defeitos nos mecanismos de defesa do hospedeiro, particularmente neutropenia. Habitualmente após invasão do trato gastrintestinal (GI).

EPIDEMIOLOGIA E ETIOLOGIA

ETIOLOGIA C. albicans, C. tropicalis, C. parapsilosis, C. guilliermondi, Candida krusei, C. kefyr, C. zeylanoides, C. glabrata.

ECOLOGIA Espécies de Candida frequentemente colonizam o trato GI e podem ser transmitidas pelo canal do nascimento. Aproximadamente 20% dos indivíduos saudáveis são colonizados. A antibioticoterapia aumenta a incidência de colonização.

10% das mulheres apresentam colonização vaginal; o tratamento com antibióticos, a gravidez, os contraceptivos orais e os dispositivos intrauterinos aumentam a incidência. C. albicans pode ser encontrada transitoriamente na pele, e a infecção é geralmente endógena. A balanite causada por Candida pode ser transmitida pelo parceiro sexual. O indivíduo jovem e o idoso têm mais tendência a serem colonizados.

FATORES DO HOSPEDEIRO Defeitos nos mecanismos de defesa do hospedeiro: diabetes melito, obesidade; hiperidrose, calor, maceração; poliendocrinopatias; glicocorticoides; debilidade crônica.

EXAMES LABORATORIAIS

MICROSCOPIA DIRETA A preparação com KOH possibilita a visualização das pseudo-hifas e das formas leveduriformes (Fig. 26-1).

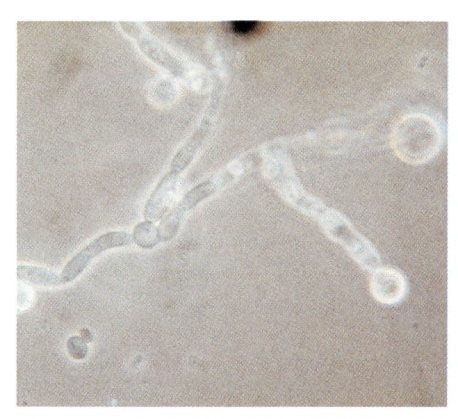

Figura 26-1 Candida albicans: preparação com KOH. Formas de leveduras em brotamento e pseudo-hifas semelhantes a salsichas.

CULTURA Identifica espécies de Candida. Entretanto, a presença de C. albicans em cultura não estabelece o diagnóstico de candidíase. Os testes de sensibilidade aos agentes antifúngicos podem ser realizados em casos isolados de infecção recidivante. Exclui a infecção bacteriana secundária.

CANDIDÍASE CUTÂNEA CID 10: B37.2

- A candidíase cutânea acomete regiões úmidas e ocluídas da pele.
- Muitos pacientes apresentam fatores predisponentes.

Ver a Seção 32 para a candidíase do aparelho ungueal.

Manifestação clínica

INTERTRIGO POR CANDIDA Prurido, sensibilidade, dor. Inicialmente, as pústulas sobre uma base eritematosa sofrem erosão e se tornam confluentes. Subsequentemente, surgem placas erosadas, eritematosas, policíclicas e nitidamente demarcadas, com pequenas lesões pustulosas na periferia (pustulose satélite). Distribuição: axila inframamária ou submamária, região inguinal (Figs. 26-2 ou 26-3), perineal e sulco interglúteo.

INTERDIGITAL Mais comum no indivíduo idoso com obesidade. A pústula inicial torna-se erosada, com formação de erosão ou fissura superficial (Fig. 26-4). Pode estar associada à paroníquia por Candida. Distribuição: nas mãos, comumente entre os dedos médio e anular (Fig. 26-4); nos pés: maceração interdigital.

DERMATITE DAS FRALDAS Irritabilidade, desconforto com a urina, defecação e troca de fraldas. Placas vermelho-vivo com lesões papulares e pustulares; erosões, descamação em colarete nas margens das lesões. Distribuição: pele genital e perianal, região interna de coxas e nádegas, envolvendo áreas intertriginosas, diferentemente da dermatite por agente irritativo (Fig. 26-5).

PELE OCLUÍDA Sob curativos oclusivos, gessos, no dorso de pacientes hospitalizados.

CANDIDÍASE FOLICULAR Pequenas pústulas isoladas nos óstios dos folículos pilosos. Ocorre em geral na pele ocluída.

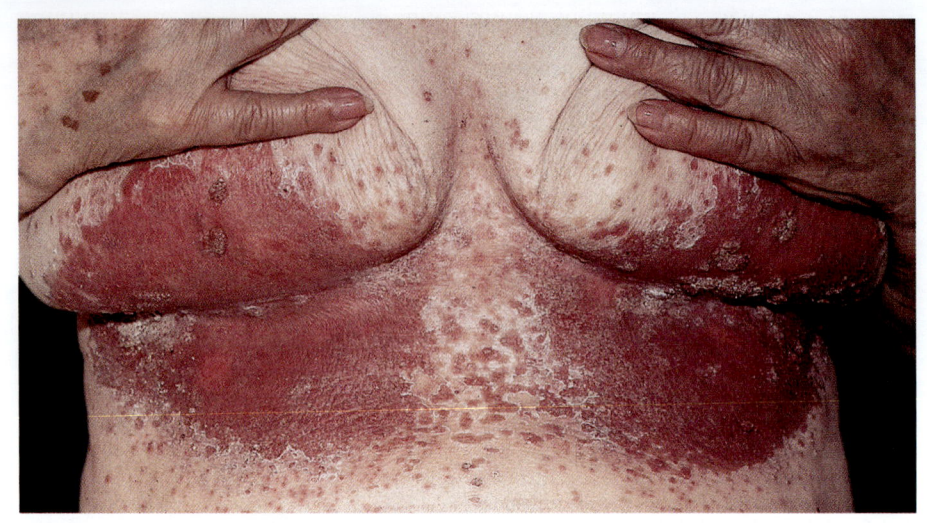

Figura 26-2 Candidíase cutânea: intertrigo Pequenas pápulas e pústulas "satélites" periféricas que se tornaram confluentes no centro, criando uma grande área de erosão na região inframamária.

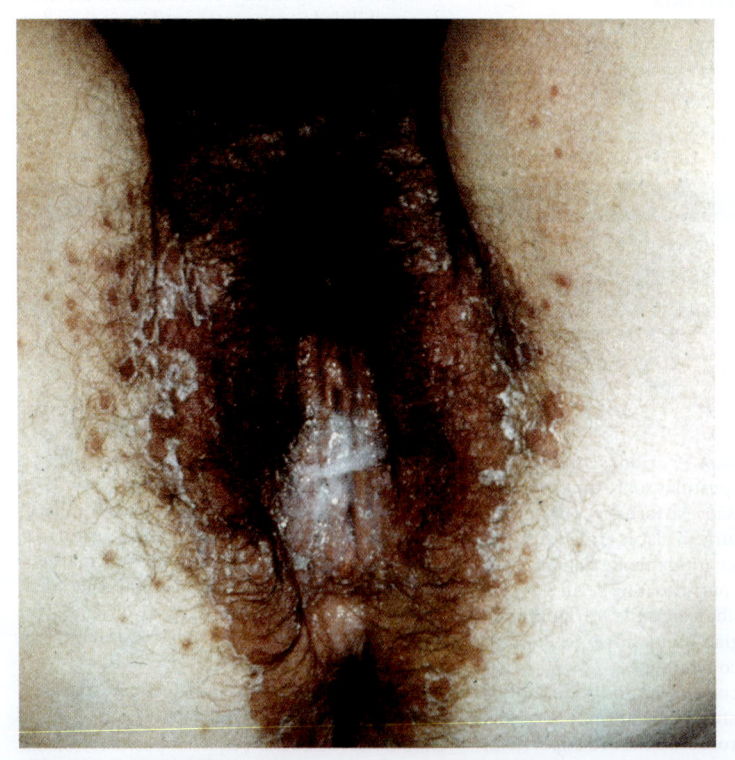

Figura 26-3 Candidíase cutânea Pápulas eritematosas com poucas pústulas e descamação, tornado-se confluentes na região perigenital e perianal.

Figura 26-4 Candidíase cutânea: intertrigo interdigital Mulher de 55 anos com área dolorosa e pruriginosa no espaço interdigital da mão. Observa-se a presença de erosão com eritema e maceração no espaço interdigital entre dois dedos.

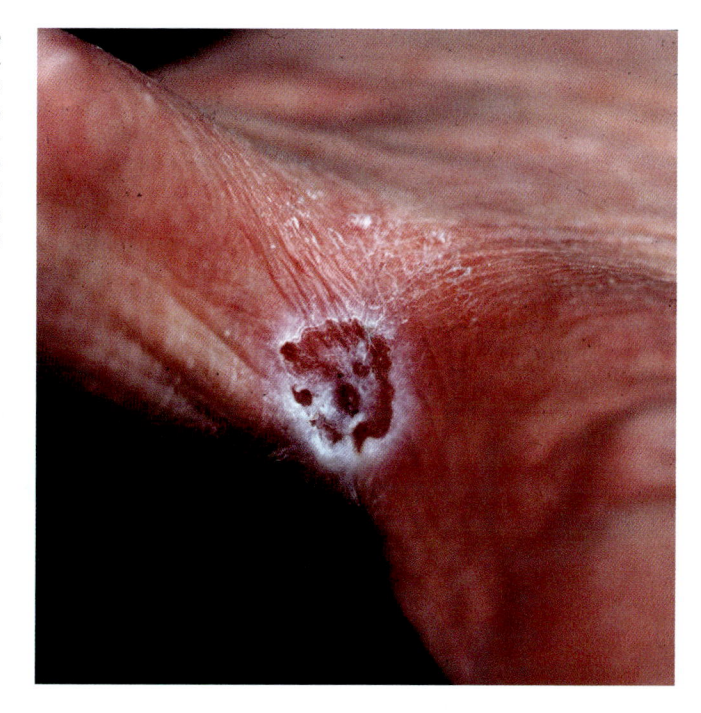

Figura 26-5 Candidíase cutânea: dermatite das fraldas Erosões confluentes, descamação marginal e pústulas "satélite" na área coberta pelas fraldas do lactente. A dermatite atópica ou psoríase também ocorre nesta distribuição e podem ser concomitantes.

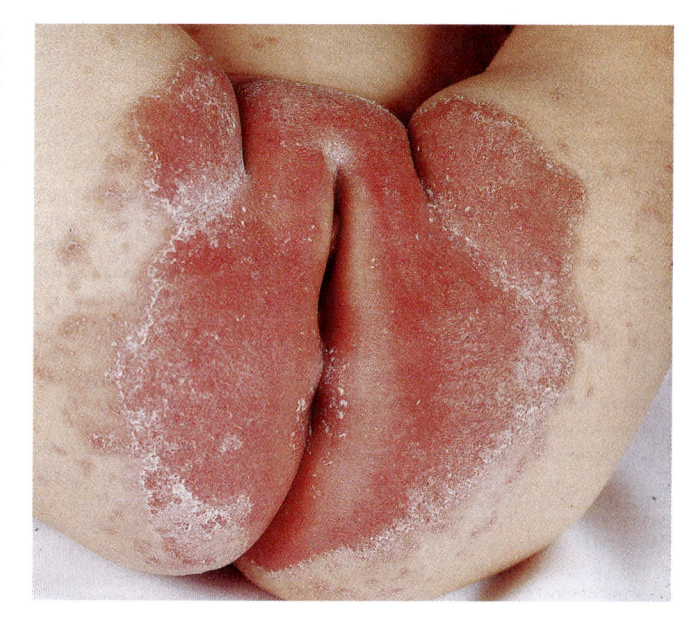

DIAGNÓSTICO DIFERENCIAL

INTERTRIGO/PELE OCLUÍDA Psoríase intertriginosa, eritrasma, dermatofitose, pitiríase versicolor, intertrigo estreptocócico.
DERMATITE DAS FRALDAS Dermatite atópica, psoríase, dermatite por irritantes, dermatite seborreica.
FOLICULITE Foliculite bacteriana (*Staphylococcus aureus*, *Pseudomonas aeruginosa*), foliculite por *Pityrosporum* e acne.

DIAGNÓSTICO

Manifestações clínicas confirmadas por microscopia direta ou cultura.

TRATAMENTO

PREVENÇÃO Manter as áreas intertriginosas secas, lavar com sabonete de peróxido de benzoíla e aplicar talco antifúngico.
ANTIFÚNGICOS TÓPICOS Nistatina, azólicos, imidazólicos em creme ou pó.
ANTIFÚNGICOS ORAIS Nistatina (suspensão, comprimidos) erradica a colonização intestinal. Pode ser eficaz na candidíase cutânea recorrente.
AGENTES ANTIFÚNGICOS SISTÊMICOS Fluconazol em comprimidos, suspensão oral e infusão IV. Itraconazol em cápsulas, solução oral; voriconazol; anfotericina B IV para a doença grave.

CANDIDÍASE OROFARÍNGEA CID-10: B37.8

- Ocorre com variações mínimas nos fatores do hospedeiro. Tratamento com antibióticos; tratamento com glicocorticoides (tópicos ou sistêmicos); idade (indivíduos muito jovens, muito idosos); defeitos nos mecanismos de defesa do hospedeiro.

EPIDEMIOLOGIA

INCIDÊNCIA Com frequência, a candidíase das mucosas ocorre em indivíduos saudáveis nos demais aspectos. Na doença avançada causada pelo HIV, a candidíase da parte orofaríngea é comum, sofre recidiva após o tratamento e pode estar associada à candidíase esofágica e traqueobrônquica.

CLASSIFICAÇÃO DA CANDIDÍASE DAS MUCOSAS

CANDIDÍASE OROFARÍNGEA

- Candidíase pseudomembranosa ou "sapinho"
- Candidíase eritematosa ou atrófica
- Leucoplasia por *Candida* ou candidíase hiperplásica
- Queilite angular

CANDIDÍASE ESOFÁGICA E TRAQUEOBRÔNQUICA Ocorre nos estados de grave defeito dos mecanismos de defesa do hospedeiro. Condições definidoras de Aids.

MANIFESTAÇÃO CLÍNICA

CANDIDÍASE OROFARÍNGEA Frequentemente assintomática. Ardência ou dor ao ingerir alimentos condimentados/ácidos, diminuição da sensibilidade gustativa. Preocupação estética com os grumos brancos na língua. Odinofagia. Na doença causada pelo HIV, pode constituir a manifestação inicial.

- *Candidíase pseudomembranosa.* Ver **Figuras 26-6** a **26-8**. Placas brancas semelhantes ao queijo *cottage* (colônias de *Candida*) em qualquer superfície mucosa; variam de tamanho, desde 1 a 2 mm até áreas extensas e disseminadas. A remoção da placa com gaze seca expõe uma superfície mucosa eritematosa. *Distribuição:* dorso da língua, mucosa oral, palato mole/duro, faringe, descendo até o esôfago e a árvore traqueobrônquica.
- *Candidíase eritematosa ou atrófica.* O dorso da língua é liso, vermelho e atrófico (**Fig. 26-8**). Pode haver também áreas de "sapinho".
- *Leucoplasia por Candida.* Placas brancas que não podem ser removidas, mas que regridem com o tratamento antifúngico. Distribuição: mucosa oral, língua, palato duro.
- *Queilite angular.* Intertrigo nos ângulos dos lábios (**Fig. 26-9**); eritema; erosão discreta. Colônias brancas de *Candida* em alguns casos. Em geral, associada à colonização orofaríngea por *Candida*.

CANDIDÍASE ESOFÁGICA E TRAQUEOBRÔNQUICA Ocorre na doença pelo HIV quando a contagem de células CD4+ está baixa e constitui uma condição que define a Aids. Odinofagia, resultando em dificuldade de se alimentar e desnutrição. São observadas lesões pseudomembranosas na endoscopia.

CANDIDÍASE DISSEMINADA INVASIVA Nos indivíduos com neutropenia prolongada grave. Porta de entrada da *Candida*: trato GI, invasão da submucosa e vasos sanguíneos; cateter intravascular. Candidemia: disseminação hematogênica para a pele e as vísceras. Pápulas vermelhas disseminadas (Candidíase disseminada, p. 605)

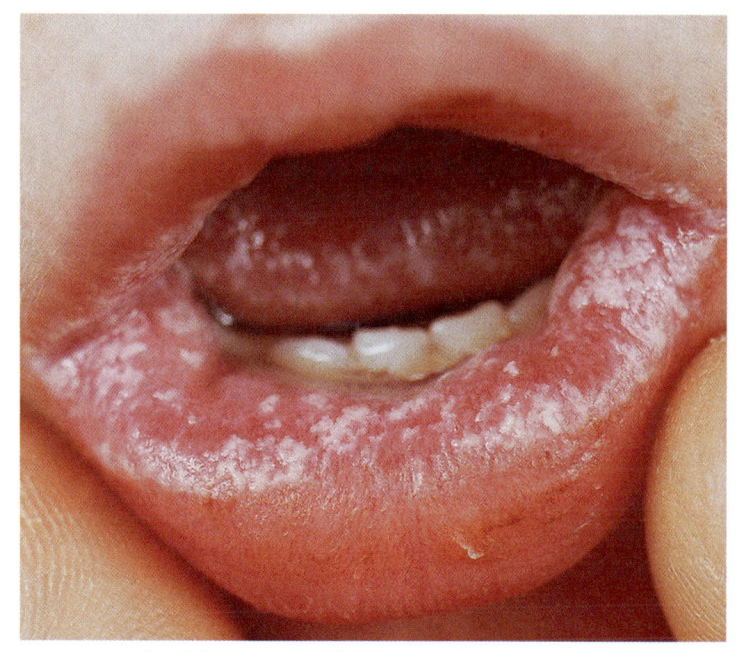

Figura 26-6 Candidíase oral: "sapinho" Material branco semelhante à coalhada na superfície da mucosa do lábio inferior de uma criança; o material pode ser removido com gaze (pseudomembranoso), expondo o eritema subjacente.

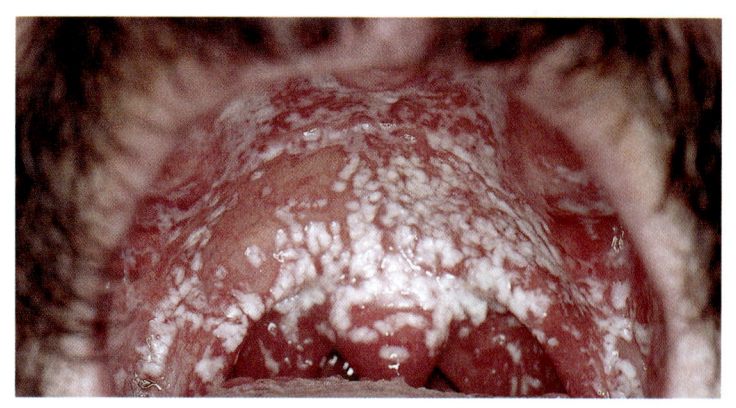

Figura 26-7 Candidíase oral: "sapinho" Placas extensas semelhantes ao queijo *cottage*, que consistem em colônias de *Candida* que podem ser removidas ao se esfregar com gaze (pseudomembranosas) no palato e na úvula palatina de um indivíduo com HIV/Aids avançada. As placas de eritema entre as placas brancas representam candidíase eritematosa (atrófica). O acometimento pode se estender até o esôfago e estar associado à disfagia.

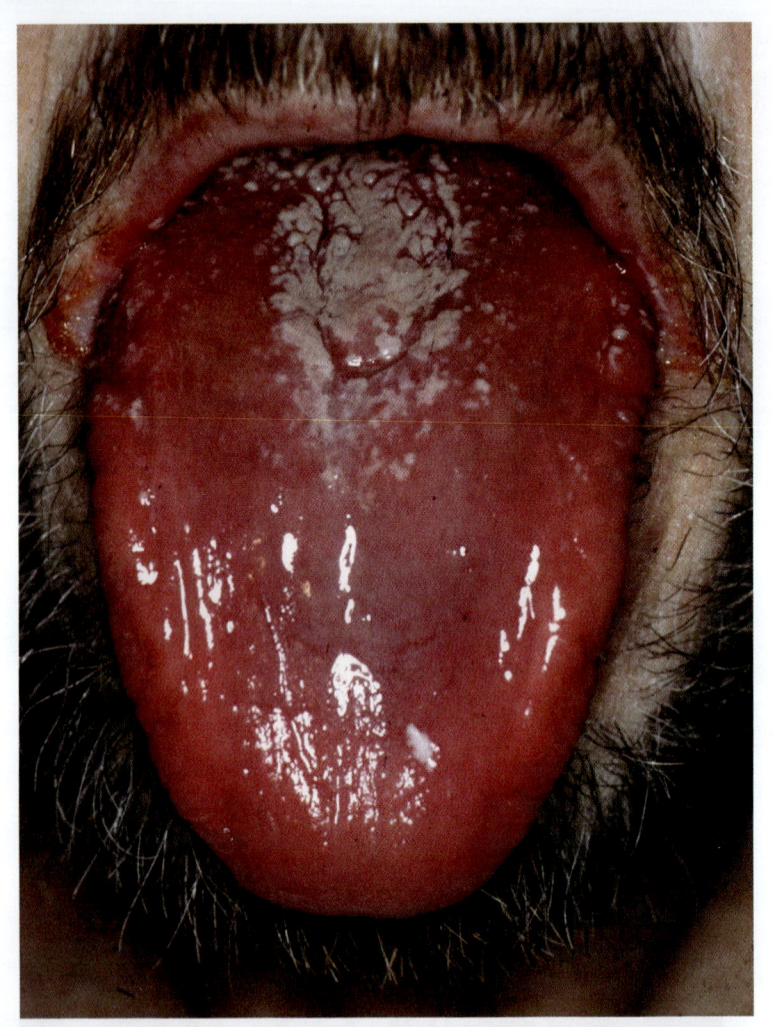

Figura 26-8 Candidíase oral: atrófica e pseudomembranosa Homem de 48 anos com doença pelo HIV. A superfície da língua é brilhante e vermelha; a parte posterior apresenta um revestimento branco ("sapinho").

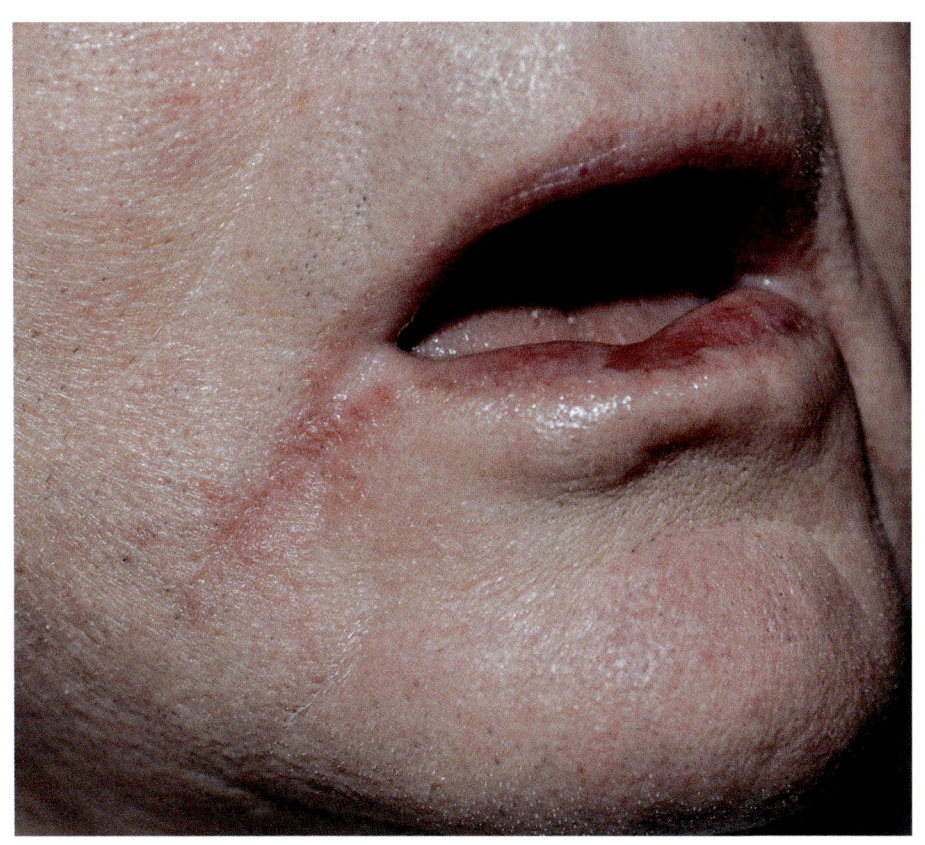

Figura 26-9 Queilite angular Homem de 55 anos. O ângulo dos lábios é úmido e vermelho. A preparação com KOH revelou pseudo-hifas de *Candida*. Havia também candidíase oral.

DIAGNÓSTICO DIFERENCIAL

CANDIDÍASE PSEUDOMEMBRANOSA Leucoplasia pilosa oral, condiloma acuminado, língua geográfica, língua pilosa, líquen plano, irritação por mordedura.
CANDIDÍASE ATRÓFICA Líquen plano, desnutrição, deficiência de vitamina.

DIAGNÓSTICO

Suspeita clínica confirmada pela preparação de raspado da superfície da mucosa com KOH. Endoscopia para documentar a candidíase esofágica e/ou traqueobrônquica.

EVOLUÇÃO

A maioria dos casos responde à correção da causa desencadeante. Os agentes tópicos são eficazes na maioria dos casos. A resistência clínica aos agentes antifúngicos pode estar relacionada à não adesão do paciente ao tratamento, imunossupressão grave e interação medicamentosa (rifampicina-fluconazol).

TRATAMENTO

TERAPIA TÓPICA Nistatina ou clotrimazol.
TERAPIA SISTÊMICA Fluconazol oral e equinocandinas (caspofungina, micafungina ou anidulafungina).

CANDIDÍASE GENITAL CID-10: B37.3/B37.4

- Ocorre na mucosa genital não ceratinizada.
  - Vulva e vagina
  - Prepúcio do pênis
- Representa geralmente uma proliferação excessiva de *Candida* no microbioma mucocutâneo.

EPIDEMIOLOGIA

Mais de 20% das mulheres apresentam colonização vaginal por *Candida*. A *C. albicans* é responsável por 80 a 90% das espécies genitais isoladas.

INCIDÊNCIA A maioria dos casos de candidíase vaginal ocorre na população saudável. 75% das mulheres sofrem pelo menos um episódio; 40 a 45% apresentam dois ou mais episódios. Frequentemente associada à candidíase vulvar, isto é, candidíase vulvovaginal.

FATORES DE RISCO Diabetes melito, doença pelo HIV. Mulheres: em geral, nenhum, exceto a gestação. Homens: não circuncidados.

MANIFESTAÇÃO CLÍNICA

VULVITE/VULVOVAGINITE Frequentemente de início súbito, em geral 1 semana antes da menstruação. Os sintomas podem recidivar antes de cada menstruação. Prurido, secreção vaginal, dor vaginal, ardência vulvar, dispareunia e disúria externa.

Vulvite. Erosões, edema, eritema (Fig. 26-10), material removível semelhante a leite coalhado. Pústula na lateral da vulva e pele adjacente (ver também Fig. 26-3).

Vulvovaginite. Eritema e edema vaginais; placas brancas que podem ser removidas da mucosa vaginal e/ou do colo do útero. Pode estar associada ao intertrigo por *Candida* nas pregas inguinais e no períneo. Pústulas subcórneas na periferia, com margens entrecortadas e irregulares. Nos casos crônicos, mucosa vaginal brilhante e atrófica.

Balanopostite, balanite da glande e prepúcio: pápulas, nódulos, erosões (Fig. 26-11). Lesões maculopapulares com eritema difuso. Edema, ulcerações e fissuras do prepúcio, comumente em homens diabéticos; placas brancas sob o prepúcio.

DIAGNÓSTICO DIFERENCIAL

CANDIDÍASE VULVOVAGINAL Tricomoníase (causada por *T. vaginalis*), vaginose bacteriana (causada pela substituição da flora vaginal normal pela proliferação excessiva de microrganismos anaeróbios e *Gardnerella vaginalis*), líquen plano, líquen escleroso e atrófico.

BALANOPOSTITE Psoríase, eczema, líquen plano.

DIAGNÓSTICO

Suspeita clínica confirmada pela preparação de raspado da superfície da mucosa com KOH.

TRATAMENTO

CREMES OU SUPOSITÓRIOS DE DERIVADOS AZÓLICOS Tratar os parceiros sexuais e considerar o tratamento sistêmico (como na candidíase mucocutânea, p. 598) se for recidivante.

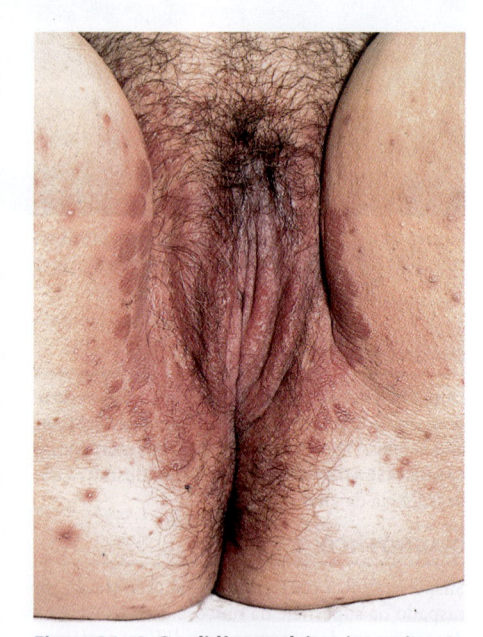

Figura 26-10 Candidíase: vulvite e intertrigo As lesões eritematosas psoriasiformes tornaram-se confluentes na vulva, com erosões e pústulas-satélite nas coxas.

Figura 26-11 Candidíase: balanopostite Homem de 52 anos não circuncidado. Observa-se a presença de eritema e material semelhante ao leite coalhado na glande do pênis e no prepúcio.

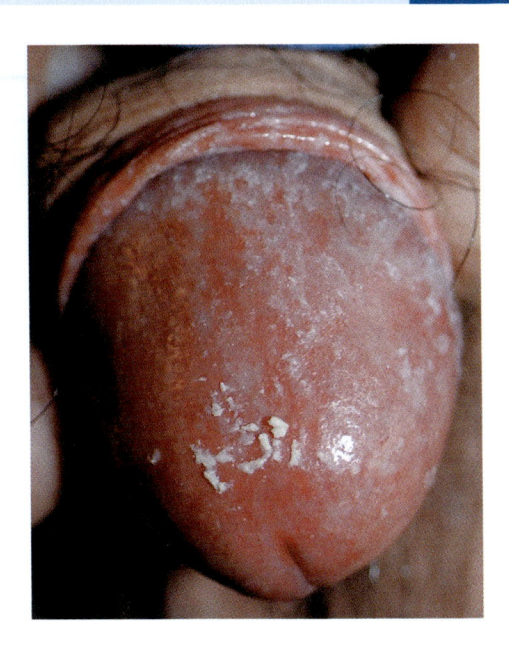

CANDIDÍASE MUCOCUTÂNEA CRÔNICA CID-10: B37.9

- Caracteriza-se por infecções persistentes ou recorrentes por *Candida* na orofaringe, na pele e no aparelho ungueal.
- **Herança.** Geralmente autossômica recessiva ou esporádica.
- **Falhas nas defesas do hospedeiro.** Vários defeitos específicos e globais da imunidade celular.
- **Início.** Normalmente na lactância ou no início da infância.

MANIFESTAÇÃO CLÍNICA

CANDIDÍASE OROFARÍNGEA Refratária ao tratamento convencional. Sofre recidiva após tratamento bem-sucedido. A infecção crônica resulta em candidíase hipertrófica (leucoplásica).

A **candidíase cutânea manifesta-se como: Intertrigo** Infecção disseminada (Figs. 26-12 e 26-13) da face, tronco e/ou membros. As lesões tornam-se hipertróficas nos casos crônicos sem tratamento. A infecção do aparelho ungueal é universal: *paroníquia crônica; infecção da lâmina ungueal e distrofia*; por fim, distrofia total da unha.

Muitos pacientes também apresentam *dermatofitose* e verrugas cutâneas.

Seis tipos de candidíase mucocutânea crônica

- Candidíase oral crônica
- Candidíase crônica com endocrinopatia
- Candidíase crônica sem endocrinopatia
- Candidíase mucocutânea localizada crônica
- Candidíase difusa crônica
- Candidíase crônica com timoma

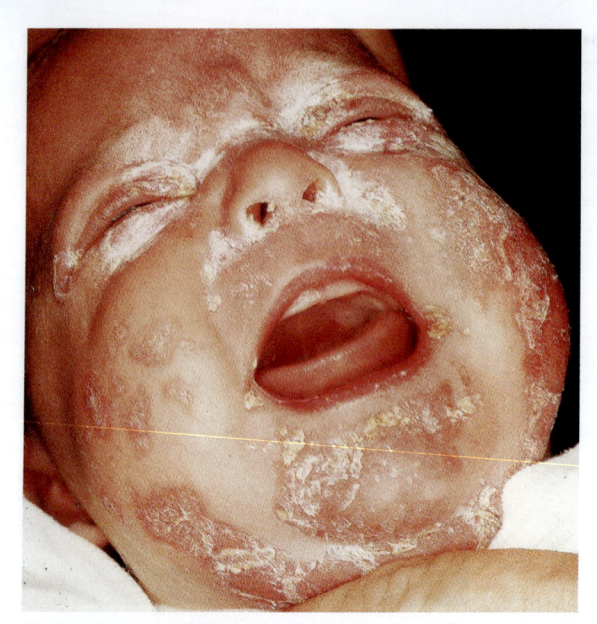

Figura 26-12 Candidíase mucocutânea Candidíase persistente em um lactente imunocomprometido manifestada na forma de erosões cobertas por escamas e crostas, candidíase orofaríngea e infecção disseminada do tronco.

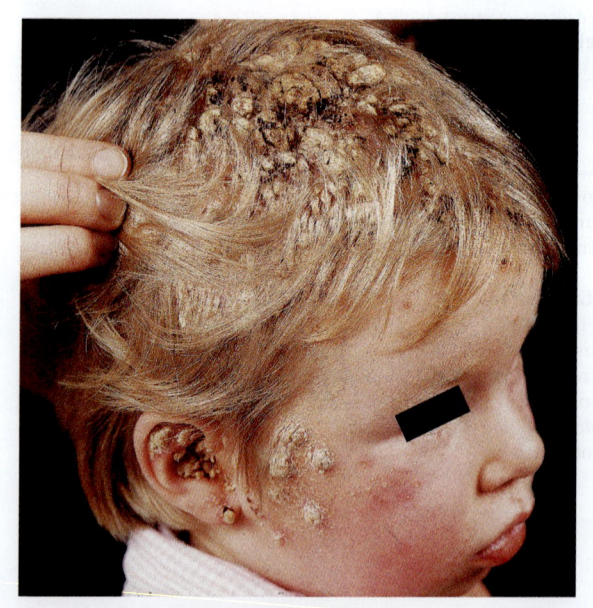

Figura 26-13 Candidíase mucocutânea Esta criança de 3 anos de idade com hipotireoidismo tinha "sapinho", candidíase intertriginosa, hiperceratoses verrucosas e crostas no couro cabeludo e na face; a preparação com KOH revelou colônias de *Candida*. Também havia onicomicose por *Candida*.

CANDIDÍASE DISSEMINADA CID-10: B37.7

- **Etiologia.** C. albicans, C. glabrata, C. parapsilosis e outras espécies não albicans.
- **Incidência.** Quarta causa mais comum de infecção nosocomial da corrente sanguínea nos EUA.
- **Fatores de risco.** Neutropenia. Cateteres de acesso venoso. Hospitalização.
- **Patogênese.** Candida penetra na corrente sanguínea após colonização do cateter de acesso venoso ou penetração na mucosa intestinal. A candidemia invade a pele e os órgãos internos, isto é, candidíase hepatoesplênica.

MANIFESTAÇÃO CLÍNICA

LESÕES CUTÂNEAS Pequenas pápulas cutâneas eritematosas disseminadas (Fig. 26-14). As lesões podem ser agudas ou crônicas.
DISSEMINAÇÃO SISTÊMICA Olhos com alterações da retina. Fígado, baço, SNC.

DIAGNÓSTICO DIFERENCIAL

Foliculite causada por *Malassezia*, que ocorre no tronco de indivíduos saudáveis.

DIAGNÓSTICO

Biópsia de lesão: as formas leveduriformes de *Candida* são visualizadas na derme; espécies de *Candida* isoladas em cultura.

EVOLUÇÃO

A candidemia apresenta altas taxas de morbidade e mortalidade.

TRATAMENTO

Equinocandinas, fluconazol e anfotericina B.

Figura 26-14 Candidíase invasiva com candidemia Várias pápulas eritematosas na mão de um paciente febril com granulocitopenia associada ao tratamento da leucemia mielógena aguda. O trato gastrintestinal constitui a fonte habitual da infecção. C. tropicalis foi isolada em hemocultura; foram observadas formas de Candida na biópsia de lesão cutânea.

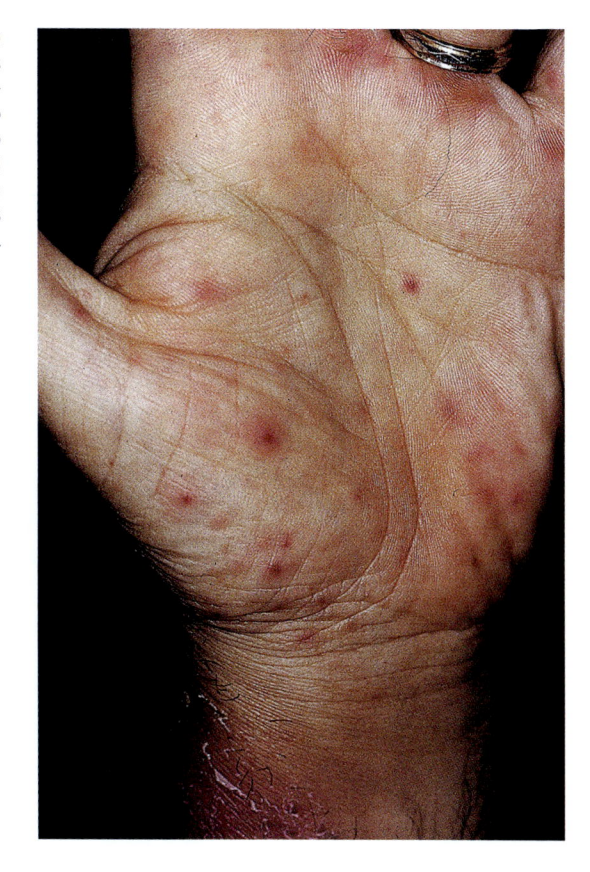

PITIRÍASE VERSICOLOR CID-10: B36.0

- **Etiologia.** Associada com crescimento superficial excessivo de *Malassezia furfur* e *M. globosa*. Trata-se de uma levedura lipofílica que normalmente reside na ceratina da pele (**Fig. 26-15**) e dos folículos pilosos de indivíduos na puberdade e mais velhos. Também implicada na patogênese da foliculite por *Malassezia* da dermatite seborreica. As infecções causadas por *Malassezia* não são contagiosas; ocorre proliferação excessiva da flora cutânea (microbioma cutâneo) em certas condições favoráveis.
- **Manifestações clínicas.** Crônica. Placas bem demarcadas com descamação fina. Pigmentação variável: hipo e hiperpigmentação; rosa. Ocorrem mais comumente no tronco.
- **Demografia.** Adultos jovens. Menos comum quando a produção de sebo está reduzida ou ausente; a incidência diminui durante a quinta e a sexta décadas de vida.
- **Fatores predisponentes.** *Sudorese*. Estação ou climas quentes; clima tropical. Hiperidrose; exercício aeróbico. Pele oleosa. Zonas temperadas: mais comum durante o verão; prevalência de 2% nos climas temperados; até 50% nas regiões tropicais. Aplicação de lipídeos como manteiga de cacau.
- **Patogênese.** *Malassezia* em sua forma de levedura muda para hifas sob a influência de fatores predisponentes. Produz ácido dicarboxílico, o qual inibe a tirosinase nos melanócitos epidérmicos, causando hipomelanose.

MANIFESTAÇÃO CLÍNICA

Geralmente assintomática. Preocupação estética devida à despigmentação. As lesões persistem por meses ou anos.

Máculas nitidamente demarcadas (**Figs. 26-16** a **26-19**), redondas ou ovais, com dimensões variáveis. A descamação fina é mais bem percebida com raspagem suave das lesões. As lesões tratadas ou inativas carecem de descamação. Alguns pacientes apresentam manifestações de foliculite por *Malassezia* e dermatite seborreica.

Cor. Na pele não bronzeada, as lesões são *castanho-claras* (**Fig. 26-18**) ou de cor rosada. Na pele bronzeada, são *hipopigmentadas* (**Fig. 26-19**). Em indivíduos de pele parda ou negra, ocorrem *máculas marrom-escuras* (**Fig. 26-20**). Cor marrom de várias intensidades e tonalidades (**Fig. 26-18**). Com o passar do tempo, as lesões individuais podem aumentar e coalescer, formando *áreas geográficas* extensas.

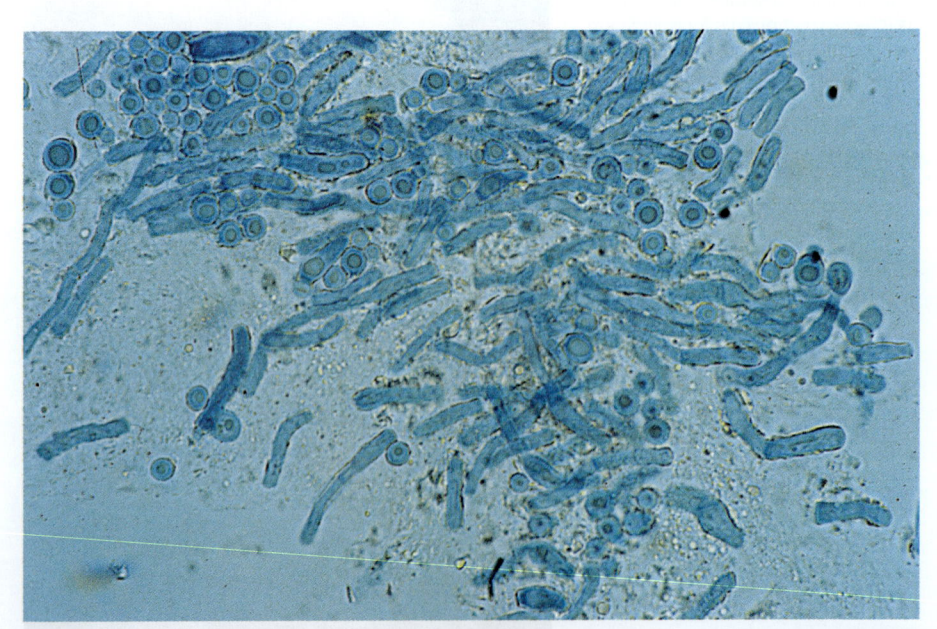

Figura 26-15 *Malassezia furfur*: **preparação com KOH** Leveduras arredondadas e pseudo-hifas alongadas, produzindo o denominado aspecto de "espaguete com almôndegas".

Figura 26-16 Pitiríase versicolor Mulher branca de 39 anos com lesões castanho-alaranjadas na região cervical e parte superior do tórax. Máculas descamativas nitidamente demarcadas.

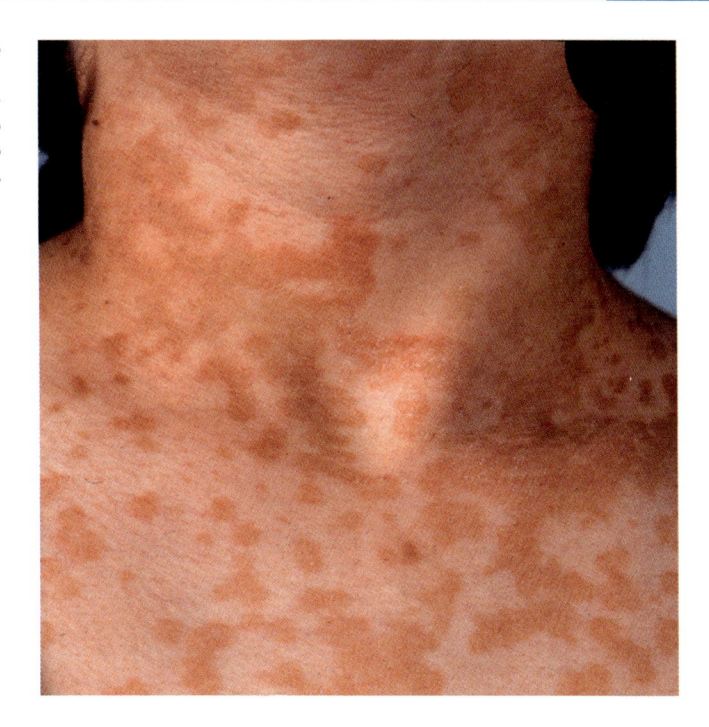

Figura 26-17 Pitiríase versicolor: região inguinal Homem obeso de 23 anos com descoloração de todo o tórax, axilas, abdome e região inguinal há 1 ano. Máculas de cor marrom confluentes e bem delimitadas com descamação fina; a preparação de KOH mostrou "espaguete com almôndegas".

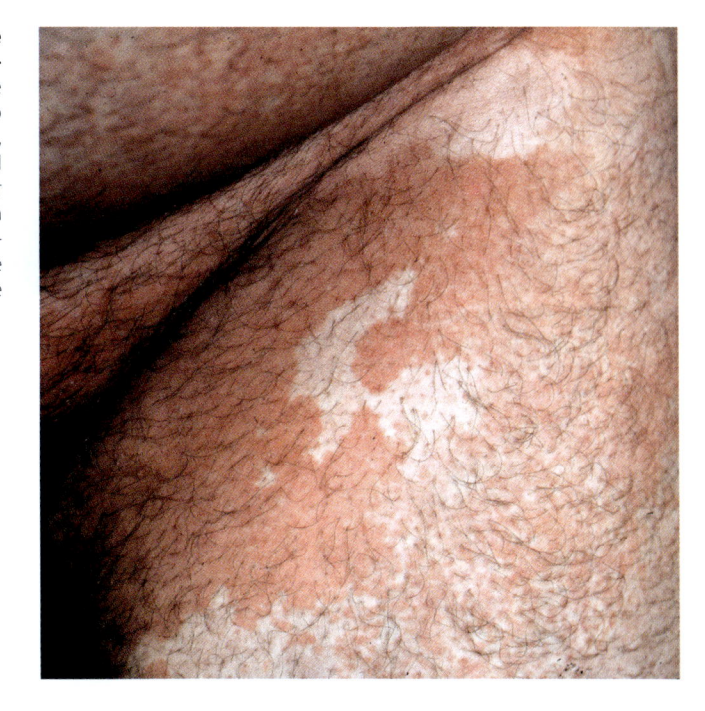

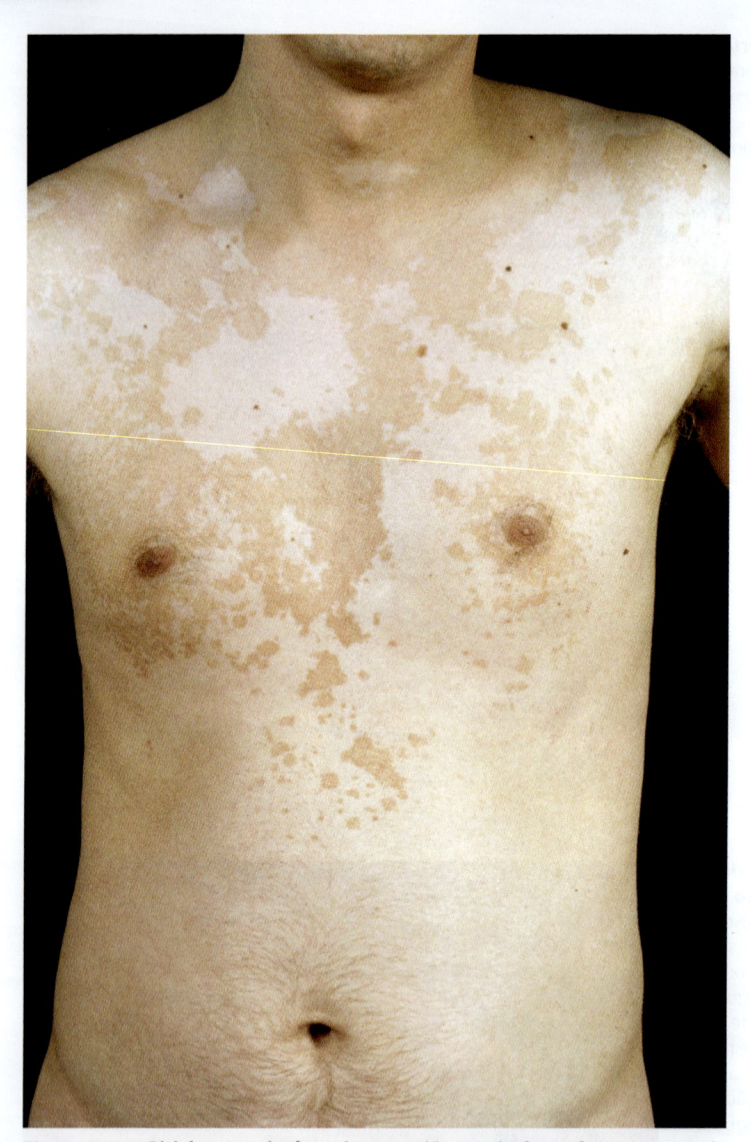

Figura 26-18 Pitiríase versicolor: tórax, região cervical e ombros Homem de 22 anos com manchas pigmentadas no tórax e região cervical há vários anos. Múltiplas máculas descamativas rosadas a castanhas e bem demarcadas que se tornam confluentes na região cervical, no tórax, no flanco e no braço.

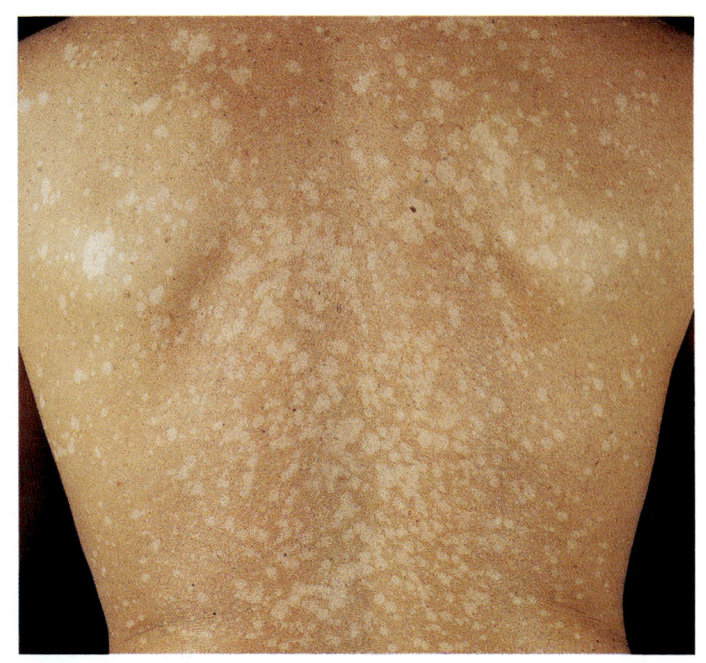

Figura 26-19 Pitiríase versicolor: dorso Inúmeras máculas hipopigmentadas bem demarcadas, de tamanho pequeno a médio, no dorso de um indivíduo de pele clara bronzeada.

Distribuição. Parte superior do tronco, braços, região cervical, abdome, axilas, região inguinal, coxas, órgãos genitais. Ocorrem lesões na face, na região cervical ou no couro cabeludo em indivíduos que aplicam cremes ou pomadas ou preparações tópicas de glicocorticoides.

DIAGNÓSTICO DIFERENCIAL

MÁCULAS HIPOPIGMENTADAS Vitiligo, pitiríase alba, hipopigmentação pós-inflamatória.
LESÕES DESCAMATIVAS *Tinea corporis*, dermatite seborreica, linfoma cutâneo de células T.

EXAMES LABORATORIAIS

MICROSCOPIA DIRETA DAS ESCAMAS PREPARADAS COM KOH São observadas hifas filamentosas e formas leveduriformes globosas, conhecidas como "espaguete com almôndegas" (Fig. 26-15).
LÂMPADA DE WOOD Fluorescência azul-esverdeada das escamas; o exame pode ser negativo em indivíduos que tomaram banho há pouco tempo, visto que a substância química fluorescente é hidrossolúvel. O vitiligo aparece como área branca e despigmentada, sem descamação.

DERMATOPATOLOGIA Leveduras em brotamento e hifas nas camadas mais superficiais do estrato córneo, mais bem observadas com coloração pelo ácido periódico de Schiff (PAS). Hiperceratose variável, hiperplasia psoriasiforme, inflamação crônica com dilatação dos vasos sanguíneos.

DIAGNÓSTICO

As manifestações clínicas são confirmadas pela preparação com KOH positiva.

EVOLUÇÃO

A infecção persiste por vários anos se os fatores predisponentes persistirem. A despigmentação persiste por meses após a erradicação da infecção.

TRATAMENTO

Agentes tópicos. Sulfeto de selênio (2,5%), loção ou xampu. Xampu de cetoconazol. Cremes de derivados azólicos (cetoconazol, econazol, miconazol, clotrimazol). Terbinafina, solução a 1%.

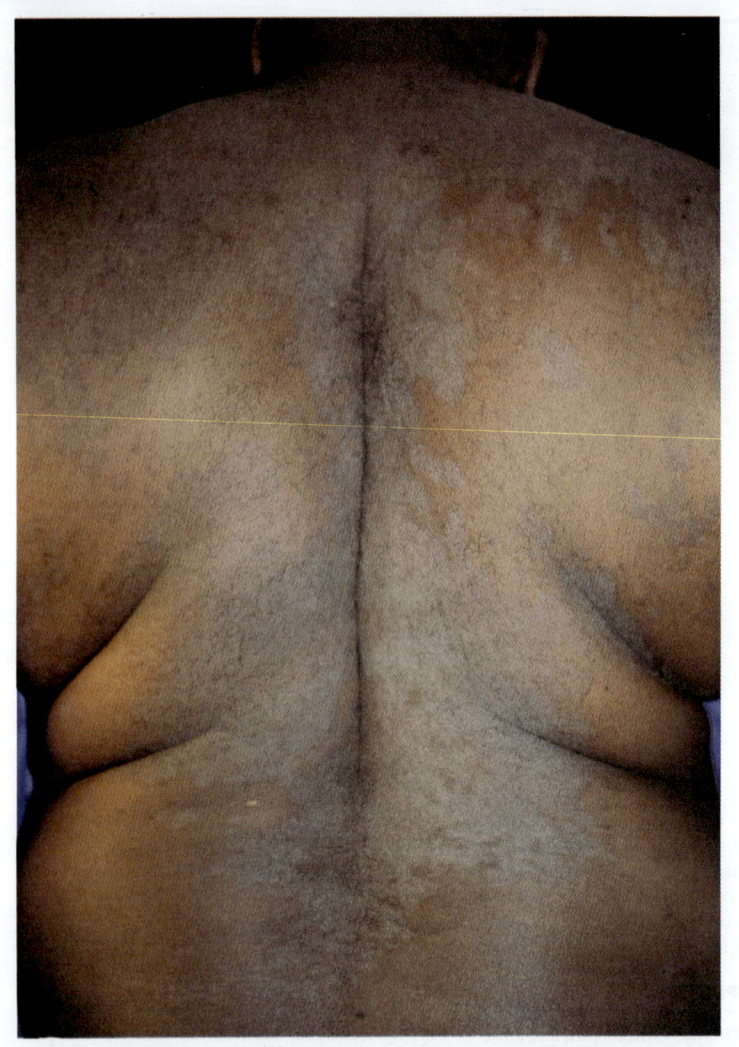

Figura 26-20 Pitiríase versicolor: dorso Indivíduo do sexo masculino de 28 anos com manchas descamativas e hiperpigmentadas no torso. Ele estava aplicando azeite de oliva na pele.

Terapia sistêmica. *Fluconazol* 300 mg por semana × 3 semanas. *Itraconazol* 400 mg (dose única).

Profilaxia secundária. Agentes tópicos, semanalmente, ou agentes sistêmicos, mensalmente.

FOLICULITE POR *MALASSEZIA* Mais comum em climas tropicais e subtropicais. Erupção monomórfica e pruriginosa caracterizada por pápulas e pústulas foliculares no tronco, mais comumente no dorso (Fig. 26-21), no segmento proximal dos braços e, com menor frequência, na região cervical e na face; pápulas escoriadas. A ausência de comedões diferenciam-na da acne vulgar. *Sinônimo*: foliculite pitirospórica.

DERMATITE SEBORREICA Ver "Dermatite seborreica", na Seção 2.

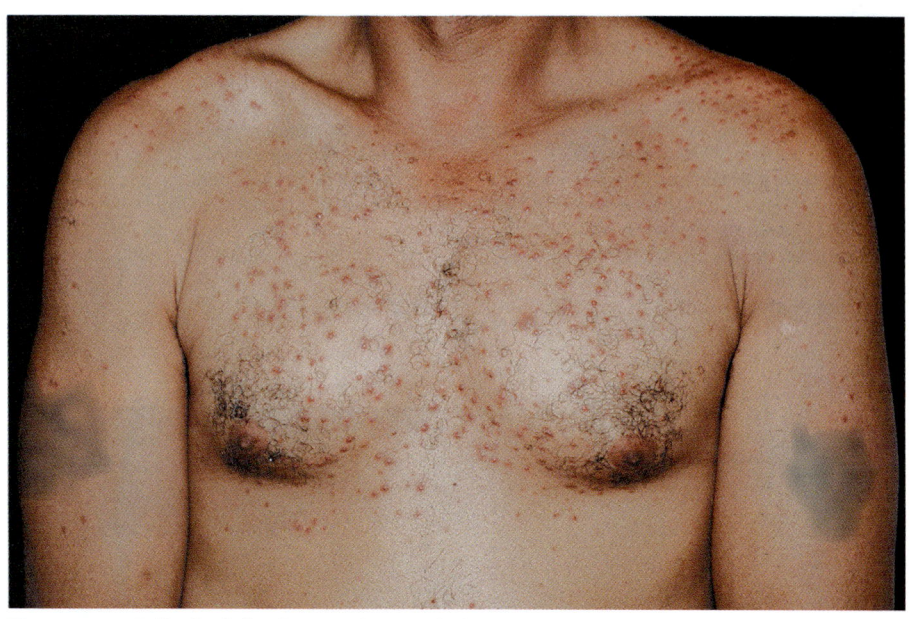

Figura 26-21 Foliculite infecciosa: *Malassezia furfur* Paciente do sexo masculino, hispânico, de 41 anos, com múltiplas papulopústulas foliculares sobre o tórax.

INFECÇÕES POR *TRICHOSPORON*

- **Etiologia.** Espécies de leveduras do gênero *Trichosporon*. Habitantes do solo. Microbioma da pele e dos tratos GI.
- **Tratamento.** Derivados azólicos tópicos ou sistêmicos, anfotericina B lipossomal.

MANIFESTAÇÃO CLÍNICA

PIEDRA Biofilme/colonização superficial assintomática das *hastes dos pelos* por fungo. Incidência alta nas regiões tropicais com temperaturas elevadas e umidade.

- *Piedra branca*. Nódulos brancos a beges nas hastes dos pelos; macios; facilmente removidos. Pelos púbicos e axilares, barba e cílios/supercílios.

- *Piedra negra*. Nódulos intensamente pigmentados e firmemente aderidos (até alguns milímetros) nas hastes dos pelos; enfraquecem a haste do pelo, provocando a sua quebra. Couro cabeludo.

TRICOSPORONOSE DISSEMINADA Infecção oportunista emergente. Associada à neutropenia. Ocorre disseminação para a pele (pápulas eritematosas ou purpúricas sensíveis), pulmões, rins e baço. Assemelha-se à candidíase disseminada.

TINEA NIGRA CID-10: B36.1

- Colonização fúngica superficial do estrato córneo.
- **Etiologia.** *Hortaea werneckii*, um fungo demáceo ou pigmentado.
- **Epidemiologia.** Mais comum nos climas tropicais. O modo de aquisição parece consistir em transmissão por inoculação direta da pele após contato com vegetação, madeira ou solo em deterioração.
- **Manifestações clínicas.** Mácula(s) de cor marrom a negra, com bordas bem demarcadas (**Fig. 26-22**), que se assemelha(m) à coloração pelo nitrato de prata. *Distribuição:* palmas: *tinea nigra* palmar. Planta: *tinea nigra* plantar.
- **Diagnóstico.** Microscopia direta, com visualização de hifas septadas ramificadas em quantidades abundantes.
- **Tratamento.** Derivado azólico tópico, ou higienização com álcool em gel.

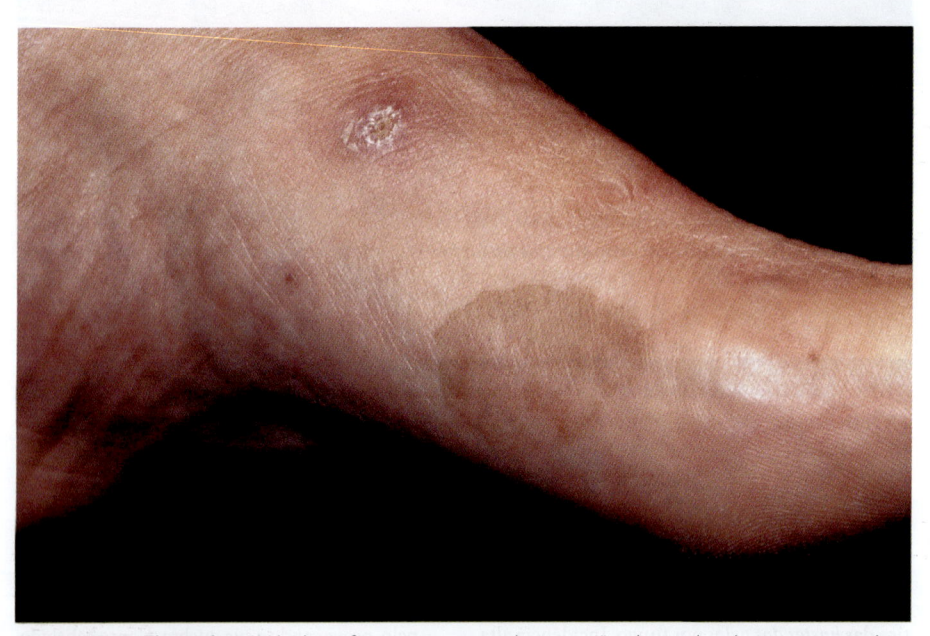

Figura 26-22 *Tinea nigra* Mácula uniformemente castanha na região plantar do pé, presente por vários anos. A preparação com KOH mostrou a presença de hifas.

DERMATOFITOSES CID-10: B35.9

- Os **dermatófitos** constituem um grupo singular de fungos que têm a capacidade de infectar estruturas cutâneas ceratinizadas não viáveis, incluindo o estrato córneo, as unhas e os pelos. Os artrósporos podem sobreviver nas escamas humanas por 12 meses. A dermatofitose refere-se a uma infecção causada por dermatófitos.
- **Infecção clínica de acordo com a estrutura acometida.** Dermatofitose epidérmica. Dermatofitose dos cabelos e folículos pilosos. *Onicomicose ou tinea unguium*: Dermatofitoses do aparelho ungueal.
- A **patogênese** das dermatofitoses, que resulta em diferentes manifestações clínicas, é mostrada de modo esquemático nas **Figuras 26-23** e **26-24**.
- O termo *tinea* é apropriadamente reservado para as dermatofitoses e adjetivado de acordo com o local anatômico da infecção, por exemplo, *tinea pedis*.
- A *tinea versicolor* é denominada *pitiríase versicolor*, exceto nos EUA; não se trata de uma dermatofitose, mas de uma infecção causada pela levedura do gênero *Malassezia* (ver p. 606).
- A *tinea nigra* é causada por um fungo pigmentado ou demáceo, e não por um dermatófito (ver p. 612).

EPIDEMIOLOGIA E ETIOLOGIA

ETIOLOGIA Três gêneros de dermatófitos ("plantas da pele"): *Trichophyton*, *Microsporum*, *Epidermophyton*. Na atualidade, são reconhecidas mais de 40 espécies; aproximadamente 10 são agentes etiológicos comuns de infecção humana.

- *Trichophyton rubrum* constitui a causa mais comum de dermatofitose epidérmica e onicomicose nos países industrializados. Na atualidade, 70% da população norte-americana apresenta pelo menos um episódio de *tinea pedis*.

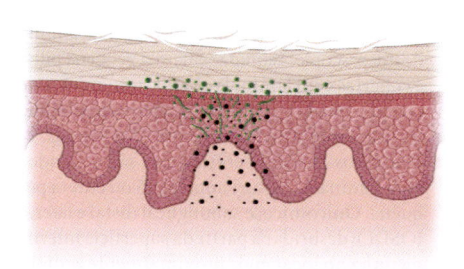

Figura 26-23 Infecções da epiderme por dermatófitos Os dermatófitos (pontos e linhas verdes) dentro do estrato córneo rompem a camada córnea e, portanto, levam à descamação; além disso, induzem uma resposta inflamatória (os pontos negros simbolizam células inflamatórias) que pode se manifestar na forma de eritema, pápulas e vesículas.

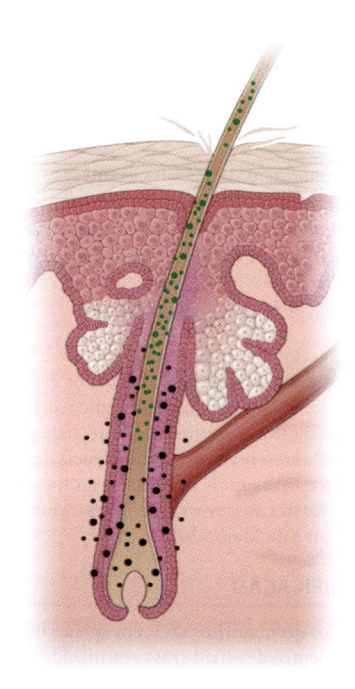

Figura 26-24 Infecções do folículo piloso por dermatófitos A haste do pelo é acometida (pontos verdes), resultando em destruição e quebra do pelo. Se a infecção por dermatófitos se estender mais profundamente dentro do folículo piloso, desencadeará resposta inflamatória mais profunda (pontos negros), que se manifesta por nódulos inflamatórios mais profundos, formação de pústulas foliculares e abscessos.

IDADE DE INÍCIO As crianças desenvolvem infecções do couro cabeludo (*Trichophyton, Microsporum*). Os adultos jovens e de mais idade apresentam infecções intertriginosas. A incidência da onicomicose está diretamente correlacionada à idade; nos EUA, até 50% dos indivíduos com mais de 70 anos de idade apresentam onicomicose.

GEOGRAFIA Algumas espécies exibem distribuição mundial, enquanto outras são restritas a determinados continentes ou regiões. *T. concentricum*, o agente etiológico da *tinea imbricata*, é endêmico no sul do Pacífico, Índia e América Central.

TRANSMISSÃO As infecções causadas por dermatófitos podem ser adquiridas a partir de três fontes:

- Mais comumente a partir de outra pessoa (geralmente por contato com objetos contaminados, menos frequentemente por contato direto de pele com pele [*tinea gladiatorum*])
- A partir de animais, como cães e gatos
- Menos comumente, a partir do solo

CLASSIFICAÇÃO DOS DERMATÓFITOS Com base em sua ecologia, os dermatófitos são classificados em:

- *Antropofílicos*: transmissão interpessoal por objetos contaminados e por contato direto
- *Zoofílicos*: transmissão de animais para seres humanos por contato direto ou por objetos contaminados
- *Geofílicos*: Ambiental

FATORES PREDISPONENTES *Diátese atópica*: deficiência da imunidade celular para *T. rubrum*. *Imunossupressão tópica* pela aplicação de glicocorticoides: tinea incógnita. *Imunossupressão sistêmica*: os pacientes apresentam maior incidência de dermatofitoses e casos mais refratários ao tratamento; podem ocorrer abscessos foliculares e granulomas (granuloma de Majocchi).

CLASSIFICAÇÃO

In vivo, os dermatófitos crescem apenas na superfície ou dentro de estruturas ceratinizadas e, dessa forma, incluem as seguintes doenças:

- Dermatofitose epidérmica. *Tinea facialis, tinea corporis, tinea cruris, tinea manus* e *tinea pedis*.
- Dermatofitoses do aparelho ungueal. *Tinea unguium* (unhas dos dedos das mãos e dos pés). Onicomicose (termo mais abrangente, que inclui as infecções ungueais causadas por dermatófitos, leveduras e bolores).
- Dermatofitoses dos pelos e folículos pilosos. Foliculite dermatofítica, granuloma de Majocchi, *tinea capitis, tinea barbae*.

PATOGÊNESE

Os dermatófitos sintetizam ceratinases, que digerem a ceratina e mantêm a existência dos fungos nas estruturas ceratinizadas. A imunidade celular e a atividade antimicrobiana dos leucócitos polimorfonucleares restringem a patogenicidade dos dermatófitos. *Fatores do hospedeiro que facilitam as infecções por dermatófitos*: atopia, glicocorticoides tópicos e sistêmicos, ictiose e doença vascular do colágeno. *Fatores locais que favorecem a infecção por dermatófitos*: sudorese, oclusão e exposição ocupacional, localização geográfica, alta umidade (climas tropicais ou semitropicais). A apresentação clínica das dermatofitoses depende de vários fatores: local de infecção, resposta imunológica do hospedeiro e espécie de fungo. Os dermatófitos (p. ex., *T. rubrum*) que desencadeiam pouca resposta inflamatória têm mais capacidade de estabelecer uma infecção crônica. Os microrganismos como *Microsporum canis* causam infecção aguda associada a uma resposta inflamatória rápida e regressão espontânea. Em alguns indivíduos, a infecção pode acometer a derme, como no quérion e no granuloma de Majocchi.

EXAMES LABORATORIAIS

Microscopia direta
Ver a Figura 26-25.

COLETA DE AMOSTRA

- *Pele*: coletar as escamas com lâmina de bisturi número 15, com a borda de uma lâmina de vidro de microscópio ou com uma escova (escova de dentes ou escova para amostras cervicais). As escamas são colocadas no centro de uma lâmina de microscópio, reunidas em uma pequena pilha e cobertas com lamínula. A aplicação recente de creme/pomada ou de pó frequentemente dificulta ou impossibilita a identificação dos fungos.
- *Unhas*: os detritos ceratináceos são coletados com lâmina de bisturi número 15 ou cureta pequena. Onicomicose subungueal distal e lateral (OSDL): desbridar a partir da superfície interna da unha no local mais proximalmente acometido ou leito ungueal; evitar a lâmina ungueal. Onicomicose branca superficial (OBS): lâmina ungueal superficial. Onicomicose subungueal proximal (OSP): superfície interna da lâmina ungueal proximal; obter amostra utilizando um pequeno *punch* de biópsia, perfurando a lâmina ungueal acometida até alcançar a superfície interna da lâmina ungueal acometida, obtendo ceratina dessa área.
- *Pelos*: retirar os pelos, preferivelmente os quebrados, com porta-agulha ou pinça. Colocar o

Figura 26-25 Dermatófitos: preparação com KOH Várias estruturas tubulares septadas (hifas ou micélios) e formação de esporos nas escamas de um indivíduo com *tinea pedis*.

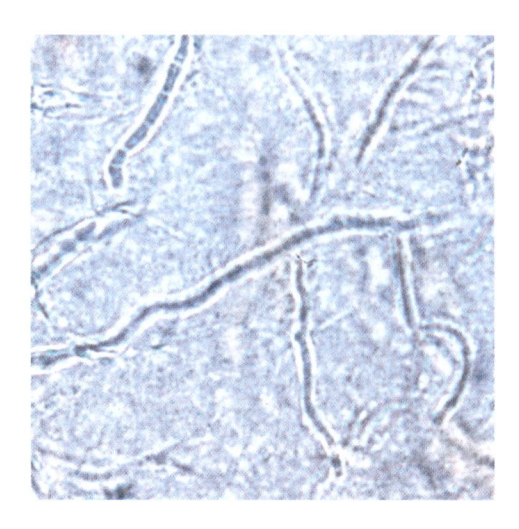

pelo em uma lâmina de microscópio e cobrir com lamínula. As escamas de pele da área pilosa acometida podem ser obtidas com uma escova (escova de dentes ou cervical).

Preparação da amostra: a solução de hidróxido de potássio a 5 a 20% é aplicada na borda da lamínula. A ação capilar aspira a solução para baixo da lamínula. A preparação é suavemente aquecida com um fósforo ou isqueiro até que as bolhas comecem a se expandir, clareando a preparação. O excesso de KOH é retirado. O condensador deve ser "rebaixado". Dermatofitose epidérmica: resultado positivo, a não ser que o paciente tenha sido tratado de forma eficaz. Noventa por cento dos casos positivos. Variações da preparação de KOH com corantes para fungos: corante de Swartz-Lamkin e corante de clorazol negro E.

Microscopia. Os dermatófitos são identificados como estruturas tubulares septadas (hifas ou micélios; Fig. 26-25).

Exame com lâmpada de Wood: os pelos infectados por espécies de *Microsporum* emitem fluorescência azul-esverdeada.

CULTURAS PARA FUNGOS Amostras coletadas de lesões cutâneas descamativas, pelos e unhas são colocadas em placas de cultura para fungos ou em reservatório para amostras. Cultura em meio com glicose de Sabouraud.

Dermatopatologia OSDL. Os corantes PAS ou de prata-metenamina são mais sensíveis do que a preparação com KOH ou as culturas de fungos para a identificação dos elementos fúngicos na OSDL.

TRATAMENTO

Agentes tópicos para as dermatofitoses epidérmicas: imidazólicos (clotrimazol, miconazol, cetoconazol, econazol, oxiconazol, sulconazol, sertaconazol); alilaminas (naftifina, terbinafina); naftionatos (tolnaftato); piridina substituída (ciclopirox olamina).

Agentes antifúngicos sistêmicos

- Terbinafina, comprimido de 250 mg. Alilamina. Trata-se do antifúngico antidermatófito oral mais eficaz; baixa eficácia contra outros fungos. Aprovado nos EUA para a onicomicose.
- Itraconazol, cápsulas de 100 mg; solução oral (10 mg/mL): via intravenosa. Triazol. Necessita do pH gástrico ácido para a dissolução da cápsula. Eleva os níveis de digoxina e ciclosporina. Aprovado nos EUA para a onicomicose.
- Fluconazol, comprimidos de 100, 150 e 200 mg; suspensão oral (10 ou 40 mg/mL); 400 mg, IV.

Dermatofitoses da epiderme

As dermatofitoses da epiderme representam as infecções mais comuns causadas por dermatófitos. Podem estar associadas à infecção dermatofítica dos pelos/folículos pilosos e/ou do aparelho ungueal. *Sinônimo: tinea*.

TINEA PEDIS CID-10: B35.3

- Infecção dermatofítica dos pés.
- **Manifestações clínicas.** Eritema, descamação, maceração e/ou formação de bolhas. As infecções em outras áreas, como a *tinea cruris*, geralmente estão associadas à *tinea pedis* inicial.
- **Evolução.** Provoca rupturas na integridade da epiderme, por meio das quais pode ocorrer invasão de bactérias, como *S. aureus*, ou estreptococo do grupo A (EGA), causando infecções da pele e dos tecidos moles.
- **Sinônimos.** Pé de atleta. Fungo da floresta.

EPIDEMIOLOGIA

IDADE DE INÍCIO Final da infância ou início da vida adulta. Mais comum entre 20 e 50 anos de idade.
FATORES PREDISPONENTES Clima úmido e quente; calçados fechados; hiperidrose.

MANIFESTAÇÃO CLÍNICA

Duração: meses ou anos ou durante toda a vida. Com frequência, história pregressa de *tinea pedis* e *tinea unguium* dos dedos dos pés. Geralmente assintomáticas. Prurido. Dor na presença de infecção bacteriana secundária (Fig. 26-26).
TIPO INTERDIGITAL Dois padrões: descamação seca (Fig. 26-27); maceração, descamação e fissuras dos espaços interdigitais dos dedos dos pés (Fig. 26-28). É comum a ocorrência de hiperidrose. Locais mais comuns: entre quarto e quinto dedos dos pés. A infecção pode se disseminar para áreas adjacentes dos pés.

TIPO MOCASSIM Descamação bem demarcada com eritema, com minúsculas pápulas nas margens, descamação fina e branca e hiperceratose (Figs. 26-29 e 26-30) (tipo restrito aos calcanhares, plantas, superfícies laterais dos pés). *Distribuição*: plantas, acometendo a área coberta por uma *sapatilha de balé*. Um ou ambos os pés podem ser acometidos com qualquer padrão; o acometimento bilateral é mais comum.

TIPO INFLAMATÓRIO/BOLHOSO Vesículas ou bolhas cheias de líquido transparente (Fig. 26-31). O pus costuma indicar infeccão bacteriana secundária. Após ruptura, formam-se erosões com bordas anulares sinuosas. Esse tipo pode estar associado à reação "id" (autossensibilização ou dermatofítide). *Distribuição*: planta, dorso do pé, espaços interdigitais.

TIPO ULCERATIVO Extensão da *tinea pedis* interdigital para a região plantar e superfície lateral do pé. Pode ocorrer infecção secundária por *S. aureus*.

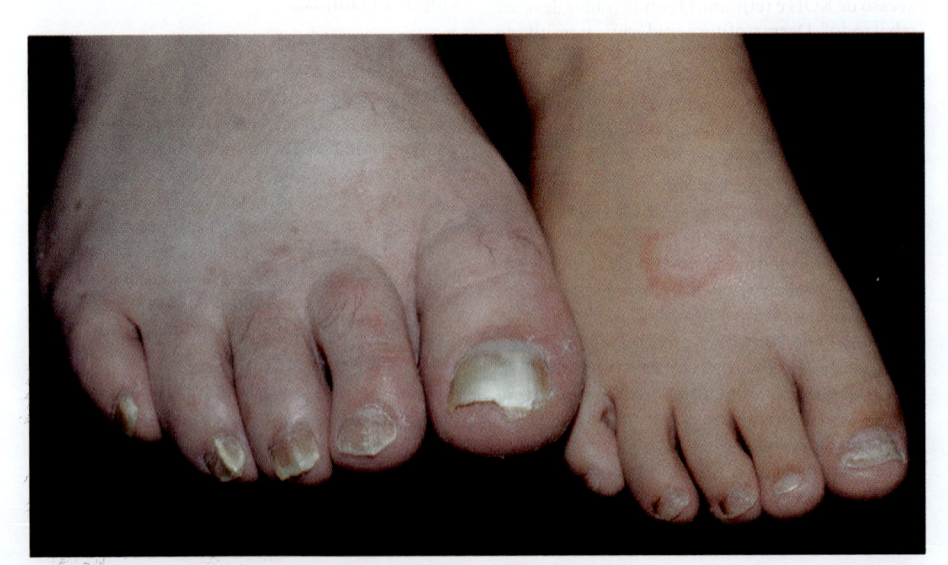

Figura 26-26 *Tinea pedis* e onicomicose no pai e no filho O pé de um menino de 5 anos com *tinea pedis* e distrofia ungueal ao lado do pé do pai com manifestações semelhantes, mas mais avançadas. O filho mais provavelmente tornou-se infectado por dermatófitos de objetos contaminados em casa. Tanto o pai quanto o filho tinham diátese atópica com história de dermatite atópica.

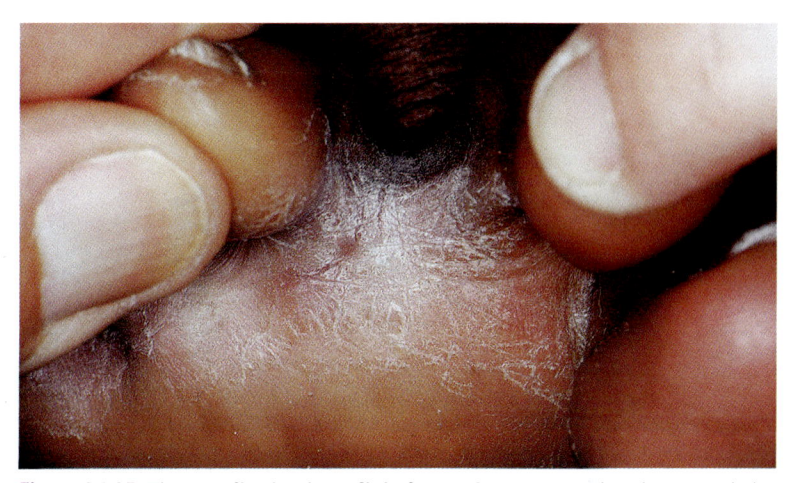

Figura 26-27 *Tinea pedis*: tipo interdigital seco O espaço interdigital entre os dedos dos pés apresenta eritema e descamação; a unha do dedo do pé está espessada, indicando onicomicose subungueal distal associada.

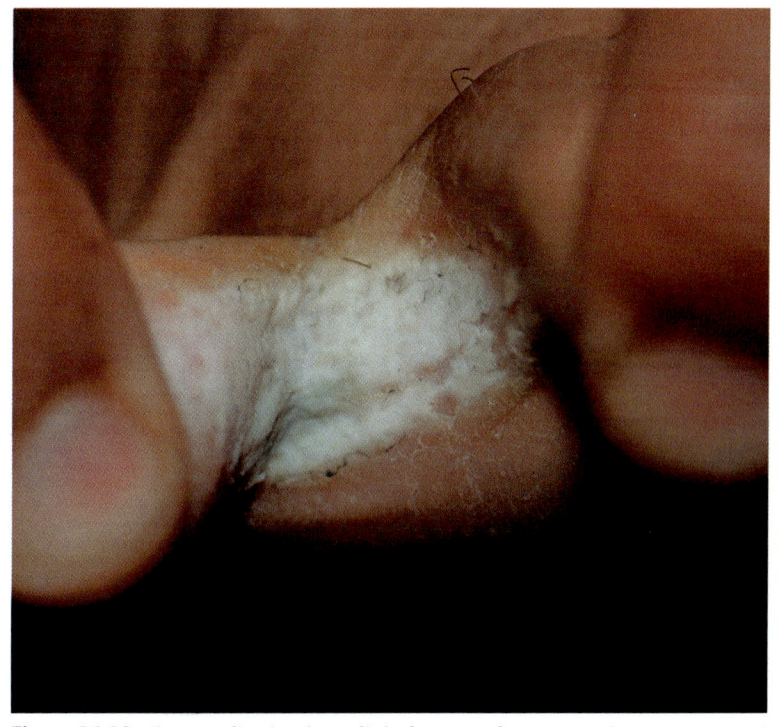

Figura 26-28 *Tinea pedis*: tipo interdigital macerado Homem de 48 anos com pé de atleta e hiperidrose há vários anos. A pele do espaço interdigital entre o quarto dedo e o dedo mínimo do pé está hiperceratótica e macerada (hidratação do estrato córneo). A preparação com KOH+ revela hifas septadas, confirmando o diagnóstico de dermatofitose. O exame com lâmpada de Wood demonstrou uma fluorescência vermelho-coral, confirmando eritrasma concomitante. A cultura para bactérias isolou *P. aeruginosa*. Isso explica a coloração esverdeada da lesão macerada.

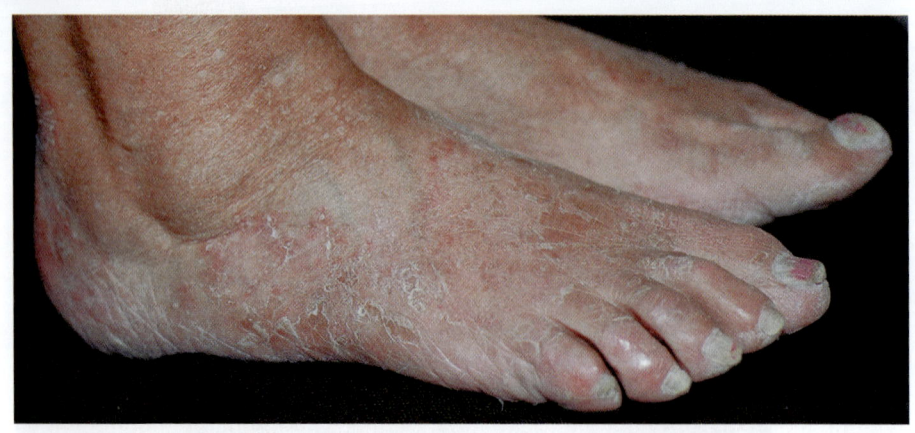

Figura 26-29 *Tinea pedis*: tipo mocassim Mulher de 65 anos com descamação dos pés há vários anos. Eritema nitidamente demarcado do pé com ceratodermia leve discreta associada à onicomicose subungueal distal e lateral, característica da infecção por *T. rubrum*.

DIAGNÓSTICO DIFERENCIAL

TIPO INTERDIGITAL Eritrasma e ceratólise sulcada.
TIPO MOCASSIM Psoríase, dermatite eczematosa (disidrótica, atópica, de contato alérgica), ceratólise sulcada.
    Tipo inflamatório/bolhoso. Impetigo bolhoso, dermatite de contato alérgica, eczema disidrótico, doença bolhosa.

EXAMES LABORATORIAIS

Microscopia direta (Fig. 26-25). No tipo bolhoso, examinar o raspado obtido da superfície interna do teto da bolha para a detecção de hifas.
LÂMPADA DE WOOD A fluorescência negativa comumente afasta a possibilidade de eritrasma na infecção interdigital. Pode haver coexistência de eritrasma e *tinea pedis* interdigital.

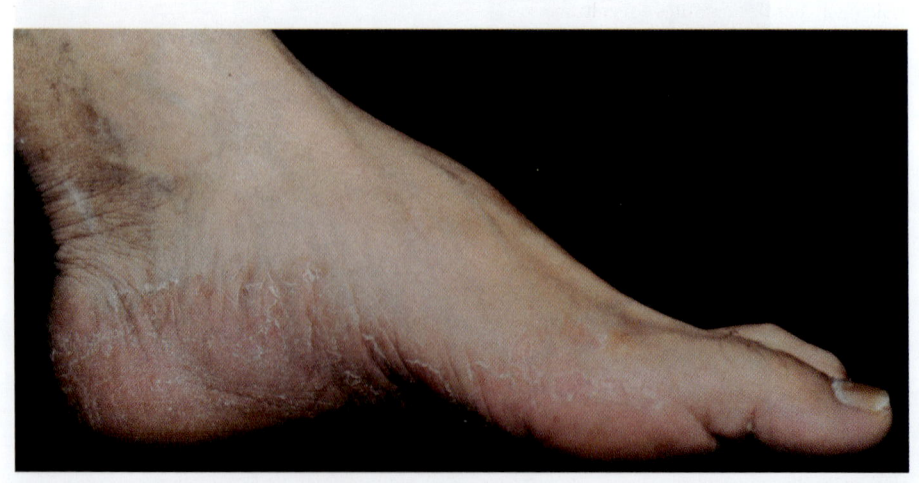

Figura 26-30 *Tinea pedis*: tipo mocassim Homem de 63 anos com descamação dos pés há vários anos. Eritema nitidamente demarcado da superfície lateral do pé, com ceratodermia leve. Foi também constatada a presença de *tinea corporis* nos antebraços e no dorso das mãos.

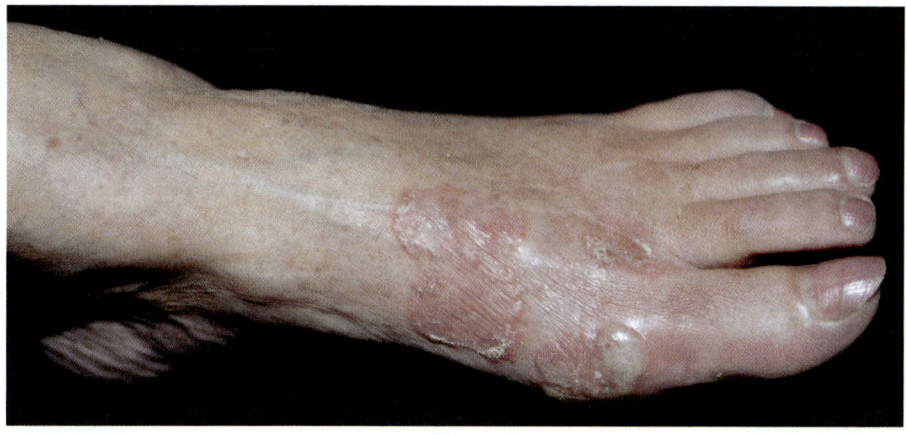

Figura 26-31 *Tinea pedis*: tipos bolhosos Mulher de 34 anos com bolhas pruriginosas no dorso do pé.

CULTURA Os dermatófitos podem ser isolados em 11% dos espaços interdigitais de aspecto normal e em 31% dos espaços interdigitais maceradas. Espécies do gênero *Candida* podem ser copatógenos nos espaços interdigitais. Nos indivíduos com espaço interdigital macerado, S. *aureus* P. *aeruginosa* e difteroide são comumente isolados. S. *aureus* provoca infecção secundária.

DIAGNÓSTICO

Demonstração das hifas na microscopia direta e isolamento dos dermatófitos em cultura.

EVOLUÇÃO

Tende a ser crônica. Pode atuar como porta de entrada para infecções dos tecidos moles, particularmente na presença de estase venosa. Sem profilaxia secundária, a recidiva é a regra.

TRATAMENTO

Ver p. 615, nesta seção.

TINEA MANUUM CID-10: B35.2

- Dermatofitose crônica da(s) mão(s).
- Geralmente unilateral, acometendo mais comumente a mão dominante.
- Comumente associada à *tinea pedis*.

MANIFESTAÇÃO CLÍNICA

Frequentemente sintomática. Prurido. *Tipo disidrótico*: sintomas episódicos de prurido.

Placas descamativas bem demarcadas, hiperceratose, fissuras nas palmas (Fig. 26-32). Bordas bem demarcadas, com clareamento central. Pode se estender para o dorso da mão, com pápulas, nódulos e pústulas, com foliculite dermatofítica. *Tipo disidrótico*: pápulas, vesículas, bolhas (incomuns na margem da lesão) nas palmas e nas superfícies laterais dos dedos das mãos, semelhantes às lesões da *tinea pedis* bolhosa. *Alterações secundárias*: líquen simples crônico, prurigo nodular, infecção secundária por S. *aureus*. *Distribuição*: hiperceratose *difusa* das palmas com acometimento pronunciado dos sulcos palmares ou placas escamosas no dorso e nas superfícies laterais dos dedos das mãos; 50% dos pacientes apresentam acometimento unilateral. Em geral, associada à *tinea pedis* (Fig. 26-32) e à *tinea cruris*. Quando crônica, está frequentemente associada à *tinea unguium* dos dedos das mãos e dos pés (Fig. 26-33).

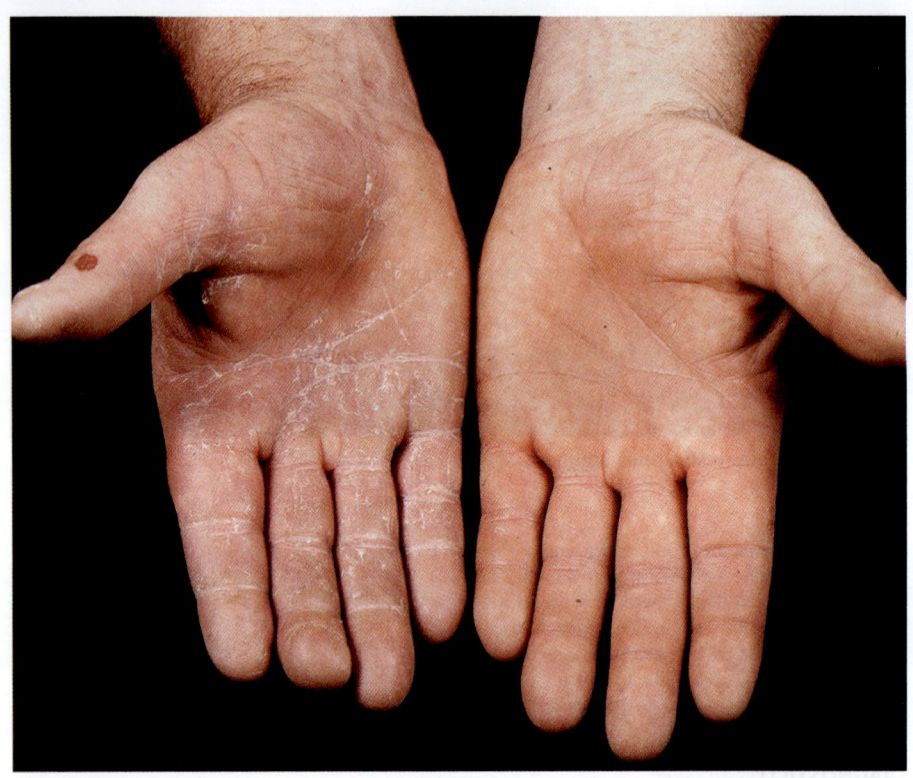

Figura 26-32 Tinea manuum Eritema e descamação da mão direita, que foram associadas à *tinea pedis* bilateral; a distribuição "uma mão, dois pés" é característica da dermatofitose epidérmica das mãos e dos pés. Com o passar do tempo, ocorre onicomicose subungueal distal e lateral nas unhas dos dedos das mãos (**Fig. 26-33**).

DIAGNÓSTICO DIFERENCIAL

Dermatite atópica, líquen simples crônico, dermatite de contato alérgica, dermatite de contato por irritante, psoríase vulgar.

EVOLUÇÃO

Crônica, não regride espontaneamente. Após tratamento, ocorre recidiva, a não ser que a onicomicose das unhas das mãos, dos pés e a *tinea pedis* sejam erradicadas. As fissuras e as erosões proporcionam uma porta de entrada para infecções bacterianas.

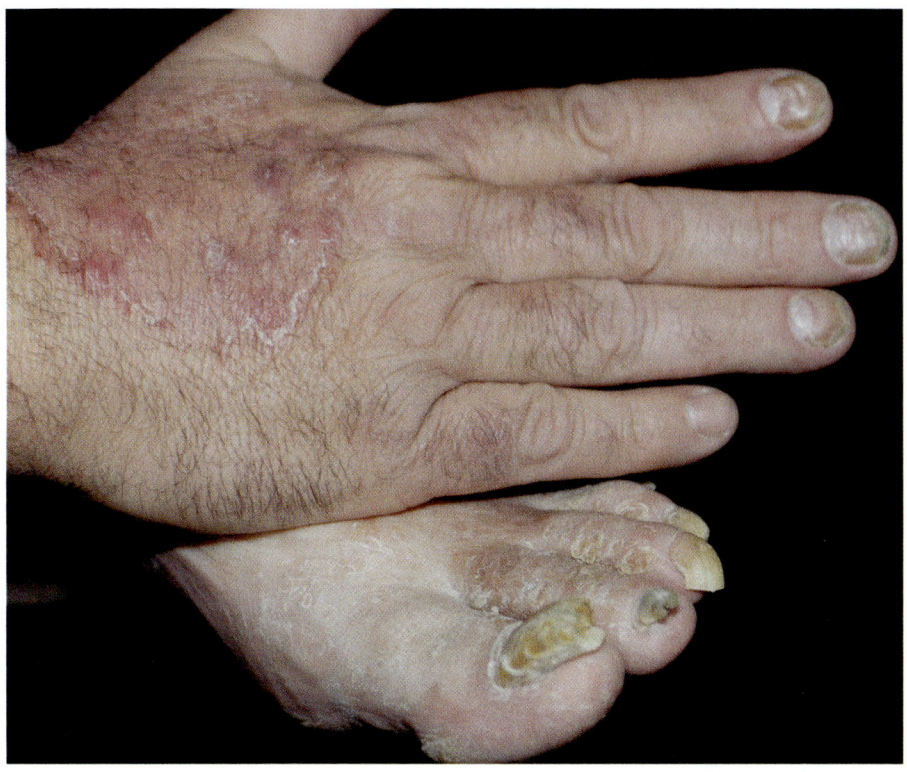

Figura 26-33 *Tinea manuum, tinea pedis* e onicomicose Homem de 57 anos, imunossuprimido, receptor de transplante renal, com dermatofitose epidérmica extensa das mãos, dos pés e das unhas. Os pés foram inicialmente infectados, e a infecção disseminou-se para as mãos, os braços e as unhas.

TRATAMENTO

É preciso erradicar a *tinea unguium* dos dedos das mãos e dos pés, bem como a *tinea pedis* e a *tinea cruris*; caso contrário, a *tinea manuum* sofrerá recidiva.

Os *agentes orais* erradicam as dermatofitoses das mãos, dos pés e das unhas. *Terbinafina*: 250 mg ao dia, durante 14 dias. *Itraconazol*: 200 mg ao dia, durante 7 dias. *Fluconazol*: 150 a 200 mg ao dia, durante 2 a 4 semanas. *Observação:* a erradicação da onicomicose das unhas dos dedos das mãos exige uso mais prolongado.

TINEA CRURIS CID-10: B35.6

- Dermatofitose subaguda ou crônica da parte superior das coxas e regiões inguinais e púbica adjacentes. Está geralmente associada à *tinea pedis*, que é a fonte da infecção.

MANIFESTAÇÃO CLÍNICA

Meses a anos de duração. Com frequência, história de *tinea pedis* de longa duração e história pregressa de *tinea cruris*.

Placas descamativas grandes, bem demarcadas, vermelho-escuras/castanhas/marrons (Fig. 26-34). Clareamento central. Pode-se observar a presença de pápulas e pústulas nas margens: foliculite dermatofítica. Lesões tratadas: não há descamação; hiperpigmentação pós-inflamatória nos indivíduos de pele mais escura. Nos pacientes atópicos, a coçadura crônica pode provocar alterações secundárias do líquen simples crônico. *Distribuição*: região inguinal e coxas, podendo se estender para as nádegas (Figs. 26-34 a 26-36). O escroto e o pênis raramente são acometidos.

DIAGNÓSTICO DIFERENCIAL

Eritrasma, intertrigo por *Candida*, psoríase intertriginosa, *tinea* ou pitiríase versicolor.

TRATAMENTO

PREVENÇÃO Após erradicação, minimizar a reinfecção com o uso de sandálias no banho e talcos antifúngicos.
AGENTES ANTIFÚNGICOS Ver p. 615.

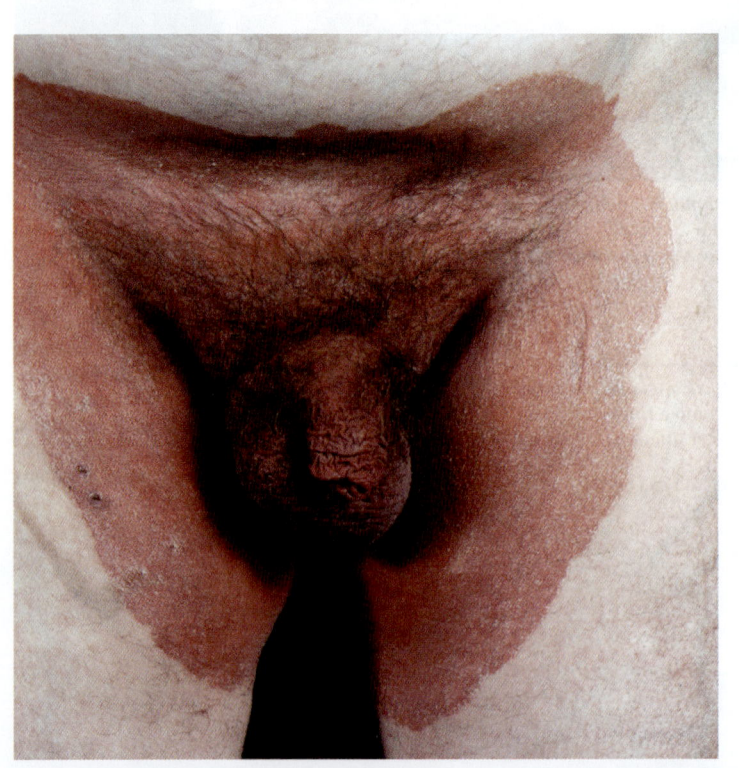

Figura 26-34 *Tinea cruris (inguinalis):* **aguda** Homem de 65 anos com erupção inguinal pruriginosa há várias semanas. Ele estava sendo tratado com prednisona para poliartrite. A preparação de KOH revelou uma rede espessa de hifas.

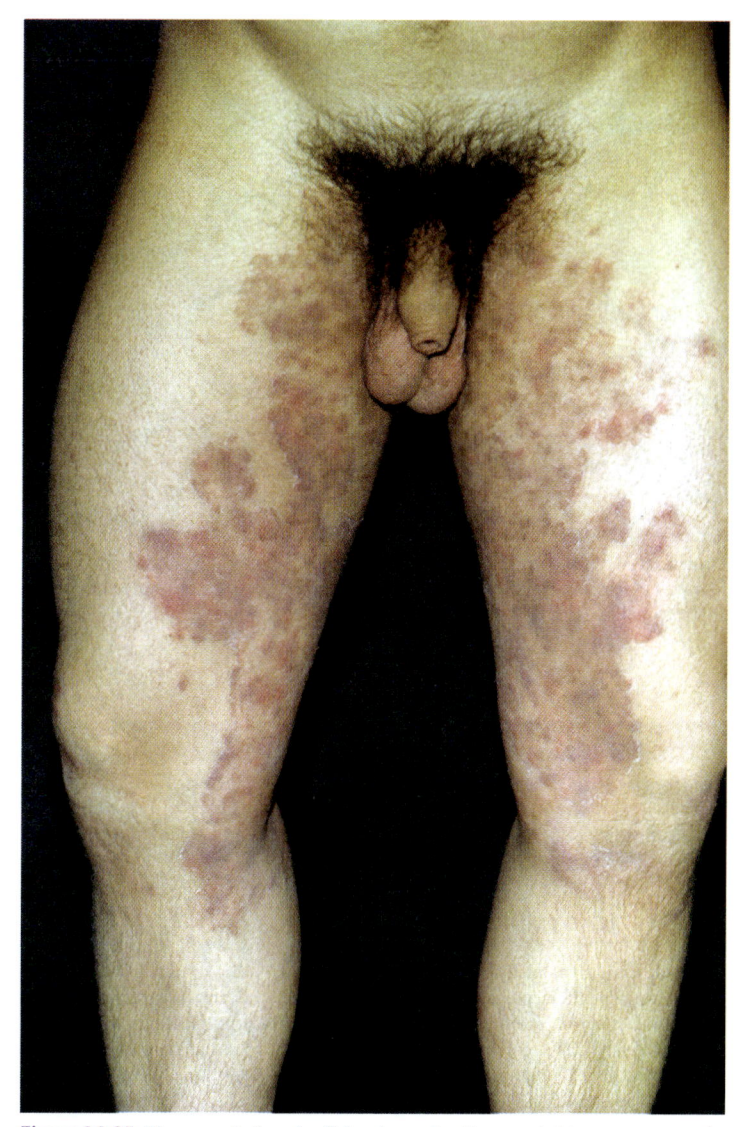

Figura 26-35 *Tinea cruris (inguinalis)*: subaguda Homem de 24 anos com erupção inguinal pruriginosa com disseminação para as coxas até as regiões poplíteas com vários meses de evolução. Praticava luta na universidade. Havia também infecção concomitante por dermatófitos nos pés, no tronco e na face. Foi tratado com terbinafina oral.

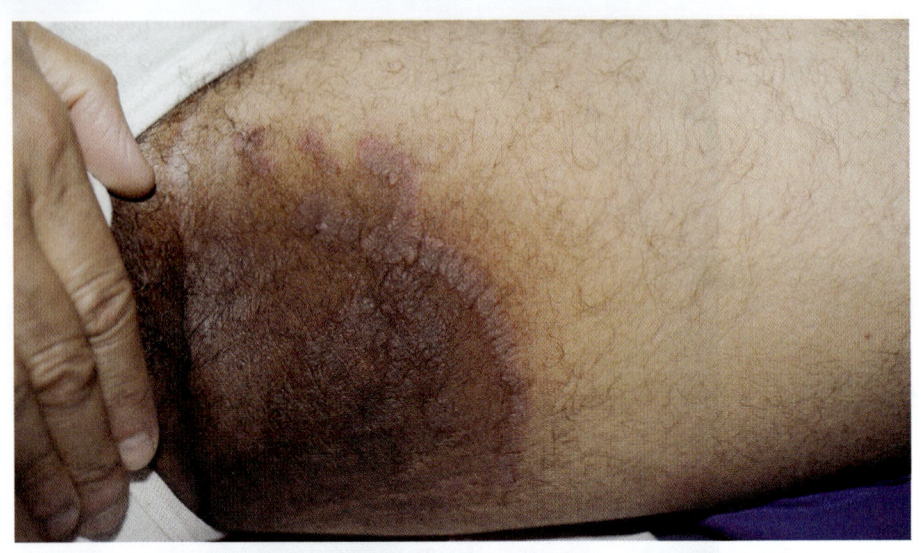

Figura 26-36 *Tinea cruris (inguinalis)*: crônica Homem de 65 anos com erupção inguinal pruriginosa há vários meses. A pele da parte proximal da coxa está liquenificada devido à fricção crônica e coçadura. O paciente aplicava corticosteroide no local. O paciente também apresentava *tinea pedis* e onicomicose.

TINEA CORPORIS CID-10: B35.4

- **Dermatófito.** Infecções por dermatófitos no tronco, nas pernas, os braços e/ou na região cervical, *excluindo* pés, mãos e a região inguinal.
- **Etiologia.** Mais comumente causada por *T. rubrum*. Também por *T. tonsurans, M. canis*

MANIFESTAÇÃO CLÍNICA

Placas descamativas nitidamente demarcadas. O crescimento periférico e o clareamento central (**Figs. 26-37** a **26-40**) produzem uma configuração anular, com anéis concêntricos ou lesões arquiformes; a fusão das lesões produz padrões circinados. Lesão única e, em certas ocasiões, lesões múltiplas dispersas. Placas psoriasiformes. As lesões da infecção zoofílica (contraída de animais) são mais inflamatórias, com vesículas acentuadas, pústulas e formação de crostas nas margens. Pápulas, nódulos, pústulas: foliculite dermatofítica, i.e., granuloma de Majocchi (ver **Fig. 26-41**).

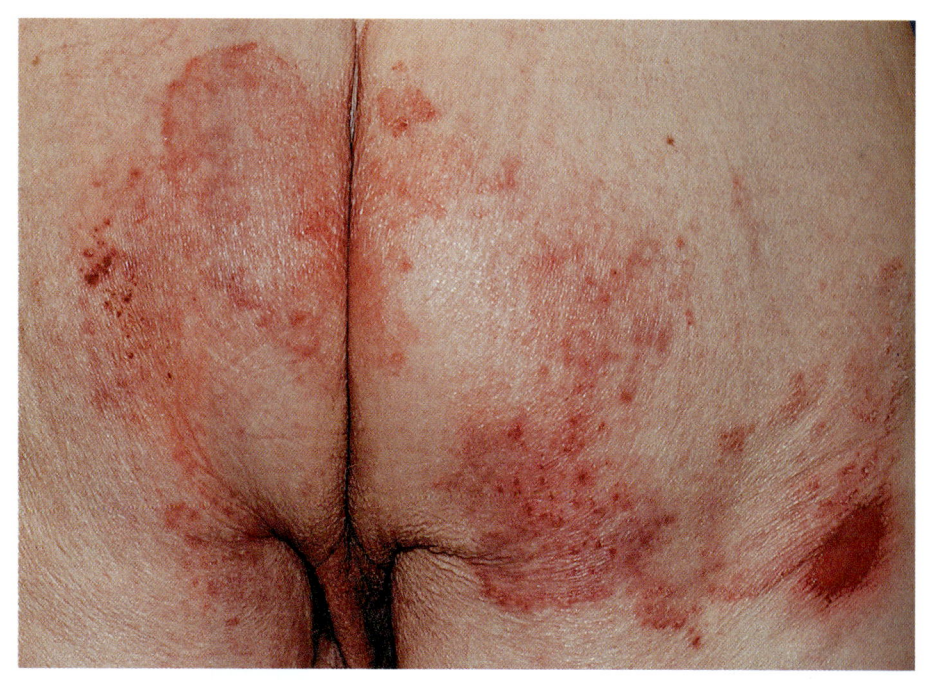

Figura 26-37 Tinea corporis: tinea incognito Homem de 80 anos com erupção nas nádegas, que surgiu há 1 ano. Placas eritematosas nas nádegas, algumas com bordas bem demarcadas, outras com clareamento e escoriações. O paciente estava tratando o prurido com aplicação tópica de corticosteroide. Apresentava também *tinea cruris, tinea pedis* e onicomicose.

DIAGNÓSTICO DIFERENCIAL

Dermatite de contato alérgica, dermatite atópica, eritemas anulares, psoríase, dermatite seborreica, pitiríase rósea, pitiríase alba, pitiríase versicolor, eritema migratório, lúpus eritematoso subagudo, linfoma cutâneo de células T.

DIAGNÓSTICO

Ver "Microscopia direta" (Fig. 26-25) e cultura.

TRATAMENTO

Ver p. 615.

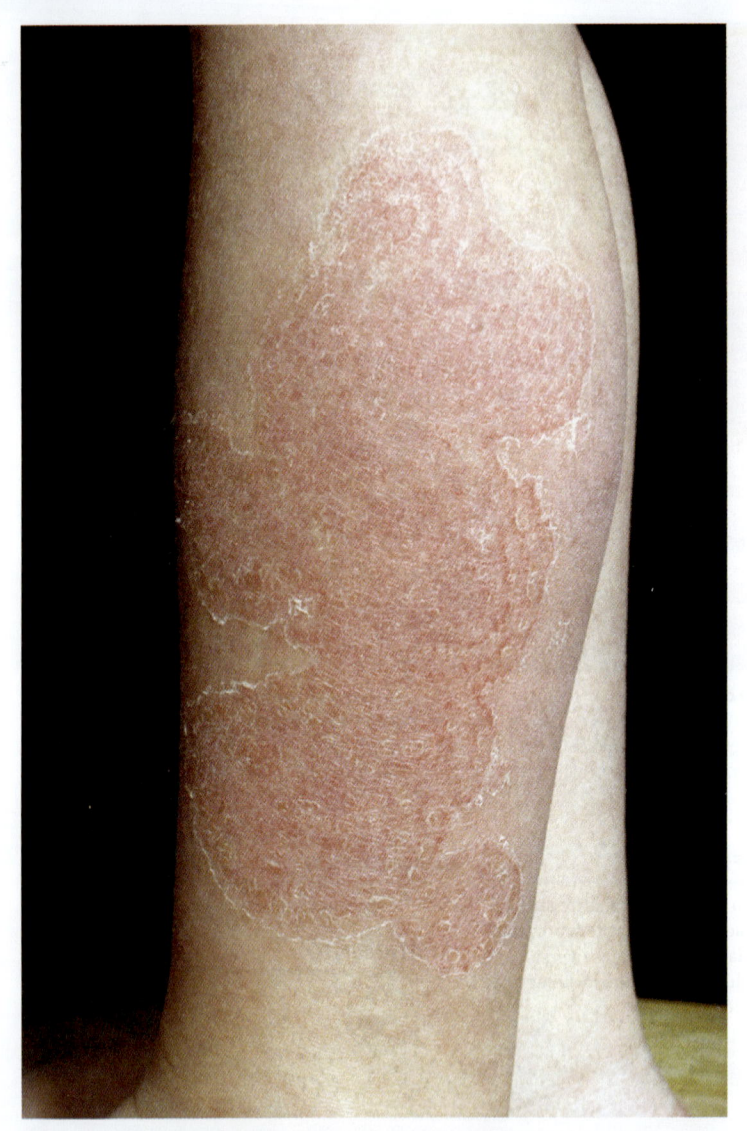

Figura 26-38 *Tinea corporis* Menina de 13 anos com lesões descamativas eritematosas na perna. As lesões são bem demarcadas, multicêntricas e descamativas. Corticoesteroides haviam sido aplicados no local para prurido.

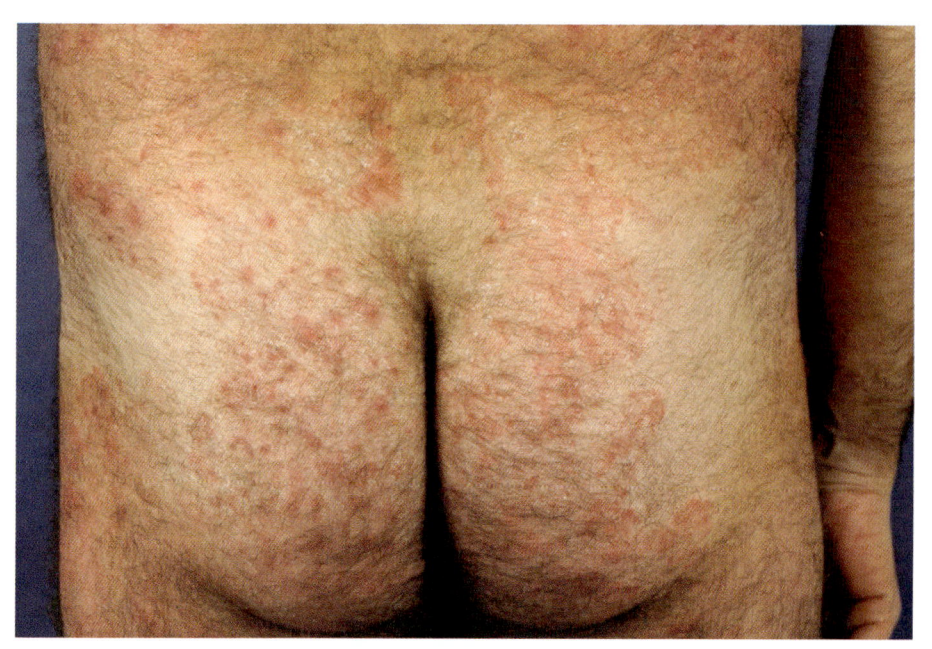

Figura 26-39 *Tinea corporis* Placas anulares eritematosas e descamativas nas nádegas, parte superior das coxas e abdome. O exame direto com KOH demonstrou a presença de hifas septadas.

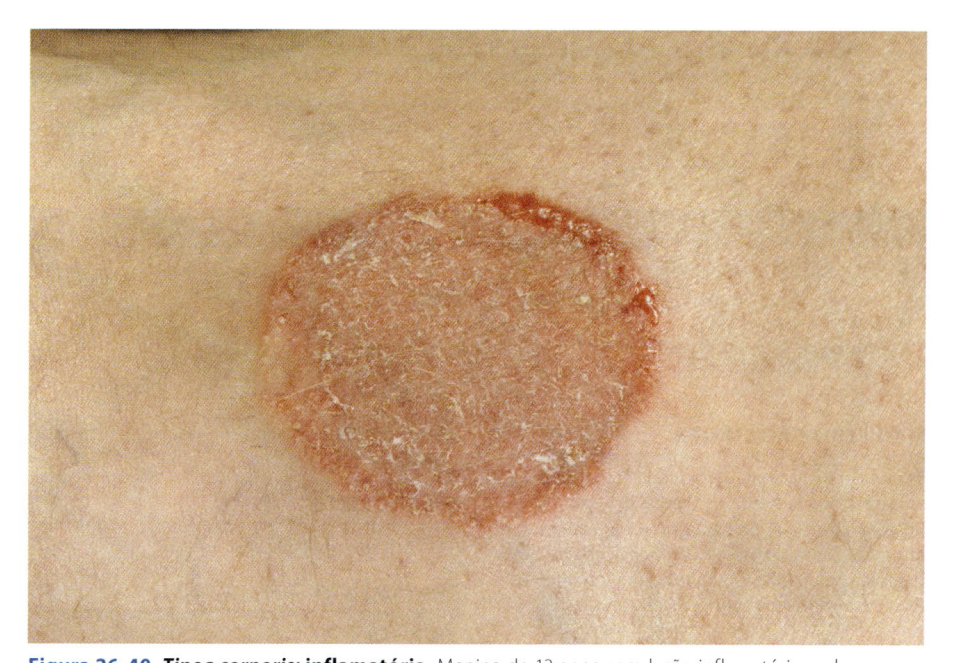

Figura 26-40 *Tinea corporis*: inflamatória Menina de 13 anos com lesão inflamatória no braço, que tinha surgido há 1 semana. Outros irmãos também foram afetados. Placa anular exsudativa, edematosa e agudamente inflamada com formação de vesículas nas margens, no antebraço. Havia lesões semelhantes no tronco. As crianças haviam brincado com porquinhos da Índia infectados.

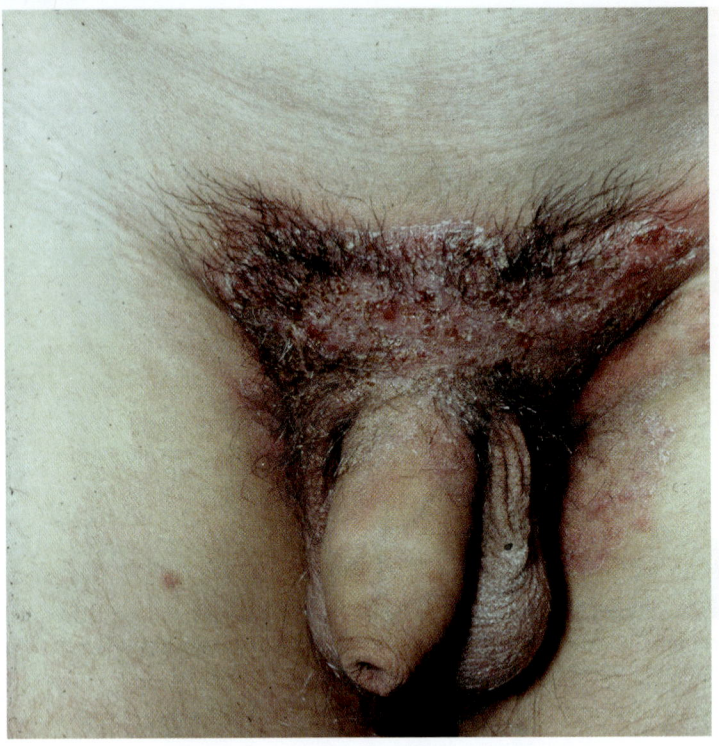

Figura 26-41 Foliculite dermatofítica: *Trichophyton rubrum* Homem de 31 anos com erupção pruriginosa na região púbica por 1 ano; os glicocorticoides tópicos não foram eficaz. Múltiplas pápulas foliculares, eritema descamativo e pústulas na região púbica e região inguinal; também havia *tinea pedis*. O exame direto com KOH demonstrou a presença de hifas septadas. As lesões foram curadas com terbinafina oral.

TINEA FACIALIS

- Dermatofitose da pele glabra da face. Placa eritematosa bem demarcada. Mais comumente diagnosticada de modo incorreto em comparação às outras dermatofitoses.
- Sinônimo: *tinea faciei*.
- **Etiologia.** *T. tonsurans* na América. *T. mentagrophytes*, *T. rubrum* na Europa e Ásia.

MANIFESTAÇÃO CLÍNICA

Mácula ou placa bem demarcada com dimensões variáveis; borda elevada e regressão central (**Figs. 26-42** e **26-43**). A descamação é frequentemente mínima. Coloração rosada a vermelha; nos pacientes negros, ocorre hiperpigmentação. Qualquer área da face, mas normalmente não é simétrica.

DIAGNÓSTICO DIFERENCIAL

Dermatite seborreica, dermatite de contato, eritema migratório, lúpus eritematoso, erupção polimorfa à luz, erupção por fármaco fototóxica, infiltrado linfocítico.

DIAGNÓSTICO

Ver "Microscopia direta" e cultura.

TRATAMENTO

Ver p. 615.

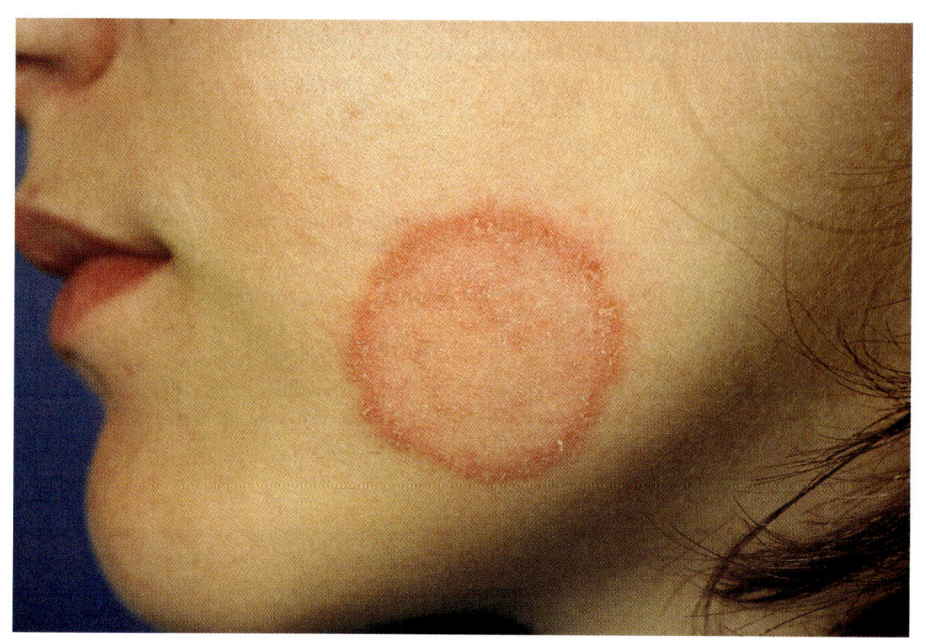

Figura 26-42 *Tinea facialis* Menina de 12 anos de idade com lesão inflamatória na região mandibular. As pápulas consistem em foliculite dermatofítica dos pelos "vellus". Observar as margens bem demarcadas. O local foi anteriormente tratado com creme de hidrocortisona.

Figura 26-43 *Tinea facialis* Homem de 83 anos imunossuprimido, com história de tratamento com prednisona para polimialgia reumática e leucemia linfática crônica. Observar o eritema bem demarcado e descamação na região da barba. Observa-se também a presença de carcinoma espinocelular *in situ* na sobrancelha esquerda.

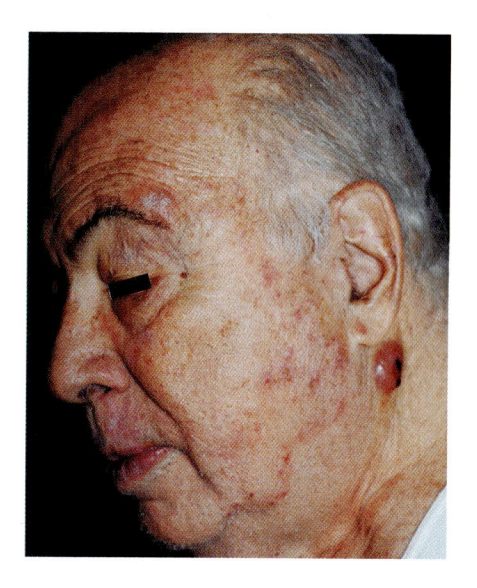

TINEA INCOGNITO

- Dermatofitose epidérmica, frequentemente associada à foliculite dermatofítica.
- Ocorre após a aplicação tópica de uma preparação de glicocorticoide a uma área colonizada ou infectada por dermatófitos.

MANIFESTAÇÃO CLÍNICA

Placas variavelmente inflamadas. Ocorrem quando uma dermatofitose inflamatória é confundida com psoríase ou com dermatite eczematosa (Figs. 26-25 a 26-39 e 26-43). As áreas acometidas frequentemente apresentam manifestações exageradas de dermatofitose epidérmica, de coloração vermelho-escura ou violácea. A descamação frequentemente não é evidente. A *foliculite dermatofítica* refere-se à presença de pápulas ou pústulas dentro das áreas acometidas. Pode haver *atrofia epidérmica* causada pela aplicação crônica de glicocorticoides.

TRATAMENTO

O tratamento antifúngico sistêmico pode estar indicado, devido ao acometimento profundo do folículo piloso.

DERMATOFITOSES DOS PELOS

- Os dermatófitos são capazes de invadir os folículos pilosos e as hastes dos pelos, causando:
  - *Tinea capitis*
  - *Tinea barbae*
  - Foliculite dermatofítica
  - Granuloma de Majocchi
- São observados dois tipos de acometimento dos pelos (ver **Fig. 26-44**).

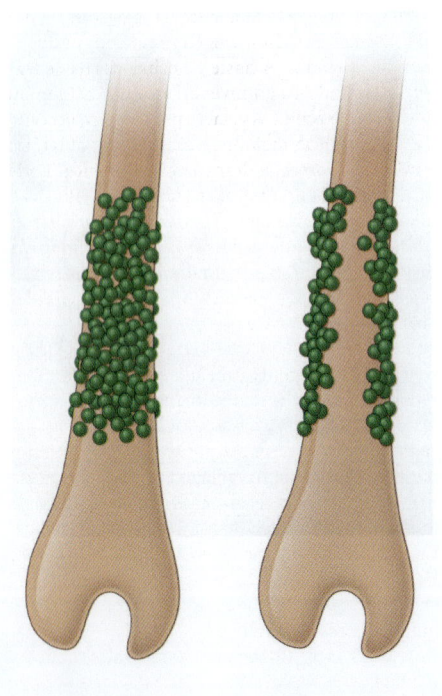

Figura 26-44 Foliculite dermatofítica Parasitismo ectotrix: micélios e artroconídias na superfície do folículo piloso (extracapilar, direita). Parasitismo endotrix: hifas e artroconídias localizadas dentro da haste do pelo (intracapilar, esquerda).

TINEA CAPITIS CID-10: B35.0

- Tricomicose dermatofítica do couro cabeludo, que ocorre predominantemente em crianças pré-púberes.
- As manifestações clínicas variam amplamente:
  - Descamação não inflamatória
  - Descamação e cabelos quebradiços
  - Inflamação dolorosa intensa, com nódulos pastosos e dolorosos, que drenam pus (quérion), resultando em alopécia cicatricial
- Sinônimos: dermatofitose do couro cabeludo, *tinea tonsurans*

EPIDEMIOLOGIA E ETIOLOGIA

As crianças em idade escolar (6 a 10 anos) são mais comumente acometidas. Muito mais comum em negros do que em brancos nos EUA. A etiologia varia de acordo com o país e de região para região. As espécies mudam com o passar do tempo, devido à imigração. As infecções podem se tornar epidêmicas nas escolas e nas instituições, particularmente quando há aglomeração excessiva. Estados Unidos: em um estudo realizado em área urbana, a realização de culturas aleatórias para fungos detectou uma taxa de infecção de 4% e taxa de colonização de 12,7% entre crianças negras.

- *América do Norte e Central.* 90% dos casos de tinea capitis são causados por *T. tonsurans*. Com menos frequência, *M. canis*.
- *Europa:* M. audouinii, M. canis, T. violaceum.
- *Ásia:* T. violaceum e M. canis.
- *África:* T. violaceum, T. schoenleinii e M. canis.

TRANSMISSÃO Entre pessoas, de animais para pessoas, através de objetos contaminados. Os esporos estão presentes em portadores assintomáticos, animais ou objetos.

PATOGÊNESE Os cabelos retêm os fungos presentes no ambiente ou em objetos contaminados. A colonização assintomática é comum. O traumatismo facilita a inoculação. Inicialmente, os dermatófitos invadem o estrato córneo do couro cabeludo e, em seguida, pode haver a infecção da haste do pelo. Em seguida, ocorre disseminação para outros folículos pilosos.

CLASSIFICAÇÃO

- Parasitismo ectotrix. Ocorre na face externa da haste do cabelo. As hifas fragmentam-se em artroconídios, levando à destruição da cutícula. Causado por espécies de *Microsporum* (*M. audouinii* e *M. canis*) (Fig. 26-44).
- Parasitismo endotrix. Ocorre no interior da haste do pelo, sem destruição da cutícula (Fig. 26-44). Os artroconídios são encontrados dentro da haste do cabelo. Causado por espécies de *Trichophyton* (*T. tonsurans* na América do Norte; *T. violaceum* na Europa, na Ásia e em partes da África).
- *Tinea capitis* com "pontos negros". Variante do parasitismo endotrix, que se assemelha à dermatite seborreica.
- *Quérion.* Variante do parasitismo endotrix com placas inflamatórias pastosas.
- *Favo.* Variante do parasitismo endotrix com artroconídios e espaços aéreos dentro da haste dos cabelos. Muito raro na Europa Ocidental e América do Norte. Entretanto, em algumas partes do mundo (Oriente Médio, África do Sul), essa variante ainda é endêmica.

MANIFESTAÇÃO CLÍNICA

INFECÇÃO NÃO INFLAMATÓRIA Descamativa. Alopécia difusa ou circunscrita. Adenopatia occipital ou retroauricular.

Tinea capitis em "placa cinzenta" (Fig. 26-45). Alopécia parcial, frequentemente de formato circular, apresentando numerosos cabelos quebrados, cinza-opaco em consequência de seu revestimento por artrósporos. Descamação fina com margens bem demarcadas. A haste do cabelo torna-se frágil, quebrando-se ao nível do couro cabeludo ou ligeiramente acima. As placas pequenas coalescem, formando placas maiores. A resposta inflamatória é mínima; porém, a descamação é maciça. Pode haver várias ou numerosas placas, de disposição aleatória. As espécies de *Microsporum* podem exibir fluorescência verde ao exame com lâmpada de Wood. *Diagnóstico diferencial*: dermatite seborreica, psoríase, dermatite atópica, líquen simples crônico e alopécia areata.

TINEA CAPITIS COM "PONTOS NEGROS" Os cabelos sofrem ruptura rente ao couro cabeludo, produzindo a aparência de "pontos" (Fig. 26-46) (hastes edemaciadas) em pacientes de cabelos escuros. Esses pontos aparecem à medida que os cabelos acometidos quebram na superfície do couro cabeludo. Tende a ser difusa e pouco delimitada. Pode-se verificar a presença de foliculite leve. Assemelha-se à dermatite seborreica. Em geral, causada por *T. tonsurans*, *T. violaceum*. *Diagnóstico diferencial*: dermatite seborreica, psoríase, dermatite atópica, líquen simples crônico, lúpus eritematoso cutâneo crônico, alopécia areata.

QUÉRION Massa inflamatória na qual os cabelos remanescentes são frouxos. Caracteriza-se por nódulos e placas inflamados, purulentos e amolecidos

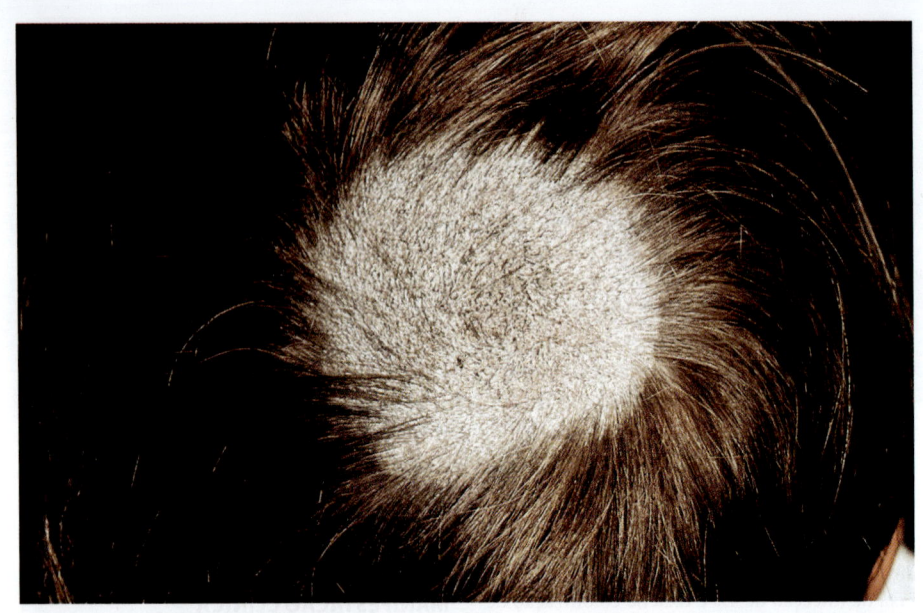

Figura 26-45 *Tinea capitis:* **tipo "placa cinzenta"** Placa de alopécia hiperceratótica redonda e grande devido à quebra das hastes dos cabelos próximos à superfície, conferindo um aspecto de "campo de trigo ceifado" no couro cabeludo desta criança. As hastes dos cabelos remanescentes e as escamas exibem fluorescência verde quando examinadas com lâmpada de Wood. *M. canis* foi isolado na cultura.

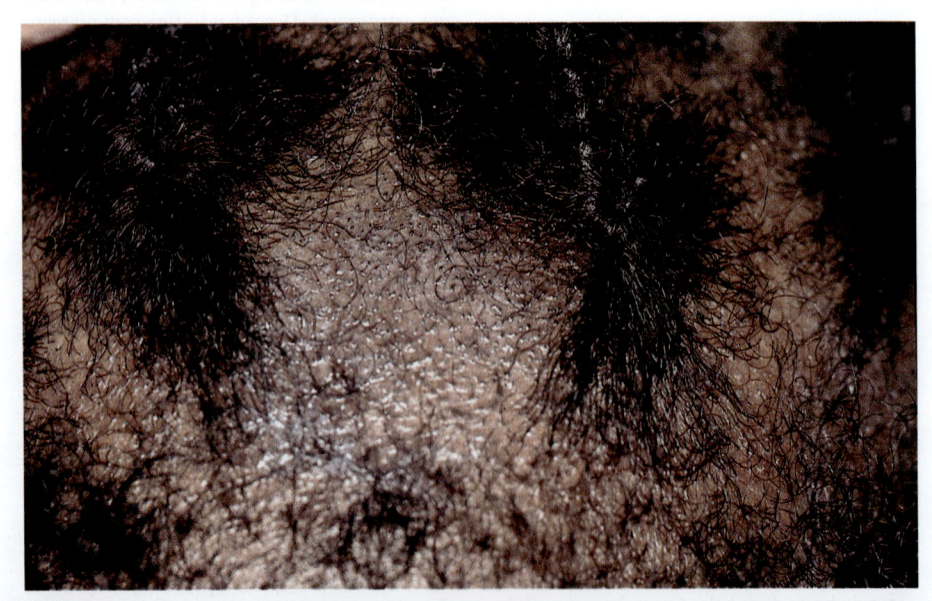

Figura 26-46 *Tinea capitis:* **variante com "pontos negros"** Placa assintomática sutil de alopécia, devido à quebra dos cabelos da região frontal de uma criança negra de 4 anos de idade. A lesão foi detectada porque a sua irmã pequena apresentou *tinea corporis*. *T. tonsurans* foi isolado em cultura.

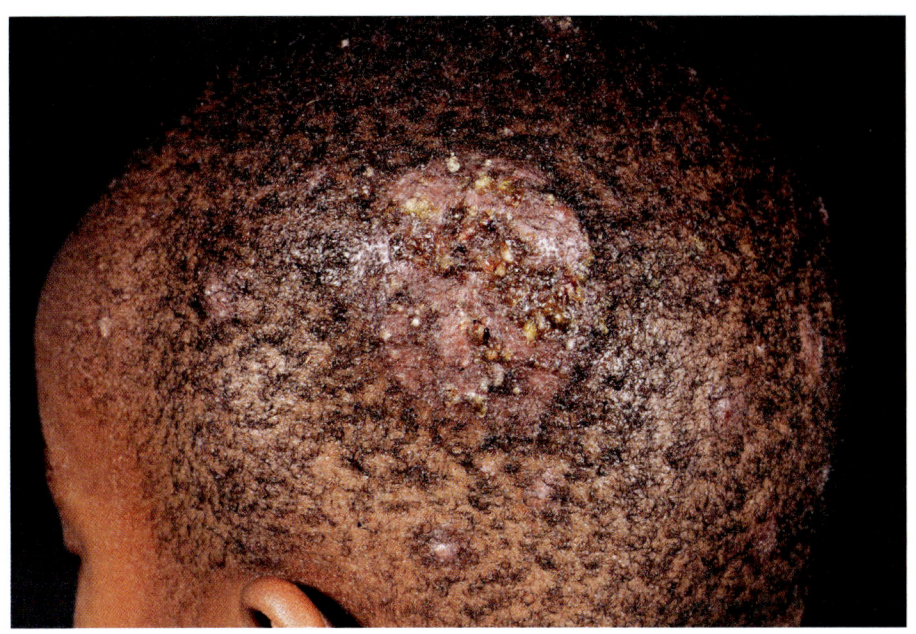

Figura 26-47 Quérion Menino negro de 5 anos de idade com massa inflamatória muito dolorosa no couro cabeludo que não respondeu aos antibióticos orais. Edema pastoso com múltiplas pústulas e linfadenopatia retroauricular. *T. tonsurans* foi isolado em cultura para fungos. O quérion foi tratado com sucesso com terbinafina oral durante 4 semanas. (Usada com permissão de Laura Proudfoot, PhD, e Rachael Morris-Jones, PhD. Ver também Proudfoot LE, Morris-Jones R. Kerion celsi. *N Engl J Med.* 2012; 366:1142.)

(Fig. 26-47). Comumente doloroso; drena pus a partir de múltiplos orifícios, lembrando favos de mel. Os cabelos não quebram, mas caem e podem ser retirados sem dor. Os folículos podem drenar pus; formação de fístulas; grânulos semelhantes ao micetoma. Crosta espessa com emaranhado de cabelos adjacentes. Em geral, há uma placa única, mas podem ocorrer lesões múltiplas com acometimento de todo couro cabeludo. Com frequência, há linfadenopatia associada. Geralmente causada por espécies zoofílicas (*T. verrucosum*, *T. mentagrophytes* var. *mentagrophytes*) ou geofílicas. Cura com alopécia cicatricial.

FAVO (do latim *favus*, favo de mel) é a palavra latina para favo de mel. Nas fases iniciais, ocorrem eritema perifolicular e emaranhamento dos cabelos. Posteriormente, formam-se crostas aderentes e amarelas (escútulas) compostas por detritos cutâneos e hifas, que são perfuradas pelas hastes dos cabelos remanescentes (Fig. 26-48). Odor fétido. Tem pouca tendência a melhorar espontaneamente. Com frequência, resulta em alopécia cicatricial. *Diagnóstico diferencial*: impetigo, ectima, escabiose crostosa.

EXAMES LABORATORIAIS

LÂMPADA DE WOOD *T. tonsurans* não emite fluorescência. *M. canis* emite fluorescência azul-esverdeada.

MICROSCOPIA DIRETA As escamas cutâneas contêm hifas e artrósporos. *Parasitismo ectotrix*: os artrósporos podem ser visualizados circundando a haste do cabelo na cutícula. *Parasitismo endotrix*: esporos dentro da haste do cabelo. *Favo*: cadeias frouxas de artrósporos e espaços aéreos dentro da haste do cabelo.

CULTURA PARA FUNGOS Em geral, observa-se o crescimento de dermatófitos em 10 a 14 dias.

CULTURA PARA BACTÉRIAS Utilizada para excluir a infecção bacteriana, geralmente por *S. aureus* ou EGA.

EVOLUÇÃO E TRATAMENTO

O quérion e o favo crônicos, sem tratamento, principalmente se houver infecção secundária por *S. aureus*, resultam em alopécia cicatricial. Se a doença for tratada com agentes antifúngicos sistêmicos, os cabelos voltam a crescer (ver p. 615).

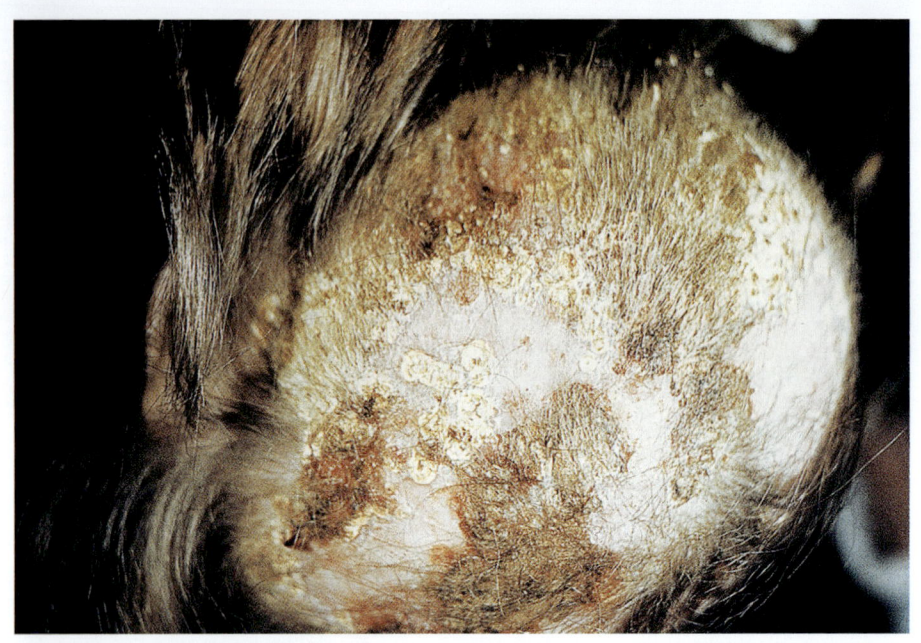

Figura 26-48 Tinea capitis: favo Queda extensa dos cabelos com atrofia, cicatrizes e as denominadas escútulas, isto é, crostas aderentes amareladas no couro cabeludo. Os cabelos remanescentes perfuram as escútulas. *T. schoenleinii* foi isolado em cultura.

TINEA BARBAE CID-10: B35.0

- Foliculite dermatofítica que acomete as regiões da barba e do bigode sensíveis aos androgênios. Assemelha-se à *tinea capitis*, com invasão da haste dos pelos.

ETIOLOGIA

Mais comumente, *T. verrucosum*, *T. mentagrophytes* var. *mentagrophytes*. Pode ser adquirida por meio de exposição a animais. *T. rubrum* constitui um agente etiológico incomum, mas pode ocorrer.

MANIFESTAÇÃO CLÍNICA

Foliculite pustular (Fig. 26-49), isto é, folículos pilosos circundados por pápulas inflamatórias eritematosas, pústulas, nódulos ou placas. Os pelos acometidos ficam frouxos e são facilmente removidos. Na presença de acometimento folicular mais leve, ocorrem placas avermelhadas circulares e descamativas *(tinea facialis)*, nas quais os pelos quebram rente à superfície. As pápulas podem coalescer, formando placas inflamatórias cobertas por pústulas.

Quérion: placas e nódulos purulentos e pastosos, como os observados na *tinea capitis* (Fig. 26-50). Regiões da barba e do bigode; raramente, cílios e sobrancelhas.

Linfadenopatia regional, particularmente quando de longa duração e se houver superinfecção.

DIAGNÓSTICO DIFERENCIAL

Foliculite por *S. aureus*, furúnculo, carbúnculo, acne vulgar, rosácea, pseudofoliculite.

ACHADOS LABORATORIAIS Preparação com KOH e cultura.

TRATAMENTO

Os agentes tópicos são ineficazes. É necessário instituir o tratamento antifúngico sistêmico (ver p. 615).

Figura 26-49 *Tinea barbae* Homem de 63 anos com pústulas na região da barba que surgiram há vários meses. Observa-se uma grande pústula em um nódulo inflamatório na região do bigode. Também havia *tinea facialis* extensa. Também estavam presentes *tinea pedis*, onicomicose e *tinea cruris*. A preparação com KOH foi positiva, e *T. rubrum* foi detectado em cultura para dermatófitos. A cultura bacteriana foi negativa para microrganismos patogênicos. As lesões faciais regrediram com terbinafina oral.

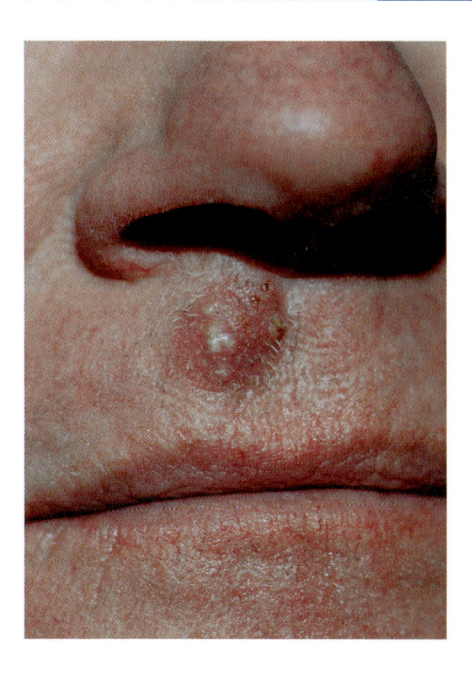

Figura 26-50 *Tinea barbae* com quérion e *tinea facialis* Pápulas, nódulos e pústulas dolorosos e confluentes no lábio superior (quérion). Dermatofitose epidérmica *(tinea facialis)* com eritema e descamação bem demarcados nas regiões malares, nas pálpebras, nas sobrancelhas e na fronte. *T. mentagrophytes* foi isolado em cultura. Neste caso, o microrganismo produziu dois padrões clínicos distintos (acometimento epidérmico, *tinea facialis* versus inflamação folicular, *tinea barbae*), dependendo da infecção da pele glabra ou da pele pilosa.

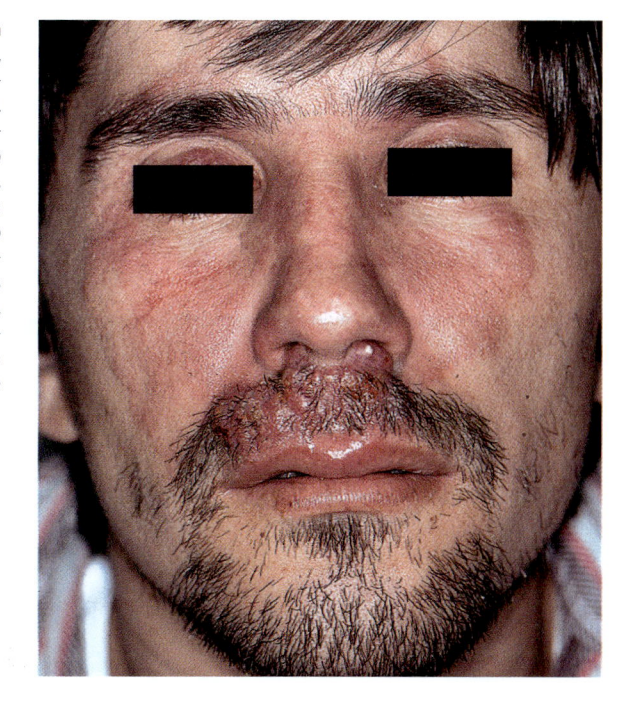

GRANULOMA DE MAJOCCHI

- Foliculite dermatofítica com granuloma de corpo estranho, que ocorre em resposta à ceratina na derme e reação imunológica aos dermatófitos.
- **Etiologia.** Mais comumente *T. rubrum*, *T. tonsurans*.
- **Fatores de risco.** Aplicação de glicocorticoides tópicos. Defeitos nos mecanismos de defesa do hospedeiro.

MANIFESTAÇÃO CLÍNICA

Tipo folicular com imunossupressão local (aplicação de glicocorticoides tópicos).

Tipo nodular subcutâneo com imunocomprometimento sistêmico (Fig. 26-51). Solitárias ou múltiplas.

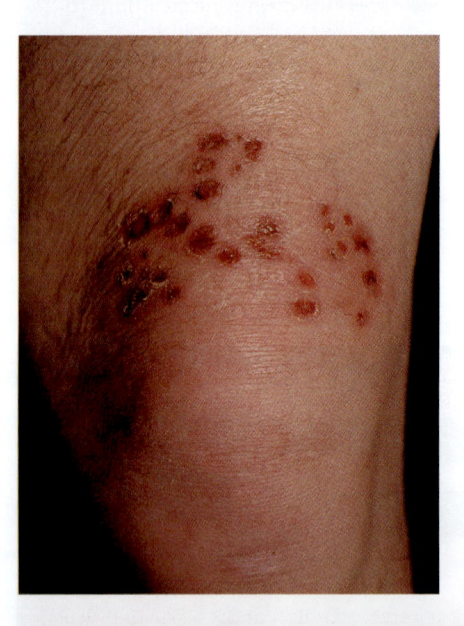

- Pápulas e pústulas foliculocêntricas que surgem dentro de uma área de dermatofitose epidérmica, como *tinea incognito* (Fig. 26-41).

DISTRIBUIÇÃO Qualquer área com pelos; couro cabeludo, face, antebraços (Fig. 26-52), dorso de mãos/pés, pernas depiladas.

Figura 26-51 Granuloma de Majocchi Homem diabético de 55 anos, receptor de transplante renal, com nódulos dolorosos na parte inferior da coxa esquerda. Pápulas erosadas com formação de crostas acima do joelho. O paciente também apresentava *tinea pedis* e onicomicose. *T. rubrum* foi isolado em cultura para dermatófitos. O paciente foi tratado com voriconazol.

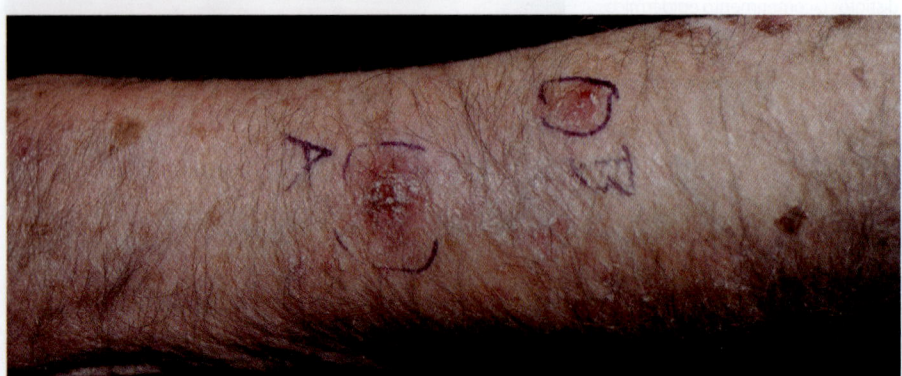

Figura 26-52 Granuloma de Majocchi Homem de 87 anos com dois nódulos no antebraço esquerdo que surgiram há 6 semanas. A suspeita inicial foi de neoplasia maligna cutânea. O diagnóstico de granuloma de Majocchi foi estabelecido com base na biópsia das lesões. Foi administrada terbinafina sistêmica.

INFECÇÕES FÚNGICAS INVASIVAS E DISSEMINADAS

MICOSES SUBCUTÂNEAS CID-10: B48.8
- Grupo heterogêneo de infecções fúngicas que se desenvolvem em locais de traumatismo transcutâneo.
- Esporotricose
- Feo-hifomicose:
  - Eumicetoma
  - Cromoblastomicose
- Etiologia. Fungos residentes nas plantas ou no solo.
  - Produtores de melanina (demáceos ou pigmentados): marrons a pretos
  - Não pigmentados (hialinos)
- Manifestações clínicas. Placas que crescem lentamente com lesões verrucosas, trajetos fistulosos e fibrose, mais comuns nos membros inferiores; podem ocorrer em qualquer local de inoculação.
- Falhas nas defesas do hospedeiro. Infecções mais extensas. Podem disseminar.
- Diagnóstico. Sinais clínicos, demonstração de grânulos ou corpúsculos de Medlar na dermatopatologia, cultura do organismo.

ESPOROTRICOSE CID-10: B42.9
- Etiologia. *Sporothrix schenckii*. Infecção que se segue à inoculação acidental na pele.
- Manifestações clínicas
  - Nódulo ou placa no local de inoculação da infecção
  - Linfangite. Linfangite nodular crônica (síndrome linfocutânea esporotricoide)
  - Edema subcutâneo ocorre em posição proximal ao local de inoculação
- Infecção disseminada pode ocorrer a partir de infecção de pele ou pulmonar quando houver falhas na defesa do hospedeiro.

ETIOLOGIA E EPIDEMIOLOGIA

ETIOLOGIA *S. schenckii*, um fungo dimórfico térmico. Vive como saprófito nas plantas. Distribuição mundial. Mais comum em zonas temperadas e tropicais.

DEMOGRAFIA Exposição ocupacional é importante: agricultores, fazendeiros, trabalhadores em florestas, jardineiros, aparadores de grama, floristas, trabalhadores na indústria de papel, mineradores de ouro.

TRANSMISSÃO Perfuração ou pequena abrasão na pele. Raramente transmitida por gatos; tatus.

PATOGÊNESE Após inoculação subcutânea, o *S. schenckii* cresce localmente, podendo se estender no sentido proximal para causar a *linfangite nodular*.

MANIFESTAÇÃO CLÍNICA

Período de incubação de 3 dias a 12 semanas após traumatismo ou lesão. As lesões são indolores. Não há febre.

ESPOROTRICOSE CUTÂNEA FIXA (PLACA) Surge pápula, pústula ou nódulo dérmico no local de inoculação, várias semanas após a lesão. É possível haver evolução para placa verrucosa ou úlcera com induração. Os linfonodos regionais inflamam e aumentam de tamanho (síndrome cancriforme). *Distribuição:* a lesão primária é mais comum no dorso ou no dedo da mão. Placa fixa: na face, em crianças; nos membros superiores nos adultos.

LINFANGITE NODULAR Segue-se à extensão proximal a partir do local de inoculação. *Distribuição:* nódulo no local de inoculação na mão/dedo com linfangite nodular estendendo-se em direção proximal no braço (Figs. 26-53 e 26-54).

ESPOROTRICOSE DISSEMINADA A partir da esporotricose pulmonar, disseminação hematogênica para pele, articulações, olhos e meninges.

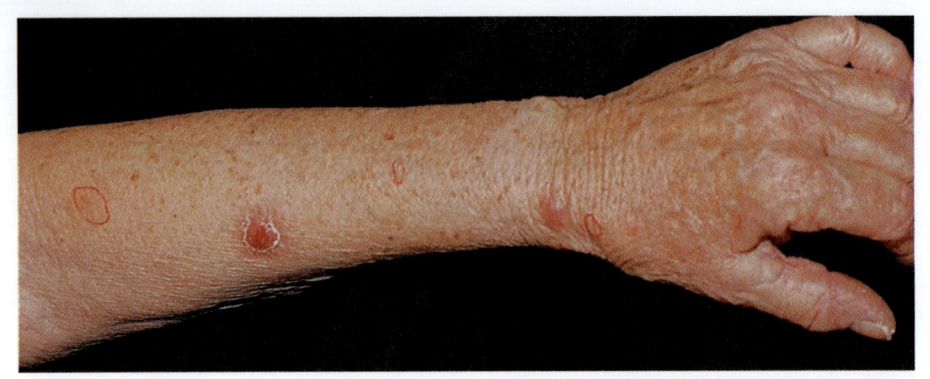

Figura 26-53 Esporotricose: forma linfangítica nodular Jardineiro de 78 anos com nódulos dolorosos na mão e no braço há 4 semanas. Nódulos eritematosos em distribuição linear nos canais linfáticos no dorso da mão e no antebraço. Isolou-se *S. schenckii* na cultura de amostra de biópsia da lesão.

DIAGNÓSTICO DIFERENCIAL

LINFANGITE NODULAR *Mycobacterium marinum, Nocardia brasiliensis, Leishmania brasiliensis.*
SÍNDROME CANCRIFORME Sífilis, nocardiose, tularemia cutânea, antraz cutâneo.

DIAGNÓSTICO

Suspeita clínica e isolamento do organismo em cultura.

EVOLUÇÃO

Pouca tendência à resolução espontânea. Responde bem ao tratamento; possibilidade de recidiva.

TRATAMENTO

Itraconazol é o tratamento preferencial para esporotricose cutânea e linfocutânea. A solução saturada de iodeto de potássio tem sido usada para as lesões cutâneas.

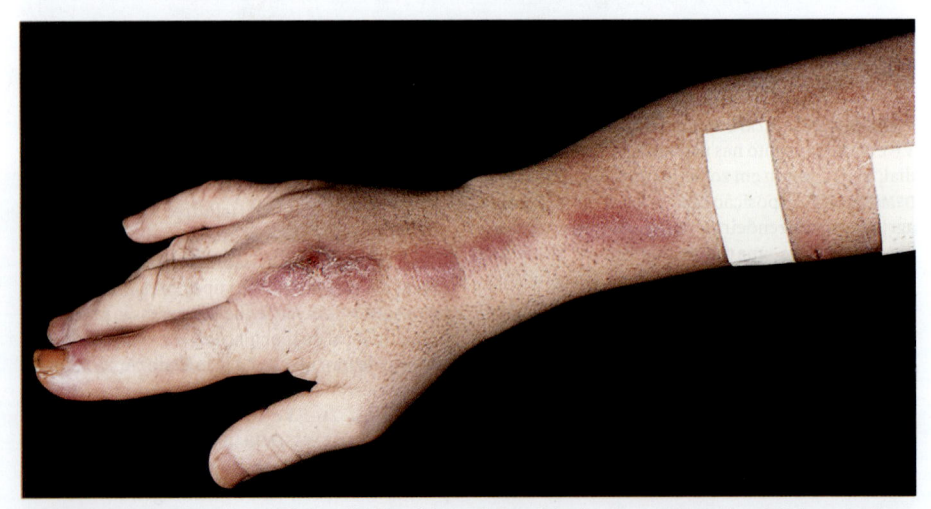

Figura 26-54 Esporotricose: forma linfangítica crônica Pápula eritematosa no local de inoculação no dedo indicador com distribuição linear de nódulos eritematosos dérmicos e subcutâneos estendendo-se no sentido proximal pelos vasos linfáticos do dorso da mão e do braço.

FEO-HIFOMICOSES CID-10: B47.0/43.0

- Infecções crônicas de pele e tecidos moles causadas por fungos pigmentados e hialinos não pigmentados: *eumicetoma* e *cromoblastomicose*. Seguem-se à inoculação traumática, principalmente no pé.

ETIOLOGIA E EPIDEMIOLOGIA

AGENTES ETIOLÓGICOS Patógenos oportunistas. Residem no solo ou em plantas.
Nocardiose (micetomas actinomicóticos). Causada por *Nocardia*. Feo-hifomicoses. Causadas por fungos.

- Eumicetomas: mais comuns as espécies de *Madurella* (pigmentadas ou demáceos). Microrganismos produtores de melanina. Espécies de *Scedosporium* (não pigmentados ou hialinos).
- Cromoblastomicose: *Fonsecaea* e de *Cladophialophora* são as espécies mais comuns.

TRANSMISSÃO Inoculação cutânea do microrganismo: espinho, lasca de madeira, pedra cortada contaminados com terra ou restos de plantas.

DEMOGRAFIA Ocorre em regiões tropicais e subtropicais; mais comum em trabalhadores homens de áreas rurais. A maioria dos casos ocorre nas pernas, mas também nas mãos e nos braços. Fator de risco: pobreza.

MANIFESTAÇÃO CLÍNICA

EUMICETOMA Caracterizado por edema, desenvolvimento de trajetos fistulosos, drenagem de pus com grânulos (colônias de fungos eliminadas pelos trajetos fistulosos). Grande deformidade dos tecidos (Fig. 26-55). Clareamento central dá às lesões antigas um formato anular. *Distribuição:* unilateral na perna, no pé e na mão. *Complicações:* linfadenopatia regional; infecção bacteriana secundária; extensão à fáscia, ao músculo, ao osso; perda de função e deformidade.

CROMOBLASTOMICOSE Lesões menores coalescem para formar lesões nodulares, verrucosas ou em forma de placas (Fig. 26-56). Aumentam gradualmente para pele e tecidos moles contíguos. A infecção pode se espalhar via linfática e por autoinoculação. *Complicações:* superinfecção bacteriana; edema crônico, elefantíase; carcinoma espinocelular (úlcera de Marjolin); disseminação hematogênica.

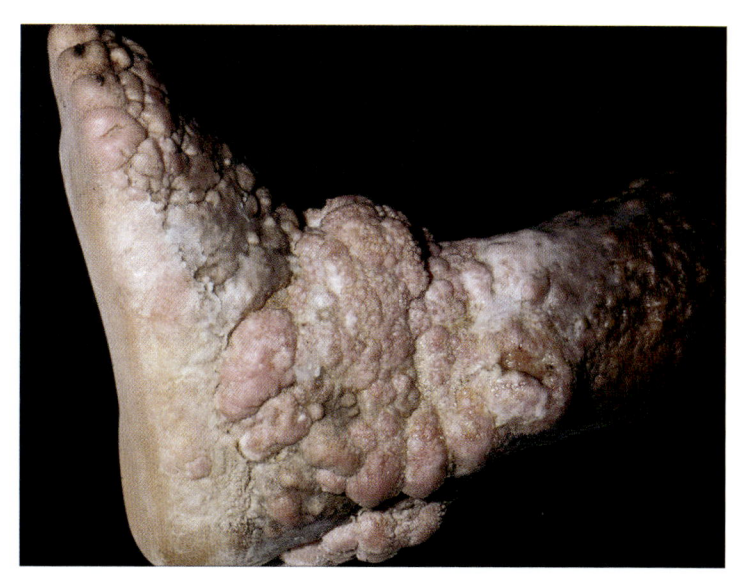

Figura 26-55 Eumicetoma Pé, tornozelo e perna totalmente deformados com edema e nódulos subcutâneos confluentes, tumores em forma de couve-flor e úlceras.

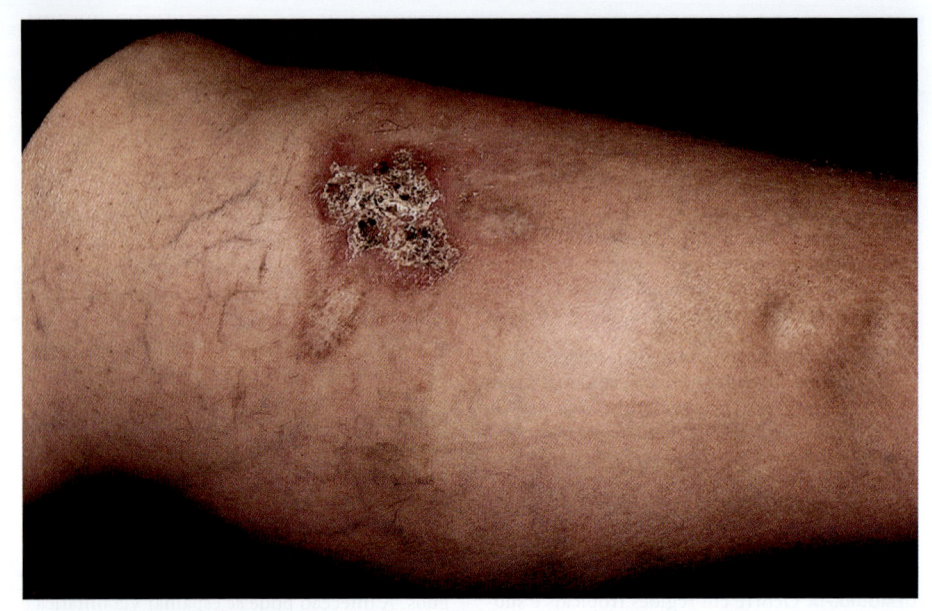

Figura 26-56 Cromoblastomicose Placa hiperceratótica com crosta e cicatrizes antigas na perna presentes por várias décadas.

Cromoblastomicose, forma tumoral. Doença crônica leva à elefantíase e ao envolvimento de todo o membro inferior.

DIAGNÓSTICO

Isolamento do fungo na cultura, TC e ultrassonografia definem a extensão do envolvimento. A radiografia do osso mostra lesões osteolíticas múltiplas (cavidades).
EUMICETOMA Lesão com edema, trajetos fistulosos, grânulos. Excluir nocardiose.
CROMOBLASTOMICOSE Corpúsculos de Medlar (células escleróticas ou "moedas de cobre"): hifas fúngicas septadas pigmentadas de parede espessada, lembrando grandes leveduras observadas em raspado de lesões (KOH), e/ou amostra de biópsia; isolamento do microrganismo em cultura.

DIAGNÓSTICO DIFERENCIAL

Esporotricose, blastomicose, infecção cutânea por micobactéria não tuberculosa, granuloma de corpo estranho, pioderma gangrenoso, carcinoma espinocelular.

TRATAMENTO

Envolve extirpação cirúrgica das lesões e administração de antifúngicos sistêmicos como o itraconazol. Maior eficácia quando o tratamento é feito precocemente. Os fungos pigmentados podem ser mais resistentes aos medicamentos do que as espécies hialinas.

Infecções fúngicas sistêmicas com disseminação para a pele

Infecções fúngicas sistêmicas com disseminação cutânea ocorrem com maior frequência quando há defeitos na defesa do hospedeiro.

Infecção fúngica pulmonar primária ou reativada pode se disseminar por via hematogênica a múltiplos órgãos, incluindo a pele.

Trato GI ou cateteres intravasculares podem ser fonte de candidemia e candidíase disseminada. Ver Candidíase disseminada (p. 605).

CRIPTOCOCOSE CID-10: B45.2/45.9

■ Criptococose. Infecção pulmonar primária. Com defeitos na defesa do hospedeiro, ocorre disseminação hematogênica para meninges e pele.

ETIOLOGIA E EPIDEMIOLOGIA

Cryptococcus neoformans. Leveduras encontradas no solo e nas fezes ressecadas de aves. Presente em todo o mundo ubíquo. A cápsula de polissacarídeos é o principal fator de virulência; base para testes de antígenos.

INCIDÊNCIA Globalmente, a criptococose (geralmente meningite) é a micose invasiva mais comum em pacientes com doença por HIV, ocorre em até 9% dos indivíduos com doença por HIV avançada não tratada nos EUA e até 30% na África.

PATOGÊNESE O foco pulmonar da infecção primária pode se manter localizado ou se disseminar. A reativação de infecção latente em hospedeiro imunocomprometido pode resultar em disseminação hematogênica para meninges, rins e pele; 10 a 15% dos pacientes apresentam lesões cutâneas.

MANIFESTAÇÃO CLÍNICA

LESÕES CUTÂNEAS Geralmente assintomáticas. SNC: cefaleia (80%) e confusão mental.
PÁPULA(S) OU NÓDULO(S) Com eritema circundante. A lesão pode se romper com exsudação de líquido mucinoso. Na doença por HIV, as lesões ocorrem mais comumente na face/couro cabeludo. *Lesões semelhantes a molusco contagioso* ocorrem em pacientes com doença por HIV (ver Fig. 26-57). *Acneiforme. Celulite por criptococo* semelhante à celulite bacteriana, ou seja, placa eritematosa, quente, dolorosa e edematosa nos membros inferiores; possibilidade de múltiplos locais não contíguos.
MUCOSA ORAL Nódulos/úlceras.

Figura 26-57 Criptococose disseminada Múltiplas pápulas e nódulos cor de pele na face de um paciente com doença avançada por HIV. O criptococo disseminou-se por via hematogênica a partir de foco pulmonar de infecção para pele e meninges. As lesões são semelhantes às do molusco contagioso, que é comum na doença por HIV. (Usada com permissão de Loïc Vallant, MD.)

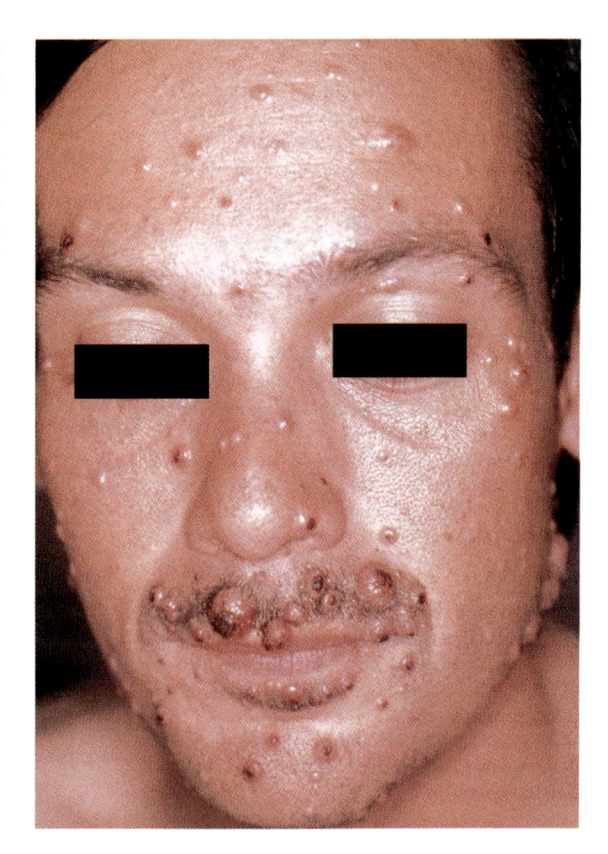

DIAGNÓSTICO DIFERENCIAL

Molusco contagioso, histoplasmose disseminada, acne, sarcoidose.

DIAGNÓSTICO

Confirmado por biópsia de pele e cultura para fungos.

EVOLUÇÃO

Na doença por HIV na ausência de reconstituição imunológica, a meningite por criptococo sofre recidiva em 30% dos casos após tratamento com anfotericina B (com ou sem flucitosina); a profilaxia secundária por toda a vida com fluconazol 200 mg ao dia reduz a taxa de recidiva para 4 a 8%.

TRATAMENTO

PROFILAXIA PRIMÁRIA Em alguns centros, o fluconazol é administrado a indivíduos infectados por HIV/Aids com contagem baixa de células CD4+; a incidência de infecção disseminada é reduzida, mas não há efeito sobre a taxa de mortalidade.

TERAPIA DA MENINGITE Anfotericina B (com ou sem flucitosina) por 2 a 6 semanas, dependendo da gravidade. 2 a 4 semanas nos casos não complicados e 6 semanas nos casos complicados.

INFECÇÃO LIMITADA À PELE Fluconazol, 400 a 600 mg por dia. Itraconazol, 400 mg/dia.

PROFILAXIA SECUNDÁRIA Na doença por HIV (sem reconstituição imunológica), profilaxia secundária por toda a vida feita com fluconazol, 200 a 400 mg por dia, ou itraconazol, 200 a 400 mg por dia.

HISTOPLASMOSE CID-10: B39.9

ETIOLOGIA E EPIDEMIOLOGIA

ETIOLOGIA *Histoplasma capsulatum* var. *capsulatum*, um fungo dimórfico não encapsulado. Na África, *H. capsulatum* var. *duboisii*.

DEMOGRAFIA Regiões endêmicas: vales dos rios Ohio/Mississipi. África Equatorial. Ilhas do Caribe.

TRANSMISSÃO Inalação de microconídios dos solos contaminados com fezes de pássaros ou de morcegos. Surtos pulmonares agudos podem ocorrer em casos de exposição ocupacional ou recreativa.

PATOGÊNESE Na doença por HIV, pode se apresentar como histoplasmose primária ou reativação de infecção latente.

MANIFESTAÇÃO CLÍNICA

INFECÇÃO PULMONAR PRIMÁRIA Acompanhada de ou seguida por reações de hipersensibilidade: eritema nodoso, eritema multiforme.

INFECÇÃO CUTÂNEA Disseminação hematogênica ocorre quando há falha nas defesas do hospedeiro. Pápulas ou nódulos (Fig. 26-58A); eritematosos, necróticos ou hiperceratóticos. Pode haver ulceração espontânea (Fig. 26-58B). Outras morfologias: pústulas, pápulas acneiformes e lesões papuloescamosas semelhantes à psoríase gutata; úlceras crônicas; placas vegetantes; paniculite. Infiltração difusa da pele (Fig. 26-59). Eritrodermia. Hiperpigmentação difusa com doença de Addison secundária à infecção suprarrenal.

LESÕES OROFARÍNGEAS Nódulos, vegetações, úlceras dolorosas no palato mole, na orofaringe, na epiglote. Vestíbulo nasal.

DOENÇA DISSEMINADA Hepatoesplenomegalia, linfadenopatia, meningite.

DIAGNÓSTICO DIFERENCIAL

Tuberculose miliar, coccidioidomicose ou criptococose, leishmaniose, linfoma.

DIAGNÓSTICO

Suspeita clínica confirmada por cultura.

EVOLUÇÃO

Prognóstico associado à condição subjacente, por exemplo, doença por HIV.

TRATAMENTO

PREVENÇÃO Equipamento de proteção durante trabalho em áreas contaminadas com fezes de pássaros ou de morcegos.

TERAPIA ANTIMICÓTICA SISTÊMICA *Infecções meníngeas e potencialmente letais:* anfotericina B IV, seguida por itraconazol por pelo menos 1 ano. *Infecção não potencialmente fatal:* fluconazol oral, 800 mg por dia, durante 12 semanas. Itraconazol oral, 400 mg, duas vezes ao dia, durante 12 semanas. A maculopatia documentada deve ser tratada com a adição de esteroides.

PROFILAXIA SECUNDÁRIA Em pacientes com doença por HIV sem restauração imunológica, itraconazol, 200 mg diariamente, ou fluconazol, 400 mg diariamente.

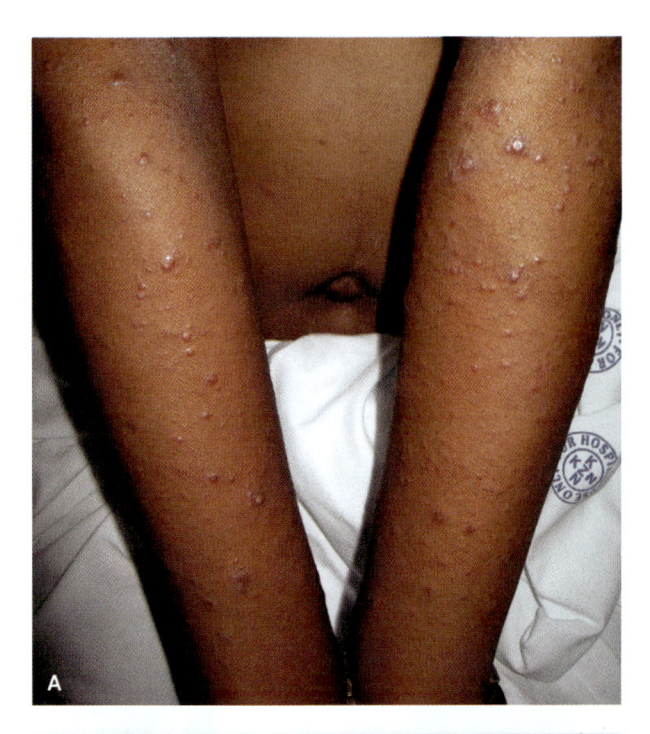

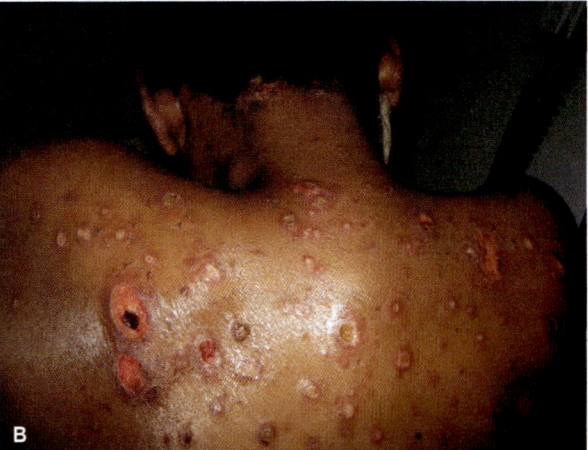

Figura 26-58 Histoplasmose disseminada para a pele (A) Nesta criança com HIV/Aids, as lesões aparecem como pápulas com base não folicular que coalescem formando placas. Nota-se coloração violácea. **(B)** Na doença progressiva por HIV/Aids, as lesões podem sofrer ulceração espontânea, mostrando hiperpigmentação periférica quase lembrando escoriações neuróticas nos locais em que o paciente não alcança. As orelhas e o nariz costumam ser envolvidos. Observar a extensão da linfadenopatia cervical. O paciente morreu logo após esta fotografia ser feita devido a complicações relacionadas à meningite. (Usada com permissão de Adam Lipworth, MD.)

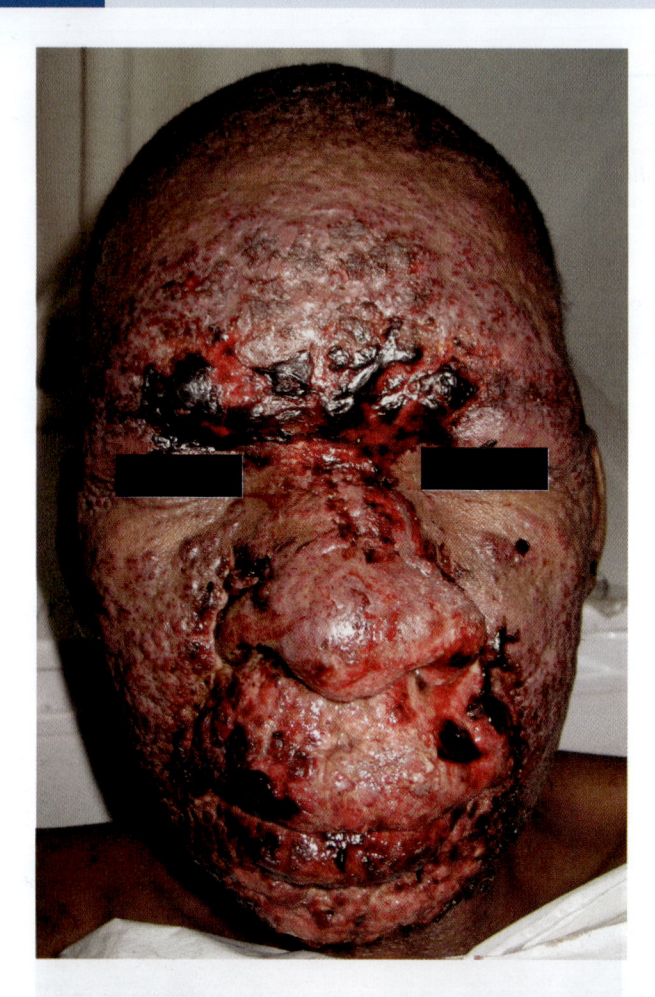

Figura 26-59 Histoplasmose disseminada para a pele Paciente africano de 35 anos que se apresentou com quadro febril subagudo. Infiltração difusa na face com erosões crostosas. Diagnosticada doença por HIV com histoplasmose. O paciente faleceu logo após apresentar-se. (Usada com permissão de Adam Lipworth, MD.)

BLASTOMICOSE CID-10: B40.3/40.9

- Agentes etiológicos. *Blastomyces dermatitidis*.
- Endêmica no sudeste e na região dos Grandes Lagos nos EUA.
- Infecção pulmonar primária que, em alguns casos, é seguida de disseminação hematogênica para a pele e outros órgãos.

ETIOLOGIA E EPIDEMIOLOGIA

AGENTE ETIOLÓGICO *Blastomyces dermatitidis*, um fungo dimórfico. Hábitat natural: fragmentos de madeira. Lagos, rios, áreas úmidas sujeitas à inundação.

DEMOGRAFIA Estados Unidos: a maioria dos casos ocorre nas regiões sudeste, central e nos Grandes Lagos. Canadá: região de Toronto.

PATOGÊNESE Infecção pulmonar primária assintomática que geralmente se resolve espontaneamente. É possível haver disseminação hematogênica para pele, sistema esquelético, próstata, epidídimo ou mucosa de nariz, boca ou laringe. Fatores de risco para a disseminação: defeitos nos mecanismos de defesa do hospedeiro.

MANIFESTAÇÃO CLÍNICA

INFECÇÃO PULMONAR PRIMÁRIA Acompanhada de ou seguida por reações de hipersensibilidade: eritema nodoso, eritema multiforme. Ver as Seções 7 e 14.

Infecção cutânea segue-se à disseminação hematogênica. Lesão inicial, nódulo inflamatório que aumenta de tamanho e sofre ulceração (Fig. 26-60); nódulo subcutâneo com várias pequenas pústulas sobre a superfície. Subsequentemente, placa verrucosa e/ou crostosa com bordas bem demarcadas e serpiginosas. A borda periférica estende-se para um dos lados, semelhante a uma meia-lua a três quartos de lua. Exsudação de pus quando a crosta é retirada. Cura central com cicatriz geográfica atrófica fina. Lesões disseminadas nos casos com doença por HIV. *Distribuição:* geralmente lesões simétricas sobre o tronco; também em face, mãos, braços, pernas; lesões múltiplas em 50% dos pacientes.

MUCOSAS Em 25% dos pacientes, encontram-se lesões na mucosa oral ou nasal; 50% deles apresentam lesões cutâneas contíguas. Infecção de laringe.

DIAGNÓSTICO DIFERENCIAL

Carcinoma espinocelular, pioderma gangrenoso, micose fungoide no estágio tumoral, tuberculose verrucosa da pele.

DIAGNÓSTICO

Suspeita clínica confirmada por cultura.

EVOLUÇÃO E TRATAMENTO

A infecção cutânea geralmente ocorre meses ou anos após a infecção pulmonar primária. A pele é o local de acometimento extrapulmonar mais comum. A taxa de cura com itraconazol é de 95%. Tratar as infecções potencialmente fatais com anfotericina B IV, 0,7 a 1 mg/kg/dia até dose total de 2 g.

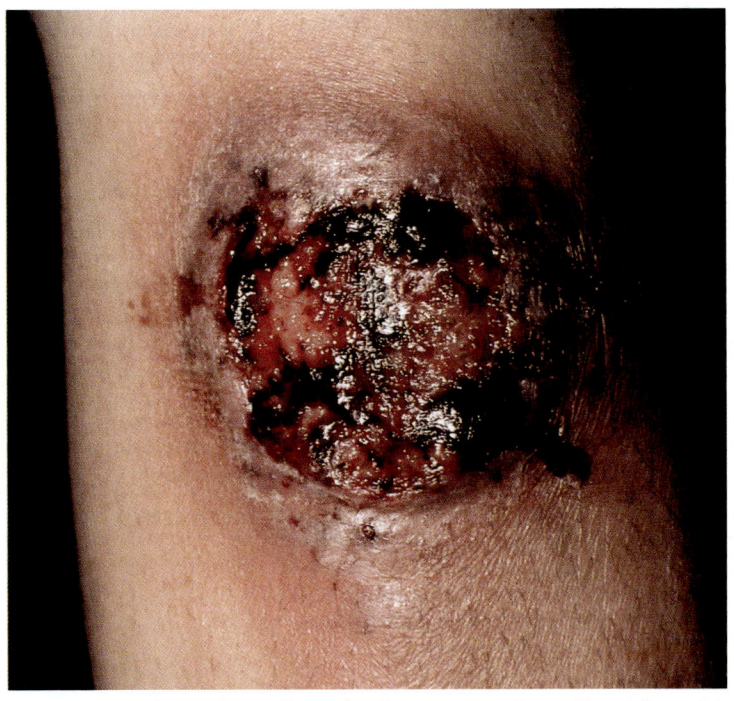

Figura 26-60 Blastomicose disseminada norte-americana Placa inflamatória ulcerada com eritema, edema e fibrose circundantes, localizada na perna como resultado da disseminação hematogênica do pulmão para a pele. A lesão deve ser diferenciada do pioderma gangrenoso. (Usada com permissão de Elizabeth M. Spiers, MD.)

COCCIDIOIDOMICOSE CID-10: B38.3/38.9

- Agente etiológico. *Coccidioides*.
- Endêmico em áreas desérticas no sudoeste dos EUA, norte do México, Américas Central e do Sul.
- A infecção pulmonar primária geralmente melhora espontaneamente.
- É possível haver disseminação hematogênica, resultando em infecção granulomatosa progressiva crônica na pele, pulmões, ossos e meninges.
- Lesões cutâneas na coccidioidomicose.
    - Coccidioidomicose aguda.
        - Eritema tóxico (eritema morbiliforme difuso, urticária).
        - Eritema nodoso (EN).
        - Eritema multiforme (EM) (ver Seções 7 e 14 para EN e EM).
    - Coccidioidomicose disseminada.
        - Pápulas, nódulos, placas verrucosas.
- *Sinônimos:* febre do Vale de São Joaquim, febre do vale, febre do deserto.

ETIOLOGIA E EPIDEMIOLOGIA

AGENTES ETIOLÓGICOS *Coccidioides*, um fungo dimórfico; forma artroconídios, os quais são transportados pelo ar. Em hospedeiro suscetível, os artroconídios aumentam para se tornarem esférulas que contêm endosporos. Raramente, percutânea.

DEMOGRAFIA Mais comum nos negros e filipinos. Risco de disseminação maior em indivíduos do sexo masculino e em gestantes. Endêmica no Arizona e no sul da Califórnia, no Vale de São Joaquim. A coccidioidomicose pulmonar primária ocorre em indivíduos que vivem nessas regiões (endêmica) ou em visitantes dessas regiões (não endêmica).

CLASSIFICAÇÃO Coccidioidomicose pulmonar aguda autolimitada. Coccidioidomicose disseminada (cutânea, osteoarticular, meníngea).

PATOGÊNESE Os esporos são inalados e causam infecção pulmonar primária assintomática ou acompanhada de sintomas de coriza. Ocorre disseminação para fora da cavidade torácica em menos de 1% das infecções, associada a falhas na defesa do hospedeiro.

MANIFESTAÇÃO CLÍNICA

INFECÇÃO PULMONAR PRIMÁRIA Acompanhada ou seguida por reações de hipersensibilidade: "eritema tóxico", eritema nodoso, eritema multiforme.

SÍTIO DE INOCULAÇÃO PRIMÁRIO CUTÂNEO (RARO) Nódulo erosivo que evolui para úlcera. É possível haver linfangite nodular, linfadenite regional.

DISSEMINAÇÃO HEMATOGÊNICA PARA A PELE Inicialmente pápula (Fig. 26-61) que evolui com formação de pústulas, placas, nódulos. Formação de abscesso, com múltiplos trajetos fistulosos com drenagem, úlceras; celulite subcutânea; placas verrucosas; nódulos granulomatosos. Fibrose. Distribuição: face, especialmente o sulco nasolabial, que é o local preferencial; membros.

DIAGNÓSTICO DIFERENCIAL

Criptococose, molusco contagioso.

DIAGNÓSTICO

Detecção de esférulas de *Coccidioides* em escarro, pus e amostra de biópsia de pele/tecido. Isolamento de *Coccidioides* em cultura.

EVOLUÇÃO

Em pacientes com infecção por HIV não tratada, a taxa de mortalidade é alta; a taxa de recidiva é também muito alta. Em pacientes transplantados, há reativação de infecções prévias a uma taxa de 10% ao ano.

TRATAMENTO

Fluconazol, itraconazol, anfotericina B.

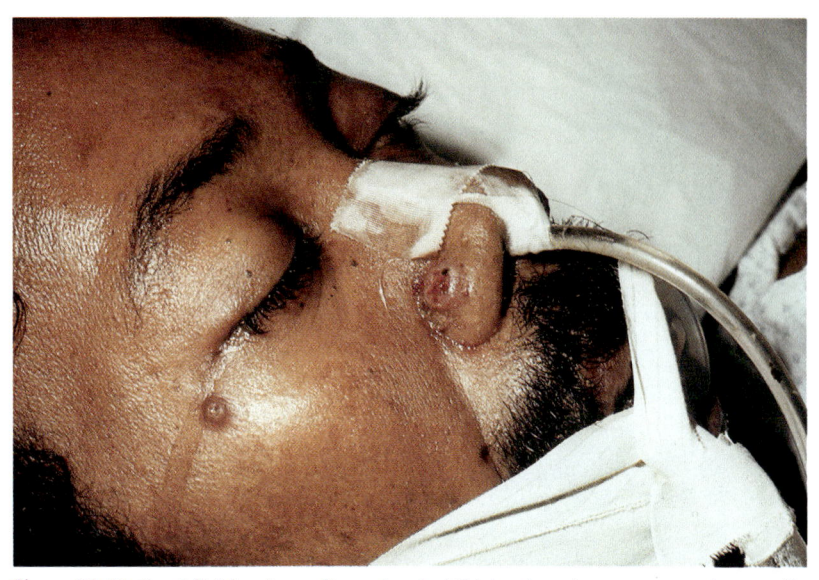

Figura 26-61 Coccidioidomicose disseminada Nódulos ulcerados com crosta sobre a região malar e o nariz em paciente com coccidioidomicose pulmonar disseminada para a pele. (Usada com permissão de Francis Renna, MD.)

PENICILIOSE CID-10: B48.4

- Etiologia. *Penicillium marneffei*, um fungo dimórfico.
- Demografia. Ocorre em pacientes com doença por HIV que viajam para ou moram no Sudeste Asiático. Entre os pacientes com doença por HIV, a incidência é semelhante à de infecções por *Cryptococcus neoformans* e *Mycobacterium tuberculosis*.
- Patogênese. A principal porta de entrada é o pulmão. A disseminação hematológica ocorre quando há falhas nas defesas do hospedeiro.

MANIFESTAÇÃO CLÍNICA

INFECÇÃO PULMONAR PRIMÁRIA Febre, calafrio, perda de peso, anemia, linfadenopatia generalizada e hepatomegalia.

PENICILIOSE DISSEMINADA PARA A PELE Lesão papular difusa disseminada (Fig. 26-62).

DIAGNÓSTICO

Exame histopatológico de tecido e esfregaço de sangue; cultura de amostras clínicas.

TRATAMENTO

Anfotericina B.

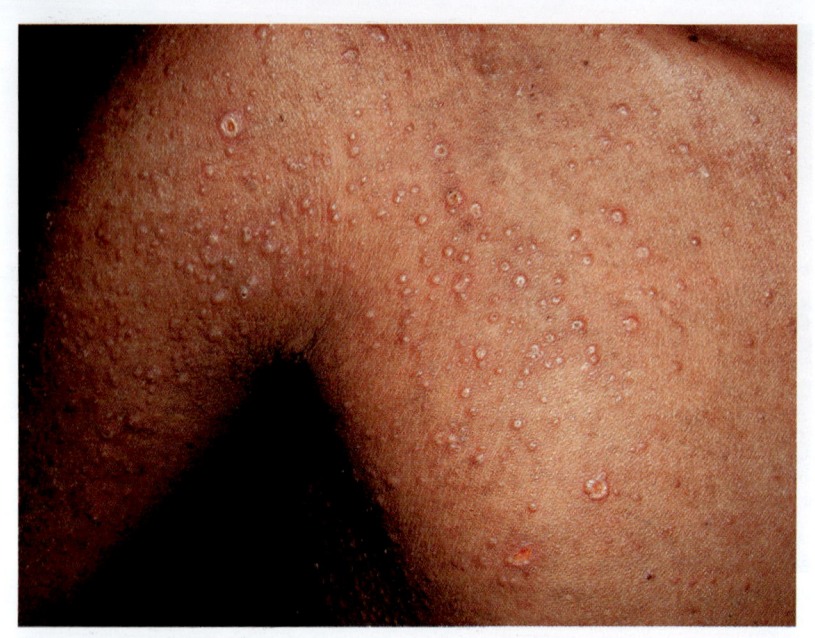

Figura 26-62 Peniciliose em paciente com doença por HIV: lesões disseminadas na pele Paciente do sexo masculino, vietnamita, de 27 anos, com doença por HIV sem tratamento, em estágio avançado, apresentou-se com febre, perda de peso e pápulas umbilicadas cor de pele disseminadas. Centenas de pápulas cor de pele e de tamanhos variados, muitas umbilicadas ou com erosão e crosta central. (Usada com permissão de Hoang Van Minh, M.D.)

SEÇÃO 27

DOENÇAS VIRAIS DA PELE E DAS MUCOSAS

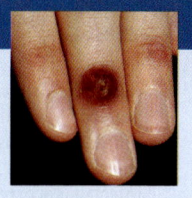

INTRODUÇÃO

As infecções virais da pele e das mucosas produzem um amplo espectro de manifestações locais e sistêmicas.

- O papilomavírus humano (HPV) e o vírus do molusco contagioso (MCV) colonizam a epiderme da maioria dos indivíduos sem causar qualquer lesão clínica. Em alguns indivíduos colonizados, ocorrem proliferações epiteliais benignas, como verrugas e molusco, que são transitórias e que eventualmente regridem sem tratamento. Todavia, nos indivíduos imunocomprometidos, essas lesões podem se tornar extensas, persistentes e refratárias ao tratamento.
- As infecções primárias por diversos vírus provocam doenças febris sistêmicas agudas e exantemas, são habitualmente autolimitadas e conferem imunidade permanente. A varíola causava grave morbidade e mortalidade, mas foi erradicada em consequência de imunização mundial.
- Oito herpes-vírus humanos (HHVs) frequentemente causam infecção primária assintomática; porém, caracterizam-se por infecção latente que perdura por toda a vida. Na presença de defeitos nos mecanismos de defesa do hospedeiro, os herpes-vírus podem se tornar ativos e causar doença com taxas significativas de morbidade e mortalidade.

DOENÇAS CAUSADAS POR POXVÍRUS

- A família dos poxvírus é constituída por um grupo diverso de vírus epiteliotrópicos, que infectam seres humanos e animais. Apenas o vírus da varíola e o MCV causam doença natural nos seres humanos. O vírus da varíola provoca infecção sistêmica com exantema, isto é, varíola. O MCV causa lesões cutâneas localizadas. O orf humano e os nódulos do ordenhador são zoonoses que podem ocorrer nos seres humanos, em consequência de exposição a ovinos ou bovinos infectados. Outras zoonoses por poxvírus que ocorrem em macacos, vacas, búfalos, ovelhas e cabras também podem infectar os seres humanos.

MOLUSCO CONTAGIOSO CID-10: B08.1

- O molusco contagioso é uma infecção viral epidérmica autolimitada.
- **Manifestações clínicas.** Pápulas peroladas firmes; muitas vezes com umbilicação. Algumas ou inúmeras lesões. Defeitos nos mecanismos de defesa do hospedeiro: nódulos grandes com confluência.
- **Evolução.** Nos indivíduos saudáveis, ocorre regressão espontânea.

ETIOLOGIA E EPIDEMIOLOGIA

ETIOLOGIA O MCV tem quatro subtipos virais distintos, I, II, III, IV; o tipo I é responsável por > 90% dos casos. Não é possível distingui-lo de outros poxvírus à microscopia eletrônica. O MCV coloniza a epiderme e o infundíbulo dos folículos pilosos. Transmitido por contato pele a pele.

DEMOGRAFIA Mais comum em crianças e em adultos sexualmente ativos. Na doença avançada pelo vírus da imunodeficiência humana (HIV), centenas de pequenos moluscos ou moluscos gigantes ocorrem na face e em outros locais.

PATOGÊNESE Existe provavelmente um estado de portador subclínico do MCV em muitos adultos saudáveis. Singular entre os poxvírus, a infecção pelo MCV resulta na formação de tumores epidérmicos; outros poxvírus humanos causam lesão "pox" necrótica. A ruptura e a liberação das células infectadas ocorrem na umbilicação/cratera da lesão.

MANIFESTAÇÃO CLÍNICA

Pápulas, nódulos, tumores com umbilicação ou depressão central (**Figs. 27-1** a **27-4**). Cor da pele. Lesões redondas, ovais, hemisféricas. Lesão única isolada; lesões dispersas múltiplas e distintas; ou placas confluentes em mosaico. Os moluscos maiores podem ter um tampão ceratótico central, formando uma depressão ou umbilicação central na lesão. A pressão suave exercida sobre um molusco causa expulsão do tampão central.

Pode ocorrer autoinoculação ao coçar ou tocar na lesão (**Fig. 27-2**).

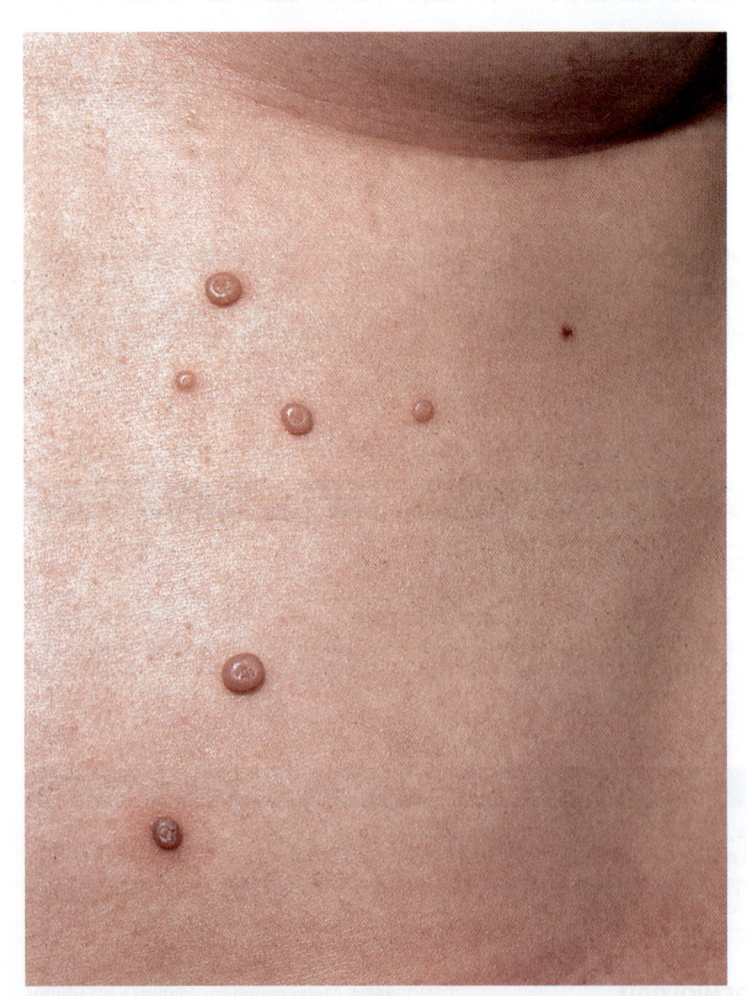

Figura 27-1 Molusco contagioso Pápulas umbilicadas típicas. Pápulas isoladas, sólidas e da cor da pele, medindo de 3 a 5 mm, no tórax de uma adolescente. A lesão com halo eritematoso está sofrendo regressão espontânea.

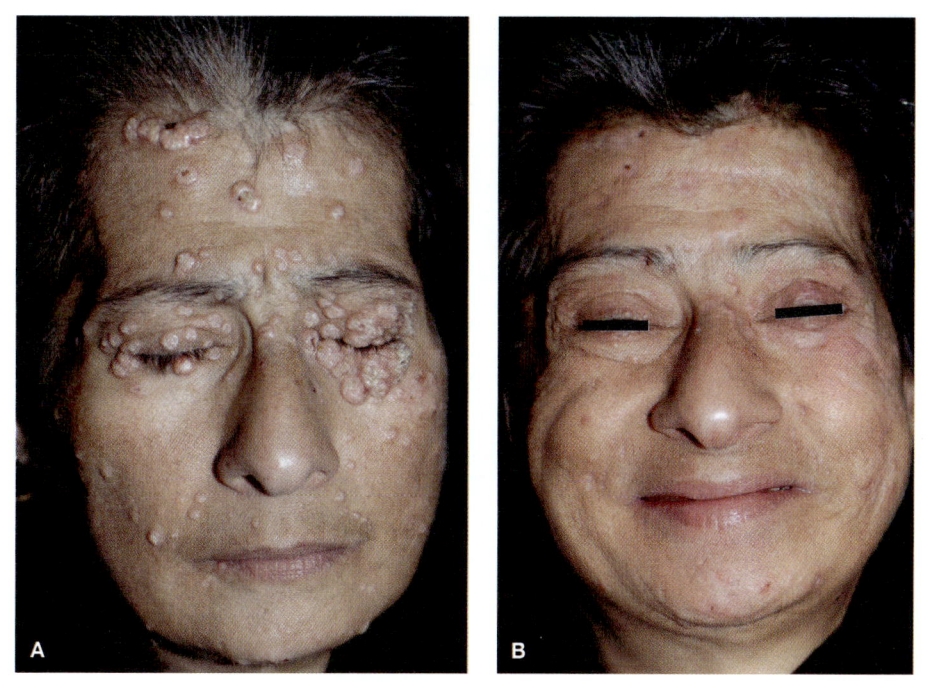

Seção 27 Doenças virais da pele e das mucosas 651

Figura 27-2 Molusco contagioso: face **(A)** Lesões grandes na face de uma mulher HIV+. **(B)** As lesões desapareceram com eletrodissecção.

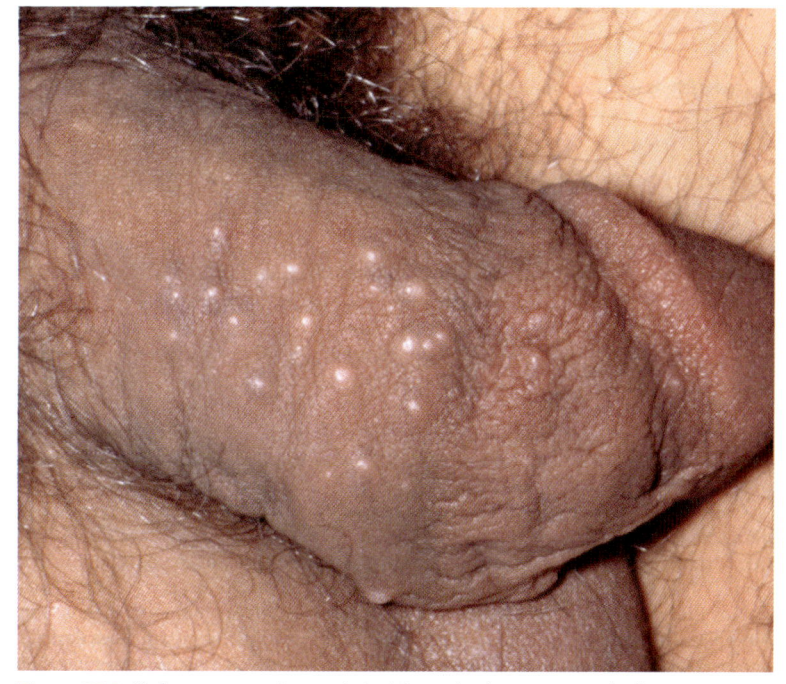

Figura 27-3 Molusco contagioso: pênis Várias pápulas pequenas e brilhantes no corpo do pênis.

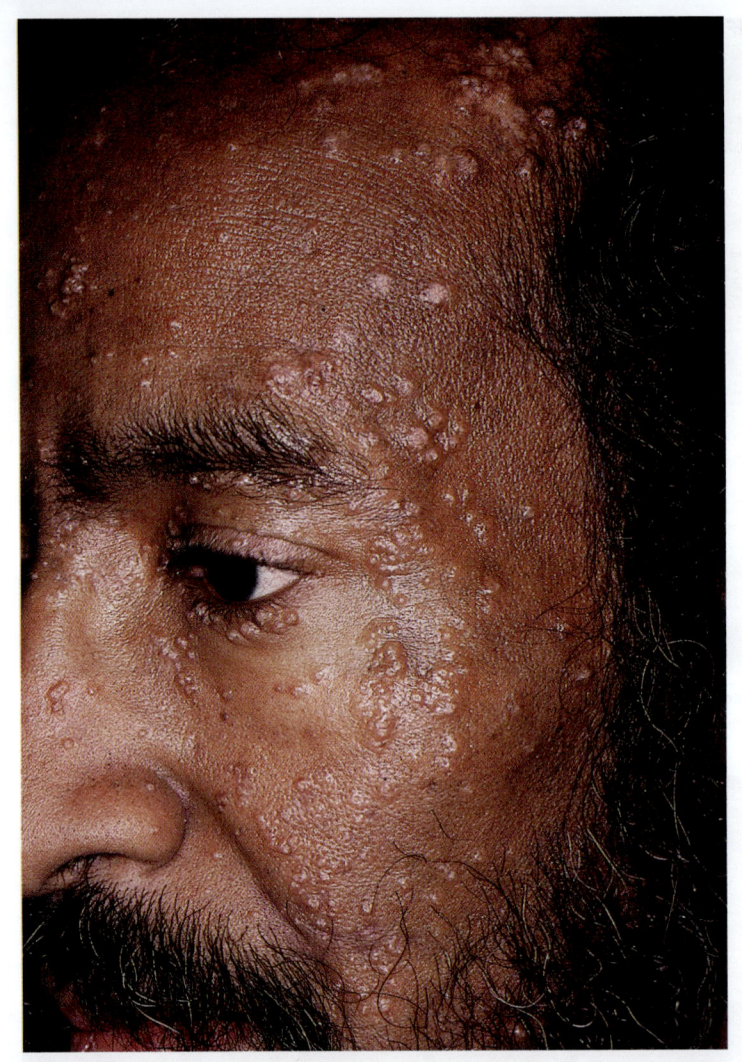

Figura 27-4 Molusco contagioso: face Homem de 52 anos com doença pelo HIV. Pápulas umbilicadas isoladas e confluentes na face.

A resposta imunológica do hospedeiro ao antígeno viral resulta na formação de um halo inflamatório ao redor dos moluscos (Fig. 27-2) e prenuncia regressão espontânea.

Os defeitos nos mecanismos de defesa do hospedeiros podem ser extensos em indivíduos submetidos a tratamento imunossupressor e com doença pelo HIV (Figs. 27-3 e 27-4).

Nos indivíduos de pele escura, pode ocorrer hiperpigmentação pós-inflamatória significativa após tratamento ou regressão espontânea.

Distribuição. Qualquer área pode ser infectada, particularmente locais de oclusão natural, isto é, axilas, fossas antecubitais e poplíteas e pregas anogenitais. A autoinoculação dissemina as lesões. O molusco pode ser disseminado em áreas de dermatite atópica. Em adultos com molusco transmitido sexualmente: região inguinal, órgãos genitais, coxa e parte inferior do abdome. Inúmeros moluscos faciais (Fig. 27-4) sugerem defeitos nos mecanismos de defesa do hospedeiro. O molusco pode ocorrer na conjuntiva, causando conjuntivite unilateral.

DIAGNÓSTICO DIFERENCIAL

MÚLTIPLAS PEQUENAS PÁPULAS Verrugas planas, condiloma acuminado, siringoma, hiperplasia sebácea.
MOLUSCO GRANDE ÚNICO Carcinoma espinocelular (CEC), carcinoma basocelular, cisto de inclusão epidérmica.
MÚLTIPLOS MOLUSCOS FACIAIS NA DOENÇA PELO HIV Infecção fúngica invasiva disseminada, isto é, criptococose, histoplasmose, coccidioidomicose e peniciliose (ver Seção 26).

MANIFESTAÇÕES LABORATORIAIS

DERMATOPATOLOGIA As células infectadas contêm grandes inclusões intracitoplasmáticas chamadas corpúsculos de Henderson-Patterson, os quais aparecem como estruturas eosinofílicas ovoides.

DIAGNÓSTICO

É habitualmente estabelecido com base nas manifestações clínicas. Biópsia da lesão na presença de doença pelo HIV se o diagnóstico diferencial incluir infecção fúngica invasiva disseminada.

EVOLUÇÃO

No hospedeiro normal, o molusco frequentemente persiste por até 6 meses e, em seguida, sofre regressão espontânea sem deixar cicatrizes. Na doença pelo HIV, os moluscos persistem e proliferam mesmo após tratamento tópico agressivo. Em geral, os moluscos poucas vezes são sintomáticos e podem causar desfiguração estética e preocupação quanto à sua transmissão para um parceiro sexual.

TRATAMENTO

Os tratamentos realizados no consultório incluem curetagem, criocirurgia, cantaridina e eletrodissecção. O creme de imiquimode a 5% pode ser eficaz.

ORF HUMANO CID-10: B08.8

- **Zoonose.** O orf humano é causado por um parapoxvírus dermatotrópico, que infecta comumente ungulados (ovinos, caprinos, cervídeos, etc.); é transmitido ao ser humano por contato com animal infectado ou objetos contaminados. A doença é mais comum em fazendeiros, veterinários e tosquiadores de ovelhas. Apenas os animais recém-nascidos que carecem de imunidade viral são suscetíveis. A doença manifesta-se na forma de nódulos eritematosos exsudativos ao redor da boca que cicatrizam espontaneamente, resultando em imunidade permanente.
- **Transmissão aos seres humanos.** Os seres humanos são infectados por inoculação do vírus por contato direto com cordeiros e indiretamente por objetos contaminados. Não ocorre transmissão de um ser humano para outro. A exposição ocorre na época do abate de cordeiros na Páscoa ou no feriado muçulmano Eid al-Adha.

MANIFESTAÇÃO CLÍNICA

MÁCULAS, PÁPULAS E NÓDULOS NO LOCAL DE INOCULAÇÃO Ocorrem mais comumente nas mãos, nos braços, nas pernas e na face (Figs. 27-5 e 27-6). As lesões podem estar edemaciadas ou bolhosas. Ocorre síndrome inflamatória de reconstituição imune (SIRI) ou lesões em alvo. As lesões são de coloração rosada a vermelha a esbranquiçadas. As lesões evoluem, formando erosões crostosas ou úlceras. A cicatrização ocorre de modo espontâneo em 4 a 6 semanas, sem deixar marcas.
OUTRAS ANORMALIDADES Linfangite ascendente e linfadenopatia. Pode ocorrer infecção mais extensa na presença de defeitos nos mecanismos de defesa do hospedeiro.

DIAGNÓSTICO DIFERENCIAL

Impetigo, furúnculos, nódulos do ordenhador.

DIAGNÓSTICO

Manifestações clínicas com história apropriada. A doença pode ser confirmada pela detecção do DNA do vírus orf pela reação em cadeia da polimerase quantitativa.

EVOLUÇÃO

Regride espontaneamente em 4 a 6 semanas, sem deixar cicatrizes. Foram relatadas erupções semelhantes ao eritema multiforme (ver Seção 14) no orf humano. Podem ocorrer lesões disseminadas por autoinoculação em indivíduos com dermatite atópica. Nos seres humanos, a infecção confere imunidade duradoura.

TRATAMENTO

Não existe nenhum tratamento antiviral eficaz. Tratar a infecção bacteriana secundária.

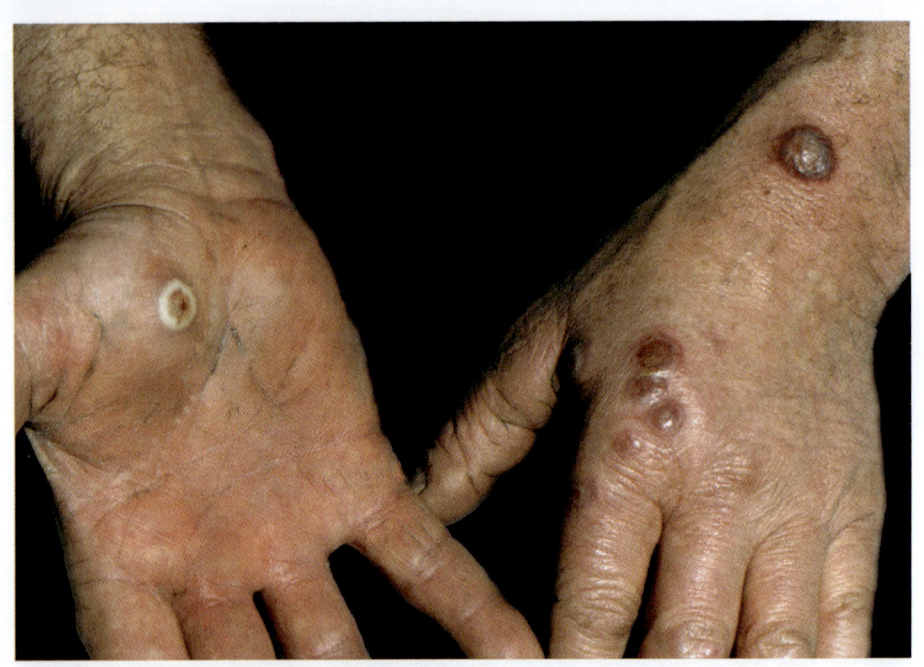

Figura 27-5 Orf humano: várias lesões nas mãos Várias bolhas com padrões em alvo/SIRI em lesões nas mãos de um pastor de ovelhas.

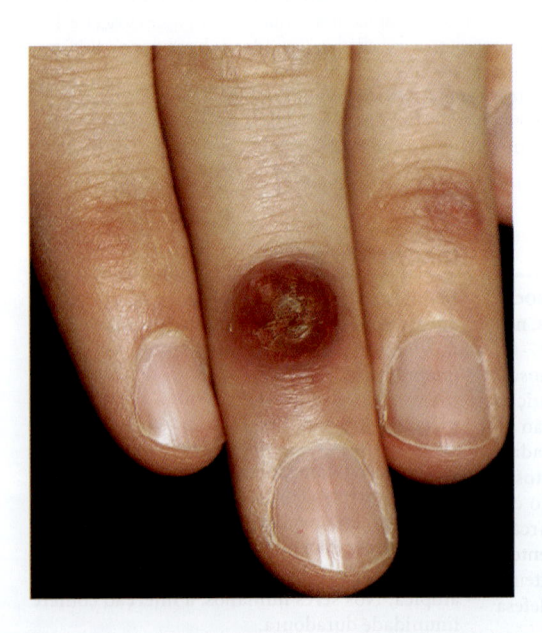

Figura 27-6 Orf humano: dedo Jovem de 19 anos de ascendência grega; as lesões apareceram 10 dias depois da Páscoa Grega e foram associadas ao abate de um cordeiro para a festividade da Páscoa.

NÓDULOS DO ORDENHADOR CID-10: B08.03

- **Zoonose.** Infecção por parapoxvírus. As lesões papulares ocorrem no focinho e na cavidade oral de bezerros e nos úberes das vacas. O vírus é transmitido aos seres humanos por contato com lesões de bovinos ou aplicadores das máquinas de ordenha. Mais comum em fazendeiros de gado leiteiro. As manifestações clínicas e a evolução assemelham-se às do orf humano.

MANIFESTAÇÃO CLÍNICA

Nódulo único ou nódulos múltiplos vermelho-purpúreos (Fig. 27-7) que ocorrem no local de inoculação. Em geral, em locais expostos, como as mãos; podem ocorrer em feridas de queimaduras.
OUTROS ACHADOS Linfadenopatia.

DIAGNÓSTICO DIFERENCIAL

Orf humano, furúnculo, infecção por herpes-vírus simples (HSV), granuloma piogênico.

DIAGNÓSTICO

Habitualmente estabelecido com base na história de exposição a bovinos e nas manifestações clínicas.

EVOLUÇÃO

Resolução espontânea.

TRATAMENTO

Não existe nenhum tratamento antiviral eficaz. Tratar a infecção bacteriana secundária.

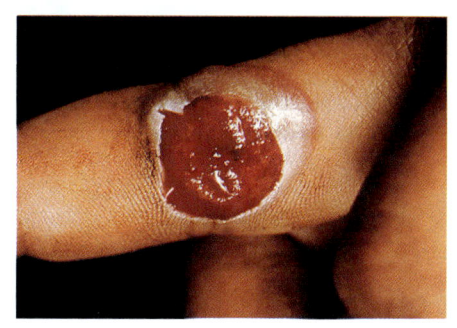

Figura 27-7 Nódulo do ordenhador: dedo da mão Nódulo erosado vermelho-vivo único no dedo da mão de um pecuarista leiteiro, no local de inoculação.

VARÍOLA CID-10: B03

- A varíola é uma infecção viral exclusiva dos seres humanos. A doença foi erradicada em consequência de um programa de imunização global, e o último caso foi notificado em 1977.
  https://www.cdc.gov/smallpox/index.html
  http://www.who.int/csr/disease/smallpox/en
- **Etiologia.** *Variola major* e *variola minor*. Os seres humanos são os únicos hospedeiros. Trata-se de um vírus de DNA que se replica no citoplasma das células. Transmitida por gotículas respiratórias. A ***variola major*** tem mortalidade de 30% a 50%.
- **Patogênese.** O vírus entra no trato respiratório, passando rapidamente para os linfonodos locais e produzindo viremia. A infecção pelo vírus da varíola confere imunidade permanente.
- **Manifestações clínicas.** Início agudo de febre, seguida por exantema. Pequenas *máculas* vermelhas que evoluem para *pápulas* no decorrer de 1 a 2 dias. Inicialmente na face, antebraços e boca, com disseminação gradual. Em mais 1 a 2 dias, as pápulas transformam-se em *vesículas*. As vesículas evoluem para pústulas cerca de 4 a 7 dias após o início da erupção (Fig. 27-8), durando 5 a 8 dias. Seguidas de *umbilicação* e formação de *crostas* (Fig. 27-8). Em geral, todas as lesões encontram-se no mesmo estágio de desenvolvimento. Ocorrem marcas de pústula/cicatrizes deprimidas em 65 a 85% dos casos graves, particularmente na face (Fig. 27-9). A infecção secundária por *Staphylococcus aureus* com formação de abscessos e celulite pode ocorrer nas lesões da varíola. O enantema (língua, boca, orofaringe) precede o exantema em 1 dia.
- **Diagnóstico diferencial.** Varicela grave (as lesões na varicela encontram-se em diferentes estágios de desenvolvimento), sarampo, sífilis secundária, doença da mão-pé-boca (vírus Coxsackie A-16), vaccínia, varíola do macaco, tanapox.
- **Tratamento.** Notificar a possibilidade de varíola aos órgãos de saúde pública; diagnóstico confirmado em um laboratório de Nível 4 de Segurança Biológica, no qual os membros da equipe tenham sido vacinados. Cidofovir pode ser eficaz.

Figura 27-8 Varíola: *variola major* Múltiplas pústulas que se tornam confluentes na face.

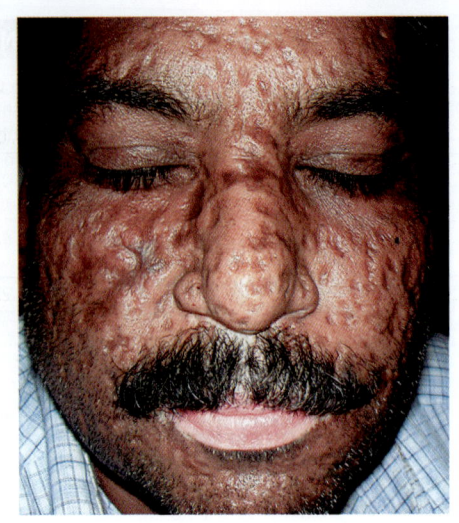

Figura 27-9 Varíola: cicatrizes na face Este homem indiano de 50 anos com história de varíola quando criança apresenta numerosas cicatrizes deprimidas na face, 40 anos após a infecção por varíola. (Usada com permissão de Atul Taneja, MD.)

INFECÇÃO PELO PAPILOMAVÍRUS HUMANO CID-10: B97.7

- Os HPVs são ubíquos nos seres humanos e causam:
    - Infecção subclínica.
    - Ampla variedade de lesões clínicas benignas da pele e das mucosas.
    - Lesões pré-malignas da pele e das mucosas (**Quadro 27-1**): carcinoma espinocelular *in situ* (CECIS); CEC invasivo.
- Foram identificados mais de 150 tipos de HPV, que estão associados a várias lesões e doenças clínicas. Os papilomavírus infectam todas as espécies de mamíferos, bem como aves, répteis e outros animais.
    - É comum a ocorrência de infecções cutâneas por HPV na população geral:
    - *Verrugas vulgares*: representam cerca de 70% de todas as verrugas cutâneas e ocorrem em até 20% de todas as crianças em idade escolar.
    - *Verrugas do açougueiro*: comuns em açougueiros, embaladores de carne, pessoas que manuseiam peixes.
    - *Verrugas plantares*: comuns em crianças de mais idade e adultos jovens, respondendo por 30% das verrugas cutâneas.
    - *Verrugas planas*: ocorrem em crianças e adultos e representam 4% das verrugas cutâneas.
    - HPVs oncogênicos podem causar CECIS e CEC invasivo em indivíduos com defeitos nos mecanismos de defesa.
- *Epidermodisplasia verruciforme (EDV).*
- Infecções anogenitais por HPV.
- *Verrugas genitais externas:* infecção sexualmente transmissível mais prevalente (ver Seção 30).
- Carcinoma espinocelular. Alguns tipos de HPV desempenham um importante papel etiológico na patogênese do CECIS e do CEC invasivo do epitélio anogenital.
- Durante o parto, a infecção genital materna por HPV pode ser transmitida ao recém-nascido, resultando em verrugas anogenitais e papilomatose respiratória após aspiração do vírus nas vias respiratórias superiores.

QUADRO 27-1 Correlação dos tipos de HPVs com doenças

Doença	Tipos de HPVs associados
Verrugas plantares	1,* 2,† 4, 63
Mirmécia	60
Verrugas comuns	1,* 2,* 4, 26, 27, 29, 41,† 57, 65, 77
Verrugas comuns de indivíduos que manuseiam carne	1, 2,* 3, 4, 7,* 10, 28
Verrugas planas	3,* 10,* 27, 38, 41,† 49, 75, 76
Verrugas intermediárias	10,* 26, 28
Epidermodisplasia verruciforme	2,* 3,* 5,*† 8,*† 9,* 10,* 12,* 14,*† 15,* 17,*† 19, 20,† 21, 22, 23, 24, 25, 36, 37, 38,† 47, 50
Condiloma acuminado	6,* 11,* 30,† 42, 43, 44, 45,† 51,† 54, 55, 70

Neoplasias intraepiteliais
  Não especificadas
  Baixo grau
  Alto grau
	
	30,† 34, 39,† 40, 53, 57, 59, 61, 62, 64, 66,† 67, 69, 71
	6,* 11,* 16,† 18,† 31,† 33,† 35,† 42, 43, 44, 45,† 51,† 52,† 74
	6, 11, 16,*† 18,*† 31,† 33,† 34, 35,† 39,† 42, 44, 45,† 51,† 52,† 56,† 58,† 66,†

Carcinoma do colo do útero	16,*† 18,*† 31,† 33,† 35,† 39,† 45,† 51,† 52,† 56,† 58,† 66,† 68, 70
Papilomas da laringe	6,* 11*
Hiperplasia epitelial focal de Heck	13,* 32*
Papilomas conjuntivais	6,* 11,* 16*†
Outras	6, 11, 16,† 30,† 33,† 36, 37, 38,† 41,† 48,† 60, 72, 73

*Associações mais comuns.
†Alto potencial maligno.
Observação: Outras informações sobre novos tipos de HPV podem ser encontradas no HPV Sequence Data Base disponível na internet (https://pave.niaid.nih.gov/).

ETIOLOGIA

Os HPV são vírus de DNA de fita dupla da classe dos papovavírus, que infectam a maioria das espécies vertebradas, com especificidade exclusiva quanto ao hospedeiro e ao tecido. As infecções são restritas aos epitélios escamosos da pele e das mucosas. As lesões clínicas induzidas pelo HPV e sua história natural são em grande parte determinadas pelo tipo de HPV, os quais são agrupados conforme as associações patológicas e especificidade tecidual, como cutâneo ou mucoso. Os HPVs associados à mucosa podem ser ainda subdivididos de acordo com o risco de transformação maligna. Os novos tipos de HPV são definidos por terem menos de 90% de homologia com tipos conhecidos em seis genes precoces e tardios específicos.

PAPILOMAVÍRUS HUMANO: DOENÇAS CUTÂNEAS

- Certos tipos de HPVs humanos infectam comumente a pele ceratinizada.
- As verrugas cutâneas consistem em:
  - Hiperplasia epitelial benigna isolada com graus variáveis de hiperceratose superficial.
  - Manifestam-se na forma de minúsculas pápulas a grandes placas.
- As lesões podem se tornar confluentes, formando um mosaico.
- A extensão da lesão é determinada pelo estado imunológico do hospedeiro.

EPIDEMIOLOGIA

TRANSMISSÃO Contato pele a pele. A ocorrência de traumatismo mínimo com soluções de continuidade no estrato córneo facilita a infecção epidérmica.

DEMOGRAFIA Os defeitos nos mecanismos de defesa do hospedeiro estão associados a uma incidência aumentada e maior disseminação das verrugas cutâneas: doença pelo HIV, imunossupressão iatrogênica com transplante de órgãos sólidos.

EPIDERMODISPLASIA VERRUCIFORME Distúrbio hereditário autossômico recessivo. Lesões adquiridas semelhantes à EDV são observadas na doença causada pelo HIV.

MANIFESTAÇÃO CLÍNICA

Verruga comum ou verruga vulgar

Pápulas firmes de 1 a 10 mm ou maiores (Figs. 27-10 a 27-14), hiperceratóticas, com superfície fissurada e vegetações. Lesão isolada, lesões bem demarcadas e dispersas. Ocorrem em locais de traumatismo: mãos, dedos das mãos e joelhos. As lesões palmares interrompem as linhas normais das impressões digitais. O reaparecimento das impressões digitais constitui um sinal de regressão da verruga. Os "pontos vermelhos ou castanhos" *característicos*, que são visualizados mais facilmente com o dermatoscópio, são patognomônicos, representam alças capilares trombosadas das papilas dérmicas.

Disposição linear: Inoculação por coçadura.

Verrugas anulares: em áreas de tratamento prévio.

Verrugas do açougueiro: lesões grandes semelhantes à couve-flor sobre as mãos de pessoas que manuseiam carnes.

Verrugas filiformes: apresentam Δbases relativamente pequenas e estendem-se para fora com capuz alongado (Fig. 27-18).

Verrugas plantares

No início, pequena pápula brilhante e nitidamente demarcada (Fig. 27-15) → placa com superfície hiperceratótica rugosa, salpicada de pontos marrons-enegrecidos (capilares trombosados). À semelhança das verrugas palmares, ocorre interrupção dos dermatóglifos normais. O retorno dos dermatóglifos constitui um sinal de regressão da verruga. As verrugas regridem sem deixar cicatriz. Os tratamentos como a criocirurgia e a eletrocirurgia podem provocar cicatrizes nas áreas tratadas. A sensibilidade pode ser acentuada, particularmente em alguns tipos agudos e nas lesões que se desenvolvem em áreas de pressão.

Verrugas em mosaico: confluência de numerosas verrugas pequenas. *Verrugas que "se beijam"*: a lesão pode ocorrer nas superfícies opostas de dois dedos dos pés (Fig. 27-16). Na região plantar do pé, a verruga é frequentemente única, mas podem ocorrer 3 a 6 ou mais lesões. Pontos de pressão, cabeças dos metatarsos, calcanhares, dedos dos pés.

Verrugas planas

Pápulas planas e nitidamente demarcadas (1 a 5 mm); superfície "plana"; a espessura da lesão é de 1 a 2 mm (Fig. 27-17). Cor da pele ou castanho-clara. Lesões redondas, ovais, poligonais e lineares (inoculação do vírus por meio de arranhadura). As lesões ocorrem na face, na região da barba (Fig. 27-18), no dorso das mãos e nas canelas.

Epidermodisplasia verruciforme

Geralmente autossômica recessiva, mas pode ser adquirida em pacientes com imunidade prejudicada. Pápulas planas. Lesões semelhantes à pitiríase

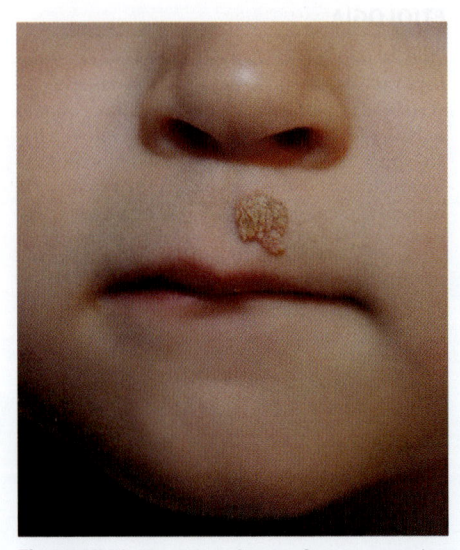

Figura 27-10 Verruga vulgar na face Menino de 3 anos de idade com verruga vulgar na área do bigode.

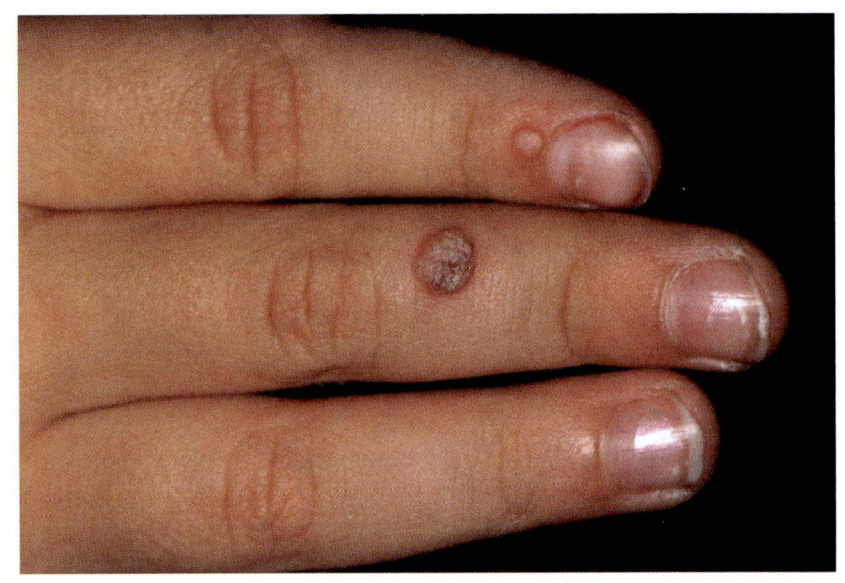

Seção 27 Doenças virais da pele e das mucosas 659

Figura 27-11 Verruga vulgar: dedos das mãos Mulher de 20 anos com pápulas hiperceratóticas verrucosas nos dedos indicador e médio. A lesão regrediu com eletrodissecção, após não responder à criocirurgia.

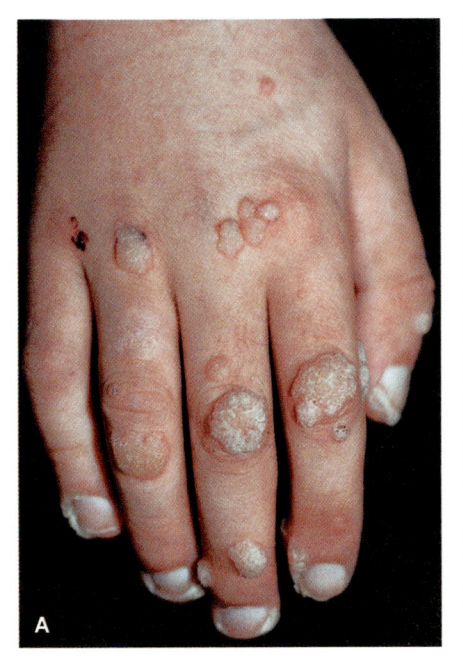

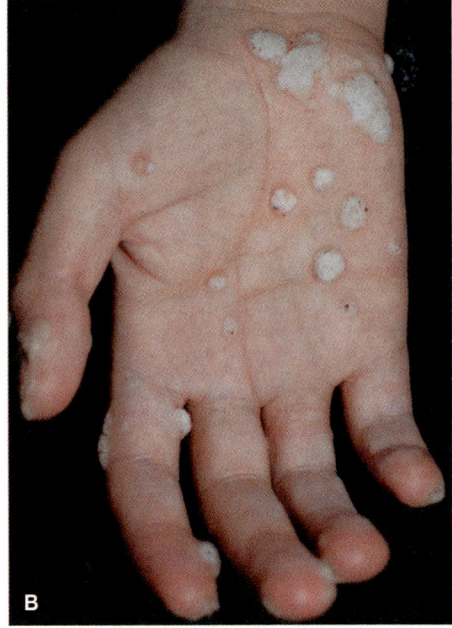

Figura 27-12 Verruga vulgar: mãos Homem de 20 anos imunossuprimido com síndrome nefrótica. Múltiplas verrugas **(A)** no dorso e **(B)** na palma da mão.

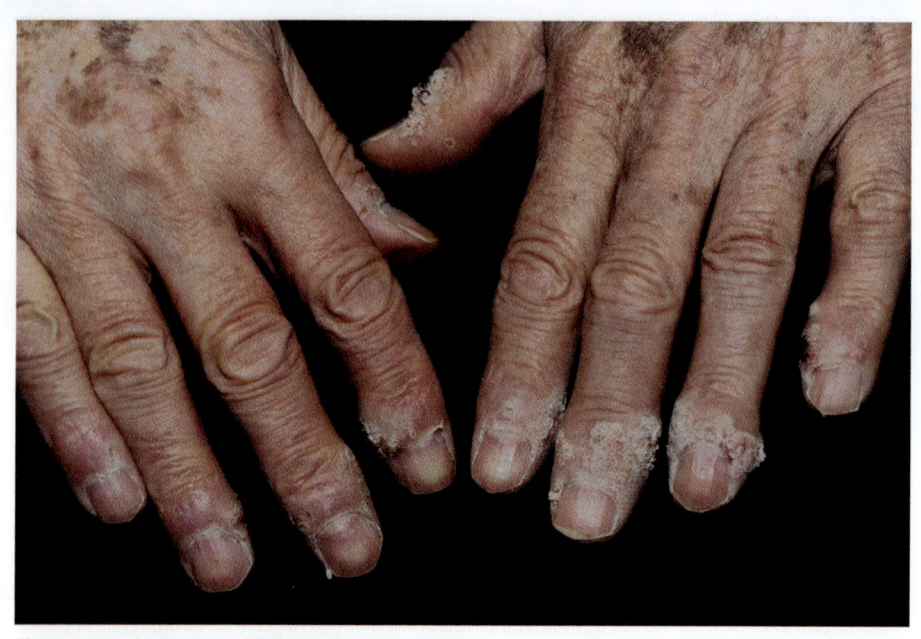

Figura 27-13 Verrugas periungueais Homem de 77 anos com verrugas periungueais extensas. Ele estava deprimido e arrancava a pele nas dobras cutâneas periungueais, criando uma porta de entrada para o HPV. As lesões regrediram com hipertermia.

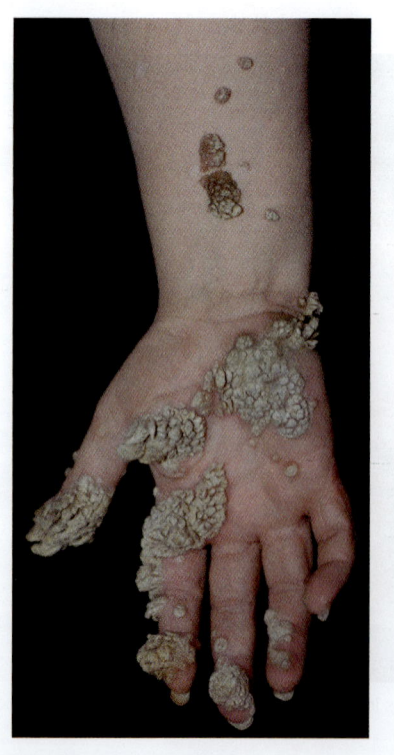

Figura 27-14 Verrugas gigantes na mão e no antebraço Mulher de 51 anos com verrugas refratárias nas mãos que surgiram há dois anos. Houve suspeita de imunodeficiência, que não foi detectada.

Figura 27-15 Verruga plantar: região plantar dos pés Homem de 71 anos com leucemia linfática crônica. As verrugas grandes e dolorosas quando pressionadas estão na região plantar dos pés. Depois do fracasso de muitas modalidades terapêuticas, as verrugas foram eliminadas com irradiação com feixe de elétrons.

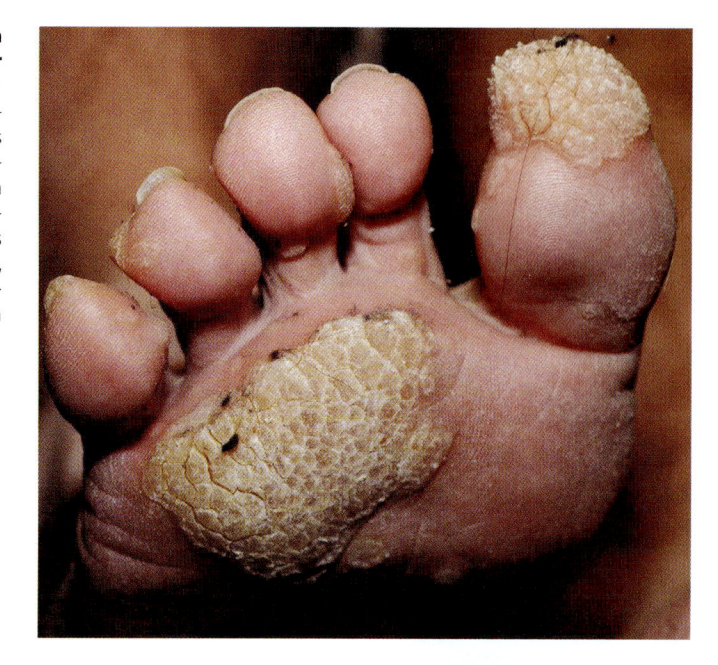

Figura 27-16 Verrugas extensas Homem de 49 anos com doença pelo HIV que apresenta verrugas confluentes nas mãos e nos pés. As grandes verrugas localizadas em dedos dos pés opostos são designadas "verrugas que se beijam".

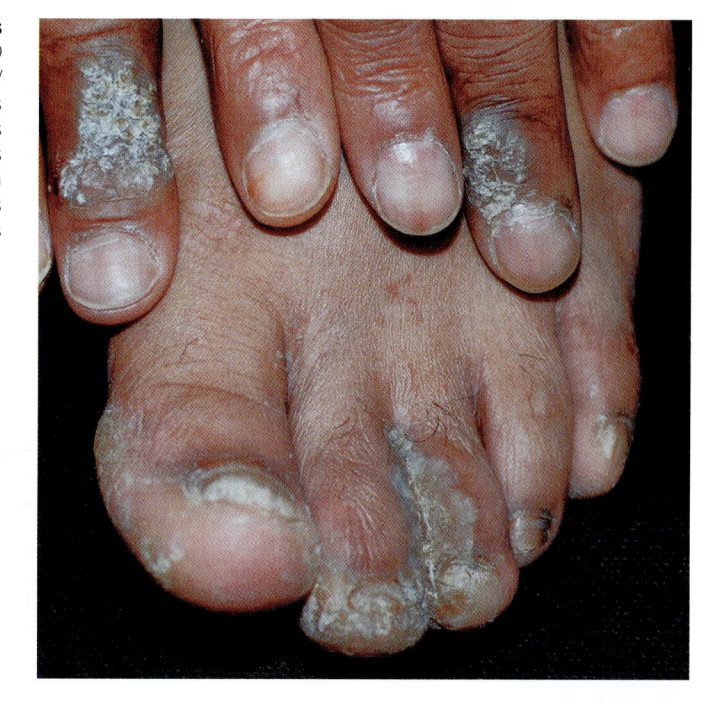

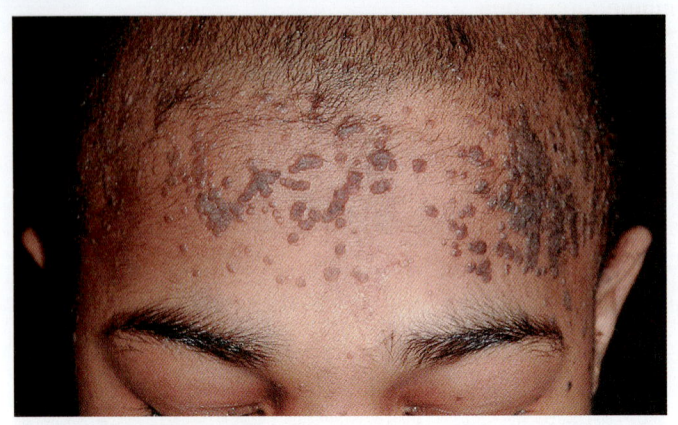

Figura 27-17 Verrugas planas Menino de 12 anos de idade, receptor de transplante de rim. São observadas múltiplas pápulas ceratóticas marrons na fronte e no couro cabeludo.

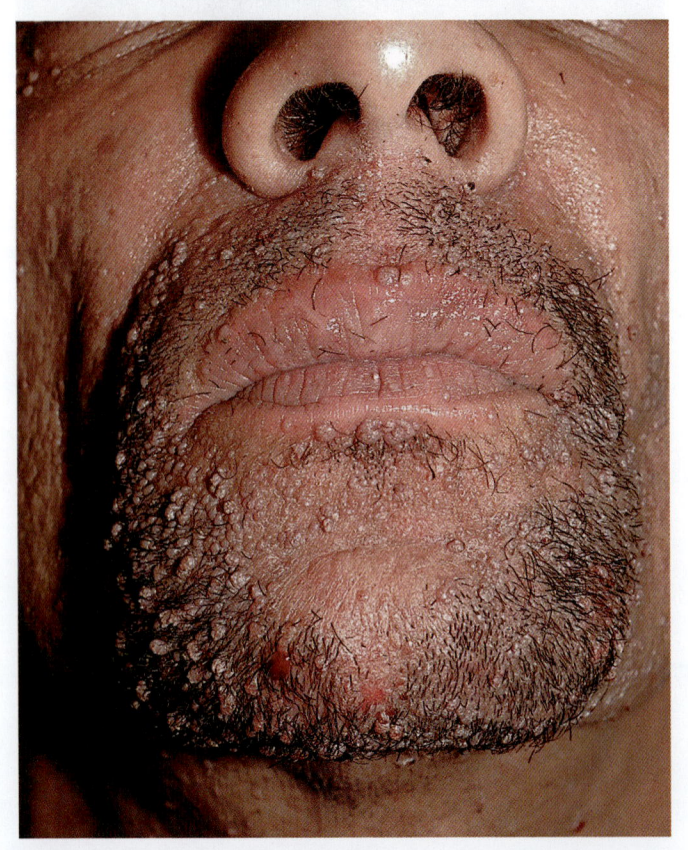

Figura 27-18 Verrugas filiformes e planas Este homem de 38 anos com doença pelo HIV apresenta uma confluência de lesões na face e na região da barba. As lesões regrediram após tratamento antirretroviral bem-sucedido.

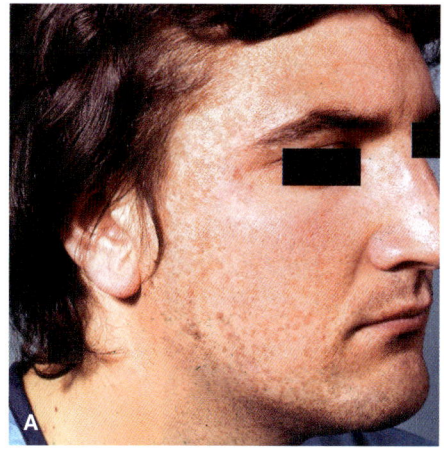

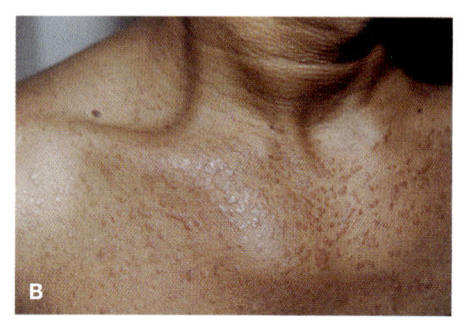

Figura 27-19 Epidermodisplasia verruciforme na face (A) Homem de 35 anos com EDV extensa na face e região cervical: há múltiplas pápulas planas castanhas quase invisíveis. **(B)** Outro paciente com verrugas planas na região cervical e no tórax.

versicolor, particularmente no tronco. Cor: cor da pele, marrom-clara, rosa, hipopigmentada. As lesões podem ser numerosas, grandes e confluentes. Lesões semelhantes à ceratose seborreica e à ceratose actínica. Disposição linear após inoculação traumática. *Distribuição:* face, dorso das mãos, braços, pernas, parte anterior do tronco (Fig. 27-19). As lesões pré-malignas e malignas surgem mais comumente na face. CEC: *in situ* ou invasivo.

Defeitos nos mecanismos de defesa do hospedeiro

(Doença pelo HIV, imunossupressão iatrogênica.) As verrugas induzidas pelo HPV são comuns e o seu tratamento bem-sucedido pode ser difícil. Algumas exibem características histológicas atípicas e podem progredir para o CECIS e o CEC invasivo.

Papilomavírus humanos: doenças da orofaringe

O HPV infecta as células epiteliais da mucosa da boca, do nariz e das vias respiratórias (Fig. 27-20). As infecções orais podem ser subclínicas ou podem causar neoplasias orais benignas ou malignas. Na papilomatose respiratória ou laríngea, o HPV 6 e o HPV 11 são adquiridos durante o parto vaginal e causam verrugas da orofaringe e das vias respiratórias superiores. As lesões da laringe provocam morbidade significativa. Ocorre CEC em alguns indivíduos.

Papilomavírus humanos: infecções anogenitais

Ver Seção 30, "Doenças sexualmente transmissíveis".

DIAGNÓSTICO DIFERENCIAL

Verruga vulgar: molusco contagioso, ceratose seborreica, ceratose actínica, ceratoacantoma, CECIS, CEC invasivo.

- Verruga plantar: calo, corno ou ceratose.
- Verruga plana: siringoma (facial) e molusco contagioso.
- Epidermodisplasia verruciforme: pitiríase versicolor, ceratose actínica, ceratose seborreica, CECIS, carcinoma basocelular.

MANIFESTAÇÕES LABORATORIAIS

DERMATOPATOLOGIA Acantose, papilomatose, hiperceratose. O aspecto característico consiste em focos de células vacuoladas (coilocitose), fileiras verticais de células paraceratóticas e focos de grânulos cerato-hialinos agrupados.

DIAGNÓSTICO

É habitualmente estabelecido com base nas manifestações clínicas. Na presença de defeitos nos mecanismos de defesa do hospedeiro, deve-se excluir a possibilidade de CEC induzido por HPV nas áreas periungueais ou na região anogenital por meio de biópsia das lesões.

EVOLUÇÃO

Nos indivíduos imunocompetentes, as infecções cutâneas pelo HPV em geral regridem espontaneamente, sem qualquer intervenção terapêutica. Na presença de defeitos dos mecanismos de defesa do hospedeiro, as infecções cutâneas causadas por HPV podem ser muito resistentes a todas as

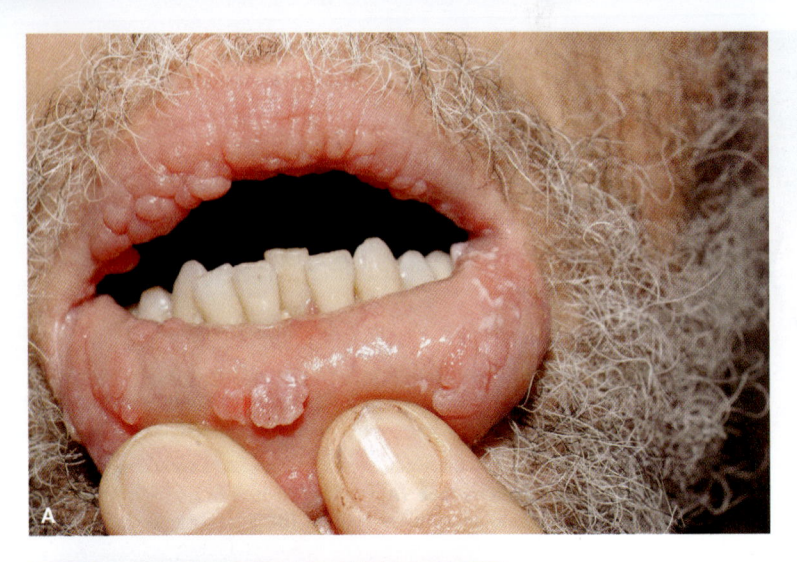

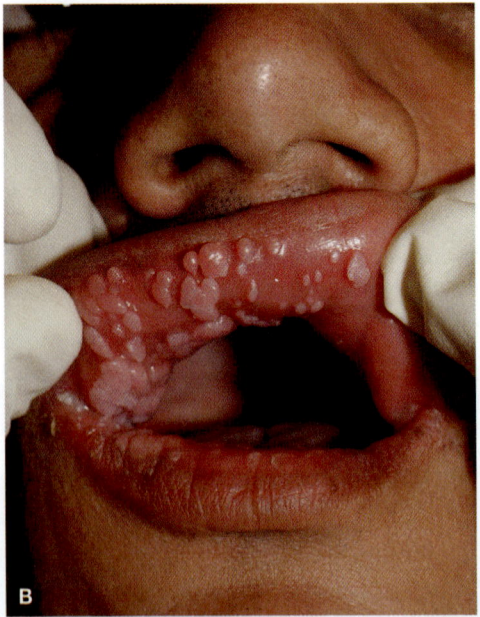

Figura 27-20 Múltiplos condilomas orais na doença pelo HIV (A e B) As lesões regrediram com tratamento antirretroviral.

modalidades de tratamento. Na EDV, as lesões aparecem inicialmente aos 5 a 7 anos de idade, e a sua quantidade aumenta progressivamente, tornando-se disseminadas em alguns casos. Cerca de 30 a 50% dos indivíduos com EDV desenvolvem lesões cutâneas malignas em áreas da pele exposta à luz solar.

TRATAMENTO

OBJETIVO Os tratamentos agressivos, que frequentemente são muito dolorosos e podem ser seguidos de formação de cicatrizes, em geral devem ser evitados, visto que a história natural das infecções cutâneas pelo HPV consiste em regressão espontânea dentro de poucos meses a alguns anos. As verrugas plantares, que são dolorosas devido à sua localização, exigem tratamentos mais agressivos.

TERAPIA INICIADA PELO PACIENTE Custo mínimo; dor ausente/mínima. Ácido salicílico a 17 a 40% diariamente por até 12 semanas.

CREME DE IMIQUIMODE Nas áreas que não apresentam ceratinização espessa, aplicar o creme três vezes por semana. As verrugas persistentes podem necessitar de curativo oclusivo. As lesões hiperceratóticas nas palmas/solas devem ser desbridadas com frequência.

HIPERTERMIA PARA VERRUGA PLANTAR A hipertermia com imersão em água quente (45°C), durante 20 minutos ou três vezes por semana, até 16 sessões, é efetiva em alguns pacientes.

TERAPIA INICIADA PELO MÉDICO De alto custo e dolorosa.

CRIOCIRURGIA Se os pacientes tiverem tentado os tratamentos domiciliares, e houver nitrogênio líquido disponível, a criocirurgia leve utilizando-se um aplicador com ponta envolvida em algodão ou criospray, congelando a verruga e 1 a 2 mm de tecido normal circundante pode ser eficaz. O congelamento mata o tecido infectado, mas não o HPV. A criocirurgia é habitualmente repetida a intervalos aproximados de 3 semanas até o desaparecimento das verrugas.

ELETROCIRURGIA Também pode ser eficaz, mas está associada a cicatrizes. Pode-se utilizar o creme anestésico para as verrugas planas. Em geral, é necessária uma injeção de lidocaína para as verrugas mais espessas, particularmente as lesões palmares/plantares.

CIRURGIA A *LASER* DE CO$_2$ Pode ser eficaz para verrugas recalcitrantes; porém, não é superior à criocirurgia nem à eletrocirurgia nas mãos de um médico experiente.

CIRURGIA Verruga vulgar única não plantar: curetagem após congelamento; a excisão cirúrgica das infecções cutâneas pelo HPV não está indicada, visto que essas lesões são infecções epidérmicas.

INFECÇÕES VIRAIS SISTÊMICAS COM EXANTEMAS

- As infecções sistêmicas primárias frequentemente manifestam-se na forma de erupções mucocutâneas características: exantemas e enantemas.
- Exantema e enantema. O exantema refere-se a uma erupção associada a um distúrbio sistêmico; o enantema consiste em lesões da mucosa associadas a um distúrbio sistêmico, frequentemente em associação com exantema. Com frequência, são causados por agentes virais, mas também podem estar associados a outras infecções: bacterianas, infecções parasitárias, doenças sexualmente transmissíveis, reações cutâneas adversas a fármacos ou toxinas e doença autoimune.

ETIOLOGIA E EPIDEMIOLOGIA

Vírus de RNA. Picornavírus: poliovírus, vírus Coxsackie, echovírus, enterovírus, vírus da hepatite A, rinovírus. Togavírus: vírus da rubéola, vírus atenuado da vacina contra rubéola e vírus Chikungunya. Flavivírus: dengue, vírus da hepatite C e vírus Zika. Paramixovírus: Sarampo e caxumba. Ortomixovírus: influenzavírus A, B e C. Retrovírus: vírus linfotrópico T humano tipos I e II, HIV tipos 1 e 2 (síndrome aguda do HIV).

Vírus de DNA. Parvovírus: parvovírus B19 (eritema infeccioso). Hepadnavírus: vírus da hepatite B. Adenovírus. Herpesvírus: HSV tipos 1 e 2, vírus da varicela-zóster (VVZ), citomegalovírus (CMV), vírus Epstein-Barr (EBV), HHV 6 e 7 (exantema súbito, roséola infantil), vírus associado ao sarcoma de Kaposi (SK) (HHV-8). Poxvírus: vírus da varíola, vírus do orf e MCV.

Bactérias. Estreptococo do Grupo A: escarlatina e síndrome do choque tóxico. *S. aureus*: Síndrome do choque tóxico. *Legionella, Leptospira, Listeria* e meningococos, *Treponema pallidum*.
Micoplasmas: *Mycoplasma pneumoniae*.
Riquétsias. Febre maculosa das Montanhas Rochosas. Febres maculosas transmitidas por carrapatos Riquetsiose variceliforme. Tifo murino. Tifo epidêmico. *Outros Strongyloides, Toxoplasma*.

PATOGÊNESE As lesões cutâneas podem ser produzidas pelos seguintes mecanismos:

- Efeito direto da replicação dos microrganismos nas células infectadas.
- Resposta do hospedeiro ao microrganismo.
- Interação desses dois fenômenos.

MANIFESTAÇÃO CLÍNICA

PRÓDROMOS Síndrome de infecção aguda: febre, mal-estar, coriza, dor de garganta, náusea, vômitos, diarreia, dor abdominal e cefaleia.

Erupção exantemática. Assemelha-se ao exantema que ocorre no sarampo, isto é, "morbiliforme". Também designada como maculopapular. Caracteriza-se por máculas e pápulas rosadas inicialmente isoladas e que, com frequência, tornam-se confluentes (Fig. 27-21). Normalmente centrais, isto é, cabeça, região cervical, tronco e parte proximal dos membros. Com mais frequência, apresenta progressão centrífuga. As lesões podem se tornar hemorrágicas, com petéquias e sarampo hemorrágico.

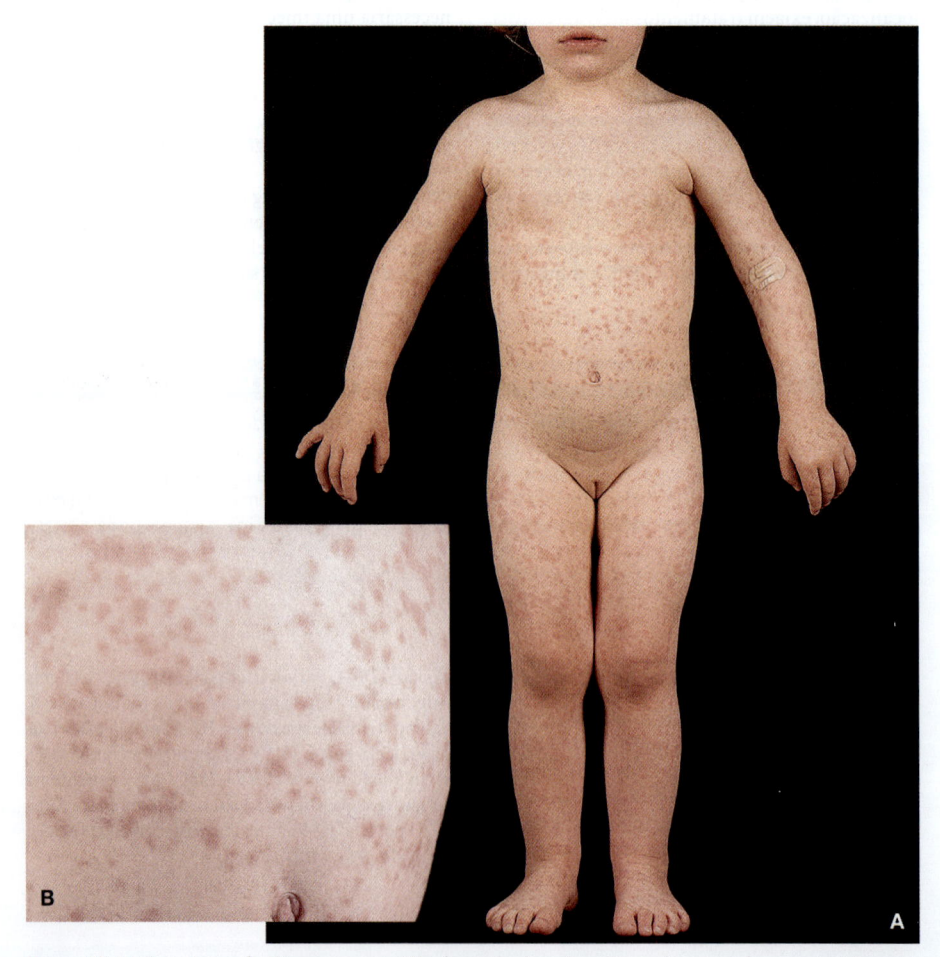

Figura 27-21 Exantema do tipo sarampo Máculas e pápulas eritematosas disseminadas, características das alterações cutâneas observadas em muitas infecções virais. Diagnóstico diferencial de uma erupção cutânea adversa à fármaco exantemática ou morbiliforme. **(A)** Distribuição característica das lesões no tronco e nos membros. **(B)** Visão ampliada das máculas e pápulas rosadas, que se tornam confluentes em algumas áreas.

Erupção escarlatiniforme. Eritema difuso.
Erupções vesiculares. Inicialmente, vesículas com líquido claro. Podem evoluir para pústulas. Depois de alguns dias a 1 semana, ocorre desprendimento do teto da vesícula, resultando em erosões. Na varicela, as lesões são disseminadas e podem acometer a orofaringe. Na doença da mão-pé-boca, ocorrem vesículas/erosões na orofaringe; vesículas dolorosas nas palmas/plantas.
Lesões orofaríngeas. Enantema. Manchas de Koplik no sarampo. Petéquias no palato mole (*sinal de Forchheimer*). Lesões microulceradas na herpangina causada pelo vírus Coxsackie A (ver Herpangina, p. 673). Petéquias palatinas na síndrome de mononucleose da infecção primária por EBV ou CMV. Ocorrem lesões ulceradas semelhantes a aftas na infecção primária pelo HIV.

CONJUNTIVITE Ocorre no sarampo.
GENITÁLIA Lesão ulcerada externa semelhante à afta na infecção primária pelo HIV.
ACHADOS SISTÊMICOS Linfadenopatia. Hepatomegalia. Esplenomegalia.

DIAGNÓSTICO DIFERENCIAL

Reação cutânea adversa a fármaco (RCAF), lúpus eritematoso sistêmico, síndrome de Kawasaki.

DIAGNÓSTICO

Habitualmente estabelecido com base na história e nas manifestações clínicas. Sorologia: os títulos nas fases aguda e de convalescença são mais úteis para o diagnóstico específico. Culturas: quando forem exequíveis.

RUBÉOLA CID-10: B06.9

- **Agente etiológico.** Vírus da rubéola, um togavírus de RNA.
- **Manifestações clínicas.** Exantema característico e linfadenopatia. Muitas infecções são subclínicas.
- **Síndrome da rubéola congênita.** Infecção de uma gestante pelo vírus da rubéola; embora cause uma doença benigna na mãe, pode resultar em infecção fetal crônica grave e malformações.
- Profilaxia. A imunização na infância é altamente eficaz para evitar a infecção.
- *Sinônimos*: sarampo alemão, "sarampo de 3 dias".

ETIOLOGIA E EPIDEMIOLOGIA

ETIOLOGIA *Vírus da rubéola*, um togavírus de RNA, membro do gênero *Rubivirus*. O vírus da rubéola atenuado utilizado na imunização pode causar uma doença com exantema semelhante à rubéola, linfadenopatia e artrite.
DEMOGRAFIA Antes da vacinação disseminada, ocorria mais comumente em crianças com menos de 15 anos. Atualmente, acomete adultos jovens. *Fatores de risco:* falta de imunização ativa e ausência de infecção natural. Após o início da imunização em 1969, a incidência diminuiu em 99% nos países industrializados.
TRANSMISSÃO Por inalação de gotículas respiratórias aerossolizadas. Moderadamente contagiosa. 10 a 40% dos casos são assintomáticos. O período de infecciosidade estende-se do final do período de incubação até o desaparecimento do exantema.

MANIFESTAÇÃO CLÍNICA

PRÓDROMOS Habitualmente ausentes, sobretudo nas crianças de pouca idade. Adolescentes e adultos jovens: anorexia, mal-estar, conjuntivite, cefaleia, febre baixa e sintomas brandos das vias respiratórias superiores. Nas mulheres, a administração de vacina com vírus da rubéola vivo atenuado é frequentemente seguida de doença semelhante à rubéola com artralgias.
EXANTEMA Máculas e pápulas rosadas (Fig. 27-22). No início, aparecem na fronte, espalhando-se inferiormente para a face, o tronco e os membros durante o primeiro dia. No segundo dia, o exantema facial regride. No terceiro dia, o exantema desaparece por completo, sem deixar nenhuma alteração pigmentar residual ou descamação. As lesões no tronco podem se tornar confluentes, resultando em erupção escarlatiniforme.
MUCOSAS Petéquias no palato mole (sinal de Forchheimer) durante o pródromo (que também são observadas na mononucleose infecciosa).
LINFONODOS Aumentados durante o pródromo. Aumento e, possivelmente, sensibilidade dos linfonodos retroauriculares, suboccipitais e cervicais posteriores. Pode ocorrer linfadenopatia generalizada leve. O aumento persiste habitualmente por 1 semana, mas pode durar vários meses.
BAÇO Pode estar aumentado.
ARTICULAÇÕES Artrite nos adultos; possibilidade de derrame articular. Artralgia, particularmente em mulheres adultas após imunização.

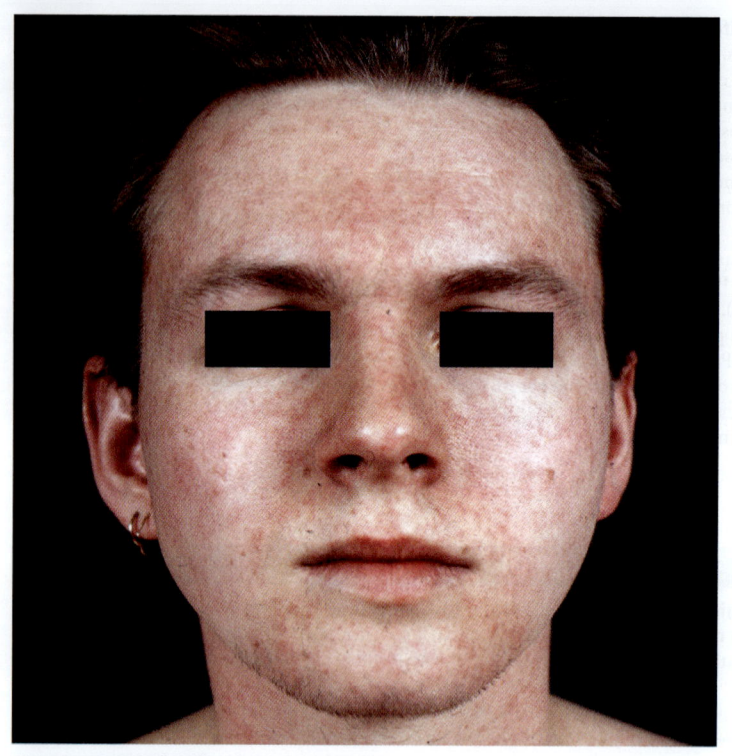

Figura 27-22 Rubéola Homem de 21 anos. As máculas e pápulas eritematosas surgiram inicialmente na face e se espalharam inferiormente e de modo centrífugo para o tronco e os membros, usualmente nas primeiras 24 horas. Os linfonodos retroauriculares e cervicais posteriores estavam aumentados. As lesões tornaram-se confluentes nas regiões malares, enquanto regrediram na fronte. As lesões no tronco apareceram 24 horas após o desenvolvimento das lesões faciais.

SÍNDROME DA RUBÉOLA CONGÊNITA Defeitos cardíacos congênitos; cataratas, microftalmia, microcefalia, hidrocefalia, surdez.

DIAGNÓSTICO DIFERENCIAL

EXANTEMA Outros exantemas virais, RCAF e escarlatina.

EXANTEMA COM ARTRITE Febre reumática aguda, artrite reumatoide, eritema infeccioso.

DIAGNÓSTICO

Diagnóstico clínico; pode ser confirmado por sorologia. O vírus pode ser isolado da faringe ou do líquido articular aspirado.

EVOLUÇÃO

Na maioria dos indivíduos, a rubéola é uma doença leve, sem consequências. Entretanto, quando ocorre em uma gestante durante o primeiro trimestre, a infecção pode ser transmitida ao feto em desenvolvimento por via transplacentária. Cerca de 50% dos lactentes que adquirem rubéola durante o primeiro trimestre de vida intrauterina apresentarão sinais clínicos de lesão pelo vírus.

TRATAMENTO

A rubéola pode ser evitada por imunização. A rubéola prévia deve ser documentada em mulheres jovens: se os anticorpos antirrubéola forem negativos, deve ser feita a imunização para rubéola.

SARAMPO CID-10: B05

- Doença viral altamente contagiosa da infância, caracterizada por febre, coriza, tosse; exantema; conjuntivite; enantema patognomônico (manchas de Koplik).
- Morbidade e mortalidade significativas nas fases aguda e crônica.
- A imunização na infância é altamente eficaz para evitar a infecção.
- *Sinônimos*: morbilia.

ETIOLOGIA E EPIDEMIOLOGIA

ETIOLOGIA Vírus do sarampo, um vírus de RNA membro do gênero *Morbillivirus* e da família Paramyxoviridae.

DEMOGRAFIA O sarampo não é mais endêmico nos países industrializados; os casos resultam da importação do sarampo. Afeta 30 milhões de crianças anualmente nos países em desenvolvimento.

FATORES DE RISCO As crianças não vacinadas apresentam o maior risco.

A transmissão ocorre por disseminação por aerossóis de gotículas respiratórias produzidas com espirros e tosse. Os indivíduos infectados são contagiosos desde vários dias antes do início das erupções até 5 dias depois do aparecimento das lesões. 90% dos contatos suscetíveis serão infectados.

PATOGÊNESE O vírus penetra nas células das vias respiratórias, replica-se localmente, propaga-se para os linfonodos regionais e se dissemina por via hematogênica até a pele e as mucosas, onde se replica. O sarampo modificado, que é uma forma mais leve da doença, pode ocorrer em indivíduos com imunidade parcial preexistente induzida por imunização ativa ou passiva. Os indivíduos com deficiência da imunidade celular correm alto risco de desenvolver sarampo grave.

MANIFESTAÇÃO CLÍNICA

PERÍODO DE INCUBAÇÃO 10 a 15 dias.

PRÓDROMOS Febre. Mal-estar. Sintomas das vias respiratórias superiores (coriza, *tosse seca semelhante a latido de cachorro*). Fotofobia, conjuntivite com lacrimejamento. Edema periorbitário. À medida que o exantema progride, os sintomas sistêmicos regridem.

EXANTEMA No quarto dia de febre, surgem máculas e pápulas eritematosas na fronte na linha de implantação dos cabelos, atrás das orelhas; em seguida, ocorre disseminação centrífuga e inferior, acometendo a face, o tronco (Fig. 27-23), os membros, as palmas e as plantas, alcançando os pés no terceiro dia. As lesões isoladas iniciais podem se tornar confluentes, particularmente na face, na região cervical e nos ombros. As lesões esmaecem gradualmente na sequência em que surgiram, com coloração amarelo-acastanhada residual subsequente ou descamação leve. O exantema regride em 4 a 6 dias.

ENANTEMA Grupo de minúsculas manchas brancoazuladas em base vermelha, que surgem no segundo dia de doença febril ou depois do segundo dia; localizam-se na mucosa oral oposta aos dentes pré-molares, isto é, *manchas de Koplik*, que são patognomônicas do sarampo. Aparecem antes do exantema. Além disso, toda a mucosa oral/labial interna pode estar inflamada.

CONJUNTIVA BULBAR Conjuntivite, congestão, hiperemia.

EXAME CLÍNICO GERAL Linfadenopatia generalizada. Diarreia, vômitos. Esplenomegalia.

SARAMPO MODIFICADO Manifestações clínicas mais leves com imunidade parcial preexistente.

SARAMPO ATÍPICO Ocorre em indivíduos imunizados com vacina do vírus do sarampo inativado em formol, subsequentemente expostos ao vírus. O exantema começa perifericamente e migra centralmente; pode ser urticariforme, maculopapular, hemorrágico e/ou vesicular. Os sintomas sistêmicos podem ser graves.

SARAMPO NO HOSPEDEIRO COM DEFEITOS NOS MECANISMOS DE DEFESA Pode não ocorrer exantema. A pneumonite e a encefalite são mais comuns.

DIAGNÓSTICO DIFERENCIAL

ERUPÇÃO MACULOPAPULAR DISSEMINADA Erupção medicamentosa morbiliforme, escarlatina. Síndrome de Kawasaki.

DIAGNÓSTICO

O diagnóstico clínico é confirmado por sorologia. Células gigantes multinucleadas em secreções. Isolamento do vírus do sangue, da urina e das secreções faríngeas. Detecção do antígeno do sarampo em secreções respiratórias por coloração imunofluorescente. Detecta sequências genômicas de RNA do vírus do sarampo no soro, em swabs de garganta e no líquido cerebrospinal (LCS).

EVOLUÇÃO

Infecção autolimitada na maioria dos pacientes, embora tenha havido 114.900 mortes no mundo todo em 2014. As crianças < 5 anos estão em maior

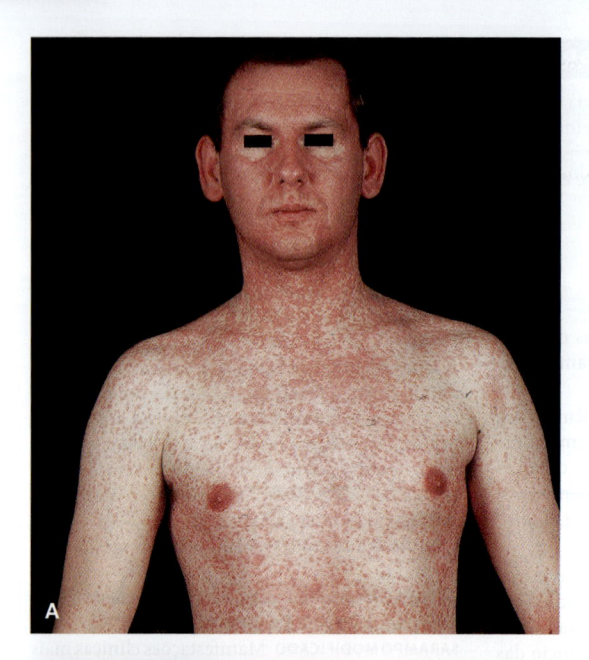

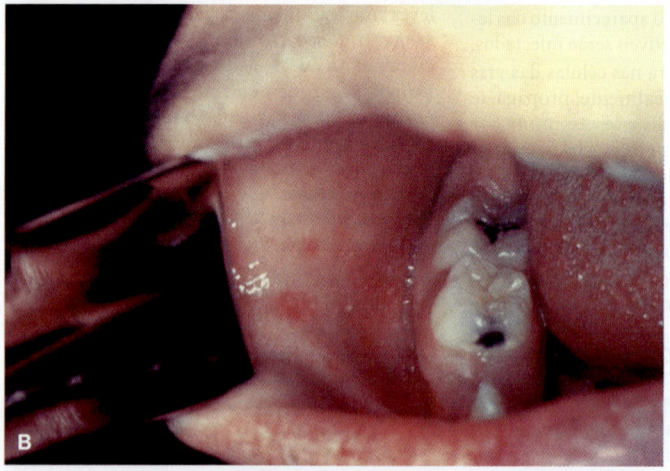

Figura 27-23 Sarampo com exantema (A) As máculas eritematosas surgem inicialmente na face e na região cervical, onde se tornam confluentes, espalhando-se pelo tronco e pelos braços em 2 a 3 dias, onde permanecem isoladas. Por outro lado, a rubéola também surge inicialmente na face, mas espalha-se pelo tronco em 1 dia. Observa-se também a presença de manchas de Koplik na mucosa oral. As pápulas eritematosas tornaram-se confluentes na face no quarto dia. **Sarampo com manchas de Koplik (B)** Pápulas vermelhas na mucosa oral oposta aos pré-molares antes do aparecimento do exantema. (Do Centers for Disease Control and Prevention.)

risco de morte. Locais das complicações: trato respiratório e sistema nervoso central (SNC). As complicações são mais comuns em crianças desnutridas, nos indivíduos que não foram imunizados e em pacientes com imunodeficiência congênita e leucemia. Complicações agudas (10% dos casos): otite média, pneumonia (bacteriana ou causada pelo sarampo), diarreia, encefalite do sarampo e trombocitopenia. Complicação crônica: panencefalite esclerosante subaguda (encefalite de Dawson).

TRATAMENTO

Vacinação profilática. Tratamento de suporte.

INFECÇÕES POR ENTEROVÍRUS CID-10: B34.1

- **Agentes etiológicos.** Vírus intestinais, como echovírus 9 e 16, vírus Coxsackie A6 e A16 e enterovírus 71 (EV71).
- **Infecções por enterovírus com erupção:**
    - Echovírus 9 (E9): máculas e pápulas rosadas isoladas, que se assemelham à rubéola ± febre.
    - Echovírus 16: exantema, semelhante à roséola (pápulas rosadas confluentes) ± febre.
    - Vírus Coxsackie A16, EV71: doença da mão-pé-boca.
    - Vírus Coxsackie A6: eczema por Coxsackie.
    - A1 a 10, 16, 22, CB1 a 5; EV6, 9, 11, 16, 17, 25; EV71: herpangina.
    - Outros enterovírus foram descritos como agentes etiológicos do eritema multiforme: erupções vesiculares, urticariformes, petequiais e purpúricas.

DOENÇA MÃO-PÉ-BOCA CID-10: B08.8

- Infecção viral sistêmica, caracterizada por enantema ulcerativo; exantema vesicular na parte distal dos membros; sintomas constitucionais leves.
- **Etiologia.** Enterovírus (grupos dos picornavírus, RNA de fita simples, não envelopado). Comumente: vírus coxsackie A16 e EV71. Vírus coxsackie A6 associado com eczema do coxsackie.
- **Demografia.** Mais comum na primeira década de vida. Surtos durante os meses mais quentes (final do verão, início do outono) nos climas temperados. Infecção altamente contagiosa, transmitida de pessoa para pessoa pelas vias oro-oral e fecal-oral.
- **Patogênese.** Implantação dos enterovírus no trato GI (mucosa oral e íleo), com extensão para os linfonodos regionais. Depois de 72 horas, ocorre viremia, com disseminação do vírus na mucosa oral e na pele das mãos e dos pés.

MANIFESTAÇÃO CLÍNICA

SINTOMAS Com frequência, 5 a 10 lesões orais ulceradas *dolorosas*, levando a criança a recusar o alimento. Algumas até 100 lesões cutâneas aparecem ao mesmo tempo ou pouco depois das lesões orais; essas lesões podem ser assintomáticas ou dolorosas e sensíveis.

Máculas e pápulas que evoluem rapidamente para *vesículas*. Em geral, as lesões ocorrem nas palmas e plantas, particularmente nas superfícies laterais dos dedos das mãos, dedos dos pés e nádegas. As vesículas podem exibir uma forma "linear" característica; são sensíveis e dolorosas; em geral, não sofrem ruptura (Fig. 27-24). Em outras áreas da pele, as vesículas podem se romper, com formação de *erosões* e *crostas*. As lesões regridem sem deixar cicatrizes.

O eczema por coxsackie também se apresentará com lesões vesicobolhosas na distribuição do eczema preexistente.

LESÕES ORAIS Máculas → vesículas cinzentas, que surgem no palato duro, na língua e na mucosa oral (Fig. 27-25). As vesículas rapidamente sofrem erosão e formam pequenas úlceras de 5 a 10 mm, em saca-bocado, dolorosas.

MANIFESTAÇÕES CLÍNICAS GERAIS Pode estar associada a febre alta, mal-estar intenso, diarreia e artralgias. As infecções pelo EV17 podem estar associadas ao acometimento do SNC (meningite asséptica, encefalite, meningoencefalite, paralisia flácida) e dos pulmões.

DIAGNÓSTICO DIFERENCIAL

O súbito aparecimento de lesões orais e nos segmentos distais dos membros é patognomônico da doença da mão-pé-boca. Entretanto, se houver apenas lesões orais, o diagnóstico diferencial deve incluir infecção por HSV, estomatite aftosa, herpangina, eritema multiforme e reações cutâneas adversas a fármacos.

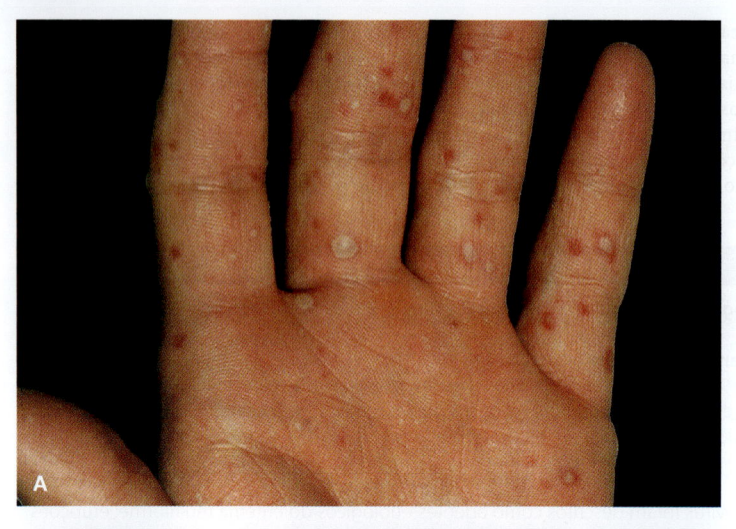

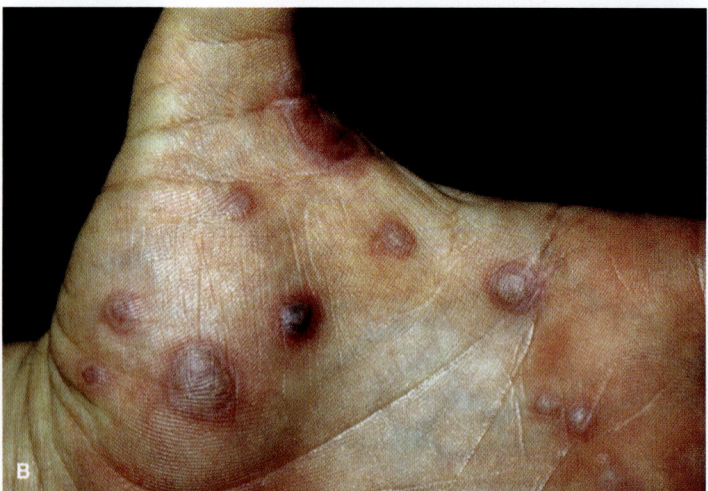

Figura 27-24 Doença da mão-pé-boca (A) Menino de 12 anos com vesículas ovais clássicas nas palmas e dedos das mãos. **(B)** Lesões mais extensas, quase bolhosas, na palma de outro paciente.

DIAGNÓSTICO

É habitualmente estabelecido com base nas manifestações clínicas. O vírus pode ser isolado das vesículas, de lavados de garganta e amostras de fezes.

EVOLUÇÃO

Com mais frequência, a doença da mão-pé-boca é autolimitada. A elevação dos títulos de anticorpos séricos elimina a viremia em 7 a 10 dias. O vírus Coxsackie foi implicado em casos de miocardite, meningoencefalite, meningite asséptica, doença paralítica e doença sistêmica semelhante ao sarampo. As infecções pelo EV71 apresentam taxas mais altas de morbidade/mortalidade devido ao comprometimento do SNC e ao edema pulmonar.

TRATAMENTO

Sintomático, com cuidados de suporte.

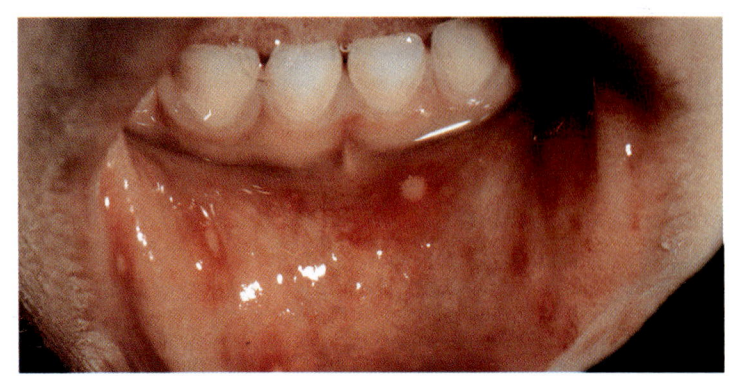

Figura 27-25 Doença da mão-pé-boca Várias erosões superficiais com halo eritematoso na mucosa do lábio inferior; a gengiva está normal. Na gengivoestomatite herpética primária, que se manifesta com lesões vesiculares orais semelhantes, também ocorre com frequência gengivite erosiva dolorosa.

HERPANGINA CID-10: B08.5

- **Agentes etiológicos.** Vírus Coxsackie A1 a 10; vírus Coxsackie B1 a 5; echovírus; EV71.
- **Demografia.** Em geral, acomete crianças < 5 anos de idade; prevalente no final do verão e início do outono nos climas temperados.
- **Manifestações clínicas.** Início súbito de febre, mal-estar, cefaleia, anorexia, disfagia e dor de garganta.
- **Enantema.** Pápulas/vesículas brancoacinzentadas, de 1 a 2 mm, que evoluem para úlceras com halos vermelhos e hiperemia difusa da faringe (**Fig. 27-26**). As lesões distribuem-se nos pilares tonsilares anteriores, no palato mole, na úvula palatina e nas tonsilas. Em geral, persiste por 4 a 6 dias, com evolução autolimitada.

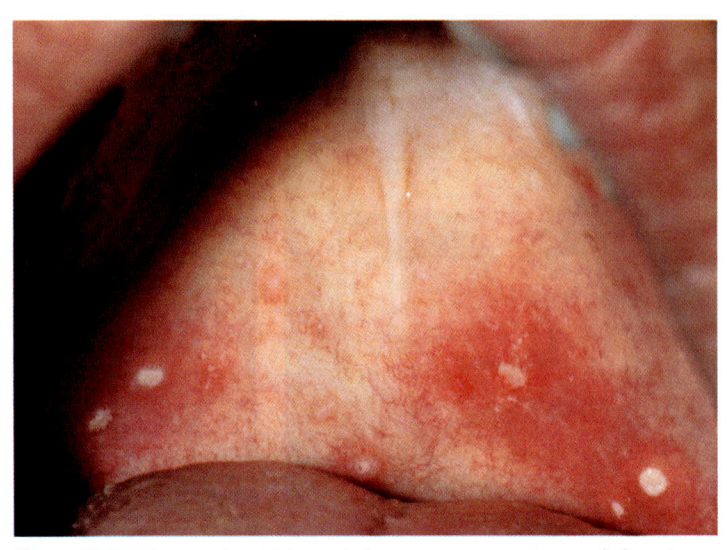

Figura 27-26 Herpangina Várias vesículas pequenas e erosões com halos eritematosos no palato mole; algumas papilas gustatórias na parte posterior da língua estão inflamadas e proeminentes.

ERITEMA INFECCIOSO CID-10: B08.3

- Exantema infantil associado à infecção primária pelo parvovírus humano B19.
- Caracteriza-se por placas eritematosas e edematosas nas regiões malares ("bochechas esbofeteadas"); erupção rendilhada eritematosa no tronco e nos membros.

ETIOLOGIA E EPIDEMIOLOGIA

ETIOLOGIA O parvovírus humano B19 é um pequeno vírus de fita simples não envelopado. É encontrado nas vias respiratórias durante o estágio virêmico da infecção primária. A transmissão ocorre por gotículas respiratórias aerossolizadas.

DEMOGRAFIA Mais comum em indivíduos jovens. Sessenta por cento dos adolescentes e adultos são soropositivos para IgG antiparvovírus B19. O comprometimento reumático sintomático é mais comum em mulheres adultas.

PATOGÊNESE Em voluntários que carecem de anticorpos séricos contra o vírus, ocorre viremia dentro de 6 dias após a inoculação intranasal do parvovírus humano B19. Os anticorpos IgM e, em seguida, IgG são produzidos depois de 1 semana e eliminam a viremia. Nesse momento, pode ocorrer depressão significativa da medula óssea. O exantema começa 17 a 18 dias após a inoculação e pode ser acompanhado de artralgia e/ou artrite; essas manifestações são mediadas por imunocomplexos. Em hospedeiros imunocomprometidos, o parvovírus humano B19 pode destruir as células precursoras eritroides, causando crise aplásica grave em adultos e hidropisia fetal no feto.

MANIFESTAÇÃO CLÍNICA

Os sintomas constitucionais são mais graves nos adultos, com febre e adenopatia. Artrite/artralgias que acometem as pequenas articulações das mãos, os joelhos, os punhos, os tornozelos e os pés. Dormência e formigamento dos dedos das mãos.

LESÕES CUTÂNEAS Placas edematosas e confluentes na região malar ("bochechas esbofeteadas") (Fig. 27-27A) (com preservação da ponte do nariz e de regiões periorbitárias); as lesões desaparecem no decorrer de 1 a 4 dias. Em geral, ausentes nos adultos.

LESÕES NÃO FACIAIS Aparecem depois das lesões faciais. Máculas e pápulas eritematosas, que se tornam confluentes, conferindo um aspecto rendilhado ou reticulado (Fig. 27-27B). São melhor observadas nas superfícies extensoras dos braços, bem como no tronco e na região cervical. Desaparecem em 5 a 9 dias. A erupção reticulada pode sofrer recidiva. Adultos: máculas reticuladas nos membros.

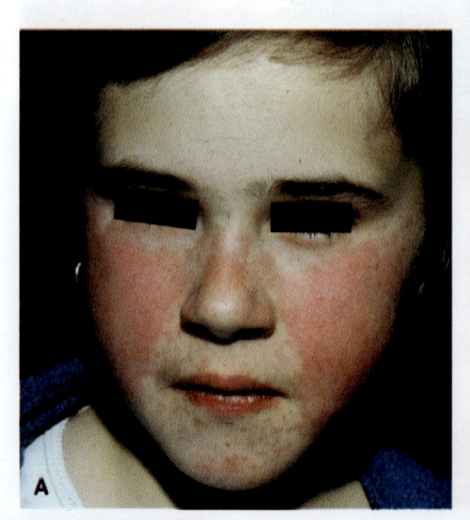

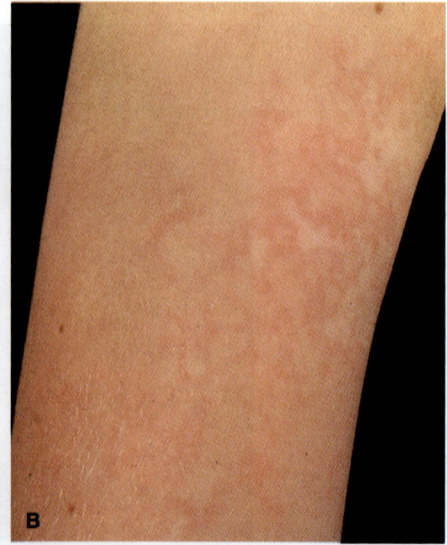

Figura 27-27 (A) Eritema infeccioso: "bochechas esbofeteadas" Criança de 10 anos. Eritema difuso e edema das regiões malares, com aspecto de "bochechas esbofeteadas". **(B) Eritema infeccioso: eritema reticulado** Criança de 10 anos. Máculas eritematosas isoladas, com formação de anéis nos braços.

Com menos frequência, exantema morbiliforme, confluente, circinado, anular. Raramente, ocorrem púrpura, vesículas, pústulas e descamação palmoplantar. Foi também relatado que o parvovírus humano B19 causa uma *síndrome* papulopurpúrica com distribuição em "luvas e meias".
LESÕES MUCOSAS Raramente, enantema com eritema da língua e da faringe; máculas vermelhas na mucosa oral e no palato.
ARTICULAÇÕES Artralgia e/ou artrite em 10% das crianças; comumente, acometimento das grandes articulações. Artrite em mulheres adultas.
SNC E NEUROPATIA PERIFÉRICA Ocorre em pessoas com imunidade alterada.

DIAGNÓSTICO DIFERENCIAL

CRIANÇAS COM ERITEMA INFECCIOSO Exantemas da infância, celulite por *Haemophilus influenzae*, reação cutânea adversa a fármacos.
ADULTOS COM ARTRITE Artrite de Lyme, artrite reumatoide, rubéola.

DIAGNÓSTICO

É habitualmente estabelecido com base nas manifestações clínicas. Demonstração de anticorpos IgM antiparvovírus humano B19 ou soroconversão para IgG. Demonstração do parvovírus humano B19 no soro. Durante crise aplásica: ausência de reticulócitos, diminuição da hemoglobina, hipoplasia ou aplasia da série eritroide na medula óssea.

EVOLUÇÃO

CUTÂNEA A princípio, são observadas as "bochechas esbofeteadas", que desaparecem no decorrer de 1 a 4 dias. Em seguida, o exantema reticulado aparece no tronco, na região cervical e nas superfícies extensoras dos membros. A erupção tem duração de 5 a 9 dias, mas caracteristicamente pode recorrer durante semanas ou meses.
ARTRALGIAS Autolimitadas, de 3 semanas de duração; todavia, podem persistir por vários meses ou anos.
CRISE APLÁSICA Em pacientes com anemias hemolíticas crônicas, pode ocorrer crise aplásica transitória, manifestada por agravamento da anemia, fadiga e palidez.
INFECÇÃO FETAL POR B19 A infecção intrauterina pode ser complicada por hidropisia fetal não imune secundária à infecção dos precursores eritroides, hemólise, anemia grave, anoxia tecidual e insuficiência cardíaca de alto débito. Risco de menos de 10% após infecção materna.
HOSPEDEIRO IMUNOCOMPROMETIDO Anemia crônica prolongada associada à hemólise persistente dos precursores eritroides. Indivíduos de risco: doença pelo HIV, imunodeficiências congênitas, leucemia aguda, transplante de órgãos, lúpus eritematoso sistêmico e lactentes menores de 1 ano de idade. Responde à imunoglobulina intravenosa (IgIV).

TRATAMENTO

Sintomático.

SÍNDROME DE GIANOTTI-CROSTI CID-10: L44.4

- Padrão de reação cutânea associado à infecção primária e resposta imunológica a vírus, bactérias e vacinas.
- **Agentes etiológicos.**
  - Vírus: EBV, CMV, vírus da hepatite B (cepa ayw), vírus Coxsackie, vírus parainfluenza, vírus sincicial respiratório, rotavírus, adenovírus, echovírus, poxvírus, poliovírus, parvovírus, HIV, vírus da hepatite A, vírus da hepatite C.
  - Bactérias: *Mycoplasma pneumoniae, Borrelia burgdorferi, Bartonella henselae,* estreptococos do grupo A.
  - Vacinas: influenza, difteria, tétano, coqueluche, BCG, *H. influenzae* tipo B, pólio oral.
- **Epidemiologia.** Ocorre em crianças de 6 meses a 12 anos. Manifestação da resposta imunológica à viremia transitória, com depósito de imunocomplexos na pele.

MANIFESTAÇÃO CLÍNICA

Pápulas eritematosas, monomórficas, não pruriginosas e isoladas (Fig. 27-28). As lesões coalescem. Face, nádegas e superfícies extensoras dos membros; acometimento simétrico. Tipicamente, com preservação do tronco. Duração de 2 a 8 semanas. *Sinônimo*: acrodermatite papular da infância (API).

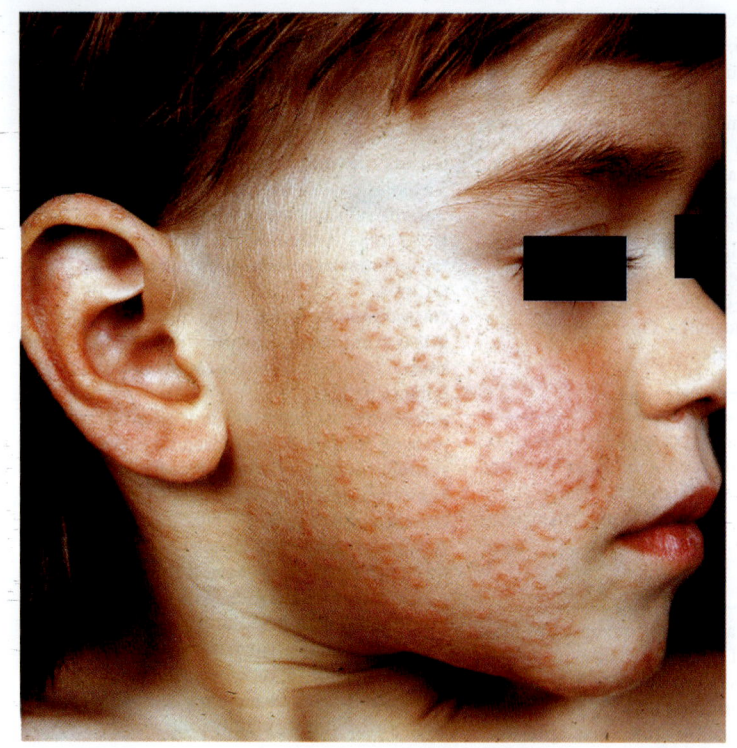

Figura 27-28 Síndrome de Gianotti-Crosti Menina de 5 anos de idade com múltiplas pápulas vermelhas, que se tornam confluentes nas regiões malares.

ARBOVÍRUS CID-10: A94

- Arbovírus é um grupo de vírus de RNA transmitidos a humanos pelos artrópodes.
- Vetores de Arbovírus. Mosquitos, carrapatos, mosquito-palha e outros artrópodes que se alimentam de sangue de vertebrados e permanecem infectantes por toda a vida. O vetor mais importante para a infecção humana é o mosquito *Aedes aegypti*, menos comumente o *A. albopictus*. O mosquito adquire o vírus quando se alimenta em seres humanos com viremia; permanece infeccioso durante toda a sua vida.
- Dengue, Chikungunya e Zika são especiais entre os arbovírus, apresentando manifestações dermatológicas além da fase sintomática aguda da doença com febre, mal estar e cefaleia. Outros arbovírus não causam exantema na infecção aguda.
- Outros arbovírus que não causam exantema incluem febre amarela, febre do Oeste do Nilo, febre hemorrágica da Crimeia-Congo e centenas de outros.

DENGUE CID10: A90

- Infecção viral sistêmica autolimitada, transmitida aos seres humanos por mosquitos.
- **Incidência.** Globalmente, 390 milhões de infecções todos os anos, das quais 96 milhões se apresentam com sintomas clínicos.

SÍNDROMES CLÍNICAS

DENGUE Síndrome de artralgia-erupção, com início súbito de febre e dores musculares e articulares, frequentemente com dor retrorbitária, fotofobia e linfadenopatia. *Exantema:* ruborização inicial; posteriormente, máculas/pápulas; púrpura.

DENGUE HEMORRÁGICA Aumento da permeabilidade vascular e extravasamento de plasma dos vasos sanguíneos para os tecidos, trombocitopenia, manifestações hemorrágicas (hemorragia franca, petéquias espontâneas ou induzidas pelo teste do torniquete). O extravasamento de plasma aumenta o hematócrito, causa derrames e edema, particularmente no tórax e no abdome (Fig. 27-29).

SÍNDROME DO CHOQUE DA DENGUE Ocorre quando o extravasamento de plasma ou o sangramento ou ambos são suficientes para causar choque hipovolêmico.

ETIOLOGIA E EPIDEMIOLOGIA

ETIOLOGIA Flavivírus, um vírus de RNA de fita simples. Quatro sorotipos distintos do vírus da dengue (DEN-1, 2, 3, 4). Vírus transmitido por artrópodes (arbovírus). A infecção confere proteção por toda vida contra o sorotipo específico, mas a proteção cruzada entre sorotipos é de curta duração. Infecção por um vírus de sorotipo diferente após o primeiro episódio de dengue tem maior tendência a resultar em doença grave, dengue hemorrágica ou síndrome do choque da dengue.

VETOR Transmitida pela picada do mosquito *Aedes aegypti*, menos comumente *A. albopictus*. O mosquito adquire o vírus quando se alimenta em seres humanos com viremia; permanece infeccioso durante toda a sua vida.

DEMOGRAFIA 2,5 bilhões de pessoas vivem em áreas endêmicas da dengue; 50 a 100 milhões de casos de dengue anualmente no mundo inteiro. Os casos que

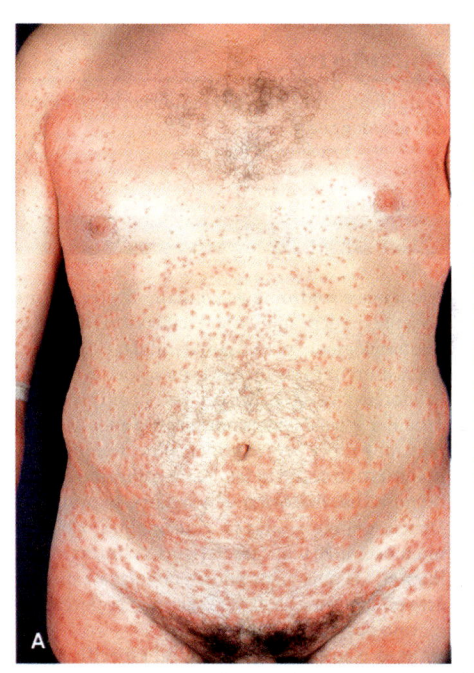

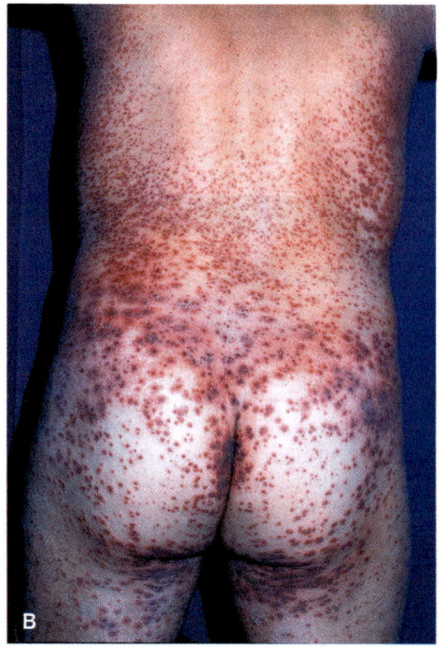

Figura 27-29 Dengue hemorrágica. (A) Homem de 39 anos com febre e exantema depois de uma viagem à Malásia. Hemorragia dérmica e petéquias na pele normal bronzeada **(B)** e na pele não bronzeada são observadas nas nádegas, 48 horas depois (ilhas brancas em um mar vermelho). (Cortesia de C. Hafner et al. Hemorrhagic dengue fever after trip to Malaysia. *Hautarzt.* 2006;57(8):705-707. © Springer 2005.)

ocorrem nos EUA são, em sua maioria, importados por viajantes que retornam de regiões tropicais. A transmissão ocorre durante todo o ano entre as latitudes 25°N e 25°S. Aumento da incidência associado ao rápido crescimento das populações urbanas, aglomerações, negligência no controle dos mosquitos e mudanças climáticas.

A patogênese da síndrome grave envolve anticorpos preexistentes contra a dengue. Os complexos de vírus-anticorpos formam-se dentro de poucos dias após a segunda infecção da dengue; os anticorpos potencializadores não neutralizantes promovem a infecção de quantidades maiores de células mononucleares, seguida de liberação de citocinas, mediadores vasoativos e procoagulantes, levando à coagulação intravascular disseminada.

MANIFESTAÇÃO CLÍNICA

PERÍODO DE INCUBAÇÃO 3 a 7 dias após a picada do mosquito infectado. Na maioria dos casos, as infecções pelo vírus da dengue são assintomáticas.
FASE FEBRIL Febre alta (≥ 38,5°C) acompanhada de cefaleia, vômitos, mialgia e dor articular. Em alguns casos, *exantema macular transitório* (**Fig. 27-29A**). *Petéquias* e *equimoses* podem ser observadas nos locais de punção venosa (**Fig. 27-29B**). Duração de 3 a 7 dias; em seguida, a maioria dos pacientes recupera-se sem qualquer complicação.
FASE CRÍTICA Torna-se evidente por ocasião da defervescência; manifesta-se por aumento da hemoconcentração, hipoproteinemia, derrames pleurais e ascite. Ocorrem manifestações hemorrágicas, que se manifestam por sangramento cutâneo significativo, hemorragia gastrintestinal (GI) ou vaginal. É comum a ocorrência de trombocitopenia moderada a grave, seguida de rápida recuperação durante a fase de recuperação.
FASE DE RECUPERAÇÃO Normalização da permeabilidade vascular alterada ocorre depois de 48 a 72 horas. Pode surgir uma segunda erupção durante a fase de recuperação, com *máculas/pápulas discretas* até graves e pruriginosas, *sugerindo vasculite leucocitoclástica*. O exantema regride com descamação no decorrer de 1 a 2 semanas. A fadiga profunda persiste por várias semanas depois da recuperação.

DIAGNÓSTICO DIFERENCIAL

Outras infecções por arbovírus, como Chikungunya e exantemas virais. Doença com prevalência local: febre tifoide, malária, leptospirose, hepatite viral, riquettsioses e sepse bacteriana.

DIAGNÓSTICO

Considerar o diagnóstico de dengue em viajantes com doença febril que recentemente retornaram de áreas endêmicas. Durante a fase febril, a detecção do ácido nucleico viral no soro é diagnóstica. A soroconversão da IgM entre pares de amostras é um achado confirmatório.

TRATAMENTO

Tratamento sintomático de suporte (http://www.cdc.gov/dengue/).

CHIKUNGUNYA CID-10: A92.0

MANIFESTAÇÃO CLÍNICA

A maioria das pessoas infectadas com chikungunya tornam-se sintomáticas. O período de incubação costuma ser de 3 a 7 dias (variação de 1 a 12 dias). A doença costuma se caracterizar por início agudo de febre (geralmente > 39°C) e poliartralgia. Os sintomas articulares costumam ser bilaterais e simétricos, podendo ser graves e debilitantes. Outros sintomas podem incluir cefaleia, mialgia, artrite, conjuntivite, náuseas/vômitos ou exantema maculopapular. As manifestações laboratoriais podem incluir linfopenia, trombocitopenia, elevação de creatinina e elevação de transaminases hepáticas.
FASE DE RECUPERAÇÃO Os sintomas agudos normalmente melhoram dentro de 7 a 10 dias. As complicações raras incluem uveíte, retinite, miocardite, hepatite, nefrite, lesões cutâneas bolhosas, hemorragia, meningoencefalite, mielite, paralisias de nervos cranianos e síndrome de Guillain–Barré. Alguns pacientes podem apresentar recidivas dos sintomas reumatológicos (p. ex., poliartralgia, poliartrite, tenossinovite) nos meses após a doença aguda. Proporções variáveis de pacientes com sintomas articulares persistentes por meses a anos. A mortalidade é rara e ocorre principalmente em idosos.
DIAGNÓSTICO DIFERENCIAL Varia conforme o local de moradia, histórico de viagem e exposições. Dengue e chikungunya são transmitidas pelo mesmo mosquito e têm características clínicas semelhantes. Os dois vírus podem circular na mesma área podendo algumas vezes causar coinfecção no mesmo paciente.
MANEJO Não há terapia antiviral específica para a infecção por chikungunya. O tratamento é sintomático e pode incluir repouso, líquidos e o uso de anti-inflamatórios não esteroides (AINEs) para aliviar a dor aguda e a febre.

ZIKA CID-10: A92.8

A explosiva pandemia de infecção pelo vírus Zika está ocorrendo na América do Sul, América Central e Caribe.

ETIOLOGIA E EPIDEMIOLOGIA

ETIOLOGIA O vírus Zika é um vírus RNA de fita simples da família Flaviviridae e do gênero Flavivírus.

TRANSMISSÃO Antroponótica (humano-para-vetor-para-humano), ocorrendo durante surtos. Perinatal, *in utero* e possível transmissão sexual e por transfusão foram relatadas.

MANIFESTAÇÃO CLÍNICA

A maioria das pessoas infectadas com o vírus Zika é assintomática. Os achados clínicos característicos são início agudo de febre com exantema maculopapular, artralgia ou conjuntivite. Outros sintomas comumente relatados incluem mialgias e cefaleia.

RECUPERAÇÃO A doença costuma ser leve com os sintomas durando vários dias a até 1 semana. A doença grave exigindo hospitalização é incomum e a mortalidade é baixa. Foi relatada a síndrome de Guillain–Barré após suspeita de infecção pelo vírus Zika. Têm sido relatadas malformações fetais e microcefalia com a transmissão intrauterina da infecção pelo vírus Zika.

TRATAMENTO

Não há tratamento antiviral específico para a doença causada pelo vírus Zika. O tratamento costuma ser de suporte.

DOENÇA PELO HERPES-VÍRUS SIMPLES CID-10: B00.1

- Classicamente na forma de vesículas agrupadas, que surgem em uma base eritematosa na pele ceratinizada (**Fig. 27-30**) ou na mucosa. Também podem ser "atípicas", com placa(s) de eritema, pequenas erosões, fissuras ou lesões subclínicas que eliminam o HSV.
- Após a infecção primária, o HSV persiste nos gânglios sensoriais durante toda a vida do paciente, sofrendo recidiva quando ocorre diminuição da imunidade.
- **Manifestações clínicas:**
    - Nos indivíduos saudáveis, as infecções recidivantes são assintomáticas ou menores, regredindo de modo espontâneo ou com tratamento antiviral.
    - Na presença de defeitos dos mecanismos de defesa do hospedeiro, as lesões mucocutâneas podem ser extensas, crônicas ou disseminar-se para a pele ou as vísceras.

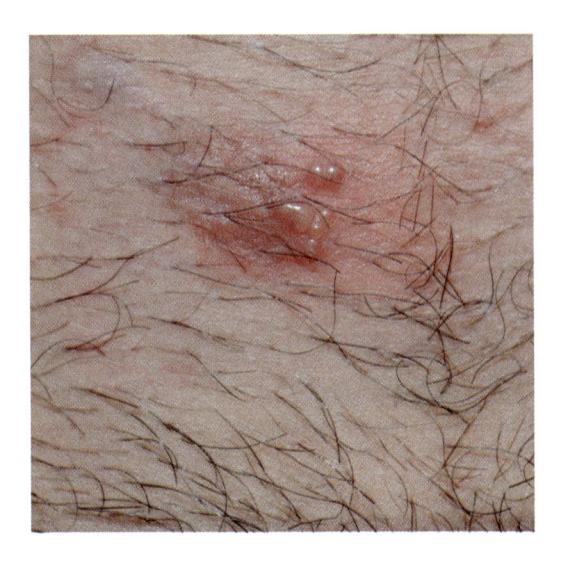

Figura 27-30 Herpes simples: lesão característica Homem de 39 anos com lesão no abdome, acima da cintura. São observadas vesículas agrupadas em uma base/placa eritematosa. A lesão é recorrente.

ETIOLOGIA E EPIDEMIOLOGIA

ETIOLOGIA HSV-1 e HSV-2.

- Herpes labial: HSV-1 (80%), HSV-2 (20%)
- Herpes urogenital: HSV-2 (80%), HSV-1 (20%)
- Panarício herpético: HSV-1 (60%), HSV-2 (40%)
- Herpes neonatal: HSV-2 (80%), HSV-1 (20%)

TRANSMISSÃO A maioria dos casos de transmissão ocorre quando os indivíduos eliminam o vírus, mas são assintomáticos ou não apresentam lesões. Geralmente por contato pele-pele, pele-mucosa e mucosa-pele. O herpes do gladiador é transmitido por contato de pele com pele entre lutadores. Mais comumente em adultos jovens; estende-se da infância até a velhice.

FATORES PARA A RECORRÊNCIA Cerca de um terço dos indivíduos que desenvolvem herpes labial sofrerá recidiva; desse grupo, metade terão pelo menos duas recidivas por ano. Fatores habituais relacionados ao herpes labial: irritação da pele/mucosa (radiação ultravioleta [UV]), menstruação, febre, resfriado comum, alteração do estado imunológico e local da infecção (o herpes genital sofre recidiva com mais frequência do que o labial). Defeitos nos mecanismos de defesa do hospedeiro: infecção pelo HIV, neoplasia maligna (leucemia/linfoma), transplante (medula óssea, órgãos sólidos), quimioterapia, glicocorticoides sistêmicos, outros agentes imunossupressores e radioterapia.

PATOGÊNESE A infecção primária pelo HSV ocorre em consequência de contato íntimo com uma pessoa que esteja eliminando o vírus em uma lesão periférica, superfície mucosa ou secreção. A transmissão ocorre por inoculação em uma superfície mucosa suscetível ou por meio de solução de continuidade da pele (Fig. 27-31A). Após exposição ao HSV, o vírus replica-se nas células epiteliais, causando lise das células infectadas, formação de vesículas e inflamação local. Após a infecção primária no local de inoculação, o HSV ascende pelos nervos sensoriais periféricos (Fig. 27-31B) e alcança os gânglios das raízes nervosas autônomas (vagal), onde se estabelece uma fase de latência. O transporte retrógrado do HSV entre os nervos e o estabelecimento da latência não dependem da replicação do vírus na pele ou nos neurônios; os neurônios podem ser infectados na ausência de sintomas (Fig. 27-31C).

A Infecção primária   **B** Fase latente   **C** Recorrência

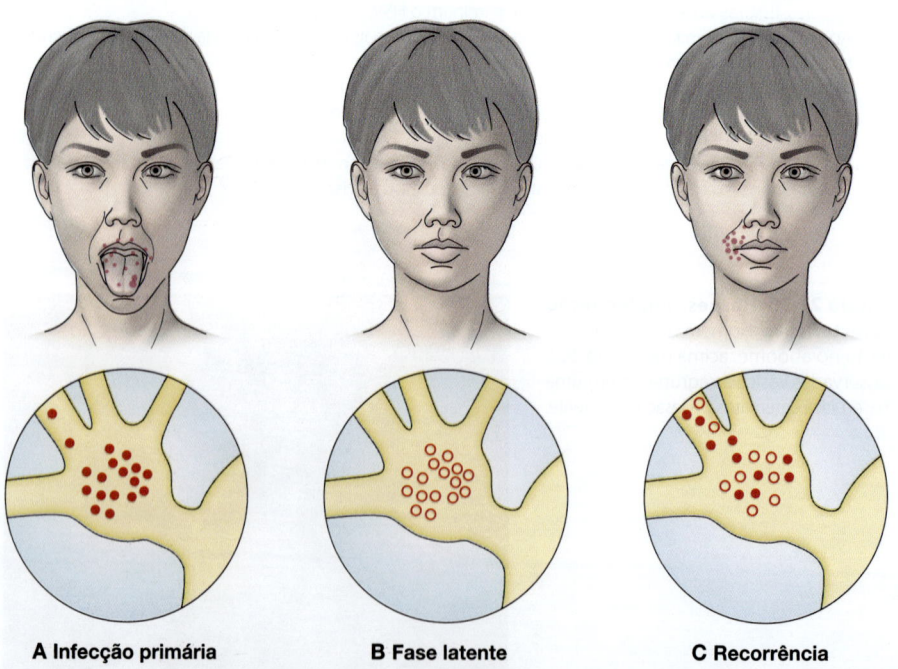

Figura 27-31 Herpes labial (A) Na infecção primária pelo herpes-vírus simples (HSV), o vírus replica-se no epitélio da orofaringe e ascende pelos nervos sensoriais periféricos até o gânglio trigeminal. **(B)** O HSV persiste em uma fase latente dentro do gânglio trigeminal por toda vida do indivíduo. **(C)** Vários estímulos desencadeiam a reativação do vírus latente que, em seguida, desce pelos nervos sensoriais até os lábios ou a pele perioral, resultando em herpes labial recorrente.

A latência pode ocorrer após infecção primária tanto sintomática quanto assintomática. Periodicamente, o HSV pode ser reativado de seu estado latente, e as partículas virais seguem então o seu trajeto ao longo dos neurônios sensoriais até a pele e as mucosas, onde causam episódios recorrentes da doença. A disseminação mucocutânea recorrente pode estar associada a lesões ou pode ocorrer na sua ausência (disseminação assintomática); o vírus pode ser transmitido a um novo hospedeiro quando ocorre disseminação.

Em geral, as recorrências são observadas nas proximidades da infecção primária; clinicamente, podem ser sintomáticas ou assintomáticas.

MANIFESTAÇÃO CLÍNICA

Ver "Herpes simples extragenital", p. 682.

EXAMES LABORATORIAIS

ESFREGAÇO DE TZANCK (Fig. 27-32). Em condições ideais, efetua-se um esfregaço fino do líquido obtido de uma vesícula intacta em uma lâmina de microscópio; a amostra é secada e corada pela coloração de Wright ou Giemsa. O esfregaço é positivo se forem detectados ceratinócitos acantolíticos ou ceratinócitos acantolíticos gigantes multinucleados. Positivo em 75% dos casos no estágio inicial, sejam primários ou recorrentes.

Detecção do antígeno: anticorpo fluorescente direto (AFD). Os anticorpos monoclonais, específicos para os antígenos do HSV-1 e do HSV-2, detectam e diferenciam os antígenos do HSV em esfregaços das lesões.

DIAGNÓSTICO

A infecção pelo HSV é confirmada por cultura do vírus ou detecção do antígeno viral. A soroconversão diagnostica os primeiros episódios de infecção. Os anticorpos contra (g)H1 ou (g)G2 podem levar de 2 a 6 semanas para se desenvolver. O herpes recorrente pode ser excluído se o paciente for soronegativo para anticorpos anti-HSV.

TRATAMENTO

PREVENÇÃO Evitar o contato pele a pele durante surtos.

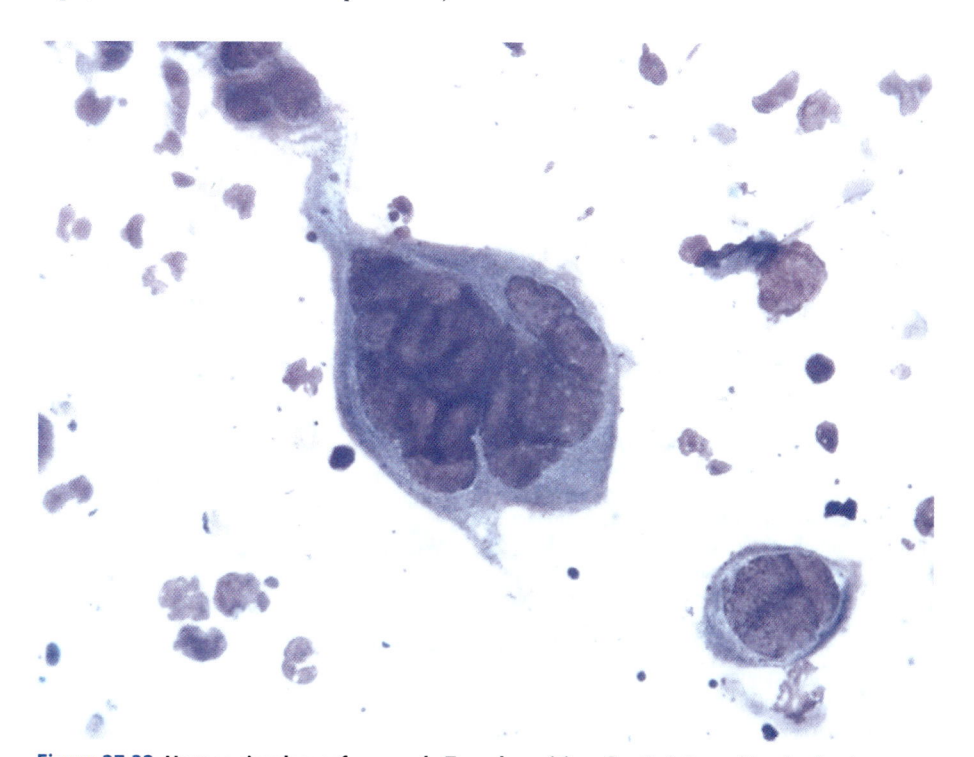

Figura 27-32 Herpes simples: esfregaço de Tzanck positivo Ceratinócito multinucleado gigante em um esfregaço corado pelo Giemsa de amostra obtida da base de uma vesícula. Compara-se o tamanho da célula gigante com o dos neutrófilos que também estão presentes nessa preparação. Observa-se também um ceratinócito acantolítico isolado. Verifica-se a presença de anormalidades idênticas em lesões causadas pelo vírus da varicela-zóster.

TERAPIA ANTIVIRAL TÓPICA Eficácia mínima. Pomada de aciclovir a 5%, aplicar seis vezes ao dia, durante 7 dias. Creme de penciclovir a 1%, aplicar a cada 2 horas durante o dia para a infecção orolabial recorrente.

TERAPIA ANTIVIRAL ORAL Aciclovir, valaciclovir e fanciclovir. O valaciclovir, o profármaco do aciclovir, tem melhor biodisponibilidade, e quase 85% são absorvidos após a sua administração oral. O fanciclovir é igualmente eficaz para as infecções cutâneas pelo HSV.

Aciclovir 400 mg, três vezes ao dia, ou 200 mg, cinco vezes ao dia, durante 7 a 10 dias.

Valaciclovir 1 g duas vezes ao dia, de 7 a 10 dias, para o surto genital inicial.

Fanciclovir 250 mg, três vezes ao dia, durante 5 a 10 dias.

RECORRÊNCIAS

Aciclovir 400 mg, três vezes ao dia, durante 5 dias.
Valaciclovir 1.000 mg, duas vezes ao dia por 5 a 10 dias para recorrência de HSV genital, 2.000 mg, duas vezes ao dia por 1 dia para recorrência de HSV labial.
Fanciclovir 1.000 mg, duas vezes ao dia por 1 dia para recorrência de HSV genital, 1.500 mg em dose única para recorrência labial.

A terapia de manutenção oral contínua (p. ex., valaciclovir 500 mg/dia) pode ser considerada em pacientes com pelo menos 6 episódios ao ano.

HERPES SIMPLES EXTRAGENITAL

- A infecção extragenital pelo HSV, seja ela primária ou recorrente, é frequentemente assintomática.
- As lesões podem ocorrer na forma de vesículas agrupadas em uma base eritematosa (**Fig. 27-30**) ou na forma de placa eritematosa recidivante ± erosões.

Para a infecção genital pelo HSV, ver Seção 30.

MANIFESTAÇÃO CLÍNICA

INFECÇÃO PRIMÁRIA PELO HSV A infecção primária assintomática é comum. A infecção primária sintomática pelo HSV caracteriza-se por *vesículas no local de inoculação* (**Fig. 27-33**) e pode estar associada à linfadenopatia regional e sintomas sistêmicos (febre, cefaleia, mal-estar, mialgia). A gengivoestomatite herpética primária constitui o complexo sintomático mais comum que acompanha a infecção primária pelo HSV em crianças (**Fig. 27-34**). A vulvovaginite herpética primária é observada mais frequentemente em mulheres jovens (ver também Seção 30).

No local de inoculação, ocorrem *pápulas eritematosas*, que rapidamente evoluem para *vesículas agrupadas* e pústulas (**Fig. 27-33**). Com frequência, as vesículas são frágeis, sofrem ruptura com facilidade e formam *erosões* à medida que a epiderme se desprende. Os locais mais comuns de infecção primária pelo HSV são a boca, a região anogenital e as mãos e os dedos das mãos. As erosões cicatrizam em 2 a 4 semanas, frequentemente com hipopigmentação ou hiperpigmentação pós-inflamatória, e raramente deixam cicatrizes.

Linfadenopatia regional. Pode ser dolorosa.

GENGIVOESTOMATITE HERPÉTICA PRIMÁRIA A mucosa oral geralmente só é acometida na infecção primária pelo HSV, com vesículas que se rompem rapidamente e formam erosões (**Fig. 27-34**) em qualquer área da orofaringe, em pequenas quantidades ou numerosas. Eritema, edema e sensibilidade da gengiva. Dor intensa. Acometimento facial ao redor da boca com vesículas e erosões são comuns.

HERPES RECORRENTE Pródromo de formigamento, prurido ou sensação de ardência que normalmente precede em 24 horas quaisquer alterações cutâneas visíveis. Em geral, não há sintomas sistêmicos. Vesículas agrupadas sobre uma base eritematosa, que evoluem para erosões e crostas (**Figs. 27-35A–D**). A infecção intraoral recorrente pelo HSV é rara.

INFECÇÕES DO NERVO TRIGÊMEO PELO HSV

- *Infecção perioral.* Herpes facial recorrente ou herpes labial são comuns (**Fig. 27-35**). As lesões são frequentemente precedidas por sintomas prodrômicos (formigamento, dor, sensação de ardência, prurido). As recorrências graves podem complicar a cirurgia de *resurfacing* a *laser*.
- *Infecções oculares.* A ceratite recorrente constitui uma importante causa de cicatriz da córnea e perda da visão. Recomenda-se o tratamento supressor contínuo.
- *Paralisia facial herpética.* A reativação da infecção no gânglio geniculado está implicada na patogênese da paralisia facial idiopática (paralisia de Bell). Em 40% dos casos, detecta-se a eliminação do HSV-1.
- *Herpes do gladiador.* A transmissão ocorre durante a prática de esportes de contato (luta, rúgbi, futebol). Ocorre também nos dermátomos cervicais e lombossacrais.

Figura 27-33 Herpes simples: infecção primária da palma Mulher de 28 anos com lesão dolorosa na palma que tinha surgido há 3 dias. Observa-se um grupo de pústulas na palma. A linfangite eritematosa estende-se proximalmente para o punho. Os linfonodos axilares estavam sensíveis e aumentados. O herpes-vírus simples (HSV)-2 foi detectado por anticorpo fluorescente direto. Não foi constatada a presença de anticorpos contra o HSV-1 ou HSV-2, de modo que se trata de uma infecção primária.

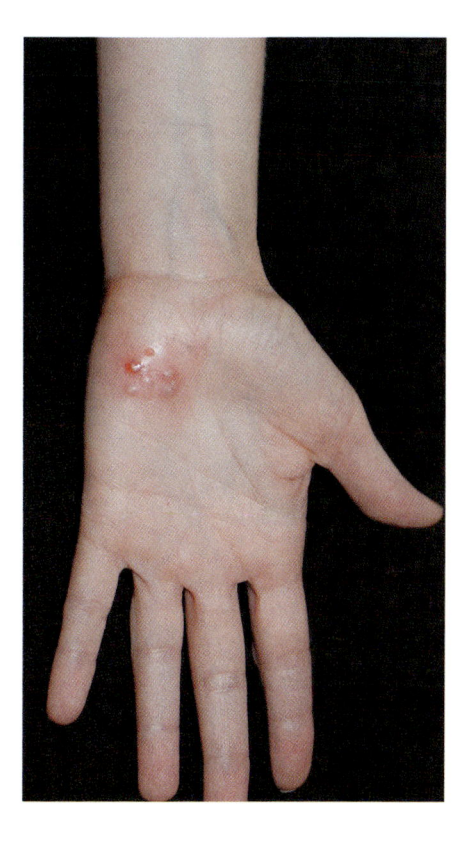

Figura 27-34 Herpes simples: infecção primária com gengivoestomatite Menina de 6 anos com história de dermatite atópica. Múltiplas erosões muito dolorosas nas gengivas, mucosa labial e língua (não mostradas). O esfregaço de Tzanck foi positivo.

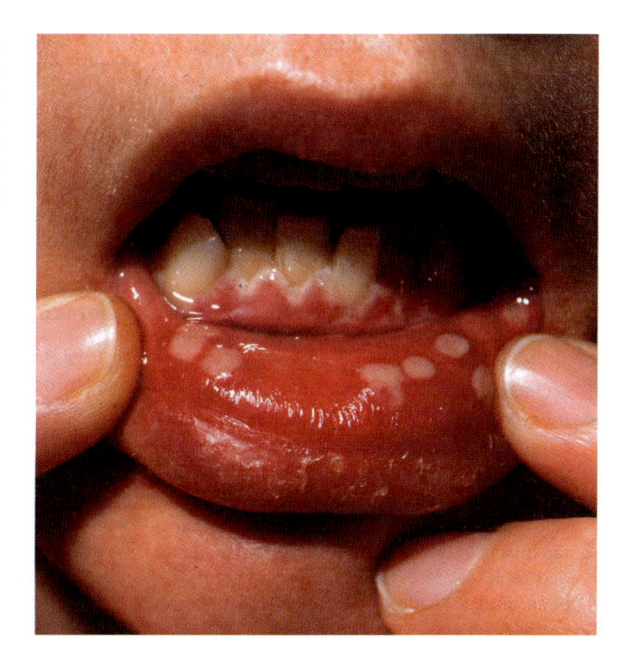

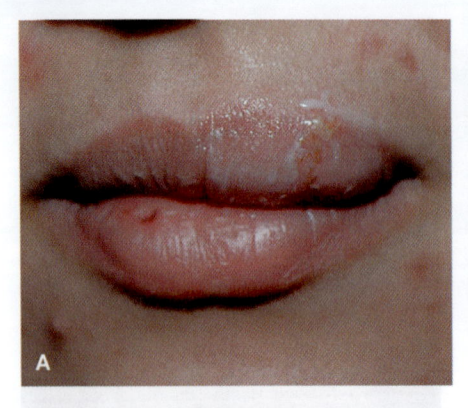

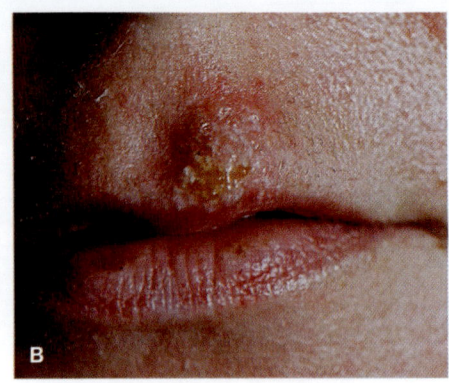

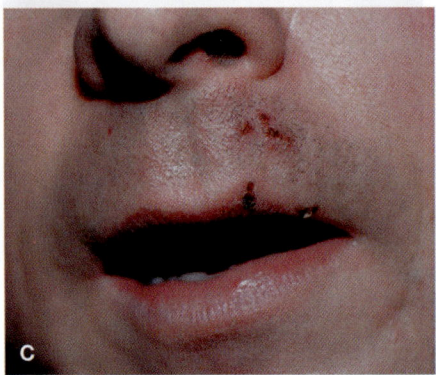

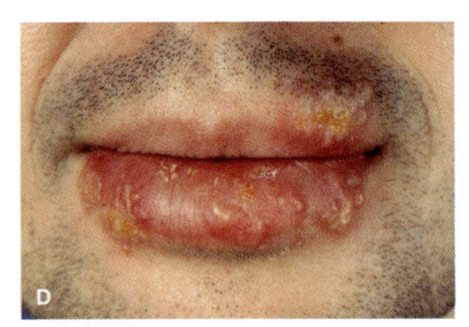

Figura 27-35 Herpes labial: herpes labial recorrente **(A)** Lábio superior lateral edemaciado 24 horas após o início de sensação de formigamento. **(B)** Vesículas agrupadas na região do bigode 48 horas após o início dos sintomas. **(C)** Erosões crostosas no lábio superior e na região do bigode 7 dias após o início dos sintomas. **(D)** Vesículas dolorosas, crostas e erosões nos lábios superior e inferior em homem de 29 anos. O diagnóstico foi feito pelo esfregaço de Tzanck.

FOLICULITE HERPÉTICA Ocorre predominantemente na região da barba (sicose viral) de homens. Caracterizada por vesículas foliculares e posteriormente por crostas (Fig. 27-36).

INFECÇÕES DOS NERVOS SENSORIAIS CERVICAIS E TORÁCICOS PELO HSV

- *Panarício herpético.* Infecção da ponta dos dedos da mão ou do polegar, raramente dos dedos dos pés. Associado à neurite dolorosa no dedo acometido (Fig. 27-37) e no antebraço.
- *Infecção do mamilo pelo HSV.* Relacionada com a transmissão do HSV do lactente para a mãe durante a amamentação.
- *Infecções dos nervos sensoriais lombossacrais pelo HSV.* Quando os gânglios lombossacrais são infectados após o herpes anogenital, podem ocorrer lesões recorrentes nos órgãos genitais, bem como nas nádegas, nas coxas e na mucosa perianal. O herpes perianal não significa necessariamente uma inoculação anal direta do HSV. O herpes no dermátomo sacral pode ser acompanhado de reativação/eliminação assintomática do HSV da mucosa genital.

COMPLICAÇÕES DAS INFECÇÕES DO SISTEMA NERVOSO PERIFÉRICO PELO HSV

- *Eczema herpético.* Ocorre comumente após autoinoculação do HSV (mais comumente herpes orolabial) na dermatite atópica (ver p. 690).
- *Infecção secundária por S. aureus.* Ocorre frequentemente no eczema herpético.
- *Eritema multiforme.* Em alguns indivíduos com infecções recorrentes pelo HSV, pode ocorrer eritema multiforme a cada recidiva (Fig. 27-38; ver "Eritema multiforme", na Seção 14).

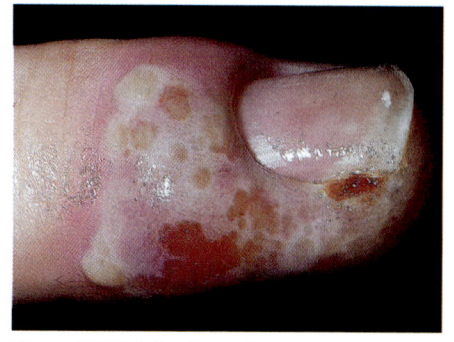

Figura 27-37 Infecção por herpes-vírus simples: panarício herpético Homem de 19 anos com lesões dolorosas no dedo durante 3 dias. A primeira infecção sintomática (e supostamente primária) consistiu em vesículas agrupadas e confluentes dolorosas sobre uma base eritematosa edemaciada na região distal do dedo.

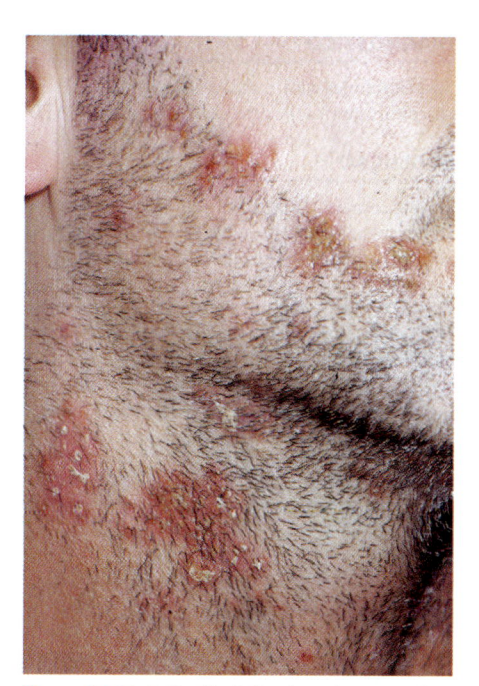

Figura 27-36 Foliculite infecciosa: herpes-vírus simples Paciente do sexo masculino de 40 anos, saudável, apresentou-se com pústulas e erosões isoladas e agrupadas na região da barba, com 3 semanas de duração. As lesões melhoraram com aciclovir oral.

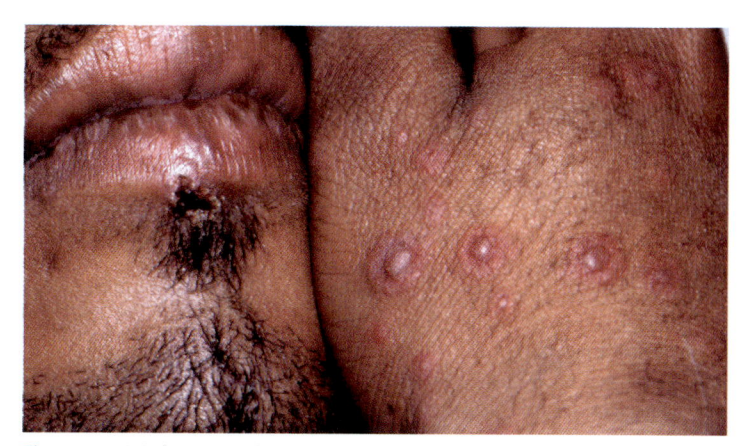

Figura 27-38 Infecção por herpes-vírus simples: eritema multiforme recorrente Homem de 31 anos com herpes labial e lesões disseminadas recorrentes. Herpes labial recorrente no lábio inferior e pápulas edematosas semelhantes a um alvo (ou íris) no dorso da mão.

MANIFESTAÇÕES CLÍNICAS GERAIS Pode ocorrer febre durante a gengivoestomatite herpética primária sintomática.
LINFADENOPATIA REGIONAL Não flutuante, sensível; normalmente unilateral.
SNC Sinais de meningite asséptica: cefaleia, febre, rigidez de nuca, pleocitose do LCS com concentração normal de glicose e cultura do LCS positiva para HSV.

DIAGNÓSTICO DIFERENCIAL

INFECÇÃO INTRAORAL PRIMÁRIA PELO HSV Estomatite aftosa, doença da mão-pé-boca, herpangina, eritema multiforme.
LESÃO RECORRENTE Erupção fixa por fármacos.

EXAMES LABORATORIAIS

Ver p. 681.

DIAGNÓSTICO

Suspeita clínica confirmada pelo esfregaço de Tzanck, cultura do vírus ou detecção de antígeno por AFD.

EVOLUÇÃO

As recorrências da infecção pelo HSV tendem a se tornar menos frequentes com o passar do tempo. O eczema herpético pode complicar várias dermatoses. Os pacientes com defeitos nos mecanismos de defesa do hospedeiro podem apresentar disseminação cutânea do HSV, disseminação sistêmica do HSV e úlceras herpéticas crônicas (ver também "Úlceras herpéticas crônicas"). O eritema multiforme (ver Seção 14) pode complicar cada recorrência do herpes, ocorrendo dentro de 1 a 2 semanas após um episódio.

TRATAMENTO

Ver p. 681-682.

HERPES SIMPLES NEONATAL CID-10: P35.2

- **Fatores de risco** para a aquisição da infecção neonatal pelo HSV: herpes genital primário na mãe por ocasião do parto, ausência de anticorpos anti-HSV maternos, procedimentos no feto, pai com infecção pelo HSV.
- **Etiologia.** As infecções são causadas, em sua maioria, pelo HSV-2; o HSV-1 é mais virulento no recém-nascido e está associado a maiores morbidade e mortalidade.
- **Transmissão.** *In utero* (< 5%); durante o parto (85%); após o nascimento. A mãe representa a fonte mais comum de infecção. Em geral, não há indicação clínica de eliminação do vírus por ocasião do parto. A eliminação também ocorre a partir do colo do útero. Período de incubação no recém-nascido: 4 a 21 dias.
- **Demografia.** 95% dos recém-nascidos com infecção pelo HSV contraem o vírus durante o trabalho de parto e por ocasião do parto (**Figs. 27-39** e **27-40**). O risco de transmissão do HSV-2 da mãe para o recém-nascido é maior quando a infecção primária ocorre no terceiro trimestre. Os anticorpos maternos são transferidos para o feto e protegem contra a infecção fetal.

MANIFESTAÇÃO CLÍNICA

HERPES SIMPLES DA PELE, OLHOS E BOCA Infecção localizada. Vesículas e erosões na pele, nos olhos e na boca. Ocorre em locais de traumatismo, como eletrodos no couro cabeludo do feto, extratores (a vácuo e com fórceps) e circuncisão. Borda dos olhos e nasofaringe.
HERPES DISSEMINADO Infecção disseminada. ± Vesículas, erosões. Hepatite, pneumonite, coagulação intravascular disseminada. Difícil de diagnosticar, visto que até 70% dos lactentes não apresentam lesões mucocutâneas.
INFECÇÃO DO SNC ± Vesículas, erosões. Encefalite. Apresentação: convulsões, tremores, letargia, temperatura instável, irritabilidade, problema de alimentação, fontanela proeminente.

TRATAMENTO

Ver p. 681-682.

Figura 27-39 Herpes simples em recém-nascido Febre e lesão cutânea. *Vesículas* e erosões crostosas no lábio superior e grandes ulcerações geográficas na língua, isto é, gengivoestomatite herpética.

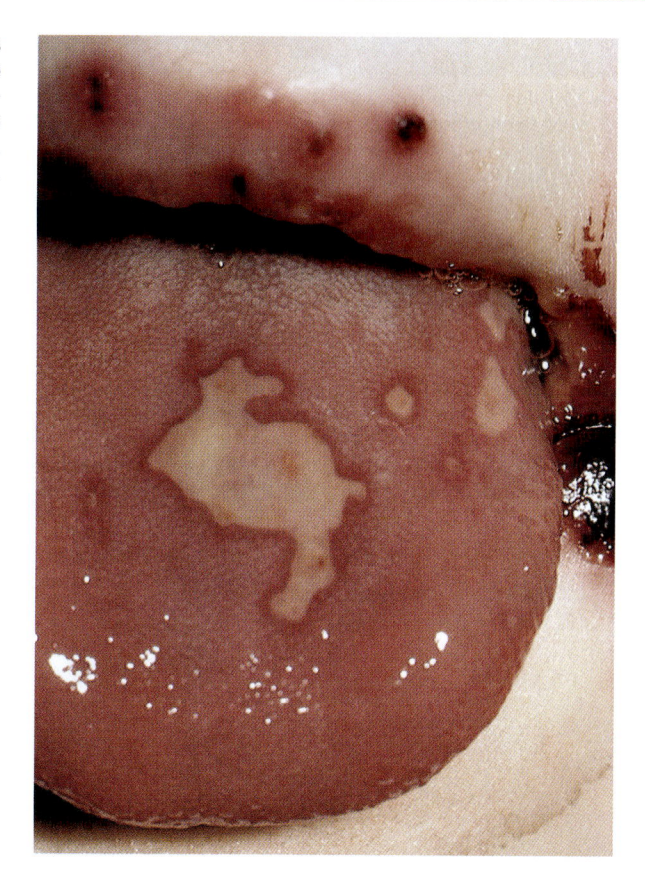

Figura 27-40 Infecção por herpes-vírus simples: neonatal Recém-nascido com lesão cutânea. Vesículas agrupadas e confluentes com eritema e edema subjacentes no ombro, que surgiram no local de inoculação.

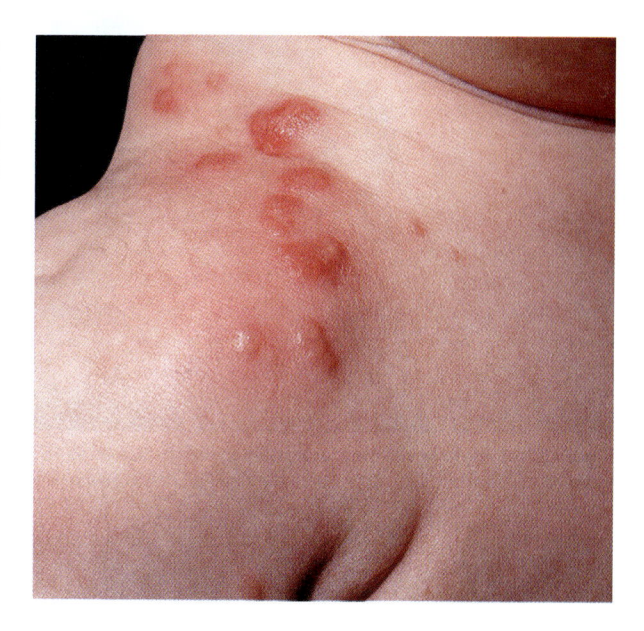

ECZEMA HERPÉTICO

- O HSV infecta a epiderme alterada, mais comumente a dermatite atópica, causando eczema herpético. Outras dermatoses sujeitas à infecção pelo HSV incluem doença de Darier, queimaduras térmicas, doença de Hailey-Hailey, doença imunobolhosa, ictiose vulgar e linfoma cutâneo de células T.
- Epidemiologia. HSV-1 > HSV-2. Mais comum em crianças. Pode ser transmitido do herpes labial parental para a criança com dermatite atópica, particularmente eritrodérmica.

MANIFESTAÇÃO CLÍNICA

ECZEMA HERPÉTICO PRIMÁRIO Pode estar associado a febre, mal-estar e irritabilidade. Quando recorrente, obtém-se uma história pregressa de lesões semelhantes; os sintomas sistêmicos são menos graves. As lesões começam na pele anormal e podem se estender perifericamente no decorrer de várias semanas durante a infecção primária ou durante infecções recidivantes pelo HSV. A infecção secundária por *S. aureus* é relativamente comum e pode ser dolorosa.

LESÕES CUTÂNEAS Vesículas que evoluem para erosões em "saca-bocado" (Figs. 27-41 e 27-42). A princípio, as vesículas limitam-se à pele eczematosa. Diferentemente das erupções primárias ou recidivantes pelo HSV, as lesões no eczema herpético não são agrupadas, mas disseminadas

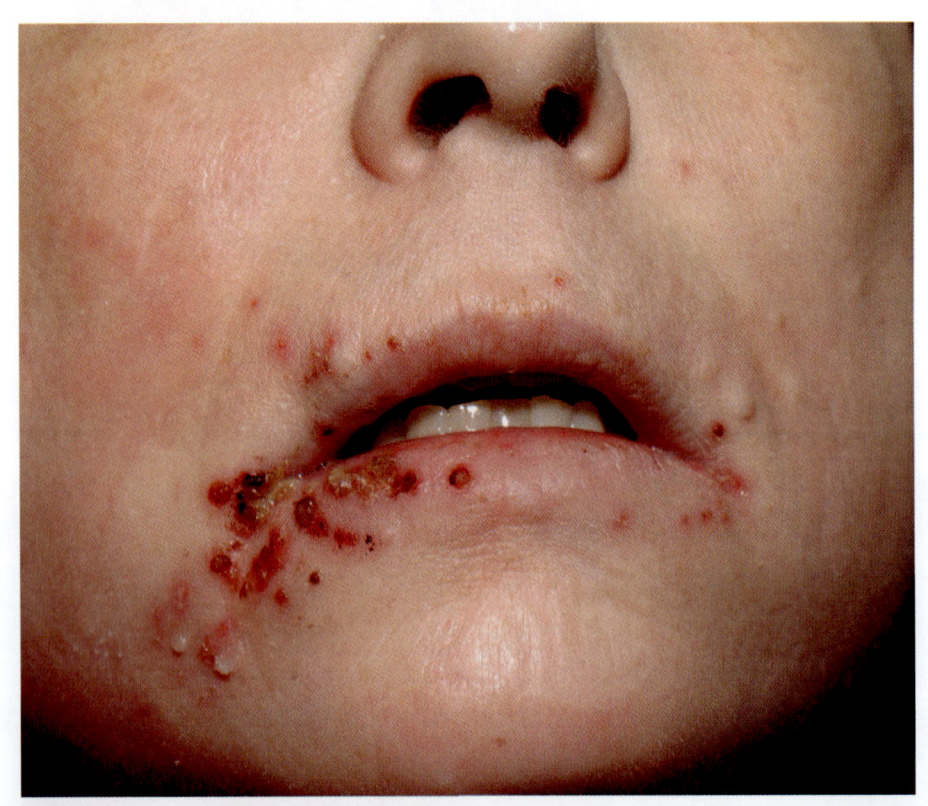

Figura 27-41 Herpes simples: eczema herpético Mulher de 46 anos com erosões crostosas dolorosas e dermatite atópica. O anticorpo fluorescente direto detectou a presença do HSV-1.

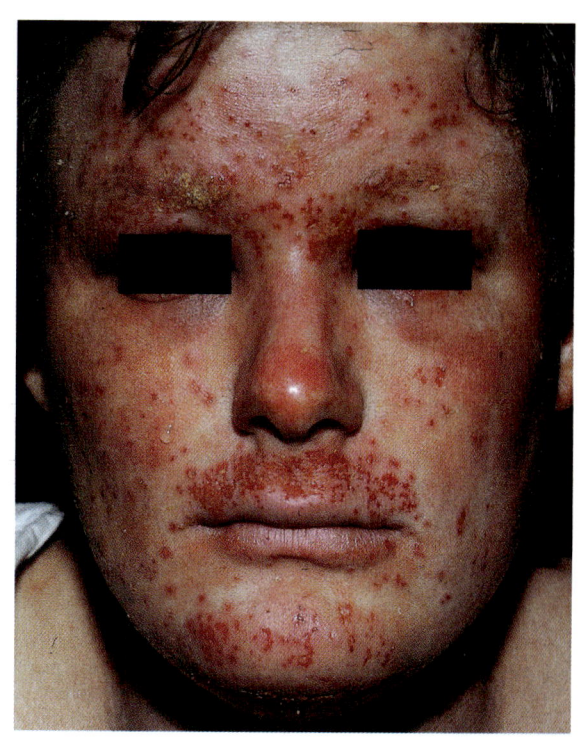

Figura 27-42 Herpes simples: eczema herpético extenso Erosões crostosas isoladas e confluentes associadas a eritema e edema na face de um homem de 26 anos com dermatite atópica.

dentro da dermatose. Posteriormente, podem se espalhar para a pele de aparência normal. As erosões podem se tornar confluentes, produzindo grandes áreas desnudas (Fig. 27-42). Podem ocorrer erupções sucessivas de novas vesículas. Locais comuns de acometimento: face, região cervical e tronco.

EXAME CLÍNICO GERAL A infecção pode estar associada à febre e à linfadenopatia.

DIAGNÓSTICO DIFERENCIAL

VESICULOPÚSTULAS/EROSÕES DISSEMINADAS Varicela, infecção disseminada por VVZ, infecção disseminada (sistêmica) por HSV.

DIAGNÓSTICO

Clínico, confirmado pela detecção do HSV em cultura ou detecção de antígenos. Deve-se excluir a infecção secundária por *S. aureus*.

EVOLUÇÃO E TRATAMENTO

Sem tratamento, o episódio primário de eczema herpético segue a sua evolução, com resolução em 2 a 6 semanas. Os episódios recorrentes tendem a ser mais leves e não estão associados a sintomas sistêmicos. Pode ocorrer disseminação sistêmica, particularmente na presença de defeitos nos mecanismos de defesa do hospedeiro. Para o tratamento, ver p. 681-682.

HERPES SIMPLES COM DEFEITOS NOS MECANISMOS DE DEFESA DO HOSPEDEIRO

- Nos indivíduos com defeitos nos mecanismos de defesa do hospedeiro, a infecção pelo HSV pode se manifestar na forma de acometimento local extenso, úlceras herpéticas crônicas ou doença cutânea associada à infecção sistêmica pelo HSV.
- **Defeitos nos mecanismos de defesa do hospedeiro.** Doença pelo HIV, leucemia/linfoma, transplante de medula óssea, quimioterapia para transplante de órgãos sólidos ou para transplante de medula óssea, doenças autoimunes, desnutrição.
- **Patogênese.** Após viremia do HSV, pode ocorrer doença cutânea ou visceral disseminada. Os fatores que determinam se haverá doença localizada grave, disseminação cutânea ou disseminação visceral não estão bem definidos.

MANIFESTAÇÃO CLÍNICA

INFECÇÃO HERPÉTICA PRIMÁRIA A infecção localizada pode se disseminar na face (Fig. 27-43), na orofaringe e na região anogenital, com formação inicial de vesículas, seguidas de erosões crostosas. Sem tratamento antiviral, as lesões podem persistir, transformando-se em úlceras herpéticas crônicas.

HERPES SIMPLES RECORRENTE Especialmente na doença avançada pelo HIV, a doença mucocutânea pode ser grave: dedos das mãos com panarício herpético (Fig. 27-44A), úlceras orofaríngeas (Fig. 27-44B), úlceras esofágicas e anorretais. Pode ocorrer disseminação sistêmica (ver adiante) a partir desses locais, associada à infecção visceral pelo HSV. O herpes simples recorrente manifesta-se na forma de erosões persistentes e úlceras crônicas. As úlceras herpéticas crônicas que persistem apesar do tratamento antiviral adequado (Fig. 27-45) (aciclovir, valaciclovir, fanciclovir) são geralmente causadas por HSV resistente ao aciclovir.

ÚLCERAS OROFARÍNGEAS Formam-se úlceras grandes na língua, no palato duro e nas gengivas. Ocorrem úlceras lineares na língua (Fig. 27-44B).

ÚLCERAS ESOFÁGICAS Em geral, associadas à úlcera herpética da orofaringe. A esofagoscopia demonstra erosões/ulcerações da mucosa.

ÚLCERAS ANOGENITAIS A ulceração aguda da vulva, do pênis, do escroto e/ou do períneo pode formar úlceras crônicas, a não ser que o paciente seja tratado eficazmente. Nos indivíduos infectados por HSV resistente ao aciclovir, as úlceras não respondem ao tratamento antiviral habitual. As úlceras anais ocorrem frequentemente como resultado do crescimento de úlceras perianais. Proctite herpética: a sigmoidoscopia revela uma mucosa friável e ulcerações.

DISSEMINAÇÃO MUCOCUTÂNEA Vesículas e pústulas disseminadas (não agrupadas), frequentemente hemorrágicas com halo inflamatório; rompem-se rapidamente, formando erosões em "saca-bocado". As lesões podem ser necróticas e, em seguida, ulcerar (Fig. 27-46).

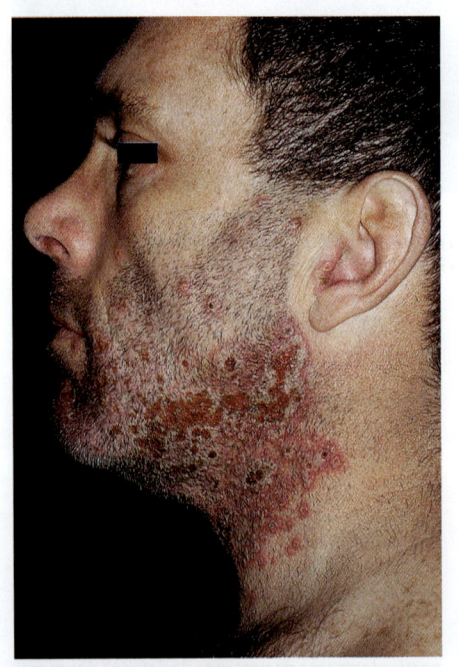

Figura 27-43 Infecção por herpes simples: infecção primária na doença pelo HIV Homem de 35 anos com doença pelo HIV (contagem de células CD4, 400/μL). Vesículas confluentes e erosões com eritema e edema subjacentes (5 a 6 dias de duração) na região da barba. O paciente também apresentou gengivoestomatite e linfadenopatia aguda, que surgiram 5 dias após a prática de sexo orogenital.

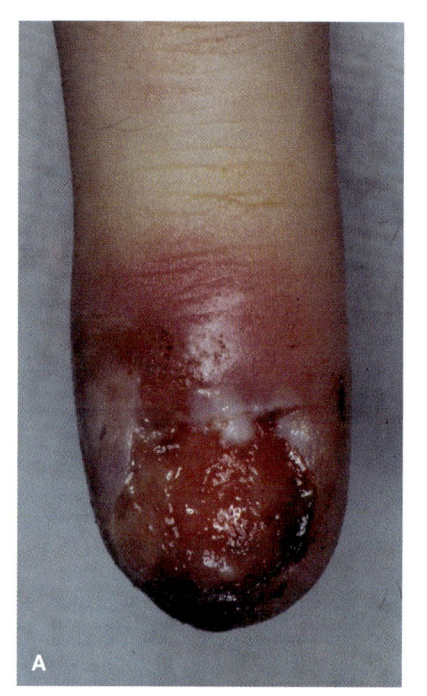

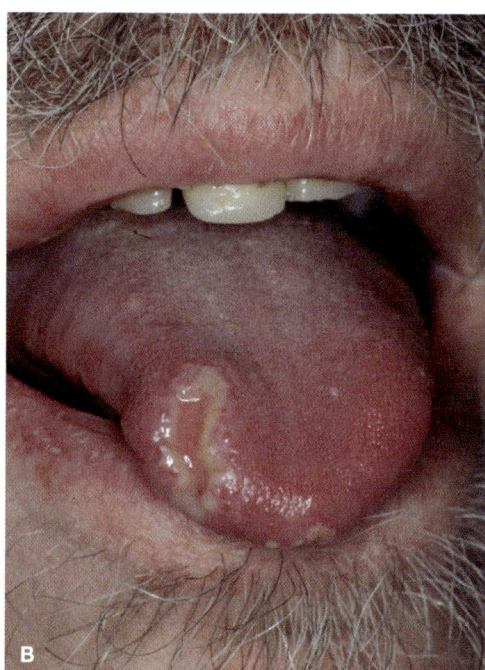

Figura 27-44 Homem de 52 anos com doença avançada pelo HIV que tinha úlceras herpéticas crônicas nas narinas, no dedo e na língua. **(A)** Panarício herpético com úlcera na parte distal do dedo; a unha foi retirada pelo cirurgião. **(B)** Úlcera dolorosa profunda crônica na superfície dorsolateral da língua.

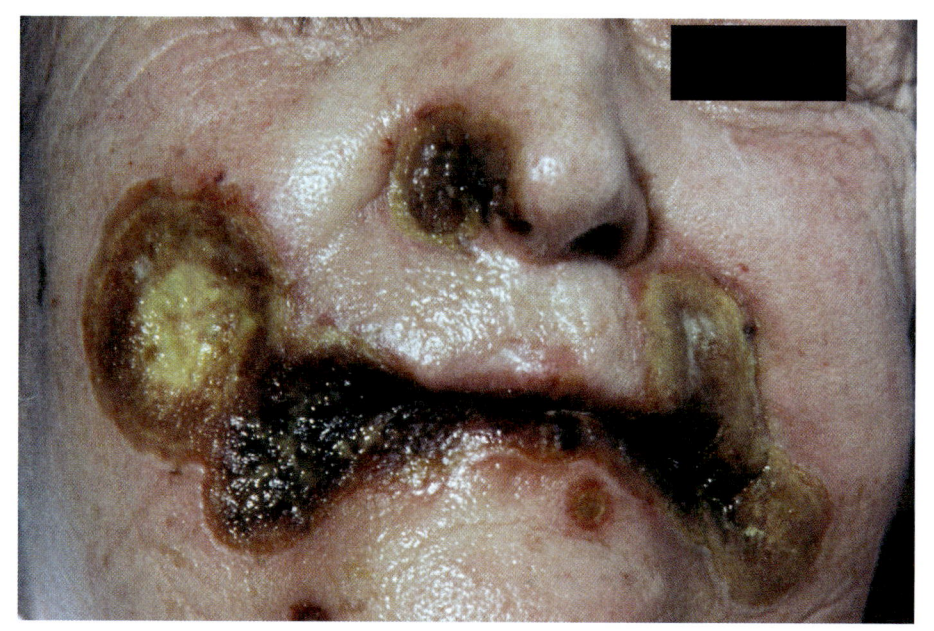

Figura 27-45 Infecção pelo herpes-vírus simples (HSV): úlceras herpéticas crônicas Mulher de 65 anos com leucemia mieloide avançada. As úlceras não responderam ao aciclovir, mas cicatrizaram com foscarnete; porém, recidivaram.

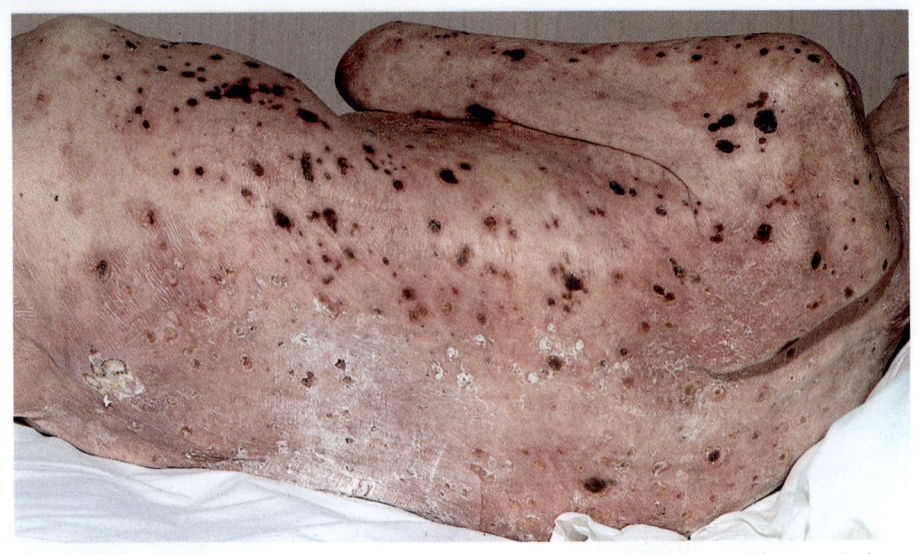

Figura 27-46 Infecção disseminada pelo herpes-vírus simples (HSV) em um homem de 60 anos com linfoma. Erosões disseminadas e ulcerações com crostas hemorrágicas em base necrótica. Esses pacientes frequentemente apresentam infecção visceral pelo HSV (pulmões, fígado e encéfalo).

EXAME CLÍNICO GERAL Pode ocorrer comprometimento visceral disseminado (fígado, pulmões, glândulas suprarrenais, trato GI, SNC) em indivíduos com defeitos graves dos mecanismos de defesa do hospedeiro.

DIAGNÓSTICO DIFERENCIAL

ÚLCERAS HERPÉTICAS CRÔNICAS Infecção crônica por VVZ, infecção de feridas, úlcera de pressão.
ÚLCERAS ANORRETAIS CEC induzido por HPV, doença de Crohn.
DISSEMINAÇÃO MUCOCUTÂNEA Varicela ou herpes-zóster (HZ) disseminado, eczema herpético.

DIAGNÓSTICO

A suspeita clínica é confirmada pelo esfregaço de Tzanck, detecção positiva do antígeno do HSV por AFD ou isolamento do HSV em cultura para vírus.

EVOLUÇÃO E TRATAMENTO

Para o tratamento, ver p. 681-682. Na presença de doença pelo HIV, os indivíduos tratados com sucesso com TARV apresentam reduções tanto na frequência, quanto na gravidade das recorrências do HSV. A infecção por cepas resistentes ao aciclovir resulta em ulcerações progressivas crônicas que persistem e/ou continuam aumentando, apesar do tratamento com aciclovir oral e IV.

DOENÇA PELO VÍRUS VARICELA-ZÓSTER CID-10: B01

- O **vírus da varicela-zóster** é um HHV que infecta 98% dos adultos.
- **Infecção primária pelo VVZ.** A *varicela ou catapora* é quase sempre sintomática e se caracteriza por vesículas pruriginosas disseminadas. Durante a infecção primária, o VVZ estabelece uma infecção permanente nos gânglios sensoriais.
- **Quando a imunidade contra o VVZ declina,** ocorre reativação do vírus dentro da célula nervosa, que segue o seu trajeto ao longo do neurônio até a pele, onde se manifesta em um padrão dermatomal, isto é, herpes-zóster (HZ) ou *cobreiro*.
- **Na presença de defeitos nos mecanismos de defesa do hospedeiro,** a infecção primária e a infecção reativada pelo VVZ são frequentemente mais graves e estão associadas a uma taxa mais alta de morbidade e alguma mortalidade.
- A **vacina contra VVZ** reduziu a incidência de varicela e de HZ.

ETIOLOGIA E EPIDEMIOLOGIA

ETIOLOGIA VVZ, um herpes-vírus. Estruturalmente semelhante a outros herpes-vírus.

IDADE DA PRIMOINFECÇÃO Sem imunização, 90% dos casos ocorrem em crianças com menos de 10 anos de idade e em menos de 5% dos indivíduos com mais de 15 anos. Com imunização, a incidência é acentuadamente reduzida.

TRANSMISSÃO Gotículas suspensas no ar e contato direto. Os pacientes são contagiosos desde vários dias antes do aparecimento do exantema da varicela até o surgimento do último grupo de vesículas. As crostas não são infecciosas. O VVZ pode ser aerossolizado da pele de indivíduos com HZ, causando varicela em indivíduos suscetíveis.

PATOGÊNESE O VVZ penetra pela mucosa das vias respiratórias superiores e da orofaringe, e a sua entrada é seguida de replicação local, viremia primária, replicação nas células do sistema reticuloendotelial, viremia secundária e disseminação para a pele e as mucosas. Durante a evolução da varicela, o VVZ passa das lesões cutâneas para os nervos sensoriais, migra para os gânglios sensoriais e estabelece uma infecção latente. A imunidade ao VVZ que ocorre com a primoinfecção diminui naturalmente e com a alteração na imunidade, ocorre a replicação do vírus nos gânglios sensoriais. A seguir, o VVZ desce pelo nervo sensorial, resultando em sintomas dermatomais iniciais, seguidos de lesões cutâneas. Como a neurite precede o acometimento cutâneo, a dor ou o prurido aparecem antes que as lesões cutâneas se tornem visíveis. As localizações da dor variam e estão relacionadas diretamente com o gânglio do qual o VVZ emergiu de seu estado de latência para a infecção ativa. Os sintomas prodrômicos podem aparecer inicialmente no dermátomo trigeminal, cervical, torácico, lombar ou sacral. A *neuralgia pós-herpética* (NPH) é uma síndrome de dor regional complexa.

EXAMES LABORATORIAIS

AFD PARA DETECÇÃO DO ANTÍGENO DO VVZ Esfregaço do líquido de uma vesícula ou do raspado da base/borda de uma úlcera: o teste do AFD detecta antígenos específicos do VVZ. Trata-se de um método sensível e específico para a identificação de lesões infectadas pelo VVZ. A taxa de positividade é maior do que a das culturas para VVZ.

ESFREGAÇO DE TZANCK A citologia do líquido ou de raspado da base de uma vesícula ou pústula revela células epidérmicas acantolíticas gigantes e multinucleadas (como no caso das infecções pelo HSV) (Fig. 27-32).

SOROLOGIA A soroconversão documenta a infecção primária pelo VVZ.

DERMATOPATOLOGIA A amostra de biópsia da pele lesionada ou visceral revela células epiteliais gigantes multinucleadas, indicando infecção por HSV-1, HSV-2 ou VVZ. Os corantes de imunoperoxidase específicos para os antígenos do HSV-1, HSV-2 ou VVZ podem identificar o herpes-vírus específico.

VVZ: VARICELA

- Infecção primária altamente contagiosa causada pelo VVZ. *Sinônimo*: catapora.
- Caracterizada por grupos sucessivos de vesículas pruriginosas, que evoluem para pústulas, crostas e, algumas vezes, cicatrizes.
- A infecção primária que ocorre na idade adulta pode ser complicada por pneumonia e encefalite.

EPIDEMIOLOGIA

INCIDÊNCIA A incidência da varicela diminuiu com o aumento da cobertura proporcionada pela vacinação. Antes de 1995, ocorriam de 3 a 4 milhões de casos anualmente nos EUA.

MANIFESTAÇÃO CLÍNICA

LESÕES VESICULARES ocorrem em grupos sucessivos. Muitas vezes com lesões únicas isoladas: pouco numerosas em crianças; mais numerosas nos adultos. As lesões iniciais consistem em pápulas (que frequentemente não são observadas) que podem aparecer como *urticária* e evoluir rapidamente para *vesículas*, que são superficiais e de paredes finas com eritema circundante. As vesículas evoluem rapidamente para pústulas e *erosões crostosas* no decorrer de um período de 8 a 12 horas. Com o aparecimento de grupos subsequentes de lesões, todos os estágios de evolução podem ser observados simultaneamente, isto é, pápulas, vesículas, pústulas e crostas, ou seja, as lesões são polimórficas (**Figs. 27-47** e 27-48).

EROSÕES CROSTOSAS cicatrizam em 1 a 3 semanas, deixando uma base rosada ligeiramente deprimida. As *cicatrizes permanentes em saca-bocado* características podem persistir.

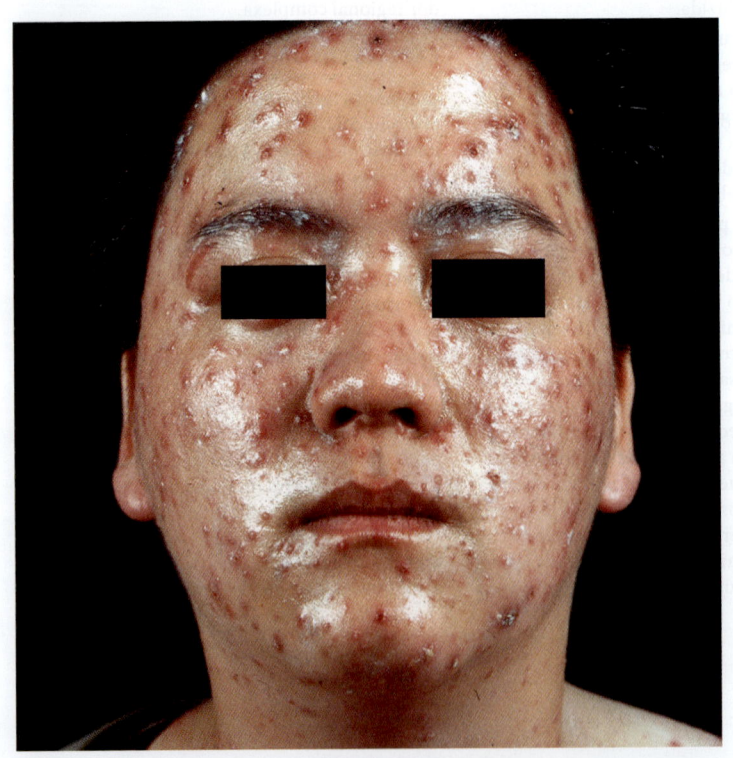

Figura 27-47 Varicela Mulher de 30 anos de idade com erupção pruriginosa que tinha surgido há 2 dias. Numerosas pápulas eritematosas pruriginosas, vesículas e pústulas na face e na região cervical. Várias vesículas evoluíram para erosões crostosas. Observar que as lesões não estão no mesmo estágio de evolução, contrastando com a varíola. **[Comparar com a Fig. 27-8]**

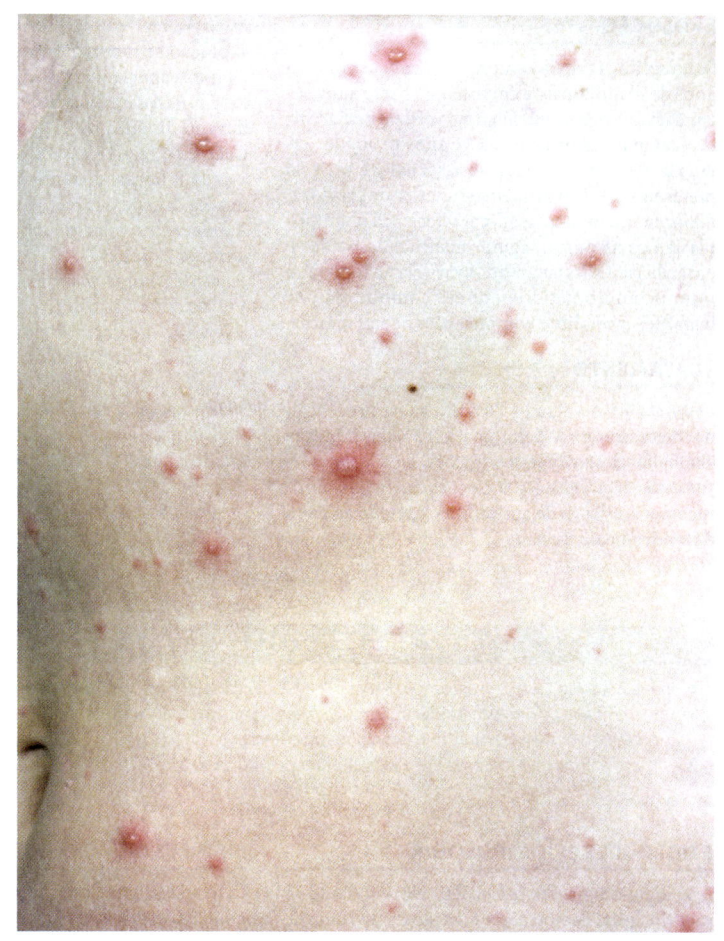

Figura 27-48 Varicela Lesões no tórax de uma mulher de 23 anos. Vesículas parcialmente umbilicadas com anel eritematoso em diferentes estágios de desenvolvimento.

DISTRIBUIÇÃO As primeiras lesões surgem na face (Fig. 27-47) e no couro cabeludo e se disseminam inferiormente para o tronco e os membros. As lesões são mais abundantes nas áreas menos expostas à pressão, isto é, dorso entre as escápulas, flancos, axilas e fossas poplítea e antecubital. A densidade é maior no tronco (Fig. 27-48) e na face, mas é menor nas extremidades. Porém, as palmas e as plantas são normalmente preservadas.

MUCOSAS Vesículas (raramente observadas) e erosões superficiais subsequentes (2 a 3 mm). Mais comuns no palato. Menos comuns em outras mucosas.

EXAME CLÍNICO GERAL A *pneumonite pelo VVZ* ocorre com maior frequência em adolescentes e adultos. Pode ocorrer comprometimento do *SNC* com ataxia cerebelar e encefalite.

VARICELA "MALIGNA" ocorre em indivíduos com defeitos nos mecanismos de defesa do hospedeiro. Podem ocorrer pneumonite, hepatite, encefalite, coagulação intravascular disseminada e púrpura fulminante.

DIAGNÓSTICO DIFERENCIAL

Infecção disseminada pelo HSV, disseminação cutânea do herpes-zóster, eczema herpético, riquettsiose variceliforme, infecções por enterovírus.

DIAGNÓSTICO

Em geral, estabelecido com base nas manifestações clínicas apenas. Soroconversão, isto é, elevação de quatro vezes ou mais nos títulos de anticorpo anti-VVZ.

EVOLUÇÃO

A complicação mais comum em crianças com < 5 anos de idade consiste em infecção bacteriana secundária. Ocorrem *encefalite por varicela* e *síndrome de Reye* em crianças de 5 a 11 anos de idade. 2% dos casos de varicela fetal são associados à varicela materna durante o primeiro trimestre de gravidez. *Síndrome da varicela fetal*, caracterizada por hipoplasia dos membros, comprometimento ocular e encefálico e lesões cutâneas. A varicela no indivíduo imunocomprometido pode ser complicada por hepatite, encefalite e complicações hemorrágicas.

TRATAMENTO

IMUNIZAÇÃO A vacina é 80% eficaz na prevenção da infecção por VVZ sintomática; 5% das crianças vacinadas desenvolvem erupções.
TRATAMENTO SINTOMÁTICO Loções de anti-histamínicos; evitar o uso de antipiréticos devido ao risco da síndrome de Reye.

AGENTES ANTIVIRAIS Diminuem a gravidade da evolução se forem administrados nas primeiras 24 horas após o início da varicela.
Recém-nascidos: aciclovir, 10 mg/kg, a cada 8 horas, durante 10 dias.
Crianças: (2 a 18 anos): valaciclovir, 20 mg/kg, a cada 8 horas, durante 5 dias, ou aciclovir, 20 mg/kg, a cada 6 horas, durante 5 dias.
Adolescentes: valaciclovir, 1 g, VO, a cada 8 horas, durante 7 dias.
Pacientes imunocomprometidos: valaciclovir, 1 g, VO, durante 7 a 10 dias; ou aciclovir, 800 mg, VO, 5 vezes ao dia, ou fanciclovir, 500 mg, VO, a cada 8 horas, durante 7 a 10 dias.
Paciente gravemente imunocomprometido: aciclovir, 10 mg/kg, IV, a cada 8 horas, durante 7 a 10 dias.
Resistentes ao aciclovir: foscarnete, 40 mg/kg, IV, a cada 8 horas até regressão.

VVZ: HERPES-ZÓSTER CID-10: B02.9

- Infecção aguda em dermátomos associada à reativação do VVZ. *Sinônimo:* cobreiro.
- Caracterizada por disestesia unilateral. Erupção vesicular ou bolhosa limitada a um ou mais dermátomos inervados por um gânglio sensorial correspondente.
- A principal morbidade consiste em neuralgia pós-herpética.

ETIOLOGIA E EPIDEMIOLOGIA

A epidemiologia das infecções pelo VVZ está se modificando, devido à imunização com vacina de vírus vivos (atenuados) para prevenção da varicela em crianças e do HZ em adultos de mais idade. A incidência cumulativa do HZ durante toda a vida é de 10 a 20%, sendo mais alta nos indivíduos com defeitos nos mecanismos de defesa do hospedeiro.
PATOGÊNESE Na varicela, o VVZ migra de modo centrípeto das lesões na pele e nas mucosas até os gânglios sensoriais via fibras sensoriais. Nos gânglios, o vírus estabelece uma infecção latente permanente. A reativação ocorre nos gânglios onde o VVZ alcançou a maior densidade e é desencadeada por imunossupressão, traumatismo, tumor ou irradiação. O vírus multiplica-se e se espalha de modo centrífugo ao longo do nervo sensorial até a pele/mucosa, onde produz as vesículas características (Fig. 27-49).

MANIFESTAÇÃO CLÍNICA

O herpes-zóster manifesta-se em três estágios clínicos distintos: (1) pródromo, (2) infecção ativa e (3) NPH.
PRÓDROMO A erupção é precedida de *dor, sensibilidade* e *parestesia* no dermátomo acometido (Fig. 27-50). A dor pode simular a angina ou o abdome agudo. *Alodinia:* hipersensibilidade a estímulos leves. *Zoster sine herpete:* pode ocorrer comprometimento do nervo sem zóster cutâneo. Durante o pródromo e a infecção ativa, podem ocorrer sintomas constitucionais semelhantes à gripe.
LESÕES EM DERMÁTOMOS *Pápulas* (24 horas) → *vesículas*-bolhas (48 horas) → *pústulas* (96 horas) → *crostas* (7 a 10 dias). Novas lesões continuam aparecendo durante 1 semana. Base eritematosa edemaciada (Fig. 27-51), com vesículas transparentes sobrepostas, algumas vezes hemorrágicas. As vesículas erodem, formando erosões crostosas.

A Catapora **B** Fase latente **C** Herpes-zóster

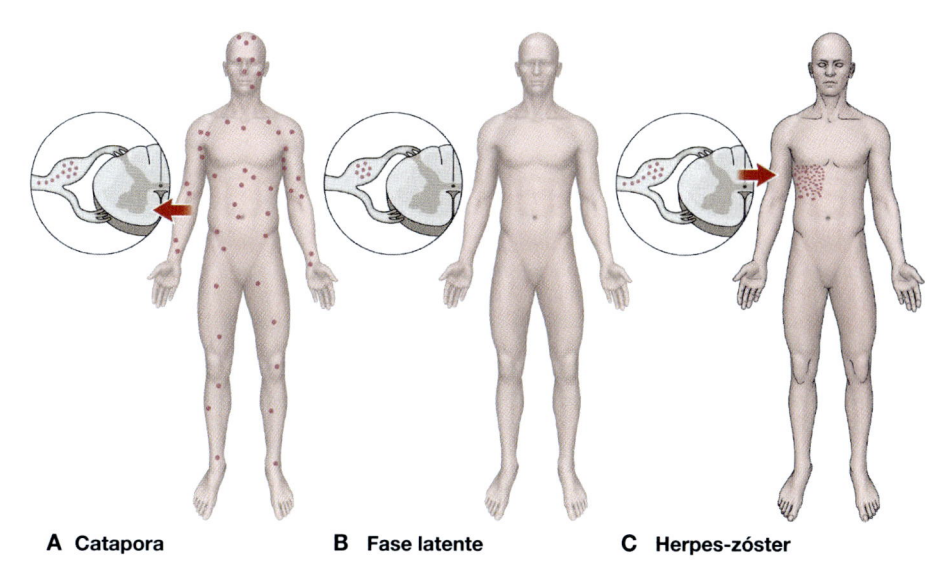

Figura 27-49 Varicela e herpes-zóster (A) Durante a infecção primária pelo vírus da varicela-zóster (VVZ) (varicela ou catapora), o vírus infecta os gânglios sensoriais. **(B)** O VVZ persiste em uma fase latente dentro dos gânglios durante toda a vida do indivíduo. **(C)** Com a diminuição da função imunológica, ocorre reativação do VVZ nos gânglios sensoriais, e o vírus desce pelos nervos sensoriais até a pele, onde se replica.

As crostas em dermátomos geralmente regridem em 2 a 4 semanas.

Distribuição. Unilateral, em dermátomos (Fig. 27-50). Pode haver acometimento de dois ou mais dermátomos contíguos. O zóster que acomete dermátomos não contíguos é raro.

Disseminação hematogênica para outras áreas da pele em 10% dos indivíduos saudáveis (ver Herpes--zóster com disseminação cutânea, p. 701).

Locais de predileção. Torácico (> 50%) (Fig. 27-51), trigeminal (10 a 20%) (Fig. 27-52A), lombossacral e cervical (10 a 20%) (Fig. 27-53).

MUCOSAS Ocorrem vesículas e erosões na boca (Fig. 27-52B), na vagina e na bexiga, dependendo do dermátomo acometido.

LINFADENOPATIA Os linfonodos regionais que drenam a área estão frequentemente aumentados e sensíveis.

ALTERAÇÕES DOS NERVOS MOTORES OU SENSORIAIS Detectáveis pelo exame neurológico. Déficits sensoriais (temperatura, dor, toque) e paralisia motora (leve), por exemplo, paralisia facial.

ZÓSTER OFTÁLMICO Ocorre acometimento nasociliar do ramo V1 (nervo oftálmico) do nervo trigêmeo em cerca de um terço dos casos; é anunciado pelo aparecimento de vesículas no lado e na ponta do nariz (Fig. 27-52A). As complicações incluem uveíte, ceratite, conjuntivite, retinite, neurite óptica, glaucoma, proptose, retração cicatricial das pálpebras e paralisia dos músculos extraoculares. A necrose retiniana aguda é mais comum na presença de imunodeficiência.

HEMIPARESIA CONTRALATERAL TARDIA A apresentação típica consiste em cefaleia e hemiplegia que ocorrem em um paciente com história recente de HZ oftálmico.

SINTOMAS CONSTITUCIONAIS Estágio prodrômico e vesiculação ativa: sintomas gripais. Estágios crônicos: a depressão é muito comum em indivíduos com NPH.

NEURALGIA PÓS-HERPÉTICA (NPH) Caracterizada por dor constante, intensa, em punhalada ou em queimação, disestésica, que pode persistir por meses ou anos em uma minoria de pacientes, particularmente em indivíduos idosos.

CICATRIZES As lesões necróticas por HZ deixam cicatrizes desfigurantes (Fig. 27-54).

DIAGNÓSTICO DIFERENCIAL

ESTÁGIO PRODRÔMICO/DOR LOCALIZADA Pode assemelhar-se à enxaqueca, à doença cardíaca ou pleural, ao abdome agudo ou à doença vertebral.

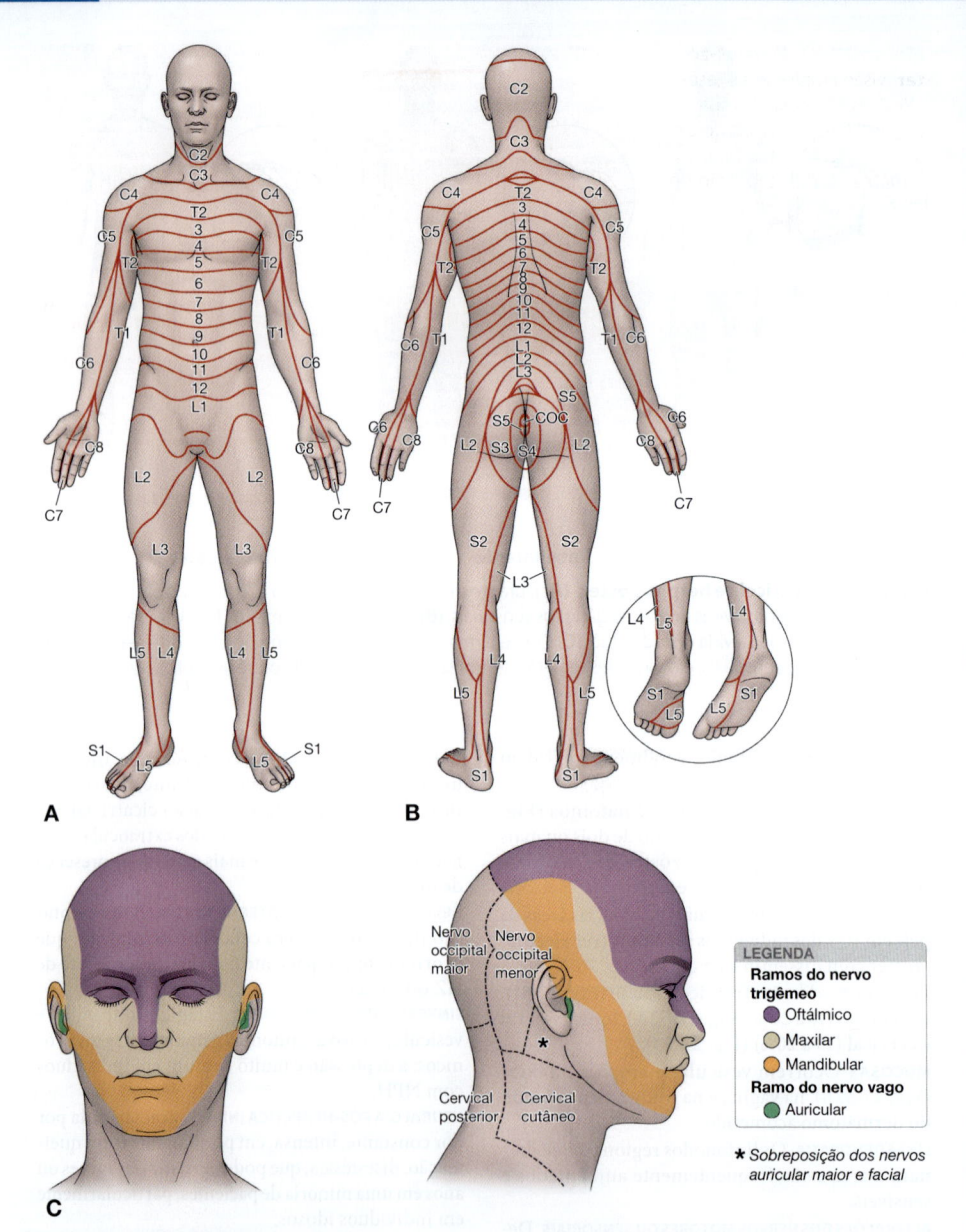

Figura 27-50 Dermátomos As áreas cutâneas dos nervos sensoriais periféricos.

LEGENDA
Ramos do nervo trigêmeo
- Oftálmico
- Maxilar
- Mandibular

Ramo do nervo vago
- Auricular

★ Sobreposição dos nervos auricular maior e facial

Figura 27-51 Herpes-zóster Visão ampliada das lesões clássicas. Vesículas agrupadas em diferentes estágios de desenvolvimento sobre base eritematosa em distribuição de dermátomo no abdome.

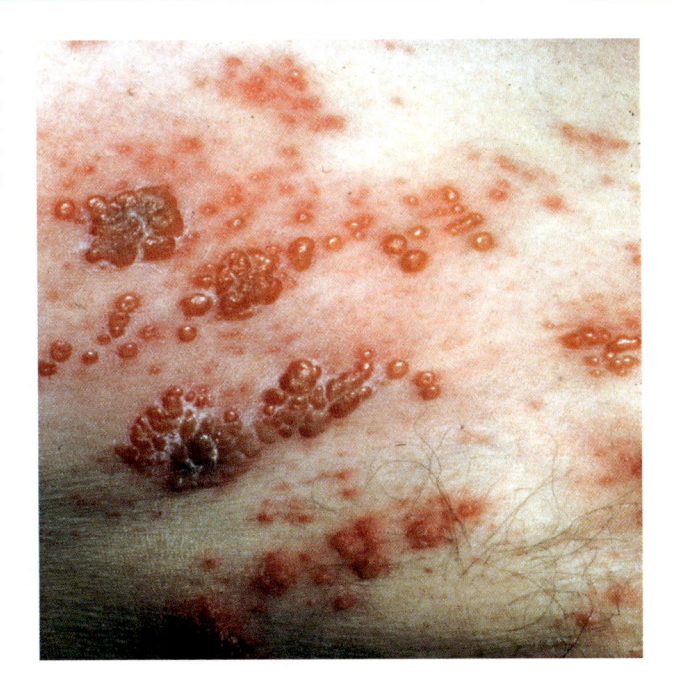

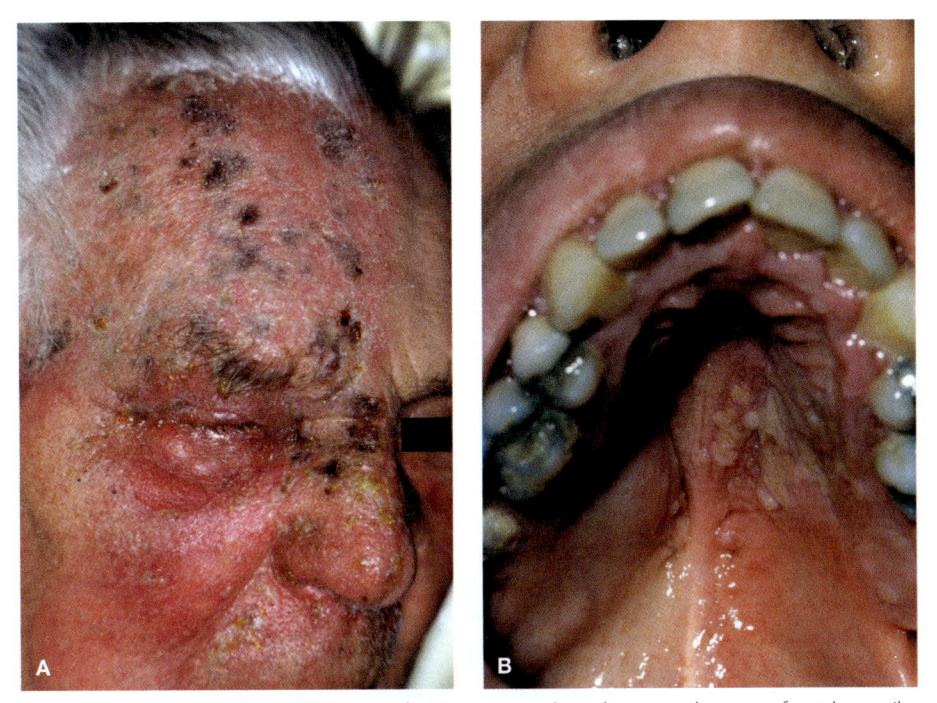

Figura 27-52 Herpes-zóster (A) Homem de 67 anos com zóster dermatomal no ramo frontal e maxilar do nervo trigêmeo. São observadas bolhas, vesículas e crostas hemorrágicas. Observar o grande edema palpebral. **(B)** Lesões mucosas em outro paciente com envolvimento do ramo maxilar esquerdo do nervo trigêmeo. Erosões unilaterais no palato.

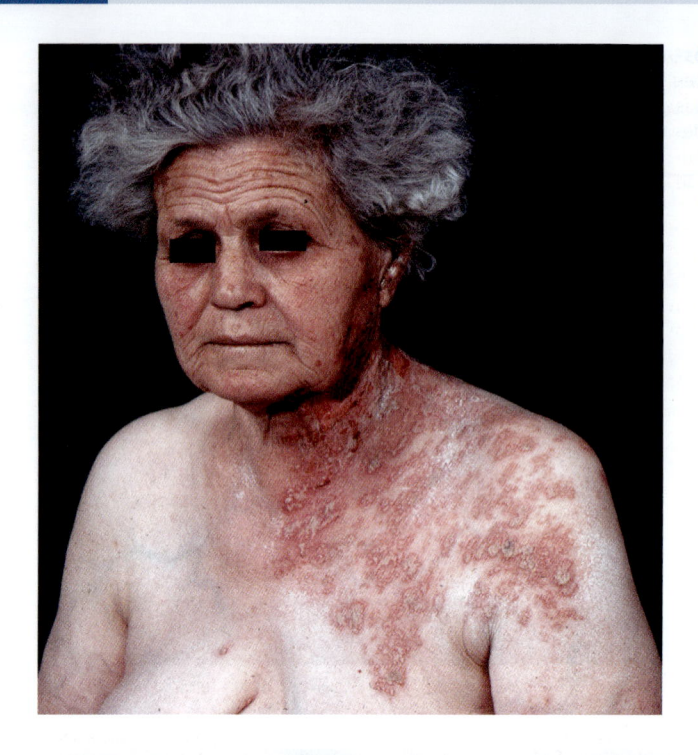

Figura 27-53 Herpes-zóster em distribuição cervical (C2 a C5) Esta mulher de 65 anos estava sendo tratada com prednisona para polimialgia reumática, tinha lesões dolorosas por 5 dias. Vesículas agrupadas e confluentes em distribuição de dermátomo na parte esquerda da região cervical, parte superior do tórax e ombro.

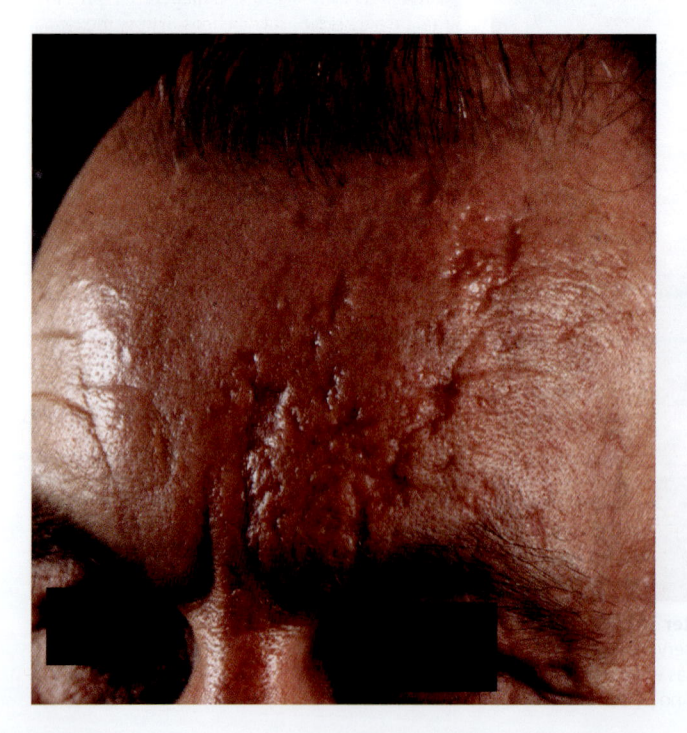

Figura 27-54 Herpes-zóster: cicatrizes atróficas Homem de 80 anos com história de herpes-zóster que tinha ocorrido há 1 ano. Observam-se cicatrizes profundas no dermátomo V_1, no lado esquerdo da fronte, no local de zóster prévio.

ERUPÇÃO EM DERMÁTOMOS Infecção pelo HSV, dermatite de contato fotoalérgica (hera venenosa, carvalho-venenoso), erisipela e fascite necrosante.

DIAGNÓSTICO

ESTÁGIO PRODRÔMICO Deve-se suspeitar de zóster no indivíduo idoso ou imunocomprometido com dor unilateral.
VESICULAÇÃO ATIVA Manifestações clínicas geralmente suficientes; podem ser confirmadas pelo esfregaço de Tzanck, AFD ou cultura para vírus para excluir a infecção pelo HSV.
SÍNDROME DA NEURALGIA PÓS-HERPÉTICA Com base na história e nas manifestações clínicas.

EVOLUÇÃO

Disseminação do zóster. ≥ 20 lesões fora dos dermátomos acometidos ou adjacentes; a disseminação ocorre em até 10% dos pacientes, frequentemente indivíduos com defeitos imunológicos. O VVZ pode se disseminar por via hematogênica para a pele e as vísceras.
Complicações neurológicas: meningoencefalite, síndromes vasculares encefálicas, síndrome de nervos cranianos (nervo trigêmeo [oftálmico] [HZ oftálmico], nervos facial e coclear [síndrome de Ramsay Hunt]), fraqueza motora periférica e mielite transversa. *Envolvimento visceral:* pneumonite, hepatite, pericardite/miocardite, pancreatite, esofagite, enterocolite, cistite e sinovite.
Síndrome de dor pós-herpética. O risco de neuralgia pós-herpética é de 40% em pacientes com mais de 60 anos de idade, com resolução em 87% dos casos dentro de 6 meses. A maior incidência é observada no zóster oftálmico. Não parece ser mais comum em indivíduos com defeitos imunológicos do que na população geral.
A dor no HZ está associada à inflamação neural, infecção do nervo durante a reativação aguda e inflamação neural e cicatrização na NPH.
Zóster em lactentes. Pode ocorrer, embora seja raro. Não costuma haver associação com sintomas neurológicos (Fig. 27-56).

TRATAMENTO

PREVENÇÃO A vacinação contra VVZ com vírus vivo atenuado reduz a intensidade da doença em mais de 60% e a incidência do zóster em 51%.
TRATAMENTO ANTIVIRAL Fanciclovir oral, 500 mg a cada 8 horas, durante 7 dias, ou valaciclovir, 1 g, a cada 8 horas, durante 7 dias, ou aciclovir, 800 mg, cinco vezes ao dia, durante 7 dias.
Pacientes levemente imunocomprometidos: conforme indicado anteriormente, mas até 10 dias. Paciente gravemente imunocomprometido: aciclovir, 10 mg/kg, IV, a cada oito horas, durante 7 a 10 dias.
Resistentes ao aciclovir: foscarnete 40 mg/kg, IV, a cada 8 horas, até resolução.
TRATAMENTO DE SUPORTE Repouso ao leito, sedação, controle da dor com analgésicos narcóticos; curativos úmidos.
NEURALGIA PÓS-HERPÉTICA Gabapentina, pregabalina, antidepressivos tricíclicos, isto é, doxepina, aplicação tópica de creme de capsaicina. Bloqueio do nervo.

VVZ: DEFEITOS NOS MECANISMOS DE DEFESA DO HOSPEDEIRO

- **Defeitos nos mecanismos de defesa do hospedeiro.** Imunossupressão, particularmente devido a distúrbios linfoproliferativos, quimioterapia do câncer; doença pelo HIV; tratamento imunossupressor.
- **A infecção primária pelo VVZ e a reativação do VVZ** podem ser mais graves com infecção cutânea disseminada.

MANIFESTAÇÃO CLÍNICA

HERPES-ZÓSTER NECROSANTE Doença grave com distribuição em dermátomos (Fig.27-55).
HERPES-ZÓSTER COM DISSEMINAÇÃO CUTÂNEA Quantidades variáveis de vesículas ou bolhas são observadas em qualquer área mucocutânea (Fig. 27-57). Por conseguinte, a condição manifesta-se clinicamente como zóster mais varicela.

HERPES-ZÓSTER COM INFECÇÃO DERMATOMAL PERSISTENTE As úlceras crônicas persistem por vários meses. Lesões papulares ou verrucosas em dermátomos (Fig. 27-58).
OLHO Ocorre necrose aguda da retina na ausência de comprometimento conjuntival ou cutâneo aparente com perda subsequente da visão.
DISSEMINAÇÃO VISCERAL Encefalite, polineurite, mielite, vasculite; pneumonite; hepatite; pericardite/miocardite; pancreatite; enterocolite.

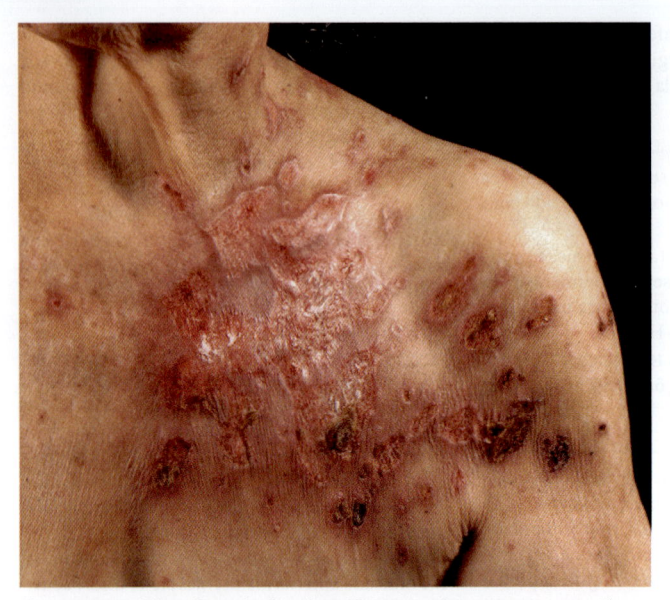

Figura 27-55 Vírus da varicela-zóster: herpes-zóster necrosante Ulcerações crostosas confluentes sobre uma base inflamatória em vários dermátomos contíguos em um homem idoso com leucemia.

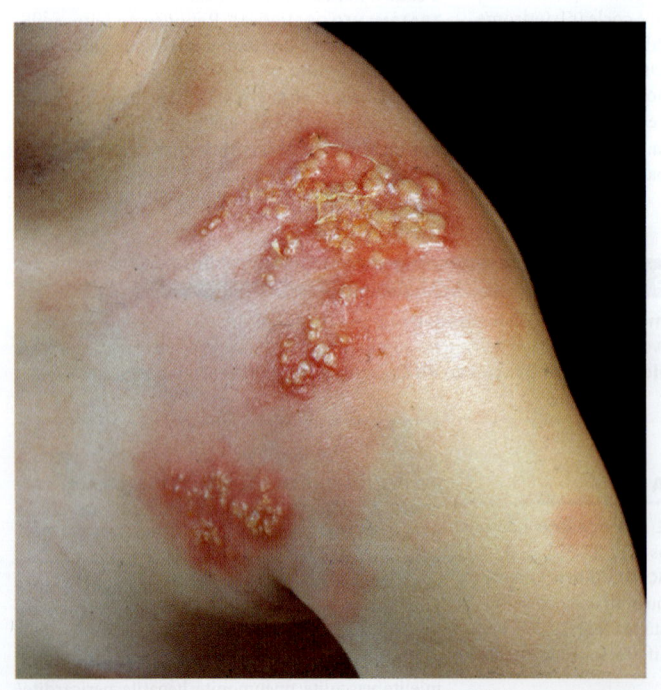

Figura 27-56 Zóster em C5-6 no ombro de menino de 5 anos A criança tinha dermatite atópica leve, mas era saudável sob outros aspectos e apresentava dor mínima. O diagnóstico foi confirmado com AFD. Essa imagem é mostrada para ilustrar que o herpes-zóster pode ocorrer, embora seja raro, em lactentes e crianças.

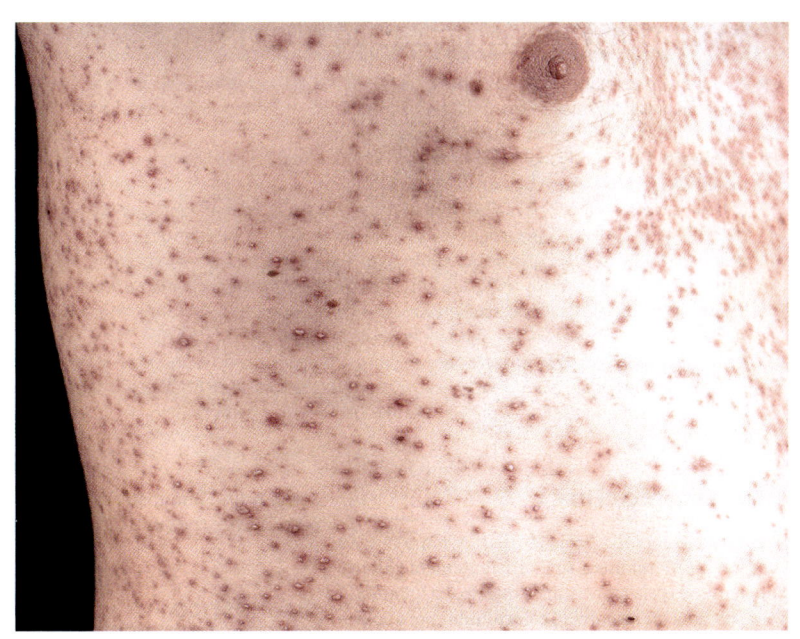

Figura 27-57 Infecção pelo vírus da varicela-zóster: forma cutânea disseminada em paciente imunocomprometido Centenas de vesículas e pústulas sobre bases eritematosas no tronco de um paciente com linfoma. Observa-se a ausência de agrupamento das lesões observado no herpes simples ou no herpes-zóster. A erupção é indistinguível da varicela e deve ser diferenciada da infecção disseminada pelo HSV.

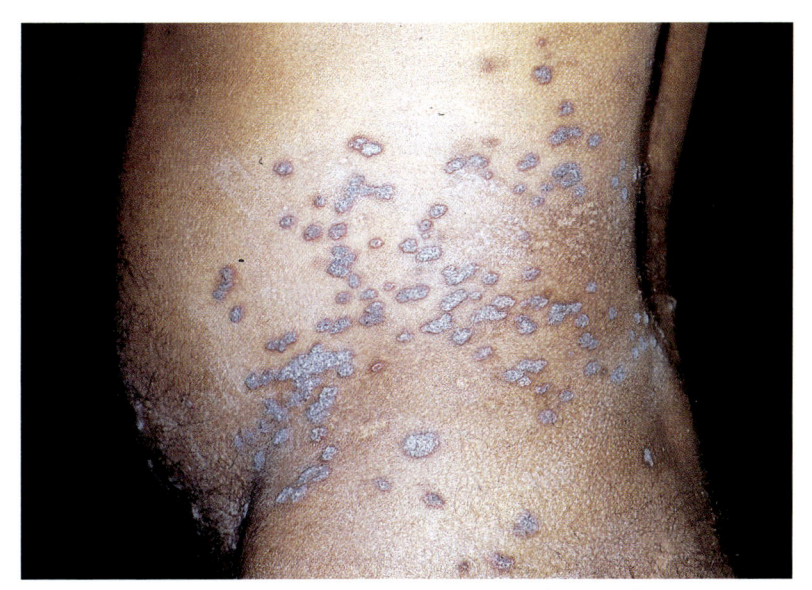

Figura 27-58 Vírus da varicela-zóster: zóster crônica na doença pelo HIV Homem de 42 anos com doença pelo HIV avançada, sem tratamento. Pápulas/nódulos hiperceratóticos isolados e confluentes em vários dermatómos contíguos, persistentes há 2 anos.

DOENÇA PELOS HERPES-VÍRUS HUMANO-6 E 7 CID-10: B08.2

- As infecções primárias pelo HHV-6 e pelo HHV-7 causam exantema súbito ou roséola infantil, que se caracteriza por febre alta em um lactente saudável (9 a 12 meses de idade), com defervescência em 3 dias, seguida de exantema de aparecimento súbito.
- **Etiologia.** O HHV-6 (variantes 6A e 6B) e o HHV-7 compartilham características genéticas, biológicas e imunológicas e exibem tropismo pelas células T. Ao nascimento, ocorre transferência passiva de IgG anti-HHV-6 e anti-HHV-7 na maioria das crianças. A infecção primária é adquirida por meio de secreções da orofaringe. Os anticorpos anti-HHV-6 alcançam o seu valor mínimo com 4 a 7 meses e aumentam durante a infância. Aos 12 meses, dois terços das crianças adquirem a infecção, e os níveis máximos de anticorpos são alcançados aos 2 a 3 anos de idade. De forma semelhante, os anticorpos anti-HHV-7 alcançam o seu valor mínimo aos 6 meses, e níveis máximos aos 3 a 4 anos de idade. A infecção latente pode persistir durante toda a vida do indivíduo.
- **Patogênese.** O HHV-6B causa exantema súbito; a patogênese do exantema é mais provavelmente uma resposta imunológica a antígenos virais. Ocorre reativação do HHV-6B em receptores de transplante, podendo causar encefalite, supressão da medula óssea e pneumonite.

MANIFESTAÇÃO CLÍNICA

PRÓDROMOS Febre alta, variando de 38,9°C a 40,6°C. A temperatura mantém-se consistentemente alta, com remissão pela manhã, até o quarto dia, quando volta subitamente ao normal, coincidindo com o aparecimento do exantema. O lactente está notavelmente bem, apesar da febre alta. É comum haver infecção primária assintomática pelo HHV-6 e pelo HHV-7.

EXANTEMA SÚBITO OU ROSÉOLA INFANTIL Pequenas máculas e pápulas rosadas que empalidecem sob pressão, de 1 a 5 mm de diâmetro (Fig. 27-59). As lesões podem permanecer isoladas, ou podem se tornar confluentes. Distribuição: Tronco e região cervical.

MANIFESTAÇÕES CLÍNICAS GERAIS Ausentes na presença de febre alta. As convulsões febris são comuns.

DIAGNÓSTICO DIFERENCIAL

Outros exantemas virais, RCAF e escarlatina.

SOROLOGIA Demonstração de IgM anti-HHV-6 ou de anticorpos anti-HHV-7 ou soroconversão da *IgG*.

DIAGNÓSTICO

É habitualmente estabelecido com base nas manifestações clínicas.

EVOLUÇÃO

O exantema súbito é autolimitado, com raras sequelas. Em alguns casos, a febre alta pode estar associada a convulsões. Foi relatada a ocorrência de intussuscepção associada à hiperplasia do tecido linfoide intestinal e hepatite. À semelhança de outras infecções causadas por HHV, o HHV-6 e o HHV-7 persistem durante toda a vida do paciente. O papel do HHV-6 e do HHV-7 na patogênese da pitiríase rósea está sendo pesquisado.

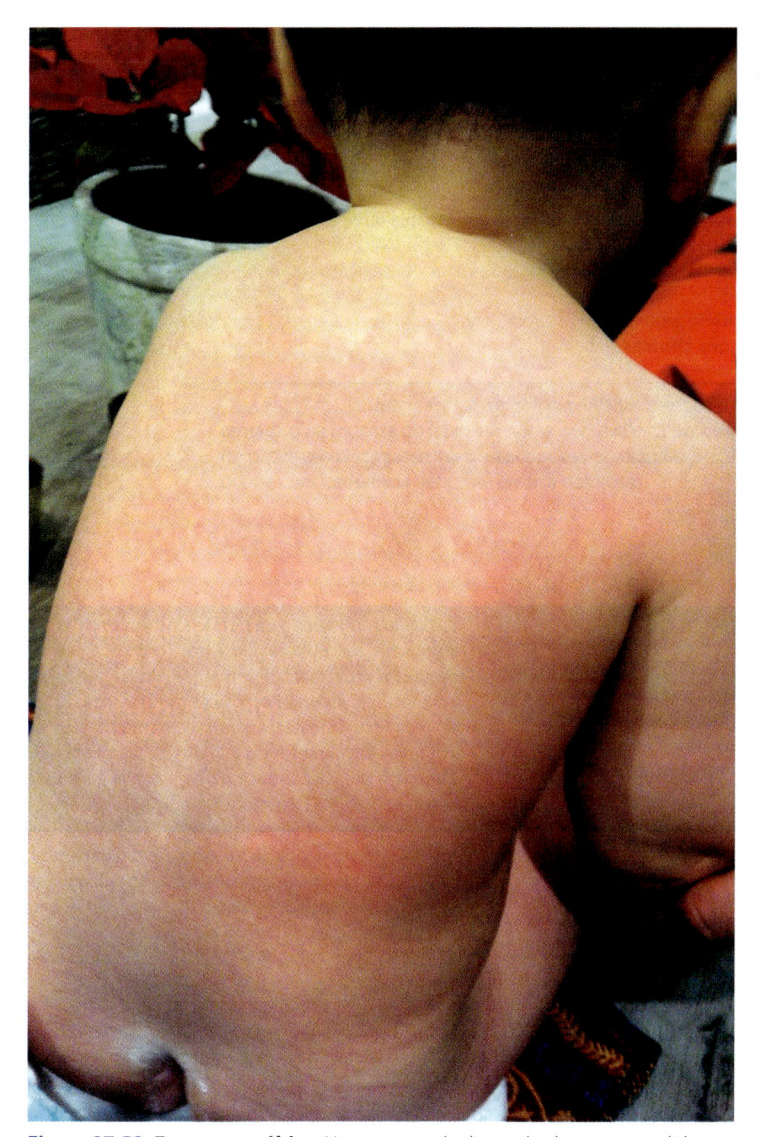

Figura 27-59 Exantema súbito Numerosas máculas e pápulas que empalidecem sob pressão no dorso de uma criança febril, que surgiram quando a temperatura caiu.

DOENÇA PELO VÍRUS DA IMUNODEFICIÊNCIA HUMANA CID-10: B20-B24

- O **HIV** tem a sua origem em primatas não humanos na África Subsaariana e evoluiu a partir do vírus da imunodeficiência de símios (SIV). A transmissão aos seres humanos ocorreu no início do século XX e esteve associado ao consumo de carnes de animais do mato.
- A **doença pelo HIV** caracteriza-se por uma deficiência quantitativa e qualitativa progressiva de *células T auxiliares*, que ocorre em situação de ativação imune policlonal.
- A **síndrome da imunodeficiência adquirida (Aids)**, que representa o estágio final da doença pelo HIV, foi reconhecida pela primeira vez nos EUA (1981) e pouco depois na Europa.
- A **transmissão do HIV** ocorre durante relações sexuais, exposição ao sangue ou a hemoderivados e exposição perinatal.
    - A **infecção primária pelo HIV** pode ser sintomática, com doença aguda com soroconversão para HIV.
    - As **manifestações clínicas** decorrem de infecções oportunistas e neoplasias. A evolução clínica é altamente variável.
    - **Tratamento.** Quando disponível, a terapia antirretroviral combinada (TARC) é muito eficaz no tratamento dessa doença crônica.

Diretrizes da doença pelo HIV dos U.S. Department of Health and Human Services: http://www.aidsinfo.nih.gov/.
Atualização dos dados epidemiológicos dos Centers for Disease Control and Prevention (CDC): http://www.cdcnpin.org/.

ETIOLOGIA E EPIDEMIOLOGIA

ETIOLOGIA A doença pelo HIV é causada principalmente por vírus do grupo HIV-1. HIV-2 causa doença na África Ocidental e em outros focos.

TRANSMISSÃO Relações sexuais, exposição ao sangue ou a hemoderivados, exposição perinatal ou leite materno. Fatores de risco para aquisição: doença com úlcera genital, parceiro infectado pelo HIV com alta carga viral (transmissão mais eficiente), coito anal receptivo.

DEMOGRAFIA 36,9 milhões de pessoas vivendo infectadas pelo HIV em 2015. 25,8 milhões na África Subsaariana. A doença pelo HIV já causou 39 milhões de mortes desde que foi reconhecida pela primeira vez em 1981. Em 2014, houve 2 milhões de novos casos de HIV no mundo todo.

PATOGÊNESE Após a infecção primária pelo HIV, bilhões de vírions são produzidos e destruídos a cada dia; há também uma renovação concomitante diária de bilhões de células CD4+ ativamente infectadas. A infecção pelo HIV é relativamente singular entre as infecções virais humanas, visto que, apesar das intensas respostas imunológicas tanto celular quanto humoral que são desencadeadas depois da infecção primária, o HIV não é eliminado totalmente do organismo. A infecção primária é seguida de doença crônica pelo HIV com graus variáveis de replicação do vírus.

MANIFESTAÇÃO CLÍNICA

Os distúrbios dermatológicos são praticamente universais durante a evolução da doença pelo HIV. Alguns distúrbios estão *altamente associados com a doença pelo HIV* e seu diagnóstico costuma exigir a testagem sorológica para o HIV: síndrome retroviral aguda, SK, leucoplasia pilosa oral, onicomicose subungueal proximal, angiomatose bacilar, foliculite eosinofílica, úlceras herpéticas crônicas, qualquer doença sexualmente transmissível e manifestações cutâneas decorrentes do uso de drogas injetáveis. Um *risco moderado para a doença pelo HIV* está associado ao HZ, ao molusco contagioso (lesões faciais múltiplas no adulto) e à candidíase (da orofaringe, esofágica ou vulvovaginal recorrente). *Possível risco para a doença pelo HIV*: linfadenopatia generalizada, dermatite seborreica e úlceras aftosas (recorrentes, refratárias ao tratamento).

INFECÇÃO AGUDA PELO HIV Doença viral aguda com exantema.

Manifestações exclusivas à doença pelo HIV: doença aguda com soroconversão para HIV (síndrome retroviral aguda), leucoplasia pilosa oral, foliculite eosinofílica, erupção papular pruriginosa da doença pelo HIV e angiomatose bacilar.

DISTÚRBIOS INFLAMATÓRIOS CUTÂNEOS Dermatite seborreica, dermatite atópica, prurigo nodular, psoríase, xerose, foliculite eosinofílica, prurido com alterações secundárias de escoriação, reações cutâneas adversas a fármacos.

INFECÇÕES OPORTUNISTAS Molusco contagioso, infecção pelo VVZ, infecções pelo herpes-vírus simples e pelo HPV. Infecções por *S. aureus*, angiomatose bacilar e candidíase da mucosa. Dermatofitoses. Infecções fúngicas sistêmicas com disseminação para a pele.

NEOPLASIAS OPORTUNISTAS SK, displasia induzida por HPV e CEC invasivo (colo do útero, ânus), carcinoma de células de Merkel, linfoma não Hodgkin, linfoma de Hodgkin e linfoma primário do SNC.

SÍNDROME INFLAMATÓRIA DE RECONSTITUIÇÃO IMUNE (SIRI) A SIRI ocorre dentro de algumas semanas ou meses após o início da TARC em consequência da imunidade restaurada a antígenos infecciosos ou não infecciosos específicos. As coinfecções micobacterianas e fúngicas não tratadas predispõem à SIRI. A SIRI ocorre mais frequentemente em pacientes que iniciam a TARC com contagens de células T CD4+ de < 50/μL, que apresentam uma acentuada queda da carga viral; a SIRI está associada a um aumento da contagem de células CD4 e/ou rápida redução da carga viral do HIV. A síndrome caracteriza-se por um agravamento clínico paradoxal de um distúrbio conhecido ou pelo aparecimento de uma nova condição após o início do tratamento. Os mecanismos potenciais para síndrome incluem recuperação parcial do sistema imune ou respostas imunológicas exuberantes do hospedeiro a estímulos antigênicos. Os patógenos infecciosos implicados com mais frequência nessa síndrome são *Mycobacterium*, VVZ, HSV e CMV. Além disso, foliculite eosinofílica e RCAF.

Sistema de estadiamento de doença para infecção e doença pelo HIV da Organização Mundial da Saúde de 2005:

- **Infecção primária pelo HIV**: pode ser assintomática ou pode estar associada à síndrome retroviral aguda.
- **Estágio I**: a infecção pelo HIV é assintomática, com contagem de células CD4 superior a 500/μL. Pode incluir aumento generalizado dos linfonodos.
- **Estágio II**: sintomas leves, que podem incluir manifestações mucocutâneas mínimas e infecções recidivantes das vias respiratórias superiores. Contagem de células CD4 inferior a 500/μL.
- **Estágio III**: sintomas avançados que podem incluir diarreia crônica inexplicável de mais de 1 mês de duração, infecções bacterianas graves, incluindo tuberculose pulmonar, bem como contagem de células CD4 inferior a 350/μL.
- **Estágio IV ou Aids**: sintomas graves que incluem toxoplasmose do encéfalo, candidíase do esôfago, da traqueia, dos brônquios ou dos pulmões e SK. Contagem de células CD4 inferior a 200/μL.

CDC, 2008. Nesse sistema, as infecções pelo HIV são classificadas com base nas contagens de células CD4 e nos sintomas clínicos.

- **Estágio 1**: contagem de células CD4 ≥ 500 células/μL, sem condições que definem a Aids.
- **Estágio 2**: contagem de células CD4 de 200 a 500 células/μL, sem condições que definem a Aids.
- **Estágio 3**: contagem de células CD4 ≤ 200 células/μL ou presença de condições que definem a Aids.
- **Desconhecido**: quando há informações insuficientes para efetuar uma das classificações anteriores.

O diagnóstico de Aids permanece mesmo quando, após tratamento, a contagem de células T CD4+ aumenta acima de 200/μL de sangue ou quando outras doenças que definem a Aids são curadas.

EXAMES LABORATORIAIS

Diagnóstico da infecção pelo HIV. A doença pelo HIV é diagnosticada e monitorada pela determinação do RNA e antígenos do HIV, contagens de células CD4 e testes sorológicos (http://www.cdc.gov/std/treatment/2010/hiv.htm) (ver Quadro 27-2).

QUADRO 27-2 Diagnóstico laboratorial da infecção pelo HIV

Teste	Componente testado	Período de janela	Papel no diagnóstico
Ensaio de imunoabsorção ligado à enzima[a]	Anticorpos (IgM e IgG)	3 a 6 semanas	Rastreamento
Captura de antígeno[b]	Antígeno p24 do HIV	2 a 3 semanas	Rastreamento
Western blotting	Anticorpo (IgG)	3 semanas	Confirmação
Imunofluorescência	Anticorpo (IgG)	3 semanas	Confirmação
Teste do ácido nucleico	RNA ou DNA do HIV	2 semanas	Confirmação
Cultura viral	Vírus, em geral de células mononucleares do sangue periférico, não do soro ou do plasma	–	Confirmação, pesquisa

Ig = imunoglobulina;
[a]Dispõe-se também de testes rápidos, bem como de testes de aglutinação de partículas.
[b]A detecção pode ser aumentada com o uso de técnicas de dissociação de imunocomplexos.
Modificado de Maldarelli F. Diagnosis of human immunodeficiency virus infection. In: Mandell GL et al., eds. *Principles and Practice of Infectious Diseases*. Philadelphia, PA: Elsevier; 2005:1506, com autorização. Copyright © Elsevier.

EVOLUÇÃO

A evolução clínica da doença pelo HIV é altamente variável em cada indivíduo (Fig. 27-60). Com frequência, ocorre infecção primária sintomática. É comum observar um estado assintomático prolongado após a infecção primária. Ocorrem infecções oportunistas e neoplasias malignas na doença avançada. No início da pandemia, a profilaxia para infecções oportunistas e o seu tratamento melhoraram a morbidade e a mortalidade. Na atualidade, a TARC tem sido muito eficaz na maioria dos casos, mas pode levar ao desenvolvimento da síndrome metabólica e de lipodistrofia.

TRATAMENTO

As diretrizes para a terapia antirretroviral (TAR) evoluem à medida que novos fármacos e recursos locais tornam-se disponíveis. Os *sites* para as diretrizes atualizadas da TAR são os seguintes:

- Estados Unidos: http://www.aidsinfo.nih.gov/guidelines.
- Organização Mundial da Saúde: http://www.who.int/hiv/topics/treatment/en/.

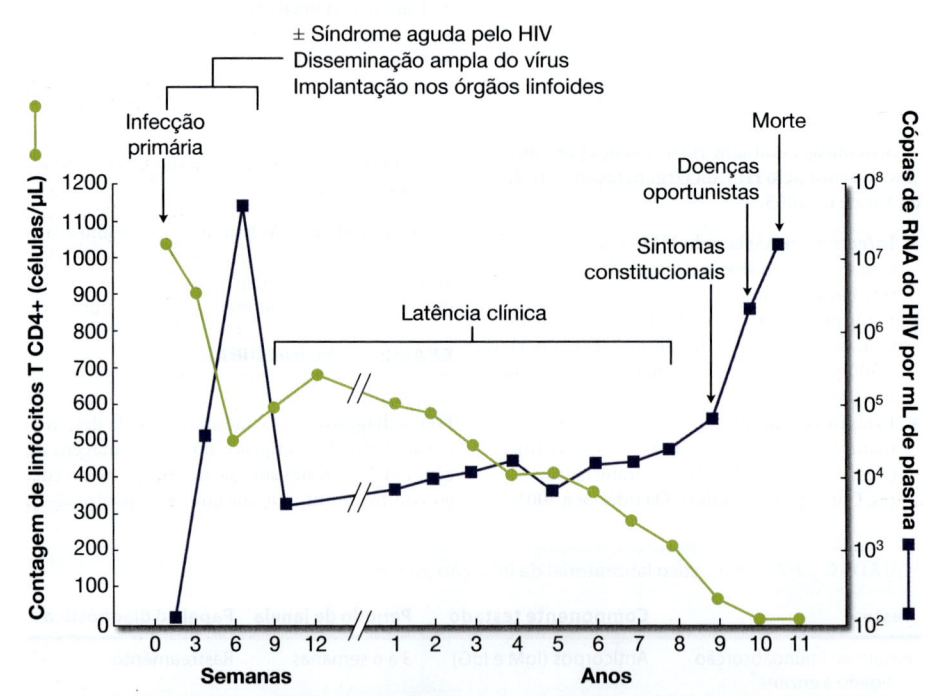

Figura 27-60 Evolução característica da doença em um indivíduo com doença pelo HIV (Adaptada de Fauci AS et al. Immunopathogenic mechanisms of HIV infection. *Ann Intern Med.* 1996;124(7):654-663.)

SÍNDROME AGUDA PELO HIV CID-10: B23.0

- **Infecção primária pelo HIV.** Até 70% das infecções primárias são sintomáticas, 3 a 4 semanas após a exposição. A infecção primária varia desde assintomática até sintomas graves.
- Síndrome semelhante à mononucleose infecciosa, com febre, linfadenopatia e sintomas neurológicos e GI.
- Exantema infeccioso, enantema e ulcerações mucocutâneas.

MANIFESTAÇÃO CLÍNICA

MANIFESTAÇÕES CLÍNICAS GERAIS Febre, faringite, linfadenopatia, cefaleia/dor retrorbitária, artralgias/mialgias, letargia/mal-estar, anorexia/emagrecimento, náusea/vômitos/diarreia. Achados neurológicos: meningite, encefalite, neuropatia periférica e mielopatia.

EXANTEMA Aparece em 2 a 3 dias após o início da febre e dura de 5 a 8 dias. Exantema morbiliforme (exantema infeccioso [Fig. 27-61]), com máculas e pápulas rosadas de até 1 cm de diâmetro. As lesões permanecem isoladas. Parte superior do tórax e região cervical inferior, face, braços, couro cabeludo, coxas.

LESÕES OROFARÍNGEAS Faringite. *Enantema*: máculas vermelhas no palato duro e no palato mole. *Úlceras aftosas*: tonsilas, palato e mucosa bucal; úlceras esofágicas. Raramente, *candidíase oral*.

LESÕES GENITAIS Úlceras aftosas dolorosas. Prepúcio do pênis, escroto, ânus e canal anal.

DIAGNÓSTICO DIFERENCIAL

Exantemas infecciosos. Reação cutânea adversa a fármacos.

DIAGNÓSTICO

A demonstração da soroconversão dos anticorpos anti-HIV por ELISA, confirmada pelo Western blot, estabelece o diagnóstico de infecção primária pelo HIV. Detecção do RNA e de antígenos do HIV.

EVOLUÇÃO

A duração média da doença sintomática é de 13 dias. A infecção primária sintomática prolongada está associada a um declínio mais rápido da função imunológica.

PRURIDO E ERUPÇÕES PRURIGINOSAS O prurido constitui um sintoma comum em indivíduos com doença avançada pelo HIV. A causa consiste geralmente em dermatoses primárias ou secundárias. A *foliculite eosinofílica* e a *erupção pruriginosa papular* da doença pelo HIV constituem distúrbios pruriginosos primários que ocorrem exclusivamente na doença pelo HIV.

Pode haver manifestação de uma diátese tipo atópico (dermatite atópica, rinite alérgica, asma). As alterações secundárias à fricção e à coçadura crônica incluem escoriações, líquen simples crônico, prurigo nodular e hiperpigmentação (Figs. 27-62 e 27-64). Ocorre infecção secundária por *S. aureus* (impetiginização, furunculose ou celulite) nas lesões traumatizadas. A ictiose vulgar e a xerose são comuns na doença avançada pelo HIV e podem estar associadas a prurido leve. Os inibidores da protease (particularmente indinavir) podem causar dermatite retinoide, que surge logo após o início do tratamento. O *prurido idiopático* está associado a contagens de células T CD4+ de < 200/μL e a uma carga viral > 55.000 cópias/mL, enquanto a TARC tem sido associada a uma diminuição do prurido idiopático.

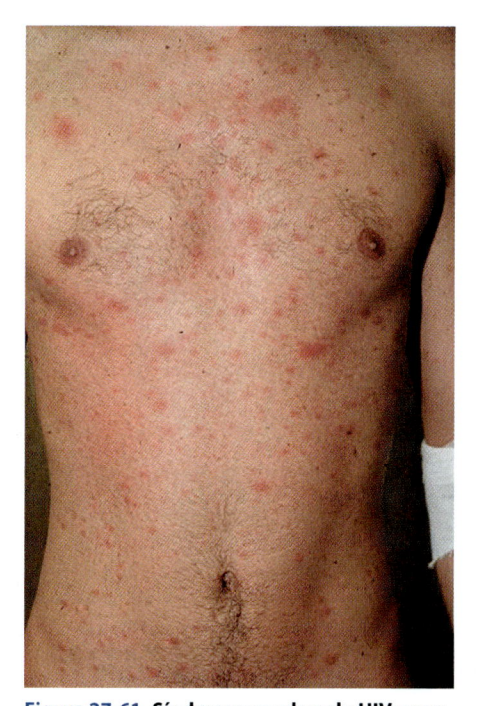

Figura 27-61 Síndrome aguda pelo HIV: exantema Máculas e pápulas eritematosas isoladas na parte anterior do tronco; as manifestações associadas foram febre e linfadenopatia. (Usada com permissão de Armin Rieger, MD.)

FOLICULITE EOSINOFÍLICA

- **Dermatose pruriginosa crônica** que ocorre em indivíduos com doença avançada pelo HIV. Pode surgir antes da TARC ou surgir subitamente com a SIRI após o início da TARC.
- **Manifestações clínicas.** Pequenas pápulas foliculocêntricas edematosas, rosadas a vermelhas, extremamente pruriginosas (**Fig. 27-63**) e, com menos frequência, pústulas. As lesões tendem a surgir simetricamente acima da linha dos mamilos no tórax, na parte proximal dos braços, na cabeça e na região cervical. É comum a ocorrência de alterações secundárias, infecções pelo *S. aureus* e despigmentação (**Fig. 27-64**).
- **Exames laboratoriais.** A biópsia das lesões revela um infiltrado inflamatório de linfócitos e eosinófilos ao nível do istmo e das glândulas sebáceas. Eosinofilia periférica.
- **Tratamento.** Um ciclo curto de prednisona com redução gradual da dose proporciona alívio imediato dos sintomas, por exemplo, 70 mg, com redução gradual de 5 ou 10 mg diariamente. As lesões e os sintomas frequentemente recorrem poucas semanas após completar o ciclo de prednisona. A isotretinoína também é eficaz.

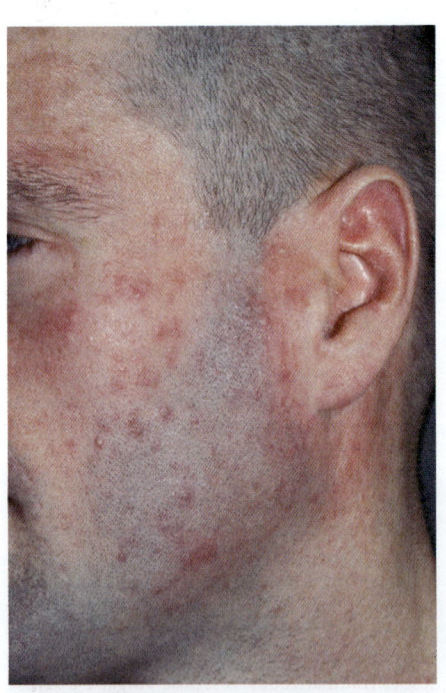

Figura 27-62 Foliculite eosinofílica Homem de 38 anos com doença pelo HIV. As múltiplas pápulas vermelhas pruriginosas na face e na região cervical surgiram pouco depois de reinstituir a TARC. Isso representa a síndrome inflamatória de reconstituição imune (SIRI), que ocorre com a melhora dos parâmetros imunológicos.

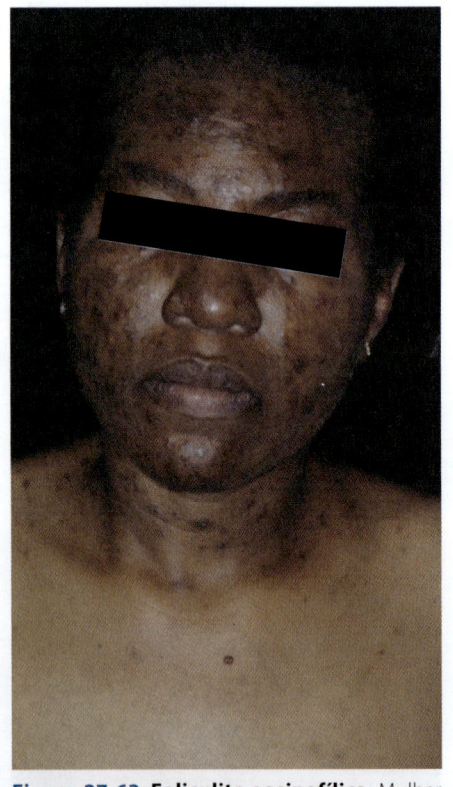

Figura 27-63 Foliculite eosinofílica Mulher africana de 31 anos com doença avançada pelo HIV. Múltiplas pápulas edematosas pruriginosas na face e na região cervical, com acentuada hiperpigmentação pós-inflamatória. Observa-se ausência de lesões e de pigmentação no tórax adjacente.

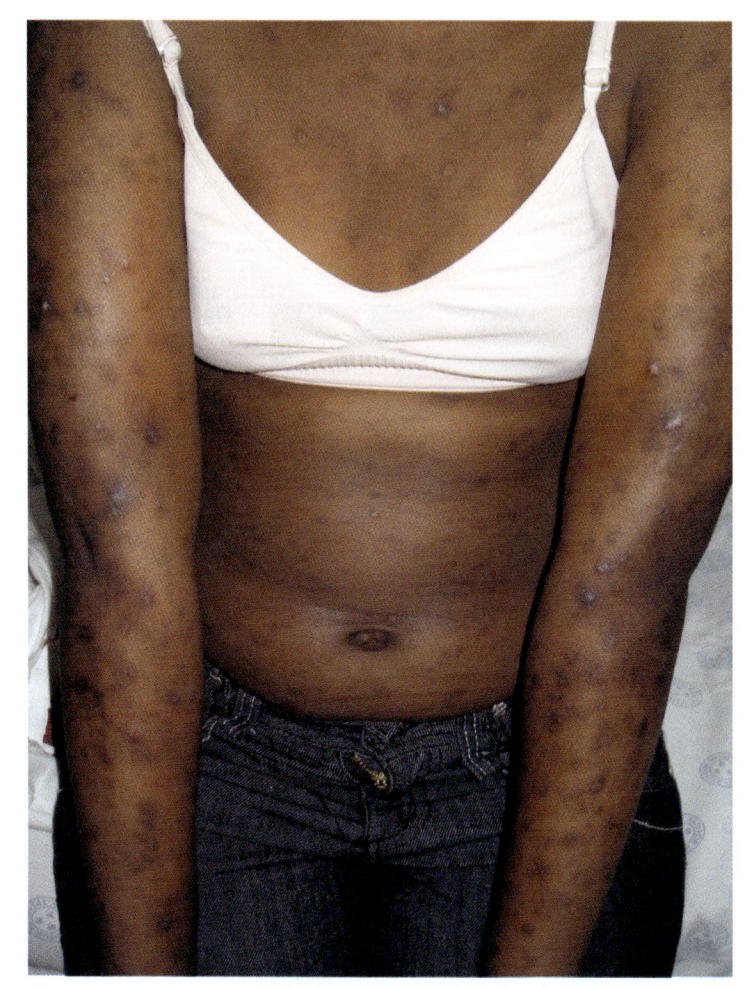

Figura 27-64 Erupção papulopruriginosa da doença pelo HIV Mulher africana de 23 anos com múltiplas pápulas escoriadas nos braços e menor quantidade de lesões no tronco. Acredita-se que as lesões primárias surjam em locais de picada de insetos. (Usada com permissão de Adam Lipworth, MD.)

ERUPÇÃO PAPULOPRURIGINOSA DO HIV

- **Epidemiologia.** Alta prevalência nos países em desenvolvimento, constituindo frequentemente a manifestação de apresentação inicial da doença pelo HIV. Raramente descrita na Europa e na América do Norte. A erupção papulopruriginosa (EPP) parece constituir um marcador de doença avançada pelo HIV; > 80% dos indivíduos com EPP apresentam contagem de células T CD4+ de < 100/µL (100). A etiopatogênese não está bem elucidada; pode representar uma reação de hipersensibilidade a picadas de artrópodes.
- **Manifestações clínicas.** Pápulas urticariformes e, em certas ocasiões, pústulas não infecciosas; às vezes, foliculocêntricas. Geralmente simétricas e distribuídas primariamente nas extremidades, sendo menos comuns no tronco e face (**Fig. 27-64**). Devido ao prurido intenso, costuma haver escoriações múltiplas, marcada hiperpigmentação pós-inflamatória e cicatrizes.
- **Tratamento.** A reconstituição imune com TARC constitui um tratamento eficaz para a EPP, embora possam ser necessários vários meses de tratamento para a resolução das lesões.

FOTOSSENSIBILIDADE NA DOENÇA PELO HIV (Ver Seção 10)

A fotossensibilidade idiopática pode constituir a queixa de apresentação da doença avançada pelo HIV. As erupções fotossensíveis exibem duas morfologias distintas: erupções liquenoides fotodistribuídas (**Fig. 27-65**) e erupções eczematosas fotodistribuídas. A TARC e outros fármacos causam erupções fotossensíveis. Os fatores de risco para a fotossensibilidade incluem a etnicidade africana e a TARC. A fotossensibilidade ocorre em associação a outras doenças, como porfiria cutânea tarda, dermatite actínica crônica, fotoerupção liquenoide e granuloma fotossensível.

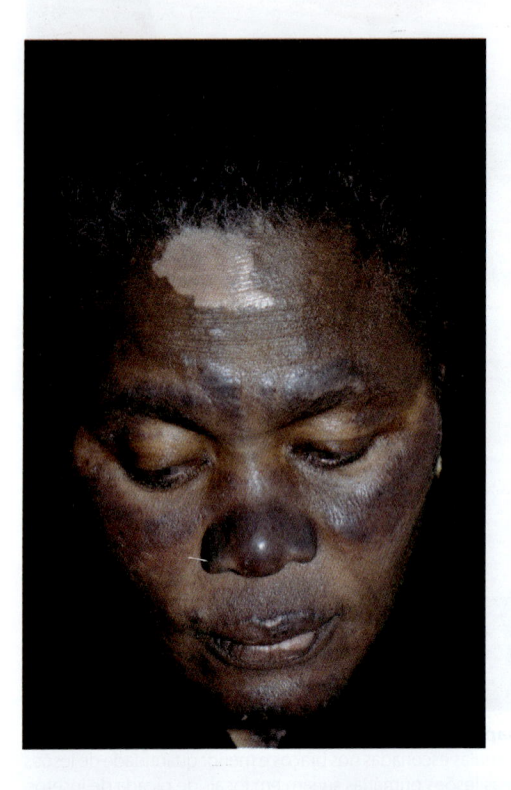

Figura 27-65 Erupção fotossensível liquenoide Mulher africana de 45 anos com doença avançada pelo HIV. Placas hiperpigmentadas violáceas nas áreas da face expostas à luz solar. Ocorre despigmentação em uma placa na fronte. Com exceção da doença pelo HIV, não foi identificada nenhuma doença sistêmica subjacente, nem exposição a fármacos.

LEUCOPLASIA PILOSA ORAL (LPO) CID-10: K13.3

- **Etiologia.** O EBV emerge do estado de latência na doença avançada pelo HIV e provoca hiperplasia benigna da mucosa. Ocorre na presença de contagem de células CD4+ de < 300/μL.
- **Manifestações clínicas.** Assintomática, mas representa um fator de estigmatização da doença pelo HIV. Placas bem demarcadas, brancas ou brancoacinzentadas (**Fig. 27-66**), com textura corrugada. Mais comumente encontrada nas superfícies lateral e inferior da língua. Com frequência, ocorre bilateralmente. A candidíase da orofaringe também está frequentemente presente.
- **Diagnóstico diferencial.** Candidíase pseudomembranosa ("sapinho"), glossite geográfica ou migratória, leucoplasia associada ao tabaco, placa mucosa da sífilis secundária e CECIS.
- **Diagnóstico.** Diagnóstico clínico. As lesões não se desprendem quando raspadas; não desaparecem com tratamento adequado contra *Candida*.
- **Evolução.** Em geral, desaparece com TARC e restauração do sistema imune. Sofre recidiva quando a TARC falha.
- **Tratamento.** Podofilina a 25% em tintura de benjoim aplicada à lesão com cotonete durante 5 minutos. A TARC eficaz resulta em regressão e desaparecimento da LPO.

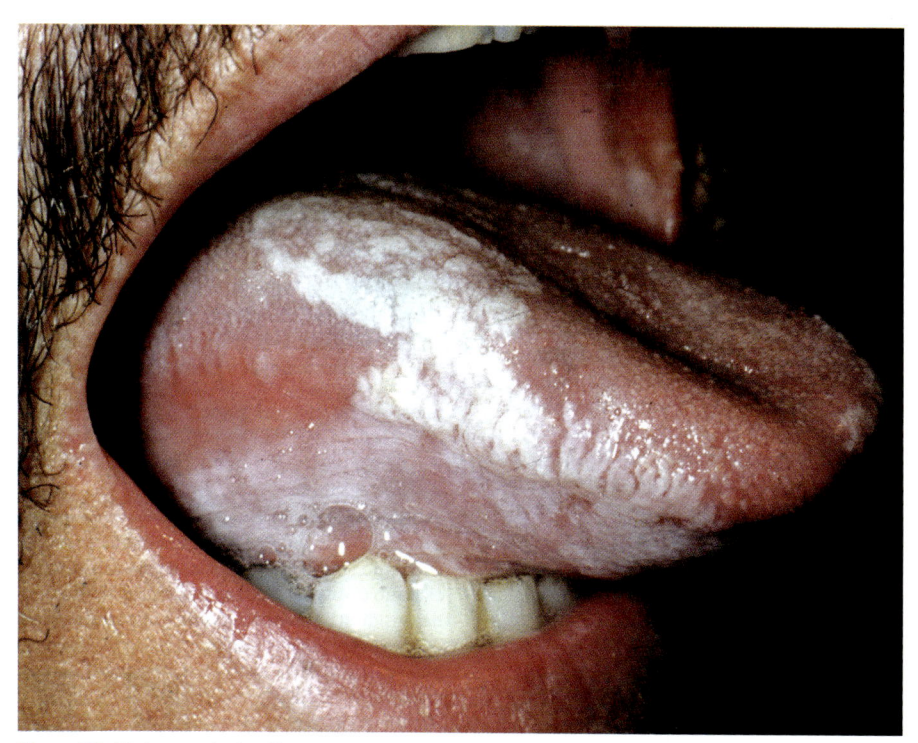

Figura 27-66 Leucoplasia pilosa Homem de 32 anos com doença avançada pelo HIV. Placas brancas na superfície lateral da língua com padrão semelhante ao veludo.

REAÇÕES CUTÂNEAS ADVERSAS A FÁRMACOS NA DOENÇA PELO HIV CID-10: L27.0

- Quanto à sua incidência, estima-se que a RCAF seja até 100 vezes mais comum em indivíduos com doença pelo HIV do que na população geral, tornando-se mais frequente com a progressão da imunodeficiência.
- **As erupções exantemáticas ou morbiliformes** constituem a manifestação mais comum, sendo responsáveis por até 95% dos casos.
- Ocorrem também sob **outras formas,** como urticária, eritema multiforme *major*, eritema multiforme *minor*, necrólise epidérmica tóxica, erupções liquenoides, vasculite e erupção fixa por fármaco. Vinte por cento dos pacientes relatam sintomas sistêmicos (febre, cefaleia, mialgias, artralgias).
- A **TARC** pode causar um amplo espectro de RCAF.

ETIOLOGIA E EPIDEMIOLOGIA

Os fármacos mais comuns que causam RCAFs na doença pelo HIV são as *aminopenicilinas* e as *sulfas*. Os fatores associados ao risco aumentado de erupções medicamentosas incluem sexo feminino, contagem de células T CD4+ < 200/μL, contagem de células T CD8+ > 460/μL e história pregressa de erupções medicamentosas. A incidência da necrólise epidérmica tóxica está marcadamente aumentada na doença avançada pelo HIV, com taxa de mortalidade de 20%.

PATOGÊNESE A incidência aumenta com a doença progressiva pelo HIV e o declínio e disfunção da função imunológica. Após a reconstituição do sistema imune pela TARC, alguns indivíduos que anteriormente tinham tolerado um fármaco podem desenvolver reações medicamentosas cutâneas alérgicas, uma manifestação da SIRI.

CLASSIFICAÇÃO

As erupções medicamentosas podem simular muitas dermatoses e devem ser as primeiras a serem consideradas no diagnóstico diferencial quando surge uma erupção simétrica súbita (ver Seção 23).

Erupções exantemáticas ou morbiliformes, máculas e pápulas. São responsáveis por 95% dos casos de RCAF na doença pelo HIV assim como na população geral.

DERMATITE RETINOIDE O indinavir tem efeito retinoide sobre a pele e pode causar dermatite eczematosa, paroníquia crônica, queilite e granuloma piogênico.

Síndrome de lipodistrofia: ver adiante.

TRATAMENTO

Na maioria dos casos, deve-se interromper o fármaco implicado ou suspeito. Nos casos de urticária/angioedema ou síndrome de Stevens-Johnson no estágio inicial, a RCAF pode ser potencialmente fatal. O tratamento de curto prazo com corticosteroides orais pode ser eficaz para reduzir o risco de erupções medicamentosas adversas.

Efeitos adversos da terapia antirretroviral

Na atualidade, dispõe-se de seis classes de agentes antirretrovirais:

- Inibidores não nucleosídeos da transcriptase reversa (INNTRs)
- Inibidores da protease
- INTRs
- Inibidores da integrase
- Antagonistas do receptor de quimiocina 5
- Inibidores da fusão

Esses fármacos estão associados a uma variedade de efeitos adversos cutâneos, incluindo reações de hipersensibilidade, lipodistrofia, efeitos semelhantes aos retinoides, hiperpigmentação, alterações ungueais e reações no local de injeção (Quadro 27-3).

Lipodistrofia e síndromes metabólicas

A lipodistrofia relacionada com a doença pelo HIV caracteriza-se por distribuição anormal da gordura com lipohipertrofia, lipoatrofia ou ambas. As anormalidades na distribuição da gordura são frequentemente acompanhadas de anormalidades metabólicas, isto é, elevação dos níveis de glicose e de insulina em jejum, hipertrigliceridemia, hipercolesterolemia e diminuição das lipoproteínas de alta densidade.

PATOGÊNESE A lipohipertrofia está mais comumente associada ao tratamento com inibidores da protease, enquanto a lipoatrofia está frequentemente associada ao uso de INTRs, especialmente os análogos da timidina, estavudina e zidovudina. A própria doença pelo HIV pode induzir alterações na distribuição da gordura e anomalias metabólicas, como resistência à insulina.

MANIFESTAÇÃO CLÍNICA A lipohipertrofia manifesta-se na forma de obesidade central, aspecto cushingoide ("giba de búfalo"), aumento da circunferência cervical (Fig. 27-67), aumento da circunferência abdominal, devido ao acúmulo de gordura intra-abdominal ("barriga de protease" ou "barriga de Crix") e aumento das mamas. A lipoatrofia facial, que é mais pronunciada nas regiões malares e nas têmporas, é notável e representa um aspecto estigmatizante da doença pelo HIV (Fig. 27-68). A lipoatrofia da gordura subcutânea produz aparência pseudoatlética, com padrão venoso proeminente e musculatura nos membros e nas nádegas. Em estudos de coorte de indivíduos com doença pelo HIV tratados com TAR, a prevalência global de lipodistrofia foi de 38%, enquanto a da lipoatrofia isolada foi de 16% e a da lipohipertrofia isolada, de 12%. A prevalência de anormalidades lipídicas alcançou 49%, e a dos distúrbios da glicose foi de 20%.

O tratamento da lipodistrofia continua sendo um desafio. Constatou-se que a substituição de esquemas contendo estavudina e zidovudina pode ter benefício parcial na lipoatrofia. A lipoatrofia facial tem sido tratada com preenchimento de tecidos moles, com graus variáveis de sucesso.

QUADRO 27-3 Efeitos adversos dos agentes antirretrovirais

Medicamento	Mecanismo	Efeitos colaterais não mucocutâneos	Efeitos colaterais mucocutâneos
Inibidores nucleosídeos da transcriptase reversa			
Abacavir (ABC) Didanosina (ddI) Entricitabina (FTC) Lamivudina (3TC) Estavudina (d4T) Tenofovir (TDF) Zidovudina (AZT) Zalcitabina (ddC)	Análogos nucleosídeos que atuam por meio de sua incorporação na cadeia de DNA em crescimento do vírus, induzindo, por fim, o término do alongamento do DNA viral	■ Pancreatite, neuropatia periférica, acidose láctica e hepatotoxicidade com didanosina, estavudina e zalcitabina ■ Hepatotoxicidade com entricitabina e lamivudina ■ Toxicidade renal com tenofovir ■ Anemia, granulocitopenia, miopatia, acidose láctica, hepatotoxicidade e náusea com zidovudina	■ Hipersensibilidade, com raros casos de SSJ/NET ■ Reações de hipersensibilidade sistêmica em até 5 a 8% dos casos com abacavir, associadas a HLA-B5701/HLA-DR7/HLA-DQ3; redução da incidência com pré-triagem para HLA-B5701 ■ Vasculite leucocitoclástica, pancreatite e neuropatia periférica com didanosina ■ Hiperpigmentação do leito ungueal, das palmas e das plantas com entricitabina ■ Hiperpigmentação das unhas (incluindo faixas longitudinais e transversais), hiperpigmentação difusa da pele e da mucosa oral, vasculite leucocitoclástica e hipertricose com zidovudina ■ Lipohipoatrofia com estavudina e zidovudina ■ Paroníquia com granuloma piogênico das pregas ungueais com lamivudina e zidovudina ■ Úlceras esofágicas e orofaríngeas com zalcitabina
Inibidores não nucleosídeos da transcriptase reversa			
Delavirdina Efavirenz Etravirina Nevirapina	Não nucleosídeos que se ligam diretamente à transcriptase reversa para impedir a conversão do RNA viral em DNA	■ Hepatotoxicidade ■ Sonolência e depressão com efavirenz	■ As reações de hipersensibilidade são comuns nas primeiras 6 semanas de tratamento, com raros casos de progressão para hipersensibilidade sistêmica ou SSJ/NET (maior incidência com nevirapina)
Inibidores da protease			
Amprenavir Atazanavir Darunavir Fosamprenavir Indinavir Lopinavir Nelfinavir Ritonavir Saquinavir Tipranavir	Impedem a clivagem de precursores proteicos essenciais para a maturação do HIV, a infecção de novas células e a replicação	■ Náusea, vômitos, diarreia, cefaleias, anormalidades dos lipídeos e hiperglicemia ■ Parestesias orais com amprenavir ■ Prolongamento do intervalo PR e hiperbilirrubinemia com atazanavir ■ Hepatotoxicidade e hemorragia intracraniana com tipranavir ■ Nefrolitíase e hiperbilirrubinemia com indinavir ■ O ritonavir pode afetar os níveis de muitos outros fármacos, incluindo saquinavir	■ Reações de hipersensibilidade, com progressão rara para a SSJ, particularmente com amprenavir, fosamprenavir e tipranavir ■ Pustulose exantemática aguda ■ Lipohipertrofia, mais comumente com indinavir ■ Efeitos semelhantes aos retinoides dependentes da dose (xerose, queilite, alopécia, granuloma piogênico das pregas ungueais laterais, cabelos crespos e paroníquia recidivante), porfiria aguda, "ombro congelado" e trombose venosa com indinavir ■ Sangramento espontâneo e hematomas, particularmente com tipranavir ■ Casos raros de erupções medicamentosas fixas com saquinavir ■ O darunavir, o tipranavir, o fosamprenavir e o amprenavir contêm sulfa e devem ser utilizados com cautela em pacientes alérgicos às sulfas

(continua)

QUADRO 27-3 Efeitos adversos dos agentes antirretrovirais *(continuação)*

Medicamento	Mecanismo	Efeitos colaterais não mucocutâneos	Efeitos colaterais mucocutâneos
Inibidores da fusão			
Enfuvirtida	Inibe a ligação do HIV às células CD4 por meio de sua ligação e inibição da ação de gp40, uma proteína do HIV que induz alterações estruturais necessárias para a fusão do vírus com células CD4 do hospedeiro	▪ Frequência aumentada de pneumonia bacteriana	▪ Reações de hipersensibilidade sistêmica em < 1%
Inibidores da integrase			
Raltegravir	Inibe a integrase do HIV, uma enzima viral que catalisa a integração do DNA do HIV no DNA cromossômico do hospedeiro	▪ Náuseas	▪ Prurido
Antagonistas do receptor de quimiocina 5 (CCR5)			
Maraviroque	Liga-se ao receptor CCR5, um correceptor do HIV nas células CD4 e, portanto, bloqueia a ligação de proteínas do envelope do HIV e a entrada do vírus nas células hospedeiras	▪ Hepatotoxicidade, nasofaringite, tosse, dor abdominal, tontura, sintomas musculoesqueléticos	▪ Reações no local de injeção em até 98% dos pacientes, exigindo a interrupção do fármaco em apenas 3%

Fonte: Reproduzido com permissão de Goldsmith LA, Katz SI, Gilchrest BA, et al., eds. *Fitzpatrick's Dermatology in General Medicine.* 8th ed. New York, McGraw-Hill, 2012, p. 2447.

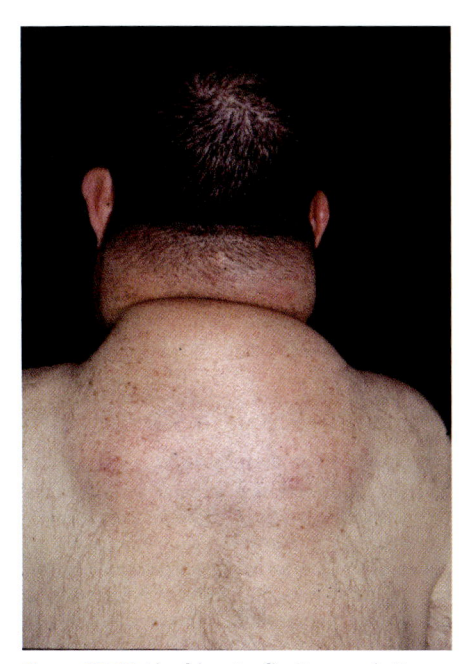

Figura 27-67 Lipohipertrofia Homem de 51 anos com doença avançada pelo HIV. Aumento do tecido adiposo subcutâneo da região cervical com giba de búfalo na parte superior do dorso. Havia também ginecomastia. Lipoatrofia na face. O peso corporal estava normal.

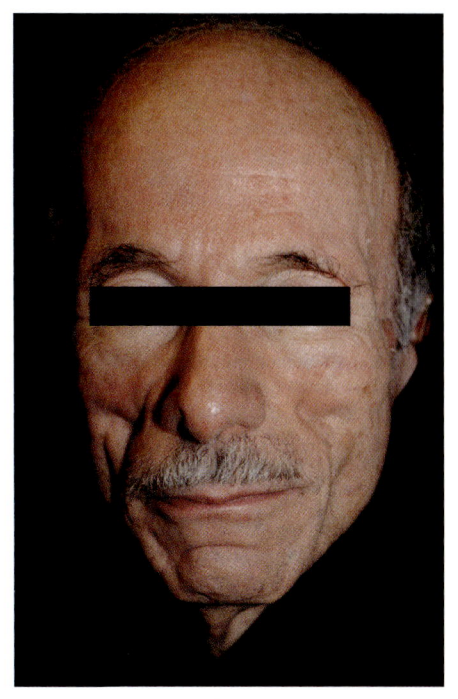

Figura 27-68 Lipoatrofia Homem de 61 anos com doença avançada pelo HIV. Observa-se perda notável de gordura nas regiões malares e nas têmporas. Havia também lipohipertrofia da região cervical e da parte superior do dorso.

VARIAÇÕES NOS DISTÚRBIOS MUCOCUTÂNEOS COMUNS NA DOENÇA PELO HIV

- Nos estágios iniciais da doença pelo HIV, quando a função imunológica está relativamente intacta, as dermatoses comuns, RCAF e infecções apresentam-se como manifestações clínicas características, seguem uma evolução habitual e respondem aos tratamentos convencionais.
- Com o declínio progressivo da função imunológica, cada uma das características dessas doenças pode ser notavelmente alterada.
- Com tratamento eficaz usando a TARC e a reconstituição imunológica, as doenças não ocorrem, regridem sem tratamento específico ou respondem mais prontamente ao tratamento.

Sarcoma de Kaposi

No início da epidemia do HIV nos EUA e na Europa, 50% dos homens homossexuais tinham SK por ocasião do diagnóstico inicial de Aids. Nos indivíduos com doença pelo HIV, o risco de SK é 20.000 vezes maior do que na população geral e 300 vezes maior do que o de outros indivíduos imunossuprimidos. Na doença pelo HIV sem tratamento, o SK pode progredir rapidamente com extenso acometimento mucocutâneo e sistêmico. O SK em pacientes tratados com sucesso com TARC não ocorre, regride sem outro tratamento específico além da reconstituição imunológica, ou responde melhor às quimioterapias (ver também "Sarcoma de Kaposi", na Seção 21).

Cânceres de pele não melanoma
A incidência de CEC está aumentada na doença avançada pelo HIV. A infecção por tipos oncogênicos de HPV constitui a causa mais comum de CEC. Os locais mais comuns para CECIS e CEC invasivo incluem colo do útero, órgãos genitais externos e área anorretal. A incidência de CEC invasivo induzido pela luz UV está aumentada na doença avançada pelo HIV, em indivíduos com pele dos fototipos I a III que tiveram acentuada exposição à luz UV nas primeiras décadas de vida. Esses CECs podem ser muito agressivos, com invasão local, rápido crescimento e metástases por meio dos vasos linfáticos e sanguíneos, com aumento da morbidade e mortalidade.

Úlceras aftosas
As úlceras aftosas recorrentes ocorrem com mais frequência e se tornam maiores (geralmente > 1 cm) e/ou crônicas na doença avançada pelo HIV. As úlceras podem ser extensas e/ou múltiplas, acometendo comumente a língua, a gengiva, os lábios e o esôfago, causando odinofagia grave com rápida perda de peso. Triancinolona intralesional. Prednisona, 70 mg, com redução gradual da dose em 10 ou 5 mg ao dia, durante 7 ou 14 dias. Nos casos resistentes, a talidomida constitui um agente eficaz (ver também "Úlceras aftosas", na Seção 33).

Infecção por *Staphylococcus aureus*
S. aureus é o patógeno bacteriano cutâneo mais comum tanto na população geral quanto em indivíduos com doença pelo HIV. O estado de portador nasal de *S. aureus* é de até 50%, ou seja, duas vezes o dos grupos de controle soronegativos para o HIV. Na maioria dos casos, as infecções por *S. aureus* são típicas e ocorrem como infecções primárias (foliculite, furúnculos, carbúnculos), infecções secundárias (escoriações, eczema, escabiose, úlcera herpética, SK), celulite ou infecções por dispositivos de acesso venoso, podendo todas serem complicadas por bacteremia e infecção disseminada. As infecções causadas por *S. aureus* resistente à meticilina (MRSA), se não forem identificadas, podem ser mais graves, devido ao atraso no início do tratamento anti-MRSA eficaz (ver também Seção 25).

Dermatofitoses
A dermatofitose epidérmica pode ser extensa, recorrente e difícil de erradicar. A onicomicose subungueal proximal ocorre na doença avançada pelo HIV, manifesta-se como coloração branca cor de giz na superfície inferior da lâmina ungueal proximal e constitui uma indicação para a realização do teste sorológico para HIV (ver também "Dermatofitoses", na Seção 26 e "Infecções fúngicas: onicomicose", na Seção 32).

Candidíase das mucosas
A candidíase da mucosa que acomete os tratos aerodigestivos altos e/ou a região vulvovaginal é comum na doença pelo HIV. A candidíase da orofaringe, que é a apresentação mais comum, constitui frequentemente a primeira manifestação da doença pelo HIV e é um marcador de progressão da doença. A candidíase esofágica e a traqueobrônquica ocorrem na doença avançada pelo HIV e são condições que definem a Aids. A incidência da candidíase cutânea pode estar aumentada; em caso de resistência à insulina associada à TARC, pode-se observar a ocorrência de balanopostite. Em crianças pequenas, ocorrem paroníquia crônica por *Candida* e distrofia ungueal (ver também "Candidíase", na Seção 26).

Infecção fúngica disseminada
As infecções fúngicas pulmonares latentes por *Cryptococcus neoformans*, *Coccidioides immitis*, *Histoplasma capsulatum* e *Penicillium marneffei* podem ser reativadas na doença pelo HIV e disseminadas para a pele e outros órgãos. A apresentação cutânea mais comum da infecção disseminada consiste em lesões semelhantes às do molusco contagioso na face; ocorrem também outras lesões, como nódulos, pústulas, úlceras, abscessos ou erupção papuloescamosa semelhante à psoríase gutata (observada na histoplasmose) (ver também "Criptococose disseminada", "Histoplasmose" e "Coccidioidomicose disseminada", na Seção 26).

Infecção pelo herpes-vírus simples
As infecções pelo HSV-1 ou pelo HSV-2 são infecções oportunistas comuns na doença pelo HIV. A maioria dos casos de reativação é subclínica. A reativação anogenital é particularmente frequente. Com o avanço da doença pelo HIV, as lesões iniciais manifestam-se como erosões ou ulcerações associadas à necrose da epiderme, sem formação de vesículas. Sem tratamento, essas lesões podem evoluir para úlceras grandes e dolorosas com bordas elevadas na orofaringe, no esôfago e na região anogenital. O tratamento do HHV reduz os níveis plasmáticos e genitais de RNA do HIV (ver também "Herpes simples com defeitos nos mecanismos de defesa do hospedeiro", p. 690).

Infecção pelo vírus da varicela-zóster (VVZ)
A infecção primária pelo VVZ (varicela ou catapora) na doença pelo HIV pode ser grave, prolongada e complicada por infecção visceral pelo VVZ, infecção bacteriana secundária e morte. O HZ ocorre em 25% dos indivíduos durante a evolução da doença pelo HIV, associado a um declínio modesto da função imunológica. A disseminação cutânea do HZ é relativamente comum. Porém, o

envolvimento visceral é raro. Com o aumento da imunodeficiência, a infecção pelo VVZ pode se apresentar clinicamente como lesões verrucosas crônicas com distribuição em dermátomos; uma ou mais úlceras crônicas e dolorosas ou lesões ectimatosas em um dermátomo; erosões crostosas, úlcera ou nódulo. Se não forem tratadas, essas lesões persistem por meses. O HZ pode recorrer no(s) mesmo(s) dermátomo(s) ou em outros dermátomos. O VVZ pode infectar o SNC, causando coriorretinite rapidamente progressiva com necrose aguda da retina, encefalite crônica, mielite, radiculite ou meningite. O HZ extenso pode regredir, deixando uma cicatriz hipertrófica ou queloide (ver também "VVZ: Defeitos nos mecanismos de defesa do hospedeiro", p. 701).

Molusco contagioso

Na doença avançada pelo HIV, a prevalência do molusco contagioso é de até 18%; a gravidade da infecção constitui um marcador de imunodeficiência avançada. Os pacientes podem apresentar múltiplas pápulas ou nódulos pequenos ou tumores grandes com mais de 1 cm de diâmetro, que surgem mais comumente na face, particularmente na região da barba, na região cervical e nas áreas intertriginosas. Ocorrem moluscos semelhantes a cistos nas orelhas. Em certas ocasiões, os moluscos podem surgir na pele sem pelos das palmas/plantas (ver também "Molusco contagioso", p. 649).

Infecção pelo papilomavírus humano

Com o avanço da imunodeficiência, as verrugas cutâneas e/ou da mucosa podem se tornar extensas e refratárias ao tratamento. Todavia, o aspecto mais preocupante é o fato de a neoplasia intraepitelial induzida pelo HPV, denominada *lesão intraepitelial escamosa* (SIL), ser uma precursora do CEC invasivo, surgindo mais frequentemente no colo do útero, na vulva, no pênis, no períneo e no ânus (Fig. 27-69). Em mulheres com doença pelo HIV, a incidência de SIL do colo do útero é de 6 a 8 vezes maior do que a de controles. A tendência atual de uma sobrevida mediana mais longa dos pacientes com doença avançada pelo HIV pode levar a um aumento da incidência de neoplasia associada a HPV e CEC invasivo no futuro. A SIL nos órgãos genitais externos, no períneo ou no ânus é melhor tratada com terapias locais, como creme de imiquimode, criocirurgia, eletrocirurgia ou cirurgia a *laser*, em vez de excisão cirúrgica agressiva (ver também "Papilomavírus humano: infecções das mucosas", na Seção 30).

Sífilis

O curso clínico da sífilis em indivíduos com doença pelo HIV é, na maioria das vezes, igual ao observado no hospedeiro normal. Todavia, foi relatada um curso acelerado com desenvolvimento de neurossífilis ou de sífilis terciária dentro de poucos meses após a infecção sifilítica inicial (ver também "Sífilis", na Seção 30).

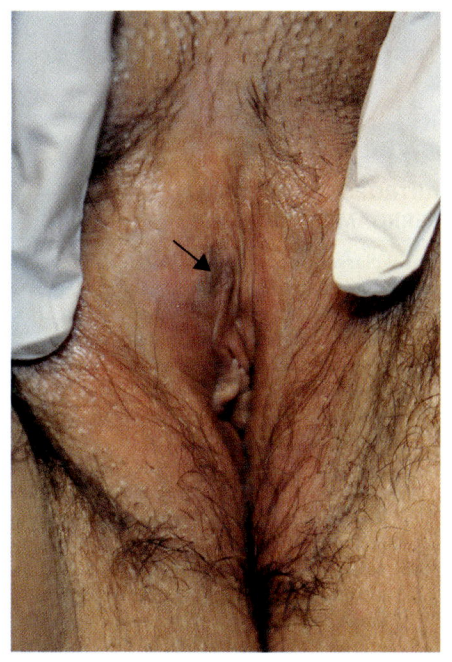

Figura 27-69 Carcinoma espinocelular *in situ* Mulher de 32 anos com doença pelo HIV e displasia do colo do útero. Observa-se uma placa aveludada sutil na parte superior da vulva até o clitóris.

SEÇÃO 28

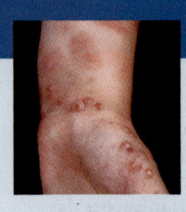

PICADAS, FERROADAS E INFESTAÇÕES CUTÂNEAS POR ARTRÓPODES

REAÇÕES CUTÂNEAS A PICADAS DE ARTRÓPODES

- Os artrópodes são definidos pela presença de exoesqueleto, corpo segmentado e apêndices articulados. Artrópodes que causam reações locais e sistêmicas associadas às suas picadas: Arachnida, Chilopoda, Diplopoda e Insecta.
- As reações cutâneas às picadas de artrópodes têm caráter inflamatório e/ou alérgico.
- Caracterizam-se por erupção local intensamente pruriginosa no local da picada, imediatamente, minutos, horas ou dias após a picada, que persiste por dias a semanas e que manifesta-se como pápulas urticariformes; papulovesículas; ou bolhas; solitárias ou agrupadas. Com frequência, o indivíduo não percebe que foi picado.
- Podem ocorrer sintomas sistêmicos, leves ou intensos, sendo possível a evolução para óbito em caso de choque anafilático.
- Os artrópodes são vetores de muitas infecções sistêmicas.

ARTRÓPODES QUE PICAM, FERROAM OU INFESTAM

Das 9 classes de artrópodes, 4 causam reações locais ou sistêmicas.

1. **Arachnida** (quatro pares de patas): Ácaros, carrapatos, aranhas e escorpiões.
   a. **Acarina** (ácaros e carrapatos). *Sarcoptes scabiei* (escabiose). *Demodex folliculorum* e *D. brevis* (demodicidose). Ácaros ambientais. Entre os *carrapatos* (Fig. 28-1) que se alimentam em seres humanos e são vetores de doenças, estão o carrapato-do-veado ou *Ixodes*, o carrapato-estrela ou *Amblyomma americanum* e o carrapato-do-cão ou *Dermacentor*.
   b. **Araneae** (aranhas). *Loxosceles reclusa* ou aranha-marrom-reclusa. *Latrodectus* ou aranha viúva-negra. *Tegenaria* ou aranhas errantes causam aracnidismo necrótico na região noroeste da costa do Pacífico nos EUA. Tarântula: reação inflamatória leve à picada e ao contato com seus pelos.
   c. **Scorpionida** O veneno contém uma neurotoxina que causa reações local e sistêmica intensas.
2. **Chilopoda** ou centopeias.
3. **Diplopoda** ou miriápodes.
4. **Insecta** (três pares de patas).
   a. **Anoplura**. *Phthirius pubis* ou "chato". *Pediculus capitis* ou piolho-da-cabeça. *Pediculus corporis* ou piolho-do-corpo.
   b. **Coleoptera**. Besouros. O besouro vesicante contém a substância química cantaridina que produz uma bolha quando o besouro é esmagado sobre a pele.
   c. **Diptera**. Mosquitos, mosca-preta (a picada produz reação local, assim como a febre da mosca-preta com elevação da temperatura, cefaleia, náusea e linfadenite generalizada), mosquito-pólvora (maruins, mosquito-do-mangue, mosquito-palha), Tabanídeas (mutuca, moscas-do-cervo, mosca-do-cavalo, mosca-da-manga); mosca-do-berne, *Callitroga americana*, *Dermatobia hominis*, mosquitos flebotomídeos, mosca-tsé-tsé.
   d. **Hemiptera**. Percevejos-da-cama, barbeiro.
   e. **Hymenoptera**. Formigas, abelhas, vespas, marimbondos.
   f. **Lepidoptera**. Lagartas, borboletas, mariposas.
   g. **Siphonaptera**. Pulgas, bicho-de-pé, ou pulgas-da-areia.

INFECÇÕES TRANSMITIDAS POR ARTRÓPODES

- Borreliose ou doença de Lyme, tularemia, peste bubônica.
- Tifo do mato, tifo endêmico (murino), febres maculosas, febre Q.
- Anaplasmose granulocítica humana.
- Meningoencefalite transmitida por carrapatos.
- Leishmaniose, tripanossomíase (doença do sono ou doença de Chagas).
- Malária, babesiose.
- Filariose, oncocercose (cegueira dos rios), loíase.

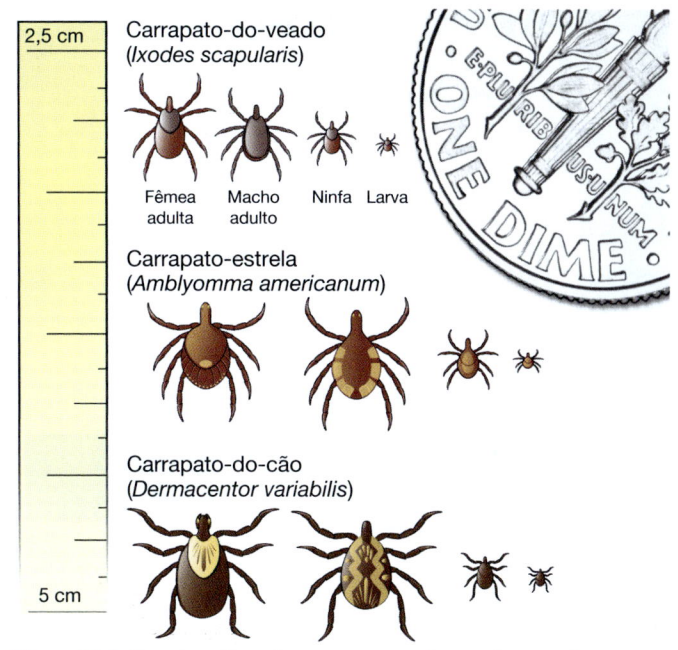

Figura 28-1 Comparação entre o carrapato-do-veado, estrela e o carrapato-do-cão As ninfas do carrapato-do-veado ou *Ixodes* transmitem a *Borrelia burgdorferi* (doença de Lyme) e outras infecções. O carrapato-estrela ou *Amblyomma americanum* é o vetor de doenças como anaplasmose, tularemia e exantema sulino associado a carrapato. O carrapato-do-cão ou carrapato-madeira, *Dermacentor variabilis*, transmite a febre maculosa das Montanhas Rochosas e a tularemia.

MANIFESTAÇÕES CLÍNICAS

MÁCULAS ERITEMATOSAS Ocorrem no local das picadas e geralmente são transitórias.

URTICÁRIA PAPULAR ou pápulas urticariformes pesistentes por > 48 h (Figs. 28-2 e 28-3); em geral < 1 cm; pode haver formação de vesículas sobre as pápulas. Podem ocorrer grandes placas de urticária.

LESÕES BOLHOSAS Bolhas tensas com conteúdo líquido claro sobre base ligeiramente inflamada (Fig. 28-4); a escoriação resulta em erosão.

LESÕES SECUNDÁRIAS É comum haver escoriação de lesões urticarianas, papulares ou vesiculares. As erosões dolorosas podem estar infectadas secundariamente com *Staphylococcus aureus*. As lesões escoriadas ou secundariamente infectadas podem curar com hipo ou hiperpigmentação e/ou deixar cicatrizes elevadas ou deprimidas, especialmente nos indivíduos com pele mais pigmentada.

ACHADOS SISTÊMICOS Podem ocorrer associados a toxinas ou a reações alérgicas à substância injetada durante a picada. Diversas infecções sistêmicas podem ser inoculadas durante a picada.

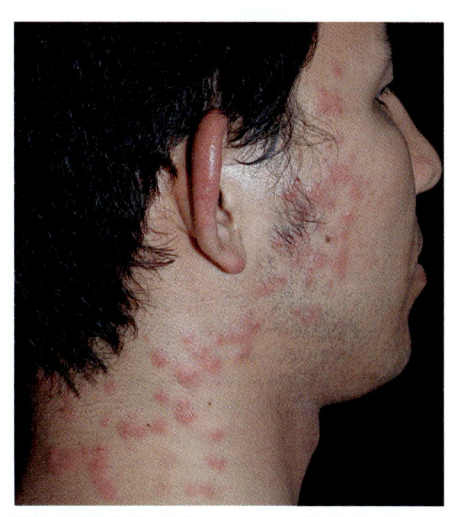

Figura 28-2 Urticária papular Paciente do sexo masculino de 21 anos acordou com múltiplas pápulas eritematosas pruriginosas nas regiões expostas da face, região cervical, antebraços e mãos. As roupas de cama estavam intensamente colonizadas por percevejos-da-cama.

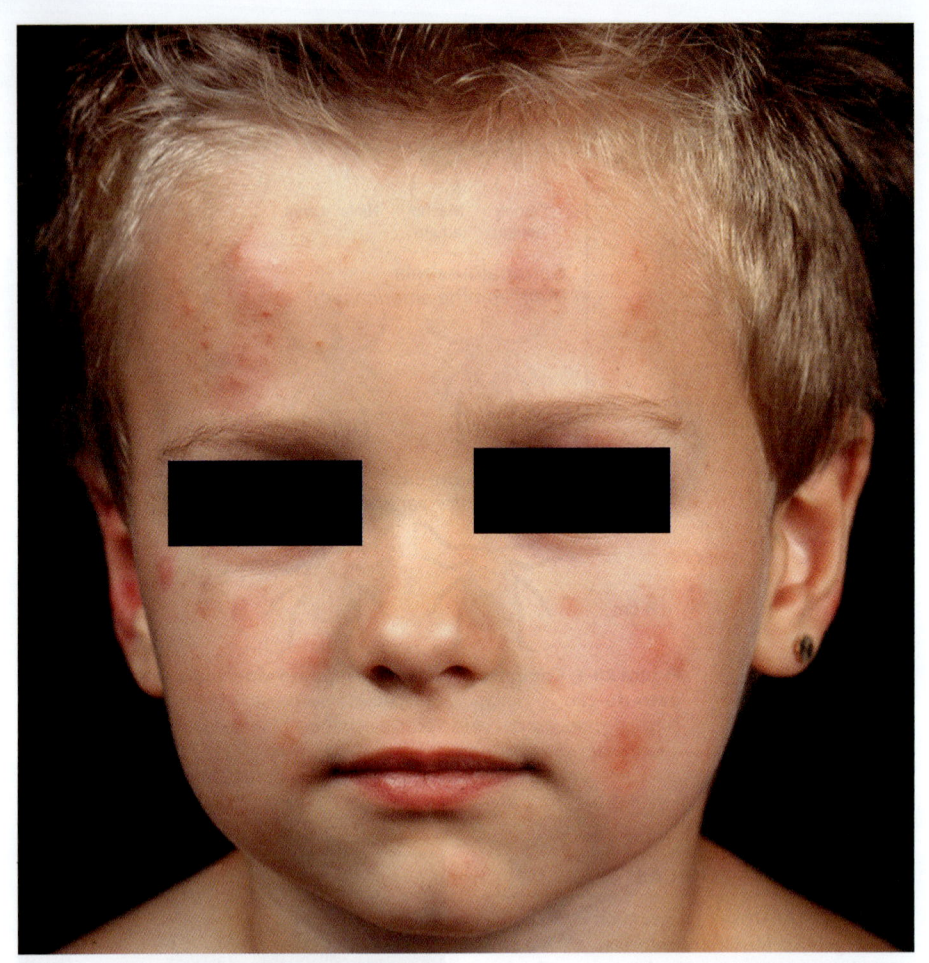

Figura 28-3 Urticária papular Menina de 6 anos com diversas picadas de mosquito no rosto.

VARIANTES CLÍNICAS CAUSADAS POR ARTRÓPODES

ÁCAROS *Sarcoptes scabiei* causa a infestação denominada escabiose (ver Escabiose, p. 732). *Demodex folliculorum* e *D. brevis* vivem nos folículos pilosos e nas glândulas sebáceas de seres humanos, causando a *demodicidose* (ver Demodicidose, p. 731).

As picadas de ácaros dos alimentos, das aves, dos grãos, da palha, da ceifa e de animais causam urticária papular.

ÁCAROS DE ALIMENTOS Os ácaros-do-queijo, dos grãos e do bolor podem causar dermatite de contato leve: prurido do padeiro ou do merceeiro. *Ácaro da palha*. As picadas ocorrem na época da colheita, causando dermatite; prurido da palha. *Ácaros da colheita:* Trombiculídeos. As picadas podem causar dermatite. Uma das espécies transmite a *Rickettsia tsutsugamushi*, causadora do tifo do mato.

Espécies de ácaros *dermatofagoides* da poeira domiciliar estão implicadas na patogênese da asma e da dermatite atópica. Alimentam-se de pele humana descamada e de outros detritos orgânicos e habitam em roupas de cama, carpetes e móveis. O corpo e as excreções parecem ter papel relevante na asma e em outras alergias. Os indivíduos afetados respondem com produção de anticorpos IgE. *Ácaros de pássaros*. Frangos, pombos, etc. As picadas causam urticária papular nos locais expostos. Os *ácaros do rato* causam picadas dolorosas e dermatite e transmitem o tifo murino/endêmico. O *ácaro do camundongo caseiro* é o vetor da riquetsiose variceliforme. Espécies de *Cheyletiella* (ácaros de cães e gatos) picam os donos dos animais de estimação

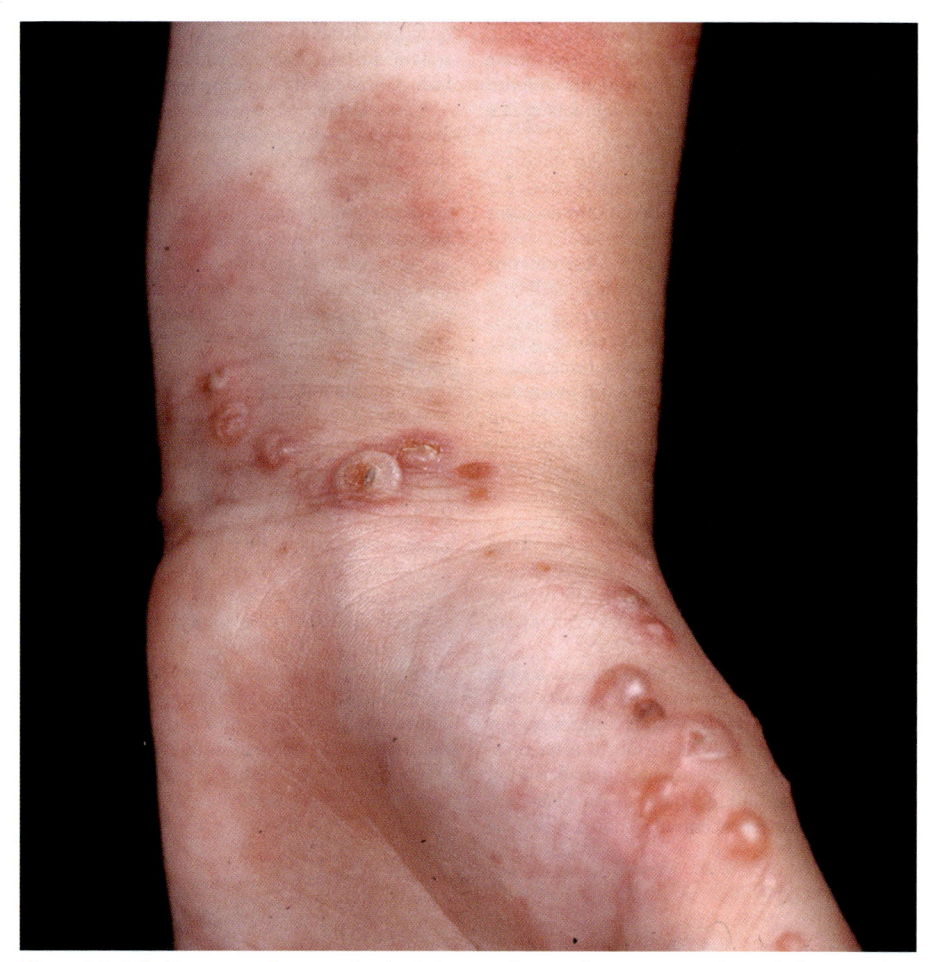

SEÇÃO 28 PICADAS, FERROADAS E INFESTAÇÕES CUTÂNEAS POR ARTRÓPODES

Figura 28-4 Bolhas causadas por picada de inseto Criança de 10 anos com lesões bolhosas na face anterior do punho e urticária papular no antebraço.

causando lesões pruriginosas nos antebraços, no tórax e no abdome. A sarna do cão (*S. scabiei* var. *canis*) e do gato (*Notoedres cati*) causam dermatose pruriginosa nos donos dos animais.

CARRAPATOS Os carrapatos atacam e se alimentam sem provocar dor. Suas secreções podem produzir reações no local da picada (eritema), enfermidades febris e paralisia. O carrapato-do-veado, o carrapato-estrela e o carrapato-do-cão são vetores de doenças. O eritema migratório (ver **Fig. 25-81**), característico da doença de Lyme primária ou borreliose, ocorre no local de picada de um carrapato-do-veado infectado transmissor da *Borrelia burgdorferi, B. mayonii* (meio-oeste dos EUA).

O linfocitoma cútis (ver **Fig. 25-82**) também ocorre no local da picada de um carrapato-do-veado infectado.

ARANHAS A picada da *aranha-marrom reclusa* pode resultar em reação que varia de urticária local leve até necrose de toda a espessura da pele. Associada a exantema maculopapular, febre, cefaleia, mal-estar, artralgia e náusea/vômitos. A maioria das lesões diagnosticadas como picadas da aranha-marrom são, na realidade, reações a picadas de outros artrópodes. A *viúva-negra* injeta uma neurotoxina (α-latrotoxina) que produz reações no local da picada, assim como graus variáveis de toxicidade sistêmica.

INSETOS *Piolho-do-púbis, piolho-da-cabeça, piolho-do-corpo* produzem urticária papular, escoriações e infecções secundárias (ver p. 726-731).
Mosquitos. Os pacientes picados geralmente se apresentam com urticária papular (**Fig. 28-3**) sobre as áreas expostas do corpo; as reações podem ser urticariformes, eczematosas ou granulomatosas.

Mosca-preta. O inseto injeta um anestésico que deixa a picada inicialmente indolor; pode se tornar dolorosa, com prurido, eritema e edema. A febre da mosca-preta se caracteriza por febre, náusea e linfadenite generalizada.

Mosquito-pólvora. A picada produz dor imediata com eritema no local da picada e pápula e vesícula de 2 a 3 mm, seguida por nódulo indurado (com até 1 cm) que persiste por vários meses.

Tabanidae ou *mutuca.* Picada dolorosa com urticária papular; raramente associada à anafilaxia.

Dermatobia hominis (mosca-do-berne) nas regiões tropicais causa miíase furunculoide, lesões dolorosas que se parecem com granuloma piogênico ou abscesso. A fêmea captura um mosquito, deposita seus ovos nele e o liberta. Os ovos chocam no mosquito, transformando-se em larvas que são depositadas na pele humana. As larvas utilizam o local da picada do mosquito como porta de entrada na pele. Uma pápula pruriginosa desenvolve-se no local, aumentando lentamente ao longo de várias semanas, até formar um nódulo cupuliforme (que se parece com um furúnculo) com um orifício central (Fig. 28-5). A larva sai em 8 semanas para formar a pupa no solo.

Mosca caseira. As larvas são depositadas em qualquer área de pele exposta (orelha, nariz, seios paranasais, boca, olhos, ânus e vagina) ou em qualquer ferida (úlceras de membros inferiores, carcinomas basocelular ou espinocelular ulcerados, hematomas, coto umbilical) e se desenvolvem em larvas que podem ser encontradas sobre a superfície da ferida, causando a miíase cavitária (Fig. 28-6). O tratamento com desbridamento pelas larvas é utilizado para a retirada de tecido necrótico das feridas.

Cimex lectularius ou percevejos-da-cama picam áreas expostas da pele (face, região cervical, braços, mãos) de seres humanos que estão dormindo. A alimentação demora 5 a 10 minutos. Ocorre urticária papular agrupada (Fig. 28-2) nos locais de picadas e geralmente, mas não sempre, em grupos de três ("café da manhã, almoço e jantar"). Os percevejos-da-cama escondem-se em fendas na parede, colchão e móveis. É possível identificar listras de cor marrom-avermelhada no colchão; os percevejos defecam sangue digerido enquanto ingerem uma nova refeição.

A *picada do barbeiro* geralmente se apresenta como uma urticária papular; reações intensas podem produzir necrose e ulceração. Uma subfamília transmite o *Trypanosoma cruzi,* agente causador da doença de Chagas.

Pulgas. Urticária papular no local da picada. As pulgas do cão frequentemente vivem em carpetes e picam as pernas expostas. Ocorrem alterações secundárias como a escoriação, o prurigo nodular e a infecção por *S. aureus.*

Tunga penetrans ou bicho-de-pé. Pápula, nódulo ou vesícula (6 a 8 mm de diâmetro) com ponto negro central (tungíase) que vem a ser a parte posterior dos segmentos abdominais do inseto. À medida que os ovos sofrem maturação, a pápula torna-se um nódulo negro do tamanho de uma ervilha (Fig. 28-7). Nas infestações intensas, há nódulos e

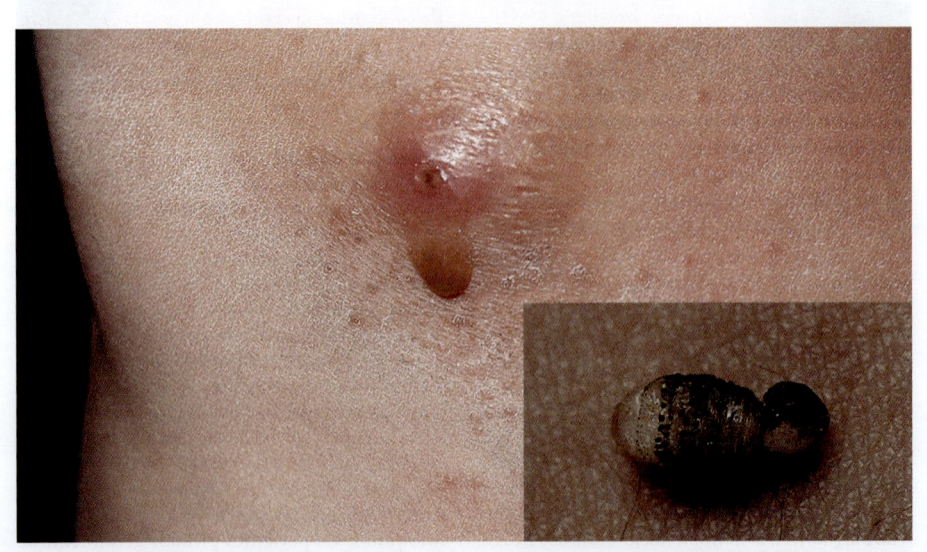

Figura 28-5 Miíase furunculoide Pápula pruriginosa no local em que são depositadas as larvas da mosca--do-berne, com crescimento lento ao longo de várias semanas até a formação de um nódulo em forma de cúpula (lembrando um furúnculo). A lesão apresenta um poro central por meio do qual a extremidade posterior da larva (em destaque) intermitentemente aparece para respirar.

Figura 28-6 Miíase cavitária Múltiplas larvas da mosca doméstica em uma úlcera de estase crônica no tornozelo após tratamento com tintura de castellani e bota de Unna por 1 semana. Quando o curativo foi retirado, as larvas estavam visíveis; e a base da úlcera estava vermelha e limpa, tendo sido desbridada pelas larvas.

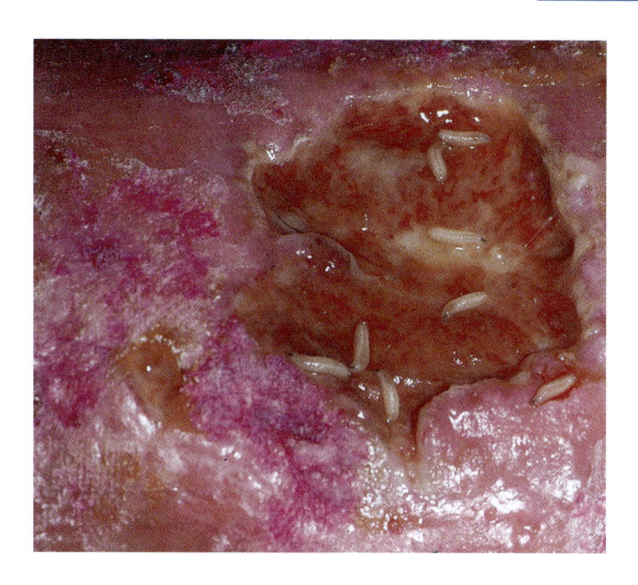

placas com aspecto de favo de mel. Podem ocorrer ulceração, inflamação e infecção secundária. Mais comum nos pés, especialmente sob as unhas, entre os dedos, plantas dos pés, poupando as áreas que suportam peso; nos banhistas, qualquer região exposta da pele.

A ferroada da *fêmea de abelha, vespa ou marimbondo* produz dor/queimação imediata, seguida por reação eritematosa local intensa com edema e urticária. Nos indivíduos sensibilizados, podem ocorrer reações sistêmicas graves, com angioedema/urticária generalizada e/ou insuficiência respiratória em razão de edema da laringe ou broncospasmo e/ou choque.

A picada da *formiga-cortadeira* e da *formiga-de-fogo* produz necrose local e reações sistêmicas; a reação à picada inicia com inflamação local intensa que evolui para pústula estéril.

O contato com *lagartas/mariposas* pode produzir ardência/prurido, urticária papular, irritação causada por liberação de histamina, dermatite de contato alérgica (Fig. 28-8) e/ou reações sistêmicas. Pelos dispersos pelo vento podem causar ceratoconjuntivite.

DIAGNÓSTICO DIFERENCIAL

Urticária papular. Dermatite alérgica de contato, especialmente a plantas como hera venenosa ou carvalho-venenoso.

DIAGNÓSTICO

Diagnóstico clínico, às vezes confirmado por biópsia da lesão.

TRATAMENTO

PREVENÇÃO Aplicar repelente de insetos, como dietiltoluamida (DEET) na pele e *spray* de permetrina nas roupas. Usar telas, redes e roupas. Tratar gatos e cães infestados por pulgas; usar inseticidas na casa (p. ex., malationa 1 a 4%).

LARVAS NA PELE *Tungíase.* Remover pulga com agulha, lâmina de bisturi ou cureta; aplicar vaselina tópica para sufocar as pulgas; ivermectina tópica; uso oral de tiabendazol ou metrifonato para grandes infestações.

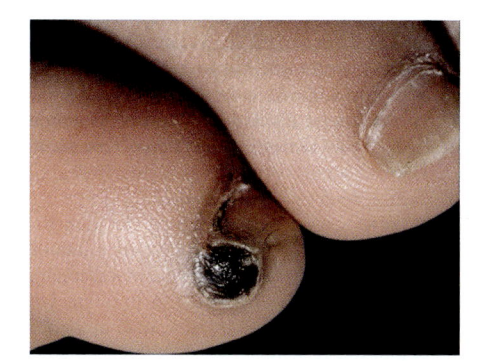

Figura 28-7 Tungíase Pápula periungueal com eritema circundante na margem lateral do dedo mínimo; a larva é visualizada quando se retira a crosta sobrejacente.

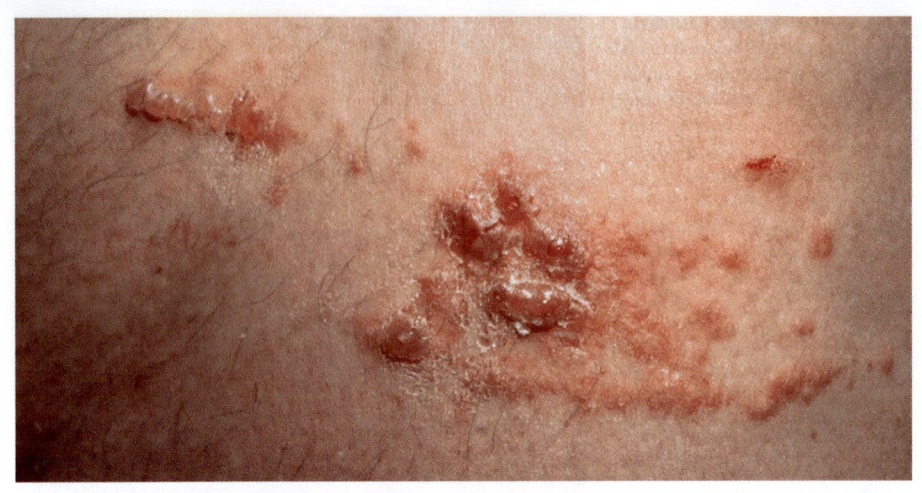

Figura 28-8 Urticária de contato imunológica mediada por IgE: lagarta processionária do pinheiro
Pápulas e vesículas edematosas lineares em área exposta do braço logo após contato com *Thaumetopoea pityocampa* em um bosque de pinheiros.

MIÍASE FURUNCULAR Sufocar a larva, cobrindo a abertura com vaselina, e removê-la no dia seguinte.
GLICOCORTICOIDES Em caso de prurido intenso, aplicar glicocorticoide tópico potente por período curto. Nos casos com prurido persistente, pode-se prescrever glicocorticoide oral.

AGENTES ANTIMICROBIANOS Tratamento para infecção secundária com antibioticoterapia tópica.
INFECÇÃO/INFESTAÇÃO SISTÊMICA Tratar com o agente antimicrobiano apropriado.

PEDICULOSE DA CABEÇA CID-10: B85.0

- Infestação do couro cabeludo pelo piolho-da-cabeça.
- Alimenta-se no couro cabeludo e no pescoço e deposita os ovos no cabelo.
- Sua presença está associada a poucos sintomas e muita consternação.

ETIOLOGIA E EPIDEMIOLOGIA

SUBESPÉCIES *Pediculus Humanus Capitis*. Do tamanho da semente do gergelim, 1 a 2 mm. Alimentam-se a cada 4 a 6 horas. Movem-se agarrando-se aos fios de cabelo próximos do couro cabeludo; podem rastejar até 23 cm por dia. O piolho deposita as lêndeas a 1 ou 2 mm do couro cabeludo. As lêndeas são ovos no interior de um invólucro de quitina. Os piolhos eclodem no prazo de 1 semana, passando pela fase de ninfa e sofrendo maturação para a fase adulta no período de 1 semana. Uma fêmea pode depositar 50 a 150 ovos no período de vida de 16 dias. Fora do couro cabeludo, sobrevivem apenas algumas horas. Transmissão: contato cabeça a cabeça; compartilhamento de chapéu, boné, escova, pente; encosto de cinema; travesseiro. O piolho-da-cabeça não é vetor de doenças infecciosas.
DEMOGRAFIA Nos EUA, é mais comum em brancos do que em negros; as garras adaptaram-se aos pelos cilíndricos; o uso de cremes capilares talvez iniba a infestação. Na África, a pediculose da cabeça é relativamente incomum. Estima-se que haja de 6 a 12 milhões de indivíduos infestados nos EUA anualmente.

MANIFESTAÇÃO CLÍNICA

SINTOMAS Prurido na região posterior e nas laterais do couro cabeludo. Escoriação e infecções secundárias associadas à linfadenopatia occipital e/ou cervical. Alguns indivíduos apresentam transtorno obsessivo-compulsivo ou delírio de parasitose após a erradicação dos piolhos e lêndeas.
INFESTAÇÃO Os *piolhos-da-cabeça* são identificados por visualização direta ou com ajuda de microscópio (lente manual ou dermatoscópio), mas são difíceis de encontrar. A maioria dos pacientes apresenta uma população com menos de 10 piolhos. As *lêndeas* são ovos encapsulados branco-acinzentados ovais (comprimento de 1 mm) firmemente aderidos aos fios de cabelo (Fig. 28-9); variam em número desde poucas

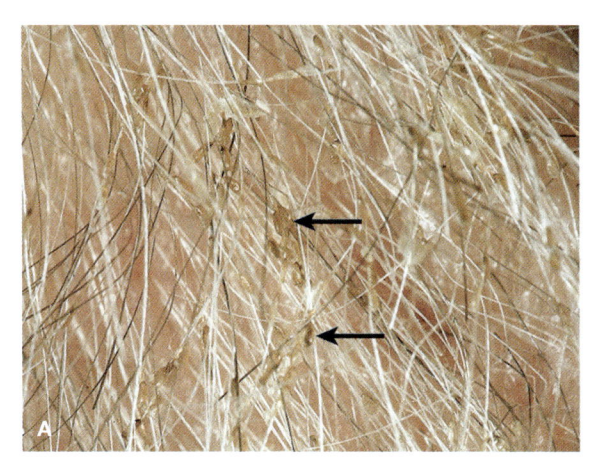

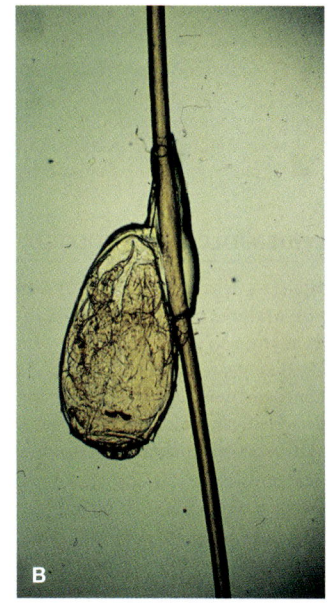

Figura 28-9 Pediculose da cabeça: lêndeas (A) *Setas:* ovos encapsulados de cor branco-acinzentada (lêndeas) firmemente aderidos à haste capilar, visualizadas com uma lente. **(B)** Com grande aumento, um ovo com a ninfa do piolho em desenvolvimento aderida à haste capilar.

unidades até milhares. As lêndeas são depositadas pela fêmea do piolho sobre a haste capilar ao nível da emergência do pelo. Na infestação recente, as lêndeas localizam-se próximas do couro cabeludo; nas infestações de longa duração, as lêndeas podem estar a 10 ou 15 cm do couro cabeludo. Como o crescimento do cabelo ocorre na velocidade de 0,5 mm por dia, a presença de lêndeas a 15 cm do couro cabeludo indica uma infestação com aproximadamente 9 meses de duração. Os ovos novos viáveis apresentam coloração amarelo-creme; os ovos vazios são brancos. *Locais de predileção:* os piolhos de cabeça quase sempre ficam restritos ao couro cabeludo, especialmente nas regiões occipital e retroauricular. Raramente infestam a barba ou outros locais pilosos. Embora mais comum com o piolho do púbis, o piolho-da-cabeça também pode infestar os cílios (*pediculosis palpebrarum*).

LESÕES CUTÂNEAS *Reações a picadas:* urticária papular na região cervical. Reações relacionadas à sensibilidade/tolerância imunológica. *Lesões secundárias: eczema, escoriações, líquen simples crônico* na região occipital do couro cabeludo e na região cervical, secundários à coçadura e à fricção crônicas. *Infecção secundária* por *S. aureus* no eczema ou nas escoriações; pode se estender à região cervical, à fronte, à face e às orelhas. Linfadenopatia occipital posterior.

DIAGNÓSTICO DIFERENCIAL

Minúsculas contas brancas nos cabelos Pelos com remanescentes da bainha interna da raiz, fixador capilar, gel capilar, caspa (escamas epidérmicas), piedra.
PRURIDO NO COURO CABELUDO Dermatite atópica, impetigo, líquen simples crônico.
AUSÊNCIA DE INFESTAÇÃO Delírio de parasitose.

EXAMES LABORATORIAIS

MICROSCOPIA *Lêndeas*, ovos esbranquiçados ovais com 0,5 mm (Fig. 28-9B). Nas lêndeas inviáveis, não há embrião ou opérculo. *Parasita.* Inseto com seis patas, 1 a 2 mm de comprimento, sem asas, corpo branco-acinzentado translucente que se torna vermelho quando repleto de sangue.

DIAGNÓSTICO

Quadro clínico confirmado pela detecção dos piolhos. O uso de pente fino aumenta a chance de encontrar piolhos. A presença de lêndeas por si só não é diagnóstica de infestação ativa. Lêndeas a 4 mm do couro cabeludo indicam infestação ativa.

TRATAMENTO

INSETICIDAS APLICADOS TOPICAMENTE Permetrina, malationa, piretrina, ivermectina e espinosade.
SISTÊMICO Uso oral de ivermectina, levamisol e albendazol.

PEDICULOSE DO CORPO CID-10: B85.1

- O piolho-do-corpo habita e deposita seus ovos nas roupas. Ocorre em condições socioeconômicas precárias.
- Os piolhos deixam as roupas para se alimentar no hospedeiro humano. Não sobrevivem além de poucas horas longe do hospedeiro humano.
- Os piolhos-do-corpo são vetores de muitas infecções sistêmicas.

EPIDEMIOLOGIA E ETIOLOGIA

AGENTE ETIOLÓGICO *Pediculus humanus humanus*. Maiores que o piolho-da-cabeça: 2 a 4 mm; de resto, são indistinguíveis. Tempo de vida: 18 dias. As fêmeas depositam 270 a 300 ovos. Lêndeas: ovos dentro de invólucro de quitina. O período de incubação das lêndeas é de 8 a 10 dias; as ninfas transformam-se em adultos em 14 dias.

HÁBITAT Vivem nas costuras das roupas; sobrevivem sem se alimentar de sangue por até 3 dias. Fixam-se aos pelos corporais para se alimentar. Entre os fatores de risco para infestação, estão pobreza, guerra, desastres naturais, indigência, populações desabrigadas ou que vivam em campos de refugiados.

PIOLHO-DO-CORPO COMO VETOR DE DOENÇAS Os piolhos-do-corpo transmitem várias infecções enquanto se alimentam. *Bartonella quintana* causa febre das trincheiras e endocardite. A *Rickettsia prowazekii* causa tifo epidêmico. A *doença de Brill-Zinsser (febre recorrente transmitida por piolho)* é uma forma recorrente do tifo epidêmico.

MANIFESTAÇÃO CLÍNICA

INFESTAÇÃO Piolhos e lêndeas são encontrados nas costuras das roupas (Fig. 28-10). Os piolhos agarram-se aos pelos corporais para se alimentar.

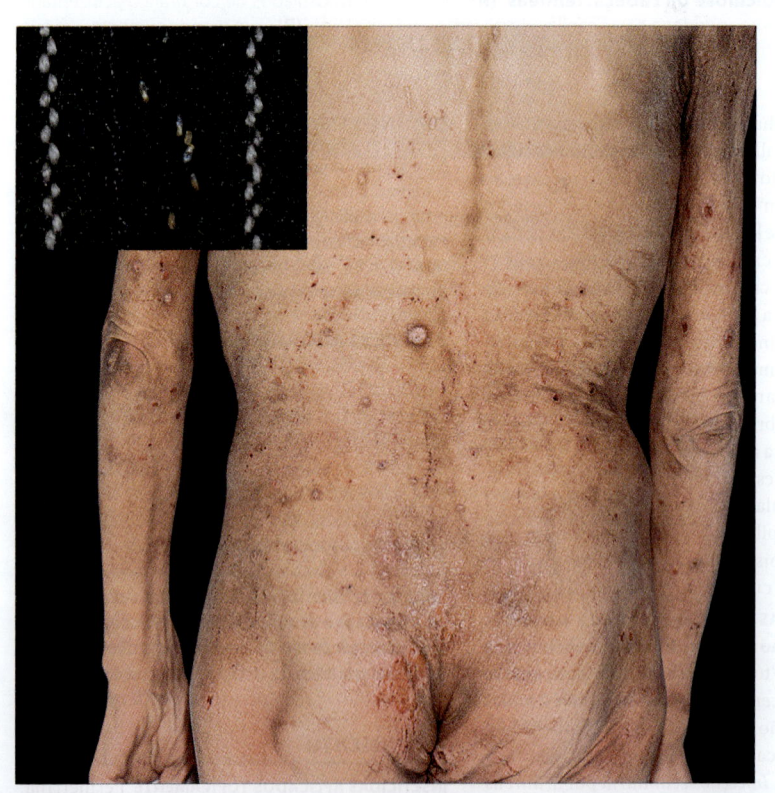

Figura 28-10 Pediculose do corpo Paciente do sexo masculino, sem-teto, de 60 anos. Múltiplas lesões secundárias a escoriações, prurigo nodular e líquen simples crônico. Observam-se piolhos e lêndeas nas costuras das roupas (em destaque).

REAÇÕES A PICADAS Urticária papular semelhante à observada com o piolho-da-cabeça (Fig. 28-10). As alterações secundárias à coçadura e à fricção incluem escoriações, eczema, líquen simples crônico, infecção por *S. aureus* e hiperpigmentação pós-inflamatória (Fig. 28-10). Escabiose, pediculose do couro cabeludo e *Pulex irritans* (pulga-do-homem) podem coexistir.

DIAGNÓSTICO DIFERENCIAL

Dermatite atópica, dermatite de contato, escabiose, reação cutânea adversa a fármacos.

DIAGNÓSTICO

Piolhos e lêndeas encontrados nas costuras das roupas.

TRATAMENTO

DESCONTAMINAÇÃO DE ROUPAS PESSOAIS E DE CAMA Medidas de higiene.
ELIMINAÇÃO DO PIOLHO Piretrina, permetrina.

PEDICULOSE PUBIANA CID-10: B85.2

- Infestação por "chato" ou piolho-pubiano de regiões cobertas por pelos.
- Na maioria dos casos, na região púbica; regiões pilosas do tórax e das axilas; cílios superiores.
- Clinicamente manifesta-se por prurido leve a moderado, urticária papular e escoriações.

ETIOLOGIA E EPIDEMIOLOGIA

Phthirius pubis, "chato" ou piolho-pubiano. Tamanho: 0,8 a 1,2 mm. Primeiro par de patas vestigial; dois outros em forma de garra (Fig. 28-11). Tempo de vida: 14 dias. Fêmeas depositam 25 ovos. Lêndeas com incubação de 7 dias; ninfas amadurecem em 14 dias. Mobilidade: adultos rastejam 10 cm/dia. Preferência por ambiente úmido; tendem a não perambular. Mais comum em jovens do sexo masculino. Transmissão durante contato físico íntimo: leito compartilhado. Pode ocorrer em conjunto com outras doenças sexualmente transmissíveis.

MANIFESTAÇÃO CLÍNICA

MUITAS VEZES ASSINTOMÁTCO Prurido leve a moderado por meses. Com a escoriação e a infecção secundária, as lesões podem se tornar sensíveis com aumento de linfonodos regionais.
INFESTAÇÃO Piolhos aparecem como partículas de 1 a 2 mm de cor marrom-acinzentada (Figs. 28-12 e 28-13) nas áreas pilosas envolvidas. Mantêm-se imóveis por dias com as peças bucais enterradas na pele, e as garras prendem-se aos pelos em ambos os lados. Geralmente em pequeno número. As *lêndeas* fixadas aos pelos aparecem como partículas

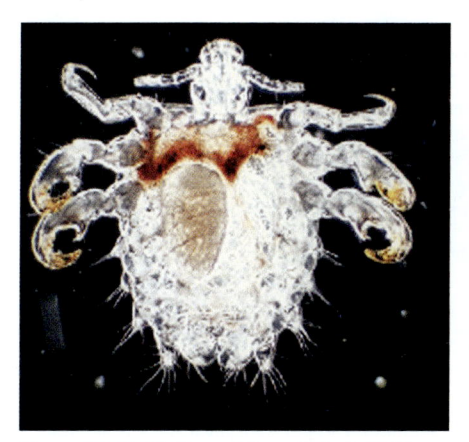

Figura 28-11 Piolho pubiano ("chato") Fêmea adulta com um ovo em desenvolvimento dentro do seu corpo.

Figura 28-12 Piolho pubiano ("chato") Na pele (*seta*) da região pubiana.

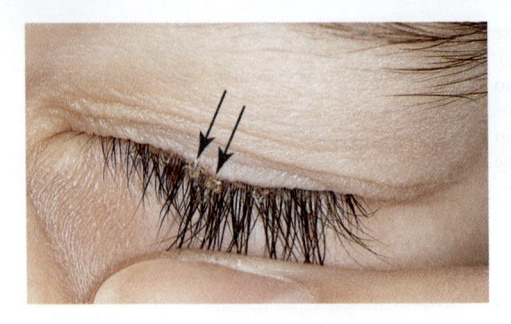

Figura 28-13 Piolhos pubianos ("chatos") nos cílios Criança de 10 anos. Piolhos pubianos ("chatos") (*setas*) e lêndeas nos cílios superiores de uma criança; este era o único local de infestação.

diminutas branco-acinzentadas (Fig. 28-13). Podem ser poucas ou numerosas. Ovos na junção entre pele e pelos indicam infestação ativa. A *infestação* é mais comum nos pelos pubianos e axilares; também no períneo, nas coxas, nas pernas, no tronco e na região periumbilical. Nas crianças, cílios (Fig. 28-13) e sobrancelhas podem estar infestados sem envolvimento púbico. A mácula cerúlea (ver adiante) é mais comum na parede do abdome inferior, nas nádegas e na região proximal da coxa.

LESÕES CUTÂNEAS *Urticária papular* (pequenas pápulas eritematosas) nos locais em que se alimenta, especialmente na região periumbilical (Fig. 28-14). *Alterações secundárias* à fricção, como liquenificação e escoriação. *Infecção secundária* por *S. aureus*. Mácula cerúlea *(taches bleues)* são

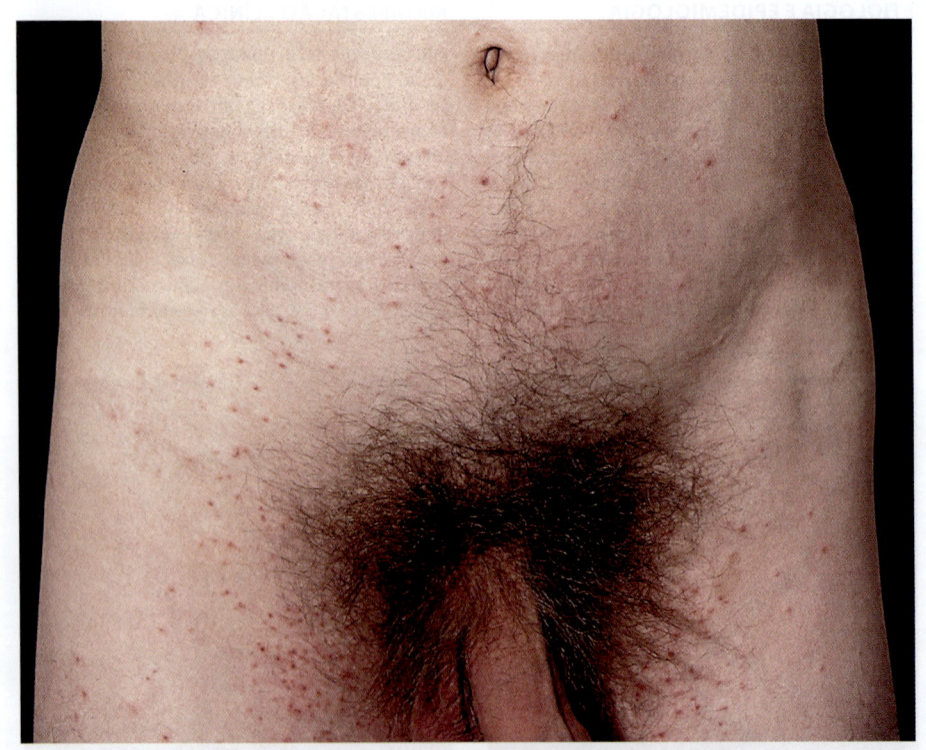

Figura 28-14 Infestação por piolho-pubiano: urticária papular Paciente de 25 anos com prurido. Múltiplas pápulas inflamatórias nos locais de mordida dos piolhos no abdome e na face interna nas coxas.

máculas cinza-ardósia ou cinza-azuladas com 0,5 a 1 cm de diâmetro, que não desaparecem com a pressão. Resultam de picadas de chatos. Nas infestações dos cílios, é possível encontrar crostas serosas junto com piolhos e lêndeas; ocasionalmente, edema das pálpebras nos casos com infestação intensa.

Em caso de impetiginização secundária, observa-se linfadenopatia regional.

DIAGNÓSTICO DIFERENCIAL

Dermatite atópica, dermatite seborreica, *tinea cruris*, molusco contagioso, escabiose. Esses quadros podem coexistir com a infestação pelo piolho-pubiano.

DIAGNÓSTICO

Demonstração do piolho adulto vivo, das ninfas ou das lêndeas nas regiões pubianas confirmam o diagnóstico de infestação ativa.

EVOLUÇÃO

O tratamento geralmente é eficaz. É possível haver reinfestação. O retratamento pode ser necessário se forem encontrados piolhos ou se forem observados ovos na junção cutâneo-capilar.

TRATAMENTO

PEDICULOSE Ver Diagnóstico diferencial do piolho-de-cabeça, p. 727. Descontaminar roupas pessoais e de cama. Tratar os parceiros sexuais.

DEMODICIDOSE CID-10: B88.0

Espécies de *Demodex* são ácaros encontrados na face dos seres humanos e fazem parte do microbioma cutâneo humano. *D. follicolorum* reside nos folículos pilosos. *D. brevis* reside no infundíbulo das glândulas sebáceas. Os ácaros não invadem os tecidos. Os locais por eles habitados geralmente são sintomáticos. Em alguns casos desencadeiam uma reação inflamatória (demodecidose) com lesões semelhantes à rosácea, à foliculite supurativa ou à dermatite perioral (**Fig. 28-15**).

- **Tratamento.** Ivermectina tópica, permetrina; ivermectina VO, 200 µg/kg, nos casos graves.

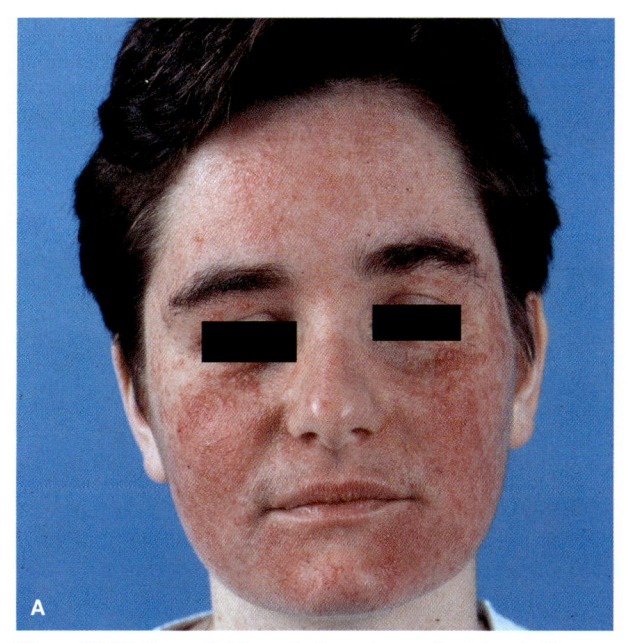

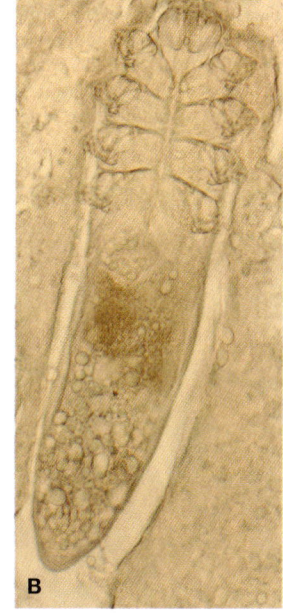

Figura 28-15 Demodicidose Paciente do sexo feminino de 25 anos com erupção facial no dia seguinte a um exercício vigoroso. **(A)** Pápulas dolorosas avermelhadas na face. Lesões parecidas com rosácea papular. **(B)** O exame microscópico do material obtido por curetagem da pápula revelou o ácaro *Demodex*. As lesões resolveram com ivermectina oral.

ESCABIOSE CID-10: B86

- **Infestação epidérmica superficial** pelo ácaro *S. scabiei* var. *hominis*. **Transmissão:** geralmente contato pele a pele e fômites.
- **Manifestações clínicas.** *Prurido*, frequentemente com manifestações cutâneas mínimas. *Túneis* sob o estrato córneo.
- **Nódulos escabióticos.** *Dermatite eczematosa. Hiperinfestação* (escabiose crostosa ou hiperceratótica ou norueguesa).
- **Diagnóstico.** Diagnóstico facilmente negligenciado e deve ser considerado em pacientes de qualquer faixa etária com prurido generalizado persistente.

ETIOLOGIA E EPIDEMIOLOGIA

AGENTE ETIOLÓGICO *S. scabiei* var. *hominis*. Parasita humano obrigatório. Ácaros em todas as fases do desenvolvimento perfuram a epiderme logo após o contato, sem ultrapassar o estrato granular; depositam fezes nos túneis (Fig. 28-16). As fêmeas vivem de quatro a seis semanas e depositam 40 a 50 ovos. Postura de três ovos por dia nos túneis; os ovos eclodem em 4 dias. Deixam o túnel geralmente à noite, põem os ovos durante o dia. As larvas eclodidas migram para a superfície da pele e transformam-se em adultos. Machos e fêmeas copulam. As fêmeas prenhas voltam a penetrar em túneis sob o estrato córneo; os machos desprendem-se da pele. Na escabiose clássica, há aproximadamente 10 fêmeas por paciente. Na hiperinfestação, mais de 1 milhão de ácaros podem estar presentes. Estima-se que haja 300 milhões de casos/ano em todo o mundo.

DEMOGRAFIA Um grande problema de saúde pública em muitos países subdesenvolvidos. Em algumas regiões das Américas Central e do Sul, a prevalência aproxima-se de 100%. Em Bangladesh, o número de crianças com escabiose é maior do que o número de crianças com diarreia e com doenças das vias aéreas superiores. Em países em que é comum o vírus do linfoma/leucemia de células T (HTLV-I), a hiperinfestação de escabiose é um marcador da infecção. A transmissão é feita via contato pele a pele ou por fômites. Os ácaros podem se manter vivos por mais de 2 dias nas roupas pessoais e de cama. Os indivíduos com hiperinfestação liberam muitos ácaros para o ambiente diariamente e representam um grande risco de infestação para todos à sua volta.

PATOGÊNESE

Hipersensibilidade, tanto imediata quanto tardia, ocorre no desenvolvimento de lesões outras que não os túneis. Na *infestação primária*, o prurido ocorre após sensibilização ao *S. scabiei*, geralmente em 4 a 6 semanas. Após *reinfestação*, ocorre prurido em 24 horas. Nos casos com *hiperinfestação*, os pacientes com frequência estão *imunocomprometidos* ou apresentam *distúrbios neurológicos*.

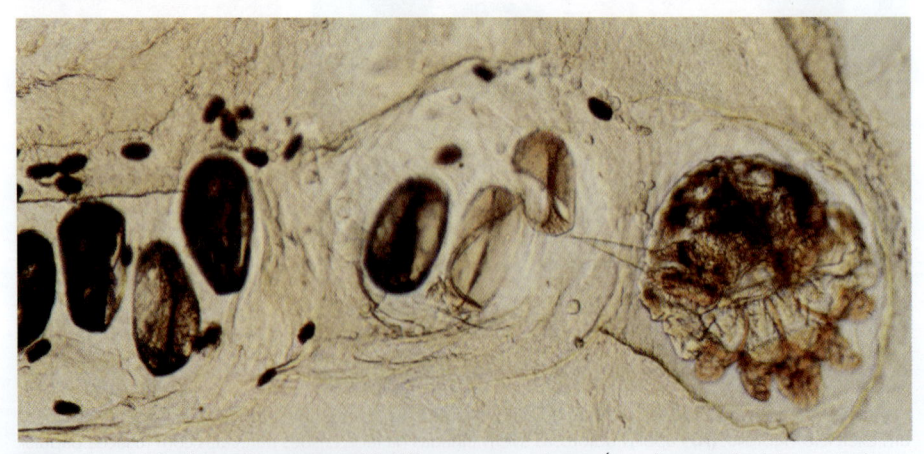

Figura 28-16 Túnel com *Sarcoptes scabiei* **(fêmea), ovos e fezes** Ácaro fêmea ao final de um túnel, com sete ovos e pequenas partículas fecais, obtidos de uma pápula no espaço interdigital da mão.

MANIFESTAÇÃO CLÍNICA

Sintomas

Os pacientes com frequência estão cientes de sintomas semelhantes em familiares ou em parceiros sexuais. O *prurido* é intenso, disseminado e geralmente poupa cabeça e região cervical. O prurido frequentemente interfere no sono ou o impede. Nos casos de hiperinfestação, é possível que não haja prurido. A *erupção* varia de ausente a eritrodermia generalizada. Os pacientes com diátese atópica se coçam, produzindo dermatite eczematosa. Alguns indivíduos apresentam prurido por vários meses sem qualquer erupção. A sensibilidade dolorosa das lesões sugere infecção bacteriana secundária.

Manifestações cutâneas

(1) Lesões que ocorrem nos locais da infestação por ácaros, (2) manifestações cutâneas de hipersensibilidade aos ácaros, (3) lesões secundárias à fricção e coçadura crônicas, (4) infecção secundária, (5) hiperinfestação e (6) variantes de escabiose em hospedeiros específicos: os com diátese atópica, escabiose nodular, escabiose em lactentes/crianças menores, escabiose em idosos.

TÚNEIS INTRAEPIDÉRMICOS Sulcos cor de pele com 0,5 a 1 cm de comprimento (Figs. 28-17 a 28-19), lineares ou serpiginosos, com diminutas vesículas ou pápulas no final do túnel. Cada fêmea escava um túnel. Os ácaros têm cerca de 0,5 mm de comprimento. Os túneis têm em média 5 mm de comprimento, mas alguns chegam a 10 cm. *Distribuição*: áreas com poucos ou nenhum folículo piloso, geralmente em locais onde o estrato córneo é delgado e macio, ou seja, região interdigital das mãos (Fig. 28-17), punhos, palmas e plantas em lactentes (Fig. 28-18), corpo do pênis, cotovelos, pés, nádegas, axilas (Figs. 28-19 e 28-20). Nos lactentes, a infestação pode ocorrer também na cabeça e na região cervical.

Escabiose com nódulos lisos com diâmetro entre 5 e 20 mm, de cor vermelha, rosa, castanha ou marrom (Fig. 28-21); túnel algumas vezes encontrado sobre a superfície de uma lesão em fase bem inicial. *Distribuição*: escroto, pênis (Fig. 28-21), axilas, cintura, nádegas (Fig. 28-22) ou aréolas. Resolução deixando hiperpigmentação pós-inflamatória. Pode ficar mais evidente após o tratamento à medida que a erupção eczematosa melhora.

ESCABIOSE COM HIPERINFESTAÇÃO (ANTERIORMENTE CHAMADA ESCABIOSE NORUEGUESA) Pode iniciar como uma sarna comum. Em outros casos, o aspecto clínico é de eczema crônico, dermatite psoriasiforme, dermatite seborreica ou eritrodermia. As lesões frequentemente apresentam hiperceratose evidente e/ou crostas (Figs. 28-23 e 28-24). Dermatose verrucosa das mãos e pés com hiperceratose do leito ungueal. Erupção eritematosa descamativa na face, região cervical, couro cabeludo e tronco. Os indivíduos afetados apresentam odor característico. *Distribuição*:

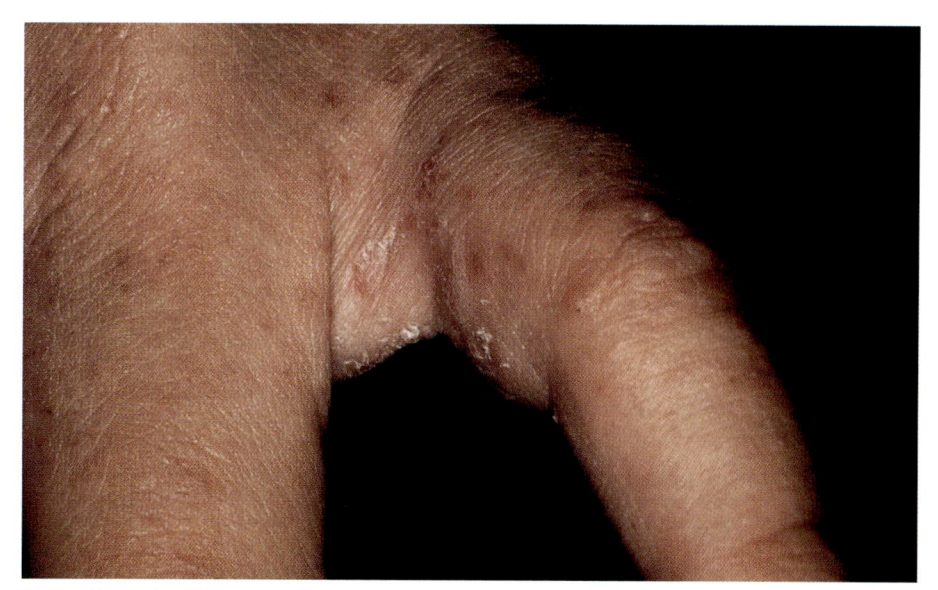

Figura 28-17 Escabiose com túneis Pápulas e túneis em localização típica na região interdigital. Os túneis são sulcos cor de pele ou castanhos de configuração linear com uma diminuta vesícula ou pápula no seu final; frequentemente, são difíceis de detectar.

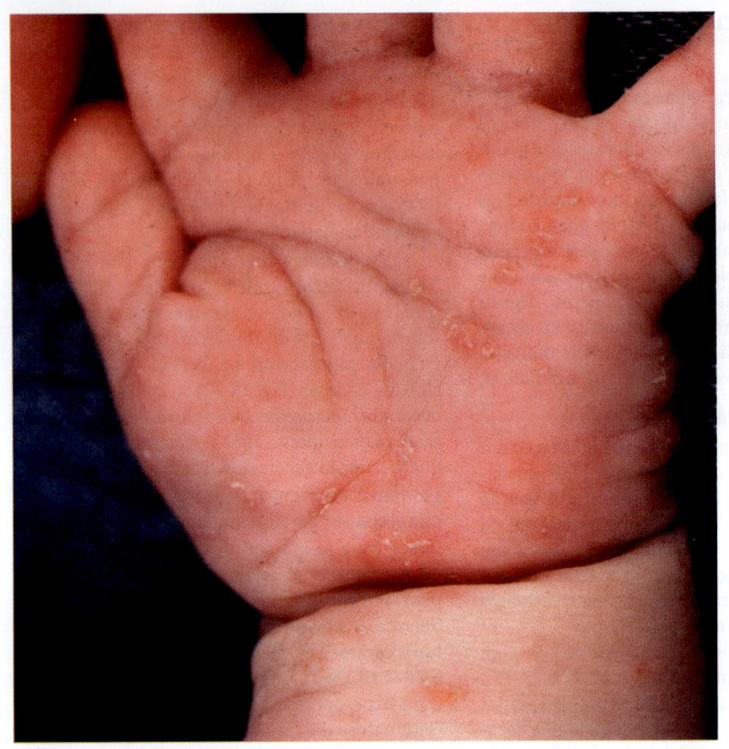

Figura 28-18 Túneis de escabiose nas palmas de uma criança de 3 anos. Há muitas lesões lineares e até semicirculares. Toda a família estava infectada.

generalizada (envolvendo inclusive cabeça e região cervical nos adultos) ou localizada. Em pacientes com déficit neurológico, a hiperinfestação ocorre apenas no membro afetado. Pode ser localizada somente no couro cabeludo, face, dedos das mãos, leito ungueal dos pés ou plantas dos pés.

As reações de autossensibilização ou "id" caracterizam-se por pequenas pápulas edematosas urticariformes disseminadas, principalmente na região anterior do tronco, coxas, nádegas e antebraços.

ALTERAÇÕES SECUNDÁRIAS Escoriações, líquen simples crônico, prurigo nodular. Hipo ou hiperpigmentação pós-inflamatória nos indivíduos mais pigmentados. Escabiose bolhosa pode mimetizar penfigoide bolhoso. Infecção secundária por *S. aureus*.

DIAGNÓSTICO DIFERENCIAL

Prurido, localizado ou generalizado, delírio de parasitose, reação adversa cutânea a fármacos, dermatite atópica, dermatite de contato alérgica, prurido metabólico.

Escabiose nodular. Urticária pigmentosa (em crianças menores), urticária papular (picadas de insetos), prurigo nodular, pseudolinfoma.

HIPERINFESTAÇÃO POR ESCABIOSE Psoríase, dermatite eczematosa, dermatite seborreica, eritrodermia.

EXAMES LABORATORIAIS

MICROSCOPIA A maior chance de identificar um ácaro é buscar nos túneis característicos na região interdigital, face flexora dos punhos e pênis. Aplica-se uma gota de óleo mineral sobre o túnel que deve ser raspado com cureta ou com lâmina de bisturi número 15 para exame do material coletado em microscópio. Três achados são diagnósticos: ácaros de *S. scabiei*, ovos e fezes (cíbalo) (**Fig. 28-24**).

DERMATOPATOLOGIA *Túneis de escabiose*: localizados no estrato córneo; ácaro fêmea com ovos situados no final do túnel. É comum haver espongiose (edema epidérmico) próximo do ácaro com formação de vesícula. A derme apresenta infiltração com eosinófilos. Nódulos: infiltrado inflamatório denso crônico com eosinófilos. Em alguns casos, reação

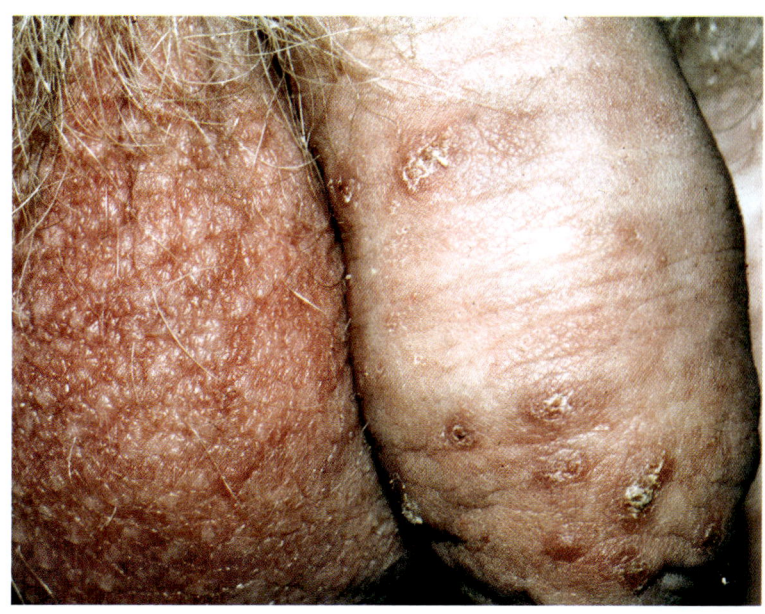

Figura 28-19 Túneis no corpo do pênis e escroto Se houver suspeita de escabiose em um homem, deve-se sempre examinar o pênis.

Figura 28-20 Escabiose: locais de predileção Os túneis são mais facilmente identificados nos espaços interdigitais das mãos, nos punhos, na face lateral das palmas. Os nódulos escabióticos ocorrem raramente e surgem nos órgãos genitais, particularmente no pênis e no escroto, cintura, axilas e aréolas.

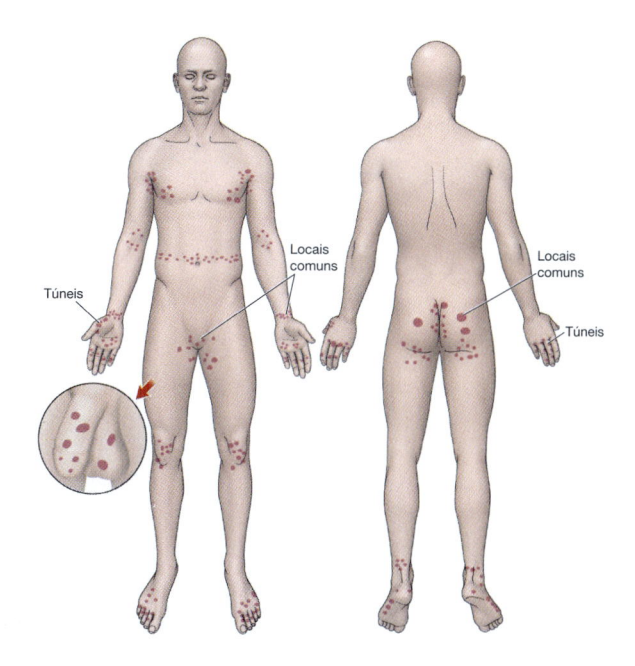

persistente ao artrópode com características semelhantes às do linfoma com células mononucleares atípicas. Hiperinfestação: espessamento do estrato córneo perfurado por inúmeros ácaros.

DIAGNÓSTICO

Manifestação clínica confirmada por exame microscópico (identificação de ácaros, ovos e fezes de ácaros).

EVOLUÇÃO

O prurido frequentemente persiste por várias semanas após a erradicação bem-sucedida da infestação, o que é compreensível quando se sabe que o prurido é um fenômeno de hipersensibilidade a antígenos do ácaro. Se houver reinfestação, o prurido reaparece em poucos dias. Alguns indivíduos apresentam delírio de parasitose após tratamento bem-sucedido da escabiose e, até mesmo, em alguns pacientes que jamais tenham sido infestados. Hiperinfestação: talvez impossível de erradicar; é mais provável haver recorrência do que reinfestação. Nódulos: em pacientes tratados, 80% desaparecem em 3 meses, mas podem persistir por até 1 ano.

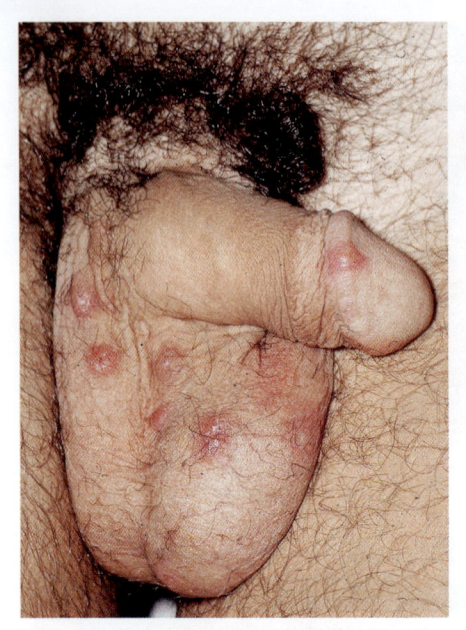

Figura 28-21 Escabiose com nódulos Pápulas e nódulos vermelhos ou castanhos no pênis e no escroto; essas lesões são patognomônicas de escabiose, ocorrendo nos locais de infestação em alguns indivíduos.

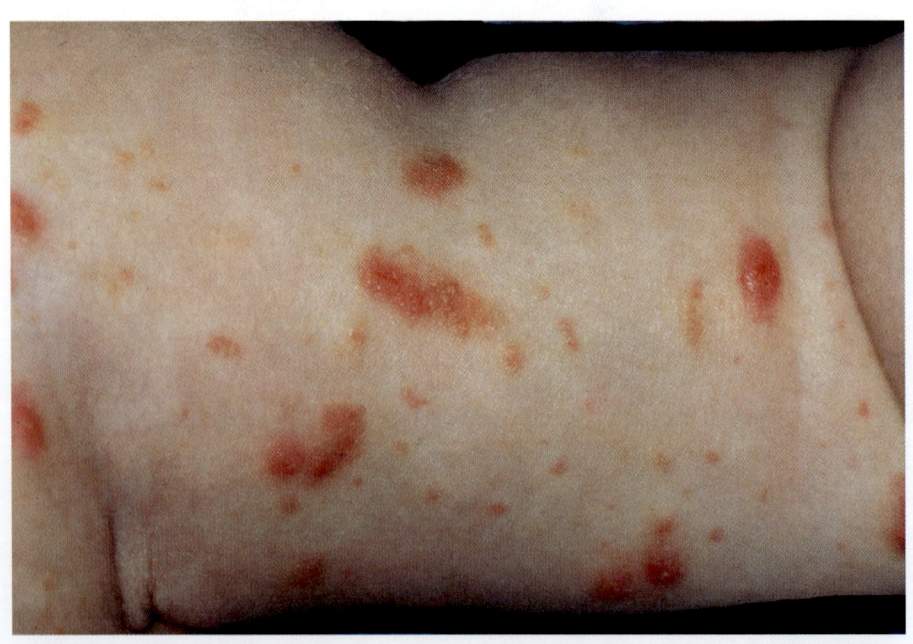

Figura 28-22 Escabiose com nódulos Criança de 4 anos com nódulos castanho-avermelhados na coxa e nádegas que persistiram após tratamento com permetrina.

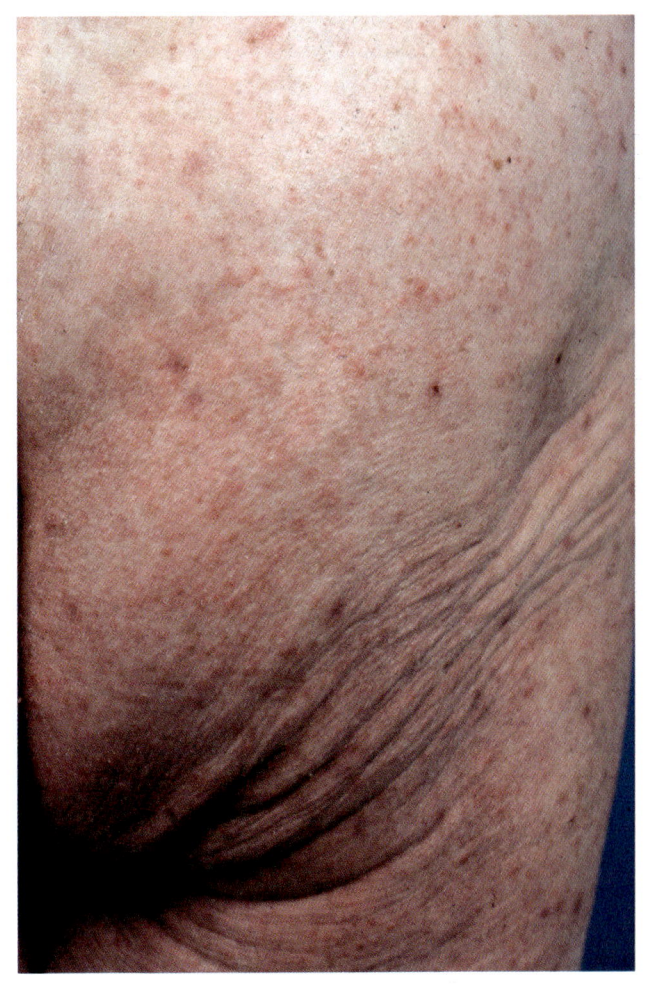

Figura 28-23 Escabiose com hiperinfestação Mulher desnutrida de 60 anos com centenas de lesões papulares e túneis no dorso e nádegas. O prurido era muito intenso.

MANEJO

PRINCÍPIOS DO TRATAMENTO Tratar o indivíduo infestado e os contactantes próximos (incluindo os parceiros sexuais) ao mesmo tempo, independentemente de haver sintomas. A aplicação deve se estender à pele de todo o corpo.
REGIMES RECOMENDADOS Permetrina a 5%. Creme aplicado em todas as regiões do corpo. Lindano (hexacloreto de g-benzeno) a 1%, em loção ou creme, uma camada fina aplicada em todas as regiões do corpo a partir do pescoço; lavar completamente após 8 horas. Observação: o lindano não deve ser utilizado após o banho, ou por pacientes com dermatite extensa, gestantes ou lactantes ou, ainda, em crianças com menos de 2 anos. Há resistência ao lindano. O baixo custo faz desse medicamento a melhor opção em muitos países.
REGIMES ALTERNATIVOS *Tópicos*. Crotamitona a 10%, enxofre em vaselina a 2 a 10%, benzoato de benzila a 10 e 25%, benzoato de benzila com sulfiram, malationa a 0,5%, sulfiram a 25%, ivermectina a 0,8%.
Sistêmicos. Ivermectina oral, 200 mg/kg; há relatos de que uma dose única seria muito eficaz em 15 a 30 dias. Nos casos com infestação intensa ou em indivíduos imunodeprimidos, talvez sejam necessárias 2 a 3 doses com intervalo de 1 a 2

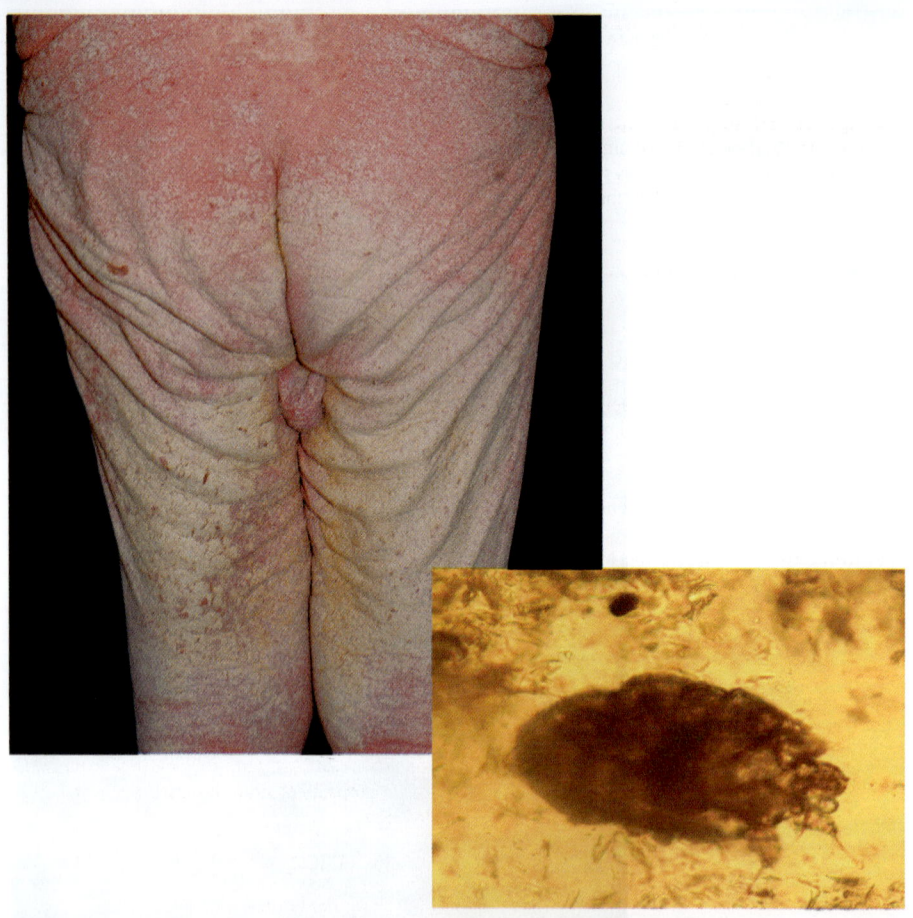

Figura 28-24 Escabiose com hiperinfestação Paciente do sexo masculino de 79 anos com escabiose hiperceratótica há 4 anos. O paciente havia sido tratado em casa com agente tópico e com ivermectina oral, além de ter sido realizada descontaminação extensiva do ambiente em diversas ocasiões. Observam-se placas hiperceratóticas confluentes em dorso, nádegas e pernas. Foram encontrados até cinco ácaros por campo microscópico (ver o destaque).

semanas. O medicamento pode erradicar escabiose epidêmica ou endêmica em instituições como asilos, hospitais e campos de refugiados. Não está aprovado pela Food and Drug Administration ou pela European Drug Agency. Não utilizar em lactentes, crianças pequenas e gestantes ou lactantes.

ESCABIOSE CROSTOSA Ivermectina oral associada a agentes tópicos (não ivermectina). Descontaminação do ambiente.

NÓDULOS de escabiose melhoram após a injeção intralesional de triancinolona acetonida.

PRURIDO PÓS-ESCABIOSE O prurido generalizado que persiste por 1 semana ou mais provavelmente é causado por hipersensibilidade aos ácaros mortos remanescentes e a produtos dos ácaros. Podem ser usados anti-histamínicos, esteroides tópicos. Para o prurido intenso e persistente, especialmente em indivíduos com história de atopia, indica-se uma sequência de 14 dias de prednisona em doses decrescentes.

INFECÇÃO BACTERIANA SECUNDÁRIA Tratar com pomada de mupirocina ou com antibioticoterapia sistêmica.

LARVA *MIGRANS* CUTÂNEA CID-10: B76

- **Erupção serpiginosa.** Infestação cutânea que se segue à penetração e à migração na epiderme de larvas de ancilóstomo.
- **Agentes etiológicos.** *Larva migrans cutânea*: nos EUA, larvas do *Ancylostoma braziliense*. Ovos do parasita são depositados na areia e no solo de áreas quentes e sombreadas e dão origem a larvas que penetram a pele humana. Os seres humanos são hospedeiros aberrantes e terminais que adquirem o parasita em ambientes contaminados com fezes de animais. As larvas penetram na pele, migrando vários centímetros por dia. A maioria das larvas é incapaz de se desenvolver ou de invadir tecidos mais profundos e morrem após alguns dias ou meses. *Larva currens: Strongyloides stercoralis*; as larvas filariformes penetram na pele (geralmente nas nádegas), produzindo lesões semelhantes às da larva *migrans*.

MANIFESTAÇÃO CLÍNICA

LARVA *MIGRANS* CUTÂNEA Lesão serpiginosa, fina, linear, elevada, como um túnel, com 2 a 3 mm de largura, contendo líquido seroso (Fig. 28-25). É possível haver muitas lesões simultâneas, dependendo do número de larvas que tenham penetrado (Fig. 28-26). As larvas movem-se poucos ou muitos milímetros por dia, restritas a uma área com alguns centímetros de diâmetro. A infestação é mais comum nos pés, nas pernas e nas nádegas.

LARVA *CURRENS* (ESTRONGILOIDÍASE CUTÂNEA) Uma forma distinta de larva *migrans*. Pápulas, urticária ou erupção vesiculopapular no local de penetração da larva (Fig. 28-27). Associada a prurido intenso. Ocorre nas nádegas, coxas, dorso, ombros e abdome. O prurido e a erupção desaparecem quando as larvas entram na corrente sanguínea e migram para a mucosa intestinal.

DIAGNÓSTICO DIFERENCIAL

Lesões migratórias de outros parasitas, dermatite de contato fotoalérgica, queimadura de água-viva, dermatofitose epidérmica.

MANIFESTAÇÕES LABORATORIAIS

DERMATOPATOLOGIA Parasita identificado na amostra de biópsia colhida no ponto mais avançado da lesão.

DIAGNÓSTICO

Manifestações clínicas.

EVOLUÇÃO

Autolimitada; os humanos são hospedeiros "terminais". A maioria das larvas morre, e as lesões melhoram em 2 a 8 semanas.

TRATAMENTO

AGENTES TÓPICOS Tiabendazol, ivermectina, albendazol são eficazes.
AGENTES SISTÊMICOS Tiabendazol, VO, 50 mg/kg/dia em duas doses (máximo de 3 g/dia) por 2 a 5 dias; ivermectina, 6 mg, duas vezes ao dia; albendazol, 400 mg/dia durante 3 dias; altamente eficazes.
REMOÇÃO DOS PARASITAS Não tentar; o parasita não se encontra nas lesões visíveis.

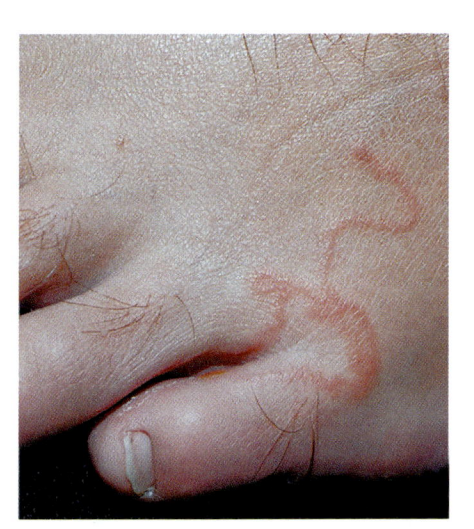

Figura 28-25 Larva *migrans* cutânea Lesão eritematosa serpiginosa, linear, elevada, em forma de túnel, revelando a trajetória de migração da larva.

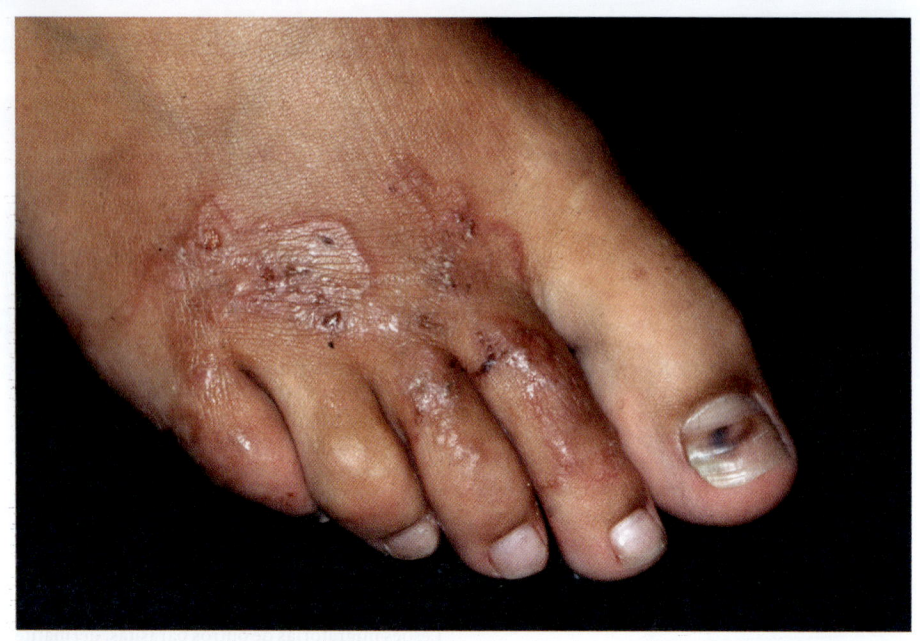

Figura 28-26 Larva *migrans* cutânea Múltiplas lesões elevadas, semelhantes a túneis, parcialmente crostosas e escamosas no antepé.

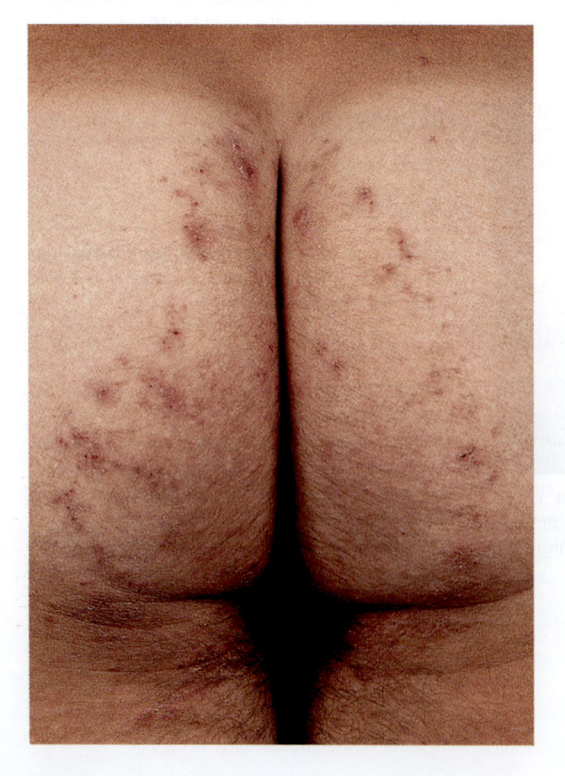

Figura 28-27 Larva *currens* Múltiplas linhas serpiginosas, inflamatórias, pruriginosas nas nádegas nos locais de penetração das larvas de *S. stercoralis*.

Seção 28 Picadas, ferroadas e infestações cutâneas por artrópodes 741

DOENÇAS ASSOCIADAS À ÁGUA

- Vários microrganismos aquáticos podem causar infecção de tecidos moles após exposição.
- Bactérias. *Aeromonas hydrophila, Edwardsiella tarda, Erysipelothrix rhusiopathiae, Mycobacterium marinum, Pfiesteria piscicida*, espécies de *Pseudomonas, Streptococcus iniae, Vibrio vulnificus*, e outras espécies de *Vibrio*.
- Algas. *Prototheca wickerhamii*.
- Infestações cutâneas localizadas. Dermatite por cercária e erupção do banhista do mar podem ocorrer após exposição a animais microscópicos marinhos.
- Cnidários (água-viva) e equinodermos (ouriço-do-mar, estrela-do-mar) podem causar envenenamento.

DERMATITE POR CERCÁRIA DE SCHISTOSOMA CID-10: B65.3

- Coceira do nadador, coceira do catador de mariscos, dermatite por Schistosoma, coceira de lagos.
- Erupção papular pruriginosa aguda nos locais de penetração cutânea das larvas de *Schistosoma cercariae*, cujos hospedeiros costumeiros são pássaros e mamíferos de pequeno porte.
- Schistosomas implicados: *Trichobilharzia, Gigantobilharzia, Ornithobilharzia, Microbilharzia e Schistosomatium*.
- A exposição pode ocorrer em água doce, salobra ou salgada. Os ovos produzidos pelo verme adulto vivendo em animais são eliminados nas fezes do hospedeiro para o ambiente; ao atingir a água, os ovos eclodem, liberando larvas plenamente desenvolvidas (miracídios). Os caramujos são os hospedeiros dos miracídios dos quais emergem como cercárias. Para continuar seu desenvolvimento, as cercárias devem penetrar na pele de um hospedeiro vertebrado.
- **Transmissão.** Os seres humanos são hospedeiros terminais. As cercárias penetram na pele humana e desencadeiam uma reação inflamatória e morrem sem invadir outros tecidos. Ocorre em todo o mundo em áreas com águas doce e salgada habitadas pelos moluscos hospedeiros. A doença é adquirida pelo contato da pele com água infestada por cercárias.

MANIFESTAÇÃO CLÍNICA

Prurido e exantema iniciam-se horas após a exposição. Uma erupção macular, papular, vesiculopapular ou urticariforme intensamente pruriginosa desenvolve-se nos locais expostos (Fig. 28-28), poupando as partes do corpo cobertas por roupas. (Por outro lado, a erupção do banhista do mar ocorre em regiões do corpo cobertas pelas roupas de banho.) Nos indivíduos sensibilizados, em cada ponto de penetração ocorre *urticária papular*. Nos indivíduos intensamente sensibilizados, as lesões podem evoluir como placas eczematosas ou urticariformes e/ou vesículas que atingem o pico em 2 a 3 dias após a exposição. Os parasitas capazes de produzir doença invasiva em seres humanos (*Schistosoma mansoni, S. haematobium, S. japonicum*) podem causar erupção cutânea semelhante logo após a penetração, bem como *complicações viscerais* tardias.

EVOLUÇÃO

As lesões geralmente melhoram em 1 semana.

TRATAMENTO

Nos casos mais graves, pode-se indicar o uso de glicocorticoides tópicos e/ou sistêmicos.

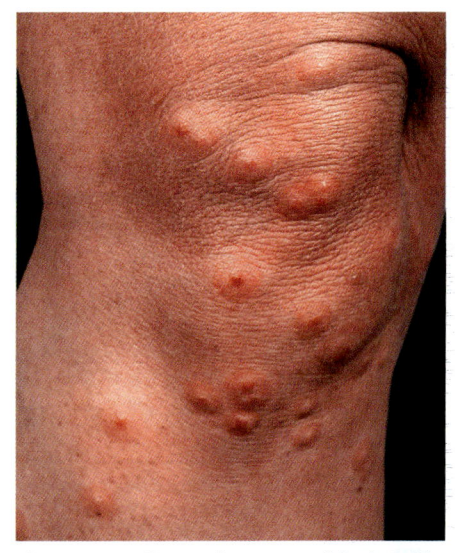

Figura 28-28 Dermatite por cercária de Schistosoma Erupção vesiculopapular intensamente pruriginosa sobre os joelhos adquirida durante a travessia de um riacho de águas calmas.

ERUPÇÃO DO BANHISTA DO MAR CID-10: W56.9

- **Etiologia.** Causada pela exposição a dois animais marinhos: larvas de água-viva, *Linuche unguiculata*, em águas fora da costa da Flórida, Caribe, México e Brasil. Larvas plânulas de anêmona do mar, *Edwardsiella lineata*, Long Island, NY.
- **Patogênese.** Nematocistos de larvas de celenterados picam a pele de regiões cobertas de pelos ou cobertas por trajes de banho, causando o que se presume ser uma reação alérgica. Alguns indivíduos afetados recordam-se de uma sensação de picada enquanto estavam na água.

MANIFESTAÇÃO CLÍNICA

As lesões apresentam-se como pápulas inflamatórias 4 a 24 horas após a exposição (Fig. 28-29). Em geral, observa-se erupção eritematosa monomórfica papular ou vesiculopapular: vesículas, pústulas e urticária papular que podem evoluir para erosões crostosas. Em comparação à dermatite por cercária, que ocorre em locais expostos, a erupção do banhista do mar ocorre em locais cobertos pelo traje de banho e é adquirida durante banho de mar.

EVOLUÇÃO

Em média, as lesões perduram por 1 a 2 semanas. Nos indivíduos sensibilizados, a erupção pode se tornar progressivamente mais intensa com a exposições repetidas e associada a sintomas sistêmicos.

TRATAMENTO

Glicocorticoides tópicos ou sistêmicos para alívio dos sintomas.

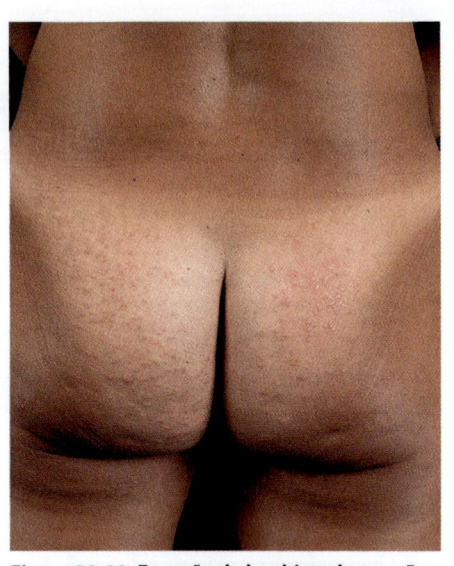

Figura 28-29 Erupção do banhista do mar Este exantema vesiculopapular surgiu em uma banhista de férias no Caribe. Durante o banho de mar, a paciente sentiu picadas leves nas regiões cobertas pelo traje de banho; na mesma noite, ela observou a erupção. O exantema fica caracteristicamente restrito às áreas cobertas pelo traje de banho.

ENVENENAMENTO POR CNIDÁRIOS CID-10: T63.6

- **Etiologia.** Há mais de 10 mil espécies de cnidários que incluem águas-vivas e pólipos sésseis capazes de inocular uma toxina/veneno com efeitos locais e sistêmicos. Entre os membros do filo cnidária capazes de afetar os humanos estão água-viva, caravela-portuguesa, anêmonas-do-mar e "coral de fogo".
- **Patogênese.** A ferroada de cnidários produz reações mais tóxicas do que alérgicas. Variando de irritações brandas e autolimitadas até lesões graves extremamente dolorosas.

MANIFESTAÇÃO CLÍNICA

Pápulas pruriginosas, ardentes e dolorosas com distribuição linear (Figs. 28-30 e 28-31).

EVOLUÇÃO

As ferroadas de água-viva podem ser fatais.

TRATAMENTO

Curativos úmidos, corticosteroides tópicos.

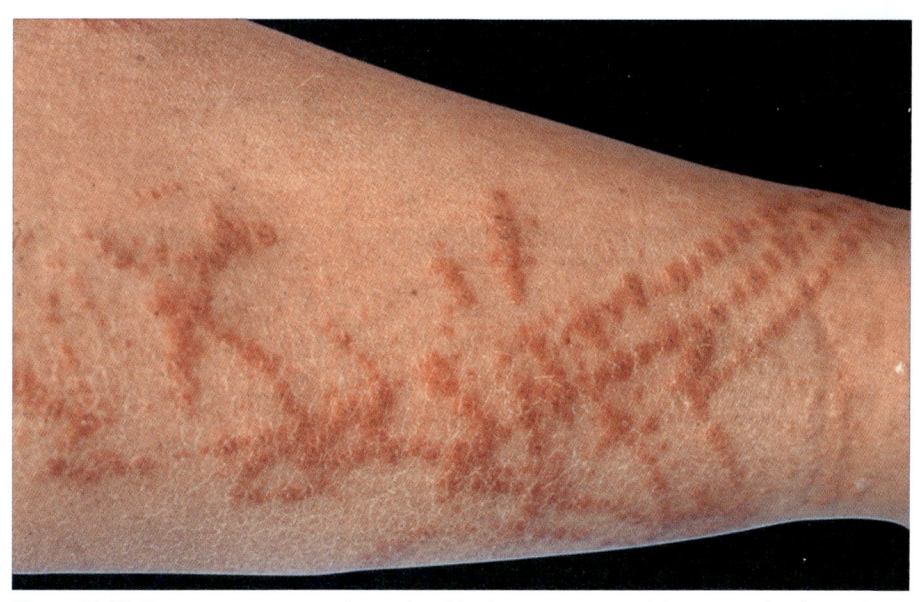

Seção 28　Picadas, ferroadas e infestações cutâneas por artrópodes

Figura 28-30　Envenenamento por água-viva　Pápulas pruriginosas e dolorosas em distribuição linear na perna, surgidas após contato com água-viva.

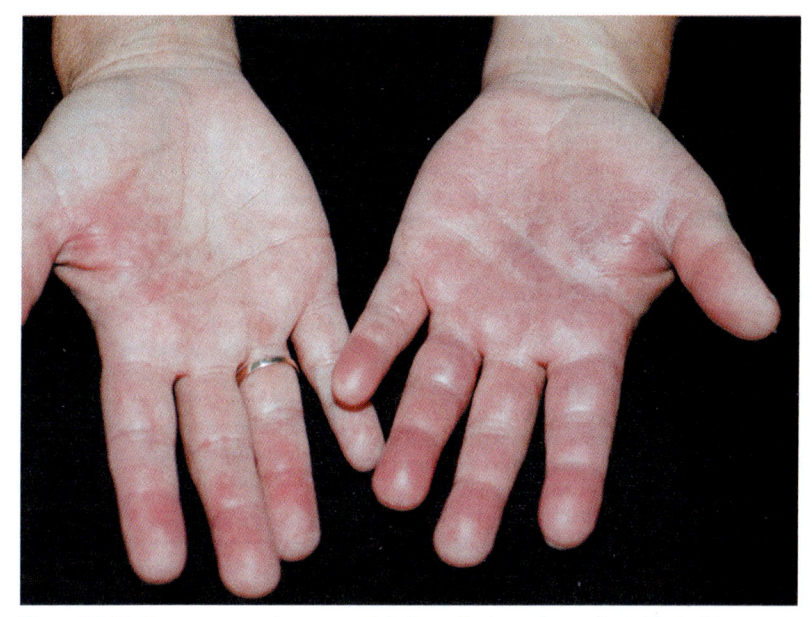

Figura 28-31　Envenenamento por coral de fogo　Paciente do sexo feminino de 47 anos com erupção dolorosa nas palmas surgida após contato com coral de fogo. As palmas e a superfície palmar dos dedos encontram-se hiperemiadas e edemaciadas nos locais do envenenamento.

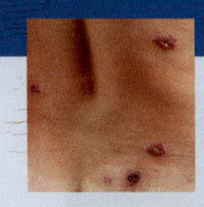

SEÇÃO 29
INFECÇÕES PARASITÁRIAS SISTÊMICAS

LEISHMANIOSE CID-10: B55

- **Etiologia.** Muitas espécies de protozoários intracelulares obrigatórios do gênero *Leishmania*; as espécies predominantes são:
  - **Novo Mundo:** Complexo *Leishmania mexicana*, subgênero *Viannia*.
  - **Velho Mundo:** *L. tropica, L. major, L. aethiopica*.
- **Vetor.** Mosquitos-pólvora. Velho Mundo: *Phlebotomus*. Novo Mundo: *Lutzomyia*
- **Patogênese.** Infecção dos macrófagos na pele, mucosa naso-orofaríngea e sistema reticuloendotelial (vísceras). A diversidade das síndromes clínicas é determinada pelas espécies particulares do parasita, pelo vetor e pelo hospedeiro.

SÍNDROMES CLÍNICAS

A leishmaniose cutânea (LC) caracteriza-se pelo desenvolvimento de uma ou múltiplas pápulas cutâneas no local de picada de um mosquito-pólvora, evoluindo frequentemente para nódulos e úlceras, que cicatrizam de modo espontâneo, deixando uma cicatriz deprimida.

- Leishmaniose cutânea do Novo Mundo (LCNM)
- Leishmaniose cutânea do Velho Mundo (LCVM)

  Leishmaniose cutânea difusa (anérgica) (LCD)
  Leishmaniose da mucosa (LM)
  Leishmaniose visceral (LV); calazar; leishmaniose dérmica pós-calazar (LDPC)

  Sinônimos: LCNM: úlcera dos chicleros, pian (bouba dos bosques), uta. LCVM: úlcera ou botão de Bagdá/Deli/úlcera/mal de Aleppo, botão do Oriente. LM: espúndia. LV: calazar (termo hindu que significa "febre negra").

EPIDEMIOLOGIA E ETIOLOGIA

Nos seres humanos, a infecção é causada por 20 espécies de *Leishmania* (subgêneros *Leishmania* e *Viannia*). Estágios do parasita: Promastigota: forma flagelada encontrada no mosquito-pólvora e em cultura; amastigota: forma tecidual não flagelada (2 a 4 μm de diâmetro); replica-se nos fagossomos dos macrófagos em hospedeiros mamíferos.

TRANSMISSÃO Vetor transmitido pela picada de fêmeas infectadas de flebotomídeos, que se tornam infectadas quando se alimentam do sangue de um hospedeiro mamífero infectado. Foram identificadas cerca de 30 espécies de mosquitos-pólvora como vetores. Descansam em locais úmidos e escuros e, normalmente, são mais ativos ao anoitecer e durante a noite. Outros modos de transmissão: congênita e parenteral (i.e., por transfusão sanguínea, uso compartilhado de agulhas, acidentes de laboratório).

RESERVATÓRIOS Variam de acordo com a região geográfica e as espécies de *Leishmania*. A zoonose envolve roedores/caninos.

VETORES As espécies de *Leishmania* são transmitidas por 30 espécies de fêmeas de mosquito-pólvora dos gêneros *Lutzomyia* (Novo Mundo) e *Phlebotomus* (Velho Mundo).

PREVALÊNCIA Estimada em 12 milhões de pessoas infectadas no mundo inteiro. 1,5 a 2 milhões de novos casos por ano; 350 milhões de indivíduos correm risco de adquirir a infecção. Cinquenta por cento de novos casos ocorrem em crianças. Anualmente, 75 mil indivíduos morrem de LM.

GEOGRAFIA Todos os continentes habitados, exceto a Austrália; endêmica em regiões focais de 90 países. Regiões tropicais, subtropicais e Europa Meridional. Mais de 90% dos casos de LC ocorrem no Afeganistão, na Argélia, no Irã, no Iraque, na Arábia Saudita, na Síria, no Brasil e no Peru. Climas: variam desde desertos até florestas chuvosas, áreas rurais e urbanas.

DEFEITOS NOS MECANISMOS DE DEFESA DO HOSPEDEIRO Anergia específica para *Leishmania*: Pacientes desenvolvem LCD. Resposta imunológica deficiente ou imunossupressão (doença pelo HIV): LV. Variante hiperérgica: leishmaniose recidivante causada por *L. tropica*.

PATOGÊNESE

Os espectros clínico e imunológico da leishmaniose são paralelos aos da hanseníase. A LC ocorre em hospedeiros com imunidade protetora adequada. A LCM é observada em indivíduos com reação inflamatória intensa. A LCD ocorre com proliferação extensa e disseminada dos microrganismos na pele, mas sem muita inflamação ou tendência

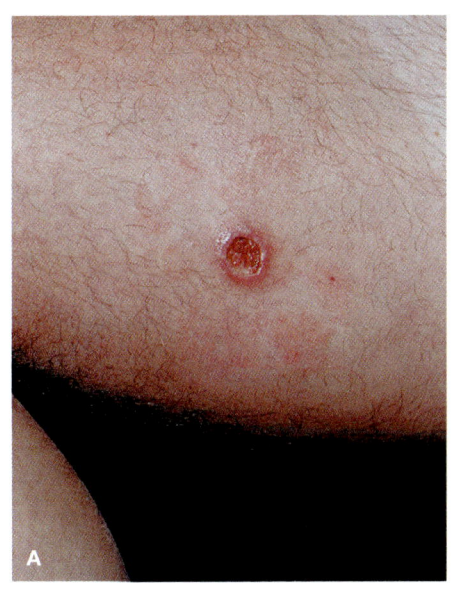

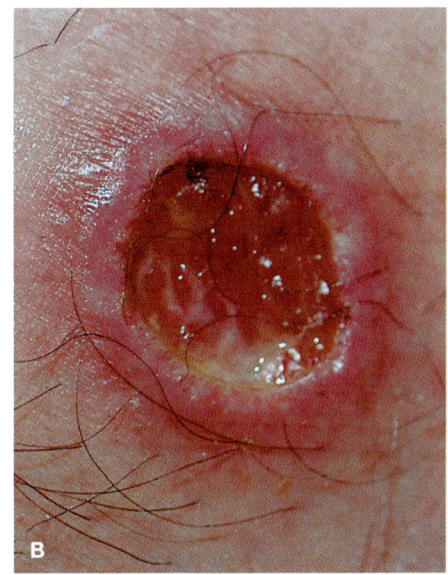

Figura 29-1 (A e B) Leishmaniose cutânea do Novo Mundo: úlcera na coxa Este homem de 42 anos com doença pelo HIV percebeu uma lesão indolor na face medial da coxa 6 semanas após retornar de viagem do México. Úlcera com bordas elevadas e base com tecido de granulação. Foram observadas espécies de Leishmania na biópsia da lesão. *L. mexicana* foi isolada em cultura de tecido da biópsia da lesão.

à visceralização. A LV ocorre no hospedeiro com pouca resposta imunológica e/ou em pacientes com imunossupressão. Diferentemente da hanseníase, a extensão e o padrão são fortemente influenciados pelas espécies específicas de *Leishmania* envolvidas. Outros fatores que afetam o quadro clínico: quantidade de parasitas inoculados, local de inoculação, estado nutricional do hospedeiro e natureza da última refeição não sanguínea do vetor. A infecção e a recuperação são seguidas de imunidade permanente à reinfecção pelas mesmas espécies de *Leishmania*. Em alguns casos, ocorre imunidade cruzada entre espécies.

MANIFESTAÇÃO CLÍNICA

As lesões primárias ocorrem no local de picada do mosquito-pólvora, geralmente em área exposta.
PERÍODO DE INCUBAÇÃO Inversamente proporcional ao tamanho do inóculo: Mais curto em visitantes de áreas endêmicas. LCVM: *L. tropica major*, 1 a 4 semanas; *L. tropica*, 2 a 8 meses; LC aguda: 2 a 8 semanas ou mais.
SINTOMAS As lesões noduloulcerativas são geralmente assintomáticas. Na presença de infecção bacteriana secundária, podem ser dolorosas.
LCNM Complexo *L. mexicana*. Uma pápula eritematosa pequena desenvolve-se no local de picada do mosquito-pólvora e evolui para um nódulo ulcerado (Fig. 29-1). Cresce até 3 a 12 cm, com bordas elevadas. Os nódulos não ulcerativos podem se tornar verrucosos. Linfangite, linfadenopatia regional. As lesões isoladas nas mãos ou na cabeça normalmente não ulceram. Por fim, a lesão regride, deixando uma cicatriz deprimida. As lesões na orelha podem persistir por vários anos, destruindo a cartilagem (úlceras dos chicleros) (Fig. 29-2).
LM Caracterizada por acometimento da mucosa naso-orofaríngea, uma complicação metastática da LC. Em geral, a doença da mucosa torna-se evidente vários anos após a cicatrização das lesões cutâneas originais; as lesões cutâneas e mucosas podem coexistir ou podem surgir com intervalos de várias décadas. O edema e as alterações inflamatórias resultam em epistaxe e coriza. Com o decorrer do tempo, há destruição do septo nasal, da parede inferior da boca e das regiões das tonsilas (Fig. 29-3). Provoca desfiguração acentuada (conhecida como *espúndia* na América do Sul). Pode ocorrer morte em consequência de infecção bacteriana sobreposta, obstrução da faringe ou desnutrição.
LCVM Começa como uma pequena pápula eritematosa, que pode surgir imediatamente após a picada do mosquito-pólvora, mas que comumente se desenvolve 2 a 4 semanas mais tarde. A pápula cresce lentamente até alcançar 2 cm no decorrer de um período de várias semanas e adquire tonalidade violácea e escura (Figs. 29-4 e 29-5).

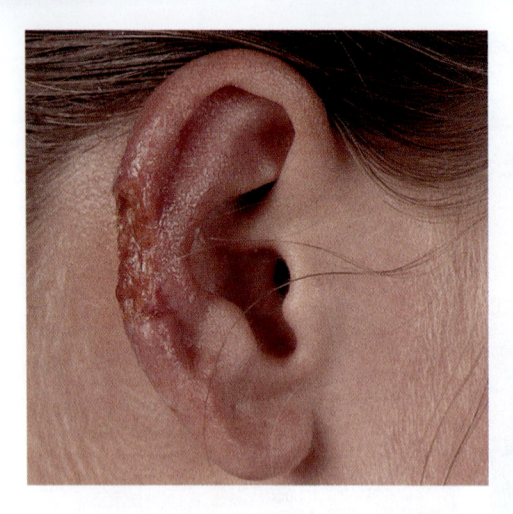

Figura 29-2 Leishmaniose cutânea do Novo Mundo: úlceras dos chiclero Úlcera profunda na hélice no local de picada de um mosquito-pólvora. Em geral, essa variante ocorre na Leishmaniose adquirida nas Américas Central e do Sul.

Por fim, a lesão torna-se crostosa no centro, com úlcera superficial e bordas endurecidas e elevadas = sinal do vulcão. Em alguns casos, o centro do nódulo torna-se hiperceratótico, formando um corno cutâneo. Pode haver desenvolvimento de pápulas-satélites pequenas na periferia da lesão e, em certas ocasiões, nódulos subcutâneos ao longo do trajeto dos vasos linfáticos proximais. A extensão periférica termina geralmente depois de 2 meses, e o nódulo ulcerado persiste por mais 3 a 6 meses ou por mais tempo. Em seguida, a lesão regride, deixando uma cicatriz ligeiramente deprimida. Em alguns casos, a LC permanece ativa, com esfregaços positivos durante 24 meses (LC crônica não cicatrizada). A quantidade de lesões depende das circunstâncias da exposição e do grau de infecção do mosquito-vetor. Podem resultar em múltiplas lesões, até 100 ou mais (**Figs. 29-4** e **29-5**).

LCD Assemelha-se à hanseníase lepromatosa; grandes quantidades de parasitas nos macrófagos da derme, mas sem comprometimento visceral. No Velho Mundo, ocorre em 20% dos indivíduos com

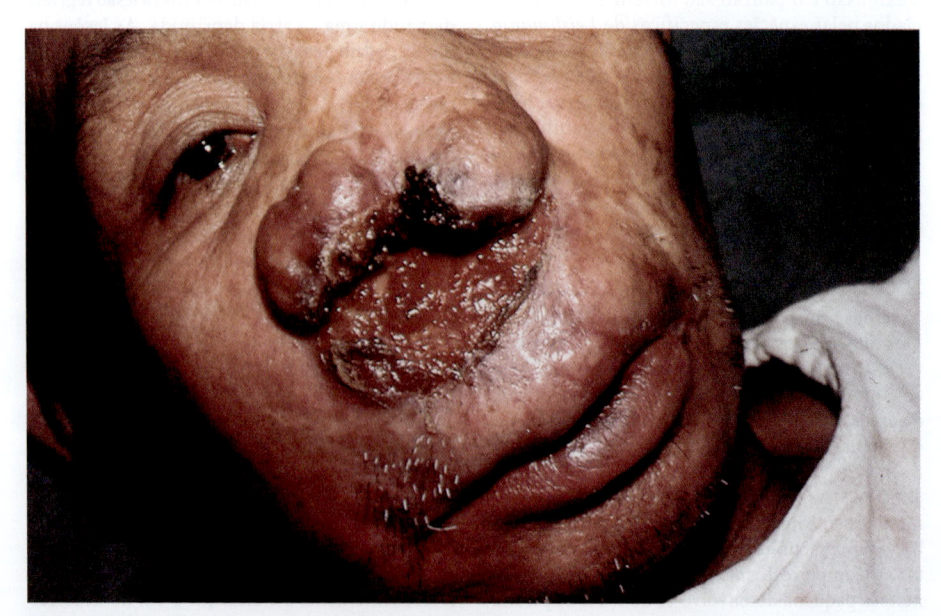

Figura 29-3 Leishmaniose mucocutânea: espúndia Ulceração mutilante dolorosa, com destruição de partes do nariz. (Usada com permissão de Eric Kraus, MD.)

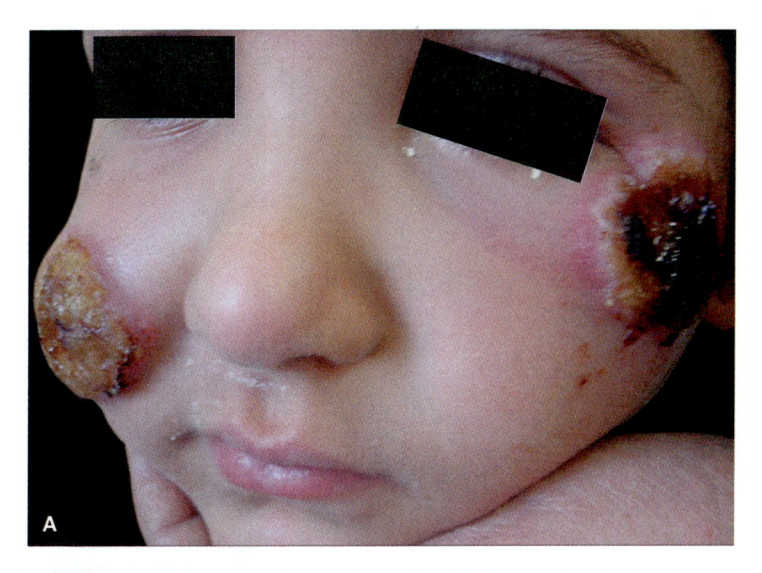

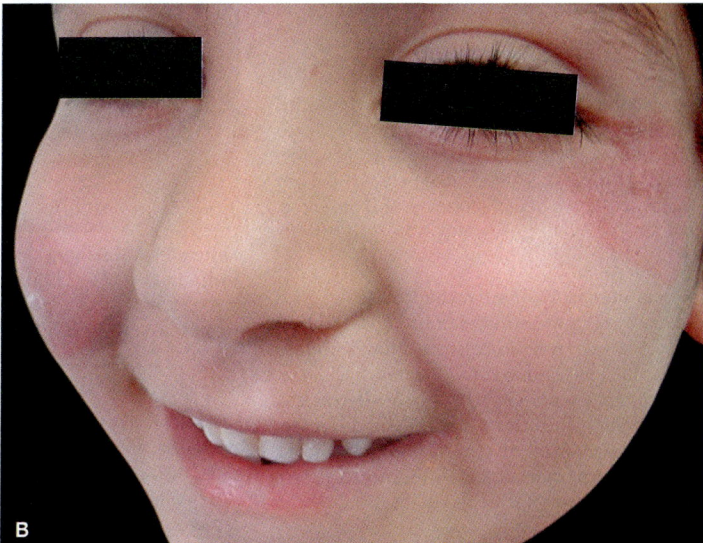

Figura 29-4 Leishmaniose cutânea do Velho Mundo: face Menina jordaniana de 7 anos de idade com lesões dolorosas nas regiões malares que surgiram há 6 semanas. **(A)** Nódulos crostosos volumosos, com edema circundante em ambas as regiões malares. **(B)** 3 semanas após tratamento bem-sucedido (injeções de estibogluconato de sódio, 15 mg/kg ao dia IM, durante 21 dias), as lesões regrediram com eritema residual mínimo, sem cicatrizes. (Usada com permissão de Mohammad Tawara, MD.)

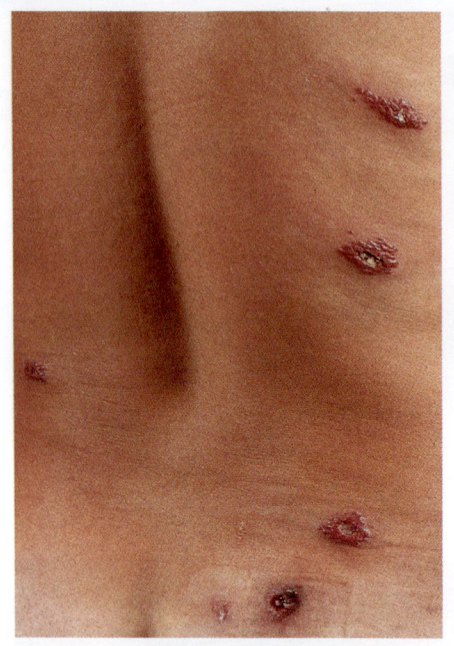

Figura 29-5 Leishmaniose cutânea do Velho Mundo Vários nódulos crostosos na região exposta do dorso, que surgiram nos locais de picada do mosquito-pólvora. Muitas das lesões assemelham-se a um vulcão com centro deprimido, isto é, sinal do vulcão.

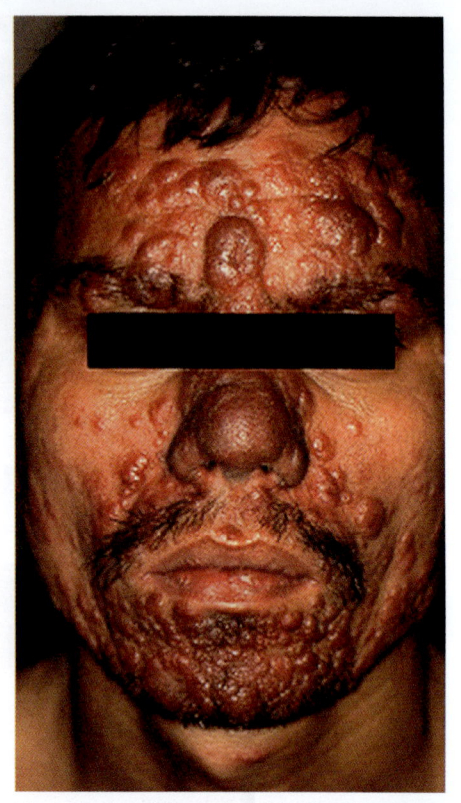

Figura 29-6 Leishmaniose dérmica pós-calazar indiana Pápulas e nódulos dérmicos eritematosos e coalescentes na face, lembrando a fácies leonina. (Utilizada com autorização de Raj Kubba, MD.)

leishmaniose na Etiópia e no Sudão. Na América do Sul, é atribuída a um membro do complexo *L. braziliensis*. A lesão consiste em um nódulo único, que em seguida sofre disseminação local, frequentemente por extensão e lesões-satélites e, por fim, por metástases. Com o passar do tempo, as lesões tornam-se disseminadas com nódulos não ulcerativos que surgem difusamente na face e no tronco. Responde de modo insatisfatório ao tratamento.

LEISHMANIOSE RECIDIVANTE (LR) Complicação da infecção por *L. tropica*. Placas vermelho-escuras com bordas ativas em expansão e centros com cicatrização, conferindo o aspecto de lesões circulares e anulares. Acomete mais comumente a face; pode causar destruição dos tecidos e deformidade grave.

LDPC Sequela da LV que regrediu espontaneamente ou durante/após tratamento adequado. As lesões aparecem dentro de 1 ano ou mais após o tratamento e caracterizam-se por lesões maculares, papulares, nodulares e máculas/placas hipopigmentadas na face (Fig. 29-6), no tronco e nos membros. Assemelha-se à hanseníase lepromatosa quando as lesões são numerosas. Desenvolve-se em 20% dos pacientes indianos tratados para LV causada por *L. donovani* e em uma pequena porcentagem de pacientes etíopes com LV causada por *L. aethiopica*.

LV Pode permanecer subclínica, ou pode se tornar sintomática, com evolução aguda, subaguda ou crônica. Os casos inaparentes de LV são mais numerosos do que os casos clinicamente evidentes. A desnutrição constitui um fator de risco para a LV clinicamente aparente. Ocorre acometimento da medula óssea, do fígado e do baço. O termo *calazar* (do hindi, que significa "febre negra", visto que alguns pacientes tinham pele de coloração acinzentada) refere-se aos pacientes febris e profundamente caquéticos com doença potencialmente fatal. Os pacientes apresentam febre, esplenomegalia, pancitopenia e caquexia.

DIAGNÓSTICO DIFERENCIAL

LC AGUDA Reação à picada de insetos, impetigo, ectima, furúnculo, infecção por *Mycobacterium marinum*, miíase furunculoide, cancro.

DIAGNÓSTICO

Suspeita clínica, confirmada pela demonstração de:

- Amastigota não flagelado intracelular em biópsia de pele, mucosa, fígado, linfonodos ou aspirado de baço, medula óssea, linfonodo.
- Promastigota flagelado em cultura de tecidos (são necessários até 21 dias).

EVOLUÇÃO

Em geral, a LCNM tende a ser mais grave e progressiva do que a LCVM.

TRATAMENTO

Os compostos contendo antimônio, antimoniato de meglumina e estibogluconato de sódio (Fig. 29-4), são administrados por via sistêmica. Outros fármacos usados para tratamento de leishmaniose: anfotericina B, miltefosina, paromomicina e pentamidina.

TRIPANOSSOMÍASE AMERICANA HUMANA CID-10: B57.5

- *Sinônimo:* doença de Chagas.
- **Etiologia.** *Trypanosoma cruzi*
- **Demografia.** Américas Central e do Sul. Dezesseis a 18 milhões de indivíduos infectados.
- **Transmissão.** O *T. cruzi* é depositado nas fezes de insetos barbeiros da família reduvídeos na pele; os tripanossomos penetram no hospedeiro por meio de soluções de continuidade da pele (escoriações), das mucosas ou das conjuntivas. Podem ser também transmitidos por transfusão sanguínea de indivíduos infectados, por transplante de órgão e da mãe para o feto.
- **Disseminação.** Vasos linfáticos e sanguíneos para os músculos.

MANIFESTAÇÃO CLÍNICA

CHAGOMA NO LOCAL DE INOCULAÇÃO Área endurecida de eritema e edema na porta de entrada, que surge de 7 a 14 dias após a inoculação. Pode ser acompanhado de linfadenopatia local. Os parasitas localizam-se dentro dos leucócitos e das células dos tecidos subcutâneos. Esses sinais locais iniciais são seguidos de mal-estar, febre, anorexia e edema da face e dos membros inferiores.

SINAL DE ROMAÑA Edema indolor unilateral da pálpebra e dos tecidos perioculares. Ocorre quando a conjuntiva é a porta de entrada. Manifestação clássica na TA aguda.

Edema da face e dos membros inferiores.

TRIPANOSSOMIDES Erupções morbiliformes, urticariformes ou eritematopolimórficas.

CHAGOMAS HEMATOGÊNICOS OU METASTÁTICOS Nódulo(s) causado(s) pela disseminação da infecção. Nódulos duros, dolorosos e cor de vinho; raramente, tornam-se macios ou ulceram.

ACHADOS SISTÊMICOS Linfadenopatia generalizada. Hepatoesplenomegalia. Pode ocorrer miocardite grave; a maioria das mortes deve-se à insuficiência cardíaca.

FASE INDETERMINADA/ASSINTOMÁTICA Caracteriza-se por parasitemia subclínica, anticorpos detectáveis contra *T. cruzi*, ausência de sinais e sintomas associados.

INFECÇÃO CRÔNICA SINTOMÁTICA Pode levar várias décadas para se desenvolver. Doença sintomática: coração (distúrbios do ritmo, miocardiopatia, tromboembolismo), megaesôfago, megacólon, doença do sistema nervoso periférico.

EVOLUÇÃO A maioria das pessoas permanece infectada durante a vida. Comprometimento cardíaco e GI associado à morbidade grave e à mortalidade.

TRIPANOSSOMÍASE AFRICANA HUMANA CID-10: B56.9

- *Sinônimo:* doença do sono.
- **Etiologia.** *Trypanosoma brucei gambiense* causa doença do sono da África Ocidental; responde por 95% dos casos notificados. *Trypanosoma brucei rhodesiense* causa a doença do sono da África Oriental.
- **Epidemiologia.** Vetor: mosca-tsé-tsé.
- **Reservatório primário.** Doença do sono da África Ocidental: seres humanos. Doença do sono da África Oriental: antílopes e gado.
- **Demografia.** Mais de 66 milhões de indivíduos infectados. África Ocidental: Costa do Marfim, Chade, República Centro-Africana; populações rurais. África Oriental: Sudão; trabalhadores de áreas florestais, populações rurais, turistas em parques de caça.

MANIFESTAÇÃO CLÍNICA

INFECÇÃO AGUDA Doença de estágio I. O *cancro tripanossômico* surge em alguns pacientes no local de inoculação (Fig. 29-7); doloroso; 7 a 14 dias após a picada da mosca-tsé-tsé. Em geral, lesão endurecida de 2 a 5 cm; pode ulcerar; regride em algumas semanas. Os parasitas podem ser detectados no líquido extraído do cancro e no creme leucocitário. *Manifestações sistêmicas.* Febre, artralgias, mal-estar, edema facial localizado e esplenomegalia moderada. A linfadenopatia é proeminente na tripanossomíase por *T. b. gambiense*. A evolução é mais rápida no tipo da África Oriental. Os turistas com doença por *T. b. rhodesiense* podem desenvolver sinais sistêmicos de infecção pouco antes do final da viagem.

INFECÇÃO CRÔNICA Doença de estágio II. Caracteriza-se pelo desenvolvimento insidioso de múltiplos sintomas neurológicos. Ocorrem indiferença progressiva e sonolência diurna. Os pacientes com tipo da África Oriental podem desenvolver arritmias e insuficiência cardíaca congestiva antes da ocorrência de doença do SNC.

TRATAMENTO

Pentamidina, melarsoprol, eflornitina. Para a doença de estágio avançado, difluorometil ornitina.

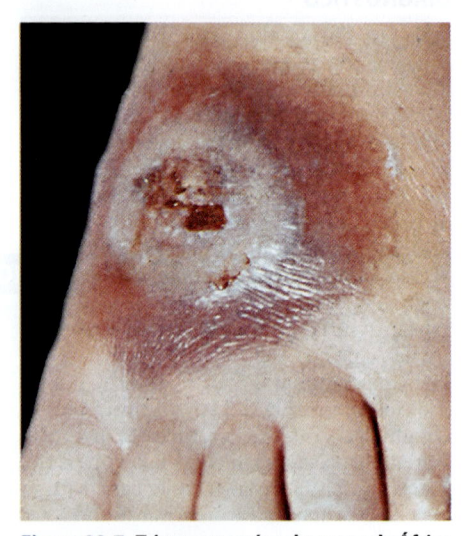

Figura 29-7 Tripanossomíase humana da África Oriental: cancro tripanossômico Placa ulcerada no local de picada no dorso do pé. Havia também um exantema macular no tronco. (Reimpressa com permissão de Moore AC et al. Case 20-2002. A 37-year-old man with fever, hepatosplenomegaly, and a cutaneous foot lesion after a trip to Africa. *N Engl J Med.* 2002; 346:2069. © 2002 Massachusetts Medical Society.)

AMEBÍASE CUTÂNEA CID-10: A06.7

A amebíase é causada pela *Entamoeba histolytica*, que infecta o trato GI e, raramente, a pele.

- **Incidência.** 10% da população mundial estão infectados por *Entamoeba*. A maioria das infecções é causada por *E. dispar* não invasiva. 10% dos indivíduos colonizados por *E. histolytica* desenvolvem colite amebiana. Mais prevalente nos trópicos e nas regiões rurais; saneamento inadequado e aglomerações. O acometimento da pele está associado à desnutrição e ao imunocomprometimento (HIV/Aids, transplante de órgãos sólidos).

MANIFESTAÇÃO CLÍNICA

A amebíase cutânea começa com uma pústula endurecida, que evolui para uma úlcera irregular e dolorosa, de odor fétido e coberta com pus ou restos necróticos (Fig. 29-8). Em geral, trata-se de uma consequência de abscesso amebiano subjacente que invade a pele. Os locais característicos incluem a área perianal (extensão do acometimento do retossigmoide) (Fig. 29-8) ou a parede abdominal (fístula de drenagem do fígado ou do cólon). O pênis ou a vulva podem se tornar infectados durante a relação sexual. Podem ocorrer infecções de feridas cirúrgicas após remoção de abscesso hepático ou abdominal. As úlceras distantes (p. ex., face) podem resultar de autoinoculação.

EVOLUÇÃO E TRATAMENTO

Sem tratamento, a lesão aumenta progressivamente. O tratamento consiste em sulfadiazina e pirimetamina, clindamicina.

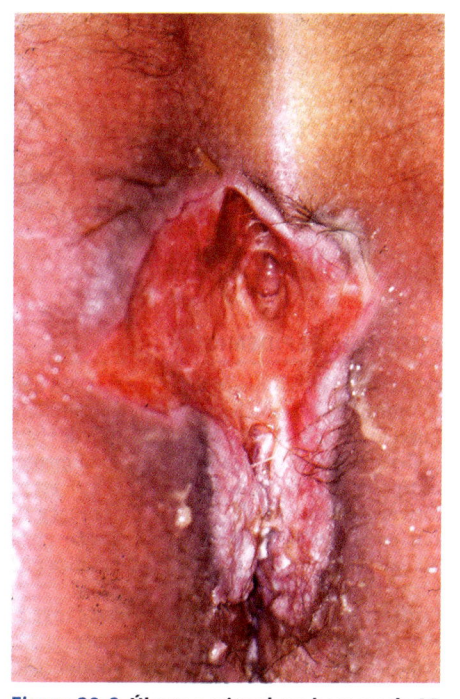

Figura 29-8 Úlcera perianal em homem de 35 anos 4 semanas após a remoção de condilomas acuminados por eletrodissecção A úlcera não mostrava tendência à cicatrização e uma biópsia de sua base revelou um infiltrado inflamatório com protozoários ovais com hemácias fagocitadas. A PCR em tempo real foi positiva para *Entamoeba histolytica*. (Reproduzida com permissão de Posch C et al. *J Dtsch Dermatol Ges.* 2011;9:649–50. © The authors. Journal compilation © Blackwell Verlag GmbH, Berlin.)

SEÇÃO 30

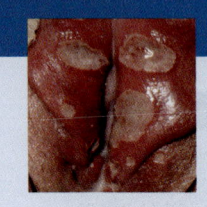

DOENÇAS SEXUALMENTE TRANSMISSÍVEIS

PAPILOMAVÍRUS HUMANO: INFECÇÕES ANOGENITAIS CID-10: B97.7 E A63.0

- As infecções da mucosa pelo papilomavírus humano (HPV) constituem as infecções sexualmente transmissíveis (ISTs) mais comuns observadas pelo dermatologista. Apenas 1 a 2% dos indivíduos jovens sexualmente ativos infectados pelo HPV apresentam lesão clínica visivelmente detectável.
- O HPV presente no canal vaginal pode ser transmitido ao recém-nascido durante o parto vaginal e pode causar verrugas genitais externas (VGEs) e papilomatose respiratória.
- **Verrugas.** Variam desde pápulas a nódulos discretamente visíveis, até massas confluentes, que ocorrem na pele ou mucosa anogenitais e na mucosa oral. VGE: órgãos genitais externos, períneo. Colo do útero. Orofaringe.
- **Displasia** da pele e mucosa anogenitais e orais, que varia desde uma lesão leve a grave até carcinoma espinocelular *in situ* (CECIS). O CEC invasivo pode surgir dentro do CECIS. Acomete, mais comumente, o colo do útero e o canal anal.

ETIOLOGIA E EPIDEMIOLOGIA

ETIOLOGIA O HPV é um papovavírus de DNA que se multiplica nos núcleos das células epiteliais infectadas (ver Seção 27). Mais de 20 tipos de HPV podem infectar o trato genital: mais comumente, os tipos 6 e 11. Os tipos 16, 18, 31, 33 e 35 estão fortemente associados à displasia anogenital e ao carcinoma. Nos indivíduos com múltiplos parceiros sexuais, é comum haver infecção subclínica por vários tipos de HPV.

FATORES DE RISCO PARA A AQUISIÇÃO DA INFECÇÃO PELO HPV Número de parceiros sexuais/frequência das relações sexuais. Parceiro sexual com infecção anogenital pelo HPV. Infecção por outras ISTs.

TRANSMISSÃO Por meio de contato sexual: genital--genital, oral-genital e genital-anal. Ocorrem microabrasões na superfície epitelial, possibilitando o acesso de virions do parceiro infectado à camada de células basais do parceiro não infectado.

- Durante o parto, mães com verrugas anogenitais podem transmitir o HPV ao recém-nascido, resultando em VGE e papilomatose laríngea nas crianças.

INCIDÊNCIA A maioria dos indivíduos sexualmente ativos apresenta infecção subclínica pelo HPV; as infecções pelo HPV são, em sua maior parte, assintomáticas, subclínicas ou não reconhecidas. Verifica-se o desenvolvimento de lesões clínicas em 1% dos adultos sexualmente ativos.

PATOGÊNESE Ambos os tipos de HPV, de "baixo risco" e de "alto risco", causam infecções anogenitais. A infecção pelo HPV pode persistir por vários anos em um estado latente, tornando-se infecciosa intermitentemente. As verrugas exofíticas provavelmente são mais infecciosas do que a infecção subclínica. A *imunossupressão* pode resultar em novas lesões extensas pelo HPV, resposta insatisfatória ao tratamento e aumento da neoplasia intraepitelial multifocal. Todos os tipos de HPV replicam-se exclusivamente no núcleo da célula do hospedeiro. Nas lesões benignas associadas ao HPV, o vírus ocorre como plasmídeo no citoplasma celular, e a sua replicação é extracromossômica. Nas lesões malignas associadas ao HPV, o vírus integra-se ao cromossomo do hospedeiro após ruptura do genoma viral (ao redor da região E1/E2). A função de E1 e E2 é desregulada, levando à transformação celular.

VERRUGAS GENITAIS

MANIFESTAÇÃO CLÍNICA

São geralmente assintomáticas, exceto pela sua aparência estética. A IST causa ansiedade. A ocorrência de obstrução se a massa for volumosa.

LESÕES MUCOCUTÂNEAS Ocorrem quatro tipos de verrugas genitais:
Pápulas pequenas (Fig. 30-1).
   Condiloma acuminado. Lesões em forma de couve-flor (acuminadas ou pontiagudas) (Figs. 30-2 a 30-4).
   Verrugas ceratóticas (Figs. 30-5 e 30-6).
   Pápulas/placas planas (mais comuns no colo do útero) (Fig. 30-7).
   Coloração cor da pele, rosada, vermelha, castanha, marrom. Únicas, dispersas e isoladas, ou formando massas confluentes volumosas. Nos indivíduos imunocomprometidos, as lesões podem ser enormes (Fig. 30-5).
   Locais de predileção. Homens: frênulo do prepúcio, coroa da glande, glande do pênis, prepúcio, corpo do pênis (Figs. 30-1 e 30-3), e escroto. *Mulheres*: lábios vulvares, clitóris, região periuretral, períneo, vagina, colo do útero (lesões planas) (Fig. 30-7). *Ambos os sexos*: perineal, perianal (Fig. 30-5), canal anal, reto; meato uretral, uretra, bexiga; orofaringe.

Papilomas laríngeos
- Relativamente incomuns; associados ao HPV-6 e ao HPV-11.
- Surgem mais comumente nas pregas vocais da laringe.
- Idade: crianças com menos de 5 anos de idade, adultos com mais de 20 anos.
- Risco de CECIS e CEC invasivo.

DIAGNÓSTICO DIFERENCIAL

LESÕES GENITAIS EXTERNAS PAPULARES/NODULARES
Anatomia normal (p. ex., glândulas sebáceas, pápulas perláceas penianas, papilas vestibulares), lesões intraepiteliais escamosas (SILs), CECIS, CEC invasivo, neoplasias benignas (nevos, ceratoses seborreicas, acrocórdons, cisto pilar, angioceratoma), dermatoses inflamatórias (líquen nítido, líquen plano), molusco contagioso, condiloma plano, foliculite, nódulos escabióticos.

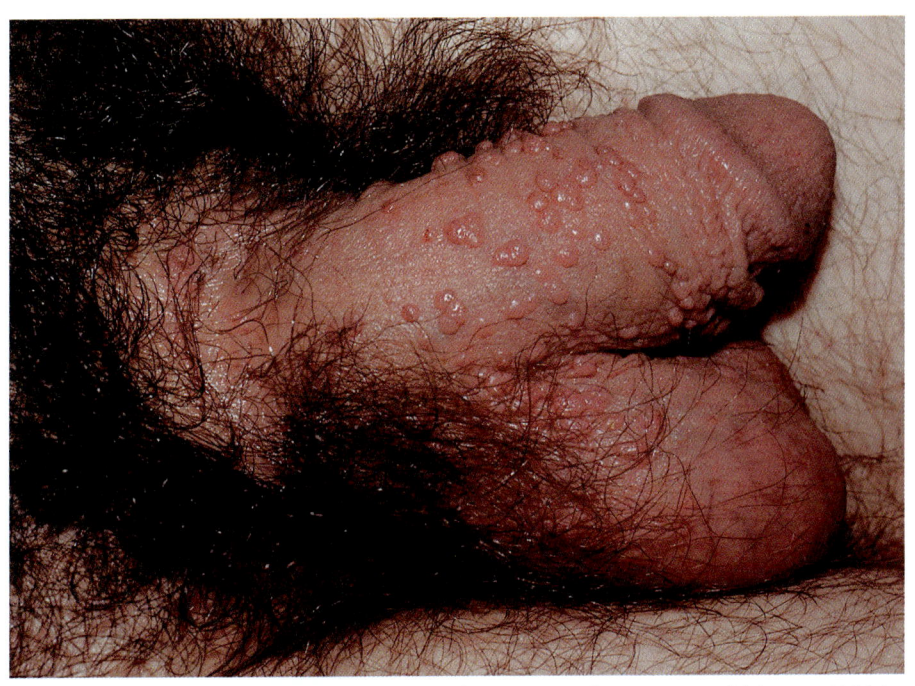

Figura 30-1 Verrugas papulares: pênis Homem de 23 anos com lesões penianas há 6 meses. Múltiplas pápulas cor da pele no pênis e no escroto.

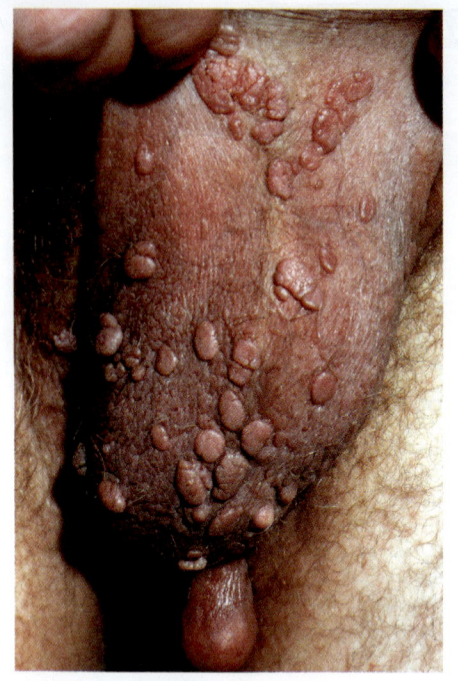

Figura 30-2 Condiloma acuminado Homem de 35 anos de idade com agregado de verrugas no escroto, que tinha surgido há 2 meses.

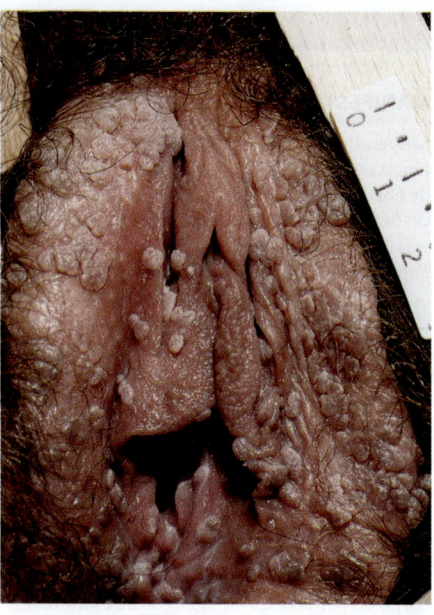

Figura 30-4 Condiloma acuminado: vulva Múltiplas pápulas macias, de coloração rosa-acastanhada nos lábios da vulva.

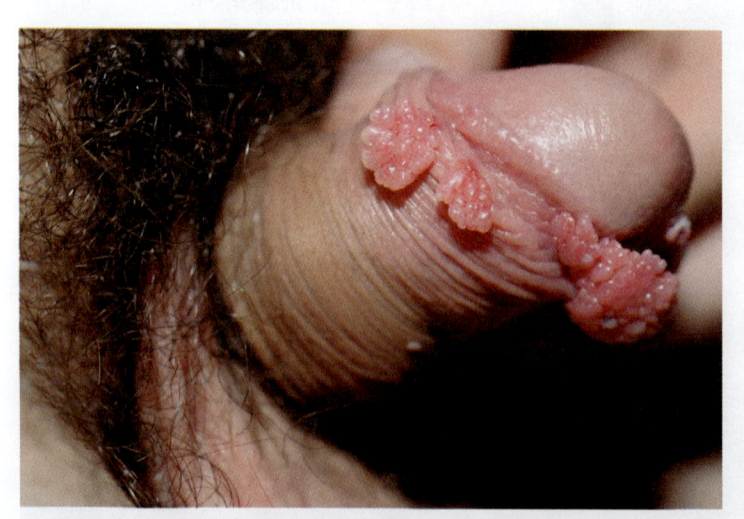

Figura 30-3 Condiloma acuminado: pênis Homem de 20 anos em tratamento com infusão de infliximabe para doença de Crohn. Os condilomas na parte distal do prepúcio assemelham-se a pápulas com formato de couve-flor.

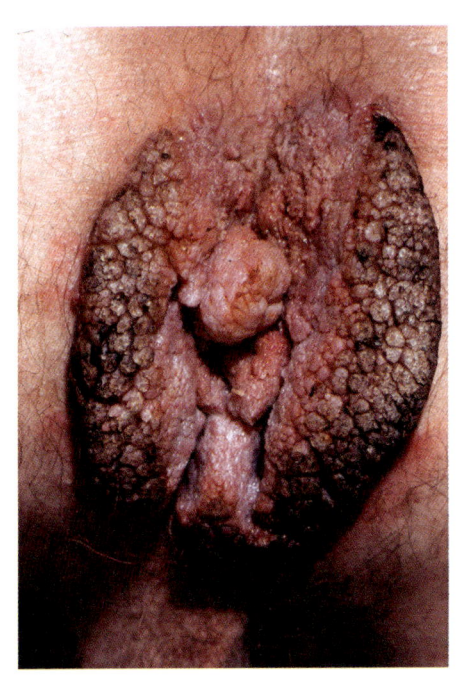

Figura 30-5 Verrugas genitais Este homem de 45 anos com doença pelo HIV apresenta condiloma acuminado hiperceratótico na região anal e perineal.

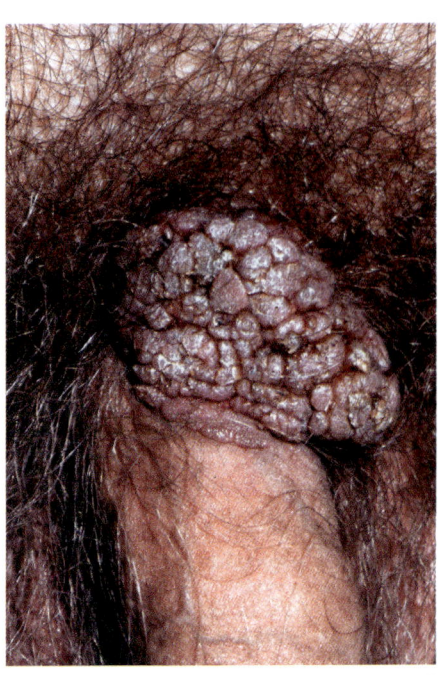

Figura 30-6 Verrugas genitais externas (VGEs) ceratóticas: homem Homem de 51 anos com lesão na base do pênis por vários anos. A biópsia da lesão revelou VGE, excluindo o carcinoma verrucoso.

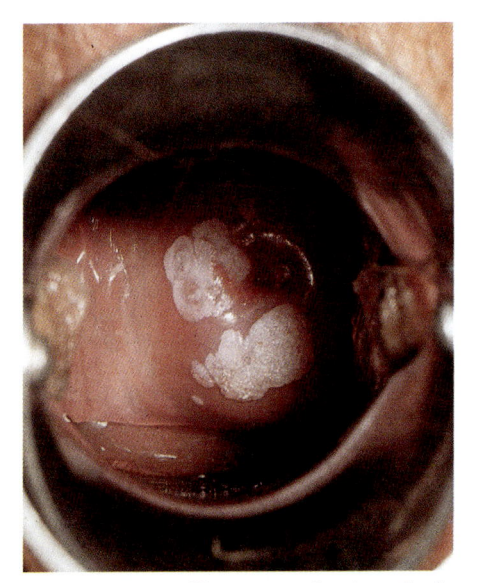

Figura 30-7 Condiloma acuminado: colo do útero Placas planas, esbranquiçadas e nitidamente demarcadas, que se tornaram confluentes ao redor do colo do útero.

EXAMES LABORATORIAIS

ESFREGAÇO DE PAPANICOLAU Todas as mulheres devem ser incentivadas a efetuar um esfregaço de Papanicolau anual, visto que o HPV é o principal agente etiológico do câncer de colo do útero. O exame de Papanicolau anal com escova cervical e solução fixadora auxilia a detectar a displasia anal.

DERMATOPATOLOGIA A biópsia está indicada se o diagnóstico for incerto; as lesões não respondem ao tratamento padrão e se agravam durante o tratamento; o paciente é imunocomprometido; as verrugas são pigmentadas, endurecidas, fixas e/ou ulceradas. A biópsia está indicada em alguns casos para confirmar o diagnóstico e/ou excluir CECIS ou CEC invasivo.

DETECÇÃO DO DNA DO HPV Presença de DNA do HPV e tipos específicos de HPV determinados com base em esfregaços e biópsia lesional por hibridização *in situ*.

Sorologia. As verrugas genitais são marcadores de práticas sexuais não seguras, e os pacientes devem ser triados para outras DSTs.

DIAGNÓSTICO

Diagnóstico clínico, algumas vezes confirmado por biópsia.

EVOLUÇÃO

O HPV é altamente infeccioso, com período de incubação de 3 semanas a 8 meses. A maioria dos indivíduos infectados pelo HPV que desenvolvem verrugas genitais o faz dentro de 2 a 3 meses após a infecção. Se não forem tratadas, as verrugas genitais podem regredir de modo espontâneo, permanecer inalteradas ou crescer. Após a regressão, *a infecção subclínica pode persistir durante toda a vida*. Podem ocorrer recidivas na presença de função imunológica normal, bem como no indivíduo imunocomprometido. As recidivas consistem mais comumente em reativação da infecção subclínica do que em reinfecção. Durante a gravidez, as verrugas genitais podem aumentar em tamanho e número, exibir maior acometimento vaginal e ter taxa aumentada de infecção bacteriana secundária. As crianças que nascem por parto vaginal de mães com infecção genital pelo HPV correm risco de desenvolver papilomatose respiratória recidivante em uma fase posterior da vida.

Os tipos de HPV 16, 18, 31 e 33 constituem os principais fatores etiológicos do CECIS e do CEC invasivo: colo uterino; genitália externa (vulva e pênis); ânus e períneo.

TRATAMENTO

PREVENÇÃO O uso de preservativos diminui a transmissão. A vacina contra HPV protege contra quatro cepas de HPV e o câncer de colo uterino mais tarde.
OBJETIVOS DO TRATAMENTO Remoção das verrugas exofíticas e redução dos sinais e sintomas. Nenhum tratamento demonstrou erradicar o HPV ou evitar o câncer do colo do útero ou anogenital. O tratamento tem mais êxito se as verrugas forem pequenas e se estiverem presentes por menos de 1 ano. O risco de transmissão pode ser reduzido pelo "desbastamento" das verrugas genitais.
SELEÇÃO DO TRATAMENTO Orientada pela preferência do paciente: evitar os tratamentos dispendiosos, os tratamentos tóxicos e os procedimentos que resultam em cicatrizes. Ver Seção 27.
AGENTES APLICADOS PELO PACIENTE Imiquimode, creme a 5%; podofilox, solução a 0,5%.
TRATAMENTO ADMINISTRADO PELO MÉDICO Criocirurgia, podofilina a 10 a 25%, ácido tricloroacético a 80 a 90%, remoção cirúrgica e eletrodissecção.

HPV: CARCINOMA ESPINOCELULAR *IN SITU* (CECIS) E CEC INVASIVO DA PELE ANOGENITAL

- A infecção do epitélio anogenital pelo HPV pode resultar em um espectro de alterações designadas como lesões intraepiteliais escamosas (SILs), que incluem desde displasia leve até CECIS.
- Com o passar do tempo, essas lesões podem regredir, persistir, progredir ou recorrer, evoluindo em alguns casos para o CEC invasivo.
- Clinicamente, as lesões surgem como máculas, pápulas e placas multifocais na região anogenital externa.
- As lesões que acometem o colo do útero e o ânus exibem maior risco de transformação em CEC invasivo; todavia, as lesões podem se transformar em qualquer local.
- *Sinônimos*: neoplasia intraepitelial da vulva, neoplasia intraepitelial peniana, papulose bowenoide.

ETIOLOGIA E EPIDEMIOLOGIA

O Sistema Bethesda (National Cancer Institute) é atualmente utilizado como terminologia para as lesões "displásicas" causadas pelo HPV na região anogenital. A terminologia aplica-se às avaliações tanto citológicas (teste de Papanicolau) quanto histológicas. As neoplasias intraepiteliais são designadas como cervicais (do colo do útero) (NICs), vulvares (NIVs), penianas (NIPs) e anais (NIAs). A NIV é classificada como NIV1 (displasia leve), NIV2 (displasia moderada), NIV3 (displasia grave ou carcinoma *in situ*) e tipo diferenciado NIV3.
ETIOLOGIA HPV tipos 16, 18, 31 e 33.
TRANSMISSÃO O HPV é transmitido sexualmente. Autoinoculação. Raramente, o HPV-16 é transmitido da mãe para o recém-nascido.

DEMOGRAFIA O CEC do colo do útero é a segunda neoplasia maligna mais comum em mulheres no mundo inteiro, ocupando o segundo lugar depois do câncer de mama. Trata-se da neoplasia maligna mais frequente nos países em desenvolvimento, 500 mil novos casos e 200 mil mortes em todo o mundo anualmente.
FATORES DE RISCO Os defeitos nos mecanismos de defesa do hospedeiro e o tabagismo são fatores de risco para as lesões displásicas e o CEC invasivo.
PATOGÊNESE As células infectadas pelo HPV-16 e pelo HPV-18 podem não ser capazes de se diferenciar totalmente em consequência de: (1) interferência funcional das proteínas de regulação do ciclo celular, causada pela expressão do gene viral ou (2) produção excessiva de E5, E6 e E7. Quando isso ocorre, a síntese de DNA do hospedeiro prossegue

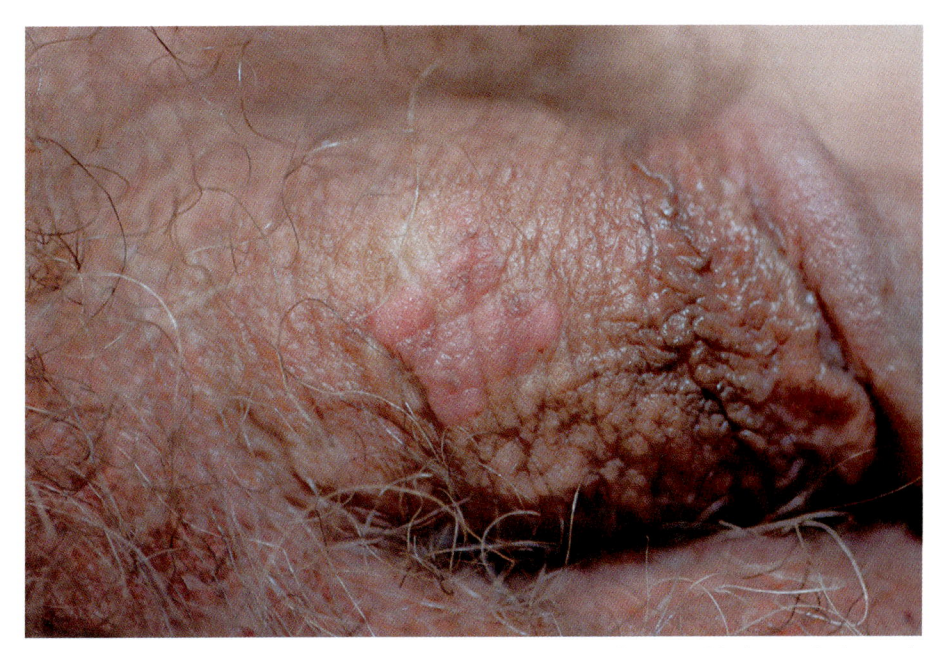

Figura 30-8 CECIS pelo HPV Homem de 48 anos com lesão peniana há 2 anos. Pápulas rosadas formando uma placa de 1 cm no corpo do pênis. A biópsia lesional revelou CECIS com alterações pelo HPV (coilocitose).

sem controle, levando à rápida divisão das células indiferenciadas com características morfológicas de neoplasia intraepitelial. Rupturas, rearranjos e deleções cromossômicas acumuladas e outras mutações genômicas fazem essas células adquirirem capacidade de invasão e desenvolvimento de neoplasia maligna.

MANIFESTAÇÃO CLÍNICA

História pregressa de condiloma acuminado. As parceiras dos homens podem ter NIC.

Lesões mucocutâneas
- Pápulas eritematosas planas.
- Pápulas liquenoides (planas) ou pigmentadas (denominada *papulose bowenoide*) (Figs. 30-8 e 30-9).
- Podem ser confluentes ou formar placa(s).
- Placa semelhante à leucoplasia (Fig. 30-10). A superfície é normalmente lisa, aveludada.

CORES Castanha, marrom, rosa, vermelha, violácea e branca. A presença de nódulo ou ulceração na área da SIL sugere CEC invasivo (Figs. 30-11 e 30-12).
DISPOSIÇÃO Comumente em grupos, isto é, costumam ser multifocais. Podem ser únicas.

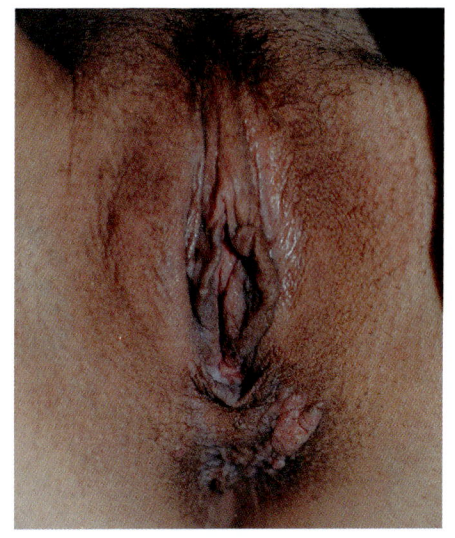

Figura 30-9 CECIS pelo HPV Receptora de transplante cardíaco de 33 anos com lesões anogenitais por vários anos. A biópsia lesional revelou CECIS com alterações pelo HPV (coilocitose).

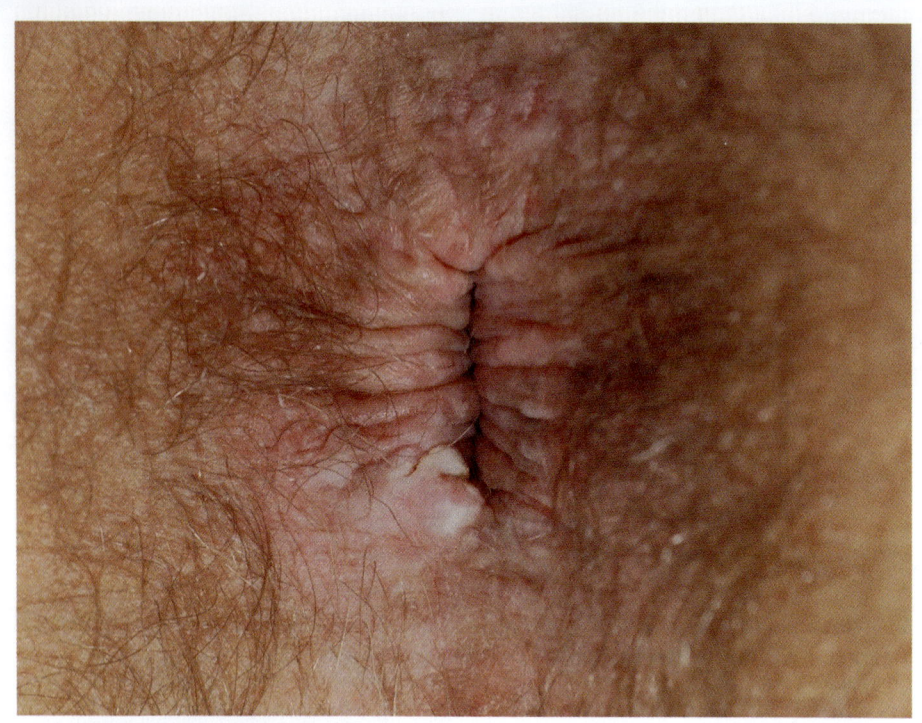

Figura 30-10 CECIS pelo HPV Homem de 49 anos com doença pelo HIV que tinha percebido o aparecimento de lesão anal há 1 mês. Nódulo branco de consistência firme na margem do ânus. A biópsia revelou CECIS com alterações causadas pelo HPV. Não foi detectada nenhuma lesão na colposcopia anal.

DISTRIBUIÇÃO Homens: glande do pênis, prepúcio (75%) (pápulas liquenoides planas ou máculas eritematosas); corpo do pênis (25%) (pápulas pigmentadas). Mulheres: lábios maiores e menores da vulva, clitóris. Não raramente, ocorre acometimento multicêntrico do colo do útero, da vulva, do períneo e/ou do ânus. Ambos os sexos: pregas inguinais, pele perineal/perianal. Mucosa da orofaringe. Outros locais além dos órgãos genitais externos podem estar associados à displasia do colo do útero, NIC, CEC do colo do útero; raramente, CECIS de outros locais, isto é, unidade ungueal (periungueal, leito ungueal); intrauretral (Fig. 30-13).

DIAGNÓSTICO DIFERENCIAL

MÚLTIPLAS PÁPULAS COR DA PELE ± HIPERCERATOSE Verrugas genitais, psoríase vulgar; líquen plano.
MÁCULA(S)/PÁPULA(S) ANOGENITAIS PIGMENTADAS Lentiginose genital, melanoma (*in situ* ou invasivo), carcinoma basocelular pigmentado, angioceratomas.

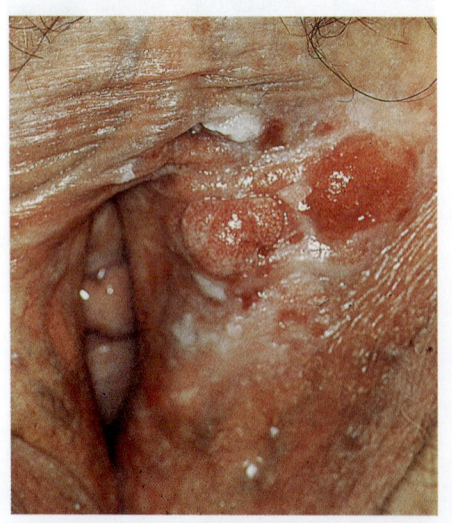

Figura 30-11 CECIS e CEC invasivo induzido pelo HPV: vulva Vários nódulos vermelhos (CEC invasivo) que surgiram dentro de uma placa branca (CECIS) no lábio esquerdo vulvar.

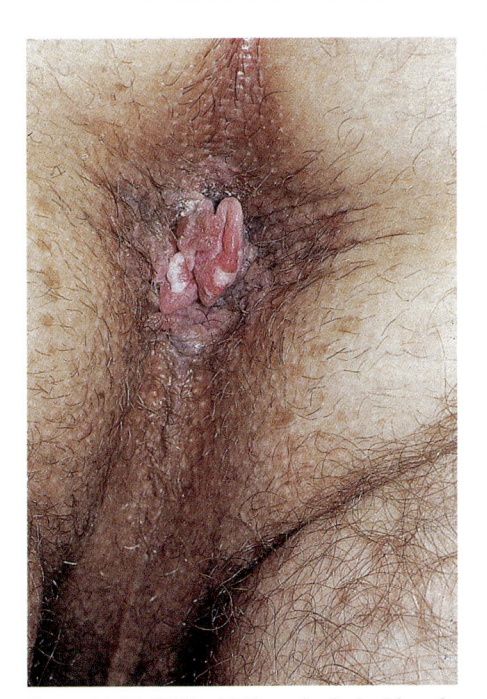

Figura 30-12 CECIS e CEC invasivo induzido pelo HPV: perineal/perianal Homem de 38 anos com doença pelo HIV que tinha percebido o aparecimento de lesões perianais havia vários meses; história pregressa de verruga genital externa. Máculas e pápulas perineais e perianais de cor castanha (CECIS), com nódulo rosado surgindo na margem do ânus. A biópsia excisional do nódulo revelou CEC invasivo que surgiu dentro do CECIS.

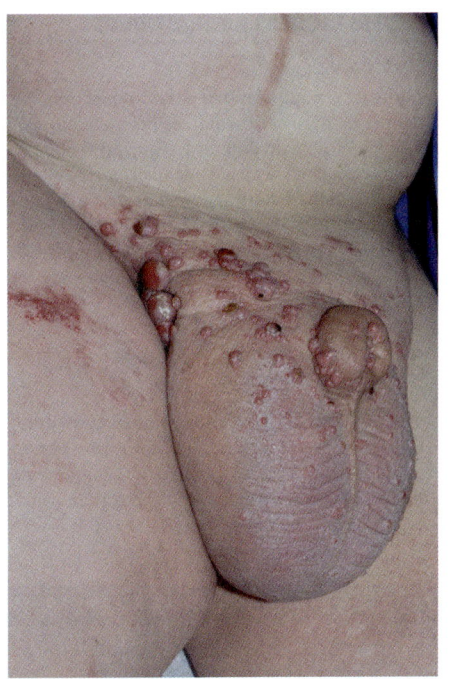

Figura 30-13 CEC metastático da uretra Homem de 38 anos com CEC primário da uretra metastático para linfonodos inguinais, com linfedema. Os nódulos e as placas de cor vermelha são metástases cutâneas. A reação em cadeia da polimerase (PCR) da metástase na coxa detectou HPV-16.

EXAMES LABORATORIAIS

DERMATOPATOLOGIA Proliferação epidérmica com ceratinócitos vacuolados (coilócitos). A aplicação recente de podofilina ao condiloma acuminado pode causar alterações semelhantes ao CECIS.
ANÁLISE DO SOUTHERN BLOT Identifica o tipo de HPV.
ESFREGAÇO DE PAPANICOLAU Atipia coilocitótica.
CITOLOGIA ESFOLIATIVA Recomenda-se anualmente o exame de Papanicolau do colo do útero para mulheres com 21 a 65 anos. A citologia do canal anal também pode ser útil no tratamento de indivíduos com história de infecção anal pelo HPV, particularmente quando imunocomprometidos (doença pelo HIV, receptores de transplante). De acordo com o Sistema Bethesda, essas alterações citológicas são relatadas como células escamosas atípicas de significado indeterminado (ASCUSs), lesão intraepitelial escamosa de baixo grau (LSIL) e alto grau (HSIL) e CEC.

DIAGNÓSTICO

Suspeita clínica, confirmada pela biópsia da lesão.

EVOLUÇÃO

O CEC invasivo só se desenvolve a partir de lesões precursoras bem definidas (Figs. 30-11 e 30-12). Com o passar do tempo, essas lesões podem regredir, persistir, recorrer ou progredir, em alguns casos para o CEC invasivo. A história natural da NIC é bem estudada: ocorre progressão para CEC invasivo em 36% dos casos no decorrer de um período de 20 anos. Os pacientes com neoplasias intraepiteliais, que frequentemente ocorrem em indivíduos imunocomprometidos, devem ser acompanhados por tempo indeterminado, com monitoramento por meio de citologia esfoliativa e amostras de biópsia lesional.

MANIFESTAÇÕES LABORATORIAIS

Colposcopia
A indicação mais comum para colposcopia é a citologia esfoliativa anormal. Aplica-se ácido acético a 3 a 5% ao colo do útero, o que faz o epitélio colunar e anormal se tornar edemaciado. O epitélio anormal (atípico) assume uma aparência branca ou opaca, que pode ser diferenciada do epitélio rosado normal. Em seguida, efetua-se biópsia do epitélio anormal. A colposcopia também pode ser realizada em indivíduos com citologia esfoliativa anal anormal e amostras de biópsia obtidas de local(is) anormal(is).

Biópsia
Nos casos de SIL ou de CECIS documentados, deve-se obter amostras de biópsia de lesões em rápido crescimento, das áreas de ulceração ou sangramento e do tecido exuberante com vascularização anormal.

TRATAMENTO

A única maneira de possivelmente reduzir o risco potencial de CEC invasivo é o diagnóstico e a erradicação da doença intraepitelial. Como as lesões são relativamente raras, os casos frequentemente são mais bem tratados por um dermatologista com experiência clínica no atendimento desses pacientes, por um ginecologista oncológico ou por um cirurgião colorretal. Se as amostras de biópsia da lesão não demonstrarem invasão precoce, as lesões podem ser tratadas clínica ou cirurgicamente.

Tratamento clínico
O creme de 5-fluoruracila tem sido utilizado, mas é difícil de aplicar devido às erosões. O creme de imiquimode a 5% também é eficaz.

Tratamento cirúrgico
Excisão cirúrgica, cirurgia de Mohs, eletrocirurgia, vaporização *a laser*, criocirurgia.

HERPES-VÍRUS SIMPLES: DOENÇA GENITAL CID-10: A60.9

- O herpes genital (HG) é uma doença crônica sexualmente transmissível, caracterizada por disseminação viral sintomática e assintomática.

ETIOLOGIA E EPIDEMIOLOGIA

ETIOLOGIA HSV-2 > HSV-1. Ver também a Seção 27.
PREVALÊNCIA Altamente variável. Depende de muitos fatores: país, região de residência, subgrupo populacional, sexo e idade. A prevalência é maior entre os grupos de comportamento sexual de maior risco. Prevalência de soropositividade para o HSV-2 na população geral: Estados Unidos: 16,2%; Europa: 4 a 18%; África subsaariana: até 70%.
TRANSMISSÃO Em geral, contato pele a pele. Setenta por cento da transmissão ocorre durante os períodos de disseminação assintomática do HSV. A taxa de transmissão em casais discordantes (um parceiro infectado, o outro não) é de cerca de 10% por ano; 25% das mulheres tornam-se infectadas, em comparação a apenas 4 a 6% dos homens. A infecção prévia pelo HSV-1 é protetora; nas mulheres com anticorpos anti-HSV-1, 15% tornam-se infectadas pelo HSV-2; por outro lado, das que não apresentam anticorpos anti-HSV-1, 30% tornam-se infectadas pelo HSV-2.

MANIFESTAÇÃO CLÍNICA

Apenas 10% dos indivíduos soropositivos para HSV-2 têm consciência de que os sintomas estão relacionados com o HG. Noventa por cento não reconhecem os sintomas de HG. As lesões clínicas são, em sua maioria, rupturas mínimas no epitélio mucocutâneo, que ocorrem como erosão, "abrasões" e fissuras. As manifestações "classicamente" descritas são *incomuns*. Podem ocorrer sintomas de meningite asséptica pelo HSV-2 no HG primário ou recorrente.

HERPES GENITAL PRIMÁRIO Os indivíduos com infecção primária são, em sua maioria, assintomáticos. Os que apresentam sintomas queixam-se de febre, cefaleia, mal-estar e mialgia com pico nos primeiros 3 a 4 dias após o aparecimento das lesões e resolução durante os 3 a 4 dias subsequentes. As *pápulas eritematosas* evoluem inicialmente para *vesículas* ou *pústulas*, que sofrem *erosão* à medida que a epiderme sobrejacente se desprende (Figs. 30-14 e 30-15). A infecção primária ocorre em qualquer parte na pele anogenital, colo do útero e mucosa anorretal. As alterações epiteliais regridem em 2 a 4 semanas, frequentemente resultando em hipopigmentação ou hiperpigmentação pós-inflamatória, raramente com formação de cicatrizes.

Na presença de defeitos nos mecanismos de defesa do hospedeiro, as lesões tendem a ser mais extensas e de cicatrização tardia.

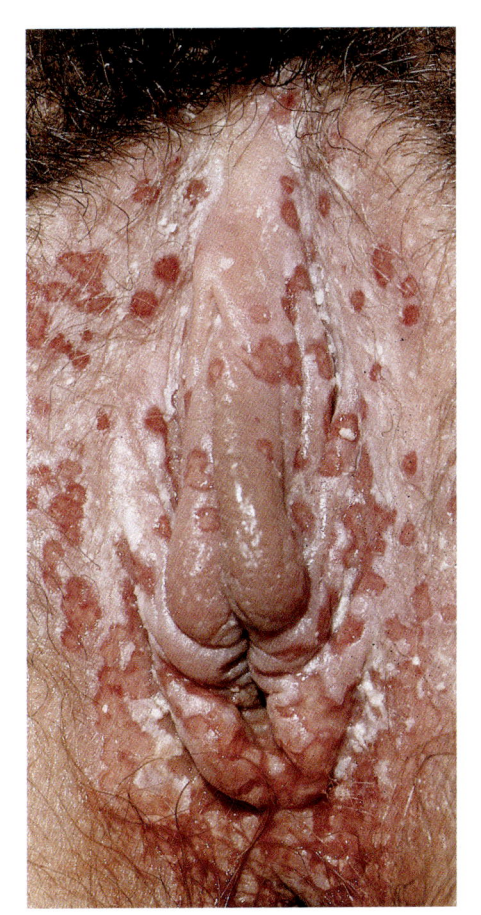

Figura 30-14 Herpes genital primário Múltiplas úlceras superficiais confluentes, em saca-bocado e extremamente dolorosas na vulva e no períneo edemaciados. A micção é com frequência muito dolorosa. A linfadenopatia inguinal associada é comum.

HERPES GENITAL RECORRENTE Novos sintomas podem resultar de infecções antigas. A maioria dos indivíduos não apresenta as manifestações "clássicas" de vesículas agrupadas sobre uma base eritematosa. Os sintomas comuns consistem em prurido, ardência, fissura, eritema e irritação anterior à erupção das vesículas. Ocorrem disúria, dor ciática e desconforto retal. As lesões podem se assemelhar à infecção primária, mas em escala reduzida. Com frequência, ocorre uma placa eritematosa de 1 a 2 cm com vesículas (**Figs. 30-16** a **30-20**) que se rompem, formando erosões.

DISTRIBUIÇÃO *Homens*. Infecção primária: glande, prepúcio, corpo do pênis, sulco, escroto, coxas e nádegas. Recorrências: Corpo do pênis, glande e nádegas. *Mulheres*. Infecção primária: Lábios maiores/menores, períneo e parte interna das coxas. Recorrências: Lábios maiores/menores e nádegas.

INFECÇÃO ANORRETAL Ocorre após coito anal; caracteriza-se por tenesmo, dor anal, proctite, secreção e ulcerações (**Figs. 30-18** e **30-19**) até 10 cm dentro do canal anal.

MANIFESTAÇÕES CLÍNICAS GERAIS Os *linfonodos inguinais/femorais* podem estar aumentados, sensíveis, com infecção primária. *Sinais de meningite asséptica.* Febre, rigidez de nuca; podem ocorrer na ausência de HG. Dor ao longo do nervo ciático.

DIAGNÓSTICO DIFERENCIAL

Traumatismo, candidíase, cancro sifilítico, erupção fixa por fármacos, cancroide, erosão gonocócica.

EXAMES LABORATORIAIS

Ver "Doença pelo herpes-vírus simples", na Seção 27.

DIAGNÓSTICO

O diagnóstico pode ser estabelecido em bases clínicas. Pode-se indicar a sua confirmação por cultura do vírus ou anticorpo fluorescente direto (AFD) ou sorologia. Deve-se excluir a coinfecção por outra DST.

EVOLUÇÃO

O HG é uma infecção que persiste por toda a vida, e as recorrências são a regra. 70% dos casos são assintomáticos. As taxas de recorrência são altas em indivíduos com primeiro episódio extenso de infecção, independentemente do tratamento antiviral. O tratamento supressor crônico reduz a disseminação dos vírus. O tratamento da infecção no primeiro episódio evita complicações como a meningite e a radiculite. O eritema multiforme pode complicar as recorrências, ocorrendo em 1 a 2 semanas após um surto.

TRATAMENTO

PREVENÇÃO Aconselhar os pacientes a se absterem de atividade sexual enquanto as lesões estiverem presentes e incentivar o uso de preservativos durante todas as atividades sexuais.

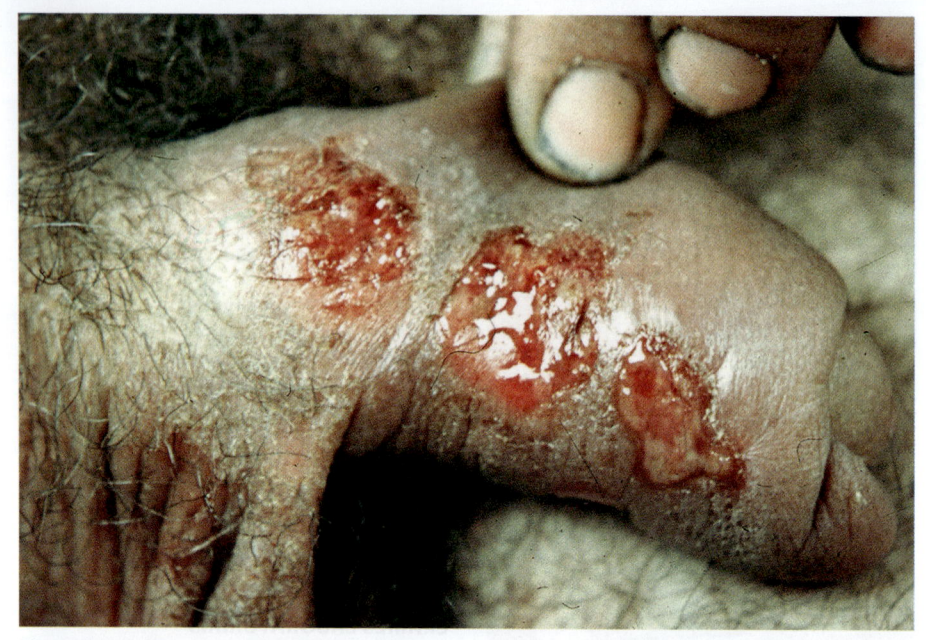

Figura 30-15 Herpes genital primário Homem de 18 anos e sem-teto com lesões genitais dolorosas há 7 dias. Múltiplas erosões no pênis e no escroto.

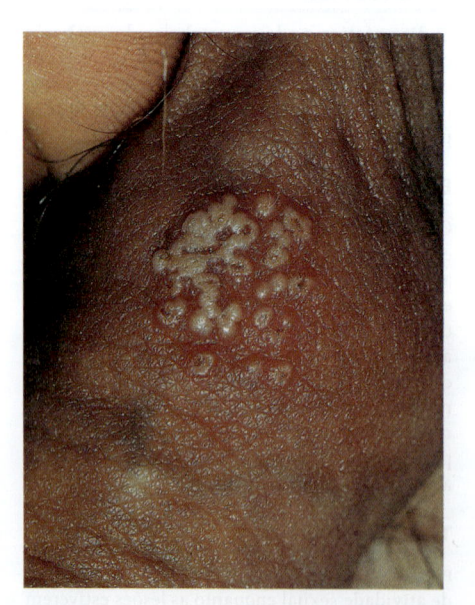

Figura 30-16 Herpes genital recorrente Grupo de vesículas com formação precoce de crostas centrais em uma base vermelha no corpo do pênis. Todavia, essa apresentação "de livro didático" é muito menos comum do que as pequenas erosões ou fissuras assintomáticas.

Figura 30-17 Herpes genital recorrente: vulva Grandes erosões dolorosas nos lábios vulvares. Lesões extensas como estas são raras no herpes genital recorrente em um indivíduo saudável nos demais aspectos.

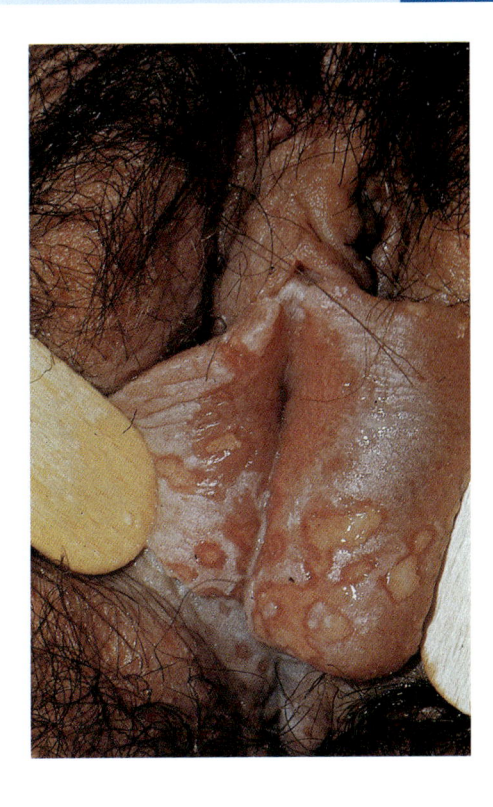

Figura 30-18 Herpes genital recorrente Homem de 30 anos com doença pelo HIV. Múltiplas úlceras bem demarcadas e dolorosas no ânus e no períneo.

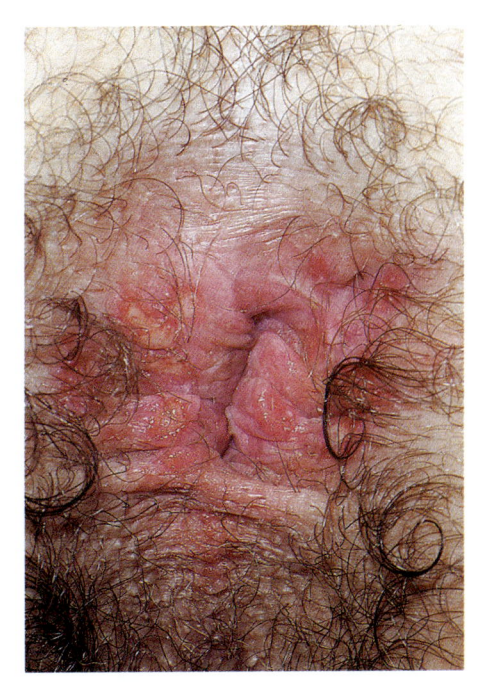

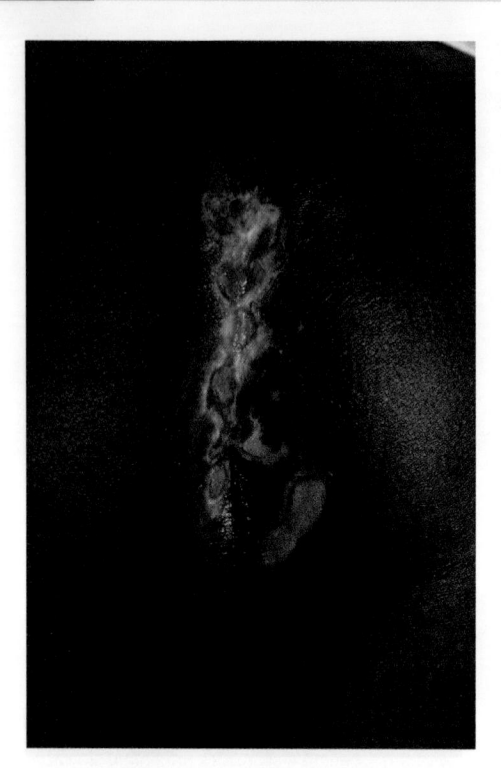

Figura 30-19 Úlceras herpéticas crônicas Homem de 32 anos com erosões extensas e dolorosas no períneo e no ânus. Esta foi a queixa inicial que levou à realização de teste sorológico para HIV e diagnóstico de doença pelo HIV.

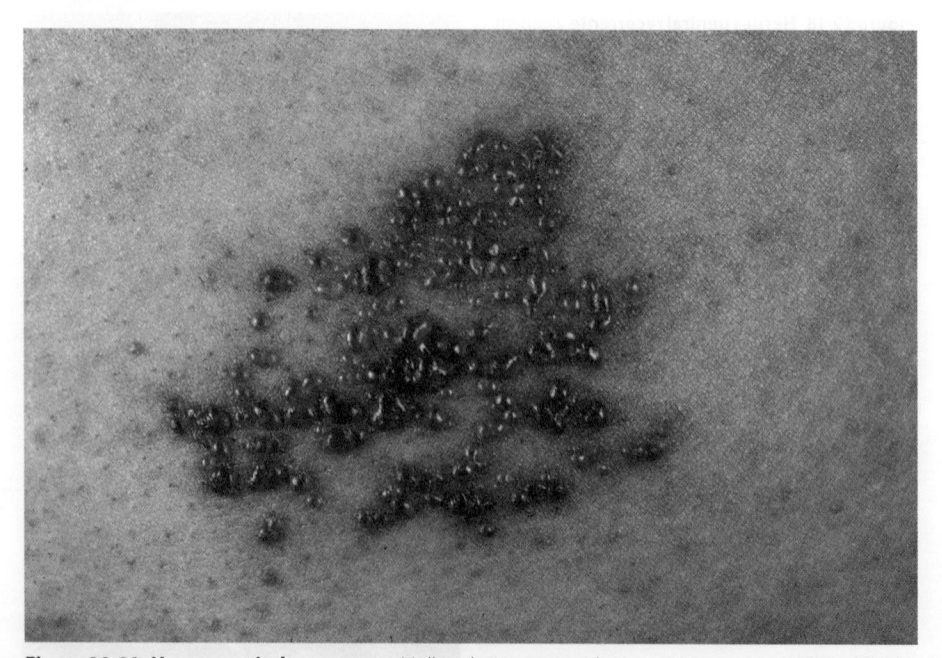

Figura 30-20 Herpes genital recorrente Mulher de 55 anos com lesões recorrentes nas nádegas. Ela era, sob outros aspectos, saudável.

PRIMEIRO EPISÓDIO Agentes antivirais orais. Aciclovir, 400 mg, três vezes ao dia, durante 10 dias, ou até regressão das lesões. Valaciclovir: 1.000 mg, duas vezes ao dia, durante 7 a 10 dias.
RECORRÊNCIAS Agentes antivirais orais. Aciclovir, 400 mg, três vezes ao dia, durante 5 dias, ou 800 mg, duas vezes ao dia, durante 5 dias, ou 800 mg, três vezes ao dia, durante 2 dias. Valaciclovir, 500 mg, duas vezes ao dia, durante 3 dias, ou 1 g, duas vezes ao dia, durante 3 dias. Fanciclovir, 125 mg, duas vezes ao dia, durante 5 dias, ou 1 g, uma vez ao dia, durante 5 dias.

TRATAMENTO DE MANUTENÇÃO Agentes antivirais orais: terapia supressora diária. Aciclovir, 400 mg, duas vezes ao dia. Valaciclovir, 500 mg a 1.000 mg, uma vez ao dia. Fanciclovir, 250 mg, uma vez ao dia.
IMUNOCOMPROMETIMENTO GRAVE Aciclovir, IV, 5 mg/kg, a cada 8 horas, durante 5 a 7 dias, ou aciclovir oral, 400 mg, cinco vezes ao dia, durante 7 a 14 dias.
RESISTÊNCIA AO ACICLOVIR Foscarnete, IV, 40 mg/kg, a cada 8 horas, durante 14 a 21 dias.
NEONATOS Ver Seção 27.

DOENÇA POR *NEISSERIA GONORRHOEAE*

- **Etiologia.** *N. gonorrhoeae*, o gonococo.
- **Coloniza mucosas.** Orofaringe, região anogenital.
- **Epidemiologia.** IST. Compartilha o espectro clínico da *Chlamydia trachomatis*; os sintomas são geralmente mais graves nas infecções gonocócicas.

MANIFESTAÇÃO CLÍNICA

INFECÇÃO LOCAL Gonorreia ou "blenorragia". O gonococo infecta as superfícies mucocutâneas do trato urogenital inferior, ânus, reto e orofaringe.
INFECÇÃO INVASIVA Doença inflamatória pélvica (DIP).
INFECÇÃO DISSEMINADA Sem tratamento, pode ocorrer infecção gonocócica disseminada (IGD), que se espalha para estruturas mais profundas, com formação de abscessos. Coloniza a mucosa da orofaringe ou anogenital, a partir da qual os gonococos passam para o sangue.

ETIOLOGIA E EPIDEMIOLOGIA

ETIOLOGIA *N. gonorrhoeae*, o gonococo (Fig. 30-21). Os seres humanos são o único reservatório natural do microrganismo. As cepas que causam infecção disseminada tendem a causar inflamação genital mínima. Nos EUA, essas cepas ocorreram raramente durante a última década. Até 40% dos indivíduos são coinfectados por *C. trachomatis*. A gonorreia aumenta a transmissão, bem como a aquisição de HIV/Aids.
INCIDÊNCIA A gonorreia é a segunda doença passível de notificação mais comumente relatada nos EUA: em 2010, 310.000 casos relatados nos EUA. Incidência mais alta nos países em desenvolvimento.
DEMOGRAFIA Indivíduos jovens e sexualmente ativos. A infecção sintomática é mais comum nos homens. Nos EUA, a incidência mais alta de gonorreia é observada em negros e, a mais baixa, em indivíduos de ascendência da Ásia/Ilhas do Pacífico.

Na África, a prevalência mediana da gonorreia em mulheres grávidas é de 10%.
TRANSMISSÃO *Sexual*, por contato com um parceiro assintomático ou com sintomas mínimos. *Recém-nascido* exposto a secreções infectadas no canal do parto. Em cerca de 1% dos pacientes com infecção gonocócica das mucosas não tratadas, ocorre infecção disseminada (ver adiante). A gonorreia pode aumentar a transmissão do HIV.
PATOGÊNESE O gonococo tem afinidade pelo epitélio colunar; os epitélios estratificado e escamoso

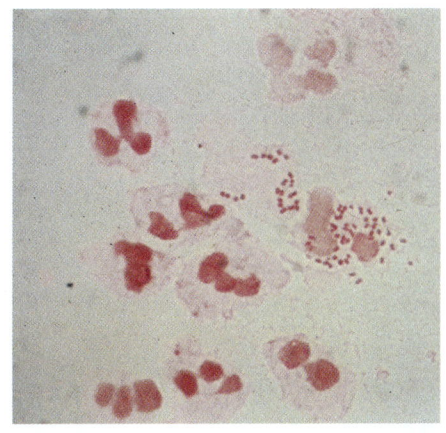

Figura 30-21 *Neisseria gonorrhoeae*: **cepa corada pelo Gram** Vários diplococos Gram-negativos no interior de leucócitos polimorfonucleares, bem como nas áreas extracelulares de um esfregaço de secreção uretral.

são mais resistentes ao ataque do microrganismo. O gonococo penetra entre as células epiteliais e causa inflamação da submucosa, com reação dos leucócitos polimorfonucleares e secreção purulenta resultante. As cepas de gonococos que causam infecção disseminada tendem a causar pouca inflamação genital e, portanto, escapam à detecção.

Os sinais e sintomas de infecção disseminada são, em sua maioria, manifestações da formação e depósito de imunocomplexos. Múltiplos episódios de infecção disseminada podem estar associados a uma anormalidade dos fatores componentes terminais do complemento.

NEISSERIA GONORRHOEAE: GONORREIA CID-10: A54

- Nos homens, a apresentação mais comum consiste em secreção uretral purulenta.
- As mulheres infectadas são, em sua maioria, assintomáticas, e a infecção do colo do útero é mais comum.
- A maioria dos homens (90%) desenvolve sintomas de uretrite dentro de 5 dias.
- As mulheres são, em sua maioria, assintomáticas; quando surgem sintomas, eles ocorrem comumente em mais de 14 dias após a exposição.
- Sem tratamento, a infecção pode se disseminar para as estruturas mais profundas, com formação de abscessos e infecção gonocócica disseminada (IGD).

MANIFESTAÇÃO CLÍNICA

GENITÁLIA *Homens:* secreção uretral que pode ser escassa e transparente até abundante e purulenta (Fig. 30-22).
Mulheres: edema periuretral, uretrite. Secreção purulenta do colo do útero, mas sem vaginite. Em mulheres pré-púberes, ocorre vulvovaginite. Abscesso de Bartholin.
ANORRETO Proctite com dor e secreção purulenta.
FARINGE Ocorre faringite com eritema secundária à exposição sexual oral-genital. Sempre coexiste com infecção genital.
INFECÇÕES DISSEMINADAS Pústulas dolorosas e hemorrágicas sobre base eritematosa nas palmas e dedos das mãos (Fig. 30-23) muitas vezes em associação com febre.
ARTRITE GONOCÓCICA Em geral, monoarticular em joelho, tornozelo.
VESICULITE E PROSTATITE GONOCÓCICA em homens, **doença pélvica** em mulheres causando obliteração das trompas e, assim, infertilidade.
NEONATOS Conjuntivite, edema das pálpebras, hiperemia grave, quemose, secreção purulenta profusa; raramente, úlcera e perfuração da córnea. Em geral, na ausência de infecção genital. Ocorrem infecções intraparto.

DIAGNÓSTICO DIFERENCIAL

URETRITE HG com uretrite, uretrite por *C. trachomatis*, uretrite por *Ureaplasma urealyticum*, uretrite por *Trichomonas vaginalis*, artrite reativa.
CERVICITE Cervicite por *C. trachomatis* ou HSV.

EXAMES LABORATORIAIS

COLORAÇÃO DE GRAM Diplococos Gram-negativos intracelulares nos leucócitos polimorfonucleares do exsudato (Fig. 30-21).
CULTURA *Homens:* uretra, reto, orofaringe. *Mulheres:* colo do útero, reto, orofaringe. *IGD:* sangue. Isolamento em meios seletivos para gonococos, isto é, ágar-sangue achocolatado, meio de Martin-Lewis, meio de Thayer-Martin. Os testes de suscetibilidade antimicrobiana são importantes nas infecções causadas por cepas resistentes.

DIAGNÓSTICO

A suspeita clínica é confirmada por achados laboratoriais e culturas. Deve-se excluir a coinfecção por outros patógenos sexualmente transmissíveis.

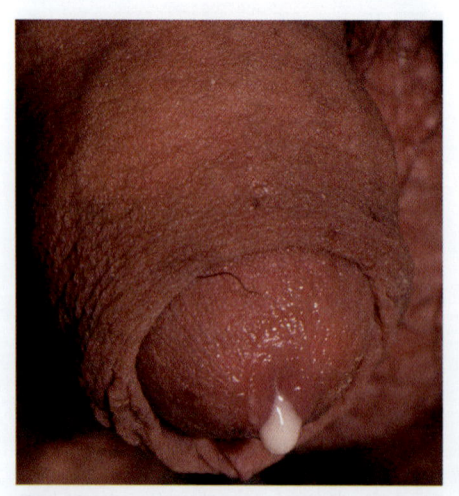

Figura 30-22 Gonorreia Secreção uretral cremosa e purulenta na parte distal da uretra.

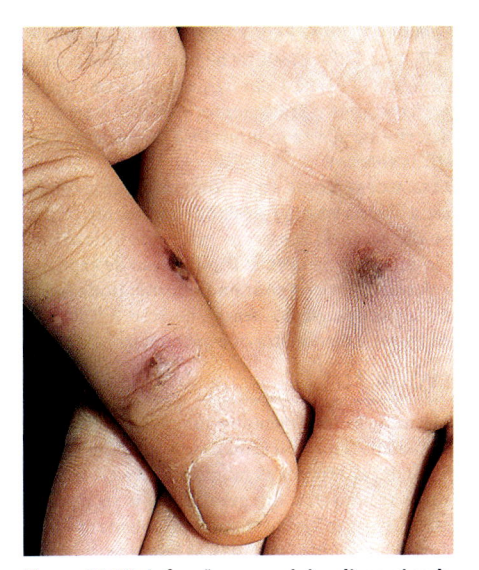

Figura 30-23 Infecção gonocócica disseminada
Pústulas hemorrágicas e dolorosas sobre bases eritematosas na palma e nos dedos da mão. Essas lesões surgem nas extremidades e são pouco numerosas.

EVOLUÇÃO

A maioria dos homens infectados busca tratamento devido aos sintomas precocemente a tempo de evitar sequelas graves, mas isso não evita a transmissão para outras pessoas. A maioria das mulheres infectadas não tem sintomas perceptíveis até a ocorrência de complicações, como DIP, fibrose tubária, infertilidade ou gravidez ectópica. A IGD é mais comum em mulheres com infecção do colo do útero, endometrial ou tubária assintomática e em homens homossexuais com gonorreia retal ou faríngea assintomática.

TRATAMENTO

GONORREIA LOCALIZADA NÃO COMPLICADA Dose única IM de ceftriaxona 125 mg ou cefixima oral 400 mg. *Alternativas:* Ceftizoxima IM 500 mg, ou cefotaxima IM 500 mg, ou cefoxitina IM 2 g com probenecida oral 1 g.
ALERGIA À PENICILINA Espectinomicina IM 2 mg.
INFECÇÃO GONOCÓCICA DISSEMINADA Ceftriaxona IM ou IV, 1 g a cada 24 horas. *Alternativas:* cefotaxima ou ceftizoxima IV, 1 g a cada 8 horas, ou espectinomicina IM, 2 g a cada 12 horas.

SÍFILIS CID-10: A50-53

- Infecção sistêmica crônica causada pelo espiroqueta *T. pallidum*; transmitida por meio da pele e da mucosa, com manifestações em quase todos os sistemas orgânicos.
- A incidência é de mais de 10 milhões de casos anualmente no mundo todo e de quase 20.000 casos anualmente nos EUA.
- Infecção primária: úlcera ou cancro indolor no local mucocutâneo de inoculação. Associada a linfadenopatia regional (síndrome cancriforme: úlcera distal associada à linfadenopatia proximal).
- Infecção sistêmica: depois da inoculação, a sífilis torna-se uma infecção sistêmica com estágios secundário e terciário característicos.
- Evolução: a evolução clínica e a resposta ao tratamento-padrão podem ser alteradas na presença de HIV/Aids.

ETIOLOGIA E EPIDEMIOLOGIA

ETIOLOGIA Sífilis venérea causada por *T. pallidum*. *T. pallidum* é um espiroqueta fino e delicado com 6 a 14 espirais. Os seres humanos constituem o único hospedeiro natural para o *T. pallidum*. As subespécies de *T. pallidum* causam as doenças não venéreas de sífilis endêmica (bejel), bouba e pinta.
TRANSMISSÃO *Contato sexual:* contato com lesão infecciosa (cancro, placa mucosa, condiloma plano, lesões cutâneas da sífilis secundária). 60% das pessoas em contato com indivíduos que apresentam sífilis primária e secundária ficam infectados. *Infecção congênita:* transmissão in utero ou perinatal.
PATOGÊNESE Os espiroquetas passam pelas mucosas intactas e por meio de abrasão microscópica da pele, entram nos vasos linfáticos e sanguíneos em poucas horas e produzem infecção sistêmica e focos metastáticos antes do desenvolvimento de uma lesão primária. Os espiroquetas dividem-se localmente, resultando em resposta inflamatória do hospedeiro e formação de cancro, uma lesão única ou, menos

comumente, múltiplas lesões. A imunidade celular é de suma importância na cicatrização das lesões iniciais e no controle da infecção (tipo T_H1). A sífilis primária é o estágio mais contagioso da doença. A sífilis tardia é essencialmente uma doença vascular, e as lesões ocorrem secundariamente à endarterite obliterante das arteríolas terminais e artérias de pequeno calibre, bem como por meio de alterações inflamatórias e necróticas resultantes.

EXAMES LABORATORIAIS

MICROSCOPIA DE CAMPO ESCURO Positiva no cancro primário e nas lesões papulares da sífilis secundária, como condiloma plano. Esse exame não é confiável na cavidade oral devido à presença de espiroquetas saprofíticas, e o exame é negativo em pacientes submetidos a tratamento sistêmico ou tópico com antibióticos. O linfonodo regional é aspirado, e o material obtido é examinado ao microscópio em campo escuro.

Teste de anticorpo fluorescente direto para T. pallidum (DFA-TP). São usados anticorpos fluorescentes para a detecção do *T. pallidum* no exsudato de lesões, aspirado de linfonodos ou tecidos.

TESTES SOROLÓGICOS PARA SÍFILIS (TSS) Positivos em indivíduos com qualquer infecção treponêmica. Os testes são sempre positivos na sífilis secundária.

TSSs não treponêmicos. Medem a IgG e a IgM dirigidas contra o complexo antigênico cardiolipina-lecitina-colesterol. Teste da reagina plasmática rápida (RPR) (RPR automatizado: ART). Teste VDRL (Venereal Disease Research Laboratory); não é reativo em 25% dos pacientes com sífilis primária. Na sífilis inicial: pelo teste de absorção de anticorpo treponêmico fluorescente (FTA-ABS) ou por repetição do VDRL em 1 a 2 semanas se o VDRL inicial é negativo.

Fenômeno prozona: se o nível de anticorpos é alto, o teste pode ser negativo; deve-se diluir o soro; torna-se não reativo ou reativo em títulos baixos após o tratamento para a sífilis inicial.

TSSs treponêmicos. Teste FTA-ABS. Ensaios de aglutinação para anticorpos dirigidos contra *T. pallidum:* ensaio de micro-hemaglutinação (MHA-TP; teste TPPA); teste de hemaglutinação para *T. pallidum* (TPHA). Com frequência, permanecem reativos após o tratamento; não são úteis para determinar o estado infeccioso do paciente com sífilis anterior.

DERMATOPATOLOGIA Nas sífilis primária e secundária, a biópsia lesional revela adelgaçamento central ou ulceração da epiderme. Infiltrado linfocítico e plasmocítico na derme. Proliferação de capilares e vasos linfáticos com endarterite; pode haver trombose e pequenas áreas de necrose. A coloração de Dieterle demonstra os espiroquetas.

EVOLUÇÃO

Mesmo sem tratamento, o cancro cicatriza completamente em 4 a 6 semanas. A infecção fica latente, ou aparecem as manifestações clínicas da sífilis secundária. Em geral, a sífilis secundária manifesta-se inicialmente como exantema macular; depois de algumas semanas, as lesões regridem de modo espontâneo e recorrem na forma de *erupções maculopapulares* ou *papulares*. Em 20% dos casos que não são tratados, podem ocorrer até 3 a 4 dessas recorrências, seguidas de períodos de remissão clínica, no decorrer de um período de 1 ano. Em seguida, a infecção entra em um estágio latente durante o qual não há sinais nem sintomas clínicos da doença. Após a sífilis não tratada persistir por mais de 4 anos, ela raramente é transmissível, exceto no caso de mulheres grávidas que, sem tratamento, podem transmitir a sífilis ao feto, independentemente da duração da doença. Um terço dos pacientes com sífilis latente não tratada desenvolve doença terciária clinicamente aparente. As gomas dificilmente regridem de modo espontâneo. As sifílides nódulo-ulcerativas sofrem regressão parcial espontânea, mas surgem novas lesões na periferia.

TRATAMENTO

Antibióticos (ver p. 769). Educar os pacientes e tratar os parceiros sexuais. Nos EUA, os casos devem ser relatados ao Department of Health.

SÍFILIS PRIMÁRIA CID-10: A51.2

MANIFESTAÇÃO CLÍNICA

Ocorrem lesões genitais ou extragenitais nos locais de inoculação. Em geral, as úlceras são indolores, a não ser que haja infecção secundária. Período de incubação: 21 dias (média); variação, 10 a 90 dias.

Cancro Pápula em forma de botão, no local de inoculação, que se transforma em erosão indolor e, em seguida, em úlcera com borda elevada e exsudato seroso escasso (Figs. 30-24 e 30-25). A superfície pode ser crostosa. As lesões têm de poucos milímetros a 1 ou 2 cm de diâmetro. Lesões geralmente solitárias; com menos frequência, poucas lesões, lesões múltiplas ou lesões "que se beijam". Ocorrem cancros extragenitais em qualquer local de inoculação; as lesões nos dedos das mãos são dolorosas.

LOCAIS DE PREDILEÇÃO Os locais genitais são os mais comuns. Homens: parte interna do prepúcio, sulco

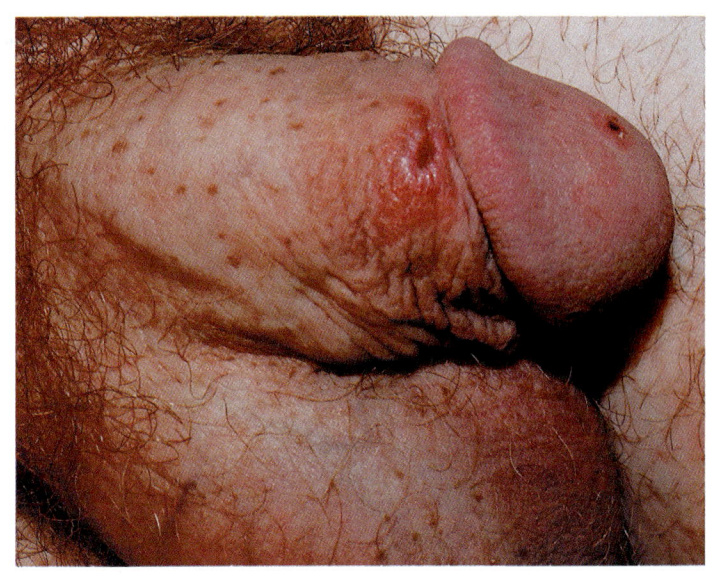

Figura 30-24 Sífilis primária: cancro peniano Homem de 28 anos com lesão peniana há 7 dias. Úlcera indolor na região distal do corpo do pênis com erosão menor na glande. A úlcera é de consistência muito firme à palpação.

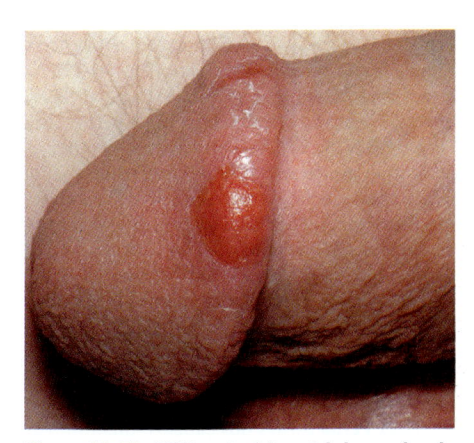

Figura 30-25 Sífilis primária: nódulo na glande Homem de 58 anos com lesão peniana que tinha surgido há 10 dias. Nódulo vermelho de consistência firme na glande; a lesão regrediu sem tratamento e não ulcerou. A biópsia revelou alterações inflamatórias. O diagnóstico foi estabelecido de modo retrospectivo com base no teste sorológico para sífilis positivo obtido antes do casamento.

coronal da glande, corpo do pênis, base do pênis. Mulheres: Colo uterino, vagina, vulva, clitóris, mama; os cancros são observados com menos frequência nas mulheres. Cancros extragenitais: ânus ou reto, boca, lábios, língua (Fig. 30-26), tonsilas, dedos das mãos (dolorosos!), dedos dos pés, mamas e mamilo.

LINFADENOPATIA Aparece dentro de 7 dias. Os linfonodos são isolados, firmes, com consistência de borracha, indolores e mais comumente unilaterais; podem persistir por vários meses.

DIAGNÓSTICO DIFERENCIAL

EROSÃO/ÚLCERA GENITAL HG, úlcera traumática, erupção medicamentosa fixa, cancroide e linfogranuloma venéreo (LGV).

DIAGNÓSTICO

Suspeita clínica, confirmada por microscopia em campo escuro ou por sorologia.

TRATAMENTO

Penicilina G benzatina IM, 2,4 milhões de unidades em dose única, ou doxiciclina oral, 100 mg, duas vezes ao dia, durante 14 dias.

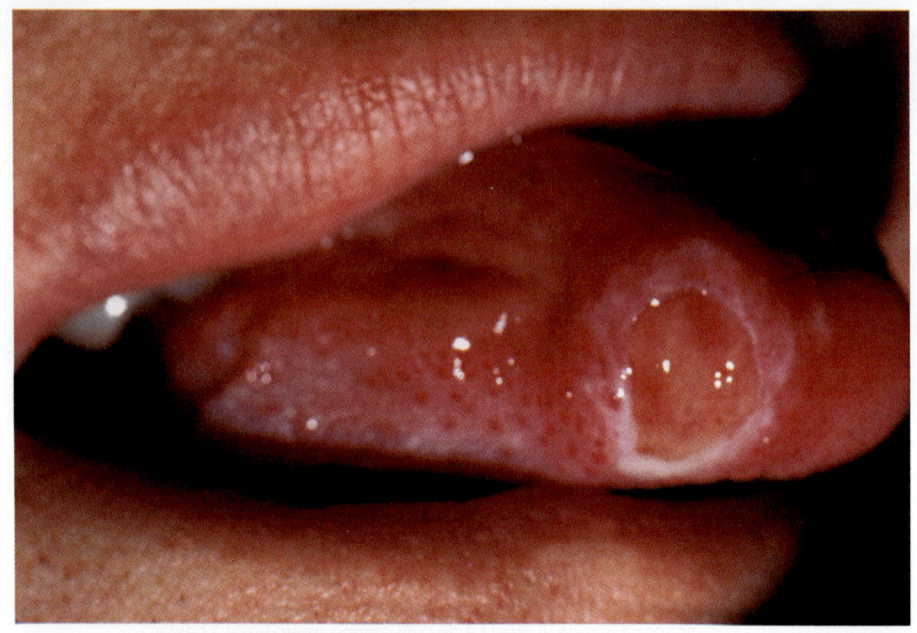

Figura 30-26 Sífilis primária: cancro na ponta da língua Homem de 24 anos com lesão dolorosa na língua há 10 dias.

SÍFILIS SECUNDÁRIA CID-10: A51.3

MANIFESTAÇÃO CLÍNICA

Aparece 2 a 6 meses após a infecção primária; 2 a 10 semanas após o aparecimento do cancro primário; 6 a 8 semanas após a cicatrização do cancro. O cancro pode ainda estar presente quando aparecem as lesões secundárias (15% dos casos). A infecção concomitante pelo HIV pode alterar a evolução da sífilis secundária.

Febre, dor de garganta, perde de peso, mal estar, anorexia, cefaleia e meningismo. As lesões mucocutâneas são assintomáticas.

LESÕES CUTÂNEAS NA SÍFILIS SECUNDÁRIA Máculas e pápulas de 0,5 a 1 cm, redondas a ovais; rosadas a vermelho-amarronzadas. *Primeiro exantema* é sempre macular e tênue (Fig. 30-27). As erupções subsequentes podem ser papuloescamosas (Figs. 30-28 e 30-29), pustulares ou acneiformes. As lesões vesicobolhosas só ocorrem na sífilis congênita neonatal (palmas e plantas). Nas palmas e plantas as lesões são semelhantes à psoríase (Figs. 30-30 e 30-31). À palpação, as pápulas são firmes (Figs. 30-30 e 30-31); o condiloma plano é macio.

Na face, elas parecem a dermatite seborreica e ocorrem na fronte e sulcos nasolabiais (Fig. 30-29). As lesões também podem ser anulares ou policíclicas, especialmente na face em pessoas de pele escura (Fig. 30-32). Na sífilis secundária recidivante, as lesões são arciformes. São sempre nitidamente demarcadas, exceto o exantema macular. As lesões são dispersas, tendem a permanecer separadas e costumam ser simétricas.

Condiloma plano (Fig. 30-33). Mais comumente na região anogenital e boca; pode ser visto em qualquer superfície corporal em que possa haver acúmulo de umidade entre superfícies intertriginosas, isto é, axilas ou regiões interdigitais dos pés.

CABELOS Perda difusa dos cabelos, incluindo as têmporas e a região parietal do couro cabeludo. *Alopécia em placas* com aspecto *roído por traças* no couro cabeludo e na área da barba. Perda dos cílios e do terço lateral das sobrancelhas.

MUCOSAS Pequenas máculas e pápulas planas, redonda ou ovais, ligeiramente elevadas, assintomáticas, de 0,5 a 1 cm de diâmetro, cobertas por

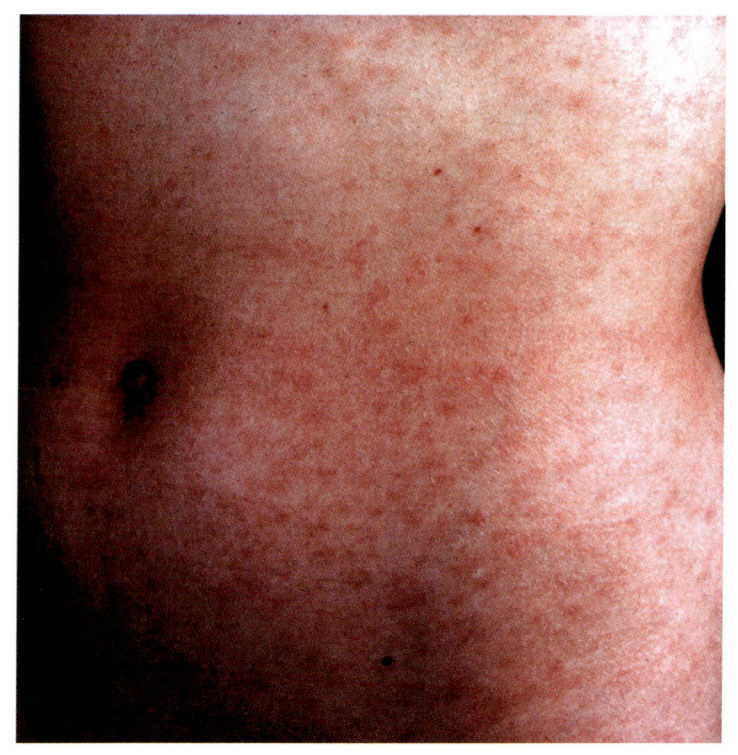

Figura 30-27 Sífilis secundária Mulher de 21 anos com o primeiro exantema da sífilis secundária (roséola sifilítica). As lesões são pouco visíveis, máculas de cor salmão e relativamente mal-definidas, disseminadas sobre o tórax, abdome e dorso. Semelhantes à pitiríase rósea, mas sem descamação ou descamação muito discreta.

uma membrana branca a cinzenta hiperceratótica; ocorrem na mucosa oral ou genital. Pápulas cindidas nos ângulos da boca.
LINFADENOPATIA GENERALIZADA Cervical, suboccipital, inguinal, epitroclear ou axilar. Esplenomegalia.
ACHADOS ASSOCIADOS Envolvimento musculoesquelético: periostite de ossos longos, particularmente da tíbia (dor noturna); artralgias; hidrartrose de joelhos ou tornozelos sem alterações radiológicas. Olhos: irite bacteriana aguda, neurite óptica e uveíte. Reação meningovascular: LCS positivo para marcadores inflamatórios. Envolvimento gastrintestinal (GI): faringite difusa, gastrite hipertrófica, hepatite, proctite irregular, colite ulcerativa e massa em retossigmoide. Envolvimento geniturinário: glomerulonefrite e síndrome nefrótica, cistite e prostatite.

EXAMES LABORATORIAIS

DERMATOPATOLOGIA Hiperceratose epidérmica; proliferação capilar com edema endotelial; infiltração perivascular por monócitos, plasmócitos e linfócitos. Há espiroquetas em muitos tecidos, incluindo pele, olhos e LCS.
LCS Anormal em 40% dos pacientes. Presença de espiroquetas no LCS em 30% dos casos.
FUNÇÃO HEPÁTICA Enzimas elevadas.
FUNÇÃO RENAL Glomerulonefrite membranosa induzida por imunocomplexos.

EVOLUÇÃO

As erupções recorrentes surgem depois de intervalos assintomáticos de vários meses. A princípio, *exantema* relativamente tênue, sempre macular e rosado; as lesões são mal-definidas. As lesões

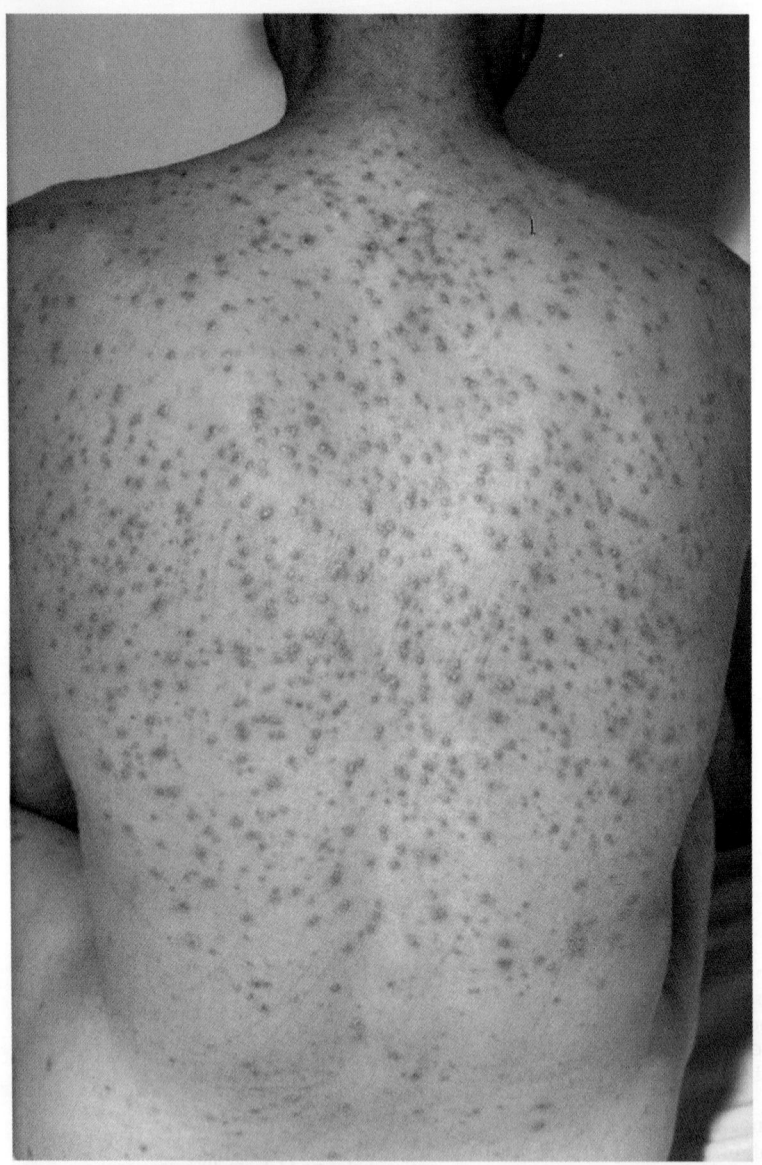

Figura 30-28 Sífilis secundária Exantema mais tardio, papuloescamoso e de cor mais castanha ou tipo cobre.

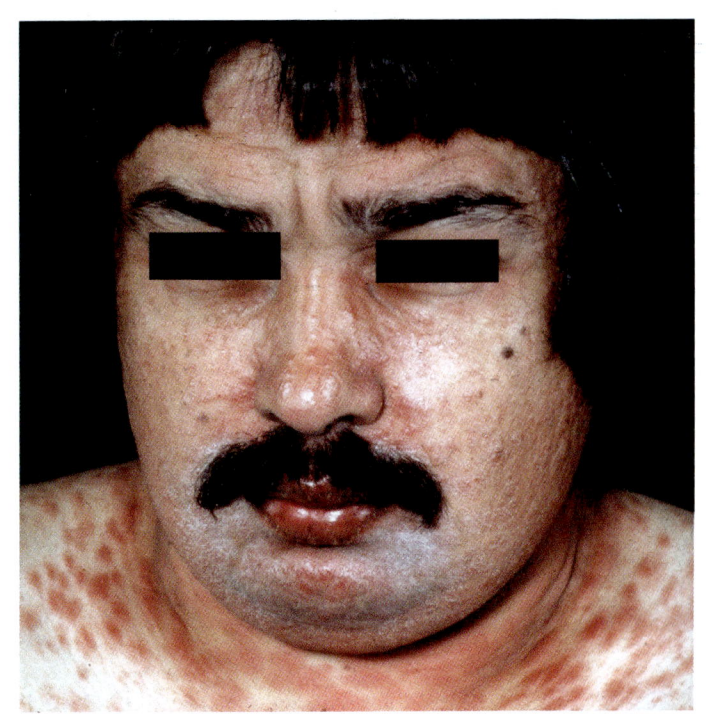

Figura 30-29 Sífilis secundária Exantema tardio. Lesões papuloescamosas semelhantes à dermatite seborreica na face e erupção papular cor de cobre na região cervical e tronco.

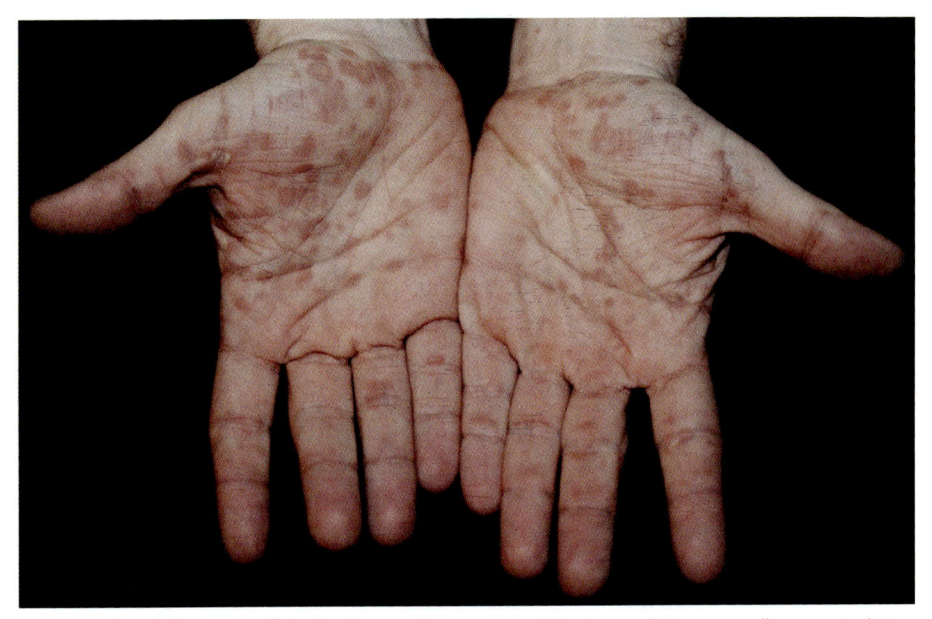

Figura 30-30 Sífilis secundária: lesão papuloescamosa Pápulas ceratóticas vermelhas características nas palmas.

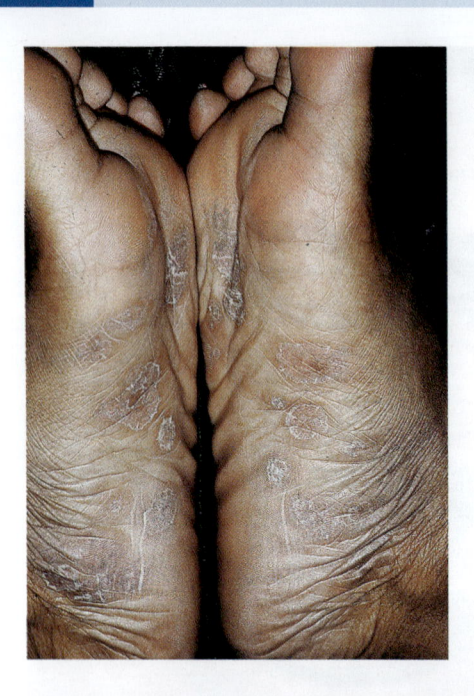

Figura 30-31 Sífilis secundária: lesões papuloes-camosas Mulher de 20 anos com placas descamativas hiperceratóticas na face plantar de ambos os pés. Havia lesões semelhantes nas palmas.

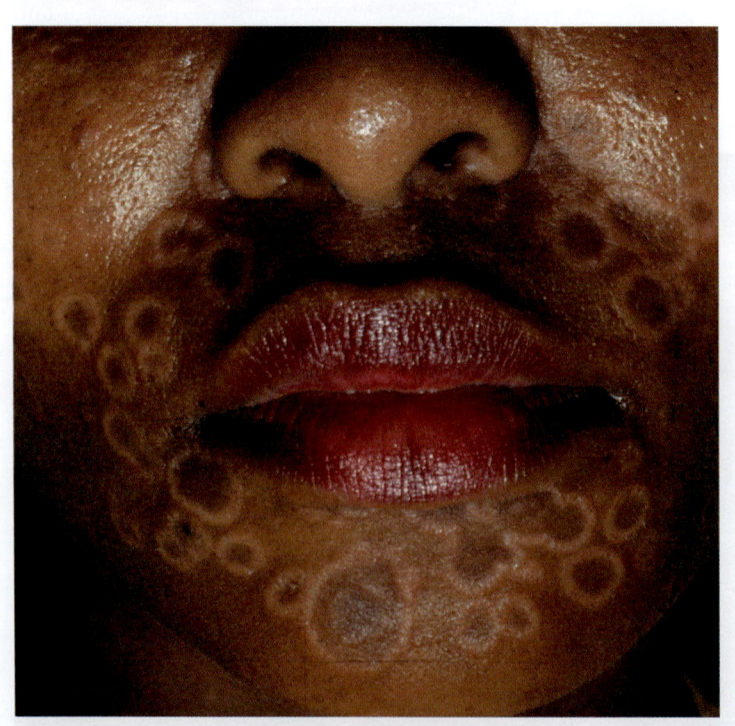

Figura 30-32 Sífilis secundária: lesões anulares faciais Placas anulares que coalescem na face de uma mulher sul-africana. (Usada com permissão de Jeffrey S. Dover, MD.)

posteriores da sífilis no estágio inicial são papulares, acastanhadas e tendem a ser mais localizadas. Os sintomas podem durar por 2 a 6 semanas (4 semanas, em média) e podem sofrer recorrência nos pacientes não tratados ou inadequadamente tratados. As lesões secundárias regridem em 2 a 6 semanas com a infecção entrando em estágio latente.

DIAGNÓSTICO DIFERENCIAL

EXANTEMA Reação cutânea adversa a fármacos, pitiríase rósea, exantema viral, mononucleose infecciosa, *tinea corporis*, pitiríase versicolor, escabiose, reação "id", condiloma acuminado, psoríase gutata aguda, líquen plano.

DIAGNÓSTICO

Suspeita clínica confirmada pelos exames laboratoriais. O exame em campo escuro é positivo em todas as lesões da sífilis secundária, exceto o exantema macular.

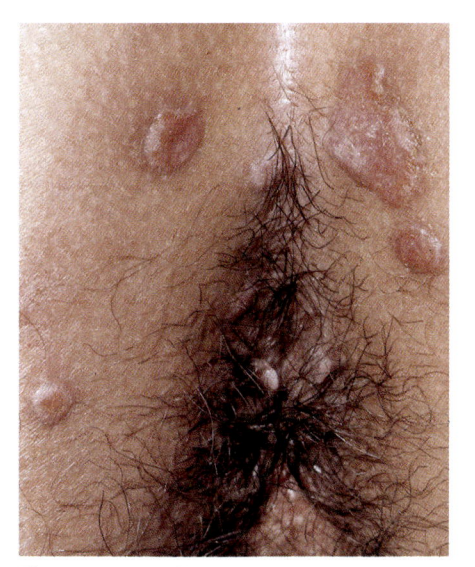

Figura 30-33 Sífilis secundária: condilomas planos Pápulas e nódulos macios, planos, úmidos e rosa-acastanhados no períneo e na região perianal. As lesões estão repletas de *T. pallidum*.

TRATAMENTO

Como na sífilis primária (ver p. 769).

SÍFILIS LATENTE CID-10: A53.0

- Suspeita com base na história de lesões primárias ou secundárias, história de exposição à sífilis ou parto de lactente com sífilis congênita; pode ocorrer sem lesões primárias ou secundárias previamente reconhecidas.
- **Tratamento:** Como na sífilis primária (ver p. 768).

MANIFESTAÇÃO CLÍNICA

Não há sinais nem sintomas clínicos de infecção; TSSs positivos; LCS normal.

EVOLUÇÃO

Um TSS anterior negativo define a duração da latência. A sífilis latente em seu estágio inicial (< 1 ano) é diferenciada da doença latente tardia (≥ 1 ano). A doença latente não exclui a infecciosidade nem o desenvolvimento de lesões cutâneas gomatosas, lesões cardiovasculares ou neurossífilis. Pode ocorrer transmissão materno-fetal. Setenta por cento dos pacientes não tratados nunca desenvolvem sífilis terciária clinicamente evidente. O teste para anticorpo antitreponêmico mais sensível raramente se torna negativo sem tratamento.

SÍFILIS TERCIÁRIA/TARDIA CID-10: A52.9

MANIFESTAÇÃO CLÍNICA

GOMAS Placas nodulares ou papuloescamosas que podem ulcerar e formar círculos/arcos (Fig. 30-34). As placas podem sofrer rápida expansão, causando destruição. Podem ser indolentes e regredir sem deixar cicatrizes. Únicas. Pele: qualquer local, especialmente no couro cabeludo, face, tórax (esternoclavicular) ou panturrilhas. Interna: órgãos internos: sistema esquelético (ossos longos das pernas), orofaringe, vias respiratórias superiores (perfuração do septo nasal, palato), laringe, fígado e estômago.

SIFÍLIDES ULCERATIVAS NODULARES Semelhantes a gomas, mas mais planas. Sofrem regressão espontânea parcial, mas recorrem na periferia. Podem ser circulares ou serpiginosas.

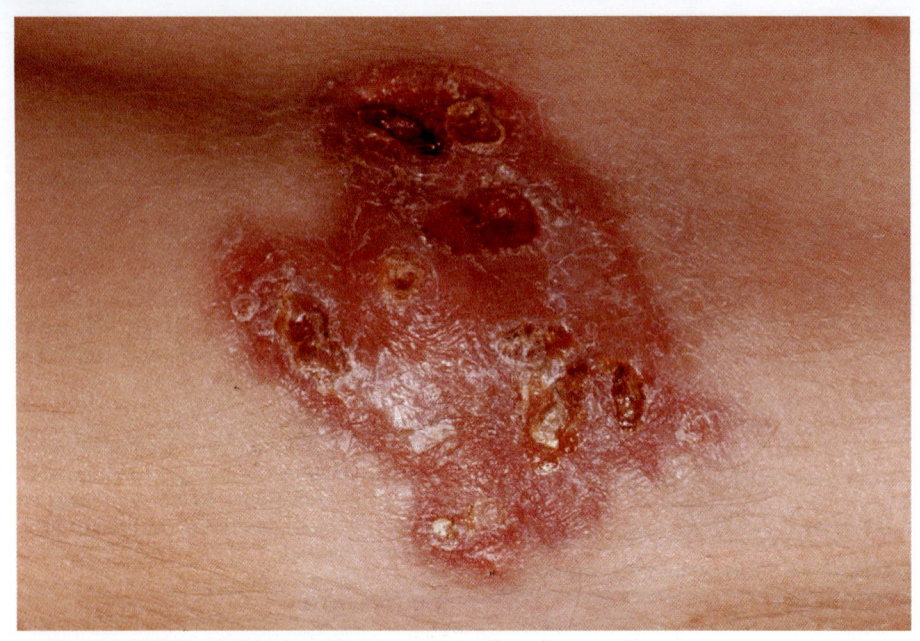

Figura 30-34 Sífilis terciária: goma Placa castanha, firme e bem definida com ulcerações múltiplas na região escapular.

NEUROSSÍFILIS ASSINTOMÁTICA Ocorre em 25% dos pacientes com sífilis latente tardia não tratada. Não há sinais/sintomas neurológicos nem anormalidades do LCS. Vinte por cento dos pacientes com neurossífilis assintomática evoluem para a neurossífilis clínica nos primeiros 10 anos; o risco aumenta com o passar do tempo.

SÍFILIS MENÍNGEA Início dos sintomas em menos de 1 ano após a infecção; cefaleia, náusea/vômitos, rigidez de nuca, paralisia de nervos cranianos, convulsões, alterações do estado mental. Sífilis meningovascular. Início dos sintomas 5 a 10 anos após a infecção; pródromo de encefalite subaguda, seguido de síndrome de acidente vascular encefálico, síndrome vascular progressiva.

PARESIA GERAL Início dos sintomas 20 anos após a infecção. PAROSIF: Paresia, Afeto, Reflexos (hiperativos), Olho (Pupilas de Argyll Robertson), Sensorial (ilusões, delírios, alucinações), Intelecto (diminuição da memória recente, da orientação, da capacidade de fazer cálculos, juízo, discernimento), Fala.

TABES DORSALIS Início dos sintomas em 25 a 30 anos após a infecção; marcha atáxica com base larga e pé caído, parestesia, distúrbios vesicais, impotência, arreflexia, perda de propriocepção, dor profunda, sensações de temperatura (articulações de Charcot ou neuropáticas, úlceras de pé), atrofia óptica.

SÍFILIS CARDIOVASCULAR Resulta de endarterite obliterante do *vasa vasorum*. Ocorrem em 10% dos indivíduos com sífilis tardia não tratada, 10 a 40 anos após a infecção. Aortite não complicada, regurgitação aórtica, aneurisma sacular e estenose de óstio coronariano.

DIAGNÓSTICO DIFERENCIAL

Placa(s) ± ulceração ± granulomas: tuberculose cutânea, infecção cutânea por micobactérias atípicas, linfoma e infecções fúngicas invasivas.

DIAGNÓSTICO

Manifestações clínicas; diagnóstico confirmado por TSS e biópsia da pele lesionada; o exame em campo escuro é sempre negativo.

EVOLUÇÃO

Na sífilis *não tratada*, 15% dos pacientes desenvolvem sífilis benigna tardia, principalmente lesões cutâneas. Hoje a sífilis terciária é rara. Antigamente os pacientes com sífilis terciária tinham histórico de lesões de 3 a 7 anos de duração (variando de 2 a 60 anos); as gomas aparecendo ao redor do 15° ano. Conforme já assinalado, a sífilis terciária, quando não tratada, apresenta complicações neurológicas e cardiovasculares. Deve-se considerar a neurossífilis no diagnóstico diferencial da doença neurológica em pacientes com doença pelo HIV.

TRATAMENTO

Penicilina benzatina IM, 2,4 milhões de unidades uma vez por semana, durante 3 semanas. Os pacientes alérgicos à penicilina devem ser tratados por um infectologista.

NEUROSSÍFILIS Consultar diretrizes do Centers for Disease Control and Prevention (CDC).

SÍFILIS CONGÊNITA CID-10: A50.9

- **Transmissão.** Durante a gestação ou intraparto. Risco de transmissão: sífilis materna precoce, 75 a 95%; >2 anos de duração, 35%.
- **Patogênese.** As lesões desenvolvem-se comumente depois de 4 meses de gestação e estão associadas à competência imunológica fetal. A patogênese depende da resposta imune do feto. O tratamento adequado da mãe antes de 16 semanas de gestação evita danos ao feto. Sem tratamento: perda fetal de até 40%.

MANIFESTAÇÃO CLÍNICA

MANIFESTAÇÕES PRECOCES Surgem antes dos 2 anos de idade, frequentemente com 2 a 10 semanas de vida. Infecciosas. Assemelha-se à sífilis secundária grave do adulto. Bolhas, vesículas em palmas e plantas, descamação superficial, petéquias e lesões papuloescamosas. *Rinite ou coriza* (23%); *placas mucosas*, condiloma plano. Alterações ósseas: osteocondrite, osteíte e periostite. Hepatoesplenomegalia, icterícia e linfadenopatia. Anemia, trombocitopenia e leucocitose.

MANIFESTAÇÕES TARDIAS Surgem depois dos 2 anos de idade. Não infecciosas. Semelhantes à sífilis tardia adquirida do adulto. Sífilis cardiovascular. Ceratite intersticial. Surdez do oitavo nervo craniano. Artropatia recidivante; derrames bilaterais dos joelhos (articulações de Clutton). A periostite gomosa resulta em lesões destrutivas do septo nasal/palato. Neurossífilis assintomática em 33% dos pacientes; sífilis clínica em 25%.

ESTIGMAS RESIDUAIS *Dentes de Hutchinson* (incisivos superiores centrais com chanfradura central, amplamente espaçados e em forma de cavilha; molares "em amora" [várias cúspides pouco desenvolvidas]). *Fácies anormal*: bossa frontal, nariz em sela, maxila pouco definida e rágades (cicatrizes lineares nos ângulos da boca causadas por infecção bacteriana secundária de erupção facial inicial). Tíbia em sabre. Surdez neurossensorial. Coriorretinite antiga, atrofia óptica e opacidades corneanas causadas por ceratite intersticial.

TRATAMENTO

Consultar as diretrizes do CDC.

LINFOGRANULOMA VENÉREO CID-10: A55

■ As manifestações clínicas dependem do local de entrada da *C. trachomatis* (local de contato sexual) e do estágio de progressão da doença: síndrome inguinal, síndrome retal e síndrome faríngea.

ETIOLOGIA E EPIDEMIOLOGIA

ETIOLOGIA *C. trachomatis*, bactéria intracelular obrigatória. A proteína principal da membrana externa define mais de 20 sorovariantes (imunotipos): *Tracoma*: sorovariantes A, B, Ba e C. *DST das mucosas*: Sorovariantes D-K (DST bacteriana mais comum). *DST invasiva*: Sorovariantes L_1, L_2, L_3 (nos EUA, mais comumente L_2).

TRANSMISSÃO Sexual: *C. trachomatis* no exsudato purulento é inoculada na pele ou mucosa do parceiro sexual e entra por lacerações e abrasões minúsculas. *Perinatal*. *Homens heterossexuais*: A infecção aguda apresenta-se como síndrome inguinal. *Mulheres/homens homossexuais*: a síndrome anogenitorretal é mais comum.

PREVALÊNCIA A uretrite por clamídias é mais comum em homens heterossexuais e de nível socioeconômico alto. Nos EUA, a prevalência da infecção do colo do útero é de: 5% para estudantes universitárias assintomáticas; mais de 10% em clínicas de planejamento familiar; mais de 20% em clínicas para DST.

PATOGÊNESE Trata-se principalmente de uma infecção dos vasos linfáticos e linfonodos. Linfangite e linfadenite ocorrem no campo de drenagem do local de inoculação com subsequente perilinfangite e periadenite. Ocorre necrose; desenvolvimento de abscessos loculados, fístulas e trajetos fistulosos. À medida que a infecção regride, a fibrose substitui a inflamação aguda, com consequente obliteração da drenagem linfática, edema crônico e estenose.

MANIFESTAÇÃO CLÍNICA

LINFOGRANULOMA VENÉREO AGUDO A lesão genital primária é identificada em menos de um terço dos homens e raramente nas mulheres. *Em mulheres e homens heterossexuais*: pequenas vesículas indolores ou úlcera/pápula não ulcerada no pênis ou lábios vulvares/vagina posterior/forqueta; cicatriza em poucos dias. Com coito anal receptivo, a infecção anal ou retal primária desenvolve-se após coito anal receptivo. A infecção pode se disseminar do local de infecção primária para linfáticos regionais.

Pápula, erosão superficial ou úlcera, pequenas erosões ou úlceras (herpetiformes) agrupadas ou uretrite inespecífica. Pode ocorrer *linfangite em forma de cordão* na parte dorsal do pênis. O nódulo linfangítico pode romper (bubão), resultando em seios de drenagem e fístulas da uretra com cicatrizes deformantes do pênis. Linfadenopatia supurativa multilocular. Podem ocorrer cervicite, perimetrite, salpingite. Coito anal receptivo: infecção retal e anal primária (proctite hemorrágica com linfadenite regional).

Eritema nodoso em 10% dos casos (ver Seção 7).
SÍNDROME INGUINAL Caracteriza-se por linfadenopatia inguinal dolorosa, que surge em duas a seis semanas após a suposta exposição. Unilateral em dois terços dos casos; com frequência, linfonodos ilíacos/femorais palpáveis no mesmo lado (**Fig. 30-35**). No início, os linfonodos são isolados, mas a periadenite progressiva resulta em massa torcida de linfonodos que podem se tornar flutuantes e supurativos. A pele sobrejacente torna-se fixa, inflamada, fina e acaba desenvolvendo múltiplas fístulas de drenagem. *Sinal do sulco:* aumento extenso das cadeias de linfonodos inguinais acima e abaixo do ligamento inguinal (**Fig. 30-35**).

Bubão unilateral em dois terços dos casos (apresentação mais comum) (**Fig. 30-35**). Edema e eritema acentuados da pele que recobre os linfonodos. Um terço dos bubões inguinais sofre ruptura; os outros dois terços involuem lentamente. 75% dos casos apresentam acometimento dos linfonodos ilíacos profundos, com formação de massa pélvica que raramente sofre supuração.

Síndrome anogenitorretal associada a coito anal receptivo, proctocolite, hiperplasia de tecido linfático intestinal e perirretal. Resultam em abscessos, fístulas e estenose retal. O crescimento excessivo do tecido linfático resulta em linfrorroidas (semelhantes às hemorroidas) ou condiloma perianal.

ESTIOMENE Elefantíase dos órgãos genitais, comumente nas mulheres, que pode ulcerar; ocorre em um a 20 anos após a infecção primária.

DIAGNÓSTICO DIFERENCIAL

ESTÁGIO PRIMÁRIO HG, sífilis primária e cancroide.
SÍNDROME INGUINAL Hérnia inguinal encarcerada, peste, tularemia, tuberculose, HG, sífilis, cancroide e linfoma.

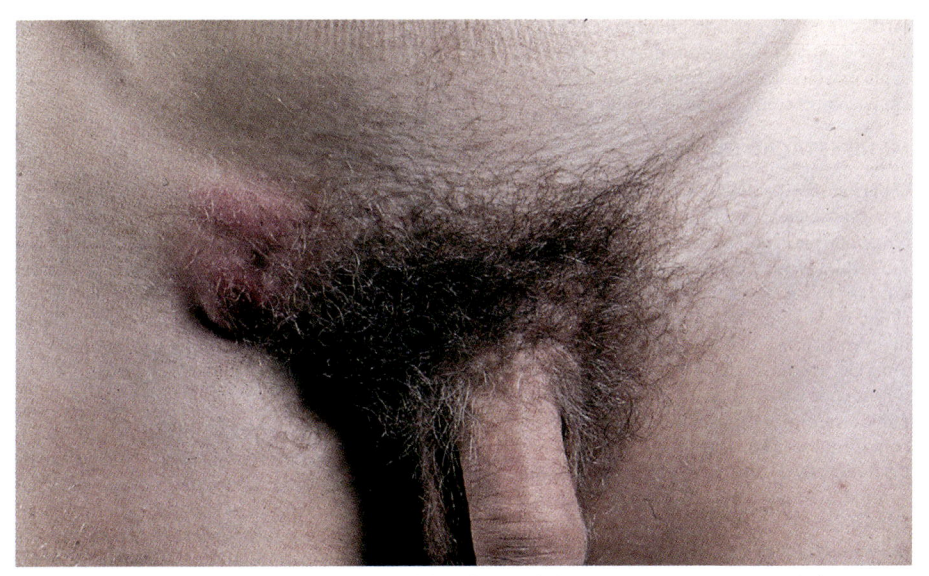

Figura 30-35 Linfogranuloma venéreo: sinal do sulco Linfadenopatia extremamente sensível que surgiu nos linfonodos femorais e inguinais separados por um sulco formado pelo ligamento de Poupart (sinal do sulco).

DIAGNÓSTICO

O diagnóstico tem como base as manifestações clínicas. Excluir outras causas de linfadenopatia inguinal ou úlceras genitais.

EVOLUÇÃO

Muito variável. As infecções bacterianas secundárias podem contribuir para as complicações. A estenose retal constitui uma complicação tardia. A remissão espontânea é comum.

TRATAMENTO

Doxiciclina oral, 100 mg, duas vezes ao dia, durante 21 dias, ou eritromicina base oral, 500 mg, quatro vezes ao dia, durante 21 dias.

CANCROIDE CID-10: A57

- Etiologia: *Haemophilus ducreyi*, um estreptobacilo Gram-negativo.

EPIDEMIOLOGIA E ETIOLOGIA

ETIOLOGIA *H. ducreyi*, é um estreptobacilo Gram--negativo.
DEMOGRAFIA Raro nos países industrializados. Endêmico nos países tropicais e subtropicais em desenvolvimento, particularmente em populações pobres, urbanas e portuárias. Muito mais frequente em homens jovens. A linfadenite é mais comum nos homens.
TRANSMISSÃO Mais provavelmente durante a relação sexual com parceiro que apresenta úlcera genital por *H. ducreyi*. O cancroide é um cofator para a transmissão de HIV/Aids; taxas altas de infecção pelo HIV/Aids entre indivíduos que apresentam cancroide. 10% dos indivíduos com cancroide adquirido nos EUA são coinfectados por *T. pallidum* e HSV.
PATOGÊNESE A infecção primária desenvolve-se no local de inoculação (solução de continuidade do epitélio), seguida de linfadenite. A úlcera genital caracteriza-se por infiltrados perivasculares e intersticiais de macrófagos e linfócitos CD4+ e CD8+, compatíveis com hipersensibilidade tipo

tardio, resposta imunológica celular. As células CD4+ e os macrófagos presentes na úlcera podem explicar a facilitação da transmissão do HIV/Aids em pacientes com úlceras cancroides.

MANIFESTAÇÃO CLÍNICA

O período de incubação é de 4 a 7 dias.

LESÃO PRIMÁRIA Pápula hipersensível com halo eritematoso que evolui para pústula, erosão e úlcera. Em geral, a *úlcera* é muito *sensível* ou *dolorosa*. Suas bordas são nítidas, solapadas e não endurecidas (Figs. 30-36 e 30-37). A base é friável, com tecido de granulação e coberta com exsudato cinza a amarelo. É comum haver *edema* do prepúcio. A úlcera pode ser singular ou múltipla, coalescendo para formar úlceras grandes ou gigantes (> 2 cm) com forma serpiginosa.

DISTRIBUIÇÃO Homens: prepúcio, frênulo, sulco coronal, glande e corpo do pênis. Mulheres: genitália externa, parede vaginal por extensão direta do introito, colo uterino, perianal. Lesões extragenitais: mamas, dedos das mãos, coxas, mucosa oral. Pode ocorrer infecção bacteriana secundária das úlceras. Há desenvolvimento de múltiplas úlceras (Fig. 30-37) por autoinoculação.

LINFADENITE INGUINAL DOLOROSA Com frequência, unilateral; ocorre em 50% dos pacientes em 7 a 21 dias após a lesão primária. A úlcera pode cicatrizar antes do aparecimento dos bubões. Estes ocorrem com eritema sobrejacente e podem drenar espontaneamente.

Úlcera *dolorosa* no local de inoculação, geralmente nos órgãos genitais externos.

LINFONODOS REGIONAIS Adenopatia sensível. Adenopatia supurativa.

IST mais fortemente associada ao risco aumentado de transmissão do HIV/Aids.

Sinônimos: Cancro mole.

DIAGNÓSTICO DIFERENCIAL

ÚLCERA GENITAL HG, sífilis primária, LGV e lesões traumáticas.

MASSA INGUINAL DOLOROSA HG, sífilis secundária, LGV, hérnia encarcerada, peste e tularemia.

DIAGNÓSTICO

A combinação de úlcera dolorosa com linfadenopatia sensível (um terço dos pacientes) é sugestiva de cancroide. Esfregaço: bacilos Gram-negativos curtos em disposição linear. O diagnóstico definitivo de cancroide exige a identificação do *H. ducreyi* em meio de cultura especial. Excluir a possibilidade de coinfecção por HIV, *T. pallidum* e HSV.

EVOLUÇÃO

O tempo necessário para a cicatrização completa está relacionado ao tamanho da úlcera; as úlceras grandes podem necessitar de 14 dias. A resolução completa da linfadenopatia flutuante é mais lenta que a de úlceras e pode necessitar de aspiração com

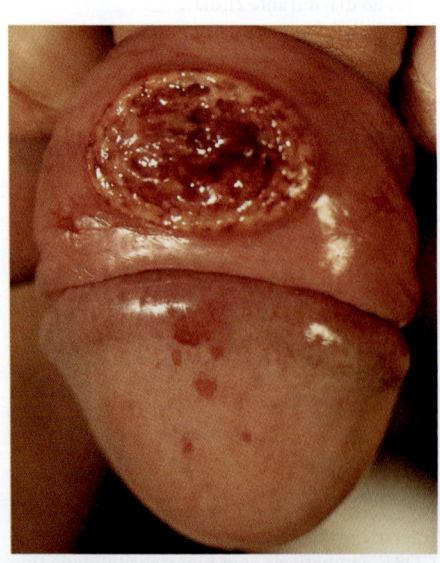

Figura 30-36 Cancroide Úlcera dolorosa com eritema e edema circundantes pronunciados. (Usada com permissão de Prof. Alfred Eichmann, MD.)

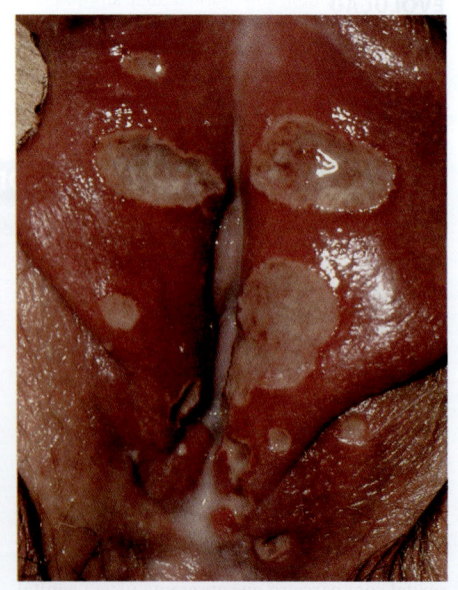

Figura 30-37 Cancroide Múltiplas úlceras em saca-bocado dolorosas, com bordas solapadas na vulva, que ocorreram após autoinoculação.

agulha através de pele adjacente intacta, mesmo durante a terapia bem-sucedida.

TRATAMENTO

Azitromicina, 1 g, em dose única. Ciprofloxacino, 500 mg, duas vezes ao dia, durante 3 dias (contraindicado durante a gravidez). Eritromicina base, 500 mg, três vezes ao dia, durante 7 dias. Ceftriaxona IM em dose única. Foi relatada a ocorrência de resistência ao ciprofloxacino e à eritromicina.

DONOVANOSE CID-10: A58

- IST causada por *Klebsiella granulomatis*, um bastonete Gram-negativo intracelular encapsulado. Ocorrência rara nos países industrializados. Focos endêmicos nas regiões tropicais e subtropicais.

MANIFESTAÇÃO CLÍNICA

Lesões ulceradas indolores e progressivas das áreas anogenitais. Altamente vascularizadas (i.e., aparência vermelho-viva) (Fig. 30-38), com sangramento fácil ao contato. Dissemina-se por continuidade ou por autoinoculação das superfícies cutâneas próximas. Distribuição. *Homens*: prepúcio ou glande, corpo do pênis e escroto. *Mulheres*: lábios menores, monte de vênus e forqueta. Em seguida, as ulcerações disseminam-se por extensão direta ou autoinoculação na pele inguinal e perineal. Ocorrem lesões extragenitais na boca, nos lábios, na garganta, na face, no trato GI e nos ossos.
LINFONODOS REGIONAIS Não estão aumentados. Um grande nódulo subcutâneo pode simular um linfonodo, isto é, pseudobubão.
VARIANTES Ulcerovegetativa (Fig. 30-38); nodular; hipertrófica; esclerótica/cicatricial.
COMPLICAÇÕES Ulcerações profundas, lesões cicatriciais crônicas, fimose, linfedema (elefantíase do pênis, escroto, vulva), proliferação epitelial exuberante que se assemelha grosseiramente ao carcinoma.

DIAGNÓSTICO DIFERENCIAL

Diagnóstico diferencial nas áreas endêmicas, cancro sifilítico, cancroide, úlcera herpética crônica, LGV, tuberculose cutânea, CEC invasivo.

DIAGNÓSTICO

Identificação dos corpúsculos de Donovan (microrganismos em forma de bastonete observados no citoplasma de fagócitos mononucleares) em amostras de tecido ou preparação por toque ou esmagamento ou em amostra de biópsia lesional. Excluir outra causa concomitante de doença ulcerosa genital.

EVOLUÇÃO

Tem pouca tendência à cicatrização espontânea. Cicatriza com tratamento antibiótico. Pode ocorrer recidiva.

TRATAMENTO

Todos os tratamentos antibióticos devem ser administrados durante, pelo menos, 3 semanas ou até a cicatrização de todas as lesões.
REGIME RECOMENDADO Doxiciclina oral duas vezes ao dia.
REGIME ALTERNATIVO Azitromicina oral, 1 g, uma vez por semana. Ciprofloxacino, 750 mg, duas vezes ao dia. Eritromicina base, 500 mg, quatro vezes ao dia. Sulfametoxazol-trimetoprima, comprimido de dupla concentração (800 mg/160 mg), duas vezes ao dia.

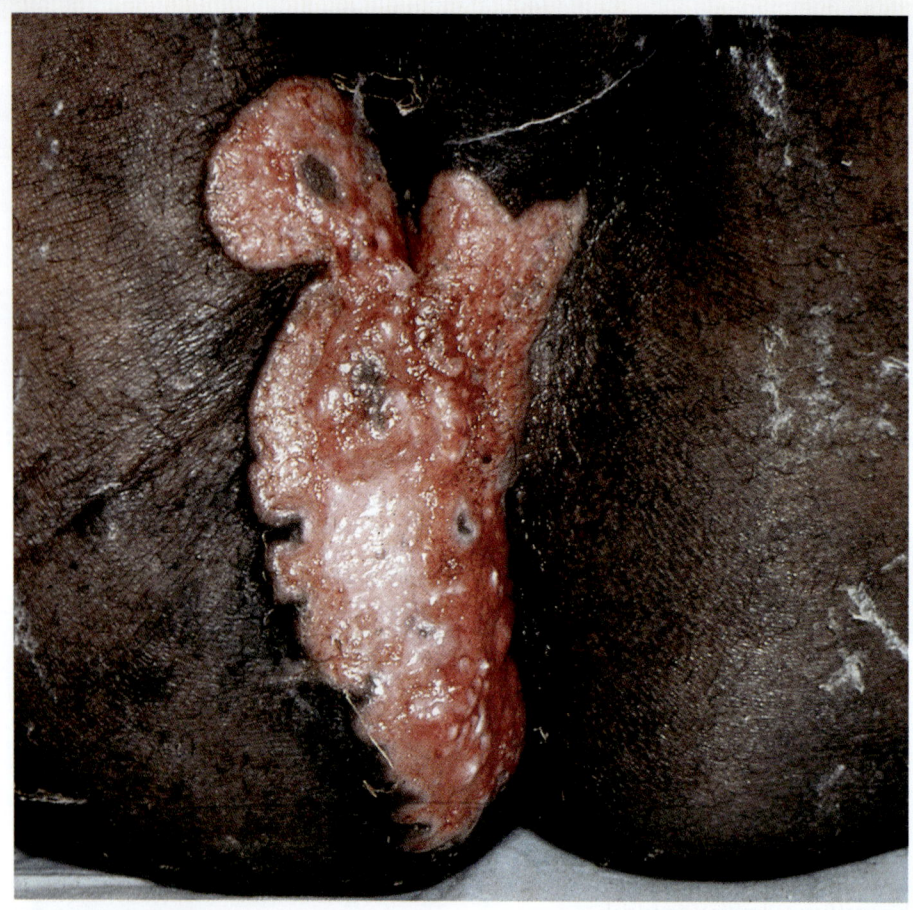

Figura 30-38 Donovanose: tipo ulcerovegetativo Formação extensa de tecido de granulação, ulceração e cicatriz do períneo, do escroto e do pênis.

PARTE IV

SINAIS CUTÂNEOS DE DISTÚRBIOS DOS PELOS, DAS UNHAS E DAS MUCOSAS

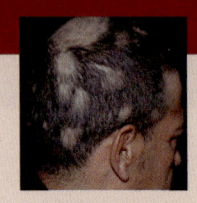

SEÇÃO 31

DISTÚRBIOS DOS FOLÍCULOS PILOSOS E DOENÇAS RELACIONADAS

BIOLOGIA DOS CICLOS DE CRESCIMENTO DOS PELOS

GLOSSÁRIO DE TERMOS

Ciclo do folículo piloso
Os folículos pilosos passam por transformações cíclicas ao longo de toda a vida divididas em três fases principais: anágena, catágena e telógena (Fig. 31-1).
ANÁGENA Fase de crescimento; determina o comprimento final do pelo em um local. A matriz dos pelos na fase anágena apresenta células epiteliais em crescimento acelerado e é extremamente sensível a medicamentos, fatores do crescimento, hormônios, estresse e problemas imunológicos e físicos. A destruição das células-tronco epiteliais resulta em perda permanente dos pelos. Os pelos anágenos possuem extremidades proximais pigmentadas maleáveis (Fig. 31-2A). Aproximadamente 85 a 99% dos pelos se encontram nessa fase, com alguma variação individual.
TELÓGENA Período de quiescência relativa, antes da queda. Os *pelos telógenos* têm forma de clava e extremidade proximal redonda e despigmentada (Fig. 31-2B). Aproximadamente 1 a 15% dos pelos se encontram nessa fase em qualquer dado momento.
CATÁGENA É fase de apoptose entre a fase telógena e a anágena. Apenas cerca de 1% dos pelos se encontra nessa fase.
EXÓGENA Processo ativo de queda da haste capilar.

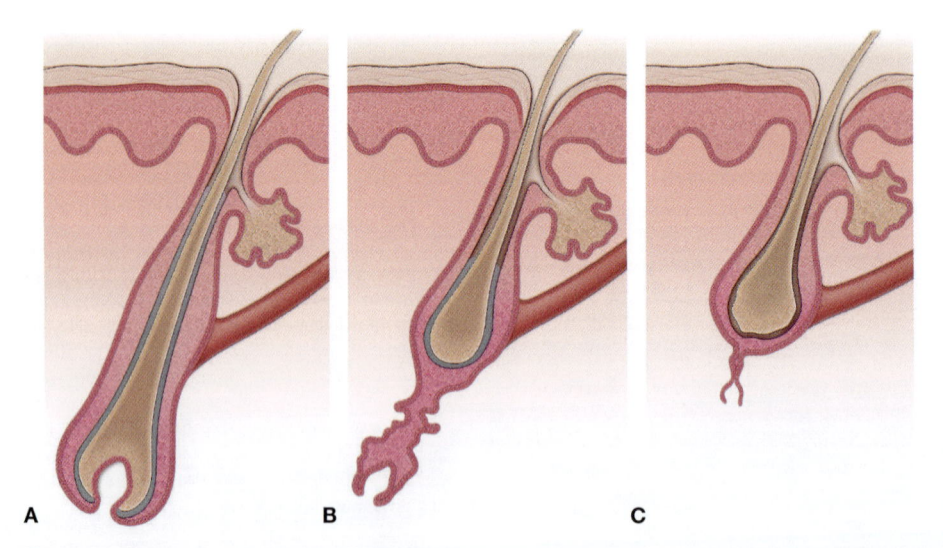

Figura 31-1 Ciclo de crescimento dos pelos Diagrama representando as alterações que ocorrem no folículo e na haste do pelo durante o ciclo de crescimento dos pelos. **(A)** Anágena (fase de crescimento); **(B)** Catágena (fase degenerativa); **(C)** Telógena (fase de repouso). (Usada com permissão de Lynn M. Klein, MD.)

Figura 31-2 Fases do pelo (A) Anágena: observa-se a extremidade proximal maleável, e **(B)** telógena: pelo claviforme. (Reproduzida com permissão de Goldsmith LA, Katz SI, Gilchrest BA, et al, eds. *Fitzpatrick's Dermatology in General Medicine*. 8th ed. New York, McGraw-Hill; 2012.]

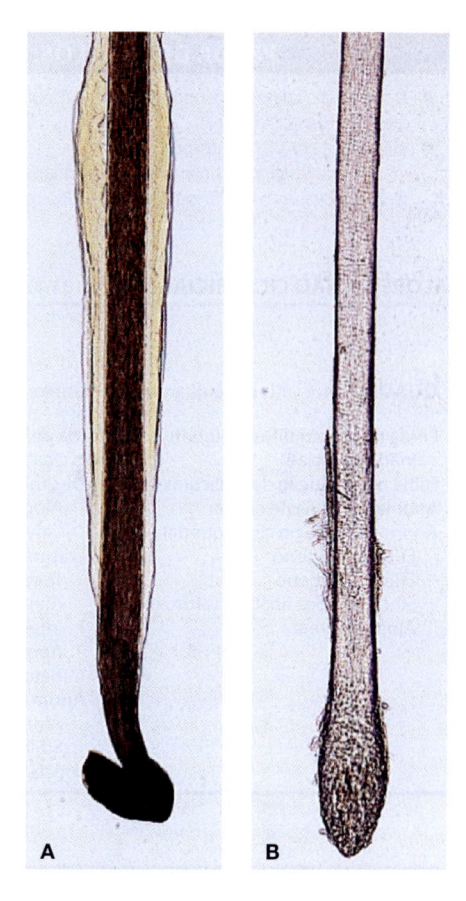

Tipos de pelo

LANUGO Macio e finamente pigmentado que cobre boa parte do feto; geralmente cai antes do nascimento.
VELUS Pelo fino e não pigmentado; crescimento não afetado por hormônios.
TERMINAL Espesso e pigmentado encontrado no couro cabeludo, na sobrancelha/cílios, na barba, nas axilas e na região púbica; crescimento influenciado por hormônios.

EXAMES LABORATORIAIS

TESTE DA TRAÇÃO Os pelos do couro cabeludo são gentilmente tracionados. Normalmente, 3 a 5 fios são arrancados; a perda de mais pelos sugere patologia.
TRICOGRAMA Determina o número de pelos nas fases anágena e telógena e é realizado por epilação (arranco) de 50 fios ou mais do couro cabeludo, seguida por contagem do número de pelos anágenos e telógenos.
BIÓPSIA DE COURO CABELUDO Proporciona indícios da patogênese da alopécia.

PERDA DE CABELOS: ALOPÉCIA CID-10: L63-L66

- A queda de cabelo é denominada *eflúvio* ou *deflúvio* e o quadro resultante é chamado *alopécia* (do grego *alókepia*, "calvície").
- Alopécia é classificada como:
    - *Não cicatricial*: sem sinais clínicos de inflamação do tecido, cicatriz ou atrofia da pele.
    - *Cicatricial*: com evidências de destruição tecidual, como inflamação, atrofia e cicatriz aparentes.

ALOPÉCIA NÃO CICATRICIAL (Quadro 31-1)

QUADRO 31-1 Etiologia da perda de cabelo

Perda de cabelo difusa (global) (não cicatricial)	Perda de cabelo focal (placas, localizada)
Falha na produção dos folículos	Não cicatricial
Anomalias na haste capilar	Declínio na produção
Anormalidades no ciclo (queda)	Alopécia triangular
Eflúvio telógeno	Calvície de padrão masculino (alopécia androgenética)
Eflúvio anágeno	Fratura dos cabelos
Síndrome dos anágenos frouxos	Tricotilomania
Alopécia areata	Alopécia por tração
	Infecção (*tinea capitis*)
	Anormalidade primária ou adquirida da haste do pelo
	Cabelos impenteáveis
	Anomalia do ciclo
	Alopécia areata
	Sífilis
	Alopécia cicatricial (ver p. 798)

ALOPÉCIA ANDROGENÉTICA (AAG) CID-10: L64.9

- Trata-se do tipo mais comum de calvície progressiva.
- Ocorre em razão dos efeitos combinados de:
    - Predisposição genética.
    - Ação de androgênios sobre os folículos pilosos do couro cabeludo.
- No sexo masculino, o padrão e a extensão da perda do cabelo variam desde as entradas bitemporais, passando por rarefação frontal e/ou do vértice ("coroa"), até a perda de todo o cabelo, exceto nas margens occipitais e temporais ("coroa hipocrática").
- *Sinônimos*: homens: calvície de padrão masculino, calvície comum; mulheres: calvície hereditária, calvície de padrão feminino.

ETIOLOGIA E EPIDEMIOLOGIA

ETIOLOGIA Combinação de efeitos de androgênios sobre folículos pilosos geneticamente predispostos. Genética:
(1) autossômica dominante e/ou poligênica;
(2) herdada de um ou ambos os pais.

IDADE DE INÍCIO

- Homens: pode iniciar a qualquer momento após a puberdade, até na segunda década da vida; frequentemente totalmente expressa aos 40 anos.
- Mulheres: mais tarde; em cerca de 40% ocorre na sexta década.

SEXO Homens >> mulheres.

CLASSIFICAÇÃO

Hamilton classificou o padrão masculino de perda dos cabelos em estágios (**Fig. 31-3A**):
Ludwig classificou a perda capilar feminina (**Fig. 31-3B**).

A. Homens (classificação de Hamilton)

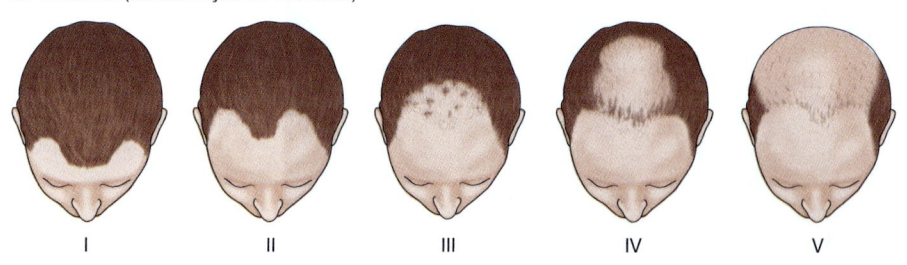

I   II   III   IV   V

B. Mulheres (classificação de Ludwig)

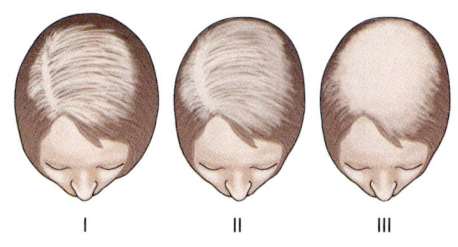

I   II   III

Figura 31-3 Alopécia androgenética: padrões masculino e feminino (A) Hamilton classificou a perda de cabelos nos homens nos tipos I a V, de acordo com a intensidade e o padrão de perda de cabelo. **(B)** Ludwig classificou a perda de cabelos nas mulheres nos tipos I a III.

PATOGÊNESE

- A *di-hidrotestosterona* (DHT) causa aumento da próstata, crescimento dos pelos terminais, AAG e acne.
- A testosterona causa crescimento dos pelos axilares e pubianos, bem como estimula o desejo sexual, o desenvolvimento do pênis e do escroto e a espermatogênese.
- A testosterona é convertida em DHT pela 5α-redutase (5α-R). Há duas isoenzimas 5α-R: tipos I e II.
- A 5α-R tipo I localiza-se em glândulas sebáceas (face, couro cabeludo), pele de tórax/dorso, fígado, suprarrenal e rins.
- A 5α-R tipo II localiza-se nos folículos pilosos do couro cabeludo, barba, pele do tórax, fígado, glândulas seminais, próstata, epidídimo e prepúcio/escroto.
- A finasterida inibe a conversão de testosterona a DHT pela 5α-R tipo II.

MANIFESTAÇÃO CLÍNICA

ALTERAÇÕES CUTÂNEAS A pele do couro cabeludo é normal.

- Em mulheres jovens, procurar sinais de virilização (acne, excesso de pelos faciais ou corporais, padrão masculino de distribuição de pelos).

PELOS (Figs. 31-4 a 31-7) Os pelos nas regiões com alopécia androgenética tornam-se mais finos (mais curtos e com diâmetros menores). Com o tempo, o pelo torna-se veloso e, por fim, atrofia-se completamente.

DISTRIBUIÇÃO

- Os homens geralmente apresentam perda de cabelo frontotemporal e no vértice (Figs. 31-4 e 31-5). Paradoxalmente, os homens com padrão masculino de perda dos cabelos podem apresentar excesso de crescimento de pelos sexuais secundários, ou seja, axilares, pubianos, torácicos e na região da barba.
- As mulheres, inclusive as endocrinologicamente normais, também perdem cabelo segundo o padrão masculino, mas a perda é muito menos acentuada. Frequentemente, a perda de cabelo é mais difusa nas mulheres, seguindo o padrão descrito por Ludwig (Fig. 31-3B).

ACHADOS SISTÊMICOS Em mulheres jovens com AAG, procurar sinais de virilização (hipertrofia de clitóris, acne e hirsutismo facial). Porém, a maioria das mulheres com alopécia androgenética é endocrinologicamente normal.

DIAGNÓSTICO DIFERENCIAL

ALOPÉCIA DIFUSA NÃO CICATRICIAL Padrão difuso de perda dos cabelos na alopécia areata, deflúvio

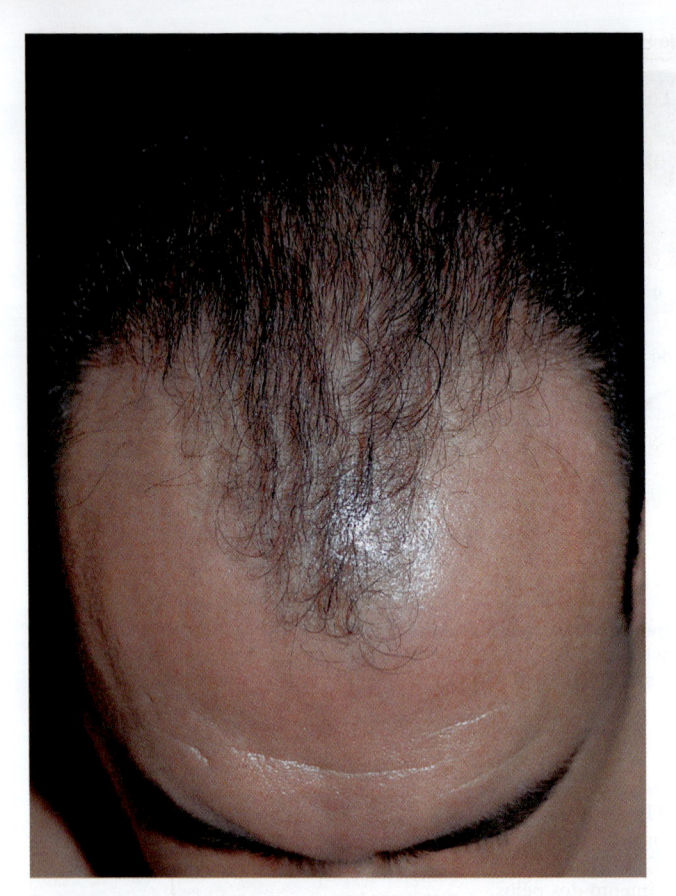

Figura 31-4 Alopécia androgenética: padrão masculino de tipo III de Hamilton Indivíduo do sexo masculino de 46 anos com entradas bitemporais na linha de implantação dos cabelos e rarefação frontal dos cabelos.

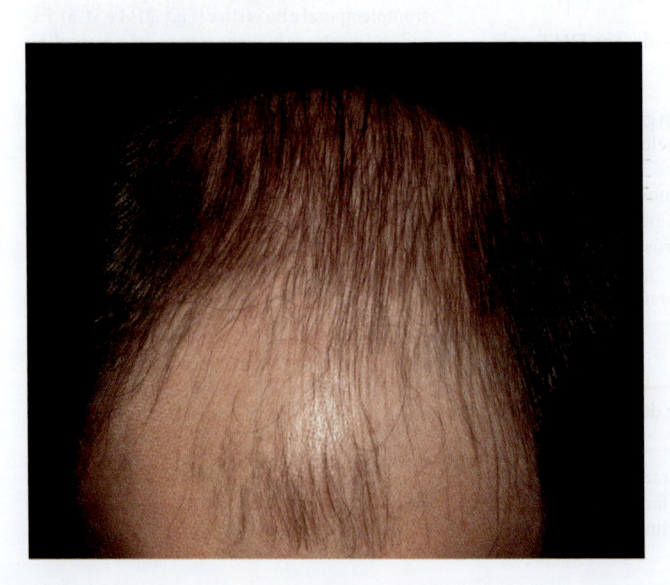

Figura 31-5 Alopécia androgenética: padrão masculino dos tipos IV e V de Hamilton Indivíduo do sexo masculino de 37 anos com perda de cabelo frontotemporal e na região do vértice correspondendo aos tipos IV e V de Hamilton.

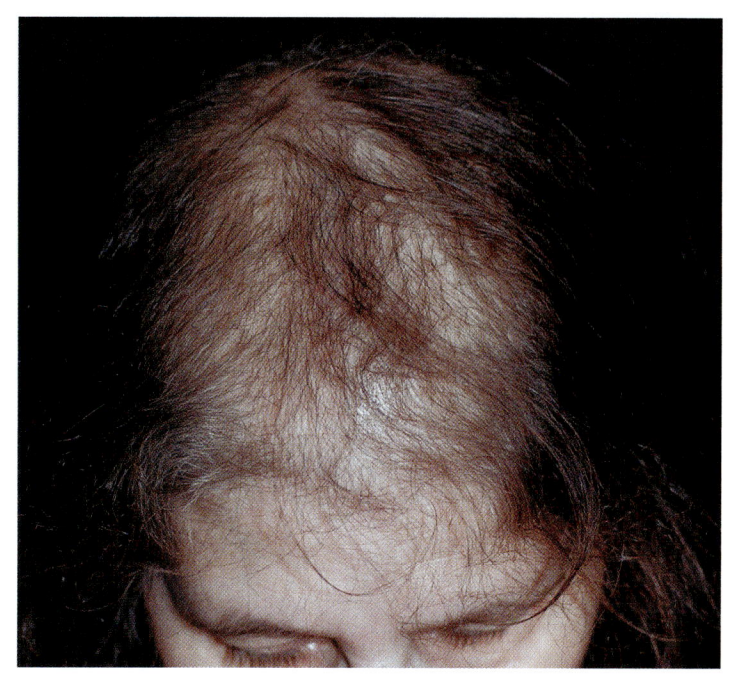

Figura 31-6 Alopécia androgenética: feminina, tipo II de Ludwig Uma mulher de 66 anos com rarefação difusa do cabelo na coroa.

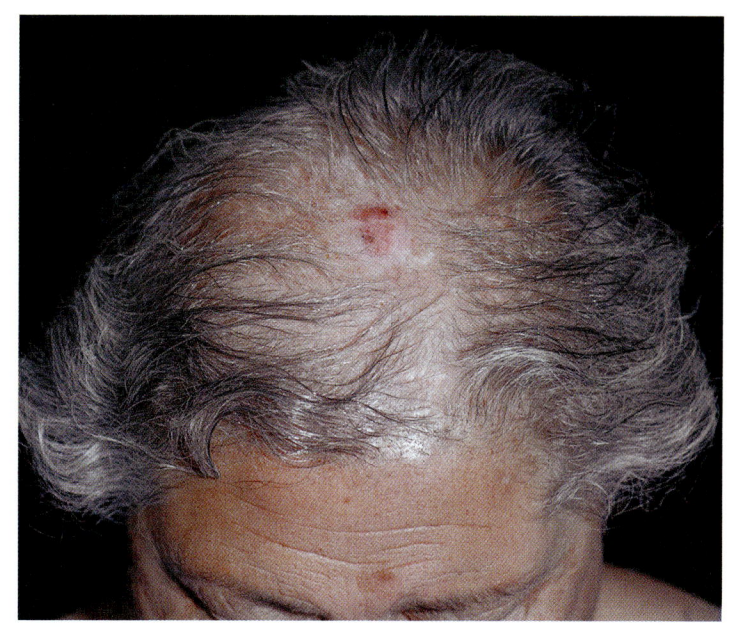

Figura 31-7 Alopécia androgenética: feminina, tipo III de Ludwig com carcinoma basocelular (CBC) Paciente feminina de 67 anos, grega, com alopécia avançada na coroa e CBC surgindo no local.

telógeno, sífilis secundária, lúpus eritematoso sistêmico (LES), deficiência de ferro, hipotireoidismo, hipertireoidismo, tricotilomania (compulsão por arrancar os cabelos), dermatite seborreica. A chamada alopécia senil devido à idade foi inicialmente descrita em pacientes com rarefação difusa, sem história de alopécia androgenética e sem evidências de miniaturização na biópsia de couro cabeludo (ver adiante). Este diagnóstico segue sendo controverso, e algumas autoridades acreditam que a maioria das causas de perda de cabelos significativa nos idosos também depende de andrógenos.

EXAMES LABORATORIAIS

TRICOGRAMA Na alopécia androgenética, a alteração mais precoce é aumento do percentual de pelos telógenos.

DERMATOPATOLOGIA Observa-se abundância de folículos na fase telógena associada a folículos pilosos de tamanho reduzido e, finalmente, atrofia quase total.

EXAMES HORMONAIS Nas mulheres com perda de cabelo e evidências de aumento dos androgênios (irregularidade menstrual, infertilidade, hirsutismo, acne cística grave, virilização), solicitar os seguintes exames:

- Testosterona total e livre
- Sulfato de desidroepiandrosterona (DHEAS)
- Prolactina

OUTROS EXAMES Outras causas de rarefação de cabelos devem ser excluídas com dosagens de hormônio estimulante da tireoide (TSH), T_4 livre, ferro sérico, ferritina sérica e/ou capacidade total de ligação do ferro, hemograma completo e fatores antinucleares (FAN).

DIAGNÓSTICO

O diagnóstico clínico é feito com base na história, padrão de alopécia e na incidência familiar de AAG. Em alguns casos, pode ser necessária a biópsia.

EVOLUÇÃO

A evolução da alopécia geralmente é muito gradual ao longo de anos a décadas.

MANEJO

FINASTERIDA ORAL 1 mg/dia. A finasterida não tem afinidade por receptores de androgênio e, assim, não bloqueia outras ações da testosterona (crescimento do pênis e do escroto, espermatogênese, libido). 5% dos homens que fazem uso de finasterida relatam redução da libido e disfunção erétil; tais efeitos mostraram-se reversíveis com a suspensão do medicamento e desapareceram em dois terços dos que continuaram a tomar finasterida. A dutasterida (2,5 mg) inibe as enzimas redutase tipo I e II, talvez de forma mais potente que a finasterida.

MINOXIDIL TÓPICO A aplicação tópica de solução de minoxidil a 2 ou 5% pode auxiliar a reduzir a velocidade da perda dos cabelos ou restaurar parcialmente os fios perdidos, tanto em homens quanto em mulheres.

ANTIANDRÓGENOS Nas mulheres com AAG que tenham elevação de androgênios da glândula suprarrenal, espironolactona, acetato de ciproterona, flutamida e cimetidina ligam-se aos receptores de androgênio e bloqueiam a ação da DHT. Esses medicamentos não devem ser utilizados em homens.

LATANOPROSTA TÓPICA 0,1%, um análogo de prostaglandina, pode estimular o crescimento do folículo piloso.

ACESSÓRIOS CAPILARES Perucas, apliques, próteses, tranças.

Tratamento cirúrgico

Transplante capilar: colhem-se enxertos de um ou dois folículos em regiões não sensíveis ao androgênio (regiões occipital periférica e parietal) para serem implantados nas regiões calvas sensíveis a androgênio.

Retalhos de redução/rotação do couro cabeludo.

ALOPÉCIA AREATA CID-10: L63.9

- Perda dos pelos localizada em áreas arredondadas ou ovaladas sem qualquer processo inflamatório evidente na pele.
- Não cicatricial; folículos pilosos intactos; o cabelo pode crescer novamente.
- Manifestações clínicas: perda de pelos que varia desde uma placa única à perda total dos pelos terminais.
- Prognóstico: bom quando há envolvimento limitado. Ruim quando há perda extensa.
- Tratamento: o uso de triancinolona intralesional se mostrou eficaz quando há poucas lesões.

ETIOLOGIA E EPIDEMIOLOGIA

ETIOLOGIA A etiologia é desconhecida. Associação com outras doenças autoimunes: 10 a 20% das pessoas com alopécia areata (AA) têm história familiar de AA.

IDADE DE INÍCIO Adultos jovens (< 25 anos); as crianças são afetadas com maior frequência. Pode ocorrer em qualquer idade.

PREVALÊNCIA 1,7% da população dos EUA apresenta pelo menos um episódio de AA ao longo de toda a vida.

PATOGÊNESE

- O dano folicular ocorre na fase anágena e é seguido por transformação rápida para a fase catágena e para a fase telógena; segue-se o estado de fase anágena distrófica. Enquanto a doença está em atividade, os folículos não conseguem ultrapassar a fase anágena inicial.
- A célula-tronco folicular é poupada; os folículos pilosos não são destruídos (não há fibrose).

MANIFESTAÇÃO CLÍNICA

DURAÇÃO DA PERDA DOS CABELOS As placas de AA podem se estabilizar, e frequentemente ocorre repilação espontânea ao longo de vários meses; novas placas podem surgir enquanto outras se resolvem.

MANIFESTAÇÕES ASSOCIADAS Tireoidite autoimune. Síndrome de Down. Síndrome de poliendocrinopatia autoimune com candidíase e displasia ectodérmica.

Pelos

- Alopécia frequentemente bem demarcada com pele de aspecto normal com presença de orifícios foliculares (Figs. 31-8, 31-9, 31-10).
- Pelos em "ponto de exclamação". Pelos caracteristicamente curtos e quebradiços (extremidade distal mais larga que a proximal) (Fig. 31-8); encontrados nos limites das áreas com perda de cabelos.
- Áreas isoladas de alopécia, disseminadas (Fig. 31-9) ou confluentes com perda total dos pelos no couro cabeludo (Fig. 31-10), ou perda generalizada dos pelos corporais (inclusive dos pelos *velus*).
- AA difusa no couro cabeludo (não circunscrita) tem aspecto de rarefação dos cabelos, o que pode ser difícil de diferenciar do eflúvio telógeno ou da perda dos cabelos causada por doença tireoidiana.

Locais de predileção. Mais comum no couro cabeludo. Qualquer região com pelos. Barba, sobrancelha, cílios, região pubiana.

- *Alopécia areata* (AA): uma ou várias áreas de perda de cabelos (Figs. 31-8 e 31-9).
- *AA total* (AAT): perda total dos pelos terminais do couro cabeludo.
- *AA universal* (AAU): perda total de todos os pelos terminais do corpo e couro cabeludo (Fig. 31-10).
- *Ofíase*: perda dos cabelos com padrão em faixa ao longo da periferia do couro cabeludo.

UNHAS Pequenas depressões ("metal martelado") na lâmina dorsal da unha. (Ver também Seção 32, Fig. 32-10.)

DIAGNÓSTICO DIFERENCIAL

ALOPÉCIA NÃO CICATRICIAL *Tinea capitis* com placas brancas, tricotilomania, alopécia cicatricial na fase inicial, alopécia androgenética, sífilis secundária (alopécia areolar) (aspecto de "roído por traça" na barba e no couro cabeludo).

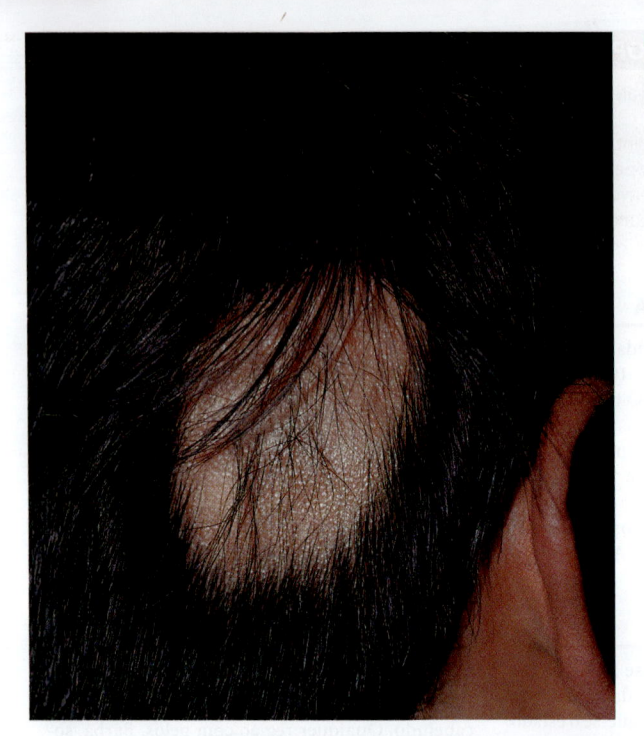

Figura 31-8 Alopécia areata (AA) do couro cabeludo: lesão única Área de alopécia sem descamação, eritema, atrofia ou cicatriz, na região occipital do couro cabeludo. As hastes dos pelos curtas e quebradiças (os chamados pelos em ponto de exclamação) aparecem como cotos muito curtos que emergem do couro cabeludo calvo.

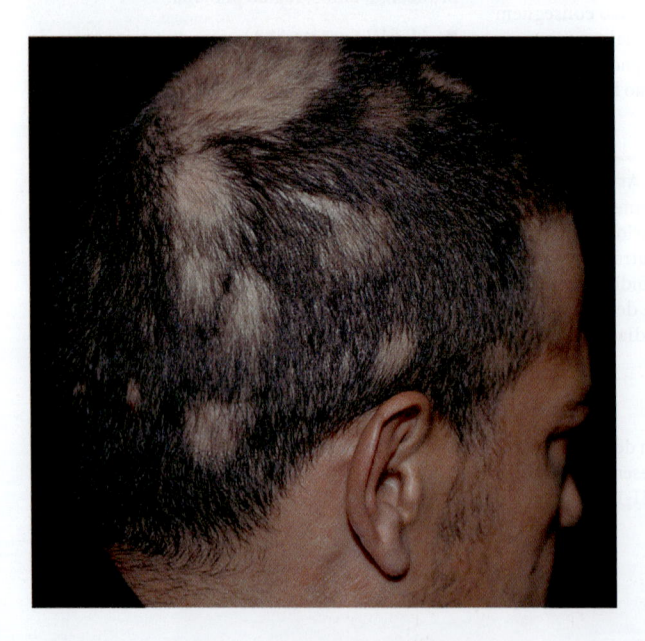

Figura 31-9 Alopécia areata do couro cabeludo: lesões múltiplas e extensas Indivíduo do sexo masculino de 46 anos com placas múltiplas e confluentes de AA.

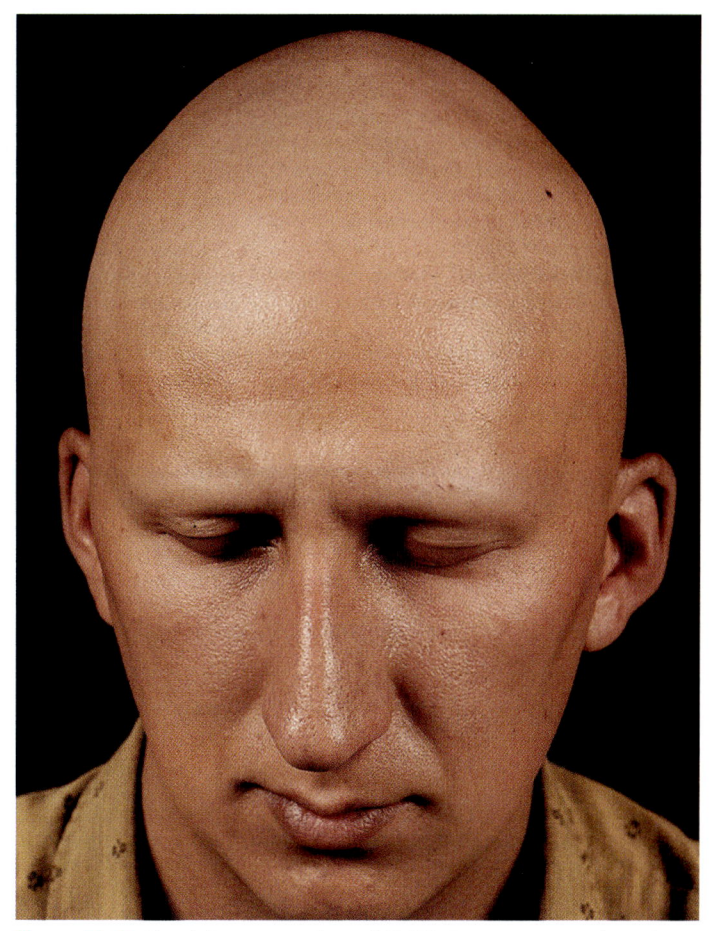

Figura 31-10 Alopécia areata universal (AAU) Este paciente perdeu todos os pelos de couro cabeludo (alopécia total), sobrancelhas, cílios, barba e demais pelos corporais (alopécia universal) e apresentava unhas distróficas ("metal martelado").

EXAMES LABORATORIAIS

SOROLOGIA FAN (para descartar LES); reagina plasmática rápida (RPR) (para descartar sífilis secundária).
EXAME DIRETO COM KOH Para afastar *tinea capitis*.
DERMATOPATOLOGIA As lesões agudas apresentam infiltrados mononucleares de células T e de macrófagos peribulbar, perivascular e na bainha externa da raiz; distrofia folicular com pigmentação anormal e degeneração da matriz. É possível haver aumento no número de folículos na fase catágena/telógena.

EVOLUÇÃO

- Nos casos com AA em placas, é comum haver remissão espontânea, menos frequente com AAT ou AAU.
- Prognóstico ruim nos casos com início na infância, perda de pelos corporais, envolvimento de unhas, atopia e história familiar de AA.
- Contudo, é frequente haver recorrência da AA.

TRATAMENTO

- Dirigido ao infiltrado inflamatório. Não há tratamento curativo disponível.
- Em muitos casos, o fator mais importante para o tratamento é o apoio psicológico do dermatologista, dos familiares e de grupos de apoio (The National Alopecia Areata Foundation, http://www.naaf.org/).
- Os indivíduos com envolvimento extenso do couro cabeludo, como os com AAT, talvez prefiram usar peruca ou aplique.

- O uso de maquiagem nas sobrancelhas pode ajudar. É possível fazer maquiagem definitiva das sobrancelhas.

GLICOCORTICOIDES *Tópicos.* Os agentes superpotentes geralmente não são eficazes.
Infiltração intralesional. Quando em pequeno número e pequenas, as lesões de AA podem ser tratadas com infiltração intralesional de acetato de triancinolona, 3 a 7 mg/mL.
Glicocorticoides sistêmicos. Podem induzir ao crescimento de pelos, mas a AA recorre após a suspensão do tratamento.
CICLOSPORINA SISTÊMICA Induz a repilação, mas a AA recidiva com a suspensão do tratamento.

INDUÇÃO DE DERMATITE DE CONTATO ALÉRGICA Há relatos de sucesso com dinitroclorobenzeno, dibutiléster do ácido esquárico ou difenciprona, mas o desconforto local causado pela dermatite de contato alérgica e o aumento dos linfonodos regionais são problemáticos.
PUVA (FOTOQUIMIOTERAPIA) ORAL Com eficácia variável, chegando a 30%, uma tentativa é válida nos pacientes que estejam muito angustiados com o problema. Todo o corpo deve ser exposto.
INIBIDORES DA JANUS-QUINASE ("inibidores JAK:" ruxolitinibe e tofacitinibe) são aprovados pela FDA para a doença moderada a grave (mais de 30% de perda) e são eficazes. Ainda não foi determinado por quanto tempo os agentes devem ser administrados.

EFLÚVIO TELÓGENO CID-10: L65.0

- Aumento transitório da queda de pelos normais claviformes (telógeno) de folículos em repouso no couro cabeludo.
- Secundária à aceleração da passagem da fase anágena (fase de crescimento) para catágena e telógena (fase de repouso).
- Resulta em aumento na perda diária de cabelo e, quando intensa, em rarefação difusa do couro cabeludo.

ETIOLOGIA E EPIDEMIOLOGIA

ETIOLOGIA Padrão reacional para diversos estressores físicos ou mentais.
Endócrinos: hipo ou hipertireoidismo; pós-parto; suspensão ou alteração de fármacos contendo estrogênio.
Deficiência nutricional: biotina, zinco, ferro, ácidos graxos essenciais.
Perda rápida de peso, privação de calorias ou de proteínas, deficiência crônica de ferro, ingestão excessiva de vitamina A.
Estresse físico: doenças febris, doenças catabólicas (p. ex., câncer, infecção crônica), cirurgia de grande porte, grandes traumas, estresse psicológico agudo ou crônico.
Estresse psicológico: transtornos de ansiedade, depressão, transtorno bipolar.
Intoxicação: tálio, mercúrio, arsênico.
Fármacos: Ver **Quadro 31-2**.
Idiopática: nenhuma causa evidente em um número significativo de casos.
IDADE DE INÍCIO Qualquer idade.
SEXO Mais comum nas mulheres em razão de parto, suspensão de contraceptivo oral e dieta "radical".
INCIDÊNCIA É a segunda causa mais comum de alopécia após AAG.

PATOGÊNESE

- Eflúvio telógeno: aumento expressivo no número de fios de cabelo perdidos diariamente. O estímulo desencadeante resulta em mudança prematura dos folículos anágenos para a fase telógena. O eflúvio telógeno ocorre em 3 a 4 meses após o episódio desencadeante.
- Pode tornar-se crônico, mas raramente a perda vai além de 50%.

MANIFESTAÇÃO CLÍNICA

LESÕES CUTÂNEAS Não se verifica qualquer anormalidade no couro cabeludo.
CABELOS (**Fig. 31-11**) Queda difusa dos cabelos. A tração suave dos cabelos retira muitos fios ou pelos telógenos.
Distribuição. A perda dos cabelos é difusa por todo o couro cabeludo. Os cabelos são mais finos que os mais velhos e têm ponta afilada.
UNHAS O estímulo desencadeante do eflúvio telógeno também pode afetar o crescimento das unhas, resultando nas linhas de Beau (ver Linhas transversas ou de Beau, ver Seção 32), que são linhas ou sulcos transversais sobre as lâminas ungueais das mãos e dos pés.

QUADRO 31-2 Alopécia induzida por fármacos

Fármacos	Características da alopécia
Agentes usados no tratamento de transtorno bipolar	
Lítio	Provável eflúvio telógeno
Anticoagulantes	Provável eflúvio telógeno
Heparina	
Varfarina	
Anticonvulsivantes	
Trimetadiona	Provável eflúvio telógeno
Antimitóticos	
Colchicina	Eflúvio anágeno
Antineoplásicos	Eflúvio anágeno
Bleomicina, ciclofosfamida, citarabina, dacarbazina, dactinomicina, daunorrubicina, doxorrubicina, etoposídeo, fluoruracila, hidroxiureia, ifosfamida, mecloretamina, melfalana, metotrexato, mitomicina, mitoxantrona, nitrosureias, procarbazina, tiotepa, vimblastina, vincristina	
Antiparkinsonianos	
Levodopa	Provável eflúvio telógeno
Betabloqueadores	Provável eflúvio telógeno
Metoprolol	
Propranolol	
Bloqueadores H_2	
Cimetidina	Provável eflúvio telógeno
Contraceptivos	
Anticoncepcionais orais	Perda difusa dos cabelos (eflúvio telógeno) 2 a 3 meses após a suspensão do contraceptivo oral
Derivados do *ergot* (usados para tratamento de prolactinemia)	
Bromocriptina	Provável eflúvio telógeno
Inibidores da ECA	
Enalapril	Provável eflúvio telógeno
Metais pesados (intoxicação)	
Tálio	Perda difusa de pelos anágenos anormais 10 dias após a ingestão; perda total de cabelo em 1 mês; caracteristicamente, perda acentuada de cabelo nas regiões laterais da cabeça, e também da região lateral das sobrancelhas
Mercúrio e chumbo	Perda difusa de cabelo na exposição aguda e crônica
Pesticidas	
Ácido bórico	Alopécia total do couro cabeludo relatada após intoxicação aguda; com exposição crônica, há ressecamento e queda de cabelo
Redutores do colesterol	
Clofibrato	Associação ocasional à perda de cabelo
Retinoides	
Etretinato	Aumento da queda de cabelo e na contagem de pelos telógenos no teste de tração; redução na duração da fase anágena
Isotretinoína	Perda difusa; provavelmente pelo mesmo mecanismo acima

Usado com permissão de Suzanne Virnelli-Grevelink, MD.

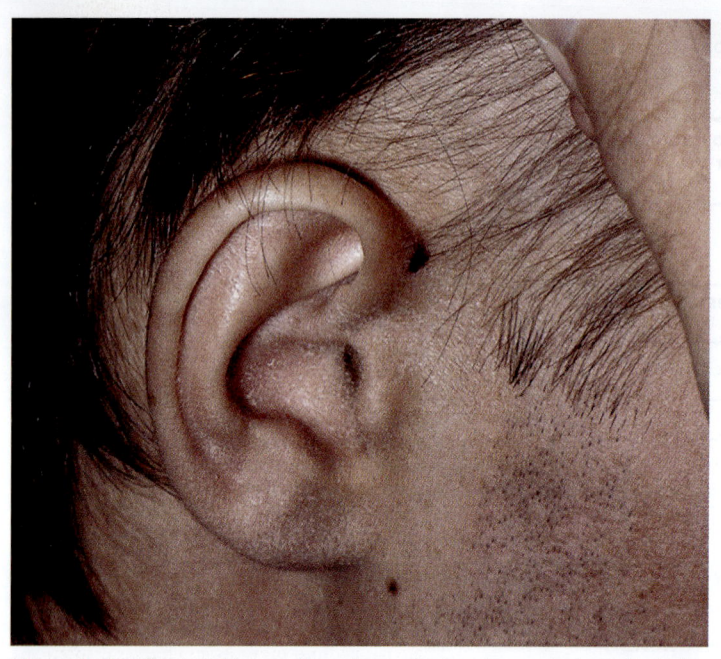

Figura 31-11 Eflúvio telógeno Um aglomerado de pelos segurados pelos dedos, associado à rarefação acentuada dos cabelos no couro cabeludo. Com a manobra mostrada na fotografia, foi possível remover 30 a 40 fios de cabelo a cada tração.

DIAGNÓSTICO DIFERENCIAL

AUMENTO DA QUEDA DE CABELO ± ALOPÉCIA NÃO CICATRICIAL Alopécia androgenética, alopécia areata difusa, síndrome dos cabelos anágenos frouxos, hipertireoidismo, hipotireoidismo, LES, sífilis secundária, alopécia induzida por fármacos (Quadro 31-2).

EXAMES LABORATORIAIS

TESTE DA TRAÇÃO Comparando-se com a tração em cabelo normal, na qual 80 a 90% dos fios se encontram em fase anágena, o eflúvio telógeno caracteriza-se por redução na porcentagem de pelos na fase anágena.
HEMOGRAMA COMPLETO Descartar anemia ferropriva.
BIOQUÍMICA Ferro sérico, capacidade de ligação do ferro.
TSH Descartar doença da tireoide.
SOROLOGIA FAN, RPR.
HISTOPATOLOGIA Aumento na proporção de folículos telógenos.

DIAGNÓSTICO

Feito com base em história, manifestações clínicas, teste da tração dos cabelos e, possivelmente, biópsia, tendo-se excluído outras causas.

EVOLUÇÃO E PROGNÓSTICO

A regra é a repilação total dos cabelos. No eflúvio telógeno do pós-parto, se a perda de cabelo for grande e recorrer em gestações sucessivas, a repilação pode jamais ser completa. O eflúvio telógeno pode persistir por até 1 ano após a causa desencadeante.

MANEJO

Não há necessidade ou indicação de intervenção. O paciente deve ser tranquilizado com a afirmação de que se trata de processo que faz parte do ciclo normal de crescimento dos pelos.

EFLÚVIO ANÁGENO CID-10: L65.1

- Etiologia: radioterapia da cabeça; quimioterapia com agentes alquilantes; intoxicações; desnutrição proteica.
- Início geralmente rápido e extenso (ver **Fig.31-12**).
- Patogênese: Ocorre após agressão ao folículo piloso que possa impactar sua atividade mitótica/metabólica.
- Mais comum e intenso em pacientes submetidos à quimioterapia combinada do que nos tratados com agente único. A intensidade geralmente é dose-dependente.
- A repilação geralmente é rápida após a suspensão da quimioterapia.

ETIOLOGIA

Interrupção do ciclo anágeno, causando graus variáveis de distrofia do folículo piloso:

- *Radioterapia* da cabeça.
- *Agentes alquilantes*: Ver Quadro 31-2.
- *Intoxicações*: Mercúrio, ácido bórico e tálio.
- Desnutrição proteica grave.

PATOGÊNESE

- Ocorre após qualquer agressão ao folículo piloso que impeça sua atividade mitótica/metabólica.

MANIFESTAÇÕES CLÍNICAS

PELOS Perda de cabelos difusa e extensa (Fig. 31-12). Os fios quebram-se ao nível do couro cabeludo. Também podem cair os pelos de sobrancelhas, cílios, barba e do corpo.

UNHAS Apresentam estrias ou sulcos transversais.

EVOLUÇÃO

- Os pelos renascem após a suspensão da quimioterapia.
- A repilação após radioterapia depende de tipo, profundidade e fracionamento da dose; é possível haver lesão irreversível das células-tronco foliculares.

TRATAMENTO

Não há medidas preventivas efetivas disponíveis.

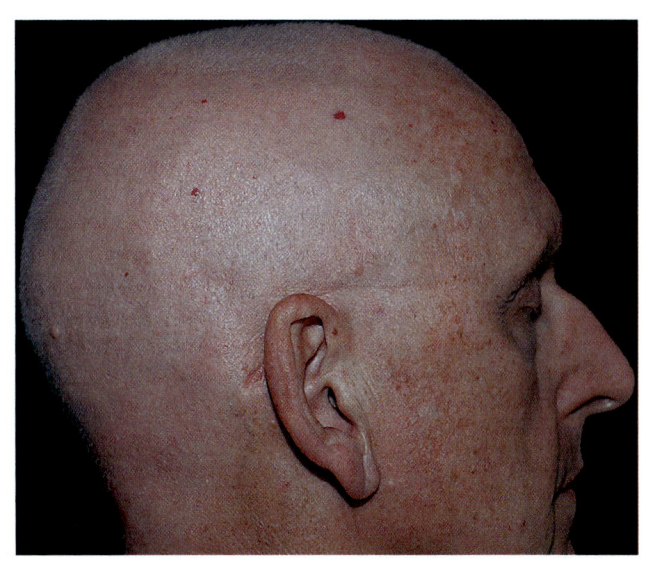

Figura 31-12 Eflúvio anágeno: quimioterapia Todos os pelos de couro cabeludo, face e corpo caíram. A inspeção atenta revela que o cabelo do couro cabeludo começou a crescer novamente.

ALOPÉCIA CICATRICIAL   CID-10: L66.0-L66.9

- A alopécia cicatricial primária (fibrótica) resulta de lesão ou destruição das células-tronco dos folículos pilosos por:
- Processos inflamatórios (geralmente não infecciosos).
- Infecção: por exemplo, *tinea capitis* tipo "quérion", herpes-zóster necrosante.
- Outros processos patológicos: cicatriz cirúrgica, neoplasia primária ou metastática.
- Manifestações: desaparecimento dos orifícios foliculares com distribuição focal ou em placas, geralmente no couro cabeludo ou na barba.
- O resultado final é o desaparecimento dos orifícios foliculares e a substituição por tecido fibroso (Quadro 31-3).
- A cicatriz é irreversível. Os tratamentos não são eficazes.

Lúpus eritematoso cutâneo crônico (LECC) (discoide): Ver Seção 14.

- Pode ocorrer sem outras manifestações ou evidências sorológicas de lúpus eritematoso.
- Manifestações:
- LECC: placas eritematosas (Figs. 31-13 a 31-15). Tampões ceratóticos foliculares ("tachas de carpete"). Difusas. Com número variável. Podem confluir. Hipopigmentação pós-inflamatória e/ou formação de plugues foliculares.
- LES: eritema difuso no couro cabeludo com rarefação difusa dos cabelos (Fig. 31-14).
- LE túmido: placa inflamatória violácea dérmica com perda de cabelos na região sobrejacente.
- Dermatopatologia: ver "Lúpus eritematoso" na Seção 14.

LÍQUEN PLANO PILAR (LPP) Ver "Líquen plano" na Seção 14.

QUADRO 31-3 Classificação das alopécias cicatriciais primárias

Linfocíticas
Lúpus eritematoso cutâneo crônico (discoide)
Líquen plano pilar (LPP)
   LPP clássico
   Alopécia frontal fibrosante
   Síndrome de Graham-Little
Pseudopelada clássica de Brocq
Alopécia cicatricial centrífuga central
Alopécia mucinosa
Ceratose folicular espinulosa decalvante

Neutrofílicas
Foliculite decalvante
Foliculite (celulite) dissecante

Mistas
Foliculite queloidiana
Foliculite necrótica
Dermatose pustular erosiva

- Líquen plano (LP) folicular é associado à alopécia cicatricial, resultando em perda permanente dos cabelos (Fig. 31-16).
- O LPP pode ou não estar associado ao LP da pele ou das mucosas.
- Afeta mais mulheres de meia-idade.
- Manifestações no couro cabeludo: eritema perifolicular ± hiperceratose. Couro cabeludo de cor violácea. A inflamação prolongada resulta em alopécia cicatricial. Em alguns casos, a inflamação folicular e a descamação estão ausentes, havendo apenas áreas de alopécia cicatricial, a chamada pseudopelada ou "pegadas na neve". Distribuição: principalmente na região parietal do couro cabeludo; afeta também outras áreas pilosas, como região inguinal e axilas.
- Sintomas: Dor no couro cabeludo.
- Variantes:
  - *Síndrome de Graham-Little*: lesões semelhantes ao LP com "espículas" foliculares ou lesões semelhantes às da ceratose pilar nas regiões de alopécia no couro cabeludo, sobrancelhas, axilas e região pubiana.
  - *Alopécia frontal fibrosante*: recessão da linha frontotemporal de implantação dos cabelos e perda das sobrancelhas com eritema perifolicular nas mulheres na pós-menopausa (Fig. 31-17); o exame histológico revela LPP.

Pseudopelada de Brocq

- Estágio final de todas as alopécias cicatriciais não inflamatórias e de diversos distúrbios inicialmente inflamatórios.
- Manifestações:
  - Lesões iniciais: áreas isoladas, lisas e irregulares de alopécia cor de pele ou rosadas sem hiperceratose folicular ou inflamação perifolicular (Fig. 31-18).
  - Padrão de alopécia: inicialmente padrão em "roído de traça", finalmente coalescendo para formar grandes placas de alopécia ("pegadas na neve").
  - Dermatopatologia: semelhante ao LPP.

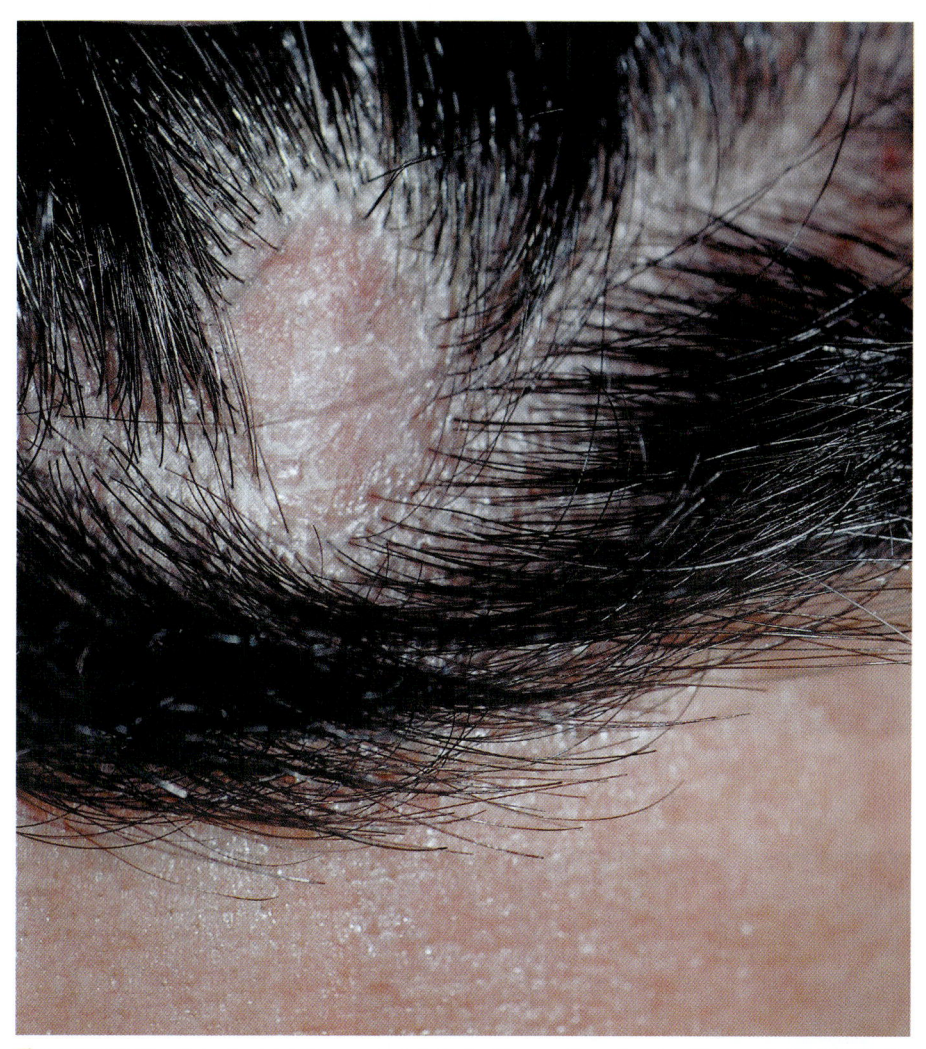

Figura 31-13 Alopécia cicatricial no couro cabeludo: lúpus eritematoso cutâneo crônico (LECC) Paciente do sexo masculino de 41 anos com diversas placas ceratóticas discoides vermelhas no couro cabeludo há 1 ano. Na região frontal, identifica-se uma lesão descamativa eritematosa com alopécia cicatricial.

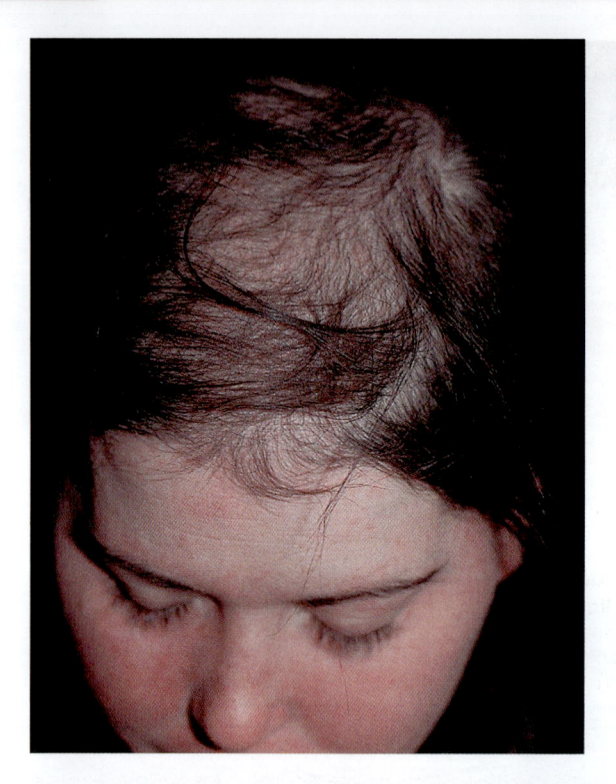

Figura 31-14 Alopécia cicatricial difusa no couro cabeludo: lúpus eritematoso sistêmico (LES) e lesões de LECC Paciente do sexo feminino de 36 anos com LES cutâneo crônico mal controlado há 3 anos. Alopécia difusa associada a lesões discoides isoladas com alopécia cicatricial.

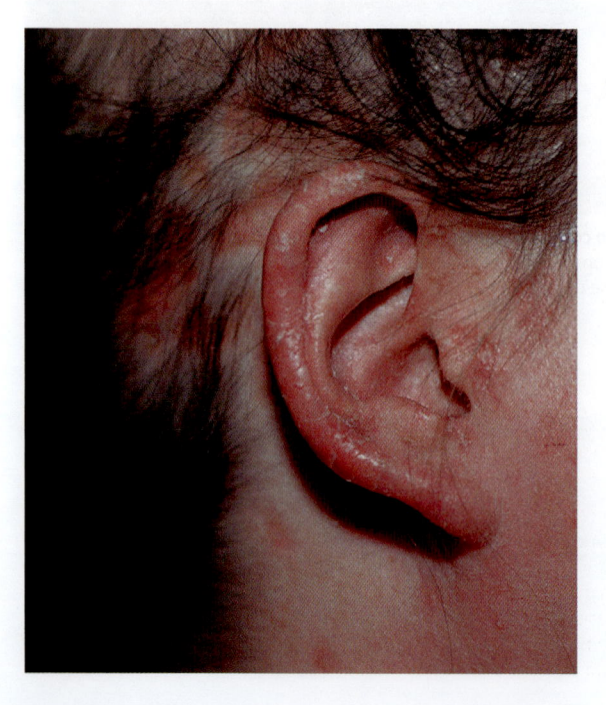

Figura 31-15 A mesma paciente da **Figura 31-14**. Eritema nas orelhas e áreas eritematosas de alopécia cicatricial no couro cabeludo.

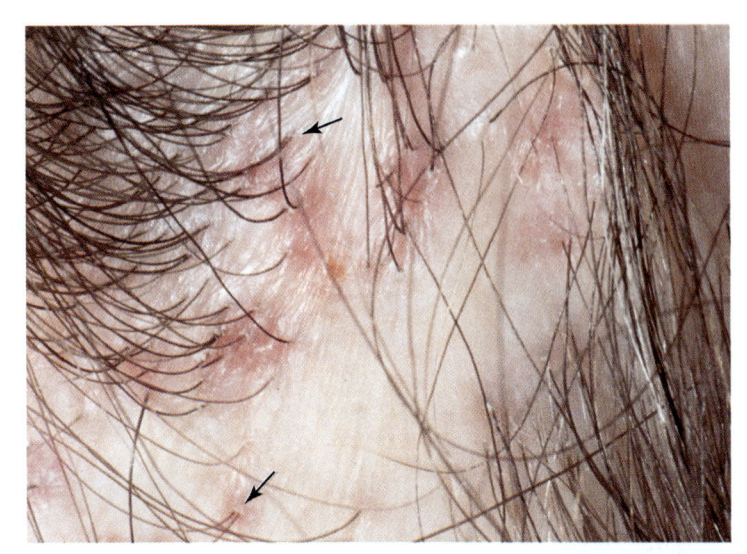

Figura 31-16 Alopécia cicatricial no couro cabeludo: pseudopelada de Brocq causada por líquen plano O couro cabeludo é liso, brilhante, sem cabelo e sem folículos pilosos em várias regiões; alguns dos folículos remanescentes estão inflamados com eritema e descamação perifoliculares. Veem-se vários fios de cabelo emergindo de um mesmo local na região da alopécia (*setas*). O termo "pseudopelada" implica semelhança com a alopécia areata.

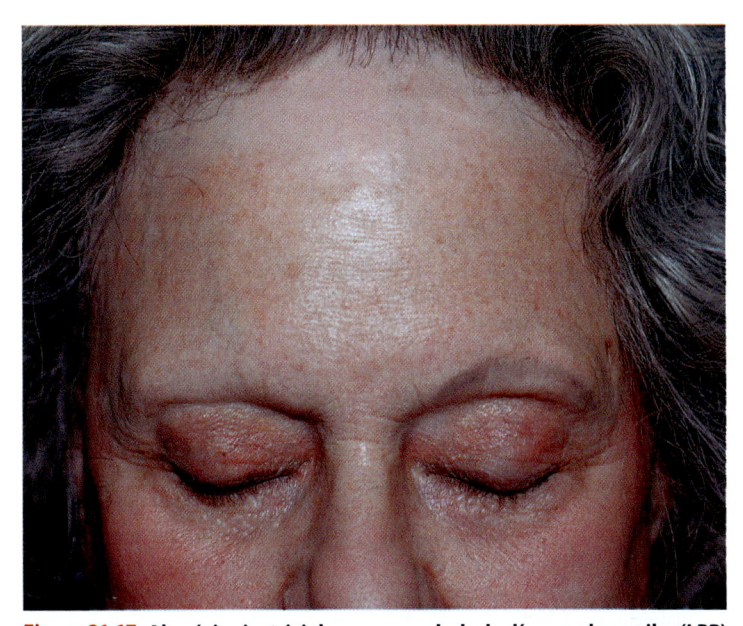

Figura 31-17 Alopécia cicatricial no couro cabeludo: líquen plano pilar (LPP) A linha frontal de implantação dos cabelos gradualmente recuou; a região da alopécia não tem a mesma pigmentação da pele da fronte, que havia sido exposta ao sol por toda a vida. Ambas as sobrancelhas estão sem pelos; a sobrancelha direita foi desenhada. Os cílios parecem normais. Não há outros achados clínicos de LP. Esta variante clínica do LPP é denominada alopécia frontal fibrosante.

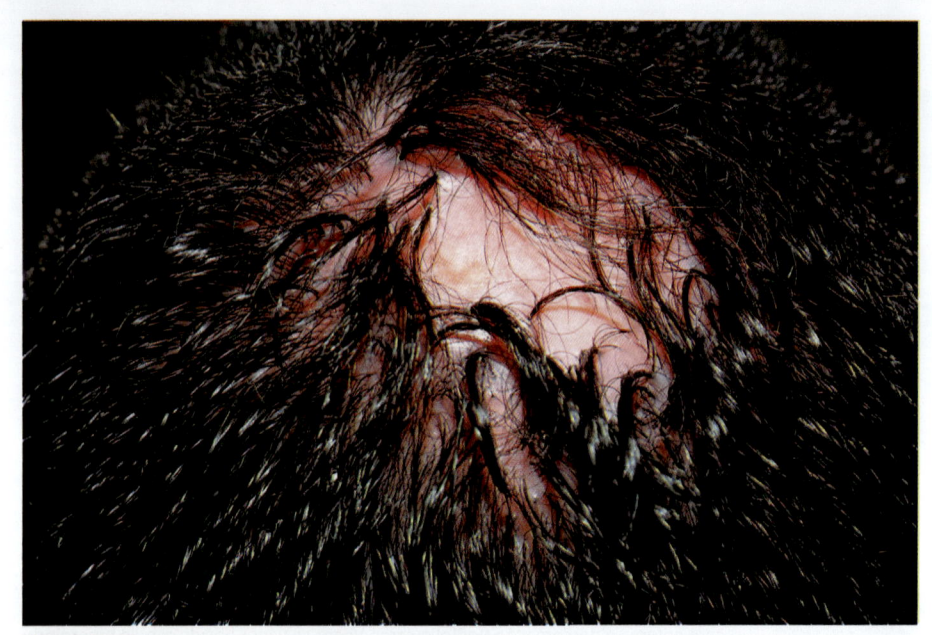

Figura 31-18 **Alopécia cicatricial no couro cabeludo: pseudopelada de Brocq** Alopécia cicatricial extensa com ilhas residuais de folículos pilosos e de cabelo no vértice. Observam-se os tufos capilares (vários folículos pilosos emergindo em grupos do couro cabeludo) e ausência de eritema, descamação ou crosta.

Alopécia cicatricial centrífuga central (ACCC)
- *Sinônimos*: síndrome da degeneração folicular, alopécia do "pente quente" *(hot comb)*, pseudopelada.
- Mais comum em mulheres negras. Relação incerta com processos químicos, calor ou tensão crônica sobre o cabelo, mas é prudente que sejam evitados.
- Alopécia lentamente progressiva que inicia na coroa/região medial do vértice da cabeça e evolui centrifugamente às regiões adjacentes.
- Dermatopatologia: a alteração inicial que mais se destaca é a descamação prematura da bainha interna da raiz com alterações tardias da bainha externa da raiz, perda do epitélio folicular e substituição por tecido fibroso.

Alopécia mucinosa (mucinose folicular)
- Lesões eritematosas (pápulas, placas ou áreas planas) de alopécia, localizadas principalmente no couro cabeludo e/ou na face.
- Dermatopatologia: deposição de mucina, principalmente nos folículos e no epitélio/glândulas sebáceas, infiltrado linfo-histiocítico perifolicular sem fibrose lamelar concêntrica.
- Pode ser um sintoma do linfoma cutâneo de células T (ver Seção 21).

Foliculite decalvante
- Foliculite pustular que provoca a perda do cabelo. Os fios sobreviventes amontoam-se, emergindo de um mesmo orifício folicular (foliculite em tufos).
- Induração ou amolecimento de couro cabeludo/barba com pústulas, erosões, crostas (Fig. 31-19) e descamação.
- É comum haver infecção por *S. aureus*. Não se sabe se essa infecção é primária ou secundária.
- Dermatopatologia: inicialmente, foliculite supurativa aguda.
- A alopécia cicatricial é irreversível. Antibióticos sistêmicos, rifampicina, glicocorticoides sistêmicos e/ou tópicos e/ou intralesionais e retinoides sistêmicos têm sido utilizados. A infecção por *S. aureus* deve ser documentada e tratada com agente antimicrobiano apropriado.

Foliculite dissecante
- *Sinônimos*: celulite dissecante, perifolliculitis abscedens et suffodiens.
- Etnia: mais comum em indivíduos negros do sexo masculino.
- Nódulos inflamatórios profundos iniciais, principalmente na região occipital, que coalescem em regiões amolecidas do couro cabeludo

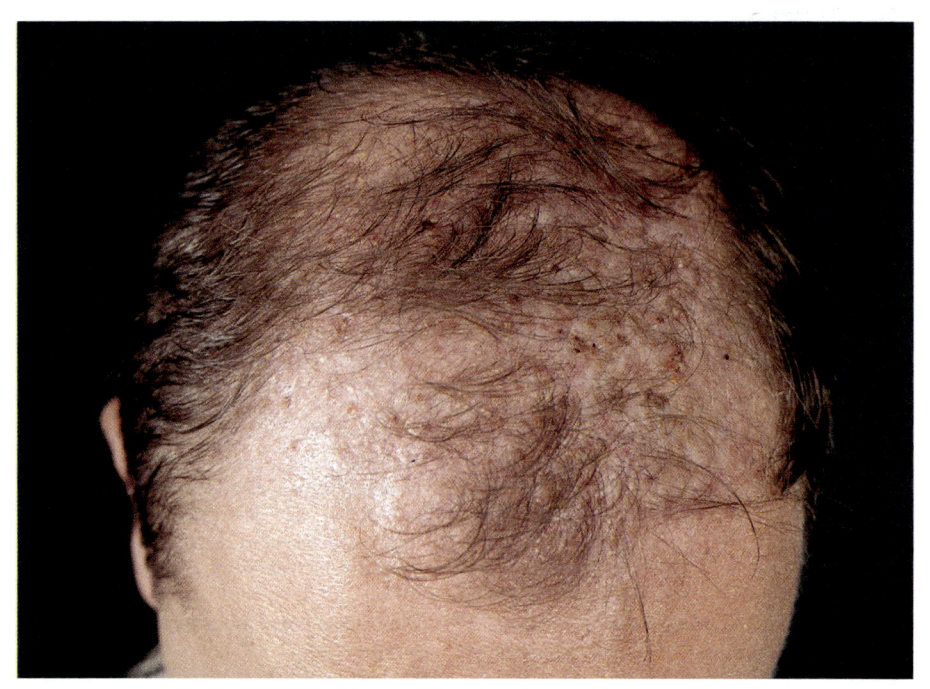

Figura 31-19 Alopécia cicatricial do couro cabeludo: foliculite decalvante Eritema, pápulas inflamatórias, crostas e cicatrizes no couro cabeludo. Também se observa calvície androgenética de padrão masculino.

(Fig. 31-20). Podem se formar tratos fistulosos; é possível a expressão de exsudato purulento. É comum haver infecção secundária por *S. aureus*.
- Dermatopatologia: na fase inicial, tampões foliculares e abscessos foliculares/perifoliculares supurativos com infiltrado inflamatório misto; posteriormente, células gigantes de corpo estranho, tecido de granulação e fibrose com tratos fistulosos.
- A alopécia cicatricial é irreversível. A infecção por *S. aureus* deve ser documentada e tratada com agente antimicrobiano apropriado.

Foliculite queloidiana da nuca
- *Sinônimo*: acne queloidiana (da nuca).
- Ocorre mais frequentemente em indivíduos negros do sexo masculino.
- Ocorre geralmente no couro cabeludo da região occipital e na nuca, iniciando com erupção papular ou pustular crônica (Fig. 31-21). Pode haver formação de queloide.
- A lesão inicial leve talvez responda à triancinolona intralesional. Se for isolado *S. aureus* na cultura, tratar com agentes antimicrobianos apropriados.

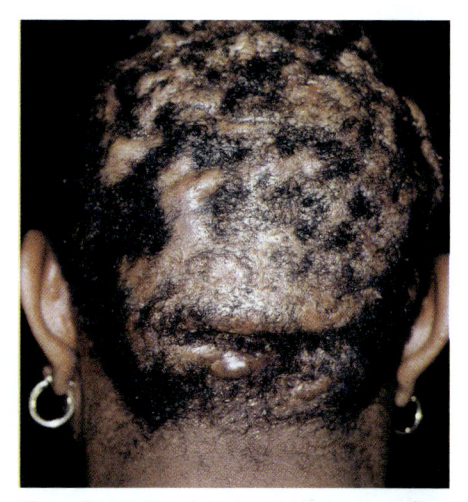

Figura 31-20 Alopécia cicatricial do couro cabeludo: foliculite dissecante Paciente do sexo feminino, negra, de 46 anos, com formação de abscesso no couro cabeludo de longa duração que resultou em cicatriz hipertrófica muito grave. Havia acne cística e hidradenite supurativa associadas.

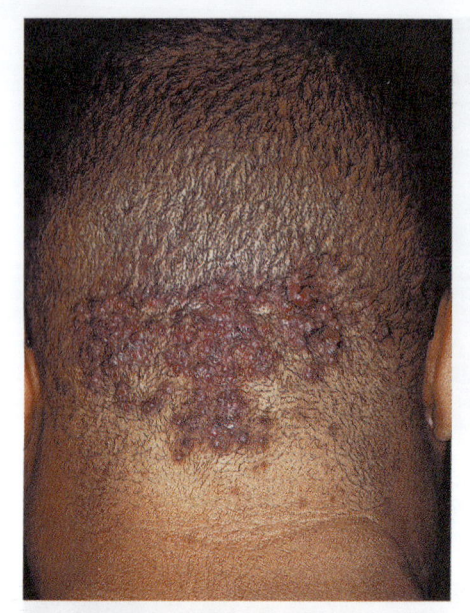

Figura 31-21 Alopécia cicatricial do couro cabeludo: foliculite queloidiana Paciente masculino negro de 31 anos, apresentando cicatrizes papulares com 3 anos de duração e pústulas foliculares confluentes no couro cabeludo occipital e na região cervical posterior.

Pseudofoliculite da barba

- *Sinônimo*: "machucados do barbeador".
- Comum em homens negros que se barbeiam.
- Relacionada com folículos pilosos curvos. O pelo cortado sofre retração sob a superfície da pele, cresce e penetra na parede folicular (tipo transfolicular) ou na pele circundante (tipo extrafolicular) causando reação tipo corpo estranho.
- Distribuição: qualquer área depilada, ou seja, barba (**Fig. 31-22**), couro cabeludo, púbis.
- Ocorrem queloides de graus variáveis nos locais envolvidos.
- É comum haver infecção secundária por *S. aureus*.

Acne necrótica

- Pápula folicular de base eritematosa, pruriginosa ou dolorosa, com necrose central e crosta, que involui deixando cicatriz deprimida.
- As lesões ocorrem na região anterior do couro cabeludo, na fronte e no nariz e, às vezes, no tronco.
- Dermatopatologia: foliculite linfocítica necrosante.
- Resposta insatisfatória ao tratamento. Há relatos de eficácia com tratamento sistêmico utilizando-se agentes antimicrobianos e isotretinoína.

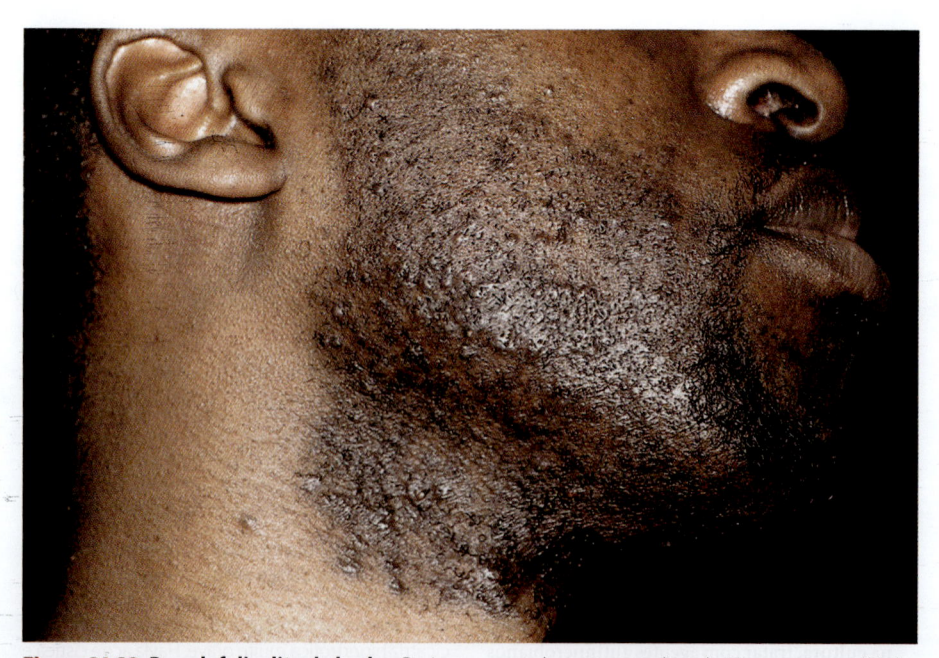

Figura 31-22 Pseudofoliculite da barba Paciente negro do sexo masculino de 29 anos com múltiplas cicatrizes papulares foliculares na região da barba; a presença de pústulas foliculares geralmente indica foliculite secundária por *S. aureus*.

Dermatose pustulosa erosiva do couro cabeludo

- Doença de idosos, principalmente mulheres, embora ocorram casos em pediatria.
- Manifestações: placas crostosas crônicas, amolecidas no couro cabeludo, sobrejacentes a erosões e pústulas exsudativas que levam à alopécia cicatricial.
- Pode se seguir a trauma ou a tratamento de ceratoses actínicas.
- Dermatopatologia: infiltrado linfoplasmocítico com ou sem células gigantes de corpo estranho e atrofia pilossebácea.
- Resposta insatisfatória ao tratamento. Tratar infecção comprovada por S. aureus.

EXAMES LABORATORIAIS

BIÓPSIA DE COURO CABELUDO Biópsia com *punch* de 4 mm, incluindo tecido subcutâneo com preparo para cortes horizontais. Uma segunda biópsia com punch de 4 mm para cortes verticais e imunofluorescência direta, particularmente se houver suspeita de lúpus.

TRATAMENTO

GLICOCORTICOIDES Glicocorticoides tópicos de alta potência e intralesionais (p. ex., triancinolona) representam a base do tratamento, melhorando os sintomas e estimulando o crescimento de pelos.
ANTIBIÓTICOS Podem ser eficazes, especialmente se for documentada infecção por S. aureus. As propriedades anti-inflamatórias de hidroxicloroquina e doxiciclina também têm sido usadas mesmo na ausência de infecção documentada, em especial para alopécias cicatriciais linfocíticas nas apresentações clínicas iniciais (LPP e ACCC).

CRESCIMENTO EXCESSIVO DE PELOS CID-10: L68/68.9

- Ocorre com dois padrões.
  - Hirsutismo: em mulheres, em locais em que o crescimento de pelos é controlado por androgênio.
  - Hipertricose: densidade ou comprimento de pelos além dos limites normais para idade, etnia, sexo (generalizado, localizado; lanugem, *velus* ou terminais).

HIRSUTISMO

- Crescimento excessivo de pelos (mulheres) com padrão dependente de androgênio, secundário ao aumento da atividade androgênica.
- Normalmente, apenas indivíduos pós-púberes do sexo masculino apresentam pelos terminais nesses locais.

ETIOLOGIA E EPIDEMIOLOGIA

DEFINIÇÃO Secundária a aumento da atividade androgênica.
ETIOLOGIA Ver Quadro 31-4.
FATORES DE RISCO Influências familiares, étnicas e raciais. Hirsutismo: brancos > negros > asiáticos.
PREVALÊNCIA NOS ESTADOS UNIDOS Pesquisa em mulheres adultas jovens: 25% apresentavam pelos faciais facilmente observados e 17% tinham pelo periareolar.

PATOGÊNESE

- A di-hidrotestosterona, originada da conversão da testosterona por ação da 5α-R no folículo piloso, é o hormônio estimulador do crescimento dos pelos; 50 a 70% da testosterona circulante nas mulheres normais são derivados dos precursores androstenediona e DHEA; o restante é secretado diretamente, principalmente pelos ovários. Nas mulheres com hiperandrogenismo, uma porcentagem maior de androgênios é secretada diretamente.
- Nas mulheres, as glândulas suprarrenais secretam androstenediona, DHEA, sulfato de DHEA e testosterona; os ovários secretam principalmente androstenediona e testosterona.

MANIFESTAÇÃO CLÍNICA

HISTÓRIA

- Sintomas de virilização: alopécia androgenética padrão feminino a padrão masculino, acne, engrossamento da voz, aumento da massa muscular, clitoromegalia, aumento da libido, alteração da personalidade. Início relativamente recente ou rápido dos sintomas e sinais *não* associados à puberdade.
- Outras: amenorreia ou alteração na menstruação. Hipertensão de início recente.

QUADRO 31-4 Etiologia do hirsutismo

Tumores secretores de androgênios: geralmente associados à irregularidade menstrual/amenorreia

Suprarrenal	Ovário
Adenoma	Tumor do estroma gonadal
Adenocarcinoma	Tecoma
Tumor ectópico produtor de ACTH	Tumor lipoide

Excesso funcional de androgênios

Deficiências de enzimas suprarrenais (hiperplasia suprarrenal congênita)	Síndrome de Cushing
	Doença do ovário policístico
Deficiência de 21-hidroxilase de início precoce	Com ou sem contribuição suprarrenal
Deficiência de 21-hidroxilase de início tardio	Hipertecose
Deficiência de 11β-hidroxilase	
Deficiência de 3β-desidroxilase	

Hirsutismo "idiopático"

Induzido por fármacos/drogas

Hirsutismo. (1) Observar o grau de excesso de pelos, (2) observar todos os locais com pelos, (3) avaliar a progressão e o tratamento.

- Crescimento recente de pelos terminais (**Fig. 31-23**), especialmente na face (**Fig. 31-23A**), no tórax, no abdome, no dorso superior, nos ombros.

SÍNDROME DE CUSHING Obesidade centrípeta, consumo muscular (especialmente perda de força nos músculos periféricos), estrias violáceas.

EXAME PÉLVICO Se houver suspeita de síndrome do ovário policístico.

AVALIAÇÃO LABORATORIAL DO HIRSUTISMO

TESTOSTERONA SÉRICA Se maior do que 200 ng/mL, excluir tumor secretor de androgênios.

TESTOSTERONA LIVRE E DESIDROEPIANDROSTERONA SÉRICAS Exame mais sensível; a maioria das mulheres com níveis de androgênios moderadamente elevados apresenta síndrome do ovário policístico. Níveis maiores de 800 µg/d sugerem tumor de suprarrenal.

17-HIDROXIPROGESTERONA Níveis elevados sugerem HSRC; confirma-se o diagnóstico repetindo a dosagem após estimulação com ACTH.

PROLACTINA SÉRICA Hiperprolactinemia causada por macro ou microprolactinoma ou por tratamento com neurolépticos; é possível haver irregularidade menstrual, infertilidade ou galactorreia associadas.

17-CETOSTEROIDE URINÁRIO Auxilia na avaliação da quantidade global de secreção de androgênios. O resultado é comparado aos níveis normais para a faixa etária; níveis máximos ocorrem aos 30 anos (declínio significativo com a idade daí em diante).

OLIGOMENORREIA/AMENORREIA Prolactina, hormônio folículo-estimulante, testosterona total.

MANEJO

TRATAMENTO ESTÉTICO Clareamento: Peróxido de hidrogênio. Remoção temporária: raspagem, depilação com cera e outras substâncias químicas. Creme de eflornitina. Epilação a *laser*. Eletrólise.

PERDA DE PESO A obesidade aumenta os níveis de testosterona livre ao reduzir a quantidade da proteína ligante do hormônio.

CONSULTA COM ENDOCRINOLOGISTA Nos casos com suspeita de HSRC de início tardio, síndrome de Cushing ou tumor.

TERAPIA SISTÊMICA COM ANTIANDROGÊNIOS Antiandrogênios VO. Espironolactona (100 a 200 mg/dia). Acetato de ciproterona. Finasterida.

CONTRACEPTIVOS ORAIS Inibem a síntese de androgênios, inibindo a liberação de gonadotrofinas; mais eficazes se associados a antiandrogênios.

BROMOCRIPTINA Para tratamento de prolactinoma.

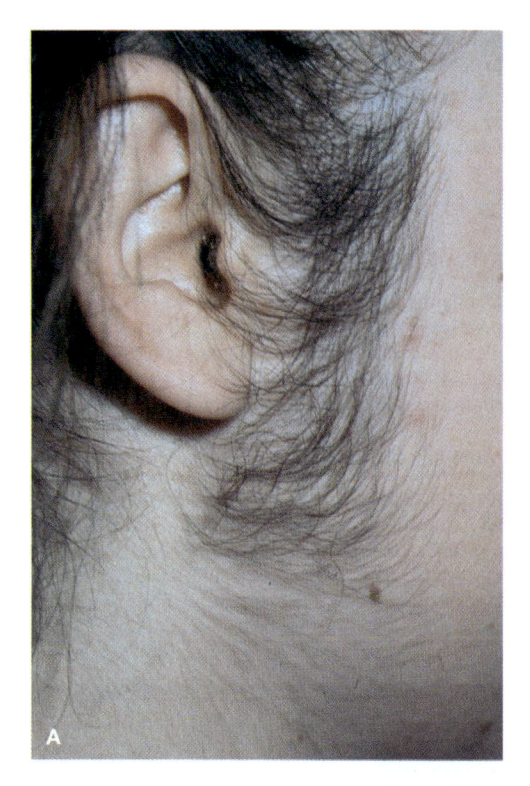

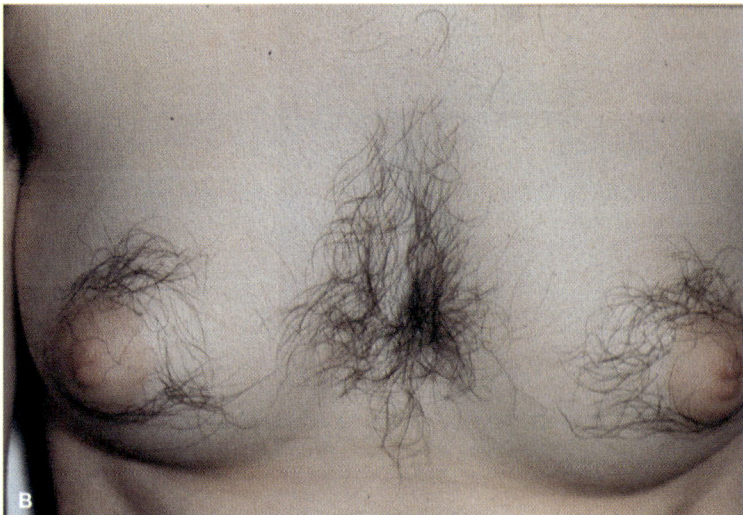

Figura 31-23 Hirsutismo: face e tórax (A) Aumento do crescimento dos pelos nos folículos pilosos dependentes de androgênios na região da costeleta, associado a excesso de androgênios. **(B)** Aumento do crescimento dos pelos nos folículos pilosos dependentes de androgênios nas regiões pré-esternal e periareolar.

HIPERTRICOSE

- Excesso de crescimento de pelos (densidade, comprimento) além do limite aceito como normal para idade, etnia e sexo em regiões não sensíveis aos androgênios (ver **Fig. 31-24**).
- Pode ser universal/generalizada ou localizada.
- Formada por lanugem, pelos *velus* ou terminais.

ETIOLOGIA

Congênita ou hereditária; adquirida (ver "Hipertricose lanuginosa adquirida" adiante), medicamentosa (minoxidil, fenitoína, ciclosporina, glicocorticoides, estreptomicina, PUVA), porfiria, síndrome POEMS, hipotireoidismo.

MANIFESTAÇÃO CLÍNICA

HIPERTRICOSE LOCALIZADA Trauma/cicatriz/locais de irritação relacionados à ocupação. Induzida por fármacos: minoxidil tópico. Nevo de Becker.
HIPERTRICOSE LANUGINOSA ADQUIRIDA Produção de lanugo em folículos que previamente produziam pelos *velus* ("descida maligna"). Os pelos podem ter mais de 10 cm de comprimento fora do couro cabeludo. Pode envolver todo o corpo, exceto palmas e plantas. Nos casos leves, a penugem é limitada à face; a presença de pelos é notada primeiramente em regiões antes sem pelos, como o nariz e as pálpebras.
HIPERTRICOSE UNIVERSAL (Fig. 31-24) Formada por lanugem, pelos *velus* ou terminais.

TRATAMENTO

- Descobrir e remover a causa.
- Similar ao "Tratamento estético" do hirsutismo (ver anteriormente).

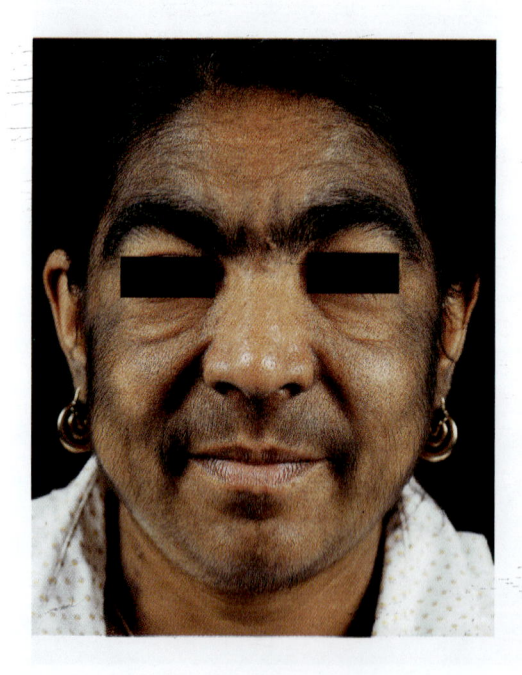

Figura 31-24 Hipertricose da face Crescimento excessivo de pelos em áreas não sensíveis aos androgênios na face de uma paciente do sexo feminino tratada com ciclosporina.

SEÇÃO 32

DISTÚRBIOS DO APARELHO UNGUEAL

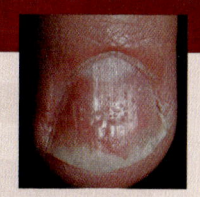

APARELHO UNGUEAL NORMAL

- O aparelho ungueal é formado por:
  - Lâmina ungueal, produto "morto" córneo.
  - Quatro epitélios especializados: prega ou dobra ungueal proximal, matriz ungueal, leito ungueal e hiponíquio.

COMPONENTES DO APARELHO UNGUEAL NORMAL (Ver Fig. 32-1)

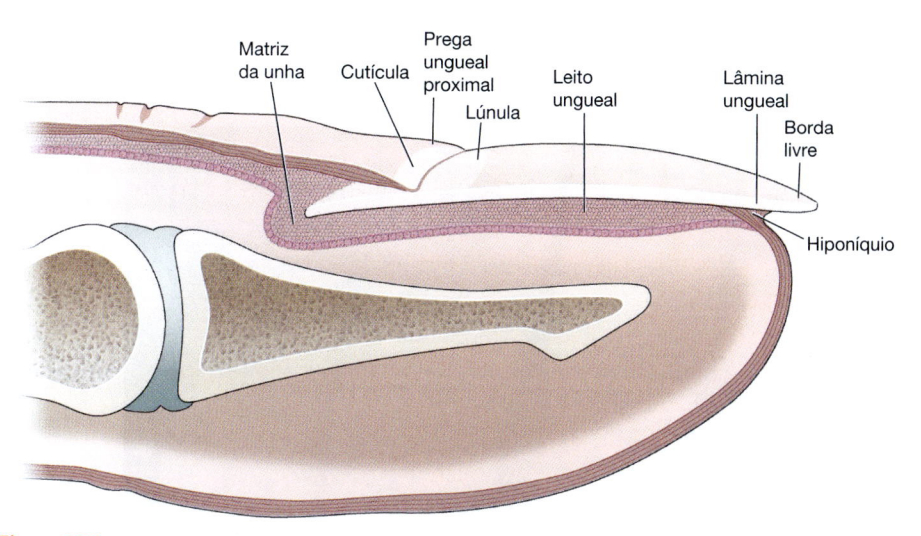

Figura 32-1 Representação esquemática da unha normal.

DISTÚRBIOS LOCAIS DO APARELHO UNGUEAL

PARONÍQUIA CRÔNICA CID-10: L60.8

- Associada à lesão da cutícula: mecânica ou química.
- Indivíduos de risco: mulheres adultas, manuseadores de alimentos, faxineiras.
- Dermatite crônica da prega ungueal proximal e da matriz da unha: inflamação crônica (eczema, psoríase) com perda de cutícula, separação da lâmina ungueal da prega ungueal proximal (**Fig. 32-2**).
- Fatores predisponentes:
  - Dermatose: psoríase, dermatite (atópica, por irritantes químicos [ocupacional], alérgica de contato), líquen plano.
  - Fármacos: retinoides orais (isotretinoína, acitretina), indinavir.
  - Corpo estranho: pelos, cerdas e farpas de madeira.
- Manifestações: polegar, indicador e dedo médio da mão dominante; pregas ungueais proximal e laterais eritematosas e edemaciadas; ausência de cutícula.
- Infecção/colonização secundária: espécies de *Candida*, *Pseudomonas aeruginosa* ou *Staphylococcus aureus*. A lâmina ungueal pode tornar-se descolorida; a superfície interna fica esverdeada na infecção por *Pseudomonas*. A infecção está associada à inflamação aguda dolorosa.
- *Tratamento*:
  - Proteção.
  - Tratar a dermatite com glicocorticoide: tópico, triancinolona intralesional, curso breve de prednisona.
  - Tratar a infecção secundária.

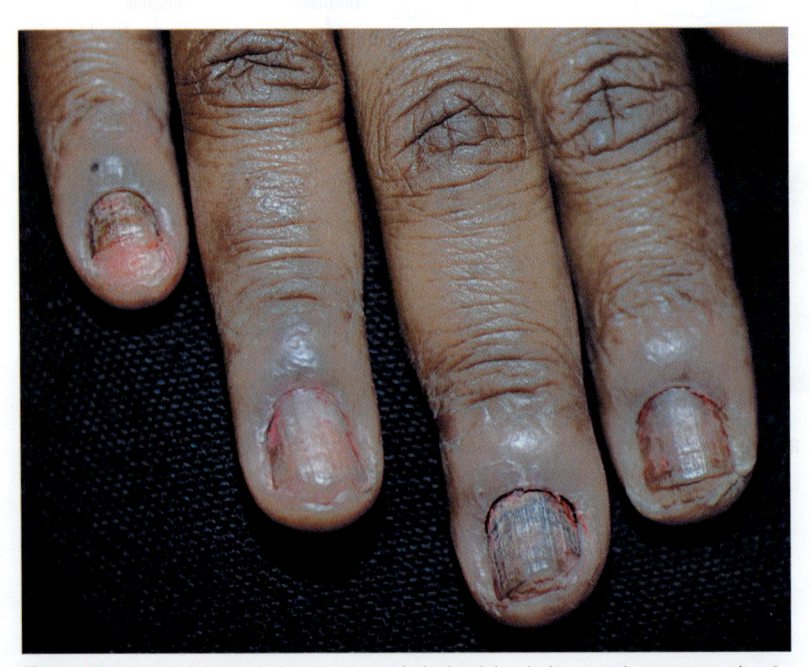

Figura 32-2 Paroníquia crônica A extremidade distal dos dedos e a pele periungueal estão hiperemiadas e descamando. Não há cutícula; observa-se bolsas formadas pela separação entre as pregas ungueais proximais e as lâminas ungueais. As lâminas ungueais apresentam traquioníquia (superfície rugosa com sulcos longitudinais) e onicauxe (espessamento aparente da lâmina ungueal causado por hiperceratose subungueal do leito ungueal). A doença subjacente é psoríase. *Candida albicans* ou *S. aureus* podem causar infecção dos espaços das "bolsas" com eritema e sensibilidade dolorosa intermitentes da prega ungueal.

ONICÓLISE CID-10: L60.1

- Descolamento distal ou lateral da unha do seu leito (**Fig. 32-3**).
- Etiologia
  - Primária: idiopática (unhas das mãos em mulheres; lesão mecânica ou química); trauma (nas unhas das mãos, ocupacional; nas unhas dos pés, anormalidades podiátricas, sapatos apertados).
  - Secundárias: distúrbios vesicobolhosos (dermatite de contato, eczema disidrótico, herpes simples); hiperceratose do leito ungueal (onicomicose, psoríase, dermatite de contato crônica); tumores do leito ungueal; fármacos.
  - Na psoríase, observa-se uma margem marrom-amarelada entre a unha rosada normal e as áreas brancas isoladas (**Fig. 32-3**). Na variedade "mancha de óleo" ou "placa cor de salmão", a separação entre lâmina e leito ungueal pode se iniciar no meio da unha.
- A colonização por *P. aeruginosa* resulta em uma biopelícula na superfície interna da lâmina ungueal com onicólise, produzindo coloração marrom ou esverdeada (**Fig. 32-4**).
- Outros patógenos secundários que podem colonizar/infectar o espaço são espécies de *Candida*, dermatófitos e diversos fungos do ambiente.
- Distúrbios subjacentes na onicólise das unhas das mãos: trauma (p. ex., farpas), psoríase, foto-onicólise (p. ex., doxiciclina), dermatose adjacente ao leito ungueal (p. ex., psoríase, dermatite, exposição química), congênitos/hereditários.
- Onicólise subjacente nas unhas dos pés: fatores adicionais para onicomicose (*Trichophyton rubrum*), traumatismo causado por sapato.
- *Tratamento:* retirar toda a unha separada do leito ungueal (o paciente deve manter desbridamento semanal); remover resíduos do leito ungueal; tratar os distúrbios subjacentes.

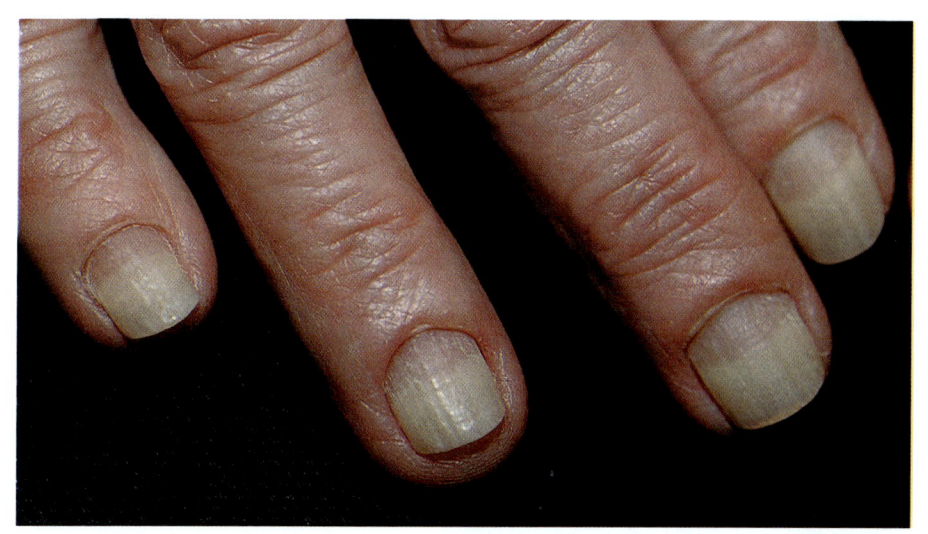

Figura 32-3 Onicólise Paciente do sexo feminino de 60 anos com onicólise distal nas mãos, paroníquia leve crônica e ausência de cutículas. O problema subjacente provavelmente é psoríase.

SÍNDROME DA UNHA VERDE

- Geralmente associada à onicólise (ver anteriormente). *P. aeruginosa*, a causa mais comum, produz o pigmento verde piocianina (**Fig. 32-4**).
- *Tratamento*: desbridamento da unha lítica. Ver anteriormente.

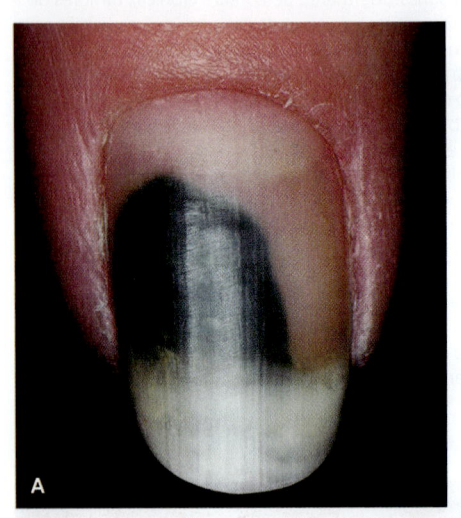

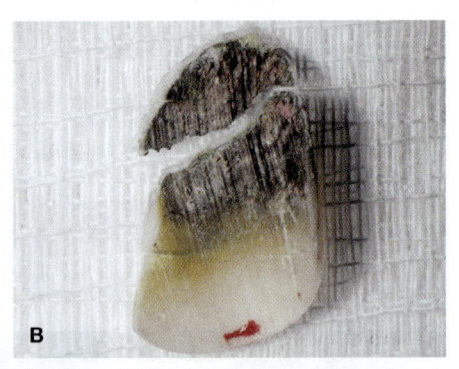

Figura 32-4 Onicólise com colonização por *Pseudomonas* (A) Psoríase causou onicólise distal da unha do polegar. **(B)** Uma biopelícula de *Pseudomonas aeruginosa* produziu coloração verde enegrecida da superfície interna da unha com onicólise, que melhorou após desbridamento e tratamento do leito ungueal com creme de glicocorticoide.

ONICAUXE E ONICOGRIFOSE

- *Onicauxe*: espessamento de toda a lâmina ungueal, encontrado nos idosos.
- *Onicogrifose*: onicauxe com deformidade em forma de chifre de carneiro, mais comum no hálux (**Fig. 32-5**).
- *Etiologia*: calçados apertados nos idosos; também herança autossômica dominante.

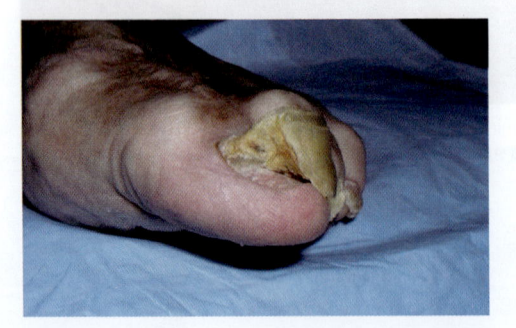

Figura 32-5 Onicauxe e onicogrifose As unhas dos hálux estão inteiramente espessadas com sulcos transversais (onicauxe) e algum grau de desvio medial (onicogrifose ou deformidade em chifre de carneiro). (Usada com permissão de Dr. Nathaniel Jellinek.)

TRANSTORNOS PSIQUIÁTRICOS

A manipulação reiterada do aparelho ungueal pode resultar em alterações da pele paroniquial e da lâmina ungueal.

Deformidade por tiques. Causada por lesão mecânica crônica (**Fig. 32-6**). A cutícula fica retraída com inflamação e espessamento da prega ungueal proximal. Ocorre mais comumente na unha dos polegares, como transtorno compulsivo (tique), produzida por manipulação repetida da cutícula do polegar com a ajuda do dedo indicador.

Transtorno obsessivo-compulsivo. Manipular repetidamente a pele paroniquial pode resultar em líquen simples crônico. A infecção secundária por *S. aureus* é uma complicação comum. Nos casos extremos, é possível haver destruição da lâmina ungueal (**Fig. 32-7**); hábito de roer as unhas.

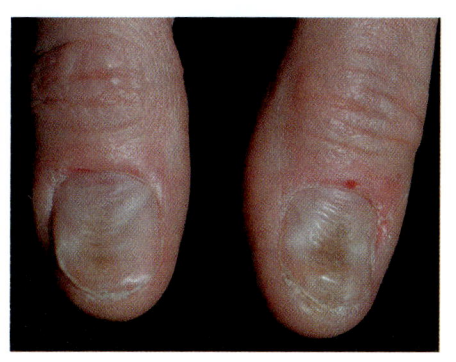

Figura 32-6 Deformidade causada por tique As lâminas ungueais de ambos os polegares estão distróficas, com sulcos transversais e alteração na cor. Não há mais cutícula, e as pregas ungueais proximais estão escoriadas. Quando as unhas e a prega ungueal proximal foram cobertas continuamente com fita, as unhas voltaram a crescer normalmente em 5 meses.

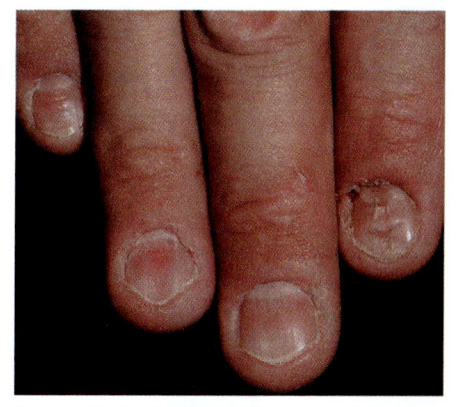

Figura 32-7 Manipulação compulsiva das unhas As cutículas não estão formadas, as pregas ungueais proximais estão inflamadas e escoriadas. As falhas na integridade são portas de entrada para *S. aureus* e facilitam a paroníquia aguda.

ENVOLVIMENTO DO APARELHO UNGUEAL EM DOENÇAS CUTÂNEAS

PSORÍASE

- Dermatose mais comum a afetar o aparelho ungueal.
- Mais de 50% dos indivíduos com psoríase apresentam envolvimento das unhas em algum momento, e em 80 a 90% dos casos com envolvimento durante toda a vida.

EXAMES LABORATORIAIS

Exame com KOH e/ou corte de unha para exame patológico com corante PAS para afastar colonização/infecção por fungos. A onicomicose é mais comum nas unhas com onicólise.

MANIFESTAÇÕES CLÍNICAS

PELE Lesão característica de psoríase nas pregas ungueais (**Fig. 32-8**).

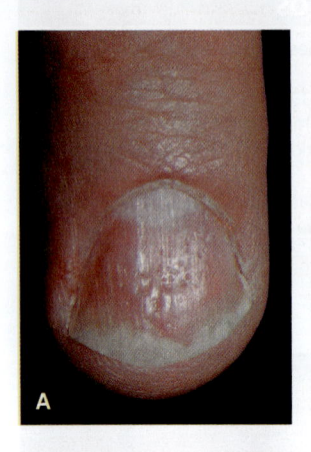

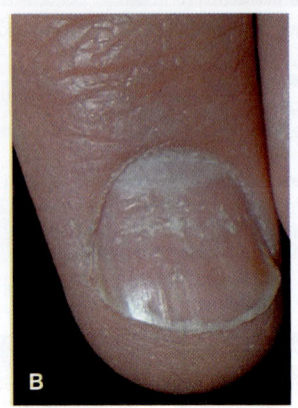

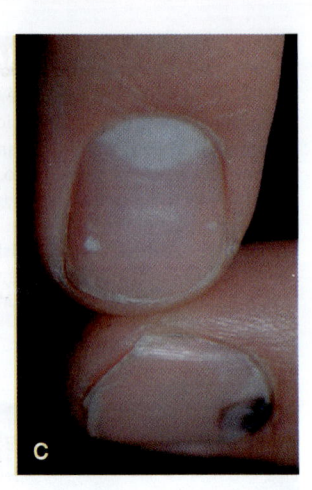

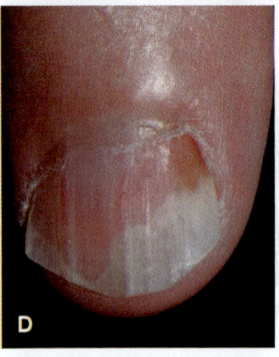

Figura 32-8 Psoríase vulgar (A) Diversas depressões punctiformes das unhas na lâmina ungueal dorsal, "manchas de óleo" no leito ungueal e onicólise distal. **(B)** Traquioníquia (superfície rugosa) com "mancha de óleo" e onicólise distal. **(C)** Leuconíquia puntata é patognomônica para a psoríase e pode ser encontrada apenas em um dedo da mão. Como se vê na unha de baixo com hemorragia subungueal traumática, a leuconiquia puntata não ocorreu no local do trauma. **(D)** "Mancha de óleo", onicólise distal, sulcos longitudinais e aderência da cutícula à lâmina ungueal distal.

Matriz

- *Depressões punctiformes (pitting) ou helconixe*: depressões pontuais; pequenas, rasas; de tamanho, profundidade e formato variáveis (**Fig. 32-8A**). Podem ocorrer em linhas regulares (transversais; longitudinais) ou com padrão de grade. Incomum nas unhas dos pés. Também encontradas na dermatite atópica. Depressões geométricas e superficiais encontradas na alopécia areata (unhas em latão martelado).
- *Traquioníquia*: unhas sem brilho, ásperas, frágeis (**Fig. 32-8B**). Distrofia das 20 unhas ou unhas em lixa, associadas à lesão da matriz da unha proximal: inespecífica e pode ser encontrada na alopécia areata (ver p. 817), líquen plano, dermatite atópica. É possível regredir espontaneamente.
- *Depressões transversais sequenciais*: podem ser semelhante às unhas em "pedra de tanque" do tique compulsivo (empurrando para trás a cutícula).
- *Sulcos longitudinais*: lembram cera derretida.
- *Leuconíquia puntata*: pontos brancos de 1 a 2 mm na lâmina ungueal (erroneamente atribuídos a trauma) (**Fig. 32-8C**).
- *Leuconíquia*: envolvimento proximal da matriz: superfície rugosa e unha áspera (**Fig. 32-8C**).

Leito ungueal

- *"Manchas de óleo"*: mancha oval, leito ungueal cor salmão (**Figs. 32-8A** e **D**).
- *Onicólise*: secundária às "manchas de óleo", afetando o hiponíquio medial ou lateralmente (**Fig. 32-8A**). Pode haver colonização por

Candida, fungos do ambiente (p. ex., *Aspergillus*), *Pseudomonas*. Predispõe à onicomicose distal/lateral das unhas dos pés. Até 20% das unhas psoriásicas apresentam onicomicose secundária.
- *Hiperceratose subungueal*: lâmina ungueal elevada em relação ao hiponíquio.
- *Hemorragias lineares (em estilhaço)*.

DIAGNÓSTICO DIFERENCIAL

Onicólise, onicomicose, trauma (unhas dos pés), eczema, alopécia areata.

TRATAMENTO

- Frequentemente insatisfatório. Ver "Psoríase", na Seção 3.
- Para envolvimento da matriz, triancinolona intralesional, 3 a 5 mg/mL, talvez seja eficaz.
- Para psoríase do leito ungueal, esteroides tópicos (com curativo oclusivo) reduzem a hiperceratose.
- Terapia sistêmica, como metotrexato, acitretina ou "agentes biológicos", frequentemente melhora a psoríase no aparelho ungueal, mas a resposta ao tratamento pode demorar alguns meses.

LÍQUEN PLANO (LP)

- Há envolvimento das unhas em 10% dos indivíduos com LP disseminado.
- O envolvimento do aparelho ungueal pode ser a única manifestação.
- Uma, várias ou todas as 20 unhas podem estar envolvidas ("síndrome das vinte unhas", na qual há perda de todas as 20 unhas sem qualquer evidência de líquen plano em outros locais do corpo). É possível haver **onicorrexe** (sulcos e fissuras longitudinais na lâmina ungueal com fragilidade e quebra da unha), embora não seja uma característica específica e possa ser encontrada com o envelhecimento.

MANIFESTAÇÃO CLÍNICA

Pele. Edema com coloração azul/vermelha da prega ungueal proximal.

MATRIZ
- *Pequeno foco na matriz*: protuberância sob a prega ungueal proximal (**Fig. 32-9A**).
- *Linha vermelha longitudinal subsequente*: lâmina ungueal afinada evoluindo para unha distal fendida (onicorrexe) (**Fig. 32-9B**).
- *Envolvimento difuso da matriz*: atrofia seletiva da lâmina ungueal com onicorrexe e/ou separação transversal.
- *Lúnula vermelha*: focal ou disseminada.
- *Melanoníquia longitudinal*: transitória.
- *Fissura total da unha*.
- *Formação de pterígio (cicatriz, destruição da matriz)*: perda parcial da lâmina central que se apresenta como uma extensão em forma de "v" da prega ungueal proximal aderente ao leito ungueal (**Figs. 32-9A** e **B**).

- *"Atrofia idiopática das unhas"*: destruição aguda progressiva da unha, levando à atrofia ungueal difusa com ou sem pterígio; perda total da unha (anoníquia) (**Figs. 32-9B-D**).

LEITO UNGUEAL Onicólise, hiperceratose subungueal distal, formação de bolha, anoníquia permanente.

VARIANTES
- *Distrofia das 20 unhas da infância*: resolução espontânea.
- *Erupção tipo LP após transplante de medula óssea*: doença do enxerto contra hospedeiro.
- *Reação tipo LP induzida por fármacos*.

TRATAMENTO

- Ver "Líquen plano" na Seção 14.
- Triancinolona intralesional.
- Glicocorticoides sistêmicos.
- Ureia pode ajudar a hidratar e alisar a lâmina ungueal.

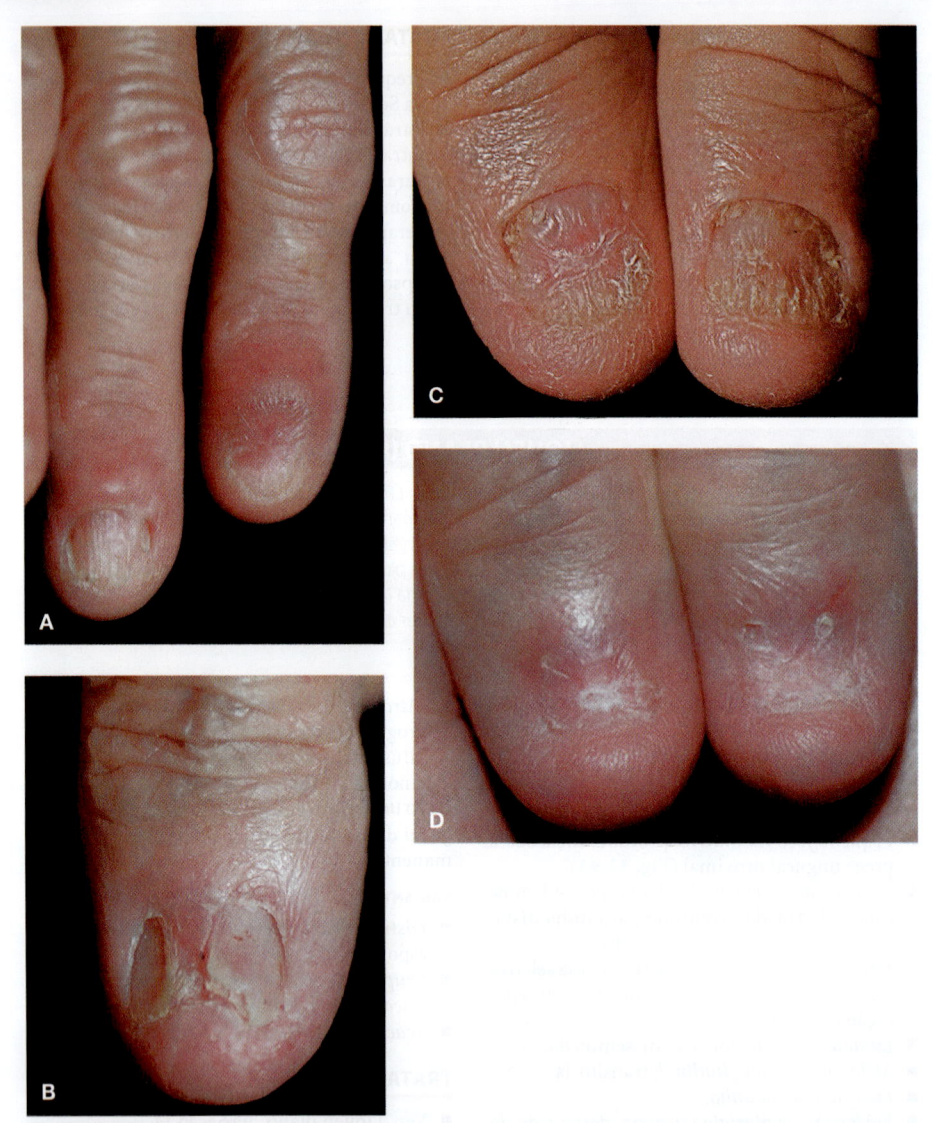

Figura 32-9 Líquen plano (A) Dedo médio: envolvimento da prega proximal e da matriz causando traquioníquia, sulcos longitudinais e formação de pterígio. Dedo indicador: destruição total da matriz da unha e da lâmina ungueal com anoníquia. 7 dos 10 dedos das mãos estão envolvidos; os outros estão normais. **(B)** Envolvimento da matriz da unha com formação proximal de cicatriz ou pterígio, dividindo a lâmina em duas partes. **(C)** Envolvimento inicial da matriz com afinamento das lâminas ungueais dos polegares. **(D)** Mesmo paciente da **Figura 32-8C** 2 anos mais tarde, quando a lâmina ungueal foi totalmente destruída, ou seja, anoníquia.

ALOPÉCIA AREATA (AA)

- Manifestações:
  - Depressões geométricas (**Fig. 32-10**) (pequenas, superficiais, distribuídas regularmente).
  - Aspecto de "latão" martelado.
  - Eritema mosqueado da lúnula.
  - Traquioníquia (aspereza causada por estrias longitudinais em excesso).

Figura 32-10 Alopécia areata: traquioníquia A lâmina ungueal é áspera com aspecto de "latão martelado".

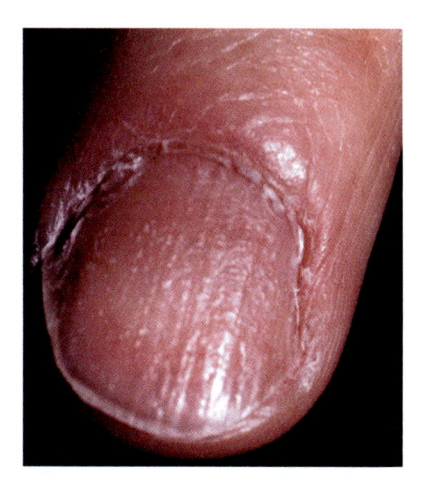

DOENÇA DE DARIER (DOENÇA DE DARIER-WHITE, CERATOSE FOLICULAR)

As alterações ungueais são patognomônicas: estrias longitudinais (vermelhas e brancas); pápulas hiperceratóticas subungueais distais com fissuras na lâmina ungueal distal em forma de cunha ou em "V" (**Fig. 32-11**).

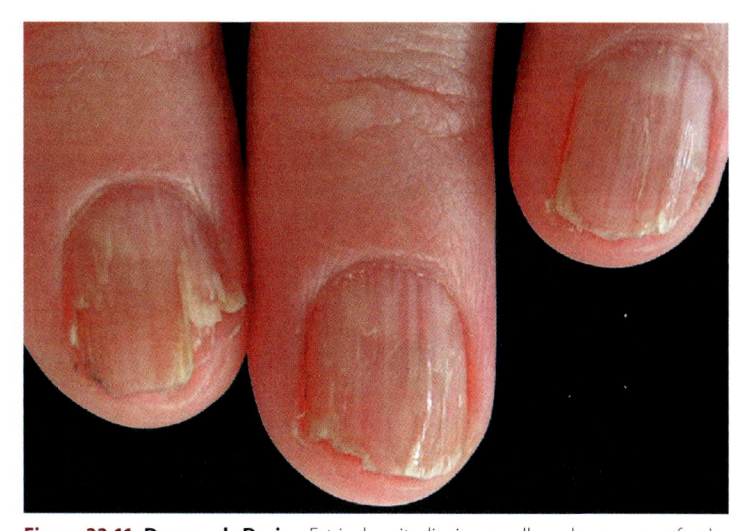

Figura 32-11 Doença de Darier Estrias longitudinais vermelhas e brancas com fendas em "V" na porção distal da lâmina ungueal. (Reproduzido com permissão de Goldsmith LA, Katz SI, Gilchrest BA, et al, eds. *Fitzpatrick's Dermatology in General Medicine*. 8th ed. New York, McGraw-Hill; 2012.)

DERMATITE POR IRRITANTES QUÍMICOS OU DERMATITES ALÉRGICAS

As substâncias químicas presentes nos esmaltes de unha e nos adesivos de próteses ungueais podem causar lesão na lâmina ungueal, ou seja, alteração da cor, onicosquizia (quebra ou esfoliação da lâmina ungueal, geralmente no plano horizontal ao nível da borda livre; **Fig. 32-12**). Também é possível haver dermatite de contato alérgica ou por irritante químico na pele paroniqueal.

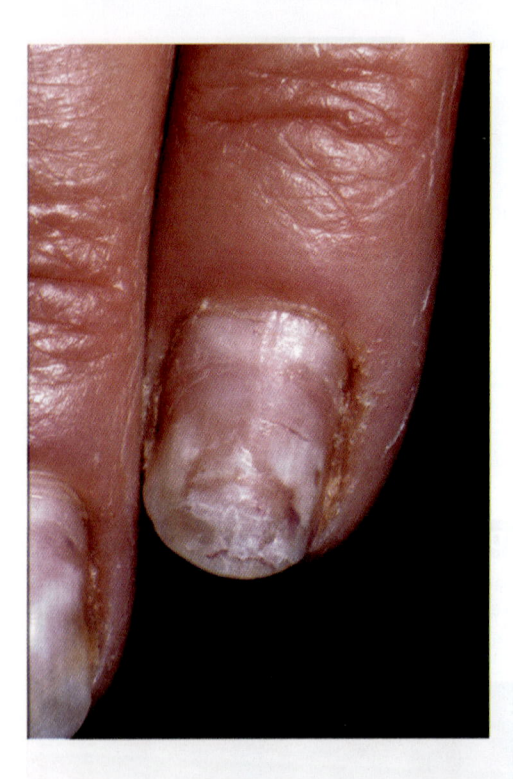

Figura 32-12 Unha quimicamente lesada
A unha postiça colada na unha produziu lesão química da lâmina ungueal com leuconíquia e onicosquizia (quebra e esfoliação da lâmina ungueal).

NEOPLASIAS DO APARELHO UNGUEAL CID-10: L60.8

- Tumores benignos: fibroma/fibroceratoma, exostose subungueal, cisto mixoide, tumor glômico (placa vermelha e dolorosa no leito ungueal), onicomatricoma, nevos da matriz da unha.
- Tumores malignos: carcinoma espinocelular, melanoma, tumor de células de Merkel.

CISTO MIXOIDE DIGITAL

- Pseudocisto ou gânglio originado na articulação interfalângica distal (Ver Seção 9), associado à osteoartrite (nódulos de Heberden).
- As lesões podem surgir na prega ungueal proximal (**Fig. 32-13**), acima da e comprimindo a matriz, resultando em um sulco deprimido longitudinal na lâmina ungueal.
- Quando os cistos se expandem entre o periósteo e a matriz, a unha torna-se distrófica com lúnula de cor vermelha-escura.

MELANONÍQUIA LONGITUDINAL

- *Manifestações:* estrias longitudinais marrons, castanhas ou pretas no interior da lâmina ungueal (**Fig. 32-14**).
- *Patogênese:* (1) aumento da síntese de melanina por melanócitos normalmente inativos na matriz, (2) aumento no número total de melanócitos que sintetizam melanina, (3) nevo melanocítico (juncional, **Fig. 32-14**).
- *Início:* congênita ou adquirida. A maioria com origem na matriz distal.
- *Diagnóstico diferencial:* ativação focal da matriz da unha (p. ex., trauma), hiperplasia de melanócitos da matriz da unha, nevo melanocítico (juncional), induzida por fármaco (p. ex., zidovudina [AZT], hidroxicloroquina) ou melanoma da matriz da unha.

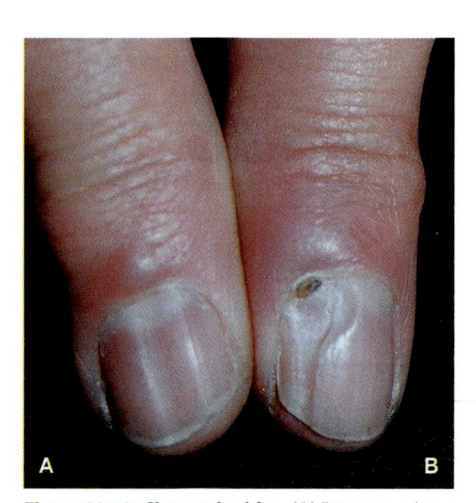

Figura 32-13 Cistos mixoides (A) Eritema e edema da derme da prega ungueal proximal associados a sulco longitudinal na lâmina ungueal. **(B)** Líquido gelatinoso claro havia drenado do indicador da direita (local com crosta). Doença articular degenerativa presente em ambas as articulações interfalângicas distais.

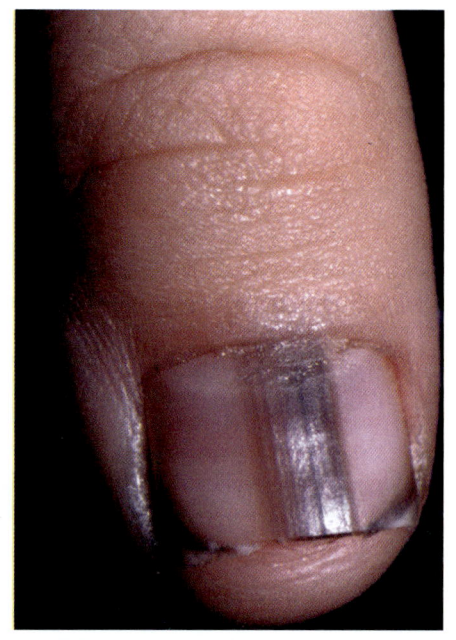

Figura 32-14 Nevo melanocítico juncional da matriz da unha Observa-se nevo juncional na matriz da unha que resulta em uma faixa castanha longitudinal no leito ungueal. A prega ungueal proximal/cutícula não está pigmentada.

MELANOMA ACROLENTIGINOSO (MAL) (Ver Seção 12)

- *Média de idade*: 55 a 60 anos. *Incidência*: 2 a 3% dos melanomas nos indivívuos brancos; 15 a 20% nos negros, asiáticos e indígenas nativos norte-americanos. Geralmente assintomático; a maioria dos pacientes observa lesão pigmentada, geralmente após trauma.
- *Dermatopatologia*: Proliferação *in situ* ou invasiva de melanócitos atípicos.
- *Manifestações clínicas*: localização subungueal ou periungueal, apresentando-se como melanoníquia longitudinal e/ou distrofia da lâmina ungueal (**Fig. 32-15**).
- *Sinal de Hutchinson*: extensão periungueal de pigmentação marrom-enegrecida até as pregas ungueais proximal e lateral (**Fig. 32-15A**).
- 25% dos MALs são amelanóticos (pigmentação não é evidente ou não se destaca).
- *Distribuição*: polegares, hálux.
- *Diagnóstico diferencial*: hemorragia subungueal (**Fig. 32-15B**). A dermatoscopia é útil.
- *Indicação de biópsia*: pigmentação periungueal, adultos, alteração na cor/largura da faixa, linhas com hiperpigmentação dentro da faixa, segmento proximal da faixa mais largo que o distal; envolvimento de polegar, de indicador ou de dedo do pé; limites mal-definidos, história de trauma.
- *Prognóstico*: taxas de sobrevida em 5 anos entre 35 e 50%.

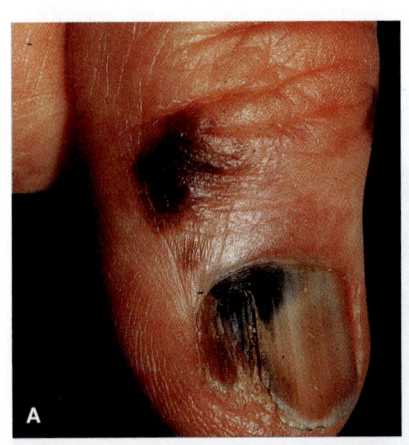

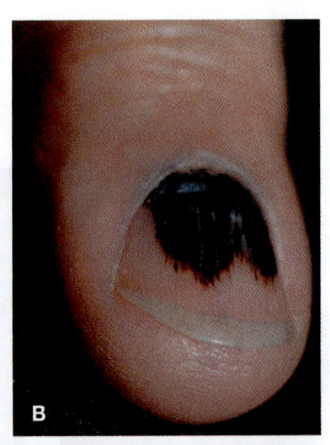

Figura 32-15 Melanoma acrolentiginoso *versus* hemorragia subungueal (A) Melanoma originado na matriz da unha do polegar, resultando em distrofia da lâmina ungueal, melanose subungueal com extensão para a prega ungueal proximal e além desta (sinal de Hutchinson). **(B)** Traumatismo na região proximal da unha resultou em hemorragia e depressão transversal da lâmina ungueal. A hemorragia estendeu-se aos sulcos longitudinais da derme. A dermatoscopia ajuda a diferenciar entre hemorragia e MAL.

CARCINOMA ESPINOCELULAR (Ver Seção 11)

- O CEC *in situ* (CECIS) que ocorre na região periungueal geralmente é causado pelos tipos oncogênicos 16 e 18 do papilomavírus humano.
  - *Manifestações clínicas*: pápulas/placas verrucosas, ceratóticas ou hiperceratóticas, cor de pele ou hiperpigmentadas; onicólise; falha na formação da unha.
  - *Distribuição*: regiões laterais e proximal das unhas, matriz e hiponíquio (**Fig. 32-16**).
- O CEC *invasivo* surge no interior do CECIS.
  - *Sintomas*: dor, se houver invasão do periósteo.
  - *Manifestações clínicas*: nódulo solitário é o achado mais comum, frequentemente com destruição da unha.
  - *Distribuição*: muito mais comum nas mãos (polegar e indicador) do que nos pés; nos pacientes imunocomprometidos, pode atingir múltiplos dedos.
  - *Manejo*: cirurgia de Mohs ou amputação do dedo nos casos com invasão mais profunda envolvendo o periósteo.

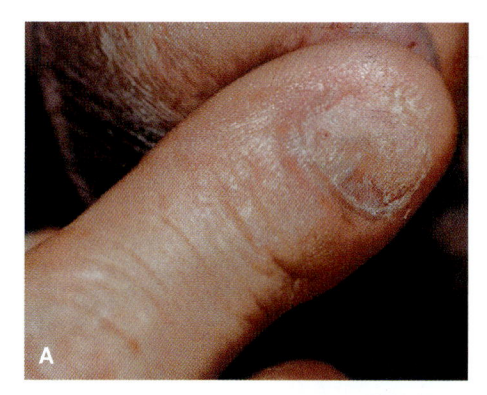

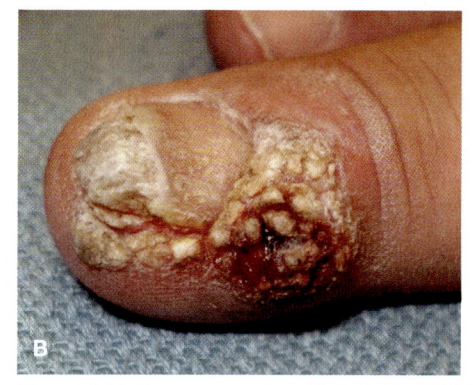

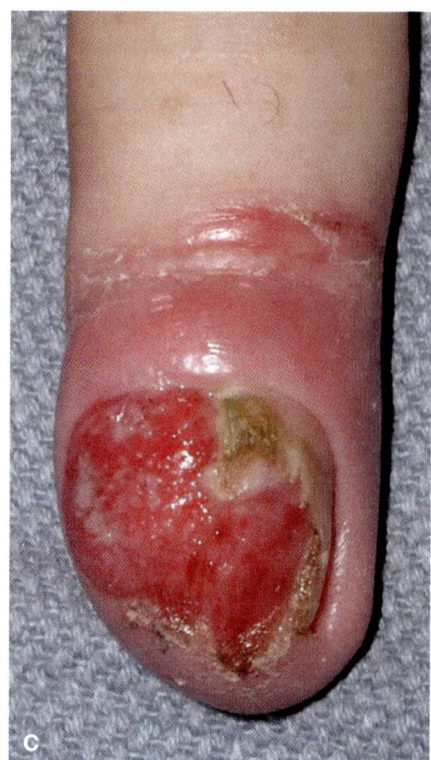

Figura 32-16 Carcinoma espinocelular *in situ* (CECIS) e invasivo induzidos por papilomavírus humano (HPV) (A) O leito ungueal do indicador direito apresenta ausência de formação da unha com hiperceratose. A biópsia no leito ungueal confirmou tratar-se de um CECIS com alterações induzidas pelo HPV (coilocitose). **(B)** Evolução para carcinoma espinocelular invasivo pode se apresentar na forma de pápulas hiperceratóticas ou **(C)** com obliteração total da unidade ungueal. (Partes B e C usadas com permissão de Dr. Nathaniel Jellinek).

INFECÇÕES DO APARELHO UNGUEAL CID-10: L60.9

- Os dermatófitos são os patógenos mais comuns encontrados nas infecções do aparelho ungueal.
- *S. aureus* e estreptococos do grupo A causam infecção aguda de tecidos moles na prega ungueal.
- *Candida* e *S. aureus* podem causar infecção secundária na paroníquia crônica.
- Infecção recorrente por herpes-vírus simples.

INFECÇÕES BACTERIANAS

- *S. aureus* é a causa mais comum de paroníquia aguda.
- Panarício é a infecção aguda da ponta do dedo.
- *Tratamento*: ver "Terapia antimicrobiana" na Seção 25.

PARONÍQUIA AGUDA CID-10: L03.0

- Infecção aguda da região lateral ou proximal da prega ungueal.
- Geralmente associada à quebra da integridade da epiderme (p. ex; cutícula solta) ou traumatismo.
- *Manifestações clínicas*: dor latejante, eritema, edema ± formação de abscesso (**Fig. 32-17**).
- A infecção pode se aprofundar e formar um panarício (**Fig. 32-18**).

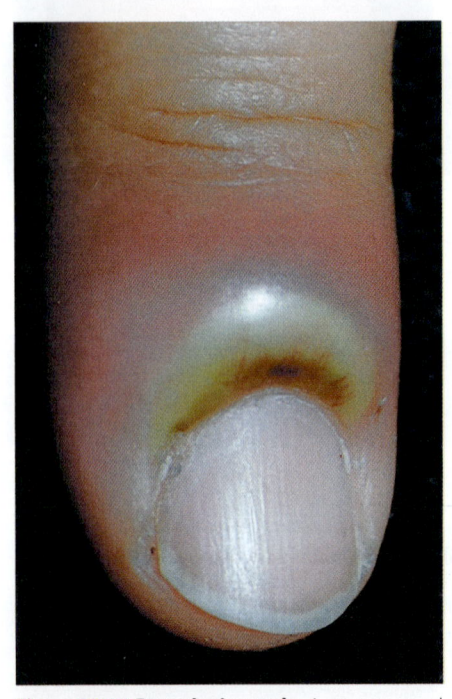

Figura 32-17 Paroníquia aguda A prega ungueal proximal está hiperemiada e edemaciada (celulite) com formação de pus.

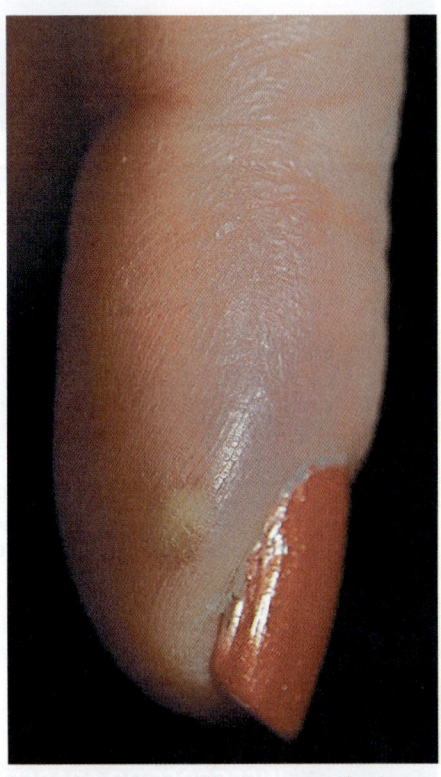

Figura 32-18 Panarício Observa-se abscesso na ponta do dedo com eritema e edema circundantes. Isolou-se *S. aureus* sensível à meticilina (MSSA) na cultura do material purulento.

PANARÍCIO CID-10: L03.0

- Infecção de tecidos moles do espaço da polpa da falange distal (**Fig. 32-18**); infecção dos espaços fechados dos múltiplos compartimentos criados por septos fibrosos que se estendem entre pele e periósteo.
- *História*: lesão penetrante, farpa, paroníquia.
- *Manifestações clínicas*: dor, eritema, edema, abscesso (**Fig. 32-18**).
- *Distribuição*: polegar, indicador.
- *Complicações*: osteíte, osteomielite da falange distal, artrite séptica na articulação; extensão para a extremidade distal da bainha do tendão flexor, produzindo tenossinovite.
- *Evolução*: Pode ser rápida e grave.

INFECÇÕES FÚNGICAS E ONICOMICOSE

- Espécies de *Candida* geralmente causam infecção em pacientes com paroníquia crônica ou com onicólise e podem causar a destruição da unha em hospedeiros imunocomprometidos.
- Os dermatófitos infectam a pele ao redor do aparelho ungueal e causam destruição superficial da unha.
- *Onicomicose*: infecção fúngica crônica progressiva do aparelho ungueal, geralmente causada por dermatófitos e mais raramente por espécies de *Candida*; fungos do ambiente podem aparecer em culturas realizadas de amostras de unhas doentes, mas geralmente não são patógenos primários.

ONÍQUIA POR *CANDIDA*

- A infecção do aparelho ungueal por *Candida albicans* ocorre com maior frequência nas mãos, geralmente como infecção secundária em pacientes com paroníquia crônica. Oníquia indica processo inflamatório da matriz ungueal, resultando em desprendimento da unha.
- A invasão da lâmina ungueal geralmente ocorre apenas em hospedeiro imunocomprometido, ou seja, candidíase mucocutânea crônica (CMC) ou doença por HIV/Aids.

ETIOLOGIA E EPIDEMIOLOGIA

ETIOLOGIA *C. albicans* e outras espécies.
CMC crônica. Ver "Candidíases", Seção 26.

MANIFESTAÇÃO CLÍNICA

HIV/Aids Oníquia e paroníquia por *Candida* são comuns em crianças com HIV/Aids, frequentemente associadas à candidíase de mucosa.
Aparelho ungueal. Paroníquia crônica com exacerbação aguda da candidíase. As espécies de *Candida* podem causar infecção crônica dolorosa com sensibilidade ao toque, eritema ± pus. A unha torna-se distrófica com áreas de opacificação; coloração branca, amarela, verde ou preta; com sulcos transversais.
Colonização em *tinea unguium*. Patógeno secundário na onicomicose distal/lateral.
Distrofia total da unha. Pregas ungueais proximal/laterais inflamadas e espessadas. As pontas dos dedos parecem bulbosas. A unha é invadida e pode eventualmente tornar-se distrófica (**Fig. 32-19**). HIV/Aids: pode haver envolvimento de uma única unha. CMC: 20 unhas podem estar envolvidas ao mesmo tempo.

DIAGNÓSTICO DIFERENCIAL

Tinea unguium, psoríase, eczema, paroníquia crônica, líquen plano.

TRATAMENTO

Ver "Candidíases", Seção 26.

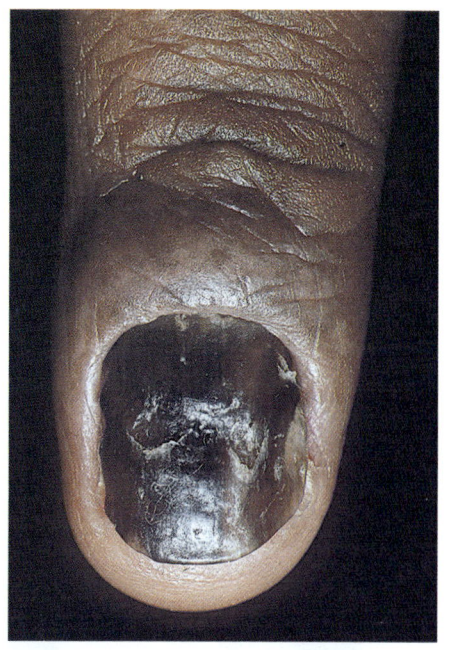

Figura 32-19 Onicomicose por *Candida*: tipo distrofia total Toda a lâmina ungueal está espessada e distrófica e há paroníquia infecciosa associada; ambas as manifestações foram causadas por *Candida albicans* em indivíduo com doença por HIV/Aids avançada.

TINEA UNGUIUM/ONICOMICOSE

- Sintomas: as unhas perdem a função de proteção e manipulação.
- Complicações:
  - Dor nas unhas dos pés comprimidas por sapato.
  - Predisposição a infecções secundárias bacterianas.
  - Úlceras do leito ungueal subjacente.
- As complicações são mais comuns na crescente população de imunocomprometidos e diabéticos.

CLASSIFICAÇÃO CONFORME ESTRUTURA ANATÔMICA ENVOLVIDA

ONICOMICOSE SUBUNGUEAL DISTAL E LATERAL (OSDL) (Fig. 32-20) A infecção se inicia no hiponíquio ou na prega ungueal e se estende à região subungueal. Pode ser primária, ou seja, envolvendo um aparelho ungueal saudável, ou secundária (p. ex., psoríase) associada a onicólise. Sempre associada à *tinea pedis*.

ONICOMICOSE BRANCA SUPERFICIAL (OBS) O patógeno invade a superfície dorsal da unha (Fig. 32-21). *Etiologia*: *Trichophyton mentagrophytes* ou *T. rubrum* (crianças). Muito mais raramente, fungos do ambiente: *Acremonium, Fusarium, Aspergillus terreus*.

ONICOMICOSE SUBUNGUEAL PROXIMAL (OSP) O patógeno entra pela região posterior da prega ungueal e pela cutícula e, em seguida, migra ao longo do sulco ungueal proximal até chegar à matriz subungueal, proximal ao leito ungueal, e, finalmente, à unha subjacente (Fig. 32-22). *Etiologia*: *T. rubrum*. *Manifestações clínicas*: leuconíquia que se estende distalmente a partir da prega ungueal proximal. Em geral, uma ou duas unhas estão envolvidas. Sempre associada a estados de imunossupressão.

ETIOLOGIA E EPIDEMIOLOGIA

IDADE DE INÍCIO Crianças ou adultos. Uma vez adquirida, geralmente não há remissão espontânea. Assim, a incidência aumenta com o avançar da idade.
SEXO Um pouco mais comum nos homens.
AGENTES ETIOLÓGICOS Entre 95 e 97% causados por *T. rubrum* e *T. mentagrophytes*.
Fungos ambientais. *Acremonium, Fusarium* e espécies de *Aspergillus* raramente causam OBS. Dermatoses como psoríase, que resultam em onicólise e hiperceratose subungueal, ou onicomicose dermatofítica podem ser colonizadas/infectadas secundariamente por esses fungos.
DISTRIBUIÇÃO GEOGRÁFICA Mundial.
PREVALÊNCIA A incidência varia entre as diferentes regiões geográficas. Nos EUA e na Europa, até 10% da população de adultos estão afetados (relacionado a calçados fechados).
TRANSMISSÃO Dermatófitos. As infecções por dermatófitos antropofílicos são transmitidas de um indivíduo para outro, por fômites ou por contato direto, geralmente entre membros da família. Algumas formas de esporos (artroconídias) permanecem viáveis no ambiente e capazes de infectar por até 5 anos.

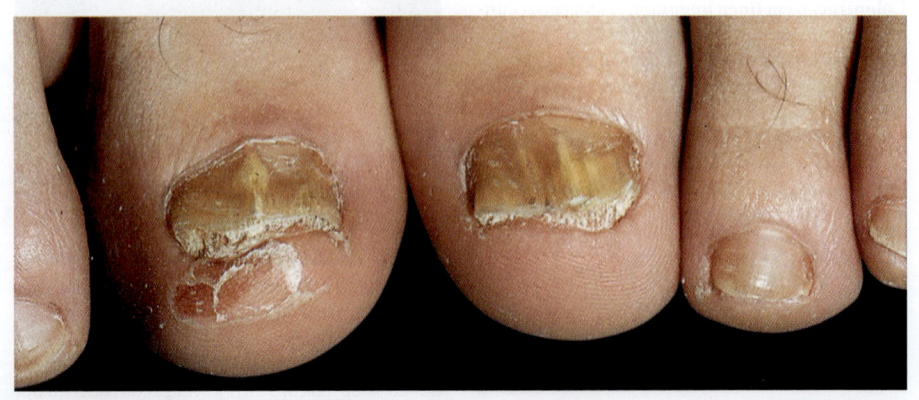

Figura 32-20 Onicomicose das unhas dos pés: tipo subungueal distal e lateral (OSDL) As unhas estão esbranquiçadas, o que é causado por onicólise e hiperceratose subungueal. O dorso dos pés apresenta eritema e descamação, ou seja, *tinea pedis*. A cultura revelou *T. rubrum*.

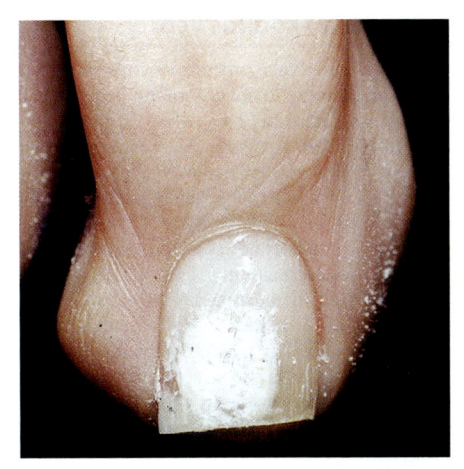

Figura 32-21 Onicomicose dos pés: tipo branco superficial (OBS) A lâmina ungueal dorsal apresentava coloração branco-giz. A distrofia branca da unha pode ser facilmente tratada com curetagem; exame direto com KOH do material curetado revela a presença de hifas.

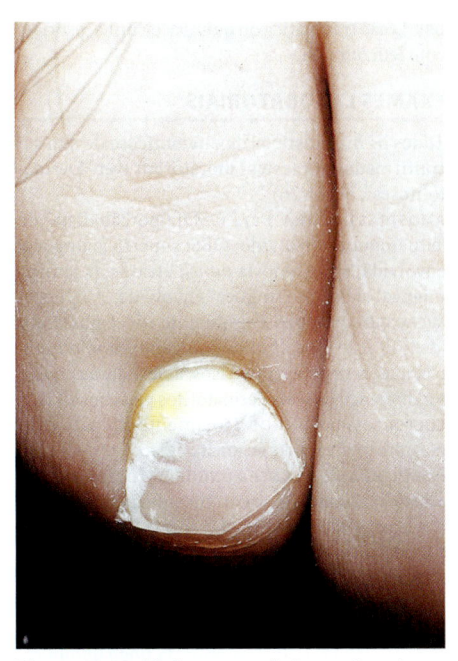

Figura 32-22 Tinha ungueal: tipo onicomicose subungueal proximal (OSP) A lâmina ungueal proximal apresenta coloração branco-giz em razão da invasão que ocorre a partir da superfície interna da matriz da unha. O paciente apresenta doença do HIV/Aids em estágio avançado.

Fungos ambientais. Onipresentes no ambiente; não há transmissão entre seres humanos.
FATORES DE RISCO Os atópicos têm maior chance de apresentar infecção por *T. rubrum*. Diabetes melito, tratamento com imunossupressores, HIV/Aids. Para onicomicose do pé, o principal fator de risco é o uso de calçados fechados.

PATOGÊNESE

ONICOMICOSE PRIMÁRIA/*TINEA UNGUIUM* A probabilidade de invasão da unha por fungos aumenta conforme os defeitos no suprimento vascular em estados pós-traumáticos ou em distúrbios da inervação.
ONICOMICOSE SECUNDÁRIA A infecção ocorre em aparelho ungueal já alterado, como na unha psoriásica ou traumatizada.
OSDL (Fig. 32-20) O leito ungueal, estimulado pela infecção fúngica, produz ceratina mole que se acumula sob a lâmina ungueal, provocando a sua elevação. A matriz geralmente não sofre invasão, e a produção de lâmina ungueal normal se mantém sem prejuízo, a despeito da infecção fúngica.

MANIFESTAÇÃO CLÍNICA

Aproximadamente 80% das onicomicoses ocorrem nos pés; não é comum ocorrer simultaneamente em pés e mãos.
OSDL Observa-se uma placa branca sob a superfície distal ou lateral da unha e no leito ungueal. Com a evolução da infecção, a unha torna-se opaca, espessada, rachada, friável e elevada pelos resíduos hiperceratóticos subjacentes no hiponíquio (Fig. 32-20). Quando estão envolvidas as unhas das mãos, o padrão em geral é de acometimento de dois pés e uma mão.
OBS Observa-se uma placa branco-giz na lâmina ungueal proximal, que pode tornar-se erosada e resultar no seu desprendimento (Fig. 32-21). É possível haver OBS e OSDL concomitantemente. Quase exclusivamente nas unhas dos pés e raramente nas unhas das mãos.
OSP (Fig. 32-22) Uma mancha branca aparece abaixo da prega ungueal proximal. Com o tempo, a coloração branca preenche a lúnula e finalmente move-se distalmente para envolver boa parte da superfície inferior da unha. É mais comum nas unhas dos pés.

DIAGNÓSTICO DIFERENCIAL

OSDL Unhas psoriásicas ("manchas de óleo" que colorem o leito ungueal distal e depressões punctiformes na unha são encontradas na psoríase, mas não na onicomicose), eczema, síndrome de Reiter e ceratodermia blenorrágica, onicogrifose, unhas em garra, distrofias ungueais congênitas.

OBS Lesão traumática ou química da unha, psoríase com leuconíquia.

EXAMES LABORATORIAIS

Todos os diagnósticos de onicomicose devem ser confirmados por testes laboratoriais (ver "Dermatofitoses", Seção 26).

AMOSTRAS DE UNHA Para OSDL: porção distal do leito ungueal envolvido; OBS: superfície ungueal envolvida; OSP: biópsia *punch* através da lâmina ungueal até o leito ungueal envolvido.

MICROSCOPIA DIRETA Geralmente não é possível a identificação específica do patógeno por microscopia, mas, na maioria dos casos, as leveduras podem ser diferenciadas dos dermatófitos pela morfologia.

CULTURA PARA FUNGOS Isolamento do patógeno permite melhor uso de antifúngicos.

HISTOLOGIA DE AMOSTRA UNGUEAL Indicado se os achados clínicos sugerirem onicomicose após exame direto com KOH negativo. O corante PAS é utilizado para detectar elementos fúngicos na unha. *É a técnica mais confiável para diagnóstico de onicomicose.*

EVOLUÇÃO E PROGNÓSTICO

Sem terapia efetiva, a onicomicose não melhora espontaneamente; o envolvimento progressivo de diversas unhas do pé é a regra. Estima-se que a prevalência em pacientes diabéticos esteja em 32%; *pacientes diabéticos necessitam de intervenção precoce e devem ser examinados regularmente por dermatologista e/ou por podiatra.* Casos não tratados de HIV/Aids estão associados a aumento da prevalência das dermatofitoses. As taxas de recidiva em longo prazo relatadas para novos agentes orais, como terbinafina ou itraconazol, variam entre 15 e 21% 2 anos após tratamento bem-sucedido; as culturas para micose podem ser positivas sem que haja doença clínica evidente.

TRATAMENTO

Ver Seção 26 e Quadro 32-1.

Novos fármacos tópicos em desenvolvimento incluem azóis (eficonazol), alilaminas (TDT-067), benzoxaboróis (tavaborol) e nanoemulsões.

QUADRO 32-1 Tratamento da *tinea unguium*

Desbridamento	Desbridar unhas distróficas; as unhas devem ser submetidas a desbridamento semanal.
Agentes tópicos	Disponíveis em forma de loção e verniz. *Geralmente não eficazes*, exceto para OBS. *Esmalte ungueal de ciclopirox*: recomenda-se desbridamento mensal da unha realizado por profissional.
Agentes sistêmicos	*Observação:* no tratamento sistêmico das onicomicoses, as unhas geralmente não têm seu aspecto normalizado após o período recomendado de tratamento em razão da demora no seu crescimento. Se, após o período recomendado, as culturas e o exame direto com KOH forem negativos, o medicamento pode ser suspenso e as unhas voltarão a crescer normalmente.
Terbinafina	250 mg/dia durante 6 semanas para as unhas das mãos e 12 a 16 semanas para as dos pés; mais eficaz contra dermatófitos.
Itraconazol: aprovado (EUA) para onicomicose. Eficaz apenas para dermatofitoses e *Candida*	200 mg/dia durante 6 semanas (unhas das mãos), 12 semanas (unhas dos pés) (terapia contínua). Embora não esteja aprovado para onicomicose nos pés, administra-se pulsoterapia por 3 a 4 meses, com 200 mg, duas vezes ao dia, nos primeiros 7 dias de cada mês (tratamento contínuo por 12 semanas para casos com envolvimento de unhas dos pés).
Fluconazol: não aprovado (EUA) para onicomicose. Eficaz para dermatofitose e *Candida*	Relatos de eficácia com 150 a 400 mg, 1 dia por semana, ou 100 a 200 mg/dia até que as unhas voltem a crescer normalmente. Mais eficaz contra leveduras e menos contra dermatófitos.
Cetoconazol: não aprovado para onicomicose	Eficaz na dosagem de 200 mg/dia; mais eficaz contra *Candida* do que contra dermatófitos; entretanto, hepatotoxicidade infrequente e efeito antiandrogênico limitaram seu uso por longo prazo para onicomicoses.
Profilaxia secundária	Creme, loção ou talco antifúngico diariamente. Gel antisséptico: álcool isopropílico e etanol. Pedicures/manicures: certificar-se de que os instrumentos tenham sido esterilizados ou levar seus próprios instrumentos.

Há relatos de melhora na penetração da lâmina ungueal. Recentemente têm sido usadas a terapia fotodinâmica e terapias com *laser*, como de pulso longo, de pulso curto e também o Q-switched, embora a eficácia seja controversa.
INDICAÇÕES PARA A TERAPIA SISTÊMICA Envolvimento das unhas dos dedos das mãos, limitação da função, incapacidade física causada pela dor, potencial para infecção bacteriana secundária, fonte de dermatofitose epidérmica recorrente e questões relacionadas à qualidade de vida. A onicomicose inicial é mais fácil de curar em indivíduos jovens e saudáveis do que em idosos com envolvimento mais extenso e com problemas clínicos associados.

SINAIS UNGUEAIS DE DOENÇAS MULTISSISTÊMICAS CID-10: L62.8

LINHAS TRANSVERSAIS OU DE BEAU

Há doença sistêmica quando todas as 20 unhas estão envolvidas. O envolvimento de uma única unha geralmente tem origem traumática ou compulsiva, ou o seu arrancamento (onicotilomania). *Etiologia*: febre alta, pós-natal, medicamentos citotóxicos, reação cutânea adversa grave a fármacos, doença dermatológica (eczema, eritrodermia, paroníquia), infecção viral (doença mão-pé-boca, sarampo), síndrome de Kawasaki, isquemia periférica. *Manifestações clínicas*: depressões em faixas transversais na unha, estendendo-se de uma borda lateral para a outra, afetando todas as unhas nos níveis correspondentes (**Fig. 32-23**). Se a duração da doença inibir completamente a atividade da matriz por 7 a 14 dias, a depressão transversal resulta em separação total da lâmina ungueal (onicomadese). Nos casos de quimioterapia, múltiplas linhas paralelas. *Duração*: polegares (linhas presentes por 6 a 9 meses) e unhas grandes (linhas presentes por até 2 anos) são marcadores mais confiáveis.

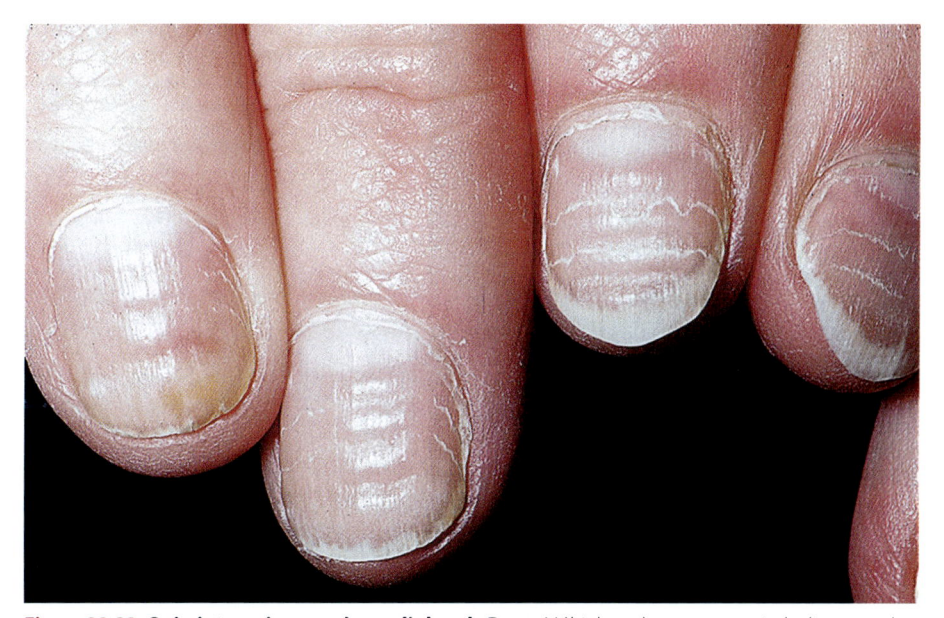

Figura 32-23 Quimioterapia para câncer: linhas de Beau Múltiplos sulcos transversais de diversas unhas das mãos associados à quimioterapia para câncer de mama.

LEUCONÍQUIA

Leuconíquia verdadeira. Atribuída à disfunção da matriz:

- *Leuconíquia total*: geralmente herdada.
- *Leuconíquia transversal*: bandas arqueadas com 1 a 2 mm de largura.
- *Leuconíquia puntata*: psoríase, traumatismo.
- *Leuconíquia longitudinal*: doença de Darier (ver **Fig. 32-11**).

Pseudoleuconíquia. OBS (**Fig. 32-21**), destruição química da ceratina ungueal.
Leuconíquia aparente. Causada por alteração da matriz e/ou do leito ungueal (p. ex., macrolúnula aparente); é possível que envolva todas as unhas das mãos:

- *Leuconíquia tipo Terry.*
    - *Associação*: distúrbios hepáticos.
    - *Manifestações clínicas*: placa opaca branca encobrindo a lúnula e estendendo-se até 1 a 2 mm da borda distal da unha (**Fig. 32-24**). Envolve todas as unhas uniformemente.
- *Unha urêmica meio a meio de Lindsay*
    - *Associação*: Distúrbio renal
    - *Manifestações clínicas*: segmento proximal da unha de cor branca opaca encobrindo a lúnula (20 a 60% da unha); segmento distal da unha cor-de-rosa/avermelhado.
- *Unhas estriadas (linhas de Muehrcke)* (ver **Fig. 32-34**)
    - Estrias brancas transversais estreitas e pareadas.
    - *Associação*: quimioterapia antineoplásica, hipoalbuminemia; após traumatismo unilateral.
    - *Manifestações clínicas*: as estrias são paralelas à lúnula, separadas umas das outras e da lúnula por tiras de unha rósea.

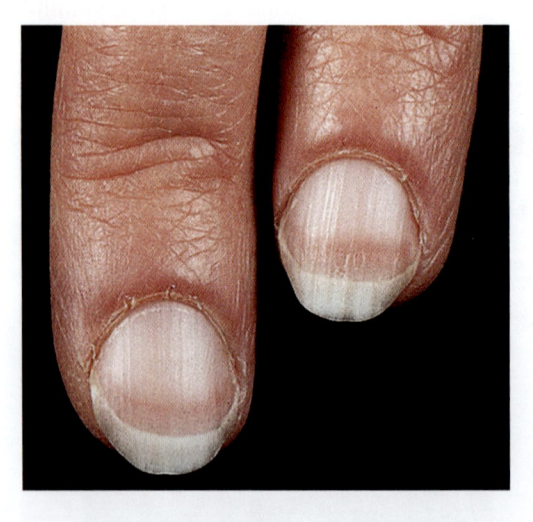

Figura 32-24 Leuconíquia aparente: unhas de Terry Os dois terços proximais da lâmina ungueal são de cor branca, enquanto no terço distal observa-se a cor vermelha do leito ungueal.

SÍNDROME DA UNHA AMARELA

Sintomas: as unhas param de crescer. *Associação*: linfedema, doença do trato respiratório (bronquiectasia, bronquite crônica, neoplasia maligna), artrite reumatoide, neoplasias malignas internas. *Manifestações clínicas*: unhas rígidas, excessivamente curvadas de lado a lado; coloração difusa amarelo-pálida a amarelo-escuro/esverdeada (**Fig. 32-25**). Cutículas ausentes. É comum haver onicólise secundária. *Distribuição*: 20 unhas.

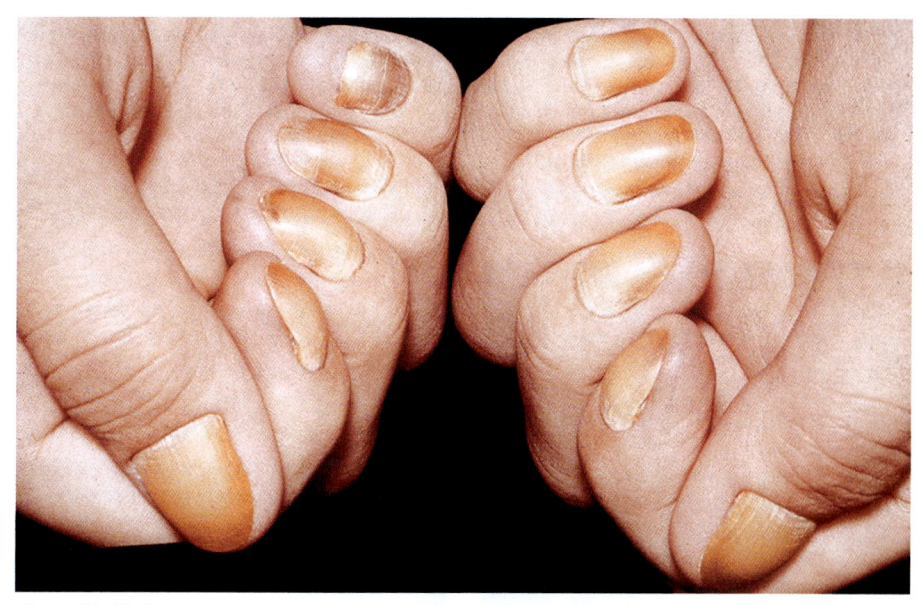

Figura 32-25 Síndrome da unha amarela Todas as unhas das mãos difusamente amarelo-esverdeadas, espessadas, com crescimento lento e curvatura excessiva de lado a lado.

FIBROMA PERIUNGUEAL

Sinônimo: Tumor de Koenen. *Associação*: esclerose tuberosa (ver "Esclerose tuberosa", Seção 16); ocorre em 50% dos indivíduos. *Início*: puberdade. *Manifestações clínicas*: geralmente múltiplos tumores nodulares a alongados, pequenos a grandes; produzem sulco longitudinal na lâmina ungueal em razão de compressão da matriz (**Fig. 32-26**).

HEMORRAGIAS EM ESTILHAÇO

As hemorragias em estilhaço distais são encontradas nos traumatismos leves (causa mais comum, ocorrendo em até 20% da população normal); psoríase, dermatite atópica. *Hemorragia em estilhaço proximal*: traumatismo (**Fig. 32-15B**), anemia ferropriva, endocardite bacteriana (**Fig. 32-27**), triquinose, síndrome do anticorpo antifosfolipídeo, mal das montanhas. *Manifestações clínicas*: estruturas lineares minúsculas, geralmente com 2 a 3 mm de comprimento, distribuídas no eixo longitudinal da unha; movem-se superficial e distalmente com o crescimento da unha.

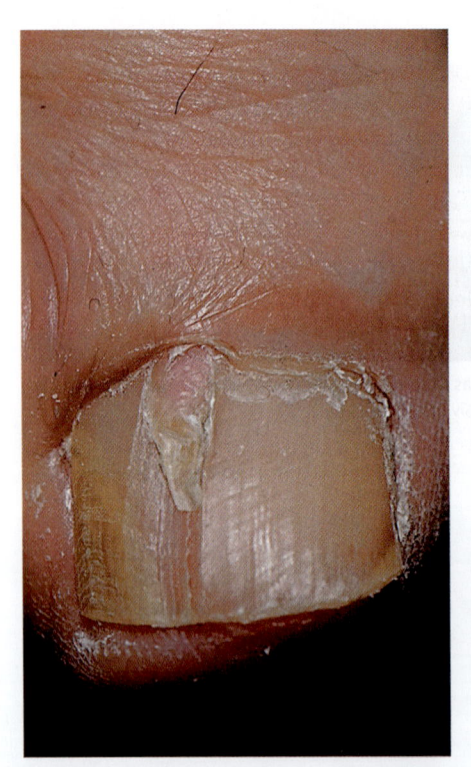

Figura 32-26 Esclerose tuberosa: fibroma periungueal Tumor cor de pele é visto emergindo da prega ungueal proximal associado a um sulco longitudinal na lâmina ungueal.

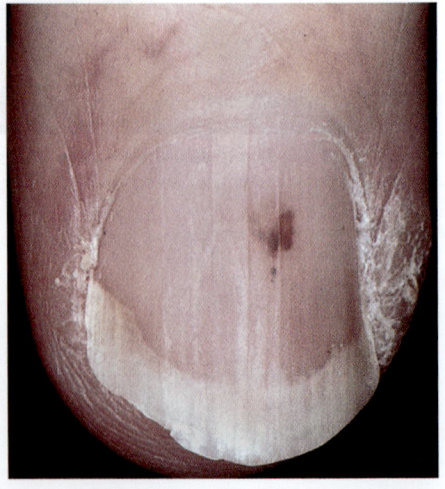

Figura 32-27 Endocardite infecciosa: hemorragia em estilhaço Hemorragia subungueal na porção média do leito ungueal do dedo da mão em uma paciente do sexo feminino de 60 anos com endocardite enterocócica; também havia hemorragia subconjuntival.

ERITEMA E TELANGIECTASIA PERIUNGUEAL/DA PREGA UNGUEAL

Associado à doença do tecido conectivo (colágeno-vascular).

Eritema periungueal. *Associação*: lúpus eritematoso sistêmico (LES), dermatomiosite (DM). Infecção pelo HIV/Aids ou pelo vírus da hepatite C, esclerodermia, osteodistrofia hipertrófica pulmonar, doença de Kawasaki, síndrome da mão-pé, microvasculite. *Manifestações clínicas*: eritema periungueal, edema, alterações da cutícula, alterações secundárias das unhas.

Telangiectasia. *Associação*: esclerodermia, LES, DM; artrite reumatoide. *Manifestações clínicas*: vasos lineares perpendiculares à base da unha sobrepostos às pregas ungueais proximais (**Fig. 32-28**); geralmente vermelho-brilhantes; podem ser negros quando há trombose. LES e DM: surgem no interior da área de eritema. Esclerodermia e DM: alças capilares dilatadas com *diminuição* da densidade capilar e áreas avascularizadas.

Hiperceratose e hemorragia cuticular. LES e DM.
LE discoide. Ver **Figura 32-29**.

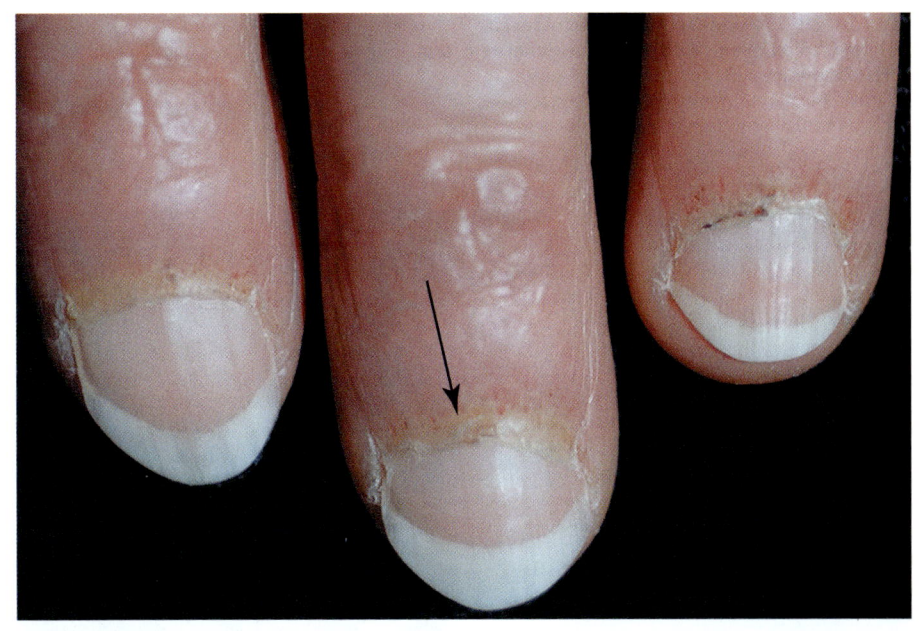

Figura 32-28 Lúpus eritematoso sistêmico: eritema e telangiectasia de prega ungueal Paciente do sexo feminino de 64 anos com lúpus eritematoso sistêmico e artrite, fadiga e fotossensibilidade há décadas. Pregas ungueais proximais aumentadas com eritema, telangiectasia (*seta*) e trombose. A cutícula está alongada.

PTERÍGIO UNGUEAL INVERTIDO

A lâmina ungueal adere à pele da ponta do dedo na esclerodermia.

AMILOIDOSE SISTÊMICA

Distrofia da unha lembrando o líquen plano com onicodistrofia grave (lâmina ungueal afinada, com fissura longitudinal e hemorragia subungueal) pode preceder o diagnóstico de amiloidose primária sistêmica. A biópsia do aparelho ungueal confirma o diagnóstico de amiloidose com depósitos amiloides na derme superficial da matriz da unha (Fig. 32-30).

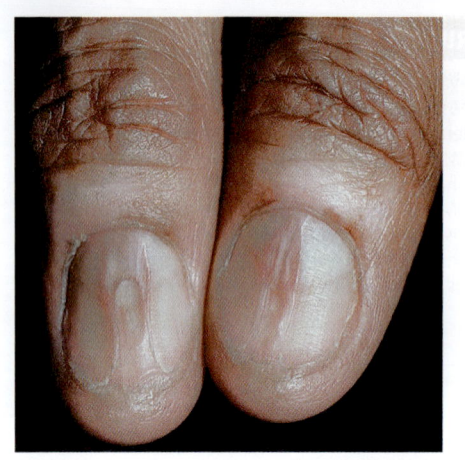

Figura 32-29 Lúpus eritematoso discoide: envolvimento da prega e da matriz ungueais e distrofia da unha As pregas ungueais proximais apresentam eritema, fibrose e despigmentação associadas à inflamação da matriz da unha.

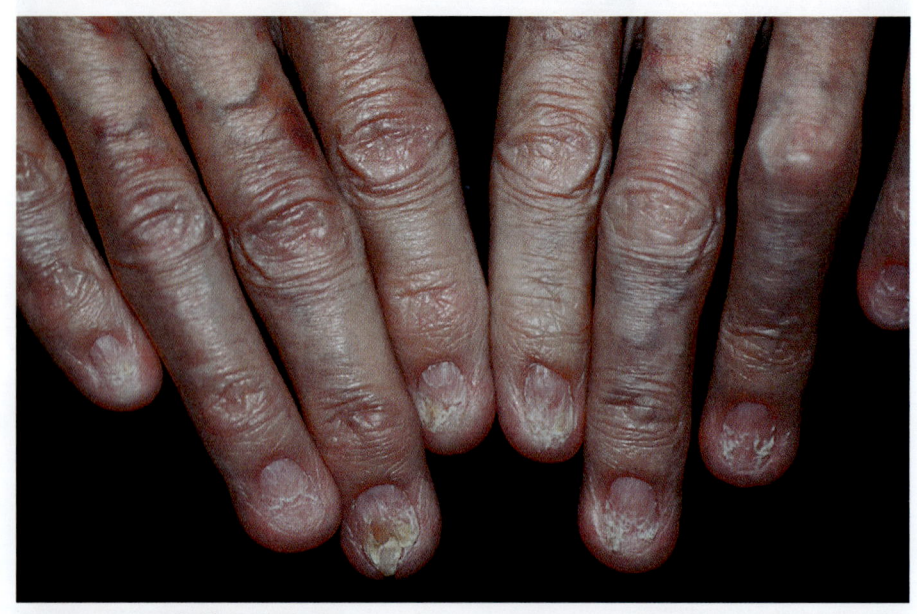

Figura 32-30 Amiloidose sistêmica As alterações nas unhas precederam o diagnóstico de amiloidose sistêmica. A matriz está inflamada causando adelgaçamento da lâmina ungueal proximal e desintegração distal.

COILONÍQUIA

Unhas em forma de colher (**Fig. 32-31**). *Etiologia* (mais frequentemente causada por fatores locais do que sistêmicos): hereditária e congênita; síndrome de Plummer-Vinson (anemia ferropriva, disfagia, glossite). *Manifestações clínicas:* nos estágios iniciais, a unha fica achatada; mais tarde, as bordas sofrem eversão e a unha fica côncava.

Figura 32-31 Coiloníquia A lâmina ungueal está côncava; nenhuma outra unha envolvida. Neste caso, não havia fatores sistêmicos associados.

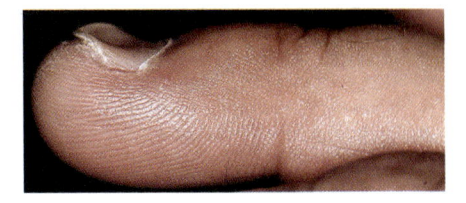

BAQUETEAMENTO UNGUEAL

O ângulo entre a prega proximal e a lâmina ungueal é > 180°. Pode ocorrer com ou sem cianose. *Patogênese*: hipertrofia dos componentes dos tecidos moles da polpa digital; hiperplasia do tecido fibrovascular da base da unha (a unha pode ser "balançada"); cianose local. *Etiologia*:

- Doenças cardiovasculares: aneurisma da aorta, doenças cardiovasculares congênitas ou adquiridas.
- Doenças broncopulmonares: neoplasias intratorácicas, distúrbio supurativo e intratorácico crônico.
- Doenças gastrintestinais: doença inflamatória intestinal; neoplasias GI, doenças hepáticas, polipose múltipla, disenteria bacilar, disenteria amebiana.
- Metemoglobinemia crônica.

Manifestações clínicas: dedos em forma de bulbo; lâmina ungueal aumentada e excessivamente curvada (**Fig. 32-32**). O aumento da curvatura geralmente afeta todas as 20 unhas.

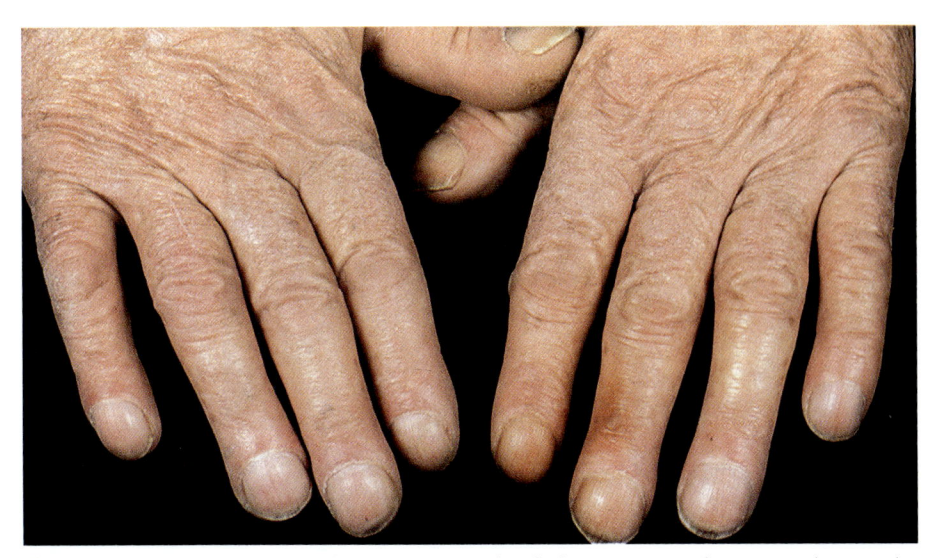

Figura 32-32 Câncer de pulmão: baqueteamento dos dedos Aumento e alargamento da ponta dos dedos, que assumiram esta forma arredondada em paciente tabagista com câncer de pulmão. O tecido entre a unha e o osso subjacente apresenta natureza esponjosa, o que confere sensação de "flutuação" quando se aplica pressão para baixo e para a frente na junção entre a lâmina e a prega proximal. A fumaça do cigarro manchou os dedos médio e indicador esquerdos.

ALTERAÇÕES UNGUEAIS INDUZIDAS POR FÁRMACOS

Os fármacos que causam alterações adversas nas unhas são semelhantes aos que causam efeitos adversos cutâneos e nas mucosas.

- Antimaláricos: alteração na cor (**Fig. 32-33**).
- Quimioterapia: linhas de Beau (**Fig. 32-23**), onicomadese, linhas de Muehrcke (**Fig. 32-34**), onicólise hemorrágica, granulomas piogênicos, melanoníquia.
- Antirretrovirais: melanoníquia (zidovudina [AZT]); granuloma piogênico (indinavir).
- Betabloqueadores: isquemia digital.
- Bleomicina: isquemia digital.
- PUVA: Foto-onicólise, melanoníquia.
- Retinoides: fragilidade ungueal, granuloma piogênico, paroníquia.
- Compostos com prata: Coloração azul-acinzentada da lúnula (**Fig. 32-35**).

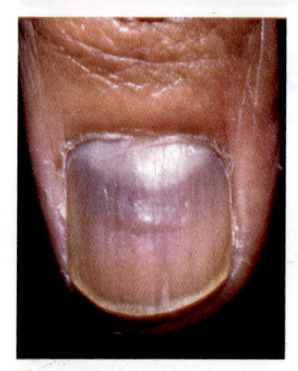

Figura 32-33 **Alteração na cor da unha: quinacrina** Unha azulada em paciente com lúpus eritematoso sistêmico tratado com quinacrina.

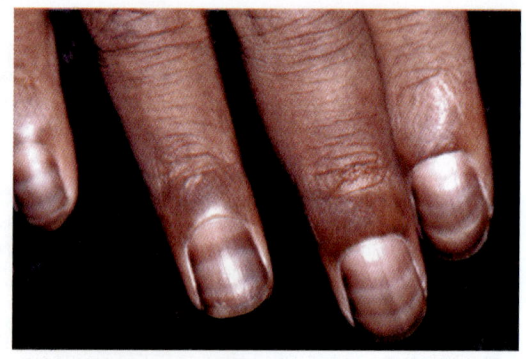

Figura 32-34 **Alteração na cor da unha e faixas transversais (linhas de Muehrcke)** Faixas transversais intercaladas sobre as unhas da mão de paciente com câncer de mama sendo tratada com quimioterapia (5-fluoruracila).

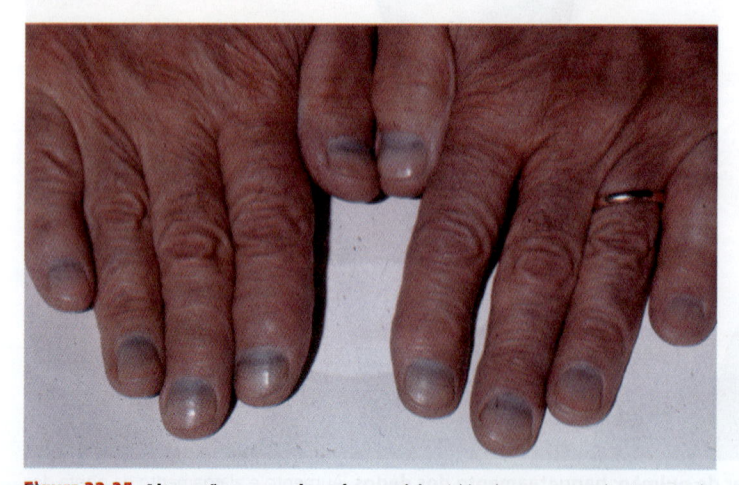

Figura 32-35 **Alteração na cor da unha: argiria** A lúnula tem cor azul-acinzentada. Essas alterações foram relatadas na exposição a sais de prata (medicamentosa e ambiental), mas também são observadas na doença de Wilson, na doença da hemoglobina M e na telangiectasia acrolabial hereditária. Este paciente tinha usado nitrato de prata durante muitos anos para gastrite.

SEÇÃO 33

DISTÚRBIOS DA BOCA

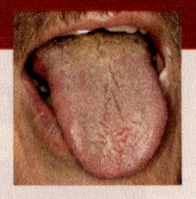

DOENÇAS DOS LÁBIOS CID-10: K13.0

QUEILITE ANGULAR (PERLÈCHE)

- Associada a maior umidade nas comissuras, salivação (durante o sono).
- *Fatores predisponentes*: crianças que chupam dedo; flacidez facial e perda de dentes em idosos; candidíase em indivíduos imunocomprometidos; *Staphylococcus aureus* em casos de dermatite atópica e tratamento com isotretinoína.
- *Manifestações clínicas*: Eritema a maceração nas comissuras (ver **Fig. 33-1**).
- *Diagnóstico*: exame com KOH para candidíase; cultura para *S. aureus* e *Candida*.
- *Tratamento*: identificar e tratar as causas.

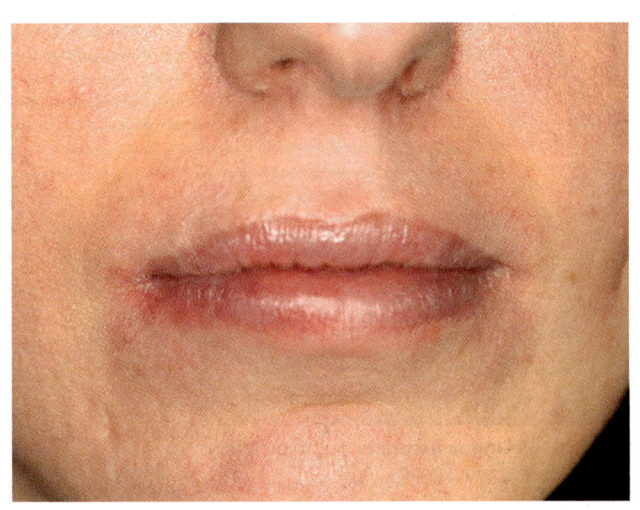

Figura 33-1   Queilite angular   Eritema leve e descamação em ambas as comissuras labiais. (Usado com permissão de Dr. Nathaniel Treister.)

QUEILITE ACTÍNICA

Ceratose actínica/solar, geralmente no lábio inferior. Deve-se afastar carcinoma espinocelular *in situ* (CECIS) ou invasivo se houver pápula, nódulo ou úlcera (ver Seção 11).

DOENÇAS DA LÍNGUA, PALATO E MANDÍBULA CID-10: K14.9, Q38.5, K09.2

LÍNGUA FISSURADA

- Variante normal em até 11% da população. Assintomática.
- *Manifestações clínicas*: múltiplas fissuras com orientação anterior-posterior na superfície dorsal da língua (**Fig. 33-2**).
- *Doenças associadas*: psoríase, síndrome de Down, acromegalia, síndrome de Sjögren.
- *Sinônimos*: língua fissurata, língua plicada, língua escrotal, língua sulcada, língua fendida.

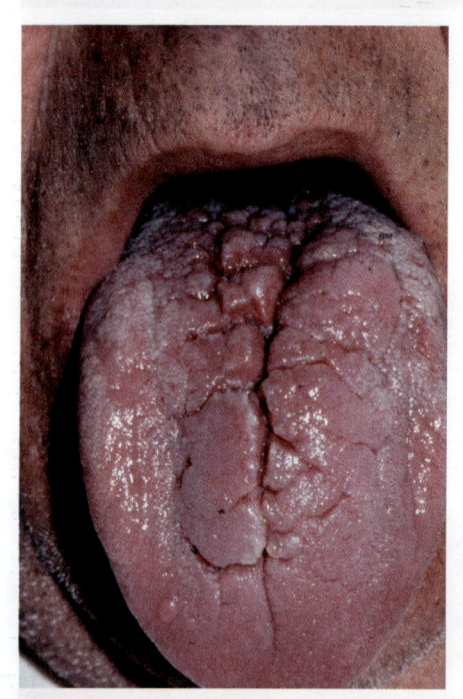

Figura 33-2 Língua fissurada Sulcos profundos e assintomáticos no dorso da língua.

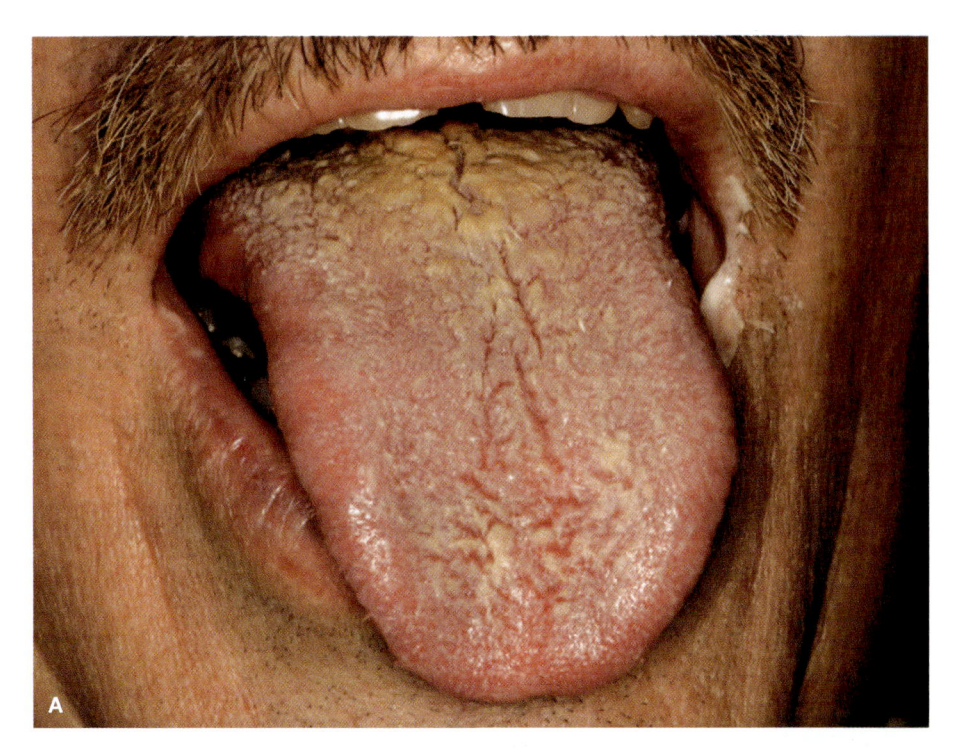

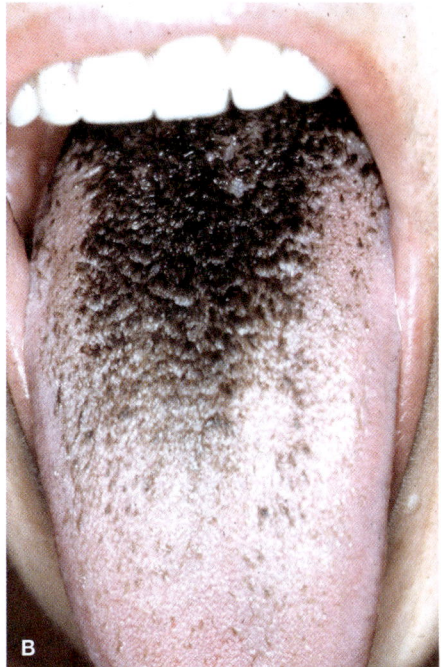

Figura 33-3 (A) Língua pilosa Descamação defeituosa das papilas filiformes observadas na região posterior da língua. A língua apresenta uma superfície branca devido à retenção de ceratina. (Usada com permissão de Dr. Nathaniel Treister.) **(B) Língua pilosa negra** Neste exemplo, bactérias cromogênicas coloriram de negro a língua.

LÍNGUA PILOSA NEGRA OU BRANCA

- *Patogênese*: descamação defeituosa das papilas filiformes, resultando em projeções em forma de pelos no dorso da língua.
- *Associações*: hábito intenso de fumar, respiração bucal, antibioticoterapia sistêmica, higiene oral deficiente, debilidade geral, radioterapia, uso crônico de antiácidos contendo bismuto, dieta pobre em fibras.
- *Manifestações clínicas*: placas piliformes no dorso da língua (**Fig. 33-3**). É possível haver candidíase secundária.
- *Manejo*: eliminar fatores predisponentes; higiene da boca.
- *Sinônimo*: língua vilosa (negra).

LEUCOPLASIA PILOSA ORAL (LPO) (Ver Seção 27)

- *Patogênese*: infecção por vírus Epstein-Barr; redução na contagem de CD4.
- *Manifestações clínicas*: placas corrugadas brancas nas faces laterais da língua (ver **Fig. 27-66**). Não ocorre em pacientes com tratamento bem-sucedido para HIV/Aids.

GLOSSITE MIGRATÓRIA CID-10: K14.1

- Áreas irregulares de desceratinização e descamação de papilas filiformes (de cor vermelha) circundadas por margens elevadas brancas ou amarelas (**Fig. 33-4**).
- *Etiologia*: desconhecida; possivelmente associada à psoríase. Incidência: comum; geralmente assintomática.
- *Sinônimo*: língua geográfica.

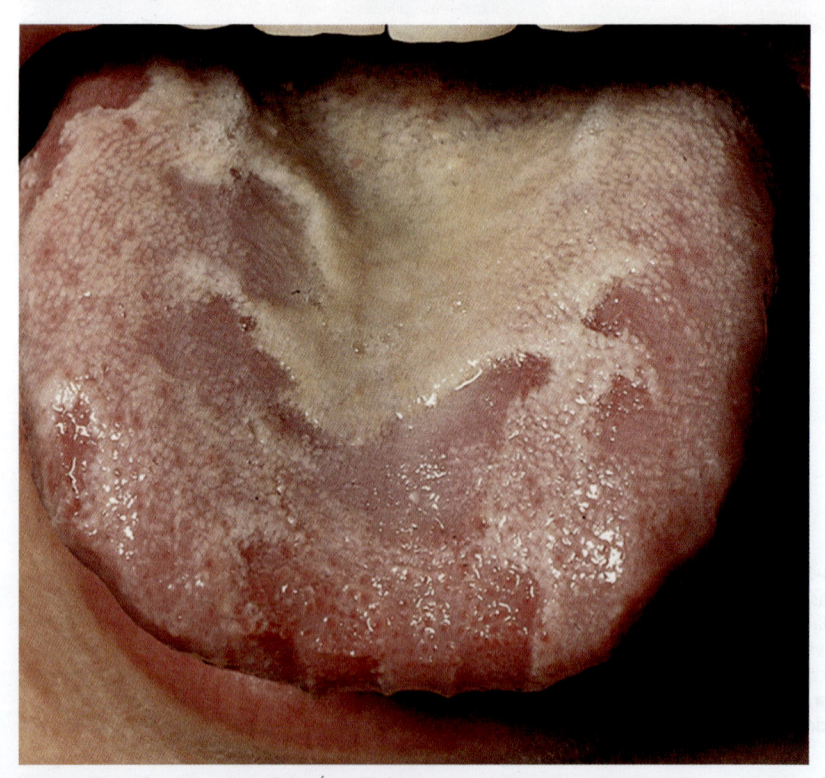

Figura 33-4 Glossite migratória Áreas de hiperceratose alternadas com áreas de epitélio róseo normal, criando um padrão geográfico em paciente do sexo feminino com psoríase.

TÓRUS PALATINO E MANDIBULAR

- *Patogênese*: predisposição genética; em algumas séries, autossômica dominante; mais comum no sexo feminino, indígenas nativos dos EUA, esquimós (tórus palatino); estressores locais (mandibular e palatino).
- *Associações*: Bruxismo
- *Sintomas*: pode ser complicado por ulceração; geralmente assintomático.
- *Manifestações clínicas*: o tórus palatino geralmente ocorre na linha média do palato e tem menos de 2 cm, mas pode variar de tamanho com o tempo; o tórus mandibular geralmente é encontrado próximo aos pré-molares; raramente bilateral. São protrusões lisas e nodulares (**Fig. 33-5**).
- *Tratamento*: não é necessário; se houver ulceração ou complicação com prótese dentária, é possível intervenção cirúrgica.

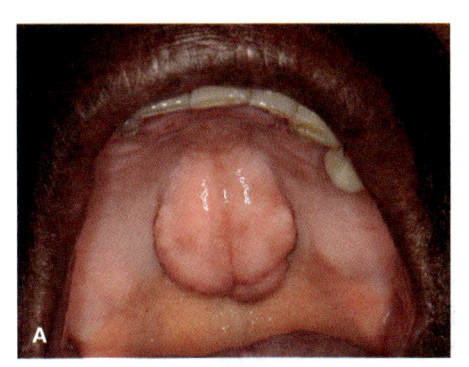

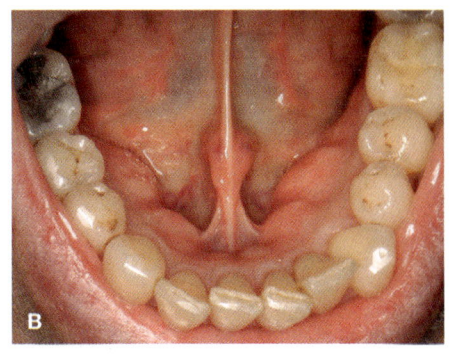

Figura 33-5 **(A) Tórus palatino** Protrusão óssea na linha média do palato. **(B) Tórus mandibular** Protrusão unilateral próxima dos pré-molares, acima da inserção do músculo milo-hioideo na mandíbula. (Usada com permissão de Dr. Nathaniel Treister.)

DOENÇAS DA GENGIVA, DO PERIODONTO E DAS MUCOSAS
CID-10: K06.9, K05.6, K13.7

GENGIVITE E PERIODONTITE

- *Gengivite*: eritema, edema, embotamento das papilas interdentais sem perda óssea. Fatores predisponentes: higiene bucal insatisfatória, tabagismo, diabetes melito.
- *Periodontite*: infecção crônica do tecido conectivo, ligamento periodontal e osso alveolar; é a causa mais comum de perda de dentes nos adultos.
- *Evolução*: acúmulo de cálculos subgengivais (placa calcificada) e infecção por *Actinobacillus actinomycetemcomitans*, resultando em edema indolor dos tecidos moles, reabsorção óssea alveolar insidiosa, aprofundamento das bolsas periodontais e perda de dentes.

GENGIVOESTOMATITE EROSIVA

Padrão reacional associado a infecção viral, autoimunidade, líquen plano (LP), eritema multiforme, pênfigo, penfigoide cicatricial.
Manifestações clínicas: eritema, descamação e edema das gengivas. Outras regiões mucocutâneas podem ser afetadas.

MUCOSITE LIQUENOIDE

Manifestações clínicas: placas brancas reticuladas e erosões dolorosas na superfície mucosa.
Etiologia: LP, fármacos (AINEs, anti-hipertensivos), dermatite de contato alérgica, doença do enxerto contra hospedeiro.

LÍQUEN PLANO (Ver Seção 14)

- **Incidência**: Cerca de 40 a 60% dos indivíduos com LP apresentam acometimento da orofaringe.
- *Manifestações clínicas:*
  - Pápulas brancas leitosas.
  - Estrias de Wickham: padrão reticular (rede) de hiperceratose rendada branca (mucosa bucal [**Fig. 33-6**], lábios, língua e gengivas).
  - LP hipertrófico: leucoplasia com estrias de Wickham, geralmente na mucosa da boca.
  - LP atrófico: placa brilhante muitas vezes com estrias de Wickham na mucosa circundante.
  - LP erosivo/ulcerativo: erosões superficiais com coágulos de fibrina sobrejacentes encontrados na língua e na mucosa bucal; podem ser dolorosas (**Fig. 33-6**). Deve ser cuidadosamente acompanhado devido ao risco de desenvolvimento de carcinoma espinocelular (1 a 3% dos casos), particularmente em etilistas, tabagistas, imunossuprimidos ou pessoas infectadas pelo HPV.
  - LP bolhoso: bolhas intactas (a ruptura resulta em LP erosivo).
  - Gengivite descamativa: gengiva vermelho-brilhante (**Fig. 33-7**).

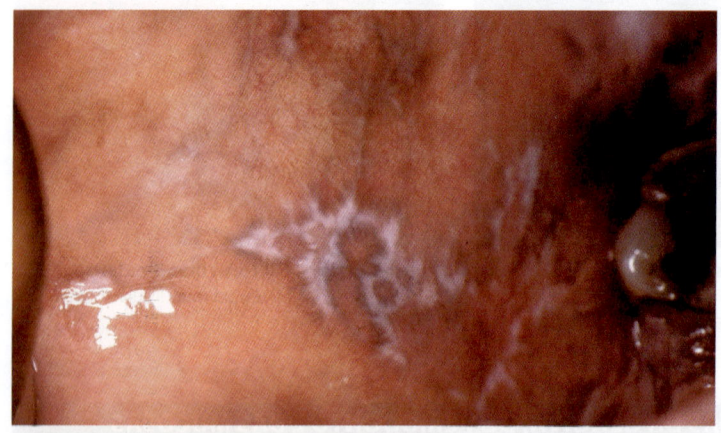

Figura 33-6 Líquen plano: estrias de Wickham Placa violácea mal-definida com padrão rendilhado branco na mucosa bucal.

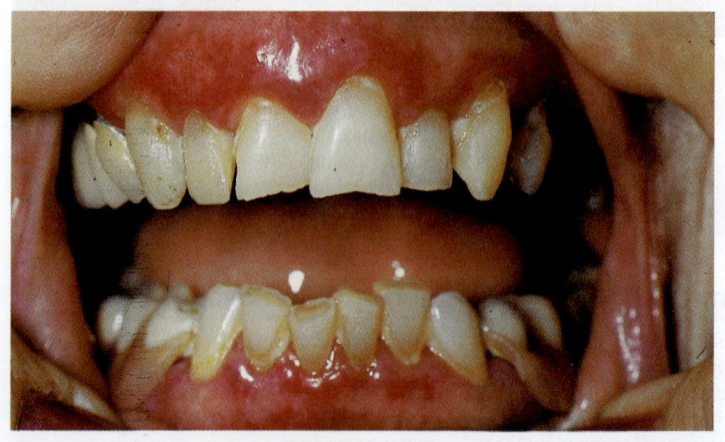

Figura 33-7 Líquen plano: gengivite descamativa As margens da gengiva estão eritematosas, edemaciadas e retraídas. As lesões são dolorosas, dificultando a higiene dental e resultando na formação de placas sobre os dentes.

GENGIVITE ULCERATIVA NECROSANTE AGUDA

- *Fatores desencadeantes*: higiene oral insatisfatória, HIV/Aids, imunossupressão, consumo de álcool, tabagismo e deficiência nutricional.
- *Manifestações clínicas* (**Fig. 33-8**): úlceras em saca-bocado nas papilas interdentais. Hemorragia gengival, dor intensa, odor fétido/halitose, febre, linfadenopatia; destruição óssea alveolar.
- *Agentes etiológicos*: Bacteroides fusiformis, Prevotella intermedia, Borrelia vincentii, Treponema.
- *Tratamento*: antibióticos sistêmicos como clindamicina, metronidazol, amoxicilina. Higiene dos dentes.
- *Sinônimos*: boca das trincheiras, doença de Vincent.

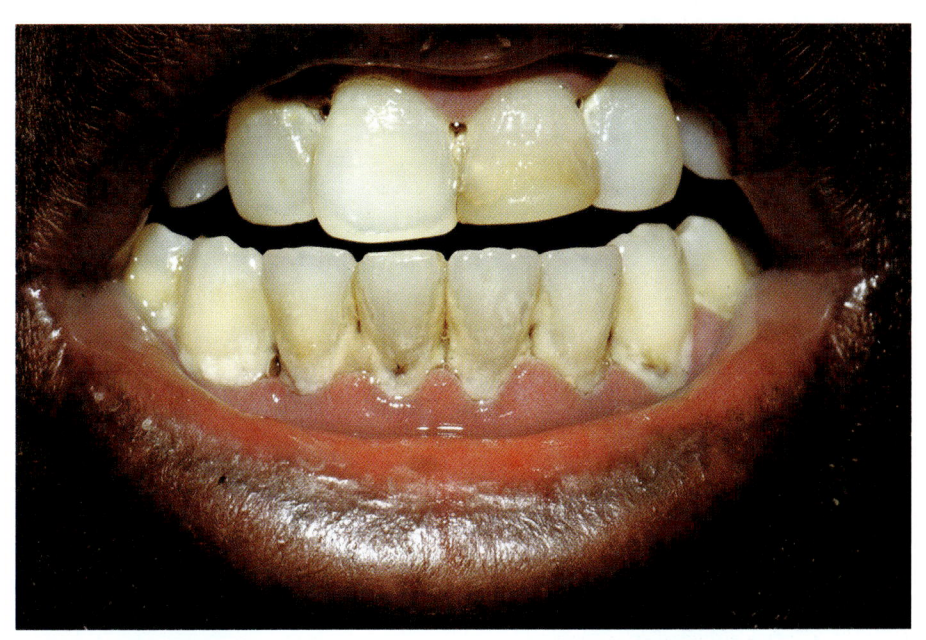

Figura 33-8 Gengivite ulcerativa necrosante aguda (GUNA) Gengivite muito dolorosa com necrose da margem gengival, edema, purulência e halitose em paciente do sexo feminino de 35 anos com doença por HIV em estágio avançado. A GUNA foi curada com clindamicina por via oral.

HIPERPLASIA GENGIVAL

- *Manifestações clínicas*: hipertrofia da borda livre e fixa da gengiva, particularmente das papilas interdentais (**Fig. 33-9**).
- *Hipertrofia inflamatória*: é a causa mais comum de hipertrofia gengival. Causada por edema e infiltrado infeccioso celular por exposição prolongada à placa bacteriana; caso não seja tratada, pode evoluir para fibrose.
- *Hiperplasia gengival fibrosa induzida por fármacos*: pode cobrir os dentes e está associada a:
    - Anticonvulsivantes: fenitoína, succinimidas e ácido valproico.
    - Bloqueadores do canal de cálcio: nifedipino e verapamil.
    - Ciclosporina.
- *Estados/distúrbios sistêmicos*:
    - Gravidez, puberdade, deficiência de vitamina C, doença do armazenamento de glicogênio.
    - Leucemia mielomonocítica crônica (**Fig. 33-9**).

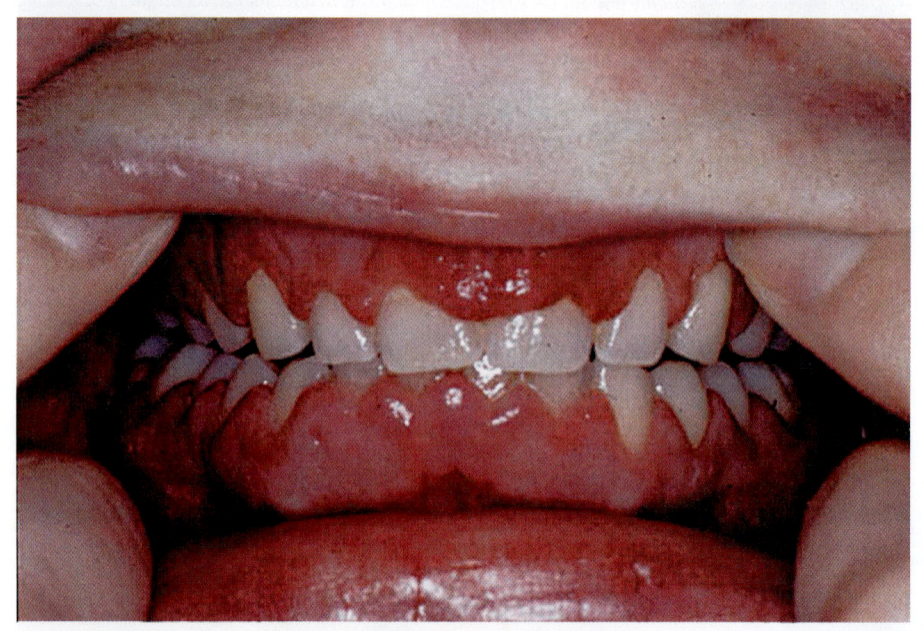

Figura 33-9 Hiperplasia gengival: leucemia monocítica aguda Gengiva hiperplásica em razão de infiltração de monócitos leucêmicos.

ULCERAÇÃO AFTOSA CID-10: K12.0

- Lesões dolorosas e recorrentes na mucosa.
- Causa mais comum de úlceras na boca; incidência de até 30% em pessoas saudáveis sob outros aspectos.
- Podem estar associadas a doenças sistêmicas como HIV/Aids e doença de Behçet.

EPIDEMIOLOGIA

ETIOLOGIA Idiopática. Pode surgir no local de pequenas lesões na mucosa, por exemplo, mordidas.
PATOGÊNESE Padrão de reação imune mediada por células.
IDADE DE INÍCIO Qualquer idade; frequentemente durante a segunda década de vida, persistindo na vida adulta e se tornando menos frequente com o avanço da idade.

Classificação
- Simples: 1 a 3 úlceras na boca com recidiva 1 a 3 vezes por ano.
- Complexa: úlceras contínuas e associadas a doença sistêmica ou úlceras genitais.
- Úlceras aftosas (UAs) *major* podem persistir por 6 semanas ou mais e desaparecem deixando cicatriz.
- Deve-se considerar a possibilidade de doença de Behçet nos pacientes com UA orofaríngea persistente com ou sem UA anogenital, associada a sintomas sistêmicos (olho, sistema nervoso). Ver Seção 14.

MANIFESTAÇÃO CLÍNICA

SINTOMAS Embora pequena, a UA pode ser bastante dolorosa. Nos indivíduos com UA grave, é possível haver perda de peso associada à dor persistente.

Manifestações clínicas na mucosa
- Algumas vezes, pequena mácula ou pápula eritematosa dolorosa antes de haver ulceração.
- Mais comumente, úlceras menores de 1 cm (**Figs. 33-10** e **33-11**), cobertas por fibrina (branco-acinzentadas) com bordas bem definidas, distintas e às vezes edemaciadas.
- A UA herpetiforme (UAH) ou "em grupo" e a UA *major* (UAMa) desaparecem deixando cicatriz branca deprimida.
- Número de úlceras: UA *minor* (UAMi), 1 a 5; UAMa, 1 a 10; UAH, até 100.
- *Distribuição*: orofaríngea, anogenital e em qualquer ponto no trato GI. As lesões orais ocorrem mais comumente nas mucosas bucal e labial, menos frequentemente na língua, nos sulcos, na parede inferior da boca. UAMi raramente ocorre no palato ou nas gengivas. UAMa com frequência ocorre no palato mole e na faringe. Também ocorre no esôfago, no trato GI superior e inferior e no epitélio anogenital.

MANIFESTAÇÕES CLÍNICAS GERAIS Com UAMa, ocasionalmente há linfadenopatia cervical dolorosa.
DOENÇAS ASSOCIADAS Doença de Behçet, neutropenia cíclica, HIV agudo, Aids (UA crônica grande), artrite reativa; doença de Crohn; febre periódica, estomatite aftosa, faringite e síndrome de adenite (PFAPA). Esta última ocorre em crianças pequenas

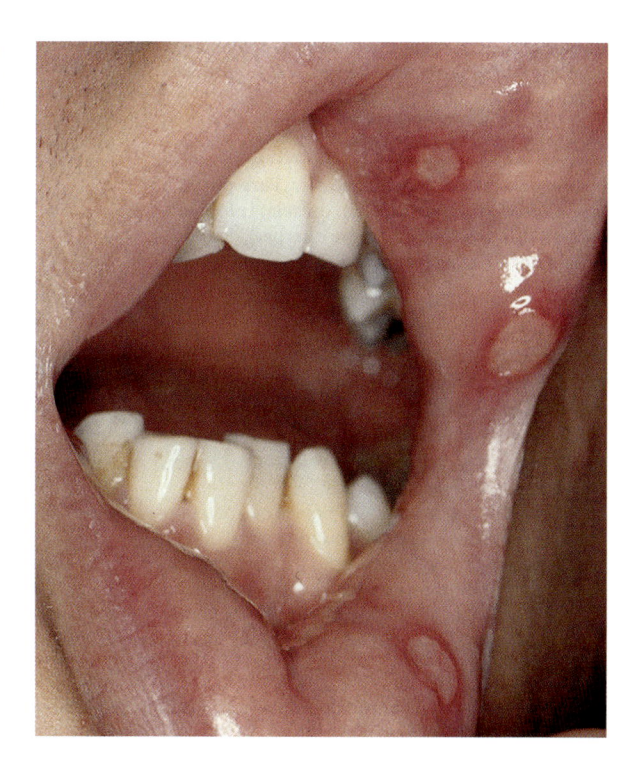

Figura 33-10 Úlcera aftosa: *minor* Diversas úlceras muito dolorosas com base acinzentada e halo eritematoso na mucosa labial.

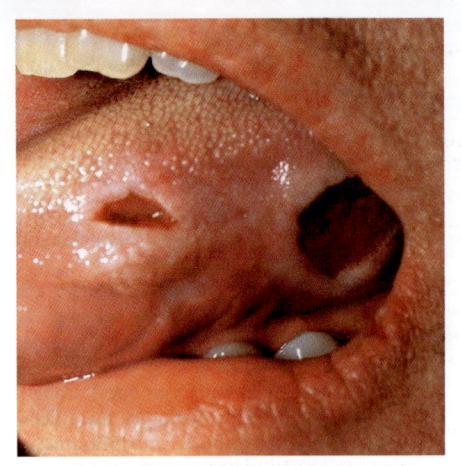

Figura 33-11 Úlcera aftosa: *major* Duas grandes úlceras profundas e dolorosas na região lateral da língua em paciente com HIV/Aids. As úlceras resolveram com injeção intralesional de triancinolona.

com febre alta ocorrendo periodicamente a cada 3 a 5 semanas com UA, faringite e/ou linfadenite.

DIAGNÓSTICO DIFERENCIAL

Gengivoestomatite herpética primária, doença da mão-pé-boca, herpangina, infecção primária por HIV/Aids, doença de Behçet, carcinoma espinocelular (CEC), doença bolhosas, líquen plano, artrite reativa (síndrome de Reiter), reação adversa a fármaco.

EXAMES LABORATORIAIS

DERMATOPATOLOGIA Não diagnóstica. Para afastar causas específicas de úlceras, ou seja, infecção (cancro sifilítico, histoplasmose e herpes), doença inflamatória (líquen plano) ou câncer (CEC).

DIAGNÓSTICO

Geralmente feito com base clínica, descartando outras causas.

EVOLUÇÃO

Tende a recidivar durante a vida adulta. Raramente, chega a ser quase constante na orofaringe ou na região anogenital, sendo denominada *aftose complexa*.

TRATAMENTO

TRIANCINOLONA INTRALESIONAL Tratamento muito eficaz com 3 a 10 mg/mL de solução contendo lidocaína para alívio imediato da dor e resolução das úlceras. Aplicação tópica de *anlexanox a 5%*, quatro vezes ao dia (após as refeições e antes de dormir). Pomada de lidocaína a 2% deve ser utilizada somente para alívio breve e imediato da dor.

Terapia sistêmica

- *Prednisona:* em indivíduos com UA volumosa, persistente e dolorosa que esteja interferindo na nutrição, um curso breve de prednisona é eficaz (70 mg, reduzindo em 10 ou 5 mg/dia).
- **Tetraciclina** xarope e **minociclina** 100 mg, 2×/dia, VO, com índices variáveis de sucesso relatados.
- *Talidomida:* eficaz nos casos com HIV/Aids, doença de Behçet, UA volumosa e dolorosa. Efeitos adversos: neuropatia sensorial periférica. A lenalidomida pode ser usada nesses casos. Teratogenia.
- *Inibidor do fator de necrose tumoral α:* adalimumabe e infliximabe com relatos de serem eficazes. A inibição da interleucina-1 se mostrou promissora na PFAPA.

LEUCOPLASIA CID-10: K13.2

- Placa/lesão branca crônica na orofaringe.
- A leucoplasia pré-maligna apresenta atipia histológica.
- Leucoplasia é um termo clínico descritivo relacionado com a morfologia: *devem ser afastados carcinomas espinocelulares in situ* e invasivo.
- *Manifestações clínicas*: placa branca que não pode ser removida ou diagnosticada como outra lesão e que pode ter caráter pré-maligno ou maligno.
- O diagnóstico definitivo é feito com base em manifestações clínicas e histológicas.
- Quando o diagnóstico é histologicamente definitivo, "leucoplasia" deixa de ser um termo apropriado. O diagnóstico diferencial inclui CECIS, CEC invasivo, candidíase, glossite migratória, mucosite induzida por radioterapia ou quimioterapia, líquen plano, lúpus eritematoso.

O diagnóstico diferencial com leucoplasia é mostrado no Quadro 33-1.

QUADRO 33-1 Diagnóstico diferencial das leucoplasias

Lesão/distúrbio	Características
Leucoedema (Fig. 33-12)	Aparência opalescente branco-acinzentada da mucosa bucal, variante do normal. Histologia: acantose.
Ceratose friccional/líquen simples crônico (Fig. 33-13)	Ceratose secundária à fricção (p. ex., dente pontiagudo, borda da prótese dentária áspera ou sobrestendida.
Mordida crônica: lábio, língua, região malar (Fig. 33-14)	Ceratose de tipo friccional. Superfície branca e áspera. Na mucosa bucal em forma de cunha.
Estomatite por nicotina (Fig. 33-15)	Irritação química decorrente do hábito de fumar cachimbo, cigarro ou charuto. Ocorre no palato duro; obstrução de glândulas salivares menores no palato. Os dutos inflamam e parecem elevados. Pontos eritematosos sobre a região posterior do palato duro e no palato mole. A aparência branca melhora parando de fumar. Não é considerada lesão pré-maligna.
Lesão branca dos mascadores de tabaco	Desenvolve-se onde o tabaco é mascado. Mucosa granular ou enrugada. *Localização*: prega mucobucal. A lesão é pré-maligna. Geralmente melhora com a suspensão do hábito.
Língua pilosa (Fig. 33-3)	Alongamento das papilas filiformes no dorso da língua; de cor branca, marrom ou preta. Ver anteriormente.
Queimadura química ou por ácido acetilsalicílico	Ocorre após aplicação de comprimido de ácido acetilsalicílico na superfície mucosa. A superfície mucosa torna-se necrótica; lesão branca/dolorosa frouxamente aderente, descola facilmente.
Leucoplasia pilosa oral (ver Fig. 27-66)	Ver anteriormente e ver a doença por HIV (Seção 27). Aspecto aveludado branco na face lateral inferior da língua.
Leucoplasia pré-maligna	Gravidade associada à duração e à quantidade de consumo de tabaco e álcool. Localização: lábio, língua, parede inferior da boca. A eritroleucoplasia (leucoplasia salpicada) é a que apresenta a maior taxa de transformação maligna.
Papilomavírus humano: condiloma acuminado, verruga vulgar (Fig. 33-16), papiloma escamoso	*Manifestações clínicas*: pápulas, placas brancas; pequenas, sésseis, com papilas, exofíticas. Solitária, múltiplas, em mosaico.
Carcinoma verrucoso	Ver adiante.
Outras lesões brancas	Ceratoacantoma, acantoma escamoso, fibrose submucosa (mascadores de noz-de-areca), nevo branco esponjoso.

Figura 33-12 Leucoedema Nesta variante do normal, há alteração na cor da mucosa que fica azulada e branca e empalidece quando a bochecha é retraída. (Usada com permissão de Dr. Nathaniel Treister.)

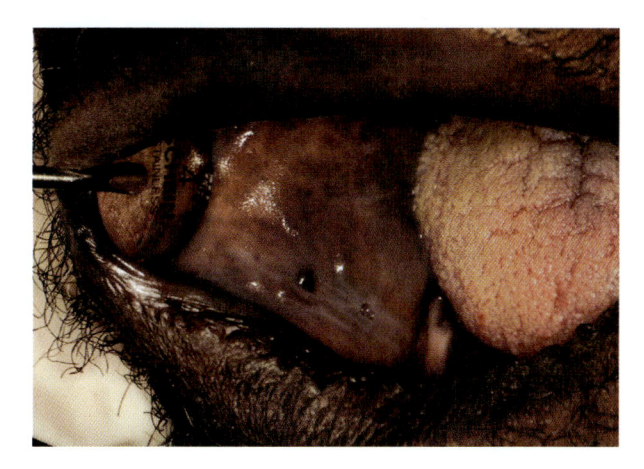

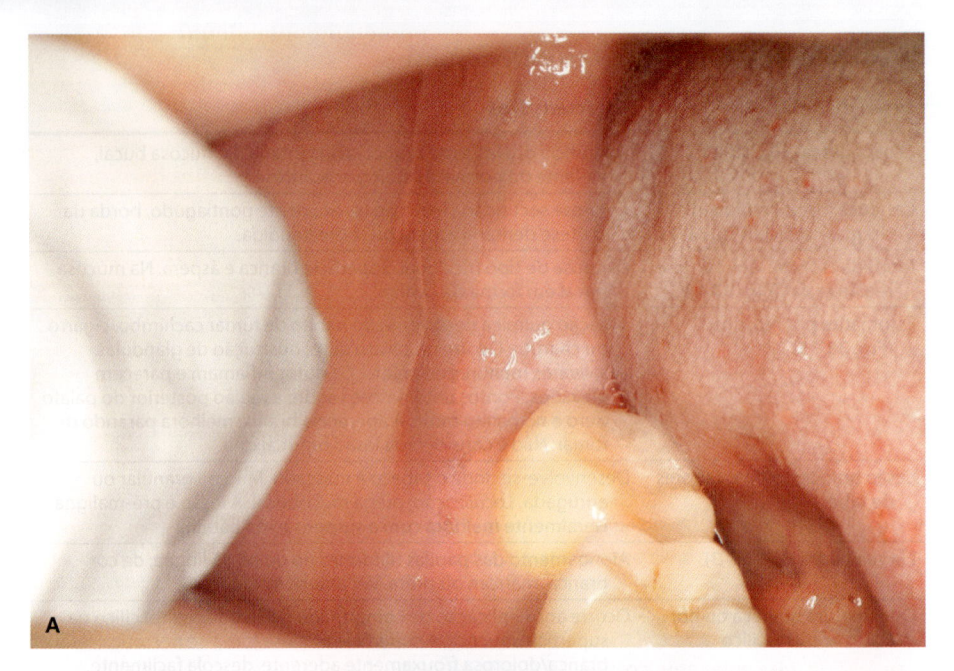

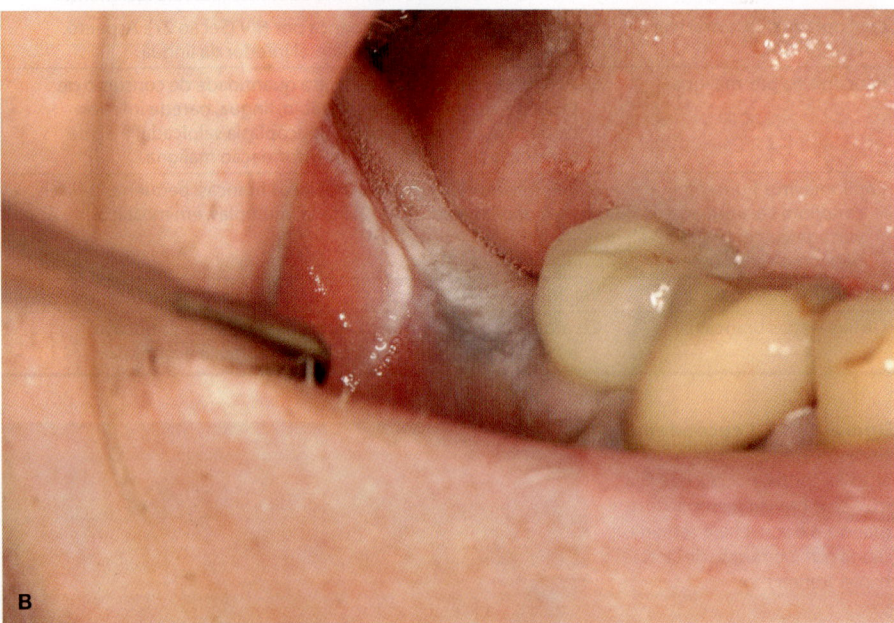

Figura 33-13 (A, B) Líquen simples crônico Observe a placa branca no coxim retromolar (após extração do terceiro molar). Esta lesão é encontrada com frequência no rebordo alveolar sem dente após extração. (Usada com permissão de Dr. Sook-Bin Woo.)

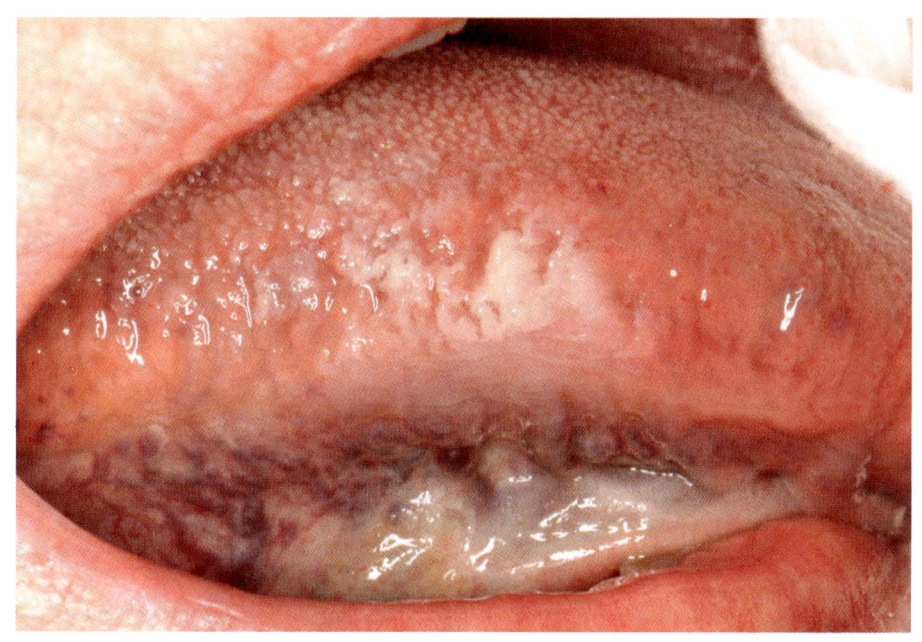

Figura 33-14 Mascador crônico Pápula branca cuneiforme observada na superfície lateral da língua. (Usada com permissão de Dr. Sook-Bin Woo.)

Figura 33-15 Estomatite por nicotina Palato posterior com pápulas puntiformes eritematosas nos locais dos dutos e placas brancas, onde a irritação química causou inflamação crônica.

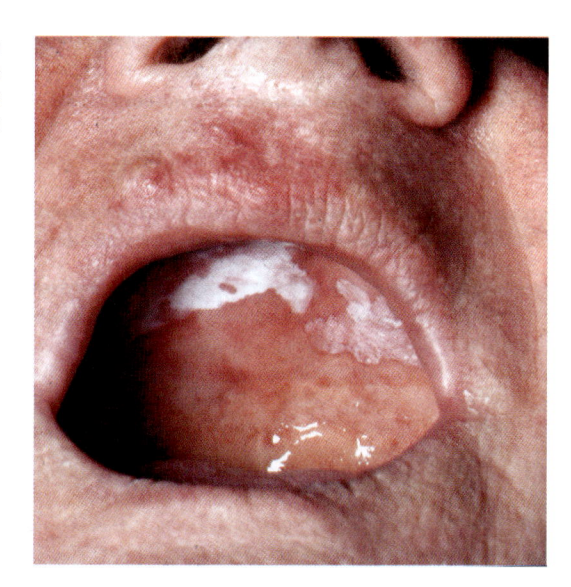

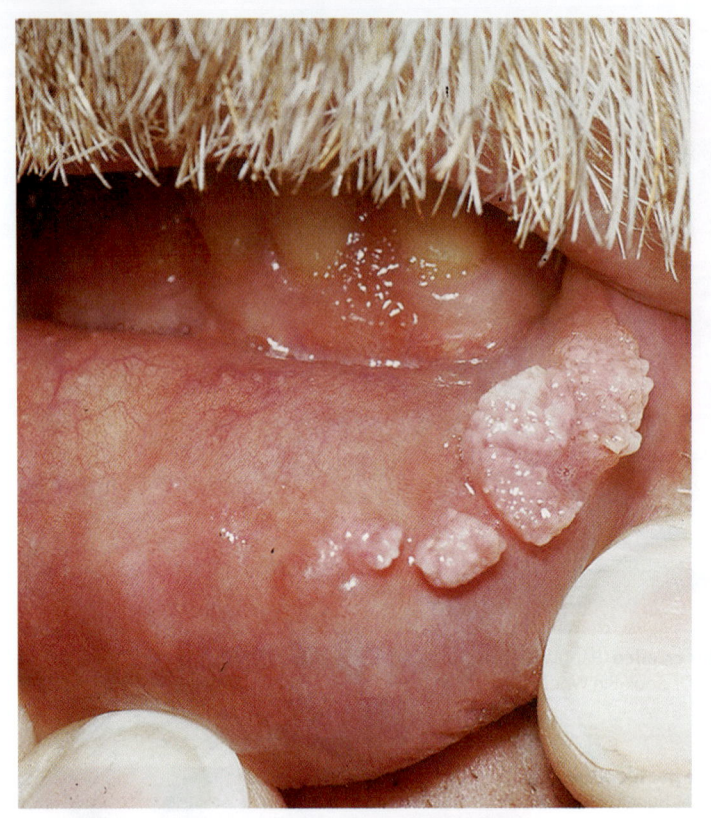

Figura 33-16 Condiloma acuminado: mucosa labial Conjunto de lesões brancas em forma de couve-flor sobre a mucosa do lábio inferior.

NEOPLASIAS PRÉ-MALIGNAS E MALIGNAS CID-10: C14.0, C10.9

DISPLASIA E CARCINOMA ESPINOCELULAR *IN SITU* (CECIS)

- *Etiologia*: hábitos relacionados a tabagismo (mastigar fumo e noz-de-areca); papilomavírus humano (HPV).
- *Fatores de risco*: tabagismo, alcoolismo, líquen plano oral.
- *Manifestações clínicas*: placa/mancha ± solitária, crônica, na mucosa da orofaringe. Aspecto aveludado ± avermelhado com regiões de leucoplasia salpicada ou em placas (**Fig. 33-17**). Placa ± lisa com leucoplasia mínima ou ausente.
- *Tamanho*: geralmente menor de 2 cm. *Localização*: parede inferior da boca (homens); língua e superfície bucal (mulheres).
- *Evolução*: a maioria das displasias não evolui para CEC invasivo; algumas, sim.
- Deve-se indicar biópsia para todas as lesões que persistam por mais de 3 semanas sem diagnóstico definitivo.

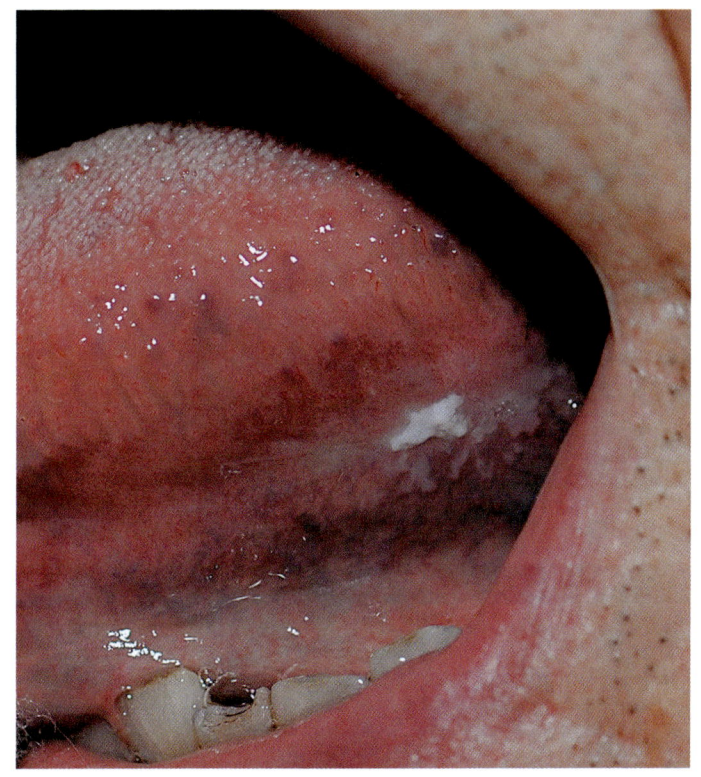

Figura 33-17 Carcinoma espinocelular *in situ* (CECIS): região lateral inferior da língua Paciente do sexo masculino de 72 anos com lesão assintomática na língua observada por seu dentista. Evidencia-se placa branca de 6 mm (leucoplasia) na língua. A biópsia revelou CECIS. A lesão foi excisada.

CARCINOMA ESPINOCELULAR INVASIVO DA BOCA (Ver também Seção 11)

- Associado a morbidade e mortalidade elevadas, sendo responsável por cerca de 5% das neoplasias nos homens e por 2% nas mulheres.
- *Manifestações clínicas*: geralmente se apresenta como placa ou nódulo granular aveludado com hiperceratose pontilhada ± ulceração (**Fig. 33-18**) (lábios, parede inferior da boca, faces central e lateral da língua).
- Deve-se indicar biópsia para todas as lesões que persistam por mais de 3 semanas sem diagnóstico definitivo.
- *Tratamento*: intervenção cirúrgica agressiva.

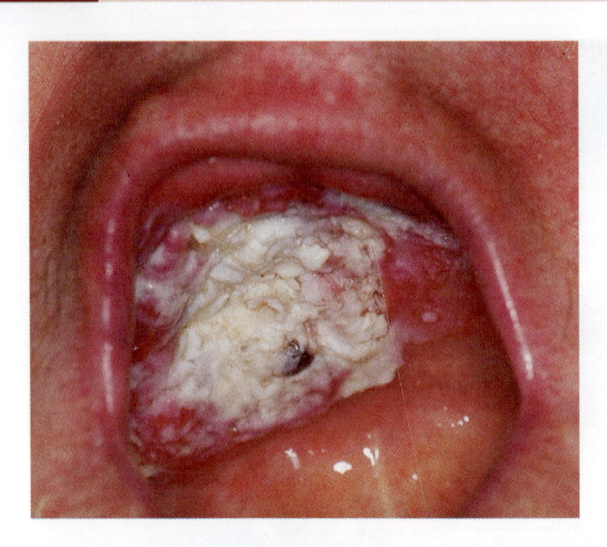

Figura 33-18 Carcinoma espinocelular invasivo: palato Tumor leucoplásico avançado sobre o palato duro de paciente tabagista.

CARCINOMA VERRUCOSO DA BOCA

- *Etiologia*: HPV oncogênicos tipos 16, 18.
- *Manifestações clínicas*: leucoplasia hiperceratótica branca extensa (**Fig. 33-19**).
- *Evolução*: metástases tardias, mas podem causar destruição local. Deve-se indicar biópsia para todas as lesões que persistam por mais de 3 semanas sem diagnóstico definitivo.
- *Tratamento*: intervenção cirúrgica agressiva.

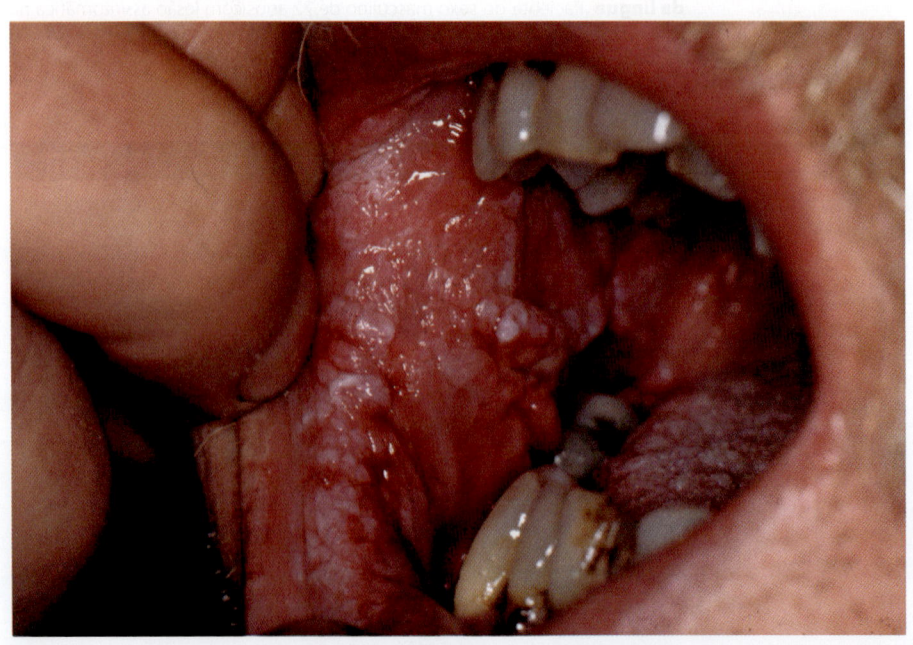

Figura 33-19 Carcinoma verrucoso: mucosa da boca Placa espessada extensa na mucosa da boca.

MELANOMA DE OROFARINGE (Ver também a Seção 12)

- *Incidência*: 4% das neoplasias primárias da boca.
- Em sua maioria, as lesões são assintomáticas; com frequência, em estágio avançado por ocasião do diagnóstico.
- *Manifestações clínicas*: apresenta-se como lesão pigmentada (**Fig. 33-20**), com várias cores e bordas irregulares; raramente, amelanótico. As lesões *in situ* são maculares; os locais de invasão geralmente estão elevados no interior da lesão *in situ*.
- *Distribuição*: 80% surgem na mucosa pigmentada de palato ou gengiva.
- *Fatores de risco*: os indivíduos mais pigmentados (africanos) apresentam incidência proporcionalmente mais alta de melanoma da mucosa do que os brancos.

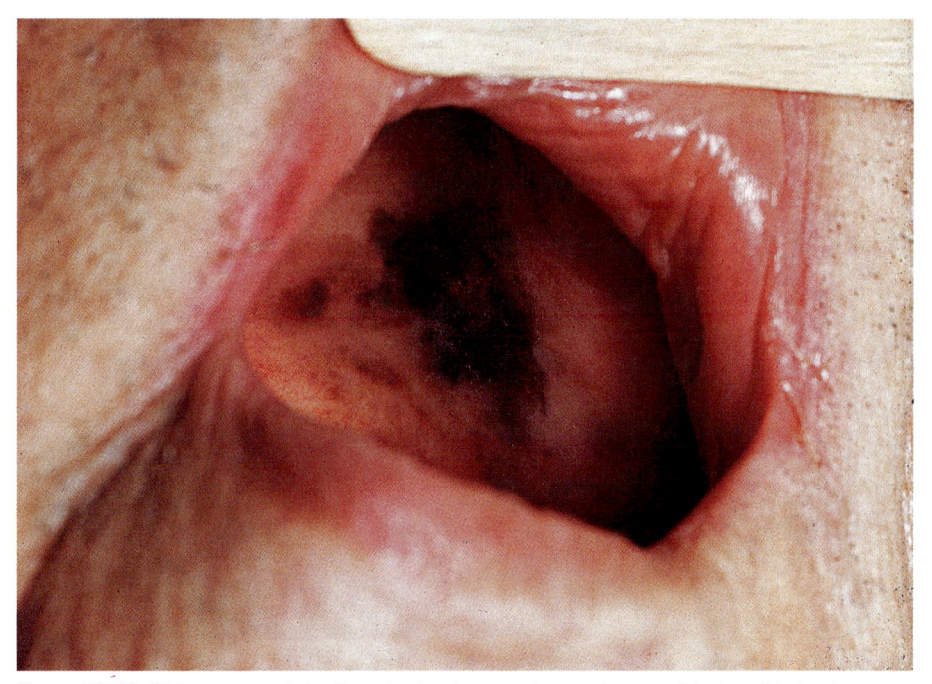

Figura 33-20 Melanoma: palato duro Lesão pigmentada grande, com várias tonalidades de cor em um homem de 63 anos. A biópsia de região elevada da lesão revelou melanoma lentigo maligno invasivo.

NÓDULOS SUBMUCOSOS

MUCOCELE CID-10: K11.6

- Surgem após ruptura de glândula salivar pequena.
- *Manifestações clínicas*: nódulo com cavidade cheia de muco, com cobertura espessada (**Fig. 33-21**). As lesões crônicas são nódulos firmes, inflamados, com limites imprecisos; azulados, translucentes; flutuantes.
- *Localização*: desenvolve-se em locais em que as glândulas salivares menores são facilmente traumatizadas, mucosas de lábios e parede inferior da boca.
- *Evolução*: crônica, recorrente, evoluindo como nódulo firme e inflamado.
- *Tratamento*: Punção e retirada do conteúdo gelatinoso. Se houver recorrência, fazer a excisão.

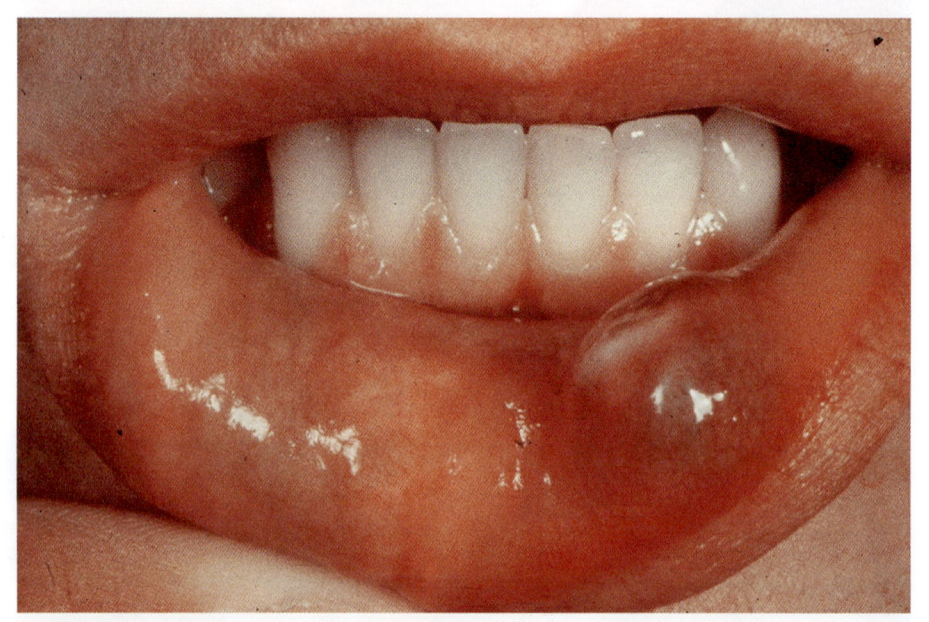

Figura 33-21 Mucocele Nódulo submucoso bem definido, liso, azulado, flutuante no lábio. Quando a lesão foi incisada, drenou conteúdo mucoso claro e espesso.

FIBROMA IRRITATIVO CID-10: K13.5

- Cicatriz nodular submucosa que ocorre em locais de traumas recorrentes (**Fig. 33-22**).
- *Manifestações clínicas*: nódulo séssil ou pediculado, bem definido, geralmente com 2 cm de diâmetro (pode ser maior quando não tratado). Cor normal de mucosa até vermelho-rosado; firme a duro.
- *Localização*: mucosa da boca ao longo da linha de mordida; língua, gengiva, mucosa labial.
- *Sinônimo*: fibroma por mordedura.
- *Tratamento*: Nenhum. Se houver desconforto, fazer a excisão.

Figura 33-22 Fibroma por irritação: lábio inferior
Paciente do sexo feminino de 58 anos com lesão no lábio há 10 anos. Ela frequentemente morde o local quando está mastigando. Há um nódulo róseo elástico no ponto de dobra da mucosa labial.

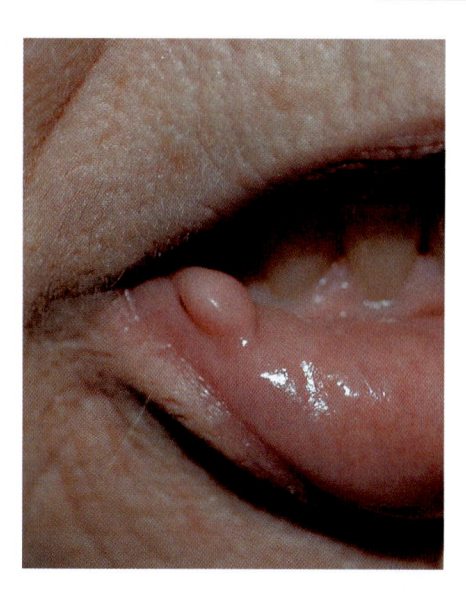

ABSCESSO ODONTOGÊNICO (DENTAL) CUTÂNEO

- Um abscesso dental periapical pode se estender aos tecidos moles sobrejacentes com trajeto e drenagem na face (**Fig. 33-23**).

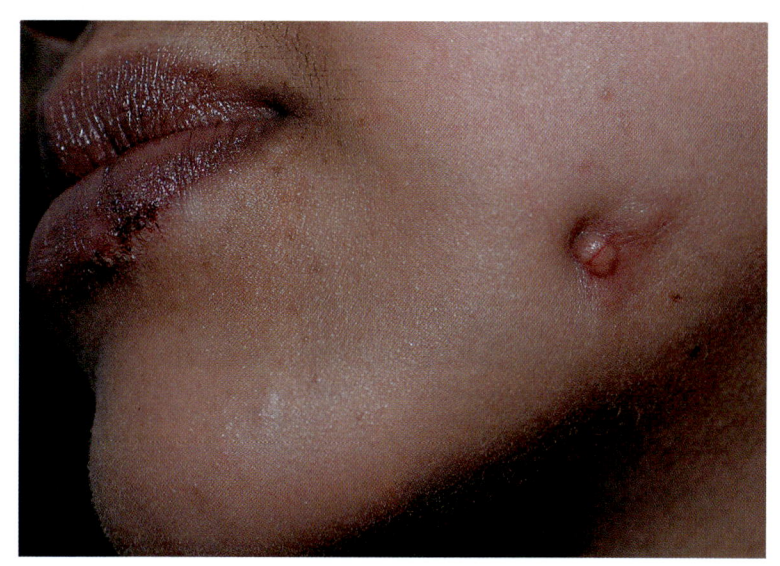

Figura 33-23 Abscesso odontogênico cutâneo: região malar Paciente de 23 anos do sexo feminino, saudável, relatou lesão na bochecha com duração de 6 meses. Nódulo na região inferior da bochecha esquerda, próximo à linha mandibular, com eritema circundante e depressão cicatricial.

DISTÚRBIOS CUTÂNEOS ENVOLVENDO A BOCA

Distúrbios cutâneos podem se apresentar na mucosa oral e podem ficar restritos a essa localização por meses antes que haja envolvimento cutâneo.

PÊNFIGO VULGAR (PV) (Ver também Seção 6) CID-10: L10.0

- Frequentemente se apresenta na mucosa oral; pode ficar restrito a essa localização por meses antes que ocorram as bolhas cutâneas. O PV predominantemente da mucosa mostra títulos contra a Desmogleína 3. A doença mucocutânea mais comumente expressa auto-anticorpos contra Desmogleína 1 e 3.
- *Manifestações clínicas*: bolhas muito frágeis que se rompem facilmente e raramente são vistas. Os sinais de apresentação são erosões bem definidas na boca (mucosa da boca, palatos mole e duro e gengiva). A gengivite pode ser o sintoma de apresentação. As erosões são extremamente dolorosas, interferindo na nutrição (**Fig. 33-24**).
- Biópsia, imunofluorescência ou titulação de anticorpos antidesmogleínas 1 ou 3 confirmam o diagnóstico (ver "Pênfigo vulgar", na Seção 6).

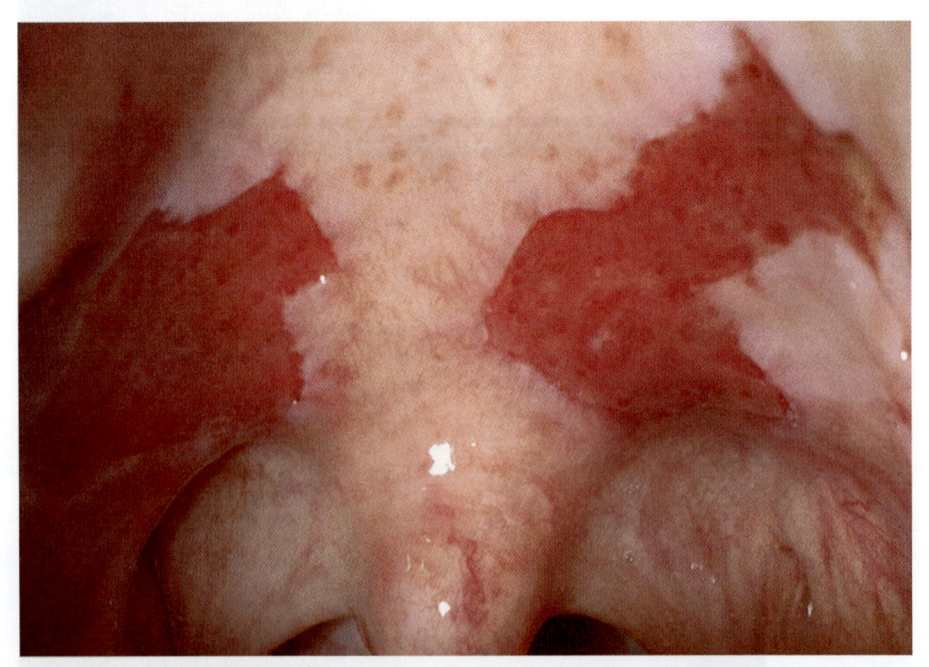

Figura 33-24 Pênfigo vulgar Úlceras rasas e erosões com tecido dérmico subjacente eritematoso em "carne viva" agravadas por traumas causados por ingerir alimentos apimentados ou cítricos.

PÊNFIGO PARANEOPLÁSICO (Ver também Seção 19) CID-10: L10.8

- Erosões mucosas dolorosas, estomatite; bolhas cutâneas, pápulas liquenoides e erosões; eritema conjuntival podem ser proeminentes (ver **Fig. 33-25**). As manifestações cutâneas podem ser sutis (pápulas liquenoides) se de fato existirem.
- Câncer oculto ou confirmado (embora esse quadro possa preceder ou ocorrer após a apresentação em 6 meses a 1 ano). Pode estar associado a defeitos pulmonares do tipo bronquiolite obliterante.
- Acantólise, necrose dos ceratinócitos, dermatite de interface. IgG e complemento (C3) no espaço intercelular da epiderme e na membrana basal detectados à imunofluorescência. Anticorpos circulantes específicos contra o epitélio estratificado ou transicional podem ser recuperados no sangue (ELISA, imunoprecipitação).
- O tratamento costuma ser sistêmico; os tratamentos tópicos são sintomáticos.

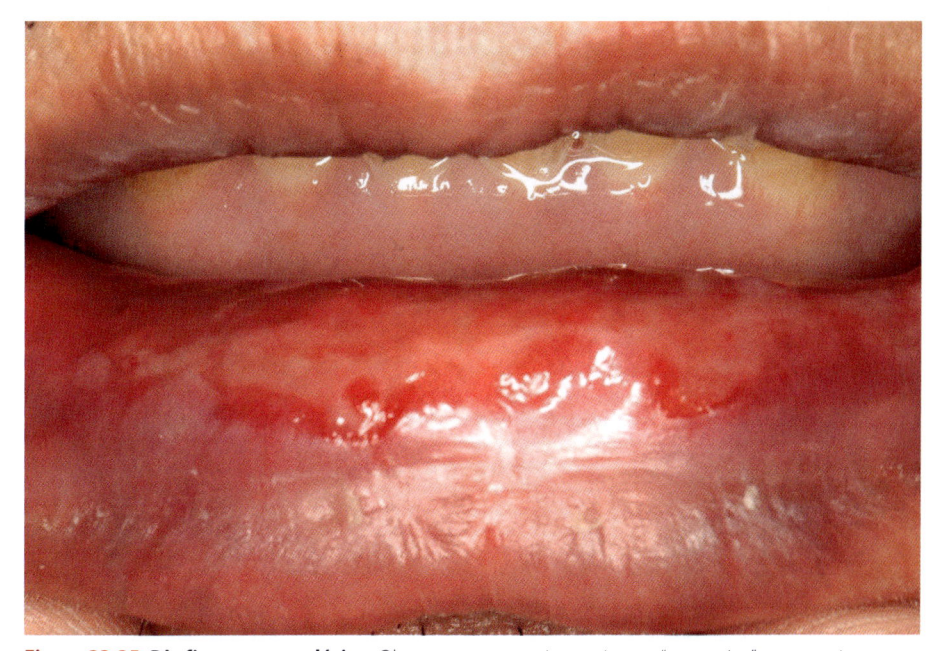

Figura 33-25 Pênfigo paraneoplásico Observa-se a mucosite erosiva em "carne-viva" neste paciente com leucemia linfocítica crônica avançada. (Usada com permissão de Dr. Mark Lerman.)

PENFIGOIDE BOLHOSO (Ver também Seção 6) CID-10: L12.0

- Em contraste ao pênfigo vulgar, o penfigoide bolhoso raramente afeta a orofaringe.
- *Manifestações clínicas*: bolhas (**Fig. 33-26**) inicialmente tensas que surgem na mucosa da boca e no palato e rompem-se, deixando erosões bem definidas praticamente indistinguíveis das do PV ou do penfigoide cicatricial (ver **Fig. 33-24**).
- Contudo, as erosões são menos dolorosas e menos extensas do que no PV.
- O tratamento pode ser tópico.
- Para diagnóstico, ver "Penfigoide bolhoso" na Seção 6.

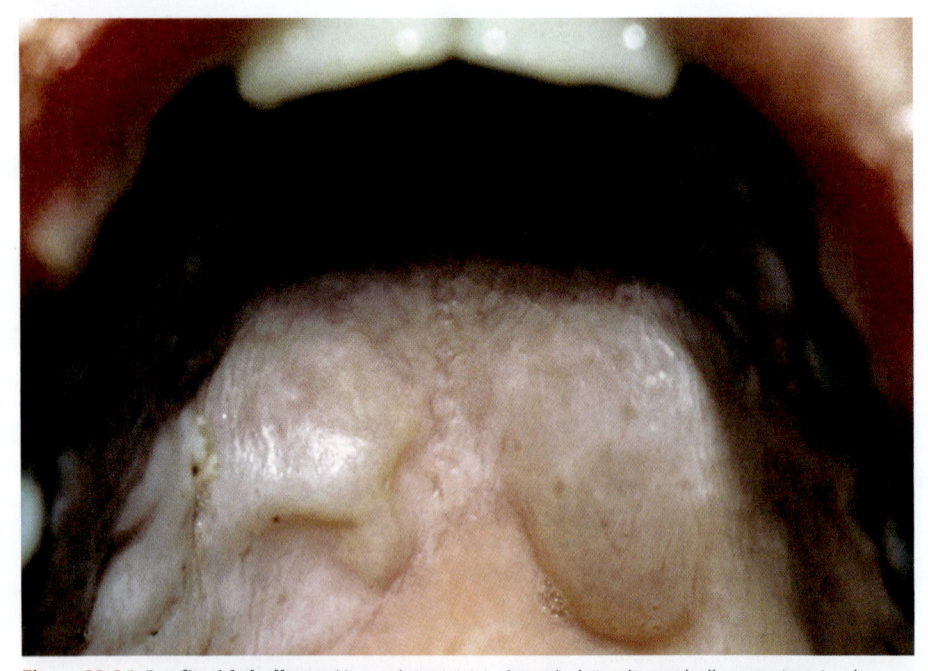

Figura 33-26 Penfigoide bolhoso Nos estágios iniciais, é possível visualizar as bolhas que, invariavelmente, rompem-se deixando erosões difíceis de distinguir das do penfigoide cicatricial ou do pênfigo vulgar.

PENFIGOIDE CICATRICIAL (Ver Seção 6) CID-10: L12.1

- Doença bolhosa autoimune na mucosa que cura com cicatriz.
- As manifestações clínicas dependem dos locais envolvidos. Erosões dolorosas persistentes nas mucosas. Gengivite descamativa com erosões dolorosas na língua e na mucosa de boca e do palato (**Fig. 33-27**). Simbléfaro ocular e cicatriz de córnea são complicações temidas. Pode estar associado a malignidade, particularmente se forem encontrados anticorpos antiepiligrina.
- Sequelas: diminuição da visão/cegueira; rouquidão, comprometimento das vias aéreas superiores, estenose do esôfago. A doença ocular e os sintomas sistêmicos necessitam de tratamento sistêmico com dapsona, prednisona, ciclofosfamida, imunoglobulina intravenosa ou rituximabe.

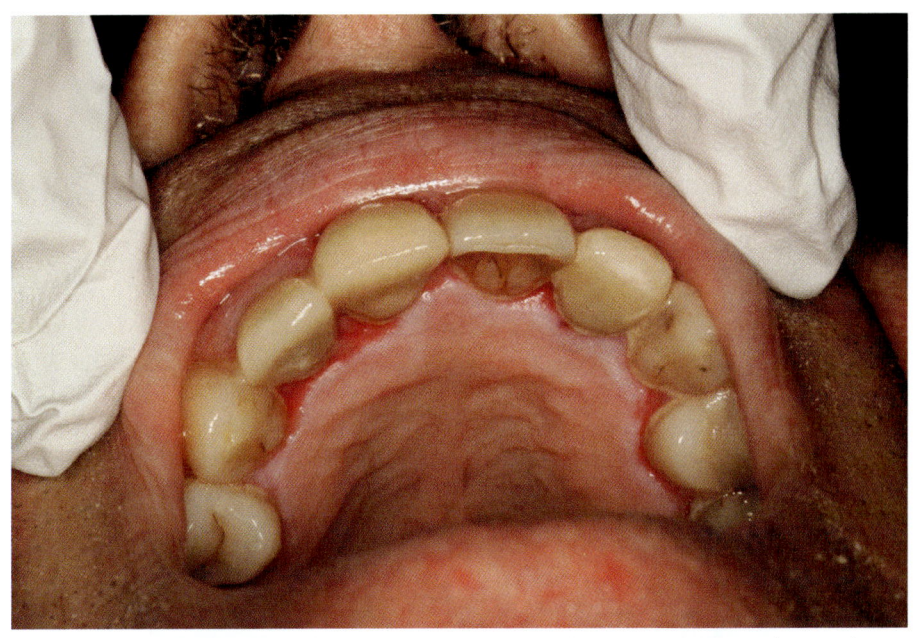

Figura 33-27 Penfigoide cicatricial Observa-se gengivite que delineia a junção com os dentes. A doença na mucosa é semelhante ao penfigoide bolhoso. (Usada com permissão de Dr. Sook-Bin Woo.)

DOENÇAS SISTÊMICAS ENVOLVENDO A BOCA

DOENÇA DE BEHÇET Ver anteriormente e Seção 14.
REAÇÕES CUTÂNEAS ADVERSAS A FÁRMACOS Ver Seção 23.

LÚPUS ERITEMATOSO (Ver também Seção 14) CID-10: L93.2, M32.9

- Ocorre envolvimento da mucosa em aproximadamente 25% dos pacientes com lúpus eritematoso cutâneo crônico.
- *Manifestações clínicas*: lesões variam de manchas eritematosas indolores a placas crônicas, com limites precisos, bordas brancas irregularmente recortadas, com estrias brancas irradiadas e telangiectasia. Nas lesões antigas, depressão central, úlcera dolorosa.
- *Distribuição*: mucosa da boca; palato (**Fig. 33-28**), processo alveolar, língua. Placas crônicas também podem surgir na borda do vermelhão dos lábios.
- No lúpus eritematoso sistêmico agudo, as úlceras surgem em lesões purpúricas necróticas do palato (80%), mucosa da boca ou gengivas.

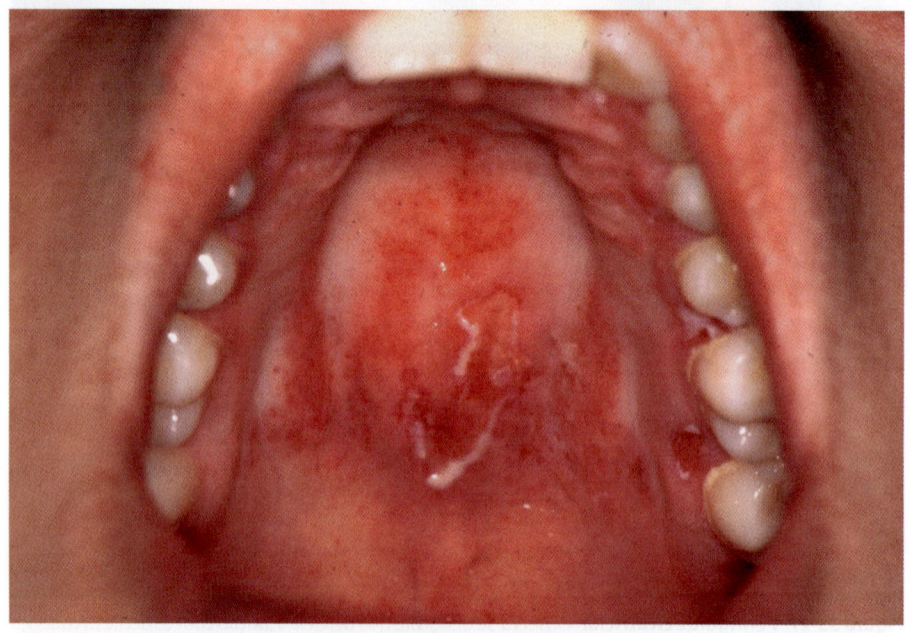

Figura 33-28 Lúpus eritematoso (LE): palato duro Placas eritematosas erosadas associadas a LE cutâneo crônico.

SÍNDROME DE STEVENS-JOHNSON/NECRÓLISE EPIDÉRMICA TÓXICA
(Ver também Seção 8) CID-10: L51.2

- Reação idiopática a fármacos e, ocasionalmente, a agentes virais, levando à necrose epidérmica e à descamação. É essencial suspender possíveis responsáveis assim que possível. O prognóstico é mais favorável com fármacos com meia-vida mais curta.
- Os esquemas de classificação dependem da área do corpo envolvida, mas, em geral, concorda-se que envolvimento acima de 30% seja considerado NET se também houver envolvimento de mucosa.
- A mucosa mais comumente envolvida é a da orofaringe. As lesões da mucosa podem preceder o envolvimento cutâneo em 1 a 3 dias. Na boca, os sintomas de apresentação são sensação de queimação e redução da ingestão oral. Observam-se erosões em mais de 90% dos casos. Em geral, a descamação ocorre imediatamente (**Fig. 33-29**).

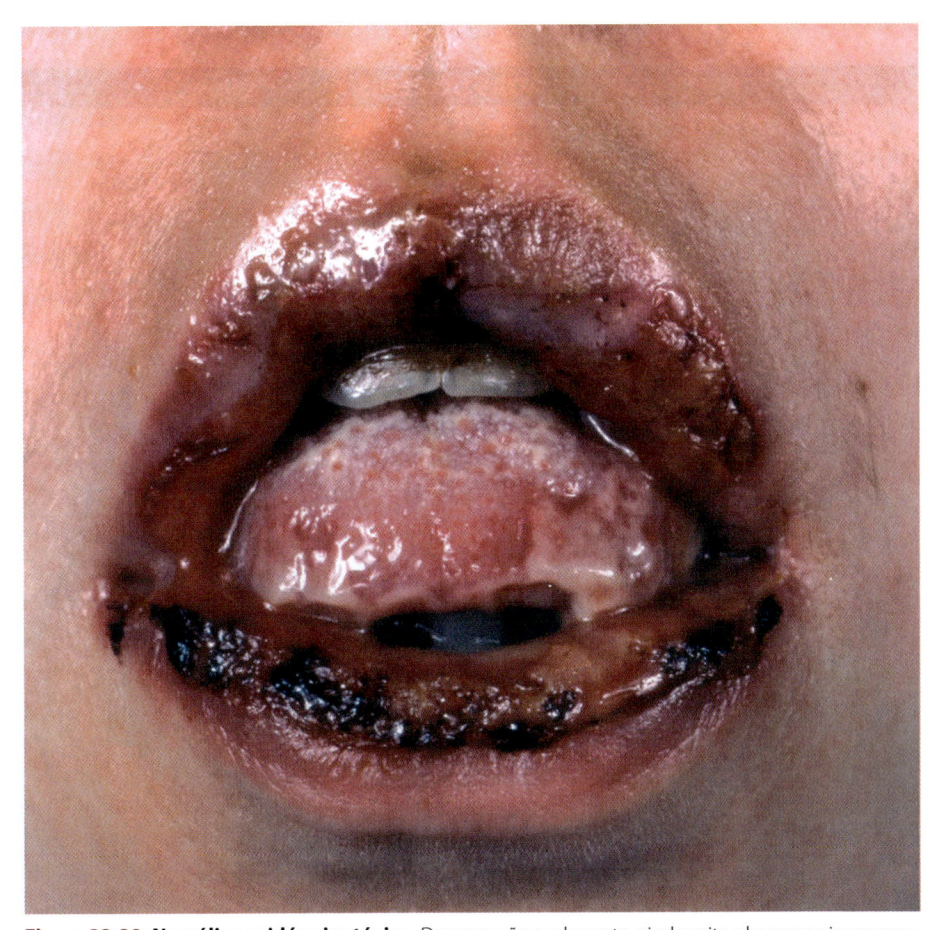

Figura 33-29 Necrólise epidérmica tóxica Descamação exuberante, piodermite e hemorragia acompanham dor ao deglutir, sensação de queimação e, frequentemente, disfonia.

SEÇÃO 34

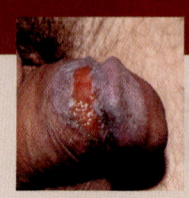

DISTÚRBIOS DA GENITÁLIA, PERÍNEO E ÂNUS

- As neoplasias primárias que surgem na região anogenital são mais comumente associadas com a infecção crônica por papilomavírus humano (HPV).
- Infecções sexualmente transmissíveis ou outras infecções também são comuns.
- Frequentemente, estruturas normais recém-observadas geram grande preocupação sobre a possibilidade de infecções sexualmente transmissíveis, como verrugas anogenitais e molusco contagioso.

PÁPULAS PEROLADAS DO PÊNIS CID-10: N48.8

- Estruturas anatômicas normais. *Incidência*: até 19%.
- *Sintomas*: assintomáticas; podem despertar alguma ansiedade quando descobertas.
- *Manifestações clínicas*: pápulas ovaladas, isoladas, cor de pele, com 1 a 2 mm, distribuídas uniformemente por toda a circunferência da coroa da glande (**Fig. 34-1**).
- *Diagnóstico diferencial*: condiloma acuminado, molusco contagioso.
- *Histologia*: angiofibromas.
- *Manejo*: Tranquilização: Estruturas anatômicas normais. Tem sido relatada a terapia com *laser*.

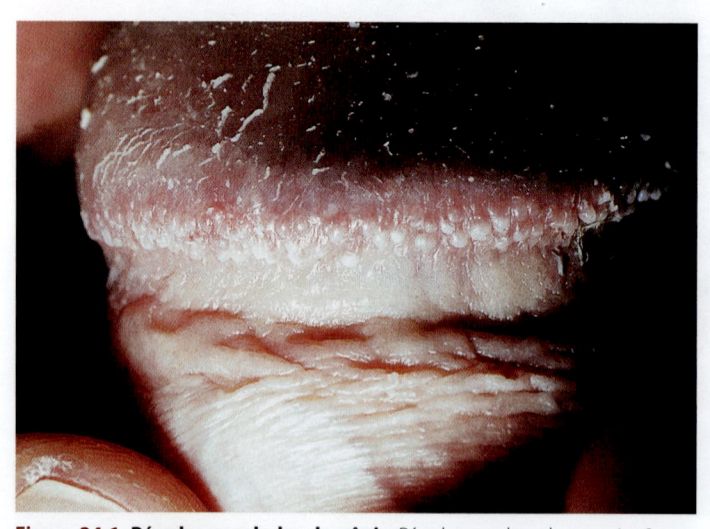

Figura 34-1 Pápulas peroladas do pênis Pápulas cor de pele, com 1 a 2 mm, encontradas a espaços regulares ao longo da coroa da glande do pênis. Essas estruturas, que fazem parte da anatomia normal da glande, frequentemente são confundidas com condiloma ou com molusco contagioso.

PROEMINÊNCIA DE GLÂNDULAS SEBÁCEAS CID-10: Q89.9

- Glândulas sebáceas normais. Análogas às glândulas sebáceas da mucosa da boca.
- *Localização*: pênis, vulva.
- *Manifestações*: pápulas dérmicas de 2 mm; cor de creme. Podem estar distribuídas em filas.
- *Sinônimos*: glândulas de Tyson, hiperplasia sebácea, glândulas sebáceas "ectópicas", doença de Fordyce.

ANGIOCERATOMA (Ver também Seção 9)

- Vasos ectasiados de paredes finas na derme superficial com hiperplasia epidêmica sobrejacente.
- Cada vez mais comum com o avanço da idade.
- Múltiplas pápulas purpúreas lisas, com 2 a 5 mm. Sangram com traumas. (Ver Seção 9, **Fig. 9-26**.)
- *Localização*: escroto, glande e corpo do pênis. Lábios maiores, vulva.
- Diferenciar dos angioceratomas da doença de Fabry (geralmente do tamanho de uma cabeça de alfinete, encontrados na área do calção de banho e na região superior das coxas), sarcoma de Kaposi.
- *Manejo*: tranquilizar o paciente; eletrocirurgia.

LINFANGITE ESCLEROSANTE DO PÊNIS CID-10: N48.2

- *Etiologia*: trauma associado à atividade sexual vigorosa.
- *Patogênese*: estase linfática, resultando em trombose de vasos linfáticos.
- *Manifestações clínicas*: cordões indolores, firmes, às vezes nodulares, serpiginosos e translucentes que surgem subitamente, geralmente paralelos à coroa da glande; não fixados à epiderme sobrejacente (**Fig. 34-2**).
- *Evolução*: resolução espontânea em semanas a meses.
- *Sinônimos*: linfangite esclerosante não venérea, edema venéreo do pênis, flebite de Mondor.

Figura 34-2 Linfangite esclerosante: pênis Cordão dérmico na região distal do corpo do pênis, paralelo à coroa da glande.

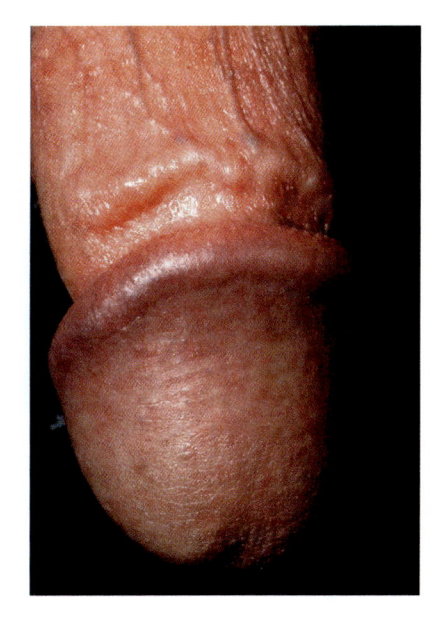

LINFEDEMA DA GENITÁLIA CID-10: I89.0

- Edema escrotal agudo idiopático. Ocorre em meninos jovens. Melhora espontaneamente em 1 a 4 dias. Diferenciar do edema escrotal agudo. Também relatado em adultos com dengue hemorrágica ou púrpura de Henoch-Schönlein.
- Linfogranuloma venéreo (ver Seção 30). Ocorre em casos de infecção crônica não diagnosticada. Ambos os sexos. Conhecida também como estiômeno: elefantíase causada por obstrução linfática.
- Infecção bacteriana recorrente crônica pode ser a causa (**Figs. 34-3A** e **B**).
- Sarcoma de Kaposi.
- Elefantíase linfática ou filariose. Causada por vermes parasitas como *Wuchereria bancroftii*, *Brugia malayi*, *B. timori*. Associada à elefantíase de membros inferiores.

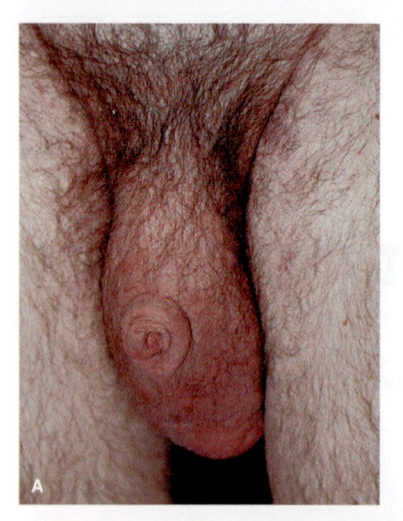

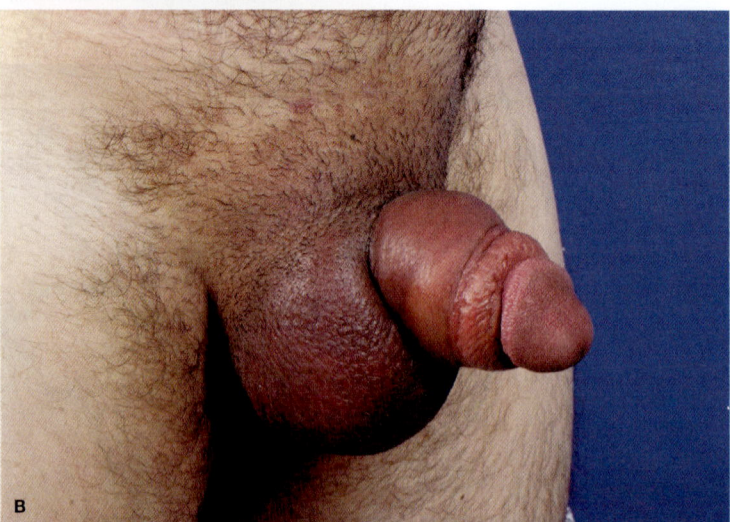

Figura 34-3 (A, B) Linfedema crônico (A) Escroto Paciente de 29 anos com infecções recorrentes no escroto com destruição dos canais linfáticos. Observa-se linfedema escrotal duro e retração do pênis. **(B) Pênis** Há eritema e edema permanente do corpo peniano. Os pacientes costumam descrever uma sensação de pele pastosa.

BALANITE E VULVITE PLASMOCITÁRIAS

- Placas assintomáticas vermelhas brilhantes na glande do pênis (**Fig. 34-4**) ou na vulva.
- Diagnóstico diferencial com carcinoma espinocelular *in situ*.
- *Tratamento*: a postectomia é curativa em pacientes não circuncidados. Alternativamente, podem ser utilizados corticosteroides, inibidores da calcineurina e imiquimode. Também há relatos de eletrocirurgia e laserterapia.
- *Sinônimo*: balanite de Zoon.

Figura 34-4 Balanite plasmocitária Placa vermelho-brilhante em paciente não circuncidado.

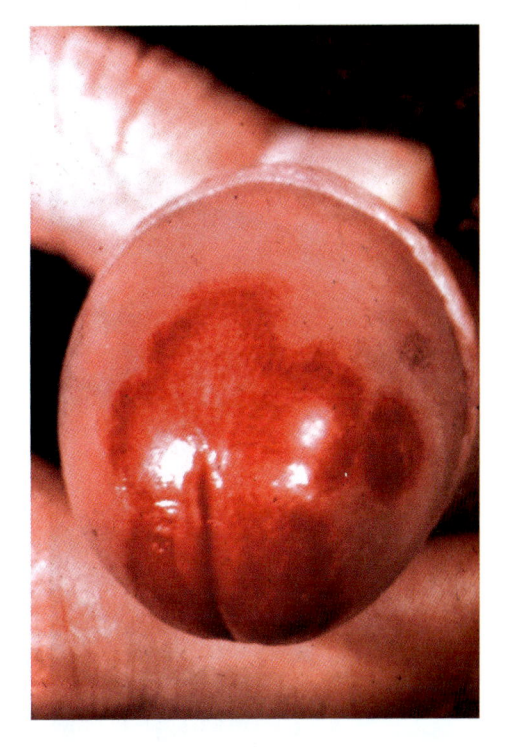

FIMOSE, PARAFIMOSE, BALANITE XERÓTICA OBLITERANTE
CID-10: N47, L90.0

- *Fimose*: Prepúcio não retrátil. *Etiologia*: líquen escleroso, balanopostite inespecífica (postite é a inflamação do prepúcio), líquen plano, penfigoide cicatricial, linfedema crônico, sarcoma de Kaposi. Impede o exame da glande para diagnóstico de lesões pré-cancerosas (**Fig. 34-5**).
- *Balanite xerótica obliterante (BXO)*: estágio final da fimose crônica. Prepúcio fibrótico, contraído, fixo sobre a glande sem possibilidade de ser retraído para expor a glande. Na maioria dos casos, estágio final de líquen escleroso, comumente referido como BXO (ver Seção 14, "Líquen escleroso").
- *Parafimose*: prepúcio que não retorna após ser retraído. *Etiologia*: atividade sexual vigorosa, urticária de contato aguda, dermatite de contato aguda alérgica, líquen escleroso (**Fig. 34-6**).

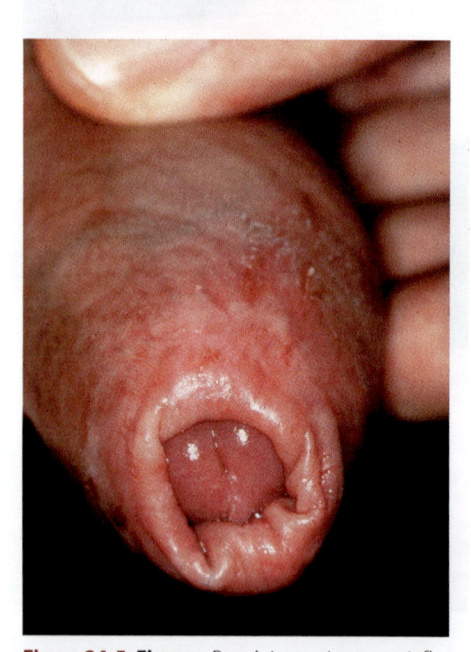

Figura 34-5 Fimose Prepúcio cronicamente inflamado, com fibrose e perda da capacidade de retração sobre a glande do pênis.

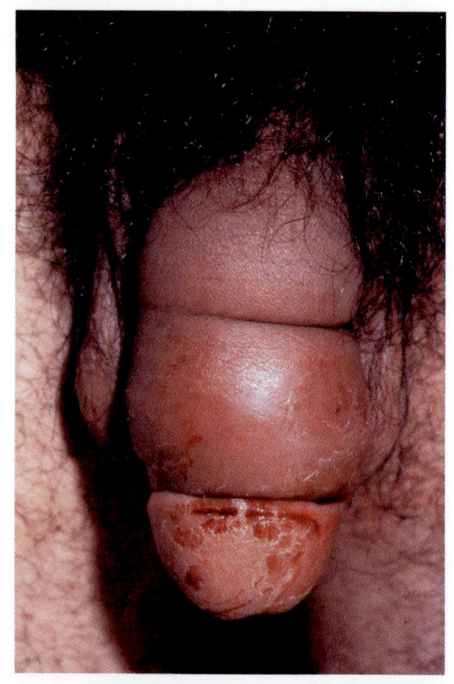

Figura 34-6 Parafimose O prepúcio foi retraído e não pôde voltar à posição normal de cobertura da glande. O corpo do pênis está edemaciado.

DISTÚRBIOS MUCOCUTÂNEOS

LENTIGINOSES GENITAIS (PENIANAS/VULVARES/ANAIS) CID-10: L81.8

- *Início*: em adultos.
- *Manifestações clínicas*: máculas castanhas, marrons, negro-azuladas, geralmente matizadas (variegadas), com 5 a 15 mm.
- *Locais*: em grupos na vulva (pequenos lábios, **Fig. 34-7**), pênis (glande, corpo) (**Fig. 34-8**) e região perianal.
- *Evolução*: persiste por anos sem alteração no tamanho.
- *Histologia*: hiperplasia melanocítica sem significância; não há células névicas presentes; pigmentação causada por aumento da melanina na camada basal.
- *Diagnóstico diferencial*: melanoma *in situ*, lentigo por PUVA, eritema fixo por fármaco, nevo azul, neoplasia intraepitelial (NI) induzida por HPV.
- *Diagnóstico:* dermatoscopia para afastar a possibilidade de melanoma *in situ*; histologia confirma o diagnóstico.
- Lesões extensas que não possam ser removidas com facilidade devem ser acompanhadas com fotos; as áreas que apresentem alterações significativas devem ser submetidas à biópsia.

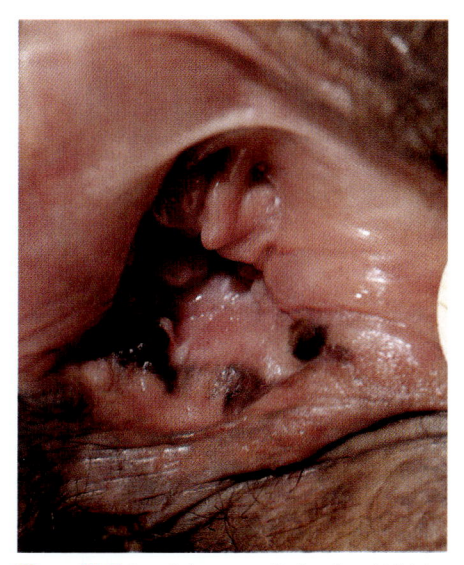

Figura 34-7 Lentiginose genital: vulva Múltiplas máculas marrom-escuras com várias tonalidades (variegadas) nos pequenos lábios. Deve-se afastar a possibilidade de melanoma lentiginoso *in situ*.

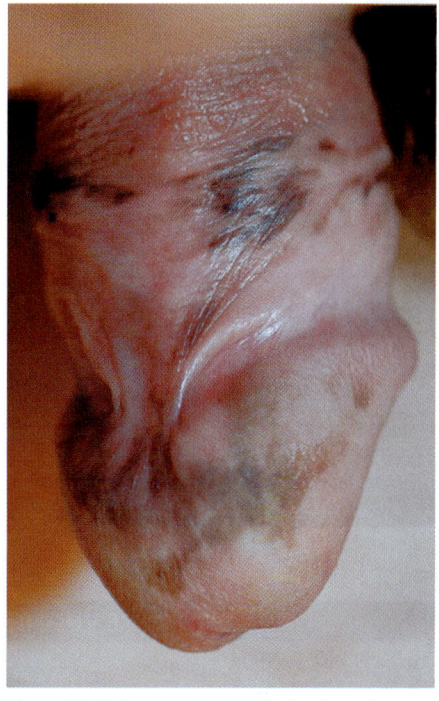

Figura 34-8 Lentiginose genital: pênis Pigmentação variegada da glande e do prepúcio por cerca de 20 anos. A biópsia afastou melanoma e infecção por HPV (CECIS).

VITILIGO E LEUCODERMIA (Ver também Seção 13)

- *Etiologia*: Perda de melanócitos resultando em despigmentação.
- *Fenômeno isomórfico ou de Koebner*: despigmentação em locais de injúria: herpes genital, criocirurgia, terapia com imiquimode.
- Exame com lâmpada de Wood: diferencia despigmentação da hipopigmentação (acromia da hipocromia).
- *Manifestações clínicas*: máculas brancas despigmentadas com limites bem definidos (**Fig. 34-9**); examinar a pele em busca de outras áreas despigmentadas.
- *Diagnóstico diferencial*: líquen escleroso, localização de herpes genital; iatrogenia após crio, eletro ou laserterapia.

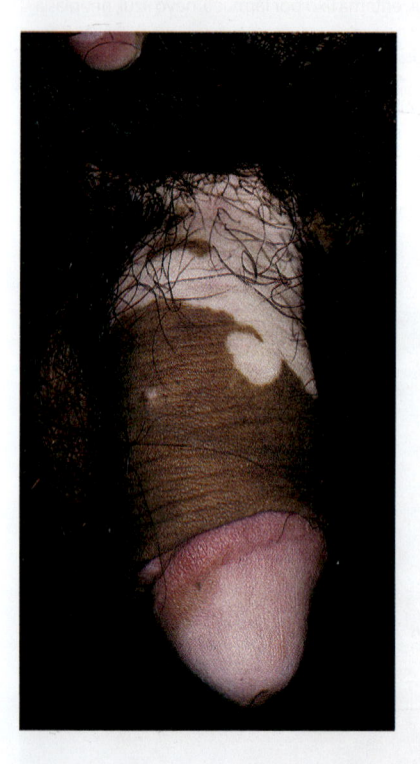

Figura 34-9 Vitiligo: pênis Múltiplas máculas acrômicas que confluíram.

PSORÍASE VULGAR (Ver também Seção 3)

- *Incidência*: a mais comum das dermatoses não infecciosas que ocorrem na glande ou na vulva.
- *Início*: pode ser a apresentação inicial da psoríase.
- *Manifestações clínicas*: (1) placas eritematosas descamativas em regiões não ocluídas da pele (**Fig. 34-10**); (2) psoríase intertriginosa, placas eritematosas bem demarcadas sem descamação em áreas de pele naturalmente ocluídas (**Fig. 34-11**).
- *Distribuição* (psoríase intertriginosa [invertida]): pênis, vulva, fenda interglútea, pregas inguinais.
- *Diagnóstico diferencial*: líquen plano (LP), erupção fixa por fármaco, condiloma acuminado, NI induzido por HPV, carcinoma espinocelular (CEC) *in situ*, CEC invasivo, doença de Paget extramamária, eritema necrolítico migratório.

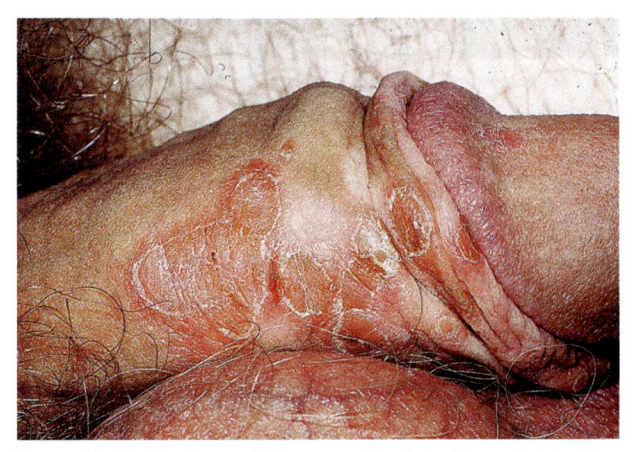

Figura 34-10 Psoríase vulgar: corpo do pênis Placas descamativas bem demarcadas sobre o corpo do pênis em paciente de 25 anos. Também foram encontrados coloração rosada da fenda interglútea e sinais ungueais de psoríase. O paciente buscou atenção médica em uma clínica para doenças sexualmente transmissíveis.

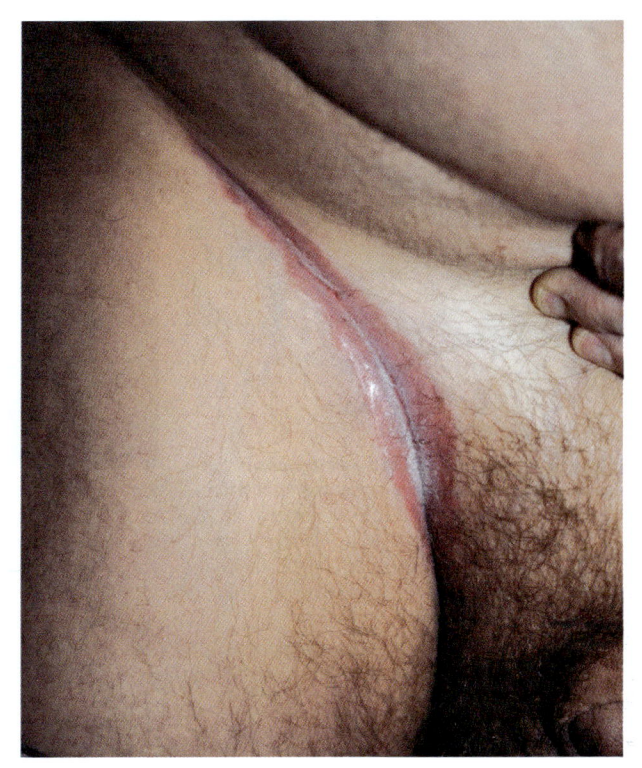

Figura 34-11 Psoríase vulgar: intertriginosa Placa eritematosa, presente há décadas e não responsiva aos agentes antifúngicos tópicos, na região inguinal direita. A biópsia excluiu doença de Paget extramamária.

LÍQUEN PLANO (Ver também Seção 14) CID-10: L43.9

- Comumente associada com LP em outros locais. Porém, pode ocorrer como manifestação única ou inicial.
- *Sintomas*: não pruriginoso; dor nas lesões erosadas, ansiedade sobre doença sexualmente transmissível.
- *Manifestações clínicas*: pápulas violáceas achatadas, isoladas ou confluentes. Padrão rendilhado, de cor branca, mais comumente na glande. As lesões mais antigas podem apresentar tom acinzentado com incontinência melânica. Lesões anulares ocorrem na glande ou no corpo do pênis (**Fig. 34-12**). LP bolhoso e/ou erosivo (**Fig. 34-13**) na glande ou vulva.
- *Distribuição*: glande, corpo do pênis (**Fig. 34-12**), vulva.
- *Evolução*: remissão espontânea; LP erosivo pode persistir por décadas; raramente complica com CEC.

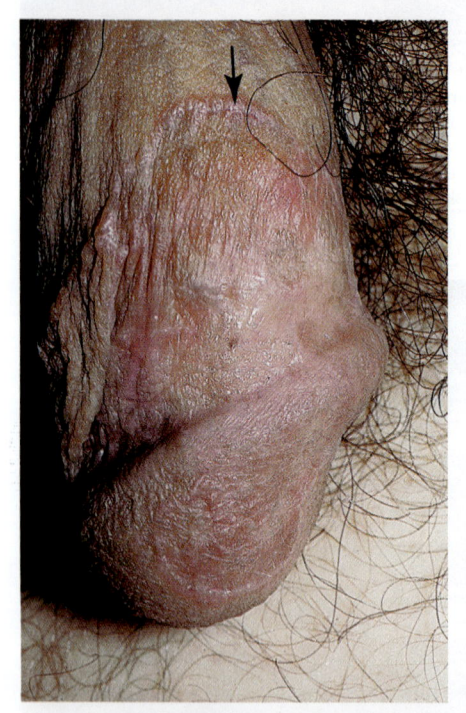

Figura 34-12 Líquen plano anular: pênis Placas anulares violáceas (*seta*) no segmento distal do corpo do pênis e na glande de um paciente de 26 anos, presentes há mais de 1 ano. Também havia placas esbranquiçadas com padrão rendilhado na mucosa da boca.

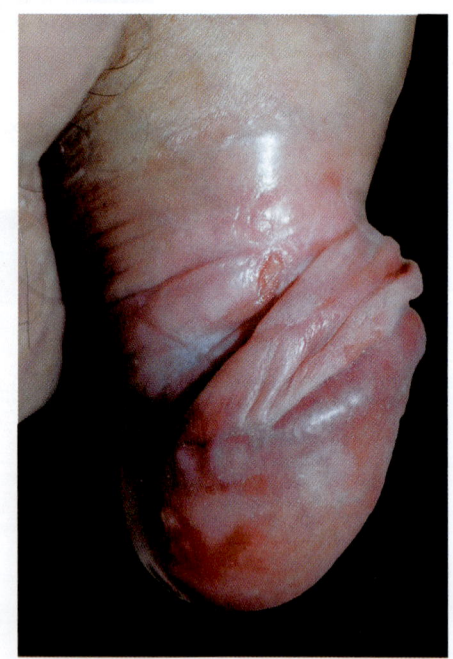

Figura 34-13 Líquen plano erosivo: pênis Paciente de 36 anos com erosões eritematosas dolorosas na glande do pênis e no prepúcio há 6 meses. As lesões involuíram com injeções intralesionais de triancinolona.

LÍQUEN NÍTIDO CID-10: L44.1

- Pápulas com 1 a 2 mm no corpo do pênis (Fig. 34-14).

Figura 34-14 Líquen nítido: pênis Pápulas achatadas no corpo do pênis.

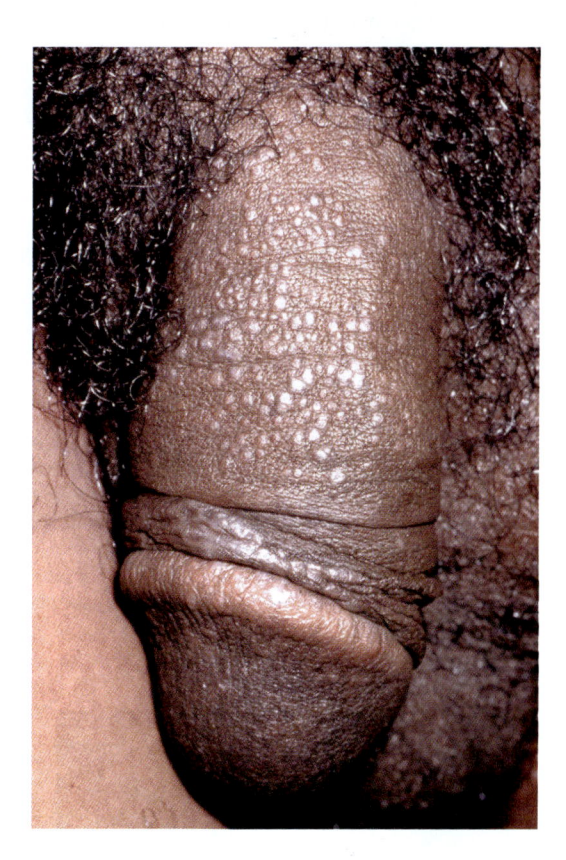

LÍQUEN ESCLEROSO (Ver também Seção 14)

- *Sintomas*: Prurido, sensação de queimação e dor com ulceração.
- *Manifestações clínicas*: inicialmente, eritema ± hipopigmentação. Tardiamente, máculas e placas características, branco-marfim ou branco-porcelana; a coloração branca ocorre devido à perda da vasculatura dérmica (Fig. 34-15). Equimose (Figs. 34-15 a 34-17), bolhas e/ou erosões podem ocorrer nos locais envolvidos. É possível que haja obstrução do óstio da uretra.
- *Demografia*: 10 vezes mais comum em mulheres. Causa fimose nos meninos (Fig. 34-15).
- *Estágio final*: BXO. Desaparecimento da arquitetura normal: pequenos lábios e prepúcio do clitóris podem ser reabsorvidos (Fig. 34-16).
- *Evolução*: é possível surgir CEC invasivo nos locais com inflamação crônica.
- *Tratamento*: pomada de clobetasol; monitorar se há atrofia induzida por esteroide; pimecrolimo, tacrolimo.
- *Sinônimo*: líquen escleroso e atrófico.

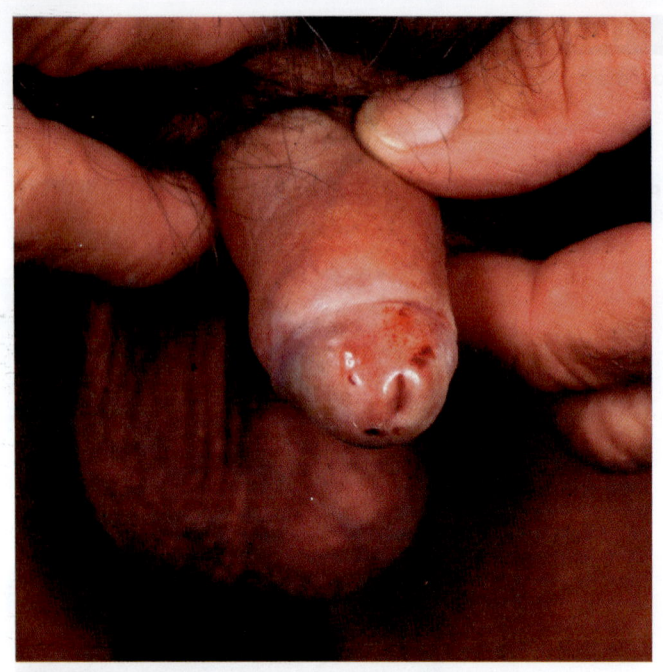

Figura 34-15 Líquen escleroso: pênis Paciente com fimose (impossibilidade de retrair o prepúcio) há 6 meses e placas brancas escleróticas e aderentes sobre a dobra do prepúcio. Observar o brilho na glande (particularmente periuretral), a friabilidade da mucosa e as equimoses.

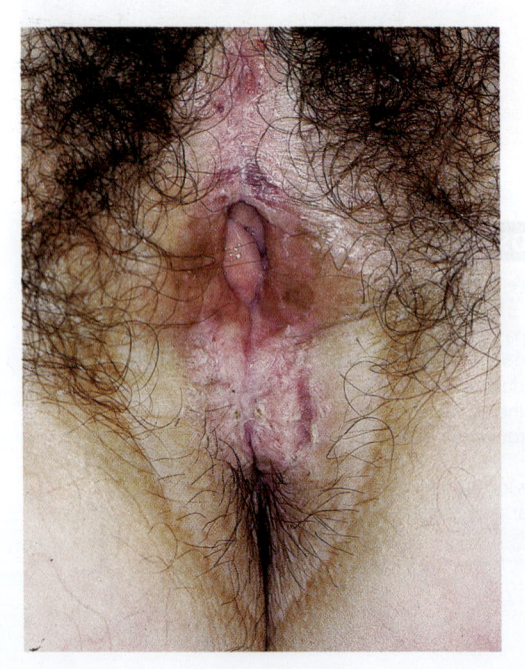

Figura 34-16 Líquen escleroso: vulva e períneo Grande placa branca esclerótica que envolve extensivamente a região anogenital. As regiões do clitóris e dos pequenos lábios estão totalmente atrofiadas (aglutinação). Observam-se equimoses em associação à atrofia. É possível ocorrer úlceras dolorosas.

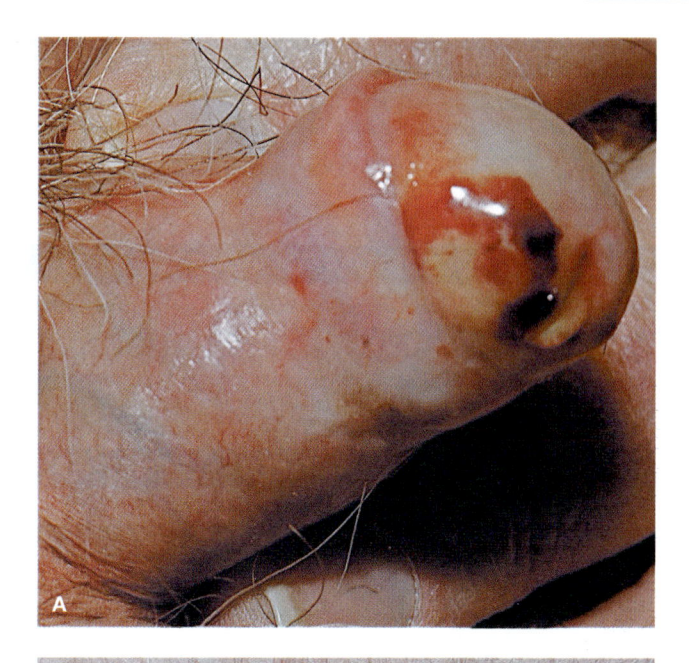

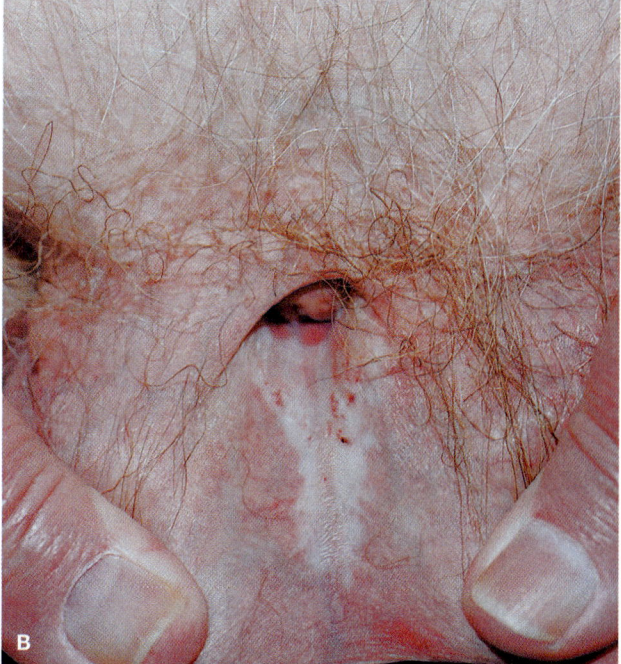

Figura 34-17 Líquen escleroso: pênis (A) Placas brancas na glande com equimoses características; o óstio uretral estava estenosado. **(B)** 5 anos mais tarde, o pênis havia se tornado atrófico e submerso na gordura do púbis, dificultando a micção. Observa-se uma placa branca esclerótica com equimoses na pele estirada da face ventral do corpo do pênis.

ERITEMA NECROLÍTICO MIGRATÓRIO (Ver também Seção 19)

- Manifestação da síndrome do glucagonoma.
- Placas eritematosas dolorosas, com superfície brilhante e borda serpiginosa circundada por descamação (ver **Fig. 19-10**).

ULCERAÇÕES AFTOSAS GENITAIS (Ver também Seções 14, 30 e 33)

- Úlceras idiopáticas no escroto ou na vulva. Pode haver associação com úlceras aftosas orais. Pode ser uma manifestação de HIV/Aids primária.
- Ocorrem como parte da síndrome do complexo de Behçet (Ver também **Figs. 14-20** a **14-21**).

DERMATITE ECZEMATOSA

DERMATITE DE CONTATO ALÉRGICA (Ver também Seção 2)

- Nos órgãos genitais o quadro costuma ser mais florido e sintomático do que em outros locais.
- *Alérgenos:* agentes aplicados topicamente (medicamentos, lubrificantes); haptenos levados aos órgãos genitais pelas mãos (p. ex., seiva do toxicodendro).
- *Sintomas:* prurido intenso, sensação de queimação; edema.
- *Manifestações clínicas:* eritema, microvesículas; edema; exsudação nos órgãos genitais (**Fig. 34-18**). Em caso de fitodermatite (p. ex., toxicodendro ou carvalho), as lesões geralmente estão presentes em outros locais.
- *Diagnóstico diferencial:* herpes genital, dermatite atópica, dermatite por irritante.

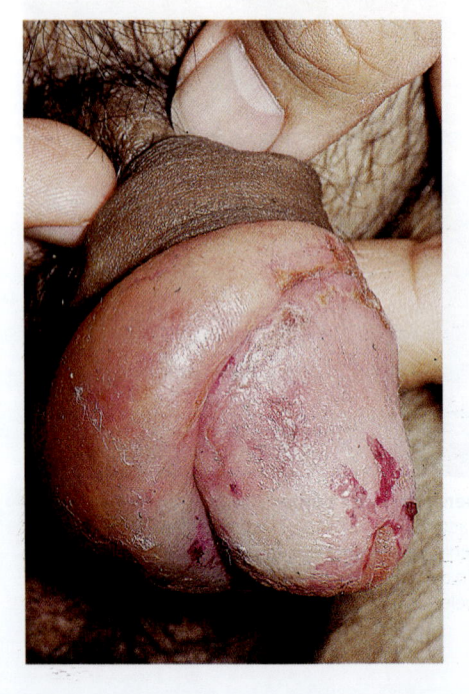

Figura 34-18 Dermatite de contato alérgica: pênis Edema impressionante da parte distal do corpo do pênis associado a prurido intenso em um paciente de 21 anos. O paciente tocou em toxicodendro com as mãos, transferindo a resina a seu pênis enquanto urinava. O pigmento de cor magenta é tintura de Castellani.

DERMATITE ATÓPICA, LÍQUEN SIMPLES CRÔNICO, PRURIDO ANAL CID-10: L28, L20.9, L29.0

- Dermatite atópica: geralmente com envolvimento mais amplo, mas pode estar restrita aos órgãos genitais.
- Líquen simples crônico: a coçadura e a fricção crônicas resultam em placa única no escroto (**Fig. 34-19**), na vulva ou no ânus (**Fig. 34-20**), que persiste por anos ou décadas. Na pele escura, é possível haver hiper ou hipopigmentação (ver Seção 2).
- Prurido anal: pode ocorrer sem que haja qualquer distúrbio dermatológico identificável. O prurido e a coçadura crônicos frequentemente produzem algum grau de liquenificação (**Fig. 34-20**). *Fatores de risco*: diátese atópica; multifatorial. *Infecção secundária*: Staphylococcus aureus, estreptococos dos grupos A e B, *Candida albicans* e herpes-vírus simples. Pode ser um sinal de radiculopatia lombossacral. *Manejo*: interromper a coçadura/fricção compulsiva; manter higiene perianal. Encaminhar para a neurologia se houver suspeita de radiculopatia.

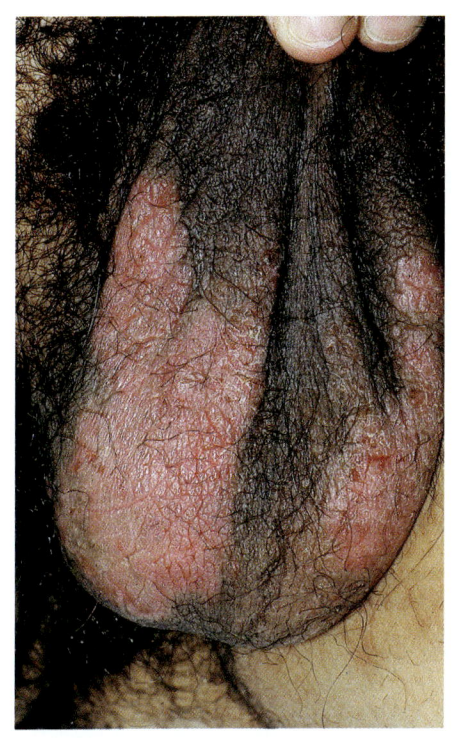

Figura 34-19 Líquen simples crônico: escroto Placas eritematosas pruriginosas hiperpigmentadas bilaterais presentes há mais de 20 anos.

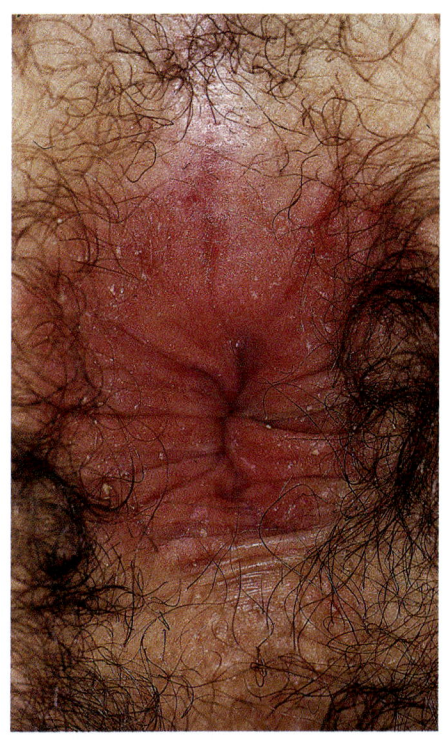

Figura 34-20 Líquen simples crônico: prurido anal O paciente apresentava prurido anal intenso há muitos anos. Eritema perianal com líquen simples crônico leve e fissuras associados à fricção crônica da pele.

ERUPÇÃO FIXA POR FÁRMACOS (Ver também Seção 23)
CID-10: L27.0-L27.1

- Bolhas grandes ocorrendo com frequência na genitália masculina; evoluem para erosão dolorosa (**Fig. 34-21**).
- Com a exposição repetida ao fármaco, as bolhas/erosões recorrem no mesmo local.

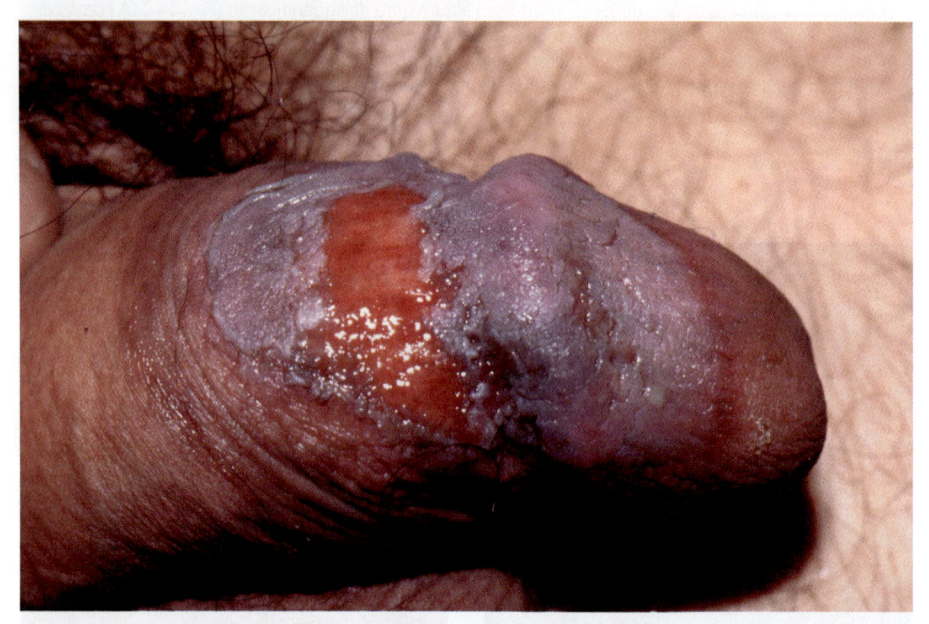

Figura 34-21 Erupção fixa por fármaco: sulfametoxazol-trimetoprima Bolha violácea que se rompeu, localizada no dorso do pênis (glande e corpo), recorrendo após tratamento com sulfametoxazol-trimetoprima.

LESÕES PRÉ-MALIGNAS E MALIGNAS

CARCINOMA ESPINOCELULAR (CEC) *IN SITU* (Ver também Seção 11)

- *Terminologia*: carcinoma espinocelular *in situ* (CECIS) é o termo genérico; neoplasia intraepitelial (NI) é o CECIS induzido por HPV.
- *Etiologia*: infecção por HPV, balanopostite crônica de baixo grau (higiene insatisfatória, LEA) em idosos; dermatose crônica (líquen plano ulcerativo, líquen escleroso).
- *Manifestações clínicas*: placa vermelha, solitária, bem definida e com bordas irregulares com superfície lustrosa a aveludada no pênis (**Fig. 34-22**) ou vulva; dermatoses associadas. As lesões associadas ao HPV geralmente são multifocais, ocorrendo em qualquer local da região anogenital (**Fig. 34-23**).
- *Diagnóstico*: biópsia da lesão.
- *Evolução*: o surgimento de nódulo ou de úlcera sugere progressão para CEC invasivo (**Fig. 34-24**). No CECIS associado ao HPV, a taxa de transformação em CEC invasivo é relativamente baixa; taxas mais altas nos casos de CECIS da vulva; taxas de invasão e de metástase mais altas quando associado à balanopostite crônica/higiene insatisfatória (ver também a Seção 11).
- *Sinônimos*: eritroplasia de Queyrat, doença de Bowen, papulose bowenoide.

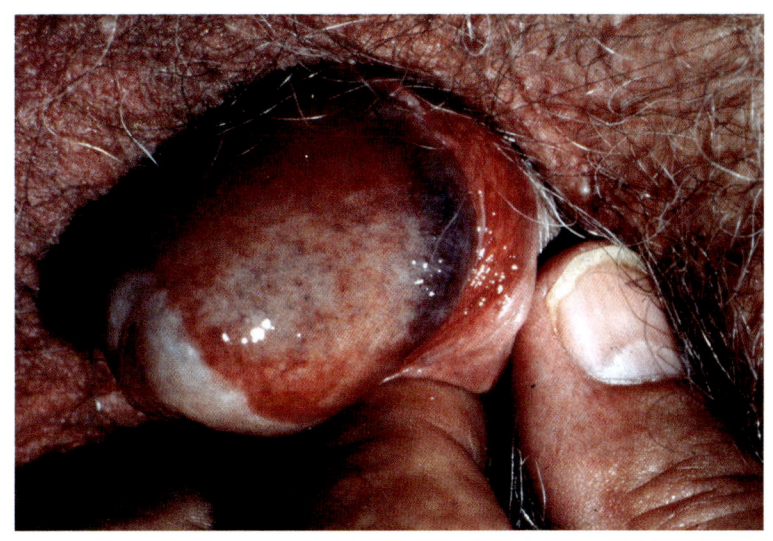

Figura 34-22 Carcinoma espinocelular *in situ* (CECIS) Placa vermelha irregular, bem definida, brilhante. A presença de nódulos ou ulceração, não vista neste exemplo, levantaria a suspeita de carcinoma espinocelular invasivo.

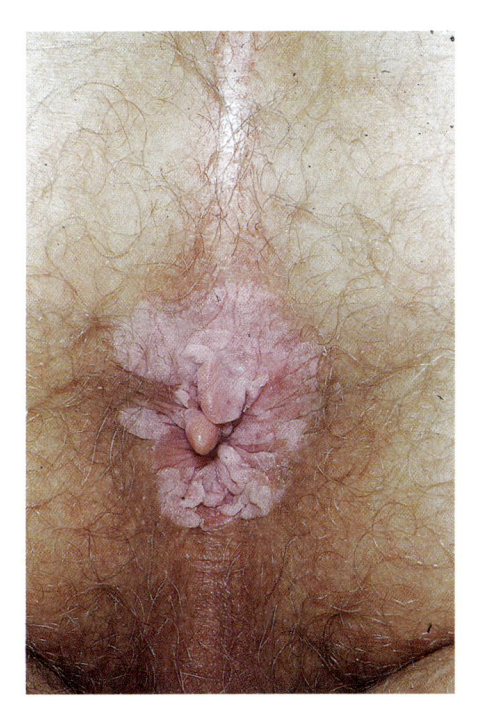

Figura 34-23 Carcinoma espinocelular *in situ* induzido por HPV: perianal Placa perianal bem demarcada, rósea, assintomática. O esfregaço de Papanicolau com material da lesão revelou lesão intraepitelial de baixo grau.

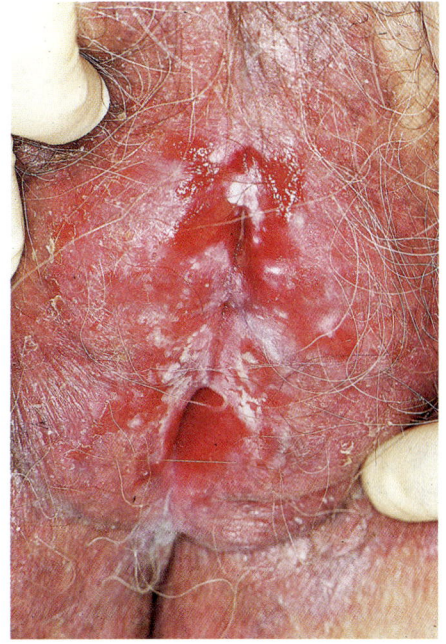

Figura 34-24 Carcinoma espinocelular *in situ* surgindo em líquen escleroso: vulva Eritema e erosões com atrofia evidente dos pequenos lábios e do clitóris em paciente com líquen escleroso de longa duração. A biópsia da lesão revelou CECIS surgindo no líquen escleroso.

NEOPLASIA INTRAEPITELIAL (NI) E CARCINOMA ESPINOCELULAR *IN SITU* (CECIS) INDUZIDOS POR HPV (Ver também Seções 11 e 27)

- *Etiologia*: HPV tipos 16, 18, 31 e 33.
- *Fatores de risco*: imunossupressão, HIV/Aids, iatrogenia induzida por imunossupressores utilizados em pacientes receptores de transplante de órgão sólido.
- *Manifestações clínicas*: manchas e pápulas (teto achatado) eritematosas (**Figs. 34-23 e 34-25**); pápulas pigmentadas. *Disposição*: solitárias, agrupadas, confluentes, formando placa(s). *Distribuição*: mucosa e pele inguinocrural e anogenital.
- *Evolução*: resolução espontânea; persiste por anos; surgem múltiplas novas lesões; evolução para CEC invasivo. Progressão para CEC invasivo mais frequente em colo do útero e ânus. Monitorar colo do útero e ânus por meio de exame periódico de Papanicolau (citologia) para detecção de alterações displásicas.

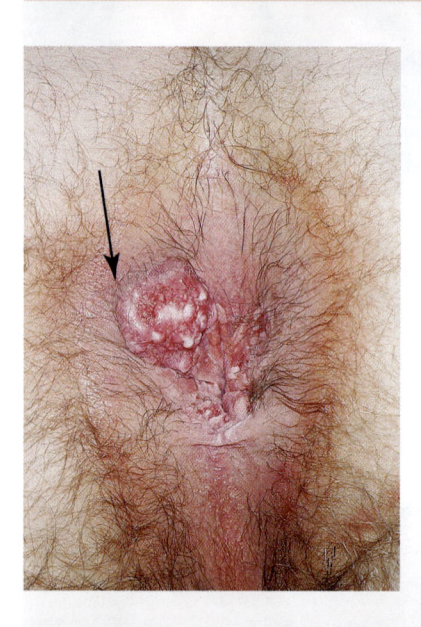

Figura 34-25 Carcinoma espinocelular invasivo induzido por HPV: períneo   Paciente do sexo masculino de 34 anos, infectado por HIV/Aids, apresentou-se com tumor perianal (*seta*) com vários meses de evolução.

CARCINOMA ESPINOCELULAR INVASIVO ANOGENITAL

CEC INVASIVO DO PÊNIS (Ver também Seção 11)

- *Fatores de risco*: ausência de circuncisão (postectomia), higiene peniana inadequada, fimose (25 a 75%), baixo nível socioeconômico, infecção por HPV (15 a 80%), exposição à radiação UV, tabagismo.
- *Demografia*: mais comum em países em desenvolvimento (até 10% dos cânceres nos homens; raro nos países industrializados).
- *Lesões/alterações pré-cancerígenas*: fimose, balanopostite crônica, balanite pseudoepiteliomatosa ceratótica e micácea, líquen plano, líquen esceleroso, condiloma gigante, NI induzido por HPV.
- *Sintomas*: lesão precursora, prurido/queimação sob o prepúcio, úlcera na glande ou no prepúcio.
- *Manifestações clínicas*: induração sutil; pequena tumoração; pequena pápula; tumor verrucoso até carcinoma evidentemente extenso com exulceração. Necrose e/ou infecção secundária no prepúcio de paciente com fimose. Estende-se ao longo do corpo do pênis e envolve o corpo cavernoso. Raramente, ocorre sangramento, fístula urinária e retenção urinária.
- *Distribuição*: glande (48%), prepúcio (21%), glande e prepúcio (9%), glande e corpo (14%), sulco coronal (6%), corpo (< 2%).
- *Metástase*: linfonodos inguinais; raramente para locais distantes.

CEC INVASIVO DA VULVA (Ver também Seção 11)

- *Fatores de risco*: infecção por HPV, citologia do colo do útero anormal, imunossupressão, HIV/Aids, idade avançada, aumento do número de parceiros sexuais, precocidade na primeira relação sexual, tabagismo, líquen plano, líquen escleroso (**Fig. 34-24**).
- *Sintomas*: prurido vulvar, dor localizada, corrimento, disúria, sangramento, úlcera.
- *Manifestações clínicas*: lesão protuberante branca ou pigmentada com pele espessada ou dura; verrucosa, polipoide, papular. Localização: 65% surgem nos grandes lábios.

CEC INVASIVO DA PELE ANAL (Ver também Seção 11)

- *Etiologia*: Infecção por HPV oncogênico. *Fatores de risco*: imunossupressão crônica, HIV/Aids. *Localização*: (1) cutânea, (2) junção entre os epitélios colunar e escamoso.
- *Lesão precursora*: NI anal. *Manifestações clínicas*: pápula, nódulo, nódulo ulcerado (**Fig. 34-25**).

CARCINOMA VERRUCOSO GENITAL (Ver também Seção 11)

- *Etiologia*: Infecção por HPV.
- *Manifestações clínicas*: tumores verrucosos volumosos em forma de couve-flor.
- *Distribuição*: vulva, pênis, ânus.
- *Evolução*: crescimento lento; raramente produzem metástase.

MELANOMA MALIGNO DA REGIÃO ANOGENITAL (Ver também Seção 12)

- Incidência: rara.
- *Lesões precursoras*: lesão pigmentada preexistente ou nova a partir de melanócitos da epiderme.
- *Manifestações clínicas*: máculas ou pápulas com variação de cor entre castanha e preta, bordas irregulares e frequentemente com elevação papular (**Fig. 34-26**) ou ulceração.
- *Distribuição*: homens: glande (67%), prepúcio (13%), meato uretral (10%), corpo do pênis (7%) e sulco coronal (3%) (**Fig. 34-26**); mulheres: pequenos lábios, clitóris (**Fig. 34-27**).
- *Diagnóstico diferencial*: lentiginose genital, erupção fixa medicamentosa antiga, CEC, hemangioma, papulose bowenoide.
- *Tipos histológicos*: melanoma lentiginoso; raramente, melanoma desmoplástico.
- *Prognóstico*: ruim em razão de metástase precoce via vasos linfáticos; a maioria dos pacientes morre dentro de 1 a 3 anos.

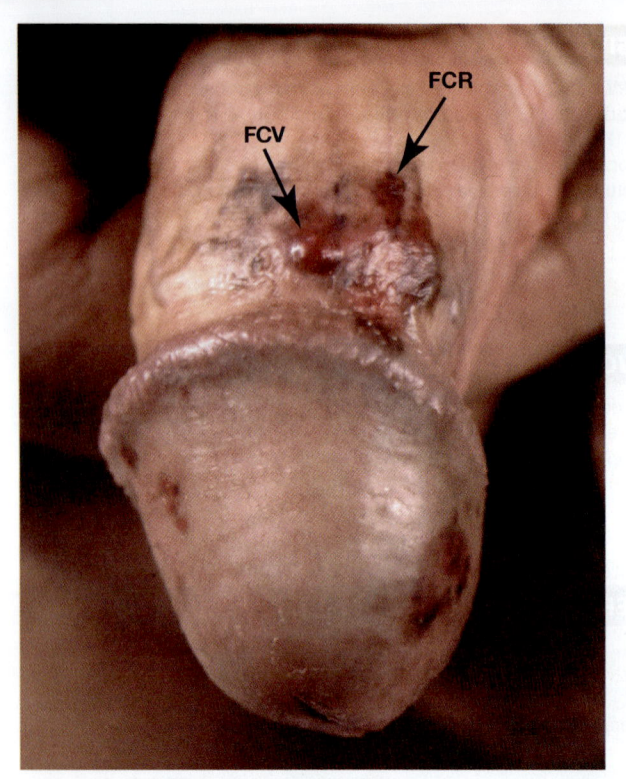

Figura 34-26 Melanoma invasivo: pênis Nódulo violáceo (*seta*) representa a fase de crescimento vertical (FCV) em área de mácula com hiperpigmentação variegada (*seta*) que denota a fase de crescimento radial (FCR) presente por 5 anos e que se assemelha à lentiginose genital. O tipo histológico mais comum de melanoma genital é o melanoma acrolentiginoso.

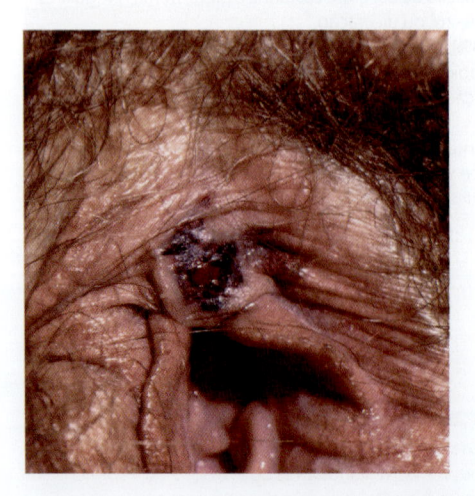

Figura 34-27 Melanoma invasivo: vulva Observa-se nódulo violáceo sobre uma placa negra.

Seção 34 Distúrbios da genitália, períneo e ânus

DOENÇA DE PAGET EXTRAMAMÁRIA (Ver também Seção 19)

- Frequentemente, sem diagnóstico por anos ou décadas; tratada como intertrigo.
- Placas bem demarcadas na região genital (**Fig. 34-28**).

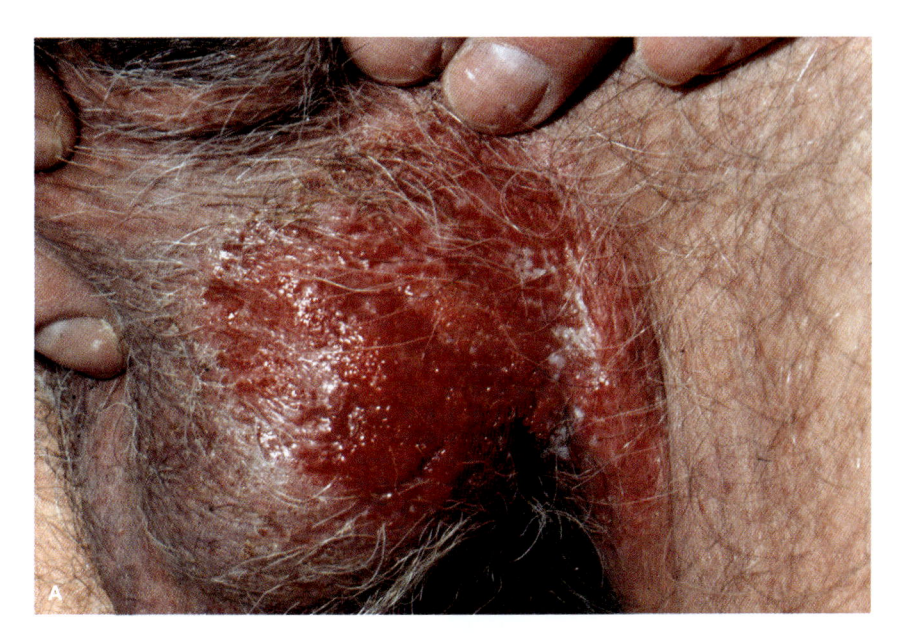

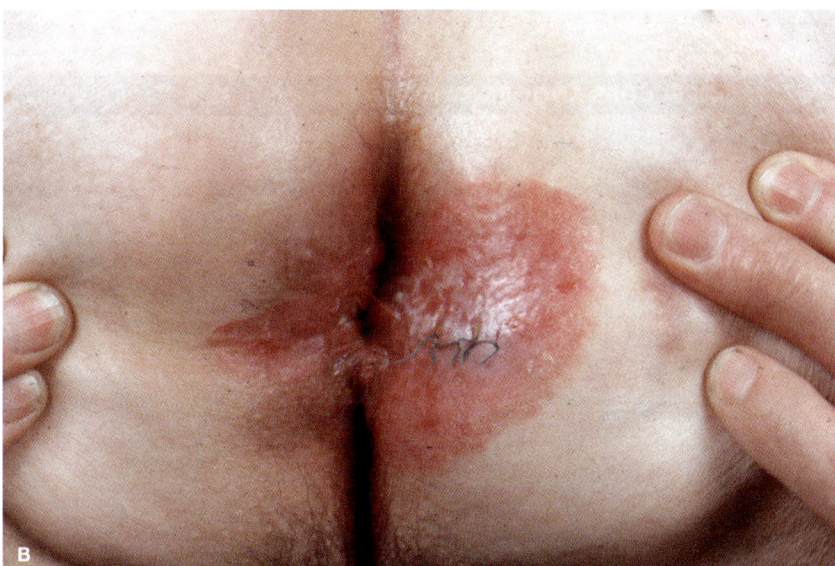

Figura 34-28 Doença de Paget extramamária: **(A) escroto e inguinocrural** e **(B) perianal** Placas vermelhas e brilhantes bem demarcadas e recorrentes com vários anos de evolução. As lesões podem ser tratadas com cirurgia micrográfica de Mohs, mas se houver recorrência costumam exigir tratamento com radioterapia por feixe de elétrons.

SARCOMA DE KAPOSI (Ver também Seção 21)

- Comum em caso avançados e sem tratamento de HIV/Aids.
- *Localização*: pênis e escroto.
- *Manifestações*: pápulas, nódulos e placas violáceas; confluentes. Edema de pênis e escroto (**Fig. 34-29**).

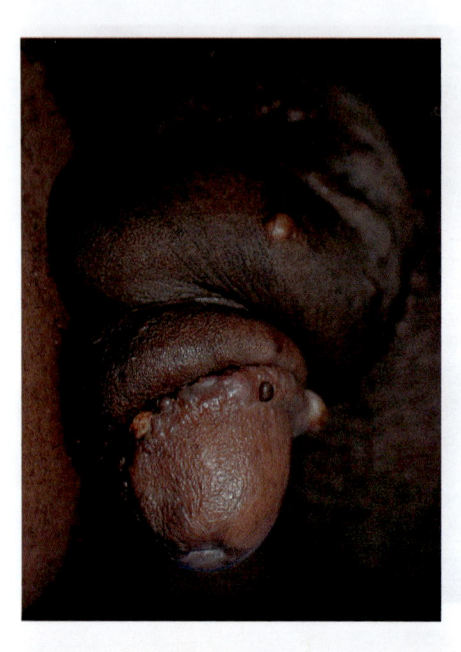

Figura 34-29 Sarcoma de Kaposi: pênis Observam-se múltiplos nódulos sobre a glande e o corpo do pênis, presentes há 8 meses em paciente com HIV/Aids. Edema maciço do pênis causado por infiltração do tumor e obstrução linfática, resultando em obstrução urinária. Obstrução semelhante causou edema dos membros inferiores.

INFECÇÕES ANOGENITAIS (Ver também Seções 25, 26 e 30)

- Infecções bacterianas, ver Seção 25.
- Infecções fúngicas mucocutâneas anogenitais, ver Seção 26.
- Dermatofitoses e pitiríase versicolor ocorrem apenas na pele ceratinizada. Raramente no corpo do pênis.
- Candidíase é comum nos locais naturalmente cobertos no pênis, vulva e vagina.
- IST, ver Seção 30.

SEÇÃO 35
PRURIDO GENERALIZADO SEM LESÃO CUTÂNEA (*PRURITUS SINE MATERIA*)

- Em sua maioria, as erupções cutâneas são mais ou menos pruriginosas, mas há situações nas quais se encontra prurido intenso sem que haja lesão cutânea, exceto pelas marcas de coçadura (**Fig. 35-1**).
- A abordagem diagnóstica de paciente com prurido generalizado sem lesões identificáveis na pele é a de *diagnóstico por exclusão*.
- O prurido é um sintoma de doença cutânea que, no momento do exame, não se manifesta com lesões específicas.
- Pode ser causado por doença de órgão interno, quadros metabólicos ou endócrinos ou doença hematológica.
- Pode ser uma manifestação de tumor maligno, de estados psicológicos ou de infecção por HIV; ou pode estar relacionado a fármacos injetados ou ingeridos.
- As diversas causas de *pruritus sine materia* estão listadas no **Quadro 35-1**, e um algoritmo para a abordagem de pacientes com *pruritus sine materia* é apresentado no **Quadro 35-2**.
- Os sinais cutâneos podem ser clinicamente inaparentes, talvez confinados apenas a áreas circunscritas. Isso é particularmente importante em relação à exclusão de escabiose, pediculose ou condições como a urticária factícia.

Figura 35-1 Prurido sem lesões cutâneas diagnósticas Este paciente apresentava diversas marcas causadas por coçadura compulsiva de prurido intenso. Não foram encontradas outras lesões diagnósticas. A investigação revelou cirrose biliar sem icterícia.

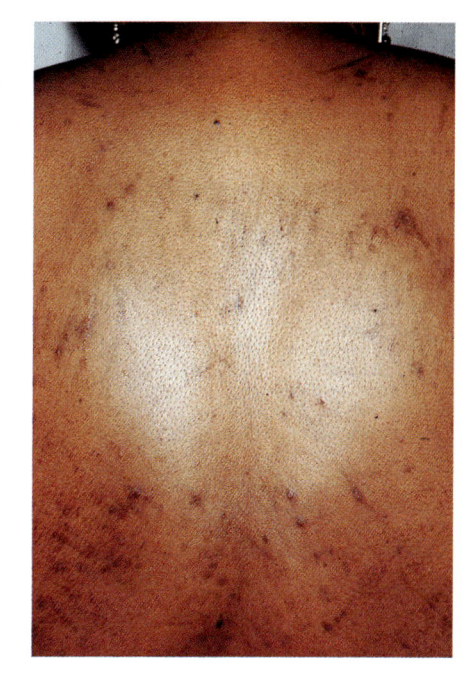

CAUSAS PRINCIPAIS (VER QUADRO 35-1)

QUADRO 35-1 Causas de *pruritus sine materia*

Quadros metabólicos e endócrinos
　Hipertireoidismo: provavelmente em razão de aumento no fluxo de sangue
　Hipotireoidismo: provavelmente em razão do ressecamento excessivo
　Relacionados à gravidez
　Diabetes melito: prurido raramente associado, mas pode ser sintoma de neuropatia diabética

Neoplasias malignas: podem ser sintoma de apresentação
　Linfoma, leucemia mieloide e linfática, mielodisplasia
　Mieloma múltiplo
　Doença de Hodgkin
　Outro câncer (raro)

Ingestão de fármaco
　Sensibilidade subclínica a medicamentos
　Ácido acetilsalicílico, álcool, dextrana, polimixina B, morfina
　Codeína, escopolamina, D-tubocurarina
　Hidroxietilamido

Infestações/infecções
　Escabiose*a*
　Pediculose do corpo, da cabeça, pubiana
　Ancilostomíase
　Oncocercose
　Ascaridíase
　HIV: pode ser o sintoma da infecção primária ou uma comorbidade crônica

Doença renal
　Insuficiência renal: pode desenvolver prurigo nodular, liquenificação ou eczema numular como resultado de coçadura

Doenças hematológicas
　Policitemia vera: observada em até 50% dos pacientes em contato com água
　Paraproteinemia, deficiência de ferro

Doenças hepáticas
　Doença obstrutiva biliar: prurido inicialmente nas extremidades, então, dissemina-se
　Gravidez (colestase intra-hepática) (ver Seção 15)

Doença neurológica
■ Dano a nervos periféricos: radiculopatia lombossacral ou neuropatia compressiva (prurido anogenital, meralgia parestética)
■ Dano a nervos periféricos: radiculopatia cervico-torácica (prurido braquirradial, notalgia parestética [**Fig. 35-2**])
■ Dano a nervo espinal (notalgia parestética)

Psicogênicas
　Transitória:
　　Períodos de estresse emocional
　Persistentes:
　　Delírio de parasitose
　　Prurido psicogênico
　　Escoriações neuróticas
　　Anorexia nervosa

Dermatoses latentes e outros quadros
　Xerose (pele seca, "prurido do inverno")
　Prurido senil: muito comum > 70 anos
　Penfigoide bolhoso (sem lesões de pele)
　Dermatite herpetiforme (sem lesões de pele)
　Dermatite atópica (sem lesões de pele)
　Urticária fictícia (dermografismo)
　Exposição à fibra de vidro
　Prurido aquagênico: geralmente na meia-idade ou em idosos, provocado por contato com água de qualquer temperatura, persistindo por até 1 hora; quadro distinto do prurido senil ou do prurido causado por banho na policitemia; histamina elevada no sangue

*a*Lesões diagnósticas podem ou não estar presentes.

TRATAMENTO

1. Identificar e tratar doença subjacente.
2. Tratar a xerose (pele seca) com banhos e emolientes.
3. Fototerapia com UVB e banda estreita (311 nm) ou com PUVA (prurido relacionado a quadros renal, biliar, aquagênico e policitemia vera).
4. Agentes tópicos: capsaicina, doxepina a 5%, cânfora/mentol, solução tópica de ácido acetilsalicílico a 3% (auxilia nos casos de líquen simples crônico), pramoxina, creme de naltrexona a 1%.
5. Agentes orais: naloxona, naltrexona (25 a 50 mg/dia), ou ondansetrona; anti-histamínicos, antidepressivos tricíclicos (reduzem a percepção central do prurido), talidomida (especialmente nos casos de HIV), gabapentina em dose baixa (iniciar com 300 mg/dia, mas talvez haja necessidade de titular a dose até 2.400 mg/dia antes da conclusão por ineficácia); colestiramina no prurido colestático (ineficaz em caso de obstrução biliar total).

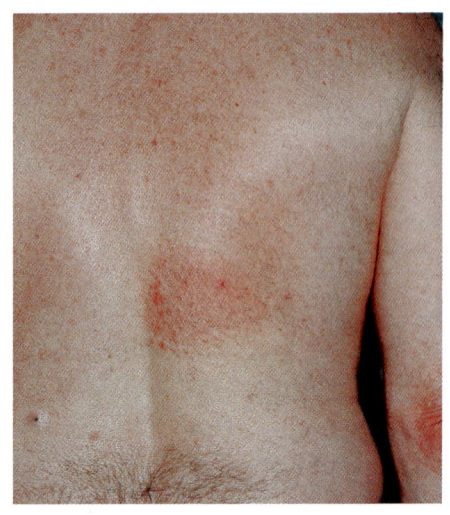

Figura 35-2 Notalgia parestética Este quadro na região interescapular é caracterizado por prurido intenso sem lesões cutâneas. O eritema aqui identificado foi causado por coçadura e fricção.

QUADRO 35-2 Abordagem ao diagnóstico de prurido generalizado sem lesão cutânea diagnosticada

Consulta inicial

1. História detalhada do prurido:
   - Há lesões cutâneas que precedam o prurido?
   - O prurido é contínuo ou ocorre em ondas?
   - O prurido está relacionado a períodos do dia, ocorre à noite e mantém o paciente acordado?
   - O prurido está relacionado a condições ambientais (calor, frio); está relacionado a estresse emocional, esforço físico, transpiração, contato com água?
2. Examinar cuidadosamente, buscando alterações sutis na pele como causa do prurido: xerose ou asteatose, escabiose, pediculose (lêndeas?). Pápulas isoladas nos cotovelos, couro cabeludo (dermatite herpetiforme), no escroto ou no corpo do pênis (escabiose).
3. Verificar se há dermografismo, esfregar a pele para testar o sinal de Darier (ver "Síndromes de mastocitose", na Seção 20).
4. Repetir a história relacionada ao prurido. Obter a história de sintomas constitucionais, perda de peso, fadiga, febre, mal-estar. História de medicamentos orais ou parenterais que possam causar prurido generalizado sem erupção.
5. Exame físico geral incluindo *todas* as cadeias de linfonodos; toque retal e pesquisa do guáiaco fecal em adultos.
6. Se pele ressecada ou prurido do inverno forem explicações razoáveis, administrar ao paciente banho de imersão com óleo, seguido por creme emoliente. Sem sabão; o banho de imersão deve ser terapêutico, e não para limpar a pele; banho de chuveiro para limpeza.
7. Consulta de acompanhamento em 2 semanas.

Consultas subsequentes

Caso não tenha havido alívio sintomático com o tratamento administrado na primeira consulta, seguir as seguintes etapas:
1. Revisão detalhada dos sistemas.
2. Exames laboratoriais: exames sanguíneos, incluindo velocidade de hemossedimentação, glicemia em jejum, função renal, função hepática, antígenos para hepatites, testes tireoidianos, exames de fezes e sorológicos para parasitas.
3. Os casos sem diagnóstico devem ser encaminhados para investigação completa, incluindo exame da pelve e esfregaço de Papanicolau.

Fonte: Adaptado com permissão de Bernhard JD, ed. *Itch Mechanisms and Management of Pruritus.* New York, NY: McGraw-Hill; 1994, pp. 211–215.

APÊNDICES

APÊNDICE A

DIAGNÓSTICO DIFERENCIAL DAS LESÕES PIGMENTADAS

As questões mais difíceis e preocupantes do exame físico dermatológico talvez digam respeito à capacidade do profissional de avaliar lesões pigmentadas. Essas lesões são responsáveis por grande parte das consultas motivadas por preocupação dos pacientes acerca de crescimento rápido e alteração na forma, ou de sintomas como prurido e sangramento recente. As figuras que seguem pretendem ressaltar os aspectos mais confiáveis a serem considerados na avaliação de lesões pigmentadas, embora haja sobreposição entre aspectos característicos. Quando houver dúvida clínica, recomenda-se biópsia de pele para exame histopatológico ou encaminhamento ao dermatologista.

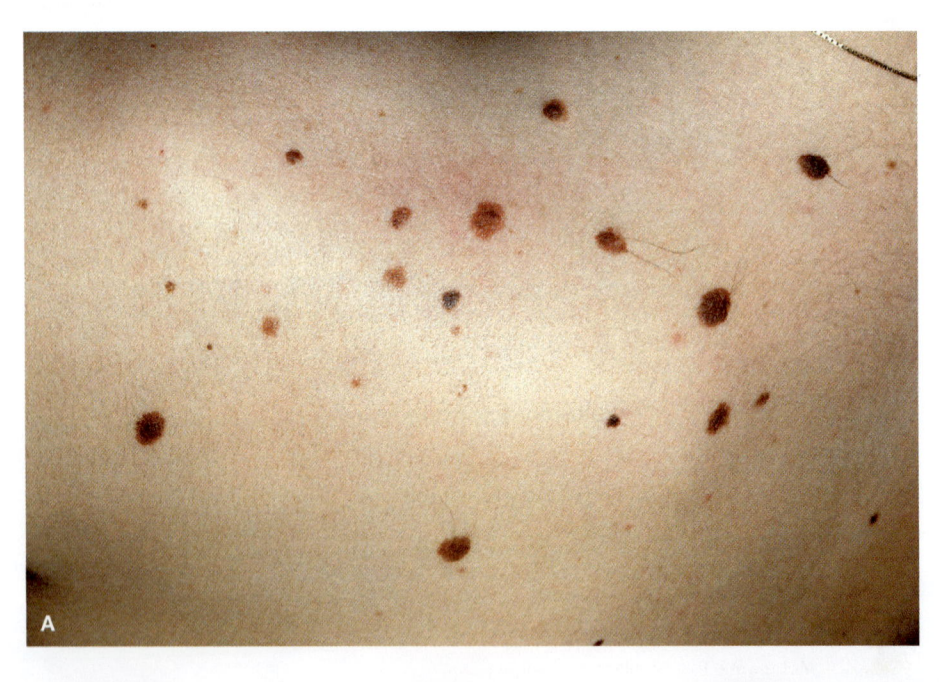

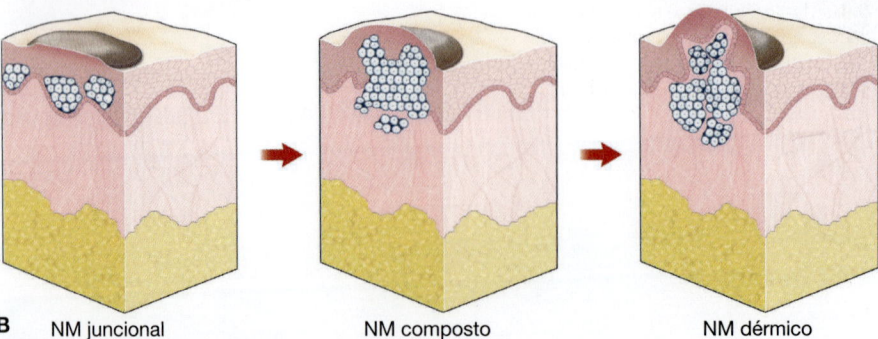

Figura A-1 Lesões pigmentadas comumente encontradas na atenção primária à saúde. NM, nevo melanocítico.

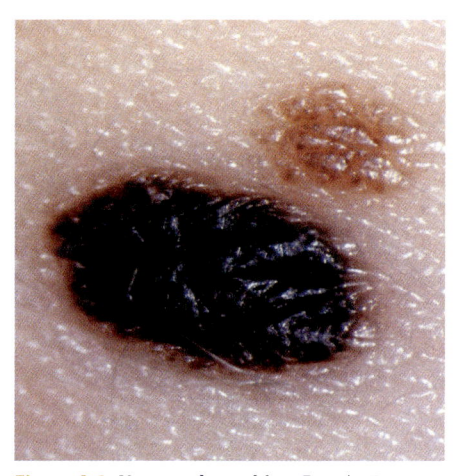

Figura A-2 Nevo melanocítico Estas lesões apresentam pigmentação com padrão regular, bordas regulares e simetria. Esta pápula tem menos de 0,5 cm de diâmetro.

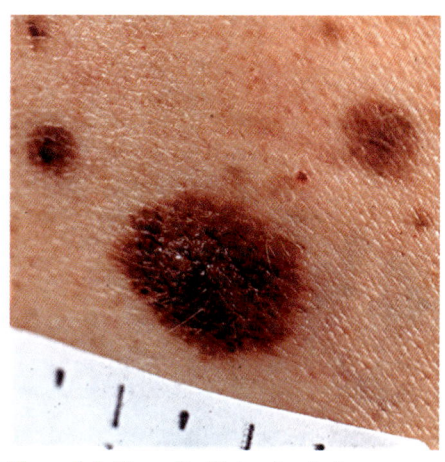

Figura A-3 Nevo displásico Esta lesão apresenta componentes macular e papular com pigmentação desigual, mas bordas relativamente regulares, e simetria. Não há áreas de "regressão" (coloração cinza-azulada que representa resíduo da tentativa do organismo de fazer regredir a lesão).

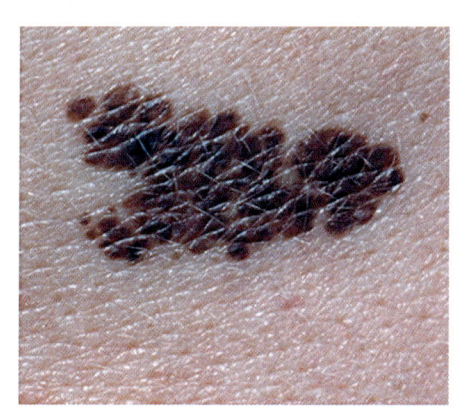

Figura A-4 Melanoma Esta pápula marrom e preta tem bordas irregulares, é assimétrica e apresenta variações na cor, incluindo tons de vermelho e azul. A lesão tem mais de 0,6 cm e cresceu rapidamente com relevo irregular na superfície. Observa-se que há difusão de pigmento, sugerindo disseminação lateral ou "fase de crescimento radial".

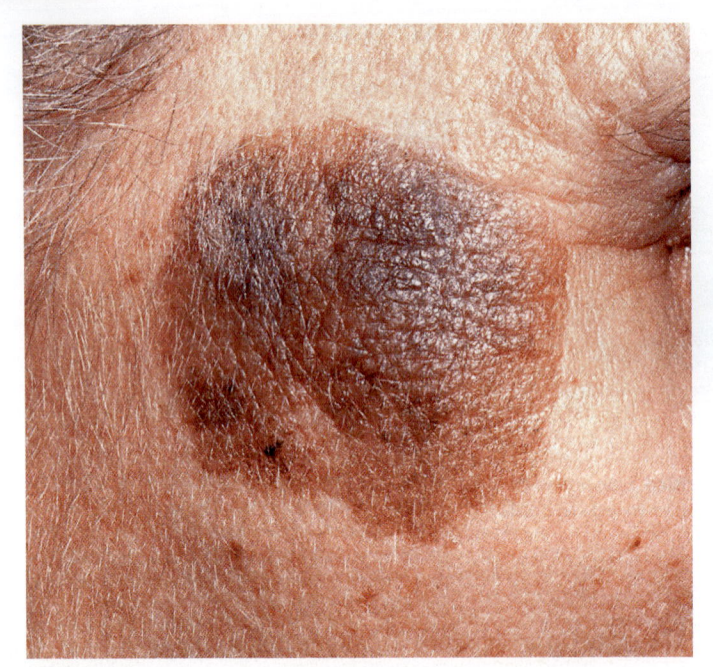

Figura A-5 Ceratose seborreica Estas lesões geralmente ocorrem em grande número. Uma pápula verrucosa solitária é um complicador para o diagnóstico e, nesses casos, frequentemente é indicada biópsia. Superfície verrucosa com aparência de estrutura "colada", cistos córneos e ausência de infiltração da derme sugerem o diagnóstico de ceratose seborreica.

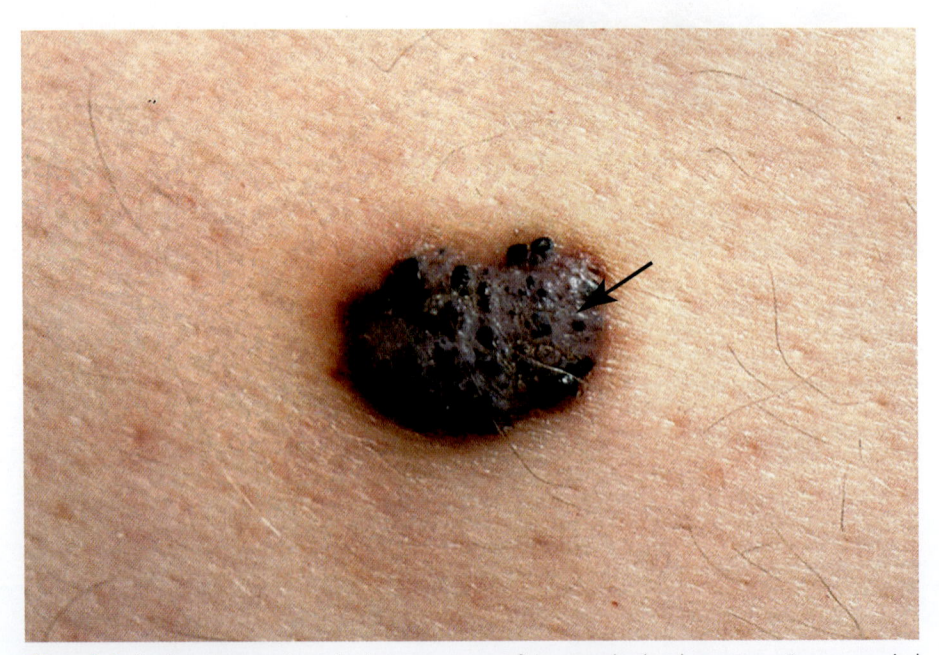

Figura A-6 Angioceratoma Esta pápula apresenta superfície em pedra de calçamento e não compressível (diferentemente de um lago venoso). O exame detalhado revela espaços de trombose vascular (*seta*).

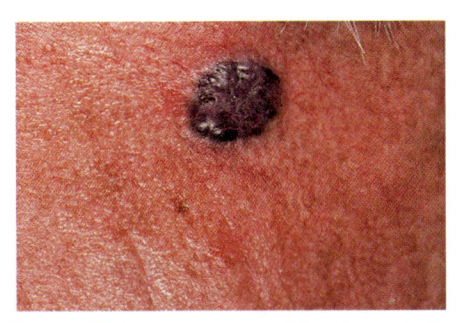

Figura A-7 Carcinoma basocelular pigmentado Pode ser confundido com melanoma cutâneo. Translucência na lesão e padrão com telangiectasias circundantes são mais comuns no carcinoma basocelular pigmentado.

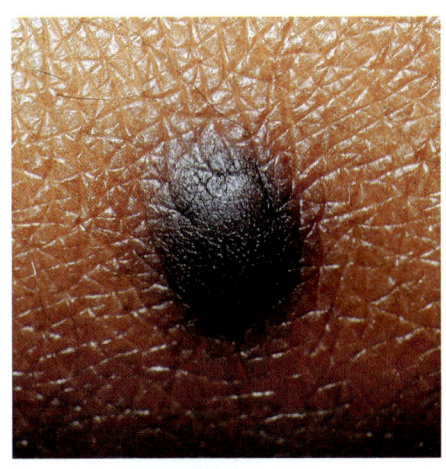

Figura A-8 Dermatofibroma Pápula regular cupuliforme com pigmentação regular; quando pressionada lateralmente, produz o sinal da "covinha".

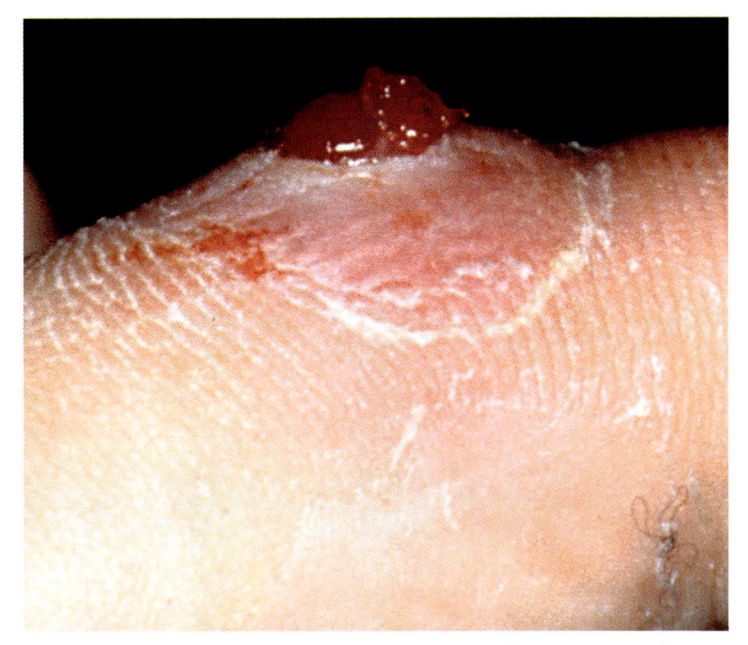

Figura A-9 Granuloma piogênico Estas pápulas e nódulos ocorrem agudamente logo após um trauma, tendem a ser vermelho-vivos e, nas palmas e plantas, apresentam um colarete espessado do estrato córneo na sua base.

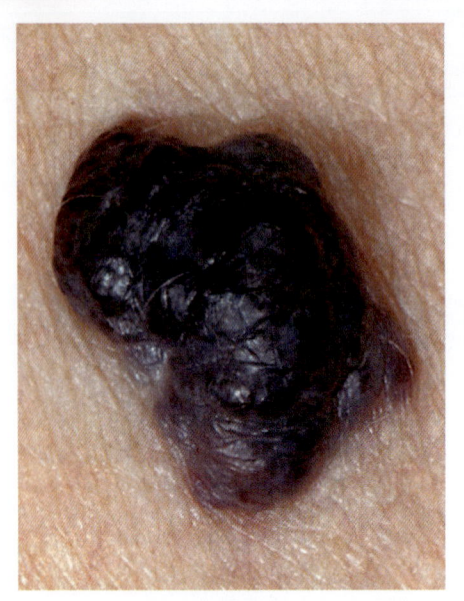

Figura A-10 Lago venoso Esta pápula apresenta coloração negro-azulada, com superfície nodular uniforme, e empalidece totalmente à compressão.

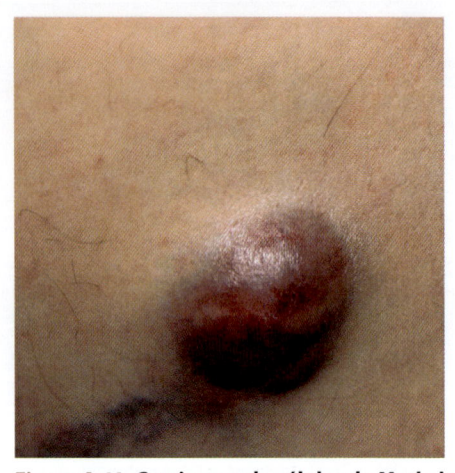

Figura A-11 Carcinoma de células de Merkel Este tumor letal surge em áreas expostas ao sol na forma de nódulo violáceo que não empalidece à compressão, frequentemente após fase de crescimento muito rápido. Este tumor pode crescer como cisto, nódulos dérmicos que passam despercebidos e lesão tipo lago venoso. Se houver suspeita, a biópsia é obrigatória.

APÊNDICE B

USO DE MEDICAMENTOS NA GRAVIDEZ

O feto em desenvolvimento pode ser afetado por qualquer medicação administrada à gestante. Os efeitos desastrosos da talidomida e do estilbestrol nos fetos levaram a Food and Drug Administration (FDA) a criar categorias que agora são atribuídas a cada medicação antes de sua liberação.

O Quadro B-1 lista os tratamentos considerados seguros para as doenças dermatológicas durante a gravidez. As doenças dermatológicas comuns, as medicações utilizadas no seu tratamento e suas categorias para uso na gravidez estão listadas no Quadro B-2.

QUADRO B-1 Tratamentos seguros para doenças dermatológicas durante a gravidez

Doença	Nome da medicação
Acne	Clindamicina, eritromicina, peróxido de benzoíla tópicos
Rosácea	Metronidazol, ácido azelaico tópicos
Psoríase	Glicocorticoides e calcipotriol tópicos, UVB de banda larga
Dermatite	Glicocorticoides, clorfeniramina ou difenidramina tópicos
Infecção genital por papilomavírus humano	Nitrogênio líquido, ácido tricloroacético
Infecção por herpes simples	Aciclovir
Infecções fúngicas	Antifúngicos tópicos
Infecções bacterianas	Penicilinas, cefalosporinas após o primeiro trimestre, azitromicina
Urticária	Clorfeniramina, difenidramina (melhor usar os anti-histamínicos de primeira geração que os de segunda)

QUADRO B-2 Doenças dermatológicas comuns, medicações utilizadas e suas categorias para uso na gravidez

Doença	Medicação	Categoria da FDA para uso na gravidez
Acne e rosácea	Eritromicina tópica	B
	Clindamicina tópica	B
	Peróxido de benzoíla tópico	C
	Tretinoína tópica	C, mas não recomendada
	Adapaleno tópico	C, mas não recomendado
	Tazaroteno tópico	X
	Metronidazol tópico	B
	Ácido azelaico tópico	B
	Tetraciclinas sistêmicas	D
	Eritromicina sistêmica	B
	Isotretinoína sistêmica	X
Psoríase	Glicocorticoides tópicos	C
	Calcipotrieno tópico	C
	Fototerapia com UVB	Considerada segura
	PUVA	Potencialmente teratogênica
	Metotrexato sistêmico	X
	Acitretina sistêmica	X
	Etanercepte	B
Dermatite	Glicocorticoides sistêmicos	C
	Tacrolimo tópico	C
	Pimecrolimo tópico	C
	Clorfeniramina sistêmica	B
	Difenidramina sistêmica	B
Infecção viral	Imiquimode	B
	Podofilina	C, não recomendada
	Podofilotoxina	C, não recomendada
	Aciclovir	B
	Fanciclovir	B
	Valaciclovir	B
Infecção fúngica	Antifúngicos tópicos	Considerados seguros
	Terbinafina sistêmica	B
	Fluconazol sistêmico	C, não recomendado
	Fluconazol tópico	C, considerado seguro
	Itraconazol sistêmico	C, não recomendado
Infecção bacteriana	Penicilina sistêmica	B
	Cefalosporina sistêmica	B; possível associação entre algumas cefalosporinas e malformações congênitas no primeiro trimestre
	Azitromicina sistêmica	C
Urticária	Clorfeniramina	B
	Difenidramina	B
	Hidroxizina	C; ligada a anormalidades congênitas (fenda palatina)
	Loratadina	B
	Cetirizina	B
	Levocetirizina	B
	Fexofenadina	C
	Desloratadina	C

Categorias da FDA para medicações durante a gravidez: A. Nenhum risco para fetos nos ensaios controlados. **B.** Nenhum risco para fetos humanos apesar de possível risco em animais, ou nenhum risco em estudos com animais, mas faltam ensaios em seres humanos. **C.** Não é possível afastar risco em seres humanos. Estudos em animais podem ou não demonstrar risco. **D.** Evidência de risco para fetos humanos. **X.** Contraindicado na gravidez.

APÊNDICE C-1

MANIFESTAÇÕES DERMATOLÓGICAS DE DOENÇAS CAUSADAS POR ARMAS BIOLÓGICAS/BIOTERRORISMO

O uso de patógenos microbianos como agentes potenciais ou reais de terrorismo e armas de guerra ocorre desde a Antiguidade. Em 2001, os ataques com antraz através do correio dos Estados Unidos resultou em 12 casos cutâneos e 10 inalatórios de antraz com 4 mortes. Isso causou muita ansiedade, teve impacto no correio dos Estados Unidos e levou a uma interrupção das atividades do braço legislativo do governo dos Estados Unidos. O Centers for Disease Control and Prevention (CDC) dos Estados Unidos classificou os agentes biológicos potenciais em três categorias: A, B e C (Quadro C-1). Os agentes da categoria A são os patógenos prioritários que necessitam de atenção especial para alerta de saúde pública. Muitos desses causam sinais e sintomas cutâneos, sendo, assim, de grande preocupação para os dermatologistas. As doenças potencialmente causadas por bioterrorismo com manifestações dermatológicas são:

- Antraz
- Peste
- Varíola
- Vacina da varíola (vacínia)
- Tularemia
- Febres virais hemorrágicas

Informações completas sobre peste e febres virais hemorrágicas, bem como infecções por antraz inalatório podem ser obtidas na página do CDC: **http://emergency.cdc.gov/agent/agentlist.asp**.

Informações sobre todos esses agentes e páginas relacionadas podem ser obtidas nos seguintes *sites*:

- www.bt.cdc.gov/agent/smallpox/diagnosis/pdf/spox-poster-full.pdf.
- http://jama.ama-assn.org/cgi/content/full/287/18/2391.

QUADRO C-1 Agentes de categoria A, B e C do CDC

Categoria A
Antraz (*Bacillus anthracis*)
Botulismo (toxina do *Clostridium botulinum*)
Peste (*Yersinia pestis*)
Varíola (*Variola major*)
Tularemia (*Francisella tularensis*)
Febres virais hemorrágicas
    Arenavírus: Lassa, Novo Mundo (Machupo, Junin, Guanarito, Chapare, Lujo e Sabia)
    Bunyaviridae: Crimean, Congo, Rift Valley
    Filoviridae: Ebola, Marburg
    Flaviviridae: Febre amarela, febre de Omsk, Dengue, Kyasanur Forest

Categoria B
Brucelose (*Brucella* spp.)
Toxina épsilon do *Clostridium perfringens*
Ameaças à segurança alimentar (p. ex., *Salmonella* spp., *Escherichia coli* 0157:H7 e *Shigella*)
Mormo (*Burkholderia mallei*)
Melioidose (*B. pseudomallei*)
Psitacose (*Chlamydia psittaci*)
Febre Q (*Coxiella burnettii*)
Toxina ricina de *Ricinus communis* (mamona)
Enterotoxina estafilocócica B
Tifo (*Rickettsia prowazekii*)
Encefalite viral (alfavírus [p. ex., encefalite equina venezuelana, oriental e ocidental])
Ameaças à segurança da água (p. ex., *Vibrio cholerae* e *Cryptosporidium parvum*)

Categoria C
Ameaça de doenças infecciosas emergentes, como Nipah e Hendra, hantavírus, coronavírus da SARS, príons, vírus da raiva, tuberculose, influenza

Fonte: Centers for Disease Control and Prevention e National Institute of Allergy and Infectious Diseases.

APÊNDICE C-2

BIOTERRORISMO QUÍMICO E ACIDENTES INDUSTRIAIS

Agentes químicos foram usados como armas em grande escala na Primeira Guerra Mundial, na Guerra Irã-Iraque, pelo Iraque contra civis curdos e nos ataques com gás sarin no Japão. Materiais industriais perigosos produzidos em indústrias químicas também poderiam ser usados como armas no terrorismo químico.

O **Quadro C-2** lista potenciais agentes para esses ataques e os sintomas causados. Entre esses, o agente formador de bolhas mostarda sulfúrica é um dos agentes mais prováveis a serem usados em um cenário de ataque terrorista e também induz lesões cutâneas (ver http://www.cdc.gov/mmwr/preview/mmwrhtml/rr4904a1.htm).

Após a exposição e um período latente sem sintomas, pode haver eritema, prurido, queimação e dor; a formação inicial de bolhas irá começar no segundo dia após a exposição e progredirá por até 2 semanas. As vesículas coalescem, formando grandes bolhas, e a cicatrização das feridas é consideravelmente mais lenta do que para uma queimadura térmica comparável. Os diagnósticos diferenciais são queimadura térmica ou escaldamento, necrólise epidérmica tóxica e síndrome da pele escaldada estafilocócica. (Ver também W R Heymann: Threats of biological and chemical warfare on civilian populations. *J Am Acad Dermatol* 2004, 51:452.)

QUADRO C-2 Reconhecimento e diagnóstico dos efeitos do terrorismo químico sobre a saúde

Agente	Nome do agente	Características individuais	Efeitos iniciais
Nervos	Cicloexil sarin (GF) Sarin (GB) Soman (GD) Tabun (GA) VX	Miose (pupilas puntiformes) Secreções copiosas Fasciculações musculares	Miose (pupilas puntiformes) Visão borrada Cefaleia Náuseas, vômitos, diarreia Secreções copiosas/sudorese Fasciculações musculares Dificuldade respiratória Convulsões
Asfixiante/sangue	Arsina Cloreto de cianogênio Cianeto de hidrogênio	Possibilidade de pele vermelho-cereja Possível cianose Possível queimadura pelo frio[a]	Confusão Náuseas Pacientes podem ter dispneia semelhante a uma asfixia, mas de início mais abrupto Convulsões antes da morte
Sufocação/lesão pulmonar	Cloro Cloreto de hidrogênio Óxidos de nitrogênio Fosgênio	O cloro é um gás amarelo-esverdeado com odor pungente O gás fosgênio tem cheiro de grama ou feno recém-cortados Possível queimadura pelo frio[a]	Irritação de olhos e pele Irritação das vias aéreas Dispneia, tosse Dor de garganta Aperto no tórax
Formador de bolhas/vesicante	Mostarda/mostarda sulfúrica (HD, H) Gás mostarda (H) Mostarda nitrogenada (HN-1, HN-2, HN-3) Lewisita (L) Fosgênio oxima (CX)	A mostarda (HD) tem odor que lembra raiz-forte ou alho queimado Lewisita (L) tem odor penetrante tipo gerânio Fosgênio oxima (CX) tem odor pungente ou apimentado	Irritação intensa Vermelhidão e bolhas na pele Lacrimejamento, conjuntivite, lesões corneanas Sofrimento respiratório leve a lesão intensa da via aérea Pode ser fatal Boca e pele secas
Incapacidade/alteração de comportamento	Agente 15/BZ	Pode aparecer como intoxicação em massa com comportamento errático, alucinações compartilhadas realísticas e distintas, retirada das roupas e confusão Hipertermia Midríase (pupilas dilatadas)	Taquicardia inicial Alteração de consciência, delírios, negação de doença, beligerância Hipertermia Ataxia (falta de coordenação) Alucinações Midríase (pupilas dilatadas)

[a]Pode haver queimadura pelo frio pelo contato da pele com o líquido de arsina, cloreto de cianogênio ou fosgênio.
Fonte: State of New York, Department of Health. https://www.health.ny.gov/environmental/emergency/chemical_terrorism/poster.htm

ÍNDICE

Referências de páginas para as figuras estão indicadas com *f*, e para os quadros, com *q*.

A

Abscesso bacteriano, 533-540
    definição, 533
    diagnóstico e diagnóstico diferencial, 540
    epidemiologia e etiologia, 533
    evolução, 540
    foliculite, 534, 535f-536f
    manifestações clínicas, 533-534, 534f, 539f
    MSSA, 534f
    tratamento, 540
    visão geral, 534
Abscesso de glândulas sudoríparas, 15-19. *Ver também* Hidradenite supurativa
Abscesso dental cutâneo, 853, 853f
Acantose *nigricans* (AN), 87-89
    classificação, 87
    diagnóstico e diagnóstico diferencial, 88
    epidemiologia, 87
    etiologia e patogênese, 87
    evolução e prognóstico, 88-89
    exames laboratoriais, 88
    maligna, 88f; 443
    manifestações clínicas, 87-88, 88f
    tratamento, 89
    visão geral, 87
Acantose *nigricans* maligna, 88f, 443
Acarina, 720, 721f
Ácaros, 720, 731-738
    alimento, 722-723
    demodicidose, 731, 731f
    escabiose, 732-738, 732f-738f (*Ver também* Escabiose)
Ácaros encontrados na face, humanos, 731, 731f
Acidentes industriais, 894, 895q
Acne cística, 2-7, 3f, 6f. *Ver também* Acne vulgar e acne cística
Acne comum, 2-7, 3f-7f. *Ver também* Acne vulgar e acne cística
Acne conglobata, 4, 6f,7f
Acne cosmética, 4
Acne escoriada, 2
Acne estival, 5
Acne fístula, 2
Acne fulminante, 4
Acne induzida por fármacos, 5

Acne inversa, 15-19. *Ver também* Hidradenite supurativa
Acne mecânica, 3, 4
Acne necrótica, 804
Acne neonatal, 2
Acne nódulo-cística, 2, 4f-6f
Acne ocupacional, 4
Acne por esteroides, 5
Acne por pomada, 4
Acne queloidiana (da nuca), 803, 804f
Acne tropical, 4
Acne vulgar e acne cística, 2-7
    diagnóstico e diagnóstico diferencial, 5
    epidemiologia, 2
    evolução, 5
    exames laboratoriais, 5
    hipermelanose com, 290f
    manifestações clínicas, 2-5, 3f-7f
    patogênese, 2, 5f
    tratamento, 6-7
Acrocórdon, 188, 188f
Acrodermatite contínua, 61
Acrodermatite contínua de Hallopeau, 57, 58f, 61
Acrodermatite enteropática, 391, 392f
Agente 15, 895q
Água-viva
    dedal, 742, 742f
    envenenamento, 742, 743f
Albinismo, 280, 287q
    classificação, 287q
    oculocutâneo, 287, 287q, 288f
Alopécia, 786. *Ver também* Queda de cabelo; *tipos específicos*
    induzida por fármacos, 795q
Alopécia androgenética (AAG), 786-790. *Ver também* Queda de cabelo, padrão
Alopécia areata, 791-794
    diagnóstico diferencial, 791
    etiologia e epidemiologia, 791
    evolução, 793
    exames laboratoriais,793
    manifestações clínicas, 791, 792f-793f
    manifestações ungueais, 817, 817f
    patogênese, 791
    tratamento, 793-794
    visão geral, 791

Alopécia cicatricial, 786, 798-805
  acne necrótica, 804
  alopécia cicatricial centrífuga central, 802
  alopécia frontal fibrosante, 798, 801f
  alopécia mucinosa (mucinose folicular), 802
  classificação, 798q
  dermatose pustulosa erosiva do couro cabeludo, 805
  exames laboratoriais, 805
  foliculite decalvante, 802, 803f
  foliculite dissecante, 802-803, 804f
  foliculite queloidiana da nuca, 803, 804f
  líquen plano folicular, 798, 801f
  lúpus cutâneo crônico eritematoso, 798, 799f-800
  manifestações clínicas, 798-805, 799f-804f
  pseudofoliculite da barba, 804, 804f
  pseudopelada de Brocq, 798, 801f, 802f
  síndrome de Graham-Little, 7
  tratamento, 805
  visão geral, 798
Alopécia do pente quente, 802
Alopécia frontal fibrosante, 798, 801f
Alopécia induzida por fármacos, 795q
Alopécia mucinosa, 802
Alopécia não cicatrical, 786, 786q
Alopurinol, erupção exantemática a fármaco, 494
Amebíase cutânea, 751, 751f
Amiloide liquenoide, 372, 372f
Amiloidose, 370-373
  AA sistêmica, 372
  AL sistêmica, 370, 370f-371f
  cutânea localizada, 372, 372f-373f
  visão geral, 370
Amiloidose macular, 372, 373f
Amiloidose nodular, 372, 372f
Amiloidose sistêmica, unha, 832, 832f
Amiodarona, pigmentação por, 503, 503f
Amoxicilina, reações exantemáticas a fármacos, 494
Ampicilina, reações exantemáticas a fármacos, 494, 495f
Anafilaxia induzida por fármacos, 303f, 498, 498f, 499q
Anágena, 784, 784f, 785f
Ancylostoma braziliense, 739
Angioceratoma, 165, 165f-166f
  diagnóstico diferencial, 888f
  genitália, 166f, 861
Angioceratoma *corporis diffusum*, 165, 166f
Angioceratoma de Fordyce, 165, 166f
Angioceratoma de Mibelli, 165
Angioedema, 298-306. *Ver também* Urticária e angioedema
  de pressão, 301

hereditário, 302, 303, 303f
induzido por fármacos, 303f, 498, 498f, 499q
vibratório, 301
visão geral, 298
Angioma aracneiforme, 162, 162f
Angioma em cereja, 164, 164f
Angiomatose bacilar, 571, 571f
Angiossarcoma, 479, 479f
Anoplura, 720
Anticoncepcional oral, erupção fixa por fármaco, 499, 500q
Anti-inflamatórios não esteroides (AINEs)
  erupção fixa por fármaco, 499, 500q
  pseudoporfiria, 505, 505f
Antimaláricos
  alterações ungueais, 834
  pigmentação por, 503-504
Antirretrovirais
  alterações ungueais, 834
  efeitos adversos, 714, 715q-716q
Ânus
  carcinoma espinocelular *in situ*, 874, 875f
  carcinoma espinocelular invasivo da pele anal, 876f, 877
  lentiginoses, 865, 865f
  prurido anal, 873, 873f
Aparelho ungueal, normal, 809, 809f
Apêndice cutâneo, 188, 188f
Apocrinite, 15-19 *Ver também* Hidradenite supurativa
Araneae, 720
Aranha arterial, 162, 162f
Aranha vascular, 162, 162f
Aranhas, 720
Arbovírus, 676
Argiria (argirose), 505
  alterações ungueais, 834, 834f
Armas biológicas/bioterrorismo
  agentes de categoria A, B e C do CDC, 893q
  bioterrorismo químico e acidentes industriais, 894, 895q
  visão geral, 893
Arsina, 895q
Arterite de células gigantes, 355, 356f
Artrite
  gota aguda, 394, 394f
Artrite psoriásica, 59, 59f, 61
Artrite reativa, 362-364
  diagnóstico e diagnóstico diferencial, 364
  epidemiologia e etiologia, 363
  evolução e prognóstico, 364
  exames laboratoriais, 364
  manifestações clínicas, 363-364, 363f-364f
  patogênese, 363
  tratamento, 364
  visão geral, 362

Artrópodes. *Ver também tipos específicos*
  carrapatos, 720, 721f
  classes, 720
Aterosclerose obliterante (ateroembolia, aterosclerose, AO), 408-411, 409f-411f
  diagnóstico e diagnóstico diferencial, 409-411
  epidemiologia, 408
  evolução e prognóstico, 411
  exames laboratoriais, 409
  manifestações clínicas, 408-409, 409f-411f
  patogênese, 408
  tratamento, 411
Atrofia idiopática das unhas, 815, 816f

B

Bacillus anthracis, 557, 558f
Balanite circinada, 363, 364f
Balanite de glande, *Candida,* 602, 603f
Balanite de Zoon, 863, 863f
Balanite plasmocitária, 863, 863f
Balanite xerótica obliterante, 864
Balanopostite, *Candida,* 602, 603f
Baqueteamento ungueal, 833, 833f
Barbeiro, 724
Barbitúricos
  erupção fixa por fármaco, 499, 500q
  necrose relacionada a RCAF, 506, 509f
Bartonella, 569-571, 570f-571f
Bartonella henselae
  angiomatose bacilar, 571, 571f
  doença da arranhadura de gato, 569-570, 570f
Bartonella quintana, 571, 571f
Bebê colódio, 80, 80f
Besouro vesicante, 720
Beta-bloqueadores, alterações ungueais, 834
Bicho-de-pé, 724-725, 725f
Biópsia do couro cabeludo, 785
Bioterrorismo químico, 894, 895q
Blastomicose, 644-645, 645f
Blastomyces dermatitides, 644-645, 645f
Bleomicina
  alterações ungueais, 834
  pigmentação induzida por, 504
Boca das trincheiras, 841, 841f
Bolha diabética, 375, 375f
Borrelia burgdorferi, 589-593. *Ver também* Doença de Lyme
Borrelia mayonii, 589-593. *Ver também* Doença de Lyme
Botão do oriente, 744-749, 747f-748f. *Ver também* Leishmaniose
Bouba dos bosques, 744-749, 745f-746f. *Ver também* Leishmaniose
Bromidrose, 15
Bussulfano, pigmentação induzida por, 503
BZ, 895q

C

Calazar, 744-749, 746f. *Ver também* Leishmaniose
Calcifilaxia, 426, 427f
Calvície, 786-790. *Ver também* Queda de cabelo, padrão
Calvície comum, 786-790. *Ver também* Queda de cabelo, padrão
Calvície de padrão feminino, 786-790. *Ver também* Queda de cabelo, padrão
Calvície de padrão masculino, 786-790. *Ver também* Queda de cabelo, padrão
Câncer cutâneo não melanoma (CCNM), 227-244. *Ver também tipos específicos*
  carcinoma basocelular, 236-244
  carcinoma espinocelular, 227-235
Câncer de mama, metástases da pele, 431, 432f, 433f, 435, 435f
Câncer de pulmão, baqueteamento ungueal, 833, 833f
Câncer metastático para pele, 430, 431-435
  adenocarcinoma do trato GI, 432f
  câncer broncogênico, 431f
  câncer de ovário, 434f, 435
  mama, 431, 432f, 433f, 435, 435f
  mesotelioma, 434f
  visão geral, 431
Câncer, sistêmico, sinais cutâneos, 430-443
  acantose *nigricans* maligna, 88f, 443
  classificação, 430
  distúrbios hereditários, 430
  doença de Paget extramamária, 437, 438f
  doença de Paget mamária, 436, 436f, 437f
  mucocutâneos, 430
  pênfigo paraneoplásico, 443, 443f
  síndrome de Cowden, 430, 438, 439f
  síndrome de Peutz-Jeghers, 430, 440, 440f
  síndrome do glucagonoma, 441, 441f, 442f
  síndromes paraneoplásicas, 430
Cancroide, 779-781, 780f
Candidíase
  das mucosas, 594, 598
  disseminada, 594, 605, 605f
  epidemiologia e etiologia, 595
  esofágica, 598
  etiologia, 594
  exames laboratoriais, 595, 595f
  genital, 602, 602f-603f
  manifestações clínicas, 594
  mucocutânea crônica, 603, 604f
  traqueobrônquica, 598
Candidíase cutânea, 594, 595-598
  dermatite das fraldas, 595, 597f, 598
  diagnóstico e diagnóstico diferencial, 598
  folicular, 595-598
  interdigital, 595, 597f, 598
  intertrigo/pele ocluída, 595, 596f, 598

manifestações clínicas, 595, 596f-597f
tratamento, 598
visão geral, 595
Candidíase orofaríngea, 598-601
classificação, 598
diagnóstico e diagnóstico diferencial, 601
epidemiologia, 598
evolução, 601
manifestações clínicas, 598, 599f-601f
mucocutânea crônica, 603, 604f
oral, eritematosa ou atrófica, 598, 600f, 601
oral, sapinho, 598, 599f, 601
queilite angular, 598, 601, 601f, 835, 835f
tratamento, 601
visão geral, 598
Carbamazepina, reações exantemáticas a fármacos, 494
Carbúnculo bacteriano, 533-540
diagnóstico e diagnóstico diferencial, 540
epidemiologia e etiologia, 533
evolução, 540
manifestações clínicas, 534, 540f
tratamento, 540
visão geral, 534
Carcinoma basocelular (CBC), 236-244
diagnóstico e diagnóstico diferencial, 242, 889f
epidemiologia, 236
etiologia, 236
evolução e prognóstico, 244
exames laboratoriais, 242
manifestações clínicas, 236-237
  distribuição, 237, 237f-243f
  esclerosante, 237, 240f-241f
  multicêntrico superficial, 237, 241f-242f
  nodular, 236-237, 237f-238f, 241f
  pigmentado, 237, 243f
  ulcerado, 237, 239f-241f
tratamento, 242-244
visão geral, 236
Carcinoma cuniculatum, 233, 234f
Carcinoma cutâneo, 227-247
Carcinoma de células de Merkel (CCM), 246, 247f, 890f
Carcinoma erisipeloide
câncer de mama metastático, 431, 433f
câncer de ovário metastático, 434f, 435
Carcinoma espinocelular (CEC) invasivo, 230-235
diagnóstico diferencial, 233-234
epidemiologia e etiologia, 230
evolução e prognóstico, 234, 235f
manifestações clínicas, 230-233
  altamente diferenciado, 230-231, 231f-233f
  diferenciado, 224f, 229f, 231-233, 231f-234f
  indiferenciado, 229f, 233, 233f

oral, 849, 850f
tratamento, 234
úlceras de perna/pé, 419, 419f
unha, 820, 821f
visão geral, 230
Carcinoma espinocelular (CEC) invasivo anogenital, 756-760, 876-879
carcinoma verrucoso genital, 877
CEC invasivo da pele anal, 876f, 877
CEC invasivo da vulva, 875f, 877
CEC invasivo do pênis, 876
colposcopia e biópsia, 760
diagnóstico, 759
diagnóstico diferencial, 758
doença de Paget extramamária, 879, 879f
etiologia e epidemiologia, 756-757
evolução, 758f-759f, 759
exames laboratoriais, 759
manifestações clínicas, 756f-759f, 757-758
melanoma maligno da região anogenital, 877, 878f
tratamento, 760
visão geral, 756
Carcinoma espinocelular *in situ* (CECIS), 227-229
boca, 848, 849f
diagnóstico e diagnóstico diferencial, 227
etiologia, 227
evolução e prognóstico, 227, 229f
exames laboratoriais, 227
genital, 874, 875f
manifestações clínicas, 220f, 227, 228f-229f, 821f
tratamento, 227
unha, 820, 821f
visão geral, 227
Carcinoma espinocelular *in situ* (CECIS), HPV, 756-760
colposcopia e biópsia, 760
diagnóstico, 759
diagnóstico diferencial, 758
etiologia e epidemiologia, 756-757
evolução, 758f-759f, 759
exames laboratoriais, 759
manifestações clínicas, 757-758, 758f-759f
tratamento, 760
visão geral, 756
Carcinoma metastático em couraça, 431, 435f
Carcinoma metastático inflamatório, mama, 431, 433f, 435
Carcinoma metastático telangiectásico, 431
Carcinoma verrucoso, 233, 850, 850f
Carcinomas cutâneos, 227-247
carcinoma basocelular, 236-244
carcinoma espinocelular, 227-235
  invasivo, 230-235

invasivo, de pele anogenital, 747f-749f, 756-760 (*Ver também* Carcinoma espinocelular (CEC) invasivo anogenital)
células de Merkel, 246, 247f
ceratoacantoma, 235, 236f
in situ, 227-229
responsabilidade da deteção, 256
síndrome do nevo basocelular, 244, 245f
tumores malignos de apêndices cutâneos, 246
Caroteno, pigmentação por, 503
Carrapatos, 590f-591f, 720, 721f, 723
Caspa, 46-48. *Ver também* Dermatite seborreica
Catágena, 784
Celulite bacteriana, 422, 541-547. *Ver também tipos específicos*
    Aeromonas hydrophila, 544
    Capnocytophaga canimorsus, 544
    Cryptococcus neoformans, 547, 641
    diagnóstico, 547
    diagnóstico diferencial, 547
    epidemiologia e etiologia, 541, 542f
    Erysipelothrix rhusiopathiae, 543, 545f
    espécies de *Clostridium*, 544
    estreptococo beta-hemolítico EGA, 543, 544f-545f
    estreptococos do grupo B, 544f
    evolução, 547
    Haemophilus influenzae, 544, 546f
    manifestações clínicas, 541-547, 542f-546f
    micobacteriana não tuberculosa, 544 (*Ver também* Infecções micobacterianas não tuberculosas)
    MRSA, 543f
    MSSA, 542f, 543f
    mucormicose, 547
    Pseudomonas aeruginosa, 543-544, 546f
    Pseudomonas multocida, 544
    tratamento, 547
    Vibrio cholerae, 544, 546f
    Vibrio vulnificus, 544, 546f
    visão geral, 541
Celulite dissecante, 802-803, 804f
Ceratoacantoma, 235, 236f
Ceratodermia
    das palmas e plantas, hereditárias, 84, 85f-86f
    eritroceratodermia variável, 82, 82f
Ceratodermia blenorrágica, 363, 363f
Ceratodermias palmopantares (CPP), 84, 85f-86f
    difusa, 84, 85f
    estriada, 84, 86f
    punctata, 84, 85f
Ceratólise sulcada, 524-525, 524f
Ceratose actínica, 217, 221-224
    bowenoide, 224
    carcinoma espinocelular *in situ*, 224
    diagnóstico e diagnóstico diferencial, 223
    epidemiologia, 221

    evolução e prognóstico, 223, 224f
    exames laboratoriais, 223
    fotodano, 217
    lesões pré-cancerosas, 221-224
    liquenoides, 224
    manifestações clínicas, 223f-224f, 221-223
    patogênese, 221
    pigmentada extensiva, 222, 223f
    poroceratose actínica superficial disseminada, 93, 93f
    tratamento, 223-224
    visão geral, 221
Ceratose folicular, 89, 90f, 817, 817f
Ceratose friccional/líquen simples crônico, 845q, 846f
Ceratose induzida por HPV, 224
Ceratose induzida por RUV, 224
Ceratose pilar, 75f
Ceratose por alcatrão, 224
Ceratose por hidrocarbonetos, 224
Ceratose seborreica, 174-176
    diagnóstico diferencial, 888f
    diagnóstico e diagnóstico diferencial, 174, 176f, 215f, 233f
    epidemiologia, 174
    evolução e prognóstico, 174
    exames laboratoriais, 174
    manifestações clínicas, 174, 175f-176f
    tratamento, 174
    visão geral, 174
Ceratose solar, 217, 221-224 *Ver também* Ceratose actínica
Ceratoses arsenicais, 224, 225, 226f
Ceratoses térmicas, 224
Chato, 729-731, 729f-730f
Chikungunya, 678
Chilopoda, 720
Cianeto de hidrogênio, 895q
Cicatrizes hipertróficas e queloides, 185-187
    diagnóstico e diagnóstico diferencial, 186
    epidemiologia e etiologia, 185
    evolução e prognóstico, 186
    exames laboratoriais, 185
    manifestações clínicas, 185, 185f-187f
    tratamento, 186
Ciclo do folículo piloso, 784-785, 784f-785f
Cicloexil sarin, 895q
Ciclofosfamida, pigmentação por, 504
Cilindroma, 180, 180f
Cimex lectularius, 721f, 724
Cisto de inclusão epidérmica, 171, 171f
Cisto epidérmico, 170, 170f
Cisto epidermoide, 170, 170f
Cisto epidermoide traumático, 171, 171f
Cisto infundibular, 170, 170f
Cisto istmo catagênico, 171, 171f
Cisto mixoide digital, 173, 173f

Cisto mucoso, 173, 173f
Cisto pilar, 171, 171f
Cisto sebáceo, 170, 170f, 171, 171f
Cisto triquilemal, 171, 171f
Cistos e pseudocistos, 170-173. *Ver também tipos específicos*
Classificação de Plewig e Kligman, 8
Classificação TNM , melanoma, 266q
Cloasma, 289, 289f
Cloracne, 4
Cloreto de cianogênio, 895q
Cloreto de hidrogênio, 895q
Cloro, 895q
Cloroquina, pigmentação por, 503-504
Coagulação intravascular disseminada (CIVD), 445-446, 445f-446f
Coagulopatia de consumo, 445-446, 445f-446f
Coccidioides, 646, 647f
Coccidioidomicose, 646, 647f
Coceira de lagos, 741, 741f
Coceira de nadador, 741, 741f
Coceira do catador de mariscos, 741, 741f
Coiloníquia, 833, 833f
Coleoptera, 720
Colestase gestacional (CG), 396
Colonizações e infecções bacterianas, 522-592
  Ver também tipos específicos
  abscesso, foliculite, furúnculo e carbúnculo, 533-540
  bactérias produtoras de toxinas, 553-559, 554f-560f
  Bartonella, 569-571
    angiomatose bacilar, 571, 571f
    doença da arranhadura de gato, 569-570, 570f
    manifestações clínicas, 569
  ceratólise sulcada, 524-525, 524f
  do aparelho ungueal, 821
  doença de Lyme, 589-593
  endocardite infecciosa, 564-566
  eritrasma, 522-523, 523f
  estreptococos do grupo A, 522
  estreptococos do grupo B, 522
  estreptococos do grupo G, 522
  impetigo, 528-533
  intertrigo, 526, 526f-527f
  meningocócica, 567-569, 568f
  micobateriana, 573-589
    hanseníase, 574-578
    infecções micobaterianas não tuberculosas, 583-588, 584f-588f
    tuberculose, cutânea, 579-582
    visão geral, 573
  pioderma, 522
  pioderma gangrenoso, 522
  Pseudomonas aeruginosa, 536f, 546f, 573

riquetsioses, 560-563, 562f-564f (*Ver também* Riquetsioses)
sepse, 566, 567f
Staphylococcus aureus, 522
Staphylococcus aureus resistente à meticilina, 522
tecido mole, 522, 541-552
  celulite, 541-547
  ferida, 550-552
  linfangite, 548-549, 548f
  necrosante, 547-548, 548f
  visão geral, 541
tricomicose, 525, 525f
tularemia, 572, 572f
visão geral, 522
Comedões, 2, 3f, 5f
Componente amiloide P (AP), 370
Condições nutricionais, 383-394. *Ver também* Distúrbios metabólicos e nutricionais; *tipos específicos*
Condiloma acuminado, boca, 845q, 848f
Condrodermatite nodular da hélice, 216, 217f
Corante em alimentos, erupção fixa por fármaco, 499, 500q
Cornebacterium diphtheria, 559
Cornebacterium minutissimum, 522-523, 523f
Corno cutâneo, 225, 225f
Corynebacterium tenuis, 525, 525f
Crioglobulinemia, 448-450
  diagnóstico e evolução, 450
  etiologia e patogênese, 448
  manifestações clínicas, 448-450, 448f-449f
  tratamento, 450
  visão geral, 448
Criopirinopatias (CAPS), 311, 311f
Criptococose, 641-642, 641f
Cromidrose, 15, 15f
Cromoblastomicose, 639-640, 640f
Crosta láctea, 46-48. *Ver também* Dermatite seborreica
Cryptococcus neoformans
  celulite, 547, 641
  criptococose, 641-642, 641f
Cutis marmorata, 336

D

Dano solar agudo, 191-193
  diagnóstico e diagnóstico diferencial, 192-193
  epidemiologia, 191
  evolução e prognóstico, 193
  exames laboratoriais, 192
  manifestações clínicas, 192, 192f
  patogênese, 192
  tratamento, 193
  visão geral, 191
Deficiência adquirida de zinco (DAZ), 391, 391f

Deflúvio, 786
Deformidade causada por tique, unha, 813, 813f
Delírio de parasitose, 513, 514f
Demodex, 731, 731f
Demodex brevis, 731, 731f
Demodex folliculorum, 731, 731f
Demodicidose, 731, 731f
Dengue, 677-678, 677f
Derivados de hidantoína, reações exantemáticas a fármacos, 494
Dermatite actínica crônica, 199-200, 201f
Dermatite asteatótica, 49, 49f
Dermatite atópica, 34-40
    complicações, 39
    dermatite das mãos, 39
    dermatite esfoliativa, 39
    diagnóstico, 38
    diagnóstico diferencial, 38
    epidemiologia, 34
    evolução e prognóstico, 39
    exames laboratoriais, 38-39
    formas especiais, 39
    genitália, 872
    manifestações clínicas, 34-36, 35f-38f
    patogênese, 34
    tratamento, 39-40
    visão geral, 34
Dermatite das fraldas, 595, 597f, 598
Dermatite de contato alérgica, 20, 25-33
    alérgenos, 26, 26q
    diagnóstico e diagnóstico diferencial, 29, 29q
    epidemiologia, 26
    evolução, 28
    exames laboratoriais, 28-29
    genitália, 872, 872f
    manifestações clínicas, 26-28, 27f-28f
    manifestações ungueais, 818, 818f
    patogênese, 26
    por plantas, 29-32 (*Ver também* Fitodermatite alérgica [FDA])
    propagada pelo ar, 32, 33f
    sistêmica, 32
    tratamento, 33
    visão geral, 25
    vs. dermatite de contato por irritante, 29q
Dermatite de contato por irritante, 20-25
    aguda, 21, 22f
    crônica
        cumulativa, 23
        exames laboratoriais, 23
        manifestações clínicas, 23, 23f-24f
        visão geral, 20, 21q
    dermatite das mãos, 24f, 25
    diagnóstico e diagnóstico diferencial, 25, 25q
    epidemiologia, 21
    etiologia, 21, 21q
    evolução e prognóstico, 25

    manifestações ungueais, 818, 818f
    patogênese, 21
    propagada pelo ar, 2
    pustular e acneiforme, 25
    tratamento, 25
    visão geral, 20
    vs. dermatite de contato alérgica, 29q
Dermatite do limão, 197-198, 197f-198f
Dermatite eczematosa disidrótica, 43, 43f
Dermatite em berloque, 197-198, 198f
Dermatite esfoliativa atópica, 39
Dermatite fototóxica sistêmica, 194-196
    diagnóstico e diagnóstico diferencial, 196
    epidemiologia, 194
    etiologia e patogênese, 194, 194q
    evolução e prognóstico, 196
    exames laboratoriais, 196
    manifestações clínicas, 194-196, 195f
    tratamento, 193, 196
Dermatite fototóxica tópica, 196
Dermatite herpetiforme (DH), 110-112
    diagnóstico e diagnóstico diferencial, 105q, 112
    epidemiologia, 110
    etiologia e patogênese, 110
    evolução, 112
    exames laboratoriais, 111-112
    manifestações clínicas, 110-111, 110f-111f
    tratamento, 112
    visão geral, 110
Dermatite liquenoide purpúrica pigmentada, 358
Dermatite periorificial, 12-13
    diagnóstico diferencial, 12
    epidemiologia e etiologia, 12
    evolução, 12
    exames laboratoriais, 12
    manifestações clínicas, 12, 12f-13f
    tratamento, 12
    visão geral, 12
Dermatite por autossensibilização, 45, 45f
Dermatite por cercária de Schistosoma, 741, 741f
Dermatite por IgE, 34-40 *Ver também* Dermatite atópica
Dermatite por irritantes químicos, unha, 818, 818f
Dermatite por radiação, 217-220
    evolução, prognóstico e tratamento, 218, 219f, 220f
    tipo de exposição, 217
    tipos de reações
        aguda, 217, 219f-220f
        crônica, 217
Dermatite seborreica, 46-48
    diagnóstico e diagnóstico diferencial, 46
    epidemiologia e etiologia, 46
    evolução e prognóstico, 48

exames laboratoriais, 48
fatores predisponentes e agravantes, 46
manifestações clínicas, 46, 47f
patogênese, 46
tratamento, 48
visão geral, 46
Dermatite. *Ver* Eczema/dermatite; *tipos específicos*
Dermatobia hominis, 724, 724f
Dermatofibroma, 184, 184f, 889f
Dermatofibrossarcoma protuberante, 480, 480f
Dermatofitose dos pelos, 630-636 *Ver também tipos específicos*
  granuloma de Majocchi, 636, 636f
  tinea barbae, 634, 635f
  tinea capitis, 631-633, 632f-634f
  visão geral, 630, 630f
Dermatofitoses, 613-630, 718 *Ver também tipos específicos*
  classificação, 614
  com HIV, 718
  epidemiologia e etiologia, 613-614, 613f
  exames laboratoriais, 614-615, 615f
  patogênese, 614
  tinea corporis, 624-625, 625f-628f
  tinea cruris, 622, 622f-624f
  tinea facialis, 628, 629f
  tinea incognito, 623f-626f, 629f, 630
  tinea manuum, 619-621, 620f-621f
  tinea nigra, 612, 612f
  tinea pedis, 616-619, 616f-619f
  tratamento, 615
  Trichophyton rubrum, 613
  Trichosporon, 611
  visão geral, 613
Dermatomiosite (DM), 320-325
  diagnóstico e diagnóstico diferencial, 324
  epidemiologia, etiologia e classificação, 321, 321q
  evolução e prognóstico, 324
  exames laboratoriais, 322-324
  manifestações clínicas, 321-322, 321f-323f
  tratamento, 324
  visão geral, 320
Dermatose acantolítica transitória, 91, 91f
Dermatose cinzenta, 290
Dermatose neutrofílica febril aguda, 119, 120f-121f
Dermatose por IgA linear, 95f, 105q, 112, 113f
Dermatose purpúrica pigmentada progressiva, 358, 359f
Dermatose pustulosa erosiva do couro cabeludo, 805
Dermatoses fotoexarcebadas, 205
Dermatoses, gravidez, 395
Dermatoses perfurantes adquiridas, 429, 429f

Dermatoses purpúricas pigmentadas (DPP), 358, 359f
Dermografismo, 300, 301f
Dermopatia da Kava, 84
Dermopatia diabética, 377, 377f
Dermopatia fibrosante nefrogênica (DFN), 428, 428f
Diabetes melito, doenças cutâneas, 374-378 *Ver também tipos específicos*
  bolha diabética, 375, 375f
  dermopatia diabética, 377, 377f
  doença vascular periférica, 374
  insulina, 374
  necrobiose lipoídica, 378, 378f
  pé diabético e neuropatia diabética, 376, 376f
  visão geral, 374
Difteria cutânea, 559
Diplopoda, 720
Diptera, 720
Displasia na boca, 848, 849f
Distrofia das 20 unhas da infância, 815
Distúrbios alérgicos ungueais, 818, 818f
Distúrbios da boca, 835-859. *Ver também tipos específicos*
  cutâneos, 854-857
  da gengiva, do periodonto e das mucosas, 839-848
  lábios, 835, 835f
  língua, palato e mandíbula, 836-839
  neoplasias, 848-851, 849f-851f
  nódulos submucosos, 852-853, 852f-853f
  sistêmicos, 857-859, 858f, 859f
Distúrbios da genitália, períneo e ânus, 860-880
  angioceratoma, 166f, 861
  balanite plasmocitária, 863, 863f
  balanite xerótica obliterante, 864
  carcinoma espinocelular invasivo anogenital, 876-879 (*Ver também* Carcinoma espinocelular [CEC], invasivo anogenital)
  dermatite eczematosa, 872-874
    dermatite atópica, 873
    dermatite de contato alérgica, 872, 872f
    erupção fixa por fármaco, 874, 874f
    líquen simples crônico, 873, 873f
    prurido anal, 873, 873f
  distúrbios mucocutâneos, 865-872
    eritema necrolítico migratório, 438f, 872
    lentiginoses genitais, 865, 865f
    líquen escleroso, 869, 870f-871f
    líquen nítido, 869, 869f
    líquen plano, 868, 868f
    psoríase vulgar, 867, 867f
    úlceras aftosas genitais, 318f-319f, 872
    vitiligo e leucodermia, 866, 866f
  fimose, 864, 864f
  infecções anogenitais, 880

lesões pré-malignas e malignas, 874-876
  carcinoma espinocelular *in situ*, 874, 875f
  carcinoma espinocelular *in situ* induzido por HPV, 876, 876f
  neoplasia intraepitelial induzida por HPV, 876
linfangite esclerosante do pênis, 861, 861f
linfedema da genitália, 862, 862f
melanoma, genitália, 274
pápulas peroladas do pênis, 860, 860f
parafimose, 864, 864f
proeminência de glândulas sebáceas, 861
sarcoma de Kaposi, 880, 880f
visão geral, 860
vulvite plasmocitária, 863
Distúrbios da pele imunes, autoimunes e autoinflamatórios, 298-373 Ver também *distúrbios específicos*
  amiloidose, 370-373
    AA sistêmica, 372
    AL sistêmica, 370, 370f-371f
    cutânea localizada, 372, 372f-373f
  arterite de células gigantes, 355, 356f
  artrite reativa, 362-364
  criopirinopatias, 311, 311f
  dermatomiosite, 320-325
  dermatoses purpúricas pigmentadas, 358, 359f
  distúrbios tipo esclerodermia, 343
  doença de Behçet, 317-320
  doença de Kawasaki, 359-362
  escleredema de Buschke, 343
  esclerodermia, 339-342
  escleromixedema, 343
  fenômeno de Raynaud, 337, 338f, 338q
  granuloma anular, 368, 369f
  granulomatose com poliangeíte, 353, 354f-355f
  líquen escleroso e atrófico, 347, 348f
  líquen plano, 312-316
  livedo reticular, 336, 336f, 337q
  lúpus, 324-335
    lúpus eritematoso, 324, 325f, 325q
    lúpus eritematoso cutâneo crônico, 325f, 325q, 330f, 332, 333f-334f, 798, 799f-800f
    lúpus eritematoso cutâneo subagudo, 330, 331f
    lúpus eritematoso discoide crônico, 325q, 330f, 332, 333f-334f
    lúpus eritematoso sistêmico, 326-330
    paniculite lúpica crônica, 325f, 335, 335f
  macroglossia, 370, 371f
  morfeia, 343, 347
  poliarterite nodosa, 352, 353f
  porfiria cutânea tarda, 343
  púrpura de Henoch-Schönlein, 350, 350f
  sarcoidose, 364-368
  síndrome do eritema multiforme, 306-310

síndrome do óleo tóxico, 343
síndrome eosinofilia-mialgia, 343
urticária e angioedema, 298-306
vasculite, 298, 349-358, 350f, 353f-358f (*Ver também* Vasculite)
Distúrbios das glândulas sebáceas e apócrinas, 2-19 Ver também *tipos específicos*
  acne vulgar e acne cística, 2-7, 3f-7f
  bromidrose, 15
  cromidrose, 15f, 15f
  dermatite periorificial, 12-13, 12f-13f
  doença de Fox-Fordyce, 19, 19f
  hidradenite supurativa, 15-19, 16f-18f
  hiperidrose, 14
  miliária, 14, 14f
  rosácea, 8-11, 9f-11f
Distúrbios do aparelho ungueal, doenças cutâneas, 813-818
  alopécia areata, 817, 817f
  dermatite por irritantes químicos ou dermatite alérgica, 818, 818f
  doença de Darier, 817, 817f
  líquen plano, 815, 816f
  psoríase, 813-815, 814f
Distúrbios do aparelho ungueal, doenças multissistêmicas, 827-834
  alterações ungueais induzidas por fármacos, 835, 835f
  amiloidose sistêmica, 832, 832f
  baqueteamento ungueal, 834, 834f
  coiloníquia, 833, 833f
  eritema periungueal/da prega ungueal, 831-832, 831f, 832f
  fibroma periungueal, 830, 830f
  hemorragias em estilhaço, 820f, 830
  leuconíquia, 817, 828, 828f
  linhas transversais ou de Beau, 827, 827f
  lúpus eritematoso discoide, 831, 832f
  lúpus eritematoso sistêmico, 831, 831f
  pseudoleuconíquia, 825f, 828
  pterígio ungueal invertido, 832
  síndrome da unha amarela, 829, 829f
  telangiectasia ungueal, 831, 831f
Distúrbios do aparelho ungueal, locais, 810-813
  deformidade causada por tique, 813-813f
  distúrbios psiquiátricos, 813, 813f
  manipulação compulsiva das unhas, 813, 813f
  onicauxe, 812, 812f
  onicogrifose, 812, 812f
  onicólise, 811, 811f-812f
  paroníquia crônica, 810, 811f
  síndrome da unha verde, 573, 812, 812f
Distúrbios dos pelos, 786-808
  crescimento excessivo de pelos, 805-808
    hipertricose, 805, 808, 808f
    hirsutismo, 805-806, 806q, 807f
    visão geral, 805

queda de cabelo, 786-805 (*Ver também* Queda de cabelo)
Distúrbios metabólicos e nutricionais, 383-394
Ver também tipos específicos
   acrodermatite enteropática, 391, 392f
   deficiência de zinco, adquirida, 391, 391f
   escorbuto, 389, 390f
   gota, 394, 394f
   HIV, farmacodermia, 714
   pelagra, 393, 393f
   xantomas, 383-389, 384q, 386f-389f (*Ver também* Xantomas)
Distúrbios pigmentares, 280-296
Distúrbios tipo esclerodermia, 343
   diabetes melito, 374
Doença bolhosa crônica da infância, 112, 113f
Doença da arranhadura do gato, 569-570, 570f
Doença da gengiva, do periodonto e das mucosas, 839-848
   gengivite e periodontite, 839
   gengivite ulcerativa necrosante aguda, 841, 841f
   hiperplasia gengival, 842, 842f
   leucoplasia, 844-845q, 845f-848f
   líquen plano, 840, 840f
   ulceração aftosas, 842-844, 843f, 844f
Doença de Addison, 382, 383f
Doença de Bazin, 357, 358f
Doença de Behçet, 317-320
   diagnóstico e diagnóstico diferencial, 318, 320f
   epidemiologia, 317
   evolução e prognóstico, 319
   exames laboratoriais, 318
   manifestações clínicas, 317-318, 317f-319f
   patogênese, 317
   tratamento, 319
   úlceras aftosas genitais, 318f-319f, 872
   visão geral, 320
Doença de Bowen, 224
Doença de Bowen, genital, 874, 875f
Doença de Bürger, 412, 412f
Doença de Cushing, 379
Doença de Darier (DD), 89, 90f
   manifestações ungueais, 817, 817f
Doença de Darier-White, 89, 90f, 817, 817f
Doença de Fabry, 165, 166f
Doença de Fox-Fordyce, 19, 19f
Doença de Gougerot-Blum, 358
Doença de Graves, 380, 381f
Doença de Grover, 91, 91f
Doença de Hailey-Hailey, 92, 92f
Doença de Kawasaki, 359-362
   diagnóstico e diagnóstico diferencial, 361-362
   epidemiologia e etiologia, 359
   evolução e prognóstico, 362
   exames laboratoriais, 361

   manifestações clínicas e fases, 360-361, 360f-362f
   patogênese, 359-360
   tratamento, 362
   visão geral, 359
Doença de Letterer-Siwe, 453, 453q, 455f-456f
Doença de Lyme, 589-593
   diagnóstico, 593
   diagnóstico diferencial, 591-593
   etiologia e epidemiologia, 589
   evolução, 593
   exames laboratoriais, 593
   manifestações clínicas, 589-591, 590f-592f
   tratamento, 593
Doença de Majocchi, 358, 359f
Doença de Mondor, 413
Doença de Paget extramamária (DPE), 437, 438f
   anogenital invasiva, 879, 879f
Doença de Paget mamária (DPM), 436, 436f, 437f
Doença de Schamberg, 358, 359f
Doença de Vincent, 841, 841f
Doença de von Recklinghausen, 403-406. *Ver também* Neurofibromatose
Doença de Working-Kolopp, 468, 469f
Doença do enxerto contra hospedeiro (DECH), transplante de medula óssea, 483
   crônica cutânea, 487, 487f, 488f
   cutânea aguda, 484, 484f-486f, 486q
Doença hematológica, 444-460. *Ver também tipos específicos*
   coagulação intravascular disseminada, 445-446, 445f-446f
   crioglobulinemia, 448-450, 448f-449f
   histiocitose das células de Langerhans, 451f, 453-456, 454f-456f
   leucemia cutânea, 450, 451f, 452f
   púrpura trombocitopênica, 444, 445f
   síndrome de mastocitose, 457-460, 458f-459f
Doença inflamatória multissistêmica de início neonatal (NOMID), 311
Doença mão-pé-boca, 671-672, 672f-673f
Doença mediada por neutrófilos, 115-126 *Ver também* doenças específicas
   eritema nodoso, 122-123, 122q, 123f
   granuloma facial, 121, 121f
   paniculite, 124, 124q, 125f
   perniose, 126, 126f
   pioderma gangrenoso, 116-118, 116f-118f
   síndrome de Sweet, 119, 120f-121f
   síndrome do *bypass* intestinal, 118
Doença pelo herpes-vírus simples (HSV), 679-692
   com defeitos nos mecanismos de defesa do hospedeiro, 690-692, 690f-692f
   com HIV, 718
   diagnóstico, 681

eczema herpético, 688-689, 688f-689f
etiologia e epidemiologia, 680-681, 680f
exames laboratoriais, 681, 681f
herpes labial, 680, 680f
linfangite, 548-549, 549f
manifestações clínicas, 679, 679f, 681, 682-686
neonatal, 682, 686, 687f
tratamento, 681-682
visão geral, 679, 679f
Doença pelo vírus da imunodeficiência humana (HIV), 706-719
  dermatofitoses, 718
  erupção papular pruriginosa, 711, 711f
  etiologia e epidemiologia, 706
  evolução, 708, 708f
  exames laboratoriais, 707, 707q
  farmacodermias cutâneas adversas, 713-717, 715q-716q (Ver também Reações cutâneas adversas a fármacos, pelo HIV)
  foliculite eosinofílica, 710, 710f
  fotossensibilidade, 712, 712f
  herpes simples, 718
  infecção fúngica, disseminada, 718
  leucoplasia pilosa oral, 712, 713f
  manifestações clínicas, 706-707
  molusco contagioso, 719
  papilomavírus humano, 719, 719f
  sarcoma de Kaposi, 717-718
  sífilis, 719
  síndrome aguda pelo HIV, 709, 709f
  Staphylococcus aureus, 718
  tratamento, 708
  úlceras aftosas, 718
  vírus da varicela-zóster, 718-719
  visão geral, 706
Doença pelo vírus varicela-zóster (VVZ), 693-703
  defeitos nos mecanismos de defesa do hospedeiro, 701, 702f-703f
  etiologia e epidemiologia, 693
  exames laboratoriais, 681f, 693
  herpes-zóster, 696 701
    diagnóstico, 701
    diagnóstico diferencial, 697, 701
    etiologia e epidemiologia, 696, 697f
    evolução, 701, 702f
    manifestações clínicas, 696-697, 698f-700f
    necrosante, 702f
    tratamento, 701
    visão geral, 696
  pelo HIV, 718-719
  varicela, 694-696, 694f-695f
Doença vascular periférica, diabetes melito, 374
Doenças associadas à água, 741
Doenças bolhosas, 94-114. *Ver também tipos específicos*
  adquiridas, diagnóstico diferencial, 105q

definição, 94
dermatite herpetiforme, 110-112, 110f-111f
dermatose por IgA linear, 95f, 105q, 112, 113f
epidermólise bolhosa adquirida, 95f, 114, 114f
epidermólise bolhosa hereditária, 94-99
pênfigo, 100-105
penfigoide bolhoso, 106-108
penfigoide cicatricial, 95f, 108, 108f
penfigoide gestacional, 95f, 109, 109f
Doenças causadas por poxvírus, 649-656. *Ver também doenças específicas*
  molusco contagioso, 649-653
  nódulos do ordenhador, 655, 655f
  Orf humano, 653, 654f
  varíola, 655, 656f
  visão geral, 649
Doenças cutâneas autoimunes e autoinflamatórias, 298-373
Doenças da língua, palato e mandíbula, 836-839
  glossite migratória, 838, 838f
  leucoplasia pilosa oral, 713f, 838
  língua fissurada, 836, 836f
  língua pilosa negra ou branca, 837f, 838
  tórus palatino e mandibular, 839, 839f
Doenças do lábio. *Ver também tipos específicos*
  queilite actínica, 835
  queilite angular, 598, 601, 601f, 835, 835f
Doenças endócrinas, 374-383. *Ver também tipos específicos*
  diabetes melito, 688-689, 688f-689f (*Ver também* Diabetes melito, doenças cutâneas)
  doença de Addison, 382, 383f
  doença de Graves e hipertireoidismo, 380, 381f
  hipotireoidismo e mixedema, 380, 382f
  obesidade, 398
  síndrome de Cushing e hipercortisolismo, 379, 379f
Doenças genéticas, 399-407
  esclerose tuberosa, 400-402, 400f-402f
  neurofibromatose, 403-406, 403f-406f
  pseudoxantoma elástico, 399, 399f
  telangiectasia hemorrágica hereditária, 407, 407f
Doenças reumáticas, fenômeno de Raynaud, 337, 338f, 338q
Doenças sexualmente transmissíveis, 752-782
Ver também tipos específicos
  cancroide, 779-781, 780f
  donovanose, 781, 781f
  herpes-vírus simples: doença genital, 760-765, 761f-765f
  linfogranuloma venéreo, 778-779, 779f
  Neisseria gonorrhoeae, 765-767, 765f, 767f
  papilomavírus humano, 747f-759f, 752-760
  sífilis, 767-777

Doenças sistêmicas, boca, 857-859
  lúpus eritematoso, 858, 858f
  síndrome de Stevens-Johnson/necrólise
    epidérmica tóxica, 859, 859f
Doenças virais, 649-719. *Ver também tipos específicos*
  arbovírus, 676
  Chikungunya, 678
  dengue, 677-678, 677f
  doença pelo herpes-vírus simples, 679-692, 679f-681f, 683f-685f, 687f-692f (*Ver também tipos específicos*)
  doença pelo vírus da imunodeficiência humana, 706-719
  doenças causadas por poxvírus, 649-656, 654f-656f
  eritema infeccioso, 674-675, 674f
  herpes-vírus humano (HHV), 649, 704, 705f
  infecções por enterovírus, 671-673
    doença mão-pé-boca, 671-672, 672f-673f
    herpangina, 673, 673f
  infecções virais sistêmicas, com exantemas, 665-671, 666f, 668f, 670f
  papilomavírus humano (HPV), 649, 656-665, 657q, 658f-664f
  síndrome de Gianotti-Crosti, 675, 676f
  vírus do molusco contagioso, 649
  vírus varicela-zóster, 647f-648f, 681f, 693-703, 697f-700f, 702f-703f
  visão geral, 649
  Zika, 679
Donovanose, 781, 781f
Dose eritematosa mínima (DEM), 189
Doxiciclina, 499, 500f, 500q

E

Echovírus, herpangina, 673, 673f
Ecthyma gangrenosum
  celulite, 543-544, 546f
  sepse, 546f, 566
Eczema atópico, 34-40 *Ver também* Dermatite atópica
Eczema *craquelé*, 46
Eczema discoide, 44, 44f
Eczema herpético, 688-689, 688f-689f
Eczema microbiano, 44, 44f
Eczema numular, 44, 44f
Eczema palmar vesicular, 43, 43f
Eczema/dermatite, 20-49
  aguda, 20
  dermatite asteatótica, 49, 49f
  dermatite atópica, 34-40, 35f-38f (*Ver também* Dermatite atópica)
  dermatite de contato, 20 (*Ver também tipos específicos*)

dermatite de contato alérgica, 20, 25-33, 26q, 27f-28f, 29q, 33f (*Ver também* Dermatite de contato alérgica)
dermatite de contato por irritante, 20-25, 21q, 22f-24f, 25q, 29q (*Ver também* Dermatite de contato por irritante)
dermatite eczematosa disidrótica, 43, 43f
dermatite herpetiforme, 110-112, 110f-111f (*Ver também* Dermatite herpetiforme [DH])
dermatite por autossensibilização, 45, 45f
dermatite seborreica, 46-48, 47f (*Ver também* Dermatite seborreica)
distúrbios ungueais, 818, 818f
eczema numular, 44, 44f
líquen simples crônico, 40, 41f
periorificial, 12-13
prurigo nodular, 42, 42f
visão geral, 20
Edema, induzido por fármacos, 303f, 498, 498f, 499q
Edema venéreo do pênis, 861, 861f
Edwardsiella lineata, 742, 742f
Eflúvio, 786
Eflúvio anágeno, 795q, 797, 797f
Eflúvio telógeno, 794-796
  diagnóstico, 796
  diagnóstico diferencial, 795q, 796
  etiologia e epidemiologia, 794, 795q
  evolução e prognóstico, 796
  exames laboratoriais, 796
  manifestações clínicas, 794, 796f
  patogênese, 794
  tratamento, 796
  visão geral, 794
Elefantíase, linfedema da genitália, 862, 862f
Embolia cutânea medicamentosa, 506, 508f
Endocardite infecciosa, 564-566
  evolução e tratamento, 566
  manifestações clínicas, 564-566, 565f-566f
  visão geral, 566
Entamoeba histolytica, 751, 751f
Envenenamento por água-viva, 742, 743f
Envenenamento por cnidários, 742, 743f
Envenenamento por coral de fogo, 742, 743f
Envenenamento por pólipo séssil, 742, 743f
Epidermólise bolhosa (EB) hereditária, 94-99
  classificação, 94, 95q
  diagnóstico, 99
  epidemiologia, 94
  etiologia e patogênese, 94, 95f, 95q
  fenótipos clínicos
    EB juncional, 95f, 95q, 97, 97f-98f
    EB simples, 94-97, 95f-96f, 95q
    epidermólise bolhosa distrófica, 95f, 95q, 97-99, 98f-99f
  tratamento, 99

Epidermólise bolhosa adquirida (EBA), 95f, 114, 114f
Epidermólise bolhosa de Herlitz, 95f, 95q, 97, 97f
Epidermólise bolhosa distrófica (EBD), 95q, 97-99, 98f-99f
Epidermólise bolhosa distrófica recessiva (EBDR) generalizada, 95q, 97-99, 98f-99f
Epidermólise bolhosa juncional (EBJ), 95f, 95q, 97, 97f-98f
Epidermólise bolhosa não Herlitz (EBJ Mitis), 95q, 97
Epidermólise bolhosa simples, 94-97, 95f-96f, 95q
Ergotamina, necrose relacionada a RCAF, 506, 508f
Erisipela, 422
Eritema fototóxico, 192-193
Eritema indurado, 357, 358f
Eritema infeccioso, 674-675, 674f
Eritema necrolítico migratório (ENM)
  genital, 438f, 872
  síndrome do glucagonoma, 441, 441f, 442f
Eritema nodoso (EN), 122-123
  diagnóstico e diagnóstico diferencial, 123
  etiologia, 122, 122q
  evolução, 123
  exames laboratoriais, 122
  manifestações clínicas, 122, 123f
  sarcoidose, 364
  tratamento, 123
  visão geral, 122
Eritema periungueal, 831-832, 831f, 832f
Eritema pérnio, 126, 126f
Eritema ungueal, 831-832, 831f, 832f
Eritrasma, 522-523, 523f
Eritroceratodermia variável, 82, 82f
Eritrodermia psoriásica, 59
Eritroplasia de Queyrat, genital, 874, 875f
Erlotinibe, erupção pustulosa a fármaco, 496, 497f
Erupção atópica da gravidez (EAG), 398
Erupção do banhista do mar, 742, 742f
Erupção exantemática a fármaco, 494, 495f
Erupção fixa por fármaco, 499, 500f, 500q
  genital, 874, 874f
Erupção papulopruriginosa do HIV, 711, 711f
Erupção polimorfa à luz (EPML) 202, 203f
Erupção toxêmica da gravidez, 397, 397f
Erupções, no enfermo febril, 132-135
  com febre, 132, 133f, 134f
  diagnóstico, de acordo com tipo de lesão, 135q
  erupção fixa por fármaco generalizada, 132, 133f
  exames laboratoriais, diagnóstico rápido, 132
  infecções virais, 132, 133f
  necrose púrpura generalizada e febre, 132, 134f
  sarampo, 132, 133f
  visão geral, 132
Erupções pustulosas acneiformes, 496, 497f
Escabiose, 732-738
  diagnóstico, 736
  diagnóstico diferencial, 734
  etiologia e epidemiologia, 732, 732f
  evolução, 736
  exames laboratoriais, 734-736, 738f
  manifestações clínicas, 732f-738f, 733-734
  patogênese, 732
  tratamento, 737-738
  visão geral, 732
Escarlatina, 556, 556f-557f
Escleredema de Buschke, 343
Escleredema diabético, 374
Esclerodermia, 339-342
  classificação, 339
  diagnóstico e diagnóstico diferencial, 341-342
  epidemiologia, 339
  etiologia e patogênese, 339
  evolução e prognóstico, 342
  exame clínico geral, 340
  exames laboratoriais, 340-341
  manifestações clínicas, 338f-342f, 339-340
  tratamento, 342
  visão geral, 339
Escleromixedema, 343
Esclerose semelhante à ESL, 343
Esclerose tuberosa (ET), 400-402
  diagnóstico, 400f, 402
  diagnóstico diferencial, 401f, 402
  epidemiologia, 400
  evolução e diagnóstico, 402
  exames laboratoriais, 401-402
  manifestações clínicas, 400, 400f-402f
  sistemas associados, 401
  tratamento, 402
Escorbuto, 389, 390f
Escoriações neuróticas, 515, 515f-516f
Espécies de corinebactérias, 525-525f
Esporotricose, 637-638, 638f
Espúndia, 744-749, 746f. Ver também Leishmaniose
Estadiamento microscópico, melanoma, 266q, 277
Estiômeno, 862
Estomatite por nicotina, 845q, 847f
Estreptococos do grupo A (EGA), 522
  beta-hemolíticos, celulite, 543, 544f-545f
  impetigo, 528-533 (Ver também Impetigo)
  linfangite, 548-549, 549f
  síndrome do choque tóxico, 555
Estreptococos do grupo B (EGB), 522
Estreptococos do grupo G (EGG), 522
Estrogênio, pigmentação por, 289f, 503
Estrogênio-progesterona, 289f, 503

Estrongiloidíase cutânea, 739, 740f
Etiologia psiquiátrica, 513-519
  delírio de parasitose, 513, 514f
  escoriações neuróticas, 515, 515f-516f
  síndrome dismórfica corporal, 513
  síndromes factícias, 517, 517f-518f
  tricotilomania, 515, 516f
  uso de drogas injetáveis, sinais cutâneos, 518, 519f
Eumicetoma, 639-640, 639f
EV71, herpangina, 673, 673f
Exógena, 784

F

Farmacodermia. Ver Reações adversas a fármacos; *tipos específicos*
Fármacos, para doenças dermatológicas durante a gravidez
  categorias, 892q
  tratamentos seguros, 891q
Fascite necrosante, 547-548, 548f
Fases do pelo, 785f
Febre maculosa africana, 561-562, 561f
Febre maculosa das Montanhas Rochosas, 562-563, 562f-563f, 566
Febres maculosas transmitidas por carrapatos, 561-562, 561f
Fenacetina, 499, 500q
Fenilbutazona, 499, 500q
Fenitoína
  pigmentação induzida por, 504
  síndrome de hipersensibilidade a fármacos, 502f, 505
Fenolftaleína, 499, 500q
Fenômeno de Raynaud (FR), 337, 338f, 338q
Feo-hifomicose, 639-640, 639f-640f
Ferro, pigmentação por, 503
Ferroada da abelha, fêmea, 725
Ferroada de marimbondo, 725
Ferroada de vespa, 725
Feto arlequim, 81, 81f
Fibroma irritativo, da submucosa, 852, 853f
Fibroma mole, 188, 188f
Fibroma periungueal, 830, 830f
Fibromatose digital infantil, 188, 188f
Fibrose nefrogênica sistêmica, 428
Fibroxantoma atípico (FXA), 481, 481f
Fimose, 864, 864f
Fitodermatite alérgica (FDA), 29-32
  diagnóstico e diagnóstico diferencial, 31
  epidemiologia e etiologia, 29-30
  exames laboratoriais, 31
  manifestações clínicas, 30-31, 30f-32f
  patogênese, 30
  visão geral, 29

Fitofotodermatite, 29, 197-198
  diagnóstico e diagnóstico diferencial, 198
  epidemiologia e etiologia, 197
  evolução, 198
  manifestações clínicas, 197-198, 197f-198f
  tratamento, 198
Flebite de Mondor, 861, 861f
Flebite migratória, 413
Flebite superficial, 413, 414f
Flegmasia alba dolens, 413, 414f
Flegmasia coerulea dolens, 413
5-fluoruracila (5-FU), reações cutâneas, 509, 510f
Fogo selvagem, 103
Foliculite, 534-540
  bacteriana, 534-540
  dermatofítica, 624-625, 628f, 630, 630f
  diagnóstico e diagnóstico diferencial, 540
  dissecante, 802-803, 804f
  eosinofílica, pelo HIV, 710, 710f
  epidemiologia e etiologia, 533
  evolução, 540
  infecciosa (banheira quente), 534, 536f, 573
  Malassezia, 610, 611f
  manifestações clínicas, 534-535, 535f-536f
    foliculite da banheira quente, 534, 536f
    por Gram-negativos, 534
    Staphylococcus aureus, 534, 535f
  tratamento, 540
  visão geral, 534
Foliculite decalvante, 802, 803f
Foliculite dermatofítica, 624-625, 628f, 630, 630f
Foliculite por Gram-negativo, 5
Foliculite queloidiana da nuca, 803, 804f
Fosgênio, 895q
Fotodano crônico, 213-217
  ceratose actínica, 217 (*Ver também* Ceratose actínica)
  condrodermatite nodular da hélice, 216, 217f
  lentigo solar, 215, 215f-216f
Fotoenvelhecimento, 189, 213, 214f-216f
Fotossensibilidade e distúrbios fotoinduzidos, 189-217
  dano solar agudo, 191-193, 192f (*Ver também* Dano solar agudo)
  dermatite fototóxica
    sistêmica, 194-196, 194q (*Ver também* Dermatite fototóxica, sistêmica)
    tópica, 196
  dermatoses fotoexarcebadas, 205
  erupção polimorfa à luz, 202-203, 203f
  fitofotodermatite, 197-198, 197f-198f (*Ver também* Fitofotodermatite)
  fotodano crônico, 189, 213-217, 214f-217f (*Ver também* Fotodano crônico)
  fotomedicina clínica, 189-191

fotossensibilidade fotoalérgica induzida por fármacos/substâncias químicas, 199-201, 199q, 200f-201f
fotossensibilidade induzida por substâncias químicas/fármacos, 193, 193q
fototipos cutâneos de Fitzpatrick, 189-191, 191q
porfirias, 193, 205-213, 205q, 207f-209f, 210q, 211f-213f
radiação ultravioleta, 189
regiões do corpo, 189, 190f
resposta do tipo de queimadura solar, 189
resposta eruptiva, 189
respostas urticariformes, 189
urticária solar, 204, 204f, 301, 303
visão geral e classificação, 189, 190f, 191q
Fotossensibilidade farmacodérmica/fotossensibilidade induzida por substâncias químicas, 199-201
   diagnóstico, 199
   epidemiologia, 199
   etiologia e patogênese, 199, 199q
   evolução e prognóstico, 199-200, 201f
   exames laboratoriais, 199
   manifestações clínicas, 199, 200f-201f
   tratamento, 200
   visão geral, 199
Fotossensibilidade fototóxica induzida por fármacos/substâncias químicas, 193q, 194
Fotossensibilidade induzida por fármacos, 193, 193q
Fotossensibilidade metabólica, 205-213. *Ver também* Porfirias
Fototipos cutâneos (FTC), 189-191, 280
   Fitzpatrick, 189, 191q
Francisella tularensis, 572, 572f
Fungo da floresta, 616-619, 616f-619f *Ver também* Tinea pedis
Furúnculo, bacteriano, 534-540
   diagnóstico e diagnóstico diferencial, 540
   epidemiologia e etiologia, 533
   evolução, 540
   manifestações clínicas, 534-535, 537f-539f
   tratamento, 540
   visão geral, 534

G

Gás mostarda, 895q
Gengivite, 839
Gengivite erosiva, 839
Gengivite ulcerativa necrosante aguda (GUNA), 841, 841f
Glossite migratória, 838, 838f
Gonorreia, 766-767, 767f
Gota, 394, 394f
Gota intercrítica, 394

Gota tofácea crônica, 394, 394f
Granuloma anular, 368, 369f
Granuloma anular generalizado, 368, 369f
Granuloma anular perfurante, 368
Granuloma anular subcutâneo, 368, 369f
Granuloma de Majocchi, 636, 636f
Granuloma facial, 121, 121f
Granuloma piogênico, 58, 159f, 889f
Granulomatose com poliangeíte, 353, 354f-355f
Granulomatose de Wegener, 353, 354f-355f
Gravidez, doenças cutâneas, 395-398
   algoritmo, 395, 396f
   alterações normais, 395, 395f
   colestase gestacional, 396
   dermatoses, 395
   erupção atópica da gravidez, 398
   erupção polimórfica da gravidez, 397, 397f
   penfigoide gestacional, 395
   prurido, 395
   prurigo gestacional, 398
   psoríase pustulosa na gravidez, 398
Gravidez, uso de medicamentos, 891-892
   doenças dermatológicas comuns, medicações e suas categorias para uso na gravidez, 892q
   tratamentos seguros, 891q
   visão geral, 891

H

Haemophilus ducreyi, 779-781, 780f
Hamartomas vasculares, 168
Hanseníase, 574-578
   borderline BB tipo, 576, 576f
   classificação, 574
   diagnóstico, 578
   diagnóstico diferencial, 577
   etiologia e epidemiologia, 574-575
   evolução, 578
   exames laboratoriais, 577-578
   lepromatosa, 576, 577f, 578f
   manifestações clínicas, 575-577, 575f-578f
   tipo tuberculoide, 575-576, 575f
   tratamento, 578
(Hem)angioma senil, 164, 164f
Hemangioma cavernoso, 155, 156f, 157f
Hemangioma da infância (HI), 154, 155, 158
   congênito, 158
   diagnóstico, 158
   epidemiologia, 155
   etiologia e patogênese, 155
   evolução e prognóstico, 156f, 158
   exames laboratoriais, 158
   manifestações clínicas, 155, 156f-157f
   múltiplos, 158
   profundo, 155, 156f, 157f
   tratamento, 156f, 158
Hemangioma esclerosante, 184, 184f

Hematoma subungueal, 820, 820f
Hemiptera, 720
Hemorragias em estilhaço, unhas, 820f, 830
Heparina, necrose relacionada a RCAF, 506, 507f
Herpangina, 673, 673f
Herpes simples extragenital, 682-686, 683f-685f. Ver também Herpes-vírus simples (HSV) extragenital
Herpes simples neonatal, 686, 687f
Herpes-vírus humano (HHV), 649
   herpes-vírus humano-6 e 7, 704, 705f
Herpes-vírus simples (HSV) extragenital, 682-686
   diagnóstico, 681
   diagnóstico diferencial, 686
   evolução, 681
   exames laboratoriais, 681
   manifestações clínicas, 682-686, 683f-685f
   tratamento, 682
   visão geral, 682
Herpes-vírus simples (HSV) genital, 760-765, 761f-765f
   diagnóstico, 761
   diagnóstico diferencial, 761
   etiologia e epidemiologia, 760
   evolução, 761
   manifestações clínicas, 760-761, 761f-764f
   tratamento, 761, 765
   visão geral, 760
Herpes-zóster, 696-701
   diagnóstico, 701
   diagnóstico diferencial, 697, 701
   etiologia e epidemiologia, 696, 697f
   evolução, 701, 702f
   manifestações clínicas, 696-697, 698f-700f
   necrosante, 702f
   tratamento, 701
Hidradenite axilar, 15-19
Hidradenite supurativa, 15-19
   diagnóstico diferencial, 18
   epidemiologia, 16
   etiologia e patogênese, 16
   evolução e prognóstico, 18
   exames laboratoriais, 18
   manifestações clínicas, 16-18, 16f-18f
   tratamento, 18-19
   visão geral, 15
Hidroxicloroquina, pigmentação por, 503-504
Hiperceratose epidermolítica (HE), 79, 79f
Hipercortisolismo, 379, 379f
Hiperidrose, 14
Hipermelanose, 280
   com acne, 290f
   melânica, 280
   melanocítica, 280
Hiperpigmentação, 290, 290f-292f
Hiperplasia gengival, 842, 842f

Hiperplasia sebácea, 181, 181f
Hiperplasias e neoplasias benignas, 141-188 Ver também tipos específicos
   ceratose seborreica, 174-176, 175f-176f, 215f, 233f (Ver também Ceratose seborreica)
   cilindroma, 180, 180f
   cistos e pseudocistos, variados, 170-173
      cisto de inclusão epidérmica, 171, 171f
      cisto epidermoide, 170, 170f
      cisto mixoide digital, 173, 173f
      cisto triquilemal 171, 171f
      milium, 172, 172f
   hiperplasia sebácea, 181, 181f
   malformações linfáticas, 167-170
      linfangioma, 167, 167f
      malformações capilares/venosas, 168-170, 168f-169f (Ver também Malformações capilares/venosas [MCVs])
   malformações vasculares, capilares, 154, 154q-155q, 160-166 (Ver também Malformações vasculares, capilares)
   mancha mongólica 152, 152f
   nevo azul, 148, 148f, 149f
   nevo de Becker, 177, 177f
   nevo de Ota, 153, 153f
   nevo de Spitz, 151, 151f
   nevo epidérmico, 182, 182f
   nevo melanocítico, com halo, 146, 147f
   nevo sebáceo, 181, 182f
   nevo spilus, 149, 150f
   nevos melanocíticos adquiridos, 141-146, 142f-145f (Ver também Nevos melanocíticos [NM] adquiridos)
   siringoma, 179, 179f
   tricoepitelioma, 178, 178f
   tumores vasculares, 154q-155q, 155-159 (Ver também Tumores vasculares)
Hiperplasias e neoplasias da derme e do tecido subcutâneo, 183, 188
   apêndice cutâneo, 188, 188f
   cicatrizes hipertróficas e queloides, 185-187, 185f-187f (Ver também Cicatrizes hipertróficas e queloides)
   dermatofibroma, 184, 184f
   fibromatose digital infantil, 188, 188f
   lipoma, 183, 183f
Hipertireoidismo, 380, 381f
Hipertricose, 805, 808, 808f
Hipomelanose, 280
   melanopênica, 280
Hipopigmentação, 293, 293f-296f
Hipotireoidismo, 380
Hipotireoidismo bociogênico, 380
Hipotireoidismo hipotalâmico, 380
Hipotireoidismo tireoprivo, 380
Hipotireoidismo trofoprivo, 380
Hirsutismo, 805-806, 806q, 807f
Histiocitoma solitário, 184, 184f

Histiocitose das células Langerhans (HCL), 453-456
    classificação, 453, 453q
    epidemiologia, 453
    evolução e prognóstico, 454
    exames laboratoriais, 454
    manifestações clínicas, 441f, 453-454, 454f-456f
    patogênese, 453
    tratamento, 454
    visão geral, 453
Histoplasmose, 642, 643f-644f
Hormônio adrenocorticotrófico (ACTH), pigmentação de, 503
Hortaea werneckii, 612, 612f
HTLV-I, 461
Hymenoptera, 720

I

Ictiose vulgar dominante (IVD), 72-74, 73f-75f
    braço, 75f
    diagnóstico e diagnóstico diferencial, 73
    distribuição, 75f
    epidemiologia, 72
    evolução e prognóstico, 73
    exames laboratoriais, 73
    manifestações clínicas, 72-73, 73f-75f
    patogênese, 72
    pernas, 74f
    tórax, 73f
    tratamento, 73-74
    visão geral, 72
Ictioses, 72-86
    adquirida, 72, 84
    ceratodermias hereditárias das palmas e plantas, 84, 85f-86f
    classificação, 72
    hiperceratose epidermolítica, 79, 79f
    ictiose lamelar, 77, 77f-78f
    ictiose recessiva ligada ao X, 75, 76f
    recém-nascido
        bebê colódio, 80, 80f
        feto arlequim, 81, 81f
    visão geral, 72
Ictioses sindrômicas, 82, 82f-83f
    eritroceratodermia variável, 82, 82f
    síndrome da ceratite-ictiose-surdez, 82, 83f
    síndrome de Netherton, 82, 83f
Impetigo, 528-533
    bolhoso, 528, 532f
    diagnóstico, 528
    diagnóstico diferencial, 528
    ectima, 528, 533f
    epidemiologia e etiologia, 528
    evolução, 530
    manifestações clínicas, 528, 529f-532f
    MRSA, 530f, 531f
    MSSA, 529f, 530f
    tratamento, 530
    visão geral, 528
Impetigo herpetiforme, 57, 398
Infecção meningocócica, 567-569, 568f
    diagnóstico e diagnóstico diferencial, 569
    evolução e tratamento, 569
    manifestações clínicas, 567, 568f
    meningite, 567
    meningococemia crônica, 569
    púrpura fulminante, 567, 568f
    septicemia, 567
    síndrome de Waterhouse-Friderichsen, 567
Infecção necrosante de tecidos moles 547-548, 548f
Infecções anogenitais, 880
Infecções bacterianas produtoras de toxinas, 553-559
    antraz cutâneo, 557, 558f
    difteria cutânea
    escarlatina, 556, 556f-557f
    impetigo bolhoso, 532f, 553
    Nocardia, cutânea, 559, 559f-560f
    síndrome da pele escaldada estafilocócica, 553, 554f-555f
    síndrome do choque tóxico, 555
Infecções de feridas, 550-552
    diagnóstico e diagnóstico diferencial, 552
    etiologia e epidemiologia, 550f-552f, 552
    manifestações clínicas, 550f-552f, 552
    MRSA, 550f, 552
    MSSA, 550f-551f
    Pseudomonas aeruginosa, 551f
    tratamento, 552
Infecções do aparelho ungueal, 821-827
    bacterianas, 821
    oníquia por Candida, 823, 823f
    panarício, 822-823, 822f
    paroníquia, aguda, 822, 822f
    tinea unguium/onicomicose, 824-827, 824f-825f, 826q (Ver também Onicomicose)
    visão geral, 821
Infecções dos tecidos moles bacterianas, 522, 541-552. Ver também tipos específicos
    celulite, 541-547
    infecção de feridas, 550-552
    linfangite, 548-549, 549f
    necrosante, 547-548, 548f
    visão geral, 541
Infecções fúngicas invasivas e disseminadas, 594, 637-648. Ver também tipos específicos
    blastomicose, 644-645, 645f
    coccidioidomicose, 646, 647f
    criptococose, 641-642, 641f
    disseminada
        candidíase, 594, 605, 605f
        HIV, 718
        histoplasmose, 642, 643f-644f

micose subcutânea, 637-640
  esporotricose, 637-638, 638f
  feo-hifomicose, 639-640, 639f-640f
peniciliose, 647, 648f
visão geral, 594
Infecções fúngicas superficiais, 594-636 Ver também tipos específicos
  candidíase, 594-605
    cutânea, 595-598, 596f-597f
    disseminada, 594, 605, 605f
    epidemiologia e etiologia, 595
    etiologia, 594
    exames laboratoriais, 595, 595f
    genital, 602, 602f-603f
    manifestações clínicas, 594
    mucocutânea crônica, 603, 604f
    orofaríngea, 598-601, 599f-601f
  dermatofitose dos pelos, 630-636
    granuloma de Majocchi, 636, 636f
    tinea barbae, 634, 635f
    tinea capitis, 631-633, 632f-634f
    visão geral, 630, 630f
  dermatofitoses, 611-630
    tinea corporis, 624-625, 625f-628f
    tinea cruris, 622, 622f-624f
    tinea facialis, 628, 629f
    tinea incognito, 623f-626f, 629f, 630
    tinea manuum, 619-621, 620f-621f
    tinea nigra, 612, 612f
    tinea pedis, 616-619, 616f-619f
    Trichosporon, 611
  pitiríase versicolor, 293, 293f, 606-610, 606f-610f
Infecções micobacterianas não tuberculosas, 583-588
  linfangite, 548-549, 549f
  Mycobacterium chelonae, 586-587, 588f
  Mycobacterium fortuitum, 586-587, 587f-588f
  Mycobacterium marinum, 583, 584f-585f
  Mycobacterium ulcerans, 585-586, 586f
  visão geral, 583
Infecções micobaterianas, 573-589
  hanseníase, 574-578
  tuberculose, cutânea, 579-582
  visão geral, 573
Infecções parasitárias sistêmicas, 744-751
  amebíase cutânea, 751, 751f
  leishmaniose, 744-749, 745f-747f
  tripanossomíase africana, humana, 750, 750f
  tripanossomíase americana, humana, 749
Infecções por enterovírus, 671-673
  doença mão-pé-boca, 671-672, 672f-673f
  herpangina, 673, 673f
Infecções por Trichosporon, 611
Infecções virais sistêmicas, com exantemas, 665-671 Ver também tipos específicos
  diagnóstico e diagnóstico diferencial, 667
  etiologia e epidemiologia, 665-666

manifestações clínicas, 666-667, 666f
  pródromo, 666, 666f
  rubéola, 667-668, 668f
  sarampo, 669-671, 670f
  visão geral, 665
Insecta, 720
Insuficiência arterial, 408-411 Ver também Aterosclerose obliterante (ateroembolia, aterosclerose, AO)
Insuficiência arterial crônica, 418f-420f, 419-421
Insuficiência corticossuprarrenal, doença de Addison, 382, 383f
Insuficiência linfática crônica, 422, 423f
Insuficiência renal, 426-429
  calcifilaxia, 426, 427f
  classificação, alterações cutâneas, 426
  dermatoses perfurantes adquiridas, 429, 429f
  dermopatia fibrosante nefrogênica, 428, 428f
Insuficiência vascular, 408-425. Ver também distúrbios específicos
  aterosclerose, insuficiência arterial e ateroembolia, 408-411
  insuficiência linfática crônica, 422, 423f
  insuficiência venosa crônica, 414-418, 415f-417f
  tromboangeíte obliterante, 412, 412f
  tromboflebite e trombose venosa profunda, 413, 414f
  úlceras de perna/pé, 418f-420f, 419-421
  úlceras de pressão, 423-425
  vasculite livedoide, 416f, 421, 422f
α-Interferona, necrose relacionada a RCAF, 506, 507f
Intertrigo, 526, 526f-527f
  mucocutânea crônica, 603, 604f

K

Klebsiella granulomatis, donovanose, 781, 781f
Kytococcus sedentarius, 524-525, 524f

L

Lagarta, 725, 726f
Lago venoso, 163, 163f, 890f
Larva currens, 739, 740f
Larva migrans cutânea, 739, 739f-740f
Leishmaniose, 744-749
  diagnóstico e diagnóstico diferencial, 749
  epidemiologia e etiologia, 744
  evolução, 749
  manifestações clínicas, 745-749, 745f-747f
  patogênese, 744-745
  síndromes clínicas, 744
  tratamento, 749
Leishmaniose cutânea, 744-7
Leishmaniose cutânea do Novo Mundo, 744-749, 745f-746f

Leishmaniose cutânea do Velho Mundo,
    744-749, 747f-748f
Leishmaniose da mucosa, 744-749, 746f
Leishmaniose dérmica pós-calazar, 744-749, 748f
Lentiginose anal, 865
Lentiginoses genitais, 865, 865f
Lentigo maligno-melanoma (LMM), 260-262
    diagnóstico diferencial, 262
    epidemiologia, 260
    exames laboratoriais, 260-262, 261f
    manifestações clínicas, 259f, 260, 261f
    patogênese, 258q, 260, 261f
    prognóstico, 266q
    tratamento, 262, 278-279
    visão geral, 260
Lentigo solar, 215, 215f-216f
Lepidoptera, 720
Lesão branca dos mascadores de tabaco, 845q
Lesão urticariforme, 298
Lesões de Janeway, 564, 565f
Lesões intraepiteliais escamosas de baixo grau
    (LSIL), 224
Lesões pigmentadas, diagnóstico diferencial,
    886-890
    angioceratoma, 888f
    carcinoma basocelular, 889f
    carcinoma de células de Merkel, 890f
    ceratose seborreica, 888f
    dermatofibroma, 889f
    granuloma piogênico, 889f
    lago venoso, 890f
    melanoma, 887f
    nevo displásico, 887f
    nevos melanocíticos, 886f, 887f
    nevos melanocíticos compostos, 886f
    nevos melanocíticos dérmicos, 886f
    nevos melanocíticos juncionais, 886f
    visão geral, 886
Lesões pré-cancerosas, 221-226
    ceratose actínica, 221-224 (Ver também
        Ceratose actínica)
    ceratoses arsenicais, 224, 225, 226f
    corno cutâneo, 225, 225f
Leucemia cutânea (LC), 450, 451f
Leucemia/linfoma de células T do adulto
    (LLTA), 461, 462f
Leucodermia centrífuga adquiria de Sutton, 146,
    147f
Leucodermia genital, 866, 866f
Leucoedema, 845, 845f
Leuconíquia, 817f, 828, 828f
Leuconíquia tipo Terry, 828, 828f
Leucoplasia pilosa oral, 713f, 838, 845q
    HIV, 712, 713f
Leucoplasia pré-maligna, 845q
Lewisita, 895q
Linfangioma, 167, 167f
Linfangiossarcoma, 422

Linfangite, 548-549, 549f
Linfangite esclerosante do pênis, 861, 861f
Linfangite esclerosante não venérea, 861, 861f
Linfedema, 422, 423f
    da genitália, 862, 862f
Linfogranuloma venéreo, 778-779, 779f
Linfoma cutâneo de células B, 473, 473f
Linfoma cutâneo de células T (LCCT), 462-468
    avaliação do paciente, 467q
    diagnóstico e diagnóstico diferencial, 467
    epidemiologia e etiologia, 463
    estágio, 467q
    evolução e prognóstico, 467-468
    exames laboratoriais, 463, 467
    manifestações clínicas, 463
    tratamento, 468
    visão geral, 462
Linfoma de células cutâneas anaplásicas grandes
    (LCCAG), 472, 472f
Linfomas e sarcomas cutâneos, 461-481 Ver
    também tipos específicos
    angiossarcoma, 479, 479f
    dermatofibrossarcoma protuberante, 480,
        480f
    fibroxantoma atípico, 481, 481f
    leucemia/linfoma de células T, do adulto, 461,
        462f
    micose fungoide, 462-470
    micose fungoide, síndrome de Sézary, 131f,
        468, 470
    micose fungoide, variantes, 468, 468f-469f
    papulose linfomatoide, 470, 471f
    sarcoma de Kaposi, 474-478, 483
    visão geral, 461
Linfonodo sentinela, 277
    biópsia, melanoma, 277
Língua fendida, 836, 836f
Língua fissurada, 836, 836f
Língua geográfica, 838, 838f
Língua pilosa, 837f, 845q
Língua pilosa branca, 837f, 838
Língua pilosa negra, 837f, 838
Língua plicata, 836, 836f
Língua sulcada, 836, 836f
Linhas de Beau, unha, 827, 827f
Linhas de Muehrcke, 828, 828f
Linhas transversais, unhas, 827, 827f
Linuche unguiculata, 742, 742f
Lipodistrofia, farmacodermia pelo HIV, 714,
    717f
Lipoma, 183, 183f
Líquen áureo, 358
Líquen escleroso e atrófico (LEA), 347, 348f
    genital, 869, 870f-871f
Líquen nítido, genital, 869, 869f
Líquen plano (LP), 312-316
    boca, 840, 840f
    diagnóstico e diagnóstico diferencial, 316

epidemiologia e etiologia, 312
erupções semelhantes ao líquen plano, 316
evolução, 316
exames laboratoriais, 316
genital, 868, 868f
manifestações clínicas, 291f, 312-316, 313f-315f
  disseminado, 312, 314f
  fenômeno de Koebner, 312, 315f
  hipertrófico, 312, 314f
manifestações ungueais, 815, 816f
tratamento, 316
visão geral, 312
Líquen plano folicular, 798, 801f
Líquen purpúrico, 358
Líquen simples crônico, 40, 41f
  boca, 845q, 846f
  genital, 873, 873f
Livedo racemoso, 336, 336f, 337q
Livedo reticular (LR), 336, 336f, 337q
Livedo reticular idiopático (LRI), 336
Livedo reticular secundário (sintomático) (LRS), 336, 336f, 337q
Lobinho, 170, 170f, 171, 171f
Locais, 722
Lúpus eritematoso (LE), 324
  classificação das lesões cutâneas, 325q
  espectro, 325f
Lúpus eritematoso cutâneo crônico (LECC), 325f, 325q, 330f, 332, 333f-334f, 798, 799f-800f
Lúpus eritematoso cutâneo subagudo (LECS), 330, 331f
Lúpus eritematoso discoide crônico (LEDC), 325q, 330f, 332, 333f-334f
Lúpus eritematoso discoide, unha, 831, 832f
Lúpus eritematoso profundo, 325f, 335, 335f
Lúpus eritematoso sistêmico (LES), 326-330
  diagnóstico e classificação, 329, 329q
  epidemiologia, 326
  eritema semelhante à queimadura solar, 193
  exames laboratoriais, 326-329, 327q
  manifestações clínicas, 325q, 326, 327f-328f, 330f, 334f
  manifestações da boca, 858, 858f
  manifestações ungueais, 831, 831f
  prognóstico, 329
  tratamento, 329-330
  visão geral, 325f, 326

M

Macroglossia, 370, 371f
Malassezia
  foliculite, 610, 611f
  pitiríase versicolor, 293, 293f, 606-610, 606f-610f (*Ver também* Pitiríase versicolor)
Malassezia furfur, 610, 611f

Malformações capilares/venosas (MCVs), 168-170
  hamartomas vasculares, 168
  lactente, 168f
  nevo *blue rubber bleb*, 168-170, 169f
  síndrome de Klippel-Trénaunay, 168, 169f
  síndrome de Mafucci, 170
  síndrome de Parkes Weber, 170
Malformações linfáticas, 167-170
  linfangioma, 167, 167f
Malformações vasculares capilares, 160-166
  angioceratoma, 165, 165f-166f
  angioma aracneiforme, 162, 162f
  angioma em cereja, 164, 164f
  características, 155q
  classificação, 154, 154q
  lago venoso, 163, 163f
  mancha vinho do porto, 160, 161f
  tumores vasculares, 154
Mancha mongólica 152, 152f
Mancha vinho do porto, 160, 161f
Manchas de Campbell de Morgan, 164, 164f
Manchas de Roth, 566
Manipulação compulsiva das unhas, 813, 813f
Mariposa, 725, 726f
Mariposa, distúrbios cutâneos, 854-857
  pênfigo paraneoplásico
  pênfigo vulgar, 854, 854f
  penfigoide bolhoso, 854f, 856, 856f
  penfigoide cicatricial, 857, 857f
Máscara da gravidez, 289, 289f
Mastocitose cutânea, 457-460, 457q, 458f-459f
Mastocitose cutânea difusa (MCD), 457q, 459, 459f
Mastocitose cutânea em placa papular (MCPP), 457, 457q, 458f
Mastocitose cutânea nodular (MCN), 457, 457q, 458f
Materiais perigosos, 894, 895q
Melanocitoma dérmico, 148, 149f
Melanodermatite tóxica, 290, 292f
Melanoma acrolentiginoso (MAL), 258q, 271-272, 272f
Melanoma acrolentiginoso (MAL), unha, 820, 820f
Melanoma amelanótico, 273, 273f
Melanoma anorretal, 274
Melanoma cutâneo, 256-279
  anorretal, 274
  apresentações clínicas, 257, 258q
  classificação, 256
  classificação TNM, 266q
  diagnóstico diferencial, 887f
  diagnóstico precoce e excisão, 256
  epidêmico, 256
  estágio, 277
  etiologia e patogênese, 257, 257q

fatores de risco, 257q
genitália, 274
orofaríngeo, 274, 851, 851f
padrões de crescimento, 257
prognóstico, 266, 278
regra do ABCDE, 250q, 256-257
responsabilidade da detecção, 256
taxas de sobrevida, 266q
tipos, 258q
tratamento, 278-279
Melanoma cutâneo primário, 256-279
   estágio
      biópsia do linfonodo-sentinela, 277
      estadiamento microscópico, 266q, 277
      visão geral, 277
   lentigo maligno-melanoma , 260-262, 261f, 266q
   melanoma acrolentiginoso, 271-272, 272f
   melanoma amelanótico, 273, 273f
   melanoma desmoplásico, 270, 271f
   melanoma extensivo superficial, 262-266
   melanoma *in situ*, 258, 259f
   melanoma maligno da mucosa, 274
   melanoma metastático, 274, 275f-277f
   melanoma nodular, 267-269
   prognóstico, 266, 278
   tratamento, 278-279
      biópsia e tratamento cirúrgico, 278
      metástases a distância estágio IV, 279
      tratamento adjuvante, 278-279
Melanoma da orofaringe, 274, 851, 851f
Melanoma desmoplásico (MD), 270, 271f
Melanoma extensivo superficial (MES), 262-266
   diagnóstico e diagnóstico diferencial, 250q, 264
   epidemiologia, 262
   evolução e prognóstico, 263, 266q
   exames laboratoriais, 263, 263f, 266q
   manifestações clínicas, 252f, 258q, 259f, 262-263, 264f-265f
   patogênese, 259f, 262, 263f
   tratamento, 278-279
   visão geral, 262
Melanoma *in situ* (MIS), 258, 259f
Melanoma juvenil, 151, 151f
Melanoma maligno
   da mucosa, 274
   da região anogenital, 877, 878f
Melanoma, metastático, 274, 275f-277f
   cicatriz da excisão, 274, 276f
   melanose universal devido a, 274, 276f, 277f
Melanoma nodular (MN), 267-269
   diagnóstico e diagnóstico diferencial, 268
   epidemiologia, 257q, 268
   exames laboratoriais, 267f, 268
   manifestações clínicas, 258q, 268, 269f
   patogênese, 267f, 268
   prognóstico, 266q
   tratamento, 266q, 278-279
Melanoníquia longitudinal, 819, 819f
Melanose. *Ver também tipos específicos*
   Riehel, 290, 292f
   universal, devido ao melanoma metastático, 274, 276f-277f
Melasma, 289, 289f
Metronidazol, erupção fixa por fármaco, 499, 500q
Micose fungoide (MF), 462-470
   avaliação do paciente, 467q
   diagnóstico e diagnóstico diferencial, 467
   epidemiologia e etiologia, 463
   estágio, 467q
   evolução e prognóstico, 467-468
   exames laboratoriais, 463, 467
   foliculotrópica, 468, 468f
   hipopigmentação e hiperpigmentação moteada, 293, 296f
   manifestações clínicas, 131f, 463, 463f-466f
   síndrome de Sézary, 131f, 468, 470
   tratamento, 468
   variantes, 468, 468f-469f
   visão geral, 462
Micose subcutânea, 637-640
   esporotricose, 637-638, 638f
   feo-hifomicose, 639-640, 639f-640f
Microcomedão, 5f
Miliária, 14, 14f
Milium, 172, 172f
Minociclina
   erupção fixa por fármaco, 499, 500q
   pigmentação por, 504, 504f
Miosite necrosante estreptocócica, 547-548
Mixedema, 380, 382f
Molusco contagioso, 649-653
   diagnóstico e diagnóstico diferencial, 653
   etiologia e epidemiologia, 649-650
   evolução, 653
   manifestações clínicas, 650-653, 650f-652f
   manifestações laboratoriais, 653
   pelo HIV, 719
   tratamento, 653
   visão geral, 649
Morbilia, 669-671, 670f
Morfeia, 343-347
   classificação, 343
   diagnóstico e diagnóstico diferencial, 346
   epidemiologia e etiologia, 343
   evolução, 346
   exame clínico geral, 345, 345f
   exames laboratoriais, 346
   manifestações clínicas, 343-345, 344f-346f
   tratamento, 347
   visão geral, 343
Mosca caseira, 724, 725f

Mosca-do-berne, 724, 724f
Mosca-preta, 724
Mosquito-pólvora, 724
Mostarda, 895q
Mostarda nitrogenada, 895q
Mostarda sulfúrica, 895q
Mucinose folicular, 802
Mucocele, submucosa, 852, 852f
Mucosite liquenoide, 839
Mutucas, 724
Mycobacterium abscessus, 586-587
Mycobacterium chelonae, 586-587, 588f
Mycobacterium fortuitum, 586-587, 587f-588f
Mycobacterium leprae, 574-578. Ver também Hanseníase
Mycobacterium marinum, 583, 584f-585f
    linfangite, 548-549, 549f
Mycobacterium tuberculosis, 579-582. Ver também Tuberculose cutânea
Mycobacterium ulcerans, 585-586, 586f

N

Necrobiose lipoídica (NL), 378, 378f
Necrólise epidérmica tóxica (NET), 136-140
    boca, 859, 859f
    definição, 136
    diagnóstico e diagnóstico diferencial, 139
    epidemiologia, 136
    etiologia e patogênese, 136, 137q
    evolução e prognóstico, 139-140, 139q
    exames laboratoriais, 139
    manifestações clínicas, 136-139, 137f-138f
    sequelas, 140
    tratamento, 140
    visão geral, 136
Necrose cutânea induzida por vafarina, 506, 506f
Necrose relacionada a RCAF, 506, 506f-509f
Neisseria gonorrhoeae
    doença, 765-766, 765f
    gonorreia, 766-767, 767f
Neoplasia intraepitelial induzida por HPV, genital, 876
Neoplasias do aparelho ungueal, 818-821
    carcinoma espinocelular, 820, 821f
    cistos mixoides digitais, 819, 819f
    melanoma acrolentiginoso, 820, 820f
    melanoníquia longitudinal, 819, 819f
    visão geral, 818
Neoplasias na boca, 848-851
    carcinoma espinocelular invasivo da boca, 849, 850f
    carcinoma verrucoso da boca, 850, 850f
    displasia e carcinoma espinocelular *in situ*, 848, 849f
    melanoma da orofaringe, 274, 851, 851f

Neurofibromatose, 403-406
    diagnóstico e diagnóstico diferencial, 406
    epidemiologia, 403
    evolução e prognóstico, 406
    exames laboratoriais, 404
    manifestações clínicas, 403-404, 403f-406f
    tratamento, 406
Neuropatia diabética, 376, 376f
Nevo aracneiforme, 162, 162f
Nevo azul, 148, 148f, 149f
Nevo de Becker, 177, 177f
Nevo de células epiteliais e pigmentados, 151, 151f
Nevo de Ota, 153, 153f
Nevo de Spitz, 151, 151f
Nevo epidérmico sistematizado, 182
Nevo epidérmico verrucoso inflamatório linear (NEVIL), 182
Nevo epidérmico verrucoso não inflamatório linear (NEVNIL), 182
Nevo flâmeo, 160, 161f
Nevo melanocítico (NM), adquirido, 141-146
    classificação, 141-144, 142f-145f
        composto, 141, 142f, 144, 145f
        dérmico, 141, 142f, 144, 145f, 886f
        juncional, 141, 142f-143f, 143-144
    diagnóstico e diagnóstico diferencial, 144, 250q
    epidemiologia e etiologia, 141
    evolução, 141-143, 142f
    manifestações clínicas, 141
    tratamento, 146
Nevo melanocítico atípico, 248-252
Nevo melanocítico com halo, 146, 147f
Nevo melanocítico congênito (NMC), 253-255
    diagnóstico diferencial, 254-255
    epidemiologia, 253
    evolução e prognóstico , 255
    exames laboratoriais, 255
    manifestações clínicas, 253-254, 253f-255f
        melanoma, 254, 255f
        muito grande ("gigante") 254, 254f
        pequeno e grande, 253-254, 253f-254f
    patogênese, 253, 253f
    tratamento, 255
    visão geral, 253
Nevo melanocítico displásico, 248-252
    diagnóstico e diagnóstico diferencial, 250-252, 250q
    epidemiologia, 248
    exames laboratoriais, 250
    manifestações clínicas, 248-250, 249f, 250q, 251f-252f
    patogênese, 248
    tratamento, 252
    visão geral, 248
Nevo sebáceo, 181, 182f
Nevo *spilus*, 149, 150f

Nevo *unius lateralis*, 182
Nevos displásicos, 248-252, 887f
Nistatina, erupção fixa por fármaco, 499, 500q
Nocardia brasiliensis
   cutânea, 559, 559f
   linfangite, 548-549, 549f
Nódulos de Osler, 564
Nódulos do ordenhador, 655, 655f
Nódulos submucosos
   abscesso odontogênico cutâneo, 853, 853f
   fibroma irritativo, 852, 853f
   mucocele, 852, 852f
Notalgia parestética, 882q, 883f

O

Obesidade, manifestações cutâneas
Onicauxe, 812, 812f
Onicogrifose, 812, 812f
Onicólise, 811, 811f-812f
   psoríase, 814, 814f
Onicomicose, 621f, 824-827
   classificação, estrutura anatômica, 824, 824f-825f
   diagnóstico diferencial, 825-826
   etiologia e epidemiologia, 824-825
   evolução e prognóstico, 826
   exames laboratoriais, 826
   manifestações clínicas, 824f-825f, 825
   patogênese, 824f, 825
   tratamento, 826-827, 826q
   visão geral, 824-827, 824f-825f, 826q
Onicoquisia, irritantes químicos, 818, 818f
Onicorrexe, líquen plano, 815, 816f
Oníquia por *Candida*, 823, 823f
Orelha de nadador, 573
Orf humano, 653, 654f
Ota, 744-749, 745f-746f. *Ver também*
   Leishmaniose
Óxidos de nitrogênio, 895q

P

Paciente agudamente enfermo e hospitalizado, 127-140
   erupções, no paciente enfermo e febril, 132-135
   síndrome de eritrodermia esfoliativa, 127-131
   síndrome de Stevens-Johnson e necrólise epidérmica tóxica, 136-140
Padrão de queda de cabelo, 786-790, 787f-789f.
   Ver também Queda de cabelo, padrão
Panarício, unha, 822-823, 822f
Paniculite, 124
   classificação, 124q
   deficiência de α_1-antitripsina, 124, 124q
   pancreática, 124, 124q, 125f

Paniculite lúpica crônica, 325f, 335, 335f
Papiloma cutâneo, 188, 188f
Papiloma escamoso, boca, 845q
Papilomavírus humano (HPV), 649, 656-665, 752-760
   etiologia, 657
   pelo HIV, 719, 719f
   tipos, 656
   vírus e doenças associadas, 657q
Papilomavírus humano (HPV), doenças cutâneas, 658-665
   anogenital, 663
   defeitos nos mecanismos de defesa do hospedeiro, 663
   diagnóstico diferencial, 663
   doenças orofaríngeas, 663, 664f
   epidemiologia, 658
   epidermodisplasia verruciforme, 658, 663, 663f
   evolução, 663-665
   manifestações clínicas, 658-663, 658f-664f
   manifestações laboratoriais, 663
   tratamento, 665
   verruga comum, 658, 658f-660f, 662f
   verrugas planas, 658, 662f
   verrugas plantares, 658, 661f
Papilomavírus humano (HPV), transmitido sexualmente, 752-760
   anogenital, 752
   carcinoma espinocelular *in situ*, 747f-759f, 756-760 (*Ver também* Carcinoma espinocelular *in situ* [CECIS], HPV)
   carcinoma espinocelular invasivo da pele anogenital, 747f-759f, 756-760 (*Ver também* Carcinoma espinocelular [CEC] invasivo anogenital)
   verrugas genitais, 753-756, 753f-755f, 757f (*Ver também* Verrugas genitais, HPV)
   visão geral, 656
Pápulas
   acne, 2, 3f
   acne inflamatória, 2, 5f
   rosácea, 8
Pápulas peroladas do pênis, 860, 860f
Papulose bowenoide, 224
   genital, 874, 875f
Papulose linfomatoide, 470, 471f
Paracetamol, erupção fixa por fármaco, 499, 500f, 500q
Parafimose, 864, 864f
Parapoxvírus, nódulos do ordenhador, 655, 655f
Parapsoríase em placas (PP), 67
   placas grandes, 67, 69f
   placas pequenas, 67, 68f
Parasitose, delírio de, 513, 514f
Paroníquia
   aguda, 822, 822f

Candida, 823
  crônica, 810, 811f
Parvovírus humano B19 (HPVB19), eritema infeccioso, 674-675, 674f
Pé de atleta, 616-619, 616f-619f. *Ver também Tinea pedis*
Pé diabético, 376, 376f
Pediculose da cabeça, 726-727, 727f
Pediculose do corpo, 728-729, 728f
Pediculose pubiana, 729-731, 729f-730f
Pediculus humanus capitis, 726-727, 727f
Pediculus humanus humanus, 728-729, 728f
Pelagra, 393, 393f
Pele frouxa granulomatosa, 468, 469f
Pelo lanugo, 785
Pelo terminal, 785
Pelo *velus*, 785
Pelos em forma de clava, 784, 785f
Pelos telógenos, 784, 785f
Pênfigo, 100-105
  classificação, 100q
  diagnóstico e diagnóstico diferencial, 104, 105q
  epidemiologia, 100
  etiologia e patogênese, 100
  evolução, 104
  exames laboratoriais, 103-104
  familiar benigno, 92, 92f
  manifestações clínicas, 100, 101f-102f
  tipos, 100-103, 102f-103f
  tratamento, 104
  visão geral, 100
Pênfigo brasileiro, 103
Pênfigo foliáceo, 100q, 103, 103f
Pênfigo neonatal, 103
Pênfigo paraneoplásico (PPN), 100q, 103, 443, 443f
  boca, 855, 855f
Pênfigo vegetante, 100-103, 100q, 102f
Pênfigo vulgar (PV), 100, 100q, 101f-102f
  boca, 854, 854f
Penfigoide bolhoso (PB), 106-108
  boca, 854f, 856, 856f
  diagnóstico e diagnóstico diferencial 105q, 107
  epidemiologia, 106
  etiologia e patogênese, 95f, 106
  evolução e prognóstico, 108
  exames laboratoriais, 95f, 107
  manifestações clínicas, 106-107, 106f-107f
  tratamento, 107-108
  visão geral, 106
Penfigoide cicatricial, 95f, 108, 108f
  boca, 857, 857f
Penfigoide de membranas mucosas, 108, 108f
Penfigoide gestacional (PG), 95f, 109, 109f, 396

Pênfigos eritematosos, 103
Peniciliose, 647, 648f
Penicillium marneffei (peniciliose), 647, 648f
Pênis
  angioceratoma, 861
  balanite plasmocitária, 863, 863f
  balanite xerótica obliterante, 864, 864
  carcinoma espinocelular *in situ*, 874, 875f
  carcinoma espinocelular invasivo anogenital, 876
  carcinoma verrucoso genital, 877
  dermatite de contato alérgica, 872, 872f
  erupção fixa por fármaco, 874, 874f
  fimose, 864, 864f
  lentiginoses, 865, 865f
  linfangite esclerosante, 861, 861f
  linfedema da genitália, 862, 862f
  líquen escleroso, 869, 870f-871f
  líquen nítido, 869, 869f
  líquen plano, 868, 868f
  melanoma maligno da região anogenital, 877, 878f
  pápulas peroladas do pênis, 860, 860f
  parafimose, 864, 864f
  proeminência de glândulas sebáceas, 861
  psoríase vulgar, 867, 867f
  sarcoma de Kaposi, 880, 880f
  vitiligo, 866, 866f
Percevejos-de-cama, 721f, 724
Perifoculite dissecante, 15
Períneo, líquen escleroso, 869, 870f
Periodontite, 839
Perlèche, 598, 601, 601f, 835, 835f
Perniose, 126, 126f
Phthirus pubis, 729-731, 729f-730f
Picada de larva de anêmona do mar, 742, 742f
Picadas de artrópodes, reações cutâneas, 720-726
  diagnóstico e diagnóstico diferencial, 725
  infecções, 720-721
  manifestações clínicas, 721-725, 722f-726f
    abelha, vespa ou marimbondo, 725
    ácaros, 722
    ácaros de alimentos, 722-723
    barbeiro, 724
    bicho-de-pé, 724-725, 725f
    carrapatos, 590f-591f, 723
    formiga-cortadeira e formiga-de-fogo, 725
    lagarta/mariposa, 725, 726f
    localizadas, 721, 721f-723f
    mosca caseira, 724, 725f
    mosca do berne, 724, 724f
    mosca-preta, 724
    mosquito-pólvora, 724
    mosquitos, 722f, 723
    mutucas, 724

percevejos-de-cama, 721f, 724
piolhos, 723
pulgas, 724
sistêmicas, 721
tratamento, 725-726
visão geral, 720
Pigmentação, induzida por fármacos, 502-505
   manifestações clínicas, 503-504, 503f-504f
   visão geral, 502
Pigmentação melânica constitutiva, 280
Pioderma, 522
Pioderma gangrenoso (PG), 116-118, 522
   diagnóstico e diagnóstico diferencial, 118
   epidemiologia, 115
   etiologia e patogênese, 115
   evolução e prognóstico, 118
   exames laboratoriais, 115-118
   manifestações clínicas, 115, 116f-118f
   tratamento, 118
   visão geral, 115
Piolhos, 723, 726-731
   pediculose da cabeça, 726-727, 727f
   pediculose do corpo, 728-729, 728f
   pediculose pubiana, 729-731, 729f-730f
Pitiríase alba, 293, 296f
Pitiríase liquenoide (PL), 70
   aguda, 70, 71f
   crônica, 70, 71f
Pitiríase liquenoide e varioliforme aguda (PLEVA), 70, 71f
Pitiríase rósea, 65-67
   diagnóstico diferencial, 65
   epidemiologia e etiologia, 65
   evolução, 65
   exames laboratoriais, 65
   manifestações clínicas, 65, 66f, 67f
   tratamento, 65
   visão geral, 65
Pitiríase rubra pilar (PRP)
   classificação, 62
   diagnóstico e diagnóstico diferencial, 62
   epidemiologia, 62
   etiologia e patogênese, 62
   evolução e prognóstico, 62
   exames laboratoriais, 62
   manifestações clínicas, 62, 63f-64f
   palmas e plantas, 62, 64f
   tipo 1, clássica do adulto, 62, 63f
   tratamento, 62-65
   visão geral, 62
Pitiríase seca, 46-48 Ver também Dermatite seborreica
Pitiríase versicolor, 293, 293f, 606-610
   diagnóstico e diagnóstico diferencial, 609
   evolução, 609
   exames laboratoriais, 606f, 609

   manifestações clínicas, 606-609, 606f-610f
   tratamento, 609-610
   visão geral, 606
Poliangeíte microscópica (PAM), 352
Poliarterite nodosa (PAN), 352, 353f
Polioses, 281
Polpite, dermatite de contato por irritante, 23
Ponfolix, 43, 43f
Porfiria aguda intermitente, fármacos perigosos, 210q
Porfiria cutânea tarda, esclerose semelhante à ESD, 343
Porfiria variegada, 205q, 210, 210q, 211f
Porfirias, 205-213
   classificação e diagnóstico diferencial, 205q
   diagnóstico e diagnóstico diferencial, 207
   epidemiologia, 206
   etiologia e patogênese, 206
   exames laboratoriais, 205q, 206, 209f
   manifestações clínicas, 206, 207f-209f
   protoporfiria eritropoiética, 193, 205q, 211, 212f-213f
   tratamento, 207
   variegada, 205q, 210, 210q, 211f
Poroceratose actínica superficial disseminada (PASD), 93, 93f
Prata
   alterações ungueais, 834, 834f
   pigmentação por, 503
Prepúcio, *Candida*, 602, 603f
Proeminência de glândulas sebáceas, genitália, 861
Protoporfiria eritropoiética (PPE), 193, 205q, 211, 212f-213f
Prurido anal, 873, 873f
Prurido, generalizado, sem lesões cutâneas, 881-883
   diagnóstico, 883q
   etiologia, 882q, 883f
   tratamento, 883
   visão geral, 881, 881f
Prurido, gravidez, 395
Prurigo actínico, 202
Prurigo da gravidez de início tardio, 397, 397f
Prurigo nodular (PN), 42, 42f
Pruritus sine materia
   diagnóstico, 883q
   etiologia, 882q, 883f
   tratamento, 883
   visão geral, 881, 881f
Pseudocisto mixoide, 173, 173f
Pseudofoliculite da barba, 804, 804f
Pseudoleuconíquia, 825f, 828
Pseudomonas aeruginosa
   celulite, 543-544, 546f
   diagnóstico, 573

ferida, 551f
foliculite infecciosa (banheira quente), 534, 536f, 573
  manifestações clínicas, 573
  onicólise, 812, 812f
  sepse, 566
  síndrome da unha verde, 573, 812, 812f
  tecido mole necrosante, 547-548, 548f
  tratamento, 573
Pseudopelada de Brocq, 798, 801f, 802, 802f
Pseudoporfiria, 505, 505f
Pseudoxantoma elástico, 399, 399f
Psoríase, 50-61. *Ver também tipos específicos*
  acrodermatite contínua de Hallopeau, 57, 58f, 61
  artrite psoriásica, 59, 59f
  classificação, 50
  eritrodermia psoriásica, 59
  hipomelanose pós-inflamatória, 293, 293f
  manifestações ungueais, 813-815, 814f
  parapsoríases em placas, 67, 68f, 69f
  pitiríase liquenoide, 70, 71f
  pitiríase rósea, 65-67, 66f, 67f
  tratamento, 59-61
    acrodermatite contínua, 61
    escolha do tratamento, 59
    psoríase generalizada, 60-61
    psoríase localizada, 59-60
    psoríase pustulosa generalizada, 61
  visão geral, 50
Psoríase pustulosa, 57-58
  generalizada, tratamento, 61
  psoríase pustulosa aguda generalizada (von Zumbusch), 57, 58f
Psoríase pustulosa na gestação, 398
Psoríase vulgar, 50-56
  cotovelo, 52f
  couro cabeludo, 52, 54f
  diagnóstico e diagnóstico diferencial, 55-56
  epidemiologia, 50
  estável crônica, 51, 52f, 53f
  evolução e prognóstico, 56
  exames laboratoriais, 53-55
  facial, 52, 54f, 55f
  genitália, 867, 867f
  manifestações clínicas, 51-53, 51f-56f
    couro cabeludo, 52, 54f, 55f
    distribuição e locais, 51-52, 53f
    eruptiva, inflamatória, 51, 51f-52f
    estável crônica (placa), 51, 52f-53f
    palmas e plantas, 52, 54f, 60
    perianal e genital, regiões flexurais, 52, 53, 55f
    unhas, 53, 56f
  nádegas, 52f, 53f
  padrão invertido, 52-53, 55f-56f
  palmar, 52, 54f
  patogênese, 50-51

plantas, 52, 54f
unhas, 813-815, 814f
unhas das mãos, 53, 56f
Pterígio, líquen plano ungueal, 815, 816f
Pterígio ungueal invertido, 832
Púrpura anular telangiectoide, 358, 359f
Púrpura de Henoch-Schönlein, 350, 350f
Púrpura fulminante, 445-446, 445f-446f
Púrpura pigmentosa crônica, 358
Púrpura trombocitopênica (PT), 444, 445f
Pústulas. *Ver também distúrbios específicos*
  acne inflamatória, 2, 5f
  rosácea , 8
Pustulose exantemática generalizada aguda (PEGA), 496, 496f-497f
Pustulose palmopantar, 57, 57f
PUVA, alterações ungueais, 834

Q

Queda de cabelo, 786-805 *Ver também tipos específicos*
  alopécia, 786
  alopécia areata, 791-794, 792f, 793f
  alopécia cicatricial, 786, 798-805, 798q, 799f-804f
  alopécia induzida por fármacos, 795q
  alopécia não cicatrical, 786, 786q
  eflúvio anágeno, 795q, 797, 797f
  eflúvio telógeno, 794-796, 795q, 796f
  etiologia,786q
  visão geral, 786
Queda de cabelo, padrão, 786-790
  classificação, 786, 787f-789f
  diagnóstico, 790
  diagnóstico diferencial, 788-790
  etiologia e epidemiologia, 786
  evolução, 790
  exames laboratoriais, 790
  manifestações clínicas, 788, 788f-789f
  patogênese, 788
  tratamento, 790
  visão geral, 786
Queilite actínica, 835
Queilite angular, 598, 601, 601f, 835, 835f
Queimadura química por ácido acetilsalicílico, língua, 845q
Queimadura solar, 191-193, 192f
  fototipos cutâneos de Fitzpatrick, 189-191, 191q
Queloides, 185-187, 185f-187f
Quimioterapia. *Ver também tipos específicos*
  alterações ungueais, 834, 834f
  reações cutâneas adversas a fármacos, 509, 510f, 510q-512q
Quinacrina, alterações ungueais, 834, 834f
Quinina, erupção fixa por fármaco, 499, 500q

R

Radiação ultravioleta (RUV), 189
Rarefação hereditária, 786-790. *Ver também* Queda de cabelo, padrão
Reações adversas a fármacos. *Ver também tipos e fármacos específicos*
   alterações ungueais, 835, 835f
   cutâneas adversas, 489-512
   cutâneas adversas, com HIV, 713-717, 715q-716q
   hiperpigmentação melânica, 290, 292f
Reações cutâneas à radiação, 217-220, 219f-220f. *Ver também* Dermatite por radiação
Reações cutâneas à radiação ionizante, 217-220, 219f-220f. *Ver também* Dermatite por radiação
Reações cutâneas adversas a fármacos, 489-512
   avaliação, 489
   classificação, 489
   erupção exantemática a fármaco, 494, 495f
   erupção fixa por fármaco, 499, 500f, 500q
   erupções pustulosas, 496, 496f-497f
   mediadas por mecanismos imunológicos, 489, 490q
   necrose relacionada a RCAF, 506, 506f-509f
   pigmentação induzida por fármacos, 502-505, 503f-504f
   potencialmente fatais, manifestações, 489
   pseudoporfiria, 505, 505f
   RCAF relacionada à quimioterapia, 509, 510, 510q-512q
   síndrome de hipersensibilidade a fármacos, 502f, 505
   tipos clínicos, 489, 491q
   urticária aguda induzida por fármacos, angioedema, edema e anafilaxia, 303f, 498, 498f, 499q
   visão geral, 489
Reações cutâneas adversas a fármacos, pelo HIV, 713-717, 715q-716q, 717
   classificação, 714
   etiologia e epidemiologia, 714
   lipodistrofia e síndromes metabólicas, 714, 717f
   tratamento, 714
   visão geral, 713
Reações farmacogênicas não imunológicas, 489, 490q
Reações fototóxicas, 193, 193q
Regra do ABCDE, melanoma, 250f, 256-257
Reticulose pagetoide, 468, 469f
Retinoides, alterações ungueais, 834
Rickettsia akari, 563, 564f
Rickettsia rickettsii, 562-563, 562f-563f, 566
Riquetsioses, 560-563
   diagnóstico, 560
   evolução, 560
   febre maculosa das montanhas rochosas 562-563, 562f-563f
   febres maculosas transmitidas por carrapatos, 561-562, 561f
   manifestações clínicas, 560
   riquetsiose variceliforme, 563, 564f
   tratamento, 560
Rosácea, 8-11
   diagnóstico diferencial, 8-9
   epidemiologia, 8
   eritematosa, 9f
   estágio, 8
   evolução, 9
   exames laboratoriais, 8
   manifestações clínicas, 8, 9f, 11f
   tratamento, 9
   visão geral, 8
Rosácea diátese, 8
Rubéola, 667-668, 668f

S

Salicilatos, erupção fixa por fármaco, 499, 500q
Sapinho, 598, 599f, 601
Sarampo, 669-671, 670f
Sarampo alemão, 667-668, 668f
Sarampo de 3 dias, 667-668, 668f
Sarcoidose, 364-368
   diagnóstico, 366
   epidemiologia, 365
   exames laboratoriais, 365-366
   manifestações clínicas, 365, 365f-368f
   tratamento, 366
   visão geral, 364
Sarcoma de Kaposi (SK), 474-478
   africano endêmico, 474
   associado à imunossupressão iatrogênica, 474
   associado ao HIV/Aids, 474, 717-718
   clássico ou europeu, 474
   classificação e variantes clínicas, 474
   diagnóstico e diagnóstico diferencial, 478
   etiopatogênese, 474
   evolução e prognóstico, 478
   exames laboratoriais, 478
   imunossuprimidos, 483
   manifestações clínicas, 474-477, 475f-477f
   patogênese, 474
   pênis e escroto, 880, 880f
   tratamento, 418
   visão geral, 474
Sarin, 895q
Scorpionida, 720
Seborreia, acne, 2
Sepse, 566, 567f
Sepse por *Capnocytophaga canimorsus*, 566, 567f
Sepse puerperal, 543
Sífilis, 767-777
   congênita, 777
   etiologia e epidemiologia, 767-768
   evolução, 768

exames laboratoriais, 768
latente, 775
pelo HIV, 719
primária, 768-769, 769f-770f
secundária, 770-775
  diagnóstico e diagnóstico diferencial, 775
  evolução, 771, 775
  exames laboratoriais, 771
  manifestações clínicas, 770-771, 771f-775f
  tratamento, 775
terciária/tardia, 775-777, 776f
tratamento, 768
visão geral, 767
Sinais, 141 *Ver também* Nevo melanocítico (NM)
Sinal de Auspitz, 51
Sinal de Darier, 457
Sinal de Nikolsky
  eritema multiforme, 307
  necrólise epidérmica tóxica, 136, 137f
  pênfigo paraneoplásico, 104
  pênfigo vulgar, 100
  reação do enxerto contra hospedeiro, aguda cutânea, 484
  reações cutâneas adversas a fármacos, 489
  síndrome da pele escaldada estafilocócica, 553
  síndrome de Stevens-Johnson, 136
Síndrome aguda pelo HIV, 709, 709f
Síndrome autoinflamatória familiar associada ao frio (FCAS), 311
Síndrome ceratite-ictiose-surdez (KID), 82, 83f
Síndrome coagulofibrinolítica, 445-446, 445f-446f
Síndrome da degeneração folicular, 802
Síndrome da insuficiência venosa crônica (IVC), 413, 414-418
  diagnóstico, 418
  epidemiologia e etiologia, 414
  exames laboratoriais, 417
  manifestações clínicas, 414f-418f, 415-417
  patogênese, 414
  tratamento, 418
Síndrome da obstrução folicular, 15
Síndrome da pele escaldada estafilocócica, 553, 554f-555f
Síndrome da polimialgia reumática, 355
Síndrome da rubéola congênita, 667-668
Síndrome da unha amarela, 829, 829f
Síndrome da unha verde, 573, 812, 812f
Síndrome de angioedema-urticária-eosinofilia, 302, 303, 303f
Síndrome de Cowden, 430, 438, 439f
Síndrome de Cushing 379, 379f
Síndrome de dermatose-artrite associada ao intestino, 118
Síndrome de desfibrinação, 445-446, 445f-446f
Síndrome de eosinofilia-mialgia, 343

Síndrome de eritrodermia esfoliativa (SEE), 127-131
  diagnóstico, 63f, 128
  epidemiologia, 127
  etiologia, 127, 127q
  evolução e prognóstico, 128
  exames laboratoriais, 128
  induzida por fármaco, 127, 130
  linfoma cutâneo de células T, 127, 131f
  manifestações clínicas, 128, 129f-131f
  patogênese, 127-128
  psoríase, 127, 129f
  tratamento,128
  visão geral, 127
Síndrome de Gianotti-Crosti, 675, 676f
Síndrome de Gorlin, 244, 245f
Síndrome de Graham Little, 312, 798
Síndrome de hipersensibilidade a fármacos, 502f, 505
Síndrome de Klippel-Trénaunay, 168, 169f
Síndrome de Mafucci, 170
Síndrome de mastocitose, 457-460
  classificação, 457q
  diagnóstico e diagnóstico diferencial, 460
  epidemiologia, 457
  evolução e prognóstico, 457q, 460
  exames laboratoriais, 459-460
  manifestações clínicas, 457-459, 458f-459f
  patogênese, 457
  tratamento, 460
  visão geral, 457
Síndrome de Muckle-Wells (MWS), 311, 311f
Síndrome de Münchhausen, 517, 517f-518f
Síndrome de Netherton, 82, 83f
Síndrome de Osler-Weber-Rendu, 407, 407f
Síndrome de Parkes Weber, 170
Síndrome de Peutz-Jeghers, 430, 440, 440f
Síndrome de Reiter, 362-364, 363f-364f
Síndrome de Senear-Usher, 103
Síndrome de Sézary, 131f, 468, 470
Síndrome de Sneddon, 336, 336f
Síndrome de Stevens-Johnson (SSJ), 136-140
  boca, 859, 859f
  definição, 136
  diagnóstico e diagnóstico diferencial, 139
  epidemiologia, 136
  etiologia e patogênese, 136, 137q
  evolução e prognóstico, 139-140, 139q
  exames laboratoriais, 139
  manifestações clínicas, 136-139, 137f-138f
  manifestações clínicas gerais, 139
  sequelas, 140
  tratamento, 140
  visão geral, 136
Síndrome de Stewart-Treves, 422
Síndrome de Sweet, 119, 120f-121f

Síndrome de Vogt-Koyanagi-Harada, 281, 283
Síndrome dismórfica corporal (SDC), 513
Síndrome do *bypass* intestinal, 118
Síndrome do choque tóxico (SCT), 555
　estreptocócica, 547-548, 555
Síndrome do eritema multiforme (EM), 306-310
　diagnóstico e diagnóstico diferencial, 308
　epidemiologia, 306
　etiologia, 306
　evolução
　　EM *major*, 307, 309f-310f
　　EM *minor*, 307, 307f-308f
　exames laboratoriais, 307
　locais, predileção, 307, 310f
　manifestações clínicas, 306-307, 307f-310f
　prevenção, 308
　tratamento, 308
　visão geral, 306
Síndrome do glucagonoma, 441, 441f, 442f
Síndrome do NBC nevoide, 244, 245f
Síndrome do nevo basocelular (SNBC), 244, 245f
Síndrome do nevo epidérmico, 182
Síndrome do óleo tóxico, 343
Síndrome dos hamartomas múltiplos, 438, 439f
Síndrome inflamatória de reconstituição imune (SIRI), 653, 654f
Síndrome multiorgânica autoimune paraneoplásica, 443, 443f
Síndrome PAPA, 5
Síndrome SAPHO, 4
Síndrome Waterhouse-Friderichsen, 567
Síndromes distintas de angioedema (±urticária)
　angioedema hereditário, 302, 303, 303f
　síndrome de angioedema-urticária--eosinofilia, 302, 303, 303f
Síndromes factícias, 517, 517f-518f
Síndromes paraneoplásicas, 430
Siphonaptera, 720
Siringoma, 179, 179f
Soman, 895q
Sporothrix schenkii
　esporotricose, 637-638, 638f
　linfangite, 548-549, 549f
Staphylococcus aureus, 522
　com HIV, 718
　escarlatina, 556, 556f-557f
　foliculite, 534, 535f
　impetigo, 528-533 (Ver também Impetigo)
　síndrome da pele escaldada estafilocócica, 553, 554f-555f
　síndrome do choque tóxico, 555
Staphylococcus aureus resistente à meticilina (MRSA), 522
　celulite, 543f
　ferida, 550f, 552f
　impetigo, 530f-531f

Streptococcus agalactiae, 522
Streptococcus pyogenes, 543, 544f-545f
Sulfametoxazol-trimetoprima, erupção fixa por fármaco, 874, 874f
Sulfonamidas
　erupção fixa por fármaco, 499, 500q
　reações exantemáticas a fármacos, 494

T

Tabanidae, 724
Tabun, 895q
Telangiectasia aracneiforme, 162, 162f
Telangiectasia hemorrágica hereditária, 407, 407f
Telangiectasia macular eruptiva persistente (TMEP), 457q, 459, 459f
Telangiectasia ungueal, 831, 831f
Telógena, 784, 784f, 785f
Teste da tração, 785
Testosterona, necrose relacionada a RCAF, 506, 508f
Tetraciclinas, erupção fixa por fármaco, 499, 500f, 500q
Tinea barbae, 634, 635f
Tinea capitis, 631-633
　classificação, 630f, 631
　epidemiologia e etiologia, 631
　evolução e tratamento, 615, 633
　exames laboratoriais, 633
　manifestações clínicas, 631-633, 632f-634f
Tinea corporis, 624-625, 625f-628f
Tinea cruris, 622, 622f-624f
Tinea facialis, 628, 629f
Tinea incognito, 623f-626f, 629f, 630
Tinea manuum, 619-621
　diagnóstico diferencial, 620
　evolução, 620
　manifestações clínicas, 619, 620f-621f
　tratamento, 621
　visão geral, 616
Tinea nigra, 612, 612f
Tinea pedis, 616-619
　diagnóstico, 619
　diagnóstico diferencial, 618
　epidemiologia, 616
　evolução, 619
　exames laboratoriais, 615f, 618-619
　manifestações clínicas, 616, 616f-619f
　tratamento, 615
　visão geral, 616
Tinea unguium, 824-827, 825f, 826q. Ver também Onicomicose
Tórus mandibular, 839, 839f
Tórus palatino, 839, 839f

Transplante de medula óssea, 482-488. *Ver também* doenças específicas
  doença do enxerto contra hospedeiro, 483
    cutânea aguda, 484, 484f-486f, 486q
    cutânea crônica, 487, 487f, 488f
Transplante de órgãos
  cânceres de pele, 483
  infecções, 482, 482f
Transtorno obsessivo-compulsivo, manipulação compulsiva das unhas, 813, 813f
Transtornos psiquiátricos, manifestações ungueais, 813, 813f
Traquioníquia
  alopécia areata, 817, 817f
  psoríase, unha, 814, 814f
Treponema pallidum, 767-777. *Ver também* Sífilis
Trichophyton rubrum, 613
Tricoepitelioma, 178, 178f
Tricograma, 785
Tricomicose, 525, 525f
Tricotilomania, 515, 516f
Tripanossomíase africana humana, 750, 750f
Tripanossomíase americana humana, 749
Tromboangeíte obliterante (TO), 412, 412f
Tromboflebite, 413, 414f
Trombose venosa profunda (TVP), 413, 414f
Trypanosoma brucei gambiense, 750, 750f
Trypanosoma brucei rhodesiense, 750, 750f
Trypanosoma cruzi, 749
Tuberculose cutânea, 579-582
  classificação, 579
  diagnóstico, 581, 582f
  evolução, 582
  manifestações clínicas, 579-581, 580f-582f
  patogênese, 579
  tratamento, 582
Tularemia, 572, 572f
Tumor de Rye, 188, 188f
Tumor glômico, 159, 159f
Tumores de Koenen, 830, 830f
Tumores malignos de apêndices cutâneos, 246
Tumores vasculares, 155-159. *Ver também tipos específicos*
  características distintivas, 155q
  classificação, 154, 154q
  granuloma piogênico, 158, 159f
  hemangioma da infância, 154, 155-158, 156f-157f
  visão geral, 154
Tunga penetrans, 724-725, 725f

U

Úlcera (botão) de Bagdá/Deli, 744-749, 747f-748f. *Ver também* Leishmaniose
Úlcera de Bairnsdale, 585-586, 586f
Úlcera de Buruli (doença), 585-586, 586f
Úlcera de Daintree, 585-586, 586f
Úlcera dos chicleros, 744-749, 746f. *Ver também* Leishmaniose
Úlcera/mal de Aleppo, 744-749, 747f-748f *Ver também* Leishmaniose
Ulceração aftosa, 842-844, 843f, 844f
  genital, 318f-319f, 872
  pelo HIV, 718
Úlceras de perna/pé, 418f-420f, 419-421
  arteriais, 419, 420f
  arteriais e venosas combinadas, 420f, 421
  diagnóstico diferencial, 420q
  evolução e prognóstico, 421
  neuropáticas, 421
  tratamento, 421
  venosas, 418f-419f, 419
Úlceras de pressão, 423-425
  diagnóstico e diagnóstico diferencial, 425
  epidemiologia, 423
  evolução e prognóstico, 425
  exames laboratoriais, 425
  manifestações clínicas, 423-424, 424f
  patogênese, 423
  tratamento, 425
Úlceras venosas, 414-418, 415f-417f. *Ver também* Síndrome da insuficiência venosa crônica (IVC)
Ultravioleta A (UVA), 189
Ultravioleta B (UVB), 189
Unha urêmica meio a meio de Lindsay, 828, 828f
Unhas estriadas, 828, 828f
Urticária
  aguda, 298, 298f
  aguda induzida por fármacos, 303f, 498, 498f, 499q
  crônica, 298, 299f
  solar, 204, 204f, 301, 303
  visão geral, 298
Urticária autoimune, 299, 300
Urticária colinérgica, 301, 302f, 303
Urticária e angioedema, 298-306
  diagnóstico, 303, 304f-305f
  epidemiologia, etiologia e classificação, 299, 299q
  evolução e prognóstico, 306
  exames laboratoriais, 302-303
  manifestações clínicas, 298f-300f, 299-300
  síndromes de angioedema (±urticária), distintas
    angioedema hereditário, 302, 303, 303f
    síndrome de angioedema-urticária--eosinofilia, 302, 303, 303f
  tipos clínicos, 298f-300f, 299
  tratamento, 306
  urticária associada a doenças autoimunes vasculares/do tecido conectivo, 302
  urticária de contato não imunológica, 301-302
  urticária por pseudoalérgenos, 301-302

urticárias físicas, 300-301
  angioedema de pressão, 301
  angioedema vibratório, 301
  ao frio, 300-301, 303
  aquagênica, 301
  colinérgica, 301, 302f, 303
  dermografismo, 300, 301f
  solar, 204, 204f, 301, 303
  visão geral, 298, 298f-299f
Urticária idiopática crônica, 299f, 301
Urticária imunológica, 298f, 300
  autoimune, 299, 300
  de contato, 300
  induzida por fármacos, 298f, 300
  mediada pelo complemento, 300
  mediada por IgE, 298f, 300
Urticária pigmentosa (UP), 457q, 459, 459f
Urticária por agentes que provocam
  degranulação de mastócitos, 301-302
Uso de drogas injetáveis, sinais cutâneos, 518, 519f

V

Variantes da micose fungoide, 468, 468f
Varicela, 647f-648f, 694-696
Varíola, 655, 656f
Variola major, 655, 656f
Variola minor, 655, 656f
Vasculite cutânea alérgica, 349-351, 350f
Vasculite necrosante, 349-351, 350f
Vasculite nodular, 357, 358f
Vasculite por hipersensibilidade, 349-351
  diagnóstico e diagnóstico diferencial, 351
  epidemiologia e etiologia, 349
  evolução e prognóstico, 351
  exames laboratoriais, 350-351
  manifestações clínicas, 349-350, 350f
  patogênese, 349
  púrpura de Henoch-Schönlein, 350, 350f
  tratamento, 351
  visão geral, 349
Vasculite urticariforme, 298, 356, 357f
Vasculites, 349-358. *Ver também tipos específicos*
  arterite de células gigantes, 355, 356f
  classificação, 349f
  granulomatose com poliangeíte, 353, 354f-355f
  nodular, 357, 358f
  poliarterite nodosa, 352, 353f
  púrpura de Henoch-Schönlein, 350, 350f
  visão geral, 349
Vasculopatia dos vasos de pequeno calibre, diabetes melito, 374
Vasculopatia dos vasos grandes, diabetes melito, 374
Veias varicosas, 413, 415f

Verruga seborreica, 174, 175f-176f
Verrugas
  comum, 658, 658f-660f, 662f
  planas, 658, 662f
  plantares, 658, 661f
Verrugas genitais, HPV, 753-756
  ceratóticas, 753, 755f
  condiloma acuminado, 753, 754f-755f
  diagnóstico, 755
  diagnóstico diferencial, 753
  evolução, 755
  exames laboratoriais, 755
  imunocomprometidos, 752, 753, 755f
  manifestações clínicas, 753, 753f-755f
  planas, 753, 757f
  tratamento, 755
  verrugas papulares, 753, 753f
Verrugas vulgares, 658, 658f-660f, 662f, 845q
Vibrio cholerae, celulite, 544, 546f
Vibrio vulnificus
  celulite, 544, 546f
  sepse, 546f, 566
Vírus Coxsackie
  A1 a 10, herpangina, 673, 673f
  A16 e EV71, doença mão-pé-boca, 671-672, 672f-673f
  B1-5, herpangina, 673, 673f
Vírus do molusco contagioso (MCV), 649
Vírus Zika, 679
Vitiligo, 280-286
  diagnóstico, 282
  diagnóstico diferencial, 282-283
  epidemiologia, 280-281
  evolução e prognóstico, 284
  exame clínico geral, 281
  exames laboratoriais, 281-282
  genital, 866, 866f
  locais, predileção, 281, 283f
  manifestações clínicas, 281, 282f-284f
  manifestações cutâneas associadas, 281
  patogênese, 281
  pênis, 866, 866f
  segmentar, 281
  tratamento, 284-286, 285f-286f
  visão geral, 280
Vulva, 872. *Ver também distúrbios específicos*
  carcinoma espinocelular *in situ,* 874, 875f
  carcinoma espinocelular invasivo anogenital, 875f, 877
  carcinoma verrucoso genital, 877
  lentiginoses, 865, 865f
  líquen escleroso, 869, 870f
  melanoma maligno da região anogenital, 877, 878f
  proeminência de glândulas sebáceas, 861
  psoríase vulgar, 867, 868f
  vitiligo e leucodermia, 866

Vulvite
Candida, 602, 602f
plasmocitária, 863

X

Xantelasma, 384q, 385, 386f
Xantelasma palpebral, 384q, 385, 386f
Xantelasma periocular, 384q, 385, 386f
Xantoma plano, 384q, 389, 389f
Xantomas, 383-389, 384q
    xantelasma, 384q, 385, 386f
    xantoma eruptivo, 384q, 387, 387f

xantoma estriado palmar, 384q, 386f, 388, 388f
xantoma plano normolipêmico, 384q, 389, 389f
xantoma tendinoso, 384q, 385, 386f
xantoma tuberoso, 384q, 385, 386f

Z

Zidovudina, pigmentação por, 504
Zoonose, 653, 654f
    nódulos do ordenhador, 655, 655f